METHODEN DER
ORGANISCHEN CHEMIE

METHODEN DER ORGANISCHEN CHEMIE

(HOUBEN-WEYL)

VIERTE, VÖLLIG NEU GESTALTETE AUFLAGE

HERAUSGEGEBEN VON

EUGEN MÜLLER

TÜBINGEN

UNTER BESONDERER MITWIRKUNG VON

O. BAYER

LEVERKUSEN

H. MEERWEIN † · K. ZIEGLER †

BAND IV/5a

PHOTOCHEMIE

TEIL I

1975

GTV

GEORG THIEME VERLAG STUTTGART

PHOTOCHEMIE

TEILBAND I

BEARBEITET VON

J. ARETZ · **R. B. BOAR**
AACHEN   LONDON/ENGLAND

H. DÜRR · **D. DÖPP** · **M. FISCHER**
SAARBRÜCKEN   TRIER   LUDWIGSHAFEN

J. FLEISCHHAUER · **G. KAUPP** · **E. LEPPIN** · **H. MEIER**
AACHEN   FREIBURG/BRSG. NEU-ISENBURG   TÜBINGEN

D. J. RAWLINSON · **A. RITTER** · **W. RUNDEL** · **M. SAUERBIER**
MACOMB/USA   MÜLHEIM/RUHR   TÜBINGEN   TÜBINGEN

H.-D. SCHARF · **G. SOSNOWSKI** · **H.-H. VOGEL** · **V. ZANKER**
AACHEN   MILWAUKEE/USA   LUDWIGSHAFEN   MÜNCHEN

K.-P. ZELLER · **H. W. ZIMMERMANN**
TÜBINGEN   MADISON/USA

MIT 100 TABELLEN
UND 69 ABBILDUNGEN

19 GTV 75

GEORG THIEME VERLAG STUTTGART

CIP-Kurztitelaufnahme der Deutschen Bibliothek

Methoden der organischen Chemie / (Houben-Weyl).
Hrsg. von Eugen Müller. Unter bes. Mitw. von O. Bayer ...

NE: Müller , Eugen [Hrsg.]; Houben , Josef [Begr.];
Houben-Weyl , ...
Bd. 4.
5a. → Photochemie

Photochemie.
Teilbd. 1. Bearb. von J. Aretz ...
   (Methoden der organischen Chemie ; Bd. 4,5 a)
   ISBN 3-13-201904-6
NE: Aretz , Jürgen [Mitarb.]

Erscheinungstermin 30. 12. 1975

© 1975. Georg Thieme Verlag, D-7000 Stuttgart 1, Herdweg 63, Postfach 732. — Printed in Germany.
Gesamtherstellung : Brühlsche Universitätsdruckerei, D-6300 Gießen

ISBN 3-13-201904-6

Vorwort

Die von TH. WEYL begründeten und von J. HOUBEN fortgeführten Methoden der organischen Chemie sind zu einem wichtigen Standardwerk von internationaler Bedeutung für das gesamte chemische Schrifttum geworden. Seit dem Erscheinen der letzten vierbändigen dritten Auflage sind zum Teil schon über 20 Jahre vergangen, so daß eine Neubearbeitung bereits seit Jahren dringend geboten schien. Verständlicherweise hat sich die Verwirklichung dieser Absicht, durch die Kriegs- und Nachkriegsverhältnisse bedingt, lange hinausgezögert.

Vor allem der Initiative von Herrn Prof. Dr. Dres. h. c. Dres. E. h. OTTO BAYER, Leverkusen, ist es zu verdanken, daß das Werk heute in einer völlig neuen und weitaus umfassenderen Form wieder erscheint.

Diese neue Form wird in einer großen Gemeinschaftsarbeit von Hochschul- und Industrieforschern gestaltet. Ursprünglich planten wir, das neue Werk mit etwa 16 Bänden im Laufe von 4 Jahren abzuschließen. Inzwischen hat sich gezeigt, daß infolge der stark anwachsenden Literatur die einzelnen Bände z. T. mehrfach unterteilt werden mußten. Durch die Mitwirkung von Fachkollegen aus der chemischen Industrie wird es zum ersten Male möglich sein, die große Fülle von Erfahrungen, die in der Patentliteratur und in den Archiven der Fabriken niedergelegt ist, nunmehr kritisch gewürdigt der internationalen Chemieforschung bekanntzugeben.

Der Unterzeichnete hat es als eine besondere Auszeichnung und Ehre empfunden, von maßgebenden Persönlichkeiten der deutschen Chemie und dem Georg Thieme Verlag mit der Herausgabe des Gesamtwerkes betraut worden zu sein.

Mein Dank gilt dem engeren Herausgeber-Kollegium, den Herren

Prof. Dr. Dres. h. c. Dres. E. h. OTTO BAYER, Leverkusen,

Prof. Dr. Dres. h. c. Dr. E. h. HANS MEERWEIN, Marburg,

Prof. Dr. Dres. h. c. Dr. E. h. KARL ZIEGLER, Mülheim-Ruhr,

die durch ihre intensive Mitarbeit und ihre reichen Erfahrungen die Gewähr bieten, daß für das neue Werk ein möglichst hohes Niveau erreicht wird.

Ganz besonderer Dank aber gebührt unseren Autoren, die in unermüdlicher Arbeit neben ihren beruflichen Belastungen der Fachwelt ihre großen Erfahrungen bekanntgeben. Im Namen der Herren Mitherausgeber und in meinem eigenen darf ich unserer besonderen Freude Ausdruck geben, daß gerade die Herren, die als hervorragende Sachkenner ihres Faches bekannt sind, uns ihre Mitarbeit zugesagt haben.

Das Erscheinen der Neuauflage wurde nur dadurch ermöglicht, daß der Inhaber des Georg Thieme Verlags, Stuttgart, Herr Dr. med. h. c. Dr. med. h. c. BRUNO HAUFF, durchdrungen von der Bedeutung der organischen Chemie, das neue Projekt bewußt in den Vordergrund seines Unternehmens stellte und seine Tatkraft und seine großen Erfahrungen diesem Werk widmete. Es stellt ein verlegerisches Wagnis dar, das Werk in dieser Ausstattung mit der großen Zahl von übersichtlichen Formeln, Abbildungen und Tabellen zu einem verhältnismäßig niedrigen Preis dem Chemiker in die Hand zu geben.

In den nun zur Herausgabe gelangenden „Methoden der organischen Chemie" wird ebensowenig eine Vollständigkeit angestrebt wie in den älteren Auflagen. Die Autoren sind vielmehr bemüht, auf Grund ihrer eigenen Erfahrungen die wirklich brauchbaren Methoden in den Vordergrund der Behandlung zu stellen und überholte Arbeitsvorschriften oder sogenannte Bildungsweisen nur knapp abzuhandeln.

Es ist unmöglich, eine Gewähr für jede der angegebenen Vorschriften zu übernehmen. Wir glauben aber, dadurch das Möglichste getan zu haben, daß alle Manuskripte von mehreren Fachkollegen überprüft wurden und die Literatur bis zum Stande von etwa einem bis einem halben Jahr vor Erscheinen jedes Bandes berücksichtigt ist.

An dieser Stelle sei noch einiges zur Anlage des Gesamtwerkes gesagt. Wir haben uns bemüht, beim Aufbau des Werkes und bei der Darstellung des Stoffes noch strenger nach methodischen Gesichtspunkten vorzugehen, als dies in den früheren Auflagen der Fall war.

Der erste Band wird allgemeine Hinweise zur Laboratoriumspraxis enthalten und die gebräuchlichen Arbeitsmethoden in einem organisch-chemischen Laboratorium, wie beispielsweise Anreichern, Trennen, Reinigen, Arbeiten unter Überdruck und Unterdruck, beschreiben.

In Band II fassen wir die Analytik der organischen Chemie zusammen, die früher verstreut in den einzelnen Kapiteln behandelt wurde. Wir hoffen, dadurch eine wesentliche Erleichterung für den Benutzer des Handbuchs geschaffen zu haben.

Hieran schließt sich die Darstellung der physikalischen Forschungsmethoden in der organischen Chemie. Dort sollen die Grundlagen der Methodik, das erforderliche apparative Rüstzeug, der Anwendungsbereich auf dem Gebiet der organischen Chemie und die Grenzen der betreffenden Methoden kurz wiedergegeben werden. In vielen Fällen wird es hier nicht möglich sein, eine ausführliche Darstellung zu geben, die das Nachschlagen der Originalliteratur unnötig macht, wie bei den Bänden präparativen Inhalts. Unser Ziel ist es, dem präparativ arbeitenden Organiker die Anwendbarkeit der betreffenden physikalischen Methode auf Probleme der organischen Chemie und ihre Grenzen zu zeigen.

Der Hauptteil des Werkes befaßt sich mit den chemisch-präparativen Methoden. In einem gesonderten Band werden allgemeine Methoden behandelt, die Geltung haben für die in den weiteren Bänden behandelten speziellen Methoden, wie etwa Oxidation, Reduktion, Katalyse, photochemische Reaktionen, Herstellung isotopenhaltiger Verbindungen und ähnliches mehr.

Der spezielle Teil befaßt sich mit den Methoden zur Herstellung und Umwandlung organischer Stoffklassen. Auf die Methoden zur Herstellung und Umwandlung von Kohlenwasserstoffen folgen – in der Anordnung des langen Periodensystems von rechts nach links betrachtet – die entsprechenden Verbindungen des Kohlenstoffs mit den Halogenen, den Chalkogenen, den Elementen der Stickstoffgruppe, mit Silicium, Bor, und mit den Metallen. Abschließend behandeln wir die Methoden zur Herstellung und Umwandlung hochmolekularer Stoffe sowie die besonderen organisch-präparativen und analytischen Methoden der Chemie der Naturstoffe.

Im Vordergrund der Darstellung der speziellen chemischen Methoden, die den Hauptteil des Handbuches bilden, wird nicht die Beschreibung der einzelnen Stoffe selbst stehen – dies ist Aufgabe des „Beilstein" –, sondern die Methoden zur Herstellung und Umwandlung bestimmter Verbindungsklassen, erläutert an ausgewählten Beispielen. Dabei wird besonderer Wert auf die Vollständigkeit und kritische Darstellung der Methoden zur Herstellung bestimmter Verbindungsklassen gelegt, die als Schwerpunkt des betreffenden Kapitels angesehen werden können. Die darauf folgende Umwandlung ist so kurz wie möglich behandelt, da sie mit ihren Umwandlungsstoffen in die Kapitel übergreift, die sich mit der Herstellung eben dieser Verbindungstypen befassen. Die Besprechung der Umwandlung der verschiedenen Stoffklassen ist daher nur unter dem Gesichtspunkt aufgenommen worden, jeweils selbständige Kapitel inhaltlich abzurunden und Hinweise zu geben auf die Stellen des Handbuches, an denen der Benutzer die durch Umwandlung entstehenden neuen Stofftypen in ihrer Herstellung auffinden kann.

Es ist selbstverständlich, daß kein Werk der chemischen Sammelliteratur so dem Wandel unterworfen ist wie gerade die „Methoden der organischen Chemie"; beruht doch der Fortschritt der chemischen Wissenschaft darin, stets neue synthetische Wege zu erschließen. Ich darf daher alle Fachkollegen um rege und stete Mitarbeit bitten, sei es in Form von sachlichen Kritiken oder wertvollen Hinweisen.

Nicht zuletzt danke ich der deutschen chemischen Industrie, die unter beträchtlichen Opfern ihre besten Fachkollegen für die Mitarbeit an diesem Werk freigestellt hat und mit Literaturbeschaffung und Auskünften in reichem Maße stets behilflich war.

Auch der Druckerei möchte ich meine Anerkennung für die rasche und gewissenhafte Ausführung der oft schwierigen Arbeit aussprechen.

Eugen Müller

Vorwort zum Band IV/5

Die präparative organische Photochemie im eigentlichen Sinne ist ein noch relativ junges Teilgebiet der organischen Chemie. Ohne an dieser Stelle eine Darstellung der historischen Entwicklung der präparativen organischen Photochemie geben zu wollen, seien im folgenden einige charakteristische Daten hervorgehoben. Beginnend mit Versuchen von G. CIAMICIAN und P. SILBER am Anfang dieses Jahrhunderts, fast 10 Jahre später gefolgt von photochemischen Umsetzungen an Feststoffen (R. STOERMER, H. STOBBE) bahnte sich dem äußeren Zwang folgend durch A. SCHÖNBERG eine systematische Verwendung der Sonneneinstrahlung zur Herstellung neuer organischer Stoffe an. Die Ausführung photochemischer Reaktionen im präparativen Maßstab setzt eine vom Sonnenlicht unabhängige Strahlungsquelle voraus. Die Entwicklung dieser Strahlungsquellen wurde durch die Sulfochlorierung (C. F. REED) sowie der technisch interessanten Photosynthesen des Vitamin D_2 (A. WINDAUS), des Gammexans und des Cyclohexanoxims wesentlich gefördert.

In der Zeit nach dem zweiten Weltkrieg begann G. O. SCHENCK mit seinen Mitarbeitern sehr erfolgreich die organisch präparative Photochemie zu entwickeln, als deren späterer Höhepunkt die Arbeiten von VAN TAMELEN und Mitarbeitern mit der photochemischen Herstellung des ersten Benzolvalenzisomeren (Dewarbenzol≡Tectadien) hier hervor geho ben seien.

Seit den 60iger Jahren entwickelte sich das Gebiet der präparativen organischen Photochemie fast boomartig, so daß wir gezwungen waren, den hier darzustellenden Stoff auf zwei Bände zu verteilen.

Der erste Teilband beginnt mit der Erläuterung der photophysikalischen und photochemischen Grundlagen sowie der Beschreibung apparativer Hilfsmittel. Es schließt sich die durch beide Teilbände gehende „Revue" sehr vieler organischer Stoffklassen an, beginnend mit den Photoreaktionen der Stammverbindungen (Alkane, Alkene, Alkine, Aromaten und Heteroaromaten).

Es folgt die Beschreibung der Photoreaktionen der Verbindungen mit funktionellen Gruppen (Halogene, Alkohole, Äther, Acetale, Peroxyverbindungen und Nitrite [Barton-Reaktion]).

Im zweiten Teilband werden die Photoreaktionen der Carbonylgruppenhaltigen Verbindungen (Aldehyde, Ketone, Enone, Chinone) sowie der Carbonsäuren (z. B. Fries'sche Umlagerung), Kohlensäure-Derivate und Ketene abgehandelt. Anschließend werden die photochemischen Reaktionen organischer Schwefel- und Stickstoffverbindungen sowie die aus Diazoverbindungen erhältlichen Carbene beschrieben. Andere elementorganische Verbindungen des Phosphors, Arsens, Siliciums, und Bors sowie die Kohlenstoff-Metallsysteme, (metall-organische Verbindungen, Carbonyle), folgen.

Photooxidation und -reduktion und als Ergänzung die Beschreibung der Photopolymerisation sowie der Photochromie schließen sich an. Als Beispiel für die Bedeutung der
Photochemie für die Biologie haben wir das Kapitel über Nucleinsäuren ausgewählt, da
anderenfalls der Umfang des Gesamtbandes zu groß würde.

Nach einer ausführlichen Bibliographie wird, auch unter dem Gesichtspunkt einer nicht
konventionellen Methode, eine kurze Übersicht des noch im Anfang der Entwicklung stehenden Gebietes der Plasmachemie gebracht.

Die außerordentliche Vielfalt der hier beschriebenen z. T. recht komplizierten Verbindungen gab Anlaß zu einer Aufteilung des Sachregisters in acyclische und cyclische
sowie Bi- und Spiro-Verbindungen.

Jeder cyclischen Stammverbindung ist ein Formelsymbol mit Kernbezifferung und gegebenenfalls mit Kranznumerierung beigegeben. Zusätzlich ist noch ein Trivialnamen-
register angelegt worden. Diese Sachregister verdanken wir Herrn Dr. PETER HARTTER–
Tübingen.

Den zahlreichen Autoren, die sich an der Gestaltung dieser beiden Teilbände über präparative Photochemie organischer Verbindungen beteiligt haben, sind wir zu großem
Dank verpflichtet.

Ferner danken wir den Direktionen der BASF – Ludwigshafen/Rhein sowie der AKZO
Research Laboratories – Arnheim/Niederlande für ihre Mithilfe.

Dem Georg Thieme Verlag gebührt ebenfalls herzlicher Dank.

Tübingen, 18. November 1975   EUGEN MÜLLER
                                                                     OTTO BAYER

Band IV/5 a*

Photochemie

Teil I

---

* Teil a enthält das Sachregister für beide Teilbände. In Teil b befinden sich das Gesamt-Autorenverzeichnis und das Sachregister für beide Teilbände.

Band IV/5b

Photochemie

Teil II

Zeitschriftenliste

Die Abkürzungen entsprechen der Sigelliste des „Beilstein", nur die mit * bezeichneten Abkürzungen sind der 2. Auflage der Periodica Chimica entnommen, die mit ° bezeichneten den Chemical Abstracts

A.	LIEBIGS Annalen der Chemie
Abh. dtsch. Akad. Wiss. Berlin, Kl. Math. allg. Naturwiss.	Abhandlungen der Deutschen Akademie der Wissenschaften zu Berlin. Klasse für Mathematik und Allgemeine Naturwissenschaften (seit 1950)
Abh. dtsch. Akad. Wiss. Berlin, Kl. Chem., Geol. Biol.	Abhandlungen der Deutschen Akademie der Wissenschaften zu Berlin. Klasse für Chemie, Geologie und Biologie. Berlin
Abstr. Kagaku-Kenkyū-Jo Hōkoku	Abstracts from Kagaku-Kenkyū-Jo Hōkoku (Reports of the Scientific Research Institute, seit 1950)
Abstr. Rom. Tech. Lit.	Abstracts of Roumanian Technical Literature, Bukarest
Accounts Chem. Res.	Accounts of Chemical Research, Washington
A.ch.	Annales de Chimie, Paris
Acta Acad. Åbo	Acta Academiae Aboensis, Finnland Turku
Acta Biochim. Pol.	Acta Biochimica Polonica, Warszawa
Acta chem. scand.	Acta Chemica Scandinavica, Kopenhagen, Dänemark
Acta chim. Acad. Sci. hung.	Acta Chimica Akademiae Scientiarum Hungaricae, Budapest
Acta Chim. Sinica	Acta Chimica Sinica (Ha Hsüeh Hsüeh Pao; seit 1957), Peking
Acta Cient. Venez.	Acta Cientifica Venezolana, Caracas
Acta crystallogr.	Acta Crystallographica [Copenhagen] (bis 1951: [London])
Acta crystallogr., Sect. A	Acta Crystallographica, Section A, London
Acta crystallogr., Sect. B	Acta Crystallographica, Section B, London
Acta Histochem.	Acta Histochemica, Jena
Acta Histochem., Suppl.	Acta Histochemica (Jena), Supplementum
Acta Hydrochimica et Hydrobiologica	Acta Hydrochemica et Hydrobiologica, Berlin
Acta latviens. Chem.	Acta Universitatis Latviensis, Chemicorum Ordinis Series. Riga
Acta pharmc. int. [Copenhagen]	Acta Pharmaceutica Internationalia [Copenhagen]
Acta pharmacol. toxicol.	Acta Pharmacologica et Toxicologica, Kopenhagen
Acta Pharm. Hung.	Acta Pharmaceutica Hungarica, Budapest (seit 1949)
Acta Pharm. Yugoslav.	Acta Pharmaceutica Yugoslavica, Zagreb
Acta Pharm. Suecica	Acta Pharmaceutica Suecica, Stockholm
Acta physicoch. URSS	Acta Physicochimica URSS
Acta physiol. scand.	Acta Physiologica Scandinavica
Acta physiol. scand. Suppl.	Acta Physiologica Scandinavica. Supplementum
Acta phytoch.	Acta Phytochimica, Tokyo
Acta polon. pharmac.	Acta Poloniae Pharmaceutica (bis 1939 und seit 1947)
Advan. Alicyclic Chem.	Advances in Alicyclic Chemistry, New York
Advan. Appl. Microbiol.	Advances in Applied Microbiological, New York
Advan. Biochem. Engng.	Advances in Biochemical Engineering, Berlin
Advan. Carbohydr. Chem. and Biochem.	Advances in Carbohydrate Chemistry and Biochemistry, New York
Advan. Catal.	Advances in Catalysis and Related Subjects, New York
Advan. Chem. Ser.	Advances in Chemistry Series, Washington
Advan. Food Res.	Advances in Food Research, New York
Adv. Biol. Med. Phys.	Advances in Biological and Medical Physics, New York
Adv. Carbohydrate Chem.	Advances in Carbohydrate Chemistry
Adv. Chromatogr.	Advances in Chromatography, New York
Adv. Colloid Int. Sci.	Advance in Colloid and Interface Science, Amsterdam
Adv. Drug Res.	Advance in Drug Research, New York
Adv. Enzymol.	Advances in Enzymology and Related Subjects of Biochemistry, New York
Adv. Fluorine Chem.	Advances in Fluoroine Chemistry, London
Adv. Free Radical Chem.	Advances in Free Radical Chemistry, London

Adv. Heterocyclic Chem.	Advances in Heterocyclic Chemistry, New York
Adv. Macromol. Chem.	Advances in Macromolecular Chemistry, New York
Adv. Magn. Res.	Advances in Magnetic Resonance, England
Adv. Microbiol. Phys.	Advances in Microbiological Physiology, New York
Adv. Org. Chem.	Advances in Organic Chemistry: Methods and Results, New York
Adv. Organometallic Chem.	Advances in Organometallic Chemistry, New York
Adv. Photochem.	Advances in Photochemistry, New York, London
Adv. Protein Chem.	Advances in Protein Chemistry, New York
Adv. Ser.	Advances in Chemistry Series, Washington
Adv. Steroid Biochem. Pharm.	Advances in Steroid Biochemistry and Pharmacology, London/New York
Adv. Urethane Sci. Techn.	Advances in Urethane Science and Technology, Westport, Conn.
Afinidad	Afinidad [Barcelona]
Agents in Actions	Agents in Actions, Basel
Agr. and Food Chem.	Journal of Agricultural and Food Chemistry, Washington
Agr. Biol.-Chem. (Tokyo)	Agricultural and Biological Chemistry, Tokyo
Agr. Chem.	Agricultural Chemicals Baltimore
Agrochimica	Agrochimica, Pisa
Agrokem. Talajtan	Agrokémia és Talajtan (Agrochemie und Bodenkunde), Budapest
Agrokhimiya	Agrokhimiya i Gruntoznavslvo (Agricultural Chemistry and Soil Science), Kiew
Agron. J.	Agronomy Journal, United States (seit 1949)
Aiche J. (A. I. Ch. E.)	American Institute of Chemical Engineers Journal, New York
Allg. Öl- u. Fett-Ztg.	Allgemeine Öl- und Fett-Zeitung, Berlin (1943 vereinigt mit Seifensieder-Ztg., Abkürzung nach Periodica Chimica)
Am.	American Chemical Journal, Washington
A. M. A. Arch. Ind. Health	A. M. A. Archives of Industrial Health (seit 1955)
Am. Dyest. Rep.	American Dyestuff Reporter, New York
Amer. ind. Hyg. Assoc. Quart.	American Industrial Hygiene Association Quarterly, Chicago
Amer. J. Physics	American Journal of Physics, New York
Amer. Petroleum Inst. Quart.	American Petroleum Institute Quarterly, New York
Amer. Soc. Testing Mater.	American Society for Testing Materials, Philadelphia, Pa.
Amino-acid, Peptide Prot. Abstr.	Amino-acid, Peptide and Protein Abstrates, London
Am. Inst. Chem. Engrs.	American Institute of Chemical Engineers, New York
Am. J. Pharm.	American Journal of Pharmacy (bis 1936) Philadelphia
Am. J. Physiol.	American Journal of Physiology, Washington
Am. J. Sci.	American Journal of Science, New Haven, Conn.
Am. Perfumer	Americ. Perfumer and Essential Oil Reviews (1936–1939: American Perfumer, Cosmetics, Toilet Preparations)
Am. Soc.	Journal of the American Chemical Society, Washington
Anal. Abstr.	Analytical Abstracts, Cambridge (seit 1954)
Anal. Biochem.	Analytical Biochemistry, New York
Anal. Chem.	Analytical Chemistry (seit 1947), Washington
Anal. chim. Acta	Analytica Chimica Acta, Amsterdam
Anales Real Soc. Espan. Fis. Quim (Madrid)	Anales de la Real Sociedad Española de Fisica y Química, Madrid (seit 1936)
Analyst	The Analyst, Cambridge
An. Asoc. quím. arg.	Anales de la Asociación Química Argentina, Buenos Aires
An. Farm. Bioquím. Buenos Aires	Anales de Farmacia y Bioquímica, Buenos Aires
An. Fis.	Anales de la Real Sociedad Española de Fisica y Química, Series A, Madrid
Ang. Ch.	Angewandte Chemie (bis 1931: Zeitschrift für angewandte Chemie); engl.: Angew. Chem. Intern. Ed. Engl. Angewandte Chemie Internationale Edition in Englisch (seit 1962), Weinheim, New York, London
Angew. Makromol. Chem.	Angewandte Makromolekulare Chemie, Basel
Anilinfarben-Ind.	Анилинокрасочная Промышленность (Anilinfarben-Industrie), Moskau
Ann. Acad. Sci. fenn.	Annales Academiae Sicientiarum Fennicae, Helsinki
Ann. Chim. anal.	Annales de Chimie Analytique (1942–1946), Paris
Ann. Chim. anal. appl.	Annales de Chimie Analytique et de Chimie Appliquée (bis 1941), Paris
Ann. Chim. applic.	Annali di Chimica Applicata (bis 1950), Rom
Ann. chim. et phys.	Annales de chimie et de physique (bis 1941), Paris
Ann. Chimica	Annali di Chimica (seit 1950), Rom
Ann. chim. farm.	Annali di chimica farmaceutica (1938–1940), Rom

Ann. Fermentat.	Annales des Fermentations, Paris
Ann. Inst. Pasteur	Annales de l'Institut Pasteur, Paris
Ann. Med. Exp. Biol. Fennicae (Helsinki)	Annales Medicinae Experimentalis et Biologiae Fennicae, Helsinki (seit 1947)
Ann. N. Y. Acad. Sci.	Annals of the New York Academy of Sciences, New York
Ann. pharm. Franç.	Annales Pharmaceutiques Françaises (seit 1943), Paris
Ann. Phys. (New York)	Annals of Physics, New York
Ann. Physik	Annalen der Physik (bis 1943 und seit 1947), Leipzig
Ann. Physique	Annales des Physique, Paris
Ann. Rep. Med. Chem.	Annual Reports on Medicinal Chemistry, New York
Ann. Rep. Org. Synth.	Annual Reports on Organic Synthesis, New York
Ann. Rep. Progr. Chem.	Annual Reports on the Progress of Chemistry, London
Ann. Rev. Biochem.	Annual Review of Biochemistry, Stanford, Calif.
Ann. Rev. NMR Spectr.	Annual Reports of NMR Spectroscopy, London
Ann. Rev. Inf. Sci. Techn.	Annual Review of Information Science and Technology, Chicago
Ann. Rev. phys. Chem.	Annual Review of Physical Chemistry, Palo Alto, Calif.
Ann. Soc. scient. Bruxelles	Annales des la Société Scientifique des Bruxelles, Brüssel
Annu. Rep. Progr. Rubber	Annual Report on the Progress of Rubber Technology, London
Annu. Rep. Shionogi Res. Lab. [Osaka]	Annual Reports of Shionogi Research Laboratory [Osaka]
An. Quím.	Anales de la Real Española de Física y Química, Serie B, Madrid
An. Soc. españ. [A] bzw. [B]	Anales des la Real Española de Fisica y Química (1940–1947 Anales de Física y Química). Seit 1948 geteilt in: Serie A-Física. Serie B-Química, Madrid
An. Soc. cient. arg.	Anales de la Sociedad Cientifica Argentina, Santa Fé (Argentinien)
Antibiot. Chemother.	Antibiotics and Chemotherapy, New York
Antibiotiki (Moscow)	Антибиотики, Antibiotiki (Antibiotika), Moskau
Antimicrob. Agents Chemoth.	Antimicrobial Agents and Chemotherapy, Bethesda, Md.
Appl. Microbiol.	Applied Microbiology, Baltimore, Md.
Appl. Physics	Applied Physics, Berlin
Appl. Polymer Symp.	Applied Polymer Symposia, New York
Appl. scient. Res.	Applied Scientific Research, Den Haag
Appl. Sci. Res. Sect. A u. B	Applied Scientific Research, Den Haag A. Mechanics, Heat, Chemical Engineering, Mathematical Methods B. Electrophysics, Acoustics, Optics, Mathematical Methods
Appl. Spectrosc.	Applied Spectroscopy, Chestnut Hill, Mass.
Ar.	Archiv der Pharmazie (und Berichte der Deutschen Pharmazeutischen Gesellschaft), Weinheim/Bergstr.
Arch. Biochem.	Archives of Biochemistry and Biophysics (bis 1951: Archives of Biochemistry), New York
Arch. des Sci.	Archives des Sciences (seit 1948), Genf
Arch. Environ. Health	Archives of Environmental Health, Chicago (seit 1960)
Arch. Intern. Physiol. Biochim.	Archives Internationales de Physiologie et de Biochimie (seit 1955), Liège
Arch. Math. Naturvid.	Archiv for Mathematik og Naturvidenskab, Oslo
Arch. Mikrobiol.	Archiv für Mikrobiologie (bis 1943 und seit 1948), Berlin
Arch. Pharm. Chemi	Archiv for Pharmaci og Chemi, Kopenhagen
Arch. Phytopath. Pflanzensch.	Archiv für Phytopathologie und Pflanzenschutz, Berlin
Arch. Sci. phys. nat.	Archives des Sciences Physiques et Naturelles. Genf (bis 1947)
Arch. techn. Messen	Archiv für Technisches Messen (bis 1943 und seit 1947), München
Arch. Toxicol.	Archiv für Toxikologie, Berlin, Göttingen, Heidelberg (seit 1954)
Arh. Kemiju	Arhiv za Kemiju, Zagreb (Archives de Chimie) (seit 1946)
Ark. Kemi	Arkiv för Kemi, Mineralogie och Geologi, seit 1949 Arkiv för Kemi (Stockholm)
Arm. Khim. Zh.	Армянский Химический журнал, Armyanskii Khimicheskii Zhurnal (Armenian Chemical Journal) ErewanUdSSR
Ar. Pth.	(NUUNYN-SCHMIEDEBERGS) Archiv für Experimentelle Pathologie und Pharmakologie, Berlin-W.
Arzneimittel-Forsch.	Arzneimittel-Forsch, Aulendorf/Württ.
ASTM Bull.	ASTM (American Society for Testing Materials) Bulletin, Philadelphia
ASTM Spec. Techn. Publ.	ASTM (American Society for Testing Materials). Technical Publications New York

Atti Accad. naz. Lincei, Mem., Cl. Sci. fisiche, mat. natur., Sez. I, II bzw. III	Atti della Accadèmia Nazionale dei Lincei. Memorie. Classe di Scienze Fisiche, Matematiche e Naturali. Sezione I (Matematica, Meccanica, Astronomia, Geodesia e Geofisica). Sezione II (Fisica, Chimica, Geologia, Paleontologia e Mineralogia). Sezione III (Scienze Biologiche) (seit 1946), Turin
Atti Accad. naz. Lincei, Rend., Cl. Sci. fisiche, mat. natur.	Atti della Accademia Nazionale dei Lincei. Rendiconti. Classe di Scienze Fisiche, Matematiche e Naturali (seit 1946), Rom
Aust. J. Biol. Sci.	Australian Journal of Biological Sciences (seit 1953), Melbourne
Austral. J. Chem.	Australian Journal of Chemistry (seit 1952), Melbourne
Austral. J. Sci.	Australian Journal of Science, Sydney
Austral. J. scient. Res., [A] bzw. [B]	Australien Journal of Scientific Research. Series A. Physical Sciences. Series B. Biological Sciences, Melbourne
Austral. P.	Australisches Patent, Canberra
Azerb. Khim. Zh.	Азербайджанский Химический Журнал Azerbaidschanisches Chemisches Journal

B.	Berichte der Deutschen Chemischen Gesellschaft; seit 1947; Chemische Berichte, Weinheim/Bergstr.
Belg. P.	Belgisches Patent, Brüssel
Ber. Bunsenges. Phys. Chem.	Berichte der Bunsengesellschaft, Physikalische Chemie, Heidelberg (bis 1952)
Ber. chem. Ges. Belgrad	Berichte der Chemischen Gesellschaft Belgrad (Glassnik Chemisskog Druschtwa Beograd, seit 1940), Belgrad
Ber. Ges. Kohlentechn.	Berichte der Gesellschaft für Kohlentechnik (Dortmund-Eving)
Biochem.	Biochemistry, Washington
Biochem. biophys. Acta	Biochimica et biophysica Acta, Amsterdam
Biochem. Biophys. Research Commun.	Biochemical and Biophysical Research Communications, New York
Biochem. J. (London)	The Biochemical Journal, London
Biochem. J. (Kiew)	Biochemical Journal, Kiew, Ukraine
Biochem. Med.	Biochemical Medicine, New York
Biochem. Pharmacol.	Biochemical Pharmacology, London
Biochem. Prepar.	Biochemical Preparations, New York
Biochem. Soc. Trans.	Biochemical Society Transactions, London
Biochimiya	Биохимия (Biochimia)
Biodynamica	Biodynamica, Normandy, Mo., USA
Biofizika	Биофизика (Biophysik), Moskau
Biopolymers	Biopolymers, New York
BIOS Final Rep.	British Intelligence Objectives Subcommittee, Final Report
Bio. Z.	Biochemische Zeitschrift (bis 1944 und seit 1947)
Bitumen, Teere, Asphalte, Peche	Bitumen, Teere, Asphalte, Peche und verwandte Stoffe, Heidelberg
Bl.	Bulletin de la Société Chimique de France, Paris
Bl. Acad. Belgique	Académie Royale de Belgique: Bulletins de la Classe des Sciences, Brüssel
Bl. Acad. Polon.	Bulletin International de l'Académie Polonaise des Sciences et des Lettres, Classe des Sciences Mathématiques et Naturelles, Krakau
Bl. agric. chem. Soc. Japan	Bulletin of the Agricultural Chemical Society of Japan, Tokio
Bl. am. phys. Soc.	Bulletin of the American Physical Society, Lancaster, Pa.
Bl. chem. Soc. Japan	Bulletin óf the Chemical Society of Japan, Tokio
Bl. Soc. chim. Belg.	Bulletin de la Société Chimique des Belgique (bis 1944), Brüssel
Bl. Soc. Chim. biol.	Bulletin des la Société de Chimie Biologique, Paris
Bl. Soc. Chim. ind.	Bulletin de la Société de Chimie Industrielle (bis 1934), Paris
Bl. Trav. Pharm. Bordeaux	Bulletin des Travaux de la Société de Pharmacie de Bordeaux
Bol. inst. quím. univ. nal. auton. Mé.	Boletin del instituto de química de la universidad nacional autonoma de México
Boll. chim. farm.	Bolletino chimico farmaceutico, Mailand
Boll. Lab. Chim. Prov. Bologna	Bolletino dei Laboratori Chimici, Provinciali, Bologna
Bol. Soc. quím. Perú	Boletin de la Sociedad Química del Perú, Lima (Peru)
Botyu Kagaku	Bulletin of the Institute of Insect Control (Kyoto), (Scientific Insect Control)
B. Ph. P.	Beiträge zur Chemischen Physiologie und Pathologie
Brennstoffch.	Brennstoff-Chemie (bis 1943 und seit 1949), Essen
Brit. Chem. Eng.	British Chemical Engineering, London

Brit. J. appl. Physics	British Journal of Applied Physics, London
Brit. J. Cancer	British Journal of Cancer, London
Brit. J. Industr. Med.	British Journal of Industrial Medicine, London
Brit. J. Pharmacol.	British Journal of Pharmacology and Chemotherapy, London
Brit. P.	British Patent, London
Brit. Plastics	British Plastics (seit 1945), London
Brit. Polym. J.	British Polymer Journal, London
Bul. inst. politeh. Jasi	Buletinul institutuluí politehnic din Jasi (ab 1955 mit Zusatz [NF])
Bul. Laboratorarelor	Buletinul Laboratorarelor, Bukarest
Bull. Acad. Polon. Sic., Ser. Sci. Chim. Geol. Geograph. bzw. Ser. Sci. Chim.	Bulletin de l'Académie Polonaise des Sciences, Serie des Sciences, Chimiques, Geologiques et Géographiques (seit 1960 geteilt in ... Serie des Sciences Chimiques und ... Serie des Sciences Geologiques et Géographiques), Warschau
Bull. Acad. Sci. URSS, Div. Chem. Sci.	Izwestija Akademii Nauk. SSSR (Bulletin de l'Académie des Sciences de URSS), Moskau, Leningrad (bis 1936)
Bull. Environ. Contamin. Toxicol.	Bulletin of Environmental Contamination and Toxicology, Berlin/New York
Bull. Inst. Chem. Research, Kyoto Univ.	Bulletin of the Institute for Chemical Research, Kyoto University (Kyoto Daigaku Kagaku Kenkyûsho Hôkoku), Takatsoki, Osaka
Bull. Research Council Israel	Bulletin of the Research Council of Israel, Jerusalem
Bull. Research Inst. Food Sci., Kyoto Univ.	Bulletin of the Research Institute for Food Science, Kyoto University (Kyoto Daigaku Shokuryô-Kagaku Kenkyujo Hôkoku), Fukuoka, Japan
Bull. Soc. roy. Sci. Liège	Bulletin de la Société Royale des Sciences de Liège, Brüssel
C.	Chemisches Zentralblatt, Weinheim/Bergstr.
C. A.	Chemical Abstracts, Washington
Canad. chem. Processing	Canadian Chemical Processing, Toronto, Canada
Canad. J. Chem.	Canadian Journal of Chemistry, Ottawa, Canada
Canad. J. Physics	Canadian Journal of Physics, Ottawa, Canada
Canad. J. Res.	Canadian Journal of Research (bis 1950), Ottawa, Canada
Canad. J. Technol.	Canadian Journal of Technology, Ottawa, Canada
Canad. P.	Canadisches Patent
Cancer (Philadelphia)	Cancer (Philadelphia), Philadelphia
Cancer Res.	Cancer Research, Chicago
Can. Chem. Process.	Canadian Chemical Processing, Toronto (seit 1951)
Can. J. Biochem.	Canadian Journal of Biochemistry, Ottawa
Can. J. Biochem. Physiol.	Canadian Journal of Biochemistry and Physiology, Ottawa (seit 1954)
Can. J. Chem. Eng.	Canadian Journal of Chemical Engineering, Ottawa (seit 1957)
Can. J. Microbiol.	Canadian Journal of Microbiology, Ottawa
Can. J. Pharm. Sci.	Canadian Journal of Pharmaceutical Sciences, Toronto
Can. J. Plant, Sci.	Canadian Journal of Plant Science, Ottawa (seit 1957)
Can. J. Soil Sci.	Canadian Journal of Soil Science, Ottawa (seit 1957)
Carbohyd. Chem.	Carbohydrate Chemistry, London
Carbohyd. Chem. Metab. Abstr.	Carbohydrate Chemistry and Metabolism Abstracts, London
Carbohyd. Res.	Carbohydrate Research, Amsterdam
Catalysis Rev.	Catalysis Review, New York
Cereal Chem.	Cereal Chemistry, St. Paul, Minnesota
Česk. Farm.	Československa Farmacie, Prag
Ch. Apparatur	Chemische Apparatur (bis 1943), Berlin
Chem. Age India	Chemical Age of India
Chem. Age London	Chemical Age, London
Chem. Age N. Y.	Chemical Age, New York
Chem. Anal.	Organ Komisjii Analitycznej Komitetu Nauk Chemicznych PAN, Warschau
Chem. Brit.	Chemistry in Britain, London
Chem. Commun.	Chemical Communications, London
Chem. Econ. & Eng. Rev.	Chemical Economy and Engineering Review, Tokyo
Chem. Eng.	Chemical Engineering with Chemical and Metallurgical Engineering (seit 1946), New York
Chem. Eng. (London)	Chemical Engineering Journal, London
Chem. eng. News	Chemical and Engineering News (seit 1943), Washington

Chem. Eng. Progr.	Chemical Engineering Progress, Philadelphia, Pa.
Chem. Eng. Progr., Monograph Ser.	Chemical Engineering Progress. Monograph Series, New York
Chem. Eng., Progr., Symposium Ser.	Chemical Engineering Progress. Symposium Series, New York
Chem. eng. Sci.	Chemical Engineering Science, London
Chem. High Polymers (Tokyo)	Chemistry of High Polymers (Tokyo) (Kobunshi Kagaku), Tokio
Chemical Ind. (China)	Chemical Industry [China], Peking
Chemie-Ing.-Techn.	Chemie-Ingenieur-Technik (seit 1949), Weinheim/Bergstr.
Chemie in unserer Zeit	Chemie in unserer Zeit, Weinheim/Bergstr.
Chemie Lab. Betr.	Chemie für Labor und Betrieb, Frankfurt/Main
Chemie Prag	Chemie (Praha), Prag
Chemie und Fortschritt	Chemie und Fortschritt, Frankfurt/Main
Chem. & Ind.	Chemistry & Industry, London
Chem. Industrie	Chemische Industrie, Düsseldorf
Chem. Industries	Chemical Industries, New York
Chem. Inform.	Chemischer Informationsdienst, Leverkusen
Chemist-Analyst	Chemist-Analyst, Philipsburg, New York, New Jersey
Chem. Letters	Chemistry Letters, Tokyo
Chem. Listy	Chemické Listy pro Vědu a Průmysl. Prag (Chemische Blätter für Wissenschaft und Industrie); seit 1951 Chemické Listy, Prag
Chem. met. Eng.	Chemical and Metallurgical Engineering (bis 1946), New York
Chem. N.	Chemical News and Journal of Industrial Science (1921–1932), London
Chemorec. Abstr.	Chemoreception Abstracts, London
Chemosphere	Chemosphere, London
Chem. pharmac. Techniek	Chemische en Pharmaceutische Techniek, Dordrecht
Chem. Pharm. Bull. (Tokyo)	Chemical & Pharmaceutical Bulletin (Tokyo)
Chem. Process Engng.	Chemical and Process Engineering, London
Chem. Processing	Chemical Processing, London
Chem. Products chem. News	Chemical Products and the Chemical News, London
Chem. Průmysl	Chemický Průmysl, Prag (Chemische Industrie, seit 1951), Prag
Chem. Rdsch. [Solothurn]	Chemische Rundschau [Solothurn]
Chem. Reviews	Chemical Reviews, Baltimore
Chem. Scripta	Chemical Scripta, Stockholm
Chem. Senses & Flavor	Chemical Senses and Flavor, Dordrecht/Boston
Chem. Soc. Rev.	Chemical Society Reviews, London (formerly Quarterly Reviews)
Chem. Tech. (Leipzig)	Chemische Technik, Leipzig (seit 1949)
Chem. Techn.	Chemische Technik, Berlin
Chem. Technol.	Chemical Technology, Easton/Pa.
Chem. Trade J.	Chemical Trade Journal and Chemical Engineer, London
Chem. Umschau, Gebiete, Fette, Öle, Wachse, Harze (ab 1933: Fettchemische Umschau)	Chemische Umschau auf dem Gebiete der Fette, Öle, Wachse und Harze (bis 1933)
Chem. Week	Chemical Week, New York
Chem. Weekb.	Chemisch Weekblad, Amsterdam
Chem. Zvesti	Chemické Zvesti (tschech.). Chemische Nachrichten, Bratislawa
Chim. anal.	Chimie analytique (seit 1947), Paris
Chim. Anal. (Bukarest)	Chimie Analitica, Bukarest
Chim. Chronika	Chimika Chronika, Athen
Chim. et Ind.	Chimie et Industrie, Paris
Chim. farm. Ž.	Chimiko-farmazevtičeskij Žurnal, Moskau
Chim. geterocikl. Soed.	Химия гетеродиклиьнских соединий (Die Chemie der heterocyclischen Verbindungen), Riga
Chimia	Chimia, Zürich
Chimicae Ind.	Chimica e L'Industria, Mailand (seit 1935)
Chim. Therap.	Chimica Therapeutica, Arcueil
Ch. Z.	Chemiker-Zeitung, Heidelberg
CIOS Rep.	Combinde Intelligence Objectives Sub-Committee Report
Clin. Chem.	Clinical Chemistry, New York
Clin. Chim. Acta	Clinica Chimica Acta, Amsterdam
Clin. Sci.	Clinical Science, London
Collect. czech. chem. Commun.	Collection of Czechoslovak Chemikal Communications (seit 1951), Prag

Collect. Pap. Fac. Sci., Osaka Univ. [C]	Collect Papers from the Faculty of Science, Osaka University, Osaka, Series C, Chemistry (seit 1943)
Collect. pharmac. suecica	Collectanea Pharmaceutica, Suecica, Stockholm
Collect. Trav. chim. Tchécosl.	Collection des Travaux Chimiques de Tchécoslovaquie (bis 1939 und 1947–1951; 1939: ... Tschèques), Prag
Colloid Chem.	Colloid Chemistry, New York
Comp. Biochem. Physiol.	Comparative Biochemistry and Physiology, London
Coord. Chem. Rev.	Coordination Chemistry Reviews, Amsterdam
C. r.	Comptes Rendus Hebdomadaires des Séances de l'Académie des Sciences, Paris
C. r. Acad. Bulg. Sci.	Доклады Болгарской Академии Наук (Comptes rendus de l'académie bulgare des sciences)
Crit. Rev. Tox.	Critical Reviews in Toxicology, Cleveland/Ohio
Croat. Chem. Acta	Croatica Chemica Acta, Zagreb
Curr. Sci.	Current Science, Bangalore
Dän. P.	Dänisches Patent
Dansk Tidsskr. Farm.	Dansk Tidsskrift for Farmaci, Kopenhagen
DAS.	Deutsche Auslegeschrift = noch nicht erteiltes DBP. (seit 1. 1. 1957). Die Nummer der DAS. und des später darauf erteilten DBP. sind identisch
DBP.	Deutsches Bundespatent (München, nach 1945, ab Nr. 800000)
DDRP.	Patent der Deutschen Demokratischen Republik (vom Ostberliner Patentamt erteilt)
Dechema Monogr.	Dechema Monographien, Weinheim/Bergstr.
Delft Progr. Rep.	Delft Progress Report (A: Chemistry and Physics, Chemical and Physical Engineering), Groningen
Die Nahrung	Die Nahrung (Chemie, Physiologie, Technologie), Berlin
Discuss. Faraday Soc.	Discussions of the Faraday Society, London
Dissertation Abstr.	Dissertation Abstracts Ann Arbor, Michigan
Doklady Akad. SSSR	Доклады Академии Наук СССР (Comptes Rendus de l'Académie des Sciences de l'URSS), Moskau
Dokl. Akad. Nauk Arm. SSR	Доклады Академии Наук Армянской ССР Doklady Akademii Nauk Armjanskoi SSR (Berichte der Akademie der Wissenschaften der Armenischen SSR), Erewan
Dokl. Akad. Nauk Azerb. SSR	Доклады Академии Наук Азербайджанской ССР Doklady Akademii Nauk Azerbaidshanskoi SSR (Berichte der Akademie der Wissenschaften der Azerbaidschanischen SSR), Baku
Dokl. Akad. Nauk Beloruss. SSR	Д. А. Н. Белорусской ССР Doklady Akademii Nauk Belorusskoi SSR (Berichte der Akademie der Wissenschaften der Belorussischen SSR), Minsk
Dokl. Akad. Nauk SSSR	Д. А. Н. Советской ССР Doklady Akademii Nauk Sowjetskoi SSR (Berichte der Akademie der Wissenschaften der Vereinigten SSR), Moskau
Dokl. Akad. Nauk Tadzh. SSR	Д. А. Н. Таджикской ССР Doklady Akademii Nauk Tadshikskoi SSR (Berichte der Akademie der Wissenschaften der Tadshikischen SSR)
Dokl. Akad. Nauk Uzb. SSR	Д. А. Н. Узбекской ССР Doklady Akademii Nauk Uzbekskoi SSR (Berichte der Akademie der Wissenschaften der Uzbekischen SSR), Taschkent
Dokl. Bolg. Akad. Nauk	Доклады Болгарской Академии Наук Doklady Bolgarskoi Akademii Nauk (Berichte der Bulgarischen Akademie der Wissenschaften), Sofia
Dopov. Akad. Nauk Ukr. RSR, Ser. A u. B	Доповиди Академии Наук Украинськой РСР Dopowidi Akademii Nauk Ukrainskoi RSR (Berichte der Akademie der Wissenschaften der Ukrainischen RSR), Kiew Serie A und B
DOS	Deutsche Offenlegungsschrift (ungeprüft)
DRP.	Deutsches Reichspatent (bis 1945)
Drug Cosmet. Ind.	Drug and Cosmetic Industry, New York
Dtsch. Apoth. Ztg.	Deutsche Apotheker-Zeitung (1934–1945), seit 1950: vereinigt mit Süddeutsche Apotheker-Zeitung, Stuttgart
Dtsch. Farben-Z.	Deutsche Farben-Zeitschrift (seit 1951), Stuttgart
Dtsch. Lebensmittel-Rdsch.	Deutsche Lebensmittel-Rundschau, Stuttgart
Dyer Textile Printer	Dyer, Textile Printer, Bleacher and Finisher (seit 1934; bis 1934: Dyer and Calico Printer, Bleacher, Finisher and Textile Review), London

Electroanal. Chemistry	Electroanalytical Chemistry, New York
Endeavour	Endeavour, London
Endocrinology	Endocrinology, Boston, Mass.
Endokrinologie	Endokrinologie, Leipzig (1943–1949 unterbrochen)
Environ. Sci. Technol.	Environmental Science and Technology, England
Enzymol.	Enzymologia (Holland), Den Haag
Erdöl Kohle	Erdöl und Kohle (seit 1948), Hamburg
Erdöl, Kohle, Erdgas, Petrochem.	Erdöl und Kohle – Erdgas – Petrochemie, Hamburg, (seit 1960)
Ergebn. Enzymf.	Ergebnisse der Enzymforschung, Leipzig
Ergebn. exakt. Naturwiss.	Ergebnisse der exakten Naturwissenschaften, Berlin
Ergebn. Physiol.	Ergebnisse der Physiologie, Biologischen Chemie und Experimentellen Pharmakologie, Berlin
Europ. J. Biochem.	European Journal of Biochemistry, Berlin, New York
Eur. Polym. J.	European Polymer Journal, Amsterdam
Experientia	Experientia (Basel)
Experientia, Suppl.	Experientia, Supplementum, Basel
Farbe Lack	Farbe und Lack (bis 1943 und seit 1947) Hannover
Farmac. Glasnik	Farmaceutski Glasnik, Zagreb (Pharmazeutische Berichte)
Farmacia (Bucharest)	Farmacia (Bucuresti), Bukarest
Farmaco. Ed. Prat.	Farmaco Edizione Pratica, Pavia
Farmaco (Pavia), Ed. sci.	Il Farmaco (Pavia), Edizione scientifica
Farmac. Revy	Farmacevtisk Revy, Stockholm
Farmakol. Toksikol. (Moscow)	Фармакология и Токсикология (Farmakologija i Tokssikologija) Pharmakologie und Toxikologie, Moskau
Farmatsiya (Moscow)	(фармация), Farmatsiya, Moskau
Farm. sci. e tec. (Pavia)	Il Farmaco, scienza e tecnica (bis 1952), Pavia
Farm. Zh. (Kiev)	Фармацевтичний Журнал (Київ) Farmaziewtischni Zurnal (Kiew), (Pharmazeutisches Journal, Kiew)
Faserforsch. u. Textiltechn.	Faserforschung und Textiltechnik, Berlin
FEBS Letters	Federation of European Biochemical Societies, Amsterdam
Federation Proc.	Federation Proceedings, Washington, D. C.
Fette, Seifen, Anstrichmittel	Fette, Seifen, Anstrichmittel (verbunden mit „Die Ernährungsindustrie") (früher häufige Änderung des Titels), Hamburg
FIAT Final Rep.	Field Information Agency, Technical, United States, Group Control Council for Germany, Final Report
Fibre Chem.	Fibre Chemistry, London
Fibre Sci. Techn.	Fibre Science and Technology, Barking/Essex
Finn. P.	Finnisches Patent
Finska Kemistsamf. Medd.	Finska Kemistsamfundets Meddelanden (Suomen Kemistiseuran Tiedonantoja), Helsingfors
Fiziol. Zh. (Kiev)	Физиологичний Журнал (Київ) Fisiologitschnii Zurnal (Kiew) (Physiologisches Journal (Kiew)
Fiziol. Zh. SSSR im. I. M. Sechenova	Физиологический Журнал СССР имени И. М. Сеченова (Fisiologitschesskii Žurnal SSSR imeni I. M. Setschenowa) Setschenow Journal für Physiologie der UdSSR, Moskau
Fluorine Chem. Rev.	Fluorine Chemistry Reviews, New York
Food	Food, London
Food Engng.	Food Engineering (seit 1951), New York
Food Manuf.	Food Manufacture (seit 1939 Food Manufacture, Incorporating Food Industries Weekly), London
Food Packer	Food Packer (seit 1944), Chicago
Food Res.	Food Research, Champaign. Ill.
Formosan Sci.	Formosan Science, Taipeh
Fortschr. chem. Forsch.	Fortschritte der Chemischen Forschung, New York, Berlin
Fortschr. Ch. org. Naturst.	Fortschritte der Chemie Organischer Naturstoffe, Wien
Fortschr. Hochpolymeren-Forsch.	Fortschritte der Hochpolymeren-Forschung, Berlin
Frdl.	Fortschritte der Teerfarbenfabrikation und verwandter Industriezweige. Begonnen von P. FRIEDLÄNDER, fortgeführt von H. E. FIERZ-DAVID, Berlin
Fres.	Zeitschrift für Analytische Chemie (von C. R. FRESENIUS), Berlin
Fr. P.	Französisches Patent

Fr. Pharm.	France-Pharmacie, Paris
Fuel	Fuel in Science and Practice; ab 1948: Fuel, London
G.	Gazzetta Chimica Italiana, Rom
Gas Chromat.-Mass.-Spectr. Abstr.	Gas Chromatography - Mass-Spectrometry Abstracts, London
Gazow. Prom.	Газовая Промышленность Gasowaja Promychlenost (Gas-Industrie), Moskau
Génie chim.	Génie chimique, Paris
Gidroliz. Lesokhim. Prom.	Гидролизная и Лесохимическая Промышленность Gidrolisnaja i Lessochimitscheskaja Promyschlennost (Hydrolysen- und Holzchemische Industrie), Moskau
Gmelin	GMELIN Handbuch der anorganischen Chemie, Verlag Chemie, Weinheim
Helv.	Helvetica Chimica Acta, Basel
Helv. phys. Acta	Helvetica Physica Acta, Basel
Helv. Phys. Acta Suppl.	Helvetica Physica Acta, Supplementum, Basel
Helv. physiol. pharmacol. Acta	Helvetica Physiologica et Pharmacologica Acta, Basel
Henkel-Ref.	Henkel-Referate, Düsseldorf
Heteroc. Sendai	Heterocycles Sendai
Histochemie	Histochemie, Berlin, Göttingen, Heidelberg
Holl. P.	Holländisches Patent
Hoppe-Seyler	HOPPE-SEYLERS Zeitschrift für Physiologische Chemie, Berlin
Hormone Metabolic Res.	Hormone and Metabolic Research, Stuttgart
Hua Hsueh	Hua Hsueh, Peking
Hung. P.	Ungarisches Patent
Hydrocarbon, Proc.	Hydrocarbon Processing, England
Immunochemistry	Immunochemistry, London
Ind. Chemist	Industrial Chemist and Chemical Manufactorer, London
Ind. chim. belge	Industrie Chimique Belge, Brüssel
Ind. chimique	L'Industrie Chimique, Paris
Ind. Corps gras	Industries des Corps Gras, Paris
Ind. eng. Chem.	Industrial and Engineering Chemistry, Industrial Edition, seit 1948; Industrial and Engineering Chemistry, Washington
Ind. eng. Chem. Anal.	Industrial and Engineering Chemistry, Analytical Edition (bis 1946). Washington
Ind. eng. Chem. News	Industrial and Engineering Chemistry. News Edition (bis 1939), Washington
Indian Forest Rec., Chem.	Indian Forest Records. Chemistry, Delhi
Indian J. Appl. Chem.	Indian Journal of Applied Chemistry (seit 1958), Calcutta
Indian J. Biochem.	Indian Journal of Biochemistry, Neu Delhi
Indian J. Chem.	Indian Journal of Chemistry
Indian J. Physics	Indian Journal of Physics and Proceedings of the Indian Association for the Cultivation of Science, Calcutta
Ind. P.	Indisches Patent
Ind. Plast. mod.	Industrie des Plastiques Modernes (seit 1949; bis 1948: Industrie des Plastiques), Paris
Inform. Quim. Anal.	Informacion de Quimica Analitica, Madrid
Inorg. Chem.	Inorganic Chemistry
Inorg. Synth.	Inorganic Syntheses, New York
Insect Biochem.	Insect Biochemistry, Bristol
Interchem. Rev.	Interchemical Reviews, New York
Intern. J. Appl. Radiation Isotopes	International Journal of Applied Radiation and Isotopes, New York
Int. J. Cancer	International Journal of Cancer, Helsinki
Int. J. Chem. Kinetics	International Journal of Chemical Kinetics, New York
Int. J. Peptide, Prot. Res.	International Journal of Peptide and Protein Research, Copenhagen
Int. J. Polymeric Mat.	International Journal of Polymeric Materials, New York/London
Int. J. Sulfur Chem.	International Journal of Sulfur Chemistry, London/New York
Int. Petr. Abstr.	International Petroleum Abstracts, London
Int. Pharm. Abstr.	International Pharmaceutical Abstracts, Washington

Int. Polymer Sci. & Techn.	International Polymer Science and Technology, Boston Spa, Wetherby, Yorks.
Intra-Sci. Chem. Rep.	Intra-Science Chemistry Reports, Santa Monica/Calif.
Int. Sugar J.	International Sugar Journal, London
Int. Z. Vitaminforsch.	Internationale Zeitschrift für Vitaminforschung, Bern
Inzyn. Chem.	Inzynioria Chemiczina, Warschau
Ion	Ion (Madrid)
Iowa Coll. J.	Iowa State College Journal of Science, Ames, Iowa
Iowa State J. Sci.	Iowa State Journal of Science, Ames, Iowa (seit 1959)
Israel J. Chem.	Israel Journal of Chemistry, Tel Aviv
Ital. P.	Italienisches Patent
Izv. Akad. Azerb. SSR, Ser. Fiz.-Tekh. Mat. Nauk	Известия Академии Наук Азербайджанской ССР, Серия Физико-Технических и Химических Наук Izvestija Akademii Nauk Azerbaidschanskoi SSR, Sserija Fisiko-Technitscheskich i Chimitscheskich Nauk (Nachrichten der Akademie der Wissenschaften der Azerbaidschanischen SSR, Serie Physikalisch-Technische und Chemische Wissenschaften), Baku
Izv. Akad. SSR	Известия Академии Наук Армянской ССР, Химические Науки (Bulletin of the Academy of Science of the Armenian SSR), Erevan
Izv. Akad. SSSR	Известия Академии Наук СССР, Серия Химическая (Bulletin de l'Académie des Sciences de l'URSS, Classe des Sciences Chemiques), Moskau, Leningrad
Izv. Sibirsk. Otd. Akad. Nauk. SSSR	Известия Сибирского Отделения Академии Наук СССР, Серия химических Наук Izvesstija Ssibirskowo Otdelenija Akademii Nauk SSSR, Sserija Chimetscheskich Nauk (Bulletin of the Sibirian Branch of the Academy of Sciences of the USSR), Nowosibirsk
Izv. Vyssh. Ucheb, Zaved., Neft. Gaz	Известия Высших Учебных Заведений (Баку), Нефть и Газ Izvestija Wysschych Utschebnych Sawedjeni (Baku), Neft i Gas, (Hochschulnachrichten (Baku), Erdöl und Gas, Baku
Izv. Vyss. Uch. Zav., Chim. i chim. Techn.	Известия высших Учебных заведений [Иваново], Химия и химическая технология (Bulletin of the Institution of Higher Education, Chemistry and Chemical Technology), Swerdlowsk
J. Agr. Food Chem.	Journal of Agricultural and Food Chemistry, Washington
J. agric. chem. Soc. Japan	Journal of the agricultural Chemical Society of Japan. Abstracts (seit 1935) (Nippon Nogeikagaku Kaishi), Tokyo
J. agrc. Sci.	Journal of Agricultural Science, Cambridge
J. Am. Leather Chemist's Assoc.	Journal of the American Leather Chemist's Association, Cincinnati (Ohio)
J. Am. Oil Chemist's Soc.	Journal of the American Oil Chemist's Society, Chicago
J. Am. Pharm. Assoc.	Journal of the American Pharmaceutical Association, seit 1940 Practical Edition und Scientific Edition; Practical Edition seit 1961 J. Am. Pharm. Assoc.; Scientific Edition seit 1961 J. Pharm. Sci., Easton, Pa.
J. Anal. Chem. USSR	Журнал Аналитической Химии Shurnal Analititscheskoi Chimii (Journal für AnalytischeChemie), Moskau
J. Antibiotics (Japan)	Journal of Antibiotics (Japan)
Japan Analyst	Japan Analyst (Bunseki Kagaku)
Jap. A. S.	Japanische Patent-Auslegeschrift
Jap. Chem. Quart.	Japan Chemical Quarterly, Tokyo
Jap. J. Appl. Phys.	Japanese Journal of Applied Physics, Tokyo
Jap. Pest. Inform.	Japan Pesticide Information, Tokyo
Jap. P.	Japanisches Patent
Jap. Plast. Age	Japan Plastic Age, Tokyo
J. appl. Chem.	Journal of Applied Chemistry, London
J. appl. Elektroch.	Journal of Applied Elektrochemistry, London
J. appl. Physics.	Journal of Applied Physics, New York
J. Appl. Physiol.	Journal of Applied Physiology, Washington, D. C.
J. Appl. Polymer Sci.	Journal of Applied Polymer Science, New York

Jap. Text. News	Japan Textile News. Osaka
J. Assoc. Agric. Chemists	Journal of the Association of Official Agricultural Chemists, Washington, D. C.
J. Bacteriol.	Journal of Bacteriology, Baltimore, Md.
J. Biochem. (Tokyo)	Journal of Biochemistry, Japan, Tokyo
J. Biol. Chem.	Journal of Biological Chemistry, Baltimore
J. Radioakt. Elektronik	Jahrbuch der Radioaktivität und Elektronik, 1924–1945 vereinigt mit Physikalische Zeitschrift
J. Catalysis	Journal of Catalysis, London, New York
J. Cellular compar. Physiol.	Journal of Cellular and Comparative Physiology, Philadelphia, Pa.
J. Chem. Educ.	Journal of Chemical Education, Easton, Pa.
J. chem. Eng. China	Journal of Chemical Engineering, China, Omei/Szechuan
J. Chem. Eng. Data	Journal of Chemical and Engineering Data, Washington
J. Chem. Eng. Japan	Journal of Chemical Engineering of Japan, Tokyo
J. Chem. Physics	Journal of Chemical Physics, New York
J. chem. Soc. Japan	Journal of the Chemical Society of Japan (bis 1948; Nippon Kwagaku Kwaishi), Tokyo
J. chem. Soc. Japan, ind.	Journal of the Chemical Society of Japan, Industrial Chemistry Section (seit 1948; Kogyo Kagaku Zasshi), Tokyo
J. chem. Soc. Japan, pure Chem. Sect.	Journal of the Chemical Society of Japan, Pure Chemistry Section (seit 1948; Nippon Kagaku Zasshi)
J. Chem. U.A.R.	Journal of Chemistry of the U.A.R., Kairo
J. Chim. physique Physico-Chim. biol.	Journal de Chimie Physique et de Physico-Chimie Biologique (seit 1939)
J. chin. chem. Soc.	Journal of the Chinese Chemical Society
J. Chromatog.	Journal of Chromatography, Amsterdam
J. lin. Endocrinol. Metab.	Journal of Clinical Endocrinology and Metabolism, Springfield, Ill. (seit 1952)
J. Colloid Sci.	Journal of Colloid Science, New York
J. Colloid Interface Sci.	Journal of Colloid and Interface Science
J. Color Appear.	Journal of Color and Appearance, New York
J. Dairy Sci.	Journal of Dairy Science, Columbus, Ohio
J. Elast. & Plast.	Journal of Elastomers and Plastics, Westport, Conn.
J. electroch. Assoc. Japan	Journal of the Electrochemical Association of Japan (Denkikwagaku Kyookwai-shi), Tokio
J. Elektrochem. Soc.	Journal of the Electrochemical Society (seit 1948), New York
J. Endocrinol.	Journal of Endocrinology, London
J. Fac. Sci. Univ. Tokyo	Journal of the Faculty of Science, Imperial University of Tokyo
J. Fluorine Chem.	Journal of Fluroine Chemistry, Lausanne
J. Food Sci.	Journal of Food Science, Champaign, Ill.
J. Gen. Appl. Microbiol.	Journal of General and Applied Microbiology, Tokio
J. Gen. Appl. Microbiol., Suppl.	Journal of General and Applied Microbiology, Supplement, Tokio
J. Gen. Microbiol.	Journal of General Microbiology, London
J. Gen. Physiol.	Journal of General Physiology, Baltimore, Md.
J. Heterocyclic Chem.	Journal of Heterocyclic Chemistry, Albuquerque (New Mexico)
J. Histochem. Cytochem.	Journal of Histochemistry and Cytochemistry, Baltimore, Md.
J. Imp. Coll. Chem. Eng. Soc.	Journal of the Imperial Chemical College, Engineering Society
J. Ind. Eng. Chem.	The Journal of Industrial and Engineering Chemistry (bis 1923)
J. Ind. Hyg.	Journal of Industrial Hygiene and Toxicology (1936–1949), Baltimore, Md.
J. indian chem. Soc.	Journal of the Indian Chemical Society (seit 1928), Calcutta
J. indian chem. Soc. News	Journal of the Indian Chemical Society; Industrial and News Edition (1940–1947), Calcutta
J. indian Inst. Sci.	Journal of the Indian Institute of Science, bis 1951 Section A und Section B, Bangalore
J. Inorg. & Nuclear Chem.	Journal of Inorganic & Nuclear Chemistry, Oxford
J. Inst. Fuel	Journal of the Institute of Fuel, London
J. Inst. Petr.	Journal of the Institute of Petroleum, London

J. Inst. Polytech. Osaka City Univ.	Journal of the Institute of Polytechnics, Osaka City University
J. Jap. Chem.	Journal of Japanese Chemistry (Kagaku-no Ryoihi), Tokio
J. Label. Compounds	Journal of Labelled Compounds, Brüssel
J. Lipid Res.	Journal of Lipid Research, Memphis, Tenn.
J. Macromol. Sci.	Journal of Macromolecular Science, New York
J. makromol. Ch.	Journal für makromolekulare Chemie (1943–1945)
J. Math. Physics	Journal of Mathematics and Physics
J. Med. Chem.	Journal of Medicinal Chemistry, New York
J. Med. Pharm. Chem.	Journal of Medicinal and Pharmaceutical Chemistry, New York
J. Mol. Biol.	Journal of Molecular Biology, New York
J. Mol. Spectr.	Journal of Molecular Spectroscopy, New York
J. Mol. Structure	Journal of Molecular Structure, Amsterdam
J. Nat. Cancer Inst.	Journal of the National Cancer Institute, Washington, C. D.
J. New Zealand Inst. Chem.	Journal of the New Zealand Institute of Chemistry, Wellington
J. Nippon Oil Technologists Soc.	Journal of the Nippon Oil Technologists Society (Nippon Yushi Gijitsu Kyo Laishi), Tokio
J. Oil Colour Chemist's Assoc.	Journal of the Oil and Colour Chemist's Association, London
J. Org. Chem.	Journal of Organic Chemistry, Baltimore, Md.
J. Organometal. Chem.	Journal of Organometallic Chemistry, Amsterdam
J. Petr. Technol.	Journal of Petroleum Technology (seit 1949), New York
J. Pharmacok. & Biopharmac.	Journal of Pharmacokinetics and Biopharmaceutics, New York
J. Pharmacol.	Journal of Pharmacologie, Paris
J. Pharmacol. exp. Therap.	Journal of Pharmacology and Experimental Therapeutics, Baltimore, Md.
J. Pharm. Belg.	Journal de Pharmacie de Belgique, Brüssel
J. Pharm. Chim.	Journal de Pharmacie et de Chemie, Paris (bis 1943)
J. Pharm. Pharmacol.	Journal of Pharmacy and Pharmacology, London
J. Pharm. Sci.	Journal of Pharmaceutical Sciences, Washington
J. pharm. Soc. Japan	Journal of the Pharmaceutical Society of Japan (Yakugakuzasshi), Tokio
J. phys. Chem.	Journal of Physical Chemistry, Baltimore
J. Phys. Chem. Data	Journal of Physical and Chemical Data, Washington
J. Phys. Colloid Chem.	Journal of Physical and Colloid Chemistry, Baltimore, Md.
J. Phys. (Paris), Colloq.	Journal de Physique (Paris), Colloque, Paris
J. Physiol. (London)	Journal of Physiology, London
J. phys. Soc. Japan	Journal of the Physical Society of Japan, Tokio
J. Phys. Soc. Japan, Suppl.	Journal of the Physical Society of Japan, Supplement, Tokio
J. Polymer Sci.	Journal of Polymer Science, New York
J. pr.	Journal für Praktische Chemie, Leipzig
J. Pr. Inst. Chemists India	Journal and Proceedings of the Institution of Chemists, India, Calcutta
J. Pr. Roy. Soc. N. S. Wales	Journal and Proceedings of the Royal Society of New South Wales, Sidney
J. Rech. Centre nat. Rech. sci.	Journal des Recherches du Centre de la Recherche Scientifique, Paris
J. Res. Bur. Stand.	Journal of Research of the National Bureau of Standards, Washington, D. C.
J. S. African Chem. Inst.	Journal of the South African Chemical Institute, Johannesburg
J. Scient. Instruments	Journal of Scientific Instruments (bis 1947 und seit 1950), London
J. scient. Res. Inst. Tokyo	Journal of the Scientific Research Institute, Tokyo
J. Sci. Food Agric.	Journal of the Science of Food and Agriculture, London
J. sci. Ind. Research (India)	Journal of Scientific and Industrial Research (India), New Delhi
J. Soc. chem. Ind.	Journal of the Society of Chemical Industry (bis 1922 und seit 1947), London
J. Soc. chem. Ind., Chem. and Ind.	Journal of the Society of Chemical Industry, Chemistry and Industry (1923–1936), London
J. Soc. chem. Ind. Japan Spl.	Journal of the Society of Chemical Industry, Japan. Supplemental Binding (Kogyo Kwagaku Zasshi, bis 1943), Tokio
J. Soc. Cosmetic Chemists	Journal of the Society of Cosmetic Chemists, London
J. Soc. Dyers Col.	Journal of the Society of Dyers and Colourists, Bradford/Yorkshire, England
J. Soc. Leather Trades' Chemists	Journal of the Society of Leather Trades' Chemists, Croydon, Surrey, England
J. Soc. West. Australia	Journal of the Royal Society of Western Australia, Perth

J. Soil Sci.	Journal of Soil Science, London
J. Taiwan Pharm. Assoc.	Journal of the Taiwan Pharmaceutical Association, Taiwan
J. Univ. Bombay	Journal of the University of Bombay, Bombay
J. Virol.	Journal of Virology (Kyoto), Kyoto
J. Vitaminol.	Journal of Vitaminology (Kyoto)
J. Washington Acad.	Journal of the Washington Academy of Sciences, Washington
Kauch. Rezina	Каучук и Резина Kautschuk i Rezina (Kautschuk und Gummi), Moskau
Kaut. Gummi, Kunstst.	Kautschuk, Gummi und Kunststoffe, Berlin
Kautschuk u. Gummi	Kautschuk und Gummi, Berlin (Zusatz WT für den Teil: Wissenschaft und Technik)
Kgl. norske Vidensk Selsk., Skr.	Kgl. Norske Videnskabers Selskab. Skrifter
Khim. Ind. (Sofia)	Химия и Индустрия (София), Chimija i Industrija (Sofia) (Chemie und Industrie (Sofia))
Khim. Nauka i Prom.	Химическая Наука и Промышленность Chimitscheskaja Nauka i Promyschlennost (Chemical Science and Industry)
Khim. Prom. (Moscow)	Химическая Промышленность Chimitscheskaja Promyschlennost (Chemische Industrie), Moskau (seit 1944)
Khim. Volokna	Химические Волокна Chimitscheskije Wolokna (Chemiefasern), Moskau
Kirk-Othmer	Kirk-Othmer, Encyclopedia of Chemical Technology, Interscience Publ. Co., New York, London, Sidney.
Kinetika i Kataliz	Кинетика и Катализ (Kinetik und Katalyse), Moskau
Klin. Wochenschr.	Klinische Wochenschrift, Berlin, Göttingen, Heidelberg
Koks. Khim.	Кокс и Химия Koks i Chimija (Koks und Chemie), Moskau
Koninkl. Nederl. Akad Wetensch.	Koninklijke Nederlandse Akademie van Wetenschappen
Koll. Beih.	Kolloid-Beihefte (Ergänzungshefte zur Kolloid-Zeitschrift, 1931–1943), Dresden, Leipzig
Kolloidchem. Beih.	Kolloidchemische Beihefte (bis 1931), Dresden u. Leipzig
Kolloid-Z.	Kolloid-Zeitschrift, seit 1943 vereinigt mit Kolloid-Beiheften
Koll. Žurnal	Коллоидный Журнал Kolloidnyi Žurnal (Colloid-Journal), Moscow,
Kontakte	Kontakte, Firmenschrift Merck AG, Darmstadt
Kungl. svenska Vetenskapsakad. Handl.	Kungliga Svenska Vetenskasakademiens Handlingar, Stockholm
Kunststoffe	Kunststoffe, München
Kunststoffe, Plastics	Kunststoffe, Plastics, Solothurn
Labor. Delo	Лабораторное Дело Laboratornoje Djelo (Laborator iumswesen) Moskau
Lab. Invest.	Laboratory Investigation, New York
Labo	Labo, Darmstadt
Lab. Practice	Laboratory Practice
Lack- u. Farben-Chem.	Lack- und Farben-Chemie (Däniken)/Schweiz
Lancet	Lancet, London
Landolt-Börnst.	LANDOLT-BÖRNSTEIN-ROTH-SCHEEL: Physikalisch-Chemische Tabellen, 6. Auflage
Lebensm.-Wiss. Techn.	Lebensmittel-Wissenschaften und Technologie, Zürich
Life Sci.	Life Sciences, Oxford
Lipids	Lipids, Chicago
Listy Cukrov.	Listy Cukrovarnické (Blätter für Zuckerraffinerie), Prag
M.	Monatshefte für Chemie, Wien
Macromolecules	Macromolecules, Easton
Macromol. Rev.	Macromolecular Reviews, Amsterdam
Magyar chem. Folyóirat	Magyar Chemiai Folyóirat, seit 1949: Magyar Kemiai Folyóirat (Ungarische Zeitschrift für Chemie), Budapest
Magyar kem. Lapja	Magyar kemikusok Lapja (Zeitschrift des Vereins Ungarischer Chemiker), Budapest
Makromol. Ch.	Makromolekulare Chemie, Heidelberg
Manuf. Chemist	Manufacturing Chemist and Pharmaceutical and Fine Chemical Trade Journal, London

Materie plast.	Materie Plastiche, Milano
Mat. grasses	Les Matières Grasses.-Le Pétrole et ses Dérivés, Paris
Med. Ch. I. G.	Medizin und Chemie. Abhandlungen aus den Medizinisch-chemischen Forschungsstätten der I. G. Farbenindustrie AG. (bis 1942), Leverkusen
Meded. vlaamse chem. Veren.	Mededelingen van de Vlaamse Chemische Vereniging, Antwerpen
Melliand Textilber.	Melliand Textilberichte, Heidelberg
Mém. Acad. Inst. France	Mémoires de l'Académie des Sciences de France, Paris
Mem. Coll. Sci. Kyoto	Memoirs of the College of Science, Kyoto Imperial University, Tokio
Mem. Inst. Sci. and Ind. Research, Osaka Univ.	Memoirs of the Institute of Scientific and Industrial Research, Osaka University, Osaka
Mém. Poudre	Mémorial des Poudres (bis 1939 und seit 1948), Paris
Mém. Services chim.	Mémorial des Services Chimiques de l'État, Paris
Mercks Jber.	E Mercks Jahresbericht über Neuerungen auf den Gebieten der Pharmakotherapie und Pharmazie, Weinheim
Metab., Clin. Exp.	Metabolism. Clinical and Experimental, New York
Methods Biochem. Anal.	Methods of Biochemical Analysis, New York
Microchem. J.	Microchemical Journal, New York
Microfilm Abst.	Microfilm Abstracts, Ann Arbor (Michigan)
Mikrobiol. Ž. (Kiev)	Микробиологичний Журнал (Киёв) Mikrobiologitschnii Shurnal (Kiew) (Mikrobiologisches Journal), Kiew
Mikrobiologiya	Микробиология (Mikrobiologija (Mikrobiologie), Moskau
Mikrochemie	Mikrochemie, Wien (bis 1938)
Mikrochem. verein. Mikrochim. Acta	Mikrochemie vereinigt mit Mikrochimica Acta (seit 1938), Wien
Mikrochim. Acta (bis 1938)	Mikrochimica Acta (Wien)
Mikrochim. Acta, Suppl.	Mikrochimica Acta, Supplement, Wien
Mitt. Gebiete, Lebensm. Hyg.	Mitteilungen aus dem Gebiete der Lebensmitteluntersuchung und Hygiene, Bern
Mod. Plastics	Modern Plastics (seit 1934), New York
Mod. Trends Toxic.	Modern Trends in Toxicology, London
Mol. Biol.	Молекуляраня Биология Molekulyarnaja Biologija (Molekular-Biologie), Moskau
Mol. Cryst.	Molecular Crystals, England
Mol. Pharmacol.	Molecular Pharmacology, New York, London
Mol. Photochem.	Molecular Photochemistry, New York
Mol. Phys.	Molecular Physics, London
Monatsh. Chem.	Monatshefte Chemie und verwandte Teile anderer Wissenschaften, Leipzig
Nahrung	Nahrung (Chemie, Physiologie, Technologie), Berlin
Nat. Bur. Standards, (U. S.), Ann. Rept. Circ.	National Bureau of Standards (U. S.), Annual Report, Circular, Washington
Nat. Bur. Standards (U. S.), Techn. News Bull.	National Bureau of Standards (U. S.), Technical News Bulletin, Washington
Nation. Petr. News	National Petroleum News, Cleveland/Ohio
Natl. Nuclear Energy Ser., Div. I–IX	National Nuclear Energy Series, Division I–IX, New York
Nature	Nature, London
Naturf. Med. Dtschl. 1939–1946	Naturforschung und Medizin in Deutschland 1939–1946 (für Deutschland bestimmte des FIAT-Review of German Science), Wiesbaden
Naturwiss.	Naturwissenschaften, Berlin, Göttingen
Natuurw. Tijdschr.	Natuurwetenschappelijk Tijdschrift, Vennoofschap
Neftechimiya	Нефтехимия (Petroleum Chemistry)
Neftepererab. Neftekhim. (Moscow)	Нефтепереработка и Нефтехимия (Москва) Neftepererabotka i Neftechimija, Moskau (Erdölverarbeitung und Erdölchemie)
New Zealand J. Agr. Res.	New Zealand Journal of Agricultural Research, Wellington, N. Z.
Niederl. P.	Niederländisches Patent
Nippon Gomu Kyokaishi	Journal of the Society of Rubber Industry of Japan, Tokio
Nippon Nogei Kagaku Kaishi	Journal of the Agricultural Chemical Society of Japan, Tokio
Nitrocell.	Nitrocellulose (bis 1943 und seit 1952), Berlin
Norske Vid. Selsk. Forh.	Kongelige Norske Videnskabers Selskab. Forhandlinger, Trondheim
Norw. P.	Norwegisches Patent
Nuclear Magn. Res. Spectr. Abstr.	Nuclear Magnetic Resonance Spectroscopy Abstracts, London

Nuclear Sci. Abstr. Oak Ridge	U. S. Atomic Energy Commission, Nuclear Science Abstracts, Oak Ridge
Nucleic Acids Abstr.	Nucleic Acids Abstracts, London
Nuovo Cimento	Nuovo Cimento, Bologna
Öl, Kohle	Öl und Kohle (bis 1934 und 1941–1945): in Gemeinschaft mit Brennstoff-Chemie von 1943–1945, Hamburg
Öst. Chemiker-Ztg.	Österreichische Chemiker-Zeitung (bis 1942 und seit 1947), Wien
Österr. Kunst. Z.	Österreichische Kunststoff-Zeitschrift, Wien
Österr. P.	Österreichisches Patent (Wien)
Offic. Gaz., U. S. Pat. Office	Official Gazette, United States Patent Office
Ohio J. Sci.	Ohio Journal of Science, Columbus/Ohio
Oil Gas J.	Oil and Gas Journal, Tulsa/Oklahoma
Organic Mass Spectr.	Organic Mass Spectrometry, London
Organometal. Chem.	Organometallic Chemistry
Organometal. Chem. Rev.	Organometallic Chemistry Reviews, Amsterdam
Organometal. i. Chem. Synth.	Organometallics in Chemical Synthesis, Lausanne
Organometal. Reactions	Organometallic Reactions, New York
Org. Chem. Bull.	Organic Chemical Bulletin (Eastman Kodak), Rochester
Org. Prep. & Proceed.	Organic Preparations and Procedures, New York
Org. Reactions	Organic Reactions, New York
Org. Synth.	Organic Syntheses, New York
Org. Synth., Coll. Vol.	Organic Syntheses, Collective Volume, New York
Paint Manuf.	Paint incorporating Paint Manufacture (seit 1939), London
Paint Oil chem. Rev.	Paint, Oil and Chemical Review, Chicago
Paint, Oil Colour J.	Paint, Oil and Colour Journal (seit 1950), London
Paint Varnish Product.	Paint and Varnish Production (seit 1949; bis 1949: Paint and Varnish Production Manager), Washington
Pak. J. Sci. Ind. Res.	Pakistan Journal of Science and Industrial Research, Karachi
Paper Ind.	Paper Industry (1938–1949: . . . and Paper World), Chicago
Pap. Puu	Paperi ja Puu – Papper och Trä (Paper and Timbre), Helsinki
Papier (Darmstadt)	Das Papier, Darmstadt
P. C. H.	Pharmazeutische Zentralhalle für Deutschland, Dresden
Perfum. essent. Oil Rec.	Perfumery and Essential Oil Record, London
Periodica Polytechn.	Periodica Polytechnica, Budapest
Pest. Abstr.	Pesticides Abstracts, Washington
Pest. Biochem. Phys.	Pesticide Biochemistry and Physiology, New York
Pest. Monit. J.	Pesticides Monitoring Journal, Atlanta
Petr. Eng.	Petroleum Engineer, Dallas/Texas
Petr. Hydrocarbons	Petroleum and Hydrocarbons, Bombay
Petr. Processing	Petroleum Processing, New York
Petr. Refiner	Petroleum Refiner, Houston/Texas
Pharmacol.	Pharmacology, Basel
Pharmacol. Rev.	Pharmacological Reviews, Baltimore
Pharma. Acta Helv.	Pharmaceutica Acta Helvetica, Zürich
Pharmazie	Pharmazie, Berlin
Pharmaz. Ztg.-Nachr.	Pharmazeutische Zeitung - Nachrichten, Hamburg
Pharm. Bull (Tokyo)	Pharmaceutical Bulletin (Tokyo) (bis 1958)
Pharm. Ind.	Die Pharmazeutische Industrie, Berlin
Pharm. J.	Pharmaceutical Journal, London
Pharm. Weekb.	Pharmaceutisch Weekblad, Amsterdam
Philips Res. Rep.	Philips Research Reports, Eindhoven/Holland
Phil. Trans.	Philosophical Transactions of the Royal Society of London
Photochem. and Photobiol.	Photochemistry and Photobiology, New York
Phosphorus	Phosphorus
Physica	Physica. Nederlandsch Tijdschrift voor Natuurkunde, Utrecht
Physik. Bl.	Physikalische Blätter, Mosbach/Baden
Phys. Rev.	Physical Reviews, Nsw York
Phys. Rev. Letters	Physical Reviews Letters, New York
Phys. Z.	Physikalische Zeitschrift (Leipzig)
Plant Physiol.	Plant Physiology, Lancaster, Pa.
Plaste u. Kautschuk	Plaste und Kautschuk (seit 1957), Leipzig

Plasticheskie Massy	Пластический масы (Soviet Plastics), Moskau
Plastics	Plastics (London)
Plastics Inst., Trans. and J.	The (London) Plastics Institute, Transactions Journal
Plastics Technol.	Plastics Technology
Poln. P.	Polnisches Patent
Polymer Age	Polymer Age, Tenderden/Kent
Polymer Ind. News	Polymer Industry News, New York
Polymer J.	Polymer Journal, Tokyo
Polytechn. Tijdschr. (A)	Polytechnisch Tijdschrift, Uitgave A (seit 1946), Haarlem
Postepy Biochem.	Postepy Biochemii (Fortschrifft der Biochemíe), Warschau
Pr. Acad. Tokyo	Proceedings of the Imperial Academy, Tokyo
Pr. Akad. Amsterdam	Proceedings, Koninklijke Nederlandsche Akademie von Wetenschappen (1938–1940 und seit 1943), Amsterdam
Pr. chem. Soc.	Proceedings of the Chemical Society, London
Prep. Biochem.	Preparative Biochemistry, New York
Pr. Indiana Acad.	Proceedings of the Indiana Academy of Science, Indianapolis/Indiana
Pr. indian Acad.	Proceedings of the Indian Academy of Sciences, Bangalore/Indien
Pr. Iowa Acad.	Proceedings of the Iowa Academy of Sciences, Des Moines/Iowa (USA)
Pr. irish Acad.	Proceedings of the Royal Irish Academy, Dublin
Pr. Nation. Acad. India	Proceedings of the National Academy of Sciences, India (seit 1936), Allahabad/Indien
Pr. Nation. Acad. USA	Proceedings of the National Academy of Sciences of the United States of America, Washington
Proc. Amer. Soc. Testing Mater.	Proceedings of the American Society for Testing Materials Philadelphia, Pa.
Proc. Analyt. Chem.	Proceeding of the Society for Analytical Chemistry, London
Proc. Biochem.	Process Biochemistry, London
Proc. Egypt. Acad. Sci.	Proceedings of the Egyptian Academy of Sciences, Kairo
Proc. Indian Acad. Sci., Sect. A	Proceedings of the Indian Academy of Science, Section A, Bangalore
Proc. Japan Acad.	Proceedings of the Japan Academy (seit 1945), Tokio
Proc. Kon. Ned. Acad. Wetensh.	Proceedings, Koninklijke Nederlandse Akademie van Wetenschappen, Amsterdam
Proc. Roy. Austral. chem. Inst.	Proceedings of the Royal Australian Chemical Institute, Melbourne
Produits pharmac.	Produits Pharmaceutiques, Paris
Progress Biochem. Pharm.	Progress Biochemical Pharmacology, Basel
Progr. Boron Chem.	Progress in Boron Chemistry, Oxford
Progr. Org. Chem.	Progress in Organic Chemistry, London
Progr. Physical Org. Chem.	Progress in Physical Organic Chemistry, New York, London
Progr. Solid State Chem.	Progress in Solid State Chemistry, New York
Promysl. org. Chim.	Промышленность Органической Химии Promyschlennost Organitscheskoi Chimii (bis 1941: Shurnal Chimitscheskoi Promyschlennosti), (Industrie der Organischen Chemie, Organic Chemical Industry, bis 1940), Moskau
Prostaglandines	Prostaglandines, Los Altos/Calif.
Pr. phys. Soc. London	Proceedings of the Physical Society, London
Pr. roy. Soc.	Proceedings of the Royal Society, London
Pr. roy. Soc. Edinburgh	Proceedings of the Royal Society of Edinburgh, Edinburgh
Przem. chem.	Przemysl Chemiczny (Chemische Industrie), Warschau
Psychopharmacologia	Psychopharmacologia (Berlin), Berlin, Göttingen, Heidelberg
Publ. Am. Assoc. Advan. Sci.	Publication of the American Association for the Advancement of Science
Pure Appl. Chem.	Pure and Applied Chemistry (The Official Journal of the International Union of Pure and Applied Chemistry), London
Quart. J. indian Inst. Sci.	Quarterly Journal of the Indian Institute of Science. Bangalore
Quart. J. Pharm. Pharmacol.	Quarterly Journal of Pharmacy and Pharmacology (bis 1948), London
Quart. J. Studies Alc.	Quarterly Journal of Studies on Alcohol, New Haven, Conn.
Quart. Rev.	Quarterly Reviews, London (seit 1970 Chemical Society Reviews)
Quím. e Ind.	Química e Industria, Sao Paulo (bis 1938 Chimica e Industria)
R.	Recueil des Travaux Chimiques des Pays-Bas. Amsterdam
Radiokhimiya	Радиохимия Radiochimija (Radiochemie), Leningrad
R. A. L.	Atti della Reale Academia Nazionale dei Lincei, Classe di Scienze Fisiche, Mathematiche a Naturali: Rendiconti (bis 1940)

Rasayanam	Journal for the Progress of Chemical Science, Poona, India
Rend. Ist. lomb.	Rendiconti dell'Istituto Lombardo di Scienze e Lettere. Classe di Scienze Mathematiche e Naturali (seit 1944), Mailand
Rep. Government chem. ind. Res. Inst., Tokyo	Reports of the Government Chemical Industrial Research Institute, Tokyo
Rep. Progr. appl. Chem.	Reports on the Progress of Applied Chemistry (seit 1949), London
Rep. sci. Res. Inst.	Reports of Scientific Research Institute (Japan), Kagaku-Kenkyujo-Hokoku, Tokio
Research	Research, London
Rev. Asoc. bioquím. arg.	Reviste de la Asociación Bioquímica Argentina, Buenos Aires
Rev. Chim. (Bucarest)	Revista de Chimie (Bucuresti), Bukarest
Rev. Fac. Cienc. quím.	Revista de la Facultad de Ciencias Químicas, Universidad Nacional de La Plata, La Plata
Rev. Fac. Sci. Istanbul	Revue de la Faculté des Sciences de l'Université d'Istanbul, Istanbul
Rev. Franc. Études Clin. Biol.	Revue Française d'Études Cliniques et Biologiques, Paris
Rev. gén. Matières plast.	Revue Générale des Matières Plastiques, Paris
Rev. gén. Sci.	Revue Générale des Sciences pures et appliquées, Paris
Rev. Ist. franç. Pétr.	Revue de l' Institut Français du Pétrole et Annales des Combustibles Liquides, Paris
Rev. Macromol. Chem.	Reviews in Macromolecular Chemistry, New York
Rev. Mod. Physics	Reviews of Modern Physics
Rev. Phys. Chem. Jap.	Review of Physical Chemistry of Japan, Tokyo
Rev. Plant. Prot. Res.	Review of Plant Protection Research, Tokyo
Rev. Prod. chim.	Revue des Produits Chimiques, Paris
Rev. Pure Appl. Chem.	Reviews of Pure and Applied Chemistry, Melbourne
Rev. Quím. Farm.	Revista de Química e Farmácia, Rio de Janeiro
Rev. Roumaine-Biochim.	Revue Roumaine de Biochimie, Bukarest
Rev. Roumaine Chim.	Revue Roumaine de Chimie (bis 1963: Revue de Chimie, Académie de la République Populaire Roumaine), Bukarest
Rev. Roumaine-Phys.	Revue Roumaine de Physique, Bukarest
Rev. sci.	Revue Scientifique, Paris
Rev. scient. Instruments	Review of Scientific Instruments, New York
Ricerca sci.	Ricerca Scientifica, Rom
Roczniki Chem.	Roczniki Chemii (Annales Societatis Chimicae Polonorum), Warschau
Rodd	Rood's Chemistry of Carbon Compounds, Elsevier Publ. Co., Amsterdam
Rubber Age N. Y.	The Rubber Age, New York
Rubber Chem. Technol.	Rubber Chemistry and Technology, Easton, Pa.
Rubber J.	Rubber Journal (seit 1955), London
Rubber & Plastics Age	The Rubber & Plastics Age, London
Rubber World	Rubber World (seit 1945), New York
Russian. Chem. Reviews	Chemical Reviews (UdSSR)
Sbornik Statei obšč. Chim.	Сборник Статей по Общей Химии
	Sbornik Statei po Obschtschei Chimii (Sammlung von Aufsätzen über die allgemeine Chemie), Moskau u. Leningrad
Schwed. P.	Schwedisches Patent
Schweiz. P.	Schweizerisches Patent
Sci.	Science, New York, seit 1951, Washington
Sci. American	Scientific American, New York
Sci. Culture	Science and Culture, Calcutta
Scientia Pharm.	Scientia Pharmaceutica, Wien
Scient. Pap. Bur. Stand.	Scientific Papers of the Bureau of Standards (Washington)
Scient. Pr. roy. Dublin Soc.	Scientific Proceedings of the Royal Dublin Society, Dublin
Sci. Ind.	Science et Industrie, Paris (bis 1934)
Sci. Ind. phot.	Science et Industries photographiques, Paris
Sci. Pap. Inst. Phys. Chem. Res. Tokyo	Scientific Papers of the Institute of Physical and Chemical Research, Tokio (bis 1948)
Sci. Publ., Eastman Kodak	Scientific Publications, Eastman Kodak Co., Rochester/N. Y.
Sci. Progr.	Science Progress, London
Sci. Rep. Tohoku Univ.	Science Reports of the Tohoku Imperial University, Tokio
Sci. Repts. Research Insts. Tohoku Univ., (A), (B), (C) bzw. (D)	The Science Reports of the Research Institutes, Tohoku University, Series A, B., C bzw. D, Sendai/Japan

Seifen-Oele-Fette-Wachse | Seifen-Oele-Fette-Wachse. Neue Folge der Seifensieder-Zeitung, Ausburg
Seikagaku | Seikagaku (Biochemie), Tokio
Sen-i Gakkaishi | Journal of the Society of Textile and Cellulose Industry, Japan (seit 1945)
Separation Sci. | Separation Science, New York
Soc. | Journal of the Chemical Society, London
Soil Biol. Biochem. | Soil Biology and Biochemistry, Oxford
Soil Sci. | Soil Science, Baltimore
Soobshch. Akad. Nauk Gruz. SSR | Сообщения Академии Наук Грузинской ССР / Soobschtschenija Akademii Nauk Grusinskoi SSR (Mitteilungen der Akademie der Wissenschaften der Grusinischen SSR) Tbilissi

South African Ind. Chemist | South African Industrial Chemist, Johannesburg
Spectrochim. Acta | Spectrochimica Acta, Berlin, ab 1947 Rom
Spectrochim. Acta (London) | Spectrochimica Acta, London (seit 1950)
Staerke | Stärke, Stuttgart
Steroids | Steroids an International Journal, San Francisco
Steroids, Suppl. | Steroids an International Journal, Supplements, San Francisco
Stud. Cercetari Biochim. | Studii si Cercetari de Biochemie, (Bucuresti)
Stud. Cercetari Chim. | Studii si Cercetari de Chimie (Bucuresti)
Suomen Kem. | Suomen Kemistilehti (Acta Chemica Fennica), Helsinki
Suomen Kemistilehti B | Suomen Kemistilehti B (Finnische Chemiker-Zeitung)
Suppl. nuovo Cimento | Supplemento del Nuovo Cimento (seit 1949), Bologna
Svensk farm. Tidskr. | Svensk Farmaceutisk Tidskrift, Stockholm
Svensk kem. Tidskr. | Svensk Kemisk Tidskrift, Stockholm
Synthesis | Synthesis, International Journal of Methods in Synthetic Organic Chemistry, Stuttgart, New York
Synth. React. Inorg. Metal.-org. Chem. | Synthesis and Reactivity in Inorganic and Metal-organic Chemistry, New York

Talanta | Talanta, International Journal of Analytical Chemistry, London
Tappi | Tappi (Technical Association of the Pulp and Paper Industry), New York
Techn. & Meth. Org., Organometal. Chem. | Techniques and Methods of Organic and Organometallic Chemistry, New York
Tekst. Prom. (Moscow) | Текстил Промышленност Tekstil Promyschlennost (Textil Industrie)
Tenside | Tenside Detergents, München
Teor. Khim. Techn. | Theoretitscheskie Osnovy Chimitscheskoj, Technologie, Moskau
Terpenoids and Steroids | Terpenoids and Steroids, London
Tetrahedron | Tetrahedron, Oxford
Tetrahedron Letters | Tetrahedron Letters, Oxford
Tetrahedron, Suppl. | Tetrahedron, Supplements, London
Textile Chem. Color. | Textile Chemist and Colorist, New York
Textile Prog. | Textile Progress, Manchester
Textile Res. J. | Textile Research Journal (seit 1945), New York
Theor. Chim. Acta | Theoretica Chimica Acta (Zürich)
Tiba | Revue Générale de Teinture, Impression, Blanchiment, Apprêt et de Chimie Textile et Tinctoriale (bis 1940 und seit 1948), Paris
Tidskr. Kjemi, Bergv. Met. | Tidskrift för Kjemi, Bergvesen og Metallurgi (seit 1941), Oslo
Topics Med. Chem. | Topics in Medicinal Chemistry, New York
Topics Pharm. Sci. | Topics in Pharmaceutical Science, New York
Topics Phosph. Chem. | Topics in Phosphorous Chemistry, New York
Topics Stereochem. | Topics in Stereochemistry, New York
Toxicol. | Toxicologie, Amsterdam
Toxicol. Appl. Pharmacol. | Toxicology and Applied Pharmacology, New York
Toxicol. Appl. Pharmacol., Suppl. | Toxicology and Applied Pharmacology, Supplements, New York
Toxicol. Env. Chem. Rev. | Toxicological and Environmental Chemistry Reviews, New York
Trans. Amer. Inst. Chem. Eng. | Transactions of the American Institute of Chemical Engineers, New York
Trans. electroch. Soc. | Transactions of the Electrochemical Society, New York (bis 1949)
Trans. Faraday Soc. | Transactions of the Faraday Society, Aberdeen
Trans. Inst. chem. Eng. | Transactions of the Institution of Chemical Engineers, London
Trans. Inst. Rubber Ind. | Transactions of the Institution of the Rubber Industry, London
Trans. Kirov's Inst. chem. Technol. Kazan | Труды Казанского Химико-Технологического Института им. Кирова Trudy Kasanskovo Chimiko-Technologitscheskovo Instituta im. Kirova (Transactions of the Kirov's Institute for Chemical Technology of Kazan), Moskau

Trans. Pr. roy. Soc. New Zealand	Transactions and Proceedings of the Royal Society of New Zealand (seit 1952 Transactions of the Royal Society of New Zealand), Wellington
Trans. roy. Soc. Canada	Transactions of the Royal Society of Canada, Ottawa
Trans. Roy. Soc. Edinburgh	Transactions of the Royal Society of Edinburgh, Edinburgh
Trav. Soc. Pharm. Montpellier	Travaux de la Société de Pharmacie de Montpellier, Montpellier (seit 1942)
Trudy Mosk. Chim. Techn. Inst.	Труды Московского Химико-Технологического Института им. Д-И. Менделеева Trudy Moskowskowo Chimiko-Teknologitscheskowo Instituta im. D. I. Mendelejewa (Transactions of the Moscow Chemical-Technological Institute named for D. I. Mendeleev), Moskau
Tschechosl. P.	Tschechoslowakisches Patent
Uchenye Zapiski Kazan.	Ученые Записки Казанского Государственного Университета Utschenye Sapiski Kasanskowo Gossudarstwennowo Universiteta (Wis-senschaftliche Berichte der Kasaner staatlichen Universität), Kasan
Ukr. Biokhim. Ž.	Украинський Биохимичний Журнал Ukrainski Biochimitschni Shurnal (Ukrainisches Biochemisches Journal, Kiew
Ukr. chim. Ž.	Украинский Химический Журнал (bis 1938: Украïнський, Charkau bis 1938, Хемiчний Журнал) Ukrainisches Chemisches Journal), Kiew
Ukr. Fit. Ž. (Ukr. Ed.)	Украинський физичний Журнал Ukrainski Fisitschni Shurnal (Ukrainisches Physikalisches Journal), Kiew
Ullmann	Ullmann's Enzyklopädie der technischen Chemie, Verlag Urban und Schwarzenberg, München, seit 1971 Verlag Chemie, Weinheim
Umschau Wiss. Techn.	Umschau in Wissenschaft und Technik, Frankfurt
U. S. Govt. Res. Rept.	U. S. Government Research Reports
US. P.	Patent der USA
Uspechi Chim.	Успехи химии Uspetschi Chimii (Fortschritte der Chemie), Moskau, Leningrad
USSR. P.	Sowjetisches Patent
Uzb. Khim. Zh.	Узбекский Химический Журнал / Usbekski Chimitscheski Shurnal (Usbekisches Chemisches Journal), Taschkent
Vakuum-Tech.	Vakuum-Technik (seit 1954), Berlin
Vestn. Akad. Nauk Kaz. SSR	Вестник Академии Наук Казахской ССР / Westnik Akademii Nauk Kasachskoi SSR (Nachrichten der Akademie der Wissenschaften der Kasadischen SSR), Alma Ata
Vestn. Akad. Nauk SSSR	Вестник Академии Наук СССР Westnik Akademii Nauk SSSR (Mitteilungen der Akademie der Wissenschaften der UdSSR), Moskau
Vestn. Leningrad. Univ., Fiz., Khim.	Вестник Ленинградского Университета Серия Физики и Химии / Westnik Leningradskowo Universsiteta, Serija Fisiki i Chimii (Nachrichten der Leningrader Universität, Serie Physik und Chemie), Leningrad
Vestn. Mosk. Univ., Ser. II Chim.	Вестник Московского Университета, Серия, II Химия Westnik Moskowckowo Universsiteta, Serija II Chimija (Nachrichten der Moskauer Universität. Serie II Chemie), Moskau
Virology	Virology, New York
Vitamins. Hormones	Vitamins and Hormones, New York
Vysokomolek. Soed.	Высокомолекулярные Соединония Wyssokomolekuljarnye Sojedinenija (High Molecular Weight Compounds)
Werkstoffe u. Korrosion	Werkstoffe und Korrosion (seit 1950), Weinheim/Bergstr.
Yuki Gosei Kagaku Kyokai Shi	Journal of the Society of Organic Synthetic Chemistry, Japan, Tokio
Z.	Zeitschrift für Chemie, Leipzig
Ž. anal. Chim.	Журнал Аналитической Химии / Shurnal Analititscheskoi Chimii (Journal of Analytical Chemistry), Moskau
Z. ang. Physik	Zeitschrift für angewandte Physik
Z. anorg. Ch.	Zeitschrift für Anorganische und Allgemeine Chemie (1943–1950 Zeitschrift für Anorganische Chemie), Berlin

Zavod. Labor. Заводская Лаборатория/Sawodskaja Laboratorija (Industrial Labo-
ratory), Moskau

Zbl. Arbeitsmed. Arbeitsschutz Zentralblatt für Arbeitsmedizin und Arbeitsschutz (seit 1951), Darmstadt

Ž. eksp. teor. Fiz. Журнал экспериментальной и теоретической физики,
Shurnal Experimentalnoi i Theoretitscheskoi Fisiki (Physikalisches
Journal, Serie A Journal für experimentelle und theoretische Physik),
Moskau, Leningrad

Z. El. Ch. Zeitschrift für Elektrochemie und Angewandte Physikalische Chemie (seit
1952 Zeitschrift für Elektrochemie, Berichte der Bunsengesellschaft für
Physikalische Chemie), Weinheim/Bergstr.

Z. Elektrochemie Zeitschrift für Elektrochemie

Ž. fiz. Chim. Журнал физической Химии/Shurnal Fisitscheskoi Chimii (engl.
Ausgabe: Journal of Physical Chemistry)

Z. Kristallogr. Zeitschrift für Kristallographie

Z. Lebensm.-Unters. Zeitschrift für Lebensmittel-Untersuchung und -Forschung (seit 1943),
München, Berlin

Z. Naturf. Zeitschrift für Naturforschung, Tübingen

Ž. neorg. Chim. Журнал Неорганической Химии/Shurnal Neorganitscheskoi Chimii
(engl. Ausgabe: Journal of Inorganic Chemistry)

Ž. obšč. Chim. Журнал Общей Химии/Shurnal Obschtschei Chimii (engl. Ausgabe:
Journal of General Chemistry, London)

Ž. org. Chim. Журнал Органической Химии/Shurnal Organitscheskoi Chimii
(engl. Ausgabe: Journal of Organic Chemistry), Baltimore

Z. Pflanzenernähr. Düng., Zeitschrift für Pflanzenernährung, Düngung, Bodenkunde (bis 1936 und
Bodenkunde seit 1946), Weinheim/Bergstr., Berlin

Z. Phys. Zeitschrift für Physik, Berlin, Göttingen

Z. physik. Chem. Zeitschrift für Physikalische Chemie, Frankfurt (seit 1945 mit Zusatz N. F.)

Z. physik. Chem. (Leipzig) Zeitschrift für Physikalische Chemie, Leipzig

Ž. prikl. Chim. Журнал Прикладной Химии/Shurnal Prikladnoi Chimii (Journal of
Applied Chemistry)

Ž. prikl. Spektr. Журнал Прикладной Спектроскопии/Shurnal Prikladnoi Spek-
troskopii (Journal of Applied Spectroscopy), Moskau, Leningrad

Ž. strukt. Chim. Журнал Структурной Химии /Shurnal Strukturnoi Chimii (Journal
of Structural Chemistry), Moskau

Ž. tech. Fiz. Журнал Технической Физики/Shurnal Technitscheskoi Fisiki
(Physikalisches Journal, Serie B, Journal für technische Physik), Moskau,
Leningrad

Z. Vitamin-, Hormon- u. Zeitschrift für Vitamin-, Hormon- und Fermentforschung [Wien] (seit
Fermentforsch. [Wien] 1947)

Ž. vses. Chim. obšč. Журнал Всесоюзного Химического Общества им. Д. И.
Менделева Shurnal Wsjesojusnowo Chimitscheskowo Obschtschestwa
im. D. I. Mendelejewa (Journal of the All-Union Chemical Society
named for D. I. Mendeleev), Moskau

Z. wiss. Phot. Zeitschrift für Wissenschaftliche Photographie, Photophysik und Photochemie, Leipzig

Z. Zuckerind. Zeitschrift für die Zuckerindustrie, Berlin

Ж. Журнал Русского Физико-Химического Общества
Shurnal Russkowo Fisikowo-Chimitscheskowo Obschtschestwa (Journal
der Russischen Physikalisch-Chemischen Gesellschaft, Chemischer Teil;
bis 1930)

Abkürzungen für den Text
der präparativen Vorschriften und der Fußnoten[1]

Abb.	Abbildung
abs.	absolut
Amp.	Ampere
äthanol.	äthanolisch
äther.	ätherische
Anm.	Anmerkung
Anm.	Anmeldung (nur in Verbindung mit der Patentzugehörigkeit)
API	American Petroleum Institute
ASTM	American Society for Testing Materials
asymm.	asymmetrisch
at	technische Atmosphäre
At.-Gew.	Atomgewicht
atm	physikalische Atmosphäre
BASF	Badische Anilin- & Sodafabrik AG, Ludwigshafen/Rhein (bis 1925 und wieder ab 1953), BASF AG (seit 1974)
Bataafsche (Shell)	N. V. Bataafsche Petroleum Mij., s'Gravenhage (Holland)
Shell Develop.	Shell Development Co., San Francisco, Corporation of Delaware
Bayer AG	Bayer AG, Leverkusen (seit 1974)
ber.	berechnet
bez.	bezogen
bzw.	beziehungsweise
cal	Calorien
CIBA	Chemische Industrie Basel, AG (bis 1973)
cycl.	cyclisch
C, bzw. D^{20}	Dichte, bzw. Dichte bei 20° bezogen auf Wasser von 4°
DAB	Deutsches Arznei-Buch
Degussa	Deutsche Gold- und Silberscheideanstalt, Frankfurt a. M.
d. h.	das heißt
Diglyme	2-(2-Methoxy-äthoxy)-äthanol
DIN	Norm
DK	Dielektrizitäts-Konstante
DMF	Dimethylformamid
DMSO	Dimethylsulfoxid
d. Th.	der Theorie
DuPont	E. I. DuPont de Nemours & Co., Wilmington 98 (USA)
E	Erstarrungspunkt
EMK	Elektromotorische Kraft
F	Schmelzpunkt
Farbf. Bayer	Farbenfabriken Bayer AG, vormals Friedrich Bayer & Co., Leverkusen-Elberfeld (bis 1925), Farbenfabriken Bayer AG, Leverkusen, Elberfeld, Dormagen und Uerdingen (1953–1974)
Farbw. Hoechst.	Farbwerke Hoechst AG, vormals Meister Lucius & Brüning, Frankfurt/M.-Höchst (bis 1925 und wieder ab 1953 bis 1974)
g	Gramm
gem.	geminal
ges.	gesättigt
Gew., Gew.-%, Gew.-Tl.	Gewicht, Gewichtsprozent, Gewichtsteil
Hoechst AG	Hoechst AG, Frankfurt/M.-Höchst (seit 1974)
I.C.I.	Imperial Chemicals Industries Ltd., Manchester
I.G. Farb.	I. G. Farbenindustrie AG, Frankfurt a.M. (1925–1945)
IUPAC	International Union of Pure and Applied Chemistry
i. Vak.	im Vakuum
k (k_s, k_b)	elektrolytische Dissoziationskonstanten, bei Ampholyten, Dissoziationskonstanten nach der klassischen Theorie

---

[1] Alle Temperaturangaben beziehen sich auf Grad Celsius, falls nicht anders vermerkt.

K (K$_s$, K$_b$) . . . . elektrolytische Dissoziationskonstanten von Ampholyten nach der Zwitterionentheorie

kcal . . . . Kilocalorie

kg . . . . Kilogramm

konz. . . . . konzentriert

korr. . . . . korrigiert

Kp, bzw. Kp$_{750}$ . . . . Siedepunkt, bzw. Siedepunkt unter 750 Torr Druck

kW, kWh . . . . Kilowatt, Kilowattstunde

l . . . . Liter

m (als Konzentrationsangabe) . . molar

M . . . . Metall (in Formeln)

$[M]_\lambda^t$ . . . . molekulares Drehungsvermögen oder Molekularrotation

mg . . . . Milligramm

Min. . . . . Minute

mm . . . . Millimeter

ml . . . . Milliliter

Mol.-Gew., Mol.-%, Mol.-Refr. . . Molekulargewicht, Molprozent, Molekularrefraktion

n_λ^t . . . . Brechungsindex

n (als Konzentrationsangabe) . . . normal

nm . . . . Nanometer

pd · sq. · inch . . . . 0,070307 at = 0,068046 Atm

p$_H$ . . . . negativer, dekadischer Logarithmus der Wasserstoffionen-Aktivität

prim. . . . . primär

Py . . . . Pyridin

quart. . . . . quartär

racem. . . . . racemisch

s. . . . . siehe

S. . . . . Seite

s. a. . . . . siehe auch

sek. . . . . sekundär

Sek. . . . . Sekunde

s. o. . . . . siehe oben

spez. . . . . spezifisch

sq. · inch . . . . 6,451589 · 10^{-4} m^2

Stde., Stdn., stdg. . . . . Stunde, Stunden, stündig

s. u. . . . . siehe unten

Subl. p. . . . . Sublimationspunkt

symm. . . . . symmetrisch

Tab. . . . . Tabelle

techn. . . . . technisch

Temp. . . . . Temperatur

tert. . . . . tertiär

theor. . . . . theoretisch

THF . . . . Tetrahydrofuran

Tl., Tle., Tln. . . . . Teil, Teile, Teilen

u. a. . . . . und andere

usw. . . . . und so weiter

u. U. . . . . unter Umständen

V . . . . Volt

VDE . . . . Verein Deutscher Elektroingenieure

VDI . . . . Verein Deutscher Ingenieure

verd. . . . . verdünnt

vgl. . . . . vergleiche

vic. . . . . vicinal

Vol., Vol.-%, Vol.-Tl. . . . . . . Volumen, Volumenprozent, Volumenanteil

W . . . . Watt

Zers. . . . . Zersetzung

∇ . . . . Erhitzung

$[\alpha]_\lambda^t$ . . . . spezifische Drehung

∅ . . . . Durchmesser

∼ . . . . etwa, ungefähr

μ . . . . Mikron

Photochemische Methoden

bearbeitet von

Dr. William R. Adams
Sun Chemical Corp.
Carlstadt/USA

Dr. Jürgen Aretz
Institut für Organische Chemie der
Universität Aachen

Dr. Robin Bernard Boar
Department of Chemistry
University of London

Prof. Dr. Ole Buchardt
Chemisches Laboratorium II
der Universität
Kopenhagen/Dänemark

Diplom-Chemiker Walter Bujnoch
Trier

Prof. Dr. Peter A. Cerutti
The I. Hillis Miller Health Center
University of Florida
Gainesville/USA

Prof. Dr. Dietrich Döpp
Chemisches Institut der Universität
Trier-Kaiserslautern

Prof. Dr. Heinz Dürr
Institut für Organische Chemie
der Universität Saarbrücken

Dr. Martin Fischer
BASF AG
Ludwigshafen/Rhein

Prof. Dr. Jörg Fleischhauer
Institut für Organische Chemie
der Universität Aachen

Dr. Hendrik Jan Hagemann
Akzo Research Laboratories
Arnheim/Holland

Diplom-Biochemiker Peter Heinrich
Organisch Chemisches Institut
der Universität Tübingen

Dr. Gerd Kaupp
Chemische Laboratorium der
Universität Freiburg/Breisgau

Dr. Helge Kober
Institut für Organische Chemie
der Universität Saarbrücken

Dr. Eberhard Leppin
Du Pont de Nemours GmbH
Neu-Isenburg

Prof. Dr. Herbert Meier
Chemisches Institut der
Universität Tübingen

Prof. Dr. David J. Rawlinson
Department of Chemistry
Western Illinois University
Macomb/USA

Dr. Alfred Ritter
Institut für Strahlenchemie am
Max-Planck-Institut für Kohlenforschung
in Mülheim/Ruhr

Prof. Dr. Wolfgang Rundel
und
Doz. Dr. Michael Sauerbier
Chemisches Institut der Universität
Tübingen

Prof. Dr. Hans-Dieter Scharf
Institut für Organische Chemie
der Universität Aachen

Prof. Dr. GÜNTER P. SCHIEMENZ
Institut für Organische Chemie
der Universität Kiel

Prof. Dr. GEORGE SOSNOWSKI
Department of Chemistry
The University of Wisconsin
Milwaukee/USA

Prof. Dr. JAQUES STREITH
Ecole Supérieure de Chimie
de Mulhouse/Frankreich

Prof. Dr. WALTER STROHMEIER
Institut für physikalische Chemie
der Universität Würzburg

Dr. DONALD VALENTINE
Hoffmann La-Roche Inc.
Nutley/USA

Dr. JACK Y. VANDERHOEK
University Hospital Lipid Research
Jerusalem/Israel

Dr. HANS-HENNING VOGEL
BASF AG
Ludwigshafen/Rhein

Prof. Dr. GERHARD WEGNER
Institut für Makromolekulare Chemie der
Universität Freiburg/Breisgau

Prof. Dr. VALENTINE ZANKER
Institut für physikalische Chemie
und Elektrochemie der
Universität München

Dr. KLAUS-PETER ZELLER
Chemisches Institut der
Universität Tübingen

Prof. Dr. HOWARD E. ZIMMERMANN
Department of Chemistry
The University of Wisconsin
Madison/USA

Mit 213 Tabellen
und 74 Abbildungen

Literatur berücksichtigt bis Mitte 1974; teilweise 1975.

Inhalt

Teil I (Bd.IV/5a)

Teil II (Bd. IV/5b)

A. Photophysikalische und photochemische Grundlagen

bearbeitet von

Prof. Dr. HANS-DIETER SCHARF* und Prof. Dr. JÖRG FLEISCHHAUER

I. Einleitende Vorbemerkungen

Das Studium der Chemie elektronisch angeregter Moleküle wird allgemein als „Photochemie" bezeichnet. Im weiteren Sinne gehören zur Photochemie (Anregung der Moleküle durch sichtbares bzw. ultraviolettes Licht) auch die Strahlenchemie (Anregung durch energiereiche, ionisierende Strahlung)[1-15], die Plasmachemie (Anregung durch elektrische Entladungen)[16,17] und die sog. „Photochemie ohne Licht" (Erzeugung der angeregten Spezies durch chemische Reaktionen)[18-21], da in allen Fällen die zu Grunde liegenden physikalischen Vorgänge nur graduell verschieden sind[22].

* Institut für Organische Chemie der TH Aachen.

[1] J. HOIGNE, Chimia 19, 18—21 (1965).

[2] J. W. T. SPINKS u. R. J. WOODS, An Introduction to Radiation Chemistry, John Wiley and Sons, New York 1964.

[3] E. J. HENLEY u. E. R. JOHNSON, The Chemistry and Physics of High Energy Reactions, University Press, Washington D. C. 1969.
K. KAINDL u. E. H. GRAUL, Strahlenchemie, Alfred Hüthig-Verlag, Heidelberg 1967.

[4] A. J. SWALLOW, Radiation Chemistry of Organic Compounds, Pergamon Press, Oxford 1960.

[5] S. C. LIND, Radiation Chemistry of Gases, Reinhold Publishing Co., New York 1961.

[6] R. O. BOLT u. J. G. CAROLL, Radiation Effects on Organic Materials, Academic Press, New York 1963.

[7] I. W. WERESCHTSCHINSKIJ u. A. K. PIKAEV, Einführung in die Strahlenchemie (russ.), Verlag der Akademie der Wissenschaften UdSSR, Moskau 1963.

[8] E. REXER u. L. WUCKEL, Chemische Veränderung von Stoffen durch energiereiche Strahlung, VEB Deutscher Verlag für Grundstoffindustrie, Leipzig 1965.

[9] J. H. O'DONNELL u. D. F. SANGSTER, Principles of Radiation Chemistry, Edward Arnold (Publishers) Ltd., London 1970.

[10] P. AUSLOOS, Fundamental Processes in Radiation Chemistry, John Wiley and Sons, New York 1968.

[11] A. O. ALLEN, The Radiation Chemistry of Water and Aquous Solutions, Van Nostrand, New Jersey 1961.

[12] R. S. LIVINSTON, Radiation and Photochemistry, in International Encyclopaedia of Physical Chemistry and Chemical Physics, Pergamon Press, Oxford 1970.

[13] A. HENGLEIN, W. SCHNABEL u. J. WENDENBURG, Einführung in die Strahlenchemie, Verlag Chemie GmbH, Weinheim/Bergstraße 1969.

[14] Ber. Bunsenges. Phys. Chem. 64, 973—1120 (1960). (Berichte über die 59. Hauptvers. d. Deutsch. Bunsengesellschaft f. physik. Chem. 26.—29. Mai in Bonn), Hauptthema: Strahlen- und Kernchemie.

[15] G. R. A. JOHNSON u. G. SCHOLES, The Chemistry of Ionization and Excitation, Tailor & Francis Ltd., London E.C.4 1967.

[16] H. SUHR, Organische Synthesen im Plasma von Glimmentladungen und ihre präparativen Anwendungen, Ang. Ch. 84, 876 (1972).

[17] H. SUHR, Organic Synthesis in Glow and Corona Discharges, Fortschr. chem. Forsch. 36, 39 (1973).

[18] H. E. ZIMMERMANN et al., Am. Soc. 91, 434 (1969).

[19] E. H. WHITE, J. WIECKO u. D. F. ROSWELL, Am. Soc. 91, 5194 (1969).

[20] E. H. WHITE u. D. F. ROSWELL, Accounts Chem. Res. 3, 54 (1970).

[21] N. J. TURRO u. P. LECHTKEN, Pure Appl. Chem. 33, 363 (1973); 4th. IUPAC symposium on Photochemistry 16—22 July 1972 (Baden-Baden), Plenary Lecture.

[22] T. GÄUMANN, Chimia 19, 1—4 (1965).

Auch chemische Reaktionen aus dem sog. „heißen Grundzustand" heraus, d. h. die Chemie extrem schwingungsangeregter Moleküle, sind Gegenstand photochemischer Forschung, da hohe Schwingungszustände durch elektronische Relaxationsprozesse (s. S. 10ff.) erzeugt werden können.

Die wichtigsten Hilfswissenschaften der Photochemie sind die Molekülspektroskopie [1-5], die Stationärkinetik [6-11] und die präparative Photochemie [12-35]. Das reichhaltige Tatsachenmaterial des zuletzt genannten Gebietes wird, soweit es organische Moleküle betrifft, in Analogie zur Chemie des Molekülgrundzustands hauptsächlich nach den dem Chemiker vertrauten gruppenspezifischen Reaktionsmerkmalen geordnet.

Obwohl diese Verfahrensweise als Ordnungsprinzip im gegenwärtigen Entwicklungsstand der organischen Photochemie durchaus sinnvoll ist, haftet ihr jedoch eine prinzipielle Schwierigkeit an, die dem Chemiker, der sich in das Gebiet der Photochemie einarbeiten will, möglichst frühzeitig bewußt sein sollte. Die vertraute Darstellung des Molekülgrundzustandes durch die gebräuchliche Strichformel sagt wenig oder garnichts über die Eigenschaften der elektronisch angeregten Zustände des Moleküls aus [36-39], führt im Gegenteil

[1] F. Dörr, Ang. Ch. **78**, 457 (1966).
[2] F. Dörr, in A. A. Lamola, *Creation and Detection of the Excited State*, Vol. I, Part A, 5.53, Marcel Dekker, Inc., New York 1971.
[3] S. K. Lower u. M. A. El-Sayed, Chem. Reviews **66**, 199 (1966).
[4] M. A. El-Sayed, Accounts Chem. Res. **4**, 23 (1971).
[5] H.-D. Scharf u. J. Fleischhauer, *Methodicum*, Bd. I, S. 675, Georg Thieme Verlag, Stuttgart 1973.
[6] H. Mauser, Z. Naturf. **19a**, 767 (1964).
[7] H. Mauser, Z. Naturf. **22b**, 367, 465, 371, 569 (1967).
[8] H. Mauser u. U. Hezel, Z. Naturf. **26b**, 203 (1971).
[9] H.-I. Niemann u. H. Mauser, Z. physik. Chem. **82**, 295 (1972).
[10] H. Mauser, Z. Naturf. **23b**, 1021 (1968).
[11] P. J. Wagner in A. A. Lamola, *Creation and Detection of the Exited State*, Vol. I, Part A, S. 173, Marcel Dekker, Inc., New York 1971.
[12] R. N. Warrener u. J. B. Bremer, Rev. Pure Appl. Chem. **16**, 117 (1966).
[13] R. Steinmetz, Fortschr. chem. Forsch. **7**, 445 (1967).
[14] D. Elad, Fortschr. chem. Forsch. **7**, 528 (1967).
[15] M. Pape, Fortschr. chem. Forsch. **7**, 559 (1967).
[16] E. Fischer, Fortschr. chem. Forsch. **7**, 605 (1967).
[17] H.-D. Scharf, Fortschr. chem. Forsch. **11**, 216 (1969).
[18] J. L. R. Williams, Fortschr. chem. Forsch. **13**, 227 (1969).
[19] M. B. Rubin, Fortschr. chem. Forsch. **13**, 251 (1969).
[20] L. B. Jons u. V. K. Jones, Fortschr. chem. Forsch. **13**, 307 (1969).
[21] C. v. Sonntag, Fortschr. chem. Forsch. **13**, 333 (1969).
[22] E. Koerner v. Gustorf u. F. W. Crewels, Fortschr. chem. Forsch. **13**, 366 (1969).
[23] G. O. Schenck u. K. Gollnick, Forschungsberichte des Landes Nordrhein-Westfalen Heft Nr. 1256 (1963), Westdeutscher Verlag, Köln u. Opladen.
[24] W. L. Dilling, Chem. Reviews **66**, 373 (1966); **69**, 845 (1969).
[25] J. S. Swenton, J. Chem. Educ. **46**, 7, 217 (1969).
[26] P. de Mayo, Accounts Chem. Res. **4**, 41 (1971).
[27] A. Padwa, Accounts Chem. Res. **4**, 48 (1971).
[28] G. G. Spence, E. C. Taylor u. O. Buchardt, Chem. Reviews **70**, 231 (1970).
[29] D. Bellus u. P. Hrdlovic, Chem. Reviews **67**, 599 (1967).
[30] A. W. Adamson et al., Chem. Reviews **68**, 541 (1968).
[31] H. E. Zimmermann, Ang. Ch. **81**, 45 (1969).
[32] A. Schönberg u. A. Mustafa, Chem. Reviews **40**, 181 (1947).
[33] W. Davis, Chem. Reviews **40**, 201 (1947).
[34] L. M. Stephenson u. G. S. Hammond, Ang. Ch. **81**, 279 (1969).
[35] G. S. Hammond u. N. J. Turro, Sci. **142**, 1541 (1963).
[36] R. Hoffmann, Photochemistry III, IUPAC-Symp. Bericht St. Moritz 1970, S. 567, London, Butterworth.
[37] H. E. Zimmermann et al., Am. Soc. **89**, 6589 (1967).
[38] A. J. Merer u. R. S. Mulliken, Chem. Reviews **69**, 639 (1969).
[39] J. C. D. Brand u. D. G. Williamson in V. Gold, *Advances in Physical Organic Chemistry*, Vol. 1, S. 364, Academic Press, London · New York 1963.

oftmals zu falschen Schlußfolgerungen, wie das folgende einfache Beispiel zeigt[1]:

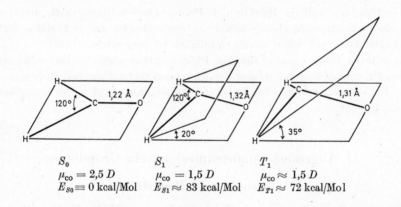

I   II   III

X = Cl, Br, J

Im Grundzustand verhalten sich die Verbindungen I und II wie cyclische Derivate der Dihalogen-maleinsäuren mit typischen Anhydrid-Funktionen, während III die charakteristischen Eigenschaften eines cyclischen ungesättigten Diketons zeigt. In der elektronischen Struktur und dem chemischen Verhalten des niedrigsten angeregten Zustandes ist das Thioanhydrid II dem Diketon III sehr viel ähnlicher als dem Anhydrid I, so daß man bei einer solchen Klassifizierung die durch die Strichformel introduzierte Zuordnung verlassen müßte.

Im Gegensatz zu dem Grundzustand eines organischen Moleküls mit abgeschlossener Elektronenschale gibt es mehrere elektronisch angeregte Zustände desselben Moleküls, die sich durch Energie, Elektronenverteilung, Kernkonfiguration, Multiplizität und Lebensdauer voneinander unterscheiden und die jeder für sich unterschiedliche chemische Eigenschaften besitzen. Die folgenden Beispiele sollen den Sachverhalt erläutern:

S_0
$\mu_{co} = 2,5\,D$
$E_{S0} \equiv 0$ kcal/Mol

S_1
$\mu_{co} = 1,5\,D$
$E_{S1} \approx 83$ kcal/Mol

T_1
$\mu_{co} \approx 1,5\,D$
$E_{T1} \approx 72$ kcal/Mol

Formaldehyd besitzt im Grundzustand (S_0) eine planare Struktur (C_{2V}), während er sowohl im ersten angeregten Singulettzustand (S_1) als auch im niedrigsten Triplettzustand (T_1) pyramidal gebaut ist. Bindungswinkel, Bindungsabstände und Dipolmomente μ etc. sind verschieden und im wesentlichen Ergebnisse der Analysen von Schwingungs-, Absorptions- und Emissionsspektren des Moleküls[2, 3]. Charakteristisch ist der relativ große C–O-Bindungsabstand im S_1 und T_1, der schon mehr dem eines Alkohols als dem einer Carbonyl-Gruppe entspricht. Hier liegt also das Photoreduktions-Ergebnis einer angeregten CO-Gruppe schon implizit in der Geometrie des Anregungszustandes vor.

So zeigen z. B. einfache aliphatische Ketone wie Aceton[4] vom S_1 bzw. T_1 unterschiedliche Photoreduktions-Geschwindigkeiten gegenüber Tributylstannan. Noch deutlicher ergibt z. B.

[1] H.-D. SCHARF u. H. LEISMANN, Z. Naturf. 28 b, 662 (1973).
[2] S. P. MC GLYNN, T. AZUMI u. M. KINOSHITA, Mol. Spectrosc. of the Triplet State, S. 168, 169, Prentice-Hall Inc., Eglewood Cliffs, New York 1969.
[3] N. J. TURRO, J. Chem. Educ. 46, 1 (1969).
[4] N. J. TURRO u. P. A. WRIEDE, Am. Soc. 92, 320 (1970).

Myrcen[1-3] vom S_1 vollkommen andere Produkte als vom T_1 [4]:

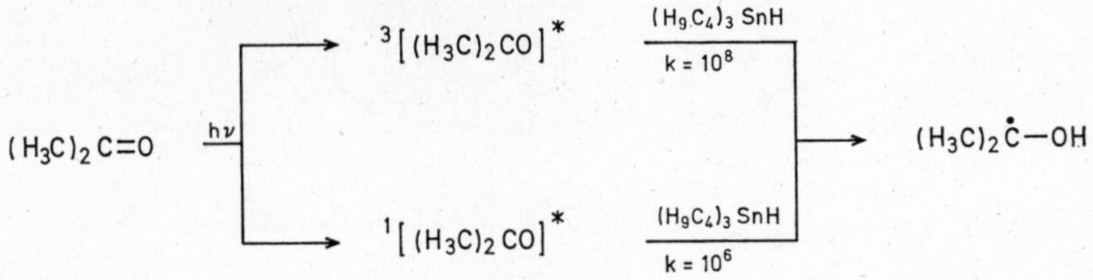

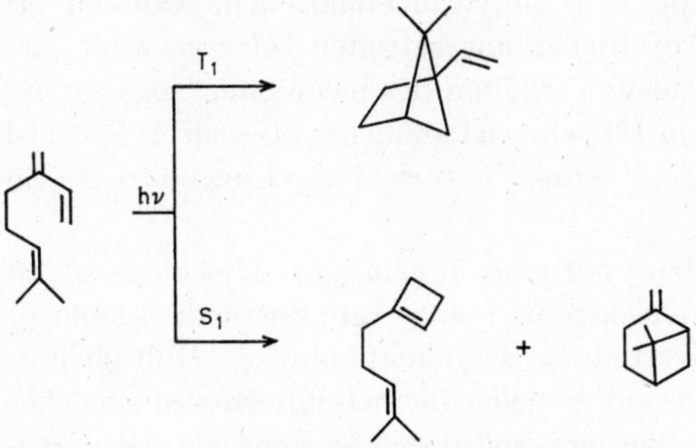

Als Forschungsresultat im Bereich der Photochemie sollte deshalb die Korrelation zwischen einem bestimmten chemischen Reaktionsverhalten und dem dafür verantwortlichen Anregungszustand, wann immer es möglich ist, angestrebt werden.

Nur bei subtiler Kenntnis aller für eine Photoreaktion maßgeblichen molekularen und kinetischen Parameter und den daraus resultierenden technologischen Bedingungen ist zu erwarten, daß ein photochemisches Laboratoriumsergebnis in den Erwägungsbereich der Anwendung gelangt.

II. Allgemeine quantenmechanische Grundlagen

a) Approximation der Molekülzustände

Die stationären Zustände $\psi_{l,m}$ eines Moleküls können mit Hilfe der Born-Oppenheimer-Approximation[5] als ein Produkt eines elektronischen Anteils φ_l und eines Anteils Φ_{lm}, der die Kernbewegung beschreibt, dargestellt werden:

$$\psi_{l,m} = \varphi_l(r_{\mathrm{el}}, \sigma_{\mathrm{el}}, R_{\mathrm{Kerne}}) \cdot \Phi_{lm}(r_{\mathrm{Kerne}}) \tag{1}$$

Im ersten Faktor bedeuten R_{Kerne} die Ortskoordinaten der Kerne in dem zum betreffenden Zustand gehörenden energetischen Minimum; r_{el} bzw. σ_{el} sind die Orts- bzw. Spinkoordinaten der Elektronen. Der zweite Faktor ist ein Produkt von $(3\,N-6)$ Schwingungsfunktionen $\chi_{l,m}\,(Q_k)$, die jeweils von einer der $(3\,N-6)$ Normalkoordinaten Q_k des Moleküls abhängen und einer weiteren Funktion, die die Rotationen des Moleküls beschreibt. Dabei sind die Q_k Linearkombinationen der Auslenkungen r_{Kerne} der Kerne von der Minimums-

[1] K. J. CROWLY, Pr. chem. Soc. 245, 334 (1962).

[2] W. G. DAUBEN u. W. T. WIPKE, Pure Appl. Chem. 9, 539 (1964).

[3] K. J. CROWLY, Tetrahedron 21, 1001 (1965).

[4] R. S. H. LIU u. G. S. HAMMOND, Am. Soc. 86, 1892 (1964).

[5] M. BORN u. R. OPPENHEIMER, Ann. Phys. (Leipzig) 84, 457 (1927).

geometrie und hängen außerdem von den Kernmassen ab. Der Einfachheit halber sei hier stets angenommen, daß nur eine der Schwingungsfunktionen $\chi_{l,m}(Q_k)$ betrachtet zu werden braucht. Man müßte eigentlich die Funktion $\Phi_{l,m}$ außer durch l durch $(3\,N-6)$ verschiedene Indices kennzeichnen, so daß hervorgeht, in welchem Schwingungszustand sich die $(3\,N-6)$ Oszillatoren befinden:

$$\phi_{l,\,m_1,\,m_2\,\ldots\,m_{(3\,N-6)}}\,.$$

Der Index m kennzeichnet das betreffende Schwingungsenergieniveau:

$$E(Q_k)_m = h\,V_0(Q_k)\,(m + \tfrac{1}{2}) \tag{2}$$

dabei ist die Frequenz

$$V_0(Q_k) = \frac{1}{2\pi}\sqrt{\frac{\partial^2 E_{\mathrm{el}}\,(r_{\mathrm{Kerne}})}{\partial\,Q_k{}^2}} \tag{3}$$

und $E_{\mathrm{el}}\,(r_{\mathrm{Kerne}})$ die zu φ_l gehörende elektronische Energie (einschließlich der Kernabstoßungsenergie), die von den Kernkoordinaten abhängt.

In einer ersten Näherung kann man den elektronischen Grundzustand φ_{S_0} als eine Slater-Determinante[1-7] darstellen:

$$\varphi_{S_0} = \frac{1}{\sqrt{(2n)!}}\begin{vmatrix} \omega_1(1) & \bar{\omega}_1(1) & \cdots & \bar{\omega}_n(1) \\ \vdots & & & \vdots \\ \omega_1(2\,n) & & \cdots & \bar{\omega}_n(2\,n) \end{vmatrix} \tag{4}$$

$$(2\,n = \text{Zahl der vorhandenen Elektronen})$$

Die $\omega_i(m)$ bzw. $\bar{\omega}_i(m)$ sind sogenannte Spinmolekülorbitale (SMO), die aus einem räumlichen Anteil, dem Molekülorbital (MO) $\mu_i(r_m)$ (r_m ist die Ortskoordinate des m-ten Elektrons), und der Spinfunktion $\alpha(\sigma_m)$ bzw. $\beta(\sigma_m)$ besteht:

$$\omega_i(m) = \mu_i(r_m)\cdot\alpha(\sigma_m) \tag{5a}$$

bzw. $$\bar{\omega}_i(m) = \mu_i(r_m)\cdot\beta(\sigma_m) \tag{5b}$$

Im Einelektronenzustand $\omega_i(m)$ hat die Z-Komponente des Spins für das m-te Elektron den Wert $+\tfrac{1}{2}$ und in $\bar{\omega}_i(m)$ den Wert $-\tfrac{1}{2}$ [1-7].

Die $\mu_i(r_m)$ werden in der LCAO-Theorie (Linear Combination of Atomic Orbitals) aus Atomorbitalen V_k aufgebaut[1-7]:

$$\mu_i = \sum C_{ki}\,V_k$$

Zur Bestimmung der Entwicklungskoeffizienten C_{ki}, sei auf die Literatur verwiesen[1-7]. Beispiele für solche MO's sind das π- und π^*-MO des Äthylens, das nichtbindende $n = 2\,p_y$-MO des Formaldehyds (am Sauerstoff lokalisiert) oder die σ- bzw. σ^*-MO's zwischen zwei Kohlenstoffatomen bzw. zwischen einem Kohlenstoff- und einem Wasserstoffatom etc.

[1] H. PREUSS, *Grundriß der Quantenchemie*, Bibliographisches Institut, Mannheim 1962.

[2] R. McWEENY u. B. T. SUTCLIFFE, *Methods of Molecular Quantum Mechanics*, Academic Press, London · New York 1969.

[3] R. C. PARR, *Quantum Theory of Molecular Electronic Structure*, W. A. Benjamin, Inc., New York, Amsterdam 1964.

[4] R. DAUDEL, R. LEFEBVRE u. C. MOSER, *Quantum Chemistry-Methods and Applications*, Interscience Publishers, Inc., New York, Interscience Publishers Ltd., London 1959.

[5] J. A. POPLE u. D. L. BEVERIDGE, *Approximate Molecular Orbital Theory*, Mc Graw-Hill Book Company, New York · Toronto 1970.

[6] M. J. S. DEWAR, *The Molecular Orbital Theory of Organic Chemistry*, Mc Graw-Hill Book Company, New York · Toronto 1969.

[7] J. N. MURRELL, *Elektronenspektren organischer Moleküle*, Bibliographisches Institut, Mannheim 1967.

Führt man für die Slater-Determinante (4) die Kurzschreibweise

$$|\omega_1\bar{\omega}_1 \ldots \omega_n\bar{\omega}_n| \tag{7}$$

ein, so würde der S_{00} lauten:

$$S_{00} = |\omega_1\bar{\omega}_1 \ldots \omega_n\bar{\omega}_n| \cdot \chi_{S_{0.0}}(Q_k), \tag{8a}$$

entsprechend natürlich

$$S_{0l} = |\omega_1\bar{\omega}_1 \ldots \omega_n\bar{\omega}_n| \chi_{S_{0.l}}(Q_k). \tag{8b}$$

Näherungen für die angeregten Singuletts S_{il} und die drei Triplettkomponenten des T_{il} stellen die folgenden sog. Konfigurationen dar:

$$S_{il} = \frac{1}{\sqrt{2}} \{|\omega_1\bar{\omega}_1 \ldots \omega_m\bar{\omega}_k \ldots \omega_n\bar{\omega}_n| - |\omega_1\bar{\omega}_1 \ldots \bar{\omega}_m\omega_k \ldots \omega_n\bar{\omega}_n|\} \chi_{S_{i.l}} \tag{9}$$

$$T_{il,1} = |\omega_1\bar{\omega}_1 \ldots \omega_m\omega_k \ldots \omega_n\bar{\omega}_n| \cdot \chi_{T_{i.l}}$$

$$T_{il,2} = \frac{1}{\sqrt{2}} \{|\omega_1\bar{\omega}_1 \ldots \omega_m\bar{\omega}_k \ldots \omega_n\bar{\omega}_n| + |\omega_1\bar{\omega}_1 \ldots \bar{\omega}_m\omega_k \ldots \omega_n\bar{\omega}_n|\} \chi_{T_{i.l}} \tag{10}$$

$$T_{il,3} = \frac{1}{\sqrt{2}} |\omega\bar{\omega}_1 \ldots \bar{\omega}_m\bar{\omega}_k \ldots \omega_n\bar{\omega}_n| \cdot \chi_{T_{i.l}}$$

Diese Konfigurationen kommen durch Anregung eines Elektrons aus dem m-ten besetzten ins k-te unbesetzte MO zustande[1].

Während die drei Triplettkomponenten untereinander energetisch in Abwesenheit eines Magnetfeldes entartet sind, liegt der S_{il} um den Betrag der sogenannten Singulett-Triplett-Aufspaltung

$$\Delta E_{ST} = 2 \int \frac{\mu_m(r_1)\,\mu_k(r_1)\,\mu_m(r_2)\,\mu_k(r_2)}{r_{12}} d\tau_1 d\tau_2 \tag{11}$$

oberhalb des T_{il} [2].

b) Optische Auswahlregeln, Lebensdauer, Übergangsparameter

Ein Dipolübergang aus dem Zustand Y_{il} ($Y = T$ oder S) in einem Zustand X_{jm} ($X = T$ oder S) ist nur möglich, wenn die Frequenz des absorbierten Photons der Planck-Einsteinschen Beziehung:

$$\nu_{X_{jm}, Y_{il}} = \frac{E_{X_{jm}} - E_{Y_{il}}}{h} \tag{12}$$

genügt und wenn das sogenannte „Übergangsmoment":

$$M_{Y_{il}, X_{jm}} = \int Y_{il} \left(\sum_{k=1}^{\text{Kerne}} Z_k \boldsymbol{r}_k - \sum_{m=1}^{\text{Elektronen}} \boldsymbol{r}_m \right) X_{jm} d\tau_{\text{Kerne}} \cdot d\tau_{el} \cdot d\sigma_{el} \tag{13}$$

ungleich Null ist.

Ohne Beweis sei hier nur gesagt, daß wegen der Orthogonalitätsbeziehung $\int \alpha\beta d\sigma = 0$ (14)[1,3-8] das Übergangsmoment (13) für $Y \neq X$ Null ist, d. h. Dipolübergänge zwischen Zuständen verschiedener Multiplizität sind verboten.

[1] J. N. Murrell, *Elektronenspektren Organischer Moleküle*, Bibliographisches Institut, Mannheim 1967.

[2] H.-D. Scharf u. J. Fleischhauer, *Methodicum*, Bd. I, S. 675, Georg Thieme Verlag, Stuttgart 1973.

[3] H. Preuss, *Grundriß der Quantenchemie*, Bibliographisches Institut, Mannheim 1962.

[4] R. McWeeny u. B. T. Sutcliffe, *Methods of Molecular Quantum Mechanics*, Academic Press, London · New York 1969.

[5] R. C. Parr, *Quantum Theory of Molecular Electronic Structure*, W. A. Benjamin, Inc., New York · Amsterdam 1964.

[6] R. Daudel, R. Lefevre u. C. Moser, *Quantum Chemistry-Methods and Applications*, Interscience Publishers, Inc., New York, Interscience Publishers Ltd., London 1959.

[7] J. A. Pople u. D. L. Beveridge, *Approximate Molecular Orbital Theory*, Mc Graw-Hill Book Company, New York · Toronto 1970.

[8] M. J. S. Dewar, *The Molecular Orbital Theory of Organic Chemistry*, Mc Graw-Hill Book Company, New York · Toronto 1969.

Für den Fall, daß $X = Y = S$, $i = 0$ und j eine Konfiguration beschreibt, die sich durch Anregung eines Elektrons aus dem m-ten besetzten ins k-te unbesetzte MO ergibt, folgt für das Übergangsmoment

$$M_{S_{01}, S_{jm}} = - \sqrt{2} \int \mu_m \boldsymbol{r} \mu_k d\tau \cdot \int \chi_{S_{0,1}}(Q_k) \chi_{S_{i,m}}(Q_k) dQ_k \tag{15}$$

Neben der Größe des Franck-Condon-Faktors

$$F = [\int \chi_{S_{0,1}}(Q_k) \chi_{S_{j,m}}(Q_k) dQ_k]^2 \equiv [\langle \chi_{S_{0,1}} | \chi_{S_{j,m}} \rangle]^2 \tag{16}$$

wird der Wert des Übergangsmomentes durch die drei Komponenten

$$- \sqrt{2} \int \mu_m X \mu_k d\tau$$
$$- \sqrt{2} \int \mu_m Y \mu_k d\tau$$
$$- \sqrt{2} \int \mu_m Z \mu_k d\tau$$

bestimmt.

Falls das Molekül über Symmetrieelemente verfügt, ist die Gruppentheorie ein hervorragendes Hilfsmittel, um zu entscheiden, ob diese Integrale Null oder von Null verschieden sind[1,2].

Berücksichtigt man in der zeitunabhängigen Schrödinger-Gleichung noch den Spinbahnkopplungs-Operator[3]:

$$\mathbb{H}_{SL} = - \frac{1}{2c^2} \sum_{k=1}^{\text{Kerne}} \sum_{i=1}^{\text{Elektronen}} (\mathbb{S}_i \, \mathbb{L}_{ik}) \frac{Z_k}{r_{ik}^3} \tag{17}$$

der die magnetische Wechselwirkung des Spins S_i des i-ten Elektrons mit seinem Bahndrehimpuls L_{ik} bezüglich des k-ten Kerns mit der Kernladungszahl Z_k berücksichtigt (r_{ik} ist der Abstand des i-ten Elektrons vom k-ten Kern; summiert wird über alle Elektronen und alle Kerne), so kann man mit Hilfe der Störungstheorie[4] zeigen, daß ein Singulettzustand $|S_i\rangle$ Triplettcharakter und ein Triplettzustand $|T_i\rangle$ Singulettcharakter annimmt[3]. So erhält man z. B. für die gestörten $|S_1\rangle_{\text{gest.}}$ und $|T_1\rangle_{\text{gest.}}$

$$|S_1\rangle_{\text{gest.}} = |S_1\rangle_{\text{ungest.}} + \sum_{i=1}^{\infty} \frac{\langle T_i | \mathbb{H}_{SL} | S_1 \rangle}{E_{S_1} - E_{T_i}} |T_i\rangle_{\text{ungest.}} \tag{18}$$

bzw. $$|T_1\rangle_{\text{gest.}} = |T_1\rangle_{\text{ungest.}} + \sum_{i=0}^{\infty} \frac{\langle S_i | \mathbb{H}_{SL} | T_1 \rangle}{E_{T_1} - E_{S_i}} |S_1\rangle_{\text{ungest.}} \tag{19}$$

Die Störmatrixelemente $\langle S_j | \mathbb{H}_{SL} | T_i \rangle$ werden natürlich mit den ungestörten „Zuständen" gebildet.

Ohne es jetzt explizit anzugeben, ist es einsichtig, daß nun auch Übergänge zwischen Zuständen „verschiedener Multiplizität" stattfinden können.

Wenn hier noch von Multiplizitäten gesprochen wird, ist das streng nicht ganz richtig, da in den gestörten Singuletts und Tripletts das Molekül eigentlich keinen bestimmten Wert des Gesamtspins mehr besitzt. In der Sprache des Quantenmechanikers kann man das auch so formulieren: Im Gegensatz zu den ungestörten $|S_i\rangle$ bzw. $|T_i\rangle$ sind die gestörten Zustände $|S_i\rangle_{\text{gest.}}$ bzw. $|T_i\rangle_{\text{gest.}}$ keine Eigenzustände des Operators S^2 mit bestimmten Eigenwerten $S \cdot (S + 1)$, wobei S der Gesamtspin ist.

[1] H. EYRING, I. WALTER u. G. E. KIMBALL, *Quantum Chemistry*, John Wiley & Sons, Inc., New York · London · Sidney 1967.

[2] H.-D. SCHARF u. J. FLEISCHHAUER, *Methodicum* Bd. I, S. 675, Georg Thieme Verlag, Stuttgart 1973.

[3] H. F. HAMEKA, *Theory of Interactions between Molecules and Electromagnetic Fields*, Addison-Wesley Publishing Company, Inc., Reading, Massachusetts 1965.

[4] W. WEIZEL, *Lehrbuch der Theoretischen Physik, Bd.* II, 2. Auflage, Springer Verlag, Berlin · Göttingen · Heidelberg 1958.

Es sei in diesem Zusammenhang erwähnt, daß die Größe der Störung entscheidend von den Kernladungszahlen der Atome des betreffenden Moleküls abhängt [innerer Schweratomeffekt Gl. (17)]. Eine Störung durch die Moleküle der Umgebung wird ebenfalls um so größer, je größer die Kernladungszahlen der entsprechenden Atome sind (äußerer Schweratomeffekt).

Weiterhin wird die Störung durch die energetischen Abstände der Singulett- und Triplett-Terme bedingt [kleiner Abstand große Störung und vice versa, Gl. (18) bzw. (19)].

Nach den Gesetzen der Elektrodynamik ist die von einem mit der Frequenz $v_{ki}[\mathrm{cm}^{-1}]$ schwingenden Dipol M_{ki} sekundlich ausgestrahlten Energie gegeben durch[1]:

$$S_{ki} = \frac{16\,\pi^3 \cdot c\,v_{ki}^4}{3\,\varepsilon_0}\,|M_{ki}|^2 \tag{20}$$

Dividiert man S_{ki} noch durch die insgesamt bei einem Übergang $k \to i$ ausgestrahlte Energie $h \cdot v_{ki} \cdot c$, so erhält man die Wahrscheinlichkeit A_{ki}, daß das Molekül in einer Sekunde vom k-ten in den i-ten Zustand übergeht:

$$A_{ki} = \frac{16\,\pi^3 \cdot v_{ki}^3}{3\,\varepsilon_0 \cdot h}\,|M_{ki}|^2 \tag{21}$$

Gibt es mehrere Zustände i, so ist noch über i zu summieren:

$$A_k = \sum_i A_{ki} \tag{22}$$

Die Zeit τ_k, in der diese Wahrscheinlichkeit gleich 1 wird, nennt man die Lebensdauer des Moleküls im k-ten Zustand:

$$\tau_k \cdot A_k = 1 \tag{23}$$

bzw.
$$\tau_k = \frac{3\,\varepsilon_0 \cdot h}{16\,\pi^3 \sum\limits_i v_{ki}^3 |M_{ki}|^2} \tag{24}$$

Integriert man den dekadischen Extinktionskoeffizienten ε über eine Absorptionsbande, so erhält man die sog. „Oszillatorenstärke" f [2]:

$$f = 4,319 \cdot 10^{-9} \int \varepsilon\,dv \tag{25}$$

Da andererseits für einen bestimmten Übergang $k \to i$ die Oszillatorenstärke $f_{k \to i}$, mit dem Quadrat des Übergangsmomentes und der entsprechenden Wellenzahl folgendermaßen verknüpft ist[2]:

$$f_{k \to i} = 4,701 \cdot 10^{29} \cdot v_{ki}\,|M_{ki}|^2 \tag{26}$$

ist es möglich $|M_{ki}|$ mittels Gl. (25) und (26) experimentell zu bestimmen.

Die Oszillatorenstärke f [Gl. (25)] ist somit proportional zur integrierten Intensität der Absorptionsbande und damit zum theoretisch berechenbaren Übergangsmoment Gl. (13).

Für stark erlaubte Übergänge ist f in der Größenordnung von 1. Die Oszillatorenstärke f ist eine dimensionslose Größe, die die Zahl der wirksamen Dispersions-Elektronen für den Übergang $k \to i$ angibt.

III. Photophysikalische und photochemische Elementarprozesse

a) Absorption von Licht (Empirische Beziehungen)

Fällt auf eine absorbierende Lösung in einer Küvette (planparallele Wände) ein Lichtstrahl mit der Intensität $I(0)$ senkrecht auf, so nimmt diese Intensität entsprechend dem

---

[1] W. Weizel, Lehrbuch der Theoretischen Physik, Bd. II, 2. Auflage, Springer Verlag, Berlin · Göttingen · Heidelberg 1958.

[2] J. N. Murrell, Elektronenspektren Organischer Moleküle, Bibliographisches Institut, Mannheim 1967.

Lambert-Beer-Bourguer'schen Gesetz[1] in der Entfernung x vom Eintrittsspalt exponentiell wie folgt ab:

$$I(x) = I(0) \cdot 10^{-\varepsilon \cdot c \cdot x} = I(0) \cdot e^{-\varkappa \cdot c \cdot x} \left[\frac{\text{Mol Quanten}}{\text{cm}^{-2} \cdot \text{sec}} \right] \tag{27}$$

$$[1 \text{ Mol Quanten} = 1 \text{ Einstein} = 6{,}023 \cdot 10^{23} \cdot h\nu]$$

Dabei ist ε bzw. $\varkappa$ [Liter $\cdot$ Mol^{-1} $\cdot$ cm^{-1}] der dekadische bzw. natürliche molare Extinktionskoeffizient und c [Mol $\cdot$ Liter^{-1}] die in der Küvette konstante Konzentration der absorbierenden Spezies.

Der zwischen x und $(x + \Delta x)$ in der Zeiteinheit und in dem Volumen $F \cdot \Delta x$ (F ist die Fläche des Eintrittfensters) absorbierte Quantenstrom ist dann:

$$I_{\text{abs.}}(x) = (I(x) - I(x + \Delta x)) F \left[\frac{\text{Mol Quanten}}{\text{sec}} \right] \tag{28}$$

Für die Abschätzung von Reaktionszeit und molaren Umsatz bei Photoreaktionen sind folgende Beziehungen von Nutzen:

Eine Reihe von Lampenherstellern gibt die spektrale Energieverteilung Φ_λ [Watt] ihrer Strahlungsquellen als Funktion von λ an. Die in der Stunde ausgestrahlten Mol-Quanten der Wellenlänge λ [nm] ergeben sich dann nach:

$$W_\lambda = 3{,}01 \cdot 10^{-5} \cdot \Phi_\lambda \cdot \lambda \left[\frac{\text{Einstein}}{\text{Stde.}} \right] \tag{29}$$

Somit erhält man für die Zeit $t_{N_{h\nu}}$ [Stdn.], in der ein „Einstein" der betreffenden Wellenlänge emittiert wird:

$$t_{N_h \cdot \nu} = \frac{1}{W_\lambda} = \frac{33\,223}{\Phi_\lambda \cdot \lambda} \text{ [Stdn.]} \tag{30}$$

Der Zusammenhang zwischen der Quantengröße $h\nu$, der molaren Quantenenergie $N_L \cdot h\nu$ und z. B. der Quantenmenge einer energetischen Hefnerkerze ($= 22{,}6 \cdot 10^{-6}$ [cal $\cdot$ cm^{-2} $\cdot$ sec^{-1}]) ist graphisch sehr eindrucksvoll dargestellt worden[2].

Für den praktischen Vergleich spektroskopischer Daten sind noch die folgenden Umrechnungsfaktoren für die Energie E von Nutzen:

Die Wellenzahl $\bar{\nu}$ [cm^{-1}] erhält man aus der Wellenlänge λ [nm] einfach:

$$\bar{\nu} \equiv \frac{10^7}{\lambda} \text{ [cm}^{-1}] \tag{31}$$

Einem „Einstein" der Wellenlänge λ [nm] entspricht die Energie:

$$E_\lambda = \frac{2{,}86 \cdot 10^4}{\lambda} \text{ [kcal/Mol]} \tag{32}$$

bzw.

$$E_\lambda = \frac{1{,}24 \cdot 10^3}{\lambda} \text{ [eV]} \tag{33}$$

Man erhält die absorbierte Quantenstromdichte[3] $J_{\text{abs.}}(x)$ als Funktion der Schichtdicke[4] x:

$$J_{\text{abs.}}(x) = -\frac{dI(x)}{dx} = \varkappa \cdot c \cdot I(x) = \varkappa \cdot c \cdot I(0) \cdot e^{-\varkappa \cdot c \cdot x} \left[\frac{\text{Mol Quanten}}{\text{cm}^3 \cdot \text{sec}} \right] \tag{34}$$

Aus dieser Beziehung ergibt sich, daß die absorbierte Quantenstromdichte $J_{\text{abs.}}(x)$ in einer Küvette am Eintrittsfenster ($x = 0$) sehr groß ist, dann aber exponentiell abnimmt. Das ist der Grund, weshalb bei photochemischen Reaktionen stark gerührt werden sollte, um das abreagierte Produkt in der Reaktionszone durch neues Substrat zu ersetzen.

Ähnlich wie bei heterogenen Reaktionen, etwa bei katalytischen Hydrierungen, ist auch die „Reaktion des Lichtfeldes" mit dem Substrat auf Grund von Gl. (34) „heterogen".

---

[1] Kritische Studie zum Geltungsbereich des Gesetzes, s.: F. C. STRONG, Anal. Chem. **24**, 338 (1952).
[2] J. EGGERT, *Lehrbuch der Physikalischen Chemie*, S. 818, Hirzel-Verlag, Stuttgart, 8. Auflage 1960.
[3] O. KLING, E. NIKOLEISKI u. H. L. SCHLÄFER, Z. El. Ch. **67**, 883 (1963).
[4] Weitere Behandlung s. Gl. (79) u. (80), S. 31.

b) Jablonski-Diagramme und Erläuterungen zu den Elementarprozessen

Die im vorigen Kapitel definierten diskreten Energiezustände eines Moleküls werden allgemein in Form vereinfachter Termschemata (Abb. 1, S. 12) dargestellt, bei denen in Anlehnung an die ursprünglich von Jablonski[1] verwendete Darstellung die Ordinate als Energie-Koordinate, die Abszisse als Kernabstands-Koordinate designiert ist.

Da bei mehratomigen Molekülen die exakte Angabe der letzteren unter Beibehaltung der zweidimensionalen Darstellung nur in Form einer der $(3N-6)$ Normalkoordinaten sinnvoll wäre, diese jedoch in den meisten Fällen für den betreffenden Übergang und Molekül nicht analysiert sind, hat bei den in Abb. 1 gezeichneten schematischen Darstellungen die Abszisse die nur sehr diffuse Bedeutung, daß das Molekül im Triplettspin-System eine stärker vom Grundzustand abweichende Geometrie hat als im Singulettspin-System.

1. Absorption

Ein Dipolübergang erfolgt im allgemeinen „vertikal", d. h. ohne Änderung der Kernkonfiguration (Franck-Condon-Prinzip). Bei Absorption eines Photons (Prozeß ①, Abb. 1a, S. 12) von einem Molekül mit abgeschlossenen Elektronenschalen wird dieses entsprechend den Auswahlregeln[2,3] Gl. (13) (S. 6) aus seinem Singulett-Grundzustand S_{00} [4] in ein Schwingungsniveau eines höheren Elektronen-Zustandes S_{nl} der gleichen Multiplizität angeregt. Übergänge in einen angeregten Triplett-Zustand (Prozeß ②, Abb. 1a, S. 12) sind ebenfalls möglich, werden aber wegen des nur kleinen Übergangsmomentes [s. S. 7, G. (19)] selten beobachtet.

Der $S_0 \rightarrow T_n$-Übergang ist für Photonen-Absorption in Abwesenheit von Spin-Bahn-Kopplung streng spinverboten und läßt sich allgemein nur durch folgende Prozesse bewerkstelligen:

① Anregung in ein S_n-Niveau und Spinsystemwechsel nach T_m (Processe ① und ⑪ Abb. 1a und 1b, S. 12).

② Durch den sog. internen und/oder externen Schweratomeffekt, großen Absorptionsschichtdicken, konzentrierten Lösungen oder kondensierten Phasen (Flüssigkeit oder Kristall) sowie intensive Lichtquellen wie z. B. Laser-Anregung. Das ist notwendig, um eine hinreichende Triplett-Population zu erreichen.

Bei der Anregung durch niedrig energetische Elektronen (Spin $\frac{1}{2}$) ist der Übergang $S_0 \rightarrow T_n$ spin-erlaubt. So ist z. B. die Anwendung eines monoenergetischen Strahls von Elektronen mit niedriger Energie für die direkte Anregung von Molekülen in den Triplett-Zustand in der Gasphase eine sehr nützliche Methode[5]. In flüssiger Phase ist diese Methode wegen der geringen Eindringtiefe der Elektronen limitiert.

2. Innere Umwandlung (Internal Conversion), Schwingungsrelaxation und „chemische Ausgänge"[6-8]

Aus dem S_{nl}-Zustand, z. B. S_{2l}, geht das Molekül sehr rasch strahlungslos in S_{10} über. Einen solchen strahlungslosen Übergang zwischen Zuständen gleicher Multiplizität be-

[1] A. Jablonski, Nature 131, 839 (1933); Z. Phys. 94, 38 (1935).
[2] F. Dörr, in A. A. Lamola, Creation and Detection of Excited State, Vol. I, Part A, 5.35, Marcel Dekker, Inc., New York 1971.
[3] H.-D. Scharf u. J. Fleischhauer, Methodicum Bd. I, S. 675, Georg Thieme Verlag, Stuttgart 1973.
[4] Für die Schwingungsfrequenz einer C=C-Doppelbindung von 1650 cm^{-1} ergibt sich z. B. für das Verhältnis der Moleküle im S_{00} und denen im S_{01} bei Raumtemp. nach der Boltzmann Verteilung:

$$\frac{N_{S_{01}}}{N_{S_{00}}} \approx \frac{4}{10^4}$$

[5] J. B. Birks, in: The Triplet State, Symposiumsbericht vom 14.–19. Febr. 1967 der Amerikanischen Universität von Beirut, Libanon, S. 403, Cambridge Universitypress 1967.
[6] K. F. Freed, Fortschr. chem. Forsch. 31, 105 (1972).
[7] J. Jortner, S. A. Rice u. R. M. Hochstrasser, Adv. Photochem. 7, 149 (1969).
[8] U. Sommer, Untersuchungen zur Theorie strahlungsloser Prozesse in organischen Molekülen, Dissertation, Universität Stuttgart 1969.

zeichnet man als internal conversion ($S_n \leadsto S_{n-1}$ oder auch $T_n \leadsto T_{n-1}$). Dieser Übergang erfolgt in zwei Schritten, nämlich der eigentlichen „inneren Umwandlung", d. h. dem Übergang von S_{2l} in einem zu ihm entarteten oder quasientarteten Zustand S_{1x} (Prozeß ⑦ oder ⑨, Abb. 1 b, S. 12) und einem anschließenden Übergang von S_{1x} nach S_{10}. Dieser zweite Schritt wird als Schwingungsrelaxation (vibrational relaxation) bezeichnet (Prozesse ⑧ oder ⑩, Abb. 1 b, S. 12).

Die "internal conversion" kommt dadurch zustande, daß sich die Potentialhyperflächen des S_2 und des S_1-Zustandes „überschneiden". Die Verteilung der Moleküle auf die Zustände S_{2l} bzw. S_{1x} [es sei daran erinnert, daß l bzw. x stellvertretend für alle (3 n-6) Schwingungsquantenzahlen der im S_2 bzw. S_1 angeregten Schwingungen steht, s. S. 5] erfolgt dann im Verhältnis der Realisierungsmöglichkeiten der Energiedifferenzen

$$\Delta E_{S_2} = E_{S_2 l} - E_{S_{20}} \tag{35}$$

bzw.

$$\Delta E_{S_1} = E_{S_{1x}} - E_{S_{10}} \tag{36}$$

wobei ΔE_{S_1} sehr viel größer als ΔE_{S_2} ist. Die Geschwindigkeitskonstante für diesen Schritt ist größer als 10^{12} [sec^{-1}][1].

Aus dem hochangeregten Schwingungszustand (z. B. S_{1x}) geht das Molekül dann durch Schwingungsrelaxation in den S_{10}-Zustand über ($k_8 > 10^{12}$ [sec^{-1}])[1]. Ein unter Strahlung erfolgender schrittweiser Übergang ($S_{1x} \to S_{1x-1} \to \cdots \to S_{10}$) geht wegen des geringen energetischen Unterschiedes (kleines $\nu_{l(l-1)}$) nur sehr langsam vor sich (s. S. 8, Gl. 24), so daß der strahlungslose Übergang besonders in kondensierten Medien dominierend wird.

Die sehr rasch erfolgende innere Umwandlung verbunden mit anschließender Schwingungsrelaxation ist der Grund dafür, daß insbesondere in kondensierter Phase chemische Reaktionen hauptsächlich aus dem S_{10}- bzw. T_{10}-Niveau heraus erfolgen (Kasha's Golden Rule)[2]. Vom S_{10} kann das Molekül entsprechend durch innere Umwandlung mit anschließender Schwingungsrelaxation nach S_{00} gelangen. Auf der anderen Seite kann es seine Anregungsenergie in einer chemischen Reaktion (Prozeß ⑮, Abb. 1 c, S. 12) oder durch einen intermolekularen Energieübertragungs-Mechanismus (s. u.) „abgeben" (Prozesse ⑰ u. ⑱ bzw. ⑲, Abb. 1 d u. e, S. 12).

In kondensierter Phase sind die meisten Desaktivierungsprozesse bimolekularer Natur:

$$A(S_{10}) + A(S_{00}) \leadsto 2 A(S_{0l}) \qquad \text{sog. Selbstlöschung (pseudomonomolekular)}$$

$$A(S_{10}) + Y(S_{00}) \leadsto A(S_{0l}) + Y(S_{0k}) \qquad \text{Fremdlöschung .}$$

Ungeachtet zunächst der zugrunde liegenden speziellen Löschmechanismen[3] unterliegen bimolekulare Prozesse aufgrund des folgenden Sachverhaltes der sog. Diffusionskontrolle.

Ist die Aktivierungsenergie ΔE für eine Reaktion hoch, wie normalerweise bei thermisch induzierten Reaktionen, so entspricht die beobachtbare Geschwindigkeit den bekannten kinetischen Zeitgesetzen, d. h. die Geschwindigkeitskonstante ist das Produkt aus Stoßzahl (Z), sterischem Faktor (P) und Boltzmann-Faktor:

$$K = Z \cdot P \cdot \exp(-\Delta E/RT) .$$

Die Aktivierungsenergie für die meisten photochemischen Reaktionen ist sehr klein, weil das Molekül durch Absorption eines Photons einen hinreichenden Überschuß an Energie erhält. Eine Reaktion erfolgt bei jedem Stoß der Partner und die Geschwindigkeit der Reaktion wird nur noch durch die Diffusionsgeschwindigkeit der Partner bestimmt, d. h. sie hängt von der Temperatur, der Viskosität des Lösungsmittels und der Lebensdauer der angeregten Spezies ab.

---

[1] S. P. McGlynn, T. Azumi u. M. Kinishita, *Molecular Spectroscopy of the Triplet State*, S. 10, Prentice-Hall, Englewood Cliffs, New Jersey 1969.

[2] M. Kasha, Discuss. Faraday Soc. 9, 14 (1950).

[3] T. Förster, *Fluoreszenz organischer Verbindungen*, S. 181–260, Vandenhoek und Ruprecht, Göttingen 1951.

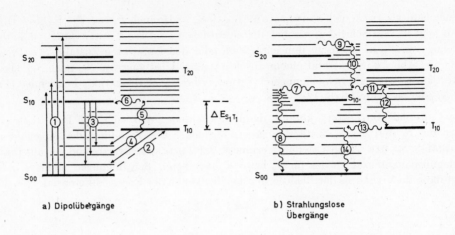

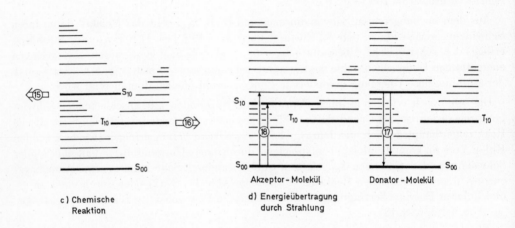

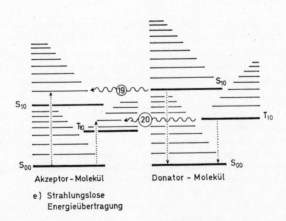

Abb. 1. Photophysikalische und photochemische Teilschritte (schematisch). Gestreckte Pfeile: Dipolübergänge; gewellte Pfeile: strahlungslose Übergange; Hohlpfeile: chem. Reaktionen

Prozeß	Bezeichnung	Geschwindigkeit	Bemerkung

a) Dipolübergänge

① $S_{00} + h\nu \to S_{nl}$ — Singulett-Anregung — I_ν abs./V — s. S. 27

② $S_{00} + h\nu' \to T_{1l}$ — Triplett-Anregung — $I_{\nu'}$ abs./V

③ $S_{10} \xrightarrow{k_3} S_{0l} + h\nu''$ — Fluoreszenz — $k_3(S_1)$

④ $T_{10} \xrightarrow{k_4} S_{0l} + h\nu'''$ — Phosphoreszenz — $k_4(T_1)$

⑤ $T_{10} \stackrel{k_5}{\leadsto} T_{1x}$

⑥ $T_{1x} \stackrel{k_6}{\leadsto} S_{10}$ — verzögerte Fluoreszenz (delayed fluorescence) — $k_5(T_1) \cdot \exp(-\Delta E_{ST}/kT)$ — [1]

③ $S_{10} \xrightarrow{k_3} S_{0l} + h\nu''$

b) Strahlungslose Übergänge

⑦ $S_{1l} \stackrel{k_7}{\leadsto} S_{0x}$ — innere Umwandlung (internal conversion) — $k_7(S_{1l})$ — [2]; (entspricht ⑨)

⑧ $S_{0x} \stackrel{k_8}{\leadsto} S_{00}$ — Schwingungsrelaxation (vibrational relaxation) — $k_8(S_{0x})$ — [2]; (entspricht ⑩, ⑫, ⑭)

⑪ $S_{10} \stackrel{k_{11}}{\leadsto} T_{1x}$ — Spinsystemwechsel (intersystem crossing) — $k_{11}(S_{10})$ — (entspricht ⑬)

c) Chemische Reaktionen

⑮ $S_{10} + X \stackrel{k_{15}}{\Rightarrow} Y$ — Bimolekulare Reaktion aus dem Singulett — $k_{15}(S_{10}) \cdot (X)$ — [3]

⑯ $T_{10} + Z \stackrel{k_{16}}{\Rightarrow} W$ — Bimolekulare Reaktion aus dem Triplett — $k_{16}(T_{10}) \cdot (Z)$

d) Energieübertragung durch Strahlung

⑰ $D^* \to D + h\nu$

⑱ $h\nu + A \to A^*$ — Energieübertragung durch Strahlung — [4]

e) Strahlungslose Energieübertragung

⑲ D^*(Singulett) $+ A$(Singulett) $\stackrel{k_{19}}{\leadsto} D$(Singulett) $+ A^*$(Singulett) — [4]

Intermolekulare Singulett-Energieübertragung (z. B. Förster-Mechanismus) — $k_{19}(^1D^*) \cdot (A)$ — S. 19, Gl. (44)

⑳ D^*(Triplett) $+ A$(Singulett) $\stackrel{k_{20}}{\leadsto} D$(Singulett) $+ A^*$(Triplett)

Intermolekulare Triplett-Energieübertragung — $k_{20}(^3D^*) \cdot (A)$ — S. 20. Gl. (49)

---

[1] Man unterscheidet diese sog. "E-Type-Delayed Fluorescence" von einer sog. "P-Type Delayed Fluorescence", die durch folgende Prozesse entstehen kann:
  1. $T_1 + T_1 \Rightarrow (S)_2^*$ Triplett-Triplett-Anihilierung unter Bildung eines Singulett-Excimer
  2. $(S)_2^* \Rightarrow S^* + S_0$ Dissoziation des Excimer [W. J. Mc Carthy, J. D. Winefardner, J. chem. Educ. **44**, 136 (1967)]
  3. $S^* \to S_0 + h\nu$ Fluoreszenz

[2] Die Schritte ⑦ und ⑧ wie auch ⑨ und ⑩ werden in manchen Lehrbüchern gemeinsam unter dem Begriff "internal conversion" genannt.

[3] Für monomolekulare Umlagerungen und Photolysen ändern sich die kinetischen Ausdrücke entsprechend.

[4] D^* ist ein angeregter (Singulett oder Triplett) Zustand eines Donatormoleküls und A^* ein entsprechender Zustand des Acceptormoleküls; $h\nu$ ist ein entsprechendes Emissionsquant. Die Effektivität einer solchen Energieübertragung wird durch die Größe des sog. „spektralen Überlappungsintegrals" bestimmt [s. Gl. (37), S. 16].

Die diffusionskontrollierte bimolekulare Geschwindigkeitskonstante K wird deshalb für große kugelförmige Moleküle durch die Beziehung:

$$K = 8 \cdot RT/3000 \cdot \eta \,[\text{Liter mol}^{-1}\,\text{sec}^{-1}] \tag{36a}$$

beschrieben, wobei die Viskosität η des Lösungsmittels in „Poise" anzugeben ist[1,2].

Dies gilt sinngemäß auch für die sog. „Chemischen Ausgänge" (Prozesse ⑮ u. ⑯, Abb. 1c, S. 12, 13) soweit sie bimolekular verlaufen, da sie ja auch als spezielle Löschmechanismen verstanden werden können.

Besonders wichtig sind die Fluoreszenz, (Prozeß ③, Abb. 1a, S. 12) d. h. Übergang durch Dipolstrahlung in den Grundzustand, und der strahlungslose Übergang in den T_1 (Intersystem crossing) (Prozesse ⑪ u. ⑫ bzw. ⑬ u. ⑭, Abb. 1b, S. 12).

3. Fluoreszenz[3-9]

Ob ein Molekül fluoresziert oder nicht, wird davon abhängen, wie groß die Wahrscheinlichkeit für die strahlungslose Desaktivierung ist. Sicherlich wird man in der Gasphase eher mit Fluoreszenz rechnen können als in kondensierter Phase, wo der S_1-Zustand seine Energie bei Stößen mit den Umgebungsmolekülen leicht abgeben und außerdem die Umgebung die Fluoreszenz verändern kann.

So ergeben sich z. B. bei aromatischen Kohlenwasserstoffen wie Pyren, Phenanthren und Anthracen bei höheren Konzentrationen in Lösung ($> 10^{-2}$ Mol/l) Fluoreszenzen von sog. Excimeren (excited dimer)[4,10,11]; z. B. beim Pyren:

Pyren + ¹Pyren* $\longrightarrow$ [¹(Pyren · Pyren*) $\longleftrightarrow$ ¹(Pyren* · Pyren)]

Pyren + $h\nu$ (Fluoreszenz)   2 Pyren + $h\nu'$ (Eximer-Fluoreszenz) $\nu > \nu'$

Ein aus einem singulett-angeregtem und einem Grundzustandsmolekül sich bildender Komplex (Excimer) zerfällt unter Abgabe eines Fluoreszenz-Quants $h\nu'$ in zwei Grundzustandsmoleküle Pyren, wobei wegen der Bindungsenergie $\nu > \nu'$ ist.

Am Beispiel des Anthracens ließ sich zeigen, daß der Excimer chemisch zu den bekannten Photodimeren des Anthracens abreagierte.

Die Geschwindigkeitskonstante für die Fluoreszenz liegt in der Größenordnung von 10^6 [sec^{-1}][12] und wird um so größer sein, je größer das Übergangsmoment bzw. die entsprechende Oszillatorenstärke [Gl. (13) u. (25), S. 6, 8] ist. Sicherlich wird der energetische

---

[1] S. a.: C. A. Parker, *Photolumineszenz in Solution*, S. 74 f., Elsevier Publishing Co., Amsterdam · London · New York 1968.

[2] Kritik dieser Beziehung: A. D. Osborn u. G. Porter, Pr. roy. Soc. **284**, 9 (1965).

[3] T. Förster, *Fluoreszenz organischer Verbindungen*, S. 181–260, Vandenhoek und Ruprecht, Göttingen 1951.

[4] J. B. Birks, *Photophysics of aromatic Molecules*, J. Wiley-Interscience Publishers, New York · London · Sidney · Toronto 1970.

[5] I. B. Berlmann, *Handbook of Fluorescence Spectra of aromatic Molecules*, Academic Press, New York 1965.

[6] Landolt-Börnstein, New Serie Bd. 3, *Lumineszenz organischer Verbindungen*, Springer Verlag, Berlin · Heidelberg · New York 1967.

[7] F. Dörr, An. Ch. **78**, 457 (1966).

[8] P. Pringsheim, *Fluorescence and Phosphorescence*, Interscience Publishers, John Wiley & Sons, New York · London 1962.

[9] E. J. Bowen, *Luminescence in Chemistry*, S. 77, D. van Nostrand Co. Ltd., London 1968.

[10] B. L. van Duuren, Chem. Reviews **63**, 325 (dort S. 342) 1963.

[11] T. Förster u. K. Kasper, Z. El. Ch. **59**, 976 (1955).

[12] S. P. McGlynn, T. Azumi u. M. Kinishita, *Molecular Spectroscopy of the Triplet State*, S. 10, Prentice-Hall, Englewood Cliffs, New Jersey 1969.

Abstand zwischen dem S_1 und S_0-Niveau, der im allgemeinen größer ist als z. B. der zwischen S_2 und S_1 mit dafür entscheidend sein, daß mit der "internal conversion" auch die Fluoreszenz konkurrieren kann [Gl. (21). S. 8].

Über Beziehungen zwischen Struktur und Fluoreszenz-Quantenausbeute bei Substanzen mit potentiellem optischen Aufhelleffekt s. Lit. [1].

4. Spinsystemwechsel (Intersystem Crossing) und Phosphoreszenz[2-8]

Dieser strahlungslose Prozeß erfolgt zwischen Zuständen verschiedener Multiplizität und ist im Mechanismus bis auf die Spinumkehr mit dem der "internal conversion" identisch (Prozesse ⑪ und ⑫, Abb. 1b). Durch diesen Prozeß geht das Molekül aus dem S_1- in den T_1-Zustand über und kann dann analog in den S_0-Zustand übergehen (Prozesse ⑬ u. ⑭, Abb. 1b, S. 12). Die Geschwindigkeitskonstante für den $S_1 \leadsto T_1$-Übergang liegt zwischen 10^4–10^{12} [sec^{-1}], während sie für den Übergang $T_1 \leadsto S_0$ zwischen 10^{-1}–10^5 [sec^{-1}] liegt[6,9]. Eine Erklärung für diesen großen Unterschied wird in dem im allgemeinen kleinen energetischen S_1 — T_1-Abstand verglichen mit dem sehr viel größeren T_1 — S_0-Abstand gesehen[10-12].

Der Prozeß $S_1 \leadsto T_1$ kann übrigens auch umgekehrt durchlaufen werden (Prozeß ⑥, Abb. 1b, S. 12) und zur sogenannten verzögerten thermischen Fluoreszenz (delayed fluorescence) führen (Prozeß ③, Abb. 1a, S. 12). Die erforderliche Aktivierungsenergie (Prozeß ⑤, Abb. 1a, S. 12) ist gleich der Singulett-Triplett-Aufspaltung ΔE_{ST}.

Diese Art der Fluoreszenz wird auch als „α-Phosphoreszenz" bezeichnet, um sie von der normalen Phosphoreszenz $T_1 \to S_0$ (Prozeß ④, Abb. 1a, S. 12) (β-Phosphoreszenz) zu unterscheiden[13,14].

Die Phosphoreszenz als Dipolübergang ist allgemein mit einer sehr kleinen Geschwindigkeitskonstanten ($k_4 \sim 10^{-2}$–10^{-4} [sec^{-1}])[15] verknüpft, da es sich ja eigentlich um einen spin-verbotenen Übergang handelt, der erst durch Spinbahnkopplung erlaubt wird [Gl. (18), (19), S. 7]. Die Übergangswahrscheinlichkeit ist um so größer, je weiter der T_1- und S_0-Zustand energetisch auseinanderliegen. Neben der intermolekularen Energieübertragung wird die Fähigkeit zu phosphoreszieren durch mögliche chemische Reaktionen des Triplett-Moleküls eingeschränkt (Prozeß ⑯, Abb. 1c, S. 12).

5. Spektrenbeispiel: Benzol

Daten über die elektronische Struktur eines Moleküls sind durch spektroskopische Messungen zugänglich. Es ist üblich, aus den durch Absorption bzw. Emission von Dipol-

[1] A. REISER et al., Am. Soc. **94**, 2414 (1972).
[2] J. B. BIRKS, *Photophysics of aromatic Molecules*, J. Wiley-Interscience Publ., New York · London · Sidney · Toronto 1970.
[3] Landolt-Börnstein, New Serie Bd. 3, *Lumineszenz organischer Verbindungen*, Springer-Verlag, Berlin · Heidelberg · New York 1967.
[4] E. J. BOWEN, *Luminescence in Chemistry*, D. van Nostrand Co. Ltd., London 1968.
[5] B. L. van DUUREN, Chem. Reviews **63**, 325 (dort S. 342) 1963.
[6] S. P. McGLYNN, T. AZUMI u. M. KINISHITA, *Molecular Spectroscopy of the Triplet State*, S. 10, Prentice-Hall, Eglewood Cliffs, New Jersey 1969.
[7] S. K. LOWER u. M. A. EL-SAYED, Chem. Reviews **66**, 199 (1966).
[8] G. N. LEWIS u. M. KASHA, Am. Soc. **66**, 2100 (1944).
[9] Für die spektroskopisch oft sehr schwer nachweisbaren, kurzlebigen Triplett-Zustände ($k_4 > 10^7$ [sec^{-1}]) wurde ein Farbtest mit 3-Hydroxy-1-oxo-2,3-diphenyl-indan ausgearbeitet: E. F. ULLMANN u. M. A. HENDERSON, Am. Soc. **89**, 4390 (1967).
[10] S. I. WEISSMAN u. D. J. LIPKIN, Am. Soc. **64**, 1916 (1942).
[11] C. DIJKGRAAF u. G. J. HOIJTINK, Tetrahedron **19**, Suppl. 2, S. 179 (1962).
[12] D. S. Mc CLURE, N. W. BLAKE u. P. L. HANST, J. Chem. Physics **22**, 255 (1954).
[13] G. N. LEWIS, D. LIPKIN u. T. T. MAGEL, Am. Soc. **63**, 3005 (1941).
[14] Vgl. Fußnote 1, S. 13.
[15] Hochaufgelöste Gasphasen-Emissionsspektren von perdeuteriertem Benzol, vgl.: M. P. JOHNSON u. L. ZIEGLER, J. Chem. Physics **56**, 2169 (1972).

strahlung zugänglichen Spektren der Moleküle sog. Termschemata zu konstruieren, aus denen alle relevanten Informationen über Energie, Lebensdauer sowie Besetzungsgrad der Zustände entnommen werden können.

Abb. 2 zeigt das Termschema, Abb. 3 (S. 17) das Absorptions-, Fluoreszenz- u. Phosphoreszenz-Spektrum des Benzols[1,2].

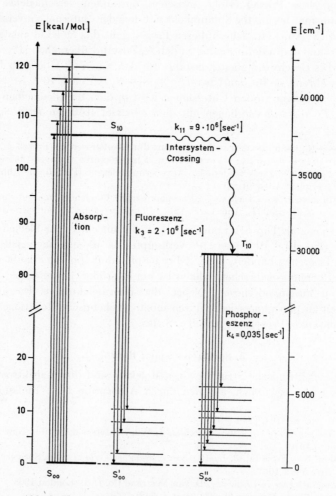

Abb. 2. Vereinfachtes Energiezustandsdiagramm von Benzol

Geschwindigkeitskonstanten nach Lit.[3]. Die relativen Lagen der Zustände S_{00}, S'_{00} und S''_{00} sind von der Solvatation und der Molekülgeometrie des S_{00}, S_{10} bzw. T_{10} abhängig[4]

[1] Hochaufgelöste Gasphasen-Emissionsspektren von perdeuteriertem Benzol, vgl.: M. P. Johnson u. L. Ziegler, J. Chem. Physics **56**, 2169 (1972).

[2] Zur Lebensdauer und Quantenausbeute individueller Schwingungszustände von perdeuteriertem Benzol siehe: A. S. Abramson, K. G. Spears u. S. A. Stuart, J. Chem. Physics **56**, 2291 (1972).

[3] J. B. Birks, *Photophysics of aromatic Molecules*, J. Wiley-Interscience Publ., New York · London · Sydney · Toronto 1970.

[4] C. A. Parker, *Photolumineszenz in Solution*, S. 74f., Elsevier Publishing Co., Amsterdam · London · New York 1968.

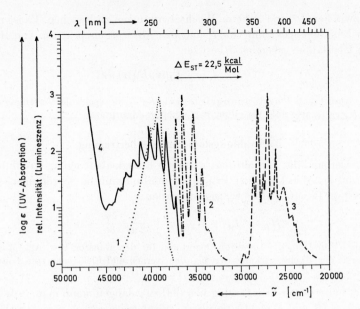

Abb. 3. Spektren von Benzol

1. Fluoreszenz-Anregung, Emission bei 274 nm
2. Fluoreszenz-Emission, Anregung bei 255 nm
3. Phosphoreszenz-Emission, Anregung bei 255 nm
   Konzentration: $4,2 \cdot 10^{-2}$ m
   Temperatur: 77° K
   Lösungsmittel: Äther/Isopentan 1:1
   Photomultiplier: EMI 9781B
   Spektrometer: Aminco-Bowman SPF
4. UV-Absorption
   Konzentration: $2,9 \cdot 10^{-3}$ m
   Temperatur: 300° K
   Lösungsmittel: Cyclohexan
   Spektrometer: Cary 14

IV. Energieübertragung[1-3]

a) Energieübertragung durch Strahlung

Die Energieübertragung von einem angeregten Donator-Molekül D^* auf ein Akzeptor-Molekül A kann durch die folgende Gleichung beschrieben werden:

$$D^* + A \Rightarrow D + A^*$$

Erfolgt der Übergang durch Strahlung (Prozesse ⑰ und ⑱, Abb. 1d, S. 12), ist also an dem Energie-Übertragungsprozeß ein Photon beteiligt,

$$D^* \to D + h\nu$$

$$h\nu + A \to A^*$$

---

[1] A. A. LAMOLA u. N. J. TURRO, *Energy Transfer and organic Photochemistry*, in: P. A. LEERMAKERS u. A. WEISSBERGER, *Technique of organic Chemistry*, Vol. XIV, Interscience Publishers, New York 1969.

[2] E. J. BOWEN, *Luminescence in Chemistry*, D. van Nostrand Co. Ltd., London 1968.

[3] V. L. ERMOLAEV, Usp. Fiz. Nauk **80**, 3 (1963); C. A. **59**, 12289ᶜ (1963).

so brauchen zwischen D^* und A keine Wechselwirkungen zu bestehen. Es ist nur erforderlich, daß das Emissionsspektrum von D und das Absorptionsspektrum von A einen möglichst breiten Überlappungsbereich J besitzen:

$$J = \int_0^\infty F_D(\nu) \, E_A(\nu) \, d\nu \tag{37}$$

J ist das sog. Spektrale Überlappungsintegral, $F_D(\nu)$ die spektrale Verteilung der Donator-Emission und $E_A(\nu)$ die spektrale Verteilung der Akzeptor-Absorption.

b) Strahlungslose Energieübertragung

Viel schwieriger sind die Verhältnisse, wenn die Energieübertragung strahlungslos erfolgt (Prozesse ⑲ und ⑳, Abb. 1e, S. 12). Prinzipiell müßte dann die Schrödinger-Gleichung für das Gesamtsystem Donator/Akzeptor gelöst werden:

$$(H_D + H_A + V_{AD}) \, \psi + \frac{h}{2\pi i} \frac{\partial \psi}{\partial t} = 0 \tag{38}$$

Dabei bedeuten H_D und H_A die Hamilton-Operatoren für den Donator bzw. Akzeptor; V_{AD} ist die potentielle Energie der Wechselwirkung zwischen den Kernen und Elektronen von A mit den Kernen und Elektronen von D.

Um zu einer näherungsweisen Lösung von (38) zu gelangen, kann man, falls die Wechselwirkung zwischen D^* und A nicht zu groß ist, störungstheoretisch vorgehen. Das Vorliegen einer schwachen Kopplung erkennt man u. a. daran, daß sich das Absorptions- bzw. Emissionsspektrum des Gesamtsystems im wesentlichen additiv aus den Spektren der isolierten Partner konstruieren läßt. Wie die Störungstheorie[1] lehrt, wird die Energieübertragung um so besser erfolgen können, je ähnlicher die Energien der Zustände $(D^* + A)$ und $(D + A^*)$ sind. Weiterhin muß natürlich das die beiden Zustände verknüpfende Matrixelement

$$\beta \equiv \langle (D^* + A) \, | V_{AD} | \, (D + A^*) \rangle \tag{39}$$

ungleich Null sein.

Die ungestörten Wellenfunktionen $|(D^* + A)\rangle$ bzw. $|(D + A^*)\rangle$ sind die Produkte der Wellenfunktionen von D^* und A bzw. D und A^*. Weiterhin müssen diese Produkte noch bezüglich der Vertauschung eines Elektrons von D mit einem von A antisymmetrisch sein. Das hat zur Folge, daß das Wechselwirkungsintegral β neben einem Dipolterm:

$$\beta_{(\text{Dipol-Dipol})} = \frac{(MD_{\pi\pi^*} \cdot MA_{\pi\pi^*})}{R^3} \tag{40}$$

noch einen sog. Austauschterm $\beta_{(\text{Austausch})}$ enthält, der seinerseits aus Ausdrücken der Form

$$\int \frac{\pi_D^*(2) \, \pi_D(1) \, \pi_A^*(2) \, \pi_A(1)}{r_{12}} \, d\tau_1 \cdot d\tau_2 \tag{41}$$

besteht, d. h.:

$$\beta = \beta_{(\text{Dipol-Dipol})} + \beta_{(\text{Austausch})} \tag{42}$$

Es handelt sich sowohl im Donator als auch im Akzeptor um einen $\pi \to \pi^*$-Übergang[2]; R ist der Abstand der beiden Moleküle.

Der $\beta_{(\text{Dipol-Dipol})}$-Term ist auch noch wirksam, wenn sich die beiden Partner in größeren Abständen voneinander befinden und kann mit Hilfe der experimentell zugänglichen Oszillatorenstärken [Gl. (25), S. 8] abgeschätzt werden. Seine Größe wird davon abhängen, wie „erlaubt" der betreffende Übergang im Donator- bzw. Akzeptor-Molekül ist. Umgekehrt ist $\beta_{(\text{Austausch})}$ von den Übergangsmomenten [Gl. (13), S. 6] unabhängig und wird dominieren, wenn die Übergänge verboten sind. $\beta_{(\text{Austausch})}$ wird allerdings nur dann besonders wirksam sein, wenn sich die beiden Partner sehr nahe kommen.

---

[1] W. Weizel, *Lehrbuch der Theoretischen Physik*, Bd. II, 2. Auflage, Springer Verlag, Berlin · Göttingen · Heidelberg 1958.

[2] H.-D. Scharf u. J. Fleischhauer, *Methodicum*, Bd. I, S. 675, Georg Thieme Verlag, Stuttgart 1973.

Mit Hilfe der zeitabhängigen Störungstheorie[1] kann man zeigen, daß die Geschwindigkeit des Energie-Überganges gegeben ist durch:

$$n_{D^* \to A} = \frac{2\pi}{\hbar} \beta^2 \cdot \varrho_E \tag{43}$$

wobei β das erwähnte Matrixelement und ϱ_E die Energie-Zustandsdichte ist.

Für den Fall, daß die **Dipol-Dipol-Wechselwirkung** überwiegt, wurde für die Geschwindigkeitskonstanten der Energie-Übertragung folgende Formel hergeleitet[2-9]:

$$k_{D^* \to A} = \frac{2\pi}{\hbar} C \cdot \varrho_E \left(\frac{|M_{D \to D^*}| \cdot |M_{A \to A^*}|}{R^3} \cdot \Theta(\vartheta) \right)^2 \sum \langle \chi_{D^*} | \chi_D \rangle^2 \langle \chi_{A^*} | \chi_A \rangle^2 \tag{44}$$

$\Theta(\vartheta)$ ist eine Winkelfunktion, die die Orientierung der beiden Übergangsmomente zueinander berücksichtigt. Die Franck-Condon-Faktoren [Gl. (16), S. 7] werden über alle möglichen Endzustände und über eine Boltzmann-Verteilung der Ausgangszustände summiert. C ist eine Konstante.

Mit Hilfe der Oszillatorenstärke f_D und f_A [Gl. (25) u. (26), S. 8], einer mittleren Übergangsfrequenz $\tilde{\nu}$, dem spektralen Überlappungsintegral J [Gl. (37), S. 16] und einer neuen Konstanten C' läßt sich Gl. (44) auch so schreiben:

$$k_{D^* \to A} = \frac{2\pi}{\hbar} \cdot C' \frac{f_D \cdot f_A}{R^6 \cdot \tilde{\nu}^2} \Theta(\vartheta) \cdot J \tag{45}$$

Nach dem Dipol-Dipol-Mechanismus wären die folgenden Prozesse spin-erlaubte Energieübertragungen:

$$D^*(\text{Singulett}) + A(\text{Singulett}) \to D(\text{Singulett}) + A^*(\text{Singulett})$$

$$D^*(\text{Singulett}) + A(\text{Triplett}) \to D(\text{Singulett}) + A^*(\text{Triplett})$$

Betrachtet man die Zahl der Energieübertragungen während der Lebensdauer [Gl. (24), S. 8] des Donators $\tau_D \sim \frac{1}{f_D}$, bildet man also $k_{D^* \to A} \cdot \tau_D$, so ist dieser Ausdruck von der Oszillatorenstärke f_D unabhängig und die folgenden Energieübertragungen wären genauso effektiv wie solche, die auf erlaubten Donatorübergängen beruhen:

$$D^*(\text{Triplett}) + A(\text{Singulett}) \to D(\text{Singulett}) + A^*(\text{Singulett})$$

$$D^*(\text{Triplett}) + A(\text{Triplett}) \to D(\text{Singulett}) + A^*(\text{Triplett}).$$

Die Gleichung (45) von Förster kann noch weiter umgeformt und über den Refraktionsindex n kann auch der Einfluß des Lösungsmittels berücksichtigt werden[2,6,7]:

$$k_{D^* \to A} = \frac{8,8 \cdot 10^{-25} \cdot K^2 \cdot \phi_D}{n^4 \cdot \tau_D \cdot R^6} \cdot \int_0^\infty F_D(\nu) \, \varepsilon_A(\nu) \frac{d\nu}{\nu^4} \tag{46}$$

ϕ_D ist die Quantenausbeute der Donator-Emission, τ_D ist die aktuelle Lebensdauer der Donator-Emission, und K ein Orientierungsfaktor, der für eine statistische Verteilung von Donator- und Akzeptor-Molekülen $\left(\frac{2}{3} \right)^{1/2}$ ist. $\varepsilon(\nu)$ ist der dekadische molare Extinktionskoeffizient von A.

[1] L. I. Schiff, *Quantum Mechanics*, S. 189, Mc Graw-Hill, New York 1949.
[2] T. Förster, Discuss. Faraday Soc. **27**, 7 (1959).
[3] T. Förster, Z. Naturf. **4a**, 321 (1949).
[4] T. Förster, Z. Electrochem. Soc. **53**, 93 (1949); C. A. **43**, 6079[i] (1949).
[5] T. Förster, Z. Elektrochem. Soc. **56**, 716 (1952); C. A. **47**, 9749[a] (1953).
[6] T. Förster, *Excitation Transfer*, in: M. Burton, J. S. Kirby-Smith u. J. L. Magee, *Comparative Effects of Radiation*, Wiley, New York 1960.
[7] T. Förster, *Delocalized Excitation and Excitation Transfer*, in: O. Sinanogeu, *Modern Quantum Chemistry*, Vol. 3, Academic, New York 1965.
[8] D. L. Dexter, J. Chem. Physics **21**, 836 (1953).
[9] G. W. Robinson u. R. P. Frosch, J. Chem. Physics **38**, 1187 (1963).

Unter dem kritischen Radius R_0 versteht man den Abstand zwischen Donator und Akzeptor, bei dem die Geschwindigkeitskonstante für alle desaktivierenden Prozesse des Donators $k_{des.} = \frac{1}{\tau_D}$ gleich $k_{D^* \to A}$ wird. Er ergibt sich aus:

$$R_0^6 = \frac{8{,}8 \cdot 10^{-25}\, K^2\, \phi_D}{n^4} \cdot \int_0^\infty F_D(\nu) \cdot \varepsilon_A(\nu)\, \frac{d\nu}{\nu^4} \qquad (47)$$

und liegt in der Größenordnung[1] von 50–100 Å. Försters Gleichung gilt nur für starre Systeme. Um die Diffusion berücksichtigen zu können, wurde folgender Ausdruck abgeleitet[2]:

$$k_t = \frac{8}{3}\, \pi\, \frac{N_L \cdot R_0^{3/2} \cdot D^{3/4}}{1000\, \tau_D^{1/4}} \qquad (48)$$

Dabei ist R_0 der kritische Förster-Radius, D der gegenseitige Diffusionskoeffizient, τ_D die Lebensdauer des Donators in Abwesenheit des Akzeptors und N_L die Loschmidt'sche Zahl.

Überwiegt der Austauschterm in β, so wurde folgender Ausdruck für die Energieübertragung hergeleitet[3]:

$$k_{D^* \to A} = \frac{2\, \pi}{\hbar}\, (K \cdot e^{-2R/L}) \cdot J \qquad (49)$$

L ist ein mittlerer Orbitalradius, K eine experimentell nicht unmittelbar zugängliche Größe von der Dimension einer Energie und R der Abstand zwischen Donator und Akzeptor.

Wie gezeigt wurde[3], ist es für diesen Austauschübertragungsmechanismus erforderlich, daß D und A bzw. D^* und A^* die gleiche Multiplizität haben. Die beiden folgenden Prozesse sind also nach dem Austausch-Mechanismus (Gl. 44, S. 19) erlaubt, nach dem Dipol-Dipol-Mechanismus (Gl 49) dagegen verboten:

D* (Triplett) + A (Singulett) → D (Singulett) + A* (Triplett) Triplettenergie-Übertragung[4]

D* (Triplett) + A (Triplett) → D (Singulett) + A* (Singulett) Triplett-Annihilierung[5]

Die Energieübertragung nach dem Austausch-Mechanismus, der ja eine starke Annäherung der beiden Partner erforderlich macht, ist, falls jeder Stoß zwischen angeregtem Donator und Akzeptor zum Übergang führt, diffusionskontrolliert [s. Gl. (36a) S. 14].

Für eine weitergehende Behandlung der Energieübertragung, insbesondere bei starker Wechselwirkung, wo eine Unterscheidung zwischen Donator und Akzeptor eigentlich nicht mehr möglich ist, sei auf die Arbeit von Lamola verwiesen[1].

V. Klassifizierung photochemischer Reaktionen nach adiabatischem bzw. diabatischem Reaktionsverlauf

Photochemische Reaktionen hat Förster[6] als adiabatisch bzw. diabatisch bezeichnet, je nachdem ob die chemische Veränderung (durch Hohlpfeile symbolisiert) auf der gleichen Potentialhyperfläche vor sich geht oder nicht. Diese Einteilung führt zu drei Klassen von Photoreaktionen:

$$A + h \cdot \nu \to A^* \begin{cases} \rightsquigarrow A \text{ vibr.} \Rightarrow B & (50) \\ \Rightarrow B^* \rightsquigarrow B & (51) \\ \Rightarrow B & (52) \end{cases}$$

[1] A. A. Lamola u. N. J. Turro, *Energy Transfer and organic Photochemistry*, in: P. A. Leermakers u. A. Weissberger, *Technique of organic Chemistry*, Vol. XIV, Interscience Publishers, New York 1969.

[2] R. Povinelli, Ph. D. Thesis, University of Notre Dame, Notre Dame, Indiana 1966.

[3] D. L. Dexter, J. Chem. Physics 21, 836 (1953).

[4] A. Terenin u. V. Ermolaev, Trans. Faraday Soc. 25, 1042 (1956).

[5] Diese Reaktion ist nach G. Porter u. M. Wright, Discuss. Faraday Soc. 27, 18 (1959), auf Grund der „Wigner'schen Spin-Regeln" erlaubt, (Nachr. Akad. Wiss. Göttingen IIa, Math. Physik. Chem. Abt. 1927).

[6] IUPAC Org. Chem. Div., *Org. Photochem.*, Vol. 3, S. 443, St. Moritz 1964, Plenary Lectures.

Die Reaktionsfolge (50) stellt einen adiabatischen Prozeß dar, bei dem die Desaktivierung in dem Reaktanden erfolgt unter Bildung eines sog. „heißen", d. h. extrem schwingungsangeregten Grundzustandes $A^{vibr.}$, der chemisch reagiert (vgl. Abb. 1b, S. 12).

Die Reaktion (51) ist ebenfalls adiabatisch. Die Desaktivierung erfolgt erst im Produkt B^*, d. h. es entstehen Produkte im angeregten Zustand. In diesem Fall sollten die Anregungsenergien der Bedingung $E_{A^*} \geqq E_{B^*}$ entsprechen.

Bei der Reaktion (52) erfolgt die Desaktivierung irgendwo auf der Reaktionskoordinate zwischen dem angeregten Reaktanden A^* und dem Produkt-Grundzustand B. Diese Klasse diabatischer Reaktionen ist sehr groß. Sie verlaufen meistens zweistufig und finden immer dann statt, wenn die Bedingung $E_{A^*} < E_{B^*}$ erfüllt ist.

Auf der Basis der Störungstheorie 1. Ordnung wurden neuerdings ähnliche Klassifizierungen vorgenommen[1], indem man den Mechanismus der Energieumwandlung der angeregten Elektronenzustände mit einer qualitativen Analyse der Potentialhyperflächen koppelt und dadurch drei Typen von photochemischen Reaktionen unterscheiden kann:

X-Typ Photoreaktionen: Adiabatische Prozesse, z. B. biprotonische Phototautomerie der H-Brückenbindung von Dimeren des 7-Aza-indols (7H-⟨Cyclopenta-[b]-pyridin⟩)[2] oder Protonentransfer bei Säure-Base Reaktionen[3].

N-Typ Photoreaktionen: Diabatische Prozesse, z. B. Norrish-Spaltungen von Ketonen usw.

G-Typ Photoreaktionen: Adiabatische Prozesse der stereospezifisch verlaufenden Ringöffnung usw.[4]

VI. Kinetische Analyse von Photoreaktionen mit Hilfe von E-, ED- und EDQ-Diagrammen

Um einen Reaktionsmechanismus formulieren zu können, benötigt man Aufschluß über Anzahl und Typen der Teilreaktionen. Es können auf rechnerischem und graphischem Wege die Anzahl der linear unabhängigen Teilreaktionen und zugleich damit die Zahl der an der untersuchten Reaktion beteiligten Partner ermittelt werden[5,6]:

a) Bedeutung und Aussagekraft eines isosbestischen Punktes[5,6]

Die Gesamtextinktion $E_\alpha(t)$ eines reagierenden Systems ist nach dem Bourguer-Lambert-Beer'schen Gesetz, Gl. (27) (S. 9), für eine Wellenlänge α zu einem Zeitpunkt t für n entstehende bzw. verschwindende Stoffe i gegeben durch:

$$E_\alpha(t) = d \sum_{i=1}^{n} \varepsilon_{\alpha i} c_i(t) \tag{53}$$

d = Schichtdicke der Küvette

$c_i(t)$ = molare Konzentration des i-ten Stoffes zur Zeit t

$\varepsilon_{\alpha i}$ = molarer dekadischer Extinktionskoeffizient des i-ten Stoffes

Die aus den Reaktionen resultierenden Konzentrationsänderungen der n beteiligten Stoffe sind voneinander abhängig. Für r Teilreaktionen, die im System ablaufen, lautet die k-te Reaktionsgleichung

$$\nu_{k1}A_1 + \nu_{k2}A_2 + \cdots \rightarrow \nu_{kn}A_n \tag{54}$$

R. C. Dougherty, Am. Soc. **93**, 7187 (1971).

[2] C. A. Taylor, M. A. El-Bayoumi u. M. Kasha, Pr. Nation. Acad. USA **63**, 253 (1969).

[3] G. Jackson u. G. Porter, Pr. roy. Soc. Ser. A. **260**, 13 (1961).

[4] W. G. Dauben et al., Am. Soc. **87**, 3996 (1965).

[5] H. Mauser, Z. Naturf. **23b**, 1021 (1968).

[6] H. Mauser, Z. Naturf. **23b**, 1025 (1968).

Die Konzentrationsänderungen der n Stoffe lassen sich durch die Reaktionslaufzahlen $\lambda_k(t)$ der Teilreaktionen ausdrücken:

$$\lambda_k(t) = \frac{\Delta c_{k1}}{\nu_{k1}} = \frac{\Delta c_{k2}}{\nu_{k2}} = \cdots = \frac{\Delta c_{ki}}{\nu_{ki}} = \cdots = \frac{\Delta c_{kn}}{\nu_{kn}} \tag{55}$$

mit $\nu_{ki} \neq 0$ und $\Delta c_{ki} = c_{ki}(t) - c_{ki}(t_0)$

ν_{ki} = stöchiometrische Koeffizienten des i-ten Stoffes
Δc_{ki} = die durch die k-te Reaktion bedingte Änderung der Konzentration des Stoffes i
$c_{ki}(t)$, $c_{ki}(t_0)$ = Konzentration des Stoffes i für die k-te Reaktion zum Zeitpunkt t bzw. t_0
$\lambda_k(t)$ = Reaktionslaufzahl der k-ten Reaktion.

Für die gesamte Konzentrationsänderung des Stoffes i gilt dann

$$\Delta c_i = c_i(t) - c_i(t_0) = \sum_{k=1}^{r} \nu_{ki}\,\lambda_k(t) \tag{56}$$

mit $i = 1, 2 \ldots n$

$c_i(t_0)$ = Ausgangskonzentration des Stoffes i

Die zeitliche Änderung der Extinktion, die man spektroskopisch verfolgt, läßt sich nun darstellen als

$$\Delta E_\alpha(t) = E_\alpha(t) - E_\alpha(t_0) = \sum_{k=1}^{r} \lambda_k(t)\, q_{\alpha k} \tag{57}$$

mit

$$q_{\alpha k} = d \sum_{i=1}^{n} \nu_{ik}\, \varepsilon_{\alpha i} \tag{58}$$

Stehen die $\lambda_k(t)$ einerseits bzw. die $q_{\alpha k}$ andererseits in einem linearen Zusammenhang untereinander, gelten folgende Beziehungen

$$\sum_{k=1}^{r} a_k \lambda_k(t) = 0 \quad \text{bzw.} \quad \sum_{k=1}^{r} b_k q_{\alpha k} = 0 \tag{59}$$

Man erhält anstelle der Gleichung (57)

$$\Delta E_\alpha(t) = \sum_{k=1}^{s} Q_{\alpha k} L_k(t) \quad \text{mit} \quad s < r \tag{60}$$

Die $Q_{\alpha k}$ bzw. $L_k(t)$ sind Linearkombinationen der $q_{\alpha k}$ bzw. $\lambda_k(t)$. s definiert man als die Zahl der linear unabhängigen Reaktionen. Läuft nur eine unabhängige Reaktion ($s = 1$) ab, spricht man von einem einheitlichen Reaktionsverlauf. Dann ist

$$\Delta E_\alpha(t) = Q_{\alpha 1} L_1(t) \tag{61}$$

Isosbestische Punkte können immer dann auftreten, wenn eine Reaktion einheitlich abläuft im Sinne der Gleichung (61), das bedeutet

$$\Delta E_\alpha(t) = Q_{\alpha 1} L_1(t) = 0 \,. \tag{62}$$

Im Falle einheitlicher Reaktionen existieren folgende Reaktionsmöglichkeiten:

① Nur eine Reaktion läuft ab
② Folgereaktionen, auf deren Zwischenprodukte sich die Hypothese des stationären Zustandes anwenden läßt
③ Parallelreaktionen gleicher Reaktionsordnung
④ Vor- und nachgelagerte Isomerisationsgleichgewichte
⑤ einer Reaktion überlagert sich die Rückreaktion

b) Extinktions-, Extinktionsdifferenzen- und Extinktionsdifferenzenquotienten-Diagramme[1,2]

Die Einheitlichkeit einer Reaktion kann man unabhängig vom Auftreten isosbestischer Punkte auf graphischem Wege mit Hilfe von Extinktions- bzw. Extinktionsdifferenzen-Diagrammen (E- bzw. ED-Diagramme) untersuchen.

Für einen einheitlichen Reaktionsablauf gilt für zwei definierte Wellenlängen $\alpha = 1$ und $\alpha = 2$

$$E_1(t) = Q_{11} L_1(t) + E_{10} \tag{63}$$

$$E_2(t) = Q_{21} L_1(t) + E_{20} \tag{64}$$

wobei E_{10} und E_{20} die Extinktionen der Reaktionslösung bei den Wellenlängen $\alpha = 1$ und $\alpha = 2$ zum Zeitpunkt $t = 0$ sind.

Die Kombination der Gleichungen (63) und (64) ergibt:

$$E_1(t) = \frac{Q_{11}}{Q_{12}} E_2(t) + E_0 \tag{65}$$

mit

$$E_0 = E_{10} - \frac{Q_{11}}{Q_{12}} E_{20} \tag{65a}$$

Trägt man die im zeitlichen Verlauf einer Reaktion gemessenen Extinktionswerte bei einer beliebigen Wellenlänge $\alpha = 1$ gegen die Extinktionswerte bei einer anderen, ebenfalls beliebigen Wellenlänge $\alpha = 2$ auf, so muß eine Gerade mit dem Anstieg Q_{11}/Q_{12} und dem Ordinatenabschnitt E_0 resultieren, falls eine einheitliche Reaktion vorliegt. Das Verfahren wiederholt man mit Extinktionsmeßwerten bei anderen Wellenlängen, um Zufälligkeiten auszuschließen.

Die Extinktionen E_α reiner Stoffe hängen nur von der Konzentration der Lösung ab. Diese Konzentrationsabhängigkeit läßt sich durch eine Nullpunktsgerade im E-Diagramm aufzeichnen (Konzentrations-Extinktions-Gerade)[3]. Diese Gerade gibt z. B. Aufschluß über den Umsatz der Reaktion.

Läuft in dem untersuchten Reaktionssystem mehr als eine linear unabhängige Reaktion ab, treten im E-Diagramm Abweichungen von der Geraden auf, falls alle an den verschiedenen Teilreaktionen beteiligten Partner in dem betrachteten Wellenbereich absorbieren.

Um einen größeren Maßstab bei graphischen Darstellungen der gemessenen Extinktionen zu ermöglichen, geht man von Extinktionsdifferenzen aus. Für eine einheitliche Reaktion gilt in diesem Fall bei zwei Wellenlängen $\alpha = 1$ und $\alpha = 2$

$$\Delta E_1(t) = Q_{11} L_1(t) \,, \tag{66}$$

$$\Delta E_2(t) = Q_{21} L_1(t) \,. \tag{67}$$

Eliminieren von $L_1(t)$ führt zu folgender Gleichung, die eine Nullpunktsgerade anzeigt.

$$\Delta E_1(t) = \frac{Q_{11}}{Q_{21}} \Delta E_2(t) \tag{68}$$

Laufen mehrere linear unabhängige Reaktionen ab, so findet man im ED-Diagramm (ebenso wie im E-Diagramm) nicht-lineare Bereiche. Unter Umständen ist es jedoch möglich, je nach dem Verhältnis der kinetischen Konstanten der Teilreaktionen, bestimmte Reaktionsabschnitte zu erkennen, in denen eine linear unabhängige Teilreaktion überwiegt.

Extinktionsdifferenzenquotienten-Diagramme (EDQ-Diagramme) erlauben bei ausreichender Meßgenauigkeit eine Aussage darüber, ob sich die Gesamtreaktion aus zwei oder mehreren unabhängigen Teilreaktionen zusammensetzt.

[1] H. Mauser, Z. Naturf. 23b, 1021 (1968).
[2] H. Mauser, Z. Naturf. 23b, 1025 (1968).
[3] G. Gauglitz, Dissertation, S. 8, Universität Tübingen 1972.

Für zwei linear unabhängige Reaktionen ist die zeitliche Extinktionsänderung für drei verschiedene Wellenlängen festgelegt mit

$$\Delta E_1(t) = Q_{11}L_1(t) + Q_{12}L_2(t) \tag{69}$$

$$\Delta E_2(t) = Q_{21}L_1(t) + Q_{22}L_2(t) \tag{70}$$

$$\Delta E_3(t) = Q_{31}L_1(t) + Q_{32}L_2(t) \tag{71}$$

Aus der Kombination der Gleichung (69), (70) und (71) folgt

$$\frac{\Delta E_1(t)}{\Delta E_2(t)} = \frac{Q_{12}Q_{31} - Q_{11}Q_{32}}{Q_{22}Q_{31} - Q_{21}Q_{32}} + \frac{Q_{11}Q_{22} - Q_{12}Q_{21}}{Q_{22}Q_{31} - Q_{21}Q_{32}} \cdot \frac{\Delta E_3(t)}{\Delta E_2(t)} \tag{72}$$

Trägt man $\dfrac{\Delta E_1(t)}{\Delta E_2(t)}$ gegen $\dfrac{\Delta E_3(t)}{\Delta E_2(t)}$ auf, so erhält man für zwei linear unabhängige Teilreaktionen ($s = 2$) eine Gerade und im Fall $s = 3$ nicht-linearen Kurvenverlauf.

Die folgenden Beispiele sollen verdeutlichen, wie mit den angeführten theoretischen Grundlagen Aussagen über Reaktionsmechanismen getroffen werden können.

Bei der Photoreaktion von 5,6-Dioxo-7-oxa-bicyclo[2.2.1]hepten-(2) (I; S. 25)[1] in Cyclohexan ergeben sich folgendes ED- und EDQ-Diagramm (Abb. 4 u. 5, S. 24 u. 25):

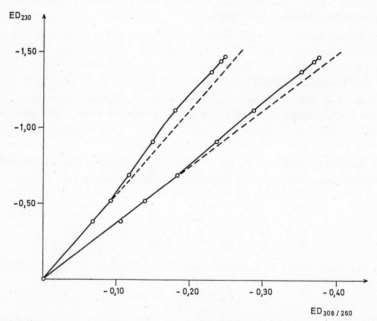

Abb. 4. Extinktionsdifferenzen-Diagramm zur Photoreaktion von 5,6-Dioxo-7-oxa-bicyclo[2.2.1]hepten-(2) (I) in Cyclohexan

Ausgangskonzentration $c = 0,92 \cdot 10^{-3}$ m, 1 cm-Küvette, $T = 20°$, Bestrahlung mit $\lambda = 435$ nm

Das ED-Diagramm zeigt einen nicht linearen Verlauf (Abweichung von der Geraden, die gestrichelt angedeutet ist). Das EDQ-Diagramm (Abb. 5, S. 25) ist linear. Die beschriebene Reaktion setzt sich also aus insgesamt zwei linear unabhängigen Teilreaktionen zusam-

---

[1] H.-W. Gaidetzka, Diplomarbeit, TH Aachen 1972.

men (s = 2). Ein Reaktionsschema, das die genannten Bedingungen für den Reaktionsverlauf zum Ausdruck bringt, ist folgende Konsekutiv-Reaktion[1]:

$$A \xrightarrow{\lambda_1 (t)} B \xrightarrow{\lambda_2 (t)} C$$

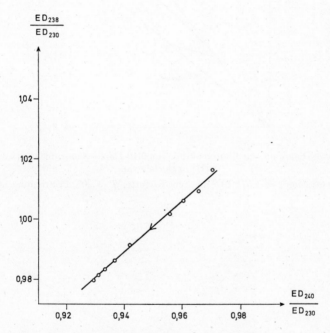

Abb. 5. Extinktionsdifferenzenquotienten-Diagramm zur Photoreaktion von 5,6-Dioxo-7-oxa-bicyclo
[2.2.1]hepten-(2) (I) in Cyclohexan

Ausgangskonzentration $c = 0.92 \cdot 10^{-3}$ m, 1 cm-Küvette, $T = 20°$, Bestrahlung mit $\lambda = 435$ nm

Die Photoreaktion von 9,10-Dioxo-⟨benzo-bicyclo[2.2.2]octadien-(2,5)⟩
(II) zu Naphthalin und Kohlenmonoxid ist von folgenden Extinktionsänderungen begleitet (Abb. 6 u. 7, S. 26):

[1] M. B. RUBIN u. M. WEIHER, 5th Symposium on Photochemistry, July 21–27, 1974, Enschede, The
Netherlands, contributed paper.

Die Reaktion besteht aus zwei linear unabhängigen Teilreaktionen (nichtlineares E-Diagramm, lineares EDQ-Diagramm)[1]. Ein Reaktionsschema, das die aus dem E- und EDQ-Diagramm abgeleiteten Bedingungen erfüllt, ist folgendes:

$$A \xrightarrow{\lambda_1(t)} B \xrightarrow{\lambda_2(t)} N$$

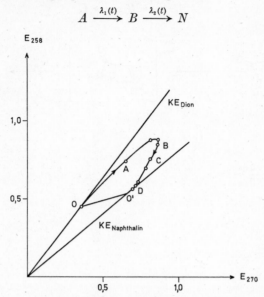

Abb. 6. Extinktions-Diagramm zur Photoreaktion von 9,10-Dioxo-⟨benzo-bicyclo [2.2.2]octadien-(2,5)⟩ (II) in Cyclohexan

Ausgangskonzentration $c = 1{,}57 \cdot 10^{-4}$ m, 1 cm-Küvette, $T = 20°$. Bestrahlung mit $\lambda = 435$ nm

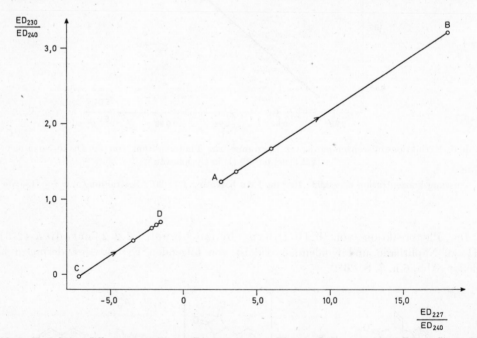

Abb. 7. Extinktionsdifferenzenquotienten-Diagramm zur Photoreaktion von 9,10-Dioxo-⟨benzo-bicyclo [2.2.2]octadien-(2,5)⟩ in Cyclohexan

Ausgangskonzentration $c = 1{,}57 \cdot 10^{-4}$ m, 1 cm-Küvette, $T = 20°$, Bestrahlung mit $\lambda = 435$ nm

---

[1] M. B. Rubin u. M. Weiher, 5th Symposium on Photochemistry, July 21–27, 1974, Enschede, The Netherlands, contributed paper.

Der Geradenabschnitt $\overline{00'}$ im E-Diagramm, Abb. 6 (S. 26) zeigt den Reaktionsweg für den Fall an, daß das Dion II ausschließlich im Sinne

$$A \xrightarrow{\lambda_1(t)} N$$

einheitlich reagieren würde[1].

VII. Analyse von Photoreaktionen mit Hilfe der Stationär-Kinetik

a) Reaktionsmechanismus und Quantenausbeuten

Es ist wichtig, zwischen fünf verschiedenen Arten von Quantenausbeuten[2] zu unterscheiden:

① die scheinbare integrale Quantenausbeute

$$\gamma_N = \pm \frac{\Delta m_N}{m_{h\nu}} = \pm \frac{c_N(t) - c_N(0)}{\int_0^t I_{abs}\, dt} \cdot V \qquad (73)$$

Δm_N sind die gebildeten oder verbrauchten Mole des Stoffes N. Im ersten Fall ist das Plus, im zweiten das Minuszeichen zu verwenden, da die Quantenausbeute eine positive Größe sein soll. $m_{h\nu}$ ist die Anzahl der Mole Lichtquanten (Zahl der Einstein), die während der Belichtungszeit absorbiert werden. I_{abs} ist die Zahl der in der Zeiteinheit absorbierten Einstein im Volumen V der Reaktionslösung[3].

② die wahre integrale Quantenausbeute

$$\gamma_N^A = \pm \frac{\Delta m_N}{m_{h\nu_A}} = \pm \frac{c_N(t) - c_N(0)}{\int_0^t I_{abs\,A}\, dt} \cdot V \qquad (74)$$

Der Index A gibt an, welches der photochemisch primär reagierende Stoff ist.

③ die scheinbare differentielle Quantenausbeute

$$\varphi_N = \pm \frac{dc_N}{dt} \Big/ \frac{I_{abs}}{V} \qquad (75)$$

dc_N/dt ist die lokale Reaktionsgeschwindigkeit und I_{abs}/V die am Ort des infinitesimalen Umsatzes absorbierte Quantenstromdichte.

④ die wahre differentielle Quantenausbeute

$$\varphi_N^A = \pm \frac{dc_N}{dt} \Big/ \frac{I_{abs\,A}}{V} \qquad (76)$$

⑤ die partielle Quantenausbeute

$$\frac{dc_N}{dt} = \sum_i \pm \varphi_N^{A_i} \frac{I_{abs\,A_i}}{V} + \sum_j \pm k_j \prod_l^l c_l^{\nu_{j,l}} \qquad (77)$$

Diese Quantenausbeute spielt bei komplizierten Photoreaktionen eine Rolle, bei denen mehrere Absorptionsprozesse stattfinden und bei denen auch Dunkelreaktionen zu berücksichtigen sind. k_j ist die kinetische Konstante der j-ten Dunkelreaktion, an der der Stoff l mit dem stöchiometrischen Koeffizienten $\nu_{j,l}$ teilnimmt.

---

[1] H.-W. GAIDETZKA, Diplomarbeit, Aachen 1972.
[2] H. MAUSER, Z. Naturf. 22 b, 367, 465, 371, 569 (1967).
[3] Bei I_{abs} handelt es sich hier um eine integrale Größe im Gegensatz zur differentiellen Größe I_{abs} (X), s. Gl. (28), S. 9.

Die wahren differentiellen und auch die partiellen Quantenausbeuten sind die theoretisch wichtigsten Größen, da man sie, wie an Hand einiger Beispiele[1] gezeigt werden soll, bei Zugrundelegen eines bestimmten Reaktionsmechanismus berechnen kann:

$$\varphi_N^A = \varphi_N^A \; (c_i, k_i, I_{\mathrm{abs}\,A}/V) \tag{78}$$

Bei der Herleitung dieser Beziehungen benutzt man die sogenannte Hypothese des stationären Zustandes (Bodenstein-Hypothese), d. h., falls die Konzentrationen von irgendwelchen bei der Reaktion auftauchenden Zwischenprodukten (angeregte Moleküle im Singulett, Triplett usw.) klein sind und ihre mittlere Lebensdauer kurz gegenüber der Reaktionszeit ist, werden ihre zeitlichen Konzentrationsänderungen gleich Null gesetzt.

ⓐ **Photoreduktion,** z. B.:

$$2A + RH_2 \xrightarrow{\;h\nu\;} (AH)_2 + R$$

Die Reaktion läuft nach folgenden Mechanismen ab:

① $A + h\nu \quad \to A^*$ $\qquad \dfrac{I_{\mathrm{abs}\,A}}{V}$ (Singulett-Anregung)

② $A^* \qquad\quad \to A$ $\qquad k_2 c_{A^*}$ (Fluoreszenz u. strahlungslose Desaktivierung)

③ $A^* + RH_2 \to \dot{A}H + \dot{R}H$ $\quad k_3 \cdot c_{A^*} \cdot c_{RH_2}$

④ $2\dot{A}H \qquad\; \to (AH)_2$ $\quad k_4 \cdot c_{\dot{A}H}^2$

Für den 5. Teilschritt, nämlich den Umsatz der $\dot{R}H$-Radikale, mögen die folgenden 3 Möglichkeiten betrachtet werden:

⑤ $\dot{R}H + A \;\to \dot{A}H + R$ $\qquad k_5 \cdot c_{\dot{R}H} \cdot c_A$

⑥ $2\dot{R}H \qquad \to R + RH_2$ $\qquad 2k_6 \cdot c_{\dot{R}H}^2$

⑦ die Kombination von Gl. ⑤ und Gl. ⑥

Hieraus erhält man für die Reaktionsgeschwindigkeiten der einzelnen Stoffe:

$$\frac{dc_{A^*}}{dt} = \frac{I_{\mathrm{abs}\,A}}{V} - k_2 c_{A^*} - k_3 \cdot c_{A^*} \cdot c_{RH_2}$$

$$\frac{dc_{\dot{R}H}}{dt} = k_3 \cdot c_{A^*} \cdot c_{RH_2} - \begin{cases} ⑤ & k_5 \cdot c_{\dot{R}H} \cdot c_A \\ ⑥ & 2 \cdot k_6 \cdot c_{\dot{R}H}^2 \\ ⑦ & k_5 \cdot c_{\dot{R}H} \cdot c_A + 2\,k_6 \cdot c_{\dot{R}H}^2 \end{cases}$$

$$\frac{dc_{\dot{A}H}}{dt} = k_3 c_{A^*} \cdot c_{RH_2} - 2k_4 \cdot c_{\dot{A}H}^2 + \begin{cases} ⑤ & k_5 \cdot c_{\dot{R}H} \cdot c_A \\ ⑥ & - \\ ⑦ & k_5 \cdot c_{\dot{R}H} \cdot c_A \end{cases}$$

$$\frac{dc_{(AH)_2}}{dt} = k_4 \cdot c_{\dot{A}H}^2$$

Mit Hilfe der Bodenstein-Hypothese ergibt sich für [(76), S. 27]:

$$\varphi_{(AH)_2}^A = \frac{dc_{(AH)_2}}{dt} \bigg/ \frac{I_{\mathrm{abs}\,A}}{V}$$

und für den Fall Gl. ⑤:

$$\varphi_{(AH)_2}^A = k_3 \cdot c_{RH_2} / (k_2 + k_3 \cdot c_{RH_2})$$

Den Maximalwert 1 für die wahre differentielle Quantenausbeute erhält man, falls nur der sogenannte „chemische Ausgang" aus dem S_1-Zustand stattfindet und A^* nicht fluoresziert

---

[1] H. Mauser, in: *Ullmanns Encyklopädie der technischen Chemie*, 3. Aufl., 16. Bd., S. 439-455, Urban & Schwarzenberg, München 1965.

oder strahlungslos desaktiviert. Im Fall Gl. ⑥ wird:

$$\varphi^A_{(AH)_2} = \tfrac{1}{2} \cdot k_3 \cdot c_{RH_2}/(k_2 + k_3 \cdot c_{RH_2})$$

der Maximalwert beträgt hier für $k_2 = 0$ nur 0,5. Für den Fall Gl. ⑦ (S. 28) gilt:

$$\varphi^A_{(AH)_2} = \tfrac{1}{2} \cdot k_3 \cdot c_{RH_2}/(k_2 + k_3 \cdot c_{RH_2})$$
$$+ \frac{k_5 \cdot c_A}{4\, I_{\mathrm{abs}\,A}/V} \cdot \left[\sqrt{\frac{k_5^2 \cdot c_A^2}{4\, k_6^2} + \frac{2\, k_3 \cdot c_{RH_2} \cdot I_{\mathrm{abs}\,A}/V}{k_6\,(k_2 + k_3 \cdot c_{RH_2})}} - \frac{k_5 \cdot c_A}{2\, k_6} \right]$$

Hier hängt also die wahre differentielle Quantenausbeute außer von den Konzentrationen der Reaktionspartner und den kinetischen Konstanten der Teilreaktionen noch von der von A absorbierten Quantenstromdichte ab.

ⓑ **Photoumlagerung** aus dem Singulett-Zustand:

$$A \xrightarrow{\ h\nu\ } B$$

Die Umlagerung von Benzol in Benzvalen läuft z. B. nach einem solchen Reaktionsmechanismus ab[1]:

$$A + h\nu \to A_{S_1}$$
$$A_{S_1} \to A + h\nu' \qquad k_2 \text{ (Fluoreszenz)}$$
$$A_{S_1} \to A \qquad k_3 \text{ (strahlungslose Desaktivierung)}$$
$$A_{S_1} \to B \qquad k_4 \text{ (,,chemischer Ausgang'')}$$

Für die einzelnen Reaktionsgeschwindigkeiten ergibt sich:

$$\frac{dc_A}{dt} = -\frac{I_{\mathrm{abs}\,A}}{V} + k_2 c_{A_{S_1}} + k_3 c_{A_{S_1}}$$
$$\frac{dc_{A_{S_1}}}{dt} = \frac{I_{\mathrm{abs}\,A}}{V} - k_3 c_{A_{S_1}} - k_4 c_{A_{S_1}} - k_2 c_{A_{S_1}}$$
$$\frac{dc_B}{dt} = k_4 \cdot c_{A_{S_1}}$$

und daraus:

$$\varphi^A_B = \frac{k_4}{k_2 + k_3 + k_4} \le 1$$

Bei stöchiometrischem Bruttoumsatz nach der Reaktionsgleichung:

$$\nu_A A + \nu_B B + \ldots \xrightarrow{\ h\nu\ } \nu_N N + \nu_D D + \cdots$$

gilt immer:

$$\left| \frac{\varphi^A_A}{\nu_A} \right| = \left| \frac{\varphi^A_B}{\nu_B} \right| = \left| \frac{\varphi^A_N}{\nu_N} \right| = \left| \frac{\varphi^A_D}{\nu_D} \right| = \cdots$$

d. h. auch:

$$\varphi^A_A = \frac{k_4}{k_2 + k_3 + k_4}$$

ⓒ **Photoumlagerung** aus dem Triplett-Zustand:

$$A \xrightarrow{\ h\nu\ } B$$

$$A + h\nu \to A_{S_1} \qquad\qquad I_{\mathrm{abs}\,A}/V \text{ (Absorption)}$$
$$A_{S_1} \to A + h\nu' \qquad\quad k_2 \text{ (Fluoreszenz)}$$
$$A_{S_1} \to A \qquad\qquad\quad k_3 \text{ (strahlungslose Desaktivierung)}$$
$$A_{S_1} \to A_{T_1} \qquad\qquad k_4 \text{ (“intersystem-crossing”)}$$
$$A_{T_1} \to A + h\nu'' \qquad\quad k_5 \text{ (Phosphoreszenz)}$$
$$A_{T_1} \to A \qquad\qquad\quad k_6 \text{ (strahlungslose Desaktivierung)}$$
$$A_{T_1} \to B \qquad\qquad\quad k_7 \text{ (,,chem. Ausgang'')}$$

---

[1] Im folgenden werden nur noch die Geschwindigkeitskonstanten der Reaktionen angegeben, die Konzentrationen der Reaktanden ausgespart.

Nach Aufstellen der Gleichungen für die einzelnen Reaktionsgeschwindigkeiten und Anwendung der Bodenstein-Hypothese, deren Anwendbarkeit man natürlich immer genau prüfen muß, erhält man:

$$\varphi_A^A = \varphi_B^A = \frac{k_4 \cdot k_7}{(k_5 + k_6 + k_7)(k_2 + k_3 + k_4)} \leq 1.$$

ⓓ **cis-trans-Isomerisation:**

$$A \underset{\longleftarrow}{\overset{h\nu}{\longrightarrow}} B$$

Die Umlagerung von z. B. Azobenzol[1,2] erfolgt nach folgendem Mechanismus:

$A + h\nu' \to A_{S_1}$	I_{absA}/V		$B_{S_1} \to T$	k_6
$B + h\nu'' \to B_{S_1}$	I_{absB}/V		$T \to A$	k_7
$A_{S_1} \to A$	k_3		$T \to B$	k_8
$B_{S_1} \to B$	k_4		$B \to A$	k_9
$A_{S_1} \to T$	k_5			

Sowohl A als auch B reagieren photochemisch und B kann durch eine Dunkelreaktion (k_9) in A umgewandelt werden. T sei der A und B gemeinsame Triplett-Zustand. Für die Reaktionsgeschwindigkeit von A erhält man:

$$\frac{dc_A}{dt} = -\frac{k_5 \cdot k_3}{(k_3+k_5)(k_7+k_8)} \cdot \frac{I_{absA}}{V} + \frac{k_6 \cdot k_7}{(k_4+k_6)(k_7+k_8)} \cdot \frac{I_{absB}}{V} + k_9 \cdot c_B$$

$$= -\varphi_A^A \cdot \frac{I_{absA}}{V} + \varphi_A^B \cdot \frac{I_{absB}}{V} + k_9 \cdot c_B$$

ⓔ **Photoaddition:**

$$A + B \xrightarrow{h\nu} C$$

2,3-Dimethyl-buten-(2) reagiert z. B. nach folgendem Schema zu Octamethyl-cyclobutan ($B=A$):

$$A + h\nu \to A_{S_1}$$
$$A_{S_1} \to A \qquad k_2$$
$$A_{S_1} + B \to C \qquad k_3$$

Es möge sich um eine Cycloaddition aus einem Singulettzustand handeln. Die wahre differentielle Quantenausbeute ergibt sich zu:

$$\varphi_A^A = \varphi_C^A = k_3 \cdot c_B/(k_2 + k_3 \cdot c_B) \leq 1$$

ⓕ **Radikalische Kettenreaktion:**

$$A_2 + B_2 \xrightarrow{h\nu} 2AB$$

Sie läuft nach folgendem Schema ab:

$$A_2 + h\nu \to 2\dot{A} \qquad \text{(Start)}$$
$$\dot{A} + B_2 \to AB + \dot{B} \qquad k_2 \Big\}\ \text{(Kette)}$$
$$\dot{B} + A_2 \to AB + \dot{A} \qquad k_3 \Big\}$$
$$2\dot{A} \to A_2 \qquad k_4 \quad \text{(Abbruch)}$$

Die wahre differentielle Quantenausbeute ergibt sich zu:

$$\varphi_{AB}^{A_2} = 2k_2 \cdot c_{B_2}/\sqrt{k_4 \cdot I_{absA_2}/V}$$

[1] E. J. Henley u. E. R. Johnson, *The Chemistry and Physics of High Energy Reactions*, University Press, Washington D. C. 1969.
K. Kaindl u. E. H. Graul, *Strahlenchemie*, Dr. Alfred Hüthig-Verlag, Heidelberg 1967.
[2] A. J. Swallow, *Radiation Chemistry of Organic Compounds*, Pergamon Press, Oxford 1960.

(g) **Physikalisch sensibilisierte Photoreaktionen:**

$$B + C \xrightarrow{h\nu\langle A\rangle} D \ (A = \text{Sensibilisator*})$$

Aus dem Reaktionsmechanismus:

$$
\begin{aligned}
A + h\nu &\to A^* & &I_{\text{abs}_A}/V \ \text{(Anregung)}\\
A^* &\to A & &k_2 \ \text{(Desaktivierung des Sensibilisators)}\\
A^* + B &\to A + B^* & &k_3 \ \text{(Energieübertragung)}\\
B^* &\to B & &k_4 \ \text{(Desaktivierung des Substrates)}\\
B^* + C &\to D & &k_5 \ \text{(chem. Reaktion)}
\end{aligned}
$$

folgt für die wahre differentielle Quantenausbeute:

$$\varphi_D^A = \varphi_B^A = k_3 \cdot k_5 \cdot c_B \cdot c_C/(k_2 + k_3 \cdot c_B) \cdot (k_4 + k_5 \cdot c_C)$$

(h) **Chemisch sensibilisierte Photoreaktion:**

$$RH + X \xrightarrow{h\nu\langle A\rangle} RXH$$

Nach folgendem Reaktionsmechanismus:

$$
\begin{aligned}
A + h\nu &\to A^* & &I_{\text{abs}_A}/V \ \text{(Anregung des Sensibilisators)}\\
A^* &\to A & &k_2 \ \text{(Desaktivierung des Sensibilisators)}\\
A^* + RH &\to \dot{A}H + \dot{R} & &k_3 \ \text{(Wasserstoffabstraktion)}\\
\dot{R} + X &\to R\dot{X} & &k_4\\
R\dot{X} + \dot{A}H &\to RXH + A & &k_5 \ \text{(Radikalabsättigung)}
\end{aligned}
$$

ergibt sich:

$$\varphi_{RXH}^A = \varphi_{RH}^A = k_3 \cdot c_{RH}/(k_2 + k_3 \cdot c_{RH})$$

b) Der Zusammenhang zwischen wahrer differentieller und wahrer integraler bzw. scheinbarer integraler Quantenausbeute

Da man die wahren differentiellen Quantenausbeuten nicht messen kann, muß noch eine Beziehung zwischen dieser theoretisch besonders wichtigen Größe und den experimentell zugänglichen integralen Quantenausbeuten gefunden werden[1]. Um die in komplizierter Weise von der Geometrie des Reaktors abhängende Quantenstromdichte berechnen zu können, werden folgende Voraussetzungen getroffen:

1. Die Photoreaktion laufe in einer Küvette mit planparallelen Fenstern ab.
2. Das erregende Licht sei monochromatisch und falle senkrecht auf das Eintrittsfenster auf.
3. Die Lichtintensität sei über die ganze Eintrittsfläche F konstant.

In der Entfernung x vom Eintrittsfenster beträgt die im Volumenelement $F \cdot \Delta x$ vom Stoff A absorbierte Lichtmenge $I_{\text{abs}\,A}$ in der Zeiteinheit:

$$I_{\text{abs}\,A} = \varkappa_A \cdot c_A \cdot I(x) \cdot F \cdot \Delta x \tag{79}$$

Die Lichtintensität $I(x)$ ist durch das Lambert-Beer-Bourguer'sche Gesetz gegeben:

$$I(x) = I(0) \exp\left(-\int_0^x \sum_K \varkappa_K c_K \, dx\right) \tag{80}$$

Die $\varkappa_K$ sind die natürlichen molaren Extinktionskoeffizienten der Reaktionspartner. Damit erhält man für die lokale Reaktionsgeschwindigkeit:

$$\frac{dc_N}{dt} = \pm \varphi_N^A \cdot \frac{I_{\text{abs}\,A}}{V} = \pm \varphi_N^A \varkappa_A \cdot c_A \, I_0 \exp\left(-\int_0^x \sum_K \varkappa_K c_K \, dx\right) \tag{81}$$

---

* Eine Substanz, die als Sensibilisator an einer chemischen Reaktion teilnimmt, wird durch $\langle\ \rangle$ gekennzeichnet.

[1] H. Mauser, Z. Naturf. **22b**, 367, 465, 371, 569 (1967).

und für die mittlere Reaktionsgeschwindigkeit in der Küvette der Länge l:

$$\overline{\frac{dc_N}{dt}} = \pm \frac{1}{l} \int_0^l \varphi_N^A \varkappa_A \cdot c_A \cdot I_0 \exp\left(- \int_0^x \sum_K \varkappa_K c_K dx\right) dx \qquad (82)$$

Wenn in der Reaktionslösung homogene Verhältnisse vorliegen[1], kann die Integration im Exponenten sofort durchgeführt werden:

$$\overline{\frac{dc_N}{dt}} = \pm \frac{\varkappa_A \cdot c_A I_0}{l} \cdot \int_o^l \varphi_N^A \cdot \exp\left(- \sum_K c_K \varkappa_K \cdot x\right) dx . \qquad (83)$$

Hängt die wahre differentielle Quantenausbeute nicht von der absorbierten Quantenstromdichte ab, wie bei den Beispielen ⓐ (S. 28), ⓑ (S. 29), ⓒ (S. 29), ⓔ (S. 30), ⓖ (S. 31) und ⓗ (S. 31), so kann auch die zweite Integration sofort durchgeführt werden und man erhält für die mittlere Reaktionsgeschwindigkeit:

$$\overline{\frac{dc_N}{dt}} = \pm \frac{\varkappa_A \cdot c_A \cdot I_o}{E} \varphi_N^A (1 - \exp(-E)) \qquad (84)$$

mit der Extinktion $E = l \cdot \sum_K \varkappa_K \cdot c_K$

Analog erhält man für den im Mittel von A pro Volumeneinheit absorbierten Quantenstrom:

$$\overline{\frac{I_{\text{abs}A}}{V}} = \frac{\varkappa_A \cdot c_A \cdot I_o}{E} (1 - \exp(-E)) \qquad (85)$$

und für den insgesamt absorbierten mittleren Quantenstrom pro Volumeneinheit:

$$\overline{\frac{I_{\text{abs}}}{V}} = \frac{I_o}{l} (1 - \exp(-E)) \qquad (86)$$

Setzt man diese Beziehungen in die Ausdrücke für die wahre und scheinbare integrale Quantenausbeute ein, so ergibt sich für die wahre integrale Quantenausbeute:

$$\gamma_N^A = \pm \frac{c_N(t) - c_N(0)}{\int_o \overline{\frac{I_{\text{abs}A}}{V}} dt} = \pm \frac{c_N(t) - c_N(0)}{\int_{c_N(0)} \overline{\frac{I_{\text{abs}A}}{V}} \frac{d\overline{c_N}}{\frac{dc_N}{dt}}} = \pm \frac{c_N(t) - c_N(0)}{\int_{c_N(0)}^{c_N(t)} \frac{dc_N}{\varphi_N^A}} \qquad (87)$$

und für die scheinbare integrale Quantenausbeute:

$$\gamma_N = \pm \frac{c_N(t) - c_N(0)}{\int_{c_N(0)}^{c_N(t)} \frac{E d\overline{c_N}}{\varphi_N^A \cdot \varkappa_A \cdot c_A \cdot l}} \qquad (88)$$

Es soll nun der Fall betrachtet werden, daß die wahre differentielle Quantenausbeute von $I_{\text{abs}A}/V$ abhängt. Sehr häufig (z. B. bei ⓕ, S. 30) ist φ_N^A der Wurzel aus der Quantenstromdichte umgekehrt proportional:

$$\varphi_N^A = \pm f(c_i)/\sqrt{\frac{I_{\text{abs}A}}{V}} \qquad (89)$$

Hier ist die nur von den Konzentrationen der Reaktionspartner und den kinetischen Konstanten abhängende Funktion $f(c_i)$:

$$f(c_i) = \frac{2 \cdot k_2}{\sqrt{k_4}} \cdot c_{B_2}$$

---

[1] Was z. B. durch intensives Rühren erreicht werden kann.

Mit Gleichung (79) (S. 31) erhält man für die lokale Reaktionsgeschwindigkeit:

$$\frac{dc_N}{dt} = \pm f(c_i) \sqrt{\frac{I_{\text{abs.}A}}{V}} = \pm f(c_i) \sqrt{\varkappa_A \cdot c_A I_o} \exp\left(-\frac{1}{2} \int\limits_0^x \sum c_K \varkappa_K \, dx\right) \tag{90}$$

und für die mittlere Reaktionsgeschwindigkeit bei homogenen Bedingungen:

$$\frac{d\overline{c_N}}{dt} = \pm \frac{f(c_i)}{l} \sqrt{\varkappa_A \cdot c_A I_0} \int\limits_0^l \exp\left(-\frac{1}{2} \sum_K c_K \varkappa_K \cdot x\right) dx$$

$$= \pm 2 f(c_i) \frac{\sqrt{x_A \cdot c_A \cdot I_0}}{E} \left(1 - \exp\left(-\frac{1}{2} E\right)\right) \tag{91}$$

Mit Gl. (83) (S. 32) wird die wahre integrale Quantenausbeute:

$$\gamma_N^A = \pm \frac{c_N(t) - c_N(0)}{\displaystyle\int\limits_{c_N(0)}^{c_N(t)} \frac{\overline{I_{\text{abs.}A}}}{V} \frac{dc_N}{\frac{d\overline{c_N}}{dt}}} = \pm \frac{2}{\sqrt{x_A \cdot I_0}} \frac{c_N(t) - c_N(0)}{\displaystyle\int\limits_{c_N(0)}^{c_N(t)} \frac{c_A^{1/2}\left(1 + \exp\left(\frac{-E}{2}\right)\right)}{f(c_i)} dc_N} \tag{92}$$

und die scheinbare integrale Quantenausbeute:

$$\gamma_N = \pm 2 \cdot l \sqrt{\frac{\varkappa_A}{I_0}} \frac{c_N(t) - c_N(0)}{\displaystyle\int\limits_{c_N(0)}^{c_N(t)} \frac{E\left(1 + \exp\left(-\frac{E}{2}\right)\right)}{f(c_i)\, c_A^{1/2}} dc_N} \tag{93}$$

Es sollen nun die abgeleiteten Beziehungen auf einige der oben aufgeführten Reaktionen angewandt werden.

① Die wahren differentiellen Quantenausbeuten sind konstant, d. h. sie hängen nur von den kinetischen Konstanten der Reaktion ab [Beispiel ⓑ (S. 29) und ⓒ (S. 29)]. Man erkennt dann sofort, daß wegen Gl. (85) (S. 32)

$$\gamma_A^A \equiv \varphi_A^A \quad \text{ist.}$$

Für die scheinbare integrale Quantenausbeute erhält man mit

$$E = l\left(c_A(t)\,\varkappa_A + c_B(t)\,\varkappa_B\right) = l\left(c_A(0)\,\varkappa_B + c_A(t)\,(\varkappa_A - \varkappa_B)\right)$$

und

$$\alpha = \frac{c_A(t)}{c_A(0)}$$

$$\varphi_A^A = \gamma_A\left(1 - \frac{\varkappa_B}{\varkappa_A}\left(1 + \frac{\ln\alpha}{1-\alpha}\right)\right)$$

Mit Hilfe dieser Beziehung kann man also φ_A^A für jeden Umsatzgrad α berechnen. Entwickelt man $\ln\alpha = \ln(1 - (1-\alpha))$ in eine Taylor-Reihe nach Potenzen von $(1-\alpha)$: so wird

$$\varphi_A^A = \gamma_A\left(1 + \frac{\varkappa_B}{\varkappa_A}\left[\frac{1}{2}(1-\alpha) + \frac{1}{3}(1-\alpha)^2 + \cdots\right]\right)$$

Zu Beginn der Reaktion ist $\varphi_A^A \equiv \gamma_A$.

Beide Größen weichen um so mehr von einander ab, je weiter die Reaktion fortgeschritten ist und je größer das Verhältnis $\frac{\varkappa_B}{\varkappa_A}$ ist.

② Die wahre differentielle Quantenausbeute hängt außer von den kinetischen Konstanten noch von der Konzentration eines an der Reaktion beteiligten Stoffes ab. Dieser Fall liegt bei den Beispielen ⓐ Reaktionsgl. ⑤ u. ⑥ (S. 28), ⓒ (S. 30) und ⓗ (S. 31) vor:

$$\frac{1}{\varphi_B^A} = a + \frac{b}{c_B}$$

Die chemisch sensibilisierte Photoreaktion ⓗ (S. 30) unterscheidet sich wesentlich von den anderen genannten Reaktionen dadurch, daß der photochemisch primär reagierende Stoff A hier nicht in die Bruttoreaktionsgleichung eingeht. Es soll daher zunächst dieses Beispiel besprochen werden und dann stellvertretend für die anderen Reaktionen die Photoaddition ⓒ (S. 30).

Drückt man in der Reaktion

$$RH + X \xrightarrow{h\nu\langle A\rangle} RXH$$

die Konzentrationen c_x und c_{RXH} durch c_{RH} aus, so erhält man für die Extinktion

$$E = l(p + q c_{RH}(t)) \qquad \text{mit} \quad q = \varDelta\varkappa = \varkappa_{RH} + \varkappa_X - \varkappa_{RHX}$$

$$p = \frac{E_0}{l} - \varDelta\varkappa \cdot c_{RH}(0)$$

$$\text{und} \quad E_0 = l(\varkappa_A \cdot c_A + \varkappa_{RH} c_{RH}(0) + \varkappa_x c_x(0))$$

Für die integrale wahre Quantenausbeute bekommt man:

$$\gamma_{RH}^A = \frac{c_{RH}(t) - c_{RH}(0)}{\int\limits_{c_{RH}(0)}^{c_{RH}(t)} dc_{RH}\,(a + b/c_{RH})}$$

bzw. $\dfrac{1}{\gamma_{RH}^A} = a + \dfrac{b}{c_{RH}(0)} \cdot \dfrac{\ln\alpha}{\alpha - 1} = a + \dfrac{b}{c_{RH}(0)} \cdot \left(1 + \dfrac{1}{2}(1-\alpha) + \dfrac{1}{3}(1-\alpha)^2 + \dots\right)$

Für $\alpha = 1$ werden wahre integrale und wahre differentielle Quantenausbeute identisch. Ermittelt man die wahre integrale Quantenausbeute bei verschiedenen Anfangskonzentrationen von RH, so können a und b bestimmt werden.

Für die scheinbare integrale Quantenausbeute erhält man:

$$\gamma_{RH} = c_A \cdot \varkappa_A \frac{c_{RH}(t) - c_{RH}(0)}{\int\limits_{c_{RH}(0)}^{c_{RH}(t)} dc_{RH}\left(a + \dfrac{b}{c_{RH}}\right)(p + q \cdot c_{RH})}$$

bzw. $\dfrac{1}{\gamma_{RH}} = a^* + \dfrac{b^*}{c_{RH}(0)} \cdot \left(1 + \dfrac{1}{2}(1-\alpha) + \dfrac{1}{3}(1-\alpha)^2 + \dots\right) + c^* c_{RH}(0)(1 + \alpha)$

$$\text{mit } a^* = \frac{ap + bq}{c_A \varkappa_A}, \; b^* = \frac{bp}{c_A \varkappa_A} \text{ und } c^* = \frac{a \cdot q}{2 c_A \cdot \varkappa_A}$$

Für $\alpha = 1$, d. h. zu Beginn der Reaktion, findet man für γ_{RH} und φ_{RH}^A denselben funktionalen Zusammenhang. Wählt man verschiedene Anfangskonzentrationen $c_{RH(0)}$, so kann man mit Hilfe der gemessenen scheinbaren integralen Quantenausbeuten die Größen a und b ermitteln.

Bei der Photoaddition (Beispiel ⓒ, S. 30)

$$A + B \xrightarrow{h\nu} C$$

erhält man für die wahre integrale Quantenausbeute wie im vorherigen Fall:

$$\frac{1}{\gamma_B^A} = a + \frac{b}{c_B(0)} \cdot \frac{\ln \alpha}{\alpha - 1} = a + \frac{b}{c_B(0)} \left(1 + \frac{1}{2}(1-\alpha) + \frac{1}{3}(1-\alpha)^2 + \cdots \right).$$

Mit $E = l(p + qc_B)$ wobei $q = \Delta \varkappa = \varkappa_B + \varkappa_A - \varkappa_C$

und $c_A = c_B - c_B(0) + c_A(0)$ $p = \dfrac{E_0}{l} - c_B(0)\, \Delta \varkappa$

$\quad = c_B - \Delta c_{AB}$ $E_0 = c_A(0)\,\varkappa_A + c_B(0)\,\varkappa_B$

und $\Delta c_{AB} = c_B(0) - c_A(0)$ ist,

bekommt man für die scheinbare integrale Quantenausbeute:

$$\gamma_B = \varkappa_A \frac{c_B(t) - c_B(0)}{\displaystyle\int_{c_B(0)}^{c_B(t)} dc_B \frac{(a + b/c_B)(p + q \cdot c_B)}{(c_B - \Delta c_{AB})}}$$

und mit $\alpha = \dfrac{c_B(t)}{c_B(0)}$, $\alpha' = \dfrac{c_A(t)}{c_A(0)}$ und $c_B(t) - c_B(0) = c_A(t) - c_A(0)$

$$\frac{1}{\gamma_B} = a^* - \frac{b^*}{c_B(0)} \left(1 + \frac{1}{2}(1-\alpha) + \frac{1}{3}(1-\alpha)^2 + \cdots \right)$$
$$+ \frac{c^*}{c_A(0)} \left(1 + \frac{1}{2}(1-\alpha') + \frac{1}{3}(1-\alpha')^2 + \cdots \right)$$

mit $a^* = \dfrac{a \cdot q}{\varkappa_A}$, $b^* = \dfrac{bp}{\varkappa_A \cdot \Delta c_{AB}}$ und $c^* = b^* + \dfrac{ap + bq + a \cdot q\, \Delta c_{AB}}{\varkappa_A}$

Für den Fall, daß $\Delta c_{AB} = 0$, d. h. die Anfangskonzentrationen gleich sind, erhält man:

$$\frac{1}{\gamma_B} = a^* + \frac{b^*}{c_B(0)} \left(1 + \frac{1}{2}(1-\alpha) + \frac{1}{3}(1-\alpha)^2 + \cdots \right) + \frac{c^*}{c_B(0)^2} \frac{1}{\alpha}$$

mit $a^* = \dfrac{a \cdot q}{\varkappa_A}$, $b^* = \dfrac{ap + bq}{\varkappa_A}$ und $c^* = \dfrac{b \cdot p}{\varkappa_A}$

VIII. Sensibilisatoren

In der folgenden Tabelle sind die spektralen Daten der gebräuchlichsten Triplett-Sensibilisatoren zusammengestellt. Die Reihenfolge ist nach abnehmender Triplett-Energie (in Kcal/Mol) geordnet. Neben dem Medium in dem die Messung vorgenommen wurde, sind die Werte der 0–0-Übergänge der niedrigsten Singulett- und Triplett-Zustände in Wellenzahlen, die beobachtete Phosphoreszenzlebensdauer sowie die Quantenausbeuten der Fluoreszenz und Phosphoreszenz – soweit bekannt – aufgeführt.

Abkürzungen zu Tab. 1 (S. 36 ff.)

EP   = Äther/2-Methyl-butan (1:1)
MCIP = Methylcyclohexan/2-Methyl-butan (5:1)
MP   = 3-Methyl-pentan
IPMC = 2-Methyl-butan/Methylcyclohexan (1:5)
EPA = Äther/2-Methyl-butan/Äthanol (5:5:2)
EA   = Äther/Äthanol
CAF = Cellulose-Acetatfilm

Tab. 1. Spektrale Daten gebräuchlicher Triplett-Sensibilisatoren

Verbindung	E_T^a [Kcal/Mol]	Medium[b]	E_{T_1} [cm⁻¹]	E_{S_1} [cm⁻¹]	τ (phosph.) [sec] (beob.)	Φ_p/Φ_f^c	Φ_p^c	Φ_f^c
Benzol	84,0[3]	EPA	29400[3]	40200[3]	8,0[2]	1,0[1]	0,17[1]	0,17[1]
Aceton	79-82[4]	EIPR	27800-28550[4]	29400-30300[4]	0,004[4]	3,0[4]	0,03[4]	0,01[4]
		EPA		27800[7]	0,003[5]		0,043[5]	
Acetophenon	76,3	EPA	26700		0,008[8]	10[2]	0,39-0,47[2]	0,00
		H₃PO₄			1,51[8]			
	73,6	MCIP	25750	27500	2,3 × 10⁻³[9]	1000	0,62	
	73,6	EA	25750	28500[9]	0,012[9]			
	74,0[9]	EP	25900[9]					
1-Oxo-1-phenyl-propan	74,8	EA	26150	28000	3,8 × 10⁻³	1000		⋯
	74,6	MCIP	26100					
Xanthon	74,2	MP	25950			1000[10]	⋯	
	70,9[10]	EA	24800[10]	27000[10]	0,02[10]			
1,3,5-Triacetyl-benzol	73,3	MCIP	25650					
1-Oxo-2-methyl-1-phenyl-propan	73,1	MCIP	25550					
2-Oxo-1,3-diphenyl-propan	72,2	MCIP	25250					
Benzaldehyd	71,9	MCIP	25150	26750	1,5 × 10⁻³	1000	0,49	0,00
	71,3	EA	24950					
	73,2[11]	EET	25600[11]					

[a] Die Werte beziehen sich auf das Maximum der 0'—0-Bande der Phosphoreszens, spektralphotometrisch gemessen bei 77° K.
[b] Abkürzungen s. S. 35.
[c] Bei fehlender Literaturangabe s.: J. G. Calvert u. J. N. Pitts, Photochemistry, John Wiley & Sons Ltd., Chichester 1966.

[1] E. H. Gilmore, G. E. Gibson u. D. S. McClure, J. Chem. Physics 10 (5), 829 (1952).
[2] C. A. Parker u. C. G. Hatchard, Analyst 87, 664 (1962).
[3] N. J. Turro, J. Chem. Educ. 46, 2—6 (1969).
[4] R. F. Borkman u. D. R. Kearns, J. Chem. Physics 44, 945 (1966).
[5] E. H. Gilmore, J. Chem. Physics 23, 399 (1955).
[6] M. O'Sullivan u. A. C. Testa, Am. Soc. 92, 158 (1970).
[7] W. A. Noyes, G. B. Porter u. J. E. Jolley, Chem. Reviews 56, 49 (1956).
[8] A. A. Lamola, J. Chem. Physics 47, 4810 (1967).
[9] H. Leismann, Dissertation, Technische Hochschule Aachen (1972).
[10] V. L. Ermolaev, Soviet Physics Uspekhi 80, 333 (1963).
[11] D. R. Kearns u. W. A. Case, Am. Soc. 88, 5087 (1966).

Tab. 1. (1. Fortsetzung)

Verbindung	E_T[a] [Kcal/Mol]	Medium[b]	E_{T_1} [cm⁻¹]	E_{S_1} [cm⁻¹]	τ (phosph.) [sec] (beob.)	Φ_p/Φ_f[c]	Φ_p[c]	Φ_f[c]
9-Oxo-9,10-dihydro-anthracen (Anthron)	71,9	EA	25150	27000	$1,5 \times 10^{-3}$	1000	...	...
9-Oxo-xanthen (Xanthon)	70,9	EA	24800	27000	2×10^{-2}	1000	...	...
2-Oxo-1,1,1,2-tetraphenyl-äthan	70,8	MCIP	24750	...	...	>1000	...	
4-Chlor-benzaldehyd	70,8	EA	24750	27000[1]	...	>1000	...	...
4-Brom-benzaldehyd	71,8[1]	EET	25100[1]	27000[1]	...	>1000	...	...
3-Jod-benzaldehyd	70,8	EA	24750	26250	$6,5 \times 10^{-4}$	>1000	0,64	0,00
Carbazol	70,3 / 70,1 / 70,0	EA / MCIP / EPA	24600 / 24500 / 24500	29500	$7,6^{[2]}$	0,55	...	...
Dibenzofuran	70,1	MCIP	24500					...
9-Phenyl-carbazol	70,1 / 70,1 / 70,0	MCIP / EPA / EA	24500 / 24500 / 24500	29000	7×10^{-1}	15	...	...
Dibenzothiophen	69,7 / 69,3	MCIP / EPA	24400 / 24250					...
2-Chlor-benzaldehyd	69,6	EA	24350	...	...	>1000	...	...
Benzophenon	69,3 / 69,2	EA / EPA	24250 / 24200	26750	$1,5 \times 10^{-3}$ / $0,0058^{[2]}$ / $0,005^{[3]}$	>1000 / >10³	0,74 / 0,5[4] / 0,71[3]	0,00
1,2-Dibenzoyl-benzol	68,5	MCIP	23950					
	68,7	MCIP	24050					

[a] Die Werte beziehen sich auf das Maximum der $0'$–0-Bande der Phosphoreszenz, spektralphotometrisch gemessen bei 77° K.
[b] Abkürzungen s. S. 35.
[c] Bei fehlender Literaturangabe s.: J. G. Calvert u. J. N. Pitts, *Photochemistry*, John Wiley & Sons Ltd., Chichester 1966.

[1] D. R. Kearns u. W. A. Case, Am. Soc. 88, 5087 (1966).
[2] R. N. Griffin, Photochem. and Photobiol. 7, 175 (1968).
[3] C. A. Parker u. C. G. Hatchard, Analyst 87, 664 (1962).
[4] E. H. Gilmore, G. E. Gibson u. D. S. McClure, J. Chem. Physics 10 (5), 829 (1952).

Tab. 1. (2. Fortsetzung)

Verbindung	E_T[a] [Kcal/Mol]	Medium[b]	E_{T_1} [cm^{-1}]	E_{S_1} [cm^{-1}]	τ (phosph.) [sec] (beob.)	Φ_p/Φ_f[c]	Φ_p[c]	Φ_f[c]
4,4'-Dichlor-benzophenon	68,0	MCIP	23800					
1,4-Diacetyl-benzol	67,7	MCIP	23700					
Fluoren	67,6	MCIP	23650		7,1[1]	0,14[1]	0,07[1]	0,54[1]
		EPA						
Triphenylen	67,2	EPA	23500	29600	17,1[1]	5,1[1]	0,28[1]	0,06[1]
	66,6	MCIP	23300			12,0[2]	0,37[2]	0,03[2]
		CAF					0,42[3]	0,15[3]
9-Benzoyl-fluoren	66,8	MCIP	23350					
4-Cyan-benzophenon	66,4	MCIP	23200					
Decadeutero-biphenyl	66,0	EA	23100	33650	11,3	1,9	0,34	0,18
Biphenyl	65,7	EA	23000	33500	3,1	0,8	0,17	0,21
		EPA			5,1[1]	1,4[1]	0,25[1]	0,17[1]
9-Oxo-thioxanthen (Thioxanthon)	65,5	MCIP	22900					
Anthrachinon	63,3	EPA	22150		0,004[1]	>10[1]	0,67[1]	
	62,4	MCIP	21850					
Phenyl-glyoxalsäure-äthylester	63,0	EPA	22050					
	61,9	MCIP	21650					
Phenyl-glyoxal	62,5	MCIP	21850					
Phenanthren	62,2	MCIP	21750				0,09[3]	0,12[3]
		CAF					0,13	0,12
	62,0	EA	21700	28900	3,3	1,1	0,11[1]	0,14[1]
	61,8	EPA	21600		4,3[1]	0,8[1]		

[a] Die Werte beziehen sich auf das Maximum der 0'–0-Bande der Phosphoreszenz, spektralphotometrisch gemessen bei 77° K.
[b] Abkürzungen s. S. 35.
[c] Bei fehlender Literaturangabe s.: J. G. Calvert u. J. N. Pitts, *Photochemistry*, John Wiley & Sons Ltd., Chichester 1966.

[1] C. A. Parker u. C. G. Hatchard, Analyst **87**, 664 (1962).
[2] E. H. Gilmore, G. E. Gibson u. D. S. McClure, J. Chem. Physics **10** (5), 829 (1952).
[3] R. G. Bennett et al., J. Chem. Physics **41**, 3037 (1964).

Tab. 1. (3. Fortsetzung)

Verbindung	E_T[a] [Kcal/Mol]	Medium[b]	E_{T_1} [cm^{-1}]	E_{S_1} [cm^{-1}]	τ (phosph.) [sec] [beob.]	Φ_p/Φ_f [c]	Φ_p [c]	Φ_f [c]
Phenanthren	62,2	MCIP	21750					
Flavon	62,0	IPMC	21700					
Chinolin	62,0	EA	21700	31900	1,4	1,9	0,10	0,05
4,4'-Bis-[dimethylamino]-benzophenon	62,0 61,0	EPA MCIP	21700 21350					
Octadeutero-naphthalin	61,2	EA CAF	21400	31850	9,5	0,21	0,06 0,41[3]	0,28 0,47[3]
Naphthalin	61,0	EPA	21350		2,6[1] 2,8[2]	0,17[1] 0,02[2]	0,06[1] 0,008[2]	0,38[1] 0,39[2]
	60,9 60,8	MCIP EA	21300 21250	3200 31750	2,3	0,09	0,03	0,29
1-Methyl-naphthalin	60,0	EA	21000	31450	2,1	0,05	0,02	0,43
2-Benzoyl-naphthalin	59,6	MCIP	20850					
2-Formyl-naphthalin	59,0[4] 59,5 [3] (nπ*)	EP MCIP	20650[4] 20800	27050[4]	1,04 [4]			
2-Formyl-naphthalin	74,9[5] [3] (nπ*)	EET	26200[5]	28600[5]				
2-Acetyl-1-oxo-1,2-dihydro-naphthalin	59,5 59,3	EPA MCIP	20800 20750					

[a] Die Werte beziehen sich auf das Maximum der 0'–0-Bande der Phosphoreszenz, spektralphotometrisch gemessen bei 77° K.
[b] Abkürzungen s. S. 35.
[c] Bei fehlender Literaturangabe s.: J. G. Calvert u. J. N. Pitts, *Photochemistry*, John Wiley & Sons Ltd., Chichester 1966.

[1] E. H. Gilmore, G. E. Gibson u. D. S. McClure, J. Chem. Physics 10 (5), 829 (1952).
[2] C. A. Parker u. C. G. Hatchard, Analyst 87, 664 (1962).
[3] R. G. Bennett et al., J. Chem. Physics 41, 3037 (1964).
[4] H. Leismann, Dissertation, Technische Hochschule Aachen (1972).
[5] D. R. Kearns u. W. A. Case, Am. Soc. 88, 5087 (1966).

Tab. 1. (4. Fortsetzung)

Verbindung	E_T^a [Kcal/Mol]	Medium^b	E_{T_1} [cm^{-1}]	E_{S_1} [cm^{-1}]	τ (phosph.) [sec](beob.)	Φ_p/Φ_f^c	Φ_p^c	Φ_f^c
1-Chlor-naphthalin	59,2	EA	20700	31360	$2,9 \times 10^{-1}$	5,2	0,16	0,03
1-Brom-naphthalin	59,0	EA	20650	31280	$1,8 \times 10^{-2}$	164	0,14	0,00
1-Jod-naphthalin	58,6	EA	20500	31000	$2,0 \times 10^{-3}$	>1000	0,20	0,00
1-Acetyl-naphthalin	58,0	EPA	20300					
	56,4	MCIP	19600					
1-Benzoyl-naphthalin	57,7	EPA	20200	26700[1]				
	56,5[1]	EP	19750[1]		0,5[1]			
	57,5	MCIP	20100					
Benzil	57,3	EPA	20050		0,005[2]	>10^2	0,67[2]	
	53,7	MCIP	18800					
Butandion (Biacetyl)	57,2	EPA	20000					
	55,5[1]	EP	19400[1]	22400[1]	0,0023[1]			
	54,9	MCIP	19200					
Pentandion-(2,3)	57,2	EPA	20000					
	54,7	MCIP	19150					
1-Formyl-naphthalin	56,3	MCIP	19700					
	56,3	EPA	19700					
1,12-Dioxo-5,12-dihydro-naphthacen	55,8	MCIP	19500					
	55,8	EA	19500					
Fluorenon	53,3	MCIP	18650					
Pyren	48,7	EPA	17050		0,2[3]	0,001[3]		

a Die Werte beziehen sich auf das Maximum der Phosphoreszenz, spektralphotometrisch gemessen bei 77° K.

b Abkürzungen s. S. 35.

c Bei fehlender Literaturangabe s.: J. G. Calvert u. J. N. Pitts, Photochemistry, John Wiley & Sons Ltd., Chichester 1966.

[1] H. Leismann, Dissertation, Technische Hochschule Aachen (1972).   [3] D. S. McClure, J. Chem. Physics 17, 905 (1949).

[2] C. A. Parker u. C. G. Hatchard, Analyst 87, 664 (1962).

B. Apparative Hilfsmittel
Allgemeines zur Ausführung photochemischer Reaktionen

bearbeitet von

Prof. Dr. HANS-DIETER SCHARF, Prof. Dr. JÖRG FLEISCHHAUER und Dr. JOACHIM ARETZ[*]

I. Strahlungsquellen

Die Ausführung photochemischer Reaktionen im präparativen Maßstab setzt intensive Strahlungsquellen voraus, die den Wellenlängenbereich emittieren, der von einem Reaktanden absorbiert wird. Die Auswahl einer geeigneten Strahlungsquelle sollte anhand eines UV-Absorptionsspektrums der Reaktanden in dem physikalischen Zustand erfolgen, in dem die photochemische Reaktion durchgeführt wird.

Die gebräuchlichsten Strahlungsquellen sind Metalldampf- und Edelgas-Entladungsröhren. Man unterscheidet:

① Quecksilber-Niederdruck-Lampen
② Quecksilber-Mittel- bis Hochdruck-Lampen
③ Quecksilber-Höchstdruck-Lampen
④ Natriumdampf-Lampen
⑤ Xenon-Hochdruck-Lampen

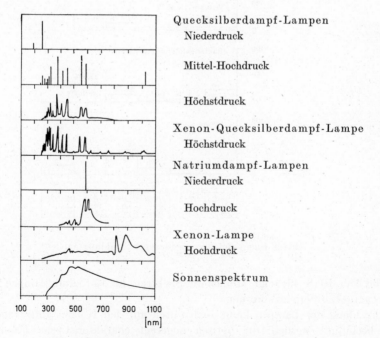

Abb. 8. Emissionsspektren einiger Entladungsröhren

---

* Organisch Chemisches Institut II der TH Aachen.

a) Spektren der Entladungsröhren

Entladungsröhren haben charakteristische Emissionsspektren, die von der Zusammensetzung und dem Druck des Füllgases abhängig sind (vgl. Abb. 8, S. 41).

Die relative Energieverteilung einiger Strahlungsquellen auf die einzelnen Frequenzbereiche ist in Abb. 9 zusammengestellt[1].

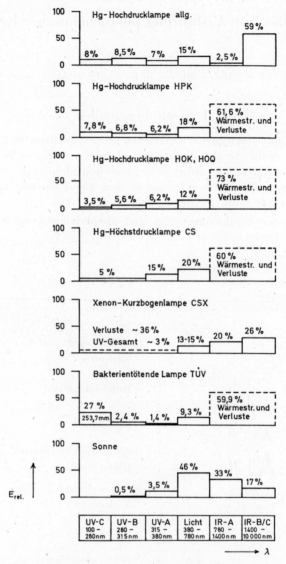

Abb. 9. Energiebilanz verschiedener Strahlungsquellen[1]

Wie die Abb. 10 (S. 43) zeigt, können die Spektren der Entladungslampen durch Zusatz von Metallsalzen ergänzt werden.

Die Strahlung der Lampen kann auch durch auf den Kolben aufgetragene Leuchtstoffe beeinflußt werden, die optisch angeregt charakteristische Fluoreszenz- bzw. Phosphoreszenzstrahlung emittieren.

---

[1] Angaben der Firma Philips, Hamburg.

Strahlung der Wellenlänge <185 nm ist mit Hilfe von Niederdruck-Gasentladungs-lampen zugänglich, die als Füllgas z. B. Xenon, Krypton oder Wasserstoff enthalten. Da Quarz unterhalb 200 nm absorbiert, sollte man besonderes Fenstermaterial benutzen, z. B. Lithiumfluorid oder Calciumfluorid. Ferner sollte kein Sauerstoff im Strahlengang vorhanden sein (Absorption <200 nm).

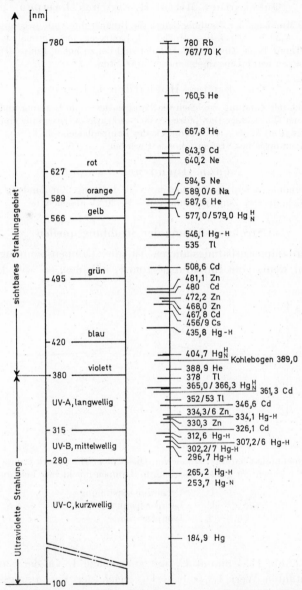

Abb. 10. Linienspektren von Entladungslampen unter Zusatz von Metallsalzen[1, 2]

b) Charakteristische Eigenschaften einzelner Strahler-Typen
Quecksilber-Niederdruck-Lampen

Besteht der Lampenkolben aus Quarz, so enthält die emittierte Strahlung Licht der Wellenlänge $\lambda = 185$ nm, welches in Gegenwart von Luft besonders stark zur Ozon-Bildung Anlaß gibt.

---

[1] Angaben der Firma Philips, Hamburg.
[2] Quarzlampengesellschaft Hanau und Philips liefern z. B. Quecksilber-Hochdruck-Lampen, die Metall-salze enthalten.

Sofort nach der Zündung liefern die Brenner ihre volle Leistung bei einer Lampentemp. von 40–45°[1].
Die Lebensdauer der Niederdruck-Brenner beträgt im allgemeinen ~6000–8000 Stdn.

Bei Verwendung dieser Lampen zur Photolyse einer Substanz, die Spuren Quecksilber als Verunreinigung enthält, können Quecksilber-sensibilisierte Reaktionen auftreten, da die Absorptionskoeffizienten des Quecksilbers für die Strahlung bei 253,7 nm und 184,9 nm sehr groß sind.

Quecksilber-Mittel-Hochdruck-Lampen

Innerhalb weniger Min. nach der Zündung liefern die Brenner ihre volle Leistung bei einem Betriebsdruck von ~100 atm. Auch bei Quecksilber-Hochdruck-Lampen ist eine optimale Lampentemp. wichtig, da bei zu niedriger Temp. keine Zündung stattfindet und bei zu hoher Temp. der Bogen abreißt. Die Lebensdauer der Lampen beträgt im allgemeinen ~1000 Stdn.

Quecksilber-Höchstdruck-Lampen

Erst ~15 Min. nach der Zündung erreichen die Lampen ihre volle Leistung und brennen stabil. Die Brenner erreichen einen Quecksilber-Dampfdruck von ~200 atm (Verwendung eines Lampengehäuses). Die Lebensdauer beträgt ebenfalls ~1000 Stdn. Da der Lampenbogen sehr kurz ist, kann die emittierte Strahlung gut durch ein optisches System fokussiert werden.

Xenon-Hochdruck-Lampen

Sofort nach der Zündung liefern die Brenner ihre volle Leistung. Zur Zündung sind jedoch spezielle Zündgeräte erforderlich, die eine Zündspannung von ~10–20 kV abgeben.

c) Stromversorgung der Strahlungsquellen

Bei Quecksilberdampf-Entladungslampen ist die Lampenspannung U_L über einen großen Bereich nur wenig vom Entladungsstrom I_L abhängig (s. Abb. 11a und b).

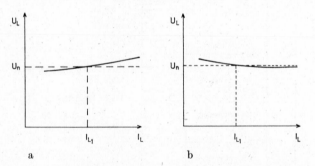

Abb. 11. Strom-Spannung-Charakteristiken von Quecksilber-Hochdruck-Lampen (schematisch)[2]
a) Lampen mit großer Leistung. b) Lampen mit kleiner Leistung

U_n = Versorgungsspannung
U_L = Lampenspannung
I_L = Lampenstrom

Im ersten Fall (Abb. 11a) nimmt U_L mit steigendem I_L zu, der Entladungsstrom erreicht einen konstanten Wert I_{L_1}, sobald U_L gleich der Versorgungsspannung U_n ist, die keine Netzschwankungen aufweisen darf. Um dies zu erreichen, werden häufig Spannungsstabilisatoren verwendet.

Im zweiten Fall (Abb. 11b) nimmt U_L dagegen mit zunehmenden I_L ab, so daß bei konstanter Netzspannung infolge unzulässiger Zunahme des Entladungsstromes die Lampe zerstört würde. Um dies zu vermeiden, wird ein strombegrenzendes Element (bei

---

[1] Werden die Niederdruck-Brenner bei einer höheren Lampentemp. betrieben, so steigt der Anteil längerwelliger Strahlung auf Kosten der 254 nm Linie; s. S. 41, Abb. 8.

[2] W. Elenbaas, Quecksilberdampf-Hochdruck-Lampen, Philips Technische Bibliothek 1966.

Gleichspannung ein Ohm'scher Widerstand, bei Wechselspannung[1] eine Drossel oder ein Kondensator) in den Stromkreis in Reihe eingeschaltet, wodurch eine steigende Charakteristik analog Abb. 11a (S. 44) resultiert.

d) Lebensdauer von Strahlungsquellen

Die Lebensdauer eines Brenners wird stark durch den Einschaltvorgang beeinträchtigt. Während des Aufheizens hat der Entladungsstrom den in Abb. 12 gezeigten zeitlichen Verlauf.

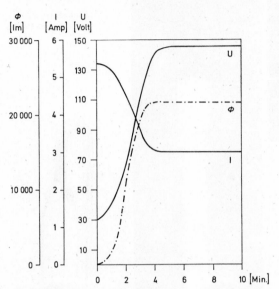

Abb. 12. Verlauf der Bogenspannung (U), des Lampenstroms (I) und des Lichtstroms (Φ) einer 400 W HPL(HQL)-Lampe (Philips) während des Anlaufens

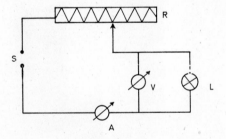

Abb. 13. Schaltskizze zum Betrieb einer Lampe

S = Spannungsquelle
L = Lampe
R = regelbarer Widerstand
A = Ampèremeter
V = Voltmeter

Beim Zünden ist der Lampenwiderstand gering, der Lampenstrom hoch. Beim Aufheizen steigt der Widerstand, wodurch der Entladungsstrom abnimmt, bis eine stabile Arbeitsweise erreicht ist.

Die Lebensdauer einer Lampe, die oft gezündet werden soll, kann durch den Betrieb nach der Schaltung (Abb. 13) stark erhöht werden, indem man den Entladungsstrom durch einen Regelwiderstand beeinflußt.

---

[1] Beim Betrieb einer Lampe an einem Wechselspannungsnetz ist die Verwendung eines induktiven Schaltelementes am gebräuchlichsten, da es einfach und zuverlässig ist.

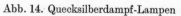

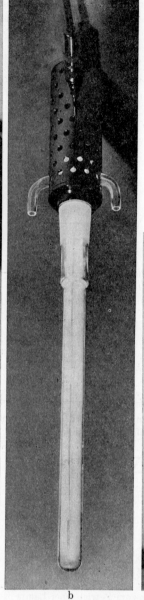

Abb. 14. Quecksilberdampf-Lampen

a) Niederdruck,
   Typ 100 W der Firma Gräntzel.
b) Niederdruck,
   Typ 30 W der Firma Gräntzel.
c) Mittel-Hochdruck,
   Typ HPK 125 W/L der Firma Philips.
d) Mittel-Hochdruck,
   Typ HOKI 1200 W der Firma Philips.
e) Höchstdruck,
   Typ CS 100 W der Firma Philips.

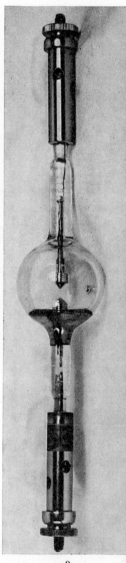

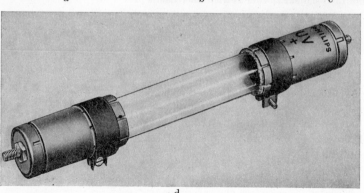

a   b   c

d   e

Vor der Zündung wird der Widerstand auf einen großen Wert eingestellt. Während der Aufheiz-Zeit wird der Entladungsstrom durch den veränderlichen Widerstand so reguliert, bis der Arbeitsstrom erreicht ist.

Allgemein wird eine Lampe für photochemische Zwecke unbrauchbar, wenn ihr Lichtstrom auf 70% des ursprünglichen Wertes abgesunken ist.

Entladungslampen benötigen für eine optimale Strahlungsleistung eine konstante Arbeitstemperatur (Arbeiten mit kühlbarem Lampengehäuse)[1].

Durch intensive kurzwellige UV-Strahlung der Brenner wird infolge von Strukturänderungen des Quarzglases die Strahlungsleistung der Lampen verringert. Der Effekt kann durch Tempern des Quarzes rückgängig gemacht werden[2].

Tab. 2 gibt eine Auswahl der zur Zeit erhältlichen Lampen und einige ihrer technischen Daten und die Tab. 3 (S. 48) die Molquanten/Stunde und Wellenlänge an, soweit sie aus den Firmenangaben berechnet werden konnten. In Abb. 14 sind einige Quecksilberdampf-Lampen dargestellt.

Tab. 2. Dampfentladungslampen

Typ	Hersteller[3]	Leistungs-aufnahme [W]	Lichtstrom [lm]	Strahlungsfluß[4] ϕ_λ [W]	Lichtausbeute [lm/W]	Bogenlänge [mm]
a) Quecksilber-Niederdruck-Lampen[5]						
OZ 4 W	1	4	—	0,1	0,025	—
G 4 S 11	4	4	—	0,08	0,020	—
G 4 T 4/1	4	4	—	0,38	0,095	—
NK 3/12	2	4	—	0,5	0,125	120
NK 4/4	2	4	—	0,5	0,125	10
EKK 20–4	6	4	—	1	0,250	120
TUV 6 W	1	6	—	0,85	0,014	75
HNS 6 W	3	6	—	1,3	0,217	200
NK 6/20	2	7	—	0,9	0,129	135
G 8 TS	4	8	—	0,98	0,123	216
HNS 10 W	3	10	—	3,8	0,380	296
EKK 100–25	6	13	—	3	0,231	358
HNS 15 W	3	15	—	3,5	0,233	—
NN 15/44	2	15	—	6	0,400	331
G 15 T 8	4	15	—	2,8	0,187	356
TUV 15 W	1	19	—	3,5	0,184	—
EKw 44 20 OH	6	20	—	5,5	0,275	331
G 25 T 8	4	25	—	4,0	0,160	356
EKK 100–25	6	27	—	6	0,222	858
NK 25/7	2	27	—	0,5	0,019	70
NN 30/89	2	30	—	15	0,500	790
HNS 30 W	3	30	—	8	0,267	835
EKW 90–300 H	6	30	—	15	0,500	789
G 30 T 8	4	30	—	6,6	0,220	814
TUV 30 W	1	38	—	8,0	0,211	—
G 36 T 6	4	36	—	10,4	0,289	745
G 64 T 6	4	65	—	14,4	0,222	1475

[1] Für die Konstruktion von kühlbaren Lampengehäusen gilt als Richtlinie, daß die zu kühlende Oberfläche 4 cm² pro Watt Lampenleistung betragen soll. Eine Schwärzung des Gehäuses sorgt für vollständige Wärmeabsorption.

[2] Private Mitteilung der Firma Gräntzel, Karlsruhe.

[3] Firmenverzeichnis am Tabellenende, s. S. 52.

[4] Strahlungsfluß bezogen auf eine bestimmte Wellenlänge oder auf einen Wellenlängenbereich.

[5] Strahlungsfluß der Quecksilber-Niederdruck-Lampen bei 254 nm.

Tab. 2 (1. Fortsetzung)

Typ	Hersteller[1]	Leistungs-aufnahme [W]	Lichtstrom [lm]	Strahlungsfluß[2] ϕ_λ [W]	Lichtausbeute [lm/W]	Bogenlänge [mm]
EKK 200–65	6	65	—	15	0,231	1858
15 W	7	—	—	15 (UV)	—	290
25 W	7	—	—	25 (UV)	—	295
30 W	7	75	—	30 (UV)	—	285
H 23 KX	4	1500	—	54,6	0,036	298
70 W	7	—	—	70 (UV)	—	290
100 W	7	180	—	100 (UV)	—	285

b) Quecksilber-Mittel bis Hochdruck-Lampen[3]

Typ	Hersteller[1]	Leistungs-aufnahme [W]	Lichtstrom [lm]	Strahlungsfluß[2] ϕ_λ [W]	Lichtausbeute [lm/W]	Bogenlänge [mm]
Q 25	2	25	900	—	36,0	5
St 42	2	36	550	—	15,3	25
St 40	2	45	650	—	14,4	7
St 41	2	45	1200	—	26,7	8
Q 81	2	70	2700	—	38,6	20
St 75	2	80	2500	—	31,3	20
HQ A 90 W	3	80	3500	—	43,8	20
MA 80	5	80	3300	—	41,3	—
UV 810	6	80	2600	—	32,5	21
UV 810 D	6	80	2800	—	35,0	21
UV 811	6	80	2200	—	27,5	21
H 85 A 3	4	85	3000	—	35,3	—
HP 80 W	1	89	3100	—	35	—
1277/1	8	100	—	25,2	—	47
UV 1000	6	100	3800	—	38,0	30
UV 1000 D	6	100	4000	—	40,0	30
H 100 A 4/T	4	100	3650	—	36,5	25
H 100 BL 38–4	4	100	—	—	—	25
608 A	9	100	—	9,4	—	74
HP 125 W	1	137	5400	—	39,0	—
HPK 125 WL	1	137	4750	—	34,7	30
HPR 125 W	1	137	2800	—	20,4	—
HPW 125 W	1	137	—	—	—	—
Q 400	2	120	4200	—	35,0	30
MA 125	5	125	5500	—	44,0	—
HQA 125 W	3	125	5600	—	44,8	30
HQV 125 W	3	125	—	—	—	—
H 175 A 39–22	4	175	7300	—	41,7	51
Q 600	2	180	7000	—	38,9	45
UV 1805	6	180	7400	—	41,1	45
UV 180 5 D	6	180	7500	—	41,7	45
654 A	9	200	—	21,1	—	114,3
504/4	8	220	—	—	—	—
506/6	8	240	—	18	—	—
507/7	8	240	—	18	—	144
Q 300	2	240	4500	—	18,8	116
UA–2	4	250	6800	—	27,2	85
H 250 A 37–5	4	250	11 000	—	44,0	60
MA 250	5	250	12 000	—	48,0	—
UV–250 W	1	250	—	—	—	80
HP 250 W	1	268	11 500	—	49,0	—
HQA 250 W	3	250	12 000	—	48,0	50

[1] Firmenverzeichnis am Tabellenende, s. S. 52.
[2] Strahlungsfluß bezogen auf eine bestimmte Wellenlänge oder auf einen Wellenlängenbereich.
[3] Quecksilber-Mittel bis Hochdruck-Lampen bei 200–600 nm.

Tab. 2 (2. Fortsetzung)

Typ	Hersteller[1]	Leistungs-aufnahme [W]	Lichtstrom [lm]	Strahlungsfluß[2] ϕ_λ [W]	Lichtausbeute [lm/W]	Bogenlänge [mm]
UA–3	4	360	9000	—	25,0	300
H 2 T 5 1/2	4	400	18000	—	45,0	60
H 400 A 33–1	4	400	20000	—	50,0	60
Ma 400	5	400	20500	—	51,3	120
HOQ 400 W	1	400	—	—	—	301
HP 400 Q	1	400	20500	—	49,0	—
HP/AB 400 W	1	400	—	—	—	50
HQA 400 W	3	400	21000	—	52,5	70
G 79 A	9	—	—	159	—	114
Q 700	2	500	12500	—	25,0	180
TQ 700	2	500	—	—	—	120
673 A	9	550	—	—	—	114
HOKI 600 W	1	600	—	—	—	415
H 700 A 35–18	4	700	37000	—	52,8	149
MA 700	5	700	37000	—	52,9	—
HO GK 700 W	1	700	—	—	—	417
HOG 700 W	1	700	—	—	—	417
HOQ 700 W	1	700	—	—	—	417
G 74 A	9	700	—	238	—	190
H 3 T 7	4	750	43000	—	57,3	67
H 12 T 3	4	750	30000	—	40,0	304
H 14 T 3	4	850	34000	—	40,0	355
Q 1200	2	900	29000	—	32,2	247
TQ 1200	2	900	—	206	—	250
HTQ–4	1	1000	—	—	—	440
MA 1000	5	1000	52000	—	52,0	—
H 1000 A 34–12	4	1000	55000	—	55,0	—
189 A	9	1200	—	514	—	305
UA 11	4	1200	49600	—	41,3	452
UA 11 B	4	1200	49600	—	41,3	439
H 18 T 3	4	1200	48000	—	48	458
HOKI 1200 W	1	1200	—	—	—	400
HOKI 1500 W	1	1500	—	—	—	1370
H 24 T 3	4	1440	58000	—	40,3	610
HOK I 2000 W	1	2000	—	—	—	590
HTQ–7	1	2000	—	—	—	700
HP/T 2000 W	1	2000	120000	—	57[3]	—
HOQ 2000 W	1	2000	—	—	—	1217
HOGK 2000 W	1	2000	—	—	—	1217
HOK 2000 W	1	2000	—	—	—	530
TQ 2024	2	2000	69000	492	—	245
TQ 2024.100	2	2000	—	390	—	1044
78 A	9	2100	—	1011	—	533
HOKI 2500 W	1	2500	—	—	—	1335
HOGK 2500 W	1	2500	—	—	—	1354
HOQ 2500 W	1	2500	—	—	—	1354
HOKI 3000 W	1	3000	—	—	—	1370
Q 3000	2	3000	130000	—	43,3	1302
H 3000 A 9	4	3000	132000	—	44,0	1219
UA–9	4	3000	—	—	—	1270
UA–37	4	3000	—	—	—	1220
47 A	9	3500	—	1437	—	1219

[1] Firmenverzeichnis am Tabellenende, s. S. 52.
[2] Strahlungsfluß bezogen auf eine bestimmte Wellenlänge oder auf einen Wellenlängenbereich.
[3] Nach 100 Stdn. Brennzeit.

Tab. 2 (3. Fortsetzung)

Typ	Hersteller[1]	Leistungs-aufnahme [W]	Lichtstrom [lm]	Strahlungsfluß[2] ϕ_λ [W]	Lichtausbeute [lm/w]	Bogenlänge [mm]
HOG 4000 W	1	4000	—	—	—	1700
TQ 4024.100	2	4000	—	1095	—	1044
HTQ–14	1	4000	—	—	—	1400
77 A	9	4500	—	1608	—	1067
HOKI 5000	1	5000	—	—	—	1370
65 A	9	7500	—	2554	—	1497
TQ 10030.150	2	10000	—	4630	—	1535
TQ 20040.150	2	20000	—	8670	—	1044
TQ 40055.220	2	40000	—	17450	—	2000

c) Quecksilber-Höchstdruck-Lampen

Typ	Hersteller	Leistungs-aufnahme	Lichtstrom	Strahlungsfluß	Lichtausbeute	Bogenlänge
HBO 50 W	3	50	2000	—	40	1
HBO 50 W/2	3	50	1700	—	34	0,8
HBO 50 W/3	3	50	1300	—	26	0,35
CS 50 W/3	1	50	1100	—	22	0,35
HBO 75 W	3	75	2650	—	35	2,8
HBO 100 W/1	3	100	2000	—	20	0,25
HBO 100 W/2	3	100	2200	—	22	0,25
CS 100 W/2	1	100	2000	—	20	0,20
CS 150 W/2	1	150	7500	—	50	2
CS 150 W/Ez	1	150	7000	—	47	2
HBO 200 W/2	3	200	10000	—	50	2,2
HBO 200 W/4	3	200	10000	—	50	2,2
HBO 200 W	3	200	9500	—	48	2,2
CS 200 W	1	200	10000	—	50	2,2
HBO 500 W	3	500	28500	—	57	4,1
HBO 500 W/2	3	500	30000	—	60	4,1
SP 500 W Richtstrahler	1	550	15000	—	27	12,5
SP 500 W Rundstrahler	1	550	30000	—	54	12,5
SP 900 W/1	1	1000	50000	—	50	17
B–H 6	4	900	60000	—	67	25
F–H 6	4	900	60000	—	67	20
CS 1000 W	1	1000	50000	—	50	4,2
SP 1000 W	1	1400	30000	—	21	12,5
A–H 6	4	1000	65000	—	65	25
HBO 1000 W/2	3	1000	50000	—	50	4,2
HBO 1000 W/4	3	1000	50000	—	50	4,2

d) Natriumdampflampen

Typ	Hersteller	Leistungs-aufnahme	Lichtstrom	Strahlungsfluß	Lichtausbeute	Bogenlänge
SIO 35	5	35	4400	—	126	—
SO–X 35 W	1	56	4600	—	82	—
SIO 55	5	55	7400	—	135	—
Na 35 W–4	3	56	4600	—	131	—
Na 55 W–4	3	76	7600	—	138	—
SO–X 55 W	1	76	7600	—	100	—
SO–I 60 W	1	81	5000	—	62	—
SIO 90	5	90	12500	—	139	—
SO–I 85 W	1	106	8400	—	80	—
SO–X 90 W	1	113	12500	—	110	—

[1] Firmenverzeichnis am Tabellenende, s. S. 52.
[2] Strahlungsfluß bezogen auf eine bestimmte Wellenlänge oder auf einen Wellenlängenbereich.

Tab. 2 (4. Fortsetzung)

Typ	Hersteller[1]	Leistungs-aufnahme [W]	Lichtstrom [lm]	Strahlungsfluß[2] ϕ_λ [W]	Lichtausbeute [lm/W]	Bogenlänge [mm]
Na 90 W–4	3	113	12500	—	139	—
SIO 135	5	135	20500	—	152	—
SO–I 140 W	1	163	14000	—	86	—
Na 135 W–4	3	175	21500	—	159	—
SO–X 135 W	1	175	21500	—	143	—
SIO 180	5	180	31000	—	172	—
Na V 160 W	3	180	10000	—	63	—
SO–X 180 W	1	220	31500	—	143	—
Na 180 W–4	3	220	31500	—	175	—
Na T 200 W–3	3	235	31000	—	155	—
SO–I 200 W	1	240	23000	—	96	—
Na 220 W	3	245	26000	—	118	—
SON–T 250 W	1	275	20000	—	73	—
Na V 250 W	3	285	19000	—	76	—
Na V–T 250 W	3	285	20000	—	80	—
LU 400	4	400	42000	—	105	—
SON–T 400 W	1	446	40000	—	90	—
Na V–TS 400 W	3	450	40000	—	100	—
Na V–T 400 W	3	450	40000	—	100	—
Na V 400 W	3	450	38000	—	95	—
Na V 700 W	3	750	63000	—	90	—
Na V–T 700 W	3	750	70000	—	100	—
Na V–T 1000 W	3	1090	100000	—	100	—
Na V 1000 W	3	1090	90000	—	90	—

e) Xenon-Kurzbogen-Lampen

Typ	Hersteller[1]	Leistungs-aufnahme [W]	Lichtstrom [lm]	Strahlungsfluß[2] ϕ_λ [W]	Lichtausbeute [lm/W]	Bogenlänge [mm]
XBO 75 W/1	3	75	950	—	12,7	0,5
XBO 75 W/2	3	75	1000	—	13,3	0,5
CSX 75 W/2	1	75	850	—	11,3	0,5
CSX 150 W/1	1	150	3000	—	20,0	2,2
XBO 150 W	3	150	3200	—	21,3	—
XBO 150 W/1	3	150	3000	—	20,0	2,2
XBO 250 W	3	250	4800	—	19,2	1,7
CSX 250 W	1	250	4800	—	19,2	1,7
XBO 450 W	3	450	13000	—	28,9	2,7
XBO 450 W/1	3	450	13000	—	28,9	2,3
XBO 450 W/2	3	450	13000	—	28,9	2,7
CSX 450 W	1	450	13000	—	28,9	2,4
CSX 450 W/1	1	450	13000	—	28,9	2,3
XE 500 T 14	4	500	14000	—	28,0	2,3
CSX 900 W	1	900	30000	—	33,3	3,3
XBO 900 W	3	900	30000	—	33,3	3,3
XBO 900 W/2	3	900	30000	—	33,3	3,3
CSX 1600 W	1	1600	60000	—	37,6	4,2
XBO 1600 W	3	1600	60000	—	37,6	4,0
XBO 2500 W	3	2500	100000	—	40,0	6,0
CSX 2500 W	1	2500	100000	—	40,0	6,0
XBO 4000 W	3	4000	180000	—	45,0	7,5
XE 5000	4	5000	275000	—	55,0	7,2
XBO 6500 W	3	6500	325000	—	50,0	9,0
CSX 6500 W	1	6500	325000	—	50,0	9,0

---

[1] Firmenverzeichnis am Tabellenende, s. S. 52.
[2] Strahlungsfluß bezogen auf eine bestimmte Wellenlänge oder auf einen Wellenlängenbereich.

4*

Tab. 2 (5. Fortsetzung)

Typ	Hersteller[1]	Leistungs-aufnahme [W]	Lichtstrom [lm]	Strahlungsfluß[2] ϕ_λ [W]	Lichtausbeute [lm/W]	Bogenlänge [mm]
f) Xenon-Langbogen-Lampen						
XBF 1000 W/1	3	1000	26000	—	26,0	50
XO 1500 W	1	1500	31500	—	21,0	150
XBF 2500 W/1	3	2500	77000	—	30,8	75
XBF 6000 W/1	3	6000	215000	—	—	110
XQO 6000 W	3	6000	140000	—	23,3	605
XO 6000 W	1	6000	140000	—	23,3	520
XQO 10000 W	3	10000	250000	—	25,0	755
XO 10000 W	1	10000	250000	—	25,0	750
XQO 20000 W	3	20000	500000	—	25,0	1505

Tab. 3. Lampenleistung[a] in Abhängigkeit von der Wellenlänge

a) Lampen der Firma Original Hanau Quarzlampen[b]

Lampen-typ [nm]	Q 25	Q 81	Q 300	Q 400	Q 600	Q 700	Q 1200	Q 3000	St 40	St 41	St 42	St 75
238	0,05	0,43	0,97	0,83	1,06	2,58	6,02	17,19	0,09	0,19	0,06	0,03
240	0,05	0,43	0,98	0,84	1,07	2,60	6,08	26,01	0,09	0,19	0,07	0,33
248	0,39	2,02	3,36	3,90	5,52	9,85	20,90	89,57	0,34	0,68	0,37	1,20
254	0,23	10,55	27,87	15,96	57,14	54,13	85,62	522,92	3,79	1,99	5,16	5,28
265	0,53	4,55	9,33	6,48	11,21	22,97	51,37	239,28	1,24	0,83	1,18	3,12
270	0,12	0,49	1,46	0,94	1,80	3,90	9,10	29,26	0,11	0,21	0,11	0,37
275	—	—	—	—	—	—	—	—	—	—	—	—
280	0,37	2,02	3,41	3,91	5,61	11,12	28,32	111,25	0,38	0,88	0,34	1,16
289	0,39	1,83	2,35	3,53	3,86	7,31	21,92	62,63	0,34	0,68	0,27	1,10
292	—	—	—	—	—	—	—	—	—	—	—	—
297	1,12	4,56	6,44	8,81	10,58	18,24	45,05	171,63	0,99	1,74	0,80	3,08
302	1,55	8,18	13,09	15,82	20,18	37,09	94,17	349,06	1,48	3,07	1,15	5,23
313	4,11	17,52	30,10	32,79	42,53	78,01	116,19	802,67	3,74	7,72	3,43	11,92
334	0,52	2,41	3,17	4,66	5,95	8,44	22,52	96,51	0,46	1,05	0,32	1,62
366	8,15	33,05	49,57	63,89	81,52	132,19	308,45	1321,92	7,16	14,32	4,96	25,34
391	—	—	—	—	—	—	—	—	—	—	—	—
405/408	3,52	16,09	17,56	29,69	83,79	48,27	157,01	497,35	3,41	7,92	3,19	12,06
436	5,92	27,95	36,02	46,43	60,21	108,66	253,54	834,62	5,20	12,62	4,96	20,22
492	—	—	—	—	—	—	—	—	—	—	—	—
546	10,82	45,36	50,29	84,83	110,67	149,88	400,33	1360,74	8,97	19,01	7,62	35,91
577/579	6,81	41,16	50,80	87,63	110,52	150,05	379,30	1792,27	73,37	14,22	4,22	27,96

[a] Die Werte können wie folgt berechnet werden: $w_\lambda = 3,01 \cdot 10^{-5} \cdot \Phi_\lambda \cdot \lambda$ [Einstein/Stde.], s. Gl. 29, S. 9.

[b] Die Werte sind mit dem Faktor 1×10^{-3} zu multiplizieren, um die Molquanten/Stunde der entsprechenden Wellenlänge zu erhalten.

---

[1] Verzeichnis der Herstellerfirmen:

1 = Philips, Eindhoven, Niederlande. Deutsche Philips GmbH, 2 Hamburg 1, Hammerbrookstraße 69

2 = Original Hanau Quarzlampen GmbH, 6450 Hanau

3 = Osram GmbH, 1 Berlin 10, Ernst-Reuter-Platz 8

4 = General Electric Co., Cleveland, Ohio, USA. General Electric Technical Services Company, Inc., 6 Frankfurt/M. 1, Eschersheimer Landstraße 60–62

5 = Lampe Mazda, Paris, Frankreich. Mazda-Licht GmbH, 6 Frankfurt/M. 94, Eschborner Landstraße 99

6 = Dr. Kern GmbH & Co, 34 Göttingen, Florenz-Sartorius-Straße 5

7 = Gräntzel, Physik. Werkstätte, 75 Karlsruhe-West, Durmersheimer Straße 98

8 = Hanovia Lamps Limited, 480 Bath Road, Slough, Buckinghamshire, Großbritannien.

9 = Hanovia Lamp Division, Newark, N.J., USA

[2] Strahlungsfluß bezogen auf eine bestimmte Wellenlänge oder auf einen Wellenlängenbereich.

Tab. 3 (1. Fortsetzung)

mpen-typ [nm]	Strahler nackt										Strahler mit Tauchrohr			
	TNN 30/89	TNN 125/150	TQ 700	TQ 1200	TQ 2024	TQ 2024.100	TQ 4024.100	TQ 10030.150	TQ 20040.150	TQ 40055.200	TQ 4024.100	TQ 10030.150	TQ 20040.150	TQ 40055.200
238	—	—	—	—	—	—	—	—	—	—	—	—	—	—
240	—	—	—	—	—	—	—	—	—	—	—	—	—	—
248	—	—	0,002	0,018	0,055	0,045	0,140	0,76	1,40	1,9	—	—	—	—
255	0,115	0,344	0,054	0,084	0,210	0,280	0,730	3,06	7,90	18,3	—	—	—	—
265	0,001	0,002	0,023	0,051	0,130	0,096	0,420	1,44	2,10	2,2	—	—	—	—
270	—	—	0,004	0,009	0,016	0,023	0,059	0,37	0,59	0,9	—	—	—	—
275	—	—	—	—	—	0,020	0,053	0,25	0,56	0,6	—	—	—	—
280	—	—	0,011	0,028	0,072	0,040	0,140	0,96	1,50	2,2	—	—	—	—
289	—	—	0,009	0,021	0,045	0,015	0,045	0,37	0,52	1,1	—	—	—	—
292	—	—	—	—	—	0,009	0,023	0,16	0,15	0,3	0,003	0,016	0,02	0,03
297	0,001	0,003	0,017	0,044	0,107	0,070	0,200	1,63	2,30	4,9	0,031	0,250	0,34	0,70
302	0,001	0,003	0,037	0,090	0,236	0,150	0,480	2,07	3,20	5,3	0,120	0,520	0,79	1,30
313	0,004	0,011	0,078	0,169	0,433	0,430	1,050	3,72	6,30	12,3	0,570	2,140	3,50	6,80
334	—	—	0,008	0,022	0,046	0,020	0,073	0,58	1,00	1,6	0,058	0,400	0,81	1,30
366	0,003	0,010	0,132	0,308	0,727	0,730	1,820	7,66	12,70	22,2	1,640	0,900	11,50	19,90
391	—	—	—	—	—	0,006	0,016	0,12	0,26	0,3	0,015	0,110	0,24	0,30
5/408	0,002	0,007	0,048	0,159	0,306	0,320	0,800	2,52	4,70	11,0	0,720	2,270	4,20	9,90
436	0,003	0,008	0,108	0,249	0,393	0,530	1,490	4,36	8,40	13,4	1,340	3,920	7,60	17,50
492	—	—	—	—	—	0,009	0,025	0,21	0,07	0,3	0,022	0,190	0,07	0,30
546	0,003	0,010	0,161	0,394	0,624	0,850	2,100	5,95	13,10	32,8	1,840	5,360	11,80	29,50
7/579	0,002	0,005	0,149	0,382	0,887	0,330	1,180	9,64	19,80	36,8	1,060	8,670	18,00	33,20

b) **Firma Dr. Kern**[a]

Lampentyp [nm]	UV 1000* (UV 810 UV 810 D UV 811 UV 1000 D UV 1805 UV 1805D)[b]
248	2,98
254	16,00
265	7,16
270	1,35
275	1,38
280	3,36
289	2,03
297	6,53
302	10,87
313	24,14
334	3,34
335	44,22
405	18,23
436	39,24
492	19,68
546	63,88
577	53,66

[a] Die Werte sind mit dem Faktor 10^{-3} zu multiplizieren um die Molquanten/Stde. der entsprechenden Wellenlänge zu erhalten.

[b] Private Mitteilung der Firma Kern für die weiteren Lampentypen: Für den praktischen Gebrauch kann man die spektrale Energieverteilung aus der Verteilung des Brenners UV 1000 leicht umrechnen, da sie im wesentlichen von der Leistungsaufnahme je cm Bogenlänge abhängig ist. Die absolute Strahlstärke erhält man in erster Annäherung dadurch, daß man die Strahlstärke der betreffenden Linie im Verhältnis der Leistungsaufnahmen des Strahlers zu 100 W multipliziert. Die Genauigkeit beträgt allerdings höchstens $\pm 10\%$.

c) **Firma Philips**[a]

Lampentyp [nm]	TUV 6 W	TUV 15 W	TUV 30 W	HPQ 125 W	HPR 125 W	HPK 125 W/L	HP/AB 400 W	HOQ 400 W	HOG 700 W	HOGK 700 W
248,2	—	—	—	1,34	—	3,73	—	—	—	—
253,7	0,65	26,7	61,1	2,18	—	19,11	—	32,87	—	64,14
265,3	—	—	—	7,43	—	8,77	—	14,37	—	41,52
269,9	—	—	—	1,14	—	1,63	—	—	—	—
275,3	—	—	—	1,33	—	1,66	—	3,31	—	5,80
280,4	—	—	—	3,54	—	4,21	—	—	—	10,45
289,4	—	—	—	2,53	—	2,61	—	4,36	—	—
296,7	—	—	—	7,78	—	8,05	—	9,82	—	31,26
302,5	—	—	—	13,75	—	12,72	0,55	15,48	—	57,42
313,0	—	2,73	6,78	32,13	0,94	29,21	1,60	52,76	4,71	161,10
334,1	—	—	—	4,12	0,60	4,02	5,63	6,03	3,02	14,08
365,5	—	1,87	4,74	61,60	23,07	56,18	161,71	80,31	82,51	232,29
404,4	—	3,54	8,78	—	12,01	21,94	254,39	46,29	103,54	137,65
435,8	—	4,46	11,28	—	20,99	45,93	73,46	73,46	170,52	209,87
492,0	—	—	—	—	0,74	2,96	—	—	—	—
546,1	—	5,59	14,13	—	36,15	72,31	65,75	100,27	312,30	294,22
578,0	—	2,44	6,26	—	34,79	60,89	40,01	74,81	208,76	236,60

Tab. 3 (2. Fortsetzung)

Lampentyp [nm]	HOQ 700 W	HOKI 1200 W	HOQ 2000 W	HOKI 2000 W	HOK 2000 W	HOGK 2000 W	HOQ 2500 W	HOGK 2500 W	HOKI 3000 W	HOKI 5000 W
248,2	—		—		—	—	—	—		
253,7	54,98	—	182,50	—	274,90	202,35	217,63	250,46	—	—
265,3	42,32	—	140,54	—	278,68	135,75	172,48	167,69	—	—
269,9	—		—		—	—	—	—		
275,3	6,63	—	19,89	—	44,74	16,57	24,86	20,72	—	—
280,4	11,32									
289,4	—	0,15	37,46	1,74	66,19	34,84	47,03	43,55	0,35	0,87
296,7	32,15	1,61	105,37	12,50	177,71	102,70	129,49	125,02	0,54	7,14
302,5	61,00	7,28	202,13	40,97	368,75	186,84	254,94	227,85	23,67	33,69
313,0	169,58	49,93	541,71	171,46	466,34	532,29	687,73	659,47	162,98	228,00
334,1	16,09	21,12	52,29	47,26	93,52	50,28	67,38	60,34	59,33	112,63
365,5	256,32	500,55	825,03	1006,59	1309,12	790,99	1045,10	955,78	1430,13	2739,25
404,4	142,52	236,31	405,70	475,06	568,85	438,52	572,51	560,33	718,68	1303,37
435,8	219,05	413,25	704,38	818,50	977,20	682,08	878,84	859,16	1193,65	2374,18
492,0	—	—	—	—	—	—	—	—	—	—
546,1	312,30	660,77	973,03	1196,61	1520,42	936,91	1232,78	1183,46	1824,51	3714,76
578,0	264,43	770,69	855,93	1473,53	1739,70	800,26	1096,01	991,63	2018,05	3931,72

II. Monochromatoren[1]

Ein Monochromator ermöglicht es, mit Hilfe eines Dispersionssystems — Gitter oder Prisma — ein gewünschtes Wellenlängen-Intervall kontinuierlich aus dem Spektrum einer geeigneten Strahlungsquelle zu isolieren.

Kriterien für die Leistungsfähigkeit eines Monochromators sind das Auflösungsvermögen und der Strahlenfluß.

a) Auflösungsvermögen

Zwei Spektrallinien sind als aufgelöst zu betrachten[2], wenn die aus der Addition der Einzelintensitäten resultierende Intensitätskurve ein relatives Minimum hat. Die Grenze des Auflösungsvermögens ist also dadurch festgelegt, daß es auf dieser Kurve I(λ) einen Punkt gibt, für den die Beziehung gilt:

$$\frac{dI}{d\lambda} = \frac{d^2 I}{d\lambda^2} \qquad (1)$$

I = Intensität
λ = Wellenlänge

Das Sparrow-Kriterium ist bisher das einzige, das auch für Linien ungleicher Intensität benutzt werden kann. Zwei Wellenlängen λ und $\lambda + \Delta\lambda$ gleicher Intensität werden gerade noch aufgelöst, wenn das Hauptmaximum der einen in das erste Beugungsminimum der anderen fällt[3].

---

[1] Anschriften einiger Firmen, die Monochromatoren herstellen bzw. in der Bundesrepublik Deutschland vertreten sind:

Beckman Instruments, Inc., Fullerton, California (USA)
Beckmann, Instruments GmbH, 8 München 45, Frankfurter Ring 115
Bausch & Lomb, Inc., Rochester, N. Y. 14625 (USA)
Colora Meßtechnik GmbH, 7073 Lorch/Württ., Barbarossastr. 3
Hilger & Watts Ltd., 98 St Pancras Way, Camden Road, London NW1 (GB)
Rank Precision Industries GmbH Hilger & Watts, 46 Dortmund-Hörde, Seidlitzstraße 38
Jarrell-Ash Division of Fisher Scientific Company, 590 Lincoln Street, Waltham, Massachusetts 02154, (USA)
W. Zeh, 41 Duisburg-Meiderich, Postfach 83
Carl Leiss, 1 Berlin 41, Feuerbachstraße 26
SEM Brückl, 8 München 82, Rosamundstraße 9
Shimadzu Seisakusho Ltd., Kanda-Mitoshirocho, Chiyoda-ku, Tokyo (Japan)
Shimadzu GmbH, 4 Düsseldorf, Königsallee 48
Schoeffel Instrument Corp., 24 Booker Street Westwood, N. J. (201) 664–7263 (USA)
Schoeffel Instrument GmbH, 2351 Trappenkamp, C Straße 2
Carl Zeiss, 7082 Oberkochem, Postfach 35/36

[2] K. Mütze, ABC der Optik, Edition Leipzig, Verlag Werner Dausien, Hanau/Main 1961.
[3] M. Born, Optik, Springer Verlag, Berlin · Heidelberg · New York 1965.

Für das Auflösungsvermögen eines Prismas (bei voller Ausleuchtung und symmetrischem Durchgang des Lichtbündels) gilt:

$$\frac{\lambda}{\Delta\lambda} = W \cdot \frac{dn}{d\lambda} \tag{2}$$

W = Basislänge des Prismas
n = Brechungsindex des Prismenmaterials

Beim Beugungsgitters gilt:

$$\frac{\lambda}{\Delta\lambda} = m \cdot N \tag{3}$$

m = Ordnung des Beugungsmaximums
N = Anzahl der Gitterfurchen.

Für m gibt es eine kritische Grenze m_{max}:

$$m_{max} = \frac{d}{\lambda} \tag{4}$$

d = Abstand der Gitterfurchen, daraus folgt für die höchstmögliche Auflösung:

$$\frac{\lambda}{\Delta\lambda} = m_{max} \cdot N = \frac{N \cdot d}{\lambda} \tag{5}$$

N · d = Gesamtbreite des Gitters.

Um eine möglichst große Auflösung zu erzielen, muß man also Interferenzmaxima hoher Ordnung benutzen. Auf der anderen Seite nimmt die Intensität der Strahlung mit steigendem m und größer werdender Auflösung ab (s. Abb. 15).

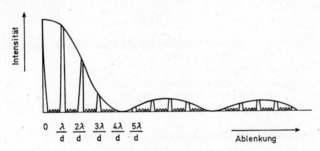

Abb. 15. Beugungsmuster eines Gitters, mit Gitterkonstante d und Schlitzweite $^1/_4$ d der einzelnen Gitterfurchen

Um diesen Nachteil zu vermeiden, verwendet man besondere Reflexionsgitter (Abb. 16).

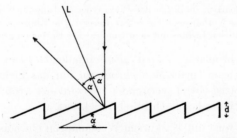

Abb. 16. Reflexionsgitter. d = Höhe der Stufe, α = sog. Blaze-Winkel

Stimmen Blaze-Winkel und der Einfallswinkel des Lichtes überein, so wird der größte Teil der Lichtenergie regulär reflektiert (Echelette- bzw. Blaze-Gitter), mit der Ordnung:

$$m = \frac{2\alpha \cdot d}{\lambda} \tag{6}$$

b) Abnahme des Strahlungsflusses (Quanten/Sek.) innerhalb des Monochromators

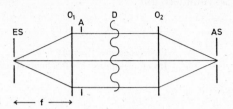

Abb. 17. Aufbau eines Monochromators (schematisch)

ES = Eintrittsspalt	D = Dispersionssystem
f = Kollimatorbrennweite	O_2 = optisches System 2
O_1 = optisches System 1	AS = Austrittsspalt
A = Eintrittsblende	

Sind Eintrittsspalt (ES) und Eintrittsblende (A) vollständig ausgeleuchtet, d. h. kann der Eintrittsspalt (ES) als selbstleuchtende Lichtquelle der Breite b und der Höhe h angesehen werden, so besteht folgende Beziehung:

$$b = \frac{db}{d\lambda} \cdot \varDelta\lambda \qquad (7)$$

Für den beim Austrittsspalt austretenden Strahlungsfluß $\varPhi_{\lambda,\varDelta\lambda}$ gilt somit:

$$\varPhi_{\lambda,\varDelta\lambda} = B_\lambda \cdot (\varDelta\lambda)^2 \cdot h \cdot \frac{A}{f^2} \cdot \tau \qquad (8)$$

B_λ = spektrale Strahldichte am Eintrittsspalt [Quanten/sec · cm³]
$\varDelta\lambda$ = spektrale Bandbreite [cm]
h = Spalthöhe [cm]
f = Kollimatorbrennweite [cm]
A = Eintrittsblende [cm²]
τ = Durchlaßgrad (Gerätekonstante)

Da die lineare Dispersion mit der Winkeldispersion zusammenhängt

$$\frac{db}{d\lambda} = f\frac{d\varphi}{d\lambda}$$

gilt

$$\varPhi_{\lambda,\varDelta\lambda} = B_\lambda(\varDelta\lambda)^2\frac{d\varphi}{d\lambda} \cdot \frac{h}{f} A \cdot \tau \qquad (9)$$

Wie aus Gleichung (9) ersichtlich, muß bei der Wahl eines leistungsstarken Monochromators auf die Größe der Blende A und das Verhältnis h/f geachtet werden. Die Kollimatorbrennweite soll klein sein, da die Intensität nicht parallelen Lichtes mit dem Quadrat der Entfernung abnimmt.

Beim Prismen-Monochromator gelangt alles einfallende Licht einer Wellenlänge zur Beobachtung, während beim Gitter-Monochromator nur das Licht einer Ordnung ausgenutzt wird. Werden blazed-Gitter verwendet, so wird der größte Teil des einfallenden Lichtes in die Richtung einer hohen Ordnung reflektiert.

Für die Photochemie wird nur bei kurzen Wellenlängen ein hohes Auflösungsvermögen verlangt, da für kleine Wellenlängen bei einem gegebenen $\varDelta\lambda$ die relativen Energiedifferenzen groß sind:

λ [nm]	579,0	577,0	313,2	312,6	302,8	302,2	257,1	253,7	248,2	240,0
Energie [kcal · Mol⁻¹]	49,3	49,5	91,2	91,4	94,3	94,5	111,1	112,6	115,1	119,0

Die Bestrahlungszeit, in der ein Mol Substanz photochemisch umgesetzt wird, kann aus dem Strahlungsfluß der betreffenden Lampe (s. Tab. 2, 3; S. 47—54) bei einer bestimmten Wellenlänge berechnet werden, sofern man die Quantenausbeute der Reaktion kennt und die Absorption des Lichtes vollständig erfolgt (s. S. 9).

Tab. 4. Aktinometrisch gemessener Strahlungsfluß
a) einer Quecksilber-Höchstdruck-Lampe HBO 200 W der Firma Osram durch einen MM 12 Doppel-monochromator der Firma Zeiss[1]
b) einer Xenon-Höchstdruck-Lampe XBO 2500 W der Firma Osram mit dem GM 250 Monochromator der Firma Schoeffel[2]

a		b	
λ [nm]	Strahlungsfluß [Quanten/Sek.]	λ [nm]	Strahlungsfluß [Quanten/Sek.]
251	$5,6 \cdot 10^{13}$	240	$8,5 \cdot 10^{14}$
296	$4,8 \cdot 10^{14}$	250	$2,3 \cdot 10^{13}$
303	$6,5 \cdot 10^{14}$	280	$7,4 \cdot 10^{15}$
312	$8,5 \cdot 10^{14}$	330	$1,9 \cdot 10^{16}$
334	$5,8 \cdot 10^{14}$	360	$3,6 \cdot 10^{16}$

III. Lichtfilter

Neben Monochromatoren (s. S. 54) sortieren Filter einen gewünschten Frequenzbereich aus dem Angebot einer Strahlungsquelle aus. Wird keine extreme spektrale Reinheit gefordert, so ist der Einsatz eines Filters aufgrund seiner allgemein größeren Gesamtintensität vorzuziehen.

Man unterscheidet zwischen Absorptions- und Interferenzfiltern. Auf die Beschreibung der in der Photochemie wenig gebräuchlichen Spezialfilter, z. B. Christiansen Filter oder Polarisationsinterferenzfilter, sei auf Spezialliteratur verwiesen[3-5].

a) Physikalische Grundlagen für Absorptionsfilter[3,5]

Zur Beurteilung der Güte und Anwendbarkeit von Filtern ist die Form und Lage der Durchlässigkeitskurve (Abb. 18, S. 58) in Abhängigkeit von der Wellenlänge entscheidend.

---

[1] H.-D. SCHARF, Habilitation, Bonn 1968.
[2] Prospekt TB–695, Angabe der Firma Schoeffel Instrument GmbH
   Weiterführende Literatur:
   M. BORN, Optik, Springer-Verlag, Berlin · Heidelberg · New York 1965.
   A. SOMMERFELD, Optik, Akademische Verlagsgesellschaft Geest & Portig KG, Leipzig 1964.
   L. LEVI, Applied Optics, Vol. 1, John Wiley & Sons, Inc., New York 1968.
   G. KORTÜM, Kolorimetrie, Photometrie und Spektrometrie, Springer-Verlag, Berlin · Göttingen · Heidelberg 1955.
   C. A. PARKER, Photoluminescence of Solutions, Elsevier Publishing Company, Amsterdam · London · New York 1968.

Arbeiten, in denen der Eigenbau eines Monochromators beschrieben wird, sind in folgenden Literaturstellen zu finden:
   L. J. HEIDT u. F. DANIELS, Am. Soc. 54, 2384 (1932).
   C. S. FRENCH, G. S. RABIDEAU u. A. S. HOLT, Rev. of Cientific Instruments 18, 11 (1947).
   C. BRUDER u. M. CZERNY, Z. Instrumentenk. 70, 43 (1962).
   H. E. JOHNS u. A. M. RAUTH, Photochem. and Photobiol. 4, 673–707 (1965).
[3] W. GEFFCKEN, Landolt-Börnstein, 6. Aufl., Bd. IV/3, S. 925, (dort 957), Springer-Verlag, Berlin · Heidelberg · New York 1957.
[4] L. BERGMANN u. C. L. SCHÄFER, Lehrbuch der Experimentalphysik, Bd. III, S. 223, Verlag De Gruyter, Berlin 1959.
[5] G. KORTÜM, Kolorimetrie, Photometrie und Spektrometrie. Anleitung für die chemische Laboratoriumspraxis, Bd. II, S. 77, Springer-Verlag, Berlin · Heidelberg · New York 1955.

Die Durchlässigkeit bzw. der sog. Reintransmissionsgrad ϑ_λ bei einer Wellenlänge λ ist das Verhältnis von austretendem zu eintretendem Lichtstrom:

$$\vartheta_\lambda = \frac{\Phi_{e\lambda}}{\Phi_{i\lambda}} = e^{-\varkappa_\lambda \cdot c \cdot d} = 10^{-\varepsilon_\lambda \cdot c \cdot d} = 10^{-E_\lambda}$$

$\Phi_{e\lambda}$ = austretender Lichtstrom bei der Wellenlänge λ
$\Phi_{i\lambda}$ = eintretender Lichtstrom bei der Wellenlänge λ
c   = Konzentration des gelösten Stoffes
d   = Schichtdicke
$\varkappa_\lambda$ = natürlicher Extinktionskoeffizient bei der betrachteten Wellenlänge
ε_λ = logarithmischer Extinktionskoeffizient bei der betrachteten Wellenlänge
E_λ = Extinktion

Entwickelt man $\varkappa_\lambda$ in Minimum bzw. Maximum von ϑ_λ nach Potenzen[1] von $(\lambda - \lambda_{max})$:

$$\varkappa_\lambda = \varkappa_{\lambda max} + A \cdot (\lambda - \lambda_{max})^2 \ ,$$

so erhält man[2]

$$\vartheta = \vartheta_0 \exp(-c \cdot d \cdot A(\lambda - \lambda_{max})^2) \ .$$

Die Taylor-Reihe kann nur dann nach dem quadratischen Gliede abgebrochen werden, wenn die Durchlässigkeitskurve die Form einer Gaußfunktion besitzt (Abb. 18).

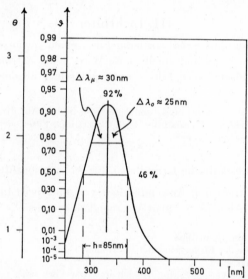

Abb. 18. Abhängigkeit des Reintransmissionsgrades ϑ sowie der sog. Diabatie θ des Farbglasfilters UG 11 der Firma Schott[3] für den Wellenlängenbereich von 250–500 nm

Die Konstante A hängt mit der Halbwertsbreite h (Abstand zwischen den Wellenlängen $\lambda_{max} - \dfrac{h}{2}$ und $\lambda_{max} + \dfrac{h}{2}$, bei denen der Reintransmissionsgrad ϑ_λ jeweils auf die Hälfte seines maximalen Wertes bei λ_{max} abgefallen ist) sowie mit c und d wie folgt zusammen:

$$A = 4 \ln 2 / cdh^2 \tag{10}$$

Somit lautet die endgültige Form des Reintransmissionsgrades:

$$\vartheta_\lambda = \vartheta_0 \exp\left(-4 \ln 2 \left(\frac{(\lambda - \lambda_{max})}{h}\right)^2\right) \tag{11}$$

---

[1] Lineare Glieder entfallen, da das Minimum betrachtet wird.

[2] Mit $A = \dfrac{1}{2} \dfrac{\delta^2 \lambda}{\delta \lambda^2}\Big|_{\lambda = \lambda_{max}}$ und $\vartheta_0 = \exp(-\varkappa_{\lambda max} \cdot c \cdot d)$

[3] Firmenschrift der Firma Schott u. Gen., Mainz, s. S. 57, Fußnote 2.

Ein Filter wird eine um so steiler ansteigende Durchlaßkurve besitzen, je kleiner die Halbwertsbreite h ist, die ihrerseits durch Konzentrations- und/oder Schichtdickenvergrößerung verkleinert werden kann (vgl. Gl. 10 für A = konstant).

Andererseits entnimmt man der folgenden Tab. 5[1], daß die Gesamtdurchlässigkeit ϕ = const. · h · ϑ_0 bei gegebenen ϑ_0 mit abfallenden h sehr rasch abnimmt.

Tab. 5. Abhängigkeit der Gesamtdurchlässigkeit ϕ_λ von vier verschiedenen Filtern mit unterschiedlicher Maximaldurchlässigkeit ϑ_0 von der Halbwertsbreite

ϑ_0 \ h/h′	1,1	1,2	1,5	2,0
0,50	0,78	0,60	0,29	0,063
0,20	0,65	0,41	0,09	0,004
0,10	0,56	0,30	0,037	0,0005
0,05	0,49	0,22	0,016	0,00006

In vielen Fällen ist die Halbwertsbreite zur Beurteilung von Filtern durch die sog. Diabatiebreite zu ersetzen, da die Durchlässigkeitskurve nicht immer die Form einer Gaußfunktion besitzt (z. B. Abb. 19). Unter der Diabatie eines Filters versteht man die Größe:

$$\Theta_\lambda = 1 - \log (\log 1/\vartheta_\lambda)$$
$$= 1 - \log E_\lambda$$
$$= 1 - \log \varepsilon_\lambda - \log c - \log d$$
$$= \Theta_{0\lambda} - \log \frac{d}{d_0} .$$

d_0 ist die gewählte Längeneinheit. Der sich für d = d_0 ergebende Diabatiewert wird Diabatiemodul genannt.

Unter der Diabatiebreite versteht man die „untere" bzw. „obere" Wellenlängendifferenz $\Delta\lambda_u$ bzw. $\Delta\lambda_o$, bei der die maximale Diabatie bei λ_{max} um eine halbe Diabatieeinheit (im vorliegenden Falle ~ 1,37 cm) gefallen ist (s. Abb. 19).

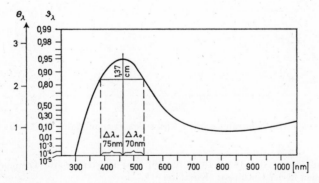

Abb. 19. Durchlässigkeitskurve des Farbglasfilters BG 23 der Firma Schott[2]. Der Ordinatenmaßstab ist der Diabatie proportional, daher sind die Durchlaßkurven von Filtern unterschiedlicher Schichtdicke nur um log (d/d_0) parallel zueinander verschoben (sog. typische Farbkurven)

[1] G. Kortüm, *Kolorimetrie, Photometrie und Spektrometrie. Anleitung für die chemische Laboratoriumspraxis*, Bd. II, S. 73, Springer-Verlag, Berlin · Göttingen · Heidelberg 1955.
[2] Jenaer Glaswerk Schott u. Gen., 65 Mainz.
Über das Angebot dieser Firma informiert die Firmenschrift: „Farb- und Filterglas für Wissenschaft und Technik" der Abt. Physik, Optik, 65 Mainz, Postfach 24800.

Im Bereich von $\Theta_{max}-{}^1/{}_2$ verlaufen die Kurven in der Mehrzahl gradlinig, so daß $\Delta\lambda$ ein Maß für die Filtersteilheit ist. Bei Filtern, bei denen ϑ_λ über einen breiten Bereich praktisch 100% ist (Langfilter), wird die Diabatiebreite auf $\vartheta_\lambda = 80\%$ bezogen.

Der Reintransmissionsgrad ϑ_λ muß mit dem Reflektionsfaktor P_d multipliziert werden, um den Transmissionsgrad τ zu ergeben:

$$\tau_\lambda = P_d \cdot \vartheta_\lambda$$

Bei senkrechtem Lichteinfall hängt P_d mit dem Brechungsindex n des begrenzenden Mediums zusammen:

$$P_d \approx \frac{2n}{n^2 + 1}$$

Werden mehrere Absorptionsfilter hintereinandergeschaltet, so gilt

$$\tau = \tau_1 \cdot \tau_2 \cdot \tau_3 \cdots$$

b) Unterteilung der Absorptionsfilter

Die im Handel erhältlichen Filtermaterialien lassen sich entsprechend ihrer Herstellungsweise und Filtercharakteristik grob in folgende Typen einteilen:

① Sog. Neutralfilter. Die von einer Lichtquelle ausgesandte Strahlung wird über einen bestimmten Frequenzbereich gleichmäßig geschwächt (Abb. 20).

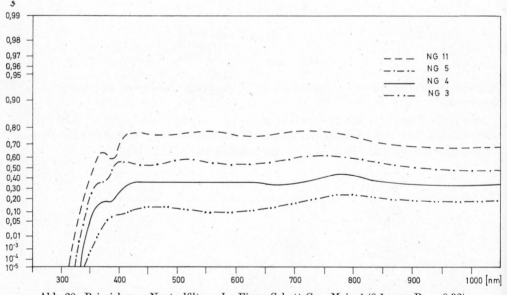

Abb. 20. Beispiele von Neutralfiltern der Firma Schott Gen. Mainz[1] (0,1 mm; $P_d = 0,92$)

② Absorptionsfilter (Abb. 18 u. 19, S. 58, 59) sind meistens echte Lösungen einfacher oder komplexer Ionen in der Glasmasse (Kurzfilter)[1-3].

Sie sind charakterisiert durch eine sinus- oder glockenförmige Transmissionskurve für bestimmte Frequenbereiche.

---

[1] Jenaer Glaswerk Schott u. Gen., 65 Mainz.
Über das Angebot dieser Firma informiert die Firmenschrift: „Farb- und Filterglas für Wissenschaft und Technik" der Abt. Physik, Optik.

[2] Corning, Glasworks, New York N. Y. 14830; Vertretung in Deutschland: 7 Stuttgart 80, Ernst Haldenstraße 17.

[3] Eastman Kodak Co., Rochester N. Y.

③ Kantenfilter (cut off filters) sind sog. „Anlaufgläser", die als Farbträger ausgeschiedene submikroskopische Teilchen in der Glasmasse enthalten. Die Transmissionseigenschaften sind durch eine Kante charakterisiert, die den langwelligen Bereich hoher Transmission vom kürzerwelligen Bereich geringer Transmission trennt (Langfilter) (Abb. 21 a u. b).

Bei geringen Glasdicken verbleibt in den kurzwelligen Gebieten eine merkliche Durchlässigkeit. Es ist deshalb zweckmäßig, Glasstärken von mindestens 2 mm Dicke zu verwenden.

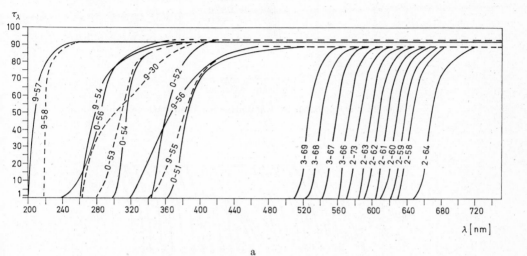

a

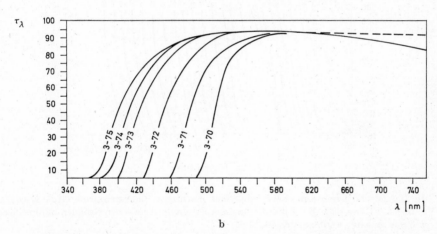

b

Abb. 21. Kantenfilter für den ultravioletten und sichtbaren Frequenzbereich[1]

Kantenfilter erleiden eine Verschiebung der Kantenlage mit Zunahme der Temperatur (Abb. 22, S. 62)[2]. Dieser Effekt ist bei Photoreaktionen mit Hochdruckbrennern als Strahlungsquelle besonders dann störend, wenn es über längere Zeit auf eine Konstanz der Filterwirkung ankommt.

Die Firma Schott[3] liefert ebenfalls ein enges Netz von Kantenfiltern, von denen eine für photochemische Zwecke geeignete Auswahl in Abb. 23 (S. 62) bzw. Tab. 6 (S. 63) angegeben ist.

Die Temperaturkoeffizienten und Haltbarkeiten sowie Umrechnungsfaktoren in Extinktion entnehme man der angeführten Firmenschrift[1]. Das gleiche gilt für die verschiedenen Typen der Absorptionsfilter.

---

[1] Corning, Glasworks. New York N. Y. 14830; Vertretung in Deutschland: 7 Stuttgart 80, Ernst Haldenstraße 17.

[2] Kantenfilter 2424 (5 mm) Fa. Corning.

[3] Jenaer Glaswerke Schott u. Gen., 65 Mainz.

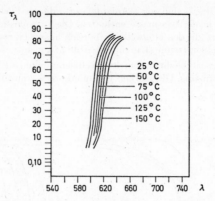

Abb. 22. Verschiebung der Kantenlage bei Temperaturerhöhung[1]

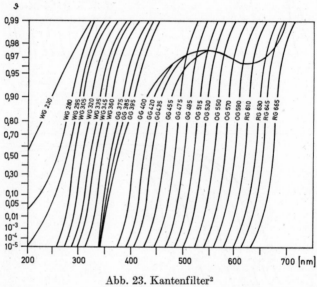

Abb. 23. Kantenfilter[2]

Im Handel sind ferner sehr steilwandige und gleichzeitig fluoreszenzarme Glas-Kunststoff-Verbund-Filter (sog. KV-Filter)[3,4], die aus fertigungstechnischen Gründen nur in einer Dicke von 3 mm geliefert werden (Abb. 24, S. 64).

Die Verbund-Filter zeichnen sich durch besonders große mechanische und chemische Beständigkeit aus; Achtung, nicht reinigen mit aromatischen oder chlorierten Lösungsmitteln, mit Estern oder Ketonen! Die Beständigkeit gegen UV-Strahlung und Temp. (bis 70°) wird als gut angegeben. Oberhalb 80° sind jedoch Glasfilter empfehlenswerter.

④ einfache Glas- und Quarzmaterialien: Vycor-[1], Pyrex[1], Solidex[5], Jenaer[3], Duran[3] und AR[6]-Gläser (Abb. 25 u. 26, S. 64, 65).

[1] Kantenfilter 2424 (5 mm) Fa. Corning, s. Anm.[4].
[2] Corning, Glasworks, New York N. Y. 14830, Vertretung in Deutschland: 7 Stuttgart 80, Ernst Halden-Straße 17.
[3] Jenaer Glaswerk Schott u. Gen., 65 Mainz.
   Über das Angebot dieser Firma informiert die Firmenschrift: „Farb- und Filterglas für Wissenschaft und Technik" der Abt. Physik, Optik.
[4] Skylight-Filter; Deutsche Spiegelglas AG, 3224 Grünenplan über Alfeld/Leine.
[5] Sovirel, Paris.
[6] Ruhrglas AG, Essen Karnapp.

Tab. 6. Kantenfilter[1]

Glasart neue Bezeichnung	Glasart alte Bezeichnung	Be-mer-kung[a]	Farbe	ungefähre Kantenlänge λ_H [nm][b] bei Glasdicke 1 mm	2 mm	3 mm	spez. Gewicht s	Reflexions-faktor P_d
WG 230[c]	WG 8	V		198	218	230	2,83	0,915
WG 280				263	274	280	2,45	0,925
WG 295	WG 7	V		278	289	295	2,52	0,92
WG 305	WG 6			294	300	305	2,38	0,92
WG 320	WG 5			310	316	320	3,02	0,91
WG 335	WG 4			324	331	335	3,62	0,89
WG 345	WG 3			335	341	345	4,02	0,885
WG 360	WG 2			350	356	360	3,72	0,885
GG 375	GG 18			365	371	375	2,62	0,92
GG 385	GG 13			372	380	385	3,22	0,905
GG 395	GG 22			378	388	395	3,59	0,895
GG 400		A	farblos		397	400	2,72	0,91
GG 420	GG 15	A	farblos		417	420	2,72	0,91
GG 435	GG 3	A	gelb		432	435	2,72	0,91
GG 455	GG 5	A	gelb		452	455	2,72	0,915
GG 475	GG 7	A	gelb		472	475	2,72	0,915
GG 495	GG 14	A	gelb		492	495	2,73	0,915
OG 515	OG 4	A	orange		512	515	2,73	0,915
OG 530	OG 1	A	orange		527	530	2,73	0,915
OG 550	OG 5	A	orange		547	550	2,73	0,915
OG 570	OG 2	A	orange		567	570	2,73	0,915
OG 590	OG 3	A	orange		587	590	2,73	0,915
RG 610	RG 1	A	rot		607	610	2,74	0,915
RG 630	RG 2	A	rot		627	630	2,74	0,915
RG 645		A	rot		642	645	2,74	0,915
RG 665	RG 5	A	rot		662	665	2,74	0,915

[a] V = Veränderung der Durchlaßkurve bei UV-Bestrahlung.
  A = Anlaufglas; Schwankung der Kantenlage beachten, Normaltoleranz $\pm$ 7 nm.
[b] λ_H = Wellenlänge, bei der der Reintransmissionsgrad 0,50 beträgt.
[c] Schwankung der Kantenlage von Schmelze zu Schmelze bis zu $\pm$ 15 nm.

[1] Jenaer Glaswerke Schott u. Gen., 65 Mainz.

Aufgrund ihres Kantentransmissionsverhaltens (Abb. 25, 26, S. 65) bzw. Tab. 6 (S. 63) und ihrer Röhrenform eignen sich die Glasfilter zur Herstellung von Lampenschächten in photochemischen Reaktoren und zur Absorption kurzwelliger Strahlung aus dem Frequenzangebot einer Strahlenquelle.

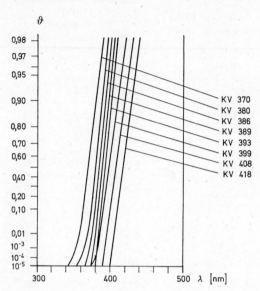

Abb. 24. Glas-Kunststoff-Verbund-Filter[1]. Toleranz der Kantenlänge ± 1–2 nm; Reflexionsfaktor $P_d = 0,92$

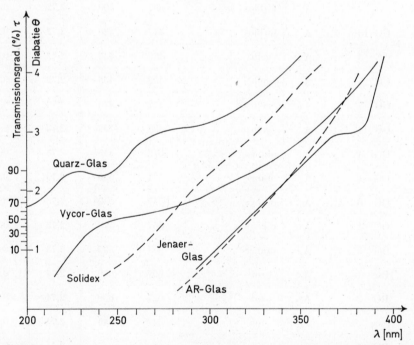

Abb. 25. Lichtdurchlässigkeit[2] verschiedener Gläser in Abhängigkeit von der Wellenlänge, umgerechnet aus Extinktionsmessungen gegen Luft (bezogen auf 2 mm Schichtdicke)

---

[1] Jenaer Glaswerk Schott u. Gen. 65 Mainz.
   Über das Angebot dieser Firma informiert die Firmenschrift: „Farb- und Filterglas für Wissenschaft und Technik" der Abt. Physik, Optik.
[2] H. Leismann, Dissertation, Technische Hochschule Aachen (1971).

Einige differenzierte Quarzgläser in Plattenform sind im Handel (s. Abb. 26).

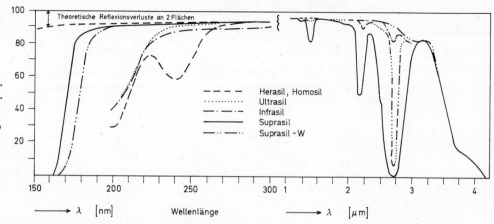

Abb. 26. Transmissionsverhalten einiger Quarz-Gläser (Schichtdicke 10 mm)[1-3]

Aufgrund der Lichtabsorption von Quarzglas in Abhängigkeit von der Schichtdicke im Vakuum-UV (147–175 nm)[2] sind Quarzrohre von 0,05–0,1 mm Dicke als Lampengefäße für Wellenlängen oberhalb 155 nm gut geeignet.

(5) Filterlösungen, meist anorganische Ionen, filtern bei entsprechender Mischung selektiv bestimmte Wellenlängen aus.

Von den zahlreichen Filterlösungen[4-6] bringt die Tab. 7 (S. 66) eine Anzahl von Lösungen und Lösungskombinationen, die sich zur Aussonderung von Quecksilberlinien eignen.

Ferner ist jedes organische Lösungsmittel, soweit es in dem jeweiligen Frequenzgebiet photochemisch inert ist, als Flüssigkeitsfilter geeignet. Der Bereich der Kantentransmission kann durch Variation der Schichtdicke in Grenzen variiert werden.

c) Interferenzfilter

Zur Isolierung einzelner Wellenlängen aus parallel auffallendem Licht eignen sich Interferenzfilter, die aus mehreren Schichten verschiedenartigen Materials bestehen (Abb. 27).

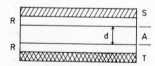

Abb. 27. Aufbau eines Interferenzfilters (schematisch)

S = Schutzglas   T = Trägerglas
R = Reflexionsfilm   d = Schichtdicke.
A = Abstandsfilm (durchlässig)

---

[1] Hersteller: Heraeus-Schott Quarzschmelze GmbH, 645 Hanau.
[2] W. GROTH, H. V. WEYSSENHOFF, Z. Naturf. 11a, 155 (1956).
[3] Beim Durchtritt des Lichtes durch ein Glasfilter wird ein Teil der Lichtenergie an den beiden Grenzflächen: Glas-Luft reflektiert, ein weiterer Teil wird absorbiert. Wenn Streuung, Fluoreszenz und Phosphoreszenz vernachlässigt werden können, so wird der Rest des Lichtes vom Filter durchgelassen:

$$\Phi = \Phi_{refl.} + \Phi_{abs.} + \Phi_{Trans}$$

[4] W. GEFFCKEN, Landolt-Börnstein, 6. Aufl., Bd. IV/3, S. 925 (dort 957), Springer Verlag.
[5] G. O. SCHENCK u. O. A. NEUMÜLLER, *Preparative Photochemistry*, Springer-Verlag, Berlin · Heidelberg · New York 1968.
[6] J. G. CALVERT u. J. N. PITTS, *Photochemistry*, S. 728, J. Wiley & Sons, New York 1966.

Tab. 7. Filter-Stammlösungen zur Aussonderung bestimmter Quecksilberlinien[a]

Quecksilberlinie [nm]	Kombination der Stammlösungen	Schichtdicke [cm]	Stammlösungen	
			Nr.	Lösung
579/577	10 ml ① + 90 ml ② davon 1 cm + 2 cm ③	3	①	1 Mol $CuCl_2 \cdot 2H_2O$ in 1 l dest. H_2O
546	20 ml ① + 80 ml ② davon 1 cm + 1 cm ④	2	②	333 g $CaCl_2$ in 1 l H_2O (ansäuern)
			③	15 g $K_2Cr_2O_7$ in 200 ml H_2O
436	2 cm ⑤ + 1 cm ⑨ bzw. 2 cm ⑦ + 1 cm ⑨	3 3	④	30 g $NaNO_3$ in 100 ml H_2O
405	2 cm ⑦ + 1 cm ⑧	3	⑤	25 g $CuSO_4 \cdot 5H_2O$, 300 ml NH_3-Lösung (d = 0,88) auf 1 l mit H_2O auffüllen[b]
			⑥	125 g $CuSO_4 \cdot 5H_2O$ in 1 l H_2O
313	3–4 cm ⑩ + 1 cm ⑪ bzw. 2,5 cm ⑰ 42 cm ⑱ + 1 cm ⑪	4–5 5,5	⑦	200 g $Cu(NO_3)_2 \cdot 6H_2O$ in 100 ml H_2O
			⑧	0,75 g Jod in 100 ml CCl_4
334–300	1 cm ⑮ + 1 cm ⑯	2	⑨	75 g $NaNO_2$ in 100 ml H_2O
334–290	3–4 cm ⑩ + 1 cm ⑫ bzw. 2,5 cm ⑰ + 2 cm ⑱ + 1 cm ⑫	4–5 5,5	⑩	350 g $NiSO_4 \cdot 7H_2O$, 100 g $CoSO_4 \cdot 7H_2O$ auf 1 l mit H_2O auffüllen[b]
			⑪	5 g Kaliumhydrogenphthalat in 1 l H_2O
265	3–4 cm ⑩ + 1 cm ⑬ + 3 cm ⑲ bzw. 2,5 cm ⑰ + 2 cm ⑱ + 1 cm ⑬ + 3 cm ⑲	7–8 8,5	⑫	15 g $CuSO_4 \cdot 5H_2O$ in 1 l H_2O[b]
			⑬	1,7 g KJ in 1 l H_2O[b]
265–254	3–4 cm ⑩ + 3 cm ⑲ bzw. 1,5 cm ⑰ + 2 cm ⑱ + 3 cm ⑲	7–8 6,5	⑭	0,14 g KJ, 0,1 g Jod in 1 l H_2O
			⑮	30 g $CoCl_2 \cdot 6H_2O$ in 100 ml 3M $CaCl_2$-Lösung
			⑯	82 g $NiSO_4 \cdot 7H_2O$ in 100 ml 0,25 M $CuSO_4$-Lösung
			⑰	220 g $NiSO_4 \cdot 7H_2O$, 200 g $CoSO_4 \cdot 7H_2O$ auf 1 l mit H_2O auffüllen
			⑱	120 g $NiSO_4 \cdot 7H_2O$, 23,5 g $(NH_4)_2SO_4$, 82,8 g NH_3-Lösung (d = 0,925) auf 1 l H_2O auffüllen
			⑲	Chlorgas von 1 atm (3 cm Schichtdicke) in einer Quarzzelle

[a] Nickel-, Kobalt- und Kupfer-Lösungen müssen frei von Eisen-Ionen sein; die ersten beiden auch von Chlorid-Ionen.

[b] Müssen häufig neu angesetzt werden.

Ein einfallendes Strahlenbündel wird an den Grenzen der Reflexionsfilme zum Teil reflektiert und durchgelassen. Durch die Reflektionen treten Gangunterschiede auf, so daß die Strahlen miteinander interferieren. Die Lage des Durchlässigkeitsmaximums ist von dem Einfallswinkel abhängig; mit Vergrößerung des Einfallswinkels tritt eine Verschiebung zu kürzeren Wellenlängen ein.

Da ein großer Teil der auffallenden Strahlung reflektiert wird, erhitzen sich die Interferenzfilter nicht in dem Maße wie die Absorptionsfilter. Bei Lagerung oder längerwährendem Gebrauch sollte die Temperatur der Interferenzfilter nicht über 40° ansteigen (Einschaltung einer Küvette in den Strahlengang zur Absorption der Wärmestrahlung).

Die Interferenzfilter können als Homogenfilter wie auch als Verlauffilter hergestellt werden. Bei den Verlauffiltern ist der Abstandsfilm keilförmig angeordnet, so daß sich die Farbkurve kontinuierlich bei der Vorbeibewegung an einer Meßblende ändert.

1. Interferenzreflexionsfilter

Bei den Interferenzreflexionsfiltern[1] sind jeweils zwei Interferenzfilter rechtwinklig zueinander angeordnet (Abb. 28a). Das ganze Filtersystem setzt sich aus mehreren hintereinander angeordneten Winkeln zusammen (Abb. 28b). Abb. 29 zeigt Durchlaßkurven solcher Filter.

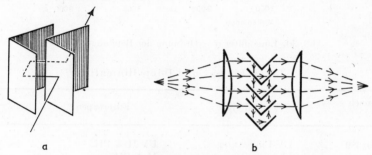

a   b

Abb. 28. Interferenzreflexionsfilter.

a) Prinzip b) Gesamtsystem

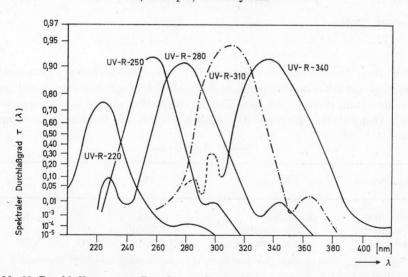

Abb. 29. Durchlaßkurven von Interferenzreflexionsfiltern[2] (4 Reflexionen unter 45°)

---

[1] Jenaer Glaswerk Schott u. Gen., 65 Mainz.
 Über das Angebot dieser Firma informiert die Firmenschrift: „Farb- und Filterglas für Wissenschaft und Technik der Abt. Physik, Optik.
[2] Firmenschrift 3701 d von Schott u. Gen., 65 Mainz.

2. Metallinterferenzfilter

α) Linienfilter

Sind nur drei Schichten vorgesehen und bestehen die Reflexionsschichten aus Metall, so erhält man die in Abb. 30 wiedergegebene Durchlässigkeitskurve.

Durch die Kombination mit einem Farbglasfilter läßt sich eines der Interferenzmaxima leicht isolieren (Linienfilter).

Werden zwei dieser Linienfilter zu einem Doppellinienfilter zusammengesetzt, so sinkt die Durchlässigkeit etwa auf die Hälfte, die Halbwertsbreite wird kleiner, die Kurvenflanken jedoch steiler; d. h. auf Kosten der Intensität wird der durchgelassene Wellenlängenbereich wesentlich kleiner.

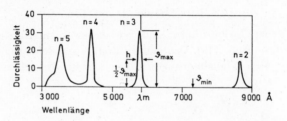

Abb. 30. Linienfilter n = Ordnung der Beugungsmaxima

Tab. 8. Linien- und Doppellinienfilter[1]

Spektralbereich [nm]	Filterart	Filtertypen	τ_{max} [%]	h[a] [nm]
310–389	UV-Linienfilter	UV-IL & PIL	∼ 30	∼ 10
390–800	Linienfilter	IL & PIL	∼ 30	∼ 12
390–800	Doppel-Linienfilter	DIL & DEPIL	∼ 10	∼ 10
400–700	Verlauflinienfilter	VERIL S60 & S200	∼ 30	∼ 12

[a] h = Halbwertsbreite

β) Bandfilter

Werden drei Metallreflexionsschichten mit zwei dielektrischen Abstandsschichten kombiniert, so erhält man Filter mit breiteren Durchlässigkeitsmaxima und mit steilen Flanken. Man kann ebenso zwei Bandfilter zu einem Doppelfilter kombinieren und erhält mit diesen Doppel-Bandfiltern die gleichen Vorteile wie bei den Doppel-Linienfiltern (s. S. 67).

Tab. 9. Bandfilter[1]

Spektralbereich	Filterart	Filtertypen	τ_{max}[a] [%]	h[b] [nm]
390–1000	Bandfilter	Al & PAL	∼ 60[2]	∼ 20[2]
390–1000	Doppel-Bandfilter	DAL & DEPAL	∼ 30[2]	∼ 16[2]
400– 700	Verlaufbandfilter	VERIL B 60 & B 200	∼ 30	∼ 24

[a] Die Werte für τ_{max} und h sind Durchschnittswerte. Sie werden innerhalb bestimmter Toleranzen eingehalten.

[b] Bei Wellenlängen oberhalb 700 nm sind die Werte für τ_{max} etwas kleiner und für h etwas größer.

[1] Firmenschrift 3701 d von Schott u. Gen., 6500 Mainz.
[2] L. Bergmann u. C. L. Schäfer, *Lehrbuch der Experimentalphysik*, Bd. III, S. 223, Verlag De Gruyter, Berlin 1959.

3. Dielektrikinterferenzfilter[1,2]

Bei den Dielektrikinterferenzfiltern wird anstelle der Metallschichten eine Kombination von mehreren dielektrischen Schichten unterschiedlicher Brechungsindices benutzt. Man erhält Durchlaßkurven, die neben schmalen Durchlaßbereichen mit geringer Halbwertsbreite und hohen Maxima weitere Durchlaßbereiche enthalten, die durch Zusatzfilter ausgefiltert werden können.

Wird die Schichtenfolge periodisch aufgebaut, so erhält man sog. Kantenfilter, die breite Durchlaßbereiche mit steil abfallenden Kanten nach beiden Seiten aufweisen (Breitbandfilter)[3].

IV. Reaktorgefäße für Lichtreaktionen

a) Der einfache Tauchreaktor

Die weitaus meisten Photoreaktionen organischer Verbindungen werden in flüssiger Phase bzw. in Lösung bei Raumtemperatur vorgenommen. Dafür hat sich als sehr einfaches, für viele Zwecke ausreichendes Gerät die sog. Tauchschachtapparatur (Abb. 31a und b bewährt. Das Reaktionsgut wird durch Magnetrührer oder Inertgas umgewälzt, um den inhomogenen Verlauf von photochemischen Reaktionen entgegenzuwirken (s. S. 9, Gl. 34).

Zur möglichst optimalen Ausnutzung der Strahlung wird die ausgewählte Strahlungsquelle zentral in einen, meist doppelwandigen, wassergekühlten Tauchschacht (Abb. 31 c) gehängt.

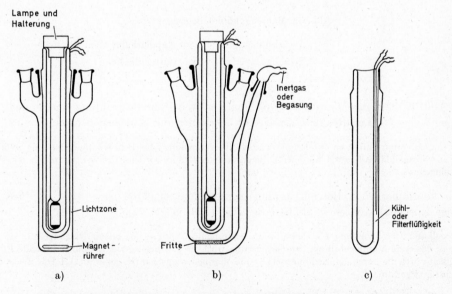

Abb. 31. a) und b) Tauchschachtapparaturen[4] c) Tauchschacht mit Kühlmantel

[1] W. GEFFCKEN, Landolt-Börnstein, 6. Aufl., Bd. IV/3, S. 925, (dort 957) Springer-Verlag, Berlin · Göttingen · Heidelberg 1957.

[2] G. KORTÜM, *Kolorimetrie, Photometrie und Spektrometrie, Anleitung für die chemische Laboratoriumspraxis*, Bd. II, S. 77, Springer-Verlag, Berlin · Göttingen · Heidelberg 1957.

[3] Firmenschrift 3701 d von Schott u. Gen., 6500 Mainz.

[4] Hersteller: DEMA, H. Mangels, 53 Bonn-Roisdorf.

Je nach gewünschter Filterwirkung wird als Schachtmaterial Quarz-, Pyrex- bzw. Solidex- oder Uviol-, Vycor-, Jenaer- oder Ruhrglas verwendet (s. S. 64f.).

Weiterhin ist es möglich, anstelle von Kühlflüssigkeit eine entsprechend temperierte Lichtfilterlösung (s. S. 66) durch den Tauchschacht zu pumpen, falls die Schichtdicke es zuläßt.

Die Wasserkühlung dient einmal der Abführung der Lampenwärme bzw. der Wärme, erzeugt durch strahlungslose Desaktivierung von Anregungsenergie, zum anderen der Einstellung einer optimalen Arbeitstemp. für den Strahler[1].

b) Mantelgefäß mit Begasungsfritte[2],[3]

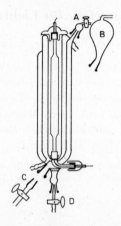

Abb. 32. Mantelgefäß mit Begasungsfritte

A = Verschlußkappe   C = Kapillarhahn
B = Schaumkugel   D = Gasregulierhahn

In Abb. 32 dient das Mantelgefäß aus Quarz entweder zur Bestrahlung einer einmaligen Füllung von ~ 1000 ml Reaktionsflüssigkeit oder einer durchfließenden Lösung.

Im erstgenannten Fall kann auf den oberen Schliffkern anstelle einer Schliffkappe auch eine Schaumkugel aus Normalglas aufgesetzt werden. In die untere Schliffhülse wird zur Probeentnahme ein Kapillarhahn eingesetzt.

Für kontinuierlichen Betrieb werden mehrere Mantelgefäße nach Abb. 32 durch S-förmige Normalglasröhren in Reihe geschaltet (Abb. 33, S. 71).

Mit regelbarer Geschwindigkeit strömt die zu bestrahlende Lösung aus einem Niveaugefäß (H) von unten in das erste Mantelgefäß ein. Im Gegenstrom wird die gleichzeitig zur Kühlung dienende Filterflüssigkeit durch die jeweiligen Kühlmäntel (E) und Wärmeaustauscher (F) gepumpt (G). Das Reaktionsgut wird in J gesammelt.

Ähnliche Elemente für die Bestrahlung unter Stoffumlauf oder Begasung zeigen Abb. 34 a und b (S. 71).

---

[1] Quecksilber-Hochdruck-Strahler erreichen bei zu tiefen Temp. nur geringe Strahlungsleistung, bei zu hoher Temp. kann während des Betriebes der Bogen abreißen, bzw. es findet keine Zündung statt (s. S. 44).

[2] H. Berg u. W. Beyer, Chem. Techn. 8, 235 (1956).

[3] Hersteller VEB Glaswerk Schott u. Gen., Jena, DDR.

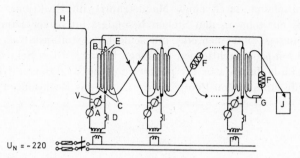

Abb. 33. Schematische Darstellung einer Batterie von Mantelgefäßen für kontinuierliche Bestrahlung

A = Amperemeter   E = Kühlmantel   H = Niveaugefäß
B = Quecksilberdampf-Lampe   F = Wärmeaustauscher   J = Vorratsgefäß
C = Außenmantel   G = Pumpe   V = Voltmeter
D = Drossel

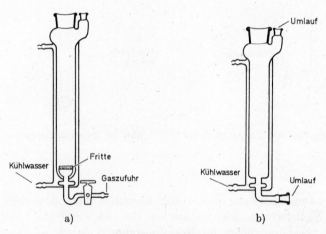

a)   b)

Abb. 34. Bestrahlungsgefäß (600 ml) aus Duran 50[1].

a) zur Begasung
b) für umlaufendes Reaktionsgut

c) Fortentwicklungen

Durch die Dimensionierung von Tauchschacht und Reaktionsgefäß ist insbesondere bei kleineren Volumina ($< 100\ ml$) die Schichtdicke der zu bestrahlenden Reaktionsmischung sehr klein. Eine vollständige Lichtabsorption kann nur dann gewährleistet werden, wenn mit relativ hoch konzentrierten Lösungen gearbeitet wird. Dies hat z. T. unerwünschte Neben- und Folgereaktionen der Produkte zur Folge. Es ist deshalb außerordentlich schwierig, kleinere Reaktionsvolumina als 50 ml in dem aktiven Strahlungsbereich der Lampen zu bringen, da apparativ meist der Raumbedarf von Magnetrührer oder Gaseinleitungsansatz solche Volumina übersteigt.

Eine verbesserte Durchmischung des Reaktionsgutes ermöglicht der umgekehrte Eintauchreaktor[2] (Abb. 35, S. 72).

Nachteilig ist der unmittelbare Kontakt der Reaktionslösung mit dem Schlifffett des Schachtschliffs. Es empfiehlt sich deshalb, eine Teflonmanschette zur Abdichtung zu benutzen.

---

[1] Hersteller: Firma Alfred Gräntzel, Karlsruhe.
[2] Hersteller: ACE Glass incorp., Vineland, N. J. 08360 (Box 88) oder Ludlow, Mass. 01056 (Box 425).

Da die Durchmischung durch einen Magnetrührer im Reaktionsraum nicht überall gleich intensiv ist, entsteht an den Stellen besonders intensiver Lampenstrahlung eine laminare Ringströmung, die keinen oder nur schlechten Stoffaustausch zwischen lampenschachtnahen und lampenschachtfernen Regionen bewirkt. Diese Schwierigkeit soll durch eine sog. „Zwangsumlaufapparatur für photochemische Reaktionen"[1] umgangen werden (Abb. 36)[2]. Mit Hilfe eines Teflon-Pumpenläufers wird das Reaktionsgut um den Lampenschacht zirkuliert.

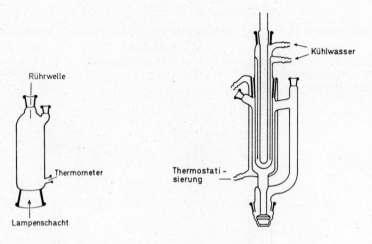

Abb. 35. Umgekehrter Eintauchreaktor[1]   Abb. 36. Zwangsumlaufapparatur[2]

Ungenügende Durchmischung macht sich besonders dann bemerkbar, wenn bei der Photoreaktion Niederschläge gebildet werden, die sich meist am Lampenschacht festsetzen und die Strahlungsdichte im Reaktionsraum drastisch verringern (zunehmende Verringerung der Raum-Zeit-Ausbeute).

Auch bei der Verwendung eisenhaltigen Kühlwassers bilden sich bei langen Bestrahlungszeiten in dem Kühlmantel Ablagerungen gelber Eisensalze, die die Strahlungsdichte stark herabsetzen. Sie müssen deshalb mit verdünnter Mineralsäure von Zeit zu Zeit entfernt werden.

Zur Entfernung von Niederschlägen während der Bestrahlung wurde eine besondere Apparatur[3,4] entwickelt (Abb. 37, S. 73).

Die innere Oberfläche, die mit dem Photolysat in Berührung kommt, wird ständig durch einen rotierenden Glasfaserbesen von auftretenden Niederschlägen befreit, wobei gleichzeitig eine Durchmischung gewährleistet wird.

Die Fortentwicklung dieses Gerätes ("Reading-Reactor"; Abb. 38) besteht aus einem von außen zu bestrahlenden Reaktorgefäß (400 ml) aus Quarz. Das Gerät soll sich auch für Gasphasenreaktionen eignen.

---

[1] Hersteller: ACE Glass incorp., Vineland, N. I. 08360 (Box 88) oder Ludlow, Mass. 01056 (Box 425).

[2] Hersteller: Otto Fritz GmbH NORMAG, Hofheim am Taunus, Postfach 13.

[3] D. Bryce-Smith, J. A. Frost u. A. Gilbert, Nature 213, (5081), 1121 (1967).

[4] J. M. Blair, D. Bryce-Smith u. B. W. Pengilly, Soc. 1959, 3174.

Abb. 37. Bestrahlungsapparatur nach Bryce-Smith et al.[1,2] mit
Außenbestrahlung durch 500 W(Hanovia) Mitteldruck-Lampen

A = Quarzzelle (Länge: 35 cm, äußerer Durchmesser 8 cm,
     Arbeitsvolumen: 400 ml)
B = Ringmantel für Kühlung oder Filterlösung
C = Perforierter Borsilikatglaskörper mit Widerhaken zur
     Befestigung von Quarzwolle
D = Teflonführung des Rührstabes
K = Rührwelle für Glasfilterbesen

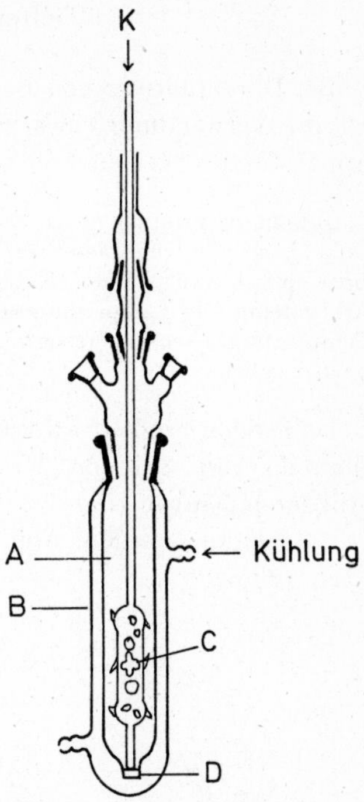

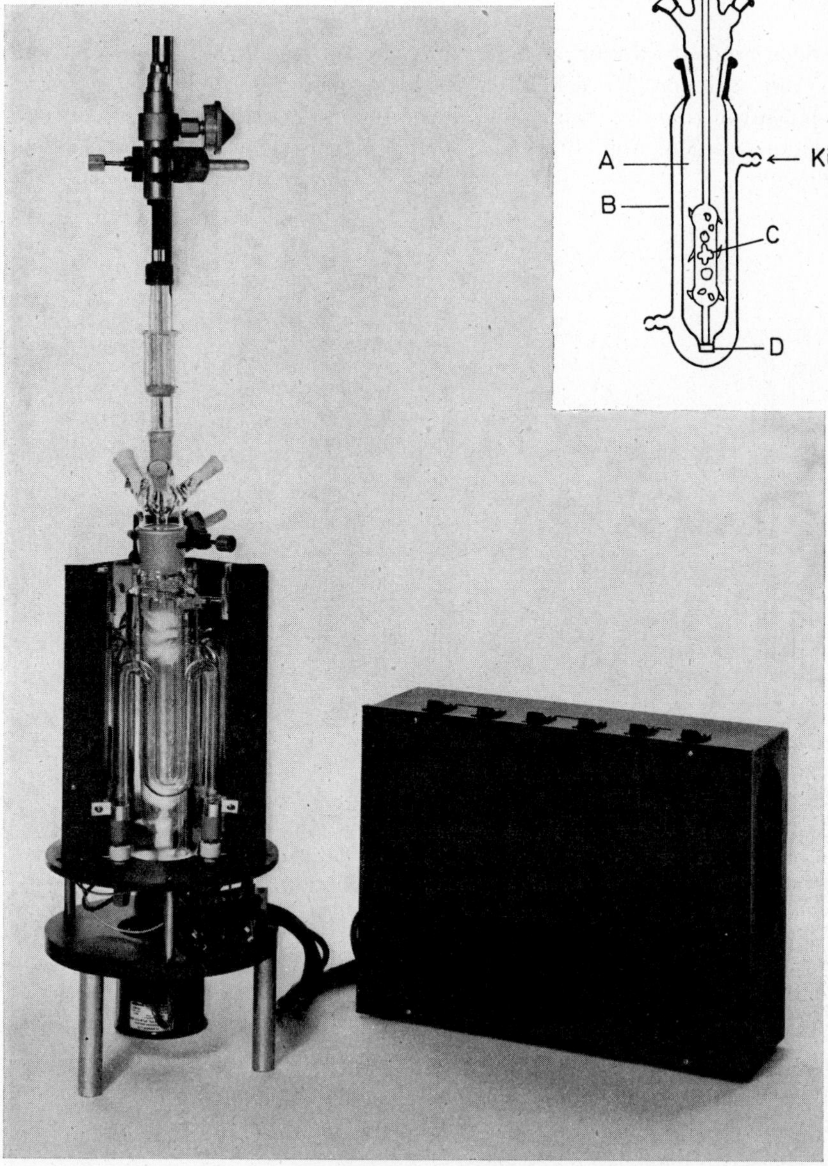

Abb. 38. Reading Reactor[3]

[1] D. BRYCE-SMITH, J. A. FORST u. A. GILBERT, Nature 213, (5081), 1121 (1967).
[2] J. M. BLAIR, D. BRYCE-SMITH u. B. W. PENGILLY, Soc. 1959, 3174.
[3] Hersteller: Engelhard, Hanovia Lamps, Slough; Buckinghamshire, England.

d) Tieftemperatur-Bestrahlung in flüssiger Phase

Bei Durchführung von Bestrahlungen in flüssiger Phase bei Temperaturen unter —20° ist die Verwendung eines wassergekühlten Tauchschachtes (Abb. 31 c, S. 69) in Tauchapparaturen ungeeignet.

Obwohl die Kühlung durch Eintauchen der Apparatur in einen Kryostaten leicht ermöglicht werden kann, kann das Kühlwasser im Tauchmantel gefrieren und ihn dadurch zerstören. Auch der Einsatz einer optisch transparenten Kühlflüssigkeit (z. B. Methanol) ist ungeeignet, weil entweder die optimale Arbeitstemp. der Lampe unterschritten wird oder die Lampenwärme im Reaktionsraum einen steilen Temperaturgradienten erzeugt. Damit ist eine homogene Kryostatisierung der Reaktionsmischung nicht möglich.

Diese Schwierigkeit wird umgangen indem man den Tauchschacht durch einen Vakuummantel (Abb. 39) von der gekühlten Reaktionsmischung abschließt. Selbst bei einer Außentemperatur von –78° kann die Temperatur im Reaktionsraum ohne weiteres konstant gehalten werden. Abb. 40a und b zeigt geeignete Apparaturen für Tieftemperatur-Bestrahlungen.

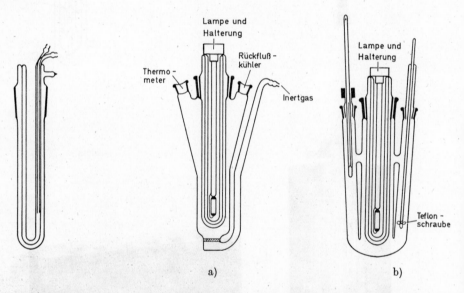

a)   b)

Abb. 39. Tauchschacht[1] mit Vakuummantel für Tieftemperatur-Bestrahlungen

Abb. 40. Apparaturen[2] für Tieftemperatur-Bestrahlungen (250–50 ml). Kühlung erfolgt durch Eintauchen in einen Kryostaten. a) mit Begasung   b) Rührung durch Teflonschraube

Abb. 41 (S. 75) zeigt einen ummantelten, im begrenzten Umfang thermostatisierbaren Reaktor[1] mit Bodenauslaß zur Abtrennung, z. B. eines schweren, nicht mischbaren Reaktionsproduktes, dessen kontinuierliche Bildung durch Zutropfen frischer Reaktionslösung bewerkstelligt werden kann.

---

[1] Das Vakuum sollte nach längerem Gebrauch erneut eingestellt werden.

[2] Hersteller: DEMA, H. Mangels, Roisdorf bei Bonn.

[3] Hersteller: ACE Glass incorp., Vineland, N. I. 08360 (Box 88) oder Ludlow, Mass. 01056 (Box 425).

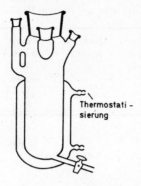

Abb. 41. Reaktor mit Bodenauslaß[1]

e) Großvolumige Reaktoren

Für größere Ansätze stehen Reaktoren von 1—10 l Reaktionsvolumen (Abb. 42) und verschiedene Lampen geeigneter Leistung zur Verfügung. In Tab. 10 (S. 76) und Abb. 43–46 (S. 77–78) sind einige käufliche Reaktoren zusammengestellt.

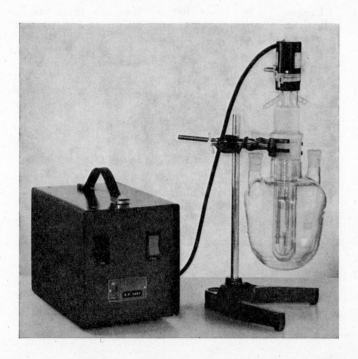

Abb. 42. Photochemischer Reaktor mit 1 l Volumen[2] für 100 W Quecksilber-Mitteldruck-Lampen (ev. luftgekühlt). Lampenschacht aus Quarz, Kühlung durch Luft oder Flüssigkeit

---

[1] Hersteller: ACE Glass incorp., Vineland, N. I. 08360 (Box 88) oder Ludlow, Mass. 01056 (Box 425).
[2] Hersteller: Hanovia Lamps, Slough, Buckinghamshire, England.

Tab. 10. Einige Photo-Reaktoren

Reaktor	Hersteller	Anzahl und Lampentyp	Gesamtlampenleistung [W]	Quanten/ sec cm³	Gesamtstrom verbrauch [W]	Größe des Reaktionsgefäßes [ml]	Größe und Gewicht des Geräts	Besonderheiten
RPR-100 (s. Abb. 43)	1	1 Lampe; RPR-253,7 nm		$\sim 1{,}65 \cdot 10^{16}$ (254 nm)	~ 400	Quarz; 500	$45 \times 45 \times 50$ cm³ ~ 25 kg	Kühlung durch Ventilator
						650 1000		Spezialaufsatz für Wasserkühlung
		RPR-3000A		$\sim 6{,}7 \cdot 10^{16}$ (300 nm)		Gefäße für Gasphotolysen		Lampen für 184,9 nm und „spectrosil"-Quarzgefäße
		RPR-350nm		$\sim 5 \cdot 10^{16}$ (350 nm)				
RPR-204	1	4 Lampenbatterien	60	$\sim 8 \cdot 10^{18}$ (254 nm)	~ 400	⌀ 12 cm	$48 \times 48 \times 60$ cm³ ~ 38 kg	
RPR-208 (s. Abb. 44)	1	8 Lampenbatterien			~ 800	⌀ 30 cm	$60 \times 60 \times 60$ cm $\sim$ kg	Zusatzgerät für Karussell-Bestrahlung Einbau von Um- und Durchlaufsystemen
		RUL-2537	120	$\sim 1{,}6 \cdot 10^{19}$ (254 nm)				
		RUL-3000	85	$1{,}3 \cdot 10^{20}$ (300 nm)				
		RUL-3500	100	$1{,}7 \cdot 10^{20}$ (350 nm)				
Reaktor-400 (s. Abb. 45)	2	Verschiedenste Lampentypen bis 600 nm				Nutzraum ⌀ 83 cm Höhe 29 cm		Reaktorkühlung durch Preßluft Karussell-Bestrahlungseinsatz

1 = The Southern New England Ultraviolet Co., 954 Newfield Street, Middletown, Connecticut, USA 06457.

2 = Alfred Gräntzel, Physikalische Werkstätten, 75 Karlsruhe-West, Durmersheimer Straße 98, BRD.

Abb. 43. RPR-100-Reaktor[1]

mit Karussell-Bestrahlungseinsatz

Abb. 44. RPR-208-Reaktor[1]

mit Karussell-Bestrahlungseinsatz

[1] The Southern New England Ultraviolet Co., 954 Newfield Street, Middletown, Connecticut, USA, 06457.

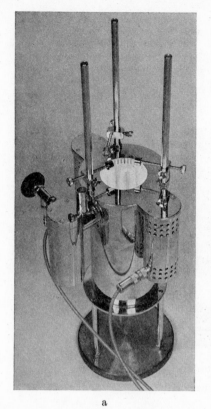

a   b

Abb. 45. a) Reaktor 400, b) Strahler-Einsatz[1,2]

Höhe der Röhren 265 mm, lichte Weite 90 mm   Entladungsstrom bis 250 mA
Strahlungsleistung 200 W bei 300 W Gesamt-   Betriebsspannung 2500 V
verbrauch   Nutzlebensdauer bei 125 mA ~ 800 Stdn.,
Brennspannung 950 V   bei 250 mA 4000 Stdn.

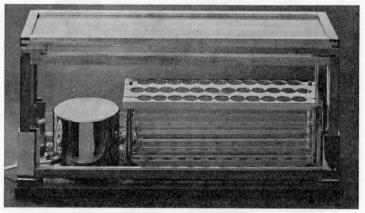

Abb. 46. Ampullen-Bestrahlungsapparatur für $\lambda = 254$ nm[1]

34 Quarz-Ampullen, 120 ml Inhalt, 35 mm ∅   Strahlungsleistung insgesamt 600 W UV
2 UV-Strahler, 3,5 m lang, 15 mm äußerer ∅   Betriebsspannung 2 × 2500 V
Bestrahlungsfläche 450 mm lang, 140 mm hoch   Anschlußleistung 4 Amp., 220 V, 900 W
Brennspannung 1400 V, Entladungsstrom   Die Stromversorgung ist von 60–600 W regelbar
bis 250 mA

---

[1] Alfred Gräntzel, Physikalische Werkstätten, 7500 Karlsruhe-West, Durmersheimer Str. 98, BRD.
[2] Quecksilber-Niederdruck-Lampe und -Hochdruck-Lampe mit Metallzusatz.

1. Reaktoren mit fließendem Reaktionsgut als Film

Die Bildung von Ablagerungen am Lampenschacht und die ineffektive Rührung während der Bestrahlung wird beim Einsatz von Apparaturen mit fließendem Reaktionsgut als Film umgangen (Abb. 47)[1]. Eine Berührung des Films mit dem Lampenschacht oder dem Lampenglas selbst wird vermieden[2,3].

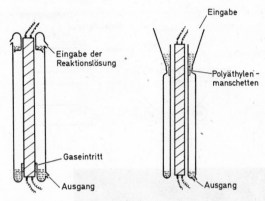

Abb. 47. Reaktoren mit fließendem Reaktionsgut (schematisch)

Das Reaktionsgut fließt als dünner Film an der Innenseite eines Zylinders herab. Die Reaktionslösung wird unten wieder gesammelt und kann erneut mit Hilfe einer geeigneten Pumpe in das Startreservoir gepumpt werden. Entsprechend der geringen Schichtdicke des Reaktionsgutes muß, um genügende Lichtabsorption zu erreichen, mit Lösungen hoher Konzentrationen gearbeitet werden. Entsteht durch die Belichtung ein genügend höher siedendes Reaktionsprodukt, so kann durch Destillation das leichter siedende Ausgangsmaterial (evt. mit Lösungsmittel) in den Startbehälter zurückdestilliert werden[4].

Der Nachteil einer solchen apparativen Anordnung (Abb. 47) besteht in der recht schwierigen Erzeugung eines gleichmäßig fließenden Flüssigkeitsfilms. Der Film zerreißt oftmals in eine Anzahl einzelner Rinnsale, wodurch die Strahlung der Lampe nur zum Teil ausgenutzt wird. Dieser unerwünschte Effekt hängt von der Art der Reaktanden, dem benutzten Lösungsmittel und der Beschaffenheit der inneren Gefäßwände ab und ist für den speziellen Fall schwer vorherzusagen. Geräte dieses Typs sind im Handel[5].

2. Reaktoren mit rotierendem Reaktionsgut als Film

Nach den Prinzipien des Rotationsverdampfers wurde eine rotierende Walze (Abb. 48, S. 80) mit einer zentralen, feststehenden Strahlungsquelle[6,7] beschrieben.

Das Reaktionsgut wird unter ständiger Erneuerung seiner Oberfläche der Bestrahlung ausgesetzt. Der Flüssigkeitsfilm, der mit der Walze nicht in Berührung kommt, kann durch die Rotationsgeschwindigkeit der Walze in bestimmten Grenzen variiert werden.

[1] S. D. COHEN et al., Chem. and Ind. **1967**, 1079.

[2] G. C. SUPPELL, H. H. BECK u. M. J. DORCAS, J. Biol. Chem. **98**, 769 (1932).

[3] C. ELLIS, A. A. WELLS u. F. F. HEYROTH, *Chemical Action of Ultraviolet Rays* s. 840–847, Reinhold publishing Corporation, New York 1941.

[4] A. SCHÖNBERG, *Präparative Organische Photochemie*, 1. Aufl., Springer-Verlag 1958, Organische Chemie in Einzeldarstellungen, Band 6, Allgemeine Gesichtspunkte für die präparative Durchführung photochemischer Reaktionen, S. 210.

[5] Hersteller: Otto Fritz GmbH. NORMAG, Hofheim/Taunus, Postfach 13.

[6] S. D. COHEN et al., Chem. and Ind. **1967**, 1079.

[7] British Patent Application No. 19721/67.

Durch Neigung gegen die Horizontale und entsprechende Zu- und Abflußmöglichkeiten wird die Apparatur auch als kontinuierlicher Durchflußreaktor eingesetzt. Die Durchflußgeschwindigkeit oder Verweilzeit des Reaktionsgutes wird dabei durch den Neigungswinkel gesteuert und der Reaktionsfilm durch Rotation der Walze in einem Kühlbad gekühlt.

Nachteilig ist die schwierige Abdichtung der feststehenden Teile (Lampe, Reaktionszufluß, eventuell Lampenschacht aus Solidex oder Quarz) gegenüber der rotierenden Walze[1].

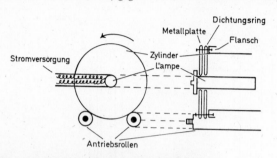

Abb. 48. Reaktor mit rotierendem Reaktionsgut

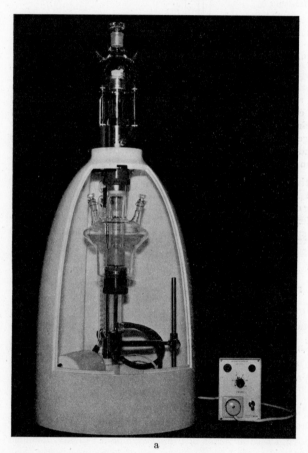

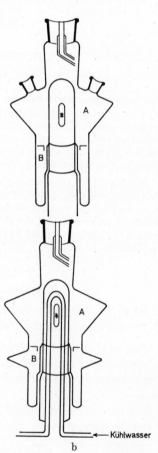

a

b

Abb. 49. Photochemischer Rotationsreaktor RP 200[2] mit rotierendem Reaktionsgefäß. Bei Einsatz verschiedener Glassorten des Lampenschachtes wird mit verschiedenen Frequenzbereichen gearbeitet.

a) vollständiges Gerät   A = Bestrahlungsraum
b) Reaktionsgefäße   B = vor Lichteinfluß geschützter Raum

---

[1] H.-D. Scharf u. J. Aretz, eigene Versuche.
[2] Hersteller: Labormechanik Gertsel, 4330 Mülheim/Ruhr, Talstr. 25.

Abb. 49 (S. 80) stellt ein kommerzielles Gerät dar:

Wenn lichtempfindliche oder feste Niederschläge entstehen, können sie durch eine veränderliche elektronische Stopp- und Starteinrichtung in den lichtabgeschirmten Boden (Abb. 49b S. 80) des Gefäßes gebracht und dort gesammelt werden. Eine innere Filterwirkung durch Produkte wird auf diese Art ausgeschlossen. Ferner wird durch Anlegen von Vakuum bzw. durch eine Inertgasatmosphäre die Absorption der Lösungsmitteldämpfe vermindert. Im Gegensatz zu der waagerechten Auordnng (Abb. 48, S. 80) ist die Kühlung der rotierenden Walze in einem Kühlbad hier schwer möglich; solche Versuche erfordern spezielle Reaktionskammern.

f) Spezielle Apparaturen

1. Karussell-Bestrahlungsapparaturen

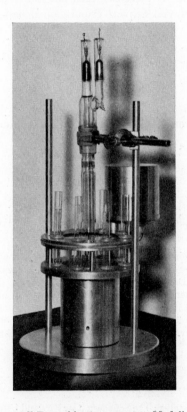

Abb. 50. Karussell-Bestrahlungsapparatur, Modell DEMA 125[1]

Proberöhrchen werden um die zentrale Strahlungsquelle herumgeführt unter zusätzlicher Rotation um die eigene Achse

Diese „Merry-Go-Round"-Apparaturen ermöglichen die Bestrahlung einer größeren Anzahl von Proberöhrchen unter vollkommen gleichen Bedingungen. Die Proberöhrchen

---

[2] DEMA, H. Mangels, 5305 Roisdorf/Bonn, Bonner Str. 41.

werden durch einen Motor in einem konstanten Abstand um eine geeignete Strahlungsquelle geführt, so daß eine vorhandene Strahlungsinhomogenität der Lampe herausgemittelt werden kann. Es besteht bei allen kommerziellen Modellen die Möglichkeit zur Temperaturführung mit Hilfe eines Temperaturbades. Letzteres kann auch mit Filterflüssigkeit beschickt werden.

Neben den erwähnten Karussellzusätzen zu den Rayonet-Reaktoren (s. S. 75f.) gibt es z. Z. drei weitere Modelle auf dem Markt, bei denen die Strahlungsquelle zentral angebracht ist[1-3], vgl. a. Abb. 50 (S. 81).

Karussell-Bestrahlungsapparaturen werden in der Photokinetik zur Bestimmung relativer, oder – in Verbindung mit einem geeigneten chemischen Aktinometer (s. S. 86) – auch absoluter, integraler Quantenausbeuten und relativer Reaktionsgeschwindigkeiten verwendet[4]. Die Bestimmung von Triplett-Energien mit Hilfe der sog. ,,chemischen Spektroskopie"[5] sowie die Ermittlung von Triplett-Populationen sind ebenfalls mit dieser Technik durchführbar.

2. Apparatur zur quantitativen Registrierung des Gasverbrauchs oder der Gasbildung bei Reaktionen in Lösung

Für die quantitative Bestimmung eines gasförmigen Reaktionspartners bei Photoreaktionen in Lösung hat sich die Umlaufapparatur Abb. 51 (S. 83) bewährt[6,7].

Eine Membranpumpe[8] treibt einen gasförmigen Reaktionspartner aus der Vorratsbürette durch die Reaktionslösung im Bestrahlungsgefäß, wobei sich eine Stationärkonzentration des Gases in der Flüssigkeit einstellt, die durch genaue Dosierung der Wasserkühlung eingehalten werden kann. Die während der Bestrahlung verbrauchte Gasmenge wird aus dem Vorratsgefäß über das Relaismanometer nachgeliefert, wobei das Niveaugefäß über einen Antriebsmotor ein entsprechendes Stück angehoben wird. Diese Schubbewegungen werden über ein Potentiometer auf einen Schreiber übertragen, wo bei konstantem Papiervorschub der Gasverbrauch direkt gegen die Zeit geschrieben wird.

---

[1] Modell MGR-100 Rayonet; Hersteller: The Southern New England Ultraviolet Co., 954 Newfield Street, Middletown, Connecticut, USA.

[2] Modell PR-20 der Firma SEM Brückl, 7000 München 82, Rosamundstr. 9.

[3] Modell DEMA 125; Hersteller: Hans Mangels, 5305 Roisdorf/Bonn, Bonner Str. 41.

[4] J. G. Calvert u. J. N. Pitts, Photochemistry, S. 371, John Wiley & Sons, Inc., New York, N. Y. 1966.

[5] N. J. Turro, Molecular Photochemistry, S. 209, W. A. Benjamin Co., New York 1965.

[6] G. O. Schenck, K. G. Kinkel u. H. J. Mertens, A. 584, 125 (1953).

[7] G. O. Schenck, Dechema Monographien Nr. 283–292, Bd. 24, S. 105 (dort 130), Verlag Chemie GmbH, Weinheim, Bergstr. 1955.

[8] Geeignetes Modell für nicht ätzende Gase: Reciprotor Typ 506 R der Firma Eduard-Hochvakuum GmbH, 6 Frankfurt-Niederrad, Postfach 160.

Bei der Verwendung der Apparatur zur quantitativen Bestimmung eines bei der Photo-reaktion entstehenden Gases wird letzteres über ein Kontaktmanometer in das Vorrats-gefäß gepumpt und in spiegelbildlichem Sinne auf dem Schreiber registriert.

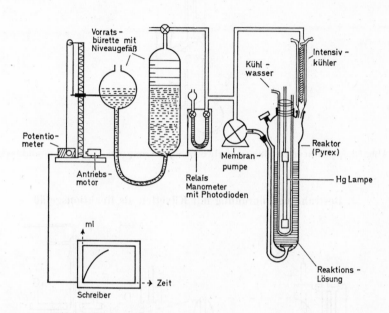

Abb. 51. Umlaufapparatur zur quantitativen Registrierung eines Gases bei Photoreaktionen in Lösung und unter Verwendung der Bestrahlungsapparatur v. S. 69 (Abb. 31b)

Die Apparatur hat sich besonders für photokinetische Messungen als sehr brauchbar erwiesen.

Für das Relaismanometer als zentrales Steuerorgan gibt es verschiedene, in ihrer Empfindlichkeit unterschiedliche Ausführungen.

Bewährt hat sich eine Anordnung[1], bei der die Niveauhöhe einer farbigen Flüssigkeitssäule in einem U-Rohr durch zwei Photodioden abgegriffen wird, deren Relais die Auf- bzw. Abwärtsbewegung des Niveaugefäßes bestimmt.

3. Apparatur zur kontinuierlichen Separierung des Reaktionsproduktes

In vielen photochemischen Reaktionen ist es wünschenswert, das photochemisch ge-bildete Produkt der weiteren Bestrahlung zu entziehen, um Folgereaktionen zu vermeiden bzw. bei hohen Raum-Zeit-Ausbeuten zum Photoprodukt zu gelangen.

---

[1] H.-D. Scharf u. J. Aretz, Aachen, unveröffentlicht.

Eine Reihe von beschriebenen apparativen Anordnungen nutzen zu diesem Zweck eine unterschiedliche Flüchtigkeit von Reaktanden und Produkt aus, um diesen Abtrenneffekt zu erzielen und quantitative Umsätze zu erhalten.

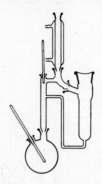

Abb. 52. Apparatur zur kontinuierlichen Separierung des Reaktionsproduktes[1]

4. Bestrahlungsanordnung mit Küvetten als Reaktionsgefäß

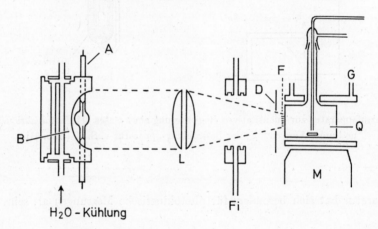

Abb. 53. Bestrahlungsanordnung mit Küvette als Reaktionsgefäß

Fi = Filter
A = Xe- oder Hg-Hochdrucklampe
B = gekühlter Parabolspiegel aus Aluminium oder verchromtem Kupfer
L = justierbare Linsen (6 cm $\varnothing$, 10 cm Brennweite)
F = Brennfleck (1 cm $\varnothing$)
G = Kühlung
Q = gekühlte Quarzküvette (30 mm lang, $\varnothing$ 30 mm)
M = Magnetrührer
D = Blende

Lineare Bestrahlungsanordnungen (Abb. 53)[2] eignen sich besonders für monochroma-
tische Bestrahlungen, photokinetische Untersuchungen, sowie Messung integraler Quantenausbeuten mit Hilfe aktinometrischer Messungen (s. S. 86).

[1] R. A. Mitsch, P. H. Ogden u. A. H. Stoskopf, J. Org. Chem. **35**, 2817 (1970).
[2] W. Strohmeier u. K. Gerlach, B. **94**, 404 (1961).

Als Lichtquelle für diese Bestrahlungsanordnungen ist auch die sog. „UV-Kanone" geeignet[1].

Auch leistungsstarke Quecksilber-Niederdruck-UV-Strahler können zur Küvetten-bestrahlung eingesetzt werden (Abb. 54 und 55).

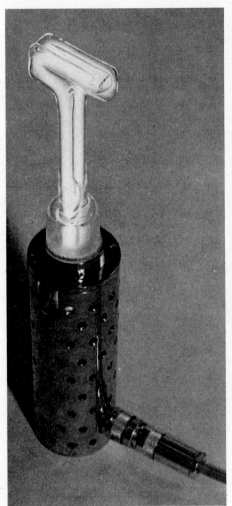

Abb. 55. UV-(254 nm)-Flächenstrahler mit spiralför-migem Endladungsrohr (550 mm lang) aus Vycor-Quarz-glas[2]. Strahlungsleistung: 75 Watt (254 nm); Brenn-spannung: 800 Volt; Entladungsstrom bis 200 mA; Betriebsspannung: 2500 Volt

Abb. 54. Quecksilber-Niederdruck-UV-Lampe[2] (120 mm) für Küvettenbestrahlung aus durchsichtigem reinen Quarzglas „Suprasil". Strahlungsleistung: 10 Watt (254 nm); Strahlungsfläche: 15 × 45 mm; Brennspannung: 400 Volt; Entladungsstrom bis 200 mA

[1] Hersteller: Engelhard, Hanovia Lamps, Bath Road, Slough, Buckinghamshire, England.
  Die Strahlung der Lampe wird in einem wassergekühlten Metallgehäuse durch einen Aluminiumspiegel gesammelt und durch eine Quarzlinse (12 cm bzw. 30 cm) auf einen Brennfleck (1 cm²) fokusiert:

Wellenlänge [nm]	Intensität [mW/cm²]
254	1,86
280	1,81
297	9,20
313	3,16
365	8,70
405	3,33
438	4,58

[2] Hersteller: A. GRÄNTZEL, Physikalische Werkstätten, 75 Karlsruhe-West, Durmersheimer Str. 98.

Zur Küvettenbestrahlung bei tiefer Temperatur eignet sich ein Quarz-Dewar (Abb. 56).

Durch besondere Einstellung des Vakuums in diesem Gefäß soll das sonst bei den meisten Tief-temperatur-Anordnungen sehr lästige Beschlagen der äußeren Fenster vermieden werden.

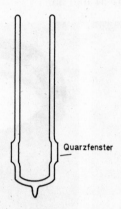

Abb. 56. Dewar-Gefäß[1] aus Quarz (∅ außen 80 mm; ∅ innen 55 mm) mit 4 Planfenstern aus Suprasil (∅ 40 mm)

Adressenverzeichnis der Firmen

ACE Glass incorp., Vineland, N. J. 08360 (Box 88) oder Lousville, Ky. 40201 (Box 996), Ludlow, Mass. 01056 (Box 425).

Otto Fritz GmbH NORMAG, 6238 Hofheim am Taunus, Feldstraße 1, Postfach 13.

Engelhard, Hanovia Lamps, Bath Road, Slough, Buckinghamshire, England, Tel. Burnham 4041.

Firma DEMA, Hans Mangels, 5305 Roisdorf/Bonn, Bonner Str. 41, Tel. 02222/4077.

Labormechanik Gertsel, D-433 Mülheim/Ruhr, Talstraße 25, Tel. (02133) 45137. Auskunft: Max-Planck-Institut für Kohleforschung, Abt. Strahlenchemie, Mülheim/Ruhr, Stiftstr. 34–36.

The Southern New England Ultraviolet Co., 954 Newfield Street, Meddletown, Connecticut, USA 06457.

Firma SEM Brückl, 8000 München 82, Rosamundstraße 9.

Firma Alfred Gräntzel, Physikalische Werkstätten, 75 Karlsruhe-West, Durmersheimer Straße 98 (Tel. 54797).

V. Chemische Aktinometer

Die Bestimmung der wahren integralen Quantenausbeute einer einfachen photochemischen Reaktion

$$A \xrightarrow{\;h\nu\;} B$$

wird anhand folgender Beziehung durchgeführt:

$$\gamma_A^A = \frac{C_A(0) - C_A(t)}{Q_A(t)}$$

$C_A(0)$ = Anfangskonzentration der Subst. A zur Zeit $t = 0$

$C_A(t)$ = die zur Bestrahlungszeit t noch vorhandene Konzentration von A.

$$Q_A(t) = \frac{\int\limits_0^t I_{abs_A} \cdot dt}{V} \quad \text{Die von } A \text{ absorbierte Quantenstromdichte}$$

Die Konzentrationsänderungen der Reaktanden während der Lichtreaktion kann z. B. spektroskopisch oder auch gaschromatographisch bestimmt werden.

Zur Messung der von Stoff A absorbierten Quantenstromdichte werden sowohl physika-lische als auch chemische Meßmethoden angewandt. Mit Hilfe von Photozellen, Bolo-

---

[1] Hersteller: A. Gräntzel, Physikalische Werkstätten, 75 Karlsruhe-West, Durmersheimer Str. 98.

metern oder Thermosäulen[1, 2] wird der Quantenstrom bestimmt und über die Reaktionsdauer integriert.

Bei der chemischen Meßanordnung, dem „chemischen Aktinometer", benutzt man als Detektor eine Photoreaktion, deren Quantenausbeute bei einer bestimmten Wellenlänge unter den gegebenen Versuchsbedingungen bekannt ist, und deren zeitlicher Umsatz die Quantenstromdichte liefert. Im UV-Bereich sind chemische Aktinometer einfacher zu handhaben und liefern oft besser reproduzierbare Ergebnisse als die physikalischen Methoden. In Tab. 11 sind die wichtigsten Aktinometer mit ihrer Absorptionsbereichen zusammengestellt. Aktinometer, die im sichtbaren Bereich des Spektrums benutzt werden können, sind vor allem von biochemischen Interesse[3, 4].

Tab. 11. Absorptionsbereiche von Substanzen, deren photolytische Zersetzung zur aktinometrischen Bestimmung von Quantenstromdichten dienen

Zu photolysierende Substanz (photochem. Aktinometer)	Absorptionsbereich [nm]	Literatur
Sauerstoff	130–190	5
Distickoxid	145–185	6
Kohlendioxid	170	7
Chloressigsäure	180–200	8
Bromwasserstoff	180–250	9

[1] C. A. Parker, *Photoluminescense of Solutions*, Elsevier Publishing Company, Amsterdam · London · New York 1968.

[2] J. G. Calvert u. J. N. Pitts Jr., *Photochemistry*, John Wiley & Sons, Inc., New York 1966.

[3] H. Gaffron, B. **60**, 755 (1927).
O. Warburg u. V. Stocken, Arch. Biochem. **21**, 363 (1949).
D. Burk u. O. Warburg, Z. Naturf. **6 b**, 12 (1951).
O. Warburg, Naturwiss. **42**, 449 (1955).
M. Schwartz, Biochim. biophys. Acta **22**, 175 (1956).

[4] E. Wegner u. A. W. Adamson, Am. Soc. **88**, 394 (1966); (Cr(III)-Komplex-Photolyse, 600 nm).
G. B. Kistiakowsky, Am. Soc. **52**, 102 (1930); (NOCl-Photolyse, 635–365 nm).
T. W. B. Osborn u. A. D. Stammers, Brit. J. Actionotherapy **5**, 68 (1930); (Methylenblau-Photolyse).
E. Weyde u. W. Frankenburger, Trans. Faraday Soc. **27**, 561 (1931); (Kristallviolett-Photolyse).

[5] W. E. Vaughan u. W. A. Noyes, Jr., Am. Soc. **52**, 559 (1930).
J. C. Boyce, Rev. Mod. Phys. **13**, 1 (1941).

[6] M. Zelikoff u. L. M. Aschenbrand, J. Chem. Physics **22**, 1680 (1954); **22**, 1685 (1954).
G. A. Castellion u. W. A. Noyes, Jr., Am. Soc. **79**, 290 (1957).

[7] W. Groth, Z. physik. Chem. (Leipzig) [B] **37**, 307 (1937).
B. H. Mahan, J. Chem. Physics **33**, 959 (1960).
A. Ung u. M. I. Schift, Abstracts Sixth, Informal Photochemistry Conference, University of California, Davis, Calif., June 1964.
P. Warneck, J. Opt. Soc. Amer. **56**, 408 (1966).

[8] L. Farkas, Z. physik. Chem. (Leipzig) [B] **23**, 89 (1923).
L. Farkas u. Y. Hirshberg, Am. Soc. **59**, 2450 (1937); **59**, 2453 (1937).
L. Harris u. J. Kaminsky, Am. Soc. **57**, 1154 (1935).
R. N. Smith, P. A. Leighton u. W. G. Leighton, Am. Soc. **61**, 2299 (1939).
L. B. Thomas, Am. Soc. **62**, 1879 (1940).
W. Kemula, Roczniki Chem. **29**, 834 (1955).

[9] E. Warburg, Sitzber. Preuss. Akad. Wiss., Physik-Math. Kl. **1916**, 314.
B. Lewis, Pr. Nation. Acad. USA **13**, 720 (1927).
W. A. Noyes, J. Chem. Physics **5**, 809 (1937).
G. S. Forbes, J. E. Cline u. B. C. Bradshaw, Am. Soc. **60**, 1413 (1938).

Tab. 11. (Fortsetzung)

Zu photolysierende Substanz (photochem. Aktinometer)	Absorptionsbereich [nm]	Literatur
Uranyloxalat	200–440	1
Malachitgrün	248–334	2
Kaliumeisenoxalat	250–500	3
Aceton	250–320	4
Pentanon-(3)	250–320	5
2-Nitro-benzaldehyd	280–410	6
Decafluor-benzophenon/ Isopropanol	290–370	7
Chlorknallgas	366–422	8

Das Kalium-trioxalato-eisen-Akinometer[9,10] ist das zur Zeit vielseitigste Flüssig-keits-Aktinometer für photochemische Zwecke. Es ist über einen weiten Spektralbereich

[1] H. D. Gibbs, J. phys. Chem. 16, 717 (1912).
  H. Mathews u. L. M. Dewey, J. phys. Chem. 17, 211 (1913).
  P. F. Büchi, Z. phys. Chem. 111, 269 (1924).
  W. T. Anderson, Jr. u. F. W. Robinson, Am. Soc. 47, 718 (1925).
  W. Anderson u. G. S. Robinson, Am. Soc. 47, 718 (1925).
  J. E. Mors u, A. W. Knapp, J. Soc. chem. Trans. 44, 453 (1925).
  R. H. Müller, Biochem. Z. 178, 80 (1926).
  W. G. Leighton u. G. S. Forbes, Am. Soc. 52, 3139 (1930).
  G. S. Forbes, G. B. Kistiakowsky u. L. J. Heidt, Am. Soc. 54, 3246 (1932).
  G. S. Forbes u. F. P. Brachet, Jr., Am. Soc. 55, 4459 (1933).
  G. S. Forbes u. L. J. Heidt, Am. Soc. 56, 2363 (1934).
  M. I. Christie u. G. Porter, Pr. roy. Soc. [A] 212, 390 (1952).
  A. A. Generalov, Hyg. u. Gesundheit 10, 15 (1956) (CSSR).
  C. R. Masson, V. Boekelheide u. W. A. Noyes, Jr., *Photochemical Reactions, Technique of Organic Chemistry*, Vol. II, 2nd Ed., Interscience Publishers, New York 1956.
  K. Porter u. D. H. Volman, Anal. Chem. 34, 748 (1962).
  K. Porter u. D. H. Volman, Am. Soc. 84, 2011 (1962).
  D. H. Volman u. J. R. Seed, Am. Soc. 86, 5095 (1964).
[2] L. Harris, J. Kaminsky u. R. G. Sinard, Am. Soc. 57, 1151 (1935).
  L. Harris u. J. Kaminsky, Am. Soc. 57, 1154 (1935).
  J. G. Calvert u. H. J. L. Rechen, Am. Soc. 74, 2101 (1952).
  L. Chalhley, J. Opt. Soc. Amer. 42, 387 (1952).
[3] A. J. Allmand u. W. W. Webb, Soc. 1929, 1518.
  C. A. Parker, Pr. roy. Soc. [A] 220, 104 (1953).
  C. A. Parker, Trans. Faraday Soc. 50, 1213 (1954).
  C. G. Matchard u. C. A. Parker, Pr. roy. Soc. [A] 235, 518 (1956).
  C. A. Parker u. C. G. Matchard, J. phys. Chem. 63, 22 (1952).
  J. Lee u. M. M. Seliger, J. Chem. Physics 40, 2 (1964); 40, 519 (1964).
[4] H. S. Taylor u. C. Rosenblum, J. Chem. Physics 6, 119 (1932).
  F. E. Blacet, G. D. Mac Donald u. P. A. Leighton, Ind. eng. Chem. Anal. 5, 272 (1933).
  J. A. Leermaker, Am. Soc. 56, 1899 (1934).
  C. A. Winkler, Trans. Faraday Soc. 31, 761 (1935).
  D. S. Herr u. W. A. Noyes, Jr., Am. Soc. 62, 2052 (1940).
  E. I. Akeroyd u. R. G. W. Norrish, Soc. 1936, 890.
[5] V. R. Ells u. W. A. Noyes, Jr., Am. Soc. 61, 2492 (1939).
  W. Davis, Jr., Am. Soc. 70, 1868 (1948).
  L. M. Dorfman u. Z. D. Sheldon, J. Chem. Physics 17, 511 (1949).
  K. O. Kutschke, M. M. J. Wijnen u. E. W. R. Steacie, Am. Soc. 74, 714 (1952).
[6] J. N. Pitts, Jr., J. K. S. Wan u. E. A. Schuck, Am. Soc. 86, 3606 (1964).
  G. W. Cowell u. J. N. Pitts, Jr., Am. Soc. 90, 1106 (1968).
[7] N. Filipescu, J. P. Pinion u. F. L. Minn, Chem. Commun. 1970, 1413.
[8] E. Cremer u. H. Margreiter, Z. physik. Chem. 199, 90 (1952).
[9] A. J. Allmand u. W. W. Webb, Soc. 1929, 1518; 1929, 1530.
[10] C. G. Hatchard u. C. A. Parker, Pr. roy. Soc. [A] 235, 518 (1956).

empfindlich und weist eine konstante Wirksamkeit innerhalb eines Intensitätsbereiches von $5 \cdot 10^{-11}$ bis $2 \cdot 10^{-4}$ [Einstein $cm^{-2} \cdot sec^{-1}$][1] auf. Der Photolyt absorbiert stark, die Photolyseprodukte jedoch nur schwach.

$$2\,K_3[Fe(C_2O_4)_3] \xrightarrow[\;\;H_2SO_4\;\;]{\lambda\,=\,250-570\,nm} 2\,Fe(C_2O_4) + 3\,K_2(C_2O_4) + 2\,CO_2$$

Nach der Belichtung werden die gebildeten Eisen(II)-Ionen mit 1,10-Phenanthrolin in den roten Eisen-Phenanthrolin-Komplex überführt und die Konzentration des Komplexes spektralphotometrisch bestimmt. Die Quantenausbeute der Eisen(II)-Ionen nimmt (s. Tab. 12) mit kleiner werdender Wellenlänge zu und hängt wenig von der Konzentration der Reaktanden und Produkte ab.

Tab. 12. Quantenausbeuten des Kalium-trioxalato-eisen(III)-Aktinometers[2] bei 22°[a]

Wellenlänge [nm]	Quantenausbeute		Wellenlänge [nm]	Quantenausbeute	
577/9	0,013		365/6	1,22	1,20[b]
546	0,15		361/6	1,22	1,26[b]
509	0,86				
480	0,94		334	1,23	
468	0,93		313	1,24	
436 (0,15 m)	1,01		297/302	1,24	
436 (0,006 m)	1,11		254	1,25	
405	1,14				
365/6 (0,15 m)	1,18				

[a] wenn nicht anders vermerkt, wurde zur Photolyse mit $\lambda = 579-436$ nm eine 0,15 m, mit $\lambda = 436-254$ eine 0,006 m Kalium-trioxalato-eisen(III)-Lösung benutzt.

[b] Werte s. Lit.[3].

Kalium-trioxalato-eisen(III) ($K_3Fe(C_2O_4)_3 \cdot 3H_2O$): Unter Lichtausschluß werden 3 Vol. 1,5 m Kalium-oxalat-Lösung in dest. Wasser unter kräftigem Rühren mit 1 Vol. 1,5 m Eisen(III)-chlorid-Lösung (p.a.) versetzt. Innerhalb einiger Stdn. setzen sich die grünfarbigen Kristalle ab. Sie werden abgesaugt und 3mal aus warmem bidest. Wasser umkristallisiert. Anschließend werden die Kristalle in einem Luftstrom bei 45° getrocknet. Im Dunkeln sind die Kristalle beständig; sie zersetzen sich unter UV-Licht.

Eine 0,006 m Kalium-trioxalato-eisen(III)-Lösung mit der Schichtdicke 1 cm absorbiert $\sim 99\%$ des Lichtes bis zu einer Wellenlänge von 390 nm. Bei 430 nm beträgt die Absorption nur noch 50%. Daher verwendet man für höhere Wellenlängen 0,15 m Lösungen (s. Abb. 57).

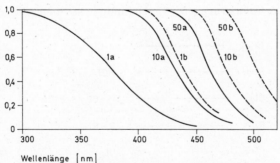

Abb. 57. Absorption des Lichtes einer Kalium-trioxalato-eisen(III)-Lösung in Abhängigkeit von der Wellenlänge, der Konzentration und Schichtdicke

a = 0,06 m Lösung/0,1 n H_2SO_4 1 = 1 mm ⎫
b = 0,15 m Lösung/0,1 n H_2SO_4 10 = 1 cm ⎬ Schichtdicke
                                           50 = 5 cm ⎭

Über die Auswertung der Messung s. Lit.[3]

[1] C. A. Parker, *Photoluminescence of Solutions*, Elsevier Publishing Company, Amsterdam · London · New York, 1968.

[2] C. G. Hatchard u. C. A. Parker, Pr. roy. Soc. [A] **235**, 518 (1956).

[3] J. Lee u. M. M. Seliger, J. Chem. Physics **40**, 2519 (1964).

C. Organische photochemische Reaktionen

Bei allen photochemischen Reaktionen, die mit UV-Licht arbeiten, ist zum Schutz der Augen eine entsprechende Schutzbrille zu tragen. Es wird nachdrücklich davor gewarnt, ohne Augenschutz in das UV-Licht zu sehen.

I. am gesättigten Kohlenstoff-Atom

a) an der C—H-Bindung

bearbeitet von

DR. HANS-HENNING VOGEL*

1. Substitutionsreaktionen

Innerhalb der präparativen organischen Photochemie kommen den Substitutionsreaktionen an der C—H-Bindung, wie z. B. der Chlorierung, Bromierung, Sulfochlorierung, Sulfoxidation, der Chlornitrosierung und Photooximierung größte Bedeutung zu.

Weitere photochemische Substitutionsreaktionen, die z. T. anderen chemischen Herstellungsmethoden vorzuziehen sind, stellen die Umsetzungen mit z. B. Chlorcyan, Dichlorsulfan, Phosphinen, Phosphorsäure-Derivaten, Oxalsäure-dichlorid und Amiden dar.

α) mit Halogenen

Die direkte photochemische Halogenierung einer C—H-Bindung mit elementarem Halogen gelingt nur beim Chlor und Brom. Die Fluorierung[1] bedarf keiner Anregung durch Licht, und die photochemische Substitution von Wasserstoff durch Jod gelingt nur in wenigen Ausnahmefällen (s. S. 163) und ist präparativ bedeutungslos.

Mit Halogenierungsmitteln wie z. B. N-Halogen-succinimid und tert.-Butylhypochlorit verläuft die photochemische Halogenierung in vielen Fällen ausgezeichnet.

α₁) Chlor

Die photochemische Chlorierung einer C—H-Bindung stellt eine Radikalketten-Reaktion dar[2-4]:

$$Cl_2 \xrightarrow{h\nu} 2\,Cl\cdot \qquad \text{Start}$$

$$Cl\cdot + R-H \longrightarrow HCl + R\cdot$$
$$R\cdot + Cl_2 \longrightarrow R-Cl + Cl\cdot \qquad \Big\} \text{ Kette}$$

$$R\cdot + R\cdot \longrightarrow R-R$$
$$Cl\cdot + Cl\cdot \longrightarrow Cl_2 \qquad \Big\} \text{ Abbruch}$$
$$R\cdot + Cl\cdot \longrightarrow R-Cl$$

---

* **BASF AG., Ludwigshafen/Rhein.**

[1] Vgl. ds. Handb., Bd. V/3, S. 29 ff.

[2] Vgl. ds. Handb., Bd. V/3, S. 521 ff.

[3] A. SCHÖNBERG, *Präparative organische Photochemie*, S. 136, Springer Verlag, Berlin · Göttingen · Heidelberg 1958.
A. SCHÖNBERG, G. O. SCHENK, O. A. NEUMÜLLER, *Preparative Organic Photochemistry*, S. 341, Springer Verlag, Berlin · Heidelberg · New York 1968.

[4] G. SOSNOVSKY, *Free Radical Reactions in Preparative Organic Photochemistry*, S. 282 ff, Macmillan, New York 1964.

Als Kettenüberträger fungieren Alkyl-Radikale; der Kettenabbruch wird verursacht durch Kombination von Alkyl- und Chlor-Radikalen oder durch Reaktionen mit Verunreinigungen[1], wie z. B. Sauerstoff, Stickoxiden, Aminen, Jod.

Bei der Einwirkung von Licht[2] auf ein Gemisch aus Kohlenwasserstoff und Chlor ist das Chlor allein für die Absorption verantwortlich (Bindungsenergie Cl_2: 57 kcal/Mol; ~ 500 nm). Da jedoch das Absorptionsmaximum für Chlor bei 340 nm (= 90 kcal/Mol) liegt, entstehen „heiße" Chlor-Radikale, die zu Nebenreaktion Anlaß geben (s. a. S. 93). Die Quantenausbeute[3] ist bei der Chlorierung offenkettiger Alkane um ein Vielfaches größer als bei der Chlorierung von z. B. Cyclohexan oder aromatischen Kohlenwasserstoffen[4].

αα) reine Kohlenwasserstoffe

Die photochemische Chlorierung ist präparativ auf höhere Alkane und Cycloalkane beschränkt und wird in den meisten Fällen bei tiefen Temperaturen in der Flüssigphase durchgeführt. In ds. Handb., Bd. V/3, S. 564–585, sind bereits wichtige grundlegende Bemerkungen zur Durchführung der photochemischen Chlorierung der Alkane gemacht worden, so daß eine ausführliche Wiederholung sich hier erübrigt. Da die photochemische Substitution im allgemeinen und die Halogenierung im besonderen als typische Radikalketten-Reaktion ablaufen, die sowohl durch UV-Licht bzw. durch Radikalbildner[5] (Peroxide usw.), aber auch bereits im diffusen Tageslicht ablaufen, ist in vielen Fällen eine genaue Zurechnung nicht möglich.

Eine gezielt durch UV-Licht initiierte Chlorierungsreaktion läuft nach dem gleichen Radikalketten-Mechanismus ab, wie die peroxid-initiierte Chlorierung, und in beiden Fällen werden dieselben Reaktionsprodukte erhalten.

Gleichartig ablaufende peroxidisch initiierte Reaktionen werden z. T. mitbehandelt.

Die Substitution der Wasserstoffatome bei der Photochlorierung an der C–H-Bindung verläuft zunehmend schwerer in der Reihenfolge

$$\text{tertiär} > \text{sekundär} > \text{primär}.$$

Die Isomerenverteilung ist rein statistisch[6,7], wobei sich die relativen Reaktivitäten der verschiedenen Wasserstoff-Atome in einem Kohlenwasserstoff bei der Substitution durch Chlor in der Flüssigphase bei $\sim 30°$ wie

$$\text{primär} : \text{sekundär} : \text{tertiär} = 1 : 3{,}25 : 4{,}43$$

verhalten[8-11]. Die Isomerenverteilung ist demnach aus der Anzahl der vorhandenen Wasserstoff-Atome über die Reaktionshäufigkeitszahl berechenbar[8-11], und es hat nicht an Versuchen gefehlt, die Selektivität bei der Photochlorierung zu steuern.

---

[1] A. Schönberg, *Präparative organische Photochemie*, S. 136, Springer Verlag, Berlin · Göttingen · Heidelberg 1958.
A. Schönberg, G. O. Schenk, O. A. Neumüller, *Preparative Organic Photochemistry*, S. 341, Springer Verlag, Berlin · Heidelberg · New York 1968.
[2] Eine Zusammenstellung über Laser- und Nicht-Laser-UV-Strahler im Hinblick auf photochemische Prozesse, s.: A. N. Wright, Polym. Eng. Sci. **11**, 416 (1971).
[3] Vgl. ds. Handb., Bd. V/3, S. 522.
[4] R. Pieck u. I. C. Jungers, Bull. Soc. chim. belges **60**, 357ff. (1951).
[5] Vgl. ds. Handb., Bd. V/3, S. 524, 568.
[6] Ds. Handb., Bd. V/3, S. 566, und die dort zitierte Literatur.
[7] Vgl. hierzu auch Tab. 14, S. 92.
[8] F. Asinger u. B. Fell, Landesamt für Forschung, Nordrhein-Westfalen, Jahrbuch 1969, S. 73ff., Westdeutscher Verlag Köln u. Opladen.
s. a.: Y. Ogata, Y. Izawa u. T. Tsuda, Bl. chem. Soc. Japan **38**, 1984 (1965).
[9] Ds. Handb., Bd. V/3, S. 566, und die dort zitierte Literatur.
[10] F. Asinger, *Chemie und Technologie der Paraffinkohlenwasserstoffe*, S. 623, Akademie-Verlag, Berlin 1956.
F. Asinger, *Die petrolchemische Industrie*, S. 643, Akademie-Verlag, Berlin 1971.
[11] Vgl. hierzu auch Tab. 13–15, S. 92–93.

Die Reaktivität der Wasserstoff-Atome und damit die Isomerenverteilung ist unabhängig vom Katalysator (UV-Licht, Peroxid, γ-Strahlen[1]), aber entscheidend abhängig vom Lösungsmittel[2-10], vom Halogenierungsmittel selbst[2,4,8,10,11] und in gewissen Grenzen auch von der Temperatur und vom Druck[4,12] (s. Tab. 13).

Tab. 13. Einfluß von Temperatur und Aggregatzustand auf die Isomerenverteilung der Monochloride bei der Chlorierung von 2-Methyl-propan[12]

T [°C]	Aggregatzustand	2-Methyl-propylchlorid %	tert.-Butylchlorid %
80	Gasphase	57,5	42,5
300		67	33
400		70,2	29,8
600		76,5	23,5
− 55	Flüssigphase	42	58
+ 30		64	36
+100		75	25

Tab. 14. Photochlorierung von 2,3-Dimethyl-butan bei 55° in 4-molarer Lösung. Abhängigkeit der relativen Reaktivitäten der tertiären zu den primären Wasserstoffatomen vom Lösungsmittel[4]

Lösungsmittel	Verhältnis rel. Reakt. tert.-/prim.
Nitromethan	3,4
Trichloräthylen	3,4
Tetrachlormethan	3,5
2,3-Dimethyl-butan	3,7
Propionitril	4,0
Essigsäure-methylester	4,3
Nitrobenzol	4,7
Chlorbenzol	10
Benzol	14
o-Xylol	15
Benzol (25°)	20
tert.-Butyl-benzol	24
Schwefelkohlenstoff	33
1-Chlor-naphthalin	37

[1] I. Rosen u. I. P. Stallings, Ind. eng. Chem. 50, 1511 (1958).
[2] F. Asinger u. B. Fell, Landesamt für Forschung, Nordrhein-Westfalen, Jahrbuch 1969, S. 73ff., Westdeutscher Verlog Köln u. Opladen.
   S. a.: Y. Ogata, Y. Izawa u. T. Tsuda, Bl. chem. Soc. Japan 38, 1984 (1965).
[3] G. A. Russell u. H. C. Brown, Am. Soc. 77, 4025 (1955).
[4] G. A. Russell u. H. C. Brown, Am. Soc. 77, 4031 (1955).
[5] G. A. Russell, Am. Soc. 79, 2977 (1957).
[6] G. A. Russell, Am. Soc. 80, 4987 (1958).
[7] G. A. Russell, Am. Soc. 80, 4997 (1958).
[8] O. Černý u. J. Hájek, Collect. czech. chem. Commun. 26, 2624 (1961).
[9] C. Walling u. M. F. Mayahi, Am. Soc. 81, 1485 (1959).
[10] B. Fell u. L.-H. Kung, Ang. Ch. 75, 165 (1963); B. 98, 2871 (1965).
[11] Über die Photochlorierung mit anderen Chlorierungsmitteln s. S. 134ff.
[12] F. Asinger, Paraffins, Chemistry and Technology, S. 192–204, 266–267, 747–783, Pergamon Press, Oxford 1967.

Bei der Photochlorierung von 2,2,3-Trimethyl-butan in der Flüssigphase ohne Lösungsmittel ändert sich das Verhältnis der relativen Reaktivitäten von primären zu tertiären Wasserstoff-Atomen z. B. mit der Temperatur wie folgt[1]:

$-15°$	$0°$	$25°$	$80°$
1:4,5	1:3,7	1:3,4	1:3,2

Die tertiären Wasserstoff-Atome beim 2-Methyl-propan, 2,3-Dimethyl-butan, 2,2,3-Trimethyl-butan und 2,3,4-Trimethyl-pentan haben bei der gleichen Photochlorierungstemperatur die gleiche Reaktivität[1].

Außer vom Lösungsmittel selbst ist das Verhältnis der Reaktivitäten von Menge und Basizität des Lösungsmittels abhängig. Dieser Effekt wird besonders deutlich bei Benzol, tert.-Butyl-benzol und Schwefelkohlenstoff[2]. Eine Chlorierung des Lösungsmittels findet nicht statt.

Tab. 15. Photochlorierung von 2,3-Dimethyl-butan in Schwefelkohlenstoff (25°) in Abhängigkeit von der Konzentration

CS_2 [mol/l]	2	4	8	10	12
rel. Reakt. (tert./prim.)	15	33	106	161	225

Wie aus der Tab. 14 ersichtlich, wird bei der Photochlorierung von 2,3-Dimethyl-butan in den meisten aliphatischen Lösungsmitteln 60% *1-Chlor-* und 40% *2-Chlor-2,3-dimethylbutan* gebildet, während das 2-Chlor-Isomere in aromatischen Lösungsmitteln zum Hauptprodukt wird (in 8-molarer benzolischer Lösung 90% *2-Chlor-2,3-dimethyl-butan*)[2].

Es wird angenommen, daß das photochemisch erzeugte Chlor-Atom und der aromatische Kern einen π-Komplex bilden, der weniger reaktiv ist als das

freie Chlor-Atom selbst, wodurch die Selektivität der Chlorierung am tert. Wasserstoff-Atom zunimmt[2,3]. Niedrigere Werte, nämlich für die sekundären Wasserstoffe 2,40 und für die tertiären Wasserstoffe 4,02 wurden bei der Photochlorierung von Hexan gefunden[4]. Die Werte der einzelnen Typen der C—H-Bindungen sind von der Kettenlänge des Kohlenwasserstoffs abhängig[4,5].

Auch die Photochlorierung von n-Alkanen wurde in verschiedenen Lösungsmitteln (Tetrachlormethan, Benzol, Schwefelkohlenstoff) systematisch untersucht[6]. Die Zusammensetzung der Monochloralkan-Fraktion wurde bestimmt. Dabei zeigte sich, daß das Verhältnis der relativen Reaktivitäten der prim. zu den sek. Wasserstoff-Atomen ebenfalls von der Art und Menge des Lösungsmittels abhängt[6,7]. Die Werte für $H_{prim.}$ zu $H_{sek.}$ liegen zwischen 1:3 und 1:31.

[1] G. A. RUSSELL u. H. C. BROWN, Am. Soc. **77**, 4031 (1955).

[2] G. A. RUSSELL, Am. Soc. **80**, 4987 (1958).

[3] G. A. RUSSELL, Am. Soc. **79**, 2977 (1957).

[4] O. ČERNÝ u. J. HÁJEK, Collect. czech. chem. Commun. **26**, 2624 (1961).

[5] G. CHAMBERS u. A. R. UBBELOHDE, Soc. **155**, 285.

[6] B. FELL u. L.-H. KUNG, B. **98**, 2871 (1965).

[7] F. ASINGER u. B. FELL, Landesamt für Forschung, Nordrhein-Westfalen, Jahrbuch 1969, S. 83, Westdeutscher Verlag Köln u. Opladen.

Da alle gleichartigen Wasserstoff-Atome bezüglich der Substituierbarkeit durch Chlor gleichwertig sind, steigt die Zahl der theoretisch möglichen Monochlor-alkane mit zunehmender Kettenlänge gigantisch an[1].

Aus der Anzahl der primären, sekundären und tertiären Wasserstoff-Atome und der Kenntnis über deren relative Reaktivitäten läßt sich die Isomerenverteilung bei der Monochlorierung vorausberechnen[2,3].

Tab. 16. Vergleich der prozentualen Verteilung primärer und sekundärer Monochlor-alkane bei der Chlorierung von n-Alkanen[1]

C-Zahl Alkan	Verhältnis der Reaktivitäten der primären und sekundären Wasserstoff-Atome = 1 : 3,25	
	Primäre Alkylchloride [%]	Sekundäre Alkylchloride [%]
3	50	50
4	33	67
5	23,5	77,5
6	18,7	81,3
10	10,3	89,7
12	8,5	91,5
20	4,9	95,1
30	3,2	96,8

Die Substitutionsverhältnisse bei den Paraffinkohlenwasserstoffen sind exakt bekannt[1,3]. Auf Arbeiten mit z. T. falschen Ansichten über die radikalische Chlorierung von Alkanen sei hingewiesen[4-7].

Die Reaktivität der einzelnen Wasserstoff-Atome hängt ferner von den sterischen Verhältnissen ab[8,9]. Wie aus den bevorzugten Konformationen des 2,4-Dimethyl- und 2,2,4-Trimethyl-pentans zu ersehen ist, bleibt die Methylen-Gruppe, von der Geometrie

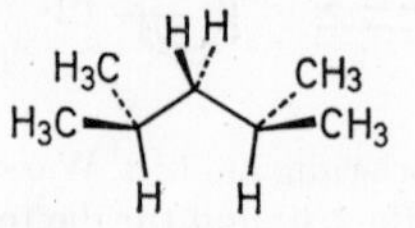

2,4-Dimethyl-pentan 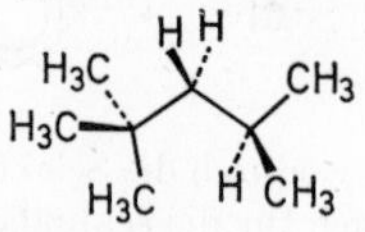   2,2,4-Trimethyl-pentan

[1] F. Asinger, Paraffins, Chemistry and Technology, S. 192–204, 266–267, 747–783, Pergamon Press, Oxford 1967.

[2] Ds. Handb., Bd. V/3, S. 566, und die dort zitierte Literatur.

[3] F. Asinger, Chemie und Technologie der Paraffinkohlenwasserstoffe, S. 623, Akademie-Verlag, Berlin 1956.

[4] V. A. Nekrasova, Doklady Akad. SSSR 88, 73, 475 (1953).
R. S. Galanina, Doklady Akad. SSSR 88, 983 (1953); 91, 829 (1953).
V. A. Nekrasova u. N. I. Shuikin, Doklady Akad. SSSR 97, 843 (1954); Izv. Akad. SSSR 1956, 583–586.

[5] R. S. Galanina u. A. S. Nekrasov, Ukr. chim. Ž. 21, 222 (1955); 21, 331 (1955); C. A. 49, 14631 (1955). Doklady Akad. SSSR 100, 701 (1955); C. 1955, 9774; Doklady Akad. SSSR 108, 251 (1956); C. 1957, 4073.

[6] V. A. Nekrasova, Ž. obšč. Chim. 28, 1557 (1958); C. A. 53, 197^g (1959); Ukr. chim. Z. 23, 483 (1957); C. A. 52, 6147^d (1958).

[7] W. Fuchs, 4. Welt-Erdöl-Kongreß, Sect. V/a Preprint 11; Petroleum Times 59 (1512), 770–771 (1955).

[8] A. E. Fuller u. W. J. Hickinbottom, Pr. chem. Soc. 1963, 147; Soc. 1965, 3235.

[9] G. A. Russell u. P. G. Haffley, J. Org. Chem. 31, 1869 (1969).

des Moleküls unbeeinflußt, dem Angriff des Chlor-Atoms ausgesetzt, während der Angriff auf die Methin-Gruppe für das mit dem Lösungsmittel komplexierte Chlor-Atom wegen der benachbarten Methyl-Gruppen erschwert ist.

Bei Einführung einer zweiten Methylen-Gruppe ist die sterische Hinderung wieder aufgehoben, d. h. beim 2,5-Dimethyl-hexan und 2,2,5-Trimethyl-hexan[1,2] verläuft die Photochlorierung in Tetrachlormethan, Benzol oder Schwefelkohlenstoff „normal".

Tab. 17. Relative Reaktivitäten der Wasserstoffatome bei der Photochlorierung „normaler" und sterisch gehinderter Alkane in verschiedenen Lösungsmitteln[1]

	Alkan	Lösungsmittel		
		CCl_4	$4\,m\ C_6H_6$	$12\,m\ CS_2$
$H_{sek.}/H_{prim.}$	„Normal"	2–3	5–6	20–25
	2,4-Dimethyl-pentan	2,5	5,5	~20
	2,2,4-Trimethyl-pentan	2,7	6,0	~20
$H_{tert.}/H_{prim.}$	„Normal"	4–5	16–20	200–225
	2,4-Dimethyl-pentan	2,4	6,5	30
	2,2,4-Trimethyl-pentan	1,2	2,8	17

Die Photochlorierung in der Gasphase[3] wird praktisch nicht durchgeführt. Auch bei den niedriger siedenden Alkanen wird die thermische oder thermisch-katalytische sowie die photochemische Chlorierung in Flüssigphase unter Druck (z. B. Isobutan) vorgezogen.

1-Chlor-2-methyl-propan und 2-Chlor-2-methyl-propan[4]: Eine flüssige Mischung von Isobutan (200 kg/ Stde.) und Chlor (25 kg/Stde.) werden auf −20° gekühlt und in einen Reaktor von 1,80 m Länge und 20 cm Innendurchmesser gegeben. In den Reaktor ist eine Quecksilberdampflampe fest installiert. Der Druck im Reaktor beträgt 15 atm, wobei der gebildete Chlorwasserstoff in der flüssigen Mischung gelöst bleibt. Die Temp. steigt während der Chlorierung auf 40°. Die aus dem Reaktor stündlich abgezogene Menge von 225 kg wird durch Druckdestillation aufgearbeitet. Man erhält einen Isobutan-Umsatz von 25 kg/Stde. und eine Ausbeute von 31,3 kg/Stde. eines Gemisches aus 1-Chlor-2-methyl-propan und 2-Chlor-2-methyl-propan (98% d.Th.); Nebenprodukt 0,9 kg/Stde. Dichlor-isobutane. Die Photochlorierung von Isobutan ist nur möglich, wenn sich an der Reaktorwand eine flüssige Kohlenwasserstoffphase ausbildet.

Flüssige Kohlenwasserstoffe werden mit oder ohne Lösungsmittel unter Rühren und Einleiten von Chlor mit UV-Licht bestrahlt.

Zur Erreichung hoher Umsätze muß die Lichtquelle so nahe wie möglich an das Reaktionsgefäß herangebracht werden. Eine zu hohe Chlor-Konzentration im Reaktionsgefäß ist zu vermeiden, da sonst das freie Chlor bereits nach wenigen Zentimetern zuviel Licht absorbiert und die entfernteren Teile des Reaktionsraumes vom Licht nicht mehr erreicht werden. Bei 0,1 Gew.-% freiem Chlor in der Reaktionslösung sind nach 12 cm bereits 90% des aktiven Lichts absorbiert[5].

Die für präparative Zwecke wichtige Ausbeute der Monochloride des Photochlorierungsproduktes bei verzweigten Alkanen in Abhängigkeit vom verwendeten Lösungsmittel zeigt Tab. 18 (S. 96).

---

[1] G. A. Russell u. P. G. Haffley, J. Org. Chem. **31**, 1869 (1969).

[2] R. F. Bridger u. G. A. Russell, Am. Soc. **85**, 3754 (1963).

[3] A. I. Gershenovich u. V. M. Kostyuchenko, Ž. prikl. Chim. **39**, 1160 (1966); C. A. **65**, 5351e (1966).

[4] F. Asinger, *Paraffins, Chemistry and Technology*, S. 192–204, 266–267, 747–783, Pergamon Press, Oxford 1967.

[5] W. Hirschkind, Ind. eng. Chem. **41**, 2749 (1959).

Tab. 18. Zusammensetzung der Monochlorid-Fraktion bei der Photochlorierung von 2,4-Dimethyl-pentan in verschiedenen Lösungsmitteln[1]

	Produkt % von Monochlor-Verbindungen in		
	CCl_4	C_6H_6	CS_2
1-Chlor-2,4-dimethyl-pentan	55	33	11
3-Chlor-2,4-dimethyl-pentan	23	31	36
2-Chlor-2,4-dimethyl-pentan	22	36	54

Höhermolekulare n-Alkane lassen sich photochemisch zwischen −20 und etwa +60° ausgezeichnet partiell chlorieren[2,3]. Das neben geringen Mengen 1-Chlor-alkan erhaltene etwa äquimolare Gemisch sämtlicher theoretisch möglicher sekundärer Monochloride wird am besten durch Adsorptionschromatographie aufgearbeitet[3]. Zur Vermeidung von Dichlorid-Bildung muß das Alkan stets im großen Überschuß gehalten werden, das Chlor kann noch mit Stickstoff verdünnt werden[4].

Monochlor-decane[4]: Als Chlorierungsgefäß dient ein U-förmiges Glasrohr. In dem einen Schenkel befindet sich ein Rührer, im anderen ein bis auf den Boden reichendes Gaseinleitungsrohr und ein Thermometer. Um den Reaktorinhalt ungehindert bestrahlen zu können, wird nur der Boden des U-Rohres gekühlt bzw. geheizt. Das Rohr wird vor jedem Versuch mit Stickstoff gespült. Bei einer Temp. von 20° werden 100 g Decan mit einem Gemisch aus Chlor und Stickstoff unter UV-Bestrahlung begast, so daß im Verlauf von 38 Min. 0,1 Mol Chlor von der Lösung aufgenommen und 0,2 Mol Stickstoff als Verdünnungsmittel für das Chlor durch die Lösung geleitet werden. Im Abgas wird kein Chlor analysiert werden, jedoch wird die theoret. ber. Menge von 0,1 Mol Chlorwasserstoff nachgewiesen. Nach dem Versuch wird noch 30 Min. Stickstoff durch das Rohr geleitet, um verbliebene Chlorwasserstoff-Reste zu entfernen.

Aufarbeitung: Von den von Chlor und Chlorwasserstoff befreiten Reaktionsprodukten (103 g) wird der größte Teil des Kohlenwasserstoffs bei 6 Torr abdestilliert und der dann verbleibende, noch ∼ 20% Decan enthaltende Rückstand in einer Säule (90 × 13 mm) über Aluminiumoxid „Merck, standardisiert nach Brockmann", chromatographisch in seine Hauptprodukte (Decan, Monochlor-decane und höher chloriertes Decan) getrennt. Als Lösungsmittel dient Petroläther (Kp: 25–45°). Das Aluminiumoxid wird vor der Chromatographie mit Petroläther benetzt. Ein am Säulenausgang angebrachter, spiralig geformter Verdampfer ermöglicht, die Fraktionen in lösungsmittelfreiem Zustand zu erhalten. Das Rohprodukt wird in Mengen zwischen 6 und 20 g aufgegeben, Fraktionen zu je 0,5 ml abgenommen und deren Brechungsindex bestimmt.

Auf diese Weise werden 0,345 Mol Chlor-decane erhalten mit Gehalten von 11,6% 1-Chlor-decan und 88,4% sek.-Chlor-decane.

Ebenso können auch Dodecan, Hexadecan und Octadecan photochloriert werden. Bei der Photochlorierung von 1 Mol Heptan mit 0,2 Mol Chlor während 2 Stdn. unter UV-Bestrahlung erhält man nach der Aufarbeitung durch Säulenchromatographie z. B. 20 g (76% d.Th.) Monochlor-heptane der folgenden Zusammensetzung[5]: 1-Chlor- (15,1%), 2-Chlor- (34,6%), 3-Chlor- (33,8%) und 4-Chlor-heptan (16,5%).

Die Photochlorierung verläuft bei Cycloalkanen ähnlich wie bei offenkettigen Alkanen. So ergibt Cyclopropan bei der Photochlorierung hauptsächlich 1,1-Dichlor-cyclopropan[6],

[1] G. A. RUSSELL u. P. G. HAFFLEY, J. Org. Chem. **31**, 1869 (1969).
[2] F. ASINGER, B. **75**, 668 (1942).
   G. GEISELER u. F. ASINGER, B. **90**, 1790 (1957).
[3] F. ASINGER, G. GEISELER u. K. SCHMIEDEL, B. **92**, 3085 (1959); Trennung verschiedener isomerer Chlor-decane.
   Vgl. a.: I. GALIBA, J. M. TEDDER u. J. C. WALTON, Soc. **1966** [B], 604.
[4] F. ASINGER, G. GEISELER u. K. SCHMIEDEL, B. **92**, 3085 (1959).
[5] B. FELL u. L. H. KUNG, Ang. Ch. **75**, 165 (1963).
[6] P. G. STEVENS, Am. Soc. **68**, 620 (1946).
   S. a. ds. Handb., Bd. V/3, S. 581 u. 582.

während die Chlorierung von Methyl-cyclopropan bei –20° zu *Chlormethyl-cyclopropan* führt[1].

Mono- und *Dichlor-cyclopentane* sind durch Photochlorierung von Cyclopentan erhältlich[2]. Die Photochlorierung von Cyclohexan zu Mono- bzw. Polychlor-cycloalkanen wurde von verschiedenen Autoren untersucht[2,3] und bereits in ds. Handb., Bd. V/3, S. 582 u. 583 beschrieben. Dort findet sich auch eine Vorschrift zur Photochlorierung von 4-Methyl-1-isopropyl-cyclohexan (vgl. a. S. 100).

Die Photochlorierung von Bicyclo[2.2.1]heptan in Dichlormethan ergibt *exo-2-Chlor-bicyclo[2.2.1]heptan* (I) und die entsprechende *endo*-Verbindung (II)[4]:

Die Photochlorierung von Bicyclo[2.2.0]hexan (III) liefert in 62%-iger Ausbeute neben einem nicht identifizierten Monochlorid *exo-2-Chlor-* (IV) und *1-Chlor-bicyclo[2.2.0]hexan* (V) sowie *4-Chlor-cyclohexen* (VI) im Verhältnis[5] 2:1:1:

Die Bildung des 1-Chlor-bicyclo[2.2.0]hexan, d. h. ein Photosubstitutionsprodukt am Brückenkopf-Atom, ist nicht unbedingt zu erwarten, da eine Photochlorierung beim Bicyclo[2.2.1]heptan[5] und beim Bicyclo[2.1.1]hexan (VII) am Brückenkopf-Kohlenstoff-Atom nicht eintritt[6]. Dagegen soll Bicyclo[1.1.1]pentan bevorzugt an der 1-Stellung zum *1-Chlor-bicyclo[1.1.1]pentan* chloriert werden[7].

So liefert die Photochlorierung von Bicyclo[2.1.1]hexan (VII) *2-Chlor-* (VIII), *2,2-Dichlor-* (IX) und *trans-2,3-Dichlor-bicyclo[2.1.1]hexan* (X):

2-Chlor-bicyclo[2.1.1]hexan[8]: 3,8 g (46 mMol) Bicyclo[2.1.1]hexan gelöst in 5 *ml* Tetrachlormethan werden in einem 50 *ml* Reagenzglas unter langsamer Einleitung von Chlor mit einer 75 W Wolframlampe bestrahlt. Das Gaseinleitungsrohr reicht bis unter die Flüssigkeitsoberfläche, der Gasaustritt erfolgt über einen aufgesetzten Rückflußkühler. Der Chlorstrom wird so reguliert, daß keine Anreicherung des Chlors unter Gelbfärbung der Lösung auftritt. Nach 150 Min. wird die Reaktion abgebrochen (wegen zunehmender Bildung von Dichloriden!) und die Lösung destilliert. Die Fraktion von 70–80° wird isoliert. Sie enthält das Lösungsmittel sowie nicht umgesetztes Bicyclo[2.1.1]hexan und wird erneut chloriert, um einen Gesamtumsatz von ∼ 75% zu erreichen. Danach wird sie mit dem Rückstand der ersten Destillation vereinigt und das gesamte Photochlorierungs-Produkt über eine Vigreux-Kolonne destilliert.

[1] H. C. Brown u. M. Borkowski, Am. Soc. **74**, 1894 (1952).
[2] W. A. Nekrasova, N. I. Shuikin u. S. S. Novikov, Ž. obšč. Chim. **28**, 15 (1958).
[3] W. Markownikoff, A. **302**, 1 (1898).
   M. C. Ford u. W. A. Waters, Soc. **1951**, 1851.
   O. Hassel u. K. Lunde, Acta chem. scand. **4**, 1597 (1956).
[4] E. C. Kooyman u. G. C. Vegter, Tetrahedron **4**, 382 (1958).
[5] R. Srinivasan u. F. I. Sonntag, Tetrahedron Letters **1967**, 603.
[6] R. Srinivasan u. F. I. Sonntag, Am. Soc. **89**, 407 (1967).
[7] K. B. Wiberg u. R. Connor, Am. Soc. **88**, 4437 (1966).
[8] R. Srinivasan u. F. I. Sonntag, Am. Soc. **89**, 407 (1967); hier ist auch die Herstellung des Alkans beschrieben.

Die erste Fraktion (Kp: 70–80°) wird über eine Drehbandkolonne fraktioniert und ergibt 0,95 g nicht umgesetzter Ausgangsverbindung.

Die zweite Fraktion (Kp: 134–136°) enthält über 95% der Monochloride; Ausbeute: 3,2 g (80% d.Th.). Die Monochloride können noch durch präparative Gas-Chromatographie gereinigt werden[1], wodurch man reines *2-Chlor-bicyclo[2.1.1]hexan* ($n_D^{25} = 1,4725$) erhält.

Der Destillationsrückstand wird durch präparative Gas-Chromatographie[1] getrennt, und man erhält *2,2-Dichlor-bicyclo[2.1.1]hexan* (F: 11,5°; $n_D^{25} = 1,4885$) und *2,3-trans-Dichlor-bicyclo[2.1.1]hexan* (Kp: 158–160°).

Die Photochlorierung kann ebenso in Trifluor-trichlor-äthan bzw. auch ohne Lösungsmittel oder in der Gasphase durchgeführt werden.

Über die Photochlorierung von Adamantan zu *2,2,4,4,6,6,8,8,9,9,10,10-Dodecachloradamantan* siehe ds. Handb., Bd. V/3, S. 583.

$\beta\beta$) Halogen-alkane

Bereits im Molekül vorhandenes Halogen beeinflußt den Eintritt von weiterem Halogen[2-6]. So erfolgt z. B. die Photochlorierung von Fluor-alkanen an den vom Fluor weiter entfernten Kohlenstoff-Atomen, wobei die F_3C-Gruppe stärker abschirmend wirkt als die F_2C-Gruppe[2]:

$$H_3C-CF_2-CH_2-CH_3 + Cl_2 \xrightarrow{h\nu} H_3C-CF_2-CH_2-CH_2Cl + H_3C-CF_2-CHCl-CH_3$$
$$3 \quad : \quad 2$$

$$F_3C-CH_2-CH_2-CH_3 + Cl_2 \xrightarrow{h\nu} F_3C-CH_2-CH_2-CH_2Cl + F_3C-CH_2-CHCl-CH_3$$
$$5 \quad : \quad 4$$

Die zu einer F_3C-Gruppe benachbarten CH-Bindungen werden nicht photochloriert, es findet dagegen Perchlorierung an dem Kohlenstoff-Atom statt, das bereits chloriert ist[6]:

$$H_3C-CH_2-CF_3 + Cl_2 \xrightarrow{h\nu} ClH_2C-CH_2-CF_3 + Cl_2HC-CH_2-CF_3 + Cl_3C-CH_2-CF_3$$

Sogar die allgemein reaktionsfähigen tertiären Wasserstoff-Atome werden nicht substituiert, wenn benachbarte F_3C-Gruppen vorhanden sind[3-5]:

$$(F_3C)_2CH-CH_3 + Cl_2 \xrightarrow{h\nu} (F_3C)_2CH-CCl_3$$

Analog verläuft die Chlorierung von folgenden fluorierten bzw. chlorfluorierten Alkanen:

$$Cl_3C-CH_2-CH_2Cl \xrightarrow{h\nu} Cl_3C-CH_2-CHCl_2$$
1,1,1,3,3-Pentachlor-propan[7]

$$F_2HC-CClF-CClF_2 \xrightarrow{h\nu} F_2ClC-CClF-CClF_2$$
1,1,2,3,3-Pentafluor-1,2,3-trichlor-propan; 100% d.Th.[8]

---

[1] Einzelheiten enthält die Originalliteratur.

[2] A. L. HENNE u. J. B. HINKAMP, Am. Soc. **67**, 1194, 1197 (1945).
A. L. HENNE, J. B. HINKAMP u. W. J. ZIMMERSCHIED, Am. Soc. **67**, 1906 (1945).

[3] A. L. HENNE u. M. W. RENOLL, Am. Soc. **59**, 2434 (1937); **61**, 2489 (1939).

[4] A. L. HENNE, J. W. SHEPARD u. E. J. YOUNG, Am. Soc. **72**, 3577 (1950).

[5] E. T. McBEE et al., Am. Soc. **62**, 3340 (1940).

[6] A. L. HENNE u. A. M. WHALEY, Am. Soc. **64**, 1157 (1942).

[7] A. W. DAVIS u. A. M. WHALEY, Am. Soc. **73**, 2361 (1951).

[8] A. H. FAINBERG u. W. T. MILLER, Am. Soc. **79**, 4170 (1957).

sowie von 1,1,1-Trifluor-propan[1], 1,1,1-Trifluor-pentan[2] und 1,1,1-Trifluor-3-brom-propan[1], Hexafluor-propan[3,4], Octafluor-butan[5] und fluorierten Cycloalkanen[6].

2-Fluor-2-chlor-propan[7]:

$$H_3C-CH-CH_3 + Cl_2 \xrightarrow{\lambda = 200-500nm/25°/Gasphase} H_3C-\underset{F}{\overset{Cl}{C}}-CH_3$$
$$\quad\underset{F}{}$$

In einem Pyrex-Rohr (L = 41 cm, ⌀ 3,8 cm) mit Gaseinleitung und einer Kühlschlange für Wasser-kühlung werden im hellen Tageslicht innerhalb 8,5 Stdn. 5,45 Mol (337 g) gasf. 2-Fluor-propan und 4,3 Mol (305 g) Chlorgas durchgesetzt (Molverhältnis Cl_2:2-Fluor-propan ~ 0,78:1). Die Kühlung wird so geregelt, daß im Reaktionsrohr eine Temp. von ~ 25° herrscht. Der Produktstrom wird so eingestellt, daß für das Gasgemisch eine Verweilzeit im Reaktor von ~ 18 Sek. gewährleistet ist. Die Reaktions-produkte werden zunächst durch eine Waschflasche mit Wasser geleitet (Entfernung von Chlorwasser-stoff), dann wird in einer Waschflasche mit Natronlauge überschüssiges Chlor absorbiert, die Gase über einem Turm mit Calciumchlorid getrocknet und in einer Falle bei -78° kondensiert. In der Lauge werden ~ 32 g Chlor analysiert. In der Falle erhält man eine Kondensatmenge von 461 g. Die fraktio-nierende Destillation ergibt 99 g (1,6 Mol) nicht umgesetztes Fluorpropan (Kp: -9°) und 285 g (2,96 Mol) *2-Fluor-2-chlor-propan* (Kp: 35,2°).

Als Nebenprodukt erhält man 33 g (0,34 Mol) *2-Fluor-1-chlor-propan* (Kp: 68°). Der Umsatz liegt bei 70%, die Ausbeute beträgt 77% bez. auf Umsatz.

Unter Bestrahlung mit einer Quecksilber-Lampe kann Äthylchlorid bei 20–45° in Schwefelkohlenstoff als Lösungsmittel schrittweise zu *1,1,1-Trichlor-äthan* chloriert werden[8]:

$$H_3C-CH_2Cl + Cl_2 \xrightarrow{h\nu/CS_2} H_3C-CHCl_2 \qquad 20\% \text{ Umsatz; } 77\% \text{ Selektivität}$$

$$H_3C-CHCl_2 + Cl_2 \xrightarrow{h\nu/CS_2} H_3C-CCl_3 \qquad 15\% \text{ Umsatz; } 90\% \text{ Selektivität}$$

Durch kinetische Untersuchungen über die Substitution eines Wasserstoff-Atoms bei verschiedenen Halogen-alkanen in Gegenwart von 2,2-Dichlor-propan unter Bestrahlung mit einer 200 Watt Wolfram-Lampe wurden die relativen Reaktivitäten der einzelnen Wasserstoff-Atome an dem zum Halogen benachbarten Kohlenstoff-Atom ermittelt[9].

Zur Isomerenverteilung bei der Photochlorierung[10] von Äthylchlorid[11,12], 1-Chlor-propan[13,14], 1-Chlor-butan[13-17] s. Originalliteratur. Weniger präparativ, jedoch theoretisch von Bedeutung sind systematische und vergleichende Untersuchungen zur photochemischen Mehrfachchlorierung primärer und sekundärer Monochloralkane[18].

---

[1] R. N. Haszeldine, Soc. 1951, 2495.
[2] I. Galiba, J. M. Tedder u. R. A. Watson, Soc. 1964, 1321.
[3] R. N. Haszeldine, Soc. 1953, 3565.
[4] R. N. Haszeldine u. J. E. Osborne, Soc. 1956, 61.
[5] R. N. Haszeldine u. B. R. Steele, Soc. 1955, 3005.
[6] A. H. Fainberg u. W. T. Miller, Am. Soc. 79, 4170 (1957).
[7] Belg. P. 632995 (1963), Allied Chem. Corp., Erf.: L. G. Anello u. C. Woolf.
[8] R. Muraoka, Asahi Garasu Kenkyu Hokoku 16, 123 (1966); C. A. 67, 43335ᵖ (1967).
      Vgl. a.: A. S. Bratolyubov, Z. prikl. Chim. 47, 708 (1974).
[9] T. Migita, M. Kosugi u. Y. Nagai, Yuki Gosei Kagaku Kyokai Shi 24, 1237 (1966); C. A. 66, 54740ˣ
      (1967); Bl. chem. Soc. Japan 40, 920 (1967).
[10] H. Margritte u. A. Bruylants, Ind. chim. belge 22, 547 (1957).
[11] W. Staedel, J. pr. 80, 303 (1909).
[12] J. D'Ans u. J. Kautzsch, J. pr. 80, 305 (1909).
[13] M. S. Kharasch u. H. C. Brown, Am. Soc. 61, 2142 (1939).
[14] A. B. Ash u. H. C. Brown, Rec. Chem. Progr. 9, 81 (1948).
[15] D. V. Tischenko u. A. Churbakov. J. gen. Chem. (USSR) 7, 658 (1937); C. A. 31, 5755 (1937).
[16] H. C. Brown u. A. B. Ash, Am. Soc. 77, 4019 (1955).
[17] H. B. Hass u. H. C. Huffman, Am. Soc. 63, 1233 (1941).
[18] L. Horner u. L. Schläfer, A. 635, 31 (1960).
      Vgl. a.: P. S. Fredericks u. J. M. Tedder, Soc. 1960, 144; 1961, 3520.

Polychlor-pentane erhält man bei der Chlorierung von 1,1,1,5-Tetrachlor-pentan in Gegenwart von γ-Strahlen[1].

Bei der Photochlorierung von 1-Brom-propan entstehen *2-Chlor-1-brom-propan* (II; 45 % d. Th.), *3-Chlor-1-brom-propan* (III; 19 % d. Th.) und *1-Chlor-1-brom-propan* (IV; 11 % d. Th.) neben *1,2-Dichlor-propan* (V; 10 % d. Th.), *1-Chlor-2-brom-propan* (VI; 7 % d. Th.), *1,1-Dibrom-propan* (VII; 2 % d. Th.) und *1,2-Dibrom-propan* (VIII; 7 % d. Th.)[2]:

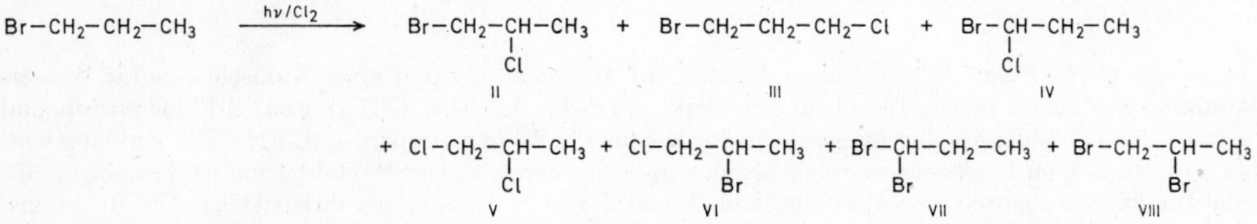

$$Br-CH_2-CH_2-CH_3 \xrightarrow{h\nu/Cl_2}$$

$$Br-CH_2-\underset{\underset{Cl}{|}}{CH}-CH_3 \;+\; Br-CH_2-CH_2-CH_2-Cl \;+\; Br-\underset{\underset{Cl}{|}}{CH}-CH_2-CH_3$$
$$\text{II} \qquad\qquad\qquad \text{III} \qquad\qquad\qquad \text{IV}$$

$$+\; Cl-CH_2-\underset{\underset{Cl}{|}}{CH}-CH_3 \;+\; Cl-CH_2-\underset{\underset{Br}{|}}{CH}-CH_3 \;+\; Br-\underset{\underset{Br}{|}}{CH}-CH_2-CH_3 \;+\; Br-CH_2-\underset{\underset{Br}{|}}{CH}-CH_3$$
$$\text{V} \qquad\qquad\qquad \text{VI} \qquad\qquad\qquad \text{VII} \qquad\qquad\qquad \text{VIII}$$

Die Chlorierung von Cyclohexan führt über 1,2,4,5-Tetrachlor-cyclohexan zu drei verschiedenen *Hexachlor-cyclohexanen*[3-5] (s. a. ds. Handb., Bd. V/3, S. 584):

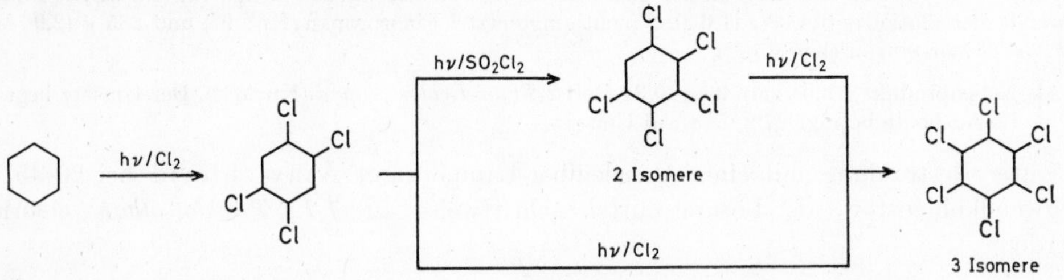

Die selektive photochemische Monochlorierung ist jedoch unter bestimmten Reaktionsbedingungen ebenfalls möglich[6].

Über den Lenkungseffekt verschiedener funktioneller Gruppen siehe ds. Handb., Bd. V/3, S. 564. Weitere Beispiele über die photochemische Weiterchlorierung von Halogenalkanen finden sich in ds. Handb., Bd. V/3, S. 575ff.

$\gamma\gamma$) Alkyl-aromaten und -heteroaromaten

Die Photochlorierung von aromatischen Kohlenwasserstoffen in der Seitenkette ist in ds. Handb., Bd. V/3, S. 735ff. bereits beschrieben. So liefert die Flüssigphase-Chlorierung von Toluol in Gegenwart von UV-Licht je nach Toluol-Umsatz *Benzylchlorid, Dichlormethyl-benzol* bzw. *Trichlormethyl-benzol*[7].

Bei der Photochlorierung von 4-Brom-toluol findet neben der Substitution an der Methyl-Gruppe auch gleichzeitig Halogen-Austausch statt[8].

4-Chlor-1-trichlormethyl-benzol[8]:

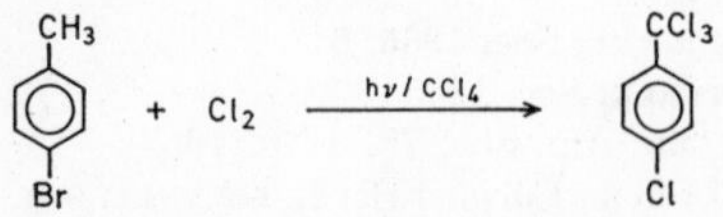

15 g 4-Brom-toluol (Kp_{735}: 181–182°; F: 28°) werden in 60 *ml* Tetrachlormethan in einem Pyrex-Dreihalskolben chloriert. Das Chlor (60–100 Blasen pro Min.) wird über ein Gaseinleitungsrohr mit

[1] D. D. LEBEDEV u. I. V. VERESHCHINSKII, Proc. Tihany Symp. Radiat. Chem., 2nd, Tihany Hung. **1966**, 365 (publ. 1967); C. A. **68**, 77625ᵘ (1968).

[2] P. GOUVERNEUR et al., Bl. Acad. Belgique **1970** (2), 96–100.

[3] O. HASSEL u. K. LUNDE, Acta chem. scand. **4**, 1597 (1950).
W. MARKOWNIKOFF, A. **302**, 1 (1896).
W.A. NEKRASOVA, N. I. SHUIKIU u. S. S. NOVIKOV, Ž. obšč. Chim. **28**, 15 (1958).

[4] R. JAUNIN u. A. GERMANO, Helv. **38**, 1763 (1955).

[5] R. JAUNIN u. A. GERMANO, Helv. **35**, 392 (1952).

[6] US. P. 3507762 (1970), Phillips Petroleum Co., Erf.: A. D. HOLIDAY; C. A. **73**, 40447ᵍ (1970).

[7] Vgl. ds. Handb., Bd. V/3, S. 735–737, und die dort zitierte Literatur.

[8] W. VOEGTLI, H. MUHR u. P. LÄUGER, Helv. **37**, 1627 (1954).

Fritte eingeleitet. Erst nach Erwärmung zum Rückfluß schaltet man eine Philips UV-Lampe (80 Watt) und den Chlorstrom ein. Die Lampe wird dabei so nahe wie möglich an den Kolben gebracht. Zuerst tritt Gelbfärbung auf, die Chlorwasserstoff-Entwicklung beginnt ebenfalls sofort, die Brom-Entwicklung erst nach 2 Stdn. Nach 5 Stdn. wird ohne Kolonne destilliert; Ausbeute: 20 g ($\sim$ 100 % d.Th.); Kp_{740}: 238°.

Entsprechend liefert 1,1,1-Trichlor-2,2-bis-[4-brom-phenyl]-äthan *1,1,1,2-Tetrachlor-2,2-bis-[4-chlor-phenyl]-äthan* (85 % d.Th.; F: 92–92,5°).

Die Photochlorierung substituierter Toluole hängt von den vorhandenen Substituenten ab. Elektropositive Gruppen erhöhen und elektronegative Gruppen erniedrigen die Reaktivität[1,2]. Bis-[4-methyl-phenyl]-äther wird unter Bestrahlung mit einer Quarz-Lampe in 85%iger Ausbeute zum *Bis-[4-trichlor-methyl-phenyl]-äther* chloriert, wobei die Temp. während der 6stdg. Chlorierung von 110° auf 250° gesteigert wird[3]. Chlorierung von 4-Trichlorsilyl- und 2-Trifluorsilyl-toluol führt in sehr guten Ausbeuten zu *4-Trichlormethyl-1-trichlorsilyl-benzol* (96% d.Th.) bzw. zu *2-Trichlormethyl-1-trifluorsilyl-benzol* (99% d.Th.)[4].

Während beim Pentachlor-toluol die Photochlorierung der Methyl-Gruppe auf der Dichlormethyl-Stufe stehen bleibt (vgl. ds. Handb., Bd. V/3, S. 739), gelingt eine photochemische Perchlorierung jedoch bei 2,4,5-Trichlor-toluol in der Flüssigphase unter Druck und Verwendung eines $\sim$ 1000fach molaren Chlor-Überschusses[5]:

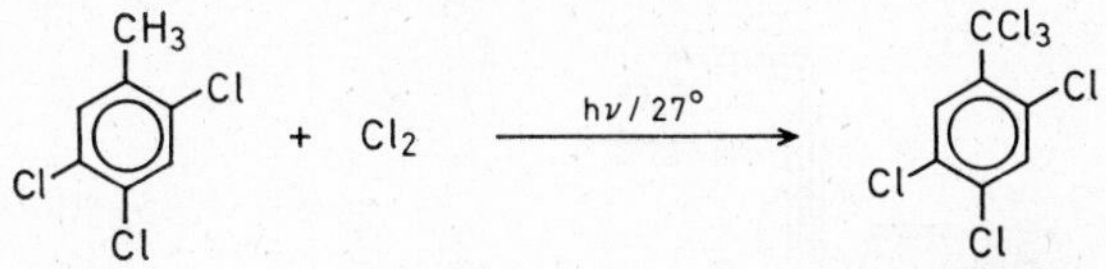

2,4,5-Trichlor-1-trichlormethyl-benzol

Die Photochlorierung von 4-Methyl-benzoesäure-methylester bei 120° ergibt in Abhängigkeit von der aufgenommenen Chlormenge hauptsächlich *4-Chlormethyl-benzoesäure-methylester* (88 % d.Th.; Kp_1: 93–94,5°; F: 39–40°) neben geringen Mengen 4-Dichlormethyl-benzoesäure-methylester ($\sim$ $Kp_{0,6}$: 125–135°)[6].

Nach Untersuchungen anderer Autoren[7] soll die Seitenketten-Chlorierung bei Alkyl-aromaten (Toluol, m-Xylol) schneller als bei aliphatischen oder alicyclischen Kohlenwasserstoffen bereits im Dunkeln oder im diffusen Licht bei 0° verlaufen, wobei stets auch mehr oder weniger Kernchlorierung unter Addition stattfindet.

Bei kinetischen Untersuchungen der Photochlorierung (360 nm) von p-Xylol in 0,5 m Tetrachlormethan-Lösung bei 30–50° wurden folgende Reaktionsprodukte isoliert[8]:

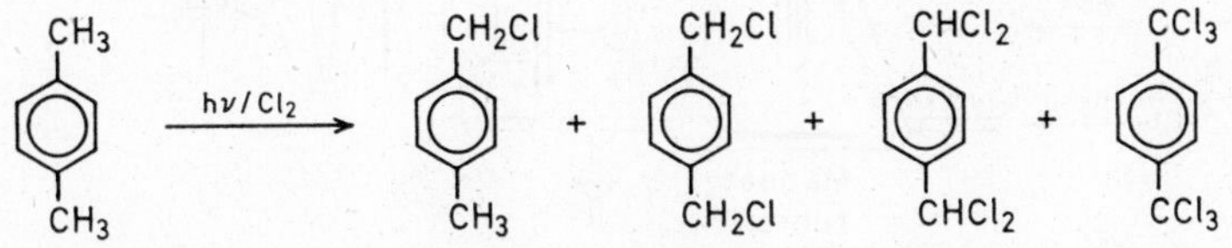

I;   *4-Methyl-1-chlormethyl-benzol*
II;   *1,4-Bis-[chlormethyl]-benzol*
III; *1,4-Bis-[dichlormethyl]-benzol*
IV;   *1,4-Bis-[trichlormethyl]-benzol*

---

[1] C. WALLING u. B. MILLER, Am. Soc. **79**, 4181 (1957).
[2] R. VAN HELDEN u. E. C. KOOYMAN, R. **73**, 269 (1954).
[3] USSR. P. 0245061-S (1969), N. A. ANDRUKHOV, E. P. BABIN u. V. P. RUDAVSKII.
[4] L. W. FROST, Am. Soc. **78**, 3855 (1956).
[5] US. P. 2608532 (1952), Niagara Alkali Co., Erf.: F. E. LAWLOR.
[6] Brit. P. 773131 (1957 $\equiv$ DAS 1001253 (1955), Pergofit Societá per Azioni, Mailand, Erf.: W. MUENCH, G. SILVESTRI u. C. COEN; C. **1957**, 9513.
[7] M. S. KHARASCH u. M. G. BERKMAN, J. Org. Chem. **6**, 810 (1941).
[8] P. BELTRAME u. S. CARRÁ, Tetrahedron Letters **44**, 3909 (1965).

In der Flüssigphase wird p-Xylol bei 80–100° glatt zu *1,4-Bis-[trichlormethyl]-benzol* (87% d.Th.; F: 109–110°) chloriert; kernchloriertes p-Xylol kann entsprechend umgesetzt werden[1,2]. Aus dem Photochlorierungsgemisch können partiell chlorierte Produkte auch destillativ abgetrennt werden, z. B. aus p-Xylol *4-Dichlormethyl-1-trichlormethyl-benzol* (Kp_{10}: 160–162°; F: 43–45°, aus 95%igem Äthanol)[3].

Über die Chlorierung von Mesitylen s. Lit. [4] sowie ds. Handb., Bd. V/3, S. 741.

Während Äthyl-benzol vollständig in der Äthyl-Gruppe photochemisch chloriert wird (vgl. ds. Handb., Bd. V/3, S. 741), verläuft die Photochlorierung von Pentachlor-äthyl-benzol nur bis zum *Pentachlor-(x,x,x-trichlor-äthyl)-benzol* (F: 87–93°)[5].

Für eine weitgehend selektive Photochlorierung einfacher alkylierter Aromaten, wie Toluol, Xylole und Äthylbenzol, hängt die Bildung von Monochlorierungsprodukten stark von den Reaktionsbedingungen ab[6]. Vor allem muß die stationäre Chlor-Konzentration im Reaktionsgefäß niedrig gehalten werden. Sinnvolle Chlor-Konzentrationen liegen im Bereich von 10^{-3} bis 10^{-4} Mol/l. Eine geeignete Apparatur für die selektive Photochlorierung von Alkyl-aromaten zeigt Abb. 58.

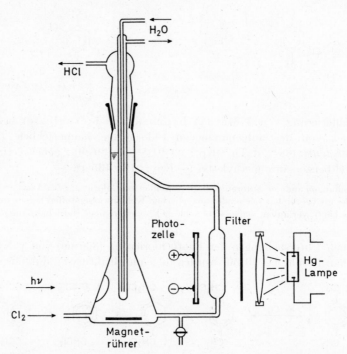

Abb. 58. Apparatur zur Photochlorierung mit Kontrollmöglichkeit der Chlor-Konzentration[6]

Die Apparatur besteht aus einem 500-*ml*-Erlenmeyerkolben mit einer Glasschlaufe. Am Boden des Kolbens wird Chlor eingeleitet. Die Temperierung erfolgt mit einem Kühlfinger. Durch die magnetische Rührung wird stets ein Teil des Reaktionsguts durch die Glasschlaufe umgewälzt, so daß in deren Erweiterung die Chlor-Konzentration mit einer Photozelle gemessen werden kann. Die gesamte Appara-

[1] US. P. 2654789 (1953), Ethyl Corp., Erf.: W. B. Ligett; C. **1956**, 11813.
[2] US. P. 2817632 (1957), Goodyear Tire and Rubber Co., Erf.: R. H. Mayor; C. A. **1959**, 4629.
[3] D. D. Wheeler, D. C. Young and D. S. Erley, J. Org. Chem. **22**, 553 (1957).
[4] E. T. McBee u. R. E. Leech, Ind. eng. Chem. **39**, 393 (1949).
[5] US. P. 2608532 (1952), Niagara Alkali Co., Erf.: F. E. Lawlor; C. A. 48, 3390 (1954).
[6] G. Benoy u. J. C. Jungers, Bull. Soc. chim. belges **65**, 769 (1956).

tur ist bis auf zwei Eintrittsstellen für UV-Licht (am Erlenmeyerkolben zur Photochlorierung und an der Erweiterung der Glasschlaufe zur Messung der Chlor-Konzentration) schwarz angestrichen. Nach Einstellen eines bestimmten Chlorstroms zeigt eine konstante Extinktion eine unveränderte Chlor-Konzentration während der Versuchsdauer an.

Bei Chlor-Konzentrationen $> 10^{-1}$ Mol/l ist die Einleitungsgeschwindigkeit für das Chlor so groß, daß ein Teil des Chlors mit dem gebildeten Chlorwasserstoff entweicht. Diese Menge wird ebenso wie die Salzsäure in einer geeigneten Vorlage analytisch bestimmt und so zusätzlich der Fortgang der Photochlorierung kontrolliert.

Abb. 59 zeigt den zeitlichen Ablauf der Photochlorierung von Toluol in dieser Apparatur.

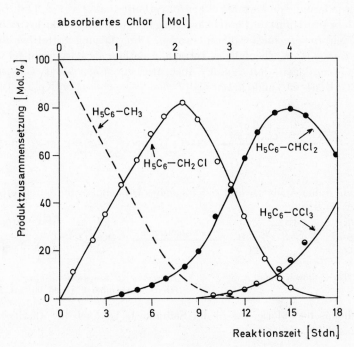

Abb. 59. Chlorierungsprodukte von Toluol in Abhängigkeit von der Reaktionsdauer[1]

Die Photochlorierung von Äthyl-benzol[1] bei 18° führt mit einem Äquivalent Chlor zum *1-Chlor-1-phenyl-äthan* (92,5% d. Th.). Eine selektive Photochlorierung ausschließlich an den α-Stellungen ist auch beim Hexaäthyl-benzol möglich[2]:

Hexakis-[1-chlor-äthyl]-benzol: In einer Gaswaschflasche mit eingestelltem Thermometer werden 40 g (162 mMol) Hexaäthyl-benzol, gelöst in 120 *ml* trockenem Tetrachlormethan, mit einem mäßigen Strom Chlor behandelt. Dabei wird gleichzeitig mit einer 750 W Wolframlampe belichtet und die Temp. durch äußere Kühlung unter 40° gehalten. Die Reaktion verläuft unter kräftiger Chlorwasserstoff-Entwicklung, und nach 3 Stdn. beginnt ein farbloses kristallines Produkt auszufallen. Nachdem sich der voluminöse Niederschlag nicht mehr weiter vermehrt (4 Stdn.), wird mit Preßluft ein Überschuß von

[1] G. BENOY u. J. C. JUNGERS, Bull. Soc. chim. belges **65**, 769 (1956).
[2] H. HOPFF u. A. K. WICK, Helv. **44**, 19 (1961).

Chlor sowie Chlorwasserstoff abgetrieben, das Produkt nach dem Abkühlen im Eisbad abgenutscht, mit wenig Tetrachlormethan gewaschen und auf dem Dampfbad im Wasserstrahl-Vak. getrocknet. Die Umkristallisation des noch klebrigen schwerlöslichen Rohprodukts (21,2 g) aus Tetrachlormethan/Benzol ergibt nach dem Trocknen im Wasserstrahl-Vak. auf dem Dampfbad 11,9 g (13,8% d.Th.) farblose, regelmäßige, hexagonale Plättchen, welche sich ab 220° zersetzen (ebenso tritt beim Lagern, besonders unter Lichteinfluß, langsame Zersetzung ein). Durch Aufarbeitung der Mutterlaugen kann die Ausbeute auf 20,8 g (22,7% d.Th.) erhöht werden. Zur Analyse wird eine Probe noch 3mal umkristallisiert und 90 Stdn. i. Hochvak. bei 20° getrocknet; Zers. ab 230°.

Beim Propylbenzol verläuft die Photochlorierung unselektiv. Man erhält ein Gemisch verschiedener Chlorpropyl-benzole[1].

Die Photobromierung von Hexaäthyl-benzol verläuft analog (vgl. S. 148). Beim 1,3- und 1,4-Diäthyl-benzol führt die Photochlorierung in Tetrachlormethan bei 80° in 60–90%iger Ausbeute zu den *Bis-[pentachlor-äthyl]-benzolen*. Ohne Lösungsmittel bei 20–30° beträgt die Ausbeute 65% d.Th.[2]. Ebenfalls in Tetrachlormethan als Lösungsmittel wird Bis-[4-chlor-phenyl]-methan mit guter Ausbeute zu *Chlor-bis-[4-chlor-phenyl]-methan* (Kp$_5$: 189–193°; F: 64–65°) und *Dichlor-bis-[4-chlor-phenyl]-methan* (Kp$_{8-10}$: 196–204°) chloriert[3]:

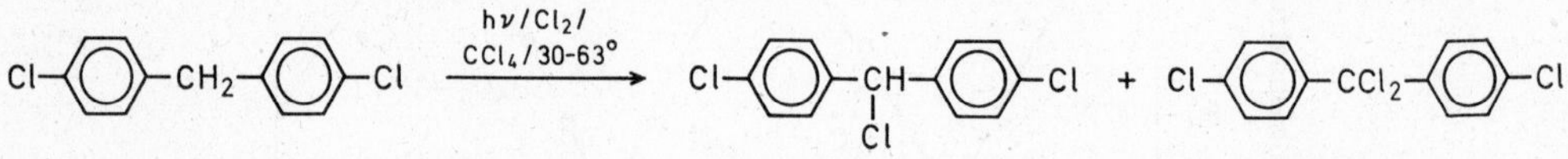

Gleichfalls mit hoher Ausbeute läßt sich folgendes Diphenol in der Seitenkette chlorieren[4]:

Tetrachlorbisphenol A   *Hexachlor-2,2-bis-[dichlor-4-hydroxy-phenyl]-propan*
                             (Decachlorbisphenol A) 96–99% d. Th.; F: 59–61°

Die photochemische Chlorierung in der Seitenkette ist auch bei alkylierten Heteroaromaten möglich[5].

In vielen Fällen verläuft die Seitenketten-Chlorierung bereits ohne Anwesenheit von Licht in Gegenwart von Acetanhydrid und Natriumacetat[5].

Die Photochlorierung von Alkyl-azaaromaten in Gegenwart von Wasser führt infolge Löslichkeit der zunächst gebildeten Hydrochloride z. B. zu Trichlormethyl-Derivaten[6].

Mit zunehmender Chlorierung an der Methyl-Gruppe in Nachbarstellung zum Stickstoff sinkt jedoch die Basizität der Methyl-pyridine so weit ab, daß keine stabilen Hydrochloride mehr gebildet werden[6].

2,4,6-Trimethyl-pyridin wird besonders leicht partiell chloriert, der Ersatz sämtlicher Wasserstoffatome erfordert eine längere Chlorierung bei erhöhter Temperatur, wobei jedoch schon Chlorolyse als Nebenreaktion auftreten kann[6].

Beim 2-Methyl-pyridin verläuft die Chlorierung selbst gut kontrollierbar, jedoch unter Bildung von kernchlorierten Nebenprodukten. 3-Methyl- und 4-Methyl-pyridin können unter den angegebenen Bedingungen nicht chloriert werden. Überhaupt hängt der Erfolg

---

[1] I. Partchamazad u. A. Guillemonat, C. r. **273**, 1366 (1971).
[2] E. T. McBee et al., Ind. eng. Chem. **39**, 395 (1947).
[3] US. P. 2783284 (1957), Rohm u. Haas Co., Erf.: W. E. Craig, E. F. Riener u. H. F. Wilson.
[4] Y. Sekine, K. Ikeda u. Y. Arai, J. chem. Soc. Japan, ind. Chem. Sect. **74**, 788 (1971).
[5] Vgl. ds. Handb. Bd. V/3, S. 748, 2-Chloracetyl-thiophen; 3-Chloracetyl-⟨benzo-[b]-thiophen⟩.
[6] E. T. McBee, H. B. Hass u. E. M. Hodnett, Ind. eng. Chem. **39**, 389 (1947).

der Photochlorierung stark von der Struktur der Heteroaromaten ab[1]. Auch beim 3-Methyl-chinolin und bei den Methyl-isochinolinen ist keine direkte Chlorierung möglich[2].

Die Wirkung des Lichts bei der Chlorierung von Alkyl-pyridinen ist nicht eindeutig, es scheint, als ob Licht keinen wesentlichen Einfluß auf die Chlorierung von Alkyl-pyridinen hat[3]. Andererseits bleibt die Zugabe von Eisen oder Antimon-Salzen als Katalysatoren ohne Einfluß auf das Ausmaß der Kern-chlorierung[3].

Trichlormethyl-pyridine; allgemeine Arbeitsvorschrift[3]: Die Reaktion wird in einem vertikalen, unten verschlossenen Pyrex-Rohr (120 cm lang, $\varnothing$ 75 mm) mit 2 Einleitungsrohren ($\varnothing$ 8 mm) mit Gasver-teilungsscheiben ($\varnothing$ 20 mm) für Chlor durchgeführt. Das Rohr ist zusätzlich mit einem Innenthermometer und einem Tropftrichter ausgestattet und wird durch eine Heizspirale von außen beheizt. Über einen absteigenden Kühler werden die gasförmigen Reaktionsprodukte kondensiert. Das Pyrex-Rohr wird mit drei 200 Watt Lampen bestrahlt. Nach Zugabe von Wasser bis zur Bedeckung der Gaseinleitungsrohre und des betr. Alkyl-pyridins wird die Chlor-Einleitung begonnen. Die Regulierung der Temp. und die Einleitung des Chlors müssen sehr sorgfältig erfolgen, um Dunkelfärbung des Reaktionsgemisches zu vermeiden. Das gilt vor allem für längere Reaktionszeiten bei erhöhten Temp., bei denen Wasser teilweise bereits abdestilliert. Nach beendeter Chlorierung werden die noch gelösten Gase durch Einblasen von Luft abgetrieben und das Gemisch aufgearbeitet. Zur Vermeidung einer Niederschlagsbildung unlöslicher Hydrochloride muß ggfs. während der Chlorierung weiteres Wasser zugesetzt werden.

Nach dieser Arbeitsvorschrift erhält man aus *2-Methyl-pyridin* (279 g + 40 *ml* Wasser) ein Chlorierungs-gemisch (717 g), das rektifiziert wird. Man erhält hauptsächlich:*2-Trichlormethyl-pyridin* (Kp$_{25}$: 125–126°; n_D^{25} = 1,4113) neben *5-Chlor-, 3,5-Dichlor-* und *3,4,5-Trichlor-2-trichlormethyl-pyridin*; (Kp$_{25}$: 139–142°, Kp$_{25}$: 161–162° bzw. Kp$_{25}$: 172–175°). 2,4-Dimethyl-pyridin geht in *2,4-Bis-[trichlormethyl]-pyridin* (34% d.Th.; F: 86,5–87,5°) über; hier erfolgt die Chlorierung zunächst 3 Stdn. bei 50°, dann wird die Temp. innerhalb von 4 Stdn. auf 150° gesteigert und 6 Stdn. gehalten. Auch bei 2,6-Dimethyl-pyri-din, das in *2,6-Bis-[trichlormethyl]-pyridin* (38% d.Th.; F: 83,5–84,5°) übergeht, ist eine sorgfältige Führung der Temp. notwendig (3,5 Stdn. bei max. 50°, innerhalb 2 Stdn. auf 150°, 19 Stdn. bei 150° und 6 Stdn. bei 180°).

Eine erfolgreich verlaufende Photochlorierung von 2,6-Dimethyl-pyridin in Gegen-wart von Schwefelsäure, Schwefeltrioxid und Phosphor(III)-chlorid zu *2,6-Bis-[chlorme-thyl]-pyridin* (Kp$_3$: 70–90°) und *6-Methyl-2-chlormethyl-pyridin* (Kp$_3$: 95–110°) ist ebenfalls möglich[4,5].

Unter diesen Bedingungen soll auch eine radikalische oder photochemische Chlorierung von 2-, 3- und 4-Methyl-pyridin unter Bildung der Chlormethyl-pyridine möglich sein[5]. Die Photochlorierung von 3-Methyl-pyridin in Schwefelsäure und Oleum ergibt auch Nicotinsäure[5], und unter bestimmten Be-dingungen sind auch Dichlormethyl-pyridine isolierbar[5].

Wie beim 2,6-Dimethyl-pyridin[3] verläuft auch die Photochlorierung von Alkyl-1,3-thiazolen in stark saurer Lösung in Gegenwart von Phosphor(III)-chlorid und ergibt Chloralkyl-1,3-thiazole[5,6] (Radikalbildner können zugegeben werden):

4-Chlormethyl-1,3-thiazol

5-Chlormethyl-1,3-thiazol

[1] B. R. Brown, D. L. Hammick u. B. H. Thewis, Soc. **1951**, 1145.
[2] Vgl. ds. Handb., Bd. V/3, S. 748.
[3] E. T. McBee, H. B. Hass u. E. M. Hodnett, Ind. eng. Chem. **39**, 389 (1947).
[4] Fr. P. 1394362 (1965), Merck u. Co., Inc., Erf.: J. Kollonitsch; C. A. **63**, 8326ᵉ (1965).
[5] US. P. 3461125 (1969), Merck u. Co., Inc., Erf.: J. Kollonitsch.
[6] Belg. P. 623148 (1963), Merck u. Co., Inc., Erf.: J. Kollonitsch; C. A. **60**, 10687ᶜ (1964).

δδ) Hydroxy-Verbindungen

Bei der Photochlorierung von Alkoholen[1] laufen Substitution und Oxidation nebeneinander ab, und nur in wenigen Fällen ist die Photochlorierung eine bei Hydroxy-Verbindungen präparativ anwendbare Methode zur Substitution von Wasserstoff-Atomen gegen Halogen. Cyclohexanol wird z. B. substituierend zum *1,1,3,3-Tetrachlor-2-oxo-cyclohexan* (>95% d.Th.; F: 82–83°)[2] oxidiert:

In vielen Fällen ergibt die Photochlorierung von offenkettigen aliphatischen Alkoholen perchlorierte Aldehyde und Ketone sowie auch Gemische der mono- oder perchlorierten Äther[3]. Hochfluorierte Alkanole werden z. B. durch Einwirkung von Chlor und UV-Licht zu den entsprechenden Aldehyden oxidiert, die teilweise decarbonyliert werden[4]:

$$F_2HC-(CF_2)_3-CH_2OH \xrightarrow[-HCl]{h\nu/Cl_2} F_2HC-(CF_2)_3-CHO \xrightarrow[-HCl,-CO]{h\nu/Cl_2} F_2HC-(CF_2)_2-CF_2Cl$$

Glykol und 2-Chlor-äthanol ergeben ebenfalls nur Substanzgemische bei der Photochlorierung. So erhält man z. B. bei der Photochlorierung von 1,2-Dihydroxy-propan bei 50–60° (16–20 Stdn.) *3,3-Dichlor-2-oxo-propansäure-Hydrat* (36% d.Th.; F: 118–120°), *3,3-Dichlor-2-oxo-propansäure-2-hydroxy-propylester* (18% d.Th.; Kp$_{10}$: 115–117°) neben *1,1,3-Trichlor-aceton* (7% d.Th.; Kp$_2$: 59–60°)[5].

Photochemische Substitution durch Chlor ist jedoch bei polyfluorierten tertiären aliphatischen Alkoholen in ausgezeichneten Ausbeuten möglich[6]:

Durch Zugabe von Chlor in der jeweils stöchiometrischen Menge können auch partiell chlorierte Alkohole erhalten werden.

Hexafluor-2-hydroxy-2-trichlormethyl-propan[6]:

In der Flüssigphase: 200 g (1,1 Mol) Hexafluor-2-hydroxy-2-methyl-propan werden in einem 250-*ml*-Quarz-Kolben mit Magnetrührer, Einleitungsfritte und Trockeneis-Rückflußkühler bei Raumtemp. mit einer 450 W Hanovia Quecksilberdampf-Lampe bestrahlt, während gleichzeitig Chlor in einer Menge von 10 g/Stde. eingeleitet wird. Nach 2 Stdn. zeigt die gaschromatographische Analyse bereits die Bildung des monochlorierten Alkohols III an. Nach 5 Stdn. enthält das Reaktionsgemisch hauptsächlich den perchlorierten Alkohol I neben geringen Mengen II und III. Nach vollendeter Chlorierung (9 Stdn.) wird destilliert; Ausbeute: 266,5 g (85% d.Th.); Kp: 136–137°. Durch Redestillation der Vorläufe werden weitere 15,5 g gewonnen; Gesamtausbeute: 90% d.Th.

---

[1] Vgl. ds. Handb. Bd. V/3, S. 599ff.
[2] DBP 863656 (1953), Henkel u. Cie., Erf.: W. Scherff.
[3] A. Brochet, A. ch. **10**, 294 (1897).
   Fr. Pat. 960512 (1950), BASF; C. A. **46**, 5614 (1952).
   E. T. McBee, O. R. Pierce u. W. F. Marzluff, Am. Soc. **75**, 1609 (1953).
   L. Summers, Chem. Reviews **55**, 301 (1955).
   Vgl. auch ds. Handb., Bd. V/3, S. 599ff. und die dort zitierte Literatur.
[4] N. O. Brace, J. Org. Chem. **26**, 4005 (1961).
[5] G. A. Razuvaev, I. F. Spasskaya u. V. S. Etlis, Ž. obšč. Chim. **30**, 653 (1960); engl.: 675.
[6] R. E. A. Dear, Synthesis **1970**, 361.

In der Gasphase: Hexafluor-2-hydroxy-2-methyl-propan wird in einem Kolben verdampft und dann gasförmig mit Chlorgas im UV-Licht (wassergekühlte 450 W Tauchlampe) durch ein Quarz-Rohr geleitet. Die gasförmigen Produkte werden an einem Trockeneis-Rückflußkühler kondensiert. Während der Chlorierung steigt die Siedetemp. im Verdampferkolben von 64° auf 100°. Nach 20 Stdn. wird wie oben beschrieben aufgearbeitet; Ausbeute: 72% d.Th..

Entsprechend liefert 1,1,3,3-Tetrafluor-1,3-dichlor-2-hydroxy-2-methyl-propan neben wenig 1,1,3,3-Tetrafluor-1,3-dichlor-2-hydroxy-2-dichlormethyl-propan *1,1,3,3-Tetrafluor-1,3-dichlor-2-hydroxy-2-trichlormethyl-propan* (71% d.Th.; Kp: 195°)[1].

εε) Äther

Chlor reagiert auch bei Abwesenheit von Licht teilweise sehr heftig mit Äthern[2]. Die Photochlorierung von Dimethyläther in flüssiger Phase im UV-Licht bei tiefen Temperaturen liefert nur Gemische aus dem *Methyl-chlormethyl-äther*, *Methyl-dichlormethyl-äther* und *Bis-[chlormethyl]-äther*[1,2]. Die photochemische Weiterchlorierung des Methyl-chlormethyläthers zu Methyl-dichlormethyl-äther ist in der Flüssigphase in guten Ausbeuten möglich[3], eine verbesserte Methode ist aber die Photochlorierung in der Gasphase[4].

Bis-[chlormethyl]-äther[3,5]: In 2000 g Methyl-chlormethyl-äther (Kp: 59,5°; $n_D^{20} = 1,3974$) werden innerhalb 7 Stdn. unter Rühren und UV-Belichtung 1100 g Chlor (entsprechend 62,5% der theor. Menge), mit wenig Stickstoff verdünnt, eingeleitet, wobei die Temp. durch Außenkühlung zwischen 18 und 25° gehalten wird. Aus dem Chlorwasserstoff-Abgas kann man den mitgerissenen Methyl-chlormethyl-äther durch Kühlung auf $\sim -30°$ und Destillieren des Kondensats wiedergewinnen. Nach Beendigung der Umsetzung wird das Reaktionsgemisch nach Entfernung des gelösten Chlorwasserstoffs durch Auskochen über einer Jenaer Vakuummantel-Raschig-Kolonne bei einem Rücklaufverhältnis 1:10 fraktioniert, wobei folgende Produkte isoliert werden (Ausbeuten beziehen sich auf umgesetzten Methyl-chlormethyl-äther):

Methyl-dichlormethyl-äther	376 g (20% d.Th.);	Kp: 84– 85,5°
Bis-[chlormethyl]-äther	1174 g (62% d.Th.);	Kp: 101–103°
Chlormethyl-dichlormethyl-äther	36 g (2% d.Th.);	Kp: 130–132°

Außerdem werden aus dem Reaktionsprodukt und dem Kondensat der Abgase insgesamt 665 g Methyl-chlormethyl-äther wiedergewonnen. An Zwischenfraktionen bleiben 78 g (4,1%) eines hauptsächlich aus Bis-[dichlormethyl]-äther bestehenden Gemisches übrig, das nicht weiter getrennt wurde.

Nach der gleichen Vorschrift werden die folgenden chlorierten Dimethyläther weiterchloriert (äquimolare Mengen):

$$H_3C-O-CHCl_2 \ + \ Cl_2 \ \xrightarrow{h\nu/15-20°} \ \underset{\underset{Cl}{|}}{H_2C}-O-CHCl_2 \qquad 72\% \ d.Th. \ (bez. \ auf \ Einsatz)$$

$$\underset{\underset{Cl}{|}}{H_2C}-O-\underset{\underset{Cl}{|}}{CH_2} \ + \ Cl_2 \ \xrightarrow{h\nu/30-40°} \ \underset{\underset{Cl}{|}}{H_2C}-O-CHCl_2 \ + \ \underset{\underset{Cl}{|}}{H_2C}-O-CCl_3 \ + \ Cl_2HC-O-CHCl_2$$

$$\qquad\qquad\qquad\qquad\qquad\qquad\qquad\qquad I \qquad\qquad\qquad\quad II \qquad\qquad\qquad III$$

I; 70% d.Th. (bez. auf Umsatz)   II + III; 14% d.Th. (bez. auf Umsatz)

Unter gleichen Bedingungen nimmt bei der Photochlorierung die Reaktionsgeschwindigkeit in der Reihenfolge[5]

$$H_3C-O-CH_3 \ \rangle \ H_3C-O-CH_2Cl \ \rangle \ H_3C-O-CHCl_2 \ \rangle \ ClH_2C-O-CH_2Cl$$

ab. Der symmetrische Bis-[chlormethyl]-äther entsteht demnach mit größerer Wahrscheinlichkeit als der asymmetrische Methyl-dichlormethyl-äther.

---

[1] R. E. A. DEAR, Synthesis **1970**, 361.
[2] H. GROSS, Chem. Techn. **10**, 659 (1958).
[3] C. KLEBER, A. **246**, 97 (1888).
[4] A. RIECHE u. H. GROSS, Chem. Techn. **10**, 515 (1958).
[5] Vgl. ds. Handb., Bd. V/3, S. 603ff. und die dort zitierte Literatur.

Andererseits entsteht Methyl-chlormethyl-äther durch Methanolyse des symmetr. Bis-[chlormethyl]-äthers in Gegenwart von Chlorwasserstoff und Calciumchlorid (Ausbeute bis zu 89% d.Th.)[1]. In einem „Kreisprozeß" kann demnach aus Methyl-chlormethyl-äther in beliebiger Menge der asymmetrische Methyl-dichlormethyl-äther gebildet werden:

$$\begin{array}{c} \xrightarrow{\;\;h\nu\,/\,Cl_2\;\;} \quad H_3C-O-CHCl_2 \quad + \quad ClH_2C-O-CH_2Cl \\[1em] H_3C-O-CH_2Cl \\[1em] \xleftarrow{\;\;CH_3OH\,/\,HCl\,/\,CaCl_2\;\;} \end{array}$$

Wesentlich rationeller läßt sich der asymmetrische Methyl-dichlormethyl-äther durch Photochlorierung von Methyl-chlormethyl-äther in der Gasphase herstellen. Eine geeignete Apparatur zeigt die Abb. 60.

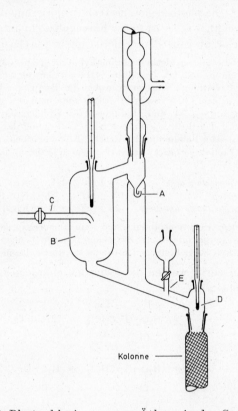

Abb. 60. Photochlorierung von Äthern in der Gasphase[2]

Methyl-dichlormethyl-äther[2]: In einen Destillationskolben, der über eine Kolonne und den Chlorierungsaufsatz mit einem Rückflußkühler verbunden ist, bringt man Methyl-chlormethyl-äther und erhitzt zum Sieden. Durch eine Verengung bei A wird erreicht, daß der Monochloräther-Dampf durch den Reaktionsraum B und nicht durch A strömt. Die wieder kondensierte Flüssigkeit tropft durch A zurück in die Kolonne. Bei C wird unter Belichtung mit einer UV-Lampe Chlor, das man zweckmäßig mit Stickstoff verdünnt, in der Weise eingeleitet, daß die Temp. im Reaktionsraum immer zwischen 90 und 95° liegt. Das Reaktionsprodukt tropft nach der Kondensation im Rückflußkühler wieder in die Kolonne, wo die beiden dichlorierten von dem monochlorierten Äther abgetrennt werden. Hierdurch

[1] Vgl. auch ds. Handb., Bd. V/3, S. 603.
[2] H. GROSS, Chem. Techn. **10**, 659 (1958).

wird erreicht, daß immer nur Methyl-chlormethyl-äther in den Reaktionsraum gelangt. Die Reaktion wird unterbrochen, wenn die Temp. bei D auf 64° gestiegen ist (Methyl-chlormethyl-äther Kp: 60°). Die Abgase läßt man zwecks Kondensation der mitgerissenen Ausgangsverbindung durch eine Kühlfalle strömen und kann sie dann in eine Mischung von Formaldehyd und Methanol leiten, wodurch nach Gleichung[1]

$$HCHO + HCl + CH_3OH \longrightarrow H_3C-O-CH_2Cl + H_2O$$

wieder Methyl-chlormethyl-äther erhalten wird.

So erhält man z. B. aus 599 g Methyl-chlormethyl-äther neben 8 g (0,7% d. Th.) Chlor-methyl-dichlormethyl-äther 225 g (26,3% d. Th.) *Methyl-dichlormethyl-äther*. Der zusätzlich anfallende Bis-[chlormethyl]-äther (459 g; 53,6% d. Th.) liefert nach Methanolyse 550 g Ausgangsverbindung, aus den Chlorwasserstoff-Abgasen läßt sich ebenfalls Methyl-chlor-methyl-äther gewinnen[1].

Bei kontinuierlicher Chlorierung wird über den Tropftrichter E laufend Methyl-chlormethyl-äther zugetropft und eine entsprechende Menge Chlorierungsprodukt aus dem Destillationskolben abgezogen.

Die Gasphasenchlorierung in der gezeigten Apparatur hat folgende Vorteile:

① Die Bildung höherchlorierter Produkte wird vermieden, weil das Kondensat nicht durch den heißen Reaktionsraum B zurücktropft, und andererseits durch die Trennwirkung der Kolonne stets nur die Komponente mit dem tiefsten Siedepunkt, d. h. der zu chlorierende Äther, in den Reaktionsraum B hineinverdampft.

② Verhältnis $H_3C-O-CHCl_2 : ClH_2C-O-CH_2Cl = 1:3$ (bei Flüssigphasenchlorierung $= 1:2$)

③ Auch Dimethyläther selbst kann photochloriert werden. Anstelle des Tropftrichters E ist ein Gaseinleitungsrohr angebracht, durch das abs. trockener Dimethyläther eingeleitet wird.

④ Als Lösungs- und Verdünnungsmittel kann prinzipiell auch Tetrachlormethan in den Destillations-kolben vorgelegt werden.

Die Photochlorierung von Diäthyläther wird bevorzugt bei tiefen Temperaturen $(-25°)$ ausgeführt[2]. Nähere Angaben hierzu finden sich in ds. Handb., Bd. V/3, S. 604. Dort wird auch die photochemische Weiterchlorierung von partiell chloriertem Diäthyläther (u. a. zur Herstellung von Chloral) behandelt.

Zur Herstellung von chlorierten Äthern kann man auch den Äther bei Temp. von $-50°$ zunächst unter weitgehendem Ausschluß von Licht mit einer Teilmenge flüssigen Chlors mischen und löst die Photochlorierung durch eine Tauchlampe aus. Dabei ist fortwährende Kühlung erforderlich, damit die Temp. nicht höher als $-40°$ ansteigt. Die Chlorierungsgeschwindigkeit läßt sich durch Heben und Senken der Tauchlampe regeln. Wenn die erste Teilmenge Chlor verbraucht ist, wird die Lampe vorübergehend wieder entfernt, eine weitere Teilmenge flüssigen Chlors zugesetzt und die Belichtung wieder aufge-nommen.

Nach dieser Methode[3] erhält man aus 2,85 kg Dimethyläther und insgesamt 570 g Chlor durch Destillation 2,48 kg nicht umgesetzten Dimethyläther zurück und 620 g *Methyl-chlormethyl-äther* (96% d. Th., bez. auf Umsatz).

Aus Methyl-chlormethyl-äther erhält man auf diese Weise bei -10 bis $+10°$ in 97%iger Ausbeute *Bis-[chlormethyl]-äther*[3].

Die Chlorierung von 1,2-Dichlor-1,2-diäthoxy-äthan (I) bei tiefen Temperaturen im UV-Licht führt zur Chlor-Substitution in α'-Stellung[4,5] und liefert *1,2-Dichlor-1,2-bis-[1-chlor-äthoxy]-äthan* (III; 35% d. Th.). Die Photochlorierung bei 70° im Umlaufver-fahren[4] ergibt nach 12 Stdn. neben dem chlorierten Äther III (30% d. Th.) *1,2-Dichlor-2-*

[1] Vgl. ds. Handb., Bd. V/3, S. 841.
[2] G. E. HALL u. F. M. UBERTINI, J. Org. Chem. **15**, 715 (1950).
[3] DBP 857949 (1952), BASF, Erf.: A. CANTZLER, H. INDEST, H. KREKELER u. R. LEUTNER.
[4] H. BAGANZ u. L. DOMASCHKE, Ang. Ch. **74**, 144 (1962).
[5] H. BAGANZ u. L. DOMASCHKE, B. **92**, 3170 (1959).

äthoxy-1-(1-chlor-äthoxy)-äthan (II; 25% d.Th.):

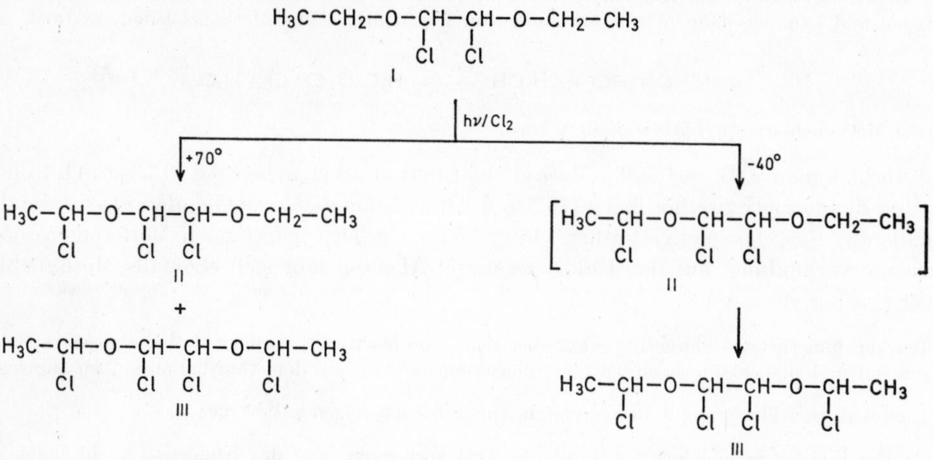

$$H_3C-CH_2-O-CH-CH-O-CH_2-CH_3$$
$$\overset{|}{Cl}\quad\overset{|}{Cl}$$
I

$$h\nu/Cl_2$$

+70° .... −40°

$$H_3C-CH-O-CH-CH-O-CH_2-CH_3$$
$$\overset{|}{Cl}\quad\overset{|}{Cl}\quad\overset{|}{Cl}$$
II

+

$$H_3C-CH-O-CH-CH-O-CH-CH_3$$
$$\overset{|}{Cl}\quad\overset{|}{Cl}\ \overset{|}{Cl}\quad\overset{|}{Cl}$$
III

$$\left[H_3C-CH-O-CH-CH-O-CH_2-CH_3 \right]$$
$$\overset{|}{Cl}\quad\overset{|}{Cl}\quad\overset{|}{Cl}$$
II

$$H_3C-CH-O-CH-CH-O-CH-CH_3$$
$$\overset{|}{Cl}\quad\overset{|}{Cl}\quad\overset{|}{Cl}\quad\overset{|}{Cl}$$
III

Die Photochlorierung fluorierter aliphatischer Äther[1] ist ausführlich in ds. Handb., Bd. V/3, S. 607,608 beschrieben. Neuere Untersuchungen zur Photochlorierung fluorierter Äther wurden mit (1,1,2-Trifluor-2-chlor-äthyl)-propyl-äther durchgeführt[2].

Bei cyclischen gesättigten Äthern ist die Zusammensetzung der Photochlorierungsprodukte von der Reaktionstemperatur abhängig[3]. Chloriert man z. B. Tetrahydrofuran zwischen 0 und 36°, so erhält man ausschließlich *2,3-Dichlor-tetrahydrofuran* (VI) (und evtl. höherchlorierte Produkte):

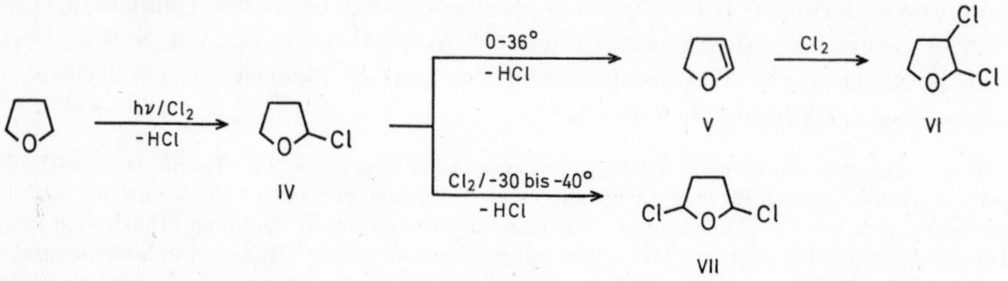

Die Primärreaktion ist die Bildung von 2-Chlor-tetrahydrofuran (IV), das bei Raumtemp. unter Chlorwasserstoff-Abspaltung in 4,5-Dihydro-furan (V) übergeht, das dann sofort Chlor unter Bildung von VI anlagert[3],[4].

2-Chlor-tetrahydrofuran[3] (IV): Man kondensiert 142 g trockenes Chlor in einer Kühlfalle und verbindet deren Austritt mit dem Gaseinleiterohr eines mit Rührer, Innenthermometer und Gasableitung versehenen Quarzkolbens, in dem sich 144 g trockenes Tetrahydrofuran befindet. Der Reaktionskolben wird in einem Trockeneis/Methanol-Bad bis auf ∼ −35° Innentemp. abgekühlt. Dann beginnt man langsam unter Rühren und UV-Belichtung mit der Chlorierung, indem man Stickstoff durch das flüssige

[1] J. D. PARK, D. M. GRIFFIN u. J. R. LACHER, Am. Soc. **74**, 2292 (1952).
    J. D. PARK, B. STRICKLIN u. J. R. LACHER, Am. Soc. **76**, 1387 (1954).
    J. D. PARK et al., J. Org. Chem. **23**, 1474 (1958).
    K. E. RAPP et al., Am. Soc. **74**, 750 (1952).
[2] J. D. PARK et al., J. Org. Chem. **26**, 2085 (1961).
[3] H. GROSS, B. **95**, 83 (1962).
    H. GROSS, Ang. Ch. **72**, 268 (1960); die photochemische Tieftemperatur-Chlorierung bei −30 bis −40° führt je nach Chlormenge zu IV oder VII.
[4] Eine Vorschrift zur Herstellung von VI enthält ds. Handb. Bd. V/3, S. 609 (vgl. auch die dort erwähnte Literatur).

Chlor leitet. Wenn die Reaktion in Gang gekommen ist, kenntlich am Ansteigen der Innentemperatur, kann die Chlorierung beschleunigt werden. Während der Reaktion soll die Innentemp. –30° bis –35° betragen; der Kolbeninhalt darf höchstens ganz schwach gelb gefärbt sein. Nach Beendigung der Chlorierung (∼ 5–6 Stdn.) wird sofort i. Vak. fraktioniert, wobei zwischen Wasserstrahlpumpe und Destillationsapparatur eine Kühlfalle (–70°) geschaltet wird; Ausbeute: 80,7 g (38% d.Th.); Kp$_9$: 28–31°; n$_D^{20}$ = 1,4607.

Es empfiehlt sich, 2-Chlor-tetrahydrofuran gut verschlossen im Tiefkühlschrank aufzubewahren. Bei der Darstellung und allen weiteren Operationen ist sorgfältigster Ausschluß von Luftfeuchtigkeit unerläßlich.

2,5-Dichlor-tetrahydrofuran (VII): In die auf S. 108 beschriebene Apparatur kommen 72 g Tetrahydrofuran und 80 ml Tetrachlormethan. Dann werden wie oben 142 g Chlor, ebenfalls mit Stickstoff verdünnt, eingeleitet. Wenn etwa die Hälfte des Chlors eingeleitet ist, verläuft die Umsetzung deutlich langsamer. Man hält die Reaktionstemp. dann zweckmäßig zwischen –28° und –30°. Wenn nach ∼ 8–9 Stdn. die Umsetzung beendet ist, destilliert man zunächst an der Wasserstrahlpumpe das Tetrachlormethan ab. Das rohe Chlorierungsgemisch wird dann einmal i. Hochvak. bei einer Badtemp. bis 55° destilliert[1], wobei als Vorlage eine entsprechend dimensionierte Kühlfalle verwendet wird. Die Vorlage wird mit Trockeneis/Methanol auf ∼ –50° gekühlt. Das so erhaltene Destillat wird dann über eine Kolonne im Wasserstrahl-Vak. fraktioniert. Neben 2,3-Dichlor-tetrahydrofuran und einer kleinen Menge 2-Chlor-tetrahydrofuran erhält man 2,5-Dichlor-tetrahydrofuran: 64 g (45% d.Th.); Kp$_{12}$: 61–64°; n$_D^{20}$ = 1,4858.

Wie bei allen Äthern ist der Einfluß des Sauerstoffs für die Primärchlorierung an der α-Stellung maßgebend. Schwächt man den Einfluß des Sauerstoffs durch Bildung eines Bortrifluorid-Adduktes ab, so erfolgt die Chlorierung auch in der β-Stellung; z. B.:

2,3-Dichlor-tetrahydrofuran

3-Chlor-tetrahydrofuran

Nach dieser Arbeitsweise sind erstmalig β-Chlor-äther durch direkte Chlorierung von Äthern zugänglich[2].

Sind die 3- und 4-Stellung des Tetrahydrofurans vollständig, z. B. durch Fluor, substituiert, so findet die Photochlorierung an der 2- und 5-Stellung statt[3]; z. B.:

3,3,4,4-Tetrafluor-tetrachlor-tetrahydrofuran; Kp: 131–132°

3,3,4,4,5,5-Hexafluor-tetrahydropyran ergibt entsprechend 3,3,4,4,5,5-Hexafluor-2,2,6,6-tetrachlor-tetrahydropyran (89% d.Th.; Kp$_{737}$: 159°)[3].

Durch Umsetzung von 2-Oxo-1,3-dioxolan mit Chlor im UV-Licht bei 63–70° erhält man 4-Chlor-2-oxo-1,3-dioxolan. Als Nebenprodukt entsteht in Abhängigkeit von den

---

[1] Diese Art der Aufarbeitung ist empfehlenswert zur Abtrennung des gebildeten VII von geringen Mengen schwererflüchtiger Nebenprodukte. Eine gelegentlich beobachtete spontane Chlorwasserstoff-Abspaltung unter Verharzung des Chlorierungsproduktes wird dadurch vermieden.

[2] H. Göbel, Dissertation Universität Marburg 1951.

[3] A. L. Henne u. S. B. Richter, Am. Soc. **74**, 5420 (1952).

Reaktionsbedingungen (Temperatur und Dimensionierung des Reaktionsraumes[1]) mehr oder weniger *4,5-Dichlor-2-oxo-1,3-dioxolan*[2]. In Tetrachlormethan als Lösungsmittel verläuft die Chlorierung bei 75° unter Belichtung bereits bis zur Bildung von *4,4,5,5-Tetra-chlor-2-oxo-1,3-dioxolan*[3].

4-Chlor-2-oxo-1,3-dioxolan[2]:

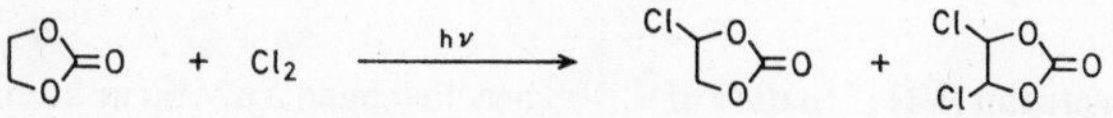

Ein Chlorstrom wird bei 63–70° durch 303 g (3,44 Mol) frisch dest. 2-Oxo-1,3-dioxolan geleitet. Als Lichtquelle dient eine UV-Lampe. Nach 24 Stdn. beträgt die Gewichtszunahme 119 g (entsprechend 3,44 Mol für die Monochlorierung). Die Rektifikation i. Vak. ergibt 28 g (5,2% d. Th.) *4,5-Dichlor-2-oxo-1,3-dioxolan* (Kp_{19-20}: 78–79°; $n_D^{25} = 1,4610$) und 291 g (69% d. Th.) *4-Chlor-2-oxo-1,3-dioxolan* (Kp_{10-11}: 106–107°; $n_D^{25} = 1,4530$).

Die Dehydrochlorierung von 4-Chlor-2-oxo-1,3-dioxolan in ätherischer Lösung in Gegenwart von Triäthylamin ergibt in 60%-iger Ausbeute *2-Oxo-1,3-dioxol* (Kp_{32}: 73–74°; $n_D^{25} = 1,4190$).

4,5-Dichlor-2-oxo-1,3-dioxolan[2]:
In einer Umlaufapparatur mit einem Verhältnis von Höhe zu mittlerem Durchmesser von 20:1 werden 390 g 2-Oxo-1,3-dioxolan auf 60° erwärmt und unter Belichtung (125 W UV-Lampe) 6 Stdn. lang 725 g Chlor und 50 g Stickstoff je Stunde eingeleitet. Aufarbeitung durch fraktionierende Destillation; Ausbeute: 623 g (88% d. Th.); Kp_{18}: 78–82°; $n_D^{23} = 1,4628$.

Alkanphosphonsäure-dichloride sind ebenfalls photochemisch chlorierbar[4]; z. B.:

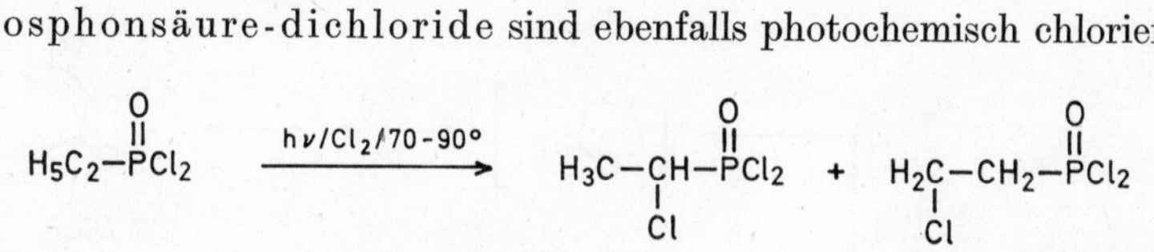

1-Chlor-äthanphosphon-säure-dichlorid; 10% d. Th.; $Kp_{0,8}$: 35–35°

2-Chlor-äthanphosphon-säure-dichlorid; 36% d. Th.; $Kp_{0,8}$: 59°

Die Photochlorierung von 1,4-Dioxan ist bereits ausführlich in ds. Handb., Bd. V/3, S. 610 beschrieben.

ζζ) Aldehyde

Aldehyde reagieren mit Chlor sehr heftig, und eine direkte Photochlorierung von Aldehyden an der α-Stellung ist nur in wenigen Fällen möglich[5]. Man erhält vielmehr niedere aliphatische α-Chlor-aldehyde oder in einigen Fällen dichlorierte Aldehydacetale durch Zusatz von niederen aliphatischen Alkoholen mit Chlor[6].

α-Monochlorierte Aldehyde werden durch Reaktion von Aldehyden mit Sulfuryl-chlorid in inerten Lösungsmitteln gebildet[7].

Die Photochlorierung aliphatischer gesättigter oder ungesättigter Aldehyde unter Substitution sämtlicher α-Wasserstoff-Atome gelingt jedoch in Gegenwart von Carbonsäureamiden wie z. B. Formamid, N,N-Dimethyl-formamid oder 2-Oxo-1-methyl-pyrrolidin bei Temperaturen von 0–30° unter Bestrahlung mit Licht der Wellenlänge 300–500 nm[8].

---

[1] DOS 1643743 (1971), BASF, Erf.: R. Widder u. F. Reicheneder.
[2] M. S. Newman u. R. W. Addor, Am. Soc. **75**, 1263 (1953); **77**, 3789 (1955).
[3] US. P. 2816287 (1957), Dupont, Erf.: E. K. Ellingboe u. L. R. Melby; C. A. **52**, 12899ᵍ (1958).
[4] DBP 2023050 (1972), Farbwerke Hoechst AG.
[5] Vgl. ds. Handb., Bd. V/3, S. 611.
[6] Vgl. ds. Handb., Bd. V/3, S. 601.
[7] C. L. Stevens, E. Farkas u. B. Gillés, Am. Soc. **76**, 2695 (1954).
[8] DOS 1618080 (1967), BASF, Erf.: F. Reicheneder u. H. Fuchs.

2-Chlor-2-methyl-propanal[1]:

$$H_3C-\underset{\underset{CH_3}{|}}{CH}-CHO \quad\xrightarrow[-HCl]{h\nu/Cl_2/DMF}\quad H_3C-\underset{\underset{CH_3}{|}}{\overset{\overset{Cl}{|}}{C}}-CHO$$

In einer Glasumlauf-Apparatur werden 1000 g N,N-Dimethyl-formamid und 300 g 2-Methyl-propanal vermischt. Bei einer Temp. von $\sim +10°$ werden unter Belichtung mit einer 200 W Glühlampe ~ 300 g Chlor mit einer Geschwindigkeit von 80 g/Stde. eingeleitet. Grünfärbung der Lösung zeigt das Ende der Chlorierung an. Nach destillativer Aufarbeitung erhält man 420 g (94,5% d.Th.); Kp: 86–90°; $n_D^{20} = 1,4125$.

Ebenso werden chloriert[2]:

Propanal $\rightarrow$ *2,2-Dichlor-propanal*   89% d.Th.; Kp: 86°; $n_D^{20} = 1,4312$

Butanal $\rightarrow$ *2,2-Dichlor-butanal*   82% d.Th.; Kp: 116–118°; $n_D^{20} = 1,4420$

Bei ungesättigten Aldehyden findet zunächst Addition des Chlors an die Doppelbindung statt. Anschließend erfolgt Substitution an der α-Stellung[1]. Acrolein läßt sich z. B. in *2,2,3-Trichlor-propanal* (50% d.Th.; Kp: 52–54°) überführen:

$$H_2C=CH-CHO \xrightarrow{h\nu/Cl_2/DMF} \left[H_2C-\underset{\underset{Cl}{|}}{CH}-CHO \atop \underset{Cl}{} \right] \xrightarrow[-HCl]{Cl_2} H_2C-\underset{\underset{Cl}{|}}{\overset{\overset{Cl}{|}}{C}}-CHO$$

Unter etwas drastischeren Reaktionsbedingungen bei 50–60° werden die α-perchlorierten Aldehyde unter UV-Bestrahlung oder in Gegenwart von z. B. Acetyl-cyclohexylsulfonyl-peroxid oxidativ zu Carbonsäure-chloriden weiterchloriert[1]:

$$R-CCl_2-CHO + Cl_2 \xrightarrow{h\nu} R-CCl_2-CO-Cl + HCl$$

Bei 2,2-Dichlor-propanal findet bei 50–60° in geringem Ausmaß auch Spaltung statt unter Bildung von *1,1,1-Trichlor-äthan* und Phosgen[1]:

$$H_3C-CCl_2-CHO \xrightarrow[-H^\bullet]{h\nu \text{ oder } R^\bullet} H_3C-CCl_2-\overset{\bullet}{C}O$$

$$H_3C-CCl_2-\overset{\bullet}{C}O \longrightarrow H_3C-\overset{\bullet}{C}Cl_2 + CO$$

$$H_3C-\overset{\bullet}{C}Cl_2 + Cl_2 \longrightarrow H_3C-CCl_3 + Cl\bullet$$

$$CO + 2 Cl\bullet \longrightarrow COCl_2$$

Dichlor-essigsäure-chlorid[1]: 30 g Dichlor-acetaldehyd werden in einem Quarz-Kolben (Rückflußkühler, Thermometer, Einleitungsfritte) unter Bestrahlung mit einer Quecksilberdampf-Lampe (Abstand 9 cm) mit Chlor begast. Die Temp. wird über 10 Stdn. bei 50–60° gehalten. Die gasförmigen Produkte werden in einer Falle bei –80° kondensiert. Nach Beendigung der Chlor-Einleitung wird das Gemisch mit Marmor neutralisiert und nach 3–4 Tagen fraktionierend destilliert. Man erhält 24 g Chlorierungsprodukte, davon 11,5 g (34% d.Th.) Dichlor-acetylchlorid; Kp: 107–108° und 3,8 g Dichlor- essigsäure; Kp_4: 76–78° (das im Marmor enthaltene Wasser bewirkt Hydrolyse).

Ähnlich führt die Photochlorierung von 2-Oxo-propanal-Hydrat unter Oxidation[3] zu *3,3-Dichlor-2-oxo-propansäure* (81% d.Th.; F: 119°).

---

[1] G. A. RAZUVAEV, I. F. SPASSKAYA u. V. S. ETLIS, Ž. obšč. Chim. **29**, 2978 (1959); engl.: 2942.

[2] DOS 1618080 (1967), BASF, Erf.: F. REICHENEDER u. H. FUCHS.

[3] G. A. RAZUVAEV, I. F. SPASSKAYA u. V. S. ETLIS, Ž. obšč. Chim. **30**, 653 (1960); engl.: 675.

$\eta\eta$) Ketone

Die Chlorierung von Ketonen verläuft auch ohne Anwesenheit von Licht bereits sehr leicht und führt oft nicht zu einheitlichen Produkten[1]. Bei der Photochlorierung von 2-Oxo-butan in der Gasphase enthält die Monochlorid-Fraktion *1-Chlor-2-oxo-butan* (29%) und *3-Chlor-2-oxo-butan* (71%)[2]. Chlorierung am β-Kohlenstoff-Atom wurde nicht beobachtet[2].

Nach Untersuchungen anderer Autoren[3] werden einfache aliphatische Ketone unter drastischen Bedingungen photochemisch perchloriert:

$$\underset{\substack{|\\ \text{CH}_3}}{\text{H}_3\text{C}-\text{CO}-\text{CH}-\text{CH}_3} \;+\; \text{Cl}_2 \quad \xrightarrow{\;h\nu\,/130\text{-}150^\circ\;}\quad \text{Cl}_3\text{C}-\text{CO}-\underset{\substack{|\\ \text{Cl}}}{\overset{\substack{\text{CCl}_3\\ |}}{\text{C}}}-\text{CCl}_3$$

$$\underset{\substack{|\\ \text{CH}_3}}{\text{H}_3\text{C}-\text{CO}-\overset{\substack{\text{CH}_3\\|}}{\text{C}}-\text{CH}_3} \;+\; \text{Cl}_2 \quad \xrightarrow{\;h\nu\;}\quad \text{Cl}_3\text{C}-\text{CO}-\underset{\substack{|\\ \text{CCl}_3}}{\overset{\substack{\text{CCl}_3\\ |}}{\text{C}}}-\text{CCl}_3$$

Hexachlor-3-oxo-2,2-bis-[trichlormethyl]-butan; 70% d. Th.

Teilweise läuft die Perchlorierung auch unter Umlagerung und Fragmentierung ab[3]:

$$\underset{\substack{|\\ \text{CH}_3}}{\text{H}_3\text{C}-\text{CO}-\text{CH}-\text{CH}_2-\text{CH}_3} \;+\; \text{Cl}_2 \quad \xrightarrow{\;h\cdot\nu\;}\quad \text{Cl}_3\text{C}-\text{CO}-\underset{\substack{|\\ \text{Cl}}}{\overset{\substack{\text{CCl}_3\\ |}}{\text{C}}}-\text{CCl}_2-\text{CCl}_3 \;+\; \text{Cl}_3\text{C}-\text{CCl}_3$$

$$+\; \text{Cl}_3\text{C}-\text{CO}-\text{CCl}_2-\text{CCl}_3$$

Octachlor-2-oxo-butan[3,4]; 72% d. Th.

Decachlor-3-oxo-pentan[3]: 60 g 3-Oxo-pentan werden unter Belichtung bei 120–130° chloriert (Dauer: 40 Stdn.). Um im Reaktionsgemisch gelöstes Chlor auszutreiben, wird für kurze Zeit ein Luftstrom durchgeblasen, wobei die ganze Masse kristallin erstarrt; Ausbeute: 340 g (100% d. Th.); $Kp_{0,02}$: 127–130°; F: 100–101° (aus Benzol).

Heptachlor-3-oxo-2-trichlormethyl-butan[3]: 70 g 3-Oxo-2-methyl-butan werden bei 130–145° während 72 Stdn. chloriert; nach dieser Zeit entweichen nur noch geringe Mengen Chlorwasserstoff. Nach Fraktionieren des rohen Chlorierungsgemisches (260 g) fallen 195 g (49% d. Th.) des Produktes als Öl ($Kp_{0,04}$: 90–93°) an, das beim Kühlen und nach Animpfen gänzlich erstarrt. Nach 2maligem Umkristallisieren aus Petroläther F: 20–21°.

Definierte Chlor-acetone sind durch direkte Photochlorierung von Aceton nicht herstellbar[5]. Ein elegantes Verfahren zur Herstellung von *1,1,3-Trichlor-aceton* und *1,3-Dichlor-aceton* ist die photochemische Chlorierung von 2-Chlormethyl-oxiran (Epichlorhydrin) oder 1,3-Dichlor-2-hydroxy-propan im Sonnenlicht[6]:

$$\underset{\text{O}}{\overset{\text{CH}_2\text{Cl}}{\triangle}} \quad \xrightarrow{\;h\nu/\frac{1}{2}\text{Cl}_2/\text{schnell}\;}\quad \underset{\substack{\|\\ \text{O}}}{\text{ClH}_2\text{C}-\text{C}-\text{CH}_2\text{Cl}} \quad \xrightarrow{\;h\nu/\frac{1}{2}\text{Cl}_2/\text{langsam}\;}\quad \underset{\substack{\|\\ \text{O}}}{\text{Cl}_2\text{HC}-\text{C}-\text{CH}_2\text{Cl}}$$

---

[1] Vgl. ds. Handb., Bd. V/3, S. 616ff.
[2] A. Bruylants u. J. Houssiau, Bull. Soc. chim. belges **61**, 492 (1952).
[3] M. Geiger, E. Usteri u. C. Gränacher, Helv. **34**, 1335 (1951).
[4] Vgl. A. Roedig u. H. J. Becker, B. **89**, 907 (1956).
    S. a. ds. Handb., Bd. V/3, S. 617.
[5] Vgl. ds. Handb., Bd. V/3, S. 615–617.
[6] DDRP. 26259 (1960), C. Küchler u. H. Milker.

Höher chlorierte Produkte entstehen nur geringfügig, weil die Weiterchlorierung des 1,1,3-Trichlor-acetons nur sehr langsam vor sich geht. Die Umsetzung verläuft am besten im Sonnenlicht, kurzwelliges UV-Licht ist weniger geeignet.

1,1,3-Trichlor-aceton[1]: Man löst 400 Teile Epichlorhydrin in 800 Teilen Tetrachlormethan in einem Gefäß aus Geräteglas, sättigt nahezu mit Chlor und setzt das Gefäß dem direkten Sonnenlicht aus. Nach einiger Verzögerung tritt lebhafte Reaktion ein, die gegebenenfalls durch Kühlung oder Abblenden des Lichtes gehemmt werden kann. Die Temp. wird unter 40° gehalten. Wenn die Farbe vom Chlor nahezu verschwunden ist, sättigt man wieder mit Chlor und wiederholt den Vorgang so oft, bis der Verbrauch des Chlors in der Sonne nur noch sehr langsam erfolgt (Versuchsdauer 1–14 Tage je nach Sonnenintensität und Größe des Ansatzes). Die Vollständigkeit der Reaktion ist an der Wasserlöslichkeit einer Destillationsfraktion von Kp: 165–178° zu erkennen. Die Aufarbeitung erfolgt durch Destillation bei Normaldruck oder i. Vak.; Ausbeute: 450–550 Teile (64–78% d.Th.); Kp_{769}: 170–180°; Kp_{10}: 50–60°.

Das Produkt ist für die meisten Zwecke rein genug. Zur weiteren Reinigung löst man in der gleichen Menge Wasser durch längeres Schütteln. Bei 0° scheidet sich kristallin das Trihydrat des Trichlor-acetons ab; Ausbeute: 350–450 Teile (37–48% d.Th.); F: 30–40°.

Bei der Photochlorierung von cyclischen Ketonen tritt das Chlor zuerst in die α-Stellung und danach in die α'-Stellung ein. Als Katalysatoren, die die Reaktionszeiten beträchtlich verkürzen, sind freie Säuren und vor allem Jod geeignet[2]. Selbstkondensation der cyclischen Ketone in Gegenwart von Säuren findet bei der Photochlorierung durch die gebildete Salzsäure als Nebenreaktion zwar auch statt, doch ist die Zugabe von Neutralisationsmitteln nicht zu empfehlen[2], weil die α-Halogen-ketone sehr alkaliempfindlich sind.

2-Chlor-1-oxo-cyclopentan[2,3]: In einem Dreihalskolben (1 l) mit Rührvorrichtung, Thermometer, Gaseinleitungsrohr und Gasauslaß, der in einen Abzug führt, werden 84 g (1 Mol) Cyclopentanon in 300 ml Methanol gelöst und mit einigen Körnchen Jod versetzt. Das Einleitungsrohr endet vorteilhaft in einer Glasfritte, um eine möglichst feine Verteilung des Chlors zu erreichen. Unter starkem Rühren und Belichtung mit einer Mischlichtlampe (160 Watt) wird Chlor eingeleitet. Sobald die Reaktion anspringt, was man am Verschwinden der Jodfarbe sowie am Temperaturanstieg erkennt, kühlt man die Lösung auf 0° ab. Man regelt die Chlor-Zufuhr so, daß die Temp. nicht über 5° ansteigt; andererseits darf man aber die Reaktion nicht zum Stillstand kommen lassen, was sich am Auftreten der grünen Chlorfarbe zeigt. Sobald die ber. Menge Chlor (71 g) aufgenommen ist, zieht man i. Vak. bei tiefer Temp. das Methanol ab und destilliert. Die ganze Aufarbeitung hat in einem Zuge zu erfolgen, um Kondensationsreaktionen in der stark sauren Lösung zu vermeiden. Es ist zweckmäßig, das Chlorketon 2mal zu fraktionieren; Rohfraktion: Kp_{11}: 70–85°; Feindestillation: Kp_{12}: 78–90°; Ausbeute: 59–71g (50–60% d.Th.).

2-Chlor-1-oxo-cyclopentan riecht blumig angenehm und hält sich ohne wesentliche Verfärbung wochenlang.

Nach der gleichen Vorschrift erhält man bei 20° *2-Chlor-1-oxo-cyclohexan*[2] (70–75% d.Th.; Kp_{11}: 78–79°) aus Cyclohexanon. Bei der Chlorierung in Wasser beträgt die Ausbeute nur 60%[4]. Analog läßt sich bei 25–30° aus Cycloheptanon *2-Chlor-1-oxo-cycloheptan* (80% d.Th.; Kp_{12}: 93–95°) gewinnen[2,5]; auch die Herstellung von *2,7-Dichlor-1-oxo-cycloheptan* (85–90% d.Th.; Kp_{12}: 120–130°) gelingt[5,6].

Noch leichter gelingt die Photochlorierung von Cyclooctanon zu *2,8-Dichlor-1-oxo-cyclooctan* und geringeren Mengen von *2,2,8-Trichlor-1-oxo-cyclooctan*[7]:

---

[1] DDRP. 26259 (1960), C. Küchler u. H. Milker.

[2] G. Hesse, G. Krehbiel u. F. Rämisch, A. **592**, 137 (1955).

[3] Nach der Vorschrift in ds. Handb., Bd. V/3, S. 620 beträgt die Ausbeute 64% d.Th.; Calciumcarbonat wird als Neutralisationsmittel verwendet.

[4] M. S. Newman, M. D. Farbman u. H. Hipsher, Organic Synthesis, Coll. Vol. III, 188 (1955).

[5] G. Hesse u. G. Krehbiel, A. **593**, 42 (1955).

[6] Arbeitsvorschrift: siehe ds. Handb., Bd. V/3, S. 621.

[7] G. Hesse u. F. Urbanek, B. **91**, 2733 (1958).

Die Trichlor-Verbindung kann durch Änderung der Reaktionsbedingungen nicht zum Hauptprodukt gemacht werden. Die Verwendung von Tetrachlormethan als Lösungsmittel bietet keine Vorteile; auch mit Sulfonylchlorid als Chlorierungsmittel werden nur schlechtere Ausbeuten erhalten.

2,8-Dichlor-1-oxo-cyclooctan[1]: In einem 500-*ml*-Dreihalskolben mit gasdichtem Rührverschluß, Quecksilber-Tauchlampe (Quarz), Rückflußkühler, Thermometer und Gaseinleitungsrohr werden 88,2 g (0,7 Mol) Cyclooctanon vorgelegt. Dazu gibt man 250 *ml* reines Methanol (zuvor mit 10% halbkonz. Schwefelsäure versetzt und destilliert). Die Mischung wird mit einem Körnchen Jod versetzt und in raschem Strom innerhalb von ~ 3 Stdn. 140 g Chlor eingeleitet. In Lampennähe wird ein leichtes Sieden beobachtet, und die Lösung färbt sich während der Reaktion dunkel. Während der Chlor-Einleitung wird der Kolben mit Eiswasser gekühlt. Nach Aufnahme der erforderlichen Chlormenge wird das Lösungsmittel auf dem Wasserbad abgesaugt, der Rückstand mit Äther aufgenommen und so durch Nebenreaktionen entstandenes Wasser abgetrennt. Die Äther-Lösung wird mit Calciumchlorid getrocknet, eingedampft und der Rückstand i. Vak. destilliert; Rohausbeute: 138,2 g; $Kp_{0,2}$: 97–120° (Hauptmenge 105°). Das farblose Öl erstarrt im Kühlschrank.

Reines 2,8-Dichlor-1-oxo-cyclooctan erhält man durch Rektifikation. Die Fraktion $Kp_{0,01}$: 72–82° wird aus wässr. Ameisensäure umkristallisiert; Ausbeute: 60–70% d.Th.; F: 47–48°.

Der Nachlauf der Rektifikation ($Kp_{0,2}$: 105–110°) ergibt nach Umkristallisieren aus Petroläther *2,2,8-Trichlor-1-oxo-cyclooctan*; Ausbeute: 10% d.Th.; F: 89–90° (farblose Nadeln).

Bei α-**Diketonen** ist der Enol-gehalt für die Halogenierung von Bedeutung[2]. α-Chlor-cycloalkanone können ebenfalls auf einfache Weise weiterbromiert werden. Die Anwesenheit von Licht ist nicht erforderlich[2] (vgl. S. 150).

ϑϑ) Carbonsäuren und Carbonsäure-Derivate

Die seit langem bekannte Photochlorierung von Carbonsäuren[3] wird am besten mit Licht der Wellenlänge 310–400 nm ausgeführt[4]; sie wird von der vorhandenen funktionellen Gruppe beeinflußt. Durch Festlegung sog. „Einflußindizes" lassen sich teilweise Voraussagen über den Eintritt des Chlors in die Alkankette machen[5].

So liefert die Photochlorierung von Propansäure in Tetrachlormethan bzw. ohne Lösungsmittel[6,7] ein Isomerenverhältnis von

$$\textit{2-Chlor-}:\textit{3-Chlor-propansäure} \approx 30:70$$

Die Substitution in der α-Position wird von der vorhandenen Carboxy-Gruppe z. T. inhibiert. Bei Butansäure wurde auf diese Weise für die Chlor-butansäuren eine Isomerenverteilung von $\alpha:\beta:\gamma = 6:51,6:42,4$ berechnet[3] und $\alpha:\beta:\gamma = 7,8:52,4:39,8$ gefunden[5].

Die Photochlorierung von Carbonsäuren[8] und Carbonsäure-Derivaten wird am besten in der Flüssigphase sowohl ohne als auch mit Lösungsmitteln, z. B. Tetrachlormethan[3], ggf. unter Rückfluß durchgeführt. Auf diese Weise werden zu hohe Temperaturen vermieden, bei denen die Chlor-carbonsäuren sich bereits wieder unter Dehydrochlorierung zersetzen.

---

[1] G. Hesse u. F. Urbanek, B. **91**, 2733 (1958).
[2] G. Hesse u. G. Krehbiel, A. **593**, 42 (1955).
 Vgl. auch ds. Handb., Bd. V/3, S. 621, 622 und die dort zitierte Literatur.
[3] A. Michael u. W. Garner, B. **34**, 4046 (1901).
[4] A. Bruylants, M. Tits u. R. Dauby, Bull. Soc. chim. belges **58**, 310 (1949).
[5] H. Margritte u. A. Bruylants, Ind. chim. belge **22**, 547 (1957).
[6] A. Bruylants et al., Bull. Soc. chim. belges **61**, 366 (1952).
[7] H. Margritte, A. Bruylants u. M. Tits, *Essais de chloration dirigée — IV. Photochloration de l'acide propionique en solution*; 27. Congrès Intern. de Chimie Industrielle, Brüssel, 1954.
[8] Photochlorierung von Essigsäure: A. Bruylants, M. Tits u. R. Dauby, Bull. Soc. chim. belges **58**, 310 (1949).

So liefert Butansäure bei der Photochlorierung vor allem in der Gasphase als Nebenprodukt stets geringe Mengen Buten-(3)-säure[1]:

$$H_3C-CH_2-CH_2-COOH \xrightarrow[-HCl]{h\nu/Cl_2} \begin{cases} H_2C-CH_2-CH_2-COOH \\ \quad\quad | \\ \quad\quad Cl \\ \\ H_3C-CH-CH_2-COOH \\ \quad\quad | \\ \quad\quad Cl \\ \\ H_3C-CH_2-CH-COOH \\ \quad\quad\quad | \\ \quad\quad\quad Cl \end{cases}$$

$$\left. \begin{array}{c} \end{array} \right] \xrightarrow{-HCl} H_2C=CH-CH_2-COOH$$

und 2-Methyl-propansäure ergibt analog Methacrylsäure[1]. Eine Folge der unkontrollierten Nebenreaktionen ist eine schlechte Reproduzierbarkeit bei der Photochlorierung in der Gasphase[1].

Bei der radikalischen Chlorierung von Stearinsäure wurde in Gegenwart von Sauerstoff eine starke Inhibierung beobachtet[2]. Tab. 19 zeigt die Ergebnisse der Photochlorierung einfacher Carbonsäuren.

Tab. 19. Photochlorierung einfacher Carbonsäuren in der Flüssigphase in Gegenwart von Licht der Wellenlänge 350–400 nm[1,3]

Säure	Monochlor-Verbindungen Ausbeute [% d.Th.]	Isomerenverteilung (%)[a]			Literatur
		α	β	γ	
Essigsäure	2	100			3
Propansäure	83	30	70		1
Butansäure	95	5	64	31	1
2-Methyl-propansäure[b]	—[d]	33	67		1
2,2-Dimethyl-propansäure	95		100		1
4-Methyl-pentansäure[c]	95	26	69	5	1

[a] Durch Rektifikation der Monochlor-Fraktion.
[b] *2-Chlor-* und *3-Chlor-2-methyl-propansäure* ergeben mit überschüssigem Methanol in 60%iger Ausbeute die Methylester.
[c] Keine Angaben über die Bildung der δ-Chlor-Verbindung.
[d] Keine Angabe.

Eine noch stärker inhibierende Wirkung auf die α-Position als die Carboxy-Gruppe haben die Cyan-, Chlorcarbonyl-[3,4] und Alkoxycarbonyl-Gruppe[3] (s. dagegen andere Aussagen[5], Tab. 21, S. 121).

Die Quantenausbeuten bei der Photochlorierung eines Carbonsäure-Derivates (R—COOH, R—COOR[3], R—CN) nehmen mit zunehmender Kettenlänge des Alkylrestes R zu, die Aktivierungsenergien nehmen entsprechend ab[3].

Die Ergebnisse der Photochlorierung und anderer Chlorierungsmethoden[6,7] unterscheiden sich teilweise beträchtlich, wie Tab. 20 (S. 118) am Beispiel von Butansäure-chlorid zeigt. Bei

[1] A. BRUYLANTS et al., Bull. Soc. chim. belges **61**, 366 (1952).
[2] H. A. MASSALDI, J. A. MAYMÒ u. R. ZUCCHARELLI, Ind. Eng. Chem., Prod. Res. Development **10**, 314 (1971).
[3] A. BRUYLANTS, N. TITS u. R. DAUBY, Bull. Soc. chim. belges **58**, 310 (1949).
[4] H. SINGH u. I. M. TEDDER, Chem. Commun. **1965**, 5.
[5] W. GRIEHL, W. I. SCHULZE u. H. FÜRST, B. **91**, 1165 (1958).
[6] Vgl. auch S. 134 ff..
[7] Vgl. ds. Handb., Bd. V/3, S. 511 ff..

Photochlorierung von Butansäure-chlorid wurde gefunden, daß Verunreinigungen in den Ausgangssubstanzen und in der verwendeten Apparatur durch ionisch ablaufende Nebenreaktionen die Produktzusammensetzung wesentlich beeinflussen[1].

Tab. 20. Abhängigkeit der Isomerenverteilung von den Reaktionsbedingungen bei der Chlorierung von Butansäure-chlorid[2]

Reaktionsbedingungen	Verhältnis der *x-Chlor-butansäure-chloride* (%)			Literatur
	2-	*3-*	*4-*	
Cl_2; Sonnenlicht; Raumtemp. in CCl_4	20	60	20	3
SO_2Cl_2; Peroxid im Dunkeln; 85–90° in CCl_4	3	49	48	1,4
Cl_2; Hg-Lampe; 20°; Molverhältnis Chlor:Butansäure-chlorid = 1:3 s. Vorschrift	2–4	50	45–50	2,5
Cl_2; Licht; 101° in der Gasphase	5	65	30	6
Cl_2; Hg-Lampe; 101°	2–4	55	40–45	2
Cl_2; 200 W Lampe; 100°; Molverhältnis 1:1	92% d.Th. 2-Chlor-butansäure-chlorid, vgl. Vorschrift S. 119			7

Monochlor-butansäure-chloride[2,5]: 7 *l* Chlor (20°; 1 at) werden im Verlauf von 50 Min. über 2 Waschflaschen mit Schwefelsäure getrocknet und über eine Fritte in einen 150 ·*ml*-Kolben geleitet, in dem sich 101,5 g (0,95 Mol) Butansäure-chlorid befinden. Die Innentemp. wird durch Berieseln des Kolbens mit Wasser auf 20–22° gehalten und der Kolben mit einer Philips HPW 125 W Quecksilberlampe bestrahlt. Die Abgase werden über einen bei 0° betriebenen Rückflußkühler in eine Kühlfalle (–80°) geleitet, um evtl. mitgerissenes Butansäure-chlorid zu kondensieren. Gegen Ende der Reaktion enthält der Kolben 109,5 g eines Gemisches aus nicht umgesetzter Ausgangsverbindung und den Chlorierungsprodukten. Das Gemisch wird über eine 300 cm lange Vigreux-Kolonne (16 theor. Böden) i. Vak. destilliert und folgende Fraktionen erhalten:

Butansäure-chlorid: 74,5 g.

  2-Chlor-butansäure-chlorid: 0,6 g (2% d.Th., bez. auf Umsatz); Kp_{40}: 46– 62°

  3-Chlor-butansäure-chlorid: 14,8 g (42% d.Th., bez. auf Umsatz); Kp_{40}: 62– 74°

  4-Chlor-butansäure-chlorid: 13,65 g (39% d.Th., bez. auf Umsatz); Kp_{40}: 74– 80°

  Höher chlorierte Produkte: 2,2 g; Kp_{40}: 86–125°

Gesamtausbeute an Monochlor-butansäure-chloriden: 29,05 g (83% d. Th. bez. auf Umsatz); Verhältnis der Isomeren 2:3:4 = 2:51:47.

[1] M. S. KHARASCH u. H. C. BROWN, Am. Soc. **62**, 925 (1940).
[2] H. J. DEN HERTOG, B. DE VRIES u. J. VAN BRAGT, R. **74**, 1561 (1955).
[3] A. MICHAEL u. W. GARNER, B. **94**, 4046 (1901).
[4] H. C. BROWN u. A. B. ASH, Am. Soc. **77**, 4019 (1955).
[5] P. SMIT u. H. J. DEN HERTOG, R. **77**, 73 (1958).
[6] A. BRUYLANTS, M. TITS u. R. DAUBY, Bull. Soc. chim. belges **58**, 310 (1949).
 A. BRUYLANTS et al., Bull. Soc. chim. belges **61**, 366 (1952).
[7] W. GRIEHL, W. J. SCHULZE u. H. FÜRST, B. **91**, 1165 (1958).

Bei der Photochlorierung von Pentansäure-chlorid in der Flüssigphase (nach der obigen Vorschrift) hat die Monochlor-pentansäure-chlorid-Fraktion die folgende Zusammensetzung[1-3]:

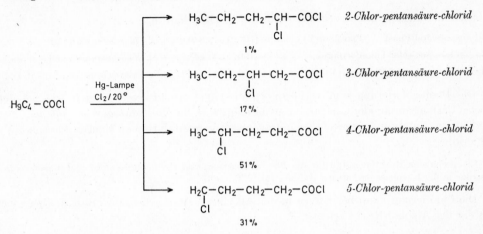

Zur Herstellung von α-Chlor-Verbindungen sollen die Carbonsäure-chloride als Ausgangsverbindungen den freien Carbonsäuren in jedem Fall vorzuziehen sein[4]. Als optimale Reaktionsbedingungen gelten Siedetemperatur und eine stöchiometrische Chlormenge.

Monochlor-carbonsäure-chloride; allgemeine Vorschrift zum Arbeiten mit stöchiometrischen Chlormengen[4]: In einem Dreihalskolben mit KPG-Rührer, Rückflußkühler und Chlor-Einleitungsrohr werden 1 Mol Carbonsäure-chlorid auf 110° erhitzt (Heizbad). Bei dieser Temp. werden über einen geeichten Rotameter 1,1 Äquivalente Chlor mit einer Geschwindigkeit von 25 l/Stde. eingeleitet, wobei mit einer normalen 200 W Lampe bestrahlt und die Innentemp. auf 110° gehalten wird. Anschließend werden die Chlorierungsprodukte durch einfache Destillation abgetrennt und die einzelnen Isomeren durch sorgfältige Fraktionierung über eine Füllkörper-Kolonne (1 m Füllhöhe, $\sim$ 18 theor. Böden) erhalten und durch Kp. und Elementaranalysen identifiziert.

So erhält man z. B.:

2-Chlor-butansäure-chlorid	92% d.Th.;	Kp: 130–131°
2-Chlor-3-methyl-butansäure-chlorid	89% d.Th.;	Kp: 155–156°

Pentan-, Hexan- und Heptansäure-fluoride sind ebenfalls photochemisch chlorierbar[5]. Die Photochlorierung von freien Carbonsäuren ist in Gegenwart geringer Mengen Carbonsäure-chlorid-Bildner, z. B. Thionylchlorid oder Phosphor(V)-chlorid möglich. Die Ausbeuten liegen etwas niedriger als bei der direkten Photochlorierung der Carbonsäurechloride selbst, aber wesentlich höher als bei der Photochlorierung freier Carbonsäuren in Abwesenheit von Säurechlorid-Bildnern[5]. Die dabei in geringen Mengen anfallenden Carbonsäure-chloride werden nach Beendigung der Chlor-Einleitung zu den entsprechenden α-Chlor-carbonsäuren verseift.

Arbeitet man zusätzlich in Gegenwart von chlorübertragenden Katalysatoren, so kann man ohne Einsatz des reinen Carbonsäurechlorids und ohne größere Mengen an Säurechlorid-Bildnern freie Carbonsäuren in der α-Stellung photochlorieren.

Die optimalen Bedingungen liegen auch hier bei 1 Äquivalent Chlor und Strömungsgeschwindigkeiten von 25–50 l Chlor/Stde. Die günstigsten Chlorierungs-Temperaturen liegen bei kurzkettigen Carbon-

---

[1] H. J. DEN HERTOG, B. DE VRIES u. J. VAN BRAGT, R. **74**, 1561 (1955).

[2] P. SMIT u. H. J. DEN HERTOG, R. **77**, 73 (1958).

[3] Die Zusammensetzung wurde bestimmt nach der Methode von Y. SATO, G. T. BARRY u. L. C. CRAIG, J. Biol. Chem. **170**, 501 (1947).

[4] W. GRIEHL, W. J. SCHULZE u. H. FÜRST, B. **91**, 1165 (1958).

[5] H. SINGH u. J. M. TEDDER, Soc. **1966** [B], 605.

säuren z. B. bei Butansäure etwa bei Siedetemp., und bei höheren Carbonsäuren liegen sie bei 100–120°. Als Katalysatoren sind geeignet: Jod, Schwefel und Phosphor in Gegenwart von Thionylchlorid oder Phosphor(V)-chlorid. Die Kombination Jod/Phosphor(V)-chlorid zeigt besonders gute Ergebnisse. Kurzwelliges Licht fördert die Bildung von Nebenprodukten stärker als langwelliges Licht.

Nach der allgemeinen Arbeitsvorschrift auf S. 119 erhält man z. B. aus

Butansäure/Jod/Phosphor/Phosphor(V)-chlorid (100:0,5:3,8:0,6) → *2-Chlor-butansäure*; 71% d.Th.

Butansäure/Schwefel/Thionylchlorid   (100:11,4:3,4)   → *2-Chlor-butansäure*; 66% d.Th.

Hexansäure/Schwefel/Phosphor(V)-chlorid   (100:11,4:3,4)   → *2-Chlor-hexansäure*; 34% d.Th.

Die Photochlorierung von Carbonsäureestern erfolgt experimentell wie bei den freien Carbonsäuren oder Carbonsäure-chloriden; z. B. *2-Chlor-butansäure-methylester* (25% d.Th.) aus Butansäure-methylester in Gegenwart von katalytischen Mengen Phosphor(V)-chlorid[1].

Ein geeignetes Reaktionsgefäß für die Photochlorierung von Carbonsäureestern und Carbonsäurenitrilen in der Gasphase enthält ds. Handb., Bd. V/3, S. 631.

Die Chlorierung kann bei Estern in der Alkylkette des Carbonsäure-Restes, aber auch in der des Alkohol-Restes erfolgen[2,3].

$$H_{2n+1}C_n-CO-O-C_nH_{2n+1} \xrightarrow[-HCl]{h\nu/Cl_2} \begin{cases} ClH_{2n}C_n-CO-O-C_nH_{2n+1} \\ \\ H_{2n+1}C_n-CO-O-C_nH_{2n}Cl \end{cases}$$

Tab. 21 (S. 121) zeigt eine Zusammenstellung der Ergebnisse der Photochlorierung von Carbonsäureestern unter verschiedenen Bedingungen.

In einigen Fällen wurden unterschiedliche Resultate erzielt. So wurden bei der photochemischen Gasphasen-Chlorierung von Essigsäure-propylester kein Essigsäure-1-chlorpropylester erhalten[2,3], während in der Flüssigphase in Tetrachlormethan bei nur 27% Ausbeute in der Monochlorid-Fraktion immerhin 23% der α-Chlor-Verbindung erhalten wurden[4]. Der Beweis für das Auftreten des thermisch sehr instabilen Essigsäure-1-chlorpropylesters wird durch die rasche selektive Hydrolyse der Monochlorid-Fraktion erbracht[4].

Die Photochlorierung der Carbonsäureester ist eine gute Methode zur Herstellung chlorierter Alkohole[5,6]. So können z. B. aus den Chlorierungsprodukten von Trichloressigsäure-propylester (Ausbeute: 28–30% d.Th.) durch Hydrolyse mit wäßrigem Kaliumhydroxid *2-Chlor-propanol* und *3-Chlor-propanol* gewonnen werden:

$$Cl_3C-COO-CH_2-CH_2-CH_3 \xrightarrow{h\nu/Cl_2} \begin{cases} Cl_3C-COO-\underset{\underset{Cl}{|}}{CH}-CH_2-CH_3 \\ \\ Cl_3C-COO-CH_2-\underset{\underset{Cl}{|}}{CH}-CH_3 \xrightarrow{KOH/H_2O} HO-CH_2-\underset{\underset{Cl}{|}}{CH}-CH_3 \\ \\ Cl_3C-COO-CH_2-CH_2-\underset{\underset{Cl}{|}}{CH_2} \xrightarrow{KOH/H_2O} HO-CH_2-CH_2-\underset{\underset{Cl}{|}}{CH_2} \end{cases}$$

Die analoge Verseifung der chlorierten Trichloressigsäure-butylester verläuft mit Ausbeuten von 50–80% unter Bildung chlorierter Butanole[6].

---

[1] W. Griehl, W. J. Schulze u. H. Fürst, B. **91**, 1165 (1958).
   Vgl. a.: H. Singh u. J. M. Tedder, Soc. **1966** [B], 608.
[2] A. Bruylants, M. Tits u. R. Dauby, Bull. Soc. chim. belges **58**, 310 (1949).
[3] A. Bruylants et al., Bull. Soc. chim. belges **61**, 366 (1952).
[4] H. C. Brown u. A. B. Ash, Am. Soc. **77**, 4019 (1955).
[5] C. W. Gayler u. H. M. Waddle, Am. Soc. **63**, 3358 (1941).
[6] H. M. Waddle u. H. Adkins, Am. Soc. **61**, 3361 (1939).

Partiell chlorierte Ester können photochemisch weiterchloriert werden[1,2]:

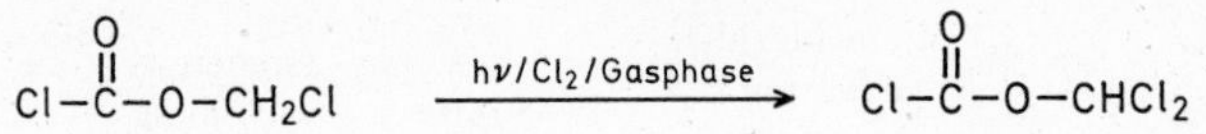

$$Cl-\overset{\overset{\displaystyle O}{\|}}{C}-O-CH_2Cl \xrightarrow{h\nu/Cl_2/Gasphase} Cl-\overset{\overset{\displaystyle O}{\|}}{C}-O-CHCl_2$$

Kohlensäure-chlorid-dichlormethylester

Trichloressigsäure-1,2,2,2-tetrachlor-äthylester[2]:

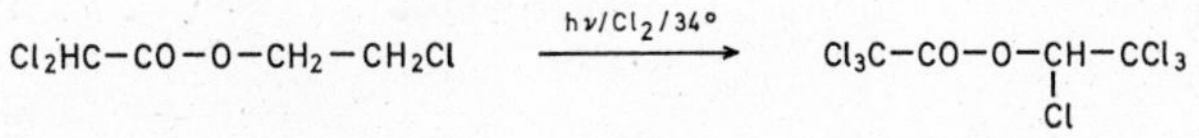

$$Cl_2HC-CO-O-CH_2-CH_2Cl \xrightarrow{h\nu/Cl_2/34°} Cl_3C-CO-O-\underset{\underset{\displaystyle Cl}{|}}{CH}-CCl_3$$

In einem Reaktionskolben aus Quarz mit Thermometer und Rückflußkühler werden 48,5 g Dichloressigsäure-2-chlor-äthylester[3] bei 34° unter Bestrahlung mit einer Hg-Quarzlampe chloriert. Man leitet 45 Stdn. lang Chlor über eine Glasfritte ein, bis keine Gewichtszunahme mehr feststellbar ist. Dann wird Stickstoff durch den Kolben geleitet, um den gebildeten Chlorwasserstoff zu entfernen. Es verbleiben 78,5 g Chlorierungsprodukt, das zweifach destilliert wird; Ausbeute: 30 g (35,5% d.Th.); Kp$_2$: 90–92°; n$_D^{20}$ = 1,4991.

Tab. 21. Carbonsäure-chlor-alkylester bzw. Chlor-carbonsäure-alkylester durch Chlorierung von Carbonsäureestern

Carbonsäure-ester	Reaktions-bedingungen	Monochlorid-Fraktion Ausbeute [% d.Th.]	Produkte	Isomeren-verteilung %	Kp [° C]/ [Torr] (n$_D^{20}$)	Literatur
Essigsäure-methylester	Gasphase	80	*Essigsäure-chlormethyl-ester*	100		[4,5]
Essigsäure-äthylester	Gasphase	80	*Essigsäure-1-chlor-äthyl-ester*	65	67–68/100 (1,4084)	[4,5]
			Essigsäure-2-chlor-äthyl-ester	35	87–88/100 (1,4231)	
Essigsäure-propylester	Gasphase	70	*Essigsäure-2-chlor-propyl-ester*	69	63–64/30 (1,4193)	[4,5]
			Essigsäure-3-chlor-propyl-ester	31	80–81/30 (1,4302)	

[1] M. J. Dignam, Canad. J. Chem. **35**, 1341 (1957).

[2] I. F. Spasskaia, V. S. Etlis u. G. A. Razuvaev, Ž. obšč. Chim. **28** (1958); engl.: 1872.

[3] Erhältlich durch Photochlorierung von Glykol bei 127° nach der gleichen Vorschrift. Dauer 14–16 Stdn. Aufarbeitung durch Filtration und Destillation[2].

[4] A. Bruylants, M. Tits u. R. Dauby, Bull. Soc. chim. belges **58**, 310 (1949).

[5] A. Bruylants et al., Bull. Soc. chim. belges **61**, 366 (1952).

Tab. 21 (1 .Fortsetzung)

Carbonsäure-ester	Reaktions-bedingungen	Monochlorid-Fraktion Ausbeute [% d.Th.]	Produkte	Isomeren-verteilung %	Kp [°C]/[Torr] (n_D^{20})	Literatur
Essigsäure-propylester	in CCl₄ 80–85°[a]	27	Essigsäure-2-chlor-propyl-ester	42	57,1–57,6/20 (1,4205)[b]	[1]
			Essigsäure-3-chlor-propyl-ester	35	58,4–58,8/10 (1,4275)[b]	
			Essigsäure-1-chlor-propyl-ester	23	48,6–48,8/20 (1,4143)[b]	
Essigsäure-butylester	Gasphase	75	Essigsäure-3-chlor-butyl-ester	71	87–88/30 (1,4292)	[2,3]
			Essigsäure-4-chlor-butyl-ester	29	98–99/30 (1,4346)	
Essigsäure-butyl-(2)-ester	Gasphase	70	Essigsäure-1-chlor-butyl-(2)-ester	66	101–102/100 (1,4270)	[2,3]
			Essigsäure-3-chlor-butyl-(2)-ester	34	113–114/100 (1,4300)	
Essigsäure-tert.-butyl-ester	Gasphase	90	Essigsäure-2-chlormethyl-propyl-(2)-ester	100	90–91 (1,4257)	[2,3]
Propansäure-methylester		91	3-Chlor-propansäure-methylester	66	(1,42627)	[2,3]
			2-Chlor-propansäure-methylester	34	48–49/30 (1,41756)	

[a] Die Aufarbeitung erfolgt durch Abdestillieren der Monochlorierungsprodukte von den höherchlorierten Verbindungen i. Vak.. Das erhaltene Destillat wird über eine Kolonne mit 14 Böden i. Vak. fraktioniert.
Der Gehalt an *Essigsäure-1-chlor-propylester* wird durch Solvolyse der einzelnen Fraktionen in wäßrigem Äthanol bestimmt, *Essigsäure-2-chlor-propylester* und *-3-chlor-propylester* sind hydrolysestabil. Die gleiche Isomerenverteilung wird bei der Chlorierung von Essigsäure-propylester mit Sulfurylchlorid in Gegenwart von Dibenzoylperoxid erhalten.

[b] n_D^{25}

[1] H. C. BROWN u. A. B. ASH, Am. Soc. 77, 4019 (1955).
[2] A. BRUYLANTS, M. TITS u. R. DAUBY, Bull. Soc. chim. belges 58, 310 (1949).
[3] A. BRUYLANTS et al., Bull. Soc. chim. belges 61, 366 (1952).

Tab. 21 (2. Fortsetzung)

Carbonsäure-ester	Reaktions-bedingungen	Monochlorid-Fraktion Ausbeute [% d.Th.]	Produkte	Isomeren-verteilung %	Kp [°C]/[Torr] (n_D^{20})	Literatur
Butansäure-methylester		90	3-Chlor-butansäure-methylester	70	49–50/12 (1,42472)	[1, 2]
			4-Chlor-butansäure-methylester	30	63–64/12 (1,43372)	
3-Methyl-butansäure-methylester	Gasphase	90	2-Chlor-3-methyl-butan-säure-methyl-ester	49	54–55/12 (1,4277)	[1, 2]
			3-Chlor-3-methyl-butan-säure-methyl-ester	49	69–70/12 (1,4342)	
			3-Chlormethyl-butan-säure-methylester	2	87–89/12 (1,4548)	
Pentansäure-methylester		91	3-Chlor-pentansäure-methylester	71	59–60/8 (1,43122)	[1, 2]
			4-Chlor-pentansäure-methylester	29	76–76/8 (1,43797)	
Hexansäure-methylester		93	3-Chlor-hexan-säure-methyl-ester	77	80–81/10 (1,43662)	[1, 2]
			4-Chlor-hexan-säure-methyl-ester	23	101–102/10 (1,44935)	
Trichloressig-säure-propylester	Flüssigphase[a]	58	Trichloressig-säure-2-chlor-propylester	30	94/8 (1,4766)[b]	[3]
			Trichloressig-säure-3-chlor-propylester	28	107/8 (1,4830)[b]	
			Trichloressig-säure-1-chlor-propylester	Spur?		

[a] Chlor-Einleitung bei 120° bis zur Aufnahme der stöchiometrischen Menge; destillative Aufarbeitung i. Vak. mit einer Glasfüllkörper-Kolonne (1 m × 18 cm).
[b] n_D^{15}

[1] A. BRUYLANTS, M. TITS u. R. DAUBY, Bull. Soc. chim. belges **58**, 310 (1949).
[2] A. BRUYLANTS et al., Bull. Soc. chim. belges **61**, 366 (1952).
[3] C. W. GAYLER u. H. M. WADDLE, Am. Soc. **63**, 3358 (1941).

Tab. 21 (3. Fortsetzung)

Carbonsäure-ester	Reaktions-bedingungen	Monochlorid-Fraktion Ausbeute [% d. Th.]	Produkte	Isomeren-verteilung %	Kp [°C]/[Torr] (n_D^{15})	Literatur
Trichloressig-säure-iso-propylester	Flüssigphase[a]	56	*Trichloressig-säure-2-chlor-propyl-(2)-ester*	25	72/8 (1,4640)	[1]
			Trichloressig-säure-1-chlor-propyl-(2)-ester	31	93,5/8 (1,4760)	
Trichloressig-säure-butyl-ester	Flüssigphase[a]	50–53	*Trichloressig-säure-2-chlor-butylester*	31,5–34,5	94–96/5 (1,4728)	[2]
			Trichloressig-säure-4-chlor-butylester	18,5	113–116/5 (1,4800)	
Trichloressig-säure-2-methyl-propyl-ester		51	*Trichloressig-säure-2-chlor-2-methyl-propylester*	24	80–81/5 (1,4658)	[2]
			Trichloressig-säure-3-chlor-2-methyl-propylester	27	98–99/5 (1,4742)	
Trichloressig-säure-butyl-(2)-ester		51–54	*Trichloressig-säure-3-chlor-butyl-(2)-ester*	27–28,5	83–84/5 (1,4671)	[2]
			Trichloressig-säure-1-chlor- oder -4-chlor-butyl-(2)-ester	24–26	91–93/5 (1,4713)	

[a] Chlor-Einleitung bei 120° bis zur Aufnahme der stöchiometrischen Menge; destillative Aufarbeitung i. Vak. mit einer Glasfüllkörper-Kolonne (1 m × 18 cm).

Die Photochlorierung von Carbonsäure-nitrilen erfolgt in den meisten Fällen wie bei den Carbonsäureestern, und zwar bevorzugt in der Gasphase[3–5]. Dabei wurde gezeigt[4], daß durch destillative Aufarbeitung der Reaktionsprodukte, wie sie früher[3] ausschließlich

[1] C. W. GAYLER u. H. M. WADDLE, Am Soc, **63**, 3358 (1941).
[2] H. M. WADDLE u. H. ADKINS, Am. Soc. **61**, 3361 (1939).
[3] A. BRUYLANTS et al., Bull. Soc. chim. belges **61**, 366 (1952).
[4] J. ROUCHAUD u. A. BRUYLANTS, Bull. Soc. chim. belges **75**, 783 (1966).
[5] J. ROUCHAUD u. A. BRUYLANTS, Bull. Soc. chim. belges **75**, 801 (1966).

betrieben wurde, eine exakte Bestimmung der Isomerenverteilung der Monochlornitrile nicht möglich ist. Die Isomerenverteilung hängt entscheidend von den Reaktionsbedingungen, insbesondere vom Lösungsmittel ab, ist jedoch unabhängig von der Reaktionszeit.

Tab. 22. Isomerenverteilung bei der Photochlorierung von Nitrilen[1] in Abhängigkeit von den Reaktionsbedingungen

Carbonsäure-nitril	Reaktions-temp. [°C]	Reaktions-bedingungen	Isomerenverteilung (%)[a] x-Chlor-1-cyan-alkan			
			2-	3-	4-	5-
Propansäure-nitril	30	8 m Lsg. in Benzol	27	73		
2-Methyl-propansäure-nitril	30	4 m Lsg. in Benzol	29	71		
		10 m Lsg. in Benzol	45	55		
Pentansäure-nitril	70	50%ige Lsg. in Tetrachlormethan[b,c]	2	21	43	34
3-Methyl-butansäure-nitril[d]	30	ohne Lösungsmittel	4	44	52	
		4 m Lsg. in Benzol[e]	2	65	33	
		8 m Lsg. in Benzol[e]	2	76	22	
		10 m Lsg. in Benzol[e]	1	85	14	
		8 m Lsg. in Nitro-benzol	3	55	42	
		8 m Lsg. in Schwefel-kohlenstoff	1	83	16	

[a] Gaschromatographische Bestimmung.
[b] Chlorierungsgrad 20%.
[c] Reaktion auch ohne Lösungsmittel möglich.
[d] Chlorierungsgrad 25%.
[e] Über Zusätze von Aminen s. Lit.[1].

3-Chlor- und 4-Chlor-3-methyl-butansäure-nitril[2]:

$$H_3C-\underset{\underset{CH_3}{|}}{C}H-CH_2-CN \xrightarrow[-HCl]{h\nu/Cl_2/C_6H_6} H_3C-\underset{\underset{Cl}{|}}{\overset{\overset{CH_3}{|}}{C}}-CH_2-CN + H_2C-\underset{\underset{Cl}{|}}{\overset{\overset{CH_3}{|}}{C}}H-CH_2-CN$$

In einem Quarz-Kolben werden 400 ml (3,86 Mol) 3-Methyl-butansäure-nitril gelöst in 1200 ml Benzol zur Entfernung von Sauerstoffspuren mit Stickstoff begast. Unter Rühren und UV-Bestrahlung wird bei 20°(± 2°) bis zu einer Gewichtszunahme von 90% die für die Monochlorierung berechnete Menge eines über Schwefelsäure getrockneten Chlor-Stroms eingeleitet. Anschließend wird mit einem schwachen Stickstoff-Strom der entstandene Chlorwasserstoff ausgeblasen und der Kolbeninhalt durch Destillation aufgearbeitet. Neben 1150 ml Benzol, 40 ml Ausgangsverbindung und 10 ml Destillationsrückstand erhält man die chlorierten Produkte in einer Ausbeute von 80% d.Th.; 3-Chlor-3-methyl-butansäure-nitril: 280 ml, Kp₆: 53–56°; 4-Chlor-3-methyl-butansäure-nitril: 69 ml, Kp₆: 63–66°.

Trichlor-acetonitril erhält man aus Acetonitril in der Flüssigphase in Gegenwart von Katalysatoren[3].

Trichlor-acetonitril[3]:

$$H_3C-CN + 3 Cl_2 \xrightarrow{h\nu/HCl/HgCl_2} Cl_3C-CN + 3 HCl$$

[1] J. Rouchaud u. A. Bruylants, Bull. Soc. chim. belges 75, 801 (1966).
[2] J. Rouchaud u. A. Bruylants, Bull. Soc. chem. belges 75, 783 (1966).
[3] US. P. 3418228 (1968), Du Pont; Erf.: P. L. Bartlett.

In einem Quarzrohr-Reaktor mit aufgesetztem Rückflußkühler gibt man zu 70,5 g Essigsäure-nitri 0,175 g Quecksilber(II)-chlorid (0,25% bez. auf Essigsäure-nitril) und leitet 2 g wasserfreien Chlor- wasserstoff ein. In einem Abstand von 5 cm vom Reaktionsrohr befinden sich zwei 110 Volt Queck silber-Tiefdruck-Lampen. Die Mischung wird auf 70° erwärmt und unter Bestrahlung 150 g Chlor (25 g Stde.) über eine Fritte eingeleitet (innerhalb 6 Stdn. 1,23 Mol Chlor je Mol Essigsäure-nitril). Die ab- gekühlte Reaktionsmischung wird zur Abtrennung des nicht umgesetzten Essigsäure-nitrils mit Wasse gewaschen und fraktioniert; Ausbeute: 72,3 g (96% d. Th., bez. auf das Nitril; 30,7% auf Umsatz); Kp: 76°

Bei den Dicarbonsäuren bzw. den Dicarbonsäure-dichloriden erfolgt die Photochlorierung an der α-Stellung bzw. sofern vorhanden auch an der α'-Stellung[1].

Leitet man z. B. Chlor unter Bestrahlung bei ~ 80° durch Hexandisäure-dichlorid (I) (ohne Lösungsmittel) in Gegenwart von etwas Jod als Katalysator, so erfolgt an beider α-Stellungen rasche Substitution[1]. Aus dem *2,5-Dichlor-hexandisäure-dichlorid* (II) können durch vorsichtige Hydrolyse bzw. Alkoholyse 2,5-Dichlor-hexandisäure (III; F: 180° bzw. der entsprechende Ester IV (Kp$_{13}$: 157–159°; n$_D^{20}$ = 1,4692) erhalten werden:

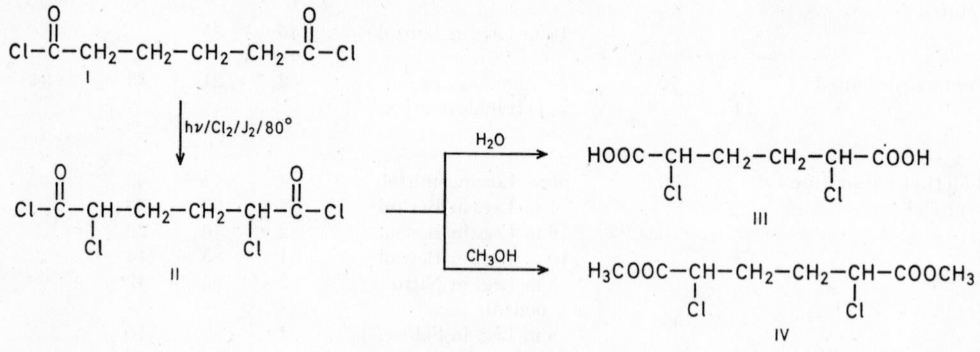

Die Photochlorierung kann auch nach Aufnahme von 1 Chlor-Atom abgebrochen werden; Methanolyse liefert nach destillativer Aufarbeitung *2-Chlor-hexandisäure-dimethylester* (60% d. Th.; Kp$_{10}$: 138–139° n$_D^{20}$ = 1,4510).

Ebenso gelingt die Photochlorierung von Bernsteinsäure-dichlorid und Glutarsäure- dichlorid[2]. Die Reaktion kann durch kräftige Chlorierung mit Tauchlampe und bei Tempera- turen um 120° unter Abbau der Glutarsäure bis zum *Hexachlor-äthan* verlaufen[2]. Bei der Photochlorierung von Decandisäureestern[2] wurde überhaupt nur Hexachlor-äthan erhalten.

2,5-Dichlor-hexandisäure[1]: 200 g Adipinsäure werden in einem Rundkolben mit Kühler mit 250 ml Thionylchlorid auf dem Dampfbad bis zum Aufhören der Gas-Entwicklung erhitzt. Nach dem Ab- destillieren des überschüss. Thionylchlorids im schwachen Vak. wird die Temp. langsam erhöht und das Vak. vergrößert, bis das gebildete Hexansidäure-dichlorid zu sieden beginnt.

Die Chlorierung des rohen Hexandisäure-dichlorids erfolgt mit Jod als Katalysator unter Belichten bis zur Aufnahme von 2 Grammatomen Chlor, wonach die Substitution zum Stillstand kommt. Das Reaktionsprodukt wird tropfenweise in siedendes Wasser gegossen (Abzug) und nach beendeter Um- setzung aus wenig heißem Wasser umkristallisiert; F: 180°.

u) Aminosäuren

Nach Protonierung von Aminosäuren in starken Säuren wie z. B. 100%ige Schwefelsäure, Chlorsulfonsäure, Trifluoressigsäure oder konz. Salzsäure ist eine Photochlorierung in guten Ausbeuten möglich[3]. Tabelle 23 (S. 127) zeigt einige Beispiele mit den erforderlichen prä- parativen Angaben.

[1] W. TREIBS u. O. HOLBE, B. **85**, 608 (1952).
[2] W. TREIBS u. K. MICHAELIS, B. **88**, 402 (1955).
[3] J. KOLLONITSCH, A. ROSEGAY u. G. DOLDOURAS, Am. Soc. **86**, 1857 (1964).

Tab. 23. Chlorierte Aminosäuren durch Photochlorierung von Aminosäuren[1]

Aminosäure	Protonierungs- und Lösungsmittel	Temperatur; Reaktions- dauer[a]	Produkt	Ausbeute [% d. Th., bez. auf Umsatz]	% Um- satz
D,L-Ornithin 0,25 Mol	1,25 Mol 90%ige H_2SO_4 (oder $ClSO_3H$, F_3CCOOH)	75–80°; 1 Stde.	4-Chlor-ornithin	45	
L-Lysin 1 Mol	600 ml konz. HCl	70°; 2 Stdn.	4-Chlor-L-lysin- dihydrochlorid	74	80
Alanin	100% H_2SO_4[b]	70°; 2 Stdn.	3-Chlor-alanin	78	55
2-Amino-butansäure	konz. HCl	70°; 2 Stdn.	3-Chlor-2-amino- butansäure +4-Chlor-2-amino- butansäure	— 40	
L-Glutaminsäure 1 Mol	3 Mol 90%ige H_2SO_4	70°; 2 Stdn.	3-Chlor-glutamin- säure +4-Chlor-glutamin- säure	49 38	
	10 Mol 100%ige H_2SO_4		3-Chlor-glutamin- säure +4-Chlor-glutamin- säure	70 21	
	6 Mol $ClSO_3H$		3-Chlor-glutamin- säure +4-Chlor-glutamin- säure	71 25	

[a] 450 W Quecksilber-Hochdruck-Lampe, Hanovia 59 A 36; Reaktionskolben aus Quarz.
[b] In konz. Salzsäure erfolgt keine Photochlorierung.

ϰϰ) Sonstige Verbindungen

Analog den Aminosäuren lassen sich offenkettige und cyclische Amine in stark saurer Lösung photochemisch bzw. durch Radikalbildner initiiert chlorieren[2]; z. B.:

$$H_3C-CH_2-NH_2 \xrightarrow{h\nu \text{ oder } R^\bullet/Cl_2/H^\oplus} H_2\underset{\underset{Cl}{|}}{C}-CH_2-NH_2 \cdot HCl$$

Das Amin wird in einer starken Säure (konz. Schwefelsäure, Oleum oder Chlorsulfonsäure) gelöst und bei 75–120° unter Bestrahlung mit einer Hochdruck-Quecksilber-Lampe 3–6 Stdn. chloriert. Bei einfachen aliphatischen Aminen bleibt die Photochlorierung nicht auf der Stufe der Monochlor-Verbindung stehen. Triäthylamin läßt sich in salzsaurer Lösung glatt in die Tetrachlorverbindung überführen[3].

Tris-[1,2,2,2-tetrachlor-äthyl]-amin[3]: Eine eisgekühlte Lösung von 101 g (1 Mol) Triäthylamin in 100 ml Chloroform wird mit Chlorwasserstoff gesättigt. Unter UV-Bestrahlung wird ein kräftiger Chlor-Strom eingeleitet. Die Temp. hält man 5 Stdn. bei 40–60° und danach 15 Stdn. bei 70–80°, wobei das Lösungsmittel durch den Gasstrom aus Chlor und gebildetem Chlorwasserstoff abgetrieben wird.

[1] J. KOLLONITSCH, A. ROSEGAY u. G. DOLDOURAS, Am. Soc. **86**, 1857 (1964).
[2] Niederl. P. Appl. 6505505 (1965); Merck u. Co., Inc.; C. A. **64**, 11084[b] (1966).
[3] Jap. P. 21708/63 (1962), S. KOMORI.

Der Rückstand wird mit 150 *ml* Phosphoroxichlorid behandelt und die Chlorierung bei 100–110° noch 20 Stdn. bis zur vollständigen Chlor-Aufnahme fortgesetzt. Die Kristalle werden abfiltriert und mit Petroläther gewaschen; Ausbeute: 460 g (89% d.Th.); F: 189–191° (aus Benzol).

Höherchlorierte Nitro-propane erhält man durch Chlorierung von Chlor-nitro-propanen unter UV-Bestrahlung[1]; z. B.:

$$O_2N-\underset{\underset{Cl}{|}}{CH}-CH_2-CH_3 \xrightarrow{h\nu/Cl_2} O_2N-\underset{\underset{Cl}{|}}{CH}-CH_2-CH_2Cl$$

1,3-Dichlor-1-nitro-propan

λλ) Organo-silicium-Verbindungen

bearbeitet von

DR. ALFRED RITTER*, **

Unter den photochemischen Verfahren[2-6] kommt der Direkthalogenierung – sowohl für die Praxis des Laborbetriebes als auch für Synthesen in technischem Maßstab – die größte Bedeutung zu. Für die Beurteilung der Synthese-Chancen ist die Kenntnis der vom Silicium-Atom ausgehenden dirigistischen Einflüsse auf den Eintrittsort des Halogen-Substituenten wichtig.

Bei Tetraalkyl-silanen ist die Silicium-ständige CH-Gruppe aktiviert[7]. So wird z. B. Tetramethyl-silicum in *Trimethyl-chlormethyl-silicium* und bei weiterer Chlorierung in *Dimethyl-bis-[chlormethyl]-silicium* überführt[8]. Bei Verbindungen mit längeren Alkyl-Gruppen wird überwiegend die α-Stellung angegriffen, Tetraäthyl-silicium liefert fast ausschließlich *Triäthyl-(1-chlor-äthyl)-silicium*[9].

$$(H_5C_2)_3Si-CH_2-CH_3 \xrightarrow{h\nu/Cl_2} (H_5C_2)_3Si-\underset{\underset{Cl}{|}}{CH}-CH_3$$

Einen entgegengesetzten Einfluß auf die Chlorierung eines Alkyl-Restes übt Silicium-ständiges Halogen aus, das die α-ständige CH-Gruppierung desaktiviert. Ein neu eintretender Chlor-Substituent wird also leichter bereits partiell chlorierte CH-Gruppen perchlorieren[7] oder β-ständige Wasserstoff-Atome substituieren. Dieser Effekt verstärkt sich mit der Anzahl der direkt am Silicium gebundenen Halogen-Atome. Die β-dirigierende Wirkung einer SiF_3-Gruppe ist dabei etwa 3mal stärker als die einer $SiCl_3$-Gruppe. Bei der Chlorierung von Methyl-siliciumtrichlorid in flüssiger Phase fällt lediglich *Trichlormethyl-siliciumtrichlorid* an[7]. Durch einen experimentellen Kunstgriff ist es jedoch möglich, *Chlormethyl-siliciumtrichlorid* in guten Ausbeuten zu erhalten[9,10].

---

* **MPI für Kohlenforschung, Mühlheim/Ruhr.**
** Unter Mitwirkung von Dr. U. RITTER-THOMAS und cand. chem. H. FRIEGE.

[1] Jap. P. 28288/69 (1969), Nippon Kayaku K. K..
[2] C. EABORN, Organosilicon Compounds, S. 379ff., Butterworths, London 1960.
[3] P. A. GEORGE, M. PROBER u. J. R. ELLIOTT, Chem. Reviews 56, 1065 (1956).
[4] G. NOLL, Chemie und Technologie der Silicone, S. 129ff., 2. Auflage, Verlag Chemie, Weinheim/Bergstraße 1968.
[5] E. G. ROCHOW, Einführung in die Chemie der Silikone, S. 181ff., Verlag Chemie, Weinheim/Bergstraße 1952.
[6] G. V. MOTSAREV, K. A. ANDRIANOV u. V. I. ZETKIN, Russian Chem. Reviews 40, 485 (1971).
[7] F. RUNGE u. W. ZIMMERMANN, B. 87, 282 (1954).
[8] F. C. WHITMORE u. L. H. SOMMER, Am. Soc. 68, 481 (1946).
[9] V. F. MIRONOV u. V. A. PONOMARENKO, Izv. Akad. SSSR 1957, 199; engl. Übers. S. 211; C. A. 51, 11272ᶠ (1957).
[10] H. A. KAESZ u. F. G. A. STONE, Soc. 1957, 1433.

Untersuchungen zur konkurrierenden dirigistischen Wirkung der Trifluormethyl-Gruppe einerseits und der Trichlorsilyl-Gruppe andererseits auf den Ort der Chlor-Substitution an Alkyl-Gruppen weisen aus, daß die CF_3-Gruppe stärker β-dirigierend wirkt als die $SiCl_3$-Gruppe. Nachstehendes Beispiel[1] verdeutlicht dies:

$$F_3C-CH_2-CH_2-SiCl_3 \xrightarrow{h\nu/Cl_2} F_3C-CH_2-\underset{\underset{Cl}{|}}{CH}-SiCl_3 \; + \; F_3C-\underset{\underset{Cl}{|}}{CH}-\underset{\underset{Cl}{|}}{CH}-SiCl_3$$

*3,3,3-Trifluor-1-chlor-propyl-
siliciumtrichlorid*; 73% d.Th.

*3,3,3-Trifluor-1,2-dichlor-propyl-
siliciumtrichlorid*; 5% d.Th.

In etwas abgeschwächtem Maße gilt dies auch für das um ein Chlor-Atom ärmere Methyl-(3,3,3-trifluor-propyl)-siliciumdichlorid[1]. Es entsteht überwiegend *Methyl-(3,3,3-trifluor-1-chlor-propyl)-siliciumdichlorid* (52% d.Th.) neben *Chlormethyl-(3,3,3-trifluor-propyl)-siliciumdichlorid* (15% d.Th.). Ein weiteres Beispiel für diesen Sachverhalt liefert die Photochlorierung des Tris-[3,3,3-trifluor-propyl]-siliciumchlorids, das ausschließlich in α-Stellung zu einem Gemisch von *Bis-[3,3,3-trifluor-propyl]-(3,3,3-trifluor-1-chlor-propyl)-siliciumchlorid* (62% d.Th.) und *(3,3,3-Trifluor-propyl)-bis-[3,3,3-trifluor-1-chlor-propyl]-siliciumchlorid* (24% d.Th.) substituiert wird[2].

Zur Gewinnung von Chlormethyl-siliciumchloriden ist es notwendig, die monochlorierten Produkte an der Weiterreaktion zu hindern. Dies läßt sich aufgrund des gegenüber der Ausgangsverbindung erhöhten Siedepunktes mit folgenden Apparaturen bewerkstelligen.

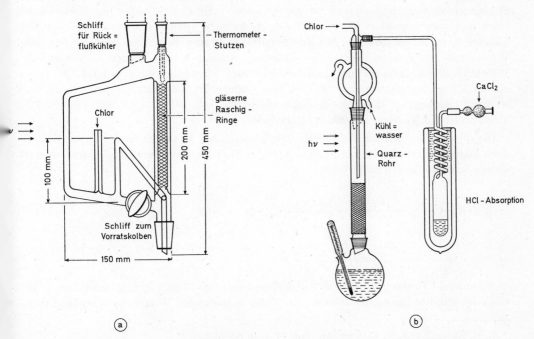

Abb. 61. Apparaturen zur Gasphasen-Photolyse bei gleichzeitiger Abführung des höher siedenden Produktes aus der Reaktionszone[3,4]

[1] M. A. KADINA u. V. A. PONOMARENKO, Izv. Akad. SSSR **1965**, 654; engl.: 633; C. A. **63**, 2996ᶜ (1965).

[2] M. A. KADINA u. V. A. PONOMARENKO, Ž. obšč. Chim. **41**, 173 (1971); C. A. **75**, 20494ʳ (1971).

[3] H. A. KAESZ u. F.G.A. STONE, Soc. **1957**, 1433.

[4] V. F. MIRONOV u. V. A. PONOMARENKO, Izv. Akad. SSSR **1957**, 199; engl.: 211; C. A. **51**, 11272ᶠ (1957).

Vorsicht: Chlorierungen von Organosilanen können unter Feuererscheinung verlaufen! Es empfiehlt sich dringend, die gesamte Apparatur vor dem Start der Photoreaktion mit Schutzgas, Stickstoff oder Argon, zu spülen und vor Öffnung der Apparatur bei Reaktionsende erneut Schutzgas durchzuleiten.

Dimethyl-chlormethyl-siliciumchlorid[1]: 1085 g (10 Mol) Trimethyl-siliciumchlorid werden in einen eisgekühlten 2-l-Dreihalskolben gegeben, der mit einer Bestrahlungslampe (G. E. 4 W), einem mechanischen Rührer, Gaseinleitungsrohr und einem mit Trockeneis gekühlten Rückflußkühler versehen ist. Letzterer wird mit einem Wasser gefüllten Absorptionsgefäß verbunden. Nach 10 Min. Spülen der Apparatur mit Stickstoff wird Chlor zugeführt. Sofort nach Reaktionsbeginn entwickelt sich sehr schnell Chlorwasserstoff-Gas; die Temp. der Reaktionsmischung wird in den Grenzen zwischen 24° und 40° gehalten. Sobald die Titration des Inhalts des Auffanggefäßes 10,6 Mol Salzsäure ergibt, bricht man die Chlor-Zufuhr ab. Das Produkt wiegt 1451 g, was einer Gewichtszunahme von 366 g = 10,3 g-Atom Chlor entspricht. Nun wird über eine Kolonne mit etwa 20 theor. Böden destilliert. Neben nicht umgesetztem Ausgangsmaterial findet man drei konstant siedende Fraktionen mit Kp: 115°, 149° und 172°. Die Fraktion mit dem niedrigsten Kp. stellt das Produkt dar; Ausbeute: 658 g (45,4% d. Th.). Der Destillationsrückstand kann auf höher chlorierte Verbindungen aufgearbeitet werden.

Die peroxidisch initiierte Chlorierung mit Sulfurylchlorid und die photochemisch initiierte Direktchlorierung ergänzen sich auf recht glückliche Weise: z. B. läßt sich Methyläthyl-siliciumdichlorid mit Dibenzoylperoxid und Sulfurylchlorid selektiv an der Äthyl-Gruppe chlorieren[2], photochemisch wird immerhin teilweise die Methyl-Gruppe angegriffen[3].

Chlorierungen von Organo-silicium-Verbindungen werden meistens durchgeführt, um leicht abwandelbare[4] Monochloralkyl-Verbindungen zu erhalten. Andererseits sind siliciumständige perchlorierte CH-Gruppen für die Analytik von Bedeutung, da sich diese Alkyl-Substituenten leicht hydrolytisch abspalten lassen[5-7]. Ob eine Substanz perchlorierbar ist, kann nicht vorhergesehen werden, oft führen sterische Gründe dazu, daß einzelne CH-Bindungen intakt bleiben. Bei Bis-[trichlorsilyl]-methan z. B. werden beide vorhandenen Wasserstoff-Atome substituiert[5,8], bei Trimethyl-siliciumchlorid[9] können höchstens 8, bei Dimethyl-siliciumdichlorid[9] maximal 5 Chlor-Atome eingeführt werden. 1,1,3,3,5,5-Hexachlor-1,3,5-trisila-cyclohexan ist bis zum Ersatz sämtlicher Wasserstoff-Atome chlorierbar[6], während das analoge Octachlor-tetrasila-cyclooctan lediglich in *1,1,2,2,3,3,4,5,5,6,7,7,8,-Tridecachlor-1,3,5,7-tetrasila-cyclooctan* übergeht[7].

Die direkte photochemische Chlorierung ist auch bei Methylsiloxanen anwendbar, jedoch können durch die leichte Spaltbarkeit der Si-O-Bindung durch Halogenwasserstoffsäuren Schwierigkeiten auftreten[10].

$$-\overset{|}{\underset{|}{Si}}-O-\overset{|}{\underset{|}{Si}}-CH_3 \xrightarrow{h\nu/Cl_2} -\overset{|}{\underset{|}{Si}}-O-\overset{|}{\underset{|}{Si}}-CH_2-Cl \ + \ HCl$$

$$\longrightarrow -\overset{|}{\underset{|}{Si}}-Cl \ + \ H_2O \ + \ Cl-\overset{|}{\underset{|}{Si}}-CH_2-Cl$$

So entsteht *Pentamethyl-chlormethyl-disiloxan* lediglich in 58%iger Ausbeute, wenn man trotz der unmittelbar nach Einleiten von Chlor beginnenden Wasser-Ausscheidung Hexa-

[1] R. H. KRIEBLE u. J. R. ELLIOTT, Am. Soc. **67**, 1810 (1945).
[2] T. D. HURD, Am. Soc. **67**, 1813 (1945).
[3] E. P. MIKHEEV u. E. M. ASOSKOVA, Plast. Massyicheskie, **1961**, 26; engl.: 24; C. A. **55**, 27020e (1961).
[4] P. A. GEORGE, M. PROBER u. J. R. ELLIOTT, Chem. Reviews **56**, 1108 (1956).
[5] G. FRITZ, J. GROBE u. D. KSINSIK, Z. anorg. Ch. **302**, 175 (1959).
[6] G. FRITZ, D. HABEL u. G. TEICHMANN, Z. anorg. Ch. **303**, 85 (1960).
[7] G. FRITZ u. G. TEICHMANN, B. **95**, 2361 (1962).
[8] R. MÜLLER u. G. SEITZ, B. **91**, 22 (1958).
[9] F. RUNGE u. W. ZIMMERMANN, B. **87**, 282 (1954).
[10] R. H. KRIEBLE u. J. R. ELLIOTT, Am. Soc. **68**, 2291 (1946).

methyl-disiloxan[1] weiterchloriert. Eine Verbesserung der Ausbeute kann durch kontinuierliche Kreisprozeßführung erzielt werden[2]. Ohne störende Nebenreaktion läßt sich Octamethyl-cyclotetrasiloxan in *Heptamethyl-chlormethyl-cyclotetrasiloxan* (20,4% d.Th.) überführen[3]:

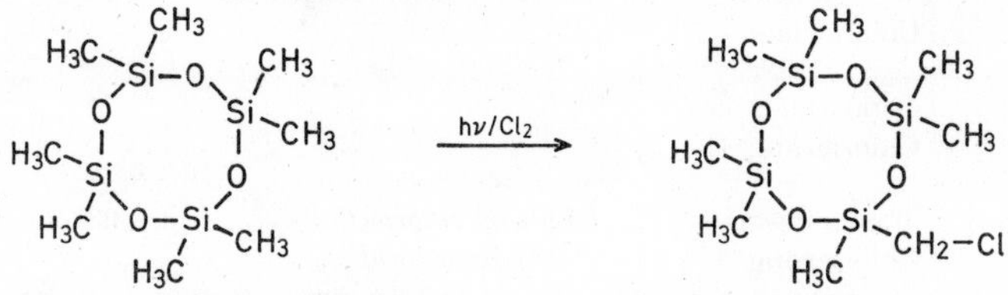

Die photochemische Chlorierung von Hexamethyl-disiloxan kann auch anstelle von Chlor mit Eisen (III)-chlorid durchgeführt werden[4]. Die Reaktion ist jedoch präparativ ohne Bedeutung.

Heptamethyl-chlormethyl-cyclotetrasiloxan[3]: Als Reaktionsgefäß dient ein eisgekühlter 1-*l*-Vierhalskolben mit einem mechanischen, durch Öl abgedichteten Rührer, einem Gas-Einleitungsrohr, das bis zum Boden des Kolbens reicht, einem Rückflußkühler, der das entstehende Chlorwasserstoff-Gas in ein mit Wasser gefülltes Absorptionsgefäß leitet, und einer durch den mittleren Hals eingelassenen Bestrahlungslampe (G. E. 4 W). Man gibt 741 g (2,5 Mol) Octamethyl-cyclotetrasiloxan (F: 17°) in den Kolben und spült die Apparatur 10 Min. lang mit trockenem Stickstoff. Dann wird die Lampe eingeschaltet und trocknes Chlor-Gas eingeleitet. Die Reaktion setzt unverzüglich ein. Der Chlor-Strom sollte so geregelt sein, daß die Temp. im Reaktionsraum zwischen 25° und 40° beträgt. Nach 40 Min. wird die Reaktion abgebrochen und die Apparatur noch einmal mit Stickstoff gespült. Die Titration des aufgefangenen Chlorwasserstoffs ergibt einen Gehalt von 0,74 Mol Salzsäure. Die Gewichtszunahme der Reaktionsmischung beträgt 26 g, entsprechend 0,75 g-Atom Chlor. Die Reaktionsmischung wird anschließend 2mal mit Wasser gewaschen, gegebenenfalls mit einem Absorptionsmittel geschüttelt, um eine eventuelle Trübung zu beseitigen, und unter vermindertem Druck fraktioniert; Ausbeute: 167 g (20,4% d.Th.); Kp_{50}: 127° bzw. Kp_{760}: 214°; F: −1°; $n_D^{20} = 1,4158$; $d_4^{20} = 1,0444$.

Äthyl-1-chlor- und Äthyl-2-chlor-äthyl-siliciumdichlorid[5]: Die Chlorierung wird in einem 800 *ml* fassenden Dreihalskolben ausgeführt, der von einem 2-*l*-Kühlgefäß umgeben und mit einem langen Rückflußkühler, Chlor-Einleitungsrohr und Thermometer versehen ist. Die Thermometerkugel sollte sich möglichst an der Eintauchstelle des Gas-Einleitungsrohres befinden. Zum Schutz gegen Luftfeuchtigkeit wird das obere Ende des Rückflußkühlers mit einem Calciumchlorid-Turm verbunden. Die Tauchlampe befindet sich in einem Abstand von 1–2 mm von der Wand des umgebenden Gefäßes. Man gibt 700 g Diäthyl-siliciumdichlorid in den Kolben und beginnt dann unter Bestrahlung bei Raumtemp. einen Chlor-Strom von etwa 1,5 g pro Min. einzuleiten. Die gesamte Flüssigkeit im Kolben nimmt dabei die Farbe des Chlors an. Nach 5 Min. wird die Chlor-Zufuhr abgebrochen und das Reaktionsgemisch 20–30 Min. weiter bestrahlt. Danach beginnt die Temp. zu steigen und die Flüssigkeit entfärbt sich teilweise unter Freisetzung von Chlorwasserstoff. Ein Ansteigen der Temp. über 30° wird durch periodische Kühlung des Kolbens mit Wasser verhindert. Nach völliger Entfärbung der Flüssigkeit wird die Chlor-Zufuhr mit 1,5 g Chlor pro Min. wieder aufgenommen und so lange fortgesetzt, bis die gewünschte Gewichtszunahme erreicht ist. Die optimale Reaktionstemp. im Kolben beträgt 15–18°, die sich einstellt, wenn das umgebende Kühlgefäß auf 3–4° gehalten wird. Nach Beendigung der Reaktion wird 15 Min. lang trockene Luft[6] durch die Lösung geleitet, um gelösten Chlorwasserstoff zu entfernen. Das Gemisch wird bei Atmosphärendruck in einer Kolonne mit 30 theor. Böden getrennt. Starke Zersetzung des β-Isomeren wird durch Verwendung von reinem, rostfreiem Stahl oder durch Keramik als Füllmaterial vermieden. Die Zusammensetzung der Zwischenfraktionen resultiert aus den Dichten. Eine zweite Rektifikation muß zur Reindarstellung der Substanzen angeschlossen werden. Ausbeute des α-Isomeren: 22% (bez. auf 1 Mol Chlor); Kp: 163°; $n_D^{20} = 1,4573$; $d_4^{20} = 1,1985$. Ausbeute der β-Chlor-Verbindung: 31% (bez. auf 1 Mol Chlor); Kp: 182°; $n_D^{20} = 1,4650$; $d_4^{20} = 1,2166$.

---

[1] B. A. BLUESTEIN, Am. Soc. **70**, 3068 (1948).
[2] US. P. 2510148 (1950), Corning Glass Works, Erf.: J. L. SPEIER; C. A. **44**, 8362h (1950).
[3] R. H. KRIEBLE u. J. R. ELLIOTT, Am. Soc. **68**, 2291 (1946).
[4] J. R. ELLIOTT u. E. M. BOLDEBUCK, Am. Soc. **74**, 1853 (1952).
[5] E. P. MIKHEEV, Doklady Akad. SSSR **108**, 484 (1956); engl. S. 285; C. A. **50**, 16408e (1956).
[6] Anmerkung des Autors: Aus Sicherheitsgründen sollte besser Stickstoff oder Argon genommen werden.

9*

Tab. 24. Photochlorierung von Alkyl-silicium-Verbindungen

Ausgangsverbindung	Reaktions-bedingungen	Produkte[a]	Ausbeute [%d.Th.]	Kp [°C]/[Torr]	Lit.
Tetramethylsilan	Flüssigphasen-Chlorierung	*Trimethyl-chlormethyl-silan*	33	97/734	1
	Gasphasen-Chlorierung		74		2
Trimethyl-silicium-chlorid	Flüssigphasen-Chlorierung	*Dimethyl-chlormethyl-siliciumchlorid*	93	115/762[6]	3
Triäthyl-silicium-chlorid		*Diäthyl-(1-chlor-äthyl)-siliciumchlorid* +*Diäthyl-2-chlor-äthyl- ...* (1:0,7)	81	182/760[7] 201/760[7]	4
Dimethyl-siliciumdi-chlorid	Gasphase; Entzug von Monochlor-Produkten aus der Reaktionszone	*Methyl-chlormethyl-silicium-dichlorid*	80	122/760[8]	4
Diäthyl-siliciumdi-fluorid		*Äthyl-(2-chlor-äthyl)-silicium-difluorid* +*Äthyl-(1-chlor-äthyl)- ...*	35 30	125,5/751 103/753	5
Diäthyl-siliciumdi-chlorid		*Äthyl-(2-chlor-äthyl)-silicium-dichlorid* +*Äthyl-(1-chlor-äthyl)- ...* (1,1:1)	76	92/42[9] 161/730[10]	4
Methyl-siliciumtri-chlorid	Flüssigphasen-Chlorierung	*Chlormethyl-siliciumtri-chlorid*	60	116,5/750[11]	3
Äthyl-siliciumtri-fluorid	Gasphase; Entzug von Monochlor-Produkten aus der Reaktionszone	*2-Chlor-äthyl-siliciumtri-fluorid* +*1-Chlor-äthyl- ...*	32,4 7,4	68,5/749,5 39,5/749,5	5
Äthyl-siliciumtri-chlorid		*2-Chlor-äthyl-siliciumtri-chlorid* +*1-Chlor-äthyl- ...* (1,8:1)	86	152/734[12] 136,4[13]	4

[a] In Klammern die Mengenverhältnisse der einzelnen Produkte.

[1] F. C. WHITMORE u. L. H. SOMMER, Am. Soc. 68, 481 (1946).
[2] I. D. ROBERTS u. S. DEV, Am. Soc. 73, 1879 (1951).
[3] E. P. MIKHEEV, A. F. POPOV u. N. P. FILIMONOVA, Sintez i Svoistva Monomerov, Akad. Nauk SSSR, Inst. Neftekhim. Siniteza, Sb. Rabot 12-oi (Dvenadsatoi) Konf. po. Vysokomolekul. Soedin. 1962, 168 (Ersch.: 1964), C. A. 62, 5293[d] (1965).
[4] V. F. MIRONOV u. V. A. PONOMARENKO, Izv. Akad. SSSR 1957, 199; engl.: 211; C. A. 51, 11272[f] (1957).
[5] V. A. PONOMARENKO u. A. D. SNEGOVA, Ž. obšč. Chim. 27, 2122 (1957); engl.: 2067; C. A. 52, 6146[i] (1958).
[6] J. J. MCBRIDE u. H. C. BEACHELL, Am. Soc. 70, 2532 (1948).
[7] L. H. SOMMER et al., Am. Soc. 68, 1881 (1946).
[8] A. Y. YAKUBOVICH et al., Doklady Akad. SSSR 72, 69 (1950); C. A. 45, 2856[i] (1951).
[9] L. H. SOMMER et al., Am. Soc. 76, 1613 (1954).
[10] V. A. PONOMARENKO, B. A. SOKOLOV u. A. D. PETROV, Izv. Akad. SSSR 1956, 628; C. A. 51, 1027[e] (1957).
[11] A. Y. YAKUBOVICH u. V. A GINSBURG, Ž. obšč. Chim. 22, 1783 (1952); C. A. 47, 9256[g] (1953).
[12] L. H. SOMMER u. F. C. WHITMORE, Am. Soc. 68, 485 (1946).
[13] A. D. PETROV et al., Doklady Akad. SSSR 97, 687 (1954); C. A. 49, 10166[g] (1955).

Tab. 24 (1. Fortsetzung)

Ausgangsverbindung	Reaktions-bedingungen	Produkte[a]	Ausbeute [% d.Th.]	Kp [°C]/[Torr]	Lit.
Propyl-siliciumtri-chlorid		*2-Chlor-propyl-siliciumtri-chlorid* *+3-Chlor-propyl-* . . . *+1-Chlor-propyl-* . . . (1:1:0,7)	89	162,2/744[1] 181,5/750[2] 157/739[3]	4
Isopropyl-siliciumtrichlorid		*1-Chlor-propyl-(2)-siliciumtrichlorid* *2-Chlor-propyl-(2)-* . . . (2:1)	80	164/744[5] 151/744[5]	4
2-Methyl-propyl-siliciumtrichlorid		*3-Chlor-2-methyl-propyl-siliciumtrichlorid* *+2-Chlor-2-methyl-propyl-* . . . *+1-Chlor-2-methyl-propyl-* . . . (5:1,2:1)	77	192/740 179,5/740 161–164	4
1-Chlor-äthyl-siliciumtrichlorid	Gasphase; Entzug von Monochlor-Produkten aus der Reaktionszone	*1,1-Dichlor-äthyl-silicium-trichlorid* *+1,2-Dichlor-äthyl-* . . . (1:0,6)	88,5	152/745 181/760	4
2-Chlor-äthyl-siliciumtrichlorid		*2,2-Dichlor-äthyl-silicium-trichlorid* *+1,2-Dichlor-äthyl-* . . . (1:0,5)	92;5	175/740 181/760	4
1,2-Bis-[trichlor-silyl]-äthan		*1-Chlor-1,2-bis-[trichlor-silyl]-äthan*	94	224–225	4 vgl. a, 6,7
Dichlor-äthyl-siliciumhydrid		*2-Chlor-äthyl-siliciumtri-chlorid* *+1-Chlor-äthyl-* . . . (1,5:1) *+Dichlor-(1-chlor-äthyl)-siliciumhydrid*	55	152/734[8] 136,5/747 115–116	4

[a] In Klammern die Mengenverhältnisse der einzelnen Produkte.

Bei gemischt aromatisch-aliphatisch substituierten Silanen führt die Photochlorierung nur dann zur ausschließlichen Chlor-Substitution im Alkyl-Rest, wenn überschüssiges Chlor vermieden wird. Ohne Licht-Einwirkung hingegen resultiert Kern-Halogenierung.

Ein größerer Chlor-Überschuß führt neben teilweiser Spaltung der Si-C$_{arom.}$-Bindung zur Chlor-Addition an den Aromaten. So entsteht bei der Photochlorierung von Trimethyl-

[1] V. F. Mironov u. V. A. Ponomarenko, Izv. Akad. SSSR 1957, 199; C. A. 51, 11272[f] (1957).

[2] J. W. Ryan, G. K. Menzie u. J. L. Speier, Am. Soc. 82, 3601 (1960).

[3] L. H. Sommer et al., Am. Soc. 68, 488 (1946).

[4] V. F. Mironov u. V. A. Ponomarenko, Izv. Akad. SSSR 1957, 199; engl.: 211; C. A. 51, 11272[f] (1957).

[5] A. D. Petrov, V. F. Mironov u. V. G. Glukhovzev, Doklady Akad. SSSR, 110, 93 (1956); C. A. 51, 4935 (1957).

[6] V. F. Mironov, V. G. Glukhovzev u. A. D. Petrov, Doklady Akad. SSSR 104, 865 (1955); C. A. 50, 11234[e] (1956).

[7] A. D. Petrov et al., Doklady Akad. SSSR 97, 687 (1954); C. A. 49, 10166[f] (1955).

[8] L. H. Sommer u. F. C. Whitmore, Am. Soc. 68, 485 (1946).

phenyl-silicium mit Chlor im Verhältnis 1:3,5 das *Trimethyl-(1,2,3,4,5,6-hexachlor-cyclo-hexyl)-silicium*[1]; daneben werden Chlormethyl-Derivate erhalten.

Die Ausbeuten bei der Chlorierung gemischt aromatisch-aliphatisch substituierter Silane werden durch eine neben der Chlorierung einherlaufende Spaltung der Si-$C_{arom.}$-Bindung in mehr oder minder großem Ausmaß beeinträchtigt. Der Grad der Spaltbarkeit dieser Bindung hängt von der Art des aliphatischen Restes ab. Je mehr Chlor dieser enthält, um so besser ist die Si-$C_{arom.}$-Bindung vor dem Angriff von Chlor bzw. Chlorwasserstoff geschützt. Gegenüber Brom ist jedoch auch eine solchermaßen desaktivierte Si-$C_{arom.}$-Bindung nicht stabil.

Trichlormethyl-tris-[4-chlor-phenyl]-silicium[2]: 10 g (0,0265 Mol) Methyl-tris-[4-chlor-phenyl]-silicium werden in ein röhrenförmiges Reaktionsgefäß gegeben, das mit einem in einer Fritte endenden Gas-Einleitungsrohr und einem Rückflußkühler versehen ist. Vom Ausgang des Rückflußkühlers führt eine Leitung zu einer mit Trockeneis und Aceton gekühlten Falle. Das Reaktionsgefäß wird unter Bestrahlung mit einer UV-Lampe und Durchleiten eines langsamen Chlor-Stromes auf 170° erhitzt. Nach 3 Stdn. kann eine Chlor-Absorption von 2,6 g (0,0732 Äquiv.) festgestellt werden. Nach einminütigem Spülen der Apparatur mit Stickstoff und Abkühlung auf Raumtemp. wird das Reaktionsgemisch 4mal mit heißem Methanol extrahiert. Ein unlöslicher Rückstand wird aus Petroläther (Kp: 79–119°) umkristallisiert; Ausbeute 2,8 g (22% d.Th.); F: 161°.

Entsprechend kann Methyl-triphenyl-silicium in *Trichlormethyl-triphenyl-silicium* (39% d.Th.) überführt werden[2]. Methyl-phenyl-siliciumdichlorid liefert dagegen ein Gemisch aus *Trichlormethyl-phenyl-siliciumdichlorid* (51% d.Th.), *Dichlormethyl-phenyl-siliciumdichlorid* (24% d.Th.) und *Methyl-* bzw. *Chlormethyl-hexachlorcyclohexyl-siliciumdichlorid* (zus. 17% d.Th.)[3].

α_2) *Chlorierungsreagenzien*

bearbeitet von

Dr. Hans-Henning Vogel*

Neben elementarem Chlor sind eine Vielzahl von Chlorierungsreagentien gebräuchlich, die im allgemeinen milder als elementares Chlor wirken und sich deshalb besonders zur Photochlorierung empfindlicher Substanzen eignen. Die Auswahl des geeigneten Reagenz richtet sich nach der gewünschten Selektivität[4] der Chlorierung, d. h. nach der Reaktivität des die Kettenreaktion tragenden intermediären Radikals, nach anfallenden Nebenpro-

* **BASF AG., Ludwigshafen/Rhein.**
[1] G. V. Motsarev, T. T. Tarasova u. V. R. Rozenberg, Ž. obšč. Chim. **36**, 2177 (1966); engl.: 2172; C. A. **66**, 95119ᵛ (1967).
[2] H. Gilman u. L. S. Miller, Am. Soc. **73**, 968 (1951).
[3] G. V. Motsarev u. V. R. Rozenberg, Ž. obšč. Chim. **32**, 909 (1962); engl.: 899; C. A. **58**, 1485ᶜ (1963).
[4] G. A. Russell, Am. Soc. **80**, 5002 (1958).

dukten und deren Abtrennungsmöglichkeiten. Das Lösungsmittel ist in weiten Grenzen variierbar. Die Umsetzungen mit Chlorierungsmitteln werden durch Sauerstoff oder sauerstoffhaltige Verbindungen inhibiert.

Die relativen Reaktivitäten der verschiedenen Wasserstoff-Atome liegen bei Photochlorierungen im allgemeinen als bestimmte Größe in folgender Reihe fest[1,2] (vgl. S.91):

$$CH_{tert.} > CH_{sek.} > CH_{prim.}$$

Der Wert der Reaktivitäten einzelner CH-Bindungen ist im wesentlichen abhängig von der Reaktivität der für die radikalische Kettenreaktion verantwortlichen Radikale. Bei der Photochlorierung mit elementarem Chlor ist die Reaktivität des Chlor-Atoms lediglich durch Reaktionstemperatur und Wahl des Lösungsmittels in gewissen Grenzen zu beeinflussen (vgl. Zunahme der rel. Reaktivitäten in aromatischen Lösungsmitteln, S. 93). Tab. 25 und 26 (S. 136) zeigen für verschiedene Reagenzien die bei der Photochlorierungen erhaltenen Gesamtausbeuten an Monochloralkanen, die Verhältnisse der sekundären bzw. tertiären Chloralkane zu den primären Chloralkanen sowie die relativen Reaktivitäten der CH-Bindungen von sek. bzw. tert. Kohlenstoff-Atomen im Vergleich zur Photochlorierung mit elementarem Chlor[2].

Tab. 25. Photochlorierung von Hexan mit verschiedenen Chlorierungsreagenzien bei 20°[2]

Reagenz	Ausbeute[a] [% d. Th.]	Verhältnis sek. : prim. Chlorhexan	rel. Reaktivität von sek. CH-Bindung[b]
Chlor	—	3,20:1	2,40
Äthylhypochlorit	72,3	3,56:1	2,66
Propylhypochlorit	60,0	4,70:1	3,52
Hexylhypochlorit	27,3	4,80:1	3,60
Cyclohexylhypochlorit	27,3	4,80:1	3,60
2-Äthyl-hexylhypochlorit	10,9	4,0 :1	3,00
tert.-Butylhypochlorit	41,1	1,0 :1	∞[c]
N′,N′-N″-Trichlor-cyanursäure	33,1	3,76:1	2,82
N-Chlor-succinimid	88	1,0 :0	∞
N-Chlor-2-sulfo-benzoesäure-imid	33	2,45:1	1,84
N,N-Dichlor-4-methyl-benzolsulfonsäure-amid	32,9	1,0 :0	∞
N-Chlor-4-methyl-N-benzoyl-benzolsulfonsäure-amid	18,6	3,5 :1	2,63
2,4-Dichlor-N-chlor-N-acetyl-anilin	46,5	1,0 :0	∞
N,N′-Dichlor-N,N′-diacetyl-1,3-diamino-benzol	93	3,56:1	2,66

[a] Bezogen auf umgesetztes Chlorierungsmittel.
[b] Im Vergleich zur Umsetzung mit elementarem Chlor.
[c] Andere Werte vgl.: C. WALLNIG u. B. B. JACKNOW, Am. Soc. 82, 6108 (1960).

αα) Sulfurylchlorid

Die radikalische Chlorierung mit Sulfurylchlorid wird seltener photochemisch, meistens mit Peroxiden als Radikal-Bildner durchgeführt (vgl. ds. Handb., Bd. V/3, S. 890 ff.). Mechanistisch unterscheiden sich die peroxidische und die photochemische Chlorierung mit Sulfurylchlorid nicht. Die Frage nach den relativen Reaktivitäten[3-5], nach der Isomerenverteilung[6], dem induktiv-dirigierenden Effekt bereits

[1] z. B. C. WALLING u. B. B. JACKNOW, Am. Soc. 82, 6108 (1960).
[2] O. ČERNÝ u. J. HÁJEK, Collect. czech. chem. Commun. 26, 2624 (1961).
[3] M. S. KHARASCH u. H. C. BROWN, Am. Soc. 61, 2142 (1939).
[4] G. A. RUSSELL u. H. C. BROWN, Am. Soc. 77, 4031 (1955).
[5] C. WALLING u. B. MILLER, Am. Soc. 79, 4181 (1957).
[6] H. C. BROWN u. A. B. ASH, Am. Soc. 77, 4019 (1955).

Tab. 26. Photochlorierung von 2,3-Dimethyl-butan mit verschiedenen Chlorierungs-reagenzien bei 20° [1]

Reagenz	Ausbeute[a] [% d.Th.]	Verhältnis von tert.- :prim.- Chlor-2,3-di- methyl-butan	rel. Reaktivität der tert. CH-Bindung[b]
Chlor	—	0,67:1	4,02
Äthylhypochlorit	18,7	4,15:1	24,90
Propylhypochlorit	36,0	1,06:1	6,36
Hexylhypochlorit	27,2	2,80:1	16,80
Cyclohexylhypochlorit	13,6	1,97:1	11,82
tert.-Butylhypochlorit	44,4	5,3 :1	31,80
N′,N″,N″-Trichlor-cyanursäure	40,4	0:1	0
N-Chlor-succinimid	36,5	0:1	0
N-Chlor-2-sulfo-benzoesäureimid	22,7	0:1	0

[a] Bezogen auf umgesetztes Chlorierungsmittel.
[b] Im Vergleich zur Umsetzung mit elementarem Chlor.

vorhandener Gruppen[2,3] und dem Einfluß von Lösungsmitteln auf die relativen Reaktivitäten[4] ist Ziel zahlreicher Untersuchungen gewesen.

Die Photochlorierung mit Sulfurylchlorid verläuft im Vergleich zur peroxid-initiierten Chlorierung extrem langsam[2]:

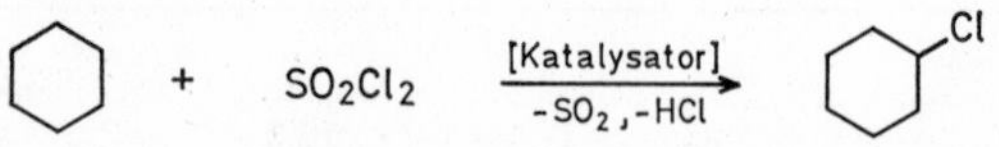

Katalysator	Photolysedauer [Stdn.]	Chlorcyclohexan [% d.Th.]
—	6	0
5 g Tierkohle	6	30
300 W hv/10 cm Abstand	6	25
Licht/Tierkohle	6	75
Benzoylperoxid	0,25	80

1,1,2,4,4,5-Hexachlor-cyclohexan[5]: Man löst 250 mg 1,1,4,4-Tetrachlor-cyclohexan in 5 ml Schwefel-freiem Tetrachlormethan und erhitzt nach Zugabe von 1 ml Sulfurylchlorid 1 Stde. unter Rückfluß, wobei die Mischung mit einer UV-Lampe bestrahlt wird. Durch Zugabe von wenig Methanol wird das nicht umgesetzte Sulfurylchlorid sofort nach Beendigung der Reaktion zersetzt und das Lösungsmittel bei Raumtemp. abgezogen. Der Rückstand wird aus Isopropanol/1,4-Dioxan umkristallisiert; Ausbeute: 60 mg (18% d.Th.); F: 146°.

Unter ähnlichen Bedingungen erhält man aus r-1,t-2,c-4,t-5-Tetrachlor-cyclo-hexan ein Gemisch aus *1,1,r-2,t-4,c-5-* und *r-1,t-2,c-3,c-4,t-5-Pentachlor-cyclohexan* (F: 56° bzw. F: 107°), das durch Säulenchromatographie getrennt werden kann. Durch Photo-

[1] O. Černý, J. Hájek, Collect. czech. chem. Commun. 26, 2624 (1961).
[2] M. S. Kharasch u. H. C. Brown, Am. Soc. 61, 2142 (1939).
[3] H. C. Brown u. A. B. Ash, Am. Soc. 77, 4019 (1955).
[4] G. A. Russell, Am. Soc. 80, 5002 (1958).
[5] R. Jaunin u. A. Germano, Helv. 38, 1763 (1955).

chlorierung mit elementarem Chlor können hieraus *trans-1,1,2,2,4,5-Hexachlor-cyclohexan* (F: 109°) bzw. ein Isomeres unbekannter Struktur (F: 72°) gewonnen werden[1]:

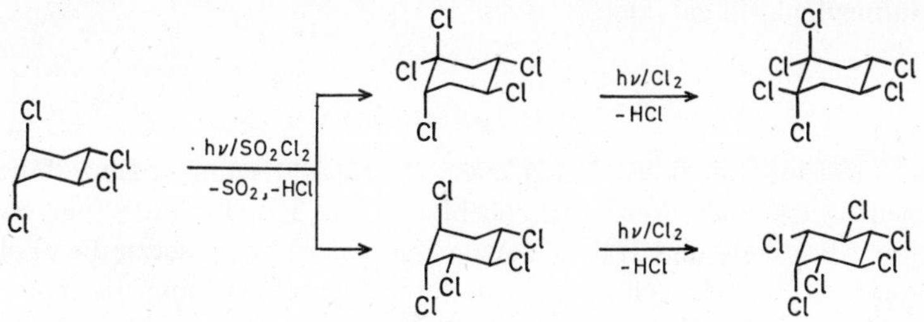

Während bei der Photochlorierung der isomeren Methoxy-methyl-benzole mit elementarem Chlor im Sonnenlicht der Angriff hauptsächlich an der Alkyl-Gruppe erfolgt[2], bilden sich mit Sulfurylchlorid in siedendem Tetrachlormethan praktisch ausschließlich kernchlorierte Produkte[3]:

2-Methoxy-1-methyl-benzol $\xrightarrow{h\nu/Cl_2}$ *2-Methoxy-1-chlormethyl-benzol*; 60–65% d.Th.

$\xrightarrow{h\nu/SO_2Cl_2}$ *5-Chlor-2-methoxy-1-methyl-benzol*; 84% d.Th.; F: 33–34°; Kp$_4$: 72°

3-Methoxy-1-methyl-benzol $\xrightarrow{h\nu/Cl_2}$ *3-Methoxy-1-chlormethyl-benzol*; 23% d.Th.

$\xrightarrow{h\nu/SO_2Cl_2}$ *2-Chlor-5-methoxy-1-methyl-benzol*; 83% d.Th.; Kp$_5$: 78–79°

4-Methoxy-1-methyl-benzol $\xrightarrow{h\nu/Cl_2}$ *4-Methoxy-1-chlormethyl-benzol*; 23% d.Th.

$\xrightarrow{h\nu/SO_2Cl_2}$ *3-Chlor-4-methoxy-1-methyl-benzol*; 33% d.Th.; Kp$_4$: 86–87°
2,5-Dichlor- und *2,3,5-Trichlor-4-methoxy-1-methyl-benzol* (im Gewichtsverhältnis 40:60)

Bei Photochlorierung von Anisol mit Sulfurylchlorid in Tetrachlormethan in Gegenwart von Phosphor(III)-chlorid findet hauptsächlich Kernchlorierung stattt: *4-Chlor-* sowie *2-Chlor-1-methoxy-benzol* (43% d.Th. bzw. 17% d.Th.) neben *2,4-Dichlor-1-methoxy-benzol* (7% d.Th.). *Chlormethoxy-benzol* wird lediglich in 25%iger Ausbeute gebildet, *4-Chlor-1-chlormethoxy-benzol* fällt mit 1%iger Ausbeute an[4]:

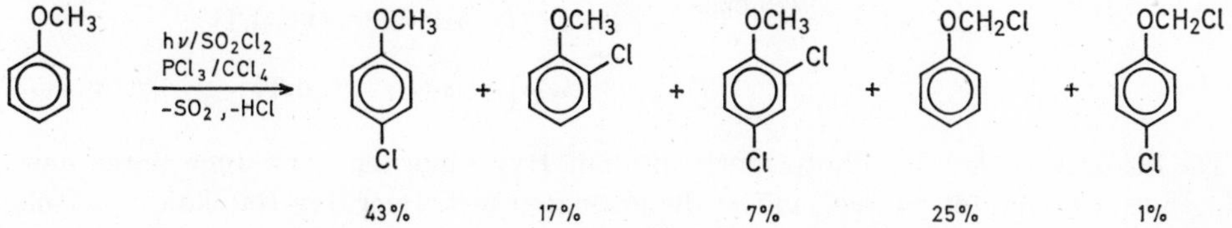

Seitenketten-Chlorierung von 2-Methyl-benzoesäure-äthylester ergibt bei gleichzeitiger Anwesenheit von Peroxid und UV-Licht (60°) *2-Chlormethyl-benzoesäure-äthylester* (Kp$_{0,03}$: 100–102°)[5].

Auch bei Organo-Silicum-Verbindungen bieten bisher die Umsetzungen mit Sulfurylchlorid gegenüber der Direktchlorierung keinen Vorteil. Immerhin läßt sich Methyl-

[1] R. JAUNIN u. A. GERMANO, Helv. **38**, 1763 (1955).
[2] G. V. ASOLKAR u. P. C. GUHA, J. indian chem. Soc. **23**, 47 (1946).
[3] M. G. VORONKOV et al., Ž. Org. Chim. **7**, 513 (1971); engl.: 520.
[4] M. G. VORONKOV et al., Ž. Org. Chim. **7**, 1438 (1971); engl.: 1488.
[5] Schweiz. P. 383356 (1960), Sandoz AG, Basel, Erf.: E. JUCKER, A. J. LINDEMANN u. F. GADIENT.

siliciumtrichlorid in *Chlormethyl-* und *Dichlormethyl-silicumtrichlorid*[1] überführen. Das mit Chlor als Hauptprodukt entstehende Trichlormethyl-silicumtrichlorid wird nur bei überschüssigem Sulfurylchlorid gebildet.

ββ) Hypochlorite

Die Photochlorierung mit diesen Reagenzien ist präparativ nur in Einzelfällen geeignet[2]. Bereits mit sichtbarem Licht werden Hypochlorite und Hypobromite (vgl. S. 159) homolytisch in Alkoxy-Radikale und Halogen-Atome gespalten (vgl. hierzu die explosionsartige Zersetzung von z. B. tert.-Butylhypochlorit unter Lichteinwirkung, ds. Handb., Bd. V/3, S. 765). Es bildet sich eine Kettenreaktion aus[3,4], bei der das tert.-Butyloxy-Radikal als Träger auftritt:

$$(H_3C)_3C-OCl \xrightarrow{h\nu} (H_3C)_3CO^\bullet + Cl^\bullet$$

$$(H_3C)_3C-O^\bullet + RH \longrightarrow (H_3C)_3COH + R^\bullet$$

$$R^\bullet + (H_3C)_3C-OCl \longrightarrow R-Cl + (H_3C)_3CO^\bullet$$

Bei der Photochlorierung von z. B. Heptan, Octan oder Decan wurde mit tert.-Butylhypochlorit – gegenüber der Verwendung von freiem Chlor – eine stark bevorzugte Bildung des sek.-Alkyl-chlorids am Kohlenstoff-Atom 2 beobachtet[5].

Hypochlorite sind besonders geeignet für die Chlorierung in der Allyl- bzw. Benzyl-Stellung[6]. So erhält man aus *cis*- bzw. *trans*-Olefinen z. T. stereoisomere *cis*- und /oder *trans*-Allylchloride[4]:

$$trans\text{-Penten-(2)} \xrightarrow{h\nu/(H_3C)_3COCl} trans\text{-4-Chlor-penten-(2); 65\% d.Th.}$$
$$+cis\text{-...; 11\% d.Th.}$$
$$+trans\text{-1-Chlor-penten-(2); 17\% d.Th.}$$
$$+3\text{-Chlor-penten-(1); 7\% d.Th.}$$

$$cis\text{-Penten-(2)} \xrightarrow{h\nu/(H_3C)_3COCl} trans\text{-4-Chlor-penten-(2); 43\% d.Th.}$$
$$+cis\text{-...; 11\% d.Th.}$$
$$+cis\text{-1-Chlor-penten-(2); 16\% d.Th.}$$
$$+3\text{-Chlor-penten-(1); 10\% d.Th.}$$

$$Penten\text{-(1)} \xrightarrow{h\nu/(H_3C)_3COCl} trans\text{-1-Chlor-penten-(2); 44\% d.Th.}$$
$$+cis\text{-...; 15\% d.Th.}$$
$$+3\text{-Chlor-penten-(1); 41\% d.Th.}$$

Die Selektivität bei der Photochlorierung mit Hypochloriten kann auch durch das Lösungsmittel beeinflußt werden, indem die erzeugten tert.-Butyloxy-Radikale unterschiedlich solvatisiert werden[7]. In aromatischen Lösungsmitteln z. B. ist die Reaktivität des tert.-

[1] M. G. Voronkov u. V. P. Davydova, Doklady Akad. SSSR 125, 553 (1959); engl.: 230.
[2] O. Černý u. J. Hájek, Collect czech. chem. Commun. 26, 2624 (1961);
   Vgl. auch Tab. 25 (S. 135) u. Tab. 26 (S. 136).
[3] C. Walling u. B. B. Jacknow, Am. Soc. 82, 6108, 6113 (1960).
[4] C. Walling u. W. Thaler, Am. Soc. 83, 3877 (1961).
[5] F. Asinger u. B. Fell, Jahrbuch 1969 des Landesamtes für Forschung, Nordrhein-Westfalen, S. 78, Westdeutscher Verlag, Köln · Opladen.
[6] M. Anbar u. D. Ginsburg, Chem. Reviews 54, 951 (1954).
   M. Anbar, Ph. D. Thesis, Hebrew Univ., Jerusálem, Israel (1963).
[7] C. Walling u. P. J. Wagner, Am. Soc. 85, 2333 (1963); 86, 3368 (1964).
   C. Walling u. A. Padwa, Am. Soc. 84, 2845 (1962); 85, 1594 (1963).

Butyloxy-Radikals geringer[1,2]. Bei langkettigen aliphatischen Hypochloriten findet auch intramolekulare Photochlorierung in der Alkyl-Kette statt[3] (s. S. 711ff).

Allylchlorid selbst kann mit tert.-Butylhypochlorit bei 100%igem Umsatz zu einem Substanzgemisch photochloriert werden, das (nach Abtrennung des tert.-Butanols) etwa zu gleichen Teilen aus *cis-* und *trans-1,3-Dichlor-propen* besteht[4]:

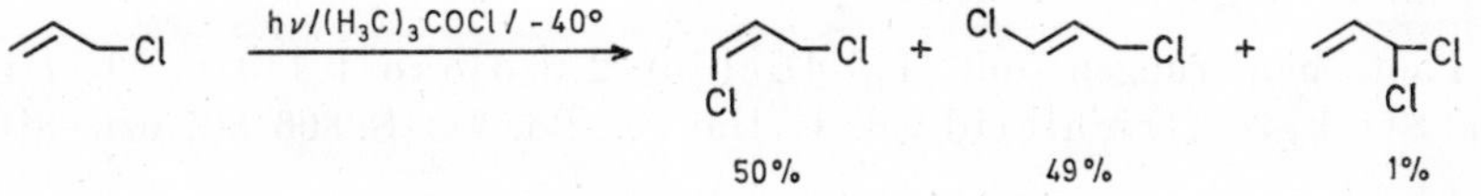

Cyclohexen (2 Mol) läßt sich in Gegenwart von tert.-Butylhypochlorit (0,3 Mol) durch 2stdg. UV-Bestrahlung bei 25–35° in *3-Chlor-cyclohexen* (68% d.Th.; Kp_{20}: 48–50°) überführen[5].

Die Photochlorierung von tert.-Butylbromid mit tert.-Butylhypochlorit bei −78° ergibt in 92%iger Ausbeute unter Umlagerung *2-Chlor-1-brom-2-methyl-propan*[6], ähnliches Verhalten zeigen die Propylbromide[6]:

2-Chlor-1-brom-propan; 40% d.Th.

2-Chlor-2-brom-propan; 60% d.Th.

2-Chlor-1-brom-propan; 15% d.Th.

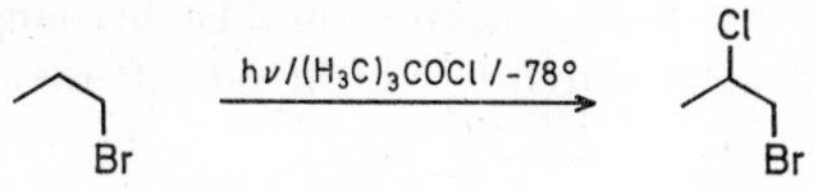

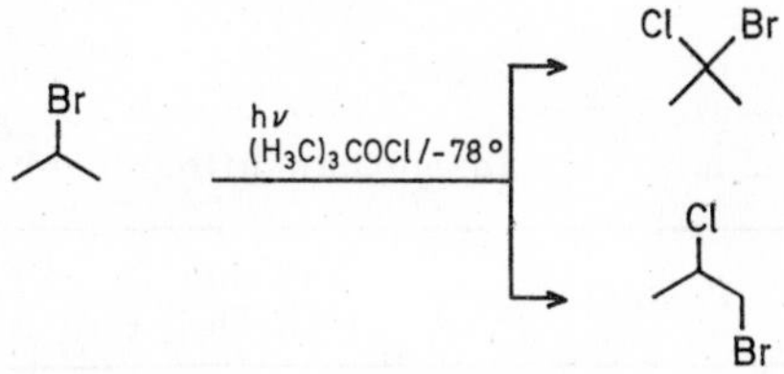

γγ) N-Chlor-Verbindungen

Von den zur Verfügung stehenden Reagenzien (s. S. 135) hat lediglich N-Chlor-succinimid präparative Bedeutung erlangt, das bevorzugt die Allyl- bzw. Benzyl-Stellung eines Substrats chloriert[7]. Insbesondere die photochemische Seitenketten-Chlorierung von Alkylaromaten verläuft mit N-Chlor-succinimid mit guten bis sehr guten Ausbeuten. Eine ausführliche Behandlung dieser Methode befindet sich in ds. Handb., Bd. V/3, S. 800–806.

Über den Einfluß der Lichtquelle, des Radikal-Initiators oder des Lösungsmittels auf die Reaktionsdauer am Beispiel Toluol→Benzylchlorid vgl. Lit.[8].

---

[1] C. Walling u. A. Padwa, Am. Soc. **84**, 2845 (1962).
[2] Über den Lösungsmitteleinfluß vgl. auch: F. Asinger u. B. Fell, Jahrbuch 1969 des Landesamtes für
[3] Forschung, Nordrhein-Westfalen, S. 83 u. 84, Westdeutscher Verlag Köln · Opladen.
[4] C. Walling u. A. Padwa, Am. Soc. **85**, 1597 (1963).
[5] Jap. P. 28456/65 (1963), Showa Denko K. K.
[6] J. K. Kochi, Am. Soc. **84**, 2121 (1962).
[7] P. S. Skell, R. G. Allen u. N. D. Gilmour, Am. Soc., **83**, 504 (1961).
Untersuchungen über den Mechanismus vgl. zum Beispiel:
C. Walling, A. L. Rieger u. D. D. Tanner, Am. Soc. **85**, 3129 (1963).
C. Walling u. A. L. Rieger, Am. Soc. **85**, 3134 (1963).
G. A. Russell u. K. M. Desmond, Am. Soc. **85**, 3139 (1963).
R. E. Pearson u. J. C. Martin, Am. Soc. **85**, 354, 3142 (1963).
G. A. Russell, C. de Boer u. K. M. Desmond, Am. Soc. **85**, 365 (1963).
J. Adam, P. A. Gosselain u. P. Goldfinger, Nature **171**, 704 (1953); Bull. Soc. chim. belges **65**, 523 (1956).
R. C. Petterson u. A. Wambsgans, Am. Soc. **86**, 1648 (1964).
[8] M. F. Hebbelynck u. R. H. Martin, Bull. Soc. chim. belges **59**, 193 (1950); Experienta **5**, 69 (1949).

Bei Photochlorierungen von Alkylaromaten mit N-Chlor-succinimid wird durch Zusatz von Hydrochinon (0,11 Mol-%) die Reaktion um den Faktor 4 langsamer, durch Zusatz von Jod (0,56 Mol-%) fast um den Faktor 1,5 schneller[1]. Ebenfalls beschleunigend wirken Chlorwasserstoffsäure und Wasser[2]. Die Photochlorierung mit N-Chlor-succinimid läuft über freies Chlor[3], die Reaktivitäten einzelner Wasserstoff-Atome sind die gleichen wie bei der Photochlorierung mit elementarem Chlor[4].

Über Photochlorierungen mit 1,3-Dichlor-2,5-dioxo-4,4-dimethyl-imidazolidin und Stickstofftrichlorid vgl. ds. Handb., Bd. V/3, S. 806–807 bzw. 810.

δδ) Trichlormethansulfonylchlorid

Mit Trichlormethansulfonylchlorid läuft die Photochlorierung ebenfalls spezifischer ab als bei Verwendung von freiem Chlor. Während bei der Photochlorierung von nieder- und höhermolekularen n-Alkanen mit elementarem Chlor ein Verhältnis der relativen Reaktivitäten (s. S. 91) von prim. zu sek. gebundenen Wasserstoff-Atomen wie ~1:3 gefunden wird[5], bilden sich mit Trichlormethansulfonylchlorid bevorzugt oder sogar fast ausschließlich sek. Alkylchloride[6]. Die Substitution am Kohlenstoff-Atom 2 ist bei längerkettigen Alkanen stark bevorzugt[3]. Die Chlorierung kann durch UV-Licht oder Peroxide gleichermaßen initiiert werden:

$$RH \;+\; Cl_3C-SO_2Cl \;\xrightarrow{\;h\nu\;oder\;(H_5C_6COO)_2\;}\; R-Cl \;+\; CHCl_3 \;+\; SO_2$$

Tab. 27. Photochlorierungen mit Trichlormethansulfochlorid

Ausgangsver-bindung	Reaktionsbedingungen[a]	Produkt	Ausbeute [%d.Th.]	Kp [°C]	Kp [Torr]	Lit.
2-Methyl-1-cyan-propan	1:0,2 Mol; 30° 8 Stdn.	*2-Chlor-2-methyl-1-cyan-propan*	78	–	–	7
		+3-Chlor-2-methyl-1-cyan--propan	6			
		+1-Chlor-2-methyl-1-cyan-propan	0,9			
	1:0,2 Mol; 90°; 8 Stdn.	*2-Chlor-2-methyl-1-cyan-propan*	64	–	–	
		+3-Chlor-2-methyl-1-cyan-propan	20			
		+1-Chlor-2-methyl-1-cyan-propan	1,3			

[a] Die Mengenangabe gibt das Verhältnis Substrat:Reagenz an.

[1] M. F. HEBBELYNCK u. R. H. MARTIN, Bull. Soc. chim. belges **59**, 193 (1950).
[2] J. ADAM, P. A. GOSSELAIN u. P. GOLDFINGER, Bull. Soc. chim. belges **65**, 523 (1956).
[3] G. CHILTZ et al., Chem. Reviews **63**, 355 (1963); dort weitere Literatur.
[4] F. ASINGER u. B. FELL, Jahrbuch 1969 des Landesamtes für Forschung, Nordrhein-Westfalen, S. 77, Westdeutscher Verlag Köln · Opladen.
[5] z. B.: F. ASINGER, *Chemie und Technologie der Paraffinkohlenwasserstoffe*, S. 608f, Akademie-Verlag, Berlin 1956.
    Vgl. a.: F. ASINGER, *Die petrolchemische Industrie*, S. 643ff. Akademie-Verlag, Berlin 1971.
[6] B. FELL u. L. H. KUNG, Ang. Ch. **75**, 165 (1963).
    J. ROUCHAUD u. A. BRUYLANTS, Bull. Soc. chim. belges **76**, 50 (1967).
    E. S. HUYSER u. B. GIDDINGS, J. Org. Chem. **27**, 3391 (1962).
    E. S. HUYSER, Am. Soc. **82**, 5246 (1960).
[7] J. ROUCHAUD u. A. BRUYLANTS, Bull. Soc. chim. belges **76**, 50 (1967).

Tab. 27 (1. Fortsetzung)

Ausgangsver-bindung	Reaktionsbedingungen[a]	Produkt	Ausbeute [% d.Th.]	Kp [°C]	Kp [Torr]	Lit.
Cyclopentan	1:0,2 Mol; 76°; 24 Stdn.	*Chlor-cyclopentan*	75	108–115	760	1
Cyclohexan	1:0,25 Mol; 89–93°; 14 Stdn.	*Chlor-cyclohexan*	84	140–142	760	1
2,3-Dimethyl-butan	1:0,2 Mol; 70°; 30 Stdn.	*2-Chlor-2,3-dimethyl-butan*	95	110	760	1
Hexan	0,3:0,1 Mol; 70°; 15 Stdn.	*sek.-Hexylchlorid*	38,5	56	65	1
Toluol	1:0,1 Mol; 110–115°; 8 Stdn.	*Benzylchlorid*	80	79–81	25	1,2
4-Brom-toluol	0,5:0,115 Mol; 110–115°; 10 Stdn.	*4-Brom-1-chlormethyl-benzol*	95,5	(F: 39–39,5°)		1,2
Äthylbenzol	1:0,115 Mol; 130–133°; 6 Stdn.	*1-Chlor-1-phenyl-äthan*[b]	87	77–78	17	1,2

[a] Die Mengenangabe gibt das Verhältnis Substrat:Reagenz an.
[b] Mit elementarem Chlor werden dagegen *1-Chlor-1-phenyl-äthan* (90% d. Th.) und *2-Chlor-1-phenyl-äthan* (10% d.Th.) gebildet. Mit Dibenzoylperoxid und Sulfurylchlorid initiiert enthält das Chlorierungsprodukt nur 7% 2-Chlor-1-phenyl-äthan.

εε) sonstige Reagenzien

Die Selektivität eines Photochlorierungsmittels kann gut an 2-Methyl-1-cyan-propan überprüft werden[3], das in isomere Chlor-Verbindungen übergeht[3,4]:

Chlorierungsreagenz	Ausbeute [% d.Th.]	Isomerenverteilung (%) 1-Chlor-	Isomerenverteilung (%) 2-Chlor- 2-methyl-1-cyan-propan	Isomerenverteilung (%) 3-Chlor-
Schwefelmonochlorid; 30°; 8 Stdn.	85	1	84	15
Schwefeldichlorid; 30°; 8 Stdn.	80	1	86	13
Schwefeldichlorid/Benzol; 30°; 5 Stdn.	a	—	100	—
Trichlormethansulfenylchlorid/35°	a	2	71	27
Trichlormethansulfenylchlorid/Benzol	a	1	95	4

a Ausb. nicht bestimmt

Pentachlorbenzolsulfenylchlorid reagiert bereits im diffusen Sonnenlicht, nicht aber im Dunkeln, mit Cyclohexan[5] zu *Cyclohexyl-pentachlorphenyl-sulfid* und *Chlorcyclohexan*. Als Nebenprodukt entsteht auch *Bis-[pentachlorphenyl]-disulfid*. Mit Toluol erhält man jedoch kein Benzylchlorid, sondern nur *Pentachlorphenyl-benzyl-sulfid*[5,6].

---

1 E. S. HUYSER u. B. GIDDINGS, J. Org. Chem. **27**, 3391 (1962).
2 E. S. HUYSER, Am. Soc. **82**, 5246 (1960).
3 J. ROUCHAUD u. A. BRUYLANTS, Bull. Soc. chim. belges **76**, 50 (1967).
4 Zur Selektivität verschiedener Photochlorierungsmittel vgl. insbesondere auch:
   F. ASINGER u. B. FELL, Jahrbuch 1969 des Landesamtes für Forschung, Nordrhein-Westfalen, S. 73–90, Westdeutscher Verlag Köln · Opladen.
5 N. KHARASCH u. Z. S. ARIYAN, Chem. & Ind. **1964**, 929.
6 N. KHARASCH u. Z. S. ARIYAN, Quart. Reports Sulfur Chem. **1**, 132 (1966).

Chlormonoxid ist ein gutes Chlorierungsmittel. Bei Bestrahlung von 1-Chlor-butan in Tetrachlormethan bei 40° erhält man erwartungsgemäß *1,1- 1,2-, 1,3-* und *1,4-Dichlor-butan*[1]:

Das Isomeren-Verhältnis[1] ist nahezu identisch mit der Verteilung bei der Chlorierung mit tert.-Butylhypochlorit[2]. Aus 1-Cyan-butan und Chlormonoxid bilden sich nur *2-, 3-* und *4-Chlor-1-cyan-butan* im Verhältnis 20:39:41[1].

Unter drastischen Reaktionsbedingungen wirkt auch Tetrachlormethan als Chlorierungsmittel[3]: 1,1-Dichlor-äthan geht unter Einwirkung von γ-Strahlen in *1,1,1-Trichlor-äthan* über.

Durch Photolyse von Kupfer(II)-chlorid in homogener Lösung werden Alkane bzw. Arylalkane chloriert[4]. Lithiumchlorid wirkt dabei fördernd auf die Löslichkeit des Kupfersalzes[5].

Benzylchlorid; 86% (titriert);
57% (isoliert)

Aus 2,3-Dimethyl-butan erhält man *1-* und *2-Chlor-2,3-dimethyl-butan* (zus. 22% d. Th.) im Verhältnis 1:0,6[4]. Tetrahydrofuran wird von Kupfer(II)-chlorid zunächst monochloriert. Anschließend erfolgt jedoch durch den gebildeten Chlorwasserstoff Hydrolyse unter Bildung von *4-Chlor-butanol-(1)* und *2-(4-Chlor-butyloxy)-tetrahydrofuran* (Kp_{13}: 77–80°)[4]:

Die Photolyse von Kupfer(II)-chlorid verläuft in Gegenwart von Olefinen sowohl unter Substitution in der Allyl-Stellung als auch unter Addition an der C=C-Doppelbindung.

3-Chlor-cyclohexen[4]: Eine Lösung von 60 g Kupfer(II)-chlorid und 25 g Lithiumchlorid in 1400 *ml* Acetonitril wird mit Stickstoff gespült und 450 *ml* Cyclohexen zugegeben. Die homogene dunkel gelb-braune Lösung wird magnetisch gerührt und unter einem geringen Stickstoff-Überdruck mit einer UV-Lampe (General Electric A 100-4,) bei 27–28° während 36 Stdn. bestrahlt. Durch acidimetrische Analyse der gebildeten Salzsäure folgt, daß 37% der Reaktion unter Substitution verlaufen. Durch gleichzeitige Bestimmung der Chlorid-Ionen kann aus der Differenz zwischen der Abnahme an Chlorid und der Zunahme an Säure auch der Anteil der unter Chlor-Addition ablaufenden Reaktion bestimmt werden. Die Lösung wird dann abgekühlt auf 0° und in 1500 *ml* Eiswasser gegossen. Die organische Schicht wird nochmal nacheinander mit 1 *l* Eiswasser zweimal mit einer Eisen(III)-chlorid-Lösung und wieder mit Wasser gewaschen und über Calciumchlorid getrocknet. Da Acetonitril mit Kupfer(I)-chlorid einen Komplex bildet, sind die Lösungen bei der Wasserwäsche klar und farblos. Bei Abwesenheit von Acetonitril tritt ein Niederschlag von Kupfer(I)-chlorid auf. Überschüssiges Cyclohexen wird destillativ

[1] D. D. Tanner u. N. Nychka, Am. Soc. 89, 121 (1967).
[2] C. Walling u. B. B. Jacknow, Am. Soc. 82, 6113 (1960).
[3] US.P.3537968(1970), Dow Chemical Co.,Erf.: T.A.Chamberlain u. G.L.Kochanny; C.A.74,535(1971).
[4] J. K. Kochi, Am. Soc. 84, 2121 (1962).
[5] J. K. Kochi, Am. Soc. 77, 5274 (1955).

bei 75 Torr entfernt. Durch fraktionierende Dest. erhält man 8,6 g (37% d.Th.) 3-Chlor-cyclohexen; Kp_{20}: 47–49°; n_D^{25}: 1,4830–1,4838 sowie 6,5 g einer Fraktion, die hauptsächlich aus *Dichlor-cyclohexen* besteht.

α_3) Brom*

Die photochemische Bromierung von CH-Bindungen verläuft als radikalische Kettenreaktion nach dem gleichen Mechanismus wie die Photochlorierung ab (vgl. S. 90)[1]. Im Vergleich zu der weitgehend unspezifischen, d. h. statistischen Photochlorierung läuft die Photobromierung wesentlich selektiver ab. Zwar gelingt bei n-Alkanen der gezielte Ersatz einzelner Wasserstoff-Atome durch Brom nur selten, bei verzweigten Alkanen werden aber die tert. Wasserstoff-Atome selektiv bromiert[2]. Sek. und tert. CH-Bindungen sind um ~ 2,5 bzw. 4,4 Kcal/Mol „weicher" als primäre. Die Brom-Substitution ist entsprechend bei tert.-CH-Bindungen um 5,5 und bei sek. CH-Bindungen um 3,1 Kcal/Mol exothermer als bei prim. CH-Bindungen[3]. So verläuft z. B. die Photobromierung von Cyclohexan merklich langsamer als die von Methylcyclohexan oder Isobutan[4]. Prim. Wasserstoff-Atome weisen selbst bei Temperaturen bis 80° nur eine sehr geringe Reaktivität auf, wie z. B. bei der sehr schwer ablaufenden Bromierung von 2,2-Dimethyl-propan, tert.-Butylbenzol und 2,2-Dimethyl-propansäure gezeigt werden konnte[5].

Photobromierung in der Allyl-Stellung wird nur selten mit Brom ausgeführt, da gleichzeitig Addition an die C=C-Doppelbindung eintreten kann. Selektive Allyl-Substitution ausschließlich an C-7 wurde bei einigen Cholesten-(5)-Derivaten beobachtet[6].

Die Photobromierung wird durch kleine Mengen Sauerstoff beschleunigt, während größere Mengen Sauerstoff den Effekt aufheben[4]. So konnte gezeigt werden, daß die Bromierung von z. B. Cyclohexan, Methylcyclohexan und Isobutan bei gemeinsamer Anwesenheit von Sauerstoff und Licht um mehr als hundert Mal schneller abläuft, als wenn entweder nur Licht oder nur Sauerstoff anwesend sind. Bei der Photobromierung von Heptan zeigte sich, daß die Reaktionszeit von der Wellenlänge des eingestrahlten Lichts abhängig ist. Zwischen 350 und 600 nm existieren 2 Minima bei 420 und 470 nm[7]. Die Photobromierung wird von Alkylnitriten nahezu vollständig inhibiert, während z. B. Thiophenol, Äthanol oder Diphenylamin weniger wirksam sind[4].

$\alpha\alpha$) Kohlenwasserstoffe

Aliphatische Kohlenwasserstoffe werden selektiv bevorzugt bei Temperaturen von 0 bis ~ 100° photochemisch bromiert. Bei niederen Alkanen, z. B. Butan und Isobutan arbeitet man meist in der Gasphase[8]. In einigen Fällen genügt bereits eine einfache Glühlampe um die Reaktion zu initiieren, meistens ist jedoch UV-Licht erforderlich. Technische Prozesse zur Photobromierung von Alkanen mit mehr als 8 Kohlenstoff-Atomen arbeiten auch bei Temperaturen von über 100°. Man erhält ein Gemisch stellungsisomerer Bromalkane[9].

Als Nebenprodukte fallen besonders bei Alkanen mit tert. Kohlenstoff-Atomen und bei höheren Photolyse-Temp. vicinale Dibromide an[4,10]. Aus Isobutan[8] in Gegenwart von UV-

---

* Zur Bromierung von Alkyl-boranen s.

   H. C. Brown et al., Synthesis **1972**, 303, 304; Chem. Commun. **1973**, 801.

[1] Vgl. ds. Handb., Bd. V/4, S. 153 und die dort zitierte Lit.

[2] A. V. Grosse u. V. N. Ipatieff, J. Org. Chem. 8, 438 (1941).
   Vgl. ds. Handb., Bd. V/4, S. 156.

[3] J. B. Conn, G. B. Kistiakowsky u. E. A. Smith, Am. Soc. **60**, 2764 (1938).

[4] M. S. Kharasch, W. Hered u. F. R. Mayo, J. Org. Chem. 6, 818 (1941).

[5] M. S. Kharasch u. M. Z. Fineman, Am. Soc. **63**, 2776 (1941).

[6] H. Schaltegger, Helv. **33**, 2101 (1950); Experienta **5**, 321 (1949).
   S. Bernstein et al., J. Org. Chem. **14**, 433 (1949).
   Vgl. a. ds. Handb., Bd. V/4, S. 228ff.

[7] J. C. Hallé u. M. Backès, C. r. **260**, 6359 (1965).

[8] P. C. Anson, P. S. Fredericks u. J. M. Tedder, Soc. **1959**, 918.

[9] z. B. Niederl. P. 6413449 (1964), Shell.
   S. a.: F. Asinger, *Die petrolchemische Industrie*, Akademie Verlag, Berlin (1971); dort weitere Lit.

[10] Vgl. ds. Handb., Bd. V/4, S. 156.

Licht und geringen Mengen Sauerstoff erhält man z. B. neben dem erwarteten *tert.-Butyl-bromid* auch *1,2-Dibrom-2-methyl-propan* im Verhältnis 60:40[1].

$$(H_3C)_3C-H \xrightarrow[-HBr]{h\nu/Br_2} (H_3C)_3C-Br \xrightarrow[-HBr]{} (H_3C)_2C=CH_2 \xrightarrow{Br_2} (H_3C)_2\underset{\underset{Br}{|}}{C}-\underset{\underset{Br}{|}}{C}H_2$$

3-Brom-2,2,3-trimethyl-butan[2]: In einem 500-*ml*-Vierhals-Kolben mit Turbo-Rührer, Tropftrichter, Thermometer und Rückflußkühler werden 1 Mol 2,2,3-Trimethyl-butan mit 0,25 Mol Brom bei 80° über einen Zeitraum von 1,5 Stdn. bromiert, wobei die Mischung mit einer 150 W Glühlampe bestrahlt wird (Lampenabstand 2,5 cm). Während der Brom-Zugabe entwickelt sich Bromwasserstoff und der Kolben-inhalt verbleibt farblos. Nach der Reaktion werden 25 g nicht umgesetztes Ausgangsmaterial abdestil-liert und der Kolben auf 0° abgekühlt. Die halbfeste kristalline Masse wird abgenutscht (57 g) und mit 50 *ml* kaltem 2,2,3-Trimethyl-butan gewaschen; Ausbeute: 36 g (80% d. Th.); F: 149–150° (geschlossenes Rohr). Durch Einengen der Mutterlaugen kann weiteres leicht verunreinigtes Produkt gewonnen werden.

2-Methyl-pentan wird bei 60° selektiv zu *2-Brom-2-methyl-pentan* photobromiert (78% d.Th. bez. auf eingesetztes Brom; Kp_{140}: 79–79,5°)[2], entsprechend 2,3-Dimethyl-butan in der Flüssigphase (55°; 6 Stdn.) zu *2,3-Dibrom-2,3-dimethyl-butan* (89% d.Th.; F: 169–171°, Zers.)[2–4]. In der Dampfphase bei 100° unter Atmosphärendruck treten als Hauptprodukte *2-Brom-2,3-dimethyl-butan* (35% d.Th. bez. auf einges. Brom; $Kp_{27,5}$: 41–41,5°) und *cis-* und *trans-1,4-Dibrom-2,3-dimethyl-buten-(2)* (25% d. Th. bez. auf einges. Brom; $Kp_{0,1}$: 40°; F: 57–57,5°) auf[5]. 2,3-Dibrom-2,3-dimethyl-butan entsteht hier nur in 4%iger Ausbeute.

Bei höheren Temperaturen können während der Photolyse in der Gasphase Umlagerungen intermediär gebildeter Radikale erfolgen. 2,2,4,4-Tetramethyl-pentan, das sich bei 100° in der Dampfphase nicht bromieren läßt, ergibt bei 200° *4-Brom-2,2,3,4-tetramethyl-pentan* (72% d.Th. bez. auf einges. Brom; Kp_5: 52°)[5]:

$$\underset{\underset{H_3C}{|}}{\overset{\overset{H_3C}{|}}{H_3C-C}}-CH_2-\underset{\underset{CH_3}{|}}{\overset{\overset{CH_3}{|}}{C}}-CH_3 \xrightarrow[200°/155\,Torr]{h\nu/Br_2} \underset{\underset{Br}{|}}{\overset{\overset{H_3C}{|}}{H_3C-C}}-CH-\underset{\underset{CH_3}{|}}{\overset{\overset{CH_3}{|}}{C}}-CH_3$$

Cyclohexan wird bei 0° in Gegenwart von UV-Licht und Sauerstoff mit quantitativer Ausbeute in *Cyclohexylbromid* überführt[1]. Bei gleichzeitiger Einwirkung von Brom und Chlor auf Cyclohexan in Gegenwart von UV-Licht entsteht *Cyclohexylbromid* (45% d.Th.) neben *Dibrom-cyclohexanen* (38% d.Th.)[6]. Beim Cyclopropan entsteht in 81%iger Aus-beute *Propylbromid*, auch hier wirkt UV-Licht und Sauerstoff stark beschleunigend; Cyclo-propylbromid wurde nicht erhalten[7]. Bicyclen verhalten sich wie bei der Photochlorierung (vgl. S. 97). Norbornan liefert mit freiem Halogen bevorzugt das *exo*-Isomere[8].

exo- und endo-2-Brom-bicyclo[2.2.1]heptan[8]: Zu einer Lösung von 36 g (0,38 Mol) Bicyclo [2.2.1]heptan in 100 *ml* siedendem Tetrachlormethan gibt man tropfenweise 18 g (0,11 Mol) Brom unter Bestrahlung mit UV-Licht. Anschließend wird das schwach gelbe Photolysat an einer Vigreux-Kolonne mit 8 Böden destilliert (bis 130°), wobei das Lösungsmittel und ein großer Teil des unumgesetzten Aus-gangsmaterials übergeht. Restliches Bicyclo[2.2.1]heptan wird nach Zugabe von ~ 50 g Toluol als Azeotrop entfernt; Ausbeute: 12,7 g (25,6% d.Th.); Kp_{17}: 68–70°; n_D^{20}: 1,5147. Das Produkt enthält nach der IR-Analyse 75% des *exo-* und 25% des *endo*-Isomeren.

[1] M. S. Kharasch, W. Hered u. F. R. Mayo, J. Org. Chem. **6**, 818 (1941).
[2] G. A. Russell u. H. C. Brown, Am. Soc. **77**, 4025 (1955).
[3] A. V. Grosse u. V. N. Ipatieff, J. Org. Chem. **8**, 438 (1943).
[4] Vgl. ds. Handb., Bd. V/4, S. 156.
[5] M. S. Kharasch, Y. C. Lin u. W. Nudenberg, J. Org. Chem. **20**, 680 (1955).
[6] J. Speier, Am. Soc. **73**, 826 (1951).
[7] M. S. Kharasch, M. Z. Fineman u. F. R. Mayo, Am. Soc. **61**, 2139 (1939).
[8] E. C. Kooyman u. G. C. Vegter, Tetrahedron **4**, 382 (1958).

$\beta\beta$) Halogenalkane

Niedere Halogenalkane, z. B. 1-Halogen-butane[1], lassen sich in der Gasphase und in der Flüssigphase photobromieren. Während bei der Photochlorierung der dirigierende Einfluß eines bereits im Molekül vorhandenen Chlor- oder Brom-Atoms etwa gleich ist[2] (s. S. 98ff.), führt die Photobromierung von 1-Chlor-alkanen zu ~ 50% zu einer Substitution in 3-Stellung und bei der Zweitsubstitution von 1-Brom-alkanen wird mit einer Selektivität von 85–95% das vicinale Dibromid gebildet[3], vgl. Tab. 28.

Tab. 28. Photohalogenierung von 1-Halogen-butanen[2-4]

Halogen	Substrat	Isomeren-Verteilung [%] Dihalogen-butane				Literatur
		1,1–	1,2–	1,3–	1,4–	
Chlor	$H_3C-CH_2-CH_2-CH_2-Cl$	3,5	17,7	52,5	26,3	5,3
		7,8	23,5	49,0	19,6	2
Brom	$H_3C-CH_2-CH_2-CH_2-Br$	5,0	21,8	50,3	22,9	2
	$H_3C-CH_2-CH_2-CH_2-Cl$	22,8	25,3	51,9	—	2
	$H_3C-CH_2-CH_2-CH_2-Br$	0,9	84,5	14,6	—	2,5

Andererseits hängt die Isomeren-Verteilung bei der photochemischen Halogenierung der Halogenalkane vom Grad der Umsetzung ab[4]. Die in Tab. 28 angegebene Verteilung der Dibrombutane gilt nur für einen Umsatz von > 85%. Bei der Photobromierung von 1-Brom-butan liegt nach 10%igem Umsatz folgende Verteilung vor[4]: 1,1- (18,7%), 1,2- (27,8%) und 1,3-Dibrom-butan (53,5%). Die bevorzugte Bildung von 1,2-Dibrom-butan bei hohen Umsätzen läßt sich durch Einstellung von Reaktionsgleichgewichten erklären, da die Isomeren-Verteilung auch durch Zugabe von Bromwasserstoff präparativ steuerbar ist[4]. Die Isomeren-Verteilung bei der Photobromierung und -chlorierung von 1-Fluor- und 1-Chlor-pentan[4,5], Pentansäure-methylester[4,6] und Essigsäure-butylester[4,5] wurde ebenfalls untersucht.

Bei der Photobromierung von (+)-1-Brom-2-methyl-butan entsteht *(−)-1,2-Dibrom-2-methyl-butan*, wobei das nicht umgesetzte (+)-1-Brom-2-methyl-butan nur zu 3–7% racemisiert wird[7,8]. Als mögliche Zwischenstufe wird ein cyclisches Radikal[8] oder ein Eliminierungs-Additions-Mechanismus[4,7] diskutiert.

---

[1] P. S. FREDERICKS u. J. M. TEDDER, Soc. **1960**, 144.

[2] W. THALER, Am. Soc. **85**, 2607 (1963).

[3] Vgl. dazu den stark unterschiedlichen Einfluß von vorhandenem Fluor bei der Photochlorierung von Fluoralkanen auf S. 98.

[4] D. D. TANNER et al., Am. Soc. **91**, 7398 (1969).

[5] H. SINGH u. J. M. TEDDER, Soc. [B] **1966**, 605.

[6] H. SINGH u. J. M. TEDDER, Soc. [B] **1966**, 608; **1964**, 4737.

[7] D. D. TANNER, H. YABUUCHI u. E. V. BLACKBURN, Am. Soc. **93**, 4802 (1971).

[8] P. S. SKELL, D. L. TULEEN u. P. D. READIO, Am. Soc. **85**, 2849 (1963)..

Vgl. a.: W. O. HAAG u. E. I. HEIBA, Tetrahedron Letters **1965**, 3679. Eine cyclische Zwischenstufe wird auch hier für die Photobromierung von (+)-3-Methyl-pentansäure-nitril zum (+)-3-Brom-3-methyl-pentansäure-nitril diskutiert.

Nahezu vollständige Racemisierung des Ausgangsprodukts tritt dagegen bei der Photobromierung von (–)-1-Fluor-2-methyl-butan zum optisch inaktiven *1-Fluor-2-brom-2-methyl-butan* ein[1].

Bei 2-Halogen-butanen erfolgt in der Flüssigphase die photochemische Zweitsubstitution ausschließlich in 2- und 3-Stellung[2]. 2-Brom-butan liefert bei 60° ein Dibrom-butan-Gemisch aus *2,2-Dibrom-butan* (16%) sowie *meso-* und D,L-*2,3-Dibrom-butan* (58% bzw. 25%), 2-Chlor-butan ergibt unter den gleichen Bedingungen ein Gemisch aus *2-Chlor-2-brom-butan* (92%) und *erythro-* und *threo-3-Chlor-2-brom-butan* (5% bzw. 3%). Über die Isomeren-Verteilung der Gasphasen-Photolysen vgl. Lit.[3].

tert.-Alkylbromide werden in Tetrachlormethan bereits bei Abwesenheit von Licht bei 0 bis 25° bromiert[4].

trans-1,2-Dibrom-cyclohexan[2]: Ein Gemisch aus Brom und Bromcyclohexan im Molverhältnis 1:5 wird in einem Pyrex-Glasrohr auf –80° abgekühlt und dreimal abwechselnd evakuiert (Wasserstrahl-Pumpe) und mit Stickstoff gespült. Das Rohr wird zugeschmolzen und bei 60° in einem thermostatisierten Wasserbad mit einer 150 W Tauchlampe (Abstand 10 cm) solange bestrahlt, bis die braune Farbe des Broms verschwunden ist. Das Rohr wird unterkühlt geöffnet und der entweichende Bromwasserstoff in mehreren Tiefkühlfallen aufgefangen. Das verbleibende Reaktionsgemisch wird mit einer kleinen Menge Natrium-Carbonat versetzt und das nicht umgesetzte Bromcyclohexan abdestilliert. Die Destillation des verbleibenden Reaktionsgemisches ergibt in 83%iger Ausbeute (bez. auf Brom) eine Dibrom-cyclohexan-Fraktion, die zu 94% *trans*-1,2-Dibrom-cyclohexan enthält (Kp$_{25}$: 116–118,5°), das durch Fraktionierung oder durch präparative Gaschromatographie daraus gewonnen wird.

Nach der gleichen Arbeitsvorschrift liefert Bromcyclopentan in 93%iger Ausbeute eine Dibromid-Fraktion (Kp$_{30}$: 90–94°) die überwiegend *trans-1,2-Dibrom-cyclopentan* (n$_D^{25}$: 1,5471) enthält. Ebenfalls mit ausgezeichneter Selektivität (> 90%) verläuft die Photobromierung von *cis*-4-Brom-1-tert.-butyl-cyclohexan unter Bildung von *t-3,c-4-Dibrom-r-1-tert.-butyl-* und *c-3,t-4-Dibrom-r-1-tert.-butyl-cyclohexan* im Verhältnis[5] 84:16. *trans*-4-Brom- und *cis*-3-Brom-1-tert.-butyl-cyclohexan sind dagegen weniger reaktiv und die Bromierung verläuft weniger selektiv.

Bei der Photobromierung von Chlormethyl-cyclohexan in Tetrachlormethan (0,1 Mol in 40 *ml*; λ = 254 nm; Quarz-Gefäß) und langsamem Einleiten des Broms unter Verwendung von Stickstoff als Trägergas (in 5–6 Stdn. 0,1 Mol Halogen) sowie einer Nachbestrahlung von 18 Stdn. erhält man in 63%iger Ausbeute ein Monobromierungsprodukt, das zu 85–90% aus *1-Brom-1-chlormethyl-cyclohexan* besteht. Halogen-Austausch findet — wenn überhaupt — nur in Spuren statt. Unter entsprechenden Reaktionsbedingungen liefert 4-Methyl-1-chlormethyl-cyclohexan   *1-Brom-4-methyl-1-chlormethyl-cyclohexan*   (55% d. Th.). Bei direkter Zugabe der gesamten stöchiometrischen Brom-Menge erhält man eine geringere Ausbeute an Monobromierungsprodukt, das außerdem zu 40% aus *1-Brom-4-methyl-1-chlormethyl-cyclohexan* und zu 60% aus *4-Brom-4-methyl-1-chlormethyl-cyclohexan*

[1] D. D. Tanner, H. Yabuuchi u. E. V. Blackburn, Am. Soc. **93**, 4802 (1971).
[2] W. Thaler, Am. Soc. **85**, 2607 (1963).
[3] P. S. Fredericks u. J. M. Tedder, Soc. **1961**, 3520.
[4] G. A. Russell u. H. C. Brown, Am. Soc. **77**, 4025 (1955).
[5] P. S. Skell u. P. D. Readio, Am. Soc. **86**, 3334 (1964).
     P. S. Skell, D. L. Tuleen u. P. D. Readio, Am. Soc. **85**, 2849 (1963).

besteht[1]. So wie die Photochlorierung[2] (vgl. S. 93) ist also auch die Photobromierung hinsichtlich ihrer Selektivität durch die Halogen-Konzentration beeinflußbar. 4-Methyl-1-brommethyl-cyclohexan wird photolytisch durch Brom in *1-Brom-4-methyl-1-brommethyl-cyclohexan* (22% d.Th.) überführt[1].

γγ) Alkyl-aromaten und -heteroaromaten

Die photochemische Seitenketten-Bromierung mit elementarem Brom ist bereits ausführlich in ds. Handb., Bd. V/4, S. 331–341 beschrieben. Eingehende Untersuchungen befassen sich vor allem mit dem Einfluß von Katalysatoren (z. B. Licht, Peroxid, Sauerstoff), der Verdünnung und verschiedenen Lösungsmitteln sowie der Wirkung von Inhibitoren[3]. Substituenten wirken ebenfalls auf die Photobromierung ein; z. B. ist die rel. Reaktivität der Methyl-Gruppe in p-tert.-Butyl-toluol ~ dreimal größer als beim m-Brom- bzw. p-Cyan-toluol[4]. Ein Vergleich der Photobromierung mit Brom und N-Brom-succinimid wurde an deuterierten Toluolen durchgeführt[5].

Die Seitenketten-Bromierung von Aza-Heterocyclen mit aktivierter Methyl-Gruppe verläuft in den meisten Fällen nicht radikalisch, sondern ionisch unter Bildung der Tribrommethyl-Verbindung[6]. In einigen Fällen gelingt jedoch auch die selektive radikalische Monobromierung mit N-Brom-succinimid in Gegenwart von UV-Licht (s. S. 158) bzw. die Photobromierung mit Brom[7]. 4,6-Dichlor-2,5-dimethyl-pyrimidin ergibt z. B. in 35%iger Ausbeute bei gleichzeitigem Halogen-Austausch *6-Chlor-4-brom-2-methyl-5-brommethyl-pyrimidin* (F: 136°)[7]. Tab. 29 enthält einige ergänzende Beispiele zu den in ds. Handb., Bd. V/4 beschriebenen Photobromierungen.

Tab. 29. Photochemische Bromierung von Alkylaromaten mit Brom

Ausgangs-verbindung	Reaktions-bedingungen	Produkte	Ausbeute [% d.Th.]	F [°C]	Lite-ratur
CH₃ R=2-COOH	500 W Lampe; 0,05 m in Tetrachlormethan; 0,05 Mol Brom	*2-Brommethyl-benzoe-säure*	84–94	137–138 (Zers.)	8
	0,05 m in Tetrachlormethan; 0,1 Mol Brom	*2-Dibrommethyl-benzoe-säure*	77	160–161	8
R=2-COOCH₃		*2-Brommethyl-benzoe-säure-methylester*	66	28,5–30	8
R=3-OCOCH₃	500 W Projektionslampe; 0,2 Mol in 150 *ml* Tetrachlormethan; 0,4 Mol Brom in 225 *ml* Tetrachlormethan; Siedetemp.	*3-Acetoxy-1-brommethyl-benzol*	75	Kp₁: 138–147°	9

[1] J. G. Traynham u. W. G. Hines, Am. Soc. 90, 5208 (1968).
[2] G. A. Russell, Am. Soc. 80, 4987, 4997 (1958) und die dort zitierte Lit.
[3] M. S. Kharasch, P. C. White u. F. R. Mayo, J. Org. Chem. 3, 33 (1939).
[4] C. Walling u. B. Miller, Am. Soc. 79, 4181 (1957).
[5] K. B. Wiberg u. L. H. Slaugh, Am. Soc. 80, 3033 (1958).
[6] Vgl. ds. Handb., Bd. V/4, S. 338.
[7] M. Hasegawa, Pharm. Bull. Japan 1, 387 (1953); C. A. 49, 10970ᶠ (1955).
[8] E. L. Eliel u. D. E. Rivard, J. Org. Chem. 17, 1252 (1952).
[9] E. L. Eliel u. K. W. Nelson, Soc. 1955, 1628.

Tab. 29 (1. Fortsetzung)

Ausgangs-verbindung	Reaktions-bedingungen	Produkte	Ausbeute [% d.Th.]	F [°C]	Lite-ratur
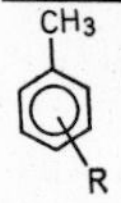 [Struktur: Toluol-Ring mit CH₃, R=2-Br]	2 150 W Lampen; 2 Mol; 1 Mol Brom; 135–140°	2-Brom-1-brommethyl-benzol	79	(Kp₁₆,₅: 129–130°)	1
R=3-Br		3-Brom-1-brommethyl-benzol	74	(Kp₁₂: 125–127°)	1
R=4-Br		4-Brom-1-brommethyl-benzol	52	61–62,5	1
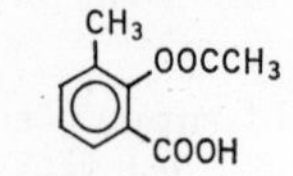 [Struktur: Ring mit CH₃, OOCCH₃, COOH]	500 W Lampe; 0,05 m in Tetra-chlormethan; 0,1 Mol Brom	2-Acetoxy-3-brommethyl-benzoesäure	70	131–132 (Zers.)	2
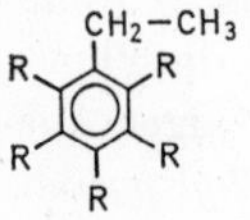 [Struktur: Ring mit CH₂–CH₃, R=Cl]	UV-Lampe; 0,76 Mol; 0,76 Mol Brom; 80–130°; 73 Stdn.	Pentachlor-(1-brom-äthyl)-benzol	52	124	3
R=C₂H₅	750 W Wolfram-Lampe; 200 mMol in 600 ml Tetra-chlormethan; 1,22 Mol Brom; Siedetemp.; 4–5 Stdn.	Hexakis-[1-brom-äthyl]-benzol	89	180	4
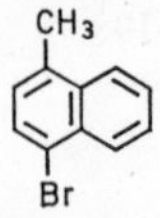 [Struktur: Naphthalin mit CH₃ und Br]		4-Brom-1-brommethyl-napthalin	46	102–104	5,6
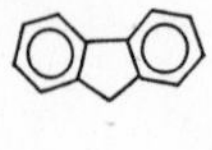 [Struktur: Fluoren]	Hg-Lampe oder Sonne; 8,3 g 100 ml einer 1 m Brom-Lösung in Tetrachlormethan	9-Brom-fluoren	60–64	104–105	7,8

δδ) Aldehyde, Ketone und Acetale

Die Photobromierung von Aldehyden ist nur an einzelnen Beispielen durchgeführt worden und präparativ ohne Bedeutung. Bei Temperaturen von −15° bis −20° lassen sich aliphatische Aldehyde photochemisch zu α-Brom-aldehyden bromieren, die nach Zugabe von abs. Äthanol in Form des Diäthylacetals isoliert werden. Aus Pentanal erhält man

1 G. L. GOERNER u. R. C. NAMETZ, Am. Soc. 73, 2940 (1951).
2 E. L. ELIEL u. D. E. RIVARD, J. Org. Chem. 17, 1252 (1952).
3 G. HUETT u. S. I. MILLER, Am. Soc. 83, 408 (1961).
  Vgl. ds. Handb., Bd. V/4, S. 339.
4 H. HOPF u. A. K. WICK, Helv. 44, 19 (1961).
5 V. BOEKELHEIDE u. M. GOLDMAN, Am. Soc. 76, 604 (1954).
6 W. WISLICENUS, B. 49, 2822 (1916).
7 J. R. SAMPEY u. E. E. REID, Am. Soc. 69, 234 (1947).
8 N. P. BUU-HOI u. J. LECOCQ, C. r. 226, 87 (1948).
  R. C. FUSON u. H. D. PORTER, Am. Soc. 70, 895 (1948).

2-Brom-1,1-diäthoxy-pentan (Kp$_{12}$: 92–96°) in 69%iger Ausbeute[1,2]. *Bromacetaldehyd-di-*
äthylacetal (Kp$_{18}$: 66–67°) entsteht aus Paraldehyd in 85%iger Ausbeute[2]. Die Zugabe von
Calciumcarbonat zur Neutralisation des abgespaltenen Bromwasserstoffs wird für die Photobromierung von Succindialdehyd zu *2,3-Dibrom-succindialdehyd* empfohlen[3]. 1,2-Dioxo-
propan läßt sich zwar photochemisch mit elementarem Brom[4], besser jedoch mit N-Brom-
succinimid bromieren (vgl. S. 156). Die Photobromierung von β,β-Dichlor-acrolein hängt
von den Reaktionsbedingungen ab, es kann Addition an der Doppelbindung oder Substitution des Wasserstoffs an der Carbonyl-Gruppe erfolgen[5]:

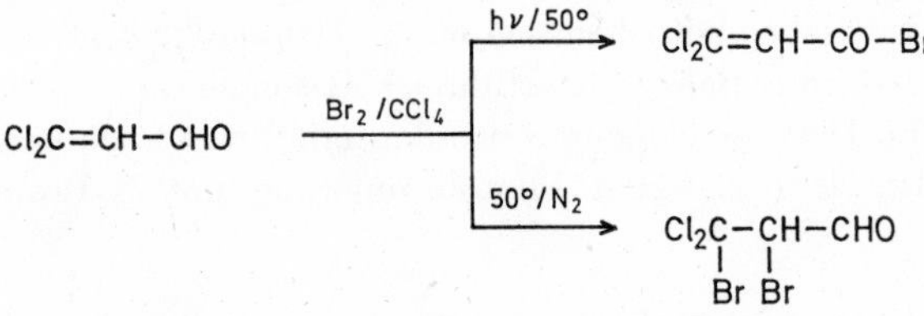

β,β-*Dichlor-acrylsäure-bromid*; 69–74%
d. Th.; Kp$_{15,5}$: 57,5–58,5°

3,3-Dichlor-2,3-dibrom-propanal; 75–78%
d. Th.; Kp$_{16}$: 92–94° (Zers.)

Die Bromierung von K e t o n e n verläuft in den meisten Fällen bereits bei Abwesenheit von
Licht und ohne sonstige Katalysatoren und ist in ds. Handb., Bd. V/4, S. 171 ff. ausführlich
beschrieben. Dennoch sind einige präparative Anwendungen der Photobromierung von
Interesse, wobei die Arbeitsweise mehr oder weniger immer gleich ist. Gesättigte aliphatische Ketone lassen sich photochemisch ohne Lösungsmittel[6] in Gegenwart von Wasser und
Kaliumchlorat bromieren[7,8]. Das Keton wird vorgelegt, auf 50–60° erwärmt und anschließend das Brom bei 40–45° zugetropft. Unabhängig von der Anwesenheit von Kaliumchlorat verläuft die Bromierung von z. B. 2-Oxo-pentan aber auch ohne Belichtung bereits
mit 47%iger Ausbeute[9] unter Bildung von 3-Brom-2-oxo-pentan. Die Aufarbeitung erfolgt
durch Rektifikation i. Vak.[6], was auch die Trennung einzelner isomerer α-Bromketone ohne
weiteres ermöglicht[7]. Die Substitutionsgeschwindigkeit an den einzelnen Kohlenstoff-Atomen folgt der üblichen Reihe:

$$CH_{tert.} > CH_{sek.} > CH_{prim.}$$

cis-2,2,6-Trimethyl-1-(2-brom-3-oxo-butyl)-cyclohexan[10]:

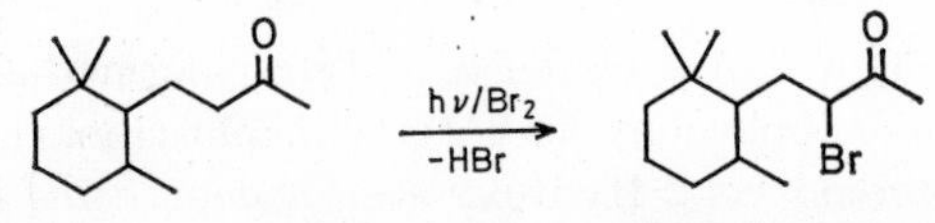

12,8 g *cis*-2,2,6-Trimethyl-1-(3-oxo-butyl)-cyclohexan (Tetrahydro-jonon), 25 *ml* Wasser und 7,0 g fein
pulverisierter Marmor werden intensiv verrührt und bei 45–50° unter Belichtung mit der Quarzlampe
tropfenweise mit einer Lösung von 12,5 g Brom (20% Überschuß) in 10 *ml* Chloroform versetzt (0,75
Stdn.). Nach Zugabe von wenig Natriumhydrogensulfit-Lösung wird der noch braun gefärbte Kolben-
Inhalt entfärbt, danach in Äther aufgenommen, der restliche Marmor mit 2n Salzsäure zersetzt und die
ätherische Lösung mit Natrium-hydrogensulfit-Lösung und Wasser gewaschen. Nach Trocknen mit
Calciumchlorid und Abziehen des Lösungsmittels hinterbleibt das Produkt als schwach gelbes Öl von
süßlichem Geruch; Rohausbeute: 95% d. Th.. Es zersetzt sich bei der Destillation i. Hochvak. teilweise.

[1] R. Kuhn u. C. Grundmann, B. **70**, 1894 (1937).
[2] G. Darzens u. M. Meyer, C. r. **236**, 292 (1953).
[3] C. Harries u. H. Krützfeld, B. **39**, 3675 (1906).
[4] US. P. 2436073 (1948), J. H. Mowat.
[5] E. Levas, C. r. **235**, 61 (1952).
[6] L. van Reymenant, Bl. Acad. Belgique **1900**, 724; C. **1901**, I, 95.
[7] J. R. Catch et al., Soc. **1948**, 272 u. 276.
[8] vgl. ds. Handb., Bd. V/4, S. 175, Tab. 25.
[9] E. F. J. Janetzky u. P. E. Verkade, R. 65, 905 (1946).
[10] L. Colombi et al., Helv. **34**, 265 (1951).

Bei cyclischen Ketonen, z. B. Cyclooctanon, führt die Photobromierung je nach angewendeten Brom-Mengen zu Mono-, Di- und Tribrom-cycloalkanonen[1]. Ein Brom-Atom läßt sich auch noch photochemisch einführen, wenn bereits beide α-Stellungen durch Chlor substituiert sind (vgl. S. 116). Allerdings verläuft diese Reaktion wesentlich langsamer als die stufenweise Photobromierung von Cyclooctanon selbst. 2,8-Dichlor-1-oxo-cyclooctan (Herstellung s. S. 116) wird in Tetrachlormethan nach Zugabe der äquivalenten Menge Brom 4 Tage lang stehen gelassen, wobei 3 Tage mit einer 450 W Lampe bestrahlt wird. Nach der üblichen Aufarbeitung erhält man in 69%iger Ausbeute *2,8-Dichlor-2-brom-1-oxo-cyclooctan* (F: 89°, Methanol). 2,2-Diphenyl-cycloheptanon läßt sich mit Brom in Gegenwart einer Spur Bromwasserstoffsäure als Initiator photochemisch in *7,7-Dibrom-2,2-diphenyl-1-oxo-cycloheptan* (80% d.Th.; F: 166–167°, aus Benzol) überführen[2]. Besonders stark aktivierte CH-Bindungen, wie z. B. beim 3,5-Dioxo-cyclopenten, werden mit Brom auch ohne Anwesenheit von Licht glatt substituiert[3] (vgl. dazu Photobromierung mit N-Bromsuccinimid, S. 156).

2-Brom-, 2,8-Dibrom- und 2,2,8-Tribrom-1-oxo-cyclooctan[1]:

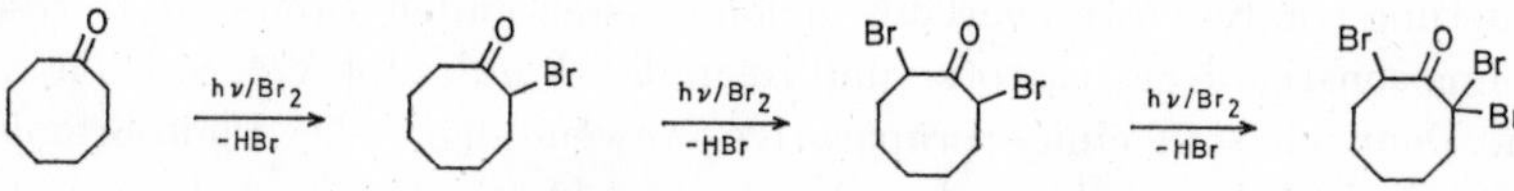

2-Brom-1-oxo-cyclooctan: In 100 *ml* reinem Tetrachlormethan werden 12,6 g (0,1 Mol) Cyclooctanon unter Rühren und Belichtung mit einer 450 W Lampe tropfenweise mit einer Lösung von 16 g (0,1 Mol) Brom in 75 *ml* Tetrachlormethan versetzt. Die Lösung ist nach dem Zutropfen farblos. Das Lösungsmittel wird im Wasserstrahl-Vak. abgezogen, der Rückstand von 22 g wird destilliert, die Fraktion mit Kp_{18}: 120–130° rektifiziert; Ausbeute: 16,8 g (80% d.Th.); Kp_{12}: 114–118°; farbloses Öl.

2,8-Dibrom-1-oxo-cyclooctan: Ebenso werden aus 0,1 Mol Cyclooctan und 0,2 Mol Brom nach Abziehen des Lösungsmittels 27,9 g eines Öls erhalten, das beim Abkühlen kristallisiert. Die Kristalle werden aus Methanol umkristallisiert; Ausbeute: 18,2 g (64% d.Th.); F: 82°; farblose Blättchen.

2,2,8-Tribrom-1-oxo-cyclooctan: Zu 1,5 Mol Cyclooctan, gelöst in 400 *ml* abs. trockenem Tetrachlormethan werden 1,5 Mol (240 g) reines dest. Brom in 350 *ml* des gleichen Solvens innerhalb 5 Stdn. zugetropft, wobei mit einer 450 W Lampe bestrahlt wird. Der Ansatz wird über Nacht gerührt und bleibt 1 Tag verschlossen mit einem Calciumchlorid-Rohr stehen. Dabei scheiden sich bereits würfelförmige Kristalle ab. Nach Abziehen des Tetrachlormethans und des restlichen Broms wird der Rückstand aus 750 *ml* Methanol umkristallisiert; Ausbeute: 143 g (79% d.Th.); F: 112°.

Bei der Photobromierung von Acetylarenen in Tetrachlormethan, z. B. von Acetophenon, 4-Chlor- und 4-Brom-acetophenon oder 2-Acetyl-naphthalin, verzögern geringe Mengen Wasser die Reaktion, während bei 2-Hydroxy-acetophenon keine Inhibierung beobachtet wird[4]. Die gleiche Wirkung zeigt elementarer Schwefel. Vergleichende Untersuchungen wurden auch über die Abhängigkeit von Lichtintensität und Lampenabstand bei der Photobromierung von 4-Chlor-acetophenon durchgeführt[4].

Phenylalkylketone können auch in Eisessig oder Chloroform photobromiert werden[5]. Acetophenon ergibt in Eisessig *2-Brom-1-oxo-1-phenyl-äthan* (80% d.Th.; Kp_{15}: 134–137°; F: 50°), Äthyl-phenyl-keton entsprechend *2-Brom-1-oxo-1-phenyl-propan* (75% d.Th.; Kp_{16}: 135–138°) und 3,4-Methylendioxy-acetophenon bei einer Rohausbeute von 90% *2-Brom-1-oxo-1-(3,4-methylendioxy-phenyl)-äthan* (Kp_1: 130–150°; F: 86–87°)[6]. Während 3,4-Dimethoxy-acetophenon in Chloroform *2-Brom-1-oxo-1-(3,4-dimethoxy-phenyl)-äthan* (F: 81°) liefert, verläuft die Photobromierung von Propioveratron-α-propioguajacon-äther anor-

---

[1] G. Hesse u. F. Urbanek, B. **91**, 2733 (1958).
[2] R. E. Lyle u. G. G. Lyle, Am. Soc. **74**, 4059 (1952).
[3] C. H. De Puy, R. D. Thurn u. M. Isaks, J. Org. Chem. **27**, 744 (1962).
[4] J. R. Sampey u. E. M. Hicks, Am. Soc. **63**, 1098 (1941).
[5] G. Tsatsas, Ann. pharm. Franc. **12**, 329 (1954).
[6] E. Späth u. E. Lederer, B. **63**, 743 (1930).

mal. Hier wird eine sek. gegenüber einer tert. CH-Bindung bevorzugt substituiert[1]. Ähnlich verläuft die Photobromierung bei Oxyflavonen und Oxyflavanon-Glycosiden, z. B. Hesperitin-triacetat[2].

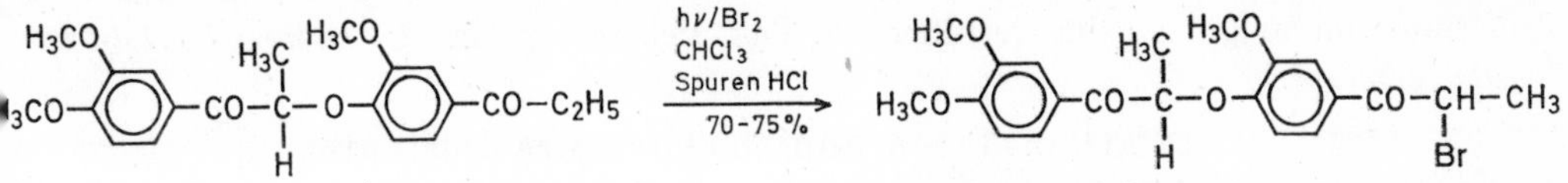

[1-Oxo-1-(3,4-dimethoxy-phenyl)-propyl-(2)]-[2-methoxy-4-(2-brom-propanoyl)-phenyl]-äther; F: 137–140°

Die Umsetzung von 3-Oxo-Steroiden mit Brom verläuft bereits ohne Licht[3] zu 2,4-Dibrom-3-oxo-steroiden[4]. Die Weiterbromierung erfolgt photochemisch, 2,2,4-Tribrom-3-oxo-cholesten-(4) z. B. kann mit 69%iger Ausbeute gewonnen werden[5].

2,2,4,6-Tetrabrom-12α-acetoxy-3-oxo-cholen-(4)-24-säure-methylester[6]:

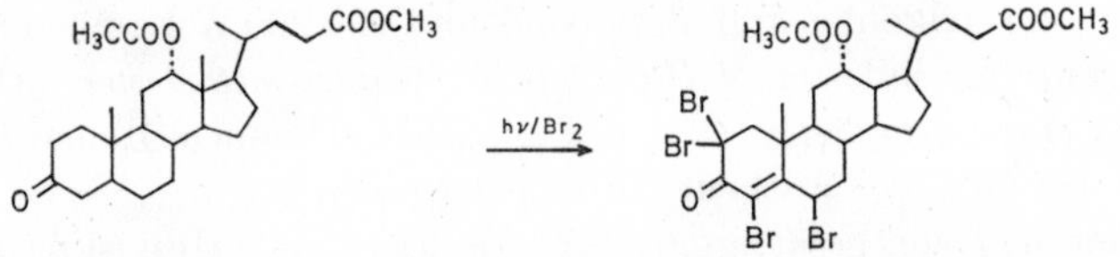

Apparatur: 20-l-Dreihals-Rundkolben mit Rührer, Tropftrichter, Thermometer, Rückflußkühler und Gasableitungsrohr. Als Dichtungsmaterial werden Asbest-Stopfen verwendet, die mit Talkum-Wasserglas-Kitt gedichtet werden. Der entwickelte Bromwasserstoff wird durch fließendes Wasser absorbiert; eine Rückdiffussion von Wasserdampf wird durch einen zwischen Apparatur und Absorptionsanlage eingeschalteten Trockenturm verhindert.

Bromierung: 1 kg 12α-Acetoxy-3-oxo-cholan-24-säure-methylester wird in 6 l Chloroform gelöst und mit 1,5 l Eisessig versetzt. Dann wird innerhalb 1 Stde. eine Lösung von 760 g Brom in 2 l Chloroform tropfenweise zugegeben. Das Reaktionsgemisch nimmt dabei eine grünbraune Farbe an, hellt sich aber gegen Ende der Zugabe zu einer gelben Lösung auf. Die Temp. der Lösung steigt im Verlauf der Bromierung bis auf etwa 30° an. Dann wird mit einer 500 W Nitraphot-Lampe mit Reflektor schräg von oben belichtet und im Lauf von 2 Stdn. weitere 1140 g Brom in 1750 ml Eisessig hinzugefügt. Die Belichtung wird noch 3 Stdn. fortgesetzt. Die Temp. der Lösung steigt im Verlauf der Reaktion bis auf 45° an. Das Reaktionsgemisch wird über Nacht sich selbst überlassen und dann in einem 50 l Porzellantopf 4 mal mit je 25 l Wasser ausgerührt. Die obere Phase wird jeweils abgehebert und verworfen. Die Chloroform-Lösung wird über Calciumchlorid getrocknet und die rubinrote Lösung (überschüssiges Brom) i. Vak. bei einer Badtemp. von ~ 50° bis zur öligen Konsistenz eingeengt. Das Produkt wird durch Zugabe der ~ 4fachen Menge Methanol gefällt. Mehrere Stdn. später werden die Kristalle abgesaugt, 2mal mit Methanol gewaschen und i. Vak. bei 30° über Phosphor(V)-oxid/Kaliumhydroxid getrocknet; Ausbeute: 1290 g (75,5% d.T.h); F: 185° (Zers.). In drei Ansätzen erhält man so aus insgesamt 3300 g Ausverbindung 4386 g des Tetrabromids.

Nachbromierung: Je 1 kg des Rohproduktes wird in 5 l Chloroform gelöst und mit 1 l Eisessig, 200 g einer ges. Bromwasserstoff/Eisessig-Lösung und 50 ml Brom versetzt. Die Lösung wird in einem 20-l-Rundkolben mit aufgesetztem Rückflußkühler 5 Stdn. lang mit einer 500 W Osram Photolux-Lampe BR in einem Abstand von 3 cm von unten beleuchtet. Schon nach kurzer Zeit beginnt das Reaktionsgemisch zu sieden und nach 5 Stdn. ist eine deutliche Aufhellung festzustellen. Es bleibt über Nacht stehen und wird wie oben aufgearbeitet. Es werden in 4 Ansätzen 3750 g Tetrabromid umgesetzt; Ausbeute: 3500 g; F: 192–194° (Zers.).

---

[1] K. KRATZEL, B. **77**, 717 (1944).

[2] G. ZEMPLÉN u. R. BOGNÁR, B. **76**, 452 (1943).

[3] Vgl. ds. Handb., Bd. V/4, S. 228ff..

[4] H. H. INHOFFEN, G. KÖLLING u. P. NEHRING, B. **85**, 89 (1952).
   H. H. INHOFFEN et al., Ch. Z. **74**, 309 (1950; B. **84**, 361 (1951)

[5] H. H. INHOFFEN u. W. BECKER, B. **85**, 181 (1952).

[6] H. H. INHOFFEN, H. JAHNKE u. P. NEHRING, B. **87**, 1154 (1954).

Acetale und insbesondere Halogenacetale werden leichter photochemisch bromiert als Aldehyde. Chlor- bzw. Brom-acetaldehyd-diäthylacetal werden durch Sonnenlicht und Brom in *Chlor-brom*-[1] bzw. *Dibromacetaldehyd-diäthylacetal*[1,2] überführt (50% d.Th.; $Kp_{0,3}$: 46–50° bzw. 62% d.Th.; Kp_{11}: 96–100°). 1,1,4,4-Tetramethoxy-butan liefert mit einer Rohausbeute von 80% das beim Destillieren i. Vak. sich zersetzende *2,3-Dibrom-1,1,4,4-tetramethoxy-butan*[3].

εε) Carbonsäuren und Carbonsäure-Derivate

Die Photobromierung von Carbonsäuren bzw. Carbonsäure-halogeniden ist ohne größere präparative Bedeutung, weil sie in den meisten Fällen bereits ohne Anwesenheit von Licht oder Peroxiden selektiv am α-Wasserstoff erfolgt, vgl. ds. Handb., Bd. V/4, S. 197ff..

Allgemein wird die Bromierung von aliphatischen Carbonsäuren durch Licht und Sauerstoff beschleunigt und durch Wasser inhibiert. Bei Essigsäure selbst ist der katalytische Effekt aber nur gering. Bei Carbonsäure-chloriden und Carbonsäure-anhydriden wirkt Sauerstoff jedoch inhibierend, während bei der Bromierung von Carbonsäure-bromiden ein nur geringer katalytischer Effekt des Lichts festgestellt wurde[4].

α,β-ungesättigte Carbonsäuren werden in der Allyl-Stellung bromiert[5]. In Tetrachlormethan oder Schwefelkohlenstoff als Solvens und vier 200 W Lampen liefert Buten-(2)- und Penten-(2)-säure-methylester *4-Brom-buten-(2)-säure-methylester* (81% d.Th.) bzw. *4-Brom-penten-(2)-säure-methylester* (80% d.Th.). Ebenso können Öl- und Linolensäure-methylester selektiv bei 60%iger Ausbeute bromiert werden[5].

Die Photobromierung von gesättigten Carbonsäure-nitrilen ist präparativ ohne Bedeutung. (+)-3-Methyl-pentansäure-nitril wird z. B. mit hoher Selektivität am tert.-Kohlenstoff-Atom substituiert[6].

Arylmercapto-essigsäuren lassen sich in guten Ausbeuten photochemisch bromieren[7]:

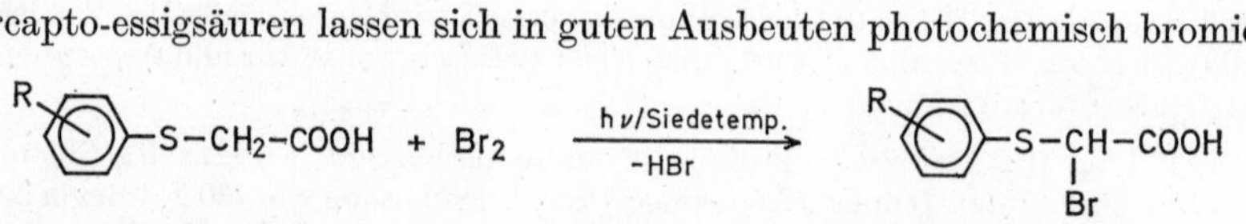

R = H; *Brom-phenylmercapto-essigsäure*; 46% d.Th.; F: 100–102° (Tetrachlormethan)
R = 4-Br; *Brom-4-brom-phenylmercapto-* ...; 87% d.Th.; F: 142,5–144° (Hexan)
R = 2-NO₂; *Brom-2-nitro-phenylmercapto-* ...; 87% d.Th.; F: 138–139° (Chlorbenzol)
R = 4-NO₂; *Brom-4-nitro-phenylmercapto-* ...; 91% d.Th.; F: 147,5–148,5° (Chlorbenzol)

Brom-phenylmercapto-essigsäure[7]; allgemeine Arbeitsvorschrift[7]: 0,02 Mol der Phenylmercapto-essigsäure werden in 30 *ml* Tetrachlormethan gelöst und nach Zugabe von 0,026 Mol Brom unter Bestrahlung mit einer 75 W UV-Lampe zum Sieden erhitzt. Nach 1–3 Stdn. sind die Brom-Dämpfe verschwunden, und die Lösung wird auf die Hälfte ihres Volumens eingeengt und mit 50 *ml* Hexan verdünnt. Nach Abkühlen der Mischung wird das Produkt abgesaugt. Die Nitro-Derivate werden in 25 *ml* Trichlorbenzol als Lösungsmittel belichtet und die Mischung nach Zugabe des Broms 1/2 Stde. unter Bestrahlung auf 140–160° erhitzt.

Bei 4-Methyl-phenylmercapto-essigsäure muß die Bromierung ohne UV-Licht durchgeführt werden, da sonst das Halogen in die Seitenkette eintritt, vgl. S. 147.

Substituierte Malonsäure-diester werden photochemisch in Gegenwart einer Spur Dibenzoylperoxid selektiv bromiert[8,9]. Malonsäure selbst reagiert mit Brom – besonders im Licht sehr heftig – zu *Dibrommalonsäure* ($\sim 100\%$ d.Th.)[10].

[1] G. T. Newbold, Soc. **1950**, 3346.
[2] F. Beyerstedt u. S. M. McElvain, Am. Soc. **59**, 2266 (1937); **58**, 529 (1936).
[3] C. Harries u. H. Krützfeld, B. **39**, 3674 (1906).
[4] M. S. Kharasch u. L. M. Hobbs, J. Org. Chem. **6**, 705 (1941).
[5] US. P. 2790 757 (1957), H. Schaltegger.
[6] W. O. Haag u. E. I. Heiba, Tetrahedron Letters **1965**, 3679.
[7] G. M. Oksengendler u. Yu. E. Gerasimenko, Ž. obšč. Chim. **29**, 919 (1959); engl.: 901.
[8] L. Horner u. A. Gross, A. **591**, 117 (1955).
[9] Nach E. Fischer, B. **37**, 3063 (1904), gelingt die Bromierung auch bei Abwesenheit von Licht. Eine Vorschrift enthält ds. Handb., Bd. V/4, S. 202.
[10] Vgl. ds. Handb., Bd. V/4, S. 201.

ζζ) Alkyl-silicium-Verbindungen

bearbeitet von

Dr. ALFRED RITTER**

Photobromierungen an den Alkyl-Gruppen von Organosilicium-Verbindungen verlaufen träger als entsprechende Photochlorierungen. Während Tetraäthyl-silan[1] und Tetrapropyl-silan[2] mit Brom selbst ohne UV-Belichtung reagieren, verhalten sich Methyl-substituierte Silane praktisch inert. Zu brauchbaren Umsetzungen verhilft in diesen Fällen gleichzeitig anwesendes Chlor, das den durch Brom zu substituierenden Wasserstoff der Alkyl-Gruppen in Form von Chlorwasserstoff übernimmt[3].

$$-\overset{|}{\underset{|}{Si}}-CH_3 \quad \xrightarrow{h\nu/Br_2/Cl_2} \quad -\overset{|}{\underset{|}{Si}}-CH_2Br \quad + \quad HCl$$

Bei höheren Tetraalkyl-silanen sind die dem Silicium benachbarten Methylen-Gruppen[4-6] die reaktivsten, vgl. S. 128. Während siliciumständiges Halogen die Chlorierung α-ständiger Methylen-Gruppen inhibiert, ist deren Reaktionsfähigkeit gegenüber Brom sogar etwas erhöht.

Der Grund hierfür ist u. a. in der Resonanz-Stabilisierung des nach dem Angriff eines Halogen-Atoms verbleibenden Radikals zu suchen[7]. Die hierdurch bedingte Erniedrigung der Energie des Übergangszustandes kommt der Bromierungsreaktion weit mehr zustatten als der energetisch vergleichsweise hoch begünstigten Chlorierungsreaktion. Die elektrophilen Chlor-Atome orientieren sich bei ihrer Weiterreaktion vorzugsweise an der Nukleophilie der substitutionsfähigen Kohlenstoff-Atome, was im Falle elektronisch verarmter α-ständiger Methylen-Gruppen zur bevorzugten Chlorierung der weiter abgerückten Kohlenstoff-Atome führt. Diese Überlegungen dürfen jedoch nicht zu einer Überschätzung der von Gruppierungen wie Cl_3Si-, $Cl_2(CH_3)Si$- oder $Cl(CH_3)_2Si$- ausgehenden dirigistischen Einflüsse verleiten. Letztere sind sicher weniger hoch zu bewerten als z. B. der Einfluß, der von einem Phenyl-Rest auf die Seitenketten-Bromierung des Toluols ausgeübt wird[8]. Würde hier Vergleichbares vorliegen, müßten Verbindungen wie Cl_3SiCH_3, $Cl_2Si(CH_3)_2$ und $ClSi(CH_3)_3$ verhältnismäßig leicht bromierbar sein, was jedoch nicht der Fall ist[3].

Bei Benzyl-silan tritt Bromierung je nach Reaktionsbedingungen zu verschiedenen Produkten ein. Im Dunkeln bereits erfolgt Substitution zu Benzyl-siliciumdibromid, diffuses Tageslicht führt zu α-*Brom-benzyl-siliciumtribromid* (89% d.Th.; Kp$_1$: 130–132°) und dies kann durch Sonnenlicht und gelindes Erwärmen in α,α-*Dibrom-benzyl-siliciumtribromid* (52% d.Th.; Kp$_1$: 154–156°) umgewandelt werden[9]. Präparativ ergiebig ist auch die Bromierung von Hexamethyl-disiloxan, wenn bei großem Überschuß des Siloxans und anwesendem Chlor photolysiert wird; *Pentamethyl-brommethyl-disiloxan* fällt in ~ 50%-iger Ausbeute an[10]. Tab. 30 (S. 154) faßt einige Bromierungen von Alkyl-silicium-Verbindungen zusammen, die entweder in Anwesenheit von Chlor in flüssiger Phase durchgeführt wurden oder in einer Spezialapparatur für Gasphasen-Bromierungen[11], die es gestattet, das Aus-

* Unter Mitwirkung von Dr. U. RITTER-THOMAS und cand. chem. H. FRIEGE.
** **MPI für Kohlenforschung Mühlheim/Ruhr.**
[1] E. LARSSON u. L. O. KNOPP, Acta chem. scand. **1**, 268 (1947).
[2] C. PAPE, A. **222**, 354 (1884).
[3] J. L. SPEIER, Am. Soc. **73**, 826 (1951).
[4] E. LARSSON, Trans. Chalmers Univ. Technol., Gothenburg **79**, 17 (1948); C. A. **43**, 2929^a (1949).
[5] S. N. USHAKOV u. A. M. ITENBERG, Ž. obšč. Chim. **7**, 2495 (1937); C. A. **32**, 2083^8 (1938).
[6] V. F. MIRONOV u. V. A. PONOMARENKO, Izv. Akad. SSSR **1957**, 199; engl.: 211; C. A. **51**, 11272^f (1957).
[7] K. W. MICHAEL, H. M. BANK u. J. L. SPEIER, J. Org. Chem. **34**, 2832 (1969).
[8] G. A. RUSSELL u. H. C. BROWN, Am. Soc. **77**, 4578 (1955).
[9] H. H. ANDERSON u. L. R. GREBE, J. Org. Chem. **26**, 2006 (1961).
[10] E. LARSSON, Kgl. Fysiograf. Sallskap. Lund, Förh. **26**, 145 (1956); C. A. **51**, 16282^c (1957).
[11] US. P. 2510148/9 (1950), Corning Glass Works, Erf.: J. L. SPEIER: C. A. **44**, 8362^h (1950).

gangsmaterial in großem Überschuß gegenüber Brom zu halten und die Umsetzungs-
produkte unmittelbar nach ihrer Entstehung aus der Reaktionszone abzuführen.

Methyl-[2-brom-propyl-(2)]-siliciumdichlorid[1]: 85 g (0,53 Mol) Brom und 100 g (0,64 Mol)
Methyl-isopropyl-siliciumdichlorid werden in der Reaktionskammer der auf S. 129 verzeichneten Apparatur unter Rückfluß gekocht und währenddessen mit einer 200 W Tauch-Lampe bestrahlt. Die Bro-
mierungsprodukte trennt man fortlaufend über eine Kolonne und erhält 142 g Rohprodukt. Nach
Redestillation beträgt die Ausbeute: 98,5 g (79% d.Th.); wachsartige Masse.

Dimethyl-brommethyl-siliciumchlorid[2]: 119 g (1,1 Mol) Trimethyl-siliciumchlorid werden mit einer
60 W Tauch-Lampe in einem 500-ml-Kolben bestrahlt, der mit einem Rückflußkühler bestückt ist,
welcher am oberen Ende mit einem zweiten mit Trockeneis beschickten Kühler verbunden ist. Aus
einem Tropftrichter wird dann etwas Brom zugegeben und darauf Chlor durch die Reaktionsmischung
geleitet. Nach Verschwinden der Bromfarbe wird Brom weiterhin in jeweils kleinen Mengen zugegeben,
bis schließlich 46,5 g (0,64 Äquiv.) davon verbraucht sind. Die Reaktionsmischung wiegt dann 168 g.
Nach destillativer Aufarbeitung, die neben 61 g (51%) nicht umgesetzten Ausgangsmaterials einen Rückstand höher bromierter Produkte ergibt, beträgt die Ausbeute: 75 g (62% d.Th., bez. auf Brom); Kp_{740}:
130°.

Über Photobromierungen siliciumorganischer Verbindungen mit N-Brom-succinimid
s. S. 158.

Tab. 30. Photobromierung siliciumorganischer Verbindungen

Ausgangsverbindung	Photolyse-bedingungen	Reaktionsprodukte	Ausbeute [%d.Th.]	Kp [°C] /[Torr]	Lit.
Tetramethyl-silicium	Brom + Chlor	*Trimethyl-brommethyl-silicium*	36	115/748	3
Dimethyl-silicium-dichlorid	Brom + Chlor	*Methyl-brommethyl-siliciumdichlorid*	34	140/740	2
		+Methyl-dibrommethyl- ...	25	86–91/25	
Diäthyl-silicium-dichlorid	Brom + Chlor	*Äthyl-(1-brom-äthyl)-siliciumdichlorid*	}29,1	110/95	4
		+Äthyl-(2-brom-äthyl)- ...		128/95	
Äthyl-siliciumtrichlorid	Dampfphasen-Bromierung	*1-Brom-äthyl-silicium-trichlorid*	27	155/747[5]	1
		+1,1-Dibrom-äthyl- ...	13	(F:150–153°)	
		+2-Brom-äthyl- ...	12	171/747[5]	
Propyl-siliciumtri-chlorid	Dampfphasen-Bromierung	*2-Brom- und 2,2-Dibrom-propyl-siliciumtrichlorid*	63	—[a]	1
Isopropyl-siliciumtri-chlorid	Dampfphasen-Bromierung	*[2-Brom-propyl-(2)]-siliciumtrichlorid*	77	(F:100–110°)	1
Butyl-siliciumtri-chlorid	Dampfphasen-Bromierung	*2-Brom-butyl-silicium-trichlorid*	30	—[b]	1
		3-Brom-butyl- ...	28	—[b]	
Cyclopentyl-silicium-trichlorid	Dampfphasen-Bromierung	*1-Brom-cyclopentyl-siliciumtrichlorid* *+2-Brom- und 3-Brom-cyclopentyl-* ...	}60[c]	110/49[d]	1

[a] 2-Brom-propyl-silicumtrichlorid Kp_{751}: 179°.
[b] Keine Angaben.
[c] 85% 1-Brom-Verbindung, 15% 2- und 3-Brom-Derivat.
[d] Kp. des Gemisches der 3 angegebenen Produkte.

[1] K. W. MICHAEL, H. M. BANK u. J. L. SPEIER, J. Org. Chem. **34**, 2832 (1969).
[2] J. L. SPEIER, Am. Soc. **73**, 826 (1951).
[3] C. R. HAUSER u. C. R. HANCE, Am. Soc. **74**, 5091 (1952).
[4] US. P. 2 640064 (1953); Brit. P. 683460 (1952), Dow Corning Corp., Erf.: J. L. SPEIER; C. A. **48**, 5207[b] u. 1419[e] (1954).
[5] V. F. MIRONOV, V. V. NEPOMNINA u. L. A. LEITES, Izv. Akad. SSSR **1960**, 461; C. A. **54**, 22328[c] (1960).

α_4) *Bromierungsreagenzien*

bearbeitet von

Dr. HANS-HENNING VOGEL*

Zur Photobromierung von CH-Bindungen sind vor allem N-Brom-succinimid[1] und 1,3-Dibrom-5,5-dimethyl-hydantoin (1,3-Dibrom-2,5-dioxo-4,4-dimethyl-tetrahydroimidazol)[2] gebräuchlich. Andere N-Brom-Verbindungen haben kaum präparative Verwendung gefunden[1,3]. N-Halogen-Verbindungen gelten als starke Halogenierungsmittel, so daß es in vielen Fällen keines Katalysators (z. B. Peroxid, UV-Licht) bedarf. Im übrigen wird auf frühere umfangreiche Abhandlungen[1] vor allem auch in ds. Handb., Bd. V/4, S. 29ff., 221ff., 341ff. verwiesen.

$\alpha\alpha$) N-Brom-succinimid

N-Brom-succinimid ist seit langem als wohlfeiles Bromierungsmittel bekannt[4]. Von der Vielzahl der bekannt gewordenen N-Brom-Verbindungen[5,6] erwies es sich für radikalische Bromierungen als das günstigste. Herstellung, Handhabung, Reinigung und allgemeine Anwendung vgl. ds. Handb., Bd. V/4, S. 29ff.. Neben der Photobromierung von Carbonyl-Verbindungen und der Seitenketten-Bromierung von Alkylaromaten liegt das Hauptanwendungsgebiet in der Allyl-Bromierung von Olefinen, speziell auf dem Steroid-Sektor.

Der Mechanismus scheint zumindest bei der Allyl-Bromierung eine radikalische Oberflächen-Reaktion zu sein[5,7], bei der UV-Licht als Katalysator zu längeren Reaktionszeiten und geringeren Ausbeuten führt als frisch bereitete Peroxide[8], insbesondere Dibenzoylperoxid. Daneben sind als Aktivatoren vor allem Azoisobuttersäure-dinitril und die Redox-Systeme aus tert.-Butylhydroperoxid und Kobalt(II)- bzw. Kupfer(II)-Salzen geeignet[5,6].

So erhält man bei der Photolyse von Cyclohexen mit N-Brom-succinimid bei 25° in 4 Stdn. in weniger als 25%iger Ausbeute, mit Azoisobuttersäure-dinitril als Katalysator bei 80° in 10 Min. jedoch in über 75%iger Ausbeute *3-Brom-cyclohexen*[5]. Bicyclo[2.2.1]hepten hingegen ist mit N-Brom-succinimid und Azoisobuttersäure-dinitril nur in schlechten Ausbeuten zu bromieren[9].

Durch Vergrößerung der Oberfläche des N-Brom-succinimids, etwa durch Aufbringen auf einen inerten Träger, tritt allgemein eine Beschleunigung der Reaktion ein, doch ist diese Arbeitsweise präparativ ungünstig[8]. Als ideales Reaktionsmedium hat sich Tetrachlormethan erwiesen. Cyclohexan und Benzol sind weniger günstig und nahezu alle anderen bekannten Lösungsmittel sind für präparative Arbeiten ungünstig bzw. ungeeignet[8,10,11].

---

* **BASF AG, Ludwigshafen/Rhein.**
[1] L. HORNER u. E. H. WINKELMANN, *Neuere Methoden der präparativen Chemie III*, S. 100, Verlag-Chemie, Weinheim 1961.
C. DJERASSI, Chem. Reviews **43**, 271 (1948).
L. HORNER u. E. H. WINKELMANN, Ang. Ch. **71**, 349 (1959).
H. J. DAUBEN jr. u. L. L. McCOY, Am. Soc. **81**, 4863 (1959).
[2] O. O. ORAZI u. J. MESERI, An. Asoc. quim. arg. **38**, 300 (1950); C. A. **45**, 7952c (1951).
O. O. ORAZI u. M. H. GIUNTI, An. Asoc. quim. arg. **39**, 84 (1951); C. A. **46**, 2528i (1952).
[3] Vgl. ds. Handb., Bd. V/4, S. 29ff, S. 221ff., S. 341ff.
[4] K. ZIEGLER et al., A. **551**, 80 (1942).
S. ds. Handb., Bd. I/3, S. 29ff.
[5] L. HORNER u. E. H. WINKELMANN, Ang. Ch. **71**, 349 (1959); dort weitere Lit.
[6] Vgl. ds. Handb., Bd. V/4, S. 221.
[7] E. H. WINKELMANN, Dissertation Universität Mainz, 1957.
[8] H. SCHMID u. P. KARRER, Helv. **29**, 573 (1946).
[9] E. C. KOOYMAN u. G. C. VEGTER, Tetrahedron **4**, 382 (1959).
[10] Über die Isomeren-Verteilung bei der Photolyse von 1-Brom-butan mit N-Brom-succinimid in Acetonitril vgl.: D. D. TANNER et al., Am. Soc. **91**, 7398 (1969).
[11] K. ZIEGLER et al., A. **551**, 80 (1942).

Als Nebenreaktionen bei der Allyl-Bromierung treten Zweitsubstitution mit nachfolgender Dehydrobromierung sowie Brom-Addition auf[1,2]. Bei der Seitenketten-Bromierung von Aromaten und Heteroaromaten findet auch Kernbromierung statt, vor allem wenn kein hochreines N-Brom-succinimid verwendet wird[3,4].

Die photochemische Bromierung von CH-Bindungen mit N-Brom-succinimid wird seltener angewendet als die peroxidisch initiierte. Außerdem kann bei aktivierten CH-Bindungen auch ohne Katalysatoren gearbeitet werden. Während sich einfache aliphatische Acetale photochemisch in α-Stellung bromieren lassen[5], wird 1,1-Diäthoxy-2-oxo-propan mit N-Brom-succinimid und Licht in *Brenztraubensäure-äthylester* (78% d.Th.; Kp$_{14}$: 48–52°)[6], mit Brom hingegen in *3-Brom-1,1-diäthoxy-2-oxo-propan* überführt[7]. Benzaldehyd-diäthylacetal zerfällt ebenfalls zu *Benzoesäure-äthylester*[5]. Einfache Ketone werden mit N-Brom-succinimid bereits ohne Katalysatoren glatt an der α-Stellung bromiert[8], 4-Oxotetrahydropyran liefert z. B. bei UV-Bestrahlung 50% d.Th., ohne Licht 36% d.Th. an *3,5-Dibrom-4-oxo-tetrahydropyran*[9]. Aliphatische Mono- und Dicarbonsäure-diester (∼ 40%-ige Ausbeuten)[10] sowie Nitrile (40–80%ige Ausbeuten)[11] wurden in Gegenwart von Peroxid ebenfalls in α-Stellung bromiert[8].

Allgemeine Arbeitsvorschriften für die Bromierung bzw. Photobromierung mit N-Brom-succinimid enthält ds. Handb., Bd. V/4, S. 224, 229, 342ff.. Nähere, z. T. wichtige, präparative Einzelheiten finden sich leicht zugänglich an anderen Stellen[8,12].

$\alpha\alpha_1$) Allyl-Bromierung (Wohl-Ziegler-Bromierung)

Lineare Olefine lassen sich an jeder Allyl-Stellung nur einmal bromieren; so kann man in 2,3-Dimethyl-buten-(2)[8] bzw. Bicyclo[4.4.0]decen-(1[6])[8,13] bis zu 4 Brom-Atome einführen. Bei mono- und bicyclischen Olefinen wird das zweite Brom-Atom in die noch freie Allyl-Stellung im selben Ringsystem eingeführt, ehe andere Allyl-Stellungen im Nachbar-Ring angegriffen werden. Bei Olefinen mit endständiger C=C-Doppelbindung findet häufig zusätzlich Allyl-Umlagerung statt; so erhält man z. B. aus Octen-(1) ein Gemisch, das zu 65% aus Monobrom-octenen besteht[14]:

$$H_{11}C_5-CH_2-CH=CH_2 \xrightarrow{h\nu/NBS/CCl_4/N_2}$$

20%: $H_{11}C_5-\overset{|}{\underset{Br}{CH}}-CH=CH_2$ *3-Brom-octen-(1)*; Kp$_{14}$: 69–70°

80%: $H_{11}C_5-CH=CH-\overset{|}{\underset{Br}{CH_2}}$ *trans-1-Brom-octen-(2)*; Kp$_6$: 62–63°

[1] L. Horner u. E. H. Winkelmann, Ang. Ch. 71, 349 (1959); dort weitere Lit.

[2] Vgl. ds. Handb., Bd. V/4, S. 221, 222.

[3] Vgl. ds. Handb., Bd. V/4, S. 342.

[4] N. P. Buu-Hoi, A. 556, 1 (1943).

[5] E. N. Marvell u. M. J. Joncich, Am. Soc. 73, 973 (1951).

[6] J. B. Wright, Am. Soc. 77, 4883 (1955).

[7] US. P. 2436073 (1948), J. H. Mowat.

[8] L. Horner u. E. H. Winkelmann, Ang. Ch. 71, 349 (1959).

[9] E. Sorkin, W. Krähenbühl u. H. Erlenmeyer, Helv. 31, 65 (1948).

[10] N. P. Buu-Hoi u. P. Demerseman, J. Org. Chem. 18, 649 (1953).

[11] P. Couvreur u. A. Bruylants, J. Org. Chem. 18, 501 (1953).

[12] L. Horner u. E. H. Winkelman, *Neuere Methoden der präparativen Chemie III*, S. 100–132, Verlag Chemie, Weinheim 1961.

[13] R. A. Barnes, Am. Soc. 70, 145 (1948).

[14] M. S. Kharasch, R. Malec u. N. C. Yang, J. Org. Chem. 22, 1443 (1957).

Ein Produktgemisch fällt auch bei der Photobromierung von Hexadien-(1,5) (Diallyl) an[1-5]. Nach IR-spektroskopischen Messungen besteht die Fraktion der Monobrom-Verbindungen zu über 65% aus *trans-* neben ~ 22% *cis-1-Brom-hexadien-(2,5)*, *3-Brom-hexadien-(1,5)* liegt nur zu ~ 11% vor[4].

Die weitere Bromierung der Allyl-monobromide verläuft nicht mehr einheitlich. Die thermolabilen Allyldibromide spalten unter Ausbildung konjugierter Doppelbindungen leicht Bromwasserstoff ab[6]. Gleiches Verhalten zeigen Cycloolefine, die keine Mehrfachbromierung eingehen, sondern aromatisieren[7,8]:

Cyclohexen[8]	→ *1,3-Dibrom-benzol*
	+1,4-Dibrom-benzol
Cyclohexadien-(1,4)[4]	→ *Benzol*
	+4,5-Dibrom-cyclohexan
Tetralin[9]	→ *1,4-Dibrom-naphthalin*

Weitere Beispiele zur Allyl-Bromierung von Olefinen mit N-Brom-succinimid in Gegenwart von Peroxiden s. Lit.[10], über die Wohl-Ziegler-Bromierung von Steroiden vgl. ds. Handb., Band V/4, S. 228–233. Zur konventionellen Herstellung konjugierter Diene aus Allylbromiden s. Lit.[11].

$\alpha\alpha_2$) Seitenketten-Bromierung

Die Seitenketten-Bromierung von Alkylaromaten mit N-Brom-succinimid verläuft als radikalische Kettenreaktion in Gegenwart von Peroxiden, Licht oder auch schnellen Elektronen[12]. Präparativ wird in den meisten Fällen Peroxid als Initiator verwendet[10].

Einfache Alkylaromaten[13] lassen sich mit Dibenzoylperoxid unter Standardbedingungen in 60–90%-iger Ausbeute innerhalb 1 Stde. bromieren, ohne Radikalstarter oder ohne Licht betragen die Reaktions-

[1] P. KARRER u. W. RINGLI, Helv. **30**, 863 (1947).
[2] P. KARRER u. W. RINGLI, Helv. **30**, 1771 (1947).
[3] P. KARRER u. P. SCHNEIDER, Helv. **31**, 395 (1948).
[4] L. BATEMANN et al., Soc. **1950**, 936.
[5] L. BATEMANN, J. I. CUNNEEN u. H. P. KOCH, Soc. **1950**, 3045.
[6] L. HORNER u. E. H. WINKELMANN, Ang. Ch. **71**, 349 (1959).
[7] E. H. WINKELMANN, Dissertation Universität Mainz 1957.
[8] R. A. BARNES, Am. Soc. **70**, 145 (1948).
    R. A. BARNES u. G. R. BUCKWALTER, Am. Soc. **73**, 3858 (1951).
[9] Das intermediäre thermolabile 1,1,4,4-Tetrabrom-tetralin kann hier isoliert werden.
    E. H. WINKELMANN, Dissertation Universität Mainz, 1957.
[10] L. HORNER u. E. H. WINKELMANN, Ang. Ch. **71**, 349 (1959).
    Vgl. a. ds. Handb., Bd. V/4, S. 341 ff.
[11] K. ZIEGLER et al., A. **551**, 80 (1942).
    Vgl. ds. Handb., Bd. V/1c, S. 83.
[12] A. COX u. A. J. SWALLOW, Chem. & Ind. **1956**, 1277.
[13] Toluol: H. SCHMID u. P. KARRER, Helv. **29**, 573, 1144 (1946).
    o-Xylol:
    G. MISRA u. J. S. SHUKLA, J. indian. chem. Soc. **28**, 277 (1951).
    W. WENNER, J. Org. Chem. **17**, 523 (1952).
    E. H. WINKELMANN, Dissertation Universität Mainz 1957.
    Äthylbenzol: R. A. BARNES u. G. R. BUCKWALTER, Am. Soc. **23**, 3858 (1951).
    Methyl- u. Dimethyl-naphthaline:
    N. P. BUU-HOI u. J. LECOCQ, Soc. **1946**, 831.
    Vgl. ds. Handb., Bd. V/4, S. 345.
    M. HEBBELYNCK, Ind. chim. belge **16**, 483 (1951).
    W. WENNER, J. Org. Chem. **17**, 523 (1952).
    W. RIED u. H. BODEM, B. **89**, 708, 2328 (1956).
    E. H. WINKELMANN, Dissertation Universität Mainz 1957.
    4-Brom-1-methyl-naphthalin: V. BOEKELHEIDE u. M. GOLDMAN, Am. Soc. **76**, 604 (1954).

zeiten bis zu 12 Stdn.[1]. Der Reaktionsverlauf kann durch das Lösungsmittel beeinflußt werden, in polaren Solventien findet Kernbromierung statt[2, 3]. So erhält man z. B. aus 2,3-Dimethyl-naphthalin mit N-Brom-succinimid in Essigsäure bei Tageslicht 59% d. Th. *1,4-Dibrom-2,3-dimethyl-naphthalin* und in Gegenwart von Dibenzoylperoxid unter Rückfluß *2,3-Bis-[brommethyl]-naphthalin*[2]. Zur Herstellung von *1-Brom-benzocyclobuten* s. Lit.[4].

Ohne jeglichen Katalysator werden mit N-Brom-succinimid Di- und Triphenylmethan[5] sowie Fluoren[6] am benzylischen Kohlenstoff-Atom bromiert.

Silyl-Substituenten beeinflussen die Seitenketten-Bromierung von Aromaten nicht. Peroxidisch[7] oder photolytisch können je nach Menge des eingesetzten N-Brom-succinimids 1 oder höchstens 2 Brom-Atome eingeführt werden. Z. B. geht 9-Trimethylsilyl-fluoren in *9-Brom-9-trimethylsilyl-fluoren* (23% d. Th.; F: 118°)[8] über. Allerdings ergibt Tetrakis-[4-methyl-phenyl]-silicium bei gleichzeitiger Anwendung von UV-Licht und Benzoepersäure unter Abspaltung eines Phenyl-Restes *Tris-[4-brommethyl-phenyl]-siliciumbromid* (63% d. Th.; F: 229°, Zers.)[9]. Trimethyl- und Triphenyl-benzyl-silicium sowie Trimethyl-diphenyl-methyl-silicium werden bereits ohne Initiator bromiert[10].

Triphenyl-(4-brommethyl-phenyl)- und Triphenyl-(4-dibrommethyl-phenyl)-silicium[11]:

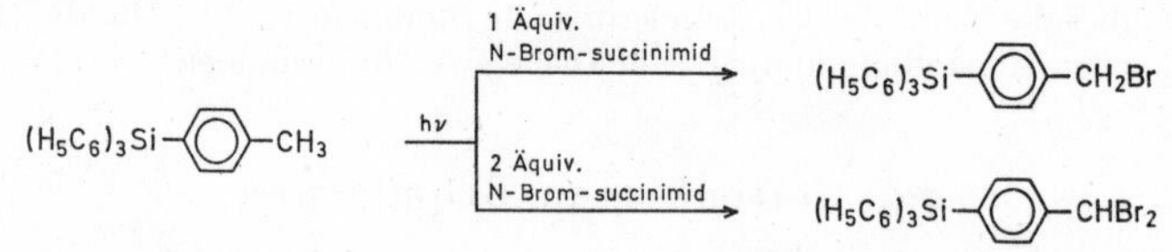

Triphenyl-(4-brommethyl-phenyl)-silicium: 5 g (0,0143 Mol) Triphenyl-(4-methyl-phenyl)-silicium werden in 300 ml Tetrachlormethan gelöst und 2,54 g (0,0143 Mol) fein gepulvertes N-Brom-succinimid zugegeben. Die Mischung wird 24 Stdn. unter Rückfluß gekocht. Da die Reaktion nicht vollständig verläuft (positiver Kaliumjodid-Stärke-Test nach 24 Stdn.) wird noch 15 Min. unter weiterem Rückfluß mit UV-Licht bestrahlt. Die Umsetzung ist dann vollständig abgelaufen, Filtration ergibt 1,35 g (0,0136 Mol; 95% d. Th.) Succinimid. Nach Abziehen des Tetrachlormethans verbleibt ein farbloser Feststoff, der aus 100 ml Aceton unter Zusatz von Tierkohle umkristallisiert wird; Ausbeute: 4,5 g (73% d. Th.); F: 175—176°.

Triphenyl-(4-brommethyl-phenyl)-silicium: Der gleiche Ansatz — wie oben — jedoch mit der doppelten Menge N-Brom-succinimid wird 40 Min. unter Rückfluß mit einer Quecksilber-Lampe bestrahlt. Die Reaktion ist danach vollständig (Kaliumjodid-Stärke-Test). 2,8 g (96% d. Th.) Succinimid werden zurückgewonnen. Nach Abdestillieren des Tetrachlormethans verbleibt ein gelblicher Rückstand, der in 75 ml Essigsäure-äthylester gelöst wird. Beim Abkühlen scheiden sich 3,3 g farblose Kristalle, F: 180—182°, ab. Aus der Mutterlauge erhält man nach Zugabe des gleichen Volumens Petroläther weitere 2,4 g; F: 177–180°. Die Gesamtmenge wird aus 100 ml Äthanol/Essigsäure-äthylester (1:1) umkristallisiert; Ausbeute: 5,3 g (73% d. Th.); F: 184–184,5°.

Auch Alkyl-substituierte Pyridine, Chinoline, Chinolin-N-oxide, Furane und Thiophene lassen sich durch N-Brom-succinimid sowohl mit UV-Licht als auch mit Dibenzoylperoxid bromieren[12].

---

[1] Vgl. ds. Handb., Bd. V/4, S. 345, Tab. 48.
[2] M. F. Hebbelynck u. R. H. Martin, Bull. Soc. chim. belges **59**, 193 (1950).
[3] S. T. Feng, u. K. Y. Chiu, Hua Hsueh **25**, 277 (1959); C.A. 17305[d] (1960).
[4] L. Horner, W. Kirmse u. K. Muth, B. **91**, 430 (1958).
    s. a. M. P. Cava u. D. R. Napier, Am. Soc. **80**, 2255 (1958).
[5] N. P. Buu-Hoi, A. **556**, 1 (1944).
[6] R. C. Fuson u. H. D. Porter, Am. Soc. **70**, 895 (1948).
    N. P. Buu-Hoi, C.r. **226**, 87 (1946).
[7] R. G. Severson et al., Am. Soc. **79**, 6540 (1957).
[8] C. Eaborn u. R. A. Shaw, Soc. **1955**, 1420.
[9] S. H. Wu u. T. Y. Yu, Hua Hsueh **25**, 289 (1959); C.A. **54**, 16412[i] (1960).
[10] C. R. Hauser u. C. R. Hance, Am. Soc. **74**, 5091 (1952).
[11] H. Gilman, C. G. Brannen u. R. K. Ingham, Am. Soc. **78**, 1689 (1956).
[12] Vgl. ds. Handb., Bd. V/4, S. 343, 344.
    L. Horner u. E. H. Winkelmann, Ang. Ch. **71**, 349 (1959).

8-Brommethyl-chinolin[1]: Eine Lösung von 14,3 g 8-Methyl-chinolin in 200 ml Tetrachlormethan wird mit 17,8 g N-Brom-succinimid versetzt und durch Belichten mit einer 60 W Glühlampe von unten auf 70° erwärmt. Gleichzeitig wird seitlich mit einer 80 W UV-Lampe bestrahlt. Nach 1 Stde. ist alles umgesetzt. Die Lösung wird auf 0° abgekühlt, filtriert, der Rückstand mit wenig kaltem Tetrachlormethan gewaschen, das Filtrat mit eiskalter 2 n Natronlauge geschüttelt und anschließend mit Wasser neutral gewaschen. Nach Trocknen und Abdestillieren des Lösungsmittels wird der Rückstand mit heißem Petroläther extrahiert, aus dem in der Kälte das Produkt in farblosen Kristallen wieder aus fällt; Ausbeute: 13,9 g (63% d. Th.); F: 83–84°. Aus dem Petroläther-Extrakt erhält man bei weiterem Eindampfen ~ 2,5 g *8-Dibrommethyl-chinolin*; F: 107–108° (aus Ligroin).

Weitere Beispiele zur photochemischen Seitenketten-Bromierung von Heteroaromaten:

4-Chlor-2-methyl-pyridin[2]	*4-Chlor-2-brommethyl-pyridin*; 42% d.Th.; F: 173°
	4-Chlor-2-dibrommethyl-pyridin; 14% d.Th.; F: 73–75°
2-Methyl-chinolin[3]	*2-Brommethyl-chinolin*
2-Methyl-chinolin-1-oxid[4]	*2-Brommethyl-chinolin-1-oxid*
2,4,6-Trichlor-5-methyl-pyrimidin[5]	*2,4,6-Trichlor-5-brommethyl-pyrimidin*
4,6-Dichlor-2,5-dimethyl-pyrimidin[5]	*4,6-Dichlor-2-methyl-5-brommethyl-pyrimidin*

$\beta\beta$) sonstige Bromierungsmittel

Neben N-Brom-succinimid[6] haben 1,3-Dibrom-2,5-dioxo-4,4-dimethyl-[7,8] und auch 3-Brom-2,5-dioxo-4,4-dimethyl-tetrahydroimidazol[9] präparative Bedeutung erlangt. Mit der N,N'-Dibrom-Verbindung sind zusätzlich photochemische Kern-Substitution[10] und Addition an Doppelbindungen[11] möglich. Ein weiterer Nachteil des Reagenzes ist seine Unlöslichkeit in Tetrachlormethan. Verschiedene CCl_4-lösliche Dibrom-hydantoine wurden für Bromierungen mit gutem Erfolg eingesetzt, haben aber keine präparative Bedeutung erlangt[12]. Der Einfluß von Kernsubstituenten auf die photochemische Seitenketten-Bromierung wurde mit 1,3-Dibrom-2,5-dioxo-4,4-dimethyl-tetrahydroimidazol im Vergleich zum N-Brom-succinimid an substituierten Toluolen in Tetrachlormethan untersucht[13]. Dabei nimmt der desaktivierende Effekt in der Reihenfolge ab:

$$2–NO_2 > 3–NO_2 > 4–NO_2 > 2–Cl > 3–Cl > 4–Cl > H$$

Neben den N-Brom-Verbindungen wurde für Photobromierungen auch Trichlorbrommethan verwendet. Tab. 31, S. 160, bringt einige Umsetzungen dieser Bromierungsmittel.

Photobromierungen mit tert.-Butylhypobromit führen in wohl stärkerem Ausmaß, als bei der analogen Umsetzung mit tert.-Butylhypochlorit zu sek. Alkylbromiden, bedingt durch die reaktionsträgeren Brom-Atome[14].

---

[1] B. Prijs et al., Helv. **34**, 90 (1954).
   Vgl. ds. Handb., Bd. V/4, S. 344.
[2] M. Hasegawa, Pharm. Bull. (Tokyo) **1**, 47, 293 (1953); C. A. **49**, 1075[c], 8275[h] (1955).
[3] M. Hasegawa, J. pharm. Soc. Japan **71**, 259 (1951).
[4] M. Hasegawa, J. pharm. Soc. Japan **73**, 1326 (1953); C. A. **49**, 329[f] (1955).
[5] M. Hasegawa, Pharm. Bull. (Tokyo) **1**, 387 (1953); C. A. **49**, 10970[f] (1955).
[6] L. Horner u. E. H. Winkelmann, Ang. Ch. **71**, 349 (1959).
[7] O. O. Orazi u. J. Meseri, An. Asoc. quím. arg. **38**, 300 (1950); C. A. **45**, 7952[c] (1951).
[8] O. O. Orazi u. M. H. Giunti, An. Asoc. quím. arg. **39**, 84 (1951); C. A. **46**, 2528[i] (1952).
[9] O. O. Orazi u. J. Meseri, An. Asoc. quím. arg. **37**, 192 (1949); C. A. **44**, 4423[h] (1950).
[10] J. F. Sallelas, O. O. Orazi u. R. Ertola, An. Asoc. quím. arg. **38**, 181 (1950); C. A. **45**, 2873[h] (1951).
   O. O. Orazi u. J. F. Sallelas, An. Asoc. quím. arg. **38**, 188 (1950); C. A. **45**, 2873[i] (1951).
[11] O. O. Orazi u. J. F. Sallelas, An. Asoc. quím. arg. **38**, 309 (1950); C. A. **45**, 8493[d] (1951).
[12] O. O. Orazi, R. A. Corral u. J. D. Bonafede, An. Asoc. quím. arg. **43**, 98 (1955); C. A. **50**, 10071[c] (1956).
   Vgl. a. H. C. Brown u. Y. Yamamoto, Soc. [D] **1971**, 1535; Bromierung Trialkyl-boranen.
[13] O. O. Orazi et al., An. Asoc. quím. arg. **40**, 91 (1952); C. A. **47**, 8667[e] (1953).
[14] F. Asinger u. B. Fell, Jahrbuch 1969 des Landesamtes für Forschung, Nordrhein-Westfalen, S. 80, Westdeutscher Verlag, Köln · Opladen.

Tab. 31. Photobromierung mit verschiedenen Reagenzien außer N-Brom-succinimid

Ausgangs-verbindungen	Reaktions-bedingungen[a]	Produkt	Ausbeute [% d.Th.]	F [°C]	Lit.
1,3-Dibrom-2,5-di-oxo-4,4-dimethyl-tetrahydroimidazol					
Aceton	100 W Wolfram-Lampe[b]; Tetra-chlormethan; 50–55°	*Bromaceton*	51	(Kp$_{13}$: 39–44°)	1
2-Oxo-butan	100 W Wolfram-Lampe[b]; kein Solvens	*3-Brom-2-oxo-butan*	58	(Kp$_{140}$: 86–91°)	1
		+ 1-Brom-2-oxo-butan	Spur		
3-Oxo-2-methyl-butan		*2-Brom-3-oxo-2-methyl-butan*	58	(Kp$_{22}$: 49–50°)	1
Cyclohexanon	100 W Wolfram-Lampe[b]; 0,38 Mol + 0,46 Mol in 100 *ml* Tetra-chlormethan; Rückfluß; 1 Stde.	*2-Brom-1-oxo-cyclohexan*	65	(Kp$_{14}$: 89–91°)	1,2
Acetophenon	100 W Wolfram-Lampe[b]; Tetra-chlormethan; Rückfluß; 1 Stde.	*2-Brom-1-oxo-1-phenyl-äthan*	59	46,5–49	1
2-Oxo-1,2-diphenyl-äthan		*2-Brom-1-oxo-1,2-diphenyl-äthan*	83	54–55	1
Toluol	100 W Wolfram-Lampe[b,c]; 0,7 Mol + 0,35 Mol in 27 *ml* Tetra-chlormethan	*Benzylbromid*	76	(Kp$_{760}$: 198–199°)	2
4-Nitro-toluol	100 W Wolfram-Lampe[b]; Tetra-chlormethan; Rückfluß; 35 Stdn.	*4-Nitro-benzyl-bromid*	69	96–98	2
Bis-[4-nitro-phenyl]-methan	100 W Wolfram-Lampe[b]; Tetra-chlormethan; Rückfluß	*Brom-bis-[4-nitro-phenyl]-methan*	45	98–98,5	3

[a] Die Mengenangaben beziehen sich auf Substrat + Reagenz.
[b] Die Umsetzung kann auch mit Dibenzoylperoxid initiiert werden.
[c] Es ist kein Katalysator erforderlich.

---

[1] O. O. Orazi u. J. Meseri, An. Asoc. quím. arg. **38**, 300 (1950); C. A. **45**, 7952[c] (1951); C. **1953**, 7517

[2] O. O. Orazi u. J. Meseri, An. Asoc. quím. arg. **38**, 187, 5 (1950); C. A. **45**, 561[b] (1951).

[3] O. O. Orazi u. M. H. Giunti, An. Asoc. quím. arg. **39**, 84 (1951); C. A. **46**, 2528[i] (1952).

Tab. 31 (1. Fortsetzung)

Ausgangs-verbindungen	Reaktions-bedingungen[a]	Produkt	Ausbeute [% d.Th.]	F [°C]	Litera-tur
Fluoren	100 W Wolfram-Lampe[b]; 0,25 Mol + 0,125 Mol in 20 *ml* Tetra-chlormethan; Rückfluß	*9-Brom-fluoren*	75	104	1
2-Nitro-fluoren	100 W Wolfram-Lampe[b]; Tetra-chlormethan; Rückfluß	*9-Brom-2-nitro-fluoren*	62–67	c	2
2,4-Bis-[benzyl-amino]-6-methyl-chinazolin	500 W Wolfram-Lampe u. 0,15 g Dibenzoylper-oxid; 2 g + 0,8 g in 90 *ml* Tetra-chlormethan; Rückfluß; 150 Min.	*2,4-Bisbenzyl-amino-6-brom-methyl-chinazolin*[d]	79	213	3
Trichlorbrom-methan					
Toluol	UV-Lampe; 0,5 Mol + 0,5 Mol; 60°; 6 Stdn.	*Benzylbromid*	42	(Kp$_{22}$: 80–85°)	4
4-Chlor-toluol	UV-Lampe; 0,5 Mol + 0,5 Mol; 70°; 6 Stdn.	*4-Chlor-benzyl-bromid*	58	49,5–50,5	4
4-Brom-toluol	UV-Lampe; 0,33 Mol + 0,5 Mol; 60°; 6 Stdn.	*4-Brom-benzyl-bromid*	42	60,5–61	4
4-Methoxy-toluol	UV-Lampe; 0,25 Mol + 0,25 Mol; 60°; 3 Stdn.	*4-Methoxy-benzyl-bromid*	24	(Kp$_8$: 105–110°)	4
Äthylbenzol	UV-Lampe; 0,5 Mol + 0,5 Mol; 60°; 6 Stdn.	*1-Brom-1-phenyl-äthan*	72	(Kp$_{12}$: 77°)	4
Isopropylbenzol	UV-Lampe; 0,5 Mol + 0,5 Mol; 60°; 5,5 Stdn.	*2-Brom-2-phenyl-propan*	c	c	4

[a] Die Mengenangaben beziehen sich auch Substrat + Reagenz.
[b] Die Umsetzung kann auch mit Dibenzoylperoxid initiiert werden.
[c] Keine Angabe.
[d] Mit Brom in Chloroform erfolgt keine Bromierung sondern Spaltung in *4-Amino-2-benzoylamino-6-methyl-chinazolin.*

1 O. O. Orazi u. J. Meseri, An. Asoc. quím. arg. **38**, 187, 5 (1950); C. A. **45**, 561[b] (1951).
2 O. O. Orazi u. M. H. Giunti, An. Asoc. quím. arg. **39**, 84 (1951); C. A. **46**, 2528[i] (1952).
3 V. Oakes, H. N. Rydon u. K. Undheim, Soc. **1962**, 4678.
4 E. S. Huyser, Am. Soc. **82**, 391 (1960).

α_5) *Fluor und Jod*

Die direkte photochemische Substitution von Wasserstoff durch Fluor ist nur in wenigen Fällen möglich. Die Dissoziationsenergie eines Fluor-Moleküls ist mit 37 Kcal/Mol so gering, daß es einer Anregung durch Licht nicht bedarf. Obwohl das Fluor-Molekül bei Raumtemperatur nur sehr wenig dissoziiert ist ($K \approx 10^{-20}$ atm), genügt diese geringe Menge an Fluor-Atomen bereits, um ein Wasserstoff-Atom von einer CH-Bindung abzuspalten. Die dabei freiwerdende Reaktionswärme von ~ 102 Kcal ist wesentlich größer als die Bindungsenergie einer C–C-Bindung, so daß für gezielte Fluorierungen ohne Bildung verzweigter Ketten besondere Arbeitstechniken erforderlich sind[1,2]. Das Absorptionsmaximum von Fluor liegt bei $\lambda = 285$ nm. Eine photochemische Direktfluorierung in flüssiger Phase läuft bei genügend tiefen Temperatur nach dem gleichen Prinzip ab wie die Photochlorierung bei entsprechend höheren Temperatur.

Selektive Photofluorierungen in der Flüssigphase wurden bei Butan- und 2-Methyl-propansäure beobachtet[3], jedoch erst durch eine verbesserte Arbeitstechnik[4,5] auch präparativ zugänglich. Anstelle der üblichen inerten Lösungsmittel wird direkt im flüssigen Substrat fluoriert, vgl. Abb. 62.

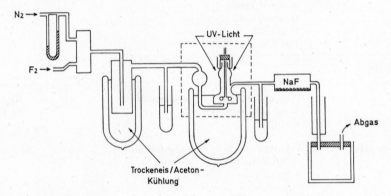

Abb. 62. Apparatur zur Photofluorierung in der Flüssigphase[4]

Allgemeine Vorschrift zur Fluorierung in kondensierter Phase[4]: Eine Mischung aus Stickstoff und Fluor (4:1) wird über eine Kühlfalle auf $-80°$ vorgekühlt, wobei auch Spuren von Fluorwasserstoff kondensiert werden. Das Gasgemisch wird durch den zu fluorierenden Kohlenwasserstoff geleitet, der sich in einem Reaktionsgefäß aus Pyrex befindet. Das Gefäß wird von außen durch Trockeneis/Aceton gekühlt und von oben bestrahlt (2×100 W oder 1×300 W UV-Licht). Da die stark exotherme Fluorierung an der Grenzfläche zwischen Gasblasen und flüssigem Kohlenwasserstoff abläuft, muß die Mischung heftig gerührt werden. Das Abgas wird über Natriumfluorid-Pulver geleitet, um den gebildeten Fluorwasserstoff zu entfernen. Falls erforderlich, können leichter flüchtige Produkte in einem mit Trockeneis umgebenen Kupfer-Abscheider kondensiert werden. Nach Beendigung der Reaktion wird das Reaktionsgemisch mit 0,1 n-Natronlauge gewaschen, über Natriumsulfat getrocknet und anschließend destillativ aufgearbeitet bzw. analysiert.

So wird erhalten aus:

Hexan	$\rightarrow$ *2-Fluor-hexan*; Rohausbeute $\sim 90\%$ d.Th.
Propansäure-fluorid	$\rightarrow$ *3-Fluor-propansäure-fluorid*
2-Oxo-butan	$\rightarrow$ *4-Fluor-2-oxo-butan*

[1] Vgl. ds. Handb., Bd. V/3.
[2] J. M. TEDDER, Adv. Fluorine Chem. **2**, 104 (1961).
[3] W. BOCKEMÜLLER, A. **506**, 20 (1933).
[4] J. M. TEDDER, Chem. & Ind. **1955**, 508.
[5] P. C. ANSON u. J. M. TEDDER, Soc. **1957**, 4390.

Über die Photojodierung von CH-Bindungen liegen nur spärliche Informationen vor. Die direkte Photosubstitution von Kohlenwasserstoffen mit Jod ist nicht möglich, jedoch addiert sich Jod in Gegenwart von UV-Licht an C=C-Doppelbindungen (s. S. 456). Bei aktivierten CH-Bindungen, z. B. Benzylsilanen, erfolgt die Substitution nicht an der CH-Bindung, sondern an der SiH-Bindung, man erhält Jod-benzyl-siliciumhydrid bzw. Benzyl-siliciumtrijodid[1].

Von den Jodierungsmitteln eignet sich 1,3-Dijod-5,5-dimethyl-2,4-dioxo-tetrahydroimidazol lediglich für die Kern-Subtitution aktivierter Aromaten[2]; α-Jod-ketone erhält man bei Belichtung von Enolacetaten[2].

β) mit Sauerstoff

Reaktionen von Singulett- und Triplett-Sauerstoff sind für alle Verbindungsklassen zusammenhängend auf S. 1465ff. beschrieben.

γ) mit Schwefel enthaltenden Verbindungen

γ_1) Sulfenchlorierung

Bei Einwirkung von Schwefeldichlorid auf cyclische und offenkettige Paraffine in Gegenwart von UV-Licht erhält man Alkan-sulfenylchloride[3]:

$$R-H \quad + \quad SCl_2 \quad \xrightarrow{h\nu} \quad R-S-Cl \quad + \quad HCl$$

Man arbeitet zweckmäßig bei Temp. um 0° unter Verwendung von frisch destilliertem Schwefel(II)-chlorid, um dessen Zersetzung weitgehend zu unterdrücken und um Photoreaktionen zwischen Dichlordisulfan[1] bzw. Chlor und dem Alkan möglichst gering zu halten. Eine weitere Nebenreaktion stellt die Bildung von Dialkyl-disulfanen und Alkylchloriden dar (s. a. S. 1030)[4]:

$$C_6H_{12} \quad + \quad SCl_2 \quad \xrightarrow{h\nu} \quad H_{11}C_6-S-Cl \quad + \quad HCl$$

$$2\ SCl_2 \quad \rightleftharpoons \quad S_2Cl_2 \quad + \quad Cl_2$$

$$2\ H_{11}C_6-S-Cl \quad + \quad C_6H_{12} \quad \xrightarrow{h\nu} \quad H_{11}C_6-S-S-C_6H_{11} \quad + \quad H_{11}C_6-Cl \quad + \quad HCl$$

Bei diskontinuierlichen Versuchen arbeitet man deshalb in kleinen Ansätzen und nur mit Teilumsätzen. Vorteilhaft ist eine kontinuierliche Reaktionsführung, bei der laufend Produkt destillativ abgezogen und nicht umgesetztes Paraffin zurückgeführt wird[3]. Als Lichtquellen sind Quecksilber-Hochdruck-Lampen (S 81 der Quarzlampen Gesellschaft, Hanau) oder Leuchtstoff-Lampen (Philips TL 40 W/18, $\lambda_{max} = 430$ nm; Philips TL A 40/05, $\lambda_{max} = 365$ nm) geeignet. Die optimale Belichtungszeit liegt für präparative Zwecke bei ~ 6 Stdn., wobei als günstigstes Mol-Verhältnis von Cycloalkan zu Schwefeldichlorid 4:1 ermittelt wurde[5]. Stickstoffmonoxid inhibiert die Reaktion.

Cycloalkansulfensäurechloride sind wegen ihrer Zersetzlichkeit (heftig, exotherm!) im allgemeinen nicht destillierbar[6] und müssen zur Bestimmung der Reinausbeute in stabile

---

[1] H. H. ANDERSON u. L. R. GREBE, J. Org. Chem. **26**, 2006 (1961).
[2] O. O. ORAZI, R. A. CORRAL u. H. E. BERTORELLO, J. Org. Chem. **30**, 1101 (1965).
[3] E. MÜLLER u. E. W. SCHMIDT, B. **96**, 3050 (1963); **97**, 2614 (1964).
[4] E. GUTSCHIK u. V. PREY, M. **92**, 827 (1961).
[5] E. MÜLLER u. E. W. SCHMIDT, B. **97**, 2614 (1964).
[6] Cyclohexansulfensäure-chlorid kann bei einer Kurzweg-Destillation ohne Zers. übergehen und in reiner Form erhalten werden.

Derivate übergeführt werden. Besonders geeignet ist die Umsetzung mit Kaliumcyanid zum Cycloalkylthiocyanat. Die Rohausbeute wird durch Bestimmung des hydrolysierbaren Chlors berechnet[1].

Cyclohexylthiocyanat[2, 3]:

Cyclohexansulfensäure-chlorid: 110 g (1,3 Mol) Cyclohexan und 34 g (0,33 Mol) Schwefeldichlorid werden 4 Stdn. bei 10° unter Begasung mit Stickstoff [getrocknet mit konz. Schwefelsäure und Phosphor(V)-oxid auf Bimsstein] mit einer Quecksilber-Hochdruck-Tauchlampe (S 81 Quarzlampen Gesellschaft, Hanau) bestrahlt. Eine genaue Beschreibung der Belichtungsapparatur s. Orig.-Lit.. Anschließend werden unumgesetzte Ausgangsverbindungen i. Vak. bei Badtemp. von höchstens 20° in mit Trockeneis gekühlte Vorlagen abdestilliert und der Rückstand ebenfalls auf diese Temp. gebracht; Rohausbeute: 15 g (56% bez. auf umgesetztes Schwefeldichlorid), die mit 13% Dichlordisulfan verunreinigt sind.

Cyclohexylthiocyanat: Zu 20 g feinkörnigem, in 90 ml Petroläther dispergiertem Kaliumcyanid gibt man unter Rühren und Kühlung auf 20° das rohe, in 50 ml Petroläther gelöste Sulfenylchlorid. Das ausgefallene Salz wird abgenutscht, das Lösungsmittel abdestilliert und der Rückstand an einer 15 cm Vigreux-Kolonne fraktioniert; Ausbeute: 9,7 g (34% bez. auf umgesetztes Schwefeldichlorid); $Kp_{0,08}$: 58°.

Ebenso können *Cyclopentan-*, *Cycloheptan-* und *Cyclooctan-sulfensäure-chlorid* gewonnen werden, wobei die Rohausbeuten, bezogen auf umgesetztes Schwefeldichlorid, 58%, 49% bzw. 33% betragen.

Auch Dichlordisulfan kann photochemisch mit Alkanen und Cycloalkanen unter Bildung von Chlor-alkyl-disulfanen umgesetzt werden[2]:

$$RH \;+\; ClSSCl \;\xrightarrow{\;h\nu\;}\; R{-}S{-}S{-}Cl \;+\; HCl$$

Photolytische Nebenreaktionen laufen unter Homolyse der Cl−S- und auch unter Spaltung der S−S-Bindung ab, vor allem die photolytische Schwefel-Bildung ist störend.

Die Reaktionsbedingungen und die Durchführung sind ähnlich wie bei der Umsetzung von Alkanen mit Schwefeldichlorid. Dichlordisulfan ($\lambda_{max} = 265$ nm) benötigt energiereicheres Licht als Schwefeldichlorid ($\lambda_{max} = 390$ nm). Deshalb verwendet man Quecksilber-Hochdruck-Lampen mit Quarzkühlern. Mit Leuchtstoff-Röhren (z. B. Philips 40/05) werden geringfügig bessere Ausbeuten erhalten. Die Chlor-alkyl-disulfane werden wegen ihrer Zersetzlichkeit zur besseren Identifizierung in stabile Derivate, meistens Thiocyanate, übergeführt[2].

Chlor-cyclohexyl-disulfan[2]:

242 g Dichlordisulfan und 930 g Cyclohexan (Molverhältnis 1:6) werden 12 Stdn. bei 10° mit einer Philips-TL 40/05 Leuchtstoff-Röhre belichtet, wobei 14,8 g Chlorwasserstoff gebildet werden. Nach Abdestillieren der überschüssigen Reaktionsteilnehmer erhält man 105 g eines gelben, übelriechenden Reaktionsproduktes, das sich beim Erwärmen auf 80° zersetzt. Bei rascher Arbeitsweise kann das Rohprodukt mit einer leistungsfähigen Hochvakuum-Pumpe (Roots-Pumpe) destilliert werden; Ausbeute: 60 g (55%, bez. auf umgesetztes Dichlordisulfan bzw. 90%, bez. auf umgesetztes Cyclohexan); $Kp_{0,05}$: 58°.

Über die entsprechenden Chlor-alkyl-disulfane können folgende weitere Verbindungen gewonnen werden: *Cyclopentyl-*, *Cycloheptyl-* und *Cyclooctylthiocyanat* (Ausbeuten bez. auf umgesetztes Dichlordisulfan: 29%; 43% bzw. 58%). Mit Pentan und Heptan bilden sich isomere *Chlor-pentyl-* bzw. *Chlor-heptyl-disulfane* (31% bzw. 33% als Thiocyanat).

γ_2) Sulfinierung

Bei der Umsetzung von Schwefeldioxid mit Alkanen im ultravioletten Licht wurde die Bildung von Sulfinsäuren nachgewiesen[4]:

$$RH \;+\; SO_2 \;\xrightarrow{\;h\nu\;}\; R{-}SOOH$$

Auch bei Einwirkung von γ-Strahlen bzw. bei Beschuß mit Elektronen von 2 MeV reagieren z. B. Alkane und Alkylaromaten mit Schwefeldioxid[5]. Die Umsätze liegen zwischen 0,5 und 5% des eingesetzten

[1] H. BÖHME u. E. SCHNEIDER, B. **76**, 483 (1943).
[2] E. MÜLLER u. E. W. SCHMIDT, B. **97**, 2622 (1964).
[3] E. MÜLLER u. E. W. SCHMIDT, B. **96**, 3050 (1963).
[4] F. S. DAINTON u. K. J. IVIN, Trans. Faraday Soc. **46**, 374 (1950).
[5] A. HENGLEIN, H. URL u. W. HOFFMEISTER, Z. physik. Chem. **18**, 26 (1958).

Kohlenwasserstoffs. Ausgehend von z. B. 200 *ml* Cyclohexan erhält man nach 1 Stde. 5% Umsatz und isoliert nach Abdestillieren des Cyclohexans ein sehr viskoses, gelbes Öl, in dem Cyclohexansulfinsäure nachgewiesen wurde. Diese Methoden haben jedoch bisher keine präparative Anwendung gefunden.

γ_3) *Sulfochlorierung*

Die photochemische Sulfochlorierung ist eine der wichtigsten Substitutionsreaktionen in der aliphatischen Chemie[1,2]. Die vornehmlichen Ausgangsverbindungen, geradkettige Paraffine, stehen durch Molekularsieb-Prozesse bzw. durch Harnstoff-Extraktivkristallisationsverfahren aus Erdöl-Fraktionen in großer Menge zur Verfügung[3].

In einer radikalischen Kettenreaktion bilden sich aus Alkanen, Schwefeldioxid und Chlor Alkansulfon-säurechloride[4]:

$$R{-}H \ + \ SO_2 \ + \ Cl_2 \quad \xrightarrow{\ h\nu \text{ oder Peroxid oder } \gamma\text{-Strahlen}\ } \quad R{-}SO_2{-}Cl \ + \ HCl$$

Im Laborversuch werden Quantenausbeuten von $\varphi = 30000{-}40000$ erzielt, in der Technik, wo keine extrem reinen Ausgangsmaterialien vorhanden sind, betragen sie nur $\varphi = 3000{-}4000$. Als typischer Kettenabbrecher wirkt Sauerstoff. Aromatische Kohlenwasserstoffe hemmen die Sulfochlorierung von Paraffinen ebenfalls[5].

Über die Sulfochlorierung von Hexan[6] und Cyclohexan[7] mit γ-Strahlen (^{64}Co) vgl. Orig.-Lit.. Unter diesen Reaktionsbedingungen soll die Anwesenheit von 10^{-4} bis 10^{-1} Mol Sauerstoff pro Mol Kohlenwasserstoff zu einer Zunahme der Sulfochlorid-Bildung führen[8].

Als Nebenreaktion tritt Mehrfachsubstitution auf. Man arbeitet deshalb zur Herstellung von Monosulfochloriden mit einem Überschuß an Kohlenwasserstoff (vgl. S. 167), oder man unterbricht die Reaktion vorzeitig. Dies ist auch deshalb erforderlich, weil oberhalb bestimmter Produkt-Konzentrationen im Reaktionsgemisch der Umsatz stark zurückgeht und die Sulfurylchlorid-Bildung zur Hauptreaktion wird[9]. Dieser Prozeß setzt um so später ein, je länger die Kohlenstoff-Kette des Paraffins ist. Auch bei zu hohen Gas-Belastungen wird durch lokale Konzentrationserhöhungen an Chlor bzw. Schwefeldioxid Di- und Polysubstitution begünstigt. Besonders geringe Disulfochlorid-Bildung tritt bei nur 30%igem Umsatz ein, wenn dieser innerhalb von 16 Stdn. erreicht wird[9].

Darüber hinaus wird die Sulfochlorierung stets von einer normalen Photochlorierung begleitet. Das Reaktionsgemisch enthält demnach auch Alkylchloride und chlorierte Sulfonsäure-chloride. Diese Nebenreaktion ist im diffusen Tageslicht besonders groß. UV-Licht beschleunigt jedoch die Sulfochlorierung wesentlich stärker, wodurch die Kettenchlorierung zurückgedrängt wird[5,9]. Auch tiefe Temperaturen begünstigen die Sulfochlorierung, man arbeitet deshalb zweckmäßig unterhalb von 30°.

Schwefeldioxid wird bei der Sulfochlorierung gegenüber Chlor in 10–30%igem Überschuß eingesetzt[5]. Größere Überschüsse führen zu verstärkter Kettenchlorierung. Selbst unter optimalen Reaktionsbedingungen läßt sich die Bildung von Alkylchloriden nicht völlig ausschalten, weil die Abspaltung von Schwefeldioxid aus den Alkansulfonsäure-ohloriden durch UV-Licht zusätzlich begünstigt wird[9].

$$R{-}SO_2{-}Cl \quad \xrightarrow{\ h\nu\ } \quad R{-}Cl \ + \ SO_2$$

[1] Vgl. ds. Handb., Bd. IX, S. 421 ff.

[2] F. ASINGER, *Chemie u. Technologie der Paraffinkohlenwasserstoffe*, S. 426 ff., Akademie-Verlag, Berlin 1956.

[3] Vgl. ds. Handb., Bd. V/1a, S. 568ff. und die dort zitierte Literatur.

[4] Ds. Handb., Bd. IX, S. 411.

[5] H. KRÖPELEIN, W. OPITZ u. W. FREISS, Erdöl Kohle **2**, 498 (1949); Ang. Ch. **64**, 273 (1952).

[6] A. HENGLEIN u. H. URL, Z. physik. Chem. **9**, 285 (1956).

[7] A. SCHNEIDER u. JU. CHIN CHU, Ind. Eng. Chem., Process, Res. Develop. **3**, 164 (1964).

[8] US. P. 2974094 (1961), Esso Res. Co., Erf.: J. F. BLACK; C. A. **55**, 23344^a (1961).

[9] F. ASINGER u. B. FELL, Erdöl Kohle **18**, 273 (1965).

Zur Abhängigkeit der Produkt-Zusammensetzung vom Propan bzw. Butan-Gehalt der Reaktionsmischung vgl. Lit.[1]. Verringert man z. B. das Verhältnis der Reaktanten, Butan: Chlor: Schwefeldioxid von 2,5:1:1,1 auf 0 5:1:1,1 so steigt die Ausbeute an Chlorierungsprodukten von 11 auf 50%, während die Ausbeute an Disulfonylchloriden von 33 auf < 1% abnimmt[2]. Die Abhängigkeit der Produkt-Zusammensetzung vom Umsatz wurde z. B. am Dodecan untersucht[3]. Heteroaromatische Basen (z. B. Pyridin und Chinolin) werden als Katalysatoren empfohlen[4].

Zur praktischen Durchführung der Sulfochlorierung von festen, flüssigen oder gasförmigen Kohlenwasserstoffen s. ds. Handb., Bd. IX, S. 415ff.. Eine Apparatur, die bei entsprechender Vergrößerung für halbtechnische Ansätze und kontinuierliche Fahrweise verwendet werden kann, zeigt Abb. 63.

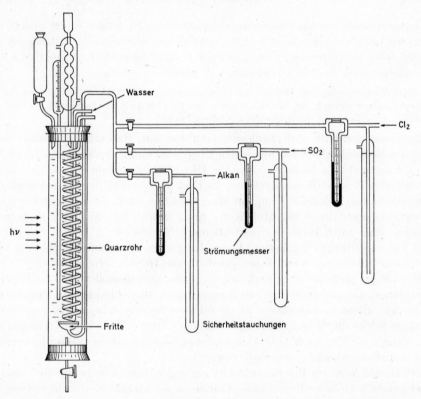

Abb. 63. Laboratoriumsapparatur zur Sulfochlorierung flüssiger und gasförmiger Kohlenwasserstoffe[5]

Die Sulfochlorierung von Paraffinen zeichnet sich dadurch aus, daß tert. Wasserstoff-Atome unter keinen Umständen substituiert werden können[6-8]. So erhält man z. B. aus

[1] F. Asinger, *Die petrolchemische Industrie*, S. 731ff., Akademie-Verlag, Berlin 1971.
[2] V. M. Kostyuchenko, A. I. Gershenovich u. E. P. Panov, Ž. prikl. Chim. **44**, 1368 (1971); engl.: 1384.
[3] F. Asinger u. H. J. Naggatz, J. pr. [4] **2**, 37 (1955).
[4] M. S. Kharasch u. A. T. Read, Am. Soc. **61**, 3089 (1939).
[5] F. Asinger, *Die petrolchemische Industrie*, S. 735, Akademie-Verlag, Berlin 1971.
[6] F. Asinger u. F. Ebeneder, B. **75**, 344 (1942).
[7] F. Asinger, G. Geiseler u. M. Hoppe, B. **91**, 2130 (1958).
[8] Sterische Hinderung scheidet als Erklärung aus, da bei der Sulfoxidation (vgl. S. 172) tert. Wasserstoff-Atome bevorzugt substituiert werden.

2,3-Dimethyl-butan nur das primäre *2,3-Dimethyl-butan-1-sulfochlorid* (Kp_1: 61°) zu 40% d. Th.[1], beim Isobutan besteht die Monosulfonsäure-chlorid-Fraktion zu 100% aus *2-Methyl-propan-1-sulfochlorid* (Kp_{15}: 82,5°)[2]. Es muß bei verzweigten Alkanen wegen der tert. Wasserstoff-Atome verstärkt mit Photochlorierung als Nebenreaktion gerechnet werden. Bei der Sulfochlorierung geradekettiger Paraffine werden alle theoretisch möglichen prim. und sek. Monosulfochloride gebildet. Aus Propan z. B. erhält man eine Monosulfonsäure-chlorid-Fraktion, die zu je 50% aus *Propan-1-* (Kp_{15}: 78,5°) und *Propan-2-sulfochlorid* (Kp_{15}: 74,5°) besteht[2]. Butan ergibt *Butan-1-* (Kp_{15}: 93,5°) und *Butan-2-sulfochlorid* (Kp_{15}: 85°) im Verhältnis 33:67[2]. Das Dodecanmonosulfonsäure-chlorid besteht zu jeweils 18 Mol-% aus dem sek. und zu 9 Mol-% aus dem prim. Sulfochlorid, was einem Verhältnis der rel. Reaktivitäten von prim. zu sek. Wasserstoff-Atomen wie ~ 1:3 entspricht[3].

Sulfochlorierung von Dodecan[4]: In der in Abb. 63 dargestellten Apparatur werden 1000 *ml* Dodecan mit einer Quarz-Lampe (700 W, Quarzlampen GmbH, Hanau) innerhalb von $5^1/_4$ Stdn. bei 25° mit je 30 g Chlor und 30 g Schwefeldioxid gleichzeitig begast. Durch Evakuieren wird die Mischung von noch gelöstem Chlorwasserstoff bzw. Schwefeldioxid befreit. Aus der Analyse[5] des hydrolysierbaren Chlors (6,50%) und des Gesamtchlors (7,43%) errechnet sich für dieses „Dodecan-Halbsulfochlorid" ein Gehalt von 49% Monosulfochlorid und 54% Neutralöl (unverseifbar). Bei Ausdehnung der Begasungszeit auf $10^1/_2$ Stdn. erhält man ein Gemisch mit 91% Monosulfochlorid (Dodecan-Vollsulfochlorid).

Das „Dodecan-Halbsulfochlorid" wird durch Ausblasen mit Wasserdampf i. Vak. vom Neutralöl weitgehend befreit. Dabei tritt keinerlei Verseifung der Sulfochloride ein. Man erhält ein Gemisch mit 14,2% an hydrolysierbarem Chlor und nur noch 2,7% Neutralöl. 263 g dieses Produktes werden mit 1400 *ml* Pentan versetzt und unter Rühren auf −35° abgekühlt und absetzen gelassen. Es bilden sich zwei Schichten, von denen die obere das Monosulfochlorid in Pentan gelöst enthält, während die untere aus dem Disulfochlorid vermischt mit etwas Monosulfochlorid besteht. Nach Phasen-Trennung und Abdestillieren des Pentans hinterbleiben aus der oberen Schicht 210 g eines Produkts, das 13,25% hydrolysierbares Chlor enthält, was dem theor. Wert von 13,2% für Dodecanmonosulfochlorid entspricht. Die untere Schicht ergibt 50 g Substanz mit 18,6% hydrolysierbarem Chlor, für Dodecandisulfochlorid errechnet sich jedoch ein Chlorgehalt von 19,2%. Die untere Schicht wird abermals mit 300 *ml* Pentan bei −35° behandelt und liefert weitere 5 g aus der neuen Oberschicht und 45 g aus der unteren Phase.

Insgesamt wurden erhalten: *Dodecanmonosulfochlorid*: 215 g (82% d. Th.) mit 13,3% hydr. Chlor und *Dodecandisulfochlorid*: 45 g (17,1% d. Th.) mit 19,45% hydr. Chlor.

Die gleiche Aufarbeitung des „Dodecan-Vollsulfochlorid" ergibt 841 g (59% d. Th.) Monosulfochlorid und 558 g (41% d. Th.) Disulfochlorid.

Eine im Molekül vorhandene funktionelle Gruppe wirkt dirigierend auf den Eintritt der Chlorsulfonyl-Gruppe. So unterbindet ein vorhandener **Halogen-Substituent** den Eintritt in seine unmittelbare Nachbarschaft. Während 2-Chlor-propan photochemisch nicht sulfochloriert werden kann[6], reagieren 1-Chlor-propan und alle höheren Chlorparaffine glatt[7]. Äthylchlorid ergibt in 35%iger Ausbeute *2-Chlor-äthansulfonylchlorid* (Kp_{12}: 84°) neben 1,1-Dichlor-äthan (25,5%)[8]. 3-Chlor-2-methyl-propan liefert z. B. *3-Chlor-2-methyl-propan-1-sulfochlorid* (39% d. Th.; Kp_5: 100–101°), 4-Chlor-2-methyl-butan geht in *4-Chlor-2-methyl-butan-1-sulfochlorid* (48% d. Th.; Kp_{15}: 139–141°) über. Eine **Chlorsulfonyl-Gruppe** wirkt ähnlich. Am Beispiel von Hexan-1-sulfochlorid wurde gezeigt, daß geminale

[1] R. B. Scott u. M. S. Heller, J. Org. Chem. **20**, 1159 (1955).
[2] F. Asinger, *Chemie und Technologie der Paraffinkohlenwasserstoffe*, S. 651, Akademie-Verlag, Berlin 1956.
[3] F. Asinger, B. **77**, 191 (1944).
[4] F. Asinger u. H. J. Naggatz, J. pr. [4] **2**, 37 (1955).
[5] Vgl. Originalliteratur bzw. ds. Handb., Bd. IX, S. 419
[6] A. P. Terentjev u. A. I. Gershenovich, Ž. obšč. Chim. **23**, 208 (1953); C. A. **48**, 2569 (1954).
[7] Brit. P. 516214 (1940), I. G. Farbenindustrie AG; C. **1940** II, 1076.
[8] C. Walling u. W. P. Pease, J. org. Chem. **23**, 478 (1958)

oder vicinale Disulfochloride nicht entstehen[1,2] und selbst die Bildung des 1,3-Disulfodichlorids noch stark behindert ist. Die Bildung des 1,4-, 1,5- und 1,6-Disulfodichlorids erfolgt dann wieder rein statistisch[2]. Ähnliche Ergebnisse wurden bei der Sulfochlorierung von Butan-1- und -2-sulfochlorid erhalten[3]. Aus Nitro-methan erhält man unter normalen Sulfochlorierungsbedingungen (UV-Licht; 30–32°; 3,5 Stdn.) *Nitro-methansulfonylchlorid* (53% d.Th.)[4].

Auch **Carbonsäuren** und ihre Derivate lassen sich in Tetrachlormethan sulfochlorieren[5]. Während bei Propansäure und deren Abkömmlingen ausschließlich β-Substitution erfolgt, besteht die Monosulfochlorid-Fraktion von Butansäure und deren Derivaten aus folgenden isomeren Verbindungen[5]:

Butansäure	→ *3-* und *4-Chlorsulfonyl-butansäure*; 57% bzw. 43%
Butansäure-methylester	→ *3-* und *4-Chlorsulfonyl-butansäure-methylester*; 53% bzw. 47%
Butansäure-anhydrid	→ *3-* und *4-Chlorsulfonyl-butansäure-anhydrid*; 51% bzw. 49%.
Butansäure-chlorid	→ *3-* und *4-Chlorsulfonyl-butansäure-chlorid*; 28% bzw. 72%
Butansäurenitril	→ *3-* und *4-Chlorsulfonyl-butansäure-nitril*; 14% bzw. 86%

Zur Sulfochlorierung von langkettigen Carbonsäure-chloriden s. Lit.[6].

Hydrochloride niederer aliphatischer **Amine** (> n-Propylamin) lassen sich bei etwas erhöhten Temp. glatt in Aminoalkansulfochlorid Hydrochloride überführen[7]. Beim Äthylamin liegt die Ausbeute bei < 1% d.Th.

Chlorsulfonyl-alkylamin-Hydrochlorid; allgemeine Vorschrift[7]: In einem Reaktionsgefäß ähnlich Abb. 62 (S. 166) werden 0,5 Mol Propyl- bzw. 2-Methyl-propyl-amin in 800 *ml* Chloroform mit der äquiv. Menge Chlorwasserstoff neutralisiert. Die homogene Lösung des Hydrochlorids wird 15 Stdn. bei 50–55° mit 3,1 *l* Chlor und 3,7 *l* Schwefeldioxid/Stde. Mischgas unter Bestrahlung (80 W Lampe) sulfochloriert. Butylamin wird als Suspension in Tetrachlormethan 9 Stdn. bei 35–45° ebenso mit Mischgas behandelt. Man filtriert das Produkt ab und extrahiert erschöpfend mit Chloroform.

Es werden so erhalten aus:

Propylamin-Hydrochlorid	→ *3-Amino-propan-1-sulfochlorid-Hydrochlorid*; 44% d.Th.; F: 146–146,5°
2-Methyl-propylamin-Hydrochlorid	→ *3-Amino-2-methyl-propan-1-sulfochlorid-Hydrochlorid*; 21% d.Th.; F: 143–145°
Butylamin-Hydrochlorid	→ *4-Amino-butan-1-* und *...-2-sulfochlorid-Hydrochlorid*; zus. 58% d.Th.

Eine vorhandene **Phenyl-Gruppe** wirkt ebenfalls stark dirigierend; die Benzyl-Stellung wird von der Chlorsulfon-Gruppe nicht angegriffen. Die Sulfochlorierung unter Standardbedingungen (UV-Licht, 6 Stdn., 30–35°) ergibt beim Toluol lediglich Benzyl- und Benzalchlorid[8]. Beim Äthylbenzol erhält man neben den möglichen Chlorierungsprodukten

[1] L. HORNER u. L. SCHÄFER, A. **635**, 31 (1960).
[2] F. ASINGER, B. FELL u. H. SCHERB, B. **96**, 2831 (1963).
[3] V. M. KOSTYUCHENKO u. A. I. GERSHENOVICH, Ž. Org. Chim. **3**, 632 (1967), engl.: 605; **2**, 947 (1966), engl.: 941.
[4] US. P. 2718495 (1955), Monsanto Chem. Co., Erf.: J. DAZZI; C. A. **50**, 7122 (1956).
[5] F. ASINGER, B. FELL u. A. COMMICHAU, Tetrahedron Letters **1966**, 3095.
    Vgl. auch: M. S. KHARASCH, T. H. CHAO u. H. C. BROWN, Am. Soc. **62**, 2393 (1940).
[6] DAS. 1194842 (1965), Schering AG, Berlin.
[7] H. FEICHTINGER, B. **96**, 3068 (1963).
[8] A. P. TERENTEV u. A. I. GERSHENOVICH, Sbornik Statei Obshchei Khim., Akad. Nauk, SSSR **1**, 555 (1953); C. A. **49**, 916 (1965).

($\sim$70% Ausbeute) bereits *2-Phenyl-äthan-1-sulfochlorid* (7,5% d. Th.), und bei tert.-Butyl-benzol entsteht das *2-Methyl-2-phenyl-propan-1-sulfochlorid* (Kp_2: 135–137°) bereits in 40%iger Ausbeute[1].

Organosilicium-Verbindungen können mit Sulfurylchlorid in Gegenwart von Pyridin sulfochloriert werden[2], allerdings macht selbst in den günstigsten Fällen die photolytische Chlorierung[3] immer noch 10–20% aus:

$$(H_3C)_4Si \ + \ SO_2Cl_2 \ \xrightarrow{\ h\nu/Pyridin\ } \ (H_3C)_3Si-CH_2-SO_2Cl$$

Trimethylsilyl-methansulfochlorid;
53% d. Th.

Siliciumständiges Chlor wirkt sich inhibierend auf die Substitution aus (s. S. 128). Während Trimethyl-siliciumchlorid noch 17% *Dimethyl-chlorsulfonylmethyl-siliciumchlorid* ergibt, lassen sich Dimethyl-siliciumdichlorid und Methyl-siliciumtrichlorid auf diese Art nicht sulfochlorieren. Mit Äthyl-substituierten Chlorsilanen wiederum ist die Einführung der Chlorsulfonyl-Gruppen möglich. Octamethyl-cyclotetrasiloxan liefert mit 29%iger Ausbeute *Heptamethyl-chlorsulfonylmethyl-cyclotetrasiloxan*.

γ_4) *Sulfoxidation*

Die Sulfoxidation von aliphatischen Kohlenwasserstoffen ist ein Prozeß von erheblichem techn. Interesse, da die Alkalimetallsalze der gebildeten Sulfonsäuren[4] mit Kettenlängen von C_{12}–C_{18} als kapillaraktive Substanzen vielseitige Verwendung finden. Die Sulfoxidation hat gegenüber der Sulfochlorierung den wirtschaftlichen Vorteil, daß man anstelle des teuren Chlors von billigem Sauerstoff bzw. von Luft ausgehen kann. Neben offenkettigen und cyclischen Paraffinen lassen sich auch Alkylchloride[5], Alkohole[6], Carbonsäuren[7–9], Carbonsäureanhydride[7,9,10], Carbonsäure-chloride[9], -ester[7,9,10], -nitrile[7,9] und Äther[10] mehr oder weniger erfolgreich sulfoxidieren.

[1] A. P. TERENTEV u. A. I. GERCHENOVICH, Sbornik Statei Obshchei Khim., Akad. Nauk, SSSR **1**, 555
[2] (1953); C. A. **49**, 916 (1965).
[3] G. D. COOPER, J. Org. Chem. **21**, 1214 (1956).
   M. G. VORONKOV u. V. P. DAVYDOVA, Dokolady Akad. SSSR **125**, 553 (1959); engl.: 230; C. A. **53**, 19850ᵃ (1959).
[4] DRP. 735096 (1940), IG-Farben AG; Erf.: C. PLATZ u. K. SCHIMMELSCHMIDT; C. A. **38**, 1249 (1944).
   L. ORTHNER, Ang. Ch. **62**, 302 (1950).
   F. ASINGER, *Paraffins-Chemistry and Technology*, S. 645–692, Pergamon Press, Oxford (1970).
   F. ASINGER, *Die petrolchemische Industrie*, S. 750–757, Akademie-Verlag, Berlin (1971).
   Vgl. auch ds. Handb., Bd. IX, S. 366–367.
[5] DRP.-Anm. J 69748 (1941), IG Farben, Erf.: G. CRAMER u. K. SCHIMMELSCHMIDT.
   DRP.-Anm. J 74728 (1943), IG Farben, Erf.: E. FISCHER.
   DBP. 903814 (1954), Farbwerke Hoechst AG, Erf.: G. CRAMER u. K. SCHIMMELSCHMIDT; C. A. **49**, 3243 (1955).
   DBP. 917428 (1954), Farbwerke Hoechst AG, Erf.: E. FISCHER; C. A. **50**, 2652 (1956).
[6] DBP. 916409 (1954), Farbwerke Hoechst AG, Erf.: H. GRUSCHKE; C. A. **51**, 10098 (1957).
   DRP.-Anm. J 72002 (1942), IG-Farbenindustrie, Erf.: R. GRAF u. H. GRUSCHKE.
   DRP.-Anm. J 73773 (1942), IG-Farbenindustrie, Erf.: H. GRUSCHKE.
[7] DBP. 918444 (1954), Farbwerke Hoechst AG, Erf.: E. FISCHER; C. A. **52**, 13782 (1958).
   DBP. 907053 (1954), Farbwerke Hoechst AG, Erf.: G. CRAMER u. K. SCHIMMELSCHMIDT; C. A. **49**, 4009 (1955).
   DRP.-Anm. J 69752 (1941), IG-Farbenindustrie, Erf.: G. CRAMER u. K. SCHIMMELSCHMIDT.
[8] L. G. EVGEN'EVA, A. V. TOPCHIEV u. G. M. TSIGURO, Tr. Mosk. Inst. Neftekhim i Gaz. Prom. **44**, 114 (1963); C. A. **60**, 9137 (1964).
[9] F. ASINGER, B. FELL u. A. COMMICHAU, Tetrahedron Letters **1966**, 3095.
[10] DRP.-Anm. J 69751 (1941), IG-Farbenindustrie, Erf.: G. CRAMER u. K. SCHIMMELSCHMIDT.
   DBP. 907054 (1954), Farbwerke Hoechst AG, Erf.: G. CRAMER u. K. SCHIMMELSCHMIDT; C. A. **49**, 3243 (1955).
   DRP.-Anm. J 75138 (1943), IG-Farbenindustrie, Erf.: E. FISCHER.

Die Sulfoxidation ist eine radikalische Kettenreaktion, die durch UV-Licht[1], ionisierende Strahlen[2], durch Peroxide[3] oder ozonisierten Sauerstoff[4] initiiert werden kann. Daneben wurde auch die Verwendung von Chlor[5], Azo-Verbindungen[6], Blei(IV)-acetat[7], Fettsäureestern[8] und Schwermetallsalzen von Fettsäuren[9] vorgeschlagen. Außerdem kann die Sulfoxidation z. B. beim Cyclohexan durch einen kurzzeitigen Temperaturstoß auf 80° ausgelöst und dann bei tieferer Temp. weitergeführt werden[10]. Es wird heute folgender Mechanis-

[1] L. Orthner, Ang. Ch. **62**, 302 (1950).

F. Asinger u. B. Fell, Erdöl Kohle **18**, 273 (1965).

C. Beermann, Europ. Chem. News, Normal Paraffins Suppl. **1966**, 36.

F. Asinger, G. Geiseler u. H. Eckholt, B. **89**, 1037 (1956).

Y. Ogata, Y. Izawa u. T. Tsuda, Tetrahedron **21**, 1349 (1965); Bl. chem. Soc. Japan **38**, 1984 (1965); C. A. **64**, 4497 (1966).

F. Asinger, B. Fell u. A. Commichau, Tetrahedron Letters **1966**, 3095; B. **98**, 2154 (1965).

[2] C. Beermann, Vortrag Sympos. on Normal Paraffins, 16. 11. 1966, Preprint, Manchester (UK).

I. F. Black u. E. F. Baxter, Proc. UN Inter. Conf. Peaceful Uses At. Energy, 2nd, Geneva 1958, **29**, 162; C. A. **54**, 22324 (1960); Soap Chem. Specialties **34** (10), 43, 104 (1958); C. A. **53**, 742 (1959); Oil Gas J. **56**, 115 (1958).

F. Asinger u. A. Saus, Forschungsbericht K 70-25, Bundesministerium für Bildung und Wissenschaft (1970).

D. O. Hummel, W. Mentzel u. C. Schneider, A. **673**, 13 (1964).

K. Keller, Dissertation Technische Hochschule Aachen, 1969; dort weitere Literatur.

Fr. P. 1320018 (1963), Esso Res. and Engng. Co.; C. A. **60**, 1597 (1964).

Brit. P. 942503 (1963), Esso Res. and Engng. Co., Erf.: J. F. Black; C. A. **60**, 1597 (1964).

[3] R. Graf, A. **578**, 50 (1952).

US. P. 2507088 (1955), du Pont, Erf.: H. W. Bradley; C. A. **44**, 7342 (1950).

Niederl. P. Anm. 6607824 (1966), Farbwerke Hoechst AG; C. A. **66**, 106846 (1967).

C. Beermann, Europ. Chem. News, Normal Paraffins Suppl. **1966**, 36.

[4] C. Beermann, Europ. Chem. News, Normal Paraffins Suppl. **1966**, 36.

Belg. P. 443658 (1942), IG Farb.; C. A. **39**, 528 (1945).

Niederl. P. Anm. 6607824 (1966), Farbwerke Hoechst AG; C. A. **66**, 106846 (1967).

F. Asinger u. A. Saus, Forschungsbericht K 70-25, Bundesministerium für Bildung und Wissenschaft (1970).

[5] DBP. 802820 (1951); 831095 (1952); 872942 (1953), Krupp Treibstoffwerke GmbH, Erf.: H. Weghofer; C. A. **45**, 7585^c (1951); **49**, 15950^a (1955); **48**, 12166^g (1954).

H. Weghofer, Fette, Seifen, Anstrichmittel **54**, 260 (1952).

[6] Niederl. P.-Anm. 6515549 (1966), Esso Res. and Engng. Co.; C. A. **65**, 18871 (1966).

DAS. 1252666 (1967), Esso Res. and Engng. Co., Erf.: J. Mackinnon u. A. A. Austin; C. A. **68**, 5703 (1968).

US. P. 2503280 (1950), Du Pont, Erf.: W. H. Lockwood; C. A. **44**, 6176 (1950).

US. P. 3372188 (1968), Union Oil Co., Erf.: T. G. Alston u. W. D. Schaeffer; C. A. **68**, 8586 (1968).

[7] US. P. 2507088 (1955), Du Pont, Erf.: H. W. Bradley; C. A. **44**, 7342 (1950).

[8] DDRP., Ostberlin 9007 (1955), W. Lautsch; C. A. **52**, 5448 (1952).

[9] Brit. P. 1052484 (1966), Brit. Hydrocarbon Chem. Ltd., Erf.: S. F. Marrian; C. A. **66**, 4568 (1967).

[10] DRP.-Anm. J. 74599 (1943), I.G. Farb., Erf.: R. Graf.

DBP. 916410 (1954), Farbwerke Hoechst AG, Erf.: R. Graf; C. A. **49**, 11698 (1955).

mus [1-4] allgemein für wahrscheinlich[5] gehalten:

$$R-H \xrightarrow{h\nu} R\bullet + \bullet H$$

$$R^\bullet + SO_2 \longrightarrow R-SO_2^\bullet$$

$$R-SO_2^\bullet + O_2 \longrightarrow R-SO_2-O-O^\bullet$$

$$R-SO_2-O-O^\bullet + RH \longrightarrow R-SO_2-OOH + R^\bullet$$

$$R-SO_2-OOH \longrightarrow R-SO_2-O^\bullet + {}^\bullet OH$$

$$R-SO_2-O^\bullet + RH \longrightarrow R-SO_2-OH + R^\bullet$$

$$^\bullet OH + RH \longrightarrow H_2O + R^\bullet$$

Auf Grund der Absorptionen[4] (RH: $\lambda < 220$ nm[6]; SO_2: $\lambda_{max} = 290$ nm[7]) wird angenommen, daß die primäre Bildung eines Alkyl-Radikals durch Energie-Übertragung von einem angeregten SO_2^*-Molekül verursacht wird. Filtert man alles Licht mit $\lambda < 350$ nm heraus, so erfolgt lediglich eine Verminderung der Ausbeute um 50%[4].

Der homolytische Zerfall der bisher nicht in reiner Form isolierten Persulfonsäure gewährleistet so hohe Konzentrationen von Alkyl-Radikalen, daß z. B. hochreines Cyclohexan, Heptan oder Octan autokatalytisch weiter reagieren, wenn die Strahlungsquelle nach Anspringen der Reaktion entfernt wird. In manchen Fällen bricht die Kette selbst dann nicht ab, wenn dem Reaktionsgemisch nach einiger Zeit geringfügig mit Olefinen und Aromaten verunreinigte Alkane zudosiert werden[8]. Im allgemeinen muß man selbst bei Einsatz reiner Alkane, die frei von Inhibitor-Spuren sind (s. S. 172), für eine ständige Neubildung der Radikale sorgen.

Die wichtigsten Nebenreaktionen bei der Sulfoxidation sind die Bildung von Wasser und Schwefelsäure[1] (aus Persäure, Wasser und Schwefeldioxid), von denen das Reaktionsgemisch etwa 5–10% bzw. 10–15% enthält.

Die instabile Persulfonsäure läßt sich z. B. beim Cyclohexan in Gegenwart von Acetanhydrid abfangen[1,9]. Das *Cyclohexylsulfonyl-acetyl-peroxid* ist wegen der günstigen Halbwertszeit seines Zerfalls bei 35–40° ein ausgezeichneter Initiator für radikalische Reaktionen allgemein und auch für die Sulfoxidation anderer Kohlenwasserstoffe[1].

Als Lichtquellen für die Photosulfoxidation eignen sich verschiedenste Quecksilberdampf-Lampen von 300, 500 und 700 W, die Kettenlänge[10] beträgt 7–8. Daneben finden zunehmend γ-Strahlen (^{60}Co) Verwendung[6]. Man erreicht dabei Ketten mit 1000 Reaktions-

[1] R. GRAF, A. **578**, 50 (1952).

[2] F. ASINGER, G. GEISELER u. H. ECKHOLDT, B. **89**, 1037 (1956).

[3] I. F. BLACK u. E. F. BAXTER, Soap Chem. Specialties **34** (10) 43, 104 (1958); C. A. **53**, 742 (1959).

[4] Y. OGATA, Y. IZAWA u. T. TSUDA, Tetrahedron **21**, 1349 (1965).

[5] Über z. T. andere mechanistische Vorstellungen s.: Y. OGATA, Y. IZAWA u. T. TSUDA, Tetrahedron **21**, 134 (1965).
   A. GOOD u. J. C. J. THYNNE, J. appl. Chem. **18**, 229 (1968).
   F. S. DAINTON u. K. J. IVIN, Trans. Faraday Soc. **46**, 374, 382 (1950).
   A. V. TOPCHIEV, G. V. GRYAZNOV u. G. M. TSIGURO, Bull. Acad. Sci. USSR, Div. Chem. Sci. **113**, 839 (1957); C. A. **51**, 14538 (1957).

[6] F. ASINGER u. A. SAUS, Forschungsbericht K 70-25, Bundesministerium für Bildung und Wissenschaft 1970.

[7] H. LEY u. E. KÖNIG, Z. physik. Chem. B **41**, 365 (1939).

[8] Fr. P. 1320018 (1963), Esso Res. and Engng. Co.; C. A. **60**, 1597 (1964).
   Brit. P. 942503 (1963), Esso Res. and Engng. Co., Erf.: J. F. BLACK.

[9] Ein zweistufiges technisches Sulfoxidationsverfahren für höhermolekulare Kohlenwasserstoffe arbeitet in Gegenwart von Acetanhydrid und nutzt die stabilisierende Wirkung des Acetanhydrids auf die Persulfonsäuren aus; vgl. F. ASINGER, *Die petrolchemische Industrie*, S. 754, Akademie-Verlag, Berlin 1970; dort weitere Literatur.

[10] L. ORTHNER, Ang. Ch. **62**, 302 (1950).

abläufen, und die Abscheidungen von dunkel gefärbten Reaktionsprodukten hindern nicht den weiteren Strahlen-Durchgang. Bei kontinuierlichen Versuchen haben γ-Strahlen außerdem den Vorteil, daß nach einigen Tagen alle inhibierend wirkenden Stoffe zerstört sind, und die Sulfoxidation auch ohne weitere Bestrahlung weiterlaufen kann. Über ein halbtechnisches Verfahren zur Sulfoxidation langkettiger Alkane mit Hilfe von γ-Strahlen s. Lit.[1].

Die Sulfoxidation ist gegen kleinste Mengen Inhibitoren außerordentlich empfindlich. In den meisten Fällen reicht eine katalytische Druckhydrierung der Ausgangsstoffe als Reinigung zur Entfernung von Olefin und Aromaten (Benzol) nicht aus. Erst die intensive Behandlung mit 20%igem Oleum ergibt für photochemisches Arbeiten ausreichend reine Paraffine[2]. Eine Vielzahl Substanzen wurden als Inhibitoren erkannt[3,4], am stärksten wirken jedoch bereits kleinste Mengen Olefin und Aromaten.

Verzweigte Paraffine (2,2- und 2,3-Dimethyl-butan) sind mit UV-Licht glatt sulfoxidierbar[3-5], während mit γ-Strahlen keine Sulfoxidation möglich ist[6], weil durch die γ-Strahlen das Paraffin spurenweise zum Olefin (Inhibitor) dehydriert wird[5]. Von den Aromaten scheint nur Benzol selbst der eigentliche Inhibitor zu sein, denn die Sulfoxidation von Äthyl-benzol und m-Xylol ist möglich[7]. Die Ausbeuten liegen jedoch unter 2%; Toluol ist nur spurenweise sulfoxidierbar und auch längerkettige Phenyl-alkene (z. B. Phenyl-dodecane) ergeben nur maximale Ausbeuten von 3% d.Th.[7].

Für die Sulfoxidation von Paraffinen haben sich folgende rel. Reaktivitäten der einzelnen Wasserstoff-Atome ergeben:

$$CH_{prim.} : CH_{sek.} : CH_{tert.} = 1 : 20\text{–}30 : 130$$

Die Werte geben nur die Größenordnung an, da kleine analytische Fehler bereits starke Abweichungen bewirken. Außerdem sind die Reaktivitäten sehr stark von den übrigen Reaktionsbedingungen abhängig. Die bevorzugte Substitution an tert. Kohlenstoff-Atomen steht im Gegensatz zu Photo-Chlorierungen und -Sulfochlorierungen (s. S. 91 bzw. 166) und hat vermutlich ihre Ursache in dem die Kettenreaktion tragenden, intermediären energiearmen Alkylsulfonylperoxy-Radikal. Tab. 32 (S. 175) faßt einige Sulfoxidationsreaktionen zusammen.

Bei Sulfoxidation von längerkettigen Alkanen bei 17° (z. B. Heptan[8] und Dodecan[9]) entstehen wie erwartet alle isomeren Alkanmonosulfonsäuren in der gemäß den Reaktivitäten zu erwartenden statistischen Zusammensetzung[8,9]. Die *Heptanmonosulfonsäuren* enthalten 2 Gew.-% des 1-, 42 Gew.-% des 2-, 39 Gew.-% des 3- und 18 Gew.-% des 4-Isomeren. Die Heptan-4-sulfonsäure liegt als symmetrisches Derivat erwartungsgemäß nur in der halben Konzentration vor[8]. Die irrtümliche Auffassung[9], daß bei der photochemischen Sulfoxidation von Heptan nur die Heptan-2-sulfonsäure entsteht, konnte widerlegt werden[10].

Ohne Wirkung auf das Reaktionsgeschehen ist das Mengenverhältnis von Schwefeldioxid und Sauerstoff. Selbst ein großer SO_2-Überschuß bewirkt keine Verbesserung der Ausbeute. Deshalb arbeitet man meist bei einem Volumen-Verhältnis von $SO_2 : O_2 \sim 2 : 1$. Außerdem

[1] S. RÖSINGER, Chem. Ing. Techn. **42**, 1236 (1970).
[2] F. ASINGER, *Die petrolchemische Industrie*, S. 754, Akademie-Verlag, Berlin 1971.
[3] F. ASINGER u. A. SAUS, Forschungsbericht K 70-25, Bundesministerium für Bildung und Wissenschaft 1970.
[4] A. GRAF, A. **578**, 50 (1952).
[5] F. ASINGER, B. FELL u. A. COMMICHAU, B. **98**, 2154 (1965).
[6] J. F. BLACK u. E. F. BAXTER, Proc. UN Intern. Conf. Peaceful Uses At. Energy 2nd, Geneva **29**, 162 (1958); C. A. **54**, 22324 (1960); Soap Chem. Specialties **34** (10) 43, 107 (1958); C. A. **53**, 742 (1959); Oil Gas J. **56**, 115 (1958).
Brit. P. 942503 (1963), Esso Res. and Engng. Co., Erf.: J. F. BLACK.
[7] Y. OGATA et al., Bl. chem. Soc. Japan **39**, 2438 (1966).
[8] F. ASINGER, B. FELL u. S. POTTKÄMPER, B. **97**, 3092 (1964).
[9] F. ASINGER, G. GEISELER u. H. ECKOLDT, B. **89**, 1037 (1956).
[10] A. V. TOPCHIEV, G. M. TSIGURO u. G. V. GRYAZNOV, Bull. Acad. Sci. USSR, Div. Chem. Sci. **113**, 1302 (1957); C. A. **51**, 16111e (1957).

ist die Isomeren-Verteilung unabhängig vom Initiator. Temperatur und bei niederen Kohlenwasserstoffen ($< C_5$) auch das Lösungsmittel üben dagegen einen großen Einfluß auf Ausbeute und Zusammensetzung des Produkt-Gemisches aus. Bei der Sulfoxidation von Propan z. B. ändert sich die rel. Reaktivität $CH_{prim}.:CH_{sek}.$ von 1:20 bei 17° auf 1:15 bei 40° und 1:2 bei 67° [1]. Für die gasförmigen C_3- und C_4-Kohlenwasserstoffe liegt zwischen 8 und 20° ein Ausbeute-Maximum, bei Temp. $> 30°$ nimmt die Ausbeute stark ab. Bei Verwendung von Dichlormethan als Lösungsmittel anstelle von Tetrachlormethan fällt die Ausbeute an Butansulfonsäuren von 14 g auf < 5 g pro Stde. [2], ähnlich vermindernd auf die Ausbeute wirkt Chloroform[1,2]. Bei höheren Kohlenwasserstoffen existiert ebenfalls ein Temperatur-abhängiges Ausbeute-Maximum (für Heptan bei 40°, Hexan bei 30°), dessen Lage außer von Kettenlänge und Verzweigungsgrad auch von der Art der Initiierung[3] abhängt (s. Abb. 64).

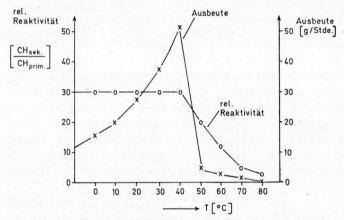

Abb. 64. Temperaturabhängigkeit der Ausbeute und der rel. Reaktivität bei der Photosulfoxidation von Heptan[4]

Die Sulfoxidation kann auch unter Überdruck durchgeführt werden. Als Initiator können verwendet werden: UV-Licht[5-7], γ-Strahlen[8], Chlor[2,6], Azo-bis-isobuttersäurenitril, Didodecanoylperoxid und Blei(IV)-acetat[2]; Einzelheiten s. Org.-Lit.

[1] F. ASINGER, B. FELL u. A. COMMICHAU, B. **98**, 2154 (1965).
[2] K. KELLER, Dissertation Technische Hochschule Aachen, 1969.
[3] Bei der strahlenchemischen Sulfoxidation von Hexan liegt das Maximum bei 20°. Bis zu dieser Temp. bleibt auch das Reaktivitätsverhältnis konstant. Jenseits des Maximums fällt die Ausbeute stark ab, während das Reaktivitätsverhältnis $CH_{sek}.:CH_{prim}.$ sich dem Wert 3:1 nähert, einer Größenordnung, die bei der Photochlorierung allgemeingültig ist.
[4] A. SAUS et al., B. (im Druck).
   M. SCHRÖDER, Dissertation Technische Hochschule Aachen, 1967.
[5] H. WEGHOFER, Fette, Seifen, Anstrichmittel **54**, 260 (1952).
[6] DBP. 831095 (1952), Krupp Treibstoff GmbH, Erf.: H. WEGHOFER; C. A. **49**, 15950 (1955).
[7] DBP. 872942 (1953), Krupp Kohlechemie GmbH, Erf.: H. WEGHOFER, C. A. **48**, 12166^g (1954).
[8] Brit. P. 810574 (1959); Fr. P. 1215577 (1958); DAS. 1139116 (1962); Niederl. P. Anm. 297362 (1965); Niederl. P. 6515549 (1965), Esso Res. and Engng. Co.; C. A. **53**, 12716 (1959).
   D. BERTRAM, Dechema-Monogr. **42**, Nr. 661–667, 197 (1962); C. A. **59**, 3728 (1963); C. **1962**, 3978; C. A. **59**, 2650 (1963); **65**, 18871 (1966).
   D. BERTRAM, Chem. Techn. **13**, 626 (1961).
   Fr. P. 1483230 (1967), Farbwerke Hoechst AG; C. A. **68**, 21532^u (1968).
   DAS. 1226566 (1966), Farbwerke Hoechst AG, Erf.: S. RÖSINGER, C. A. **66**, 28442^g (1967).
   DAS. 1252666 (1963), Esso Res. and Engng. Co., Erf.: J. MACKINSON, M. PARK u. A. A. AUSTIN; C. A. **68**, 59112 (1968).
   E. GOETHALS, Ind. chim. belge **27** (6), 663 (1962).

Als weitere Zusätze zur Sulfoxidation wurden Salpetersäure, Nitrate, Nitrite oder Stickoxide vorgeschlagen[1]. Durch Anwesenheit von Schwefeltrioxid soll die Schwefelsäurebildung bei der Sulfoxidation zurückgedrängt werden[2].

Di- und Polysubstitution treten bei der Sulfoxidation in weit stärkerem Ausmaß auf als es dem berechenbaren theoretischen Wert[3] entspricht (vgl. dagegen Mehrfach-Chlorierung[4], S. 91ff.). Der Anteil von Alkandisulfonsäuren des Photolysats steigt mit zunehmender Kettenlänge[5]. Er beträgt z. B. beim Propan 5, beim Butan 17 und beim Pentan bereits 42%. Geminale Disulfonsäuren werden nicht gebildet und vicinale entstehen lediglich aus Äthan und Propan. Im allgemeinen tritt die zweite Sulfonyl-Gruppe bevorzugt in β-Stellung ein[5].

Die verstärkte Disubstitution bei der Sulfoxidation wird auf die als Nebenreaktion ablaufende Wasser-Bildung zurückgeführt[6-8]. Das feinst emulgierte Wasser löst bevorzugt die gebildeten Monosulfonsäuren sowie Schwefeldioxid und Sauerstoff, wodurch die Konzentration dieser Stoffe viel größer als in der umgebenden Alkanphase und dadurch die Zweitsubstitution der Monosulfonsäuren begünstigt wird. Geeignete Lösungsmittel oder Zusatzstoffe, die während der Sulfoxidation eine homogene Phase gewährleisten und somit eine übermäßige Disubstitution verhindern, wurden bisher nicht aufgefunden[6,8]. Über die Auswirkungen, die ein Zusatz von Acetanhydrid auf die Sulfoxidation von C_{13}–C_{17}-Alkanen ausübt, s. Lit.[6,7].

Die Sulfoxidation läßt sich durch die Wahl der Reaktionsbedingungen wesentlich stärker beeinflussen als alle anderen Substitutionsreaktionen der Paraffine[7]. Unabhängig von den Reaktionsbedingungen enthält das Photolysat neben den gewünschten Alkyl-monosulfonsäuren stets Di- bzw. Polysulfonsäuren, Schwefelsäure, Wasser und den als „Neutralöl" bezeichneten nicht umgesetzten Kohlenwasserstoff. Während die Durch-führung der Sulfoxidation immer mehr oder weniger gleichartig erfolgt, ist die Aufarbeitung des Sulfoxidats je nach eingesetztem Kohlenwasserstoff und den Reaktionsbedingungen verschieden.

Allgemeine Richtlinien zur Sulfoxidation von Paraffinen[5,7,9-11]: Als Reaktionsgefäß eignen sich Apparaturen (Abb. 63, S. 166) aus Quarz, Uviol oder Pyrex von $\sim$ 500 ml Fassungsvermögen. Zur Erzielung reproduzierbarer Ergebnisse sollte die Geometrie des Gefäßes nicht verändert werden.

Schwefeldioxid und Sauerstoff werden über Waschflaschen mit konz. Schwefelsäure und Trocken-türme mit Calciumchlorid gereinigt. Gasförmige Kohlenwasserstoffe werden zunächst mit 20%igem Oleum und danach mit konz. Schwefelsäure gewaschen und zur Entfernung von mitgerissenen Schwefeltrioxid-Spuren nochmals über einen Kaliumhydroxid/Calciumchlorid-Turm geschickt. Das Gas-gemisch wird dann über geeichte Rotameter und eine Fritte in das Reaktionsgefäß geleitet.

Bei flüssigen Kohlenwasserstoffen wird ohne Lösungsmittel direkt im vorgelegten Kohlenwasserstoff sulfoxidiert. Bei gasförmigen Ausgangsverbindungen arbeitet man zweckmäßig mit einem Verhältnis von Kohlenwasserstoff:SO_2:O_2 wie 4:2:1 und leitet das Gasgemisch in ein vorgelegtes Lösungsmittel ($\sim$ $^2/_3$ des Gefäßvolumens). Bei Verwendung von z. B. Tetrachlormethan scheiden sich die unlöslichen Sulfonsäuren als leichtere Phase oben ab. Sulfoxidationen der normalerweise gasförmigen Kohlenwasser-stoffe mit entsprechend tief gekühlten Reaktionssystemen (–15 bis –20°) in der Flüssigphase (ohne Lösungsmittel) führen z. B. zu sehr reiner Butan- und 2-Methyl-propan-sulfonsäure als der jeweils spezifisch schwereren Phase.

---

[1] DAS. 1257136 (1964), Bayer AG, Erf.: H. WELZ; C. A. 68, 7493 (1968).
   Vgl. Referate in: Tenside 5, 101 (1968); Fette, Seifen, Anstrichmittel 70, 44 (1968).
[2] Brit. P. 1094999 (1965), British Hydrocarbon Chemicals, Ltd., Erf.: S. F. MARRIAN.
[3] F. ASINGER u. H. J. NAGGATZ, J. pr. 2 (4), 37 (1955).
[4] F. ASINGER, B. 75, 668 (1942).
[5] A. SAUS, F. ASINGER u. P. HOFFMANN, Tenside 10, 113 (1973).
[6] F. ASINGER u. A. SAUS in: *Large Radiation Sources for Industrial Processes, Proceedings*, Symposium München, 1969, S. 77, Internat. At. Energy Agency, Wien.
[7] F. ASINGER u. A. SAUS, Forschungsbericht K 70-25, Bundesministerium für Bildung und Wissenschaft, 1970.
[8] K. KELLER, Dissertation Technische Hochschule Aachen, 1969.
[9] F. ASINGER, B. FELL u. A. COMMICHAU, B. 98, 2154 (1965).
[10] F. ASINGER, B. FELL u. S. POTTKÄMPER, B. 97, 3092 (1964).
[11] A. GRAF, A. 578, 50 (1952).

Evtl. Verdampfungsverluste werden laufend ersetzt (Tropftrichter). Die Innentemp. wird durch den Kühlschlangen-Durchfluß und durch den Lampen-Abstand geregelt. Zur Herstellung technisch verwertbarer Alkansulfonate, d. h. einem Disulfonsäure-Gehalt von max. 15 Gew.-%, sind nur Umsätze < 5% möglich[1,2].

In Anbetracht der unterschiedlichen Löslichkeiten der Alkanmono- und -disulfonsäuren muß bei der Aufarbeitung des Sulfoxidationsproduktes und Isolierung der Sulfonsäuren je nach Kettenlänge des Alkans ein unterschiedliches Verfahren angewendet werden.

Bei höheren Kohlenwasserstoffen (C_8–C_{20}) können z. B. nicht umgesetzte Ausgangsverbindungen infolge ihrer Unlöslichkeit in Methanol/Wasser (9:1) abgetrennt werden. Aus dem in Wasser gelösten Rohsulfoxidat werden dann die Monosulfonsäuren durch Äther[3,4], die Disulfonsäuren mit Butanol extrahiert[3]. Bei einer anderen Aufarbeitungsmethode wird z. B. das Photolysat mit 20%iger Natronlauge neutralisiert, und diese Sulfonat-Lösung durch Ausschütteln mit Petroläther entölt. Die eingeengte wäßrige Lösung wird mit Natriumchlorid versetzt, wodurch lediglich die Monosulfonate ausfallen[5]. Als schlecht reproduzierbar und zu zeitraubend[2] erwies sich ein Verfahren[6], bei dem das Neutralöl mit Benzin entfernt wird, und die Monosulfonsäuren mit einem salzsauren Alkohol/Wasser-Gemisch extrahiert werden. Die Abtrennung der Disulfonsäuren von Natriumsulfat gelingt aufgrund der besseren Löslichkeit in Äthanol oder Isopropanol. Über weitere Extraktionsmittel von Sulfonsäuren aus dem Reaktionsgemisch, jedoch mehr für den technischen Anwendungsbereich, vgl. Lit.[3,7].

Die Sulfoxidationsprodukte niederer Kohlenwasserstoffe (C_5–C_7) können durch Extraktionsverfahren nur noch schlecht getrennt werden. Die gemeinsame Gewinnung von Mono- und Disulfonaten erfolgt erst nach Entfernung der Schwefelsäure als Bariumsulfat[3] mit stöchiometrischen Mengen an Bariumchlorid. Nach Eindampfen der Lösung i. Vak. (wobei auch Chlorwasserstoff entweicht) wird mit wenig Wasser aufgenommen, das Bariumsulfat abfiltriert und das Filtrat mit Natronlauge neutralisiert. Erneutes Eindampfen i. Vak. bis zur Trockne ergibt die Sulfonate, die aus heißem Wasser umkristallisiert werden können. Beim Cyclohexan kristallisiert die Cyclohexan-monosulfonsäure als Hydrat direkt aus dem Rohsulfoxidat aus.

Tab. 32 zeigt eine typische Produkt-Zusammensetzung; dazu wurden bei 20° 100 *ml* Alkan 6 Stdn. mit einer Q 400 Quarz-Lampe unter Begasung mit Schwefeldioxid und Sauerstoff (5 bzw. 2,5 *l*/Stde.) bestrahlt[2].

Tab. 32. Sulfoxidation von Alkanen

Alkan	Roh-ausbeute [g]	Zusammensetzung des Sulfoxidats [%]				Ausbeute Sulfon-säuren- [g]	Ausbeute Monosulfon-säure [mMol]
		Mono-sulfon-säuren	Disulfon-säuren	Schwefel-säure	Wasser		
Pentan	21,2	62,6	24,8	8,1	4,5	18,5	122
Hexan	29,4	77,6	6,3	14,6	1,5	24,6	148
Heptan	49,5	71,7	16,1	11,3	0,9	43,4	241
Octan	56,2	71,2	16,5	11,3	1,0	49,2	253
Dodecan	51	53,6	26,6	11,6	8,2	41,7	163
Tetradecan	35,6	59,2	21,0	10,7	9,1	28,6	103

[1] F. ASINGER u. A. SAUS in *Large Radiation Sources for Industrial Prozesses, Proceedings*, Symposium München **1969**, S. 77, Internat. At. Energy Agency, Wien.

[2] F. ASINGER u. A. SAUS, Forschungsbericht K 70–25, Bundesministerium für Bildung und Wissenschaft, 1970.

[3] L. LOH, Dissertation Technische Hochschule Aachen, 1957.

[4] Brit. P. 1099784 (1968), Brit. Hydrocarbon Chemicals Ltd., Erf.: J. HAY; C. A. **69**, 1738 (1956).

[5] F. ASINGER, G. GEISELER u. H. ECKOLDT, B. **89**, 1037 (1956).

[6] W. KUPFER, J. JAINZ u. H. KELKER, 5. internat. Kongreß für grenzflächenaktive Stoffe, Barcelona, 9. 9. 1968.

[7] Brit. P. 1086879 (1967), Brit. Hydrocarbon Chemicals Ltd., Erf.: S. F. MARRIAN; C. A. **67**, 11231 (1967).
    Niederl. P.-Anm. 6504488 (1965), Brit. Hydrocarbon Chemicals Ltd.; C. A. **64**, 14094 (1966).

Eine weitere Methode, die sich insbesondere zur Bestimmung der Isomeren-Verteilung eignet, ist die Veresterung mit Diazomethan[1] und gaschromatographische Bestimmung der Sulfonsäuremethylester[2,3]. Wegen der im Rohsulfoxidationsprodukt vorhandenen Schwefelsäure ist jedoch ein beträchtlicher Überschuß an Diazomethan erforderlich[3]. Zur papierchromatographischen Trennung von Disulfonsäuren vgl. Lit.[4,5]

Außer den reinen Kohlenwasserstoffen sind auch andere Verbindungen sulfoxidierbar. In den meisten Fällen handelt es sich um Veröffentlichungen aus der Patent-Literatur (s. S. 169). Systematische Untersuchungen liegen über die Isomeren-Verteilung bei der Sulfoxidation von Carbonsäuren bzw. Carbonsäure-Derivaten vor[6]. Die vorhandene funktionelle Gruppe dirigiert die eintretende Hydroxysulfon-Gruppe bevorzugt in die β-Stellung. Während Essigsäure nur in *Methansulfonsäure* (neben viel Schwefelsäure)[6] übergeht, liefert Acetylchlorid in guter Ausbeute *Sulfo-essigsäure-chlorid*, aus dem durch Hydrolyse Sulfoessigsäure erhalten werden kann. Acetanhydrid ergibt ebenfalls Sulfoessigsäure neben etwas Methansulfonsäure[6]. Acetonitril läßt sich unter diesen Bedingungen nicht sulfoxidieren[6]. Ein von anderen Autoren[7] publiziertes Ergebnis, wonach bei längerkettigen Carbonsäuren (Hexansäure, Heptansäure, Dodekansäure) die Sulfoxidation ausschließlich in α- bzw. β-Stellung zur Carboxy-Gruppe erfolgt, widerspricht den Vorstellungen über die radikalische Substitution).

γ₅) *Thiocyanierung*

Chlorthiocyanat[8] verhält sich gegenüber Alkyl-aromaten wie ein Halogen: In Abwesenheit von Radikalbildnern und in polaren Lösungsmitteln findet Kernsubstitution[9-11] statt; Thiocyanierung an der Seitenkette in Benzyl-Stellung erfolgt bei UV-Bestrahlung und Tetrachlormethan als Solvens[12,13]. Diese Umsetzung läuft nach einem radikalischen Kettenmechanismus ab, in dem das intermediäre Aralkyl-Radikal den elektropositiveren Teil des Chlorthiocyanats bindet[13] (analoges Verhalten wurde bei der Seitenketten-Bromierung von Toluol mit Bromchlorid[14] beobachtet).

$$Cl-SCN \xrightarrow{h\nu} Cl^\bullet + {}^\bullet SCN$$

$$Ar-\overset{\displaystyle |}{\underset{\displaystyle |}{C}}-H + Cl^\bullet \text{ oder } {}^\bullet SCN \longrightarrow Ar-\overset{\displaystyle |}{\underset{\displaystyle |}{C}}{}^\bullet + HCl \text{ oder } HSCN$$

$$Ar-\overset{\displaystyle |}{\underset{\displaystyle |}{C}}{}^\bullet + Cl-SCN \longrightarrow Ar-\overset{\displaystyle |}{\underset{\displaystyle |}{C}}-SCN + Cl^\bullet$$

Dabei ist bemerkenswert, daß in einigen Fällen anstelle des Thiocyanats das Isothiocyanat gebildet wird[12,13]. So kann man z. B. bei der Umsetzung von Cumol mit Chlorthio-

[1] J. J. Kirkland, Anal. Chem. **32**, 1388 (1960).

[2] E. Bendel et al., J. Chromatog. **19**, 277 (1965).

[3] F. Asinger, B. Fell u. A. Commichau, B. **98**, 2154 (1965).

[4] A. Saus, G. Gubelt u. F. Asinger, J. Chromatog. **45**, 113 (1969).
G. Gubelt, Dissertation Technische Hochschule Aachen, 1967.

[5] A. Saus, F. Asinger u. P. Hoffmann, Tenside **10**, 113 (1973).

[6] F. Asinger, B. Fell u. A. Commichau, Tetrahedron Letters **1966**, 3095.

[7] L. G. Evgen'eva, A. V. Topchiev u. G. M. Tsiguro, Tr. Mosk. Inst. Neftekhim. i Gas. prom. **44**, 114 (1963); C. A. **60**, 9137 (1964).

[8] Zur Herstellung des monomeren Chlorthiocyanats s. Lit.[9,10]

[9] A. B. Angus u. R. G. R. Bacon, Soc. **1958**, 774.

[10] R. G. R. Bacon u. R. G. Guy, Soc. **1960**, 318.

[11] E. Söderbäck, Acta chem. Scand. **8**, 1851 (1954).

[12] R. G. R. Bacon, R. G. Guy u. R. S. Irwin, Soc. **1961**, 2436.

[13] R. G. R. Bacon u. R. G. Guy, Soc. **1961**, 2428.

[14] J. Speier, Am. Soc. **73**, 826 (1951).

cyan als Reaktionsprodukt nur das *2-Isothiocyanato-2-phenyl-propan* (13% d.Th.) isolieren, aus 2-Isopropyl-naphthalin entsteht nur das analoge *2-Isothiocyanato-2-naphthyl-(2)-propan* (10% d.Th.). Ebenso erhält man aus Diphenylmethan das *Diphenylmethylisothiocyanat* (9% d.Th.) und aus Triphenylmethan entsprechend *Triphenylmethylisothiocyanat* (71% d.Th.). Die Bildung der Isothiocyanate wird durch Isomerisierung der zwar primär gebildeten, jedoch thermisch labileren Thiocyanate erklärt[1].

Chlorthiocyanat:

In Eisessig[2]: Eisessig (p.a.) wird 4 Stdn. mit 5% Acetanhydrid unter Rückfluß gekocht und in die erhaltene wasserfreie Lösung (ohne Entfernen des Acetanhydrids) ein trockener Chlor-Strom eingeleitet bis eine 0,15 molare Lösung vorliegt. 500 *ml* dieser Lösung werden in den Reaktionskolben abgefüllt und in einem aliquoten Teil jodometrisch der Gehalt an Chlor bestimmt. Blei(II)-rhodanid wird der Lösung in genau stöchiometrischer Menge zugesetzt und bei 20° weitere 15 Min. gerührt. Die gelbgrüne Chlor-Farbe verschwindet und man erhält eine orangegelbe Lösung von Chlorthiocyan. Während der ersten 2–3 Min. Rührens tritt eine geringe Temperaturerhöhung um 3–5° ein. Nach 15 Min. Rühren zeigt eine jodometrische Bestimmung eine 97%ige Umsetzung zu Chlorthiocyanat an. Die Lösung wird sofort weiterverwendet, da sie sich im Laufe der Zeit zersetzt.

Blei(II)-rhodanid wird aus Blei(II)-nitrat-Lösung mit Ammoniumrhodanid-Lösung gefällt, aus Wasser umkristallisiert, i. Vak. getrocknet und in dunkler Flasche aufbewahrt.

In Tetrachlormethan[3]: Man mischt äquiv. Lösungen von Chlor und dimeres Thiocyanat in Tetrachlormethan und bestimmt jodometrisch den Gehalt.

Aralkyl-thiocyanate; allgemeine Arbeitsvorschrift[1,4]:

Die Reaktion wird unter Rühren in einem Pyrex-Kolben durchgeführt. Als Lichtquelle dient eine 250 W Quecksilberdampf-Lampe (Lampen-Abstand 8 cm). Das Reaktionsgemisch wird durch einen eingetauchten Innenkühler mit Wasser gekühlt, so daß sich durch die Heizleistung der Lampe eine Innentemp. von ~ 40° einstellt. Zu der frisch bereiteten Lösung von Chlorthiocyanat in Eisessig[2] oder in Tetrachlormethan[3] (~ 500 *ml*, 0,1–0,15 m) wird etwa die 5fache Menge des Kohlenwasserstoffs gegeben und 2–4 Stdn. bestrahlt. Der Verbrauch an Chlorthiocyanat wird durch jodometrische Titration verfolgt. Anschließend wird evtl. gebildetes Blei(II)-chlorid abfiltriert und das Filtrat mit Eis und Wasser verdünnt. Bei Verwendung von Tetrachlormethan wird die org. Phase abgetrennt, bei Verwendung von Essigsäure wird nach Verdünnen mit Wasser mit einem org. Lösungsmittel extrahiert. Das Lösungsmittel wird abgedampft und der Rückstand mit Petroläther über Silicagel chromatographiert. 20 bis 70 Fraktionen zu je 70 *ml* werden gesammelt und nach Abzug des Lösungsmittels der Thiocyanatoalkylaromat isoliert und gereinigt.

Auf diese Art können umgesetzt werden[5]:

Toluol[6]	→ *Benzylthiocyanat*; 63% d.Th.; F: 40–41°
Äthylbenzol[6]	→ *1-Phenyl-äthyl-thiocyanat*; 68% d.Th.; Kp$_{11}$: 136–138°
n-Xylol[7]	→ *3-Methyl-phenyl-methyl-thiocyanat*; 69% d.Th.; Kp$_{10}$: 144–146°
1-Methyl-naphthalin[6]	→ *4-Thiocyanato-1-methyl-naphthalin*; 53% d.Th.; F: 70–70,5°
	Naphthyl-(1)-methyl-thiocyanat; 11% d.Th.; F: 88–90°
2-Methyl-naphthalin[7]	→ *Naphthyl-(2)-methyl-thiocyanat*; 25% d.Th.; F: 101–101,5°
2-Äthyl-naphthalin[7]	→ *1-Naphthyl-(2)-äthyl-thiocyanat*; 33% d.Th.; F: 52,5°

Neben Chlorthiocyanat findet auch dimeres Thiocyanat bei der photochemischen Seitenketten-Substitution Anwendung[4, 8]. Auch hier bilden sich bei Isopropyl- und Butyl-(2)-aromaten sowie bei Di- und Triphenylmethan durch nachträgliche Umlagerung aus den primär gebildeten Thiocyanaten die entsprechenden Isothiocyanate[8]. tert.-Butyl-benzol reagiert gar nicht[9]. Die präparative Durchführung verläuft im Prinzip genau so wie bei

---

[1] R. G. R. Bacon u. R. G. Guy, Soc. **1961**, 2428.
[2] R. G. R. Bacon u. R. G. Guy, Soc. **1960**, 318.
[3] A. B. Angus u. R. G. R. Bacon, Soc. **1958**, 774.
    R. G. R. Bacon u. R. S. Irwin, Soc. **1958**, 778.
[4] R. G. R. Bacon, R. G. Guy u. R. S. Irwin, Soc. **1961**, 2436.
[5] Die Ausbeuten sind immer auf die im Unterschuß eingesetzte Komponente bezogen.
[6] Photolyse in Essigsäure.
[7] Photolyse in Tetrachlormethan.
[8] R. G. R. Bacon u. R. S. Irwin, Soc. **1961**, 2447.
[9] A. B. Angus u. R. G. R. Bacon, Soc. **1958**, 774.

der Umsetzung mit Chlorthiocyan, auch die Ausbeuten sind vergleichbar. Zur Herstellung des Reagenz s. Lit.[1]. 2-Methyl-1-phenyl-propan ergibt z. B. *2-Methyl-1-phenyl-propyl-thiocyanat* (70% d.Th.; $Kp_{0,1}$: 77°) und 1,2-Diphenyl-äthan *1,2-Diphenyl-äthyl-thiocyanat* (61% d.Th.; $Kp_{0,004}$: 127°)[1]. 1-Methyl-7-isopropyl-phenanthren hingegen liefert das umgelagerte *1-Methyl-7-[2-isothiocyanato-propyl-(2)]-phenanthren* (29% d.Th.; F: 107,5–108°)[2]. 3-Methyl-cholanthren wird in Tetrachlormethan durch Tageslicht in 89%iger Ausbeute substituiert[3]:

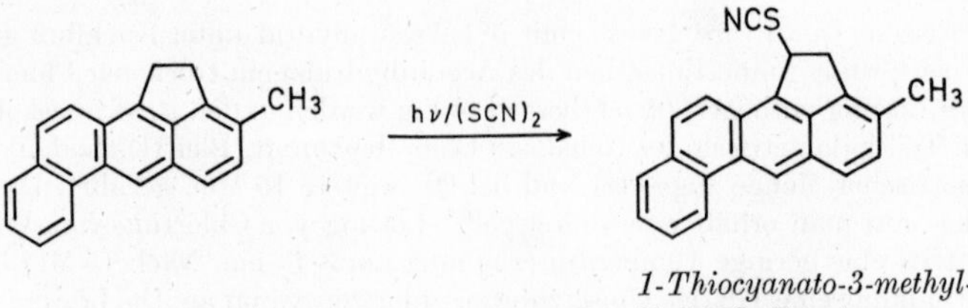

1-Thiocyanato-3-methyl-cholanthren;
F: 126° (Zers.)

Beim Cholesterin erfolgt die Thiocyanierung erwartungsgemäß an der 7-Stellung.

7-Thiocyanato-cholesterin[4]: 250 *ml* einer Lösung von dimerem Thiocyan in Äther (aus 50 g Bleirhodanid)[5] werden mit einer Lösung von 25 g Cholesterin in 250 *ml* Äther gemischt. 2,5 *ml* Eisessig werden zugesetzt, und die Lösung 1 Stde. bei 10–15° mit einer Quecksilberdampf-Lampe bestrahlt. Der krist. Niederschlag wird abfiltriert und in 200 *ml* Chloroform gelöst. Nach Behandlung mit Aktivkohle wird die Lösung auf 70 *ml* eingeengt und bis zur beginnenden Kristallisation mit Petroläther versetzt. Umkristallisation aus 50 ml Äthylacetat; Ausbeute: 20 g (69,5% d.Th.); F: 139–140°; $[\alpha]_D^{20}$: −350° (Chloroform).

γ_5) *Sulfurierung*

Die Photolyse ($\lambda = 254$ nm) von Kohlenoxisulfid in gesättigten Kohlenwasserstoffen in Gegenwart von Olefinen verläuft unter Bildung von Kohlenmonoxid und Singulett-Schwefel-Atomen, die sich in eine CH-Bindung des Alkans einschieben. Die dabei gebildeten Mercaptane zerfallen photolytisch in Wasserstoff-Atome und Alkansulfenyl-Radikale. Letztere bilden mit weiterem Alkan Dialkyl-sulfide und Dialkyl-disulfide und mit dem im Reaktionsgemisch vorhandenen Olefin Episulfide[6], z. B.:

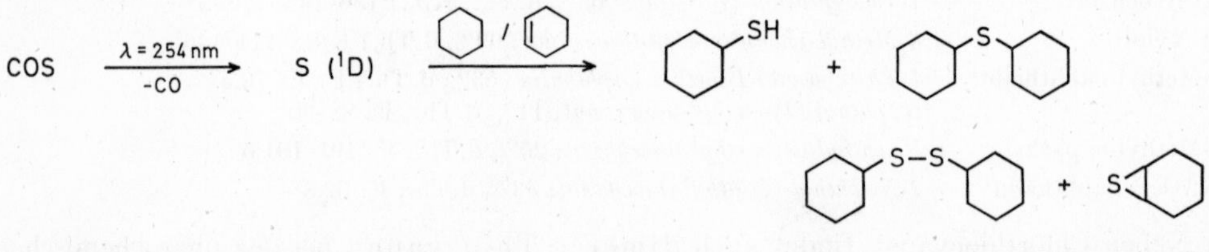

Cyclohexyl-bicyclo[2.2.1]heptyl-(2)-sulfid[6]: 10 g Bicyclo[2.2.1]heptan in 180 *ml* mit Kohlenoxisulfid gesättigtem Cyclohexan werden 5 Stdn. in Quarz-Gefäßen mit Innenkühlung (Kühlfinger) in einem Reaktor nach Srinivasan-Griffin[7] (16 Quecksilber-Niederdruck-Lampen von je 1,5 W aus Vycor-Quarz) belichtet. Nach Abtrennung der Ausgangsmaterialien verbleibt ein Rückstand von 1,4 g (5,5% d.Th.), der zu 85–87% aus dem Sulfid besteht. Destillation des Rückstandes ergibt ein reines Produkt von $Kp_{0,05}$: 75–77°.

---

[1] A. B. Angus u. R. G. R. Bacon, Soc. **1958**, 774.
[2] E. Frederiksen u. S. Liisberg, Acta Chem. Scand. **5**, 621 (1951) geben eine Ausbeute von 67% d.Th. an.
[3] J. L. Wood u. L. F. Fieser, Am. Soc. **63**, 2323 (1941).
[4] E. Frederiksen u. S. Liisberg, B. **88**, 684 (1955).
[5] E. Söderbäck, A. **419**, 217 (1919); **465**, 184 (1928).
[6] E. Leppin u. K. Gollnick, B. **103**, 2571 (1970).
[7] Fa. Southern New England Ultraviolett Company, Middletown, Conn.

δ) mit Stickstoff enthaltenden Verbindungen

δ₁) Nitrosierung, Chlornitrosierung, Oximierung[1]

Die direkte Nitrosierung, Chlornitrosierung bzw. Oximierung von aliphatischen, araliphatischen und cycloaliphatischen Kohlenwasserstoffen gelingt bei gemeinsamer Einwirkung von Stickstoff-monoxid und Chlor auf die Kohlenwasserstoffe in Gegenwart von aktinischem Licht[2].

Die Zusammensetzung der Reaktionsprodukte ist abhängig von der Zusammensetzung des Gasgemisches und den Reaktionsbedingungen. Außer den dimeren Nitroso-Verbindungen können auch blau gefärbte geminale Chlor-nitroso-Verbindungen entstehen[3], bzw. es kommt zur direkten Bildung von Oximen[4].

Als Primärprodukte werden stets die (monomeren) Nitroso-Verbindungen erhalten. Am Beispiel des Cyclohexans zeigt die nachfolgende Übersicht die verschiedenen Reaktionsmöglichkeiten:

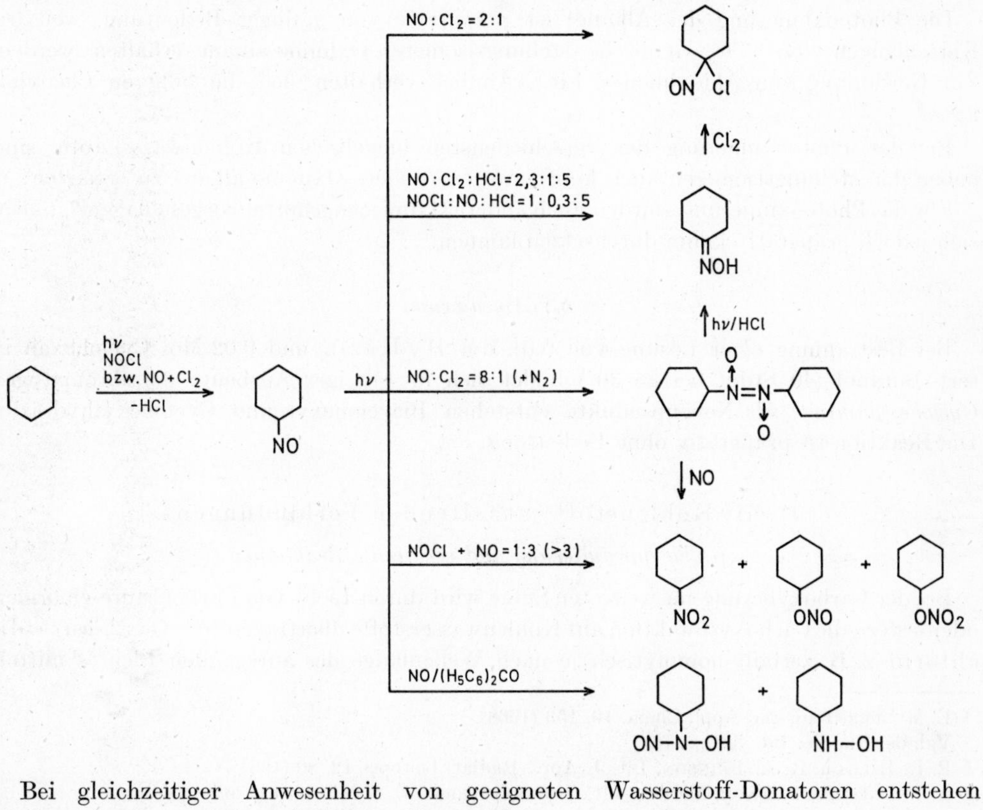

Bei gleichzeitiger Anwesenheit von geeigneten Wasserstoff-Donatoren entstehen Hydroxylamine und deren N-Nitroso-Derivate[5].

---

[1] Diese Methoden sind bereits in diesem Handb., Bd. X/1, S. 901 und in Bd. V/3, S. 939 eingehend beschrieben. An dieser Stelle erfolgt deshalb eine kurze Übersicht unter Berücksichtigung neuerer Literatur.
Zur intramolekularen Photooximierung s. S. 717 ff..

[2] E. MÜLLER u. H. METZGER, B. 87, 1282 (1954); 88, 165 (1955).
E. MÜLLER et al., Ang. Ch. 71, 229 (1959).

[3] Vgl. ds. Handb., Bd. V/3, S. 936.

[4] Vgl. ds. Handb., Bd. X/4, S. 7, Herstellung von Oximen.
M. PAPE, Fortschr. chem. Forsch. 7, 559 (1966/67).

[5] S. ds. Handb., Bd. X/1, Kap. Hydroxylamine, S. 1277.
E. PEROTTI et al., Ann. Chimica 55, 485 (1965); mit Cyclohexan.
E. MÜLLER u. U. HEUSCHKEL, B. 92, 71 (1959); mit trans-Dekalin.

Die Photooximierung von Kohlenwasserstoffen ist präparativ besonders zur Herstellung von Cycloalkanonoximen geeignet. Unsubstituierte Cycloalkane sind die bevorzugten Ausgangsmaterialien, weil die Substitution der sek.-Wasserstoffe durch die Hydroximino-Gruppe zu definierten Verbindungen führt. Hierzu siehe die ausführliche Übersicht in ds. Hdb., Bd. X/4, S. 11 ff.

Für die Initiierung der Photooximierung insbesondere für präparative Zwecke sind alle Wellenlängen < 600 nm geeignet. Kürzere Wellenlängen (z. B. 254 nm) verursachen eine mehr statistische Substitution, während längere Wellenlängen (z. B. D-Linie des Natriums mit 589 nm) selektiver in Positionen mit geringerer sterischer Hinderung dirigieren und auch zu Oximen mit größerer Reinheit führen[1].

Während bei Verwendung schneller Elektronen anstelle von Licht ebenfalls glatt photooximiert werden kann[2], tritt bei ionisierenden Strahlen die Chlorierung als Hauptreaktion in den Vordergrund. Bei der Bestrahlung von Cyclohexan in Gegenwart von Nitrosylchlorid mit ^{60}Co beträgt die relat. Ausbeute an Chlorcyclohexan 63% (bez. auf Cyclohexanonoxim)[3].

Die Photooximierung der Alkane[4] ist präparativ von geringer Bedeutung, weil bei Kettenlängen von $\geq C_5$ Gemische stellungsisomerer Oximino-alkane erhalten werden. Zur Gewinnung von Aldoximen s. Lit.[5]. Ähnlich verhalten sich die höheren Phenylalkane[6, s. a. 7, 8].

Bei der Photooximierung der verschiedensten bicyclischen Kohlenwasserstoffe sind neben den stellungsisomeren auch konfigurationsisomere Oximino-alkane zu erwarten[9].

Für die Photooximierung wurden auch andere Oximierungsmittel vorgeschlagen[10], haben sich jedoch präparativ kaum durchsetzen können.

δ_2) *Aminierung*

Bei Bestrahlung einer Lösung von 0,01 Mol Hydrazin und 0,02 Mol Cyclohexan in tert.-Butanol (40 Stdn. bei 25–30°) bildet sich in 45%iger Ausbeute (gaschromatogr.) *Cyclohexylamin*[11]. Als Nebenprodukte entstehen Bicyclohexyl und Cyclohexylhydrazin. Die Reaktion ist präparativ ohne Bedeutung.

ε) mit Kohlenstoff enthaltenden Verbindungen

ε_1) *Chlorformylierung und verwandte Reaktionen*

Bei der Carboxylierung im weitesten Sinne wird durch Licht von Carbonsäure-chloriden oder -estern die Carboxy-Funktion auf Kohlenwasserstoffe übertragen[12, 13]. Oxalsäure-dichlorid z. B. zerfällt homolytisch je nach Wellenlänge des anregenden Lichtes mittel-

[1] E. MÜLLER, Pure and Appl. Chem. **16**, 153 (1968).
[2] Vgl. ds. Handb., Bd. X/4, S. 16.
[3] P. R. HILLS u. R. A. JOHNSON, Int. J. Appl. Radiat. Isotopes **12**, 80 (1961).
[4] A. DESCHAMPS, P. BAUMGARTNER u. C. ROUX-GUERRAZ, C. r. **260**, 4514 (1965).
    Vgl. auch ds. Handb., Bd. X/4, S. 14 und die dort zitierte Literatur.
[5] E. MÜLLER u. A. E. BÖTTCHER, Tetrahedron Letters **1970**, 3083.
[6] E. MÜLLER, Pure and Appl. Chem. **16**, 153 (1968); 1-Phenyl-propan liefert zu 57% *1-Hydroximono-* und 43% *2-Hydroximino-1-phenyl-propan*.
[7] E. V. LYNN u. H. L. ARKLEY, Am. Soc. **45**, 1045 (1923); Toluol zu *Benzaldehyd-oxim*.
[8] A. A. ARTEMEV et al., Khim. Nauka i Prom. **3**, 629 (1958); C. A. **53**, 3900^i (1959); Äthyl-benzol zu *Acetophenon-oxim* (100% d.Th.).
[9] E. MÜLLER u. G. FIEDLER, B. **98**, 3493 (1965).
[10] Vgl. ds. Handb., Bd. X/4, S. 14 und die dort zitierte Literatur.
    Zum Einsatz von Nitrylchlorid s. E. MÜLLER u. H. G. PADEKEN, B. **99**, 2973 (1966).
[11] Y. OGATA, Y. IZAWA u. H. TOMIOKA, Tetrahedron **22**, 483 (1966).
    Y. OGATA et al., Tetrahedron **22**, 1557 (1966).
[12] M. S. KHARASCH u. H. C. BROWN, Am. Soc. **62**, 454 (1940).
[13] M. S. KHARASCH u. H. C. BROWN, Am. Soc. **64**, 329 (1942).

oder unmittelbar in Chlor-Radikale, die das Paraffin angreifen und das für die Kettenreaktion wichtige Alkyl-Radikal erzeugen[1]:

$$(COCl)_2 \xrightarrow{\lambda=254\,nm} 2\ {}^\bullet COCl \longrightarrow 2\ CO + 2\ Cl^\bullet$$

$$(COCl)_2 \xrightarrow{\lambda=365\,nm} Cl^\bullet + {}^\bullet COCOCl \longrightarrow 2\ CO + 2\ Cl^\bullet$$

$$RH + Cl^\bullet \longrightarrow R^\bullet + HCl$$

$$R^\bullet + (COCl)_2 \longrightarrow R{-}COCl + {}^\bullet COCl$$

Bei niederen Aliphaten werden die Alkansäure-chloride in praktisch quantitativen Ausbeuten erzielt, bei Dekalin jedoch nur noch zu ~ 10%[2]. Die Umsätze sind bei Cycloaliphaten,
besonders beim Cyclohexan, am größten[3]. Sie schwanken jedoch stark, verursacht durch die
Bildung von dunkelgefärbten Nebenprodukten und Radikalfängern. Auch Peroxide[4] oder
γ-Strahlen sind als Initiatoren z. B. für die Umsetzung von Cyclohexan mit Oxalsäure-dichlorid[5] geeignet. Dabei wurden die gleichen Unterschiede im Umsatz wie bei Verwendung
von UV-Licht beobachtet[3].

Eine weitere Substitution der photochemisch gebildeten Carbonsäure-chloride verläuft
ohne jegliche Katalysatoren vermutlich nach einem ionischen Mechanismus und führt in
mäßigen Ausbeuten zu geminalen Carbonsäure-chloriden[6]. Cyclohexancarbonsäure-chlorid
ergibt z. B. bei der einfachen Druckreaktion 80%, photolytisch dagegen nur 55% des
Cyclohexan-1,1-dicarbonsäure-dichlorids. In Gegenwart von Phosphor(III)-chlorid soll
zusätzlich das 1,4- Isomere entstehen[7]. *Cyclohexan-1,1,4-tricarbonsäure-trichlorid* (40%
d. Th.; Kp: 120–121°) ist durch 8 stdg. Bestrahlung mit Oxalsäure-dichlorid zugänglich[7].

Die photochemische Einführung der Chlorformyl-Gruppe in die Seitenkette von Aromaten gelingt nicht[8]. Lediglich mit Dibenzoylperoxid werden in Ausbeuten von
< 10% entsprechende Carbonsäure-chloride gebildet.

In der praktischen Durchführung[9] werden Alkan und Oxalsäure-dichlorid im Molverhältnis 2:1 mit einer Quecksilber-Niederdruck-Lampe bis zu 10 Stdn. bestrahlt. Das Photolysat
wird anschließend destillativ aufgearbeitet. Benzol setzt die Ausbeute stark herab. Reaktionsbeispiele befinden sich in Tab. 33 (S. 182).

Cyclohexancarbonsäure-chlorid[9–11]: 16,8 g (0,2 Mol) Cyclohexan und 12,7 g (0,1 Mol) Oxalsäure-dichlorid werden 20 Stdn. in einem länglichen Pyrex-Kolben mit einer Quecksilber-Niederdruck-Lampe
bestrahlt. Der Gewichtsverlust der Reaktionsmischung durch entweichende Chlorwasserstoff- und
Kohlenmonoxid-Gase beträgt 4,2 g entsprechend einem Umsatz von 60%. Die Abgase können bei –80°
in einer Kühlfalle kondensiert werden. Die Fraktionierung des Photolysats ergibt neben 5,7 g (0,045
Mol, Kp: 60–65°) Oxalsäure-dichlorid das Produkt; Ausbeute: 8 g (0,055 Mol; 91,5%, bez. auf Umsatz);
Kp: 175–180°; redest. Kp: 180–181°.

---

[1] K. B. KRAUSKOPF u. G. K. ROLLEFSON, Am. Soc. **58**, 443 (1936).
[2] F. RUNGE, Z. El. Ch. **56**, 779 (1952).
[3] M. T. AHMED u. A. J. SWALLOW, Soc. **1963**, 3918.
[4] R. GRAF, A. **578**, 50 (1952).
[5] P. R. HILLS, U. K. At. Energy Auth., Res. Group, At. Energy Res. Estab. Rep., AERE-R 5236
   1966 (5 Seiten); C. A. **66**, 75531 (1967).
[6] F. RUNGE, Z. El. Ch. **56**, 779 (1952).
   G. KÜHNHAUSS u. J. TEUBEL, J. pr. **1**, 87 (1954).
[7] A. I. GERSHENOVICH u. A. K. MIKHAILOVA, Sintez i Svoistra Monomerov, Akad. Nauk SSSR, Inst.
   Neftekhim., Sinteza, Sb. Rabot 12-oi Konf. po Vysokomolekul. Soedin. **1962**, 216–219; C. A. **62**,
   6404 (1965).
[8] M. S. KHARASCH, S. S. KANE u. H. C. BROWN, Am. Soc. **64**, 1621 (1942).
[9] M. S. KHARASCH u. H. C. BROWN, Am. Soc. **64**, 329 (1942).
[10] F. RUNGE, Z. El. Ch. **56**, 779 (1952).
[11] M. S. KHARASCH u. H. C. BROWN, Am. Soc. **62**, 454 (1940).

Tab. 33. Substitution mit Oxalsäure-Derivaten

Ausgangsverbindungen	Reaktions-bedingungen[a]	Produkte	Ausbeute [% d.Th.]	Kp [°C]	[Torr]	Literatur
Oxalsäure-dichlorid Cyclopentan	0,1 + 0,2; Queck-silber-Niederdruck-Lampe; 20 Stdn.	*Cyclopentan-carbon-säure-chlorid*	19	85–88	60	1
Methylcyclopentan	0,05 + 0,1; 400 W Hanovia; 48°; 50 Stdn.	*Methylcyclopentan-carbonsäure-chlorid*	30	b		2
Methylcyclohexan	0,1 + 0,2; Queck-silber-Niederdruck-Lampe; 20 Stdn.	*Methylcyclohexan-carbonsäure-chlorid*	18–22	107–112	50	1
Heptan	1 + 2; UV-Licht; Rückfluß	isomere *Heptan-säure-chloride*	30	b		3
Dekalin	1 + 2; UV-Licht; Rückfluß	isomere *Dekalin-car-bonsäure-chloride*	10–15	b		3
Oxalsäure-äthyl-ester-chlorid Cyclohexan	0,18 + 0,5; 600 W Lampe; 5 Stdn.	*Cyclohexancarbon-säure-chlorid* 2-*Oxo-2-cyclohexyl-äthansäure-äthyl-ester*	51 3	69–72	13	4
Decan	1 + 0,5; Quecksilber-Niederdruck-Lampe; 20°; 5 Stdn.	isomere *Decan-säure-äthylester*	70[d] (bez. auf Umsatz)	120–135	10	5
Toluol	0,2 + 0,67; 600 W Quecksilberdampf-Lampe; 41 Stdn.	*Phenylessigsäure-äthylester*	~10	b		4
Oxalsäure-diäthyl-ester Cyclohexan	0,25 + 50; 300 W Quecksilber-Hoch-druck-Lampe; 20°; 8 Stdn.	*Cyclohexyl-glyoxyl-säure-äthylester*	55[c]			6
Tetrahydrofuran	0,25 + 50; 300 W Quecksilber-Hoch-druck-Lampe; 20°; 8 Stdn.	*Tetrahydrofuryl-(2)-glyoxyl-säure-äthylester*	53[c]			6

[a] Mengenangaben von Oxalsäure-Derivat u. Alkan in Mol.
[b] Keine Angaben.
[c] Ausbeute bez. auf umgesetzten Oxalsäure-diester.
[d] Umsatz 10%.

[1] M. S. KHARASCH u. H. C. BROWN, Am. Soc. **64**, 329 (1942).
[2] M. T. AHMED u. A. J. SWALLOW, Soc. **1963**, 3918.
[3] F. RUNGE, Z. El. Ch. **56**, 779 (1952).
[4] C. PAC u. S. TSUTSUMI, Bl. chem. Soc. Japan **39**, 1926 (1966).
[5] DDR. P. 98284 (1973), G. HEY et al., VEB Leuna-Werke.
[6] T. TOMINAGA, Y. ODAIRA u. S. TSUTSUMI, J. chem. Soc. Japan, ind. Chem. Sect. **69**, 2290 (1966); C. A. **66**, 94522ʲ (1967).
     Y. ODAIRA et al., Tetrahedron Letters **1964**, 2527.

Außer Oxalsäure-dichlorid können auch Oxalsäure-äthylester-chlorid[1] und Oxalsäure-diäthylester[2] zur Photosubstitution von Cycloalkanen und cyclischen Äthern verwendet werden, vgl. Tab. 33 (S. 182). Auch Phosgen[1] ist als Reagenz geeignet.

Photochemisch aus Acetylchlorid erzeugte Acetyl-Radikale reagieren unter Substitution von CH-Bindungen mit Alkanen, Alkenen und Äthern[3]. So kann z. B. Cyclohexan in *Acetylcyclohexan* überführt werden, 1,4-Dioxan in *Acetyl-1,4-dioxan*, die Ausbeuten liegen zwischen 10–20% d.Th.

3-Äthoxy-2-oxo-butan[3]: 30 g Acetylchlorid in 170 *ml* Diäthyläther werden 24 Stdn. mit einer Quecksilber-Niederdruck-Lampe (10 W bei 254 nm) bestrahlt und das Photolysat fraktioniert destilliert; Ausbeute: 9 g (20% d.Th.); Kp_{80}: 62–64°; $n_D^{20} = 1,3970$.

Mit Ausbeuten $< 1\%$ setzten sich Chlorameisensäure-äthylester und Cyclohexan zu *Cyclohexancarbonsäure-äthylester* um[4]. Unter den gleichen Bedingungen (600 W Quecksilber-Hochdruck-Lampe) reagiert Cyanameisensäure-äthylester bei 38%igem Umsatz zu *Cyclohexylcyanid* und *Cyclohexansäure-äthylester* in 4–6%iger Ausbeute[5].

ε_2) Cyanierung

Alkane setzen sich mit Chlorcyan in Gegenwart von UV-Licht unter Bildung von Carbonsäure-nitrilen[6] um:

$$RH \ + \ ClCN \ \xrightarrow{h\nu} \ R{-}CN \ + \ HCl$$

Bei 1stdg. Belichtung von Cyclohexan und Chlorcyan (Mol-Verhältnis 1:1 bis 1:2) bei 10–20° mit einer S 81 Quecksilber-Hochdruck-Lampe erhält man *Cyclohexylcyanid* in 9,4%iger Ausbeute bez. auf eingesetztes Chlorcyan; bezogen auf umgesetztes Reagenz beträgt die Ausbeute 96% d.Th. Die Ausbeuten an anderen Cycloalkylcyaniden oder auch Heptylcyanid bleiben noch unter diesen Werten[6]. Geringe Zusätze von Acetylchlorid, Ameisensäure, Essigsäure oder Aceton in Mengen von 0,05–0,1 Mol pro Mol Alkan beschleunigen die Reaktion beachtlich. Die Umsetzung scheint extrem von der Wellenlänge des eingestrahlten Lichts abhängig zu sein. Eine Wellenlänge von 250 nm löst offensichtlich die Reaktion durch Spaltung in Chlor- und Cyan-Radikale aus. Höhere Wellenlängen (300–500 nm) tragen jedoch dann zur Ausbeute-Verbesserung bei. Mit wesentlich besseren Umsätzen verläuft die Cyanierung von Kohlenwasserstoffen bei Initiierung durch Peroxid, z. B. Acetyl-cyclohexylsulfonyl-peroxid[7].

Aromatische Nitrile erhält man durch Photolyse von Jodcyan in aromatischen Lösungsmitteln. Auch Alkyl-benzole (z. B. Toluol) werden nur am Kern cyaniert[8].

Offenkettige und cyclische Äther können durch Photocyanierung mit Chlorcyan unter Zusatz von Aceton in α-Cyan-äther übergeführt werden[9]. Zur Neutralisation des bei der Cyanierung abgespaltenen Chlorwasserstoffs[10], der normalerweise im Äther gelöst bleiben

[1] A. GRAF, A. **578**, 50 (1972).
[2] T. TOMINAGA, Y. ODAIRA u. S. TSUTSUMI, J. chem. Soc. Japan, ind. Chem. Sect. **69**, 2290 (1966); C. A. **66**, 94522^j (1967).
[3] U. SCHMIDT, Ang. Ch. **77**, 216 (1965).
[4] C. PAC u. S. TSUTSUMI, Bl. chem. Soc. Japan **39**, 1926 (1952).
[5] T. TOMINAGA, Y. ODAIRA u. S. TSUTSUMI, Bl. chem. Soc. Japan **37**, 596 (1964).
[6] E. MÜLLER u. H. HUBER, B. **96**, 670 (1963).
   Vgl. a.: R. GRAF, A. **578**, 82 (1952);
   B. C. McKUSICK, W. E. MOCHEL u. F. W. STACEY, Am. Soc. **82**, 723 (1960).
[7] R. GRAF, A. **578**, 82 (1952).
[8] P. SPAGNOLO, L. TESTAFERRI u. M. TIECCO, Soc. B **1971**, 2006.
[9] E. MÜLLER u. H. HUBER, B. **96**, 2319 (1963).
[10] In Gegenwart von Chlorwasserstoff entsteht als Nebenprodukt Cyanurchlorid.

würde, setzt man äquimolare Mengen an suspendiertem Natriumhydrogencarbonat zu:

$$R^1-O-CH_2-R^2 \;+\; Cl-CN \;\xrightarrow{h\nu/NaHCO_3}\; R^1-O-\underset{\underset{CN}{|}}{CH}-R^2 \;+\; HCl$$

Cyan-1,4-dioxan[1]: In einem Begasungsgefäß mit Intensivkühler (–30°) und Gaszufuhr über eine Fritte werden unter magnetischer Rührung (unterhalb der Fritte) 18 g feingepulvertes Natriumhydrogencarbonat in 88 g 1,4-Dioxan und 3 g Aceton suspendiert und unter Rühren und Kühlen 61 g Chlorcyan gasförmig eingeleitet. Unter einem schwachen Stickstoff-Strom wird bei 15–20° und bei guter Durchmischung 30 Min. mit einer Quecksilber-Tauchlampe (doppelwandiger Quarzkühler) belichtet. Durch Probennahme über einen seitlichen Hahn kann der Chlorcyan-Gehalt laufend bestimmt werden[2]. Anschließend wird unverbrauchtes Reagenz unter Stickstoff abdestilliert, das Natriumhydrogencarbonat abfiltriert, das Filtrat mit Natriumsulfat getrocknet und fraktioniert destilliert; Ausbeute: 19,8 g (17,5% bez. auf eingesetztes Chlorcyan); Kp_{10}: 87–88°.

Unter entsprechenden Bedingungen können folgende Umsetzungen durchgeführt werden (Ausbeuten bez. auf eingesetztes Chlorcyan)[1]:

Diäthyläther   → *2-Äthoxy-propansäure-nitril*; 17% d.Th.; Kp: 129–131°

1,2-Dimethoxy-äthan → *2,3-Dimethoxy-propansäure-nitril*; Kp_{12}: 67°
        + *2-Methoxy-1-cyanmethoxy-äthan*; Kp_{12}: 84° (Gesamtausbeute 11,4% d.Th., bzw. 91% bez. auf Umsatz an Chlorcyan; Auftrennung durch Dest. über Drehbandkolonne möglich).

Tetrahydrofuran   → *2-Cyan-tetrahydrofuran*; Kp_{10}: 65°
        + *3-Cyan-tetrahydrofuran*; Kp_{10}: 70–71° (Gesamtausbeute 15,8% d.Th., bzw. >95% bez. auf Umsatz an Chlorcyan).

Tetrahydropyran   → *2-, 3-* und *4-Cyan-tetrahydropyran*; als Isomerengemisch; 18% d.Th., bzw. >96% bez. auf Umsatz an Chlorcygan; Kp_{13}: 76–92°.

Die Photolyse von Quecksilber(II)-cyanid in einfachen Solventien verläuft hauptsächlich unter Bildung dimerer Produkte[3]. So erhält man z. B. aus Tetrahydrofuran die Isomeren *2-Cyan-tetrahydrofuran* (15% d.Th.), *3-Cyan-tetrahydrofuran* (1,5% d.Th.) neben *2,2′-Bi-tetrahydrofuryl* (51,4 % d.Th.). Ähnlich verhalten sich Cyclohexan und Cyclohexen[3].

ε_3) Aminocarbonylierung

Die direkte Photoaminocarbonylierung von aromatischen Kohlenwasserstoffen gelingt mit **Formamid** und bei Anwesenheit von Aceton als Sensibilisator[4]. Während reine Aromaten kernsubstituiert werden, erfolgt bei Alkylaromaten die Substitution in der Seitenkette. Als Nebenprodukte entstehen Dimerisierungsprodukte.

R = H;   *Phenyl-acetamid*; 23% d.Th.
R = 2-CH₃;   *2-Methyl-phenyl-acetamid*; 28% d.Th.
R = 3-CH₃;   *3-Methyl-phenyl-acetamid*; 26% d.Th.
R = 4-CH₃;   *4-Methyl-phenyl-acetamid*; 32% d.Th.

ζ) mit Phosphor-enthaltenden Verbindungen

Phosphonylierungen werden auf S. 1346ff abgehandelt.

---

[1] E. MÜLLER u. H. HUBER, B. **96**, 2319 (1963).
[2] S. a.: C. MANAGIN u. L. J. SIMON, C. r. **169**, 383 (1919).
[3] K. YOSHIDA u. S. TSUTSUMI, J. Org. Chem. **31**, 3635 (1966).
[4] D. ELAD, Tetrahedron Letters **1963**, 77.

2. Substitution durch Addition an Mehrfachbindungen

Während der Photoaddition von reinen Alkanen an C–C-Mehrfachbindungen keine präparative Bedeutung zukommt, so gibt es doch eine Reihe von Reaktionen, bei denen sich eine gesättigte CH-Gruppe an Mehrfachbindungen addiert:

Alkane	an Carbonyl-Gruppen (S. 829ff)
Alkohole	an C=C- (S. 655ff) bzw. C≡C-Bindungen (S. 665), an Aromaten (S. 509),
Äther	an Aromaten (S. 509f)
Amine	an Aromaten (S. 510)

b) an der C-C-Bindung (Isomerisierungen)

bearbeitet von

PROF. DR. HERBERT MEIER*

Von den Isomerisierungen am gesättigten Kohlenstoff-Atom sind präparativ vor allem die *cis-trans*-Isomerisierungen und die Epimerisierungen an Ringsystemen interessant. So wurden an einer Reihe von aryl- oder aroyl-substituierten Cyclopropanen bei der direkten oder sensibilisierten Photolyse neben Ringöffnungsreaktionen vom Typ $[\sigma^2 s + \sigma^2 s]^1$ *cis-trans*-Umlagerungen beobachtet:

R^1	R^2	R^3	Ausbeuten/Quantenausb. (photostat. Gleichgewicht)	Literatur
C_6H_5	C_6H_5	H	I:II = 0,65	2
C_6H_5	H	C_6H_5	$\varphi = (2,185)\ 10^{-3}$–	2–4
$4\text{-}H_3CO\text{-}C_6H_4$	C_6H_5	H	—	3
$4\text{-}Cl\text{-}C_6H_4$	$4\text{-}Cl\text{-}C_6H_4$	H	—	3
$CO\text{-}C_6H_5$	C_6H_5	H	I:II = 1,2	4
$CO\text{-}C_6H_5$	$CO\text{-}C_6H_5$	H	I:II = 2,5	4
C_6H_5	$CO\text{-}C_6H_5$	C_6H_5	$\varphi(II) \approx 1$	5, 6
$4\text{-}CN\text{-}C_6H_4$	$CO\text{-}C_6H_5$	C_6H_5	$\varphi(II, III) = 0,81$	7
C_6H_5	$CO\text{-}C_6H_5$	$4\text{-}H_3CO\text{-}C_6H_4$	—	6
C_6H_5	$CH_2\text{-}OOCCH_3$	H	—	8
$4\text{-}H_3CO\text{-}C_6H_4$	$CH_2\text{-}OOCCH_3$	H	—	8
$4\text{-}Cl\text{-}C_6H_4$	$CH_2\text{-}OOCCH_3$	H	—	8
C_6H_5	$C(CH_2)\text{-}C_6H_5$	C_6H_5	—	9

* Organisch-chemisches Institut der Universität Tübingen.
[1] P. H. MAZZOCCI u. R. S. LUSTIG, J. Org. Chem. 38, 4091 (1973).
[2] E. W. VALYOCSIK u. P. SIGAL, J. Org. Chem. 36, 66 (1971).
[3] S. S. HIXSON, J. BOYER u. C. GALLUCCI, Chem. Commun. 1974, 540.
[4] G. W. GRIFFIN et al., Am. Soc. 87, 1410 (1965); 85, 1001 (1963).
H. A. HAMMOND et al., Am. Soc. 85, 1001 (1963).
[5] H. E. ZIMMERMAN u. C. M. MOORE, Am. Soc., 92, 2023 (1970).
[6] H. E. ZIMMERMAN u. T. W. FLECHTNER, Am. Soc. 92, 6931 (1970).
[7] H. E. ZIMMERMAN, S. S. HIXSON u. E. F. McBRIDE, Am. Soc. 92, 2000 (1970).
[8] S. S. HIXSON, Chem. Commun. 1974, 681.
[9] H. E. ZIMMERMAN u. T. W. FLECHTNER, Am. Soc. 92, 7178 (1970).

Auch an bicyclischen oder Cyclopropan-⟨spiro⟩-Verbindungen konnten photochemische *cis-trans*-Isomerisierungen gefunden werden. So erhält man aus den *endo*-substituierten Bicyclo [(n+1).1.0]alken-(2)-Verbindungen IV in 29–76%iger Ausbeute die *exo*-Isomeren V[1]:

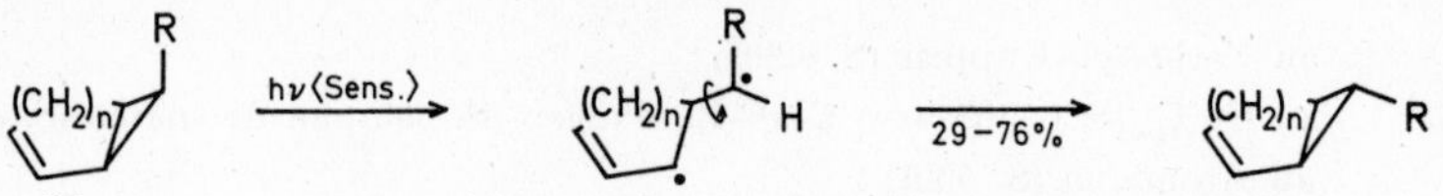

n = 1: R = CH₂OH, COOH, COOCH₃
n = 2; R = COOC₂H₅

$$n = 1: \quad R = CH_2OH,\ COOH,\ COOCH_3$$
$$n = 2; \quad R = COOC_2H_5$$

Die Rückreaktion gelingt nur in sehr begrenztem Maßstab[1]. Analog erhält man am 4-Methyl-6-formyl-bicyclo[3.1.0]hexen-(2) eine *endo-exo*-Isomerisierung[2]. Bei 9-Methoxycarbonyl-⟨2,3-benzo-bicyclo[4.1.0]hexadien-(2,4)⟩ stellt sich ein *endo-exo*-Verhältnis von 2:1 ein[3].

Besonders gut ist das 5,6-Diphenyl-bicyclo[3.1.0]hexen-(2) untersucht[4]. Außer der direkten oder sensibilisierten *endo* ⇄ *exo*-Umwandlung beobachtet man zusätzlich die Isomerisierung zu *4,5-Diphenyl-bicyclo[3.1.0]hexen-(2)*. Bei Belichtung reiner Enantiomerer erhält man partielle Racemisierung[4].

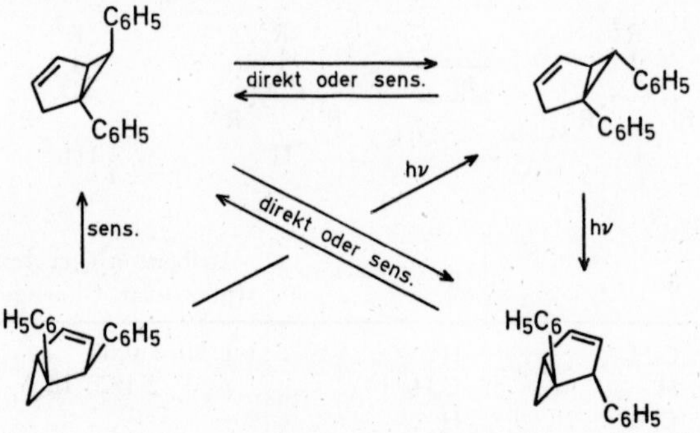

Das 2-Oxo-cis-bicyclo[6.1.0]nonan zeigt neben einer Reihe anderer Photoreaktionen eine irreversible Isomerisierung zur *trans*-Verbindung[5]:

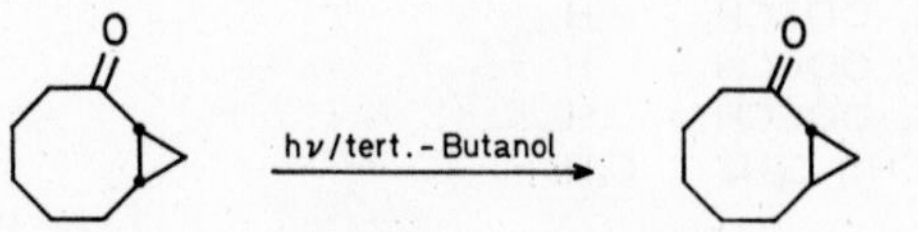

Durch Bestrahlung bei 0° wechselt bei endo-9-tert.-Butyl-cis-bicyclo[6.1.0]nonatrien-(2,4,6) der Substituent seine räumliche Lage[6].

[1] D. L. Garin u. K. O. Henderson, Tetrahedron Letters 1970, 2009.
[2] A. Padwa u. W. Koehn, J. Org. Chem. 38, 4007 (1973).
[3] M. Kato et al., Tetrahedron Letters 1972, 1171.
[4] M. E. Zimmerman u. G. A. Epling, Am. Soc. 94, 3647 (1972).
[5] L. A. Paquette u. R. F. Eizember, Am. Soc. 91, 7108 (1969).
[6] A. G. Anastassiou u. R. C. Griffith, Am. Soc. 95, 2379 (1973).

Bei 4-Oxo-1,endo-6-diphenyl-bicyclo[3.1.0.]hexan verläuft die direkte oder sensibilisierte *cis-trans*-Isomerisierung dagegen in beiden Richtungen[1]:

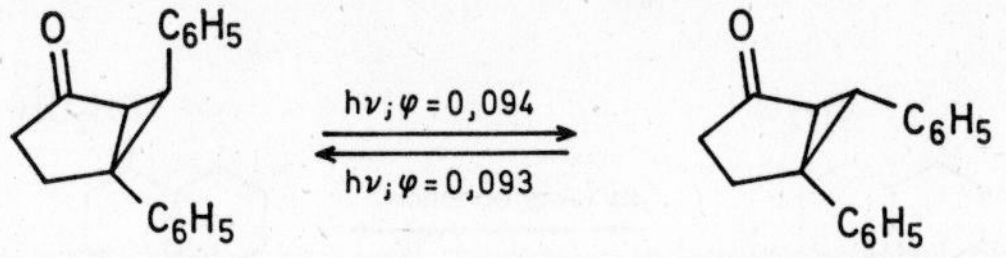

4-Oxo-1,exo-6-diphenyl-bicyclo
[3.1.0] hexan

Über die Isomerisierung von 4-Oxo-bicyclo[3.1.0]hexenen-(2) s. S. 785ff.

4-Oxo-1,exo-6-diphenyl-bicyclo[3.1.0]hexan[1]: 1 g endo-Derivat wird in 250 *ml* frisch destilliertem Benzol 1,5 Stdn. unter Stickstoffspülung mit einer Quecksilber-Mitteldruck-Lampe (Pyrex-Filter) belichtet. Nach Abziehen des Lösungsmittels im Wasserstrahl-Vak. bleibt ~ 1,0 g eines Öls zurück. Die Chromatographie an einer Kieselgelsäule (3,2 × 87,2 cm) mit Äther/Hexan (15:85) ergibt 883 mg (86%) *trans*-Isomeres und 123 mg (12%) *cis*-Verbindung. Eine weitere Fraktion enthält 20 mg (2%) eines Gemisches aus der *cis*-Verbindung und *6-Oxo-3,4-diphenyl-cyclohexen*.

6-Oxo-1,5-di-tert.-butyl-cyclohexadien-(1,4)-⟨3-spiro-1⟩-cis-2,3-dimethyl-cyclopropan isomerisiert sich durch einen intramolekularen Energie-Transfer vom Dienon-System über einen Dreiring zum *6-Oxo-1,5-di-tert.-butyl-cyclohexadien-(1,4)-⟨3-spiro-1⟩-trans-2,3-dimethyl-cyclopropan*[2]:

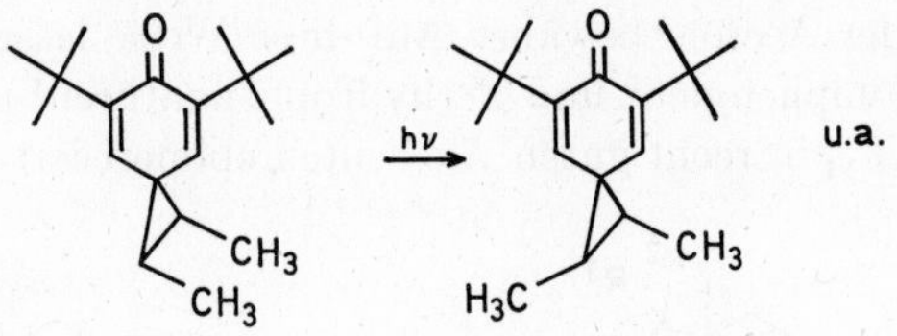

Weitere Beispiele zu diesem Reaktionstyp s. S. 442. Über *cis-trans*-Isomerisierungen von Oxiranen und Aziridinen s. S. 672 bzw. S. 1079.

An *cis-trans*-Isomerisierungen von Cyclobutan-Derivaten seien als Beispiele 1,2-Diphenyl-cyclobutan[3] und 2-Phenyl-1-benzoyl-cyclobutan[4] und 3-Oxo-1,2-dimethyl- bzw. 2-Oxo-1,3-dimethyl-cyclobutan[5] genannt:

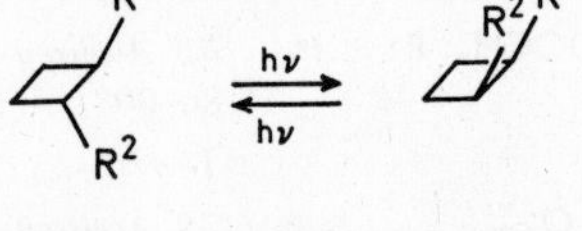

$R^1 = R^2 = C_6H_5$; *1,2-Diphenyl-cyclobutan*
$R^1 = CO–C_6H_5$; $R^2 = C_6H_5$

trans-2-Phenyl-1-benzoyl-cyclobutan[4]: 0,5 g *cis*-2-Phenyl-1-benzoyl-cyclobutan werden unter gereinigtem Stickstoff 20 Stdn. in 1 *l* wasserfreiem Benzol belichtet. Als Strahlungsquelle dient eine 550 W Hanovia Quecksilber-Mitteldruck-Lampe. Der Reaktionsablauf läßt sich gaschromatographisch verfolgen. Präparativ können als die beiden ersten Peaks die *cis*- und *trans*-Verbindung im Verhältnis 2:1 erhalten werden. Das dritte Produkt (F: 58–59°) ist *5-Oxo-1,5-diphenyl-penten-(1)*.

---

[1] H. E. ZIMMERMAN, K. G. HANCOCK u. G. C. LICKE, Am. Soc. **90**, 4893 (1968).
[2] W. PIRKLE u. G. F. KOSER, Tetrahedron Letters **1968**, 129.
[3] W. G. BROWN u. R. L. MARKEZICH, Abstr. 153rd Meeting of Am. Soc., Miami, Fla 1967, S. 139.
[4] A. PADWA et al., Am. Soc. **91**, 456 (1969).
[5] J. METCALFE u. E. K. C. LEE, Am. Soc. **95**, 1751 (1973).

Auch bei 5-, 6- und 7-Ringsystemen lassen sich photochemische Isomerisierungen beobachten. Aus Lupinin (5-Hydroxymethyl-1-aza-bicyclo[4.4.0]decan) erhält man *Epilupinin*[1]:

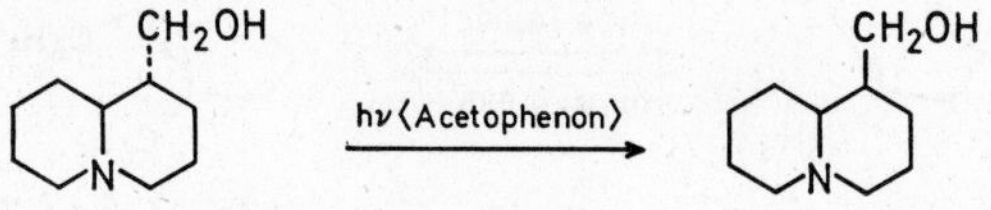

$$CH_2OH \qquad h\nu \langle Acetophenon \rangle \longrightarrow \qquad CH_2OH$$

Die Racemisierung von 1,11-Dimethyl-6,7-dihydro-5H-⟨dibenzo-[a;c]-cyclohepten⟩ und dem 6-Oxo-Derivat läßt sich sowohl thermisch als auch photochemisch durchführen[2].

Die in *anti*-Stellung halogenierten Benzo-bicyclo[2.2.1]heptadiene photoisomerisieren sich in Methanol oder Hexan zu den *syn*-Formen[3]:

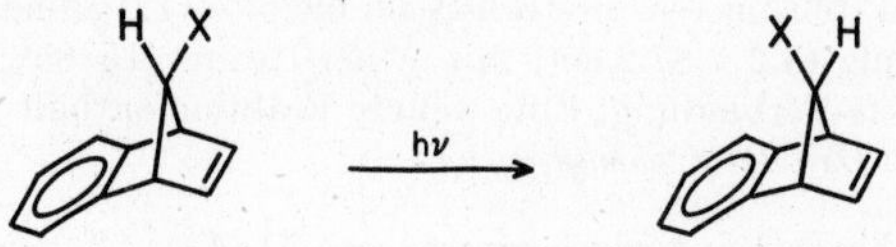

X = Cl, Br

syn-9-Chlor(Brom)-⟨-benzo-bicyclo[2.2.1] heptadien-(2,5)⟩

Zur Photoepimerisierung an nichtaktivierten tertiären Kohlenstoff-Atomen in Cyclopentan- und Cyclohexan-Derivaten hat sich ein Zusatz von Quecksilber(II)-bromid[4], N-Brom-succinimid[4] oder Aceton[5] bewährt. Auf diese Weise lassen sich Dekalin[5], Bicyclo[4.3.0]nonan[5], Perhydrobiphenylen[5] und Perhydrophenanthren[4] photoepimerisieren. Auch Androstane können an C_{14} in recht guten Ausbeuten epimerisiert werden[6,7]:

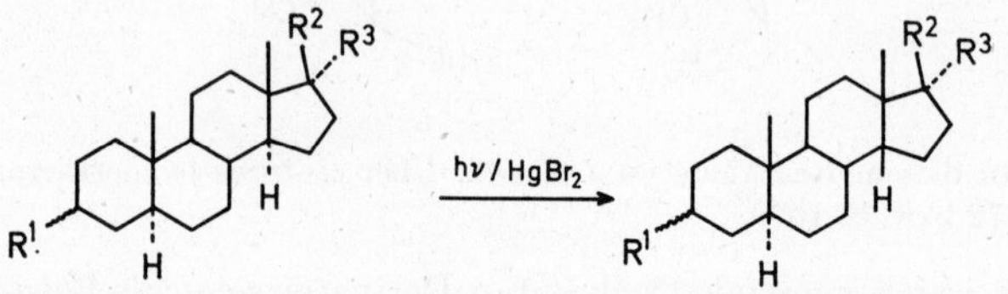

$h\nu / HgBr_2$

$R^1 = R^2 = R^3 = H$	*14β-Androstan;* 80% d.Th.
$R^1 = R^3 = H; R^2 = OOCCH_3$	*17β-Acetoxy-* . . .; 80–90% d.Th.
$R^1 = R^2 = \beta–OOCCH_3; R^3 = H$	*3β,17β-Diacetoxy-* . . .; 80–90% d.Th.
$R^1 = \alpha–OOCCH_3; R^2 = OOCCH_3; R^3 = H$	*3α,17β-Diacetoxy-* . . .; 80–90% d.Th.
$R^1 = \beta–OOCCH_3; R^2 = COOCH_3; R^3 = H$	*3β-Acetoxy-17β-methoxycarbonyl-* . . .; 80–90% d.Th.
$R^1 = H; R^2–R^3 = O$	*17-Oxo-* . . .; 90% d.Th.
$R^1 = \beta–OOCCH_3; R^2–R^3 = O$	*3β-Acetoxy-17-oxo-* . . .; 90% d.Th.

Bei 5β-Androstan tritt nach längerer Bestrahlung zusätzlich eine Epimerisierung an C_5 unter Bildung von *5α,14β-Androstan* ein, analog verhält sich 17β-Acetoxy-5β-androstan[8]. Friedelin und Shionon lassen sich als Steroidketone in α-Stellung zur Carbonyl-Gruppe auch ohne Zusätze bei 80° photoepimerisieren[9].

[1] S. DASZYE u. H. WROBLEWSKA, Bl. Acad. polon. 18, 15 (1970).
[2] K. MISLOW u. A. J. GORDON, Am. Soc. 85, 3521 (1963).
[3] S. CRISTOL et al., Am. Soc. 96, 3016 (1974).
[4] D. KOGAN u. Y. MAZUR, Tetrahedron Letters 1971, 2401 u. dort zit. Arbeiten.
[5] R. G. SALOMON u. J. K. KOCHI, Tetrahedron Letters 1973, 4387.
[7] M. GORODETSKY u. Y. MAZUR, Am. Soc. 90, 6540 (1968).
[8] M. GORODETSKY, D. KOGAN u. Y. MAZUR, Am. Soc. 92, 10941 (970).
[9] R. AOYAGI et al., Bl. chem. Soc. Japan 46, 959 (1973).

Bei den mit optisch aktiven Sensibilisatoren bzw. Solventien bewirkten *cis-trans*-Isomerisierungen kann eine **asymmetrische Induktion** stattfinden. Der Energie-Transfer über ein Sensibilisator-Quencher-Kontaktpaar braucht also für 2 Enantiomere nicht gleich wirksam zu sein. Ein Beispiel dafür ist die Isomerisierung eines Racemats von *trans*-1,2-Diphenylcyclopropan, bei dem sich im Gleichgewichtszustand neben der inaktiven *cis*-Konfiguration ein optischer Antipode der *trans*-Form anreichert[1]:

Racemat   optisch aktiv

$$cis:trans = 1,03$$

Ein Sonderfall der Epimerisierung ergibt sich bei den elektrocyclischen Reaktionen [Cyclobuten, Cyclohexadien-(1,3) usw.] durch die Kopplung eines photochemischen mit einem thermischen Prozeß mit inverser Stereospezifität (vgl. S. 222 ff.).

II. am ungesättigten Kohlenstoff-Atom

a) von der C=C-Doppelbindung[2]

1. cis-trans-Isomerisierung

bearbeitet von

Prof. Dr. HERBERT MEIER*

Für die Photochemie der Olefine sind wie für die klassische Olefinchemie Isomerisierungs- und Additionsreaktionen charakteristisch. Neben der direkten Einstrahlung in das Absorptionsgebiet spielt die Sensibilisierung eine große Rolle, insbesondere bei einfachen

---

* Organisch-chemisches Institut der Universität Tübingen.
[1] G. S. HAMMOND u. R. S. COLE, Am. Soc. **87**, 3257 (1965); **90**, 2957 (1968).
  A. FALJONI, K. ZINNER u. R. G. WEISS, Tetrahedron Letters **1974**, 1124.
[2] Übersichtsartikel:
  A. MUSTAFA, Chem. Reviews **51**, 1 (1952).
  P. DE MAYO u. S. T. REID, Quart. Rev. **15**, 393 (1961).
  H. PRINZBACH, Pure Appl. Chem. **16**, 17 (1966).
  R. SRINIVASAN, Adv. Photochem. **4**, 113 (1966).
  G. J. FONKEN in O. L. CHAPMAN, *Organic Photochemistry*, Bd. 1, S. 197, Dekker, New York 1967.
  O. L. CHAPMAN u. G. LENZ in O. L. CHAPMAN, *Organic Photochemistry*, Bd. 1, S. 283, Dekker, New York 1967.
  R. STEINMETZ, Fortschr. chem. Forsch. **7**, 445 (1967).
  G. B. GILL, Quart. Rev. **22**, 338 (1968).
  H.-D. SCHARF, Fortschr. chem. Forsch. **11**, 216 (1969).
  D. J. TRECKER in O. L. CHAPMAN, *Organic Photochemistry*, Bd. 2, S. 63, Dekker, New York 1969.
  D. ELAD in O. L. CHAPMAN, *Organic Photochemistry*, Bd. 2, S. 168, Dekker, New York 1969.
  W. L. DILLING, Chem. Reviews **69**, 845 (1969).
  K. J. CROWLEY u. P. H. MAZZOCHI, *Chemistry of Alkenes*, Bd. 2, S. 267, Interscience, London 1970.
  L. B. JONES u. V. K. JONES, Fortschr. chem. Forsch. **13**, 307 (1969/70).
  P. G. SAMMES, Quart. Rev. **24**, 37 (1970).
  P. COURTOT, *Elements de Photochemie Avancée*, S. 187, Hermann, Paris 1972.
  J. SALTIEL et al. in O. L. CHAPMAN, *Organic Photochemistry*, Bd. 3, S. 1, Dekker, New York 1973.
  W. G. DAUBEN et al., Pure Appl. Chem. **33**, 197 (1973).
  W. C. HERNDON, Fortschr. chem. Forsch. **46**, 141 (1974).
  M. MOUSSERON, Adv. Photochem. **4**, 195 (1966).
  Vgl. a. die große Zahl von Monographien über org. Photochemie.

Monoolefinen, deren Absorption sehr kurzwellig liegt. Äthylen selbst hat als $\pi \rightarrow \pi^*$-Übergang ($A_{1g} \rightarrow B_{1n}$) im Vakuum-UV eine breite Bande zwischen $\lambda = 145$ und 180 nm mit einem Maximum bei $\lambda = 160$ nm (Oszillatorstärke f = 0,3). Durch Konjugation tritt, wie die nachfolgende Tab. 34 zeigt, eine bathochrome Verschiebung und eine Intensitätserhöhung ein.

Tab. 34. Langwellige Absorptionen einiger *all-trans*-Polyene

| | H–(CH=CH)ₙ–H | | H_3C–(CH=CH)ₙ–CH_3 | | H_5C_6–(CH=CH)ₙ–C_6H_5 | |
	λ_{max} [nm]	ε_{max}	λ_{max} [nm]	ε_{max}	λ_{max} [nm]	ε_{max}
n=2	217	21000			334	40000
n=3	268	34600	275	30000	358	75000
n=4	304		310	76500	384	86000
n=5	334	121000	342	122000	403	94000
n=6	364	138000	380	146500	420	113000
n=7	390		401		435	135000
n=8	410		411			

Für *cisoide* und *transoide* Diene in offenkettiger oder homo- bzw. heteroannularer Anordnung wurden eine Reihe von empirischen Regeln[1] aufgestellt, die es gestatten, die Lage der langwelligsten Absorptionsbande recht genau zu berechnen.

Sterische Faktoren wie Ringspannung oder Abweichung von der Planarität können zu starken bathochromen oder hypsochromen Verschiebungen führen. So liegen die Absorptionsmaxima von 1,2-Bis-[methylen]-cyclohexan (I) und Bicyclo[2.2.1]heptadien (II) bei 220 nm. Erwarten würde man für I und II 270 bzw. 180 nm.

Alkyl-Gruppen und auxochrome Gruppen bewirken im allgemeinen einen bathochromen und häufig einen hyperchromen Effekt. Der Einbau von weiteren, nicht in Konjugation stehenden Chromophoren äußert sich in erster Näherung in einer Additivität der Einzelabsorptionen (Ramart-Lucas-Regel[2]). Bei Polyenen und Polymethinen sind neben der langwelligen Hauptabsorption Obertöne von Bedeutung. Hier sei auf die Originalliteratur[3] und spezielle UV-Monographien[4] verwiesen.

---

[1] R. B. Woodward, Am. Soc. **64**, 72 (1942).
     L. F. Fieser u. M. Fieser, *Steroids*, Reinhold Publishing Corp., New York 1959.
[2] Ramart-Lucas, Bl. **1932**, **51**, 289, 965; **1943**, 10, 13.
[3] R. Kuhn et al., Z. phys. Chem. (Leipzig) **29** [B], 363, 371, 378, 384, 391, 417 (1935); Helv. **31**, 1441 (1948); J. Chem. Physics **17**, 1198 (1949); Fortschr. Ch. org. Naturst. **17**, 404 (1959).
     J. R. Platt, *Radiation Biology*, Bd. 3, S. 71—123, McGraw-Hill, New-York 1956.
     J. Dale, Acta chem. scand. **8**, 1235 (1954); **11**, 265 (1957).
[4] J. N. Murrell, *Elektronenspektren organischer Moleküle*, B. I. Mannheim (1967).
     H. H. Jaffe u. M. Orchin, *Theory and Applications of Ultraviolet Spectroscopy*, John Wiley, New York 1964.

α) Methoden der Isomerisierung

Beispiele für photochemische *cis-trans*-Isomerisierungen[1,2] von Mono-, Di- und Polyenen sind in großer Zahl untersucht worden. Nach Art der Anregung unterscheidet man zwischen direkten, sensibilisierten und katalysierten Prozessen.

α₁) *direkte cis-trans-Isomerisierungen*

Die UV-Absorption von *cis*-Olefinen ist im Vergleich zu *trans*-Olefinen stets intensitätsschwächer und liegt außerdem häufig bei etwas kleineren Wellenlängen. Strahlt man in den gemeinsamen Absorptionsbereich ein, so erhält man unabhängig von der ursprünglichen Zusammensetzung ein photostationäres Gleichgewicht, dessen *cis-trans*-Verhältnis von den Extinktionskoeffizienten und damit von den verwendeten Wellenlängen abhängt. Im einfachsten Fall gilt:

$$\frac{[cis]}{[trans]} = \frac{\varepsilon_{trans} \cdot \varphi_{trans \to cis}}{\varepsilon_{cis} \cdot \varphi_{cis \to trans}}$$

Bei selektiver Einstrahlung in einen Wellenlängenbereich, wo die Absorption einer Konfiguration dominiert, erhält man eine präparativ interessante Anreicherung des anderen Isomeren. Für die direkte *cis-trans*-Isomerisierung des Stilbens bei $\lambda = 313$ nm ist $\varepsilon_{trans}/\varepsilon_{cis} = 7,2$ und $\varphi_{trans \to cis}/\varphi_{cis \to trans} = 1,5$ (vgl. Abb. 65). Daraus ergibt sich eine Zusammensetzung des photostationären Gleichgewichts von 91,5% *cis*- und 8,5% *trans*-Stilben.

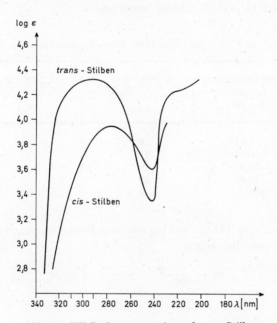

Abb. 65. UV-Spektren von *cis*- und *trans*-Stilben

[1] G. M. WYMAN, Chem. Reviews **55**, 625 (1955).

N. J. TURRO, Photochem. and Photobiol. **9**, 555 (1969).

L. ZECHMEISTER, *Cis-trans Isomeric Carotinoids, Vitamins A and Arylpolyenes*, Springer Verlag, Wien 1962.

J. SALTIEL et al. in O. L. CHAPMAN, *Organic Photochemistry*, Bd. 3, S. 1, M. DEKKER, New York 1973.

[2] Im folgenden werden zur Charakterisierung der Konfigurationen von C=C-Dippelbindungen im allg. die Begriffe *cis* und *trans* verwendet. Wenn diese Bezeichnungsweise nicht eindeutig ist, wird auf die Z/E-Nomenklatur entsprechend den UPAC-Regeln [J. Org. Chem. **35**, 2849 (1920)] zurückgegriffen.

Der Einfluß para- oder meta-ständiger Substituenten[1] auf das photostationäre Gleichgewicht des Stilbens wird aus der Tab. 35 ersichtlich.

Tab. 35. Substituenteneinflüsse auf die Quantenausbeuten und den photostationären Gleichgewichtszustand bei der Isomerisierung von Stilbenen[1]

Substituenten in		Quantenausbeuten		% cis-Konfiguration im stationären Zustand
para-Stellung	meta-Stellung	$\varphi_{trans \rightarrow cis}$	$\varphi_{cis \rightarrow trans}$	
NH_2		0,49	0,30	81
OCH_3		0,40	0,29	85
	OCH_3	0,31	0,19	77
F		0,42	0,40	89
	F	0,39	0,34	91
NO_2		0,45	0,36	68
	NO_2	0,45	0,41	87

Die Quantenausbeuten der Isomerisierungsprozesse können wellenlängen-, lösungsmittel-, temperatur- und konzentrationsabhängig sein. Ein Beispiel für die Konzentrationsabhängigkeit[2] – hervorgerufen durch das sog. Excimeren-Quenching – wird in Tab. 36 am 1,2-Dithienyl-(2)- bzw. 1,2-Difuryl-(2)-äthylen beschrieben:

Tab. 36. Abhängigkeit des photostationären Gleichgewichts von der Konzentration[2]

molare benzolische Lösung $M \cdot 10^2$	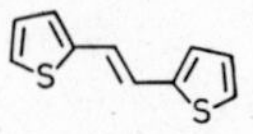 (%)	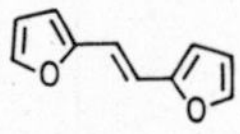 (%)
1,01	9,0	49
10,0	13	70
29,9	20	—
52,0	69	—
100	—	97

Als mechanistische Wege für die direkte cis-trans-Isomerisierung von Olefinen kommen folgende Möglichkeiten in Betracht:

① $S_{0\,cis/trans} \xrightarrow{h\nu} S_{1\,cis/trans} \xrightarrow{Rel.} S_1(\uparrow\downarrow) \xrightarrow{IC} S_{0\,trans/cis}$

② $S_{0\,cis/trans} \xrightarrow{h\nu} S_{1\,cis/trans} \xrightarrow{ISC} T_{1\,cis/trans} \xrightarrow{Rel.} T_1(\uparrow\uparrow) \xrightarrow{ISC} S_{0\,trans/cis}$

③ $S_{0\,cis/trans} \xrightarrow{h\nu} S_{1\,cis/trans} \xrightarrow{IC} S_0^v \xrightarrow{R} S_{0\,trans/cis}$

Der eigentliche Isomerisierungsschritt kann demnach im (relaxierten) ersten angeregten Singulett-Zustand oder nach einem Intersystem Crossing (ISC) im Triplett-Zustand T_1 oder aber (bei Gasphasen-Reaktionen) in einem durch Internal Conversion (IC) entstandenen, hoch schwingungsangeregten, sog. heißen Grundzustand S_0^v stattfinden. Die intermediären Zustände S_1 ($\uparrow\downarrow$) und T_1 ($\uparrow\uparrow$) zeichnen sich im Gegensatz zu den spektroskopisch erreichbaren Anregungszuständen durch eine gegenüber dem Grundzustand veränderte Geometrie aus. Während das Energieminimum im Grundzustand S_0 der Äthylene

[1] H. Güsten u. L. Klasinc, Tetrahedron Letters 1968, 3097.
[2] A. A. Zimmerman et al., J. Org. Chem. 34, 73 (1969).

bei maximaler Wechselwirkung der p_π-Orbitale – also bei paralleler Einstellung – liegt, haben die S_1-und T_1-Zustände ihr energetisches Minimum bei der kleinsten p_π–p_π-Wechselwirkung, also beim Torsions-winkel 90° [1].

α_2) *sensibilisierte cis-trans-Isomerisierungen*

Statt direkt in den Absorptionsbereich der Olefine einzustrahlen, kann man auch einen Triplett-Sensibilisator anregen, der dann seine Energie auf das Olefin überträgt:

$$\text{Sens. } (S_0) \xrightarrow{h\nu} \text{Sens. } (S_1) \xrightarrow{ISC} \text{Sens. } (T_1) \xrightarrow[- \text{Sens. } (S_0)]{+ \text{Olefin } (S_{0\,cis/trans})} \text{Olefin} (T_1) \rightarrow \text{Olefin } (S_{0\,trans/cis})$$

Der Vorteil dieser Methode liegt in der Umgehung des S_1-Zustandes, der bei einfachen Monoolefinen nur durch sehr kurzwellige Strahlung erreichbar ist. Aber nicht nur in diesen Fällen, sondern auch bei konjugierten Verbindungen mit langwelligerer Absorption können aus dem S_1-Zustand Konkurrenzreaktionen wie Valenzisomerisierungen, Wasserstoff-Verschiebungen oder intermolekulare Cycloadditionen stattfinden. Auch im T_1-Zustand können Konkurrenzprozesse auftreten.

Die Energieübertragung kann außer durch Resonanz- oder Austausch-Mechanismen [2] auch durch Komplexbildung zwischen Olefin und Sensibilisator stattfinden. Eine ausreichende Triplett-Energie des Sensibilisators ist also weder eine hinreichende noch notwendige Sensibilisierungsbedingung. So läßt sich 3-Methyl-penten-(2) mit Benzophenon ($E_T = 69$ kcal/Mol) aber nicht mit Triphenylen ($E_T = 68$ kcal/Mol) sensibilisiert isomerisieren [2]. Für die Komplexbildung zwischen Olefin und Sensibilisator kommen ⓐ Exciplexe [2] oder ⓑ σ-Wechselwirkungen nach dem sog. Schenck-Mechanismus [3] in Frage:

Besonders einfach ist die Situation bei E_T(Sensibilisator)$> E_T$(Olefin) und diffusions-kontrolliertem Energietransfer (jeder Stoß hat Energieübertragung zur Folge). Bei der Benzol-sensibilisierten Isomerisierung von Cyclododecatrien-(1,5,9) wird auf jede der drei isolierten Doppelbindungen mit gleicher Wahrscheinlichkeit Energie übertragen, und die auf diese Weise gebildeten Triplett-Zustände gehen mit gleicher Wahrscheinlichkeit in

R. S. MULLIKEN u. C. C. J. ROOTHAN, Chem. Reviews **41**, 219 (1947).
R. McDIARMID u. E. CHARNEY, J. Chem. Physics **47**, 1517 (1967).
W. J. POTTS, J. Chem. Physics **23**, 65 (1955).
L. BURNELLE, J. Chem. Physics **43**, 529 (1965).
N. J. TURRO, Photochem. and Photobiol. **9**, 555 (1969).
G. O. SCHENCK u. R. STEINMETZ, Bull. Soc. chim. belges **71**, 781 (1962).
Vgl. aber N. C. YANG, J. J. COHEN u. A. SHANI, Am. Soc. **90**, 3264 (1968);
R. A. CALDWELL, Am. Soc. **92**, 1439 (1970).
Vgl. a.: Oxetan-Bildung, S. 838 ff.

die *cis*- bzw. *trans*-Konfiguration über. In diesem Fall läßt sich die Gleichgewichts-Zusammensetzung exakt vorhersagen[1]:

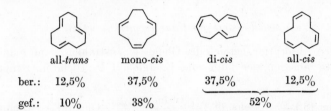

	all-*trans*	mono-*cis*	di-*cis*	all-*cis*
ber.:	12,5%	37,5%	37,5%	12,5%
gef.:	10%	38%	52%	

Bei anderen Energieübertragungsbedingungen ist die Isomeren-Verteilung des Cyclododecatrien-(1,5,9) vom Sensibilisator abhängig[2]. Eine solche Abhängigkeit wird im folgenden an zwei komplizierteren Beispielen diskutiert (Abb. 66a und 66b).

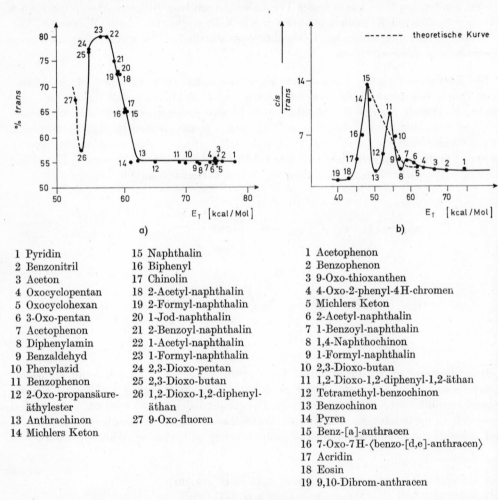

1 Pyridin	15 Naphthalin
2 Benzonitril	16 Biphenyl
3 Aceton	17 Chinolin
4 Oxocyclopentan	18 2-Acetyl-naphthalin
5 Oxocyclohexan	19 2-Formyl-naphthalin
6 3-Oxo-pentan	20 1-Jod-naphthalin
7 Acetophenon	21 2-Benzoyl-naphthalin
8 Diphenylamin	22 1-Acetyl-naphthalin
9 Benzaldehyd	23 1-Formyl-naphthalin
10 Phenylazid	24 2,3-Dioxo-pentan
11 Benzophenon	25 2,3-Dioxo-butan
12 2-Oxo-propansäure-	26 1,2-Dioxo-1,2-diphenyl-
äthylester	äthan
13 Anthrachinon	27 9-Oxo-fluoren
14 Michlers Keton	

1 Acetophenon
2 Benzophenon
3 9-Oxo-thioxanthen
4 4-Oxo-2-phenyl-4H-chromen
5 Michlers Keton
6 2-Acetyl-naphthalin
7 1-Benzoyl-naphthalin
8 1,4-Naphthochinon
9 1-Formyl-naphthalin
10 2,3-Dioxo-butan
11 1,2-Dioxo-1,2-diphenyl-1,2-äthan
12 Tetramethyl-benzochinon
13 Benzochinon
14 Pyren
15 Benz-[a]-anthracen
16 7-Oxo-7H-⟨benzo-[d,e]-anthracen⟩
17 Acridin
18 Eosin
19 9,10-Dibrom-anthracen

Abb. 66. *cis-trans*-Verhältnisse bei der sensibilisierten Isomerisierung von a) Pentadien-(1,3) und b) Stilben[3]

[1] J. K. CRANDALL u. C. F. MAYER, Am. Soc. **89**, 4374 (1967).
[2] H. NOZAKI et al., Tetrahedron Letters **1965**, 2161.
[3] G .S. HAMMOND et al., Am. Soc. **86**, 3197 (1964).
    G. S. HAMMOND u. J. SATIEL, Am. Soc. **84**, 4983 (1962); **85**, 2516 (1963).

Sensibilisatoren mit $E_T > 60$ kcal/Mol können diffusionskontrolliert ihre Energie auf *cis*-oder *trans*-Pentadien-(1,3) übertragen. Das führt zu einem konstanten *cis-trans*-Verhältnis von ≈ 1. Unterhalb von 60 kcal/Mol wird der Energie-Transfer auf *trans*-Pentadien-(1,3) $(E_T = 59,3$ kcal/Mol)[1] weniger wirksam als auf die *cis*-Verbindung $(E_T = 58,4$ kcal/Mol)[1], d. h. das photostationäre Gleichgewicht wird reicher an *trans*-Konfiguration. Sensibilisatoren mit $E_T < 58$ kcal/Mol sind schließlich zu einem vertikalen Energieübertragungs-Prozeß nicht mehr in der Lage. Hier kommen z. B. Nicht-Franck-Condon-Übergänge zu einem energieärmeren „Phantom"-Triplett des Acceptors in Frage[2].

Neben den beim Pentadien-(1,3) besprochenen Phänomenen fallen bei der sensibilisierten Isomerisierung des Stilbens besonders die von der theoretischen Kurve abweichenden Minima bei der Sensibilisierung mit Chinonen auf. Der Grund hierfür muß in Komplex‹ bildungs-Mechanismen (vgl. S. 193) gesucht werden.

Bei verschiedenen Molekülen ist die direkte *cis-trans*-Isomerisierung nur durch einen intramolekularen Energietransfer auf die olefinische Doppelbindung zu erklären. So erhält man z. B. beim 6-Phenyl-hexen-(2)[3, 4] und beim 1-Phenyl-buten-(2)[4, 5] bei Einstrahlung in die Benzol-Absorption eine *cis-trans*-Isomerisierung. Beim *trans*-5-Oxo-hexen-(2) erhält man die *cis*-Verbindung durch Energieübertragung von der Carbonyl-Gruppe[6]. Genau untersucht wurde dieser Mechanismus an den Enonen I[7]:

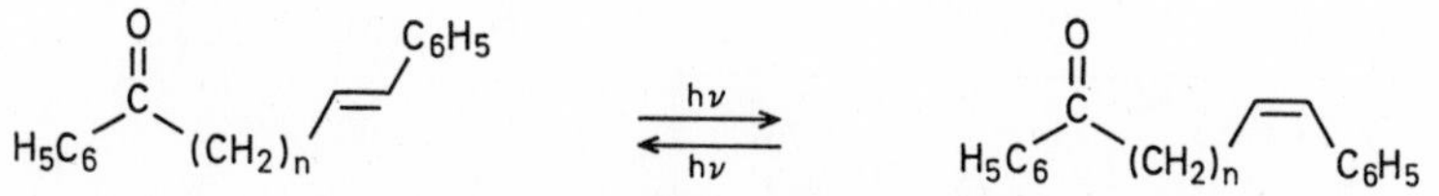

Obwohl eine Wechselwirkung der Chromophore nur für die homokonjugierte Verbindung $(n = 1)$ in den Absorptionsspektren nachweisbar ist, erfolgt eine Übertragung der Anregungsenergie auch bei $n = 2$, 3 und 4.

Am Ende dieses Abschnittes sei darauf hingewiesen, daß die sensibilisierte *cis-trans*-Isomerisierung neben präparativen Aspekten für die Photochemie großes theoretisches Interesse besitzt.

Mit der sog. Cundall-Technik[8] ist es möglich, Triplett-Zustände von Molekülen mit $E_T > E_T[$Buten-(2)$]$ nachzuweisen und darüber hinaus φ_{ISC}, die Quantenausbeute ihrer Triplett-Bildung zu messen. Man benutzt dazu die Sensibilisierung des Buten-(2) oder anderer Olefine, die zur *cis-trans*-Isomerisierung führt.

R. E. KELLOGG u. W. T. SIMPSON, Am. Soc. **87**, 4230 (1965).
Vgl. N. J. TURRO, *Molecular Photochemistry*, W. A. Benjamin Inc. New York, 1965.
Bez. einer neueren Interpretation vgl. S. YAMAUCHI u. T. AZUMI, Am. Soc. **95**, 2709 (1973).
H. MORRISON u. W. J. FERREE, Chem. Commun. **1969**, 268.
W. FERREE, J. B. GRUTZNER u. H. MORRISON, Am. Soc. **83**, 5502 (1971).
Vgl. a.: H. MORRISON, J. PAJAK u. R. PEIFFER, Am. Soc. **93**, 3978 (1971).
H. MORRISON, Am Soc. **87**, 932 (1965).
H. MORRISON et al., 153. Net. Meet. Am. Chem. Soc., Miami Beach **1967**.
H. MORRISON u. R. PEIFFER, Am. Soc. **90**, 3428 (1968).
H. MORRISON u. M. COMTET, Am. Soc. **91**, 7761 (1969); **92**, 5308 (1970).
H. MORRISON et al., Am. Soc. **90**, 3428 (1968).
C. S. NAKAGAWA u. P. SIGAL, J. Chem. Physics **52**, 3277 (1970).
H. MORRISON, Am. Soc. **87**, 932 (1965).
D. O. COWAN u. A. A. BAUM, Am. Soc. **92**, 2153 (1970).
R. B. CUNDALL u. T. F. PALMER, Trans. Faraday Soc. **56**, 1211 (1960).
R. B. CUNDALL, F. J. FLETCHER u. D. G. MILNE, Trans. Faraday Soc. **60**, 1146 (1964); J. Chem. Physics **39**, 3536 (1963).
R. B. CUNDALL u. D. G. MILNE, Am. Soc. **83**, 3902 (1961).
Vgl. a.: R. B. CUNDALL u. A. J. R. VOSS, Chem. Commun. **1969**, 116.
K. FUKANO u. S. SATO, J. chem. Soc. Japan **72**, 213 (1969).

Auch der Quenching-Prozess von Pentadien-(1,3) (Piperylen) dient häufig zum Nachweis von Triplett-Zuständen. Aus dem beobachteten *cis-trans*-Verhältnis kann außerdem die Triplett-Energie des Sensibilisators abgeschätzt werden (vgl. Abb. 66, S. 194).

α_3) *photo-katalysierte cis-trans-Isomerisierungen*

Verschiedene Moleküle bilden bei Belichtung Radikale, die anwesende Olefine isomerisieren können. Sehr lange bekannt ist die Wirkung von Jod:

$$J_2 \xrightarrow{h\nu} 2\,J\cdot$$

Das auf diese Weise erhaltene *cis-trans*-Verhältnis entspricht meist dem der thermischen Isomerisierung, da es sich in beiden Fällen um thermodynamisch kontrollierte Reaktionen handelt. Die Abb. 67 gibt einen Überblick über die thermische, die direkte photochemische und die jodkatalysierte Isomerisierung des 15,15'-*cis*-β-Carotins zum all-*trans*-β-Carotin[1]

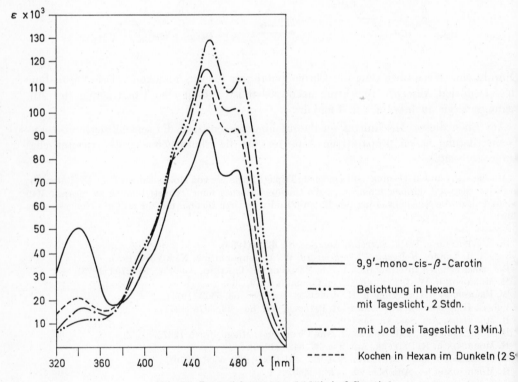

Abb. 67. Isomerisierung von 15,15'-*cis*-β-Carotin[1]

Von der Triplett-Sensibilisierung nach dem Austauschmechanismus (vgl. S. 193) über den Exciplex- und Schenck-Mechanismus besteht ein kontinuierlicher Übergang zu den photo-katalysierten Isomerisierungen. Von einer echten Katalyse sollte außerdem nur dann die Rede sein, wenn der Katalysator vollständig zurückgebildet wird.

[1] H. H. INHOFFEN, F. BOHLMANN u. G. MUMMERT, A. **571**, 75 (1951).

Besonders bewährt haben sich Metallcarbonyle als Photokatalysatoren für die *cis-trans*-Isomerisierung[1]. Der n-Donator Kohlenmonoxid wird dabei photochemisch gegen ein Olefin als π-Donator ausgetauscht und anschließend findet im Komplex die Isomerisierung statt:

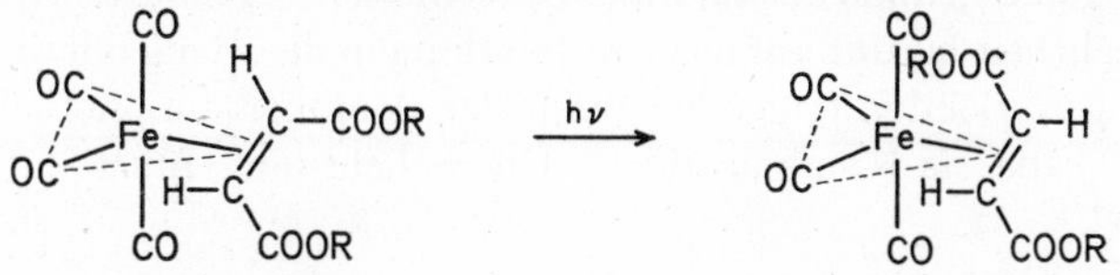

Maleinsäure-diester		*Fumarsäure-diester*[2]

Auch Metallsalze wie Kupfer(I)-chlorid[3], Antimon(III)-chlorid[4] oder Uranyl-Verbindungen[5] kommen als Katalysatoren in Frage. Präparativ und theoretisch interessant sind die *cis-trans*-Isomerisierungen mit Tetraalkyl-zinn-[6] und Dialkyl- bzw. Trialkyl-aluminium-Verbindungen[7].

Das *cis-trans*-Verhältnis bei Octen-(4) kann durch die Wahl des Katalysators, durch seine Konzentration und durch die Temperatur in dem weiten Bereich von 3:97 bis 92:8 variiert werden[6]:

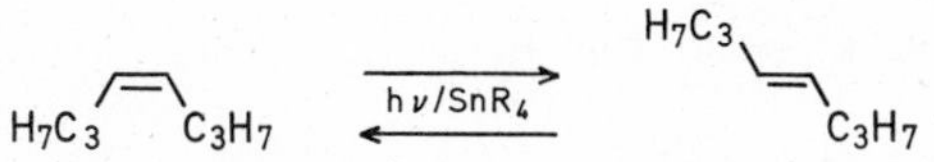

$$R = (CH_2)_n - CH_3 ; \quad n = 1, 3, 7, 11$$

Mit Triisobutyl-aluminium ergibt sich z. B. folgende Temperaturabhängigkeit[7]:

°C	*cis*-Octen-(4)	: *trans*-Octen-(4)
5	89	: 11
20	68	: 32
25	40	: 60
30	21	: 79
60	19	: 81

Ähnlich verhalten sich Octen-(2), Octen-(3) und Undecen-(2)[7].

β) *Mono-olefine*

Von allen direkten oder sensibilisierten Isomerisierungen der Mono-olefine wurde das Stilben und seine Derivate am besten untersucht (vgl. S. 194). Dazu zählen auch die 1,2-

[1] Vgl.: E. KOERNER V. GUSTORF u. F. W. GREVELS, Fortschr. chem. Forsch. **13**, 366 (1969).
M. D. CARR, V. V. KANE u. M. C. WHITING, Pr. chem. Soc. **1964**, 408.
M. WRIGHTON, G. S. HAMMOND u. H. B. GRAY, Am. Soc. **92**, 6068 (1970); **93**, 3285 (1971); J. Organometal. Chem. **70**, 283 (1974).
A. J. HUBERT et al., Soc. Perkin II **1973**, 1954; **1972**, 366.
W. STROHMEIER, J. Organometal. Chem. **60**, C. 60 (1973).
B. FELL, P. KRINGS u. F. ASINGER, B. **99**, 3688 (1966).
P. W. JOLLY, F. G. A. STONE u. K. MACKENZIE, Soc. **1965**, 5259, 6416.
M. D. CARR, V. V. KANE u. M. C. WHITING, Pr. chem. Soc. **1964**, 408.
F. ASINGER, B. FELL u. G. COLLIN, B. **96**, 716 (1963).
F. ASINGER, B. FELL u. K. SCHRAGE, B. **98**, 381, 372 (1965).
[2] G. O. SCHENCK, E. KOERNER V. GUSTORF u. M.-J. JUN, Tetrahedron Letters **1962**, 1059.
[3] J. A. DEYRUP u. M. BETKOUSKI, J. Org. Chem. **37**, 3561 (1972).
[4] G. N. SALAITA, J. Inorg. Nucl. Chem. **36**, 875 (1974).
[5] R. MATSUSHIMA u. S. SAKURABA, Chem. Lett. **1973**, 1077.
[6] H.-P. HEMMERICH, S. WARWEL u. F. ASINGER, B. **106**, 505 (1973).
[7] S. WARWEL u. H.-P. HEMMERICH, M. **104**, 155 (1973).

Diheteroaryl-äthylene. In umfangreichen Arbeiten[1] wurde der Einfluß von Substituenten, Lösungsmitteln, Quenchern, Sensibilisatoren, Temperatur, Viscosität, Konzentration und Wellenlänge festgestellt.

In dieses Gebiet gehören auch die auf *trans*-Stilbenbasis aufgebauten Blankophore. Ihre mangelnde Lichtechtheit beruht auf der Umwandlung in die wenig oder nicht fluoreszierenden *cis*-Verbindungen. Bei den folgenden Beispielen dominiert im photochemischen Gleichgewicht zu ∼ 70% die *cis*-Konfiguration. „Überbelichtung" führt zu zusätzlichen Zersetzungsprozessen[2].

$R^1 = H$; $R^2 = -N\overset{\frown}{\underset{\smile}{}}O$

$R^1 = H$; $R^2 = NH_2$

$R^1 = 2\text{-}CH_3$; $R^2 = -N\overset{\frown}{\underset{\smile}{}}O$

$R^1 = 3\text{-}SO_3Na$; $R^2 = -N(CH_2-CH_2OH)_2$

[1] J. Saltiel et al. in O. L. Chapman, *Organic Photochemistry*, Bd. 3, S. 1, M. Dekker, New York 1973.
G. S. Hammond et al., Am. Soc. **86**, 3197 (1964).
N. G. Lewis, T. T. Magel u. D. Dalton, Am. Soc. **62**, 2973 (1940).
A. Smakula, Z. physik. Chem. (Leipzig) **25** [B] 90 (1934).
H. Stegemeyer, J. phys. Chem. **66**, 2555 (1962); Z. Naturf. **16a**, 634 (1961); **17b**, 153 (1962).
D. Schulte-Frohlinde, H.Blume u. H. Güsten, J. phys. Chem. **66**, 2486 (1962).
G. Zimmermann, L. Chow u. H. Paik, Am. Soc. **80**, 3528 (1958).
D. Schulte-Frohlinde, A. **612**, 138 (1958).
H. Dyck u. D. S. McClure, J. Chem. Physics **36**, 2326 (1962).
T. Förster, Z. El. Ch. **56**, 716 (1952).
P. P. Birnbaum u. D. W. G. Style, Soc. **1955**, 1192.
W. Berends u. J. Posthuma, J. phys. Chem. **66**, 2547 (1962).
G. S. Hammond u. J. Saltiel, Am. Soc. **84**, 4983 (1962); **85**, 2515 (1963).
G. Fisher, K. A. Muszkat u. E. Fischer, Israel J. Chem. **6**, 965 (1969).
J. Saltiel, Am. Soc. **90**, 6394 (1968).
J. Saltiel et al., Am. Soc. **90**, 4759 (1968); **95**, 2543 (1973).
J. Saltiel u. E. D. Megarity, Am. Soc. **91**, 1265 (1969); **94**, 2742 (1972).
K. Krüger u. E. Lippert, Z. physik. Chemie **66**, 293 (1969).
H. Gusten u. L. Klasinc, Tetrahedron Letters **1968**, 3097.
D. Gegiou, K. A. Muszkat u. E. Fischer, Am. Soc. **90**, 3907 (1968).
G. Favaro, U. Mazzucato u. F. Masetti, J. Phys. Chem. **77**, 601 (1973).
G. Bartocci, P. Bortolus u. U. Mazzucato, J. Phys. Chem. **77**, 605 (1973).
D. V. Bent u. D. Schulte-Frohlinde, J. Phys. Chem. **78**, 451 (1974).
Y. J. Lee, D. G. Whitten u. L. Pedersen, Am. Soc. **93**, 6330 (1971).
D. G. Whitten u. Y. J. Lee, Am. Soc. **92**, 415 (1970); **94**, 9142 (1972).
S. Yamauchi u. T. Azumi, Am. Soc. **95**, 2709 (1973).
C. N. Salaita, J. Inorg. Nucl. Chem. Lett. **36**, 875 (1974).
R. Matsushima u. S. Sakuraba, Chem. Letters **1973**, 1077.
M. Kaganowich et al., Z. phys. Chem. **76**, 79 (1971).
J. Saltiel u. J. T. D'Agostino, Am. Soc. **94**, 6445 (1972).
R. E. Schwerzel u. R. A. Caldwell, Am. Soc. **95**, 1382 (1973).
C. Canzzo, M. Casgrande u. G. Galiazzo, Mol. Photochem. **3**, 59 (1971).
A. Padwa u. L. Gehrlein, Am. Soc. **94**, 4933 (1972).
D. Valentine u. G. S. Hammond, Am. Soc. **94**, 3449 (1972).
R. A. Caldwell u. R. E. Schwerzel, Am. Soc. **94**, 1035 (1972).
[2] M. Matso u. T. Sakaguchi, J. chem. Soc. Japan, **1972**, 1994 und dort zit. Lit.

Ein einfacheres Beispiel, bei dem diese *cis-trans*-Umlagerung schon im Tageslicht stattfindet, ist das 3-Oxo-1,3-diphenyl-propen[1] (Abb. 68):

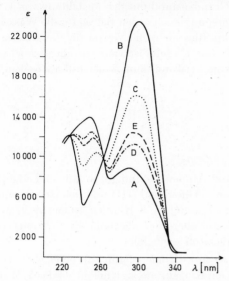

A *cis*-Konfiguration

B *trans*-Konfiguration

C *trans*-Isomeres nach 2 Min. Einwirkung von Sonnenlicht

D *cis*-Isomeres nach 2 Min.

E photostationäre Gleichgewichtsmischung nach 12 Min.

Abb. 68. UV-Spektren von 3-Oxo-1,3-diphenyl-propen[1]

Bei den allermeisten *cis-trans*-Isomerenpaaren ist die *trans*-Konfiguration thermodynamisch stabiler. Das ist nicht möglich bei kleineren und mittleren Ringen. *trans*-Cycloocten ist das kleinste unter Normalbedingungen isolierbare isocyclische Ringsystem mit einer *trans*-Konfiguration. Es wird am bequemsten durch eine mit Aromaten sensibilisierte oder mit Kupfer(I)-chlorid katalysierte Photo-Isomerisierung der *cis*-Form dargestellt[2]. Bereits *trans*-3-Oxo-cycloocten ist wegen seiner Reaktivität nicht mehr in reiner Phase isolierbar. Das photochemisch aus der *cis*-Verbindung hergestellte Produkt (80%) dimerisierte sich in einer nachfolgenden thermischen Dunkelreaktion[3]. Selbstverständlich lassen sich auch *trans*-1-Methyl-cyclohexen[4], *trans*-1-Phenyl-cyclopenten[5] und *trans*-1-Phenyl-cyclohexen[5] nur als Zwischenprodukte erhalten.

Ein besonders interessantes Kapitel der photochemischen *cis-trans*-Umlagerungen stellt der Indigo und seine Derivate dar. Die meisten indigoiden Farbstoffe zeigen eine photochrome *cis-trans*-Isomerisierung[6]:

X = O, S, Se, NR, NCOR (aber nicht NH)

[*] R. E. Lutz u. R. H. Jordan, Am. Soc. **72**, 4090 (1950).
N. H. Cromwell u. W. R. Watson, J. Org. Chem. **14**, 411 (1949).
[2] J. S. Swenton, J. Org. Chem. **34**, 3217 (1969).
J. A. Deyrup u. M. Betkonski, J. Org. Chem. **37**, 3561 (1972).
[3] R. Noyori, A. Watanabe u. M. Kato, Tetrahedron Letters **1968**, 5443.
P. E. Eaton u. K. Lin, Am. Soc. **86**, 2087 (1964).
[4] P. J. Kropp u. H. J. Krauss, Am. Soc. **89**, 5199 (1967).
[5] M. Tada u. H. Shinozaki, Bl. chem. Soc. Japan **43**, 1270 (1970).
[6] W. R. Brode, E. G. Pearson u. G. M. Wyman, Am. Soc. **76**, 1034 (1954).
G. M. Wyman u. W. R. Brode, Am. Soc. **73**, 1487 (1951).
J. Weinstein u. G. M. Wyman, Am. Soc. **78**, 4007 (1957).
G. M. Wyman, J. phys. Chem. **77**, 831 (1973).
G. M. Wyman, B. M. Zarnegar u. D. G. Whitten, J. phys. Chem. **77**, 2584 (1973).

Trotz großer Anstrengungen ist es bisher nicht gelungen durch direkte oder sensibilisierte Belichtung *cis*-Indigo zu erhalten. Die Stabilität der *trans*-Konfiguration des Indigos (I) oder des verwandten Farbstoffs II wird im Grundzustand mit der Ausbildung von Wasserstoffbrücken erklärt. Da die elektronische Anregungsenergie den Betrag für die Wasserstoffbrücken-Bindung jedoch weit übertrifft, kann dies nicht der Grund für die außerordentliche Photostabilität des *trans*-Indigos sein – als Ursache ist vielmehr ein photochemisch induzierter, reversibler Protonen-Transfer vom Stickstoff zum Sauerstoff anzusehen[1].

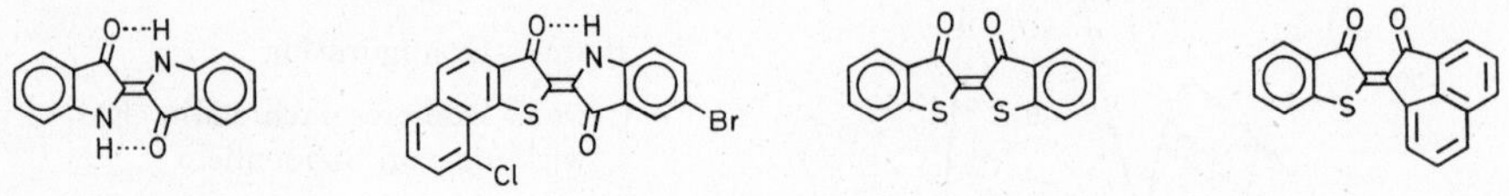

Alkyliert[2] oder acyliert[2] man die Stickstoff-Atome des Indigo, so läßt sich eine photochemische *cis-trans*-Isomerisierung beobachten. Thioindigo (III) und der Hemithioindigo-Farbstoff IV können dementsprechend in organischen Solventien isomerisiert werden. In schwefelsaurer Lösung versagt die Reaktion allerdings, da dann die Protonierung am Schwefel-Atom Wasserstoffbrücken zum Sauerstoff ermöglicht[3].

Ein interessantes Beispiel, an dem eine *cis-trans*-Isomerisierung an einer C=C-Doppelbindung und parallel dazu eine zweite an einem Ringsystem stattfinden, ist das 3-Methyl-2-propen-(1)-yl-oxiran[4]:

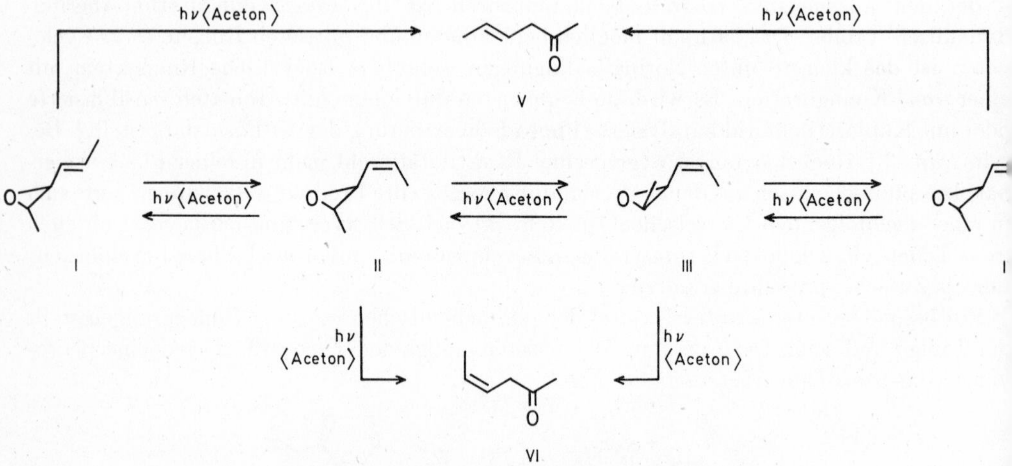

aus I ; I:II:III:IV:V:VI = 12:12:2: 3:37:34
aus IV; I:II:III:IV:V:VI = 13:17:6:12:25:27

trans-Cycloocten[5]: 600 *ml* reines Cycloocten werden in 900 *ml* Cyclohexan und 150 *ml* Xylol in Ansätzen von je 500 *ml* 36 Stdn. unter Stickstoff mit einer 450 W Hanovia-Mitteldruck-Lampe mit Corex-

[1] G. M. Wyman u. B. M. Zarnegar, J. phys. Chem. **77**, 1204 (1973).
[2] W. R. Brode, E. G. Pearson u. G. M. Wyman, Am. Soc. **76**, 1034 (1954).
　　G. M. Wyman u. W. R. Brode, Am. Soc. **73**, 1487 (1951).
　　J. Weinstein u. G. M. Wyman, Am. Soc. **78**, 4007 (1957).
　　G. M. Wyman u. B. M. Zarnegar, Am. Soc. **77**, 831 (1973).
　　G. M. Wyman, B. M. Zarnegar u. D. G. Whitten, J. phys. Chem. **77**, 2584 (1973).
[3] W. R. Brode u. G. M. Wyman, J. Res. Bur. Stand. **47**, 170 (1951).
　　G. M. Wyman u. W. R. Brode, Am. Soc. **73**, 1487 (1951).
　　W. R. Brode u. G. M. Wyman, Am. Soc. **73**, 4267 (1951).
[4] D R Paulson, F. Y. N. Tang u. R. B. Sloan, J. Org. Chem. **38**, 3967 (1973).
[5] J. S. Swenton, J. Org. Chem. **34**, 3217 (1969).

Filter bestrahlt. Die vereinigten Belichtungsansätze werden 4 mal mit je 80 *ml* einer 20%igen wäßrigen Silbernitrat-Lösung extrahiert. Die Silbernitrat-Lösung wird 2 mal mit 70 *ml* Pentan gewaschen und durch Zutropfen von 150 *ml* konz. Ammoniak bei 0° zersetzt. Anschließend extrahiert man 3 mal mit je 75 *ml* Pentan, trocknet und destilliert das Solvens an einer Vigreux-Kolonne ab. Das zurückbleibende hellgelbe Öl (2,2 g) wird mit einer Kurzweg-Destillation rektifiziert; Kp_{75}: 75–76°. Gaschromatographisch läßt sich feststellen, daß 82% davon *trans*-Cycloocten sind. Durch mehrere Wiederholungen des Photoprozesses läßt sich die Anreicherung bis auf 97% steigern.

Fumarsäure[1]: Man löst 2 g Maleinsäure in 5 *ml* Wasser und fügt etwas Brom-Wasser hinzu. Schon nach kurzem Stehen im Sonnenlicht, beginnt die gebildete Fumarsäure auszukristallisieren; Ausbeute: 82–94% d. Th.; F: 300°.

cis-Zimtsäure[2]: 3,5 g *trans*-Zimtsäure werden in 100 g Benzol gelöst und in einem Uviol-Glasrohr von 2–3 cm ∅ mit einer Schott-Uviol-Lampe 100 Stdn. bestrahlt; Ausbeute: 25–30% d. Th.; F: 68°.

4-Methoxy-cis-zimtsäure[3]: 14 g 4-Methoxy-*trans*-zimtsäure werden mit 14 g Natriumcarbonat in 2,7 *l* Wasser gelöst. Die mit durchperlendem Stickstoff vom Luftsauerstoff befreite Lösung wird 24 Stdn. mit einer Quecksilber-Mitteldruck-Tauchlampe (300 W) bestrahlt. Die nicht umgesetzte *trans*-Verbindung läßt sich mit Chlorwasserstoff fällen und abfiltrieren. Das Filtrat wird mit Äther extrahiert, die vereinigten Extrakte mit Calciumsulfat getrocknet und das Lösungsmittel abgedampft; Ausbeute: 10,3 g (74% d. Th.); F: 67–68°.

cis-Thioindigo (III)[4]: 10 mg Thioindigo werden in 50 *ml* Benzol 20 Min. mit gelbem Licht ($\lambda > 520$ nm) bestrahlt. Dann trägt man das Gemisch auf eine Kieselgel-Säule auf und eluiert mit ~ 1 *l* Benzol. Dabei bilden sich zwei Zonen – eine gelbe und eine violette. Nach ihrer vollständigen Trennung wird die Kieselgelsäule trockengesaugt und der Farbstoff aus der gelben Zone extrahiert. Die gesamte Aufarbeitung muß bei schwachem Rotlicht stattfinden.

Tab. 37. cis-trans-Isomerisierungen von Mono-olefinen

Ausgangsverbindung	Sensibilisator Katalysator	gebildete Isomere	Literatur
cis-2-Äthoxy-1-äthylmercapto-äthylen	—	*trans*	5
cis- + *trans*-1,2-Dichlor-äthylen	Benzophenon 1-Oxo-1-phenyl-propan	$\varphi_{t\to c} = 0,51$; $\varphi_{c\to t}$ 0,39 $\varphi_{t\to c} = 0,44$; $\varphi_{c\to t} = 0,96$	6
(*E*)-1,2-Dihydroxy-1,2-diphenanthryl-(9)-äthylen	—	Z	7
(*E*)-2-Methyl-3-furyl-(2)-acrylsäure	—	Z	8
Fumar- + Maleinsäure	—	*trans/cis* = 25:27	9
Fumarsäure-diäthylester	12 verschiedene Sens.	$0,2 < trans/cis < 1$	10

[1] J. WISLICENUS, Ber. Verh. Kgl. Sächs. Ges. Wiss. (Leipzig) **47**, 489 (1895); B. **29**, IV, 1080 (1897).
[2] H. STOBBE u. F. K. STEINBERGER, B. **55**, 2225 (1922).
[3] J. BREGMAN et al., Soc. **1964**, 2021.
[4] G. M. WYMAN u. W. R. BRODE, Am. Soc. **73**, 1487 (1951).
[5] R. I. SHEKHTMAN, V. A. KRONGANZ u. E. N. PRILEZHAEVA, Izv. Akad. SSSR **1973**, 2647.
[6] R. A. CALDWELL u. S. P. JAMES, Am. Soc. **91**, 5484 (1969).
Vgl. auch H. E. MAHNCKE u. W. A. NOYES, Am. Soc. **58**, 932 (1936).
Vgl. auch A. R. OLSON u. W. MARONEY, Am. Soc. **56**, 1925 (1934).
[7] Y. HIRSHBERG u. F. BERGMANN, Am. Soc. **72**, 5118 (1950).
[8] G. KARMINSKY-ZAMOLA u. K. JAKOPČIĆ, Croat. Chem. Acta **46**, 71 (1974).
[9] E. WARBURG, Sitz.ber. Preuß. Akad. Wiss. Berlin, Phys.-Math. Kl. **1919**, 960.
A. R. OLSON u. F. L. HUDSON, Am. Soc. **55**, 1410 (1933).
J. WISLICENUS, B. **29**, IV, 1080 (1897).
R. STÖRMER, B. **42**, 4865, **44**, 637 (1911).
[10] G. S. HAMMOND et al., Am. Soc. **86**, 3197 (1964).

Tab. 37 (1. Fortsetzung)

Ausgangsverbindung	Sensibilisator Katalysator	gebildete Isomere	Literatur
2-Methyl-maleinsäure-dimethylester	Brom	*trans* 95%	1
Fumarsäure- + Maleinsäure-dinitril	Aceton —	*cis/trans* *cis/trans* = 32:68	2 3
2,3-Diamino-maleinsäure-dinitril	—	*trans* 80%	4
trans-2-(N-Methyl-N-acetyl-amino)-1-phenyl-äthylen	—	*cis/trans* = 4:1	5
trans-2-(N-Methyl-N-benzoyl-amino)-1-phenyl-äthylen	— Benzophenon 9-Oxo-fluoren	*cis/trans* = 2:3 = 1:1 = 1:1	5
trans-2-(2-Oxo-pyrrolidino)-1-phenyl-äthylen	—	*cis/trans* = 5:1	5
cis-Zimtsäure u. 12 verschiedene subst. Derivate	—	*trans*	6
trans-Zimtsäure	Jod	*cis*	7
trans-Zimtsäure-äthylester	—	*cis/trans*	8
trans-2-Phenyl-1-aminothiocarbonyl-äthylen	Sens.	*cis/trans*	9
cis- + *trans*-4-Dimethylamino-zimtsäurenitril	—	*cis/trans* = 62:38; 75:25	10
trans-2-Phenyl-1-naphthyl-(2)-äthylen	—	$\dfrac{98}{2} > cis/trans > \dfrac{15}{85}$	11
trans-2-Phenyl-1-[4,6-diphenyl-pyrimidyl-(2)]-äthylen	—	*cis/trans* = 2:1	12
trans-1,2-Diphenanthryl-(9)-äthylen	—	*cis*	13

[1] H. Kluender, Am. Soc. **95**, 6149 (1973).
[2] J. C. Dalton, P. A. Wriede u. N. J. Turro, Am. Soc. **92**, 1318 (1970).
[3] N. J. Turro et al., Am. Soc. **90**, 3274 (1968).
[4] T. H. Koch u. R. M. Rodehorst, Am. Soc. **96**, 6707 (1974).
R. S. Becker, J. Kolc u. W. Rothman, Am. Soc. **95**, 1269 (1973).
[5] R. W. Hoffmann et al., Tetrahedron Letters **1968**, 1759.
[6] J. Bregmann et al., Soc. **1964**, 2021.
Vgl. auch H. Stobbe u. F. K. Steinberger, B. **55**, 2225 (1922).
[7] A. Berthana u. C. Urech, J. chim. phys. **27**, 291 (1930).
Vgl. a.: R. G. Dickinson u. M. Lotzkar, Am. Soc. **59**, 472 (1937).
[8] E. F. Ullmann et al., Am. Soc. **90**, 4157 (1968).
[9] G. Condorelli, L. L. Costanzo u. S. Giuffida, Mol. Photochem. **5**, 443 (1974).
[10] E. Lippert u. W. Luder, J. Phys. Chem. **66**, 2430 (1962); Z. phys. Chem. **33**, 60 (1962).
D. M. Lauerer et al., Z. phys. Chem. **10**, 236 (1957).
M. Coenen u. M. Pestemer, Z. Elektrochem. **57**, 785 (1953).
[11] M. Kaganowich et al., Z. phys. Chem. **76**, 79 (1971).
[12] A. Padwa u. L. Gehrlein, Am. Soc. **94**, 4933 (1972).
[13] Y. Hirshberg u. F. Bergmann, Am. Soc. **72**, 5118 (1950).

Tab. 37 (2. Fortsetzung)

Ausgangsverbindung	Sensibilisator Katalysator	gebildete Isomere	Literatur
trans-1,2-Dipyridyl-(3)-äthylen	— Triphenylen, Michler's Keton	$0,3 \geqq \varphi_{t \to c} \geqq 0,003$ *cis/trans*	1
(Z)- + (E)-1,2,3-Trichlor-propen	—	$Z/E = 87{:}13$	2
cis- + *trans*-1-Phenyl-propen	— Sens.	*cis/trans* $= 35{:}65$ $\varphi_{t \to c} = 0,3;\ \varphi_{t \to c} = 0,2$	3
trans-1-(4-Methoxy-phenyl)-propen	—	*trans/cis* $= 85{:}15$	4
cis- + *trans*-1,2-Diphenyl-propen	17 verschiedene Sens.	$0,2 < cis/trans < 9,0$	5
cis- + *trans*-Buten-(2)	Quecksilber Benzol, 2,3-Dioxo-butan, Aceton Schwefeldioxid Jod	*cis/trans* $= 46{:}54$	6,7 7 7 8
trans-1,4-Dioxo-1,4-diphenyl-buten-(2)	—	*cis/trans*	9
(Z)- + (E)-3-Amino-buten-(2)-säure-nitril	— Benzophenon Triphenylen	$Z/E = 26{:}74;\ 35{:}65$ $= 33{:}67$ $= 28{:}72$	10
(E)-2-Methyl-buten-(2)-säure	—	Z/E	11
trans-4-Oxo-4-phenyl-buten-(2)-säure-methylester	—	*cis/trans*	12
(E)-4-Oxo-2-methyl-4-phenyl-buten-(2)-säure	—	$Z > 90\%$	13

[1] D. G. Whitten u. Y. J. Lee, Am. Soc. **92**, 415 (1970).

[2] H. Khalaf u. K. Kirchhoff, Tetrahedron Letters **1971**, 3861.

[3] C. S. Nakagawa u. P. Sigal, J. Chem. Physics **58**, 3529 (1973).
M. G. Rockley u. K. Salisbury, Soc. Perkin II **1973**, 1582.
R. A. Caldwell, G. W. Sovocool u. R. J. Peresie, Am. Soc. **95**, 1496 (1973).

[4] H. Nozaki et al., Tetrahedron **24**, 2183 (1968).
Y. R. Naves, P. Ardizio u. C. Favre, Bl. **1958**, 566.

[5] G. S. Hammond et al., Am. Soc. **86**, 3197 (1964).

[6] H. E. Gunning u. E. W. R. Steacie, J. Chem. Phys. **14**, 581 (1946).

[7] R. B. Cundall u. T. F. Palmer, Trans. Faraday Soc. **56**, 1211 (1960).

[8] M. H. Back u. R. J. Cvetanovic, Canad. J. Chem. **41**, 1396 (1963).

[9] D. J. Pasto, J. A. Duncan u. E. F. Silversmith, J. Chem. Educ. **51**, 277 (1974).
K. Yamakawa u. M. Moroe, J. chem. Soc. Japan, pure chem. Sect. **1973**, 1719.
C. Kashima u. N. Sugiyama, J. chem. Soc. Japan **43**, 1875 (1970).
Vgl. a.: N. Sugiyama et al., Bl. chem. Soc. Japan **43**, 1473 (1970); **42**, 1098, 1353 (1969).

[10] J. P. Ferris u. J. E. Kuder, Am. Soc. **92**, 2527 (1970).
E. Bullock u. B. Gregory, Canad. J. Chem. **43**, 332 (1965).

[11] S. Kailan, Z. physik. Chem. (Leipzig) **87**, 333 (1914).
S. W. Pelletier u. W. L. McLeish, Am. Soc. **74**, 6292 (1952).

[12] N. Sugiyama et al., Bl. chem. Soc. Japan **42**, 1353 (1969).

[13] R. E. Lutz et al., Am. Soc. **75**, 5039 (1953).

Tab. 37 (3. Fortsetzung)

Ausgangsverbindung	Sensibilisator Katalysator	gebildete Isomere	Literatur
cis- + trans-Penten-(2)	Ferrocen Aceton verschiedene Sens.	cis/trans = 45:55 $1,1 < trans/cis < 1,8$ $0,9 < trans/cis < 1,5$	1 2 3
trans-4-Oxo-penten-(2)-säure-methylester	—	cis/trans = 80:20; 90:10	4
trans-4-Methyl-4-phenyl-penten-(2)-säure-äthylester	—	$\varphi_{t\to c} = 0,24$ $\varphi_{c\to t} = 0,14$	5
trans-2,5-Dioxo-hexen-(3)	—	cis/trans	6
cis-Cycloocten	Kupfer(I)-chlorid	trans 19%	7
cis-cis-Cyclooctadien-(1,5)	Kupfer(I)-chlorid	cis/trans = 30–40%	7
trans-3-Oxo-cyclododecen	—	cis/trans = 16:84	8
(E)-2-Oxo-3-benzyliden-tetrahydrofuran	Aceton, Benzophenon	Z	9
(E)-2-Oxo-3-äthyliden-tetrahydrofuran	Aceton, Benzophenon	Z	9,10
(Z)-5-Oxo-2-phenyl-4-benzyliden-4,5-dihydro-1,3-oxazol	—	E/Z	10
(E)-5-Methoxy-1-oxo-2-benzyliden-2,3-dihydro-inden	—	Z 43%	11
(E)-6-Methoxy-3-oxo-2-benzyliden-2,3-dihydro-⟨benzo-[b]-furan⟩	—	Z 45%	11
cis-Styryl-ferrocen	— Benzophenon	trans 12–15% —	12
trans-Zearalenon	—	cis 88%	13
cis-6,7,8-Trideoxy-1,2;3,4-bis-O-isopropyliden-7C-nitro-α-D-galactooct-6-enose	Aceton	trans 27%	14

[1] J. J. DANNENBERG u. J. H. RICHARDS, Am. Soc. 87, 1626 (1965).
[2] R. F. BORKMAN u. D. R. KEARNS, Am. Soc. 88, 3467 (1966).
[3] J. SALTIEL, K. R. NEUBERGER u. M. WRIGHTON, Am. Soc. 91, 3658 (1969).
[4] N. SUGIYAMA et al., Bl. chem. Soc. Japan 42, 1098 (1969).
[5] D. DEKEUKELEIRE, E. C. SANFORD u. G. S. HAMMOND, Am. Soc. 95, 7904 (1973).
[6] N. SUGIYAMA u. C. KASHIMA, Bl. chem. Soc. Japan. 43, 1878 (1970).
[7] J. A. DEYRUP u. M. BETKOUSKI, J. Org. Chem. 37, 3561 (1972).
   Vgl. a.: G. M. WHITESIDES, G. L. GOE u. A. C. COPE, Am. Soc. 91, 2608 (1969).
[8] A. MARCHESINI, G. PAGANI u. U. M. PAGNONI, Tetrahedron Letters 1973, 1041.
[9] V. M. DASHUNIN u. R. I. SHEKHTMAN, Ž. Org. Chim. 8, 2596 (1972).
   K. OHGA u. T. MATSUO, Bl. chem. Soc. Japan 46, 2181 (1973).
[10] E. F. ULLMANN et al., Am. Soc. 90, 4157 (1968).
[11] B. A. BRODY, J. A. KENNEDY u. W. I. O'SULLIVAN, Tetrahedron 29, 359 (1973).
[12] J. H. RICHARDS u. N. PISKER-TRIFUNAC, J. Paint Technol. 41, 363 (1969).
[13] C. A. PETERS, J. Med. Chem. 15, 867 (1972).
[14] G. B. HOWARTH et al., Canad. J. Chem. 47, 81 (1969); Chem. Commun. 1968, 1349.

γ) *Diene und Polyene*

Prinzipiell dieselben methodischen Möglichkeiten der *cis-trans*-Isomerisierung wie bei Monoolefinen findet man auch bei Dienen und Polyenen. Mit zunehmender Konjugation verschiebt sich die Absorption vom UV zum sichtbaren Bereich, so daß sich bei synthetischen Arbeiten z. B. mit Carotinen der störende Einfluß des Tageslichts bemerkbar macht.

Am besten untersucht von den *cis-trans*-Umlagerungen der Diene ist die sensibilisierte Isomerisierung von Pentadien-(1,3)[1] (vgl. S. 194). Bestrahlt man Pentadien-(2,3) in Gegenwart von Sensibilisatoren (Toluol, Benzophenon), so erhält man aus einem reinen Enantiomeren ein vollständiges Racemat[2]:

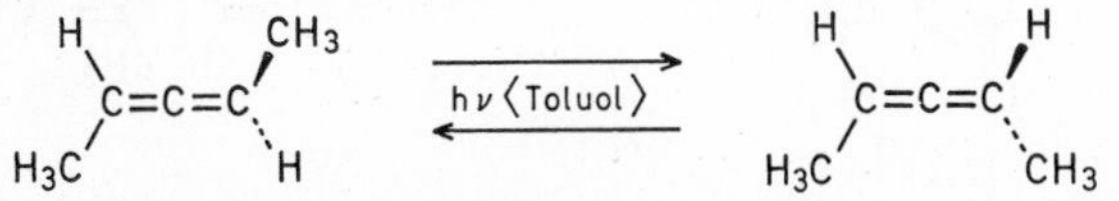

Nicht restlos geklärt ist die Frage, ob durch eine Ein-Photon-Anregung mehrere Doppelbindungen gleichzeitig oder nacheinander isomerisiert werden können[3-5]. Am 6-Oxo-heptadien-(2,4) stellt sich bei der direkten und bei der sensibilisierten Photolyse jeweils ein Gleichgewicht aus der *trans-trans-*, *cis-trans-* und *trans-cis-*Konfiguration ein. Bei der Verwendung von Triplett-Sensibilisatoren mit $E_T > 58$ kcal/Mol ist das Verhältnis 45,7:29,7:24,5.

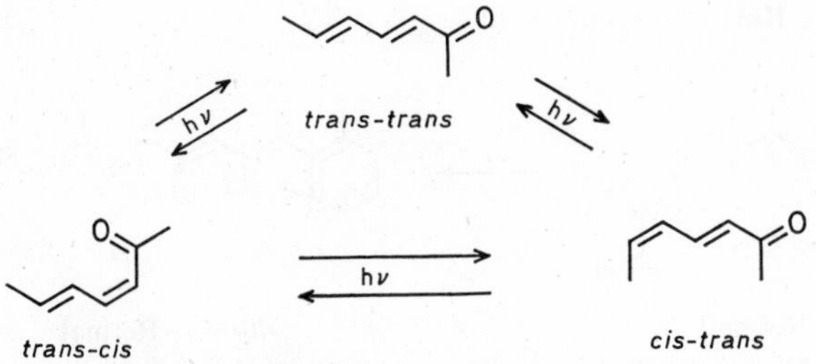

Möglicherweise läuft der Prozeß *trans-cis* ⇄ *cis-trans* nicht direkt ab, sondern über die nicht isolierbare Zwischenstufe der *cis-cis*-Verbindung. Beim Octadien-(2,6) ist mit Sicherheit eine doppelte Isomerisierung *trans-trans* ⇄ *cis-cis* auszuschließen[4].

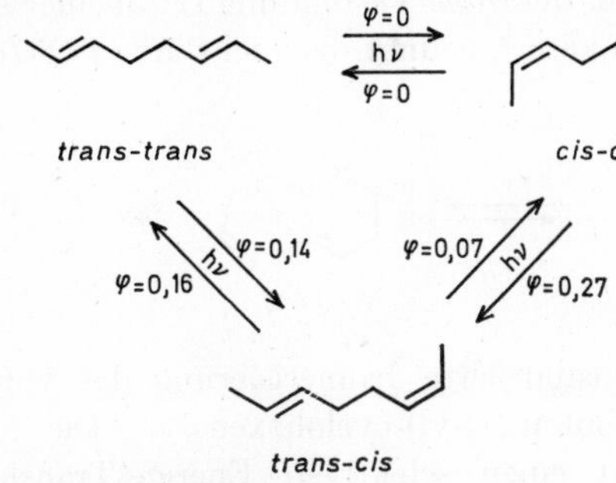

[1] G. S. Hammond et al., Am. Soc. **86**, 3197 (1964).
   R. Hurley u. A. C. Testa, Am. Soc. **92**, 211 (1970)
   M. Wrighton, G. S. Hammond u. H. B. Gray, Am. Soc. **92**, 6068 (1970).
   P. A. Leermakers et al., J. Org. Chem. **32**, 2848 (1967).
   R. M. Millan et al., Chem. Commun. **1968**, 218.
   J. Saltiel et al., Am. Soc. **93**, 5302 (1971).
   G. F. Vesley, Mol. Photochem. **4**, 519 (1972).
[2] O. Rodriguez u. H. Morrison, Chem. Commun. **1971**, 679.
[3] R. A. Gaudiana u. C. P. Lillya, Am. Soc. **95**, 3035 (1973).
   A. F. Kluge u. C. P. Lillya, Am. Soc. **92**, 4480 (1970); **93**, 4458 (1971); J. Org. Chem. **36**, 1988 (1971).
[4] J. Saltiel u. M. Wrighton, Chem. Commun. **1972**, 129.
[5] H. L. Hyndman, B. M. Monroe u. G. S. Hammond, Am. Soc. **91**, 5684 (1969).
   J. Saltiel, L. Metts u. M. Wrighton, Am. Soc. **91**, 5684 (1969).

Bei einem Molekül mit n Doppelbindungen gibt es theoretisch 2^n mögliche Konfigurationen. Aus Symmetriegründen können verschiedene davon identisch sein. Die Zahl der Isomeren wird bei den aus Isopren-Bausteinen aufgebauten Naturstoffen wesentlich eingeschränkt. So muß man beim β-Carotin statt mit $2^{11} = 2048$ Isomeren lediglich mit maximal 20 rechnen, da die Doppelbindungen in den Sechsringen in der *cis*-Konfiguration festliegen, und die *cis*-Anordnungen I und II aus sterischen Gründen ungünstig sind:

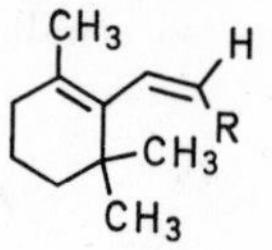

Ein System, das infolge seiner zentralen Bedeutung beim Sehvorgang im menschlichen Auge besonderes Interesse gewonnen hat, ist das Retinal. Es ist in der *11-cis*-Konfiguration als Sehpigment in der Netzhaut mit einem Protein-Rest, dem sog. Opsin, zu Rhodopsin (Sehpurpur) verknüpft. Bei Belichtung entsteht die thermodynamisch stabilste *all-trans*-Konfiguration[1], die sich vom Protein ablöst, wodurch die Reizung der Sinnesnervenzellen ausgelöst wird. In biochemischen Isomerisierungsprozessen wird das — übrigens sterisch ungünstige — *11-cis*-Retinal regeneriert:

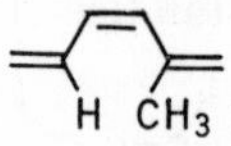

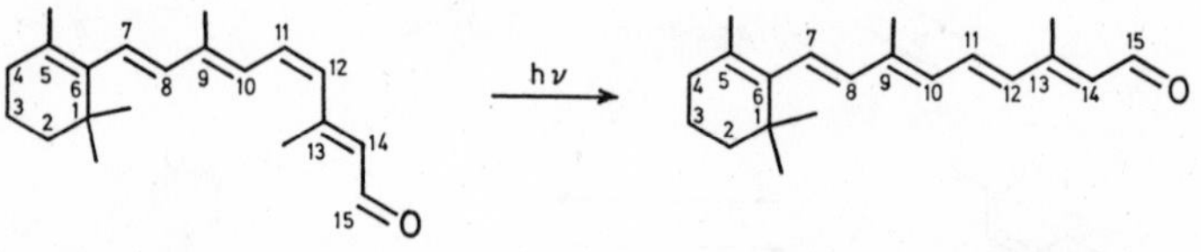

cis-11-Retinal

all-trans-Retinal
$\varphi = 0{,}5$

$$cis\text{-}11\text{-Retinal} + Opsin \longrightarrow Rhodopsin \xrightarrow{h\nu} all\text{-}trans\text{-Retinal} + Opsin\,[2]$$

Während *cis-α-Ionon* (IV) aus der *trans*-Verbindung III in einer Ausbeute von 23% d.Th. hergestellt und isoliert werden kann[3], gelingt das nicht mit *cis-β-Ionon*[4]:

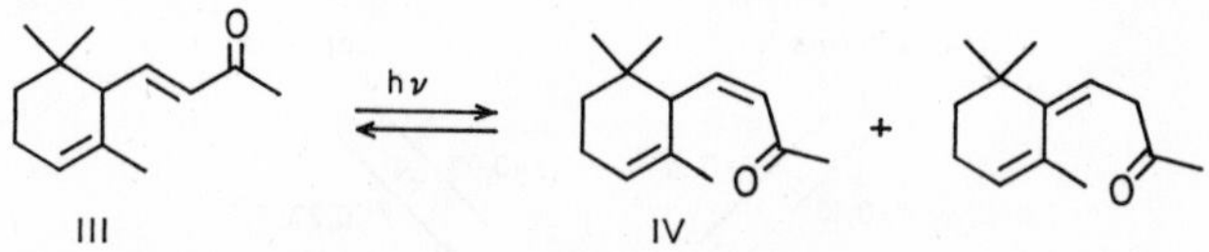

III   IV

Interessant verläuft die sensibilisierte Isomerisierung des vom β-Ionon abgeleiteten 1,3,3-Trimethyl-2-(3-hydroxy-buten-(1)-yl)-cyclohexens[5]. Die sterische Hinderung der *cis*-Konfiguration bewirkt einen selektiven Energie-Transfer auf die *trans*-Form (E_T (*trans*-Ionol) $\leqq$ 55 kcal/Mol; E_T (*cis*-Ionol) $\approx$ 75 kcal/Mol). Triplett-Sensibilisatoren mit E_T zwischen 55 und 65 kcal erzeugen praktisch quantitativ die *cis*-Konfiguration. Im Bereich $65 < E_T < 80$ sinkt der *cis*-Anteil ab auf $\sim$ 60%.

[1] Vgl. G. Wald, Ang. Ch. **80**, 857 (1968) u. dort zit. Lit.
[2] Zu „in vitro"-Versuchen siehe: A. Pullman u. B. Pullman, Pr. Nation. Acad. USA **47**, 7 (1961);
     C. A. **55**, 11461^d (1961).
[3] G. Büchi u. N. C. Yang, Helv. **38**, 1338 (1955).
     M. Mousseron-Canet, M. Mousseron u. P. Legendre, Bl. **1961**, 1509.
[4] G. Büchi u. N. C. Yang, Chem. & Ind. **1955**, 357; Am. Soc. **79**, 2318 (1957).
     P. de Mayo, J. B. Stothers u. R. W. Yip, Canad. J. Chem. **30**, 2135 (1961).
[5] V. Ramamurthy et al., J. Org. Chem. **38**, 1247 (1973).

Analog können photolytisch durch Sensibilisatoren mit ausreichender aber möglichst niedriger Triplett-Energie folgende sterisch gehinderten *cis*-Verbindungen gewonnen werden[1].

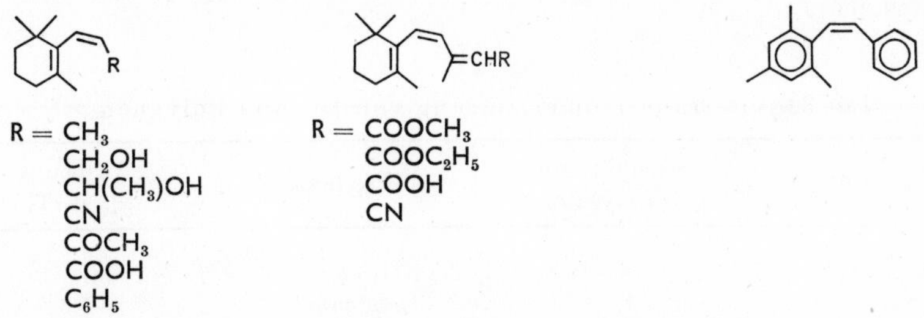

$$R = CH_3 \\ CH_2OH \\ CH(CH_3)OH \\ CN \\ COCH_3 \\ COOH \\ C_6H_5$$

$$R = COOCH_3 \\ COOC_2H_5 \\ COOH \\ CN$$

Weitere Beispiele sind in Tab. 38 (S. 208) zusammengefaßt.

Die angegebene Zusammensetzung des Isomerengemisches im photostationären Zustand ist häufig kein Maßstab für die präparative Gewinnung eines bestimmten Isomeren. Will man (*Z,E*)-*1,5,6-Triphenyl-hexadien-(3,5)-in-(1)* selektiv herstellen, so bricht man die Belichtung nach kurzer Zeit ab, und kann die Verbindung in bis zu 70%iger Ausbeute gewinnen[2]:

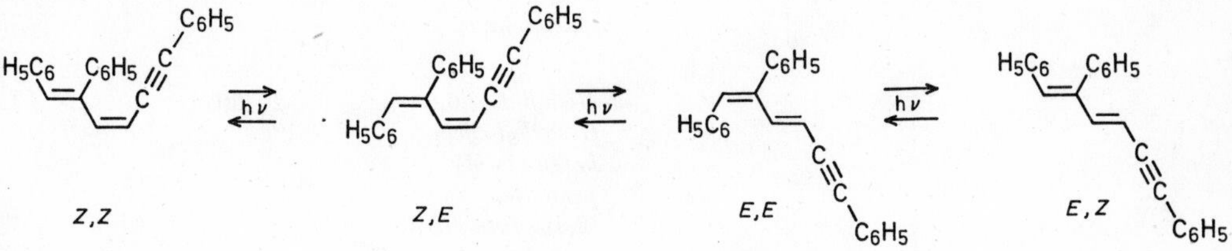

$$Z,Z: \ Z,E: \ E,E: \ E,Z = 10 : 10 : 80 : 0$$

In der cycloaliphatischen Reihe konnten einige Mono-*trans*-Verbindungen nur als Zwischenprodukte nachgewiesen werden z. B. 6-Oxo-*cis,trans*-cycloheptadien-(1,3)[3], 7-Oxo-*cis,cis,trans*-cyclooctatrien-(1,3,5)[4] und das thermisch labile 1,2,4,7-Tetraphenyl-*cis, cis,cis,trans*-cyclooctatetraen[5].

cis-α-Ionon[6]: 25 g *trans*-α-Ionon werden unter Stickstoff 72 Stdn. in 625 *ml* Äthanol belichtet. Nach Verdampfen des Lösungsmittels destilliert man den Rückstand am Hochvak. Die Hauptfraktion (Kp$_{0,08}$: 35–37°) wird an der Drehband-Kolonne rektifiziert; Ausbeute: 5,75 g (23% d.Th.); Kp$_1$: 72–72,5°.

cis,trans-Cyclooctadien-(1,3)[7]: 60 g *cis,cis*-Cyclooctadien-(1,3) und 2 g Acetophenon werden in 500 *ml* Pentan mit einer Quecksilber-Mitteldruck-Lampe mit Pyrex-Filter 17 Stdn. bestrahlt. Die Temp. soll daher 20° nicht übersteigen. Anschließend gibt man bei 0° 200 *ml* einer 20%igen Silbernitrat-Lösung hinzu und rührt ~ 2 Stdn. Der gebildete, farblose Komplex (41,5 g = 82% d.Th.; F: 125–127°) wird abfiltriert und aus Methanol umkristallisiert. Man schlämmt ihn in 100 *ml* Pentan auf und gibt tropfenweise 100 *ml* konz. Ammoniak hinzu. Nachdem man die wäßrige Phase gut mit Pentan extrahiert hat, trocknet man die vereinigte Pentan-Lösung über Natriumsulfat und destilliert; Ausbeute: 6,0 g (10% d.Th.).

---

[1] V. Ramamurthy et al., J. Org. Chem. **38**, 1247 (1973).
[2] A. Padwa, L. Brodsky u. S. Clough, Am. Soc. **94**, 6767 (1972).
[3] D. J. Schuster u. D. J. Blythin, J. Org. Chem. **35**, 3190 (1970).
[4] L. L. Barber, O. L. Chapman u. J. D. Lassila, Am. Soc. **91**, 531 (1969).
[5] E. H. White et al., Am. Soc. **91**, 523 (1969).
[6] G. Büchi u. N. C. Yang, Helv. **38**, 1338 (1955).
    M. Mousseron-Canet, M. Mousseron u. P. Legendre, Bl. **1961**, 1509.
[7] R. S. H. Liu, Am. Soc. **89**, 112 (1967).

3-Dehydro-cis-9-retinolsäure[1]: 1,05 g 3-Dehydro-*cis*-9,*cis*-13-retinolsäure werden in 20 *ml* Diisopropyläther gelöst. Nach der Zugabe von 10 mg Jod, bestrahlt man mit einer 60 W Tageslicht-Lampe. Schon nach kurzer Zeit scheidet sich die mono-*cis*-Verbindung ab. Nach ungefähr 1 Stde. verdünnt man die Lösung mit Äther, wäscht mit 0,1 n Natriumthiosulfat-Lösung und Wasser, trocknet die Äther-Phase mit Natriumsulfat und dampft anschließend das Solvens i. Vak. ab; Ausbeute: 0,8 g (76% d.Th.); F: 158–160° (Äthanol).

Tab. 38. cis-trans-Isomerisierung von Di- und Polyenen

Ausgangsverbindung	Sensibilisator Katalysator	Produkte	Ausbeuten [% d. Th.]	Literatur
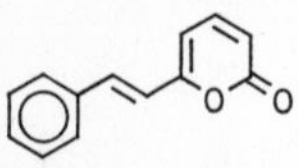	—	cis-2-Oxo-6-(2-phenyl-vinyl)-2H-pyran	—	2
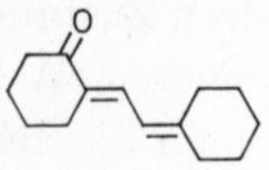	—	cis-2-Cyclohexyliden-1-(2-oxo-cyclo-hexyliden)-äthan	25–30	3
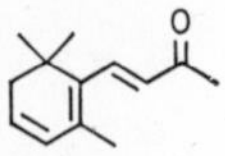	—	3-Oxo-1-[2,6,6-tri-methyl-cyclohexa-dien-(1,3)-yl]-cis-buten-(1)	~60	4
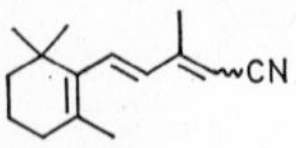	—	2-Methyl-4-[2,6,6-trimethyl-cyclo-hexen-(1)-yl]-pentadien-(2,4)-säure-nitril	20–30	5
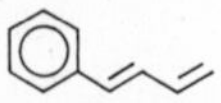	—	cis-1-Phenyl-buta-dien-(1,3)	—	6
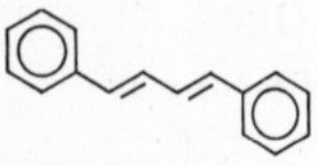	—	trans,trans-, cis,trans- und cis,cis-1,4-Diphenyl-butadien-(1,3)	trans,trans:cis,trans: cis,cis = 35:63:2; 39:59:2	7
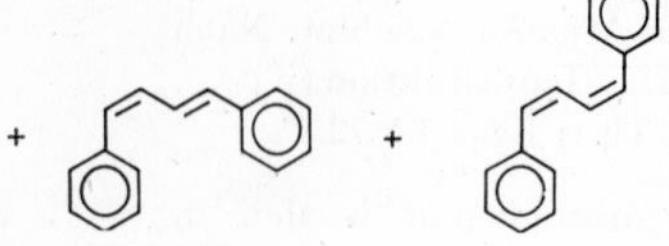	Jod	trans,trans-1,4-Di-phenyl-butadien-(1,3)	—	7,8
	2,3-Dioxo-butan	trans,trans-, cis,trans- und cis,cis-1,4-Di-phenyl-butadien-(1,3)	—	8

[1] U. SCHWIETER et al., Helv. **45**, 528 (1962).
[2] C. M. ANDRADE DA MATA REZENDE et al., Anais Acad. brasil. Cienc. **18**, 121 (1972).
[3] J. R. SCHEFFER u. M. L. LUNGLE, Tetrahedron Letters **1969**, 845.
    A. SHANI, Tetrahedron Letters **1968**, 5175.
[4] V. RAMAMURTHY u. R. S. H. LIU, Tetrahedron Letters **1973**, 441.
[5] V. RAMAMURTHY u. R. S. H. LIU, Tetrahedron Letters **1973**, 1393.
[6] O. GUMMITT u. F. J. CHRISTOPH, Am. Soc. **71**, 4157 (1949); **73**, 3479 (1951).
[7] J. H. PINCKARD, B. WILLE u. L. ZECHMEISTER, Am. Soc. **70**, 1938 (1948).
    A. SANDOVAL u. L. ZECHMEISTER, Am. Soc. **69**, 553 (1947).
    Y. HIRSHBERG, E. BERGMANN u. F. BERGMANN, Am. Soc. **72**, 5120 (1950).
[8] L. R. EASTMAN et al., Am. Soc. **96**, 2281 (1974).

Tab. 38 (1. Fortsetzung)

Ausgangsverbindung	Sensibilisator Katalysator	Produkte	Ausbeuten [% d. Th.]	Literatur
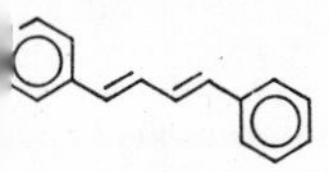	—	*4-Phenyl-1-pyridyl-(4)-cis,trans-buta-dien-(1,3)*	*trans,trans*:*cis,trans* = 22:78 ($\lambda = 366$ nm) 40:60 ($\lambda = 313$ nm)	1
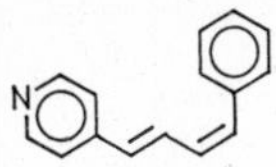	—	*4-Phenyl-1-pyridyl-(4)-cis,trans-buta-dien-(1,3)* +...-*trans,trans-butadien-(1,3)*	— —	1
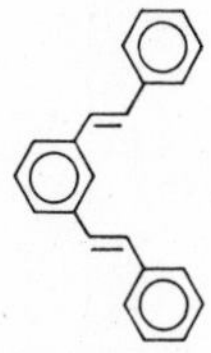	—	*cis,trans-* und *cis,cis-1,3-Bis-[2-phenyl-vinyl]-benzol*	*trans,trans*:*cis,trans* = 50:50	2
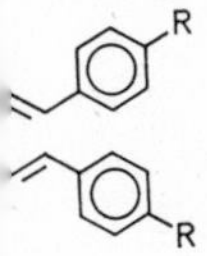 R = H	—	*cis,trans-* und *cis,cis-1,2-Bis-[2-phenyl-vinyl]-benzol*	*trans,trans*:*cis,trans* = 55:45	3
R = CH₃	—	*cis,trans-* und *cis,cis-1,2-Bis-[2-(4-methyl-phenyl)-vinyl]-benzol*	*trans,trans*:*cis,trans* = 60:40	
R = OCH₃	—	*cis,trans-* und *cis,cis-1,2-Bis-[2-(4-methoxy-phenyl)-vinyl]-benzol*	*trans,trans*:*cis,trans* = 72:28	
R = Br	—	*cis,trans-* und *cis,cis-1,2-Bis-[2-(4-brom-phenyl)-vinyl]-benzol*	*trans,trans*:*cis,trans* = 70:30	
R = Cl	—	*cis,trans-* und *cis,cis-1,2-Bis-[2-(4-chlor-phenyl)-vinyl]-benzol*	*trans,trans*:*cis,trans* = 60:40	
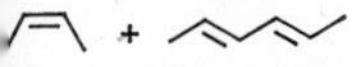	—	*trans,trans-,trans,cis-* und *cis,cis-Hexadien-(2,4)*	*trans,trans*: *trans,cis*:*cis,cis* = 36:30:34; 41:26:33	4
	(Sens.)		—	5

¹ L. R. EASTMAN et al., Am. Soc. **96**, 2281 (1974).
² D. D. MORGAN, S. W. HORGAN u. M. ORCHIN, Tetrahedron Letters **1970**, 4347.
³ H. MEIER, unveröffentlicht.
⁴ R. SRINIVASAN, Am. Soc. **90**, 4498 (1968).
⁵ J. SALTIEL, L. METTS u. M. WRIGHTON, Am. Soc. **92**, 3227 (1970).
⁶ J. SALTIEL, A. D. ROUSSEAU u. A. SYKES, Am. Soc. **94**, 5903 (1972).
⁷ J. SALTIEL et al., Am. Soc. **93**, 5302 (1971).

Tab. 38 (2. Fortsetzung)

Ausgangsverbindung	Sensibilisator Katalysator	Produkte	Ausbeuten [% d. Th.]	Literat
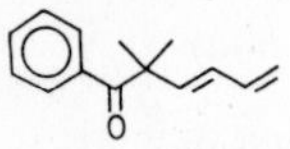	verschiedene Sens.	6-Oxo-5,5-dimethyl-6-phenyl-cis-3-hexadien-(1,3)	—	1
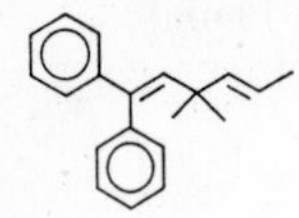	Benzophenon	3,3-Dimethyl-1,1-di-phenyl-cis-hexa-dien-(1,4)	trans:cis = 97:3	2
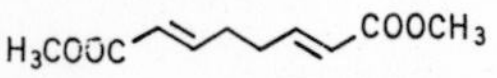 H₃COOC⌃⌃⌃COOCH₃	Aceton	trans,trans-Octadien-(2,6)-disäure-dimethylester + cis,trans-... + cis,cis-...	—	3
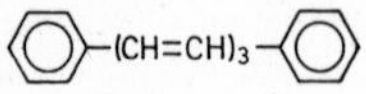	—	5 Isomere 1,6-Di-phenyl-hexatriene-(1,3,5)	—	4
	Jod	trans,trans,trans-1,6-Diphenyl-hexa-trien-(1,3,5)	—	4
	—	(1E,3Z,5E)-1,2,6-Triphenyl-hexa-trien-(1,3,5)	—	5
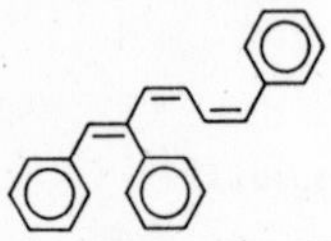	—	(1E,3Z,5Z)-1,2,6-Triphenyl-hexa-trien-(1,3,5)	—	5
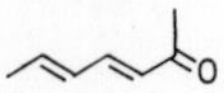	—	6-Oxo-cis-2,trans-4-heptadien-(2,4)	4	6
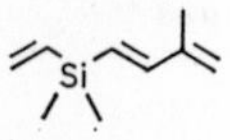	—	3,3,6-Trimethyl-3-sila-cis-hepta-trien-(1,4,6)	cis:trans = 64:36	7
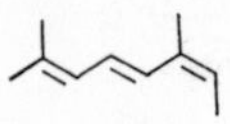	—	(4Z,6Z)-2,6-Dimethyl-octatrien-(2,4,6)	—	8
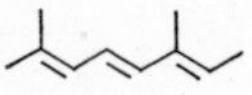	—	(4Z,6E)-2,6-Dimethyl-octatrien-(2,4,6)	—	8
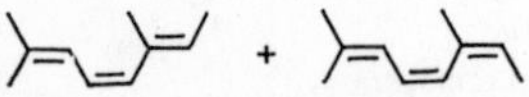	Jod	(4E,6E)-2,6-Dimethyl-octatrien-(2,4,6) + (4E,6Z)-...	—	8

¹ P. A. Leermakers, J. P. Montillier u. R. D. Rauh, Mol. Photochem. **1**, 57 (1969).
² H. E. Zimmermann u. A. C. Pratt, Am. Soc. **92**, 1409 (1970).
³ J. R. Scheffer u. B. A. Boire, Tetrahedron Letters **1970**, 4741.
  J. R. Scheffer u. R. A. Wostrasowski, J. Org. Chem. **37**, 4317 (1972).
⁴ K. Lunde u. L. Zechmeister, Am. Soc. **76**, 2308 (1954).
⁵ A. Padwa u. S. Clough, Am. Soc. **92**, 5803 (1970).
  A. Padwa, L. Brodsky u. S. Clough, Am. Soc. **94**, 6767 (1972).
⁶ G. Büchi u. N. C. Yang, Am. Soc. **79**, 2318 (1957).
⁷ J. W. Conolly, J. Organomet. Chem. **64**, 343 (1974).
⁸ K. J. Crowley, J. Org. Chem. **33**, 3679 (1968).

Tab. 38 (3. Fortsetzung)

Ausgangsverbindung	Sensibilisator Katalysator	Produkte	Ausbeuten [% d. Th.]	Literatur
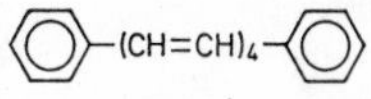	— Jod	mindestens 4 isomere *1,8-Diphenyl-octa-tetraene-(1,3,5,7)*	— —	1
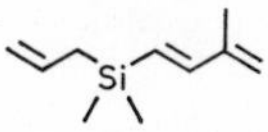	—	*4,4,7-Trimethyl-4-sila-cis-octatrien-(1,5,7)*	*cis:trans* = 1:1	2
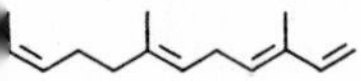	— Benzophenon Acetophenon	*(3Z,6E)-3,7,11-Tri-methyl-dodecate-traen-(1,3,6,10) (α-Farnesen)*	*cis:trans* = 1:1	3
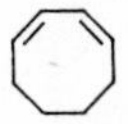	9 verschiedene Sens.	*cis,cis-* und *cis,trans-Cyclooctadien-(1,3)*	2 <*cis,cis: cis,trans* <15	4
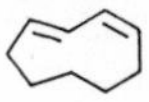	—	*cis,cis-Cyclonona-dien-(1,3)*	—	5
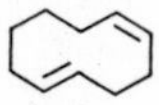	—	*cis,cis-Cyclo-decadien-(1,5)*	80	6
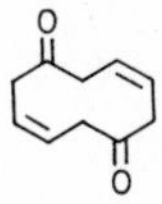	—	*4,9-Dioxo-trans-1, cis-6-cyclodecadien-(1,6)*	25:30	7
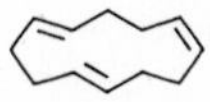	—	*trans,trans,trans-* und *trans,cis,cis-Cyclododecatrien-(1,5,9)*	—	8
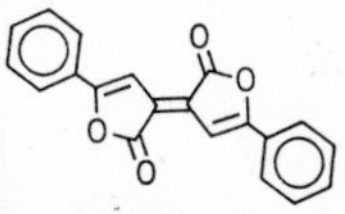	—	*cis-5,5′-Dioxo-2,2′-diphenyl-2,2′,3,3′-tetrahydro-4,4′-bi-furan-yliden*	—	9
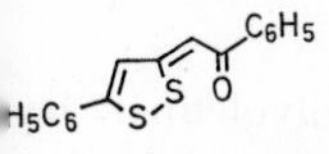	—	*(E)-3-(2-Oxo-2-phenyl-äthyliden)-5-phenyl-3H-1,2-dithiol*	—	10

1 L. ZECHMEISTER u. A. L. LE ROSEN, Science 95, 587 (1942); Am. Soc. 64, 2755 (1942).
L. ZECHMEISTER u. J. H. PINCKARD, Am. Soc. 76, 4144 (1954).
Y. HIRSHBERG, E. BERGMANN u. F. BERGMANN, Am. Soc. 72, 5120 (1950).
2 J. W. CONOLLY, J. Organomet. Chem. 64, 343 (1974).
3 J. L. COURTNEY u. S. McDONALD, Austral. J. Chem. 22, 2411 (1969).
4 R. S. H. LIU, Am. Soc. 89, 112 (1967).
5 K. M. SHUMATE u. G. J. FONKEN, Am. Soc. 88, 1073 (1966).
6 J. G. TRAYNHAM u. H. H. HSIEH, Tetrahedron Letters 1969, 3905.
7 J. R. SCHEFFER u. M. L. LUNGLE, Tetrahedron Letters 1969, 845.
A. SHANI, Tetrahedron Letters 1968, 5175.
8 C. J. ATTRIDGE u. S. J. BAKER, Tetrahedron Letters 1970, 387.
9 W. R. BRODE, in: *Roger Adams Symposium Volume*, J. Wiley u. Sons, Inc., New York 1955.
10 C. T. PEDERSEN u. C. LOHSE, Chem. Commun. 1973, 123.

Tab. 38 (4. Fortsetzung)

Ausgangsverbindung	Sensibilisator Katalysator	Produkte	Ausbeuten [% d.Th.]	Literat
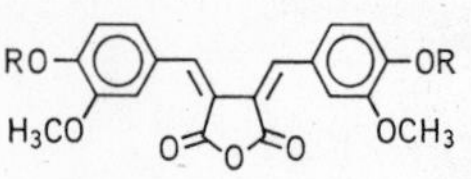 R=CH₃		*cis,trans-2,3-Bis-[3,4-dimethoxy-benzyliden]-bern-steinsäure-anhydrid*	~50	1
R=CO—CH₃		*cis,trans-2,3-Bis-[3-methoxy-4-acetoxy-benzyliden]-bern-steinsäure-anhydrid*	~30	
R=CH₂—O—CH₃		*cis,trans-2,3-Bis-[3-methoxy-4-methoxy-methoxy-benzyli-den]-bernsteinsäure-anhydrid*	~30	
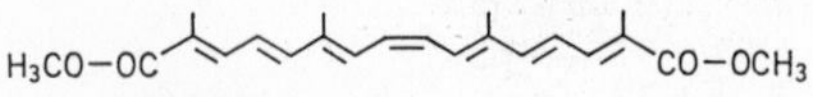	Jod	*all-trans-Crocetin-dimethylester*	45	2
15,15'-*cis*-β-Carotin	— Jod Singulett-Sauerstoff	*all-trans*-β-Carotin	— — —	3 4
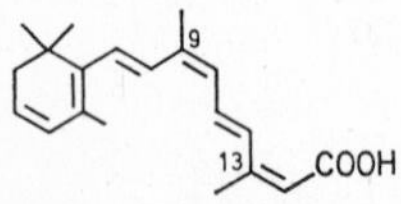	Jod	*cis-9-Vitamin-A₂-säure*	80	5
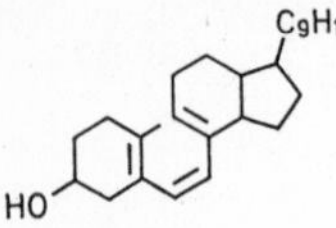	—	*Tachysterol*	—	6

2. Verschiebung von Doppelbindungen ohne Gerüstumlagerung

bearbeitet von

Prof. Dr. Herbert Meier*

In diesem Kapitel werden Strukturisomerisierungen von Mono- und Polyolefinen besprochen, die unter Verschiebung einer oder mehrerer C=C-Doppelbindungen verlaufen. Bei offenkettigen Verbindungen ist das nur möglich, wenn gleichzeitig Substituenten wie

* **Organisch chemisches Institut der Universität Tübingen.**
1 G. Brunow u. H. Tylli, Acta chem. Scand. **22**, 590 (1968).
2 H. H. Inhoffen et al., A. **580**, 7 (1953).
3 H. H. Inhoffen, F. Bohlmann u. G. Rummert, A. **571**, 75 (1951).
4 C. S. Foote, Y. C. Chang u. R. W. Denny, Am. Soc. **92**, 5218 (1970).
5 U. Schwieter et al., Helv. **45**, 528 (1962).
6 Vgl. dazu W. G. Dauben et al., Am. Soc. **80**, 4116 (1958).
   W. G. Dauben u. P. Baumann, Tetrahedron Letters **1961**, 565.
   E. Havinga, R. J. de Kock u. M. P. Rappoldt, Tetrahedron **11**, 276 (1960).
   E. Havinga u. J. Schlatmann, Tetrahedron **16**, 146 (1961).
   R. J. de Kock et al., **80**, 20 (1961).
   G. M. Sanders u. E. Havinga, Rec. Trav. Chim. **83**, 665 (1964).

Wasserstoff, Halogen usw. wandern. Bei cyclischen Molekülen ist eine bloße Verschiebung von π- bzw. σ-Elektronenpaaren denkbar:

Ein experimentelles Beispiel dafür ist das Cyclooctatetraen-Derivat I[1]:

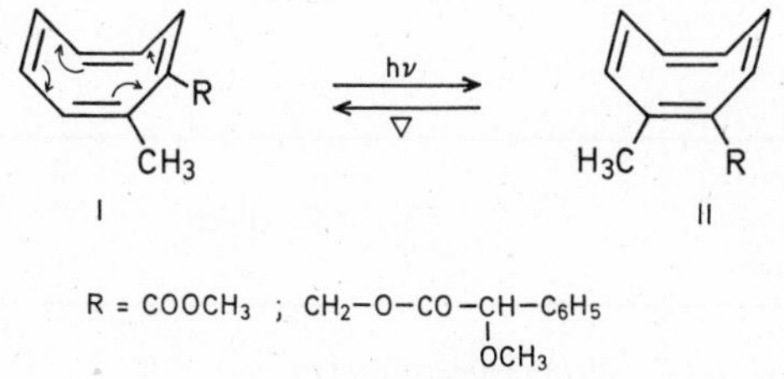

$$R = COOCH_3 \; ; \; CH_2-O-CO-CH-C_6H_5$$
$$\quad\quad\quad\quad\quad\quad\quad\quad |$$
$$\quad\quad\quad\quad\quad\quad\quad OCH_3$$

Im thermischen Gleichgewicht liegt bei Raumtemperatur ein Verhältnis $I/II = 17:1$ vor. Bei Belichtung zwischen -30 und $-50°$ erhält man dagegen eine $1:1$-Verteilung.

Für die Wasserstoff-Wanderung unter gleichzeitiger Verschiebung von C=C-Doppelbindungen kommen polare, radikalische und synchrone sigmatrope Reaktionen der Ordnung $[1,n]$ in Frage[2]. Der Wasserstoff ist dabei im Endprodukt um n Kohlenstoff-Atome einer konjugierten Kette gegenüber seiner Ausgangsstellung verschoben. Nach Woodward und Hoffmann[3] gelten für einen solchen Synchronprozeß streng stereospezifische Reaktionsweisen:

	[1,3]-Verschiebung	[1,5]-Verschiebung	[1,7]-Verschiebung
$h\nu$	suprafacial	antarafacial	suprafacial
$\triangledown$	(antarafacial)	suprafacial	antarafacial

Da im Einzelfall eine vollständige Reaktionsaufklärung schwierig ist, werden im folgenden Wasserstoff-Verschiebungen unabhängig von ihrem mechanistischen Ablauf diskutiert. Im allgemeinen läßt sich sagen, daß Triplett-sensibilisierte, säure- und basenkatalysierte Photoisomerisierungen asynchron sind.

α) [1,3]-Wasserstoff-Verschiebungen[4]

An offenkettigen oder cyclischen Monoolefinen kennt man direkte und sensibilisierte [1,3]-Wasserstoff-Verschiebungen. In Anwesenheit protonierender Agentien (Alkohol, Essigsäure, Schwefelsäure) und aromatischer Kohlenwasserstoffe als Sensibilisatoren (Benzol,

---

[1] F. A. L. ANET u. L. A. BOCK, Am. Soc. **90**, 7130 (1968).
[2] Übersichtsartikel: W. R. ROTH, Chimia **20**, 229 (1966).
   J. A. BERSON, Acc. chem. Res. **1**, 152 (1968).
   H.-J. HANSEN u. H. SCHMID, Chimia **24**, 89 (1970).
   L. B. JONES u. V. K. JONES, Fortschr. chem. Forsch. **13**, 307 (1969).
[3] R. B. WOODWARD u. R. HOFFMANN, Ang. Ch. **81**, 843 (1969).
[4] Wasserstoff-Verschiebungen bei Carbonyl-Verbindungen werden in den Abschnitten Aldehyde, Ketone und Carbonsäuren und Carbonsäure-Derivate besprochen. Insbesondere gehören dazu die sehr häufigen, über die Enol-Stufe ablaufenden Photoisomerisierungen von α, β-ungesättigten Carbonyl-Verbindungen zu den β, γ-Isomeren (737ff., 998ff.).

Toluol, Xylol, Mesitylen) photoisomerisieren sich 1-Methyl-cycloalkene irreversibel zu den entsprechenden *exo*-Methylen-Verbindungen[1–3]:

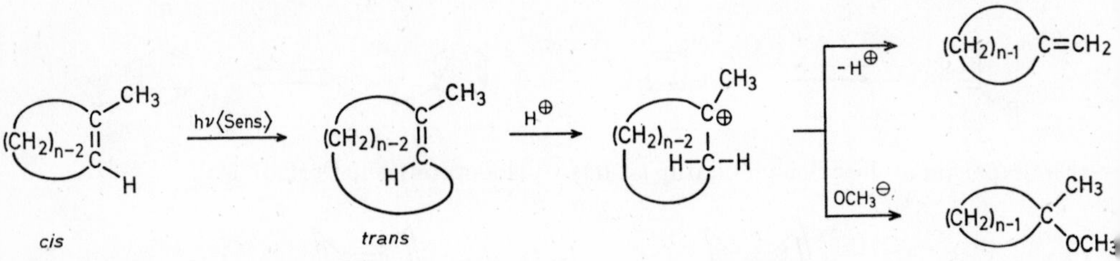

Anzahl der Ringglieder n	Reaktionszeit [Stdn.]	Produkt	Ausbeute [% d.Th.]
5	12	*Methylen-cyclopentan*	8
6	8	*Methylen-cyclohexan*	42
7	8	*Methylen-cycloheptan*	—
8	—	*Methylen-cyclooctan*	—

Aus Tab. 39 wird der Einfluß des Reaktionsmediums auf diese Isomerisierungen ersichtlich[1,2]:

Tab. 39. Photoisomerisierung von 1-Methyl-cyclohexen zu Methylen-cyclohexan in Abhängigkeit vom Reaktionsmedium

Reaktionsmedium	Zeit [Stdn.]	Ausbeute [% d.Th.]
Methanol	8	9
Xylol	8	26
Methanol/Xylol	8	30
Methanol/Acetophenon	4	6
Methanol/Natriumacetat	8	41
tert.-Butanol/Xylol	7	5
tert.-Butanol/Xylol/Schwefelsäure	12	46
Benzylalkohol	6	56
Essigsäure/Xylol	8	20

Auch in Abwesenheit protischer Solventien ist eine solche Isomerisierung möglich. Aus 1-Methyl-cyclohepten entstehen bei Belichtung in Xylol *Methylen-cycloheptan* (88%

[1] P. J. Kropp, Am. Soc. **89**, 3650 (1967).
[2] P. J. Kropp u. H. J. Krauss, Am. Soc. **89**, 5199 (1967).
[3] P. J. Kropp et al., Am. Soc. **95**, 7058 (1973).

d.Th.). Unter diesen Bedingungen läuft die Wasserstoff-Übertragung intermolekular ab[1]. Weitere Beispiele sind bekannt geworden:

2-Methyl-buten-(2)	→ *3-Methyl-* und *2-Methyl-buten-(1)*[1]
2,3-Dimethyl-buten-(2)	→ *2,3-Dimethyl-buten-(1)*; ≦ 11% d.Th.[1,2]
1-Cyclohexyl-cyclohexen	→ *Bi-cyclohexyliden*; 29% d.Th.[1]
1,2-Dimethyl-cyclohexen	→ *2-Methyl-1-methylen-cyclohexan*; 37% d.Th.[1]
1-Methyl-4-isopropyl-cyclohexen	→ *4-Isopropyl-1-methylen-cyclohexan*; 34% d.Th.[1]
1-Äthyl-4-isopropyl-cyclohexen	→ *4-Isopropyl-1-äthyliden-cyclohexan*; 16% d.Th.
3,7,7-Trimethyl-bicyclo[4.1.0]hepten-(3)	→ *7,7-Dimethyl-3-methylen-bicyclo[4.1.0]heptan*; 23% d.Th.[1,3]
1,4-Dimethyl-*trans*-bicyclo[4.4.0]decen-(3)	→ *1-Methyl-4-methylen-3-deuterio-trans-bicyclo[4.4.0]decan*; 40% d.Th.[4]

Außer *cis-trans*-Isomeren bilden Nitro-olefine bei der Bestrahlung mit UV-Licht Allyl-nitro-Verbindungen[5]:

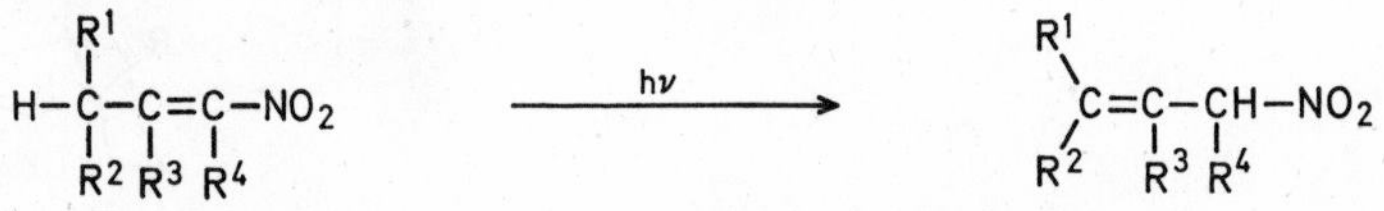

R[1] = R[2] = R[3] = R[4] = H;   *3-Nitro-propen*; 13% d.Th.
R[1] = CH₃; R[2] = R[3] = R[4] = H;   *4-Nitro-buten-(2)*; 14% d.Th.
R[3] = CH₃; R[1] = R[2] = R[4] = H;   *3-Nitro-2-methyl-propen*; 14% d.Th.
R[1] = R[2] = CH₃; R[3] = R[4] = H;   *4-Nitro-2-methyl-buten-(2)*; 6% d.Th.
R[3] = R[4] = CH₃; R[1] = R[2] = H;   *3-Nitro-2-methyl-buten-(1)*; 9% d.Th.
R[1] = R[2] = R[4] = CH₃; R[3] = H;   *4-Nitro-2-methyl-penten-(2)*; 15% d.Th.

Die analoge Umwandlung von Nitromethylen-cyclohexan in *1-Nitromethyl-cyclohexen* verläuft quantitativ[5].

3-Methyl-2,5-dihydro-thiophen-1,1-dioxid läßt sich in wäßrig, alkalischem Medium photochemisch zu *3-Methyl-4,5-dihydro-thiophen-1,1-dioxid* umlagern[6]:

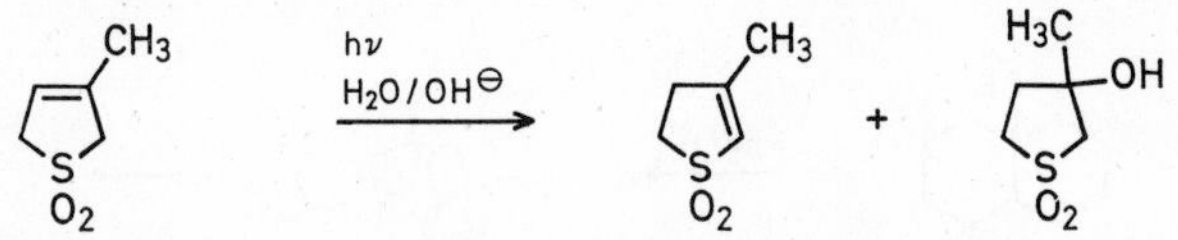

Hingegen photoisomerisiert 3-Methyl-1-phenyl-4,5-dihydro-phosphol zu *1-Phenyl-3-methylen-2,3,4,5-tetrahydro-phospol* (36–54% d.T.h)[7]. 7H-Benzocyclohepten geht in geringer Ausbeute in *5H-Benzocyclohepten* (φ = 0,07) über[8].

[1] P. J. KROPP, Am. Soc. **89**, 3650 (1967).
P. J. KROPP u. H. J. KRAUSS, Am. Soc. **89**, 5199 (1967).
P. J KROPP et al., Am. Soc. **95**, 7058 (1973).
[2] E. J. REAEDON u. P. J. KROPP, Am. Soc. **93**, 5593 (1971).
[3] P. J. KROPP, Am. Soc. **88**, 4091 (1966).
J. A. MARSHALL u. R. D. CARROL, Am. Soc. **88**, 4092 (1966).
[4] J. A. MARSHALL u. M. J. WURTH, Am. Soc. **89**, 6788 (1967); Chem. Commun. **1967**, 732; in Anwesenheit von D₂O.
[5] G. DESCOTES et al., Bl. **1970**, 290.
[6] H. J. BOCKER u. J. STRATING, R. **54**, 618 (1935).
E. EIGENBERGER, J. pr. **129**, [2], 312 (1931).
[7] H. TOMIOKA u. Y. IZAWA, Tetrahedron Letters **1973**, 5059.
[8] K. A. BURDETT, D. H. YATES u. J. S. SWENTON, Tetrahedron Letters **1973**, 783.
K. A. BURDETT et al., Tetrahedron **30**, 2057 (1974).

Ein besonders gut untersuchtes System ist das methylsubstituierte $\Delta^{1,9}$-Oktalin (I), das allerdings keinen einfachen 1,3-H-Shift, sondern eine komplizierte Isomerisierung zeigt[1]:

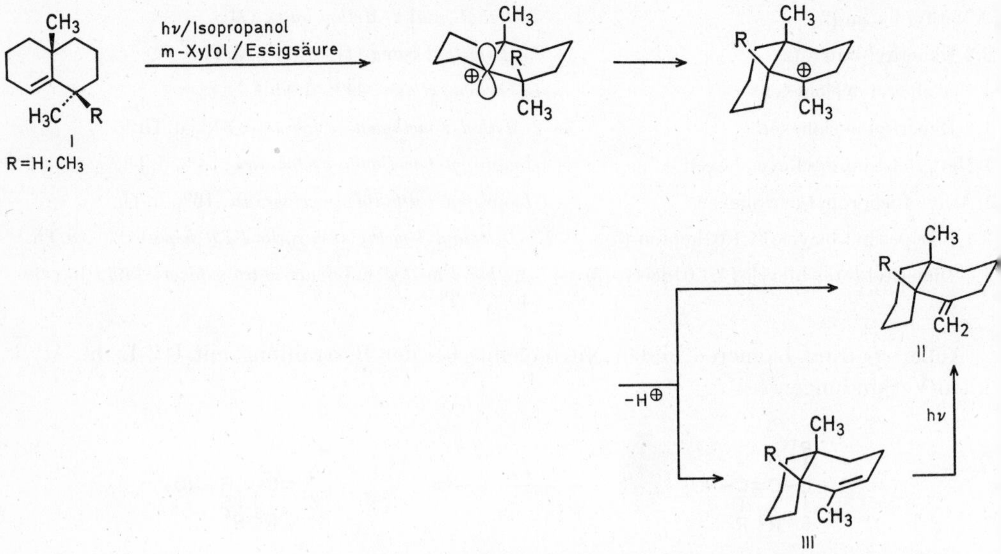

IIa;   R=H   *1-Methyl-5-methylen-cis-bicyclo[4.4.0]decan*; 53% d.Th.

IIb;   R=CH₃   *1,6-Dimethyl-5-methylen-cis-bicyclo[4.4.0]decan*; 60% d.Th.

IIIa;   R=H   *2,6-Dimethyl-cis-bicyclo[4.4.0]decen-(2)*; 2% d.Th.

IIIb;   R=CH₃   *1,2,6-Trimethyl-cis-bicyclo-[4.4.0]decen-(2)*; 3% d.Th.

Die Protonierung von I führt zu einem möglichst stabilen Carbeniumion (Markownikow-Regel), das sich durch eine suprafaciale 1,2-Wanderung eines H$^{\ominus}$- bzw. CH$_3^{\ominus}$-Ions isomerisiert. Im letzten Schritt erfolgt schließlich eine Deprotonierung zu II und III. Durch eine normale 1,3-Wasserstoff-Verschiebung kann III zu II photoisomerisiert werden.

Sind die beiden Methyl-Gruppen *cis*-ständig, so liegen im Produkt *trans*-verknüpfte Ringe vor:

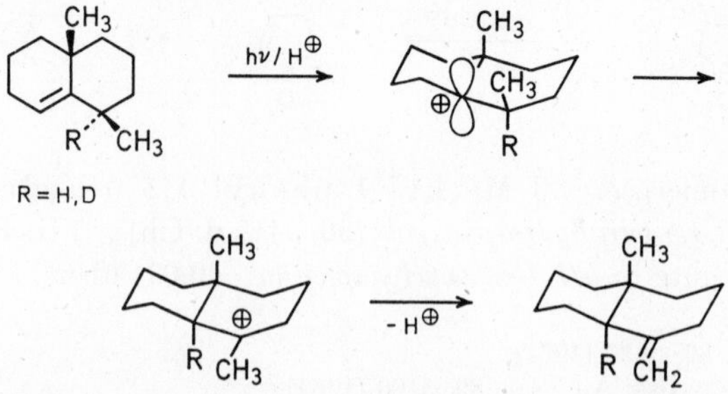

Der Grund für die zwar unterschiedlich, aber immer streng stereospezifisch ablaufenden Isomerisierungen ist, daß das primär gebildete tertiäre Carbeniumion sich stets durch einen 1,2-Shift so umlagert, daß wieder ein tert. Carbeniumion entsteht.

1-Methyl-5-methylen-trans-bicyclo[4.4.0]decan[1]: Eine Lösung von 220 mg (1,34 mMol) 6,9-Dimethyl-*cis*-bicyclo[4.4.0]decen-(1) und 0,6 *ml* m-Xylol in 105 *ml* Isopropanol wird mit einer Hanovia 450 W Lampe in einem wassergekühlten Vycor-Belichtungsgefäß bestrahlt. Zur Durchmischung des Reaktionsgutes wird mit gereinigtem Stickstoff gespült. Nach 2 Stdn. läßt sich gaschromatographisch (20% Carbowax auf Chromosorb W) 6% Ausgangsverbindung und 80% Produkt nachweisen. An einer präparativen Säule derselben Füllung gelingt die Isolierung in reiner Form; n$_D^{24}$ = 1,4945.

---

[1] J. A. MARSHALL u. A. R. HOCHSTETLER, Am. Soc. **91**, 648 (1969).

Zu vier verschiedenen Methylen-Verbindungen isomerisiert 2-Oxo-10,11-dimethyl-tricyclo[4.3.2.0]undecen-(10)[1]:

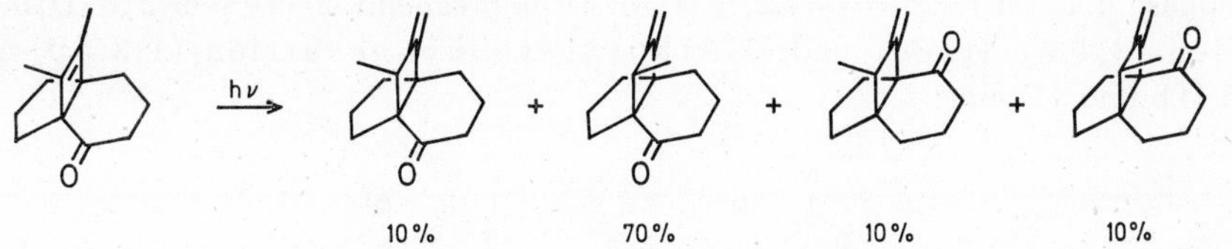

$$\xrightarrow{h\nu}$$

10%	70%	10%	10%
anti-	*syn-*	*anti-*	*syn-*
2-Oxo-10-methyl-11-methylen-		*2-Oxo-11-methyl-10-methylen-*	
tricyclo[4.3.2.0]undecan		*tricyclo[4.3.2.0]undecan*	

Zwei konkurrierende [1,3]-Wasserstoff-Verschiebungen beobachtet man bei dem Naturstoff I[2]:

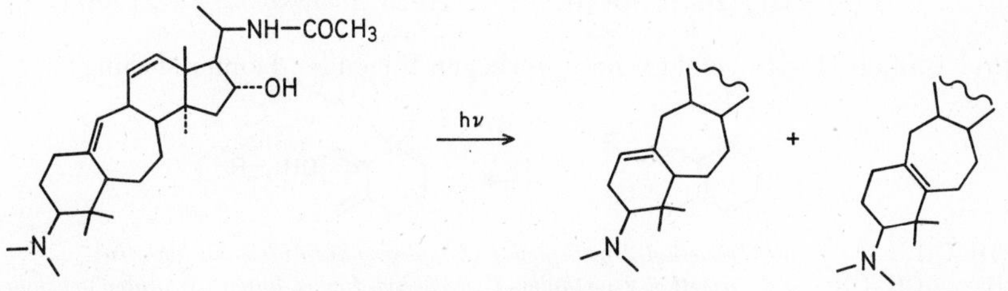

$$\xrightarrow{h\nu}$$

I; N-Acetyl-buxaminol   *3β-Dimethylamino-20β-acetylamino-16α-*   *...-östradien-(5¹⁰,9¹¹);*
hydroxy-4,4,14α-trimethyl-B(9a)-homo-   20% d.Th.
östradien-(1¹⁰,¹¹) (1¹⁰,9¹¹); 35% d.Th.

Eine große Zahl von [1,3]-Wasserstoff-Verschiebungen treten häufig gemeinsam mit *cis-trans*-Isomerisierungen bei der Photochemie von Olefinen in Gegenwart von Metallkomplexen, vor allem Metallcarbonylen auf[3] (s. S. 197).

β) [1,5]-Wasserstoff-Verschiebungen[4]

Eine synchrone [1,5]-Wasserstoff-Verschiebung mit antarafacialem Ablauf erhält man bei der Belichtung des Tetramethyl-allen-Dimeren, wodurch *3,3,4,4-Tetramethyl-2-isopropyl-1-isopropenyl-cyclobuten* entsteht[5]:

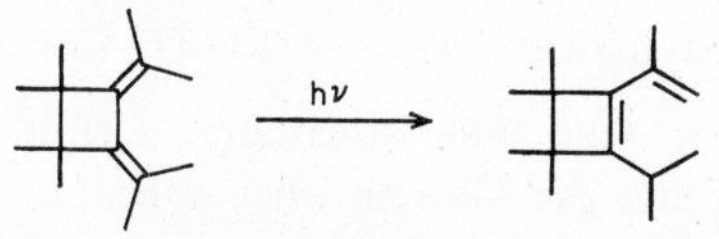

$$\xrightarrow{h\nu}$$

Aus 4-Methyl-pentadien-(1,3) erhält man entsprechend *2-Methyl-pentadien-(1,3)*[6],[7].

[1] N. P. PEET, R. L. CARGILL u. J. W. CRAWFORD, J. Org. Chem. **38**, 1222 (1973).
[2] F. KHUONG, D. HERLEM u. M. BENECHIE, Bl. **1972**, 1092.
[3] E. KÖRNER v. GUSTORF u. F. W. GREVELS, Fortschr. chem. Forsch. **13**, 366 (1969).
F. ASINGER, B. FELL u. K. SCHRAGE, B. **98**, 381, 372 (1965).
F. ASINGER, B. FELL u. G. COLLIN, B. **96**, 716 (1963).
M. D. CARR, V. V. KANE u. M. C. WHITING, Pr. chem. Soc. **1964**, 408.
B. FELL, P. KRINGS u. F. ASINGER, B. **99**, 3688 (1966).
P. W. JOLLY, F. G. A. STONE u. K. MACKENZIE, Soc. **1965**, 5259, 6416.
W. STROHMEIER, J. Organomet. Chem. **60**, [C], 60 (1973).
A. J. HUBERT et al., Soc. (Perkin II) **1973**, 1954; **1972**, 366.
M. WRIGHTON, G. S. HAMMOND u. M. B. GRAY, J. Organomet. Chem. **70**, 283 (1974); Am Soc. **92**, 6068 (1970); **93**, 3285 (1971).
[4] Prinzipiell kann eine [1,5]-Wasserstoff-Verschiebung aus zwei hintereinander erfolgenden [1,3]-Wasserstoff-Verschiebungen resultieren.
[5] E. F. KIEFER u. J. Y. FUKUNAGA, Tetrahedron Letters **1969**, 933.
[6] K. J. CROWLEY, Pr. chem. Soc. **1964**, 17.
[7] K. J. CROWLEY, Tetrahedron **21**, 1001 (1965).

In einer konjugierten Kohlenstoff-Kette bilden sich durch [1,5]-Wasserstoff-Verschiebungen kumulierte Doppelbindungen. So isomerisiert sich Hexatrien-(1,3,5) (Ia) in der Gasphase u. a. zu *Hexatrien-(1,2,4)* (IIa)[1]. Entsprechend lagert sich 2,6-Dimethyloctatrien-(2,4,6) (Ib)[2,3] und 5-Äthoxycarbonyl-hexatrien-(1,3,5)[4] zu den Allenen IIb und IIc um:

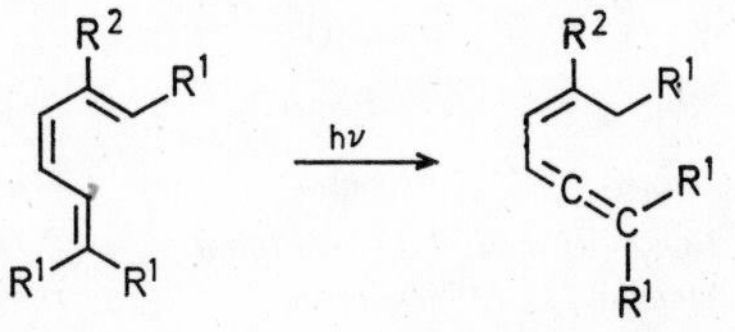

Ia; $R^1=R^2=H$ IIa *Hexatrien-(1,2,4)*
Ib; $R^1=R^2=CH_3$ IIb *2,6-Dimethyl-octatrien-(2,3,5)*; 37% d.Th.
Ic; $R^1=H$; $R^2=COOC_2H_5$ IIc *5-Äthoxycarbonyl-hexatrien-(1,2,4)*

2-Methyl-1-alken-(1)-yl-cyclohexene unterliegen folgender Isomerisierung:

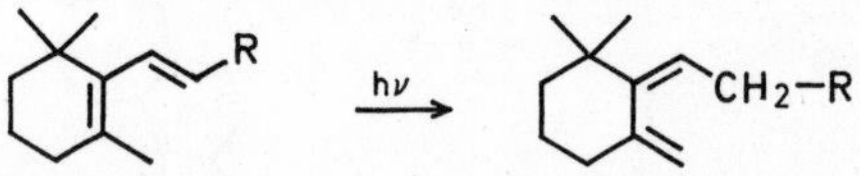

R = CHOH–CH₃   *6,6-Dimethyl-2-methylen-1-(3-hydroxy-butyliden)-cyclohexan*[5]
R = C(CH₃) = CH–CN *6,6-Dimethyl-2-methylen-1-[3-methyl-4-cyan-buten-(3)-yliden]-cyclohexan*;
                    ≦ 25% d.Th.[6]

Erwähnt sei an dieser Stelle schließlich noch die transannulare [1,5]-Wasserstoff-Verschiebung des 6-Methyl-pentacens im Tageslicht zum *6-Methylen-6,13-dihydro-pentacen*[7]:

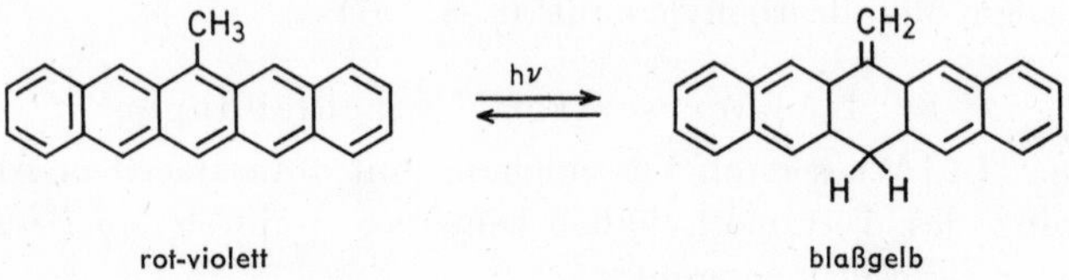

rot-violett   blaßgelb

γ) [1,7]- und höhere Wasserstoff-Verschiebungen[8]

Im Cycloheptatrien-System sind aus sterischen Gründen antarafaciale sigmatrope [1,7]-Verschiebungen unmöglich. Sie können aber suprafacial photochemisch beobachtet werden. Auf diese Weise erhält man aus dem 7-Deuterio-cycloheptatrien die in 1-, 2- und 3-Stellung deuterierten Verbindungen[9,10]:

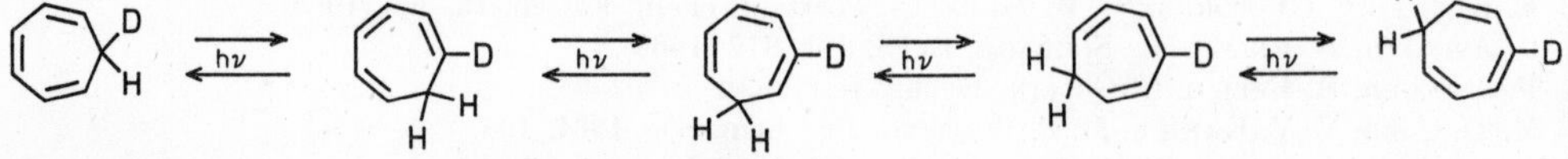

[1] R. SRINIVASAN, Am. Soc. **82**, 5063 (1960); **83**, 2807 (1961); 84, 3982 (1962).
[2] K. J. CROWLEY, Pr. chem. Soc. **1964**, 17.
[3] R. SRINIVASAN, J. Chem. Physics **38**, 1039 (1963).
[4] H. PRINZBACH u. E. DRUCKREY, Tetrahedron Letters **1965**, 2959.
[5] A. A. M. ROOF et al., Tetrahedron Letters **1972**, 367.
[6] V. RAMAMURTHY u. R. S. H. LIU, Tetrahedron Letters **1973**, 1393.
[7] E. CLAR, B. **82**, 495 (1949).
[8] Als Einstufen-Prozeß oder als Summe mehrerer hintereinander erfolgender Wasserstoff-Verschiebungen.
[9] A. P. TER BERG u. H. KLOOSTERZIEL, R. **84**, 241 (1965).
[10] W. R. ROTH, Ang. Ch. **75**, 921 (1963).

Ähnlich verhalten sich 7-Alkyl-cycloheptatriene[1], 7-Methoxy-cycloheptatrien[2], 7-Äthoxy-cycloheptatrien[2], 7-Äthoxycarbonyl-cycloheptatrien[3], 7-Aryl-cycloheptatriene[4,5]:

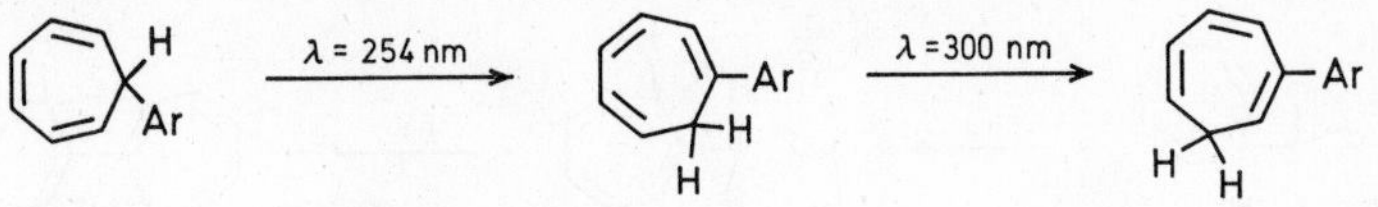

$$\lambda = 254\ nm \qquad \lambda = 300\ nm$$

Als Konkurrenz zur Wasserstoff-Verschiebung kann eine Arylwanderung auftreten[6].

Bei unsymmetrischen Cycloheptatrienen gibt es für die [1,7]-Wasserstoff-Verschiebung prinzipiell zwei Möglichkeiten:

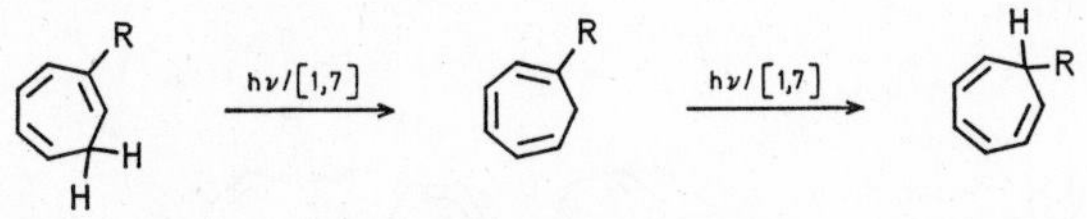

$$h\nu/[1,7] \qquad h\nu/[1,7]$$

Die häufig beobachtete Selektivität der Reaktionsrichtung läßt sich dadurch erklären, daß der Wasserstoff an den Kohlenstoff mit der größeren Elektronendichte wandert[7].

Bei einer Reihe von Untersuchungen dienten in 1-Stellung substituierte Cycloheptatriene (I) als Ausgangssubstanzen. Wie bei den meisten Cycloheptatrien-Belichtungen wurden dabei außerdem als Konkurrenzprodukte, durch intramolekulare Cycloaddition gebildete, valenztautomere Bicyclen IV und V gefunden[8]:

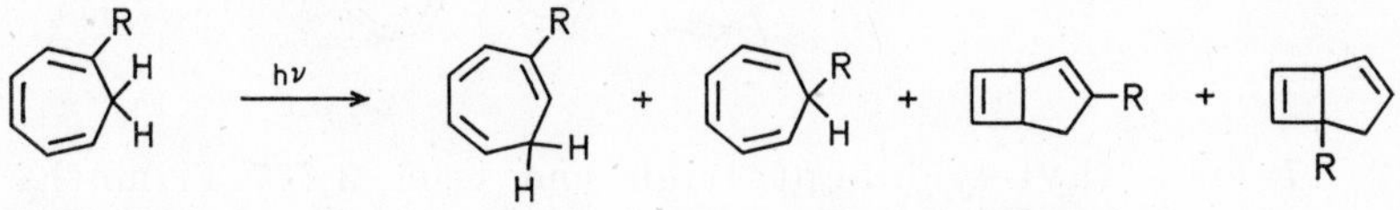

$$h\nu$$

I   II   III   IV   V

Substituent R	Cycloheptatrien-Derivat rel. Ausbeuten		Bicyclo [3.2.1]heptadien-(2,6)-Derivat rel. Ausbeuten	
	II	III	IV	V
CN	100	—	—	—
C_6H_5	50	50	—	—
CH_3	2	98	—	—
SCH_3	—	65	—	35
OCH_3	—	35	—	65
$N(CH_3)_2$	—	—	3	97

[1,7]-Wasserstoff-Verschiebungen, die als synchrone, sigmatrope Reaktionen aus dem ersten angeregten Singulett-Zustand ablaufen, findet man auch bei Molekülen mit zwei

[1] W. R. Roth, Ang. Ch. 75, 921 (1963).
[2] G. W. Borden et al., Am. Soc. 89, 2979 (1967).
[3] G. Linstrumelle, Tetrahedron Letters 1970, 85; Bl. 1970, 920.
[4] A. P. TerBerg u. H. Kloosterziel, R. 84, 241 (1965).
[5] T. Tezuka et al., Bl. chem. Soc. Japan 43, 1120 (1970).
[6] K. Shen, W. E. McEwen u. A. P. Wolf, Tetrahedron Letters 1969, 827.
[7] L. Libit, Mol. Photochem. 5, 327 (1973).
[8] A. P. Ter Borg, E. Razenberg u. H. Kloosterziel, Chem. Commun. 1967, 1210.

Cycloheptatrien-Ringen. So erhält man aus dem 7,7′-Bi-cycloheptatrienyl über das 1,7′- das 1,1′-Isomere[1]:

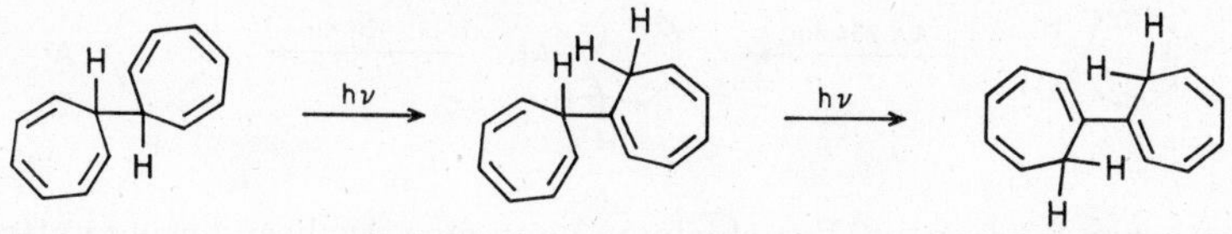

Aus 1,4-Dicycloheptatrienyl-(7)-benzol erhält man photolytisch *1,4-Dicyclo-heptatrienyl-(1)-benzol*[2], entsprechend kann das 3,3′-Isomere in *1,4-Dicycloheptatrienyl-(2)-benzol* umgelagert werden:

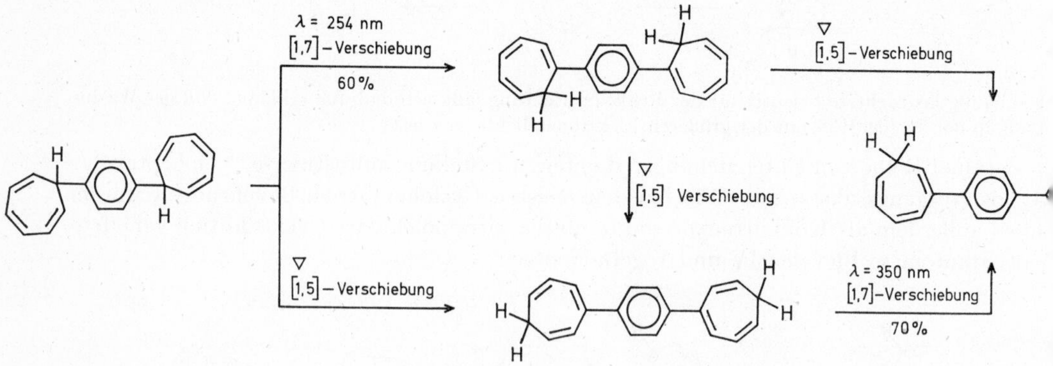

Beim 2,7,7-Trimethyl-cycloheptatrien und beim 3,7,7-Trimethyl-cyclo-heptatrien treten bei der Belichtung [1,7]-Methyl-Wanderungen auf[3]. Die Produkte *1,3,7-* bzw. *1,5,7-Trimethyl-cycloheptatrien* können durch [1,7]-Wasserstoff-Verschiebung ineinander umgelagert werden:

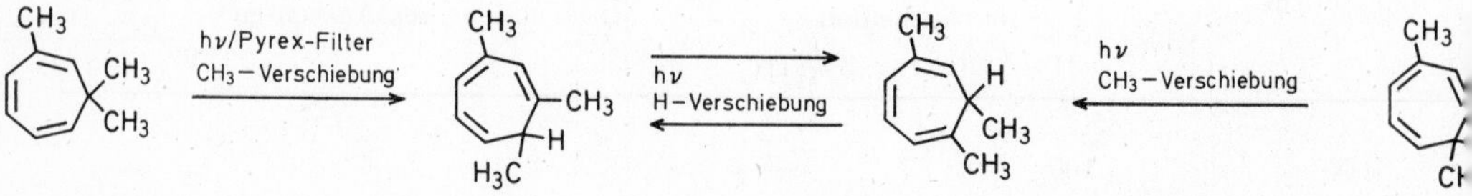

1,4-Dicycloheptatrienyl-(1)-benzol[2]: Eine Lösung von 500 mg (1,55 mMol) 1,4-Dicycloheptatrienyl-(7)-benzol in 400 *ml* Pentan wird 90 Min. mit Licht der Wellenlänge $\lambda = 254$ nm bestrahlt (Quecksilber-Niederdruck-Lampe). Die am Rotationsverdampfer eingeengte Lösung wird an neutralem Aluminium-oxid (Woelm, Aktivitätsstufe I) chromatographiert, Eluierung mit Tetrachlormethan; Ausbeute: 300 mg (60% d.Th.); F: 116–118° (Äthanol).

1,4-Dicycloheptatrienyl-(2)-benzol[2]: Eine Lösung von 100 mg (0,31 mMol) 1,4-Dicycloheptatrienyl-(3)-benzol in 100 *ml* Pentan wird 2 Stdn. mit Licht der Wellenlänge $\lambda = 350$ nm bestrahlt. Die gefilterte Lösung wird dann am Rotationsverdampfer eingeengt und der zurückbleibende, farblose Kristallbrei aus Äthanol umkristallisiert; Ausbeute: 70 mg (70% d.Th.); F: 124–126,5°.

Außer an Cycloheptatrienen sind photochemische [1,7]-Wasserstoff-Verschiebungen sehr selten. Ein Beispiel ist das 1-Vinyl-cyclopentadien, das quantitativ in *5-Äthyliden-cyclo-pentadien* übergeht[4]. Auch [1,n]-Umlagerungen mit n > 7 sind sehr selten. Die letzte Stufe

---

[1] R. S. Givens, Tetrahedron Letters **1969**, 663.
[2] R. W. Murray u. M. L. Kaplan, Am. Soc. 88, 3527 (1966).
[3] L. B. Jones u. V. K. Jones, Am. Soc. **90**, 1540 (1968); 89, 1880 (1967).
[4] L. J. M. van de Ven, Chem. Commun. **1970**, 1509.

einer neuen Corrin-Synthese setzt sich z. B. aus einer photochemischen [1,16]-Wasserstoff-Verschiebung und einem thermischen, elektrocyclischen Ringschluß zusammen[1]:

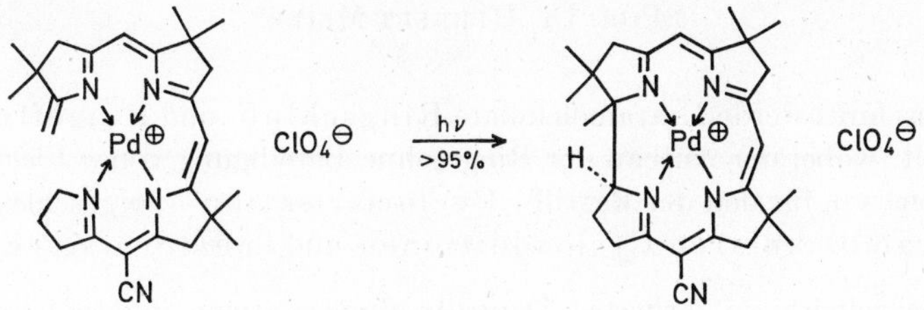

δ) Halogen-Verschiebungen

Verschiebungen von olefinischen Doppelbindungen ohne Gerüstumlagerung werden außer bei Wasserstoff-Wanderungen vor allem bei Halogen-Verbindungen angetroffen. Der [1,3]-Shift ist dabei von einem [1,2]-Shift begleitet, der zu Cyclopropan-Derivaten führt. Neben einem polaren Mechanismus läßt sich ein Triplett-Diradikal-Mechanismus formulieren:

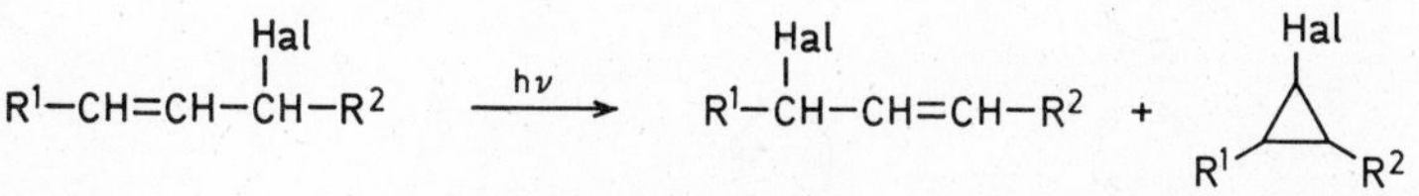

$$R^1-CH=CH-\underset{\underset{Hal}{|}}{CH}-R^2 \xrightarrow{h\nu} R^1-\underset{\underset{Hal}{|}}{CH}-CH=CH-R^2 + \underset{R^1 \qquad R^2}{\triangle}\overset{Hal}{|}$$

1-Chlor-buten-(2) gibt auf diese Weise in Aceton oder Benzol als Solvens und Sensibilisator neben einem Cyclopropan-Derivat *3-Chlor-buten-(1)* (16% d.Th.)[2].

Kumulierte Halogen-olefine gehen durch Halogen-Wanderung in konjugierte Verbindungen über[3]:

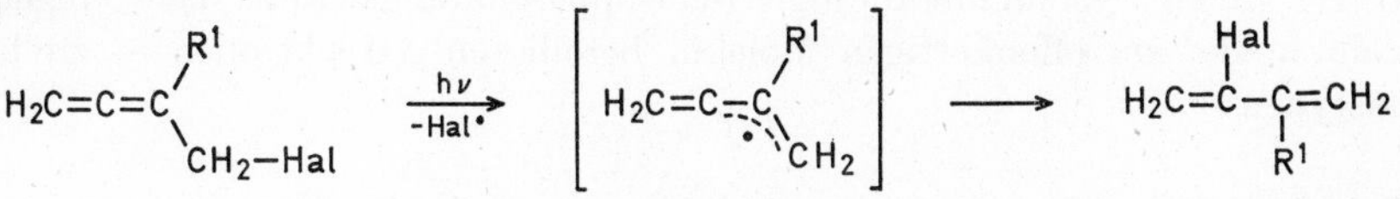

$$H_2C=C=C\overset{R^1}{\underset{CH_2-Hal}{}} \xrightarrow[-Hal^\bullet]{h\nu} \left[H_2C=C\overset{\cdot}{=}C\overset{R^1}{\underset{\cdot CH_2}{}}\right] \longrightarrow H_2C=\overset{\overset{Hal}{|}}{C}-\overset{|}{\underset{R^1}{C}}=CH_2$$

Hal = Cl; $R^1 = C_4H_9$; *2-Chlor-3-methylen-hepten-(1)*
Hal = Br; $R^1 = C_2H_5$; *2-Brom-3-methylen-penten-(1)*

Auch an bicyclischen Verbindungen wurden Halogen-Verschiebungen beobachtet:

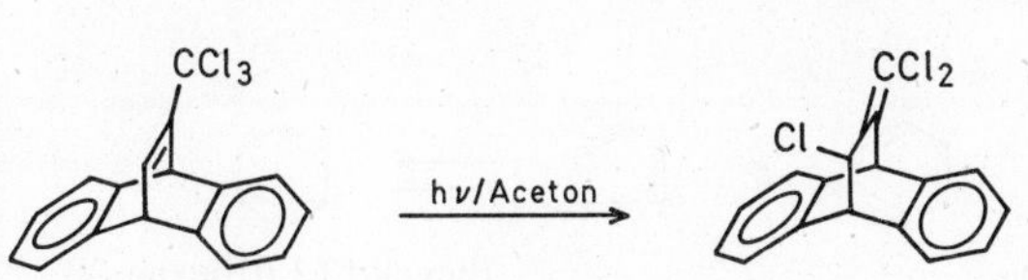

12-Chlor-11-dichlormethylen-⟨dibenzo-bicyclo[2.2.2]octadien-(2,5)⟩; 95% d.Th.[4]

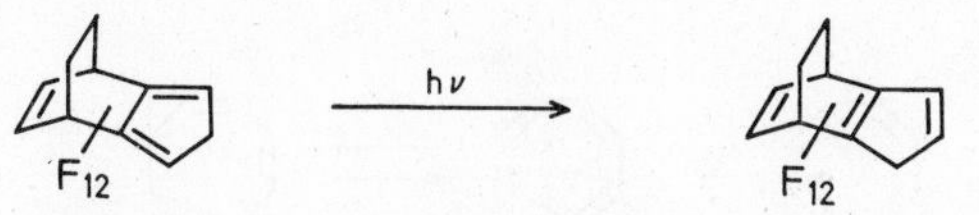

Dodecafluor-tricyclo[5.2.2.0²,⁶]undecatrien-(2⁶,3,8)[5]

[1] Y. Yamada et al., Ang. Ch. 81, 301 (1969).
[2] S. J. Cristol u. G. A. Lee, Am. Soc. 91, 7554 (1969).
[3] J. Raffi u. C. Troyanowsky, C. r. (IV) 271, 533 (1970).
[4] B. B. Jarvis, J. Org. Chem. 33, 4075 (1969).
[5] W. J. Feast u. W. E. Preston, Tetrahedron 28, 2805 (1972).

3. Valenzisomerisierungen

bearbeitet von

Prof. Dr. HERBERT MEIER*

In diesem Abschnitt werden intramolekulare Ringschluß- und Ringöffnungsreaktionen behandelt, wobei der Aufbau der Ringe ohne Beteiligung von σ-Elektronen erfolgt.
Dieser Reaktionstyp, für den der Begriff ,,Cyclomerisation'' vorgeschlagen wird, beinhaltet die intramolekularen Cycloadditionen und ihre Reversionen.

Bei der Wechselwirkung isolierter Doppelbindungssysteme innerhalb eines Moleküls
unterscheidet man hauptsächlich folgende Fälle:

$[2\pi + 2\pi]$ oder

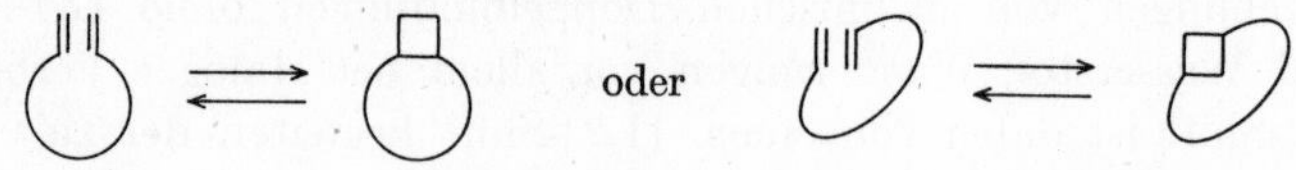

$[2\pi + 4\pi]$ oder

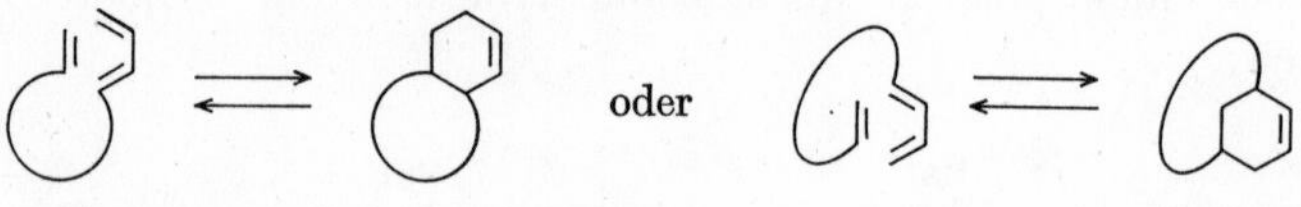

$[4\pi + 4\pi]$

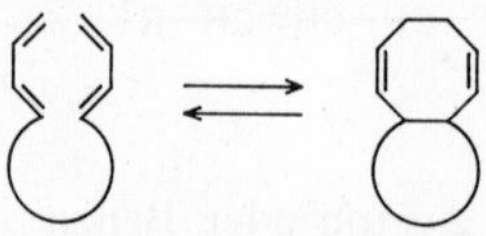

Übertragen auf ein System mit konjugierten Doppelbindungen führt das — eingeteilt nach
der Anzahl m der im offenkettigen Molekül beteiligten π-Elektronen — zu folgenden
Reaktionstypen:

m = 4   Cyclobuten   Bicyclo[1.1.0]butan

m = 6   Cyclohexadien-(1,3)   Bicyclo[3.1.0]hexen-(2)

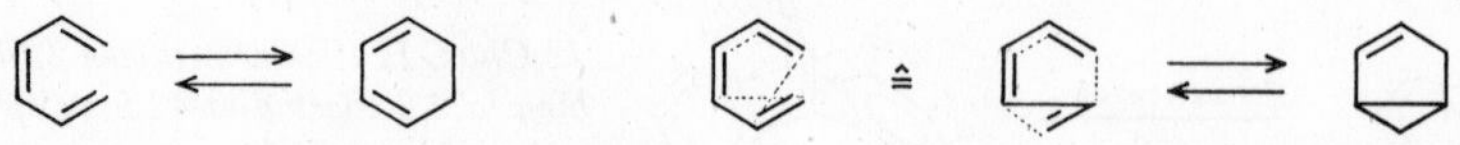

m = 8   Cyclooctatrien-(1,3,5)   Bicyclo[5.1.0]octadien-(2,4)

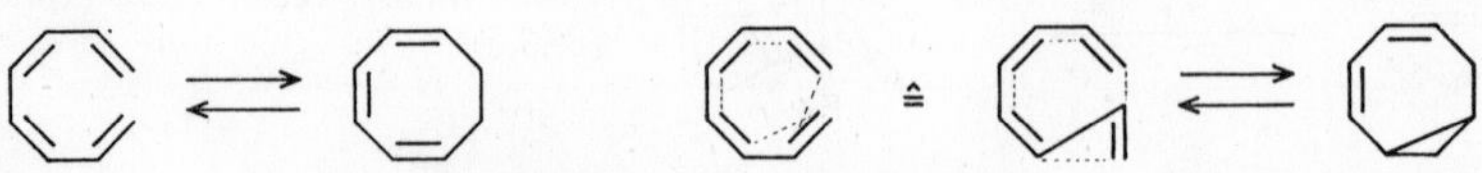

---

* Organisch chemisches Institut der Universität Tübingen.

Außer der „normalen" π-Elektronenwechselwirkung aus der *cisoiden* Konformation, der sog. **elektrocyclischen Reaktion** $(1\pi \to 1\sigma)$

kennt man also noch die „**Überkreuz**"-**Wechselwirkung** $(2\pi \to 2\sigma)$, die sich durch eine Cycloaddition unter Beteiligung einer *transoiden* Konformation verstehen läßt.

Mit den stereochemischen Konsequenzen bei **supra-** und **antarafacialen** Cycloadditionen erhält man aus Orbitalsymmetrie-Überlegungen bei Synchronprozessen folgende Regeln[1]:

	photochemisch erlaubt	thermisch erlaubt (d. h. Aktivierungsenergie < 40 kcal/Mol)
$[2\pi + 2\pi]$	π^2s + π^2s π^2a + π^2a	π^2s + π^2a
$[2\pi + 4\pi]$	π^2s + π^4a π^2a + π^4s	π^2s + π^4s π^2a + π^4a
$[4\pi + 4\pi]$	π^4s + π^4s π^4a + π^4a	π^4s + π^4a

Für die streng stereospezifisch ablaufenden, synchronen elektrocyclischen Reaktionen gelten die Regeln[1]:

	hν	$\triangledown$
m = 4 q (q=1, 2, 3, . . .) also m=4, 8, . . .	disrotatorisch	conrotatorisch
m=4 q+2 also m=2, 6, 10, . . .	conrotatorisch	disrotatorisch

Die elektrocyclischen Reaktionen und die „Überkreuz"-Wechselwirkungen konjugierter Diene, Triene usw. lassen sich einheitlich mit den Cycloadditionen behandeln, wenn man σ-Elektronen in die Theorie miteinbezieht[1]. So kann z. B. der Prozeß Cyclobutan $\to$ Butadien-(1,3) conrotatorisch (thermisch erlaubt) als $[\sigma^2$s + π^2a] bzw. $[\pi^2$s + σ^2a], disrotatorisch (photochemisch erlaubt) als $[\pi^2$s + σ^2s] bzw. $[\pi^2$a + σ^2a] Cycloaddition formuliert werden (vgl. die Regeln der $[2\pi + 2\pi]$ Cycloaddition).

Eine Erweiterung der Theorie thermisch bzw. photochemisch erlaubter Prozesse bietet die sog. Konfigurationswechselwirkungsanalyse[2]. Dies gilt insbesondere bei polarem und/oder asymmetrischem Reaktionsablauf.

---

[1] Bez. der Definitionen der im folgenden verwendeten Terminologie und der Ableitungen der hier zitierten Regeln für die Erhaltung der Orbitalsymmetrie siehe:
R. B. WOODWARD u. R. HOFFMANN, Am. Soc. **87**, 395, 2046, 2511 (1965).
R. B. WOODWARD u. R. HOFFMANN, *Die Erhaltung der Orbitalsymmetrie*, Verlag Chemie, Weinheim 1970.
R. HOFFMANN u. R. B. WOODWARD, Accounts Chem. Res. **1**, 17 (1968).
D. SEEBACH, Fortschr. Chem. Forsch. **11**, 177 (1968).
P. WIELAND u. H. KAUFMANN, *Die Woodward-Hoffmann-Regeln, Einführung und Handhabung*, Birkhäuser Verlag, Basel 1972.
NGUYÊN TRONG ANH, *Die Woodward-Hoffmann-Regeln und ihre Anwendung*, Verlag Chemie, Weinheim 1972.
T. L. GILCHRIST u. R. C. STORR, *Organic Reactions and Orbital Symmetry*, University Press, Cambridge 1972.
[2] N. D. EPIOTIS, Ang. Ch. **86**, 825 (1974) und dort zitierte Arbeiten.

Die im Voranstehenden ohne ausführliche Definitionen und Ableitungen aufgeführten Regeln der Orbitalsymmetrie-Erhaltung und die für sie gebräuchliche Terminologie sollen wegen ihrer großen Bedeutung für die Stereochemie der Valenzisomerisierungen an einigen charakteristischen Beispielen diskutiert werden.

Für das System Butadien-(1,3)/Cyclobuten/Bicyclo[1.1.0]butan sind folgende Synchronprozesse thermisch bzw. photochemisch erlaubt:

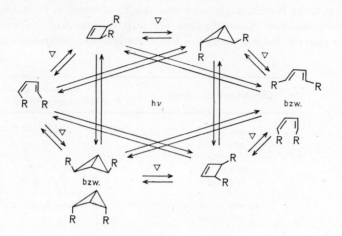

Greift man die elektrocyclischen Prozesse aus dem Schema heraus, so erhält man z. B. für das System Cyclononadien-(1,3)/Bicyclo[5.2.0]nonen-(8)[1]:

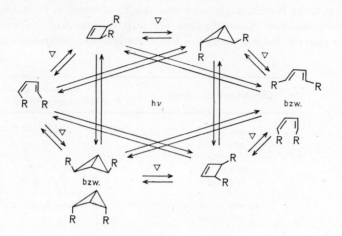

Während die stereochemische Zuordnung bei den elektrocyclischen Reaktionen eindeutig ist, trifft das nicht auf die „Überkreuz"-Wechselwirkungen zu. So gibt es z. B. für den thermischen Übergang von 2,4-Dimethyl-bicyclo[1.1.0]butan in Butadien zwei erlaubte Wege:

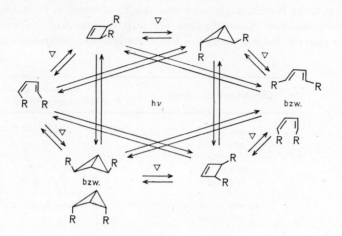

[1] K. M. SHUMATE u. G. J. FONKEN, Am. Soc. 88, 1073 (1966).
    K. M. SHUMATE, P. N. NEUMAN u. G. J. FONKEN, Am. Soc. 87, 3996 (1965).

Experimentell wurde bisher nur die Bildung von *cis,trans*-Hexadien-(2,4) beobachtet[1].

Am System Hexatrien-(1,3,5)/Cyclohexadien-(1,3)/Bicyclo[3.1.0.]hexen-(2) lassen sich die folgenden elektrocyclischen Prozesse beobachten, von denen die conrotatorischen Ringschlüsse (bzw. Ringöffnungen) im angeregten Zustand erlaubt sind[2].

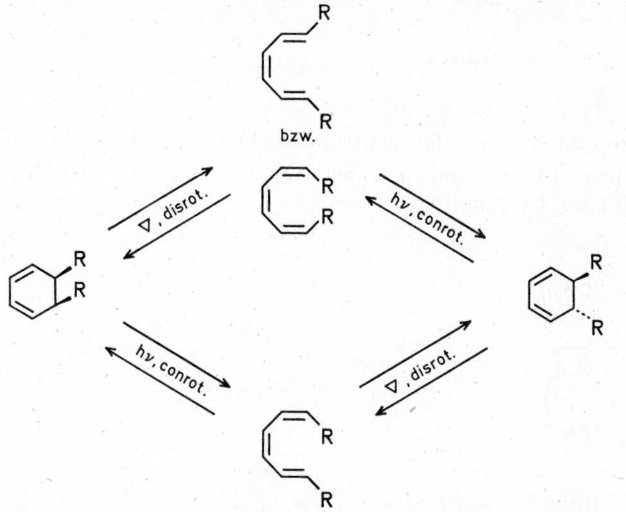

An photochemischen „Überkreuz"-Wechselwirkungen gibt es theoretisch die beiden Alternativen zur Bildung von *cis*-annelliertem Bicyclo[3.1.0]hexen-(2)[2]:

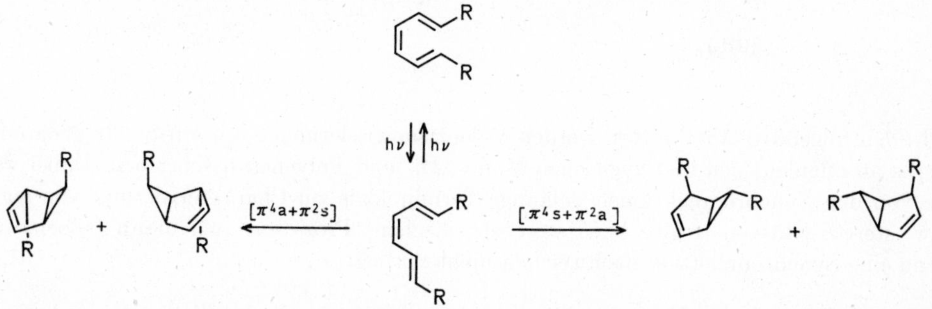

Orbitalsymmetrie-Überlegungen sagen nichts über die Richtung eines erlaubten Prozesses aus (Ringschluß oder Ringöffnung) – und auch nichts darüber, welcher von zwei erlaubten Prozessen stattfindet[3]. Am Cyclohexadien-(1,3) und am Cyclooctatrien-(1,3,5) können z. B. Ringschluß- und/oder Ringöffnungsreaktionen beobachtet werden. Cyclohexadien-(1,3)-5,6-dicarbonsäure-anhydrid geht bei Belichtung einen elektrocyclischen Ringschluß[4] (m = 4, disrot.) zu *Bicyclo[2.2.0]hexen-(2)-5,6-dicarbonsäure-anhydrid* (24% d.Th.) ein:

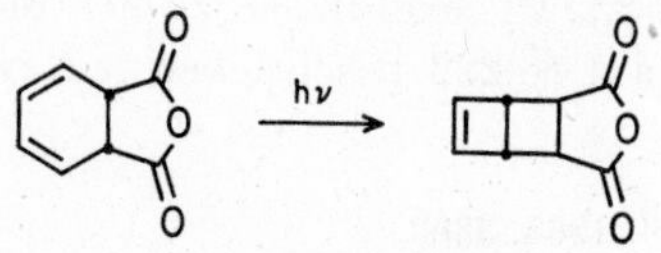

G. L. CLOSS u. P. E. PFEFFER, Am. Soc. **90**, 2452 (1968).
S. Lit.[1] S. 222
A. PADWA u. S. CLOUGH, Am. Soc. **92**, 5803 (1970).
Vgl. dazu W. VAN DER LUGT u. L. G. OOSTERHOFF, Chem. Commun. **1968**, 1235.
E. E. VAN TAMELEN u. S. P. PAPPAS, Am. Soc. **85**, 3297 (1963).
R. N. MC DONALD u. C. E. REINKE, J. Org. Chem. **32**, 1878 (1967).

Cyclohexadien-(1,3)-trans-5,6-dicarbonsäure dagegen ergibt in einer elektrocyclischen Ringöffnung (m = 6, conrot.) die *all-trans-Octatrien-(2,4,6)-disäure*[1]:

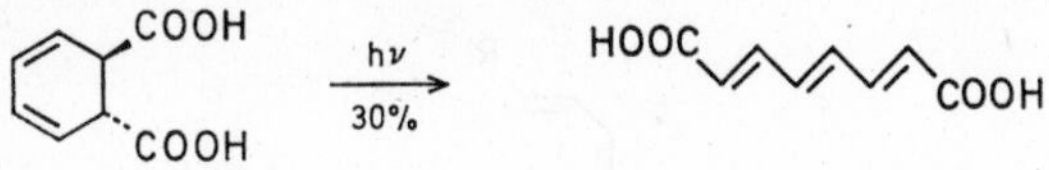

Für Cyclobuten gibt es neben der elektrocyclischen Ringöffnung zu Butadienen noch die $[\sigma^2s + \sigma^2s]$-Spaltung in Olefin und Acetylen. Ein Beispiel dafür sind die aus 1,1′-Bi-cycloalken-(1)-yl gebildeten Cyclobutene[2]:

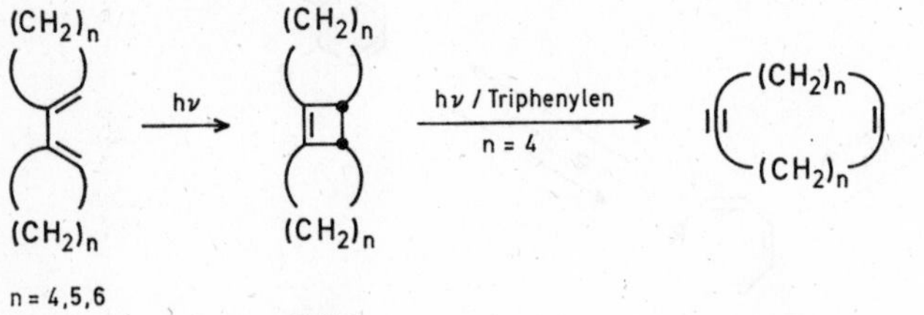

n=4; *cis-Cyclododecen-(7)-in-(1)*; 25% d.Th.

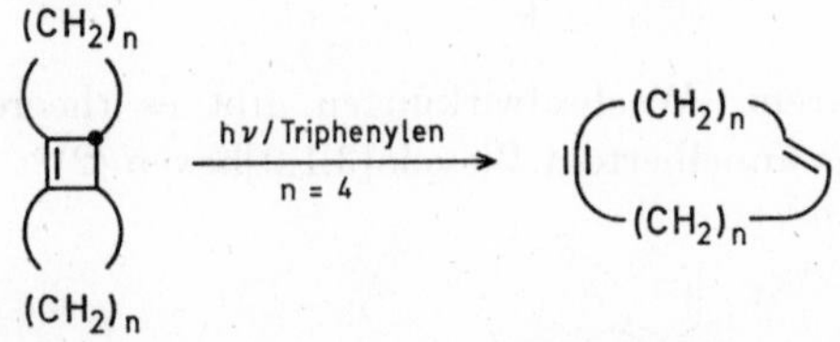

n=4; *trans-Cyclododecen-(7)-in-(1)* 42% d.Th.

In den folgenden Abschnitten werden Valenzisomerisierungen des auf S. 222 genannten Types an offenkettigen und cyclischen Mono-, Di- und Polyenen beschrieben. Dabei wird die von den Synchronreaktionen geläufige Terminologie zur Charakterisierung von regio bzw. stereoselektiven (regio- bzw. stereospezifischen) Prozessen auch dann beibehalten wenn eine Synchronreaktion nachweislich nicht vorliegt.

Weitere Beispiele für Valenzisomerisierungen finden sich in den Kap. über α,β-unges. Carbonylverbindungen (S. 737), Enoläther (S. 685), Enamine (S. 1095), Azomethine (S. 1104) und Heteroaromaten (S. 582, 601, 612).

α) Olefine mit isolierten Doppelbindungen[3]

Die intramolekulare $[2\pi + 2\pi]$-Cycloaddition zweier nicht in Konjugation stehender Doppelbindungen kann, wie auf S. 222 beschrieben, zu zwei Valenzisomeren führen. So

[1] P. COURTOT u. J. M. ROBERT, Bl. **1965**, 3362.
[2] J. SALTIEL u. L. S. NG LIN, Am. Soc. **91**, 5404 (1969).
Vgl. auch R. S. H. LIU u. G. S. HAMMOND, Am. Soc. **86**, 1892 (1964).
W. G. DAUBEN et al., Am. Soc. 88, 2742 (1966).
K. J. CROWLEY, Pr. chem. Soc. **1962**, 245, 334; Tetrahedron **21**, 1001 (1965).
[3] Vgl. auch Kap. Di-π-methan-Umlagerung S. 413.
Übersichtsartikel: W. L. DILLING, Chem. Reviews **66**, 373 (1966).
H. PRINZBACH, Pure Appl. Chem. **16**, 17 (1968).

erhält man z. B. bei der Quecksilber-sensibilisierten Gasphasenphotolyse von α,ω-Alka-dienen[1]:

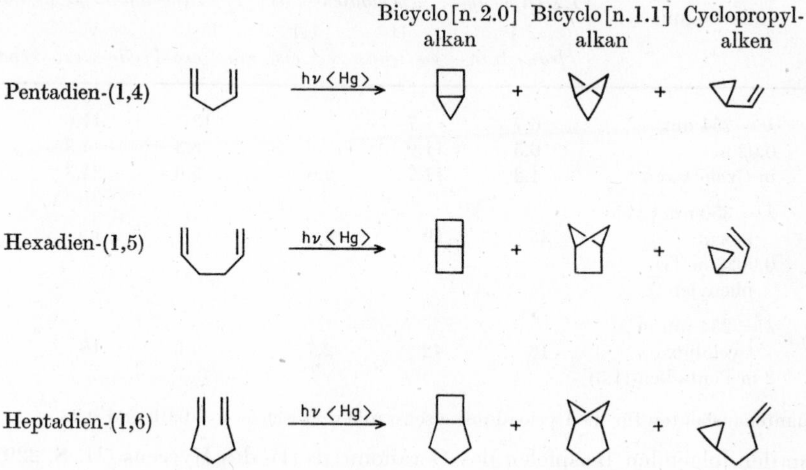

Das vorherrschende Cycloaddukt kann auf der Basis eines Zweistufenprozesses vorhergesagt werden, wenn man annimmt, daß der erste und geschwindigkeitsbestimmende Schritt die Bildung eines Fünfrings ist[2].

Analog wie Pentadien-(1,4) und Hexadien-(1,5) verhalten sich 2-Methyl- und 2,4-Dimethyl-pentadien-(1,4) bzw. 2-Methyl-hexadien-(1,5)[1].

Einen Überblick über die sterischen Verhältnisse, in die auch *cis-trans*-Isomerisierungen mit einbezogen werden müssen, gewinnt man aus den Photolysen von 1,4-Diphenyl-pentadien-(1,4)[3]:

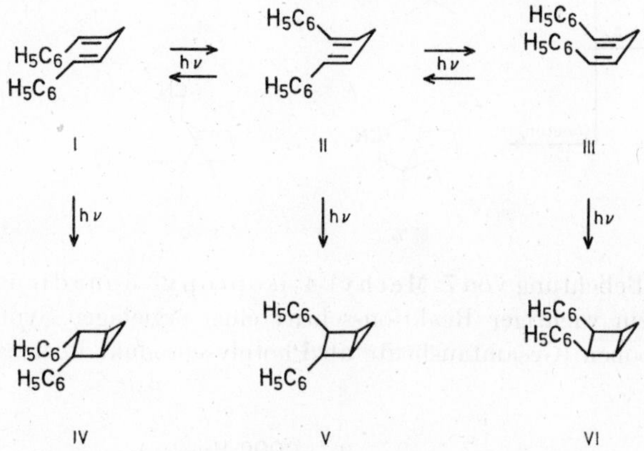

R. Srinivasan u. K. H. Carlough, Am. Soc. **89**, 4932 (1967).
J. Meinwald u. G. W. Smith, Am. Soc. **89**, 4923 (1967).
R. Srinivasan u. F. J. Sonntag, Am. Soc. **89**, 407 (1967).
R. Srinivasan u. K. A. Hill, Am. Soc. **87**, 4988 (1965).
Vgl. auch M. Stiles u. U. Burckhardt, Am. Soc. **86**, 3396 (1964).
R. Srinivasan, J. phys. Chem. **67**, 1367 (1963).
M. Brown, J. Org. Chem. **33**, 162 (1968).
R. Srinivasan, Abstr. 156th Nat. Meet. Am. Chem. Soc., San Francisco, April 1968, S. 86.
E. Block u. H. W. Orf, Am. Soc. **94**, 8438 (1972).
Vgl auch H. E. Zimmerman et al., Am. Soc. **94**, 5504 (1972).

Ausgangs-verbin-dung (vgl. S. 227)	Reaktions-bedingungen	Ausbeuten [% d.Th.]					
		1,4-Diphenyl- . . .-pentadien-(1,4)			. . .-Diphenyl-bicyclo[2.1,0] pentan		
		I	II	III	IV	V	VI
		trans, trans	cis, trans	cis, cis	exo-2, exo-3	endo-2, exo-3	endo-2 endo-3
I	λ = 254 nm	6,7	7,7	—	13,7	11,6	—
II	0,02 m	6,5	11,0	—	6,3	7,3	1,4
III	in Cyclohexan	4,2	11,7	2,6	5,6	24,3	17,4
I	λ = 350 nm Cyclo-hexan, 0,0029 m Tri-phenylen	35	19	6	—	1,1	—
II	λ = 254 nm in Cyclohexan 2 m Pentadien-(1,3)	16	42	2,7	1,9	18	0,7

Die Quantenausbeuten für die Cycloaddukte schwanken zwischen $\varphi = 0,01$ und 0,23.

Wie an den folgenden Beispielen des Geranonitrils (I), des Myrcens (II, S. 229) und des β-Farnesens (VI, S. 229) gezeigt wird, hängt die Produktbildung häufig wesentlich davon ab, ob die Reaktion direkt oder sensibilisiert durchgeführt wird. So erhält man bei direkter Bestrahlung von 2,6-Dimethyl-1-cyan-heptadien-(1,5) (I) über den $S_1(\pi\pi^*)$-Zustand keine Photo-Cope-Umlagerung, sondern durch eine sigmatrope [1,3]-Verschiebung 2,6-Dime-thyl-3-cyan-heptadien-(1,5) sowie cis- und trans-2,4,4-Trimethyl-1-cyan-hexadien-(1,5), während mit Aceton sensibilisiert über den T_1 $(\pi \pi^*)$- Zustand eine intramolekulare Cycload-dition zu 1,6,6-Trimethyl-exo-5- und 1,6,6-Trimethyl-endo-5-cyan-bicyclo[2.1.1]hexan eintritt[1]:

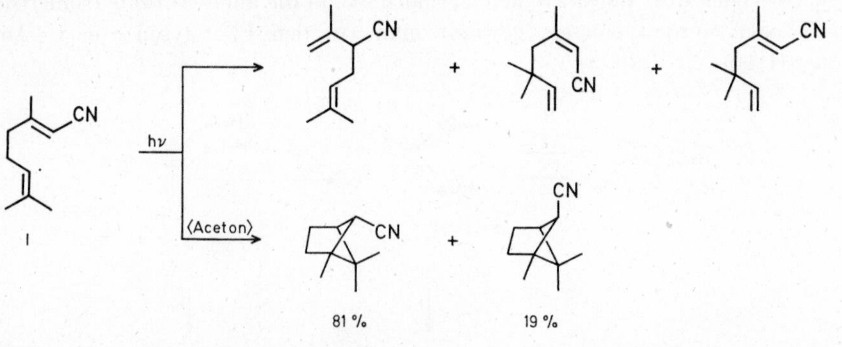

Die sensibilisierte Belichtung von 7-Methyl-4-isopropyl-nonadien-(2,7)-disäure-diäthylester ist ein wichtiger Reaktionsschritt einer ergiebigen Synthese des Sesqui-terpens (±) α-Bourbonen (Gesamtausbeute ab Photolyseprodukt über zahlreiche Stufen 8%)[2]:

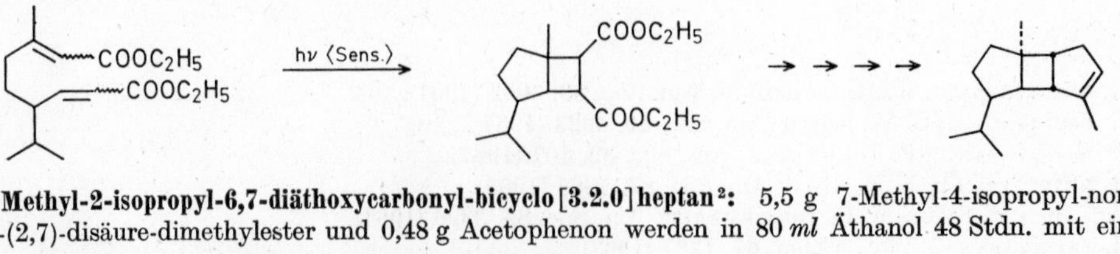

5-Methyl-2-isopropyl-6,7-diäthoxycarbonyl-bicyclo[3.2.0]heptan[2]: 5,5 g 7-Methyl-4-isopropyl-nona-dien-(2,7)-disäure-dimethylester und 0,48 g Acetophenon werden in 80 ml Äthanol 48 Stdn. mit einer

[1] R. C. COOKSON, Quart. Rev. 22, 423 (1968).
R. F. C. BROWN, R. C. COOKSON u. J. HUDEC, Tetrahedron 24, 3955 (1968).
R. C. COOKSON et al., Tetrahedron Letters 1965, 3955.
[2] M. BROWN, J. Org. Chem. 33, 162 (1968).

Quecksilber-Hochdruck-Lampe (Hanovia 450 W) durch ein Pyrex-Filter belichtet. Nach Destillation ($Kp_{0,04} = 121°$) werden 2,9 g (53%) eines Stereoisomerengemisches erhalten, welches direkt zu ($\pm$)α-Bourbonen weiterverarbeitet werden kann.

2-Methyl-6-methylen-octen-(2) (II) geht bei der mit Benzophenon, Fluorenon oder 2-Acetyl-naphthalin sensibilisierten Reaktion in das *5,5-Dimethyl-1-vinyl-bicyclo[2.1.1]hexan* (III; 75% d.Th.) über[1]. Bei direkter Belichtung in Äther entstehen nur 3% dieses Produkts und dafür das *6,6-Dimethyl-2-methylen-bicyclo[3.1.1]heptan* (IV; *β-Pinen*; 14–16% d.Th.) und *1-[4-Methyl-penten-(3)-yl]-cyclobuten* (V; 81–83% d.Th.)[2]:

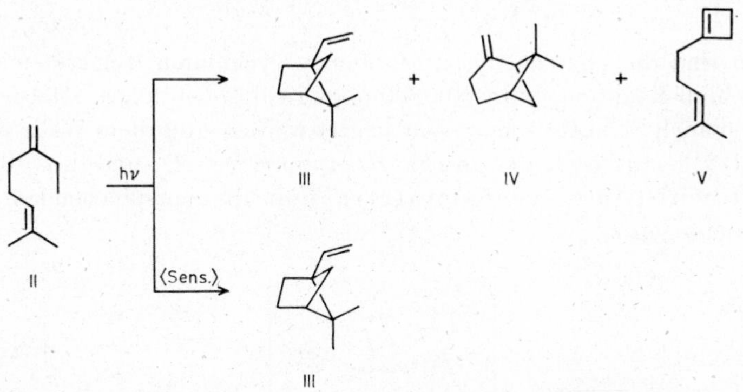

5,5-Dimethyl-1-vinyl-bicyclo[2.1.1]hexan (III)[1]: 2,8 g 2-Methyl-6-methylen-octen-(2)(II) werden mit 0,04 g 2-Acetyl-naphthalin in 120 *ml* Äther mit einer 200 W Hanovia-Quecksilber-Mitteldruck-Lampe mit Pyrex-Filter 8 Stdn. belichtet. Nach Entfernen des Äthers i.Vak. wird an einer Vigreux-Kolonne destilliert; Ausbeute: 2,1 g (75% d.Th.); Kp_{20}: 56–57°.

Aus 7,11-Dimethyl-3-methylen-dodecatrien-(1,6,10) (VI) erhält man ebenfalls mit und ohne Sensibilisatoren eine unterschiedliche Produktverteilung[3]:

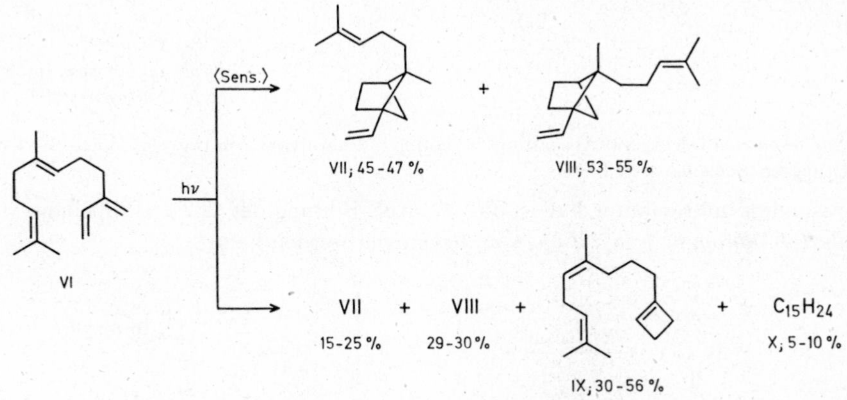

2,6-Dimethyl-9-cyclobuten-(1)-yl-nonadien-(2,5) (IX) entsteht nur bei direkter Belichtung, *exo-* und *endo-5-Methyl-1-vinyl-5-[4-methyl-penten-(3)-yl]-bicyclo[2.1.1]hexan* (VII, VIII)

---

[1] R. LIU u. G. S. HAMMOND, Am. Soc. **86**, 1892 (1964); **89**, 4936 (1967).
[2] K. J. CROWLEY, Tetrahedron **21**, 1001 (1965).
 J. SATIEL u. O. C. ZAFIRIOUS, Mol. Photochem. **1**, 319 (1969).
 K. J. CROWLEY, Pr. chem. Soc. **1962**, 245, 334.
[3] J. D. WHITE u. D. N. GUPTA, Tetrahedron **25**, 3331 (1969).
 J. L. COURTNEY u. S. MC DONALD, Austral. J. Chem. **22**, 2411 (1969).

auch bei der sensibilisierten Umsetzung. Wie dieses Beispiel zeigt, kann eine der beiden die Cycloaddition eingehenden C=C-Doppelbindungen durchaus Teil eines konjugierten Systems sein. Auch kumulierte Doppelbindungen kommen in Frage[1]:

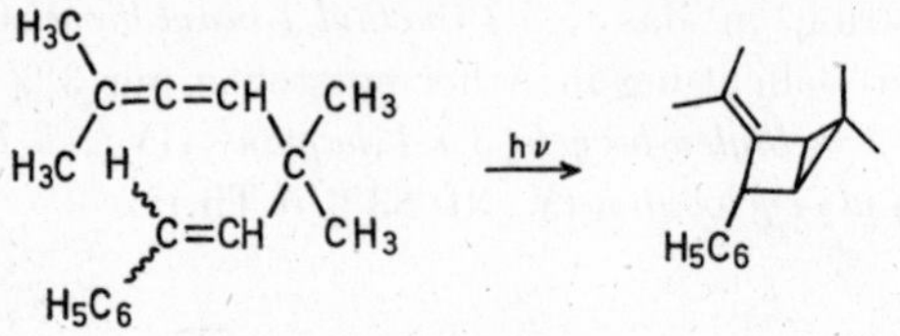

5,5-Dimethyl-exo-3-phenyl-2-isopropyliden-bicyclo[2.1.0]pentan

Gelegentlich sind die photochemisch gebildeten Cyclobuten-Ringsysteme so labil, daß auf die Ringschluß-Reaktion sofort Ringöffnungs-Reaktionen folgen. Dabei können außer Valenzisomeren auch Strukturisomere beobachtet werden. Auf diese Weise erhält man aus Hexaphenyl-3,3'-bi-cyclopropenyl *Hexaphenyl-benzol*[2] und aus den 5,6-disubstituierten Dibenzo-[a;e]-cyclooctatetraenen die entsprechenden 5,11-disubstituierten Verbindungen[3]:

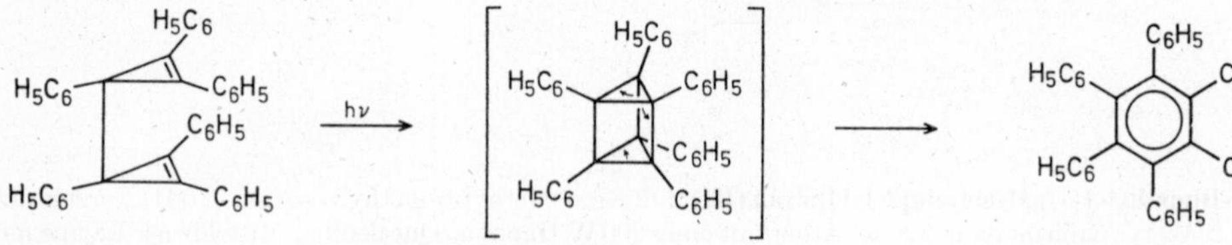

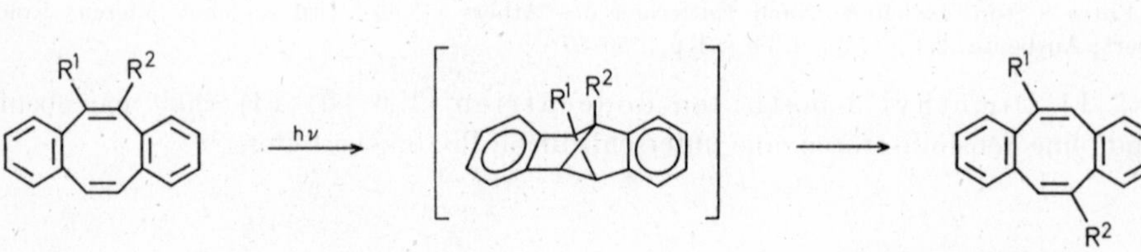

z. B.: R¹ = R² = C₆H₅; *5,11-Diphenyl-⟨dibenzo-[a,e]-cyclooctatetraen⟩*; 36% d.Th.

Über die unter Schwefeldioxid-Abspaltung verlaufende Photolysen von Dicyclopropen-(2)-yl-sulfonen zu substituierten Benzolen s. S. 1039.

Ein besonders interessanter Fall ist die „in situ"-Bildung des [2.2.2]-Propellans, das mit Brom als *1,4-Dibrom-bicyclo[2.2.2]octan* abgefangen werden kann[4]:

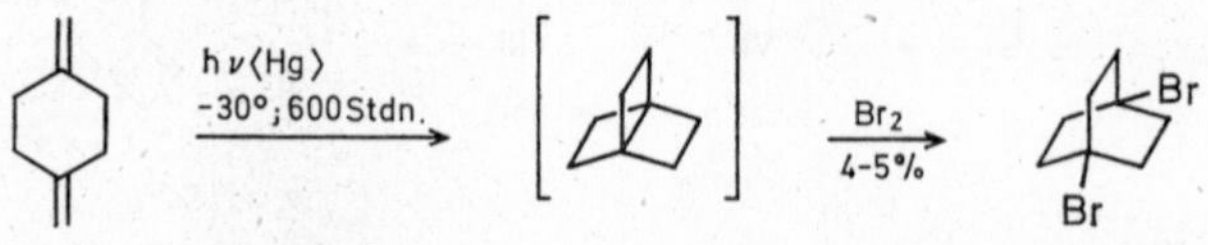

Bei den Cyclomerisationen an Dienen mit isolierten Doppelbindungen ist man wegen ihrer sehr kurzwelligen UV-Absorption meist auf eine sensibilisierte Reaktionsführung angewiesen. Eine zweite Möglichkeit besteht gelegentlich in der Komplexbildung. Cyclooctadien-(1,5) geht mit Quecksilber sensibilisiert in der Gasphase mit geringer Ausbeute

[1] D. C. LANKIN et al., Tetrahedron Letters **1973**, 4009.
[2] R. BRESLOW u. P. GAL, Am. Soc. 81, 4747 (1959).
[3] M. STILES u. U. BURCKHARDT, Am. Soc. 86, 3396 (1964).
[4] J. J. DANNENBERG, T. M. PROCIV u. C. HUTT, Am. Soc. 96, 913 (1974).

in *Tricyclo[3.3.0.0²,⁶]octan* über. Mit Kupfer(I)-chlorid in Äther wird das gleiche Produkt mit 28%iger Ausbeute gebildet[1].

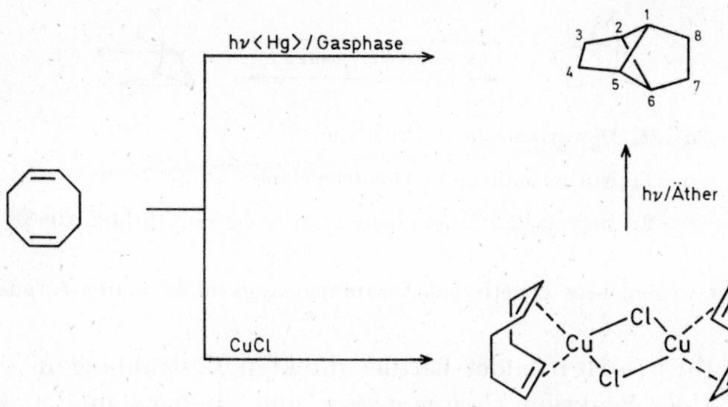

hν⟨Hg⟩ / Gasphase

hν/Äther

CuCl

Mit Rhodium(I)-chlorid erhält man anstelle des „gekreuzten" Cycloaddukts u. a. das valenzisomere *Bicyclo[4.2.0]octen-(7)* (20% d. Th.)[1].

Cyclooctadien-(1,4) läßt sich ohne Sensibilisatoren in ätherischer Lösung quantitativ in *syn-Tricyclo[3.3.0.0²,⁴]octan* umwandeln[2]:

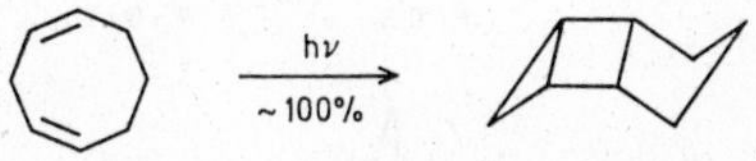

hν
~ 100%

Bei Cyclooctatrien-(1,3,6) liefert die direkte Belichtung eine Reihe verschiedener Reaktionsprodukte, deren Bildung z. T. Wasserstoff-Verschiebungen voraussetzen[3,4]:

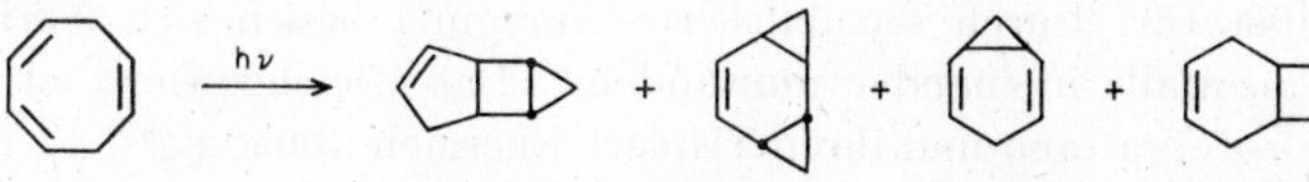

hν →   +   +   +

	Tricyclo [3.3.0.0²,⁴] octen-(6)	Tricyclo [5.1.0.0⁴,⁶] octen-(2)	Bicyclo [5.1.0]octa- dien-(2,5)	Bicyclo [4.2.0]octa- dien-(3,7)
in Pentan[3]:	11%	8%	16%	31%
in Methanol[4]:	18%	10%	30%	8%

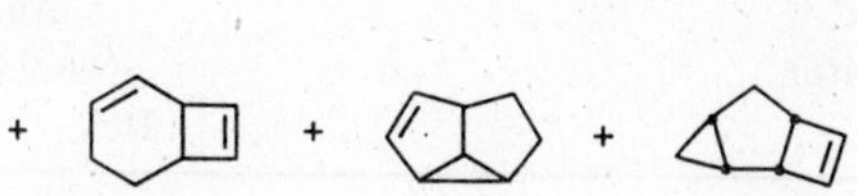

+   +   +

	Bicyclo [4.2.0]octa- dien-(2,7)	Tricyclo [3.3.0.0²,⁸] octen-(3)	Tricyclo [4.2.0.0²,⁴] octen-(7)
Pentan[3]:	20%	13%	—
Methanol[4]:	20%	9%	5%

[1] R. SRINIVASAN, Am. Soc. **85**, 819, 3048 (1963); **86**, 3318 (1964); J. phys. Chem. **67**, 1367 (1963).
   R. SRINIVASAN u. K. A. HILL, Am. Soc. **87**, 4988 (1965).
   J. E. BALDWIN u. R. H. GREELEY, Am. Soc. **87**, 4514 (1965).
[2] S. MOON u. C. R. GANZ, Tetrahedron Letters **1968**, 6275.
[3] J. ZIRNER u. S. WINSTEIN, Pr. chem. Soc. **1964**, 235.
[4] W. R. ROTH u. B. PELTZER, Ang. Ch., (Intern. Ed.) **3**, 440 (1964); A. **685**, 56 (1965).

Besonders geeignet für die $[\pi^2s + \pi^2s]$-Cycloaddition isolierter C=C-Doppelbindungen sind 1,4-überbrückte Cyclohexadiene-(2,5):

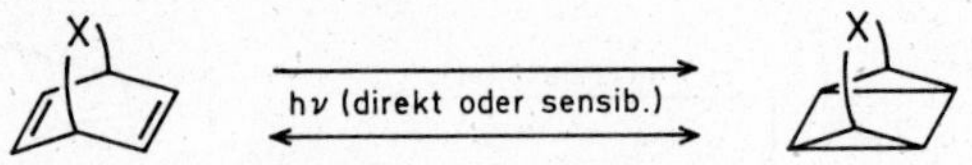

$$X = (CH_2)_n$$

n=0; Dewarbenzole ⇌ Prismane

n=1; Norbornadiene ⇌ Quadricyclane

n=2; Bicyclo[2.2.2]octadiene-(2,5) ⇌ Tetracyclo[4.2.0.0²,⁸0⁵,⁷]octane

Die Prismane werden wegen ihres genetischen Zusammenhangs im Aromaten-Kapitel (s. S. 472ff.) behandelt.

Bicyclo[2.2.1]heptadien bildet bei der direkten Bestrahlung in der Gasphase in einer Retro-Diels-Alder-Reaktion *Cyclopentadien* und *Acetylen* und außerdem die Isomerisierungsprodukte *Toluol* und *Cycloheptatrien*[1]. In Lösung entsteht vor allem durch Valenzisomerisierung das *Quadricyclan (Tetracyclo[3.2.0.0²,⁷.0⁴,⁶]heptan;* 67% d. Th.)[1,2]:

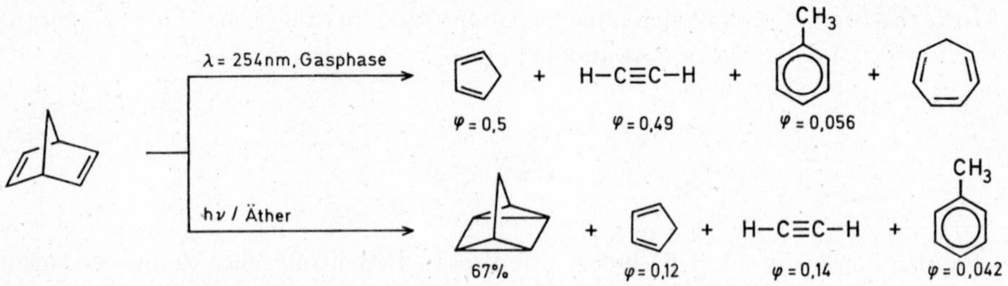

Die entsprechende Cycloreversion erfolgt thermisch – bei geeigneter Substitution schon bei Zimmertemperatur. Durch sensibilisierte Anregung lassen sich Norbornadiene und Quadricyclane ebenfalls ineinander umwandeln[3]. Das Gleichgewicht ist dabei von den verwendeten Sensibilisatoren und ihren Triplett-Energien abhängig[4]:

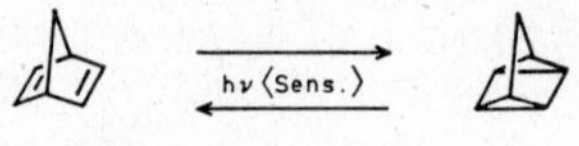

Sensibilisator	Ausbeute [%] nach 6 Stdn. Belichtung	
	I → II	II → I
Acetophenon	100	0
Benzophenon	86	16
2-Formyl-naphthalin	53	10
Benzil	50	2

[1] B. C. Roquitte, Am. Soc. **85**, 3700 (1963); J. phys. Chem. **69**, 2475 (1965).

[2] W. G. Dauben u. R. L. Cargill, Tetrahedron **15**, 197 (1961).
 H. Prinzbach u. J. Hartenstein, Ang. Ch. **74**, 506 (1962).

[3] G. S. Hammond, N. J. Turro u. A. Fischer, Am. Soc. **83**, 4674 (1961).
 S. L. Murov, R. S. Cole u. G. S. Hammond, Am. Soc. **90**, 2957 (1968).
 S. L. Murov u. G. S. Hammond, J. phys. Chem. **72**, 3797 (1968).
 A. A. Gorman et al., Tetrahedron Letters **1973**, 5085.

[4] G. S. Hammond et al., Am. Soc. **86**, 2532 (1964).

Wie die beiden folgenden Beispiele zeigen, kann – von Fall zu Fall verschieden – die direkte oder die sensibilisierte Reaktion präparative Vorteile haben[1]:

3,3-Diphenyl-1,5-dimethoxycarbonyl-tetracyclo[3.2.0.0^{2,7}.0^{4,6}]heptan

2,4-Diphenyl-1-methoxycarbonyl- . . .

wenig   55%   21%

5,7-Diphenyl-1- bzw. 4-methoxycarbonyl-tricyclo [3.2.0.0^{2,7}]hepten-(3)

Schließlich kann die Photoisomerisierung I→II auch mit Kupfer(I)-chlorid katalysiert werden[2]. Weitere Beispiele für die Quadricyclan-Bildung sind in Tab. 40, (S. 234) zu finden. Die Reaktion hat große Anwendungsbreite, versagt allerdings bei Benzo- und Dibenzo-Derivaten zugunsten von Umlagerungsprozessen[3].

Quadricyclan (Tetracyclo[3.2.0.0^{2,7}0^{4,6}]heptan)[4]: 9 g Norbornadien {Bicyclo[2.2.1]heptadien-(2,5)} werden in 2 l abs. Äther 110 Stdn. mit einer G. E. A–H 6 Quecksilber-Lampe belichtet. Die auf dem Wasserbad bei 50° auf ∼ 50 ml eingeengte Lösung wird anschließend mit einer gesättigten Silbernitrat-Lösung extrahiert, mit Wasser gewaschen, getrocknet und auf ein Volumen von ∼ 20 ml konzentriert. Bei der folgenden Kurzweg-Destillation können zwischen 50 und 77° 6 g (67% d.Th.) einer farblosen Flüssigkeit aufgefangen werden, die laut gaschromatographischer Analyse zu 95% aus Quadricyclan besteht. Gaschromatographisch gereinigtes Quadricyclan; n$_D^{20}$; 1,4804. (Bei einer Destillation mit Claisen-Aufsatz erfolgt thermische Rückreaktion zu Norbornadien.)

5-Phenyl-1-methoxycarbonyl-tetracyclo[3.2.0.0^{2,7}.0^{4,6}]heptan[5]: 1,4 g (6,2 mMol) 3-Phenyl-2-meth-oxycarbonyl-bicyclo[2.2.1]heptadien-(2,5) werden bei 0° in 100 ml Acetonitril 3 Stdn. mit einem Queck-silber-Hochdruck-Brenner (Hanau Q 81) durch ein Pyrex-Filter bestrahlt. Nach Abdampfen des Lösungs-mittels hinterbleiben farblose Kristalle; Ausbeute; 1,4 g (100% d.Th.); F: 86—87° (Hexan).

3,7-Diphenyl-tetracyclo[3.3.0.0.^{2,8}.0^{3,7}]octan[6]: 100 mg (0,39 mMol) 3,7-Diphenyl-bicyclo[3.3.0]octa-dien-(2,7) werden in 300 ml abs. Acetonitril bei 0° 1 Stde. unter Stickstoff mit einem Quecksilber-Hochdruck-Brenner (Hanau Q 81) durch ein dickwandiges Pyrex-Filter belichtet. Man verdampft das Lösungsmittel i. Vak. unterhalb 20° und erhält nach Methanol-Zugabe Kristalle, welche durch Subli-mation bei 18—20° (5 · 10^{-4} Torr) von geringen Mengen Ausgangsmaterial und Polymeren getrennt wer-den; Ausbeute: 80—85 mg (80—85%); F: ab 75° Zers., Bildung neuer Kristalle mit F: 114—118°.

H. Prinzbach u. J. Rivier, Helv. 53, 2201 (1970).
R. Srinivasan, unveröffentlicht.
J. Ipaktschi, Tetrahedron Letters 1970, 3183; B. 105, 1989 (1972).
W. G. Dauben u. R. L. Cargill, Tetrahedron 15, 197 (1961).
G. Kaupp u. H. Prinzbach, Helv. 52, 956 (1969).
G. Kaupp, A. 1973, 844.

Tab. 40. Quadricyclane aus Bicyclo[2.2.1]heptadienen-(2,5)[1]

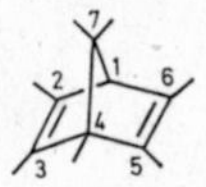 ...-bicyclo[2.2.1] heptadien-(2,5)	Sensibilisator	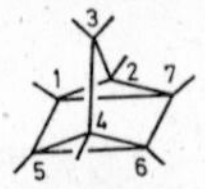 ...-tetracyclo[3.2.0. 0²,⁷.0⁴,⁶]heptan	Ausbeute [% d.Th.]	Literatur
7-Chlor-...	Aceton Acetophenon oder Benzophenon	*3-Chlor-...*	–	2
7-Hydroxy-...		*3-Hydroxy-...*	–	2
7-Äthoxy-...		*3-Äthoxy-...*	–	2
7-Acetoxy-...	–	*3-Acetoxy-...*	–	3
2-Methoxycarbonyl-...	–	*1-Methoxycarbonyl-...*	82–88	4
2-Acetyl-...		*1-Acetyl-...*	–	5
2-Äthoxycarbonyl-...	Benzophenon	*1-Äthoxycarbonyl-...*	–	6
2-Methyl-3-äthoxy-carbonyl-...		*5-Methyl-1-äthoxy-carbonyl-...*	–	7
2,3-Dicarboxy-...	–	*1,5-Dicarboxy-...*	>47	8
2,3-Dicyan-...	–	*1,5-Dicyan-...*	–	9
2,3-Dimethoxycarbonyl-...	–	*1,5-Dimethoxycarbonyl-...*	82–88	4
2,3-Bis-[1-hydroxy-propyl-(2)]-...	Diäthyl-amin	*1,5-Bis-[1-hydroxy-propyl-(2)]-...*	76	10
2,3-Diphenyl-...	–	*1,5-Diphenyl-...*	82–88	4
1,4-Diphenyl-...	–	*2,4-Diphenyl-...*	–	11
1,5-Diphenyl-2-methoxy-carbonyl-...		*2,6-Diphenyl-1-methoxy-carbonyl-...*	–	4
1,4-Diphenyl-2,3-dimethoxy-carbonyl-...	–	*2,4-Diphenyl-1,5-dimethoxy-carbonyl-...*	~100	12
1,5-Diphenyl-2,3-dimethoxy-carbonyl-...	–	*2,6-Diphenyl-1,5-dimethoxy-carbonyl-...*	~90	12

[1] Übersichtsartikel: H. Prinzbach, Pure Appl. Chem. **16**, 17 (1968).
[2] P. R. Story u. S. R. Fahrenholtz, Am. Soc. **86**, 527 (1964).
[3] H. G. Richey u. N. C. Buckley, Am. Soc. **85**, 3057 (1963).
[4] G. Kaupp, IUPAC-Symp. Photochem. **1972**, 110;
    G. Kaupp u. H. Prinzbach, Helv. **52**, 956 (1969); Chimia **22**, 502 (1968); A. **725**, 52 (1969).
[5] G. F. Koser u. S.-M. Yu, J. Org. Chem. **38**, 1755 (1973).
[6] A. A. Gorman et al., Tetrahedron Letters **1973**, 5085.
[7] S. Majeti u. T. W. Gibson, Tetrahedron Letters **1973**, 4889.
[8] S. J. Cristol u. R. L. Snell, Am. Soc. **76**, 5000 (1954); **80**, 1950 (1958).
[9] J. R. Edman, J. Org. Chem. **32**, 2920 (1967).
[10] R. Criegee, R. Askani u. H. Grüner, B. **100**, 3916 (1967).
[11] L. A. Paquette u. L. M. Leichter, Am. Soc. **92**, 1765 (1970).
[12] H. Prinzbach u. M. Thyes, B. **104**, 2489 (1971).

Tab. 40 (1. Fortsetzung)

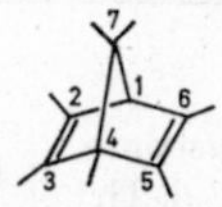 ...-bicyclo[2.2.1] heptadien-(2,5)	Sensibili-sator	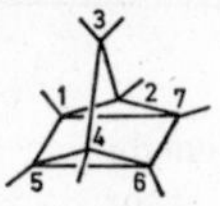 ...-tetracyclo[3.2.0. $0^{2,7}.0^{4,6}$]heptan	Ausbeute [% d.Th.]	Literatur
1,4-Diphenyl-2-methoxy-carbonyl-...	–	*2,4-Diphenyl-1-methoxy-carbonyl-...*	~100	1
1,5-Diphenyl-2-methoxy-carbonyl-...	–	*2,6-Diphenyl-1-methoxy-carbonyl-...*	90	1
7,7-Dimethoxy-2,3-dimethyl-...	2,4-Di-methyl-benzo-phenon	*3,3-Dimethoxy-1,5-dimethyl-...*	–	2
	–		82	3
1,2,3,4,7,7-Hexachlor-...	–	*1,2,3,3,4,5-Hexachlor-...*	~75	4
1,2,3,4-Tetrachlor-7,7-dimethoxy-...	–	*1,2,4,5-Tetrachlor-3,3-dimethoxy-...*	80	5
7,7-Difluor-1,2,3,4-tetrachlor-...	–	*3,3-Difluor-1,2,4,5-tetrachlor-...*	~100	6
7,7-Difluor-1,2,3,4-tetrachlor-5-phenyl-...	–	*3,3-Difluor-1,2,4,5-tetrachlor-6-phenyl-...*	~100	6
1,2,3,4,7,7-Hexachlor-6-tri-methylstannyl-5-methyl-...	–	*1,2,3,3,4,5-Hexachlor-7-tri-methylstannyl-6-methyl-...*	63	7
1,2,3,4,7,7-Hexachlor-5,6-bis-[trimethylstannyl]-...	–	*1,2,3,3,4,5-Hexachlor-6,7-bis-[trimethylstannyl]-...*	45	7
2,3-Diphenyl-2,2'-sulfon-...	–	*⟨Dibenzo-4-thia-pentacyclo [5.5.0.0^{1,11}.0^{7,9}.0^{8,12}]do-decadien-(2,5)⟩-12,12-dioxid*	–	8
7-Isopropyliden-2,3-di-methoxycarbonyl-...	– Fluorenon Aceton	*3-Isopropyliden-1,5-di-methoxycarbonyl-tetracyclo [3.2.0.0^{2,7}.0^{4,8}]heptan*	~100	9

1 H. PRINZBACH u. M. THYES, B. 104, 2489 (1971).
2 P. G. GASSMAN, D. H. AUE u. D. S. PATTON, Am. Soc. 86, 4211 (1964).
3 P. G. GASSMAN, D. H. AUE u. D. S. PATTON, Am. Soc. 90, 7271 (1968).
4 J. A. CLAISSE, D. I. DAVIES u. C. K. ALDEN, Soc. [C] 1966, 1498.
5 D. I. DAVIES u. P. J. ROWLEY, Soc. [C] 1967, 2245.
6 C. W. JEFFORD et al., Tetrahedron Letters 1973, 5187.
7 D. SEYFERTH u. A. B. ERNIN, Am. Soc. 89, 1468 (1967).
8 H. PRINZBACH et al., Helv. 51, 911 (1968).
9 H. PRINZBACH u. J. RIVIER, Helv. 53, 2201 (1970); Tetrahedron Letters 1967, 3713.

Tab. 40 (2. Fortsetzung)

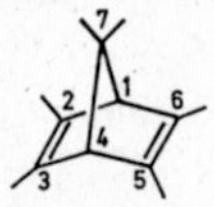 ...-bicyclo [2.2.1] heptadien-(2,5)	Sensibili-sator	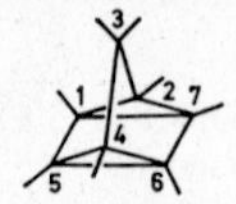 ...-tetracyclo [3.2.0. $0^{2,7}.0^{4,6}$] heptan	Ausbeute [% d. Th]	Literatur
7-Isopropyliden-2,3-dicarboxy-...	–	3-Isopropyliden-1,5-dicarboxy-...	70–75	1
7-Diphenylmethylen-2,3-dimethoxycarbonyl-...	Fluorenon (Aceton)	3-Diphenylmethylen-1,5-dimethoxycarbonyl	90	1
7-Diphenylmethylen-2,3,5,6-tetramethoxycarbonyl- ...	Fluorenon	3-Diphenylmethylen-1,5,6,7-tetramethoxycarbonyl- ...	50–55	1
7-Benzyliden-2,3-dimethoxy-carbonyl-...	Fluorenon	3-Benzyliden-1,5-dimethoxy-carbonyl-...	19–23	1
Cyclopropan-⟨1-spiro-7⟩-2,3-dimethoxycarbonyl-...	–	Cyclopropan-⟨1-spiro-3⟩-1,5-dimethoxycarbonyl-...	95	1
Bi-{bicyclo[2.2.1]heptadien-(2,5)-yliden-(7)}	–	3-{Bicyclo[2.2.1]heptadien-(2,5)-yliden-(7)}-... Bi-{tetracyclo[3.2.0.0^{2,7}.0^{4,6}] heptanyliden-(3)}	36	2

Auch 7-Oxa- und 7-Aza-bicyclo[2.2.1]heptadiene-(2,5) lassen sich zu Quadricyclanen iso-merisieren, wobei die Substituenten in weiten Grenzen variiert werden können.

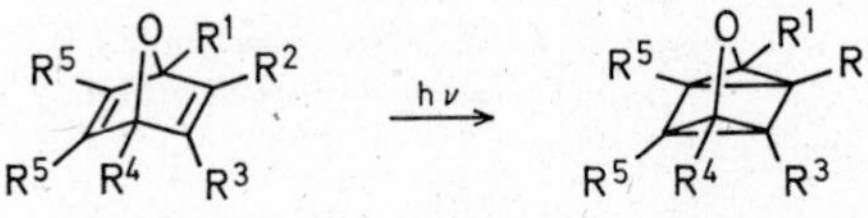

$R^1, R^2, R^3, R^4, R^5 = H;$ CH$_3$; C$_6$H$_5$; COOCH$_3$; CONH$_2$; CN

2-Methyl-1,5-dimethoxycarbonyl-3-oxa-tetracyclo[3.2.0.0^{2,7}.0^{4,6}]heptan fällt z. B. in 80%iger Ausbeute an[3]; weitere Beispiele s. Org.-Lit.[4, 5]. Auch mit höher kondensierten Ausgangs-

[1] H. Prinzbach u. J. Rivier, Helv. 53, 2201 (1970); Tetrahedron Letters 1967, 3713.
[2] H. Tanida et al., J. Org. Chem. 30, 2259 (1965).
  Vgl. a.: H. Sauter, H.-G. Hörster u. H. Prinzbach, Ang. Ch. 85, 1106 (1973).
[3] E. Payo et al., Tetrahedron Letters 1967, 2415.
[4] H. Prinzbach, Chimia 21, 194 (1967).
  H. Prinzbach, P. Vogel u. W. Auge, Chimia 21, 469 (1967).
  H. Prinzbach u. J. Rivier, Tetrahedron Letters 1967, 3713.
[5] H. Prinzbach, M. Arguëlles u. E. Druckrey, Ang. Ch. 78, 1057 (1966).
  W. Eberbach et al., Helv. 54, 2579 (1971).
  H. Prinzbach, P. Vogel u. W. Auge, Chimia 21, 469 (1967).
  H. Prinzbach u. P. Vogel, Helv. 52, 396 (1969).
  P. Vogel, B. Willhazm u. H. Prinzbach, Helv. 52, 584 (1969).
  P. Deslongchamps u. J. Kallos, Canad. J. Chem. 45, 2235 (1967).
  E. Payo et al., Acta cient. Venez. 18, 130 (1967); C. A. 70, 3681^d (1969).

verbindungen gelingt die Umsetzung[1]:

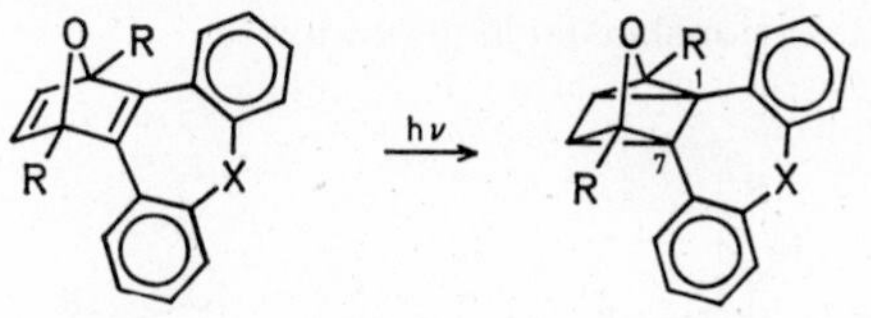

R = H; X = CH$_2$ *Dibenzo-4-oxa-pentacyclo[5.5.0.0^{1,3}.0^{2,6}.0^{5,7}]dodecadien-(8,11)*
R = H; X = SO$_2$ ⟨*Dibenzo-4-oxa-10-thia-.....*⟩*-12,12-dioxid*
R = CH$_3$; X= O   *3,5-Dimethyl-⟨dibenzo-4,10-dioxa-...⟩*

Die 1,4-Epoxi-1,4-dihydro-naphthaline führen jedoch direkt zu den Benzo-[d]-oxepinen[2,3]:

Benzo-[d]-oxepin[4]:

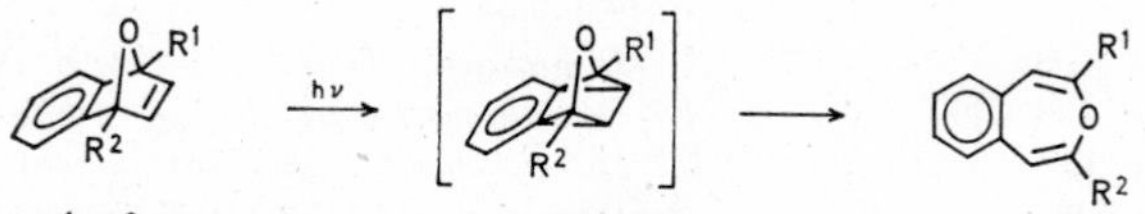

R^1 = R^2 = H
R^1 = R^2 = D
R^1 = H; R^2 = D

Eine 2%ige Lösung von 1,4-Epoxi-1,4-dihydro-naphthalin (R^1 = R^2 = H) in abs. Äthanol wird in einer Quarz-Apparatur mit einer Quecksilber-Niederdruck-Lampe 24 Stdn. bestrahlt. Der vom Lösungsmittel befreite Rückstand wird an Kieselgel oder neutralem Aluminiumoxid chromatographiert. Dabei isomerisiert sich das nicht umgesetzte Ausgangsprodukt zu α-Naphthol, das auf der Säule bleibt. Mit Petroläther/Benzol (19:1) läßt sich selektiv das Benz-[d]-oxepin isolieren; Ausbeute: 6% d.Th.; F: 80–81°.

Mit guten Ausbeuten verlaufen die Photolysen der substituierten 7-Aza-bicyclo[2.2.1] heptadiene[5]:

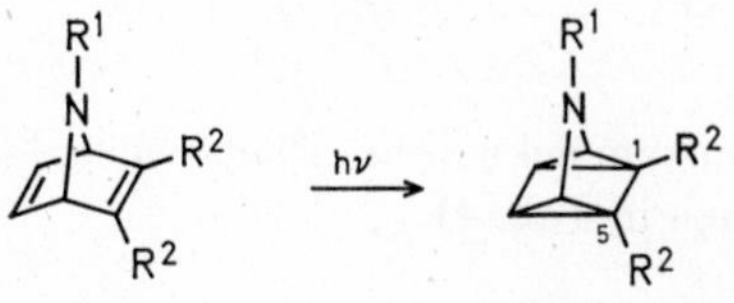

R^1 = COCH$_3$; R^2 = COOCH$_3$ *3-Acetyl-1,5-dimethoxycarbonyl-3-aza-tetracyclo [3.2.0.0^{2,7}.0^{4,6}]heptan*; 70% d.Th.

R^1 = R^2 = COOCH$_3$ *1,3,5-Trimethoxycarbonyl-...*; 70% d.Th.
R^1 = SO$_2$–CH$_3$; R^2 = COOCH$_3$ *3-Methylsulfonyl-1,5-dimethoxycarbonyl-...*; 90% d.Th.

R^1 = Tosyl; R^2 = COOCH$_3$ *3-(4-Methyl-phenylsulfonyl)-1,5-dimethoxycarbonyl-...*; 80% d.Th.

R^1 = Tosyl; R^2 = CF$_3$ *3-(4-Methyl-phenylsulfonyl)-1,5-bis-[trifluormethyl]-...*; 90% d.Th.

H. Prinzbach et al., Helv. **51**, 911 (1968).
[1] G. Kaupp et al., B. **103**, 2288 (1970), Ang. Ch. **83**, 361 (1971).
[2] G. R. Ziegler u. G. S. Hammond, Am. Soc. **90**, 513 (1968); **91**, 446 (1969).
   Vgl. a.: G. Kaupp et al., B. **103**, 2288 (1970).
[3] Zur Oxepin- und Azepin-Synthese auf diesem Weg vgl. z. B.: H. Prinzbach, R. Fuchs u. R. Kitzing, Ang. Ch. **80**, 78 (1968).
   G. Kaupp et al., B. **103**, 2288 (1970).
   H. Prinzbach u. D. Stusche, B. **106**, 3817 (1973).
[4] E. Payo et al., Tetrahedron Letters **1967**, 2415.
[5] H. Prinzbach, R. Fuchs u. R. Kitzing, Ang. Ch. **80**, 78 (1968).
   R. C. Bansal, A. W. McCulloch u. A. G. McInnes, Canad. J. Chem. **47**, 2391 (1969).
   M. Prinzbach, et al., B. **106**, 3824 (1973).

Die Tendenz zur intramolekularen $[\pi^2s + \pi^2s]$ Cycloaddition ist bei Bicyclo[2.2.2] octadienen-(2,5) nicht so ausgeprägt wie bei den Bicyclo[2.2.1]heptadienen-(2,5)[1], trotzdem wurden einige Reaktionsbeispiele gefunden[2]:

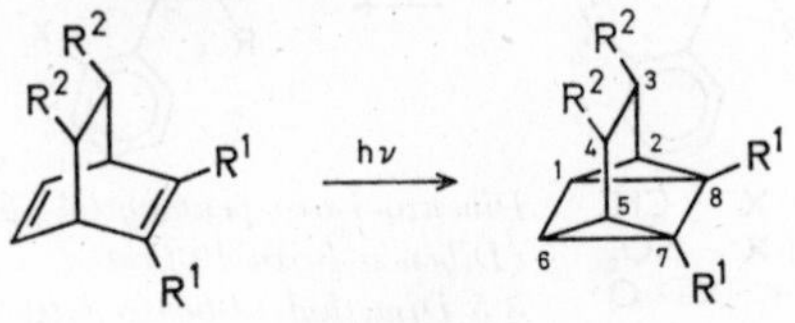

R[1] = CF$_3$; R[2] = H   1,6-Bis-[trifluormethyl]-tetracyclo[4.2.0.0^{2,8}.0^{5,7}]octan; 85% d.Th.

R[1] = COOCH$_3$; R[2] = H   1,6-Dimethoxycarbonyl-...; 40% d.Th.

R[1] = CF$_3$; R[2]–R[2] = CH$_2$ 1,7-Bis-[trifluormethyl]-pentacyclo[5.2.0.0^{2,9}.0^{3,5}. 0^{6,8}]nonan

R[1] = COOCH$_3$; R[2]–R[2] = CH$_2$ 1,7-Dimethoxycarbonyl-...; 72% d.Th.

R[1] = COOCH$_3$; R[2]–R[2] = CH–CN   1,7-Dimethoxycarbonyl-4-cyan-...; 90% d.Th.

R[1] = COOCH$_3$; R[2]–R[2] = O   1,7-Dimethoxycarbonyl-4-oxa-...; 90% d.Th.

R[1] = H; R[2]–R[2] = –CH=CH–   Pentacyclo[6.2.0.0^{2,10}0^{3,6}.0^{8,9}]decen-(4); 80% d.Th.

R[1] = COOCH$_3$; R[2]–R[2] = –CH=CH–   1,8-Dimethoxycarbonyl-...; 61% d.Th.

Bei Bicyclo[3.2.2]nonadienen-(6,8) versagt die direkte oder sensibilisierte $[2\pi + 2\pi]$-Cycloaddition[3]. Man beobachtet statt dessen 1,3-Alkyl-Verschiebungen und Di-π-methan-Umlagerungen[3]. Bei einer noch längeren Brücke – wie im Fall des Bicyclo[8.2.2]tetra-decadiens-(11,13) tritt dagegen wieder die Vierring-Bildung ein[4]:

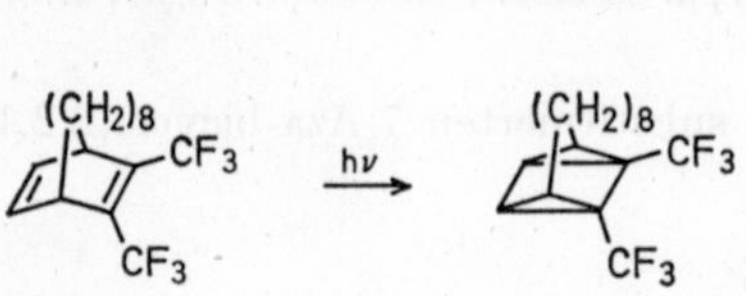

1,12-Bis-[trifluormethyl]-tetracyclo [10.2.0.0^{2,14}.0^{11,13}]tetradecan

Weitere Beispiele von intramolekularen Photocycloadditionen zwischen isolierten Doppelbindungen befinden sich in Tab. 41.

Tab. 41. Ringschlußreaktionen von Olefinen und isolierten Doppelbindungen

Ausgangsverbindung	Sensibilisator	Produkt	Ausbeute [% d.Th.]	Literatur
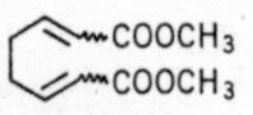 trans,trans + cis,trans + cis,cis	Aceton	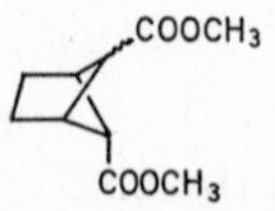 5,6-Dimethoxycarbonyl-bicyclo [2.1.1]hexan(syn/anti = 65:35)	~65	5

[1] Übersichtsartikel: H. Prinzbach, Pure Appl. Chem. 16, 17 (1968).

[2] R. S. H. Liu, Tetrahedron Letters 1969, 1409.
S. F. Nelsen u. J. P. Gillespie, Tetrahedron Letters 1969, 3259, 5059.
H. Prinzbach, W. Eberbach u. G. Philippossian, Ang. Ch. 80, 910 (1961); engl.: 7, 887 (1968).

[3] H. Prinzbach et al., B. 107, 1971, 1957 (1974).

[4] P. G. Gassman u. R. P. Thummel, Am. Soc. 94, 7183 (1972).

[5] J. R. Scheffer u. R. A. Wostradowski, J. Org. Chem. 37, 4317 (1972).

Tab. 41 (1. Fortsetzung)

Ausgangsverbingung	Sensibilisator	Produkt	Ausbeute [% d. Th.]	Literatur
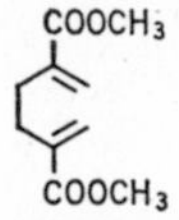 COOCH₃ / COOCH₃	Benzo-phenon	*1,4-Dimethoxycarbonyl-bicyclo [2.1.1]hexan*	8–38	1
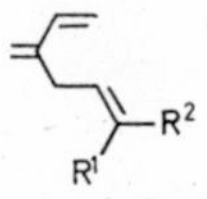 R² / R¹	2-Acetyl-naphthalin	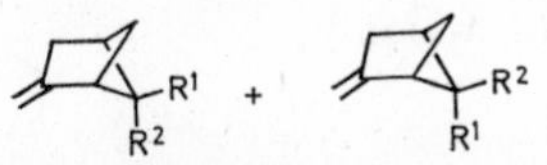		2
R¹=R²=H		*2-Methylen-bicyclo[2.1.1]hexan*	68	
R¹=H; R²=CH₃		*5-Methyl-2-methylen-bicyclo [2.1.1]hexan*	—	
R¹=CH₃; R²=H		*5-Methyl-2-methylen-bicyclo [2.1.1]hexan*	—	
R¹=R²=CH₃		*5,5-Dimethyl-2-methylen-bicyclo [2.1.1]hexan*	—	
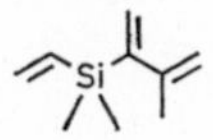	—	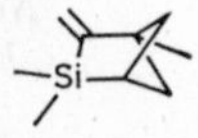 *2,2,4-Trimethyl-3-methylen-2-sila-bicyclo[2.1.1]hexan*	—	3
COOCH₃ / COOCH₃	Aceton	COOCH₃ / COOCH₃ +*exo-6,exo-7-Dimethoxycarbonyl-bicyclo[3.2.0]heptan* *exo-6,endo-7-Dimethoxy-carbonyl-...*	75 / 25	4
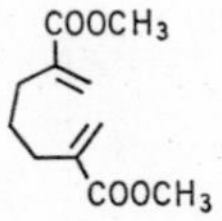 COOCH₃ / COOCH₃	—	*1,5-Dimethoxycarbonyl-bicyclo [3.2.0]heptan*	67	1
COOC₂H₅	—	COOC₂H₅ *1-Äthoxycarbonyl-tetracyclo [3.2.0.0²,⁷.0³,⁶]heptan*	~12	5

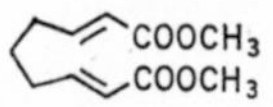

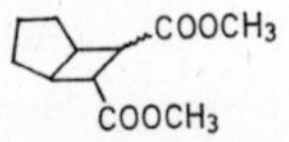

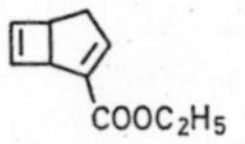

[1] J. J. BLOOMFIELD u. D. C. OWSLEY, Tetrahedron Letters 1973, 1795.
[2] R. S. H. LIU u. G. S. HAMMOND, Am. Soc. 89, 4937 (1967).
S. KITA u. K. FUKUI, Bl. Chem. Soc. Japan 42, 66 (1969).
[3] J. W. CONOLLY, J. Organomet. Chem. 64, 343 (1974).
[4] J. R. SCHEFFER u. R. A. WOSTRADOWSKI, J. Org. Chem. 37. 4317 (1972).
[5] A. R. BREMBER, A. A. GORMAN u. J. B. SHERIDAN, Tetrahedron Letters 1973, 481.

Tab. 41 (2. Fortsetzung)

Ausgangsverbindung	Sensibilisator	Produkt	Ausbeute [% d. Th.]	Literatur
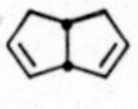	—	 Tetracyclo[3.3.0.0^{2,8}.0^{3,7}]octan	35	1
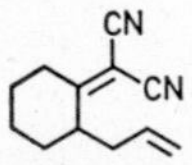	Aceton	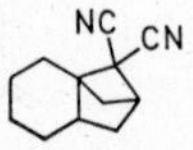 9,9-Dicyan-tricyclo[6.1.1.0^{1,6}]decan	—	2
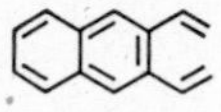	—	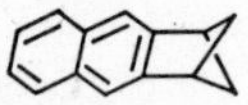 Naphtho[2,3]-bicyclo[2.1.1] hexen-(2)	—	3
	-	 Naphtho-[1,8a,8]-bicyclo[3.1.1] hepten-(2) 6b,7,8,8a-Tetrahydro-⟨cyclo- buta-[a]-acenaphthylen⟩	·	3
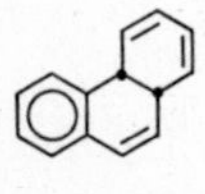	—	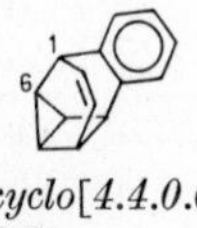 Benzo-tetracyclo[4.4.0.0^{4,8}.0^{5,7}] decadien-(2,9)	—	4
  R = C$_6$H$_5$	—	 1,2-Diphenyl-1,2,2a,10b-tetra- hydro-⟨cyclobuta-[l]-phen- anthren⟩	60	5
R = CH=CH–C$_6$H$_5$	—	1,2-Bis-[2-phenyl-vinyl]-...	50	

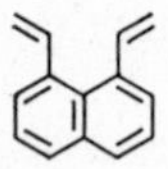

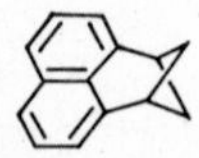

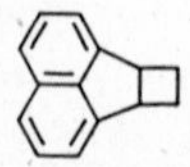

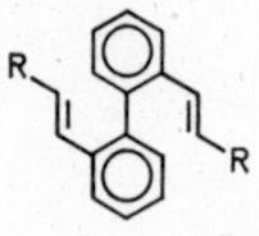

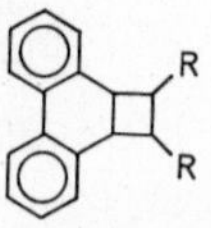

[1] P. K. FREEMANN u. T. D. ZIEBARTH, J. Org. Chem. 38, 3635 (1973).
Vgl. aber: H. HART u. M. KUZUYA, Am. Soc. 96, 3709 (1974); Tetrahedron Letters 1974, 1913.
[2] R. F. C. BROWN, R. C. COOKSON u. J. HUDEC, Chem. Commun. 1967, 823.
[3] J. MEINWALD, 21st National Organic Symposium, Salt Lake City, Utah, Juni 1969, S. 61.
B. BOSSENBRACK et al., Am. Soc. 91, 371 (1969).
[4] E. VEDEJS, R. P. STEINER u. E. S. C. WU, Am. Soc. 96, 4040 (1974).
[5] C. D. TULLOCH u. W. KEMP, Soc. [C] 1971, 2824.

Tab. 41 (3. Fortsetzung)

Ausgangsverbindung	Sensibilisator	Produkt	Ausbeute [% d.Th.]	Literatur
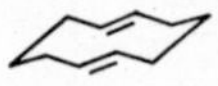	Aceton	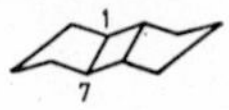	—	1
	Aceton —	anti-Tricyclo[5.3.0.0²·⁶]decan	— —	1
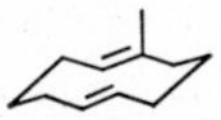	—	1-Methyl-anti-tricyclo[5.3.0.0²·⁶]decan + 1-Methyl-syn-...(9:1)	83–100	2
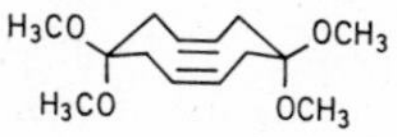	Aceton	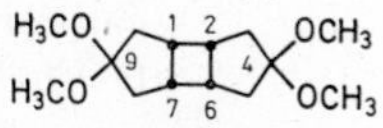 4,4,9,9-Tetramethoxy-syn-tricyclo[5.3.0.0²·⁶]decan	65	3
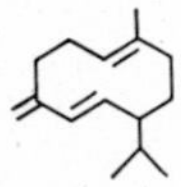	–	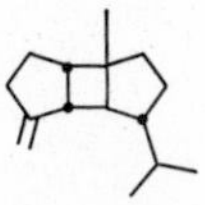 7-Methyl-10-isopropyl-3-methylen-anti-tricyclo[5.3.0.0²·⁶]decan	–	4
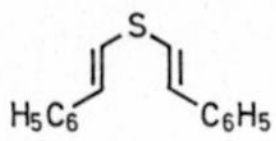	–	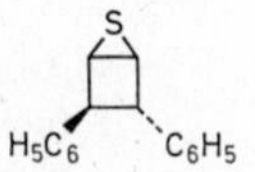 trans-2,3-Diphenyl-5-thia-bicyclo[2.1.0]pentan	30	5
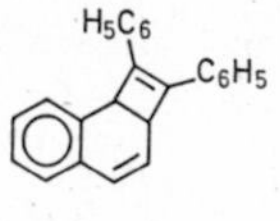	–	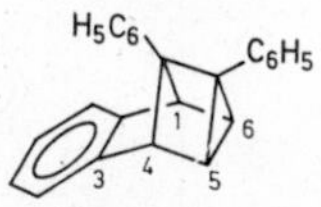 9,10-Diphenyl-⟨benzo-tetracyclo[4.2.1.0⁴·⁸.0⁵·⁷]nonen-(2)⟩	~100	6
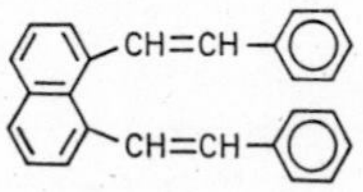	–	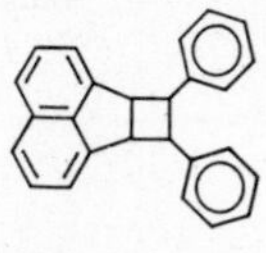 7,8-Diphenyl-6b,7,8,8a-tetrahydro-⟨cyclobuta-[a]-acenaphthylen⟩	90	7

A. SHANI, Tetrahedron Letters 1972, 569.
C. A. HEATHCOCK, R. A. BADGER u. R. A. STARKEY, J. Org. Chem. 37, 231 (1972).
A. SHANI, Tetrahedron Letters 1968, 5175.
K. YOSHIHARA et al., Tetrahedron Letters 1969, 2263.
E. BLOCK u. E. J. COREY, J. Org. Chem. 34, 896 (1969).
G. KAUPP u. K. KRIEGER, Ang. Ch. 84, 719 (1972).
P. J. COLLIN u. W. M. F. SASSE, Austral. J. Chem. 1971, 2325.
P. R. HOULTON u. W. KEMP, Tetrahedron Letters 1968, 1045, 4093.

Tab. 41 (4. Fortsetzung)

Ausgangsverbindung	Sensibilisator	Produkt	Ausbeute [% d.Th.]	Literatur
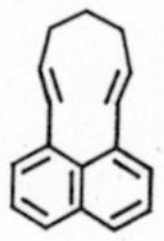	—	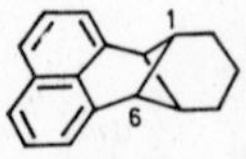 *Naphtho-[1,8a,8]-tricyclo[4.4.0.0^{2,7}] decen-(3)* 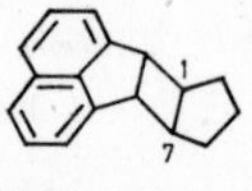 + *anti-Naphtho-[1,8a,8]-tricyclo [5.3.0.0^{2,6}]decen-(3)* 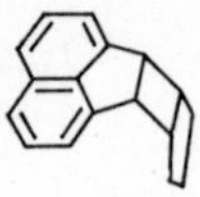 + *syn-...*	—	1
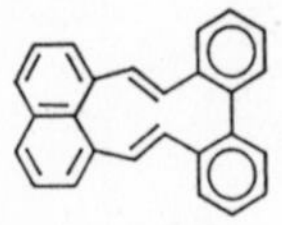	—	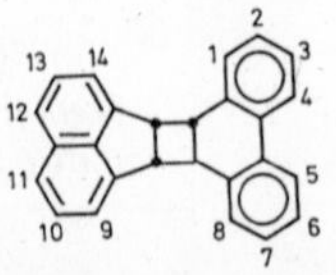 *8b,8c,14b,14c-Tetrahydro- ⟨acenaphtheno-[1,2-a]- phenanthro-[9,10-c]-cyclo- butadien⟩*	90	2
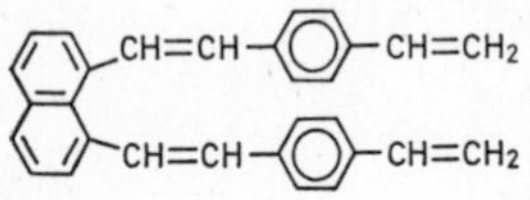	—	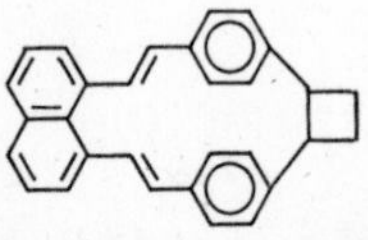 *Dibenzo-[1,2,3,4-b,c,d;1',2',3',4'- m,n,o]-naphtho-[1,8a,8-h,i]- bicyclo[15.2.0]nonadecaheptaen- (2,4,6,8,11,13,15)*	92	3
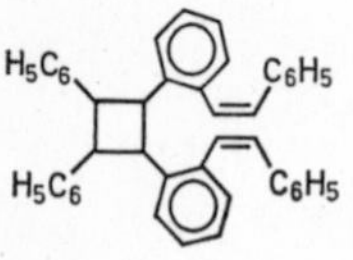	—	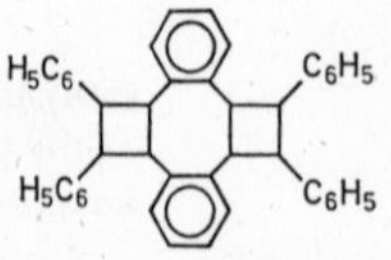 *7,8,15,16-Tetraphenyl-⟨2,3;8,9- dibenzo-tricyclo[8.2.0.0^{4,7}]do- decadien-(2,8)⟩*	—	4

[1] S. F. Nelson u. J. P. Gillespie, Am. Soc. **95**, 2940 (1973).
[2] R. H. Mitchell u. F. Sondheimer, Tetrahedron Letters **1968**, 2873.
[3] P. R. Houlton u. W. Kemp, Tetrahedron Letters **1968**, 1045, 4093.
[4] E. Müller, H. Meier u. M. Sauerbier, B. **103**, 1356 (1970).

Tab. 41. (5. Fortsetzung)

Ausgangsverbindung	Sensibilisator	Produkt	Ausbeute [% d. Th.]	Literatur
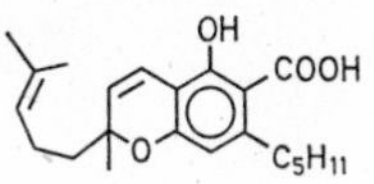	(Aceton/ 1,4-Dioxan)	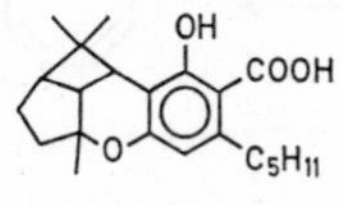 *Cannabicyclolsäure*	—	1

Intramolekulare Photocycloadditionen des Typs $[\pi^2s + \pi^2s]$ in geeigneten Polycyclen führen zu besonders merkwürdigen Strukturen, den sog. Käfig-Verbindungen. Ein n-Polycyclus geht dabei in einen (n+2)-Polycyclus über.

Belichtet man z. B. endo-Tricyclo[5.2.1.0²,⁶]decadien-(3,8) (*endo*-Dicyclo-pentadien) mit Aceton als Sensibilisator, so entsteht das *Pentacyclo[5.3.0.0²,⁵.0³,⁹.0⁴,⁸]decan*[2]:

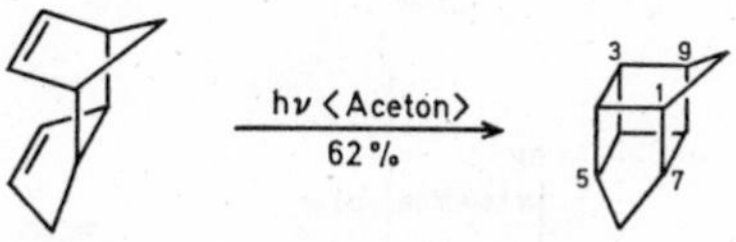

Aus *endo/endo*-Tetracyclo[6.2.1.1³,⁶.0²,⁷]dodecadien-(4,9) entsteht praktisch quantitativ *Hexacyclo[7.2.1.0²,⁸.0³,⁷.0⁴,¹¹.0⁶,¹⁰]dodecan*[3]:

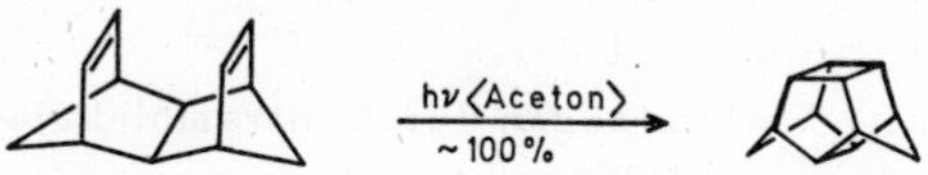

Enthält der ursprüngliche Polycyclus zusätzliche funktionelle Gruppen, so kann häufig auf die Anwesenheit von Sensibilisatoren verzichtet werden. Ein Beispiel dafür ist Octa-methyl-2,7-dioxa-tricyclo[6.2.0.0³,⁶]decadien-(4,9) (I)[4]:

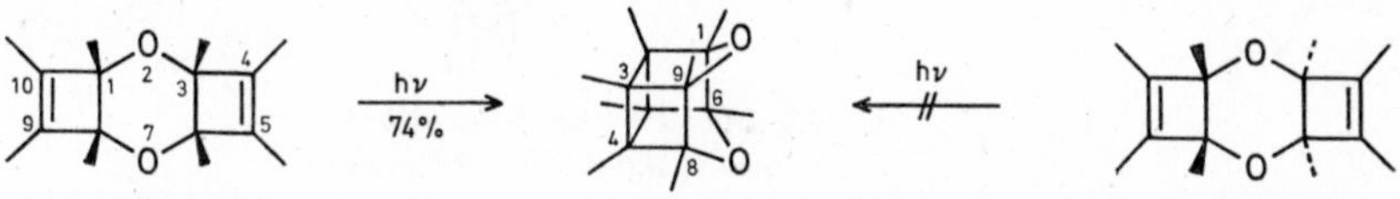

Die für die Wechselwirkung der π-Zentren günstige *endo*-Orientierung ist sehr häufig aber nicht grundsätzlich eine Voraussetzung für die Bildung von Käfig-Verbindungen[5,6].

Octamethyl-7,10-dioxa-pentacyclo[4.4.0.0²,⁵.0³,⁹.0⁴,⁸]decan (II)[4]: 5 g 1,3,4,5,6,8,9,10-Octamethyl-2,7-dioxa-*syn*-tricyclo[6.2.0.0³,⁶]decadien-(4,9) werden in 25 *ml* Benzol unter Stickstoff mit einer Nieder-druck UV-Lampe 60 Stdn. bestrahlt. Dabei scheiden sich 1,1 g II ab. Die Aufarbeitung der Mutterlauge ergibt weitere 2,6 g reine Substanz; Ausbeute: 3,7 g (74% d.Th.); F: 202° (Methanol).

1 Y. SHOYAMA, R. OKU, T. YAMAUCHI u. I. NISHIOKA, Chem. Pharm. Bull. (Tokyo) 20, 1927 (1972).
2 G. O. SCHENK u. R. STEINMETZ, Bull. Soc. chim. belges 71, 781 (1962); B. 96, 520 (1963).
3 H. D. SCHARF, Tetrahedron 23, 3057 (1967).
4 R. J. STEDMAN u. L. S. MILLER, J. Org. Chem. 32, 35, 3544 (1967).
5 R. CRIEGEE u. R. RUCKTÄSCHEL, B. 103, 50 (1970).
  Vgl. Y. KOBAYASHI et al., Tetrahedron Letters 1974, 2841.
6 W. L. DILLING, C. E. REINEKE u. R. A. PLEPYS, J. Org. Chem. 34, 2605 (1969). Herstellung von *syn-6-Hydroxy-pentacyclo[5.3.0.0²,⁵.0³,⁹.0⁴,⁸]decan*.

Käfig-Verbindungen können ihrerseits photolabil sein. So erhält man z. B. bei der Photolyse von Basketen I *Cyclooctatetraen* (II), *Tricyclo[4.2.2.0^{2,5}]decatrien-(3,7,9)* (III) und
Hexacyclo[5.3.0.0^{2,10}.0^{3,6}.0^{4,9}.0^{5,8}]decan (IV; 15% d.Th.)[1]:

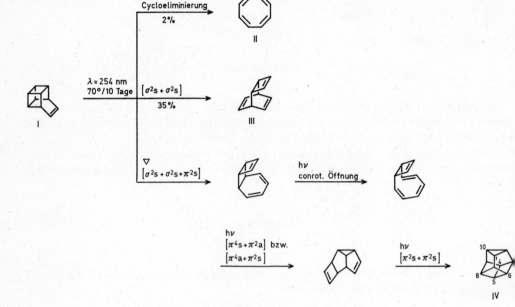

Tab. 42. Käfig-Verbindungen durch intramolekulare Cycloaddition

Ausgangsverbindung	Sensibilisator	Produkt	Ausbeute [% d.Th.]	Literatur
(H$_3$C)$_3$SiO (H$_3$C)$_3$SiO	—	(H$_3$C)$_3$SiO (H$_3$C)$_3$SiO 4,5-Bis-[Trimethylsiloxy]-penta-cyclo[4.3.0.0^{2,5}.0^{3,8}0^{4,7}]nonan	80–85	2
COOCH$_3$ H$_3$COOC COOCH$_3$ H$_3$COOC C$_6$H$_5$ H$_5$C$_6$	Aceton	1,8-Diphenyl-2,3,4,5-tetramethoxy-carbonyl-pentacyclo[4.3.0.0^{2,5}. 0^{3,8}.0^{4,7}]nonan	6 8	3
Cl Cl Cl OCH$_3$ Cl OCH$_3$	Aceton	1,2,3,8-Tetrachlor-9,9-dimethoxy-pentacyclo[4.3.0.0^{2,5}.0^{3,8}.0^{4,7}] nonan	~100	4

[1] E. L. Allred u. B. R. Beck, Am. Soc. 95, 2393 (1973).
[2] R. D. Miller u. D. Dolce, Tetrahedron Letters 1972, 4541.
    vgl. auch: J. C. Barborak u. R. Petit, Am. Soc. 89, 3080 (1967).
[3] W. Eberbach, B. 107, 3287 (1974).
[4] C. M. Anderson et al., Tetrahedron Letters 1968, 1255.

Tab. 42. (1. Fortsetzung)

Ausgangsverbindung	Sensibilisator	Produkt	Ausbeute [% d. Th.]	Literatur
R = H R = CH₃	—	*4,5,6,7-Tetrakis-[trifluormethyl]-9-oxa-pentacyclo[4.3.0.0²,⁵.0³,⁸.0⁴,⁷]nonan* *1,2,3,8-Tetramethyl-4,5,6,7-tetrakis-[trifluormethyl]-. . .*	—	1
		9-Oxo-9-phenyl-9-phospha-penta-cyclo[4.3.0.0²,⁵.0³,⁸.0.4⁴,⁷]nonan	40	2
	—	*2,5-Bis-[trimethylsiloxy]-penta-cyclo[4.4.0.0²,⁵.0³,¹⁰.0⁴,⁷]decan*	5	3
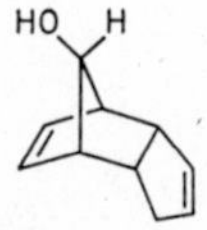	Aceton	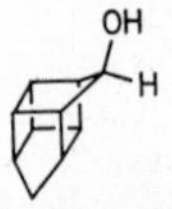 *endo-10-Hydroxy-pentacyclo [5.3.0.0²,⁵.0³,⁹.0⁴,⁸]decan*	29	4
R¹ = H; R² = OH	Aceton	*6-Hydroxy-pentacyclo[5.3.0.0²,⁵. 0³,⁹.0⁴,⁸]decan*	31	4
R¹= OH; R² = D	Aceton	*6-Hydroxy-6-deuterio-pentacyclo [5.3.0.0²,⁵.0³,⁹.0⁴,⁸]decan*	—	4
R¹ = OH; R² = CH₃	Aceton	*6-Hydroxy-6-methyl-pentacyclo [5.3.0.0²,⁵.0³,⁹.0⁴,⁸]decan*	61	4

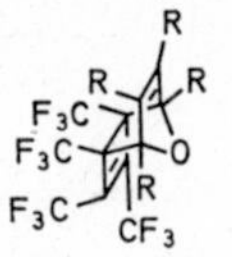

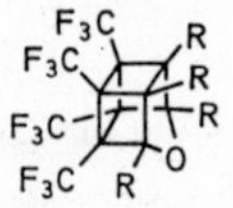

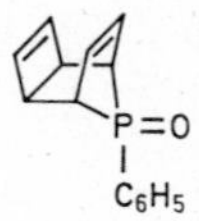

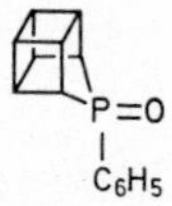

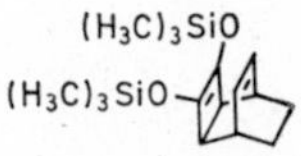

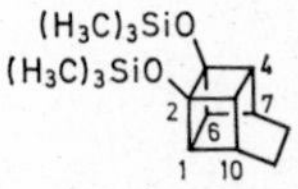

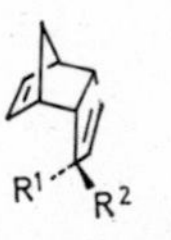

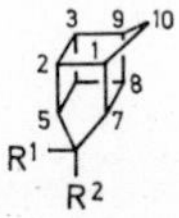

[1] Y. Kobayashi et al., Heterocycles (Sendai, Japan) 2, 236 (1974); Tetrahedron Letters 1974, 2841. Die Homocuban-Bildung setzt die Photoisomerisierung des Tricyclus in die *endo*-Form voraus.
[2] T. J. Katz et al., Am. Soc. 92, 734 (1970).
[3] R. D. Miller u. D. Dolce, Tetrahedron Letters 1972, 4541.
[4] W. L. Dilling, C. E. Reineke u. R. A. Plepys, J. Org. Chem. 34, 2605 (1969).
W. L. Dilling u. L. E. Reineke. Tetrahedron Letters 1967, 2547.
W. L. Dilling, R. A. Plepys u. J. A. Alford, J. Org. Chem. 39, 2856 (1974).
W. L. Dilling, R. A. Plepys u. R. D. Kroening, Am. Soc. 94, 8133 (1972).
W. L. Dilling u. J. A. Alford, Am. Soc. 96, 3615 (1974).

Tab. 42. (2. Fortsetzung)

Ausgangsverbindung	Sensibilisator	Produkt	Ausbeute [% d. Th.]	Literatur
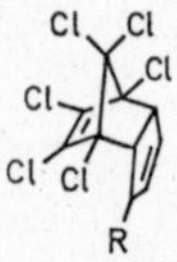 R = H	Aceton	*1,2,3,9,10,10-Hexachlor-penta-cyclo[5.3.0.0²,⁵.0³,⁹.0⁴,⁸]decan*	—	1
R = Cl	Aceton	*1,2,3,6,9,10,10-Heptachlor-penta-cyclo[5.3.0.0²,⁵.0³,⁹.0⁴,⁸]decan*	—	
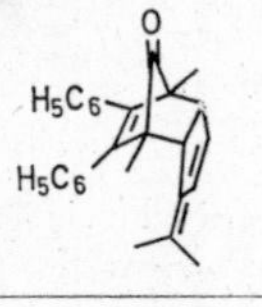	Aceton	*10-Oxo-1,9-dimethyl-2,3-diphenyl-6-isopropyliden-pentacyclo [5.3.0.0²,⁵.0³,⁹.0⁴,⁸]decan*	40	2
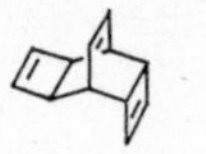	Aceton	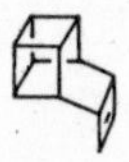 *Hexacyclo[6.4.0.0²,¹¹.0³,⁶.0⁷,¹⁰. 0⁹,¹²]dodecen-(4)* 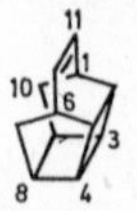 *+ Pentacyclo[4.4.2.0²,⁵.0³,⁹.0⁴,⁸] dodecen-(11)*	20 2	3
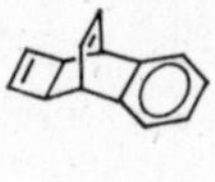	Aceton	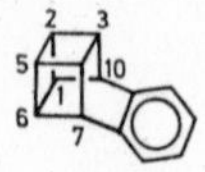 *Benzo-pentacyclo[4.4.0.0²,⁵. 0³,¹⁰.0⁴,⁷]decen-(8)*	25	4
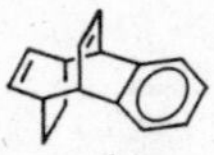	Xanthon	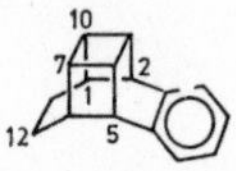 *Benzo-pentacyclo[4.4.2.0²,⁹. 0⁵,⁸.0⁷,¹⁰]dodecen-(3)*	—	5
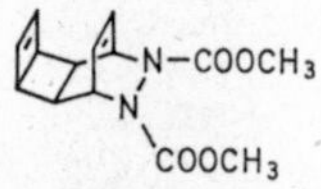	Aceton	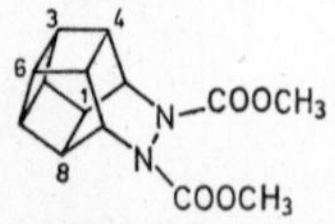 *10,11-Dimethoxycarbonyl-10,11-diaza-hexacyclo[6.4.0.0²,⁷.0³,⁶. 0⁴,¹².0⁵,⁹]dodecan*	75	6

¹ H. M. FISCHLER u. F. KORTE, Tetrahedron Letters 1969, 2793.
² K. N. HOUK u. L. J. LUSKUS, J. Org. Chem. 38, 3836 (1973).
³ L. A. PAQUETTE u. M. J. KUKLA, Chem. Commun. 1973, 409.
⁴ L. A. PAQUETTE u. J. C. STOWELL, Am. Soc. 82, 2584 (1970).
  L. A. PAQUETTE, J. M. KUKLA u. J. C. STOWELL, Am. Soc. 94, 4920 (1972).
  Vgl. auch: I. MURATA u. Y. SAGIHARA, Tetrahedron Letters 1972, 3785.
⁵ N. C. YANG u. J. LIBMAN, Am. Soc. 94, 9228 (1972).
⁶ E. L. ALLRED u. B. R. BECK, Tetrahedron Letters 1974, 437.

Tab. 42 (3. Fortsetzung)

Ausgangsverbindung	Sensibilisator	Produkt	Ausbeute [% d.Th.]	Literatur
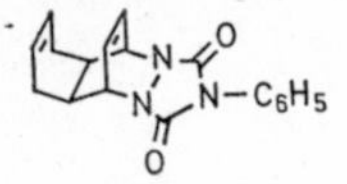	Aceton	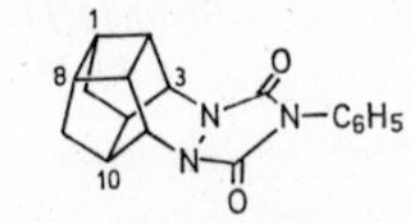 *4,5-Diaza-pentacyclo[6.4.0.0²,⁷. 0³,¹¹.0⁶,¹⁰]dodecan-4,5-dicarbon- säure-phenylimid*	83	1
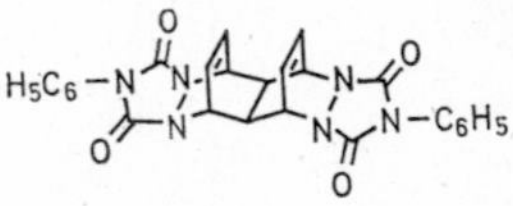	Aceton	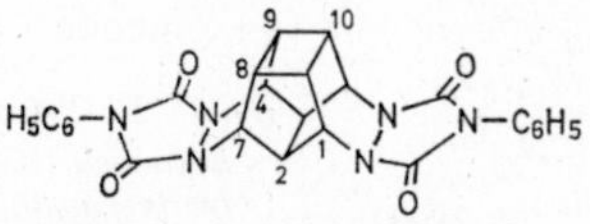 *5,6,12,13-Tetraaza-hexacyclo [6.5.1.0²,⁷.0³,¹¹.0⁴,⁹.0¹⁰,¹⁴]-5,6, 12,13-tetracarbonsäure-5,6; 12,13-bis-phenylimid*	85	1
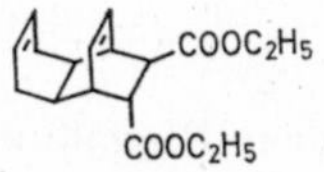	Aceton	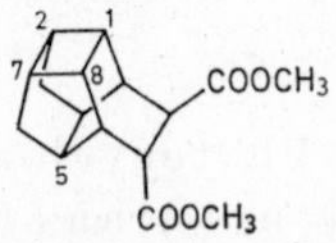 *trans-10,11-Diäthoxycarbonyl- pentacyclo[6.4.0.0²,⁷.0⁴,¹². 0⁵,⁹]dodecan*	80	1
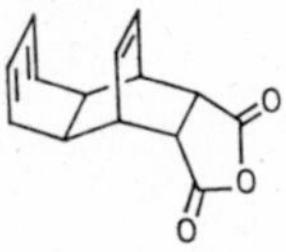	—	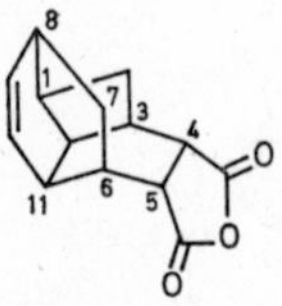 *Tetracyclo[6.4.0.0³,¹².0⁶,¹¹] dodecen-(9)-4,5-dicarbon- säure-anhydrid*	63	2
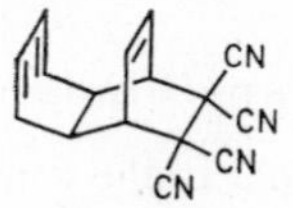	—	*4,4,5,5-Tetracyan-tetracyclo- [6.4.0.0³,¹².0⁶,¹¹]dodecen-(9)*	—	2
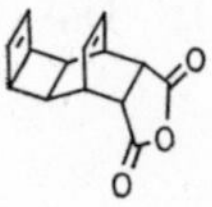	—	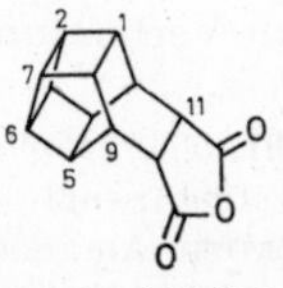 *Hexacyclo[6.4.0.0²,⁷.0³,⁶.0⁴,¹².0⁵,⁹] dodecan-10,11-dicarbonsäure- anhydrid*	85	2

¹ B. M. Jacobson, Am. Soc. 95, 2579 (1973).
² E. LeGoff u. S. Oka, Am. Soc. 91, 5665 (1969).
  Vgl. auch: W. B. Avila u. R. A. Silva, Chem. Commun. 1970, 94.

Tab. 42. (4. Fortsetzung)

Ausgangsverbindung	Sensibilisator	Produkt	Ausbeute [% d. Th.]	Literatur
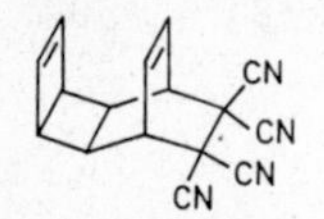	—	*10,10,11,11-Tetracyan-hexacyclo* $[6.4.0.0^{2,7}.0.^{3,6}.0^{4,12}.0^{5,9}]$*dodecan*	—	1
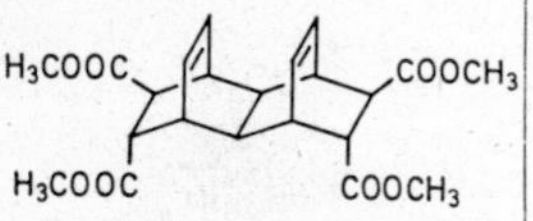	—	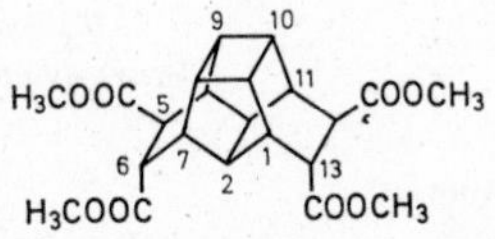 *5,6,12,13-Tetramethoxycarbonyl-* *hexacyclo* $[6.5.1.0^{2,7}.0^{3,11}.0^{4,9}.$ *$0^{10,14}$] tetradecan*	80	1
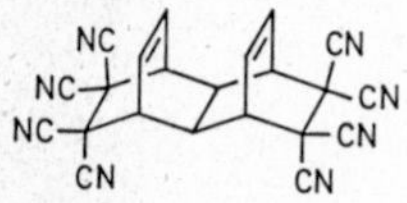	—	*5,5,6,6,12,12,13,13-Octacyan-* *hexacyclo* $[6.5.1.0^{2,7}.0^{3,11}.0^{4,9}.$ *$0^{10,14}$] tetradecan*	—	1

Intramolekulare $[4\pi + 4\pi]$-Photocycloadditionen werden neben Ringöffnungen und Epimerisierungen am cis- und **trans-9,10-Dihydro-naphthalin** beobachtet[2,3] (s. S. 433).

Aus 4a,8a-disubstituierten *cis*-4a,8a-Dihydro-naphthalinen bilden sich die folgenden Cycloadditionsprodukte, die leicht weitere thermische oder photochemische Umlagerungen eingehen:

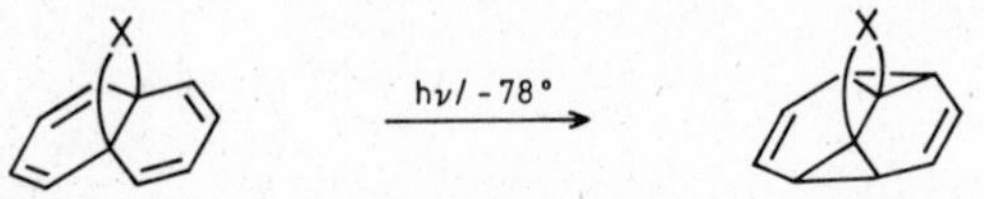

X = –CO–O–CO– *Tetracyclo* $[4.4.0.0^{2,10}.0^{5,7}]$ *decadien-(3,8)-1,6-dicarbonsäure-* *anhydrid*[3]

X = –CO–N(CH₃)–CO– ... -*1,6-dicarbonsäure-N-methyl-imid*[4]

X = –CH₂–O–CH₂– *12-Oxa-pentacyclo* $[4.4.3.0.0^{2,10}.0^{5,7}]$ *tridecadien-(3,8)*; 95% d.Th[4].

β) Lineare und heteroannulare Diene mit konjugierten Doppelbindungen

Aus Butadien-(1,3) erhält man bei der Gasphasen-Photolyse neben einer Reihe von Fragmentierungsprodukten wie Acetylen, Äthylen und Wasserstoff vor allem die unter Wasserstoff-Verschiebung entstehenden Verbindungen *Methyl-allen* und *Butin-(1)*[5]. Die Bestrah-

[1] E. LeGoff u. S. Oka, Am. Soc. **91**, 5665 (1969).
[2] E. Vogel et al., Ang. Ch. **78**, 599 (1966); engl : **5**, 590 (1966).
E. E. van Tamelen u. T. L. Burkoth, Am. Soc. **89**, 151 (1967).
S. Masamune et al., Am. Soc. **90**, 5286 (1968).
M. Jones u. L. T. Scott, Am. Soc. **89**, 150 (1967).
W. von E. Doering u. J. W. Rosenthal, Tetrahedron Letters **1967**, 349.
[3] W. Grimme, H. J. Riebel u. E. Vogel, Ang. Ch. engl: **7**, 823 (1968).
[4] E. Babad, D. Ginsburg u. M. B. Rubin, Tetrahedron Letters **1968**, 2361.
[5] R. Srinivasan, Am. Soc. **84**, 4141 (1964); **85**, 4045 (1963); Adv. Photochem. **4**, 113 (1966).
R. Srinivasan u. F. J. Sonntag, Am. Soc. **87**, 3778 (1965).

lung in Lösung führt bei kleinen Konzentrationen zu Cyclobuten/Bicyclobutan-Gemischen.
Bei hohen Konzentrationen tritt vor allem in Gegenwart von Sensibilisatoren Dimerisierung ein[1]:

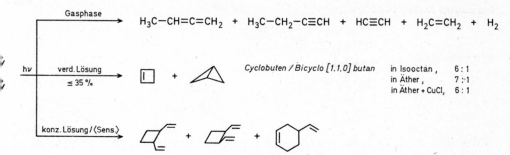

Die Tab. 43 bringt eine Auswahl an Valenzisomerisierungen offenkettiger 1,3-Diene.

Tab. 43. Valenzisomerisierungen von offenkettigen 1,3-Dienen

1,3-Dien	Cyclisierungsprodukt	Ausbeute [% d. Th.]	Literatur
Pentadien-(1,3)	*3-Methyl-cyclobuten*	—	2
2-Methyl-butadien-(1,3)	*1-Methyl-cyclobuten*	36	2, 3
2-Cyan-butadien-(1,3)	*1-Cyan-cyclobuten* + *1-Cyan-bicyclobutan*	—	4
2-Methyl-pentadien-(1,3)	*1,3-Dimethyl-cyclobuten*	35	5
trans,trans-Hexadien-(2,4)	*cis-3,4-Dimethyl-cyclobuten*	33	6
3-Methylen-hexadien-(1,5)	*1-Allyl-cyclobuten*	—	7
1-Cyclohexyl-butadien-(1,3)	*3-Cyclohexyl-cyclobuten*	43	3
Bi-[cyclohexen-(1)-yl]	*Tricyclo[6.4.0.0^{2,7}]dodecen-(1)*	45	3
2,3-Diphenyl-butadien-(1,3)	*1,2-Diphenyl-cyclobuten*	15	8

4-Methyl-3-hydroxymethyl-cyclobuten[3]: 6,26 g 1-Hydroxy-hexadien-(2,4) werden in 500 *ml* Äther
20 Stdn. mit einer 450 W Hanovia Quecksilber-Mitteldruck-Lampe durch ein Vycor-Filter bestrahlt.
Die gaschromatographische Analyse des Reaktionsgemisches zeigt neben 3 Isomeren der Ausgangsverbindung 2 Hauptprodukte im Verhältnis 1:1. Die Fraktionierung an der Drehband-Kolonne ergibt
für sie die Intervalle Kp$_{21}$: 40–46° und Kp$_{21}$: 65°. Die 2. Fraktion ist das gewünschte Cyclobuten-Derivat;
Ausbeute: 0,81 g (13% d. Th.); n$_D^{25}$: 1,4603.

1,2-Dimethyl-cyclobuten[3]: 8,85 g 2,3-Dimethyl-butadien werden in 930 *ml* trockenem Äther 45 Stdn.
bei 25° mit einer 450 W-Hanovia-Quecksilber-Mitteldruck-Lampe mit Vycor-Filter belichtet. Das
Solvens wird entfernt und das Produkt an einer Drehband-Kolonne rektifiziert; Ausbeute: 6,33 g (71%
d. Th.); Kp$_{760}$: 61,5°; n$_D^{23}$: 1,4194 (97% Reinheit).

1 P. A. LEERMAKERS u. G. F. VESLEY, J. Chem. Educ. **41**, 535 (1964).
  G. S. HAMMOND, N. J. TURRO u. A. FISHER, Am. Soc. **83**, 4674 (1961).
  N. J. TURRO u. G. S. HAMMOND, Am. Soc. **84**, 2841 (1962).
  G. S. HAMMOND u. R. LIU, Am. Soc. **85**, 477 (1963).
2 R. SRINIVASAN, Am. Soc. **84**, 4141 (1962); **85**, 3048 (1963).
3 K. J. CROWLEY, Pr. chem. Soc. **1962**, 245, 334; Tetrahedron **21**, 1001 (1965).
4 D. M. GALE, J. Org. Chem. **35**, 970 (1970) und dort zit. Lit.
5 J. A. BARLTROP u. H. E. BROWNING, Chem. Commun. **1968**, 1481.
6 R. SRINIVASAN, Am. Soc. **90**, 4498 (1968).
7 J. L. CHARLTON, P. DE MAYO u. L. SKATTEBØL, Tetrahedron Letters **1965**, 4679.
  vgl. R. S. H. LIU, Tetrahedron Letters **1966**, 2159.
8 E. H. WHITE u. J. P. ANHALT, Tetrahedron Letters **1965**, 3937.

Bei der Valenzisomerisierung frei rotierbarer, offenkettiger 1,3-Diene überwiegt ganz allgemein die Cyclobuten-Bildung. Liegt ein 1,3-Dien in der *transoiden* Konformation fest, wie bei geeignet annellierten Dienen, so beobachtet man nur Bicyclobutan-Bildung. Ein bekanntes Beispiel dafür ist das Cholestadien-(3,5)[1,2]:

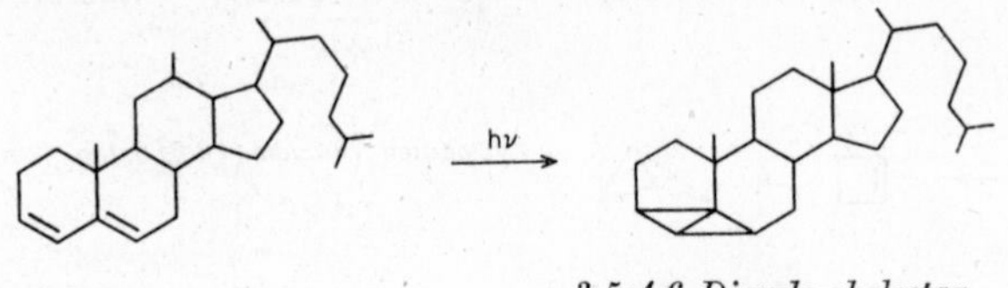

hν

3,5;4,6-Dicyclo-cholestan

Wie sehr die Reaktivität dabei von den sterischen Verhältnissen abhängt, zeigt die Photochemie der beiden Diene I und II[2]:

hν
Ringschluß

3,6-Dimethyl-tetracyclo[4.4.0.0^{1,3}.0^{2,10}] decan

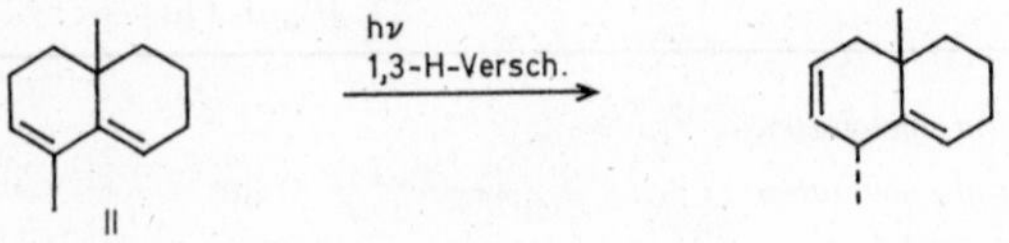

hν
1,3-H-Versch.

trans-6,10-Dimethyl-bicyclo[4.4.0] decadien-(1,8); 60% d.Th.

Die *transoide* Konformation liegt auch bei 3-Methylen-cycloalkenen fest[3]:

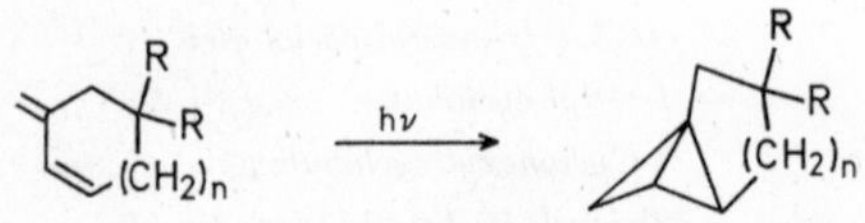

hν

n = 1; R = H	*Tricyclo[4.1.0.0^{1,5}]heptan;* 3% d. Th.
n = 1; R = CH_3	*3,3-Dimethyl-tricyclo[4.1.0.0^{1,5}]heptan;* 25-35% d.Th.
n = 2; R = H	*Tricyclo[5.1.0.0^{1,6}]octan;* 25-35% d.Th.
n = 3; R = H	*Tricyclo[6.1.0.0^{1,7}]nonan;* 25-35% d.Th.

Stereochemische Einzelheiten sind am 3-Äthyliden-cyclooocten untersucht worden[4]:

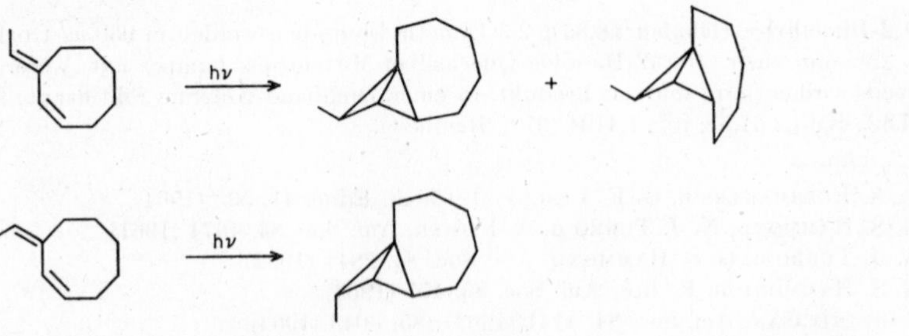

hν ... +

hν

9-Methyl-cis- und *9-Methyl-trans-tricyclo[6.1.0.0^{1,7}]nonan*

[1] W. G. Dauben u. F. G. Willey, Tetrahedron Letters 1962, 893.
[2] W. G. Dauben u. W. T. Wipke, Pure Appl. Chem. 9, 539 (1964).
[3] W. G. Dauben u. C. D. Poulter, Tetrahedron Letters 1967, 3021.
[4] W. G. Dauben u. J. S. Ritscher, Am. Soc. 92, 2925 (1970).

Fixierte *cisoide* exocyclische Doppelbindungen führen zur ausschließlichen Cyclobuten-Bildung:

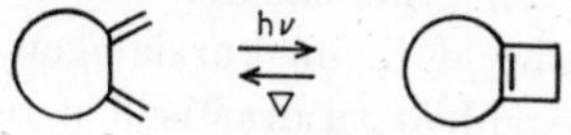

Tab. 44. Valenzisomerisierungen von 1,3-Dienen mit exocyclischen Doppelbindungen

1,2-Dimethylen-Verbindung	Cyclisierungsprodukt	Ausbeute [% d.Th.]	Literatur
1,2-Bis-[methylen]-cyclopentan	*Bicyclo[3.2.0]hepten-(1⁵)* → $Bicyclo[3.2.0]hepten\text{-}(1^5)$	95	1
1,2-Bis-[methylen]-cyclohexan	$Bicyclo[4.2.0]octen\text{-}(1^6)$	95	1
4,5-Bis-[methylen]-cyclohexen	$Bicyclo[4.2.0]octadien\text{-}(1^6,3)$	60	2
1-Methyl-4,5-bis-[methylen]-cyclohexen	$3\text{-}Methyl\text{-}bicyclo[4.2.0]octadien\text{-}(1^6,3)$	60	2
2,3-Bis-[methylen]-bicyclo[2.2.1]heptan	$Tricyclo[4.2.1.0^{2,5}]nonen\text{-}(2^5)$	80	1
7,8-Bis-[methylen]-cyclooctatrien-(1,3,5)	$Bicyclo[6.2.0]decatetraen\text{-}(1^8,2,4,6)$	~10	3
7-Brommethylen-8-methylen-cyclooctatrien-(1,3,5)	$Bicyclo[6.2.0]decatetraen\text{-}(1^8,2,4,6)^a$	3	3
9,10-Bis-[methylen]-9,10-dihydrophenanthren	$1,2\text{-}Dihydro\text{-}\langle cyclobuta\text{-}[l]\text{-}phenanthren\rangle$	15	4

[a] Zusätzlich fallen mit Brom substituierte Verbindungen an.

Ein besonders interessantes Beispiel ist das 1,2,5,6-Tetrabis-[methylen]-cyclooctan, bei dem neben der stufenweisen Cycloaddition je zweier benachbarter Doppelbindungen noch ein Cyclobutan-Ringschluß zu einem Propellan-System erfolgt[5]:

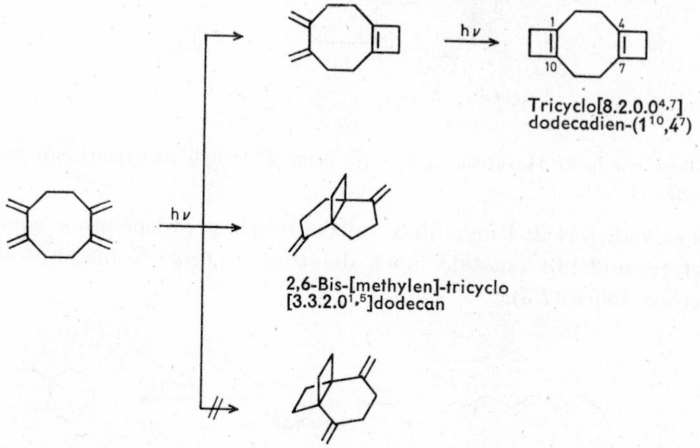

Tricyclo[8.2.0.0⁴,⁷]dodecadien-(1¹⁰,4⁷)

2,6-Bis-[methylen]-tricyclo[3.3.2.0¹,⁵]dodecan

γ) Lineare und heteroannulare Triene mit konjugierten Doppelbindungen

Offenkettige konjugierte Triene cyclisieren sich unter den auf S. 222 diskutierten stereochemischen Bedingungen zu Verbindungen mit Cyclohexadien-(1,3) – bzw. Bicyclo[3.1.0]

[1] D. H. ANE u. R. N. REYNOLDS, Am. Soc. **95**, 2027 (1973); J. Org. Chem. **39**, 2315 (1974).
[2] J. M. GARETT u. G. J. FONKEN, Tetrahedron Letters **1969**, 191.
[3] J. A. ELIX, M. V. SARGENT u. F. SONDHEIMER, Am. Soc. **89**, 180 (1967); **92**, 969 (1970).
[4] J. P. ANHULT, E. W. FRIEND, Jr. u. E. H. WHITE, J. Org. Chem. **37**, 1015 (1972).
   E. H. WHITE et al., Am. Soc. **88**, 611 (1966).
[5] W. TH. BORDEN et al., Am. Soc. **92**, 3808 (1970).

hexen-(2)-Struktur. In Konkurrenz dazu können *cis-trans*-Isomerisierungen Wasserstoff-Verschiebungen und seltener Cyclobuten-Ringschlüsse (m = 4) und Ringschlüsse unter Wasserstoff-Verschiebung eintreten. Entscheidend für den Hauptreaktionsweg ist die Konformation des Grundzustands; d. h. im kurzlebigen ersten angeregten Singulett-Zustand hat das System keine Gelegenheit zu drastischen geometrischen Veränderungen.

Aus den drei ebenen Konformationen[1] von *cis*-Hexatrien-(1,3,5) ergeben sich folgende bevorzugten Photoreaktionen[2]:

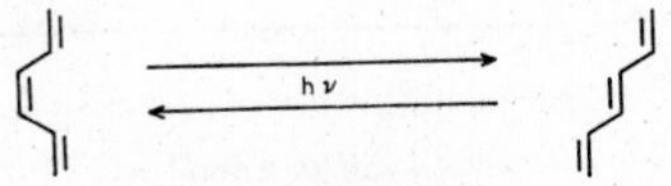

(a)   *cis-trans*-Isomerisierung
                                       ($\varphi_{E \to Z} = 0{,}034$; $\varphi_{Z \to E} = 0{,}016$)

s-2-trans,cis,s-4-trans

(b)

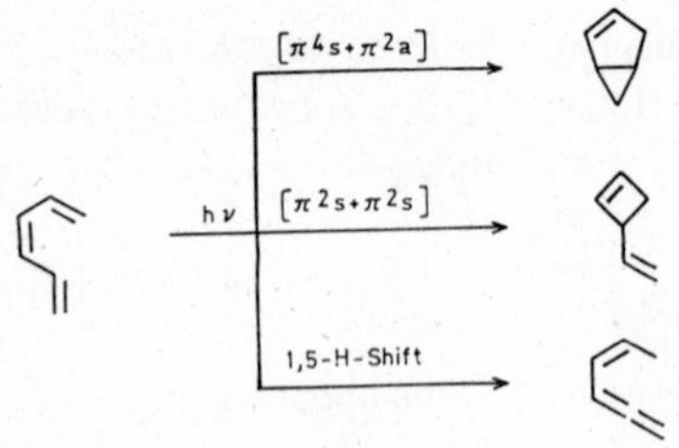

s-2-cis,cis,s-4-trans

(c)

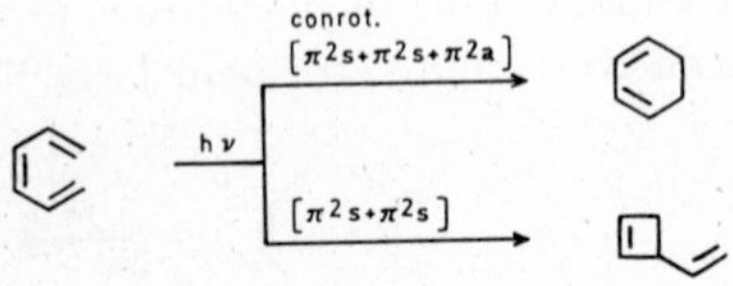

s-2-cis,cis,s-4-cis

Der Fall (a) liegt vor beim Hexatrien-(1,3,5), (b) beim 2-Methyl-hexatrien(1,3,5) und (c) beim 2,5-Dimethyl-hexatrien-(1,3,5)[2].

Der Cyclohexadien-(1,3)-Ringschluß vollzieht sich photochemisch conrotatorisch. Aus *all-trans*-Octatrien-(2,4,6) entsteht über die *trans,cis,trans*-Konfiguration das *trans-5,6-Dimethyl-cyclohexadien-(1,3)*[3]:

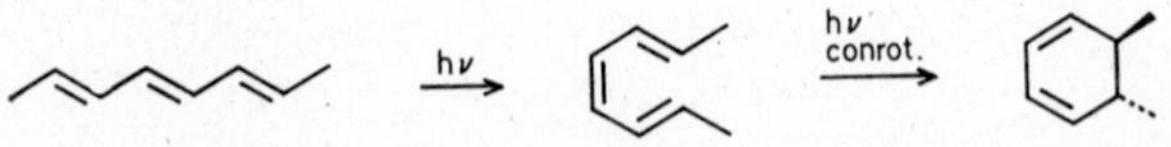

Der Ringschluß zum Bicyclo[3.1.0]hexen-System ist als [π^4s + π^2a]- bzw. [π^4a + π^2s]-Cycloaddition aufzufassen. Die Wahl der 2π-Komponente geschieht regioselektiv in der Weise, daß die sterisch günstigste s-*cis*,Z,s-*trans*-Konformation reagiert. Dadurch entsteht

---

[1] Zur Beschreibung der Konformeren werden für die endständigen Doppelbindungen die Symbole *cis* und *trans* unter Zusatz von s (single bond) und der Nummer des niedrigeren Kohlenstoff-Atoms der Einfachbindung verwandt.

[2] P. J. Vroegop, J. Lugtenburg u. E. Havinga, Tetrahedron **29**, 1393 (1973).

[3] G. J. Fonken, Tetrahedron Letters **1962**, 549.

meist der Cyclopropan-Ring mit dem höchsten Substitutionsgrad[1]:

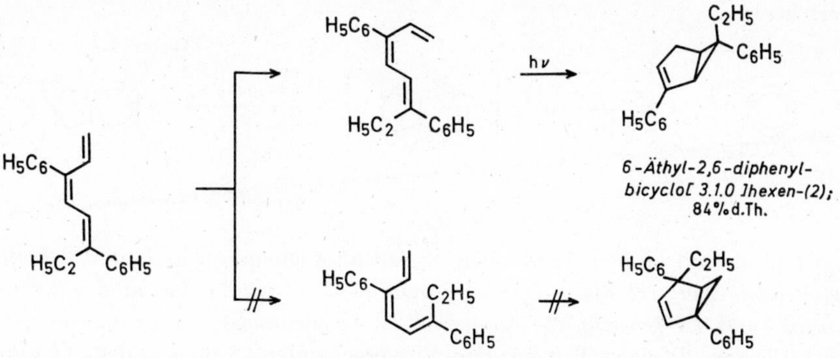

H5C6 · · · H5C2 C6H5

H5C6 · · · H5C2 C6H5

$h\nu$

C_2H_5 / C_6H_5 / H_5C_6

6-Äthyl-2,6-diphenyl-
bicyclo[3.1.0]hexen-(2);
84% d.Th.

H5C6 · · · C2H5 / C6H5

H_5C_6 C_2H_5 / C_6H_5

Die Stereospezifität der Reaktion orientiert sich an der Wahl der supra- bzw. antarafacialen Komponente. 1,2,6-Triphenyl-hexatrien-(1,3,5) reagiert von der Z,Z,E-Konfiguration über die E,Z,E-Konfiguration aus der E,s-2-cis,Z,E-Konformation selektiv nach dem Weg $[\pi^4s + \pi^2a]^2$. Dasselbe gilt für Z,Z,Z- bzw. E,Z,Z-Konfiguration[2]:

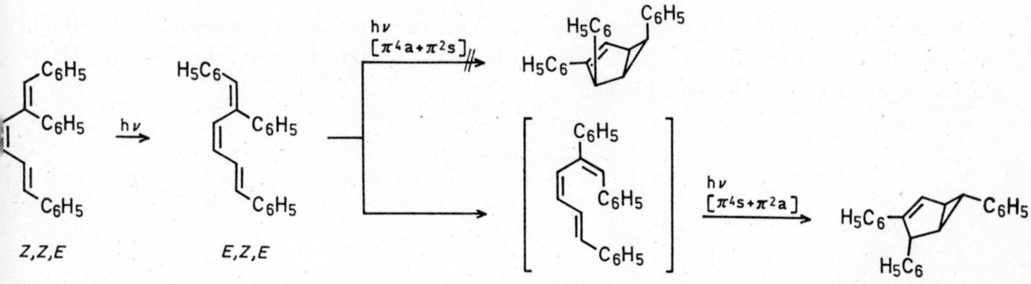

C_6H_5 C_6H_5 C_6H_5
Z,Z,E

$h\nu$

H_5C_6 C_6H_5 C_6H_5
E,Z,E

$h\nu$ $[\pi^4a+\pi^2s]$

H_5C_6 C_6H_5 C_6H_5
H_5C_6

C_6H_5 C_6H_5 C_6H_5

$h\nu$ $[\pi^4s+\pi^2a]$

H_5C_6 C_6H_5
H_5C_6

3,exo-4,exo-6-Triphenyl-
bicyclo[3.1.5]hexen-(2);
76% d.Th.

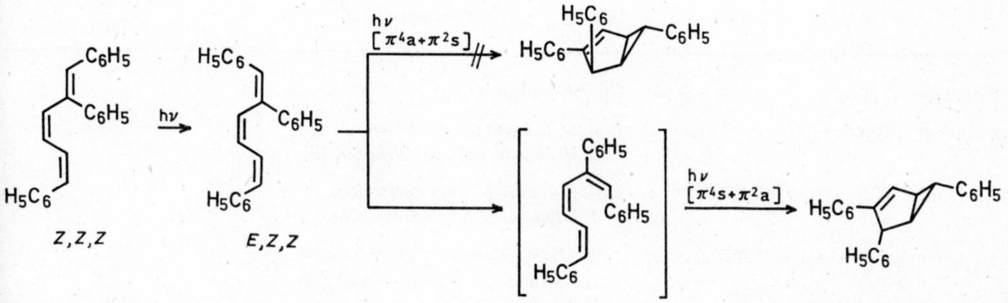

C_6H_5 C_6H_5 H_5C_6
Z,Z,Z

$h\nu$

H_5C_6 C_6H_5 H_5C_6
E,Z,Z

$h\nu$ $[\pi^4a+\pi^2s]$

H_5C_6 C_6H_5
H_5C_6

C_6H_5 C_6H_5 H_5C_6

$h\nu$ $[\pi^4s+\pi^2a]$

H_5C_6 C_6H_5
H_5C_6

3,exo-4,endo-6-Triphenyl-bicyclo
[3.1.5]hexen-(2); 28% d.Th.

In Tab. 45 (S. 254) sind die Ringschluß-Reaktionen weiterer 1,3,5-Trien-Systeme zusammengestellt.

[1] P. COURTOT u. R. RUMIN, Bl. 1972, 4238.
[2] A. PADWA, L. BRODSKY u. S. CLOUGH, Am. Soc. 94, 6767 (1972).
   A. PADWA u. S. G. CLOUGH, Am. Soc. 92, 5803 (1970).

Es sei darauf hingewiesen, daß die gebildeten Cyclisierungsprodukte thermisch oder photochemisch weiterreagieren können. Ein Beispiel dafür sind das o-Divinyl-benzol und seine Derivate[1]:

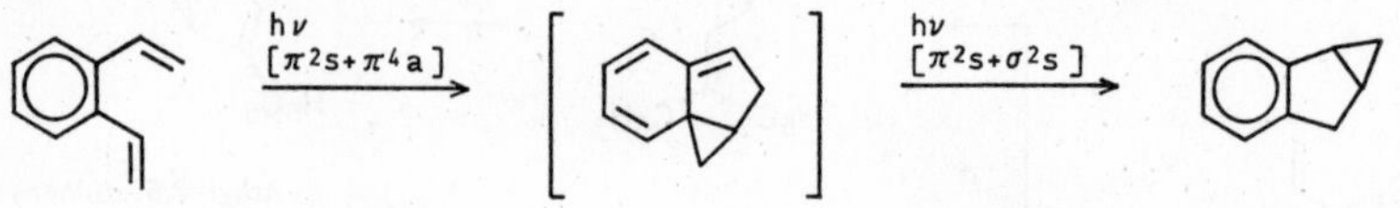

Benzo-bicyclo[3.1.0]hexen-(2); 30% d.Th.

2-Vinyl-1-[2-methyl-propen-(1)-yl-]-benzol geht photochemisch in *1-* und *2-Isopropenyl-2,3-dihydro-inden* über; 1,2-Bis-[2-methyl-propen-(1)-yl]-benzol liefert analog *2,2-Dimethyl-1-isopropenyl-* und *1,1-Dimethyl-2-isopropenyl-2,3-dihydro-inden*[1]. 3,5-Dimethoxycarbonyl-bicyclo[3.1.0]hexen-(2), das selbst aus dem entsprechenden Cyclohexadien-(1,3) gewonnen werden kann, geht in *1,5-Dimethoxycarbonyl-bicyclo[3.1·0]hexen-(2)* (80% d.Th.) über[2]:

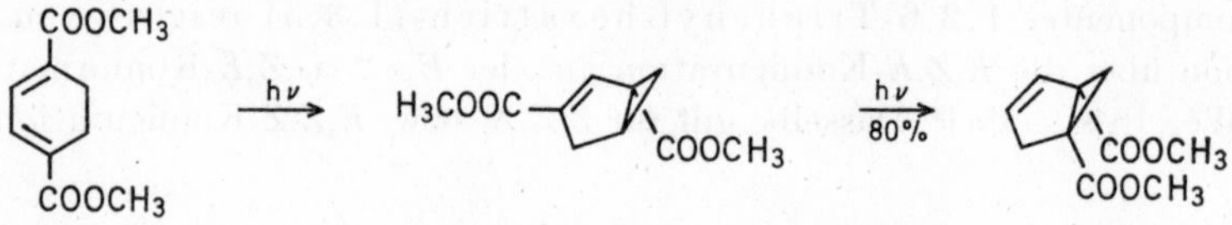

Die Hexatrien-(1,3,5) → Cyclohexadien-(1,3)-Valenzisomerisierung läßt sich auf Stilbene übertragen und führt dabei zu den 4a,4b-Dihydro-phenanthrenen, die bei (R=H) zu Phenanthrenen oxidiert werden können:

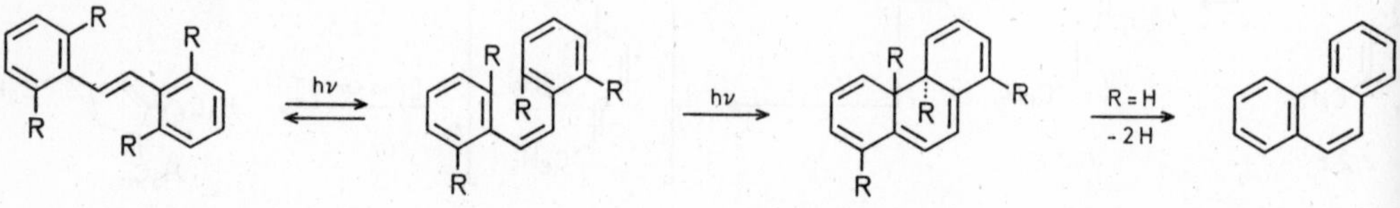

Tab. 45. Cyclisierungsprodukte von konjugierten Alkatrienen

Ausgangsverbindung	Reaktionsprodukt	Ausbeute [% d.Th.]	Literatur
Hexatrien-(1,3,5)	*Cyclohexadien-(1,3)*	—	3
2-Methyl-hexatrien-(1,3,5)	*1-Methyl-3-vinyl-cyclobuten* + *3-Methyl-bicyclo[3.1.0]hexen-(2)*	— —	4
2,4-Dimethyl-hexatrien-(1,3,5)	*1,3-Dimethyl-3-vinyl-cyclobuten* + *1,3-Dimethyl-bicyclo[3.1.0]hexen-(2)*	— —	4
2,5-Dimethyl-hexatrien-(1,3,5)	*3-[3-Methyl-buten-(1)-yl-(2)]-cyclobuten* + *1,4-Dimethyl-cyclohexadien-(1,3)*	—	4

[1] J. Meinwald u. D. A. Seeley, Tetrahedron Letters **1970**, 3739, 3743.
J. Meinwald u. P. H. Mazzochi, Am. Soc. **89**, 696 (1967).
L. Ulrich, H. J. Hansen u. H. Schmid, Helv. **53**, 1323 (1970).
M. Pomerantz, Am. Soc. **89**, 694 (1967).
J. Meinwald et al., Pure Appl. Chem. **24**, 509 (1970).
[2] H. Prinzbach et al., B. **98**, 2201 (1965).
[3] R. Srinivasan, Am. Soc. **83**, 2806 (1961).
J. Meinwald u. P. H. Mazzochi, Am. Soc. **88**, 2850 (1966).
[4] P. J. Vroegop, J. Lugtenburg u. E. Havinga, Tetrahedron **29**, 1393 (1973).

Tab. 45 (Fortsetzung)

Ausgangsverbindung	Reaktionsprodukt	Ausbeute [% d.Th.]	Literatur
2-Methyl-5-isopropyl-hexatrien-(1,3,5)	*1-Isopropyl-3-isopropenyl-cyclobuten* *+ 4-Methyl-1-isopropyl-cyclohexadien-(1,3)* *+4-Methyl-1-isopropyl-bicyclo[2.2.0]* *hexen-(2)*	— — —	1
1,2,4,6-Tetraphenyl-hexatrien-(1,3,5)	*2,4,5,6-Tetraphenyl-bicyclo[3.1.0]hexen-(2)*	87	2
6-Methyl-heptatrien-(1,3,5)	*6,6-Dimethyl-bicyclo[3.1.0]hexen-(2)*	27	3
2,4,6-Trimethyl-heptatrien-(1,3,5)	*1,3,6,6-Tetramethyl-bicyclo[3.1.0]hexen-(2)*	~30	4
Octatrien-(2,4,6)	*1-Methyl-3-isopropenyl-cyclobuten* *+ 4-Methyl-3-propen-(1)-yl-cyclobuten*	— —	1
2,6-Dimethyl-octatrien-(2,4,6)	*1,5,5,6-Tetramethyl-cyclohexadien-(1,3)* *+ 3,4,6,6-Tetramethyl-bicyclo[3.1.0]* *hexen-(2)*	20 14	5
3,6-Diphenyl-octatrien-(1,3,5)	*6-Äthyl-2,6-diphenyl-bicyclo[3.1.0]* *hexen-(2)*	84	6

δ) homoannulare 1,3-Diene

Cyclische 1,3-Diene mit konjugierten *cis*-Doppelbindungen in *cisoider* Konformation sind für den elektrocyclischen Ringschluß zu Cyclobuten-Derivaten prädestiniert.

$$\underset{(CH_2)_n}{\text{⬡}} \xrightarrow{h\nu} \underset{(CH_2)_n}{\text{⬡}}$$

n = 1, 2, 3, 4, 5

Den sterischen Ablauf des disrotatorischen Prozesses erkennt man unmittelbar am Cyclononadien-(1,3) [7]:

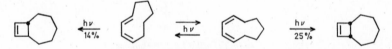

Weitere Beispiele an 5-, 7-, 8-Ringen und Polycyclen sind in Tab. 46 (S. 256) zusammengestellt.

Bicyclo[4.2.0]octen-(7) [8]: Eine Lösung von 22,1 g (25 *ml*) Cyclooctadien-(1,3) in 2 *l* trockenem Äther wird mit einer Hanovia Quecksilber-Hochdruck-Lampe 200 Stdn. belichtet. Daher arbeitet man in einer Helium-Atmosphäre und rührt die Lösung kräftig. Der Äther wird anschließend bei einer Badtemp. von 40–50° über eine Vigreux-Kolonne abdestilliert. Der gelbe Rückstand wird an einer Drehband-Kolonne rektifiziert; Ausbeute: 8–9 g (36–41% d.Th.); Kp$_{760}$: 131–132°.

[1] P. J. VROEGOP, J. LUGTENBURG u. E. HAVINGA, Tetrahedron **29**, 1393 (1973).
[2] W. G. DAUBEN u. J. H. SMITH, J. Org. Chem. **32**, 3244 (1967).
   R. J. THEIS u. R. E. DESSY, J. Org. Chem. **31**, 4248 (1966).
[3] J. MEINWALD u. P. H. MAZZOCCHI, Am. Soc. **89**, 755 (1967).
[4] P. COURTOT, R. RUMIN u. J. MAHUTEAU-CORVEST, Tetrahedron Letters **1973**, 899.
[5] G. J. FONKEN, Tetrahedron Letters **1962**, 549.
   K. J. CROWLEY, Tetrahedron Letters **1965**, 2863.
   Vgl. auch: K. J. GROWLEY, J. Org. Chem. **33**, 3679 (1968).
[6] P. COURTOT u. R. RUMIN, Bl. **1972**, 4238.
[7] K. M. SHUMATE u. G. J. FONKEN, Am. Soc. **88**, 1073 (1966).
[8] W. G. DAUBEN u. R. L. CARGILL, J. Org. Chem. **27**, 1910 (1962).

Tab. 46. Ringschluß/Ringöffnungs-Reaktionen an Cycloalkadienen-(1,3)

Ausgangsverbindung	Reaktionsprodukte [a]	Ausbeute [% d.Th.]	Literatur
Cyclopentadien-(1,3)	 Bicyclo[2.1.0]penten-(2)	10	1
Cycloheptadien-(1,3)	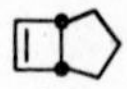 cis-Bicyclo[3.2.0]hepten-(6)	30–58	2
6-Hydroxy-cycloheptadien-(1,3)	exo-3-Hydroxy-cis-bicyclo[3.2.0]hepten-(6) + endo-3-Hydroxy-... (78:22)	—	2
5-Hydroxy-1-methoxy-cycloheptadien-(1,3)	4-Hydroxy-1-methoxy-cis-bicyclo[3.2.0]hepten-(6)	—	2
1,4-Diphenyl-cycloheptadien-(1,3)	1,5-Diphenyl-cis-bicyclo[3.2.0]hepten-(6)	~100	3
Cyclooctadien-(1,3)	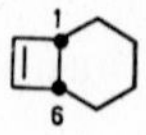 cis-Bicyclo[4.2.0]octen-(7)	36–41	4
$R^1 = R^2 = H$	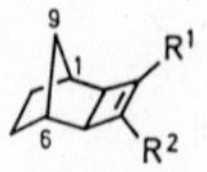 exo-Tricyclo[4.2.1.0^{2,5}]nonen-(3)	28	5
	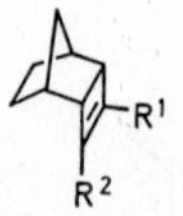 + endo-Tricyclo[4.2.1.0^{2,5}]nonen-(3)	64	
$R^1 = Cl; R^2 = H$	3-Chlor-exo-tricyclo[4.2.1.0^{2,5}]nonen-(3) + 3-Chlor-endo-...	22 20	
$R^1 = R^2 = Cl$	3,4-Dichlor-exo-tricyclo[4.21.0^{2,5}]nonen-(3) + 3,4-Dichlor-endo-...	10 7	

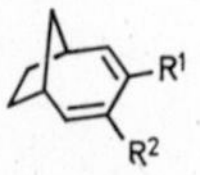

[a] In Klammern das Mengenverhältnis.

1 J. J. BRAUMAN, L. E. ELLIS u. E. E. VON TAMELEN, Am. Soc. 88, 846 (1966).
2 O. L. CHAPMAN u. D. J. PASTO, Chem. & Ind. 1961, 53, 54.
  W. G. DAUBEN u. R. L. CARGILL, Tetrahedron 12, 186 (1961).
  O. L. CHAPMAN et al., Am. Soc. 84, 1220 (1962).
  Vgl. auch: P. G. GASSMAN u. T. J. ATKINS, Am. Soc. 94, 7748 (1972).
  P. SCHIESS u. M. WISSON, Helv. 57, 1692 (1974).
  L. A. PAQUETTE et al., Am. Soc. 94, 7761 (1972).
3 J. RIGAUDY u. P. COURTOT, Tetrahedron Letters 3, 95 (1961).
4 W. G. DAUBEN u. R. L. CARGILL, J. Org. Chem. 27, 1910 (1962).
  R. S. H. LIU, Am. Soc. 89, 112 (1967).
  W. J. NEBE u. G. J. FONKEN, Am. Soc. 91, 1249 (1969).
5 C. W. JEFFORD u. F. DELAY, Am. Soc. 94, 4794 (1972).

Tab. 46 (Fortsetzung)

Ausgangsverbindung	Reaktionsprodukte[a]	Ausbeute [% d. Th.]	Literatur
	2-Methoxy-3-aza-tetracyclo[5.5.0.0^{4,12}. 0^{8,11}]dodecatrien-(2,5,9)	—	1
	(Benzo-[5,6]-cyclohepta-[1,2,3-d,e]) naphthalin (Pleiaden)	—	2
	Dinaphtho-[1,8a,8-c,d;1',8a',8'-h,i]-bicyclo [5.3.0]decatetraen-(1,3,6,8)	—	

Einen Sonderfall stellt das Cyclohexadien-(1,3)-System dar[3]. Bei ihm überwiegen die onrotatorischen, elektrocyclischen Ringöffnungen ⓐ. Daneben gibt es den disrotatorischen Ringschluß ⓑ und die vermutlich über den Triplett-Zustand ablaufende direkte Bicyclo-3.1.0]hexen-(2)-Bildung ⓒ:

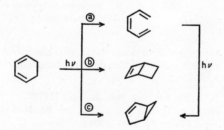

L. A. PAQUETTE u. M. J. BROADHURST, J. Org. Chem. **38**, 1886 (1973).
J. M. LABRUM, J. KOLC u. J. MICHL, Am. Soc. **96**, 2636 (1974).
J. KOLC u. J. MICHL, Am. Soc. **95**, 7391 (1973).
N. G. MINNAARD u. E. HAVINGA, R. **92**, 1315 (1973).
P. DATTA, T. D. GOLDFARB u. R. S. BOIKESS, Am. Soc. **93**, 5189 (1971).
G. J. FONKEN, Tetrahedron Letters **1962**, 549.
K. ALDER u. H. v. BRACHEL, A. **608**, 195 (1957).
O. L. CHAPMAN, Adv. Photochem. **1**, 323 (1963).
C. W. SPRANGLER, J. Org. Chem. **31**, 346 (1966).
R. SRINIVASAN, Am. Soc. **83**, 2806 (1961); **82**, 5063 (1960); **84**, 3982 (1962); Adv. Photochem. **4**, 113 (1966).

Weg ⓒ stellt einen auf wenige Fälle beschränkten Prozeß dar[1]. Es ist jedoch zu beachten, daß insbesondere die auf Weg ⓐ gebildeten 1,3,5-Triene leicht thermisch oder photochemisch weiterreagieren können, wobei cis-trans-Isomerisierungen, Wasserstoff-Verschiebungen, Epimerisierungen [thermische disrotatorischer Ringschluß zu einem Cyclohexadien-(1,3)], Cyclobuten-Ringschlüsse und vor allem supra-antarafaciale Wechselwirkungen zu Bicyclo[3.1.0]hexenen-(2) beobachtet werden (zu den photochemischen Prozessen vgl. S. 222).

Die Alternative ⓐ oder ⓑ wird durch die Konformation des Sechsrings entschieden. Aus der Halbwannen-Form des Cyclohexadien-Rings ist die disrotatorische Bildung des Bicyclo [2.2.0]Systems bevorzugt – die Halbsessel-Form tendiert zur conrotatorischen Ring öffnung[2]. Ein schönes Beispiel dafür ist t-1,t-4a-Dimethyl-7-isopropyl-r-1-carb oxy-1,2,3,4,4a,4b,5,9,10,10a-decahydro-phenanthren[3] (I) und das entsprechend substituierte -1,2,3,4,4a,5,6,9,10,10a-decahydro-phenanthren (III)[4]. Bei Carbon säure I bildet sich ein Cyclobuten-Ring aus, bei Verbindung III erfolgt Ringöffnung. In hat der Cyclohexadien-Ring eine ebene – bzw. Halbwannen-Konformation, in III dagegen Halbsessel-Form[5]:

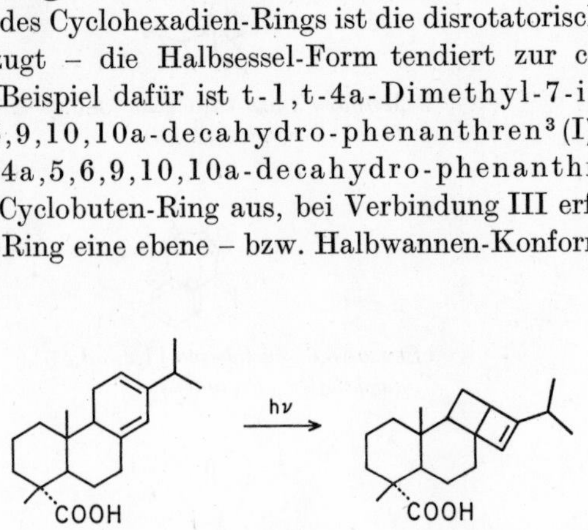

7,11-Dimethyl-3-isopropyl-11-carboxy-
tetracyclo[8.4.0.0^{1,4}0.^{1,6}]tetradecen-(5)

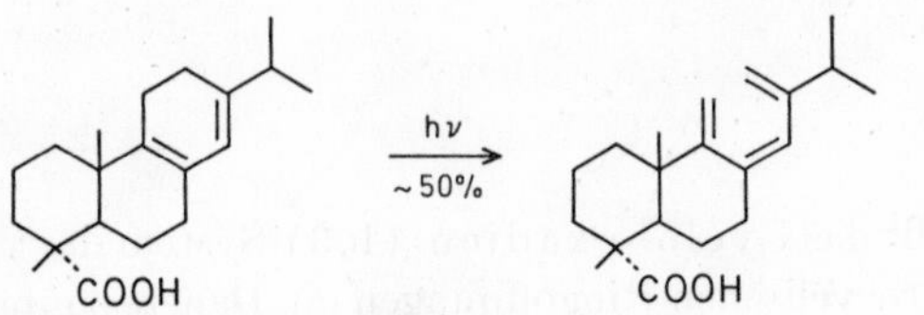

t-2,t-6-Dimethyl-7-methyliden-8-(3-methyl-2-
methylen-butyliden)-r-
2-carboxy-bicyclo[4.4.0]decan

Die Kontrolle des photochemischen Reaktionsablaufs wird also durch periphere Substituenten bestimmt, die das Gleichgewicht der Konformationen des Grundzustandes festlegen.

---

[1] Vgl. H. E. Zimmerman u. G. A. Epling, Am. Soc. 92, 1411 (1970).
J. S. Swenton, A. R. Crumrine u. T. J. Walker, Am. Soc. 92, 1406 (1970).
K. R. Huffmann et al., J. Org. Chem. 33, 3469 (1968).
[2] J. E. Baldwin u. S. M. Krueger, Am. Soc. 91, 6444 (1969).
C. W. Spangler u. R. P. Hennis, Chem. Commun. 1972, 24.
W. G. Dauben et al., Pure Appl. Chem. 33, 197 (1973).
[3] W. H. Schuller et al., J. Org. Chem. 27, 1178 (1962).
W. G. Dauben u. R. M. Coates, Am. Soc. 86, 2490 (1964).
[4] W. G. Dauben u. R. M. Coates, J. Org. Chem. 29, 2761 (1964).
[5] Vgl. dazu: A. W. Burgstahler et al., J. Org. Chem. 34, 1550 (1969).
U. Weiss, W. B. Whalley u. I. L. Karle, Chem. Commun. 1972, 16.
A. W. Burgstahler, H. Ziffer u. U. Weiss, Am. Soc. 83, 4660 (1971).
U. Weiss, H. Ziffer u. E. Charney, Chem. & Ind. 1962, 1286; Tetrahedron 21, 3105 (1965).
U. Weiss u. N. L. Gershfeld, Experientia 18, 355 (1962).
J. L. W. Chien, Am. Soc. 82, 4762 (1960).

Am Bicyclo[4.4.0]decadien-(1,3) laufen beide Reaktionstypen gleichzeitig ab[1], so daß *Tricyclo[4.4.0.0¹,⁴]decen-(2)* und *1-Butadien-(1,3)-yl-cyclohexen* gebildet werden:

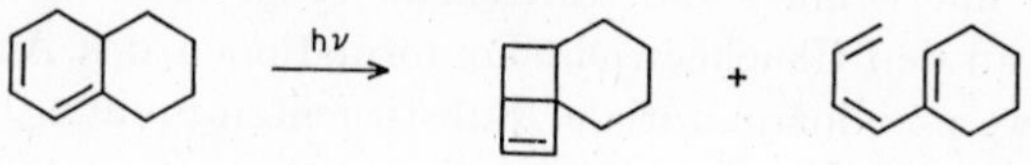

Ebenso verhalten sich 7-Methyl-, 8,8-Dimethyl-, 9,9-Dimethyl-, 10,10-Dimethyl- und 5,5,9-Trimethyl-bicyclo[4.4.0]decadien-(1,3)[2]. 7,7-Dimethyl- und 7,7,10,10-Tetramethyl-bicyclo[4.4.0]decadien-(1,3) reagieren ausschließlich unter Cyclobuten-Ringschluß, während 6-Methyl-bicyclo[4.4.0]decadien-(1,3) genauso wie die verwandten Verbindungen Bicyclo[4.3.0]nonadien-(1,3) und Bicyclo[5.4.0]undecadien-(1,3) nur die Ringöffnung zum Trien eingeht[2].

Das Verhältnis der Reaktionsprodukte I und II beweist eine starke Temperaturabhängigkeit[2]:

	23°	–17°	–78°	–196°
II/I	3,8	3,8	6,3	17,7

Die Wellenlängenabhängigkeit zeigt die umgekehrte Tendenz – je energieärmer eingestrahlt wird, desto mehr I entsteht[2]:

	$\lambda = 254$ nm	$\lambda = 300$ nm
II/I	2,2	1,4

Noch selektiver äußert sich die Wellenlängenabhängigkeit bei cis-Bicyclo[4.3.0]nonadien-(2,4)[3]:

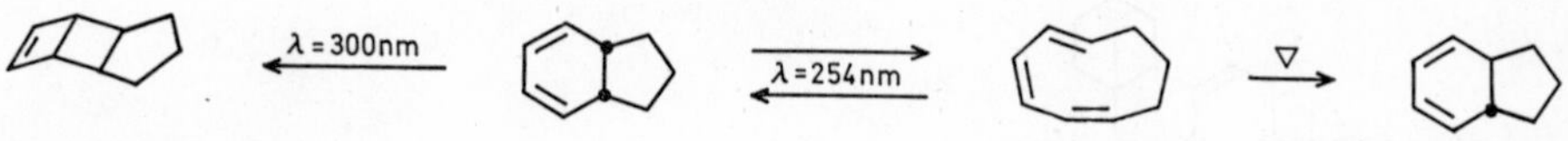

Tricyclo[4.3.0.0²,⁵]nonen-(3)   *cis,cis,trans-Cyclononatrien-(1,3,5)*   *trans-Bicyclo[4.3.0] nonadien-(2,4)*

Der sterische Ablauf der elektrocyclischen Ringöffnung läßt sich gut an 5,6-disubstituierten Cyclohexadienen-(1,3) verfolgen[4]:

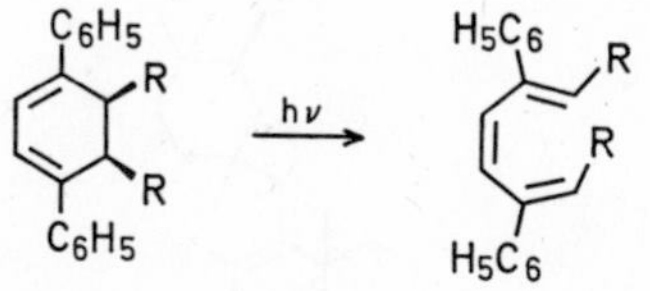

III 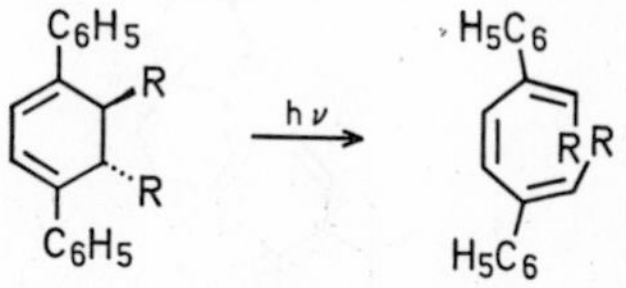   IV

R = CH₃ ; COOCH₃

Bei Belichtung von III mit unterschiedlichen Resten sind zwei verschiedene *trans,cis,cis-*anordnungen möglich; 2-Methyl-5-isopropyl-cyclohexadien-(1,3) geht beispielsweise in *3,7-Dimethyl-cis,trans-* und *cis,cis-octatrien-(1,3,5)* über[5]. Bei Verbindungen vom Typ IV ist

G. J. FONKEN u. K. MEHROTRA, Chem. & Ind. 1964, 1025.
W. G. DAUBEN at al., Pure Appl. Chem. 33, 197 (1973).
W. G. DAUBEN u. M. S. KELLOGG, Am. Soc. 93, 3805 (1971).
E. VOGEL, W. GRIMME u. E. DINNÉ, Tetrahedron Letters 1965, 391.
P. COURTOT u. R. RUMIN, Bl. 1969, 3362; Tetrahedron Letters 1968, 1091; 1968, n° 30 erratum; 1970 1849.
J. E. BALDWIN u. S. M. KRUEGER, Am. Soc. 91, 6444 (1969).
Vgl. auch: K. J. CROWLEY, Pr. chem. Soc. 1964, 17; J. Org. Chem. 33, 3679 (1968).
R. J. DE KOCK, N. G. MINAARD u. E. HAVINGA, R. 79, 922 (1960).

außer der *all-cis*-Konfiguration noch die Entstehung des *trans,cis,trans*-Triens erlaubt. Da die photochemischen Primärprodukte kinetisch kontrolliert sind, sollte die thermodynamische Stabilität unerheblich sein. Entscheidend ist vielmehr der Ablauf des conrotatorischen Prozesses an den Gleichgewichtskonformationen des Ausgangscyclohexadiens mit pseudoaxialer bzw. pseudoäquatorialer Substituenten-Stellung[1].

Im folgenden werden einige Beispiele angeführt, bei denen anschließend an die Cyclohexadien-(1,3)→Hexatrien-(1,3,5)-Ringöffnung photochemische Folgereaktionen auftreten. Aus 1,2,3,4,5-Pentaphenyl-cyclohexadien-(1,3) entsteht z. B. in 93%iger Ausbeute *1,2,3,5,6-Pentaphenyl-bicyclo[3.1.0]hexen-(2)*[2]:

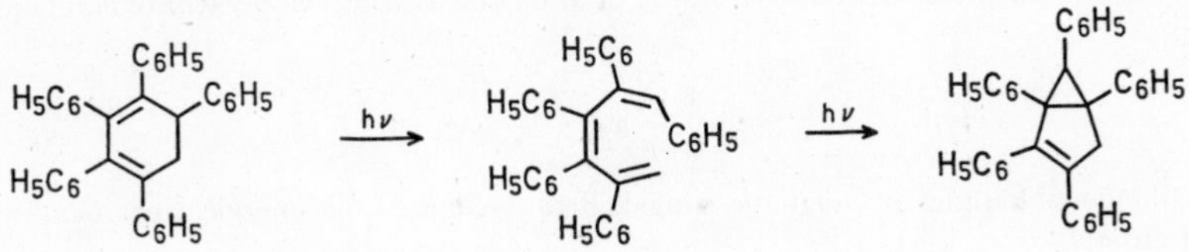

Das folgende Steroid gibt eine elektrocyclische Ringöffnung des Cyclohexadien-Ringes und anschließend einen Ringschluß zum Cyclobuten-System[3]:

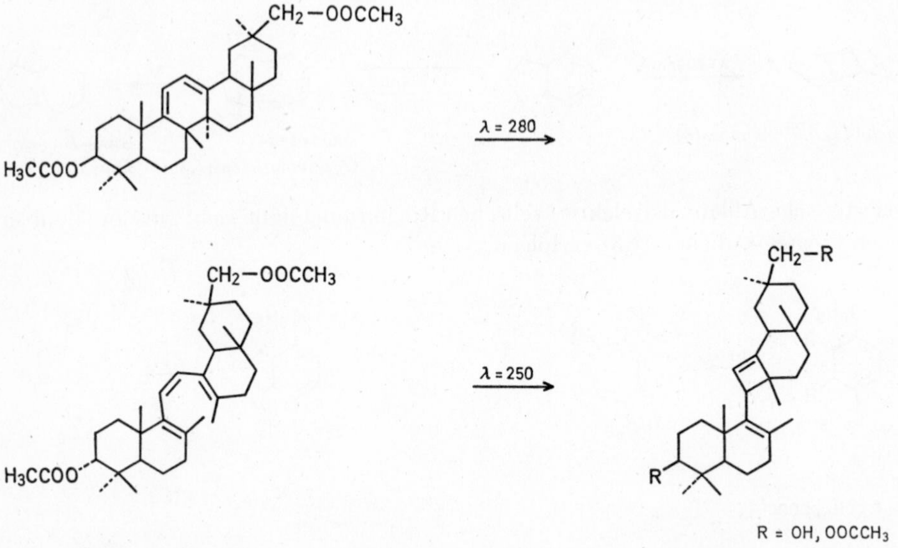

3α,30α-Diacetoxy-8,14-seco-oleantrien-(8,11,13)

3α,30α-Hydroxy(Acetoxy)-11,14-cyclo-8,14-seco-oleantrien-(8,11,13)

Belichtet man 5,6-Dimethyl-1,4-diphenyl-cyclohexadien-(1,3), so folgt auf die Ringöffnung eine [1,7]-Wasserstoff-Verschiebung unter Bildung von *3,6-Diphenyl*

[1] J. E. BALDWIN u. S. M. KRUEGER, Am. Soc. **91**, 6444 (1969).
    C. W. SPANGLER u. R. P. HENNIS, Chem. Commun. **1972**, 24.
[2] G. R. EVANEGA, W. BERGMANN u. J. ENGLISH, J. Org. Chem. **27**, 13 (1962).
    W. G. DAUBEN u. J. H. SMITH, J. Org. Chem. **32**, 3244 (1967).
[3] M. MOUSSERON-CANET u. J. P. CHABAUD, Bl. **1969**, 308.

ctatrien-(1,3,5)[1]:

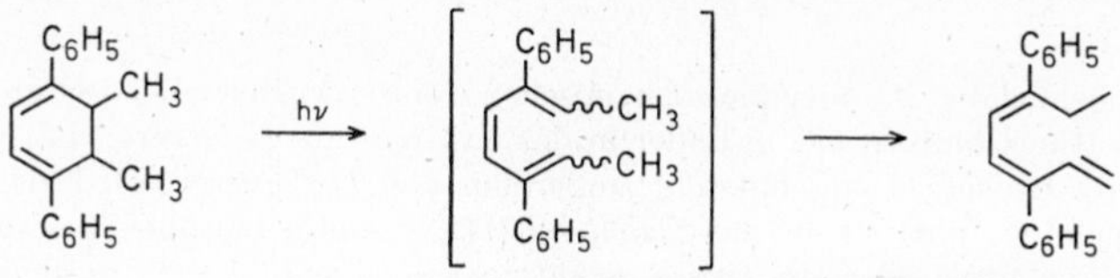

Häufig beobachtet man im Anschluß an die photochemische, conrotatorische Ring-ffnung von Cyclohexadien-Ringen einen thermischen, disrotatorischen Ringschluß zu en entsprechenden epimeren 1,3-Cyclohexadienen[2-4]. So geht z. B. 4-Äthoxy-7,7-imethyl-trans-bicyclo[4.4.0]decadien-(2,4) in die entsprechende *cis*-Verbin-ung über (77% d. Th.), und 3-Hydroxy-cholestadien-(6,8) in *3-Hydroxy-koprostadien-(6,8)*[3]. Ein weiteres Beispiel ist das 1,3-Cholestadien[4]:

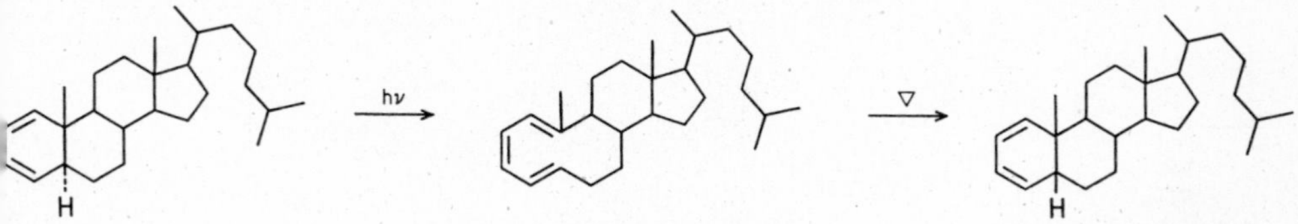

holestadien-(1,3)   *Koprostadien-(1,3)*

Besonders gut untersucht ist das System Bicyclo[4.3.0]nonatrien-(2,4,7) (I)[5]:

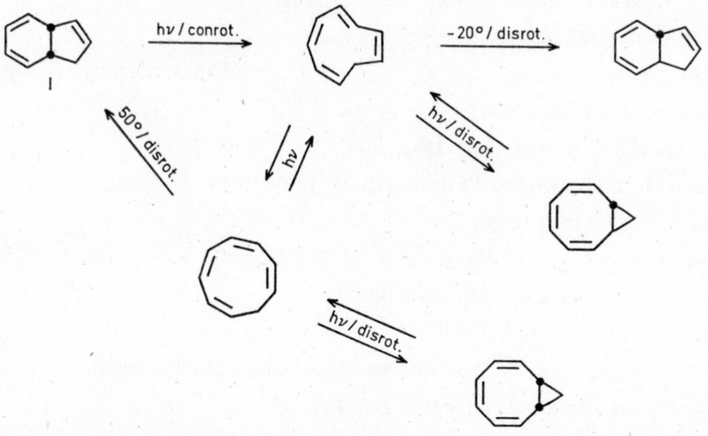

Durch conrotatorische Ringöffnung entsteht aus I das *Mono-trans-cyclononatetraen*, das durch ther-aischen, disrotatorischen Ringschluß in das epimere Ausgangsprodukt oder durch photochemische *s-trans*-Isomerisierung in *all-cis-Cyclononatetraen* übergeht. Dieser wiederum ist thermisch bzw. photo-nemisch zu Ringschlüssen befähigt. Die elektrocyclischen Ringschluß-Reaktionen können nicht nur zu 'erivaten von Cyclohexadien-(1,3), sondern auch von Cyclooctatrien-(1,3,5) führen.

Über photochemische Reaktionen von 9,10-Dihydro-naphthalin s. S. 270.

P. COURTOT u. R. RUMIN, Tetrahedron Letters **1970**, 1849.
M. MIYASHITA, H. UDA u. A. YOSHIKOSHI, Chem. Commun. **1969**, 1396.
A. WINDAUS u. G. ZÜHLSDORFF, A. **536**, 204 (1938).
W. R. ROTH u. B. PELTZER, Ang. Ch. engl.: **3**, 440 (1964).
E. VOGEL, W. GRIMME u. E. DINNÉ, Tetrahedron Letters **1965**, 391.
S. MASAMUNE et al., Chem. Commun. **1969**, 1203.
J. SCHWARTZ, Chem. Commun. **1969**, 883.
A. G. ANASTASSIOU, V. ORFANOS u. J. H. GEBRIAN, Tetrahedron Letters **1969**, 4491.

Die 50 jährige Geschichte der Photochemie der Vitamin D-Reihe bringt die ganze Vielfal der Reaktionsmöglichkeiten zum Ausdruck[1,2]. Vereinfachtes Reaktionsschema s. S. 263

Ergosterol (1) geht dabei in einer photochemischen, conrotatorischen Ringöffnung in *Präcalciferc* (II) über, das durch Ringschluß zurück in I oder in das zu I epimere *Lumisterol* (IV) verwandelt werde kann. Durch *cis-trans*-Isomerisierung entsteht außerdem das *Tachysterol* (V). Eine thermische [1,7 Wasserstoff-Verschiebung führt II in das *Calciferol* (III, Vitamin D_2) über, das photochemisch ein *cis-trans*-Isomerisierung zu VI oder eine $[\pi^4s + \pi^2a]$-Cycloaddition zu den *Suprasterolen* VIIa und VII zeigt. Thermisch entsteht aus III über II *Pyro-* und *Isopyrocalciferol* (VIII bzw. IX), die beide bei Be lichtung einen elektrocyclischen Ringschluß zu den Cyclobuten-Derivaten X bzw. XI geben.

Eine bequeme Synthese für 1α-Hydroxy-Vitamin D_3 bedient sich der photochemische Stufe von $1\alpha,3\beta$-Diacetoxy-cholestadien-(5,7) zum *$1\alpha,3\beta$-Diacetoxy-9,10-seco-cholestatrien* $(5^{10},6,8)$[3]. Über die bei Bestrahlung von Vitamin D_3 in Äthanol mit $\lambda > 250$ nm anfallende Produkte s. Lit.[4]

---

[1] Übersichtsartikel:

     G. M. Sanders, J. Pot u. E. Havinga, Fortschr. Ch. org. Naturst. **27**, 131 (1969).

[2] A. Windaus et al., A. **483**, 17 (1930).

     F. Laquer u. O. Linsert, Klin. Wochschr. **12**, 753 (1933).

     P. Setz, Hoppe-Seyler **215**, 183 (1933).

     US. P. 2030377 (1936), Winthrop Chem. Co., Erf.: O. Linsert; C. A. **30**, 2326⁹ (1940).

     J. Green, Biochem. J. **49**, 232 (1951).

     L. Velluz, L. Aimard u. G. Petit, Bl. **1955**, 1341.

     P. Westerhof u. J. A. Keverling Buisman, R. **75**, 1243 (1956).

     A. Verloop et al., R. **78**, 1004 (1959).

     A. L. Koevoët, A. Verloop u. E. Havinga, R. **74**, 788 (1955).

     M. P. Rappoldt u. E. Havinga, R. **79**, 369 (1960).

     M. P. Rappoldt, R. **79**, 392, 1012 (1960).

     E. Havinga, R. J. de Kock u. M. P. Rappoldt, Tetrahedron **11**, 276 (1960).

     E. Havinga u. J. Schlatmann, Tetrahedron **16**, 146 (1961)

     R. J. de Kock et al., R. **80**, 20 (1961).

     G. M. Sanders u. E. Havinga, R. **83**, 665 (1964).

     W. G. Dauben et al., Am. Soc. **80**, 4116 (1958).

     W. G. Dauben u. P. Baumann, Tetrahedron Letters **1961**, 565.

     C. P. Saunderson u. D. C. Hodgkin, Tetrahedron Letters **1961**, 573.

     K. Pfoertner u. J. P. Weber, Helv. **55**, 921 (1972).

     K. Pfoertner, Helv. **55**, 937 (1972).

     A. M. Bloothoofd-Kruisbeek u. J. Lugtenburg, R. **91**, 1364 (1972).

     R. Mermet-Bouvier, Bl. **1973**, 3023.

     B. Pelc u. E. Kodicek, Soc. Perkin I, **1972**, 2980.

[3] D. H. R. Barton et al., Am. Soc. **95**, 2748 (1973).

[4] S. A. Bakker, J. Lugtenburg u. E. Havinga, R. **91**, 1459 (1972).

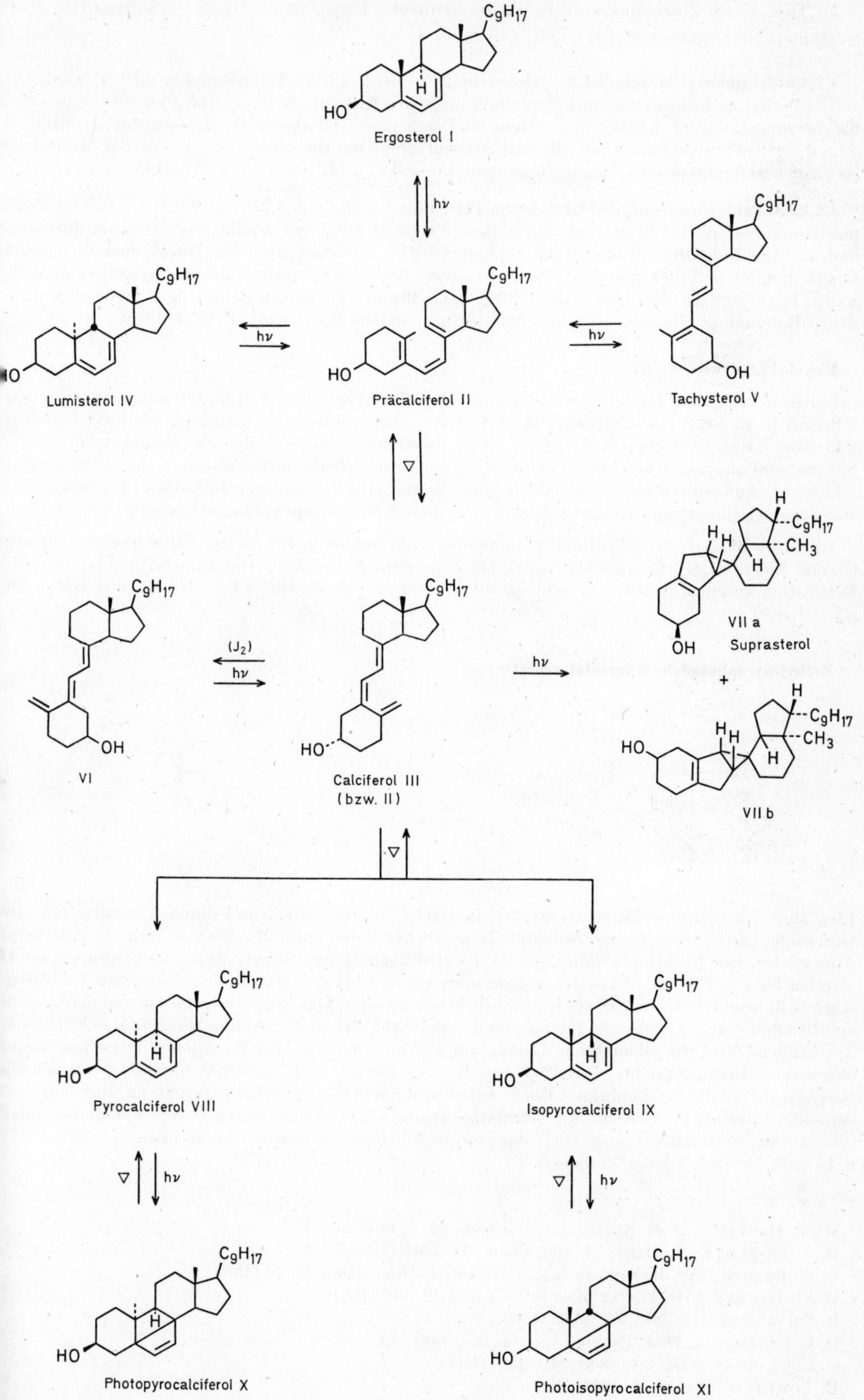
Ergosterol I
hν
Lumisterol IV
Präcalciferol II
Tachysterol V
hν
hν
∇
VI
(J₂)
hν
Calciferol III
(bzw. II)
hν
VII a
Suprasterol
+
VII b
∇
Pyrocalciferol VIII
Isopyrocalciferol IX
∇
hν
∇
hν
Photopyrocalciferol X
Photoisopyrocalciferol XI

In Tab. 47 (S. 265) sind weitere photochemische Umsetzungen von Cyclohexadien-(1,3)-Systemen zusammengestellt.

1,2,4,6-Tetraphenyl-bicyclo[3.1.0]cyclohexen-(2)[1]: 1,0 g 1,3,4,6-Tetraphenyl-hexatrien werden in 400 ml Methyl-cyclohexan mit einer Hanovia Quecksilber-Mitteldruck-Lampe mit Pyrex-Filter belichtet bis die zunächst gelbe Lösung fast farblos ist. Nach dem Abdampfen des Lösungsmittels bleibt ein schwach gelber fester Rückstand, der aus Äthanol umkristalliert wird (0,82 g). Aus der Mutterlauge lassen sich weitere 0,05 g gewinnen; Gesamtausbeute: 0,87 g (87% d.Th.); F: 144–145°.

1,2,3,5,6-Pentaphenyl-bicyclo[3.1.0]hexen-(2)[2]: Eine Lösung von 4,25 g (9,23 mMol) 1,2,3,4,5-Pentaphenyl-cyclohexadien-(1,3) in 1,1 l reinem Benzol wird 24 Stdn. mit gereinigtem Stickstoff durchspült und anschließend unter Stickstoff-Atmosphäre 65 Min. mit einer Hanovia Quecksilber-Mitteldruck-Lampe mit Vycor-Filter bestrahlt. Nach Abziehen des Lösungsmittels chromatographiert man den gelben Rückstand an Aluminiumoxid (250 g; 2,5 × 49 cm). Mit Hexan/Benzol (9:1) lassen sich 3,97 g (93%) Rohprodukt eluieren, das aus Benzol/Hexan umkristallisiert wird; F:163,1–163,6°.

Bicyclo[3.2.0]hepten-(6):

Methode A[3]: Eine Lösung von 21,8 g (0,23 Mol) Cycloheptadien-(1,3) in 2 l trockenem Äther wird mit einer G. E. AH-6 Quecksilberdampf-Lampe unter Stickstoffspülung bestrahlt. Der Reaktionsablauf läßt sich UV-spektroskopisch verfolgen. Nach ∼ 40 Stdn. verschwindet die Dien-Absorption. Das Solvens wird an einer 1-m-Kolonne abdestilliert und anschließend durch dieselbe Kolonne das Produkt rektifiziert; Ausbeute: 6,43 g (29,5% d.Th.); Kp: 96–98°. Aus dem gelben zähflüssigen Destillationsrückstand lassen sich mit einer Kurzweg-Apparatur weitere 2,9 g gewinnen; Gesamtausbeute: 43% d.Th..

Methode B[4]: 7,0 g (0,0745 Mol) Cycloheptadien-(1,3) werden in 160 ml abs. Äther 54 Stdn. mit einer General Electric US-3 Quecksilber-Lampe bei Zimmertemp. belichtet. Die Aufarbeitung erfolgt durch Destillation an einer Kolonne (1 × 30 cm, Glasfüllkörper); Ausbeute: 4,1 g (58% d.Th.); Kp$_{745}$: 96°; n_D^{25} = 1,4660.

Methyl-pyrophotodehydroursolat-acetat[5]:

1,0 g Methyldehydro-ursolat-acetat werden in 400 ml Äthanol gelöst und durch Pyrexglas mit einer Quecksilber-Mitteldruck-Lampe belichtet. Man arbeitet dabei unter Rückfluß in einer Reinstickstoff-Atmosphäre. Der Reaktionsablauf wird UV-spektroskopisch kontrolliert. Wenn die ursprüngliche Absorption bei λ = 283 nm praktisch verschwunden ist, und bei λ = 260 nm (log ε ∼ 4) und λ = 240 nm (log ε ∼ 3) neue Banden auftreten, ist die Belichtung beendet. Das Reaktionsgemisch wird dann 2 Stdn. am Rückfluß gekocht, wobei die 240 nm-Bande verschwindet und die 260 nm-Absorption sich verstärkt. Anschließend wird die äthanolische Lösung auf 12,5 ml eingeengt. Bei Raumtemp. kristallisiert nicht umgesetztes Ausgangsprodukt (∼ 0,25 g) aus. Aus dem Filtrat erhält man bei 0° durch Stehenlassen über Nacht einen Teil des Rohproduktes. Ein 2. Anteil wird durch Säulenchromatographie an Aluminiumoxid der Aktivitätsstufe II erhalten. Mit Petroläther/Benzol (4:1) werden zunächst Nebenprodukte eluiert, bis man mit Petroläther/Benzol (1:1) das gewünschte Produkt erhält; Gesamtausbeute: 0,57 g (57% d.Th.); F: 152–153° (Äther/Methanol).

---

[1] W. G. DAUBEN u. J. H. SMITH, J. Org. Chem. **32**, 3244 (1967).
    R. J. THEIS u. R. E. DESSY, J. Org. Chem. **31**, 4248 (1966).
[2] G. R. EVANEGA, W. BERGMANN u. J. ENGLISH, J. Org. Chem. **27**, 13 (1962).
[3] W. G. DAUBEN u. R. L. CARGILL, Tetrahedron **12**, 186 (1961).
    R. SRINIVASAN, Am. Soc. **84**, 3432 (1962).
[4] O. L. CHAPMAN u. D. J. PASTO, Chem. & Ind. **1961**, 53.
    O. L. CHAPMAN et al., Am. Soc. **84**, 1220 (1962).
[5] R. L. AUTREY et al., Soc. **1961**, 3313.

Tab. 47. Photolysen von Cyclohexadien-(1,3)-Derivaten

Ausgangsverbindung	Umlagerungsprodukte[a]	Ausbeute [% d. Th.]	Literatur
 ⬡ . . .-cyclohexadien-(1,3)			
2-Methyl-5-isopropyl-. . .	*2-Methyl-exo-6-isopropyl-bicyclo[3.1.0] hexen-(2)* *2-Methyl-endo-6-isopropyl-. . .*	67 (56:11)	1
1,4-Dimethoxycarbonyl-. . .	*1,5-Dimethoxycarbonyl-bicyclo[3.1.0] hexen-(2)*	60–70	2
1,4-Diphenyl-. . .	*2,5-Diphenyl-hexatrien-(1,3,5)*	—	3
5,5-Diphenyl-. . .	*1,1-Diphenyl-hexatrien-(1,3,5)[b]* *+4,5-Diphenyl-bicyclo[3.1.0]hexen-(2)[c]*	— —	4
. . .-cis-5,6-dicarbon-säure-anhydrid	*Bicyclo[2.2.0]hexen-(2)-cis-5,6-dicarbon-säure-anhydrid*	22	5
1-Chlor-. . .-cis-5,6-dicarbon-säureanhydrid	*1-Chlor-bicyclo[2.2.0]hexen-(2)-cis-5,6-di-carbonsäureanhydrid*	60–80	5
1,5,5-Trimethyl-. . .	*2,6-Dimethyl-heptatrien-(1,3,5)* *+3,6,6-Trimethyl-bicyclo[3.1.0]hexen-(2)* *+1-Methyl-3-[2-methyl-propen-(1)-yl]-cyclobuten* (41:38:21)	—	6
trans-1,5,6-Triphenyl-. . .	*3,exo-4,endo-6-Triphenyl-bicyclo[3.1.0] hexen-(2)*	65	7
cis-1,5,6-Triphenyl-. . .	*3,exo-4,exo-6-Triphenyl-bicyclo[3.1.0] hexen-(2)*	71	7
1,5,5,6-Tetramethyl-. . .	*2,6-Dimethyl-octatrien-(2,4,6)*	80	8
1,3,5,5-Tetramethyl-. . .	*1,3,6,6-Tetramethyl-bicyclo[3.1.0] hexen-(2)*	30	9

[a] In Klammern relative Mengenverhältnisse.
[b] Bei direkter Photolyse.
[c] Mit Aceton sensibilisierte Belichtung.

K. J. Crowley et al., Soc. (Perkin I) 1973, 2671.
R. J. de Kock, N. G. Minnaard u. E. Havinga, R. 79, 922 (1960).
K. J. Crowley, Am. Soc. 86, 5692 (1964).
J. Meinwald, A. Eckell u. K. L. Erickson, Am. Soc. 87, 3532 (1965).
J. E. Baldwin u. S. M. Krüger, Am. Soc. 91, 6444 (1969).
H. Prinzbach et al., B. 98, 2201 (1965).
R. N. McDonald u. R. R. Reitz, J. Org. Chem. 35, 2666 (1970).
P. Courtot u. O. Le Goff-Hays, Bl. 1968, 3401.
H. E. Zimmerman u. G. A. Epling, Am. Soc. 94, 8749 (1972).
E. E. van Tamelen, S. P. Pappas u. K. L. Kirk, Am. Soc. 93, 6092 (1971).
E. E. van Tamelen u. S. P. Pappas, Am. Soc. 84, 3789 (1962); 85, 3297 (1963).
R. Breslow, J. Napierski u. A. H. Schmidt, Am. Soc. 94, 5906 (1972).
P. Courtot u. R. Rumin, Chem. Commun. 1974, 168.
A. Padwa, L. Brodsky u. S. C. Clough, Chem. Commun. 1971, 417; Am. Soc. 94, 6767 (1972).
G. J. Fonken, Tetrahedron Letters 1962, 549.
P. Courtot, R. Rumin u. J. Mahuteau-Corvest, Tetrahedron Letters 1973, 899.

Tab. 47 (1. Fortsetzung)

Ausgangsverbindung	Umlagerungsprodukte[a]	Ausbeute [% d. Th.]	Literatur
...-cyclohexadien-(1,3) 5-Methyl-1,3,5-triphenyl-2-benzoyl-...	*exo-6-Methyl-1,3,endo-6-triphenyl-2-benzoyl-bicyclo[3.1.0]hexen-(2)*	35	1
Octafluor-...	*Octafluor-bicyclo[2.2.0]hexen-(2)*	—	2
1,2,3,4-Tetraphenyl-*trans*-5,6-dimethoxycarbonyl-...	*3,4,5,6-Tetraphenyl-octatrien-(2,4,6)-disäure-dimethylester*	—	3
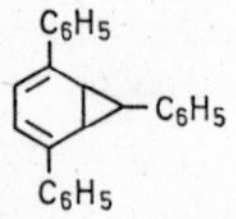	*1,3,6-Triphenyl-cycloheptatrien* *+1,4,7-Triphenyl-...* und *1,2,5-Triphenyl-...* *+1,4.5-Triphenyl-bicyclo[3.2.0]heptadien-(2,6)*	34	4
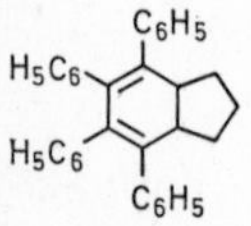	*1,2,8,9-Tetraphenyl-bicyclo[5.2.0]nonadien-(2,8)*	95	5
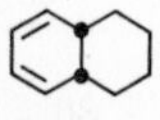 *cis*-Bicyclo-[4.4.0]decadien-(2,4)	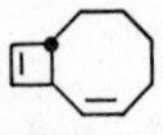 *trans-Bicyclo[6.2.0]decadien-(2,9)* 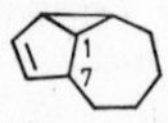 *+Tricyclo[5.3.0.0²,¹⁰]decen-(8)*	— —	6
1,6-Dimethyl-...	*1,6-Dimethyl-trans-bicyclo[4.4.0]decadien-(1,4)* *+1,6-Dimethyl-cyclodecatrien-(1,3,6)* *+1,7-Dimethyl-tricyclo[5.3.0.0²,¹⁰]decen-(8)*	22 15 6	7

[a] In Klammern relative Mengenverhältnisse.

1 P. Courtot u. R. Pichon, Chem. Commun. **1972**, 1103.
2 W. J. Feast, W. K. R. Musgrave u. R. G. Weston, Chem. Commun. **1970**, 1337.
3 B. Fuchs u. S. Yankelevitch, Israel J. Chem. **6**, 511 (1968).
4 T. Toda, M. Nitta u. T. Mukai, Tetrahedron Letters **1969**, 4401.
5 R. C. Cookson u. D. W. Jones, Soc. Perkin I **1974**, 1767; Soc. **1965**, 1881.
6 W. G. Dauben et al., Pure Appl. Chem. **33**, 197 (1973).
7 W. G. Dauben, R. G. Williams u. R. D. McKelvey, Am. Soc. **95**, 3932 (1973).

Tab. 47 (2. Fortsetzung)

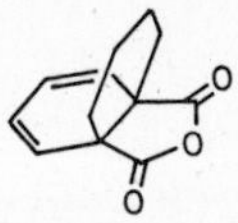

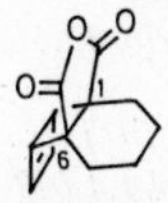

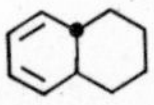

Ausgangsverbindung	Umlagerungsprodukte[a]	Ausbeute [% d. Th.]	Literatur
cis-Bicyclo[4.4.0]decadien-(2,4)-1,6-dicarbonsäure-anhydrid	*endo-Tricyclo[4.4.0.0²,⁵]decen-(3)-1,6-dicarbonsäure-anhydrid* +*exo-Tricyclo[4.4.0.0²,⁵]decen-(3)-1,6-dicarbonsäure-anhydrid*	48 (5:1)	1
. . .-*trans*-bicyclo [4.4.0]decadien-(2,4) 1,6-Dimethyl-. . .	*1,6-Dimethyl-cyclodecatrien-(1,3,5)*	54	2
r-1,*c*-5-Dimethyl-*c*-8-methoxycarbonyl-. . .	*r-1,c-5-Dimethyl-c-8-methoxycarbonyl-cis-bicyclo[4.4.0]decadien-(2,4)* +*r-1,t-5-Dimethyl-t-8-methoxycarbonyl-. . .* (2:1)	—	3
r-1,*c*-5-Dimethyl-*c*-8-[2-hydroxy-propyl-(2)]-. . .	*r-1,c-5-Dimethyl-c-8-[2-hydroxy-propyl-(2)]-cis-bicyclo[4.4.0]decadien-(2,4)* +*r-1,t-5-Dimethyl-t-8-[2-hydroxy-propyl-(2)]-. . .*	74	4
cis-4-Äthoxy-1,7,7-trimethyl-. . .	*cis-4-Äthoxy-1,7,7-trimethyl-cis-bicyclo [4.4.0]decadien-(2,4)*	77	3
. . .-bicyclo[4.4.0] decadien-(1⁶,2) 7,7,10,10-Tetramethyl-. . .	*7,7,10,10-Tetramethyl-tricyclo[4.4.0.0²,⁴] decen-(1⁶)* +*2,2,5,5-Tetramethyl-7-vinyl-bicyclo [4.2.0]octen-(1⁶)* (70:30)		5

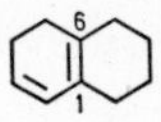

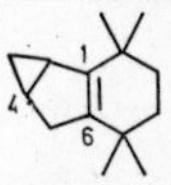

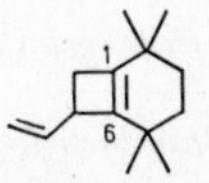

In Klammern relative Mengenverhältnisse.

J. M. Ben-Bassat u. D. Ginsburg, Tetrahedron **30**, 483 (1974).
W. G. Dauben, R. G. Williams u. R. D McKelvey, Am Soc. **95**, 3932 (1973).
M. Miyashita, H. Uda u. A. Yoshikoshi, Chem. Commun. **1969**, 1396.
W. G. Dauben et al., Pure Appl. Chem. **33**, 197 (1973).
W. G. Dauben et al., Am. Soc. **94**, 4285 (1972).

Tab. 47 (3. Fortsetzung)

Ausgangsverbindung	Umlagerungsprodukte[a]	Ausbeute [% d. Th.]	Literatur
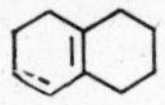 3,7,7,10,10-Pentamethyl-...	4,7,7,10,10-Pentamethyl-tricyclo [4.4.0.0²,⁴]decen-(1⁶) +2,2,5,5-Tetramethyl-7-isopropenyl-bicyclo[4.2.0]octen-(1⁶) (50:50)		1
7,7,10,10-Tetramethyl-3-tert.-butyl-...	7,7,10,10-Tetramethyl-4-tert.-butyl-tricyclo[4.4.0.0²,⁴]decen-(1⁶) +2,2,5,5-Tetramethyl-7-(3,3-dimethyl-buten-(1)-yl-bicyclo[4.2.0]octen-(1⁶) (17:83)	—	
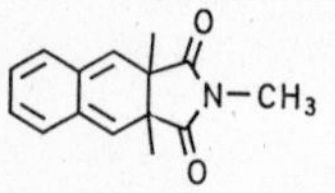	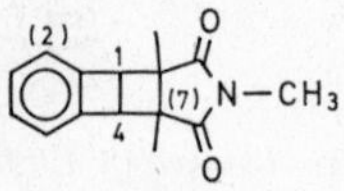 cis-7,8-Dimethyl-⟨benzo-bicyclo[2.2.0]hexen-(2)⟩-7,8-dicarbonsäure-methyl-imid	71	2
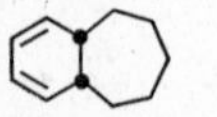	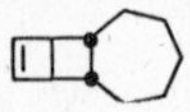 exo,cis-Tricyclo[5.4.0.0⁸,¹¹]undecen-(9) +Tricyclo[6.3.0.0²,¹¹]undecen-(9)	— —	3,4
	Perfluor-endo-Petracyclo[6.2.2.0²,⁷.0⁵,⁷]dodecadien-(2,9) Perfluor-exo-...	18 12	5
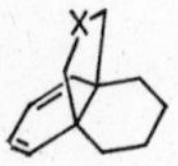 X = O	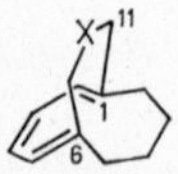 12-Oxa-bicyclo[4.4.3]tridecatrien-(1,3,5)	80	6
X = S	12-Thia-bicyclo[4.4.3]tridecatrien-(1,3,5)	50	
X = SO₂	12-Thia-bicyclo[4.4.3]tridecatrien-(1,3,5)-12,12-dioxid	50	

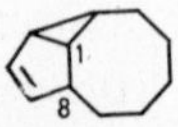

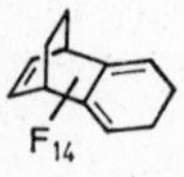

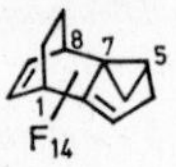

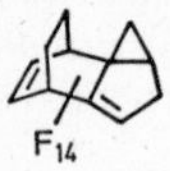

[a] In Klammern relative Mengenverhältnisse.

1 W. G. Dauben et al., Am. Soc. 94, 4285 (1972).,
2 D. W. Jones u. G. J. Kneen, Chem. Commun. 1972, 1038.
3 W. G. Dauben et al., Pure Appl. Chem. 33, 197 (1973).
4 W. G. Dauben u. M. S. Kellogg, Am. Soc. 94, 8951 (1972).
5 W. J. Feast u. W. E. Preston, Tetrahedron 28, 2805 (1972).
6 J. M. Ben-Bassat u. D. Ginsburg, Tetrahedron 30, 483 (1974).

Tab. 47 (4. Fortsetzung)

Ausgangsverbindung	Umlagerungsprodukte[a]	Ausbeute [% d. Th.]	Literatur
	cis-2,6-Dimethyl-7-methylen-8-(3-methyl-2-methylen-butyliden)-2-carboxy-bicyclo[4.4.0]decan	—	1
	cis-1,11-Dimethyl-5-isopropyl-11-carboxy-tetracyclo[8.4.0.0^{2,7}.0^{4,7}]tetradecen-(5)	47	2
	17β-Acetoxy-5,9a-dimethyl-1,9a-cyclo-B-homo-A-nor-19-nor-androsten-(2)	—	3
	3β-Acetoxy-17β-[5,6-dimethyl-hepten-(3)-yl-(2)]5,9-cyclo-6,10-cyclo-9,10-seco-androstadien-(7,9^{11})	50	4
	8,16-Dimethyl-[2.2]metacyclophan-dien-(1,9)	~50	5

[a] In Klammern relative Mengenverhältnisse.

1 W. G. Dauben u. R. M. Coates, J. Org. Chem. 29, 2761 (1964).
2 W. G. Dauben u. R. M. Coates, Am. Soc. 86, 2490 (1964).
  W. H. Schuller et al., J. Org. Chem. 27, 1178 (1962).
3 W. G. Dauben, R. G. Williams u. R. D. McKelvey, Am. Soc. 95, 3932 (1973).
4 D. H. R. Barton u. A. S. Kende, Soc. 1958, 688.
  D. H. R. Barton, B. Bernasconi u. J. Klein, Soc. 1960, 511.
5 H. R. Blattman et al., Soc. 87, 130 (1965).
  V. Boekelheide u. J. B. Phillips. Am. Soc. 89, 1695 (1967).
  H. R. Blattman et al., Helv. 50, 68 (1967).

Photochemisch besonders interessant ist die Übertragung der Reaktionen des Cyclohexadiens-(1,3) auf das 1,2-Dihydro-naphthalin-System[1-3]:

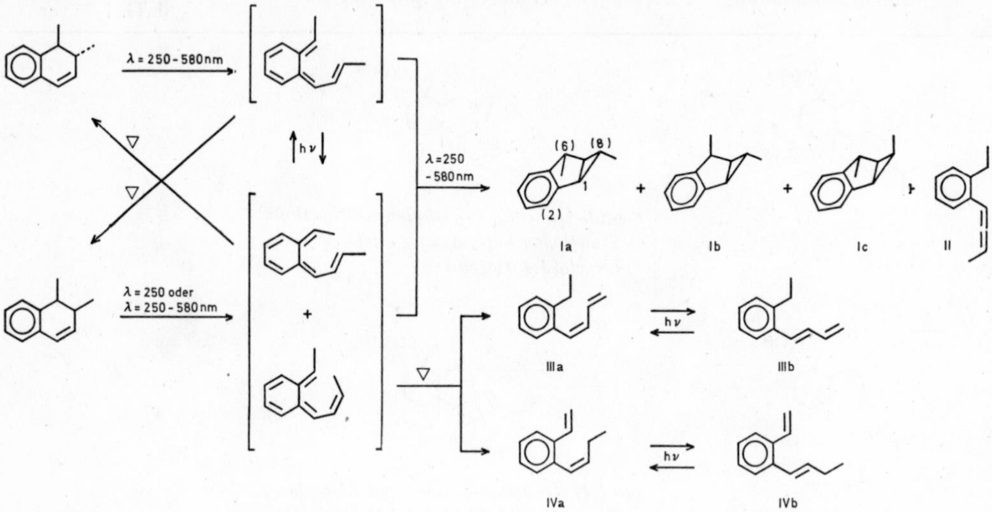

λ = 250 - 580 nm

hν

λ = 250 - 580 nm

λ = 250 oder λ = 250 - 580 nm

Ia + Ib + Ic + II

IIIa ⇄ IIIb (hν)

IVa ⇄ IVb (hν)

Durch Wahl der Reaktionsbedingungen (Wellenlänge, Temperatur) ist es möglich, eine Auswahl unter den Reaktionsprodukten zu treffen. Die optimierten Ausbeuten bei halbem Umsatz der Ausgangsprodukte sind:

Ia; *exo-6,exo-8-Dimethyl-⟨benzo-bicyclo[3.1.0]hexen-(2)⟩*; 50% d.Th.

Ib; *endo-6,exo-8-...*, 20% d.Th.

Ic; *exo-6,endo-8-...*; 8% d.Th.

II; *1-(2-Äthyl-phenyl)-butadien-(1,2)*; 14% d.Th.

IIIa; *cis-1-(2-Äthyl-phenyl)-butadien-(1,3)*; 12% d.Th.

IIIb; *trans-...*; 5% d.Th.

IVa; *cis-1-(2-Vinyl-phenyl)-buten-(1)*; 21% d.Th.

IVb; *trans-...*; 13% d.Th.

Aus 1,1-Dimethyl-1,2-dihydro-naphthalin entstehen photolytisch bei −100° (*2-Isopropyl-phenyl)-allen, 2-Isopropenyl-1-propen-(2)-yl-benzol* und *6,6-Dimethyl-⟨benzo-bicyclo[3.1.0]hexen-(2)⟩*. Bei 20° wird über *1-(2-Isopropenyl-phenyl)-propen* in einer weiteren Photoreaktion *1,6-Dimethyl-⟨benzo-bicyclo[3.1.0]hexen-(2)⟩* gebildet[2,4]. Anhand der deuterierten Verbindung wird dieser Mechanismus geklärt:

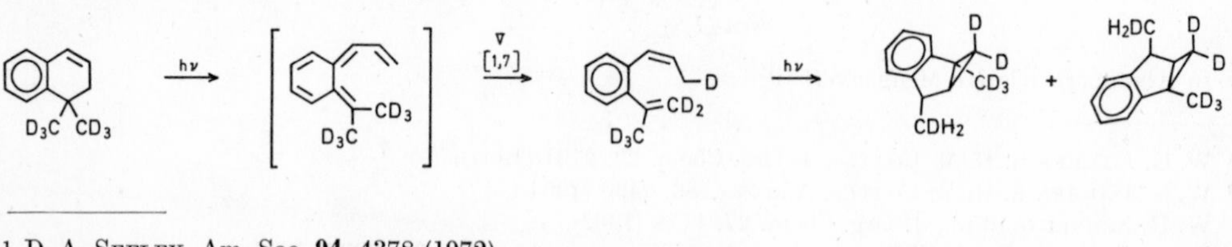

hν → [1,7] → hν →

[1] D. A. SEELEY, Am. Soc. **94**, 4378 (1972).
[2] W. SIEBER et al., Helv. **55**, 3005 (1972).
[3] Vgl. auch: A. PADWA u. G. A. LEE, Chem. Commun. **1972**, 795.
   B. S. LUKJANOW et al., Tetrahedron Letters **1973**, 2007.
   K. MIZUNO, C. PAC u. H. SAKURAI, Chem. Commun. **1973**, 219.
[4] H. HEIMGARTNER et al., Helv. **54**, 2313 (1971).

Mit 1-Methyl-1-äthyl-1,2-dihydro-naphthalin erhält man die analoge Reaktion, wobei die intermediäre [1,7]-Wasserstoff-Verschiebung an der Äthyl-Gruppe stattfindet[1]. Aus 1-Methyl-1,2-dihydro-naphthalin und 1,2-Dihydro-naphthalin selbst bilden sich ohne Wasserstoff-Verschiebung *6-Methyl-* (63% d.Th.) bzw. unsubstituiertes *Benzocyclo[3.1.0]* *hexen-(2)* (31% d.Th.)[2,3]. Durch Ringöffnung und thermische [1,7]-Wasserstoff-Verschiebung liefern 1-Methyl-1-phenyl-1,2-dihydro-naphthalin und 2,2-Dimethyl-1,2-dihydro-naphthalin *2-(1-Phenyl-vinyl)-1-propen-(1)-yl-benzol* bzw. *3-Methyl-1-(2-methyl-phenyl)-bu-* *tadien-(1,3)*[1,2].

ε) cyclische Tri-, Tetra- und Polyene

Bei cyclischen Tri-, Tetra- und Polyenen sind grundsätzlich elektrocyclische Ringschluß-Reaktionen mit unterschiedlicher π-Elektronenbeteiligung zu erwarten. Beim **Cyclo-heptatrien**[4] tritt nur der disrotatorische Ringschluß (m = 4) ein. Der conrotatorische Ringschluß unter Beteiligung aller 6π-Elektronen würde zu dem extrem gespannten, *trans*-annellierten Bicyclo[4.1.0]heptadien-(2,4) führen.

In ätherischer Lösung entsteht neben *Bicyclo[3.2.0]heptadien-(2,6)* Toluol im Verhältnis 96:4. Bei der Gasphasen-Photolyse[5] dreht sich das Verhältnis um, Bicyclus/Toluol wie 2:98.

Bei in 1- bis 6-Stellung substituierten Cycloheptatrienen gibt es für den Cyclobuten-Ringschluß zwei Möglichkeiten:

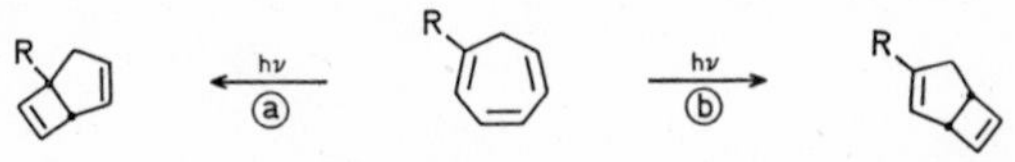

Der Weg ⓐ wird beschritten, wenn in 1-, 3- oder 5-Stellung schiebende oder in 2-, 4- oder 6-Stellung ziehende Substituenten sind. Dieselbe Überlegung gilt mutatis mutandis für den Weg ⓑ[6]. Zusätzlich ist zu beachten, daß vor der Valenzisomerisierung eine [1,7]-Wasserstoff-Verschiebung, seltener [1,3]-Wasserstoff-Verschiebungen und 1,5-sigmatrope Umlagerungen stattfinden können.

---

[1] H. Heimgartner et al., Helv. **54**. 2313 (1971).

[2] H. Kleinhuis, R. L. C. Wijting u. E. Havinga, Tetrahedron Letters **1971**, 255.

[3] R. C. Cookson, S. M. de B. Costa u. J. Hudec, Chem. Commun. **1969**, 1272.
K. Salisbury, Tetrahedron Letters **1971**, 737.

[4] Übersichtsartikel: L. B. Jones u. V. K. Jones, Fortschr. chem. Forsch. **13**, 307 (1969/70).

[5] W. G. Dauben u. R. L. Cargill, Tetrahedron **12**, 186 (1961).
R. Srinivasan, Am. Soc. **84**, 3432 (1962); **84**, 4141 (1962).

[6] A. R. Brember et al., Tetrahedron Letters **1970**, 2511; **1971**, 653.
L. Libit, Mol. Photochem. **5**, 327 (1973).

Ein Beispiel dafür ist das System 7-Äthoxycarbonyl- (I) und 3-Äthoxycarbonyl-cyclo-heptatrien (II)[1]:

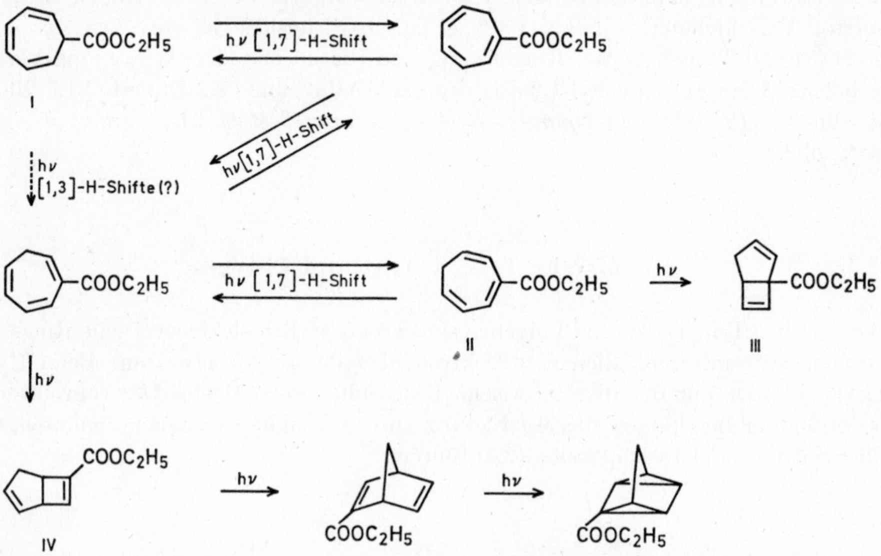

Aus I erhält man 21% *1-Äthoxycarbonyl-bicyclo[3.2.0]heptadien-(2,6)* (III) und 72% *6-Äthoxycarbonyl-bicyclo[3.2.0]heptadien-(2,6)* (IV). Bei der Belichtung von reinem II entstehen III und IV im Verhältnis 44:55.

Noch komplizierter ist das photochemische Verhalten von 1-Methoxy-3-äthoxy-carbonyl-cycloheptatrien (V)[2]:

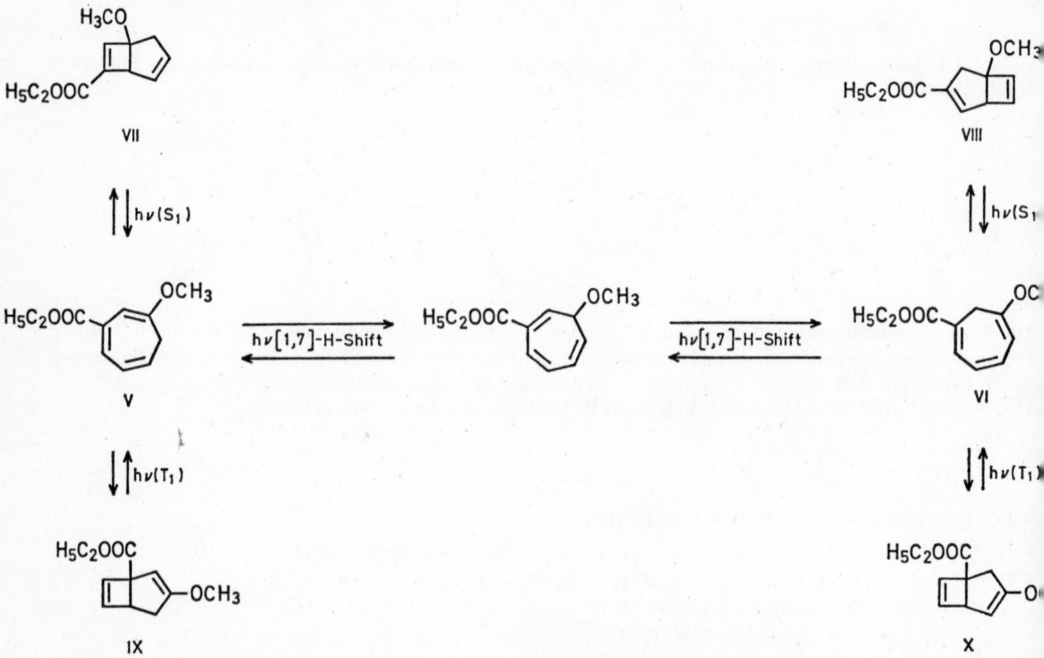

---

[1] G. LINSTRUMELLE, Bl. **1971**, 642.
   A. A. GORMAN u. J. B. SHERIDAN, Tetrahedron Letters **1969**, 2569.
[2] A. R. BREMBER, A. A. GORMAN u. J. B. SHERIDAN, Tetrahedron Letters **1973**, 475.

Aus V erhält man 65% *5-Methoxy-7-äthoxycarbonyl-bicyclo[3.2.0]heptadien-(2,6)* (VII) und 35% *5-Methoxy-3-äthoxycarbonyl-bicyclo[3.2.0]heptadien-(2,6)* (VIII). Reines 6-Methoxy-1-äthoxycarbonyl-cycloheptatrien gibt quantitativ VIII. Längere Belichtung von V, VI, VII oder VIII führt über einen Triplett-Mechanismus zur vollständigen Umwandlung in ein 1:1-Gemisch aus *3-Methoxy-1-äthoxycarbonyl-bicyclo[3.2.0]heptadien-(2,6)* (IX) und *3-Methoxy-5-äthoxycarbonyl-bicyclo[3.2.0]heptadien-(2,6)* (X).

Obwohl der Reaktionsablauf häufig durch thermische oder photochemische Cycloreversionen, Eliminierungen und Aromatisierungen weiter kompliziert wird, stellt das Verfahren eine brauchbare Synthese zur Gewinnung von Bicyclo[3.2.0]heptadienen-(2,6) dar, vgl. Tab. 48.

Tab. 48 Bicyclo[3.2.0]heptadien-(2,6)-Derivate aus Cycloheptatrienen

...-cycloheptatrien	...-bicyclo[3.2.0]heptadien-(2,6)	Ausbeute [% d.Th.]	Literatur
1-Methoxy-...	5-Methoxy-...	(65)	1
3-Methoxy-...	7-Methoxy-...	—	2
7-Methoxy-...	5-Methoxy-...	(92)	2,3
7-Äthoxy-...	5-Äthoxy-...	—	4
1-Dimethylamino-...	5-Dimethylamino-... und 3-Dimethylamino-...	—	1
1-Methylmercapto-...	5-Methylmercapto-...	(35)	1
2-Äthoxycarbonyl-...	6-Äthoxycarbonyl-...	—	5
3-Äthoxycarbonyl-...	6-Äthoxycarbonyl-... und 1-Äthoxycarbonyl-...	(56) (44)	5
7,7-Bis-[trifluormethyl]-...	4,4-Bis-[trifluormethyl]-...	(92)	6
1-Methoxy-3-äthoxycarbonyl-...	5-Methoxy-7-äthoxycarbonyl-...	—	7
1-Methoxy-4-äthoxycarbonyl-...	5-Methoxy-1-äthoxycarbonyl-...	—	7
2,7,7-Trimethyl-...	2,4,4-Trimethyl-...	(40)	8
3,7,7-Trimethyl-...	4,4,7-Trimethyl-...	(62)	9
1,4,7-Triphenyl-...	1,4,5-Triphenyl-...	–	10
7,7-Dimethyl-3-methoxycarbonyl-...	4,4-Dimethyl-1-methoxycarbonyl-...	(37)	11
1,2,6,7-Tetramethyl-...	2,3,4,5-Tetramethyl-...	–	12
2,3,7,7-Tetramethyl-...	4,4,6,7-Tetramethyl-...	–	12
1,6,7,7-Tetramethyl-...	3,4,4,5-Tetramethyl-...	—	13
1,7,7-Trimethyl-6-phenyl-...	4,4,5-Trimethyl-3-phenyl-...	(33)	13
5,5-Dicyan-5H-⟨benzocyclohepten⟩	6,6-Dicyan-⟨2,3-benzo-bicyclo[3.2.0]heptadien-(2,6)⟩	(44)	14

[1] A. P. ter Borg, E. Razenberg u. H. Kloosterziel, Chem. Commun. **1967**, 1210.
[2] G. W. Borden et al., Am. Soc. **89**, 2979 (1967).
[3] O. L. Chapman u. G. W. Borden, Pr. chem. Soc. **1963**, 221.
   G. W. Borden et al., Am. Soc. **89**, 2979 (1967).
[4] T. Sasaki, K. Kanematsu u. Y. Yukimoto, Soc. Perkin 1 **1973**, 375.
[5] G. Linstrumelle, Tetrahedron Letters **1970**, 85.
[6] D. M. Gale, W. J. Middleton u. C. G. Krespan, Am. Soc. **87**, 657 (1965).
[7] A. R. Brember et al., Tetrahedron Letters **1970**, 2511.
[8] L. B. Jones u. V. K. Jones, Am. Soc. **90**, 1540 (1968).
[9] L. B. Jones u. V. K. Jones, Am. Soc. **89**, 1880 (1967).
[10] T. Toda, M. Nitta u. T. Mukai, Tetrahedron Letters **1969**, 4401.
[11] O. L. Chapman u. S. L. Smith, J. Org. Chem. **27**, 2291 (1962).
[12] L. B. Jones u. V. K. Jones, J. Org. Chem. **34**, 1298 (1969).
[13] L. A. Paquette u. L. M. Leichter, Am. Soc. **93**, 5138 (1971).
[14] E. Ciganek, Am. Soc. **89**, 1458 (1967).

Auch Norcaradiene, *cis*-annelierte Bicyclo[4.1.0]heptadiene-(2,4), beteiligen sich gelegentlich an der photochemischen Äquilibrierung von Cycloheptatrien-Systemen. So stehen die folgenden Valenzisomeren I–V in genetischem Zusammenhang[1]:

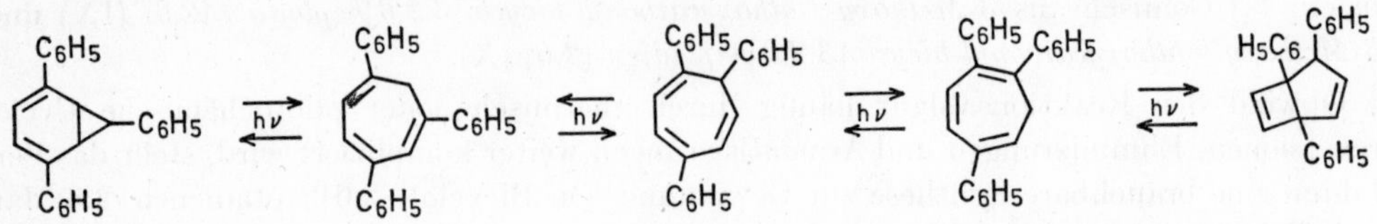

I	II	III	IV	V
2,5,7-Triphenyl-bicyclo[4.1.0]hepta-dien-(2,4)	*1,4,6-Triphenyl-*	*1,4,7-Triphenyl-cycloheptatrien*	*1,2,5-Triphenyl-*	*1,4,5-Triphenyl-bicyclo[3.2.0] heptadien-(2,6)*

Ausgangs-verbindung	Belichtungs-bedingungen	Ausbeuten [% d.Th.]				
		I	II	III	IV	V
I	Hochdrucklampe	17	—	23	7	17
	Niederdrucklampe	16	34	15	7	—
II	Hochdrucklampe	12	15	32	7	8
	Niederdrucklampe	10	38	10	6	—

Besonders signifikant ist die Beteiligung von Norcaradien-Strukturen an benzokondensierten Systemen: 7H-Benzocycloheptatrien liefert durch Belichtung ($\lambda = 350$ nm) *Benzobicyclo[4.1.0]heptadien-(2,4)* ($\varphi = 0,87$) und *5H-Benzocycloheptatrien* ($\varphi = 0,07$) im Verhältnis[2] 10:1, 7-Methoxycarbonyl-7H-⟨benzocycloheptatrien⟩ ergibt *8-* und *9-Methoxycarbonyl-⟨2,3-benzo-bicyclo(4.1.0]heptadien-(2,4)⟩* (51% bzw. 35%) sowie *1-Methoxycarbonyl-2a,7a-dihydro-7H-⟨cyclobuta-[a]-inden⟩* (14%)[2,3]. 7,7-Dimethyl-7H-⟨benzocycloheptatrien⟩ lagert sich in folgende Verbindungen um[2]:

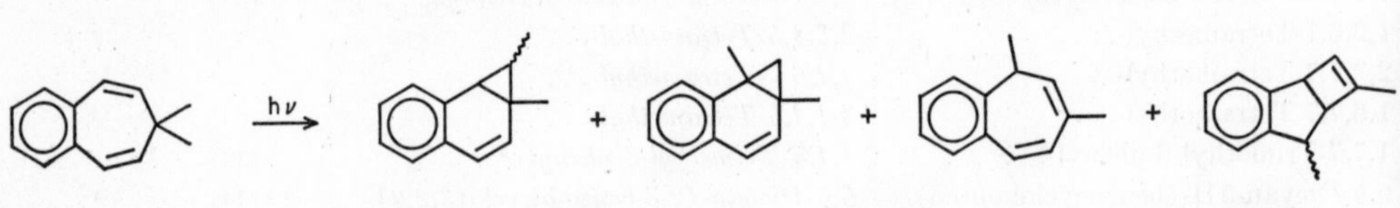

38%	5%	5%	6%
8,9-Dimethyl-⟨2,3-benzo-bicyclo[4.1.0] heptadien-(2,4)⟩	*1,8-Dimethyl-*	*5,7-Dimethyl-5H-⟨benzo-cycloheptatrien⟩*	*1,7-Dimethyl-2a,7a-dihydro-7H-⟨cyclobuta-[a]-inden⟩*

[1] T. Toda, M. Nitta u. T. Mukai, Tetrahedron Letters **1969**, 4401.
Vgl. auch: J. S. Swenton u. D. M. Madigan, Tetrahedron **28**, 2703 (1972).
G. W. Gruber u. M. Pomerantz, Am. Soc. **93**, 6615 (1971).
M. Kato et al., Tetrahedron Letters **1972**, 1171.
H. Dürr u. H. Kober, Tetrahedron Letters **1972**, 1255.
D. M. Madigan u. J. S. Swenton, Am. Soc. **93**, 6316 (1971); **92**, 7513 (1970).
[2] K. A. Burdett, D. H. Yates u. J. S. Swenton, Tetrahedron Letters **1973**, 783.
[3] D. M. Madigan u. J. S. Swenton, Am. Soc. **92**, 7513 (1970); Tetrahedron **28**, 2703 (1972); Am. Soc. **93**, 6316 (1971).
J. S. Swenton u. A. J. Krubsack, Am. Soc. **91**, 786 (1969).
Vgl. auch M. Kato et al., Tetrahedron Letters **1972**, 1171.

7,7-Dicyan-2a,7a-dihydro-7H-⟨cyclobuta-[a]-inden⟩ fällt je nach Ausgangssubstanz in 44%iger bzw. ~ 98%iger Ausbeute an[1]:

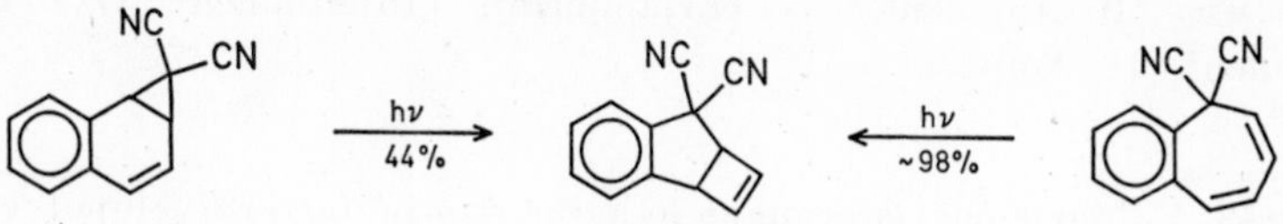

Cyclooctatrien-(1,3,5)[2] zeigt an elektrocyclischen Reaktionen die disrotatorische Ringöffnung (m=8) zu *Octatetraen-(1,3,5,7)*, die disrotatorische Ringschluß-Reaktion (m=4) u *Bicyclo[4.2.0]octadien-(2,7)* (aber nicht die conrotatorische Reaktion m=6) und außerdem die zu *Tricyclo[3.3.0.0²,⁸]octen-(3)* führende „Überkreuz"-Wechselwirkung[3]:

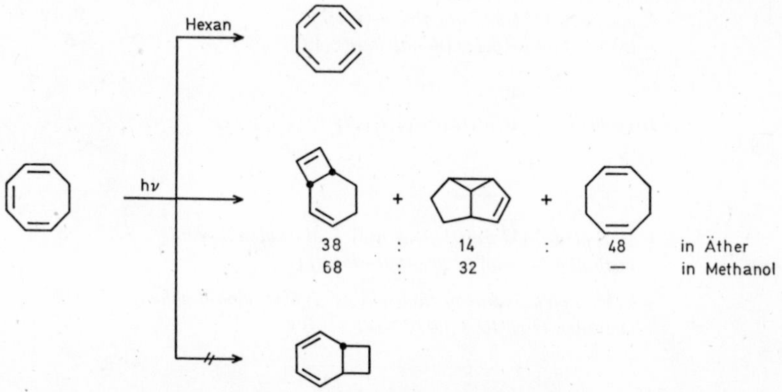

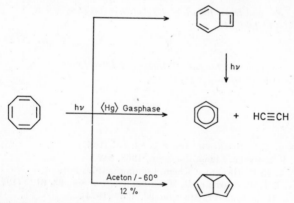

Cyclooctatetraen geht photochemisch bei niedrigen Temperaturen in das valenzisomere *Bicyclo[4.2.0]octatrien-(2,4,7)* über, das weiter zu Benzol und Acetylen photofragmentiert werden kann[4]. Mit Aceton als Sensibilisator entsteht *Semibullvalen* (12% d. Th.)[5]:

E. CIGANEK, Am. Soc. **89**, 1458 (1967).
Bez. Cyclooctatrien-(1,3,6) vgl. s. Kap. S. 231.
T. D. GOLDFARB u. L. LINQUIST, Am. Soc. **89**, 4588 (1967).
O. L. CHAPMAN et al., Am. Soc. **86**, 2660 (1964).
J. ZIRNER u. S. WEINSTEIN, Pr. chem. Soc. **1964**, 235.
W. R. ROTH u. B. PELTZER, Ang. Ch. **76**, 378 (1964).
E. MIGIRICYAN u. S. LEACH, Bl. Soc. chim. belges **71**, 845 (1962).
G. J. FONKEN, Chem. & Ind. **1963**, 1625.
J. TANAKA u. M. OKUDA, J. chem. Physics **22**, 1780 (1954).
H. YAMAZAKI u. S. SHIDA, J. chem. Physics **24**, 1278 (1956).
J. TANAKA, S. MIYAKAWA u. S. SHIDA, Bl. chem. Soc. Japan **24**, 119 (1951).
Vgl. auch E. H. WHITE u. R. L. STERN, Tetrahedron Letters **1964**, 193.
H. E. ZIMMERMANN u. H. IWAMURA, Am. Soc. **90**, 4763 (1968); **92**, 2015 (1970).

Auch an cyclischen Polyenen mit Ringgrößen ≥ 8 wurden zahlreiche Ringschluß- und Ringöffnungsreaktionen durchgeführt (Tab. 49). Besonders hervorzuheben sind die Arbeiten an Annulen wie [10]Annulen[1], Aza-[13]annulen[2], [16]Annulen[3], Oxa-[17]annulen[4], Aza-[17]annulen[4], [18]Annulen[5].

Tab. 49. Valenzisomerisierungen höherer, konjugierter Cyclopolyene

Ausgangsverbindung	Produkte	Ausbeute [% d. Th.]	Literatur
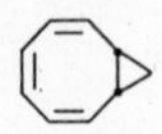	all-cis-Cyclononatetraen + cis-Bicyclo[4.3.0]nonatrien-(2,4,7) + trans-Bicyclo[6.1.0]nonatrien-(2,4,6)	5–6 9–12 5	6
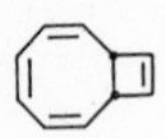	Bicyclo[4.2.2]decatetraen-(2,4,7,9)	7	7
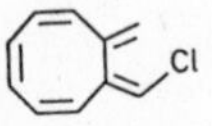	4-Methylen-5-chlormethylen- und 5-Methylen-4-chlor-methylen-bicyclo[4.2.0]octadien-(2,7) + 6-Methylen-7-chlormethylen- und 7-Methylen-6-chlor-methylen-tricyclo[3.3.0.0²,⁸]octen-(3)	3 10	8
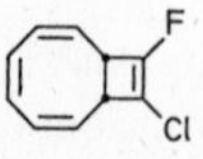	Fluor-chlor-tricyclo[4.2.2]decatetraen-(2,4,7,9)	18	9
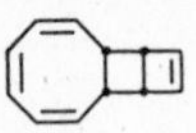	cis- und trans-Bicyclo[6.4.0]dodecapentaen-(2,4,6,9,11)	>30	10
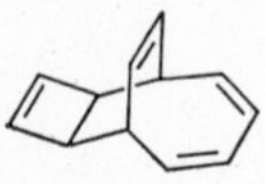	exo,exo- und exo,endo-Tetracyclo[4.4.2.0²,⁵.0⁷,¹⁰]dodecatrien-(3,8,11) (1:1)	—	11

[1] E. E. van Tamelen u. T. L. Burkoth, Am. Soc. 89, 151 (1967).
S. Masamune u. R. T. Seidner, Chem. Commun. 1969, 542.
E. E. van Tamelen u. R. H. Greeley, Chem. Commun. 1971, 601.
E. E. van Tamelen, T. L. Burkoth u. R. H. Greeley, Am. Soc. 93, 6120 (1971).
[2] A. G. Anastassiou u. R. L. Elliott, Am. Soc. 96, 5257 (1974).
[3] G. Schröder u. J. F. M. Oth, Tetrahedron Letters 1966, 4083.
G. Schröder, G. Kirsch u. J. F. M. Oth, Tetrahedron Letters 1969, 4575; B. 107, 460 (1974).
[4] G. Schröder, G. Plinke u. J. F. M. Oth, Ang. Ch. 84, 472 (1972).
G. Schröder et al., Ang. Ch. 84, 474 (1972).
[5] K. Stöckel et al., Am. Soc. 94, 8644 (1972).
[6] S. Masamune, P. M. Baker u. K. Hajo, Chem. Commun. 1969, 1203.
[7] S. Masamune et al., Am. Soc. 89, 4804 (1967).
[8] J. A. Elix, M. V. Sargent u. F. Sondheimer, Am. Soc. 89, 5081 (1967).
[9] M. Röttele et al., B. 102, 3367 (1969).
[10] H. Röttele et al., B. 102, 3985 (1969).
Vgl. auch die Bildung des labilen [12]Annulen: G. Schröder et al., B. 102, 3985 (1969); Tetrahedron Letters 1970, 61, 67.
[11] L. A. Paquette u. J. C. Stowell, Tetrahedron Letters 1969, 4159.

Tab. 49 (Fortsetzung)

Ausgangsverbindung	Produkte	Ausbeute [% d.Th.]	Literatur
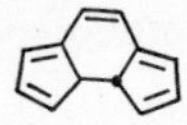	*1,2-Bis-[cyclopentadienyl-(s)]-äthylen*	—	1
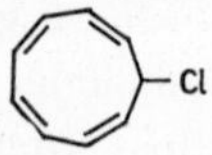	*9-Chlor-cis-bicyclo[6.1.0]nonatrien-(2,4,6)*	60	2
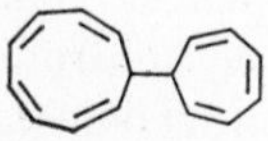	*exo-9-Cycloheptatrienyl-(7)-cis-bicyclo[6.1.0]nonatrien-(2,4,6)*	~100	3
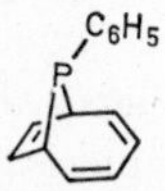	*9-Phenyl-9-phospha-tricyclo[3.3.1.0⁴,⁶]nonadien-(2,7)*	25	4
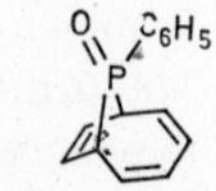	*9-Phenyl-9-phospha-endo-tricyclo[4.2.1.0²,⁵]nonadien-(3,7)-9-oxid*	45	4
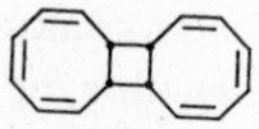	*[16]-Annulen*	13	5
	*trans,anti,trans-Tricyclo[10.4.0.0⁴,⁹]hexadecahexaen-(2,5,7,10,13,15)*	40	6
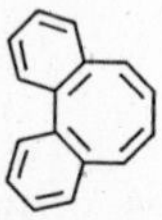	*2,3;4,5-Dibenzo-bicyclo[4.2.0]octatrien-(2,4,7)*	100	7
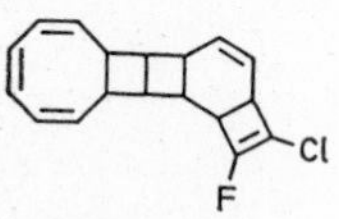	*2-Fluor-1-chlor-[18]annulen*	20	8

---

[1] H. Sauter u H. Prinzbach, Ang. Ch. 84, 297 (1972),
[2] A. G. Anastassiou u. E. Yakali, Am. Soc. 93, 3803 (1971).
[3] A. G. Anastassiou, E. Reichmanis u. R. C. Griffith, Chem. Commun. 1972, 913.
[4] T. J. Katz et al., Am. Soc. 92, 734 (1970).
[5] G. Schröder u. J. F. M. Oth, Tetrahedron Letters 1966, 4083.
  G. Schröder, G. Kirsch u. J. F. M. Oth, Tetrahedron Letters 1969, 4575.
[6] G. Schröder, W. Martin u. J. F. M. Oth, Ang. Ch. 79, 861.
[7] E. Vogel, W. Frass u. J. Wolpers, Ang. Ch. 75, 979 (1963).
[8] G. Schröder u. R. Neuberg, unveröffentlicht.

278 G. Kaupp: Photochemie

4. Dimerisierungen

bearbeitet von

Priv.-Doz. Dr. Gerd Kaupp*

Photochemische Dimerisierungen von Olefinen zu Cyclobutanen gehören zu den frühesten Vierring-Synthesen der organischen Chemie[1] und es gibt bereits mehrere zusammenfassende Darstellungen[2].

Da sie meistens nicht nach Ketten-Mechanismen ablaufen (s. jedoch S. 357), spielen thermodynamische Gesichtspunkte bei diesen Reaktionen nur eine untergeordnete Rolle, wenn instabile Produkte durch Temperatursenkung faßbar werden. Entscheidender sind die Absorptionsspektren von Ausgangs- und Endprodukten oder die Möglichkeiten mit Sensibilisatoren Anregungsenergie auf Ausgangs- und Endprodukte zu übertragen. Da Cyclobutane soweit bekannt kürzerwellig absorbieren als die Olefine, aus denen sie gebildet werden, können durch geeignete Wahl der Anregungs-Wellenlänge kinetisch kontrollierte Vierring-Bildungen erreicht werden. Beginnt das UV-Spektrum bei zu kleinen Wellenlängen, so gilt es Sensibilisatoren zu finden, welche möglichst nur die gewünschte Reaktion bewirken und keine Nebenreaktionen (z. B. Addition, s. S. 360ff.) eingehen. Im Gegensatz dazu sind thermische Olefin-Dimerisierungen zu Cyclobutanen[3] häufig aus thermodynamischen (Produktstabilität) und kinetischen Gründen (konkurrierende Polymerisation) benachteiligt.

Besonders schwerwiegend für die präparative Nutzung der Photo-Dimerisierungen sind Isomerie-Probleme bei den Produkten. Tab. 50 gibt einen Überblick über die Zahl der möglichen isomeren Cyclobutane (ohne Enantiomere) bei einigen Olefin-Typen, wobei berücksichtigt ist, daß photochemische *cis-trans*-Isomerisierungen offenkettiger Olefine sehr wirkungsvoll und quantenverbrauchend mit den Dimerisierungsreaktionen konkurrieren, weshalb bei präparativen Ansätzen nach kurzer Zeit *cis*- und *trans*-Olefine nebeneinander vorliegen.

Tab. 50. Anzahl diastereomerer Cyclobutane bei der Photodimerisierung von Olefinen

Olefintyp									
Zahl der möglichen diastereomeren Cyclobutane	1	4	4	11	2	4	2	4	11

* Chemisches Institut der Universität Freiburg/Brsg.

[1] J. Bertram u. R. Kürsten, J. pr. 51, 316 (1895).
   Die Literatur bis 1929 ist zusammengefaßt bei: H. Stobbe u. K. Bremer, J. pr. 123, 1 (1929).
[2] A. Mustafa, Chem. Reviews 51, 1 (1952).
   W. G. Dauben u. W. T. Wipke, Pure Appl. Chem. 9, 461 (1964).
   N. J. Turro, *Molecular Photochemistry*, S. 194ff., Benjamin, New York 1965.
   R. Srinivasan, Adv. Photochem. 4, 113 (1966).
   R. N. Warrener u. J. B. Bremner, Rev. Pure Appl. Chem. 16, 117 (1966).
   R. Steinmetz, Fortschr. chem. Forsch. 7, 445 (1967).
   G. M. J. Schmidt, *Reactivity of the Photoexcited Molecule*, S. 227, Interscience, New York 1967.
   A. Schönberg, G. O. Schenck u. O.-A. Neumüller, *Preparative Organic Photochemistry*, 2. Aufl., S. 1ff., 70ff., 109ff., Springer-Verlag, Berlin 1968.
   H.-D. Scharf, Fortschr. chem. Forsch. 11, 216 (1969).
   D. J. Trecker, *Organic Photochemistry*, Bd. 2, S. 63, Hrsg. O. L. Chapman; Dekker, New York 1969.
   W. L. Dilling, Chem. Reviews 69, 845 (1969).
   E. Block, *The Photochemistry of Organic Sulfur Compounds*, Quart. Rep. Sulfur Chem. 4, 237 (1969).
   E. V. Blackburn u. C. J. Timmons, *Photochemical Methods*, S. 194ff., in: *Modern Reactions in Organic Synthesis*, Reinhold Co, London 1970.
   P. G. Sammes, Quart. Rev. 24, 37 (1970).
   Vgl. ds. Handb., Bd. IV/4, S. 317ff.
[3] Vgl. ds. Handb., Bd. IV/4, S. 150ff.

Die vollkommenste Technik zur Gewinnung nur eines der jeweils möglichen Dimeren nutzt den topochemischen Zwang von Kristallgittern. Eine erfolgreiche Belichtung von Kristallen ist jedoch an die Bedingung geknüpft, daß Modifikationen erhältlich sind, bei denen die kleinsten intermolekularen Doppelbindungsabstände nicht größer als etwa 4,1 Å sind, weil die Reaktionen im Kristall mit einem Minimum an Bewegung der Moleküle auskommen müssen[1].

Häufig werden Photodimerisierungen jedoch in Lösungen (sehr selten im Gaszustand) durchgeführt und man beobachtet mehrere, jedoch meist nicht alle, der möglichen Produkte. Aus den bisher bekannten Beispielen geht hervor, daß 1,2-disubstituierte *cis*-Olefine in der Regel erst nach Isomerisierung zum *trans*-Olefin photodimerisieren. Bei genügend großen Substituenten ist die Lebensdauer der elektronisch angeregten *cis*-Form offenbar zu klein um einen Reaktionspartner zu treffen, bevor interne Rotation um die olefinische Bindung eintritt. Auch als Grundzustandspartner sind die weniger gedrungenen *trans*-Olefine offenbar günstiger, oder die Moleküle nehmen die Gelegenheit wahr, während einer Photo-Cyclisierung die sterisch günstigere *trans*-Konfiguration durch interne Rotation zu erreichen.

Bei mono- oder asymmetrisch disubstituierten Olefinen wird, ähnlich wie bei thermischen Beispielen, regelmäßig die Kopf/Kopf-Orientierung gegenüber der Kopf/Schwanz-Orientierung bevorzugt. Substituenten erscheinen im Cyclobutan möglichst benachbart, d. h. es bilden sich überwiegend die Produkte mit der größten Gruppenhäufung, wenn dies sterisch noch möglich ist (hierüber können Molekül-Modelle Auskunft geben). Diese beiden Regeln vermindern die Zahl der gebildeten Isomeren. Besonders günstig sind symmetrische oder ausgeprägt asymmetrische Olefine.

Die Mechanismen dieser Vierzentren-Cycloadditionen, bei denen eine elektronisch angeregte π-Bindung und eine nicht angeregte π-Bindung unter Ringschluß zwei neue σ-Bindungen bilden, wurden für nicht zu hohe Licht-Dichten an verschiedenen Beispielen eingehend untersucht. Bei direkter Lichtanregung werden häufig **Singulett-Mechanismen** beobachtet, d. h. die elektronisch angeregten Moleküle reagieren ohne vorherige Multiplizitätsänderung (Spinumkehr; intersystem crossing). Für derartige Reaktionen sind Konzentrationslöschung der Fluoreszenz, geringe Empfindlichkeit gegen Luftsauerstoff und gegen photochemisch inerte Triplett-Löscher (z. B. nicht addierbare 1,3-Diene) besonders typisch. Wegen geringer Lebensdauer der elektronisch angeregten Singulett-Zustände sollten die Lösungen möglichst konzentriert und wenig viskos sein, auch sind die Anforderungen an die chemische Reinheit des Reaktionsmediums meist gering. Im Gegensatz dazu sind die nach **Triplett-Mechanismen** verlaufenden Photodimerisierungen außerordentlich anfällig gegen Einflüsse von Luftsauerstoff, Verunreinigungen des Lösungsmittels und gegebenenfalls absichtlich zugesetzten Triplett-Löschern (z. B. 1,3-Diene mit niedriger Triplett-Energie). Die Triplett-Zustände (vgl. S. 193 ff.) lassen sich häufig durch sensibilisierte Anregung, vorzugsweise mit Aldehyden und Ketonen oder Quecksilber $(6^3P_1)^2$, unter dem Einfluß von Lösungsmitteln, welche schwere Elemente enthalten (z. B. Brom, Jod, Schwefel, Quecksilber) oder seltener durch selektive Anregung der verbotenen Singulett $\rightarrow$ Triplett-Absorptionen erreichen. Dem Nachteil hoher Reinheitsanforderungen steht als Vorteil die Verwendbarkeit verdünnterer Lösungen gegenüber, weil die Tripletts dann größere Lebensdauer besitzen. Ob die Triplett-Energie vom Sensibilisator rein physikalisch oder über π- bzw. σ-Komplexe übertragen wird, ist häufig ungeklärt. Meist reagieren Aldehyde oder Ketone auch mit dem Substrat, z. B. unter Oxetan-Bildung, (s. S. 829 ff.) mit unterschiedlichen Ausbeuten.

Ebenfalls von präparativer Bedeutung ist die Frage, ob bei Photodimerisierungen die neuen σ-Bindungen gleichzeitig (synchron) gebildet werden, oder ob kinetisch wirksame

[1] G. M. J. Schmidt, Pure Appl. Chem. **27**, 647 (1971).

[2] Vor allem bei Sensibilisierung mit aromatischen Hilfsstoffen sind auch Singulett-Mechanismen möglich. Vgl. z. B.: P. D. Bartlett u. P. S. Engel, Am. Soc. **90**, 2960 (1968).

Zwischenprodukte[1] auftreten. Die quantenmechanische Vorhersage symmetrie-erlaubter stereospezifischer $[\pi^2s + \pi^2s]$-Prozesse (s. S. 222ff.) ist bei präparativ besonders ergiebigen Reaktionen (verhältnismäßig große Substituenten) von geringerer Bedeutung, solange *trans*-Olefine unter Erhaltung der sterisch günstigeren *trans*-Konfiguration zu Cyclobutanen reagieren. Andererseits spricht die bevorzugte Kopf/Kopf-Orientierung eher für biradikalische Photo-Zwischenprodukte, welche durch einleitende Bindungsbildung an den sterisch möglichst wenig gehinderten Reaktionszentren entstehen[2]. Dies sollte nicht nur Triplett-, sondern auch Singulett-Mechanismen betreffen. Hierfür sprechen quantitative Messungen an Photoadditionen zwischen ungleichen Olefinen (s. S. 362) sowie Quantenbilanz und Temperatur-Effekte bei intramolekularen Modell-Reaktionen[3]. Außerdem lassen sich auf dieser Grundlage die häufig verhältnismäßig kleinen Quantenausbeuten (quantenverbrauchende Dissoziation des Zwischenprodukts), die photochemischen Rückreaktionen, Wasserstoff-Wanderungen und (bei Dienen) homologen Additionen ([4+2]-Typ) sowie 1,3-Verschiebungen einheitlich deuten[3].

Das umfangreiche Material ist nach Verbindungsklassen geordnet. Der Behandlung einfacher Olefine folgen in hierarchischer Ordnung Vinyl-olefine (1,3-Diene und auch Enine mit beliebigen Substituenten), sodann 1-Aryl-olefine (Styrole, Zimtsäuren etc.), 1,2-Diaryl-olefine (Stilbene), α, β-ungesättigte Carbonsäure-Derivate (ohne Aryl-Gruppen), elektronenreiche Olefine (Enoläther, Enolester, Enamine, Enamide) und Halogenolefine. Dabei sind jeweils auch cyclische Derivate einbezogen. Alle weiteren Substituenten lassen sich in dieses Schema eingliedern und in entsprechenden Fußnoten wird auf Querverbindungen hingewiesen.

Nicht behandelt sind Photodimerisierungen von Aromaten sowie konjugierten Aldehyden und Ketonen, Cumarinen und Chromonen (s. S. 476ff., 903ff., 616ff.), obwohl dies bisweilen nicht völlig frei von Willkür erscheint. Dennoch erscheint die getrennte Behandlung konjugierter Aldehyde und Ketone aus mechanistischen Gründen gerechtfertigt.

α) Alkene

Für die photochemische Vereinigung zweier Äthylen-Moleküle zu Cyclobutan wird auf der Grundlage von Potentialhyperflächen-Formalismen ein symmetrie-erlaubter suprafacialer Prozeß vorhergesagt[4]. Trotz zahlreicher Versuche gelang es jedoch bisher nicht, diese auch wegen minimaler sterischer Effekte theoretisch interessante Reaktion mit vernünftiger Ausbeute durchzuführen.

Direkte Anregung von Äthylen ($\lambda = 185$ nm; 100 Torr, Raumtemp.) führt zu *Wasserstoff* ($\varphi = 0,41$), *Acetylen* ($\varphi = 0,58$), *Butan* ($\varphi = 0,18$), *Buten-(1)* ($\varphi = 0,042$) und *Äthan* ($\varphi = 0,03$) sowie Produkten der sekundären Photolyse, jedoch nicht Cyclobutan[5]. Auch bei der mit Benzol[6], Cadmium (5^3P_1)[7] oder Quecksilber (6^3P_1)[8] sensibilisierten Anregung sind Wasserstoff-Abspaltung, Platztausch der Wasserstoff-Atome und bei partiell deuteriertem

[1] Diesen können – vor allem bei planaren π-Systemen – reversibel gebildete Excimere mit eigener Lumineszenz vorgelagert sein. Hierzu eine Übersicht in: J. B. BIRKS, *Photophysics of Aromatic Molecules*, S. 301ff., Wiley-Interscience, New York 1970.

[2] Es erscheint ungewiß, ob man dies energetisch (möglichst gut stabilisierte Biradikale) begründen sollte, wenn ein großer Energie-Überschuß verbraucht und an die Umgebung abgegeben werden muß.

[3] G. KAUPP, Ang. Ch. **83**, 361 (1971); A. **1973**, 844.

[4] Vgl. z. B. R. B. WOODWARD u. R. HOFFMANN, *Die Erhaltung der Orbitalsymmetrie*, Verlag Chemie und Wiley Interscience, 2. Nachdruck 1972; sowie die allgemeinen Betrachtungen S. 222ff.

[5] P. POTZINGER, L. C. GLASGOW u. G. VON BÜNAU, Z. Naturforsch. **27a**, 628 (1972). Ähnliche Ergebnisse bei P. BORRELL, A. CERVENKA u. J. W. TURNER, Soc. [B] **1971**, 2293.

[6] S. I. HIROKAMI u. S. SATO, Canad. J. Chem. **45**, 3181 (1967).

[7] H. HUNZIKER, J. Chem. Physics **50**, 1288 (1969).

[8] D. W. SETSER, B. S. RABINOVITCH u. D. W. PLACZEK, Am. Soc. **85**, 862 (1963). R. J. CVETANOVIC, Progress in Reaction Kinetics **2**, 39 (1964).

Äthylen *cis/trans*-Isomerisierung die bei weitem überwiegenden Reaktionen. Nur in einem Fall wurden minimale Mengen *Cyclobutan* erhalten[1]:

$$\| \;+\; \| \quad \xrightarrow{\;\lambda=254\,nm\,\langle Hg\rangle /\,700\,Torr\;} \quad \square$$

Umsatz: $0,1\%$
Quantenausbeute: $\varphi = 3,8 \cdot 10^{-6}$

Die bei 30° mit Quecksilber (6^3P_1) sensibilisierte Reaktion liefert außer *Acetylen* und *Wasserstoff* ($\varphi = 3,9 \cdot 10^{-3}$) viel höhere Ausbeuten an Nebenprodukten [Hexen-(1) ($\varphi = 2,3 \cdot 10^{-4}$), Butan ($\varphi = 1,34 \cdot 10^{-4}$), Hexan ($\varphi = 1,3 \cdot 10^{-4}$), Buten-(1) ($\varphi = 4,8 \cdot 10^{-5}$), Butadien-(1,3) ($\varphi = 4,6 \cdot 10^{-5}$)] als an Cyclobutan, auch wenn die Cyclobutan-Bildung bei Druckerhöhung von 180 auf 1400 Torr zu- und die der Nebenprodukte abnimmt.

Ebenfalls eingehend untersucht ist die umgekehrte Reaktion. Die noch mehr Anregungsenergie erfordernde direkte oder sensibilisierte Photolyse von Cyclobutan [$\lambda = 147$ nm bei 0,2–100 Torr[2] oder Quecksilber (6^1P_1) oberhalb 300 Torr[3]] führt in beiden Fällen zum elektronisch angeregten Singulett-Zustand. Hieraus bildet sich mit über 90 %iger Ausbeute *Äthylen*:

$$\square \quad \xrightarrow{\;\lambda=184,9\,nm\,\langle Hg\rangle\ oder\ \lambda=147\,nm\;} \quad 2\;\|$$

Umsatz: $0,06\%$[2]
Ausbeute: 90%

Die Energiebilanz zeigt, daß sich auf die beiden Äthylen-Moleküle unmittelbar nach ihrer Bildung 172 kcal/Mol überschüssige Energie verteilen[2].

Im Gegensatz zur Singulett-Reaktion reagiert Cyclobutan bei Sensibilisierung mit Quecksilber (6^3P_1) oberhalb 100 Torr (mit $\varphi = 0,53$) unter Abspaltung eines Wasserstoff-Atoms zum Cyclobutyl-Radikal. Es bilden sich *Wasserstoff*, *Bi-cyclobutyl* und *Butyl-cyclobutan*, jedoch kein Äthylen[4].

Neben Gasphasen-Reaktionen interessieren vor allem Belichtungen im kondensierten Zustand. Direkte Belichtung von flüssigem cis-Buten-(2) ($\lambda = 228,8$ oder $213,9$ nm; 25° oder –60°) führt bei geringem Umsatz mit einer auf $\varphi = 0,02$ abgeschätzten Quantenausbeute zu den beiden *Tetramethyl-cyclobutanen* I und II. Die Hauptreaktion ist Bildung von *trans-Buten-(2)* ($\varphi = 0,5$). Zusätzlich konkurrieren Doppelbindungsverschiebung zu *Buten-(1)* ($\varphi = 0,02$) und radikalische Fragmentierungen ($\varphi = 0,01$)[5].

$$\text{[Reaktionsschema]}\quad \xrightarrow{\;h\nu\;}\quad \text{I} \;+\; \text{II} \;+\; \dots \;+\; \dots \quad u.\,a.$$

I *r-1,c-2,c-3 c-4-*
II *r-1,c-2,t-3,t-4-*
Tetramethyl-cyclobutan

Entsprechende Belichtung von trans-Buten-(2) liefert als einzige Dimere III und II[5]:

$$\text{[Reaktionsschema]}\quad \xrightarrow{\;h\nu\;}\quad \text{III} \;+\; \text{II} \;+\; \dots \;+\; \dots \quad u.\,a.$$

III *r-1,t-2,c-3,t-4-*   II *r-1,c-2,t-3,t-4-*
Tetramethyl-cyclobutan

Die Ergebnisse zeigen, daß jeweils zwei verschiedene Orientierungen der beiden Buten-Moleküle wahrgenommen werden. Bei *cis*-Buten-(2) beträgt das Verhältnis von I:II 9/7. Dennoch verlaufen diese Dimerisierungen stereospezifisch[5]: Der Bruchteil elektronisch angeregter *cis*-Buten-(2)-Moleküle,

[1] J. P. CHESICK, Am. Soc. **85**, 3718 (1963).
[2] R. D. DOEPKER u. P. AUSLOOS, J. Chem. Physics **43**, 3814 (1965).
[3] E. G. SPITTLER u. G. W. KLEIN, J. phys. Chem. **72**, 1432 (1968).
[4] D. L. KANTRO u. H. E. GUNNING, J. Chem. Physics **21**, 1797 (1953).
[5] H. YAMAZAKI u. R. J. CVETANOVIC, Am. Soc. **91**, 520 (1969).

welcher die [2+2]-Reaktion eingeht (2,2%), behält seine geometrische Konfiguration, so wie dies die starken Linien in den Formelbildern andeuten. Da zu keinem Zeitpunkt Rotation um die ursprünglichen Doppelbindungen eintritt, wenn sich ein Vierring bildet, handelt es sich um das Modell einer konzertierten [π^2s + π^2s]-Photocycloaddition[1].

Präparativ interessant ist die nur bei direkter Anregung eintretende Synthese von *Octamethyl-cyclobutan* (30%) aus 2,3-Dimethyl-buten-(2)[2]. Dagegen liefert die mit Aceton sensibilisierte Reaktion *2,3,3,5,6-Pentamethyl-heptadien-(1,5)* (4% d.Th.) und *2,3,6,7-Tetramethyl-octadien-(2,6)* (2% d.Th.). Neben diesen Produkten der oxidativen Dimerisierung wurden fünf verschiedene 1:1-Addukte zwischen 2,3-Dimethyl-buten-(2) und Aceton isoliert[3].

Octamethyl-cyclobutan[2]: 5,0 *ml* über basisches Aluminiumoxid gefiltertes 2,3-Dimethyl-buten-(2) werden in einer Quarz-Ampulle entgast und mit einer Quecksilber-Hochdrucklampe (Hanovia 450 W) im Abstand von 5 cm 3 Wochen belichtet. Unverbrauchtes Ausgangsmaterial wird bei 0° i.Vak. (8 Torr) in eine mit flüssigem Stickstoff gekühlte Vorlage kondensiert. Der Rückstand läßt sich durch präparative Gaschromatographie weiter reinigen; F: 198–200°.

Durch Einbau der Doppelbindung in drei- bis siebengliedrige Ringe wird die meist sensibilisiert durchgeführte [2 + 2]-Dimerisierung erleichtert, offenbar weil quantenverbrauchende *cis-trans*-Isomerisierungen nicht möglich oder bei den größeren Ringen erschwert sind. Zahlreiche Mono-, Bi- und Polycyclen wurden untersucht. Es zeigte sich, daß die Art des Sensibilisators das Reaktionsergebnis mitbestimmt. Aldehyde und Ketone niedriger Triplett-Energie ($E_T < 74$ kcal/Mol) bevorzugen häufiger eine Addition an das Olefin unter Oxetan-Bildung (vgl. S. 842ff.). Weitere Nebenreaktionen mit Ketonen sind Wasserstoff-Abspaltung, Photoreduktion und Polymerisation. Aromatische Kohlenwasserstoffe können nach der Lichtanregung ebenfalls Additionsreaktionen mit Olefinen eingehen (vgl. S. 489ff.) und die Verwendbarkeit von Kupfer(I)-salzen oder Metall-carbonylen scheint eine Komplex-Bildung und damit Modifikation des Substrates vorauszusetzen[4]. Aus den bekannten Beispielen (vgl. Tab. 51, S. 285) geht hervor, daß Ringspannung die Photodimerisierung begünstigt [s. vor allem *exo*-Tricyclo[5.2.1.0^{2,6}]decadien-(3,8)]. Möglicherweise spielen dabei auch sterische Effekte eine wichtige Rolle.

Eingehend untersucht ist der Einfluß verschiedener Sensibilisatoren auf die Photodimerisierung von Cyclopentenen. Beim Grundstoff werden Aceton-sensibilisiert die folgenden Kohlenwasserstoffe gebildet: *anti-Tricyclo[5.3.0.0^{2,6}]decan* (I), *Bi-cyclopentyl* (II), *3-Cyclopentyl-cyclopenten* (III), *Bi-[cyclopenten-(2)-yl]* (IV). Sie liegen im Verhältnis 56:3,5:10,5:30:15 vor[5]. Daneben entstehen mit geringerer Ausbeute die sauerstoffhaltigen Produkte *2-Oxo-1-cyclopentyl-propan* (V), *2-Hydroxy-2-cyclopentyl-propan* (VI), *2-Hydroxy-2-cyclopenten-(2)-yl-propan* (VII) und *2-Hydroxy-2-cyclopenten-(1)-yl-propan* (VIII)[5], bei

[1] N. D. EPIOTIS, Am. Soc. **94**, 1941 (1972).
   R. B. WOODWARD u. R. HOFFMANN, *Die Erhaltung der Orbitalsymmetrie*, Verlag Chemie und Wiley-Interscience, 2. Nachdruck 1972.
[2] R. D. ARNOLD u. V. Y. ABRAITYS, Chem. Commun. **1967**, 1053.
[3] H. A. J. CARLESS, Soc. Perkin II **1974**, 834.
[4] Wegen einer ausführlichen Diskussion dieser und der mehr mechanischen Fragen vgl. H.-D. SCHARF, Fortschr. chem. Forsch. **11**, 216 (1969).
[5] H.-D. SCHARF u. F. KORTE, B. **97**, 2425 (1964).

–78° zusätzlich noch *7,7-Dimethyl-6-oxa-bicyclo[3.2.0]heptan* (IX; 28%)[1]. In Benzol entstehen nicht näher charakterisierte Dimere von Cyclopenten neben Benzol-Addukten[2]. Bei Sensibilisierung mit Benzophenon werden nur die diastereomeren Bicyclopentenyle in der Kohlenwasserstoff-Fraktion beobachtet[3, 4] und die mit Quecksilber (6³P₁) sensibilisierte Reaktion führt ebenfalls nicht zu I, sondern neben II, III und IV zu Vinylcyclopropan (X), Cyclopentan (XI) und Polymeren[5]. Die Photocyclodimerisierung von Cyclopenten läßt sich durch Zusatz eines Schwermetallsalzes [(CuO₃SCF₃)₂ · C₆H₆] erleichtern. Neben I (30%) entstehen in geringer Ausbeute *syn-Tricyclo[5.3.0.0²,⁶]decan* (XII) (3%) sowie ein weiteres, nichtidentifiziertes Produkt (2%)[6].

anti-Tricyclo[5.3.0.0²,⁶]decan (I)[3]: 1,1 *l* einer Mischung aus gleichen Vol.-Teilen über Aluminiumoxid (Akt. St. I) filtriertem Cyclopenten und reinem Aceton werden durch Evakuieren weitgehend entgast und mit einem Quecksilber-Hochdruck-Brenner (Hanau Q 600) belichtet (Pyrex-Filter; Magnetrührer; Argon; 20°; 100 Stdn.). Nach Abdestillieren des unverbrauchten Cyclopentens und Acetons verbleiben 75 g Reaktionsprodukt. Hieraus werden durch Destillation i.Vak. 60 g flüchtiges Material gewonnen (Kp₁₂: 55–60°), welches durch Chromatographie an einer Siliciumdioxid-Säule (5 cm ⌀, 45 cm lang) mit 1,5 *l* Cyclohexan 35 g (~ 8%) eines Gemischs der Kohlenwasserstoffe I bis IV und mit 1 *l* Aceton 19 g (~ 2,5%) eines Gemischs der Additionsprodukte V bis VIII (Verhältnis 5:31:42:22) ergibt. Die Produkte können gaschromatographisch getrennt werden.

Größere Mengen des *anti*-Tricyclo[5.3.0.0²,⁶]decans werden gewonnen durch 4stdg. Schütteln von 22 g der Kohlenwasserstoff-Fraktion mit 36 g Mercapto-bernsteinsäure, 1,8 g Dibenzoyl-peroxid und 60 g Methanol, Abdampfen des Lösungsmittels i. Vak. und Chromatographie des Rückstandes an Kieselgel mit 2 *l* Cyclohexan. Man erhält nach Destillation i.Vak. (Kp₁₁: 59–60°) 9,0 g mit 4–6% Cyclopentylcyclopentan verunreinigtes Produkt. Nach gaschromatographischer Trennung ergeben sich 7–8 g.

Zur Schwermetall-katalysierten, sensibilisierten Photodimerisierung[6] werden 0,4 g (CuO₃SCF₃)₂ · C₆H₆ in 5,4 g Cyclopenten gelöst und 120 Stdn. mit Licht der Wellenlänge $\lambda = 254$ nm unter Stickstoff bestrahlt. Man verdünnt mit Pentan und extrahiert die Kupfer-Salz mit 30 *ml* 2,5 m wäßriger Kaliumcyanid-Lösung. Nach dem Abdestillieren von Pentan und Cyclopenten werden 1,9 g einer Dimeren-Fraktion erhalten (Kp₁₀: 40–58°), welche laut gaschromatographischer Analyse 85% I (30% d.Th.) enthält. Es kann vom *syn*-Isomeren XII und einem weiteren Produkt durch präparative Gaschromatographie getrennt werden.

[1] E. H. Gold u. D. Ginsburg, Ang. Ch. **78**, 207 (1966).
[2] V. Y. Merritt, J. Cornelisse u. R. Srinivasan, Am. Soc. **95**, 8250 (1973).
[3] H.-D. Scharf u. F. Korte, B. **97**, 2425 (1964).
[4] K. S. Sidhu, O. P. Strausz u. H. E. Gunning, Canad. J. Chem. **44**, 531 (1966).
[5] W. A. Gibbons, W. F. Allen u. H. E. Gunning, Canad. J. Chem. **40**, 568 (1962).
    J. Meinwald u. G. W. Smith, Am. Soc. **89**, 4923 (1967).
[6] R. G. Salomon et al., Am. Soc. **96**, 1145 (1974).

Bi-[cyclopenten-(2)-yl] (IV, S. 283)[1]: 2,1 m Lösungen von Benzophenon in Cyclopenten werden mit einer Quecksilber-Hochdruck-Lampe in Pyrex-Gefäßen bis zu 12%igem Umsatz belichtet. Man destilliert unverbrauchtes Cyclopenten ab und erhält die Bicyclopentenyle durch Dest. i. Vak. (Kp$_{18}$: 70°) mit 85% Ausbeute, bez. auf umgesetztes Benzophenon. d,l- und meso-Form werden durch Gaschromatographie getrennt.

Ist der Cyclopenten-Ring Bestandteil polycyclischer Systeme, so lassen sich in der Regel höhere Ausbeuten an Photodimeren erhalten. So bildet Bicyclo[2.2.1]heptadien (Norbornadien) mit zwei nicht konjugierten Doppelbindungen bei der Belichtung in Gegenwart von Chrom-hexacarbonyl drei Cyclobutan-Derivate mit anti-Konfiguration am Vierring in nahezu gleicher Ausbeute (XIII:XIV:XV = 1,8:1,0:1,4)[2]:

XIII XIV XV

exo-anti-exo- exo-anti-endo- endo-anti-endo-
Pentacyclo [8.2.1.1^{4,7}.0^{2,9}.0^{3,8}] tetradecadien-(5,11)

Bei dieser Photoreaktion bildet sich zunächst photochemisch ein gelber Norbornadien-Chrom-tetra-carbonyl-Komplex (F: 92–93°), welcher seinerseits Licht absorbiert und dann die Dimerisierungsreaktion eingeht[3].

Demgegenüber wird bei Sensibilisierung mit Cu(I)-Halogeniden oder Ketonen ausschließlich die intramolekulare [2 + 2]-Addition von Bicyclo[2.2.1]heptadien zu Quadricyclan beobachtet (s. S. 232f.).

Die Norbornadien-Dimere XIII, XIV und XV sind Ausgangsprodukte für die Synthese von Bicyclo[4.2.1]nonatrien-(2,4,7) (XVII; Kp$_{105}$: 81°)[4]. Beim Erhitzen auf 280° entsteht durch Retro-Dien-Spaltung exo-Tricyclo[4.2.1.0^{2,5}]nonadien-(3,7) (XVI; Kp$_{105}$: 102°), dessen Cyclobuten-Ring bei 450° geöffnet wird:

XIII, XIV oder XV XVI XVII

exo-anti-exo-, endo-anti-exo- und endo-anti-endo-Pentacyclo[8.2.1.1^{4,7}.0^{2,9}.0^{3,8}]tetradecadien-(5,11) (XIII, XIV u. XV)[2]: 0,748 g Chrom-hexacarbonyl werden in gereinigtem Bicyclo[2.2.1]heptadien gelöst und 12 Stdn. bei Durchleiten von Stickstoff mit einem Quecksilber-Hochdruck-Brenner durch einen wassergekühlten Pyrex-Tauchschacht belichtet. Hierbei wird Kohlenmonoxid ausgetrieben. Die Dimeren-Ausbeute beträgt 40%, bezogen auf Chrom-hexacarbonyl. Durch präparativ gaschromatographische Trennung isoliert man die drei Stereoisomeren.

Wenig untersucht sind Photodimerisierungen von Kohlenwasserstoffen mit exocyclischen Doppelbindungen. Bei 3,7-Bis-[methylen]-bicyclo[3.3.1]nonan (XVIII) gelingt die intramolekulare [2+2]-Photoaddition zu Tetracyclo[3.3.2.1^{3,7}.0^{1,5}]undecan (XIX) in Gegenwart von Kupfer(I)-Salzen in Äther mit 96%iger Ausbeute[5]. Zweifellos wird auch

[1] K. S. Sidhu, O. P. Strausz u. H. E. Gunning, Canad. J. Chem. 44, 531 (1966).
[2] W. Jennings u. B. Hill, Am. Soc. 92, 3199 (1970).
[3] Wegen thermisch katalysierter Norbornadien-Dimerisierungen s. ds. Handb., Bd. IV/4, S. 297f.
[4] L. G. Cannell, Tetrahedron Letters 1966, 5967.
[5] A. G. Yurchenko, A. T. Voroshchenko u. F. N. Stepanov, Ž. Org. Chim. 6, 189 (1970); C. A. 72, 89871^{8} (1970).

hier ein Kupfer-Komplex angeregt und es ist anzunehmen, daß in diesem die exocyclischen Doppelbindungen räumlich benachbart sind.

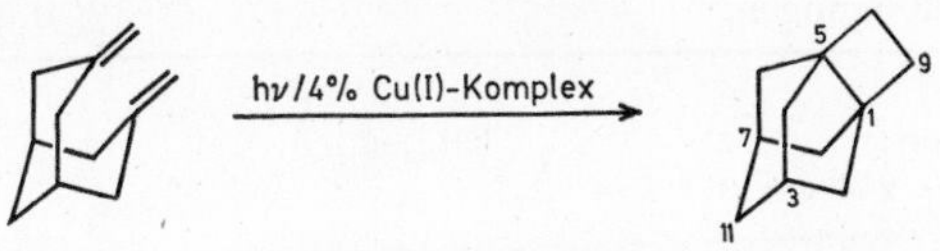

hν / 4 % Cu(I)-Komplex →

XVIII   XIX

Tab. 51. Photodimerisierung einfacher Cycloalkene

Cycloalken	Sensibilisierungs-bedingungen	Produkte	Ausbeute [% d.Th.]	F [°C]	Literatur
1,3,3-Trimethyl-cyclopropen	Benzophenon in Aceton; Philips HPK 125 W; N_2; 16°; 96 Stdn.	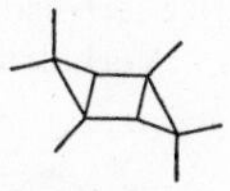 *1,3,3,4,6,6-Hexamethyl-exo-tricyclo[3.1.0.0²,⁴]hexan*[a]	19	(Kp$_{17}$: 66°)	[1]
		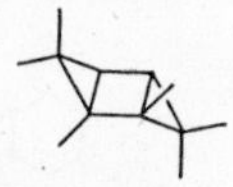 *1,2,3,3,6,6-Hexamethyl-exo-tricyclo[3.1.0.0²,⁴]hexan*[a]	5		
1,2,3,3-Tetra-methyl-cyclo-propen	Benzophenon in Aceton; Philips HPK 125 W; N_2; 16°; 48 Stdn.	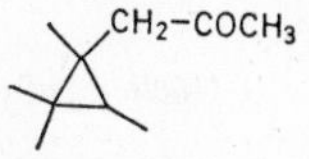 CH_2–$COCH_3$ *1,2,2,3-Tetra-methyl-1-(2-oxo-propyl)-cyclo-propan*	9	(Kp$_{15}$: 71°)	[1]
Cyclobuten	0,12 Mol in 30 *ml* Aceton; λ = 313 nm; Rayonet Reaktor; 24 Stdn.	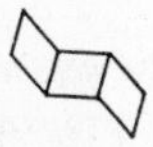 *anti-Tricyclo[4.2.0.0²,⁵]octan*	35	(Kp$_{30}$: 53°)	[2]
		5-Methyl-hexen-(4)-al	10		
		Cyclobutyl-aceton[b]	60	(Kp: 154°)	

[a] Bei 390° Bildung von Durol (40%) aus dem Gemisch.
[b] In 0,25 m Lösung; 36 Stdn.

[1] H. H. STECHL, B. **97**, 2681 (1964).
[2] R. SRINIVASAN u. K. A. HILL, Am. Soc. **88**, 3765 (1966).

Tab. 51 (1. Fortsetzung)

Cycloalken	Sensibilisierungs-bedingungen	Produkte	Ausbeute [% d.Th.]	F [°C]	Literatur
1-Methyl-cyclobuten	Aceton; $\lambda = 254$ nm	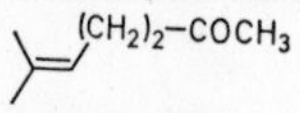 (CH₂)₂—COCH₃ structure 6-Oxo-2-methyl-hepten-(2) u. a. Carbonyl-Verbindungen			1
Cyclohexen	31 mMol in Xylol; Hanovia 450 W; Vycor-Filter; N₂; 8 Stdn.	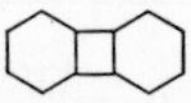 Tricyclo[6.4.0.0²,⁷] dodecan 3 Stereoisomere im Verhältnis 1:2,1:1,1	88		2
	3,2 g; 0,2 g (CuO₃SCF₃)₂ · C₆H₆; 1 ml THF; $\lambda = 254$ nm; Rayonet-Reaktor; N₂; 108 Stdn.	trans-anti-trans-Tri-cyclo[6.4.0.0²,⁷] dodecan	49	41–42	3
		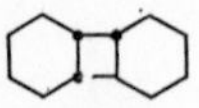 cis-trans-Tricyclo [6.4.0.0²,⁷]dodecan	8		
		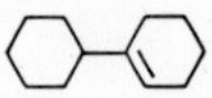 1-Cyclohexyl-cyclohexen	24		
1-Methyl-cyclohexen	31mMol in Xylol; Hanovia 450 W; Vycor-Filter; N₂; 8 Stdn.	1,2- und 1,7-Di-methyl-tricyclo [6.4.0.0²,⁷]dode-can; mindestens 6 Isomere	46		4
		2-Cyclohexyl-propanol-(2)	30		
Cyclohepten	31 mMol in Xylol/ Methanol; Hanovia 400 W; Vycor-Filter; 8 Stdn.	Dimere; wahr-scheinlich Tri-cyclo[7.5.0.0²,⁸] tetradecan	20		2

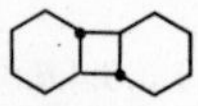

[1] R. Srinivasan u. K. A. Hill, Am. Soc. 88, 3765 (1966).
[2] P. J. Kropp, Am. Soc. 91, 5783 (1969).
[3] R. G. Salomon et al., Am. Soc. 96, 1145 (1974).
[4] P. J. Kropp u. H. J. Kraus, Am. Soc. 89, 5199 (1967).

Tab. 51 (2. Fortsetzung)

Cycloalken	Sensibilisierungs-bedingungen	Produkte	Ausbeute [% d. Th.]	F [°C]	Lite-ratur
Cyclohepten	3,3,g; 0,2g $(CuO_3SCF_3)_2$· C_6H_6; $\lambda = 254$ nm; Rayonet-Reaktor; N_2; 108 Stdn.	*trans-anti-trans-Tricyclo[7.5.0.0²,⁸] tetradecan*	57	128–130	1
Cycloocten	m-Xylol und Methanol; Hanovia 400 W; Vycor-Filter; 8 Stdn.	kein Dimeres	0		2
Bicyclo[2.2.1] hepten	320 g; Acetophenon in Benzol; Hanovia 450 W; Pyrex-Filter; N_2; 29°; 192 Stdn.	*exo-anti-endo-Pentacyclo [8.2.1.1⁴,⁷.0²,⁹. 0³,⁸]tetradecan*[a]	20	38–39	3
		exo-anti-exo-Pentacyclo[8.2.1.1⁴,⁷. 0²,⁹.0³,⁸]tetra-decan[a]	3	65–66	4
					5
	Dicycloproyl-keton	*exo-anti-endo-*Dimeres und *exo-anti-exo-*Dimeres	46		6
	entgastes Aceton; $\lambda > 270$ nm	*exo-anti-endo-*Dimeres	22		6
		*exo-anti-exo-*Dimeres	2,5		

[a] Mit Aluminiumchlorid kann aus dem Gemisch *Congressan* (*Pentacyclo[7.3.1.1⁶,¹⁰.0³,⁸.0⁴,¹¹]tetradecan*) gewonnen werden; Ausbeute: 1%; F: 236–237°[5].

[1] R. G. Salomon et al., Am. Soc. **96**, 1145 (1974).

[2] P. J. Kropp, Am. Soc. **91**, 5783 (1969).

[3] D. R. Arnold, D. J. Trecker u. E. B. Whipple, Am. Soc. **87**, 2596 (1965).

[4] D. J. Trecker u. R. S. Foote in: *Organic Photochemical Syntheses*, Bd. 1, S. 81, Wiley-Interscience, New York 1971.

[5] C. Cupas, P. v. R. Schleyer u. D. J. Trecker, Am. Soc. **87**, 917 (1965).

[6] H.-D. Scharf u. F. Korte, Tetrahedron Letters **1963**, 821.

Tab. 51 (3. Fortsetzung)

Cycloalken	Sensibilisierungs-bedingungen	Produkte	Ausbeute [% d.Th.]	F [°C]	Lite-ratur
Bicyclo[2.2.1]hepten	entgastes Aceton; $\lambda > 270$ nm	*Bi-bicyclo [2.2.1]heptyl-(2)*		(Kp$_{0,01}$: 76°)	1
		exo-2-(2-Oxo-propyl)-bicyclo [2.2.1]heptan			
	Benzol; 8 Stdn.	*exo-anti-endo-* Dimeres (vgl. S. 288) ($\varphi_{max} = 0,1$)	22		2,3
		exo-anti-exo- Dimeres ($\varphi_{max} = 0,03$) daneben zwei Addukte mit Benzol	3		
	Xylol in tert.-Butanol; 4 Stdn.	*exo-anti-endo-* Dimeres	51		4
		exo-anti-exo- Dimeres	7		
		Bi-bicyclo [2.2.1]heptyl-(2)	8		
	328 g; 1 g CuBr; Äther; Hanovia 450 W; Vycor-Filter; N$_2$; 25–30°; 142 Stdn.	*exo-anti-endo-* Dimeres	0,2		5
		exo-anti-exo- Dimeres ($\varphi_{max} = 0,11$)	38	(Kp$_1$: 50–52°)	6
	493 g; 2 g CuCl; Äther; N$_2$; 29°; 145 Stdn.	*exo-anti-exo-* Dimeres	15		7
	30 g; 1,2 g (CuO$_3$SCF$_3$)$_2$ · C$_6$H$_6$; 15 *ml* THF; Hanovia 450 W; Quarz-Gefäß; N$_2$; 6 Tage	*exo-anti-exo*-Dimeres	79		8
		exo-anti-endo-Dimeres	~9		

[1] H.-D. SCHARF u. F. KORTE, Tetrahedron Letters **1963**, 821.
[2] P. J. KROPP, Am. Soc. **91**, 5783 (1969).
[3] R. SRINIVASAN, J. phys. Chem. **76**, 15 (1972).
[4] P. J. KROPP, Am. Soc. 89, 3650 (1967).
[5] D. J. TRECKER u. R. S. FOOTE in: *Organic Photochemical Syntheses*, Bd. 1, S. 81, Wiley-Interscience, New York 1971.
[6] D. J. TRECKER et al., Am. Soc. 88, 3021 (1966); zur Erklärung der Konzentrationsabhängigkeit der Quantenausbeute und der Stereoselektivität wird ein elektronisch angeregter Komplex mit Kupfer (I)-bromid und drei Norbornen-Molekülen angenommen.
[7] D. R. ARNOLD, D. J. TRECKER u. E. B. WHIPPLE, Am. Soc. **87**, 2596 (1965).
[8] R. G. SALOMON u. J. K. KOCHI, Am. Soc. **96**, 1137 (1974).

Tab. 51 (4. Fortsetzung)

Cycloalken	Sensibilisierungs-bedingungen	Produkte	Ausbeute [% d.Th.]	F [°C]	Lite-ratur
Bicyclo[2.2.1]hepten	3,8 g; 6,6 g Benzo-phenon in Ben-zol; 450 W Hg-Brenner; Pyrex-Filter; 12 Stdn.	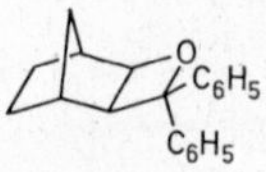 *4,4-Diphenyl-3-oxa-exo-tricyclo [4.2.1.0²,⁵]nonan*	81	124–125	[1, 2]
2-Methyl-bicyclo [2.2.1]hepten-(2)	330 g; CuBr in Äther; 231 Stdn.	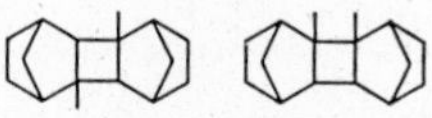 *3,9- bzw. 2,3-Di-methyl-penta-cyclo[8.2.1.1⁴,⁷. 0²,⁹.0³,⁸]tetra-decan* (81:13) und 3 weitere Isomere $\varphi = 0,08$	39	(Kp$_{1,5}$: 134–139°)	[3]
	Toluol oder Xylol	keine Dimere			[4]
exo-Tricyclo [5.2.1.0²,⁶]de-cadien-(3,8)	320 g; 1 g CuBr in Äther; 450 W Hg-Brenner; 120 Stdn.	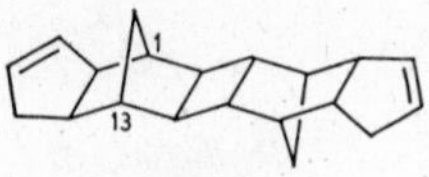 *exo-exo-anti-exo-exo-Heptacyclo [11.5.1.1⁴,¹⁰. 0²,¹².0³,¹¹.0⁵,⁹. 0¹⁴,¹⁸]eicosadien-(6,16)* $\varphi = 0,01$	27	171–174	[5,6]
	Acetophenon	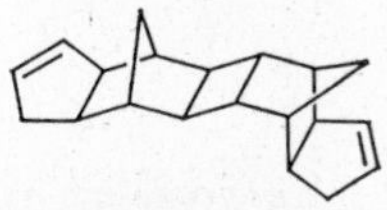 *exo-exo-anti-endo-exo-Heptacyclo [11.5.1.1⁴,¹⁰.0²,¹². 0³,¹¹.0⁵,⁹.0¹⁴,¹⁸] eicosadien-(6,16)* + nur wenig *exo-exo-anti-exo-exo-* Produkt			[6]

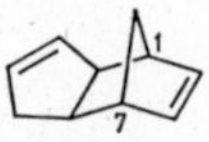

H.-D. Scharf u. F. Korte, Tetrahedron Letters 1963, 821.

D. R. Arnold, A. H. Glick u. V. Y. Abraitys in: *Organic Photochemical Syntheses*, Bd. 1, S. 51, Wiley-Interscience, New York 1971.

D. J. Trecker et al., Am. Soc. 88, 3021 (1966); zur Erklärung der Konzentrationsabhängigkeit der Quantenausbeute und der Stereoselektivität wird ein elektronisch angeregter Komplex mit Kupfer(I)-bromid und drei Norbornen-Molekülen angenommen.

P. J. Kropp, Am. Soc. 89, 3650 (1967).

D. J. Trecker et al., Am. Soc. 88, 3021 (1966).

D. J. Trecker in: *Organic Photochemistry*, Bd. 2, S. 63, 67, Marcel Dekker, New York 1969.

Tab. 51 (5. Fortsetzung)

Cycloalken	Sensibilisierungs-bedingungen	Produkte	Ausbeute [% d.Th.]	F [°C]	Lite-ratur
 endo-Tricyclo [5.2.1.0^{2,6}] deca-dien-(3,8)	13 g; 0,4 g (CuO$_3$SCF$_3$) · C$_6$H$_6$; 7 ml THF; $\lambda = 254$ nm; Rayonet-Reak-tor; N$_2$; 1 Woche	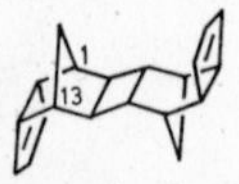 endo-exo-anti-exo-endo-Heptacyclo[11.5.1. 1^{4,10}.0^{2,12}.0^{3,13}.0^{5,9}. 0^{14,18}]eicosadien-(6,16)	48	180–184	1
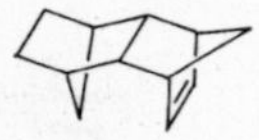 exo/endo-Tetracyclo [6.2.1.1^{3,6}.0^{2,7}]do-decen-(4)	160 g in Aceton; Hanau Q 700; Pyrex-Filter; N$_2$; 200 Stdn.	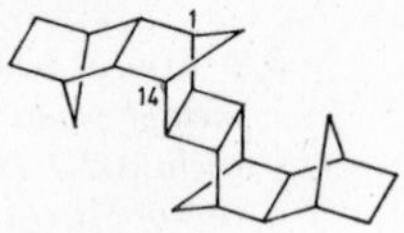 exo/endo-exo-anti-exo-endo/exo-Nonacyclo [12.6. 1.1^{4,11}.1^{6,9}.1^{16,19}. 0^{2,13}.0^{3,12}.0^{5,10}. 0^{15,20}]tetracosan	4,5	320	2
		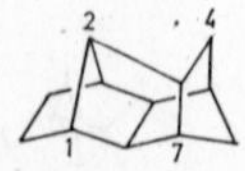 Pentacyclo[6.4.0. 0^{2,10}.0^{3,7}.0^{5,9}]do-decan zahlreiche weitere Produkte	25	(Kp$_{10}$: 85°)	
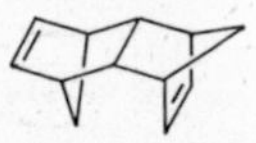 exo/endo-Tetracyclo [6.2.1.1^{3,6}.0^{2,7}]-do decadien-(4,9)	150 g in Aceton; Hanau Q 700; Pyrex-Filter; N$_2$; 25°; 300 Stdn.;	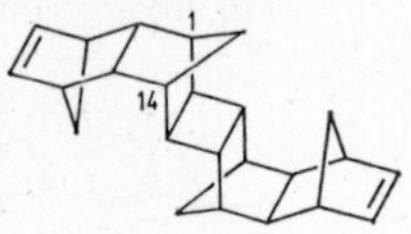 exo/endo-exo-anti-exo-endo/exo-Nonacyclo [12.6. 1.1^{4,11}.1^{6,9}.1^{16,19}. 0^{2,13}.0^{3,12}.0^{5,10}. 0^{15,20}]tetracosa-dien-(7,17)	4	316–318	2
		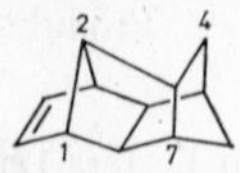 Pentacyclo[6.4.0. 0^{2,10}.0^{3,7}.0^{5,9}]do-decen-(11) sowie weitere Produkte	8	(Kp$_{757}$: 218°)	

[1] R. G. SALOMON u. J. K. KOCHI, Am. Soc. 96, 1137 (1974).
[2] H.-D. SCHARF, Tetrahedron 23, 3057 (1967).

Tab. 51 (6. Fortsetzung)

Cycloalken	Sensibilisierungs-bedingungen	Produkte	Ausbeute [% d.Th.]	F [°C]	Lite-ratur
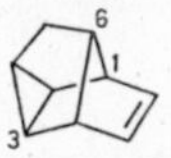 Tetracyclo[4.3.0. $0^{2,4}.0^{3,7}$]nonen-(8)	Aceton; N_2; Hg-Hochdruck-Lampe; Pyrex-Filter	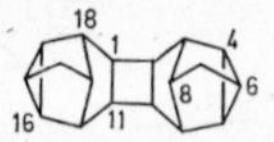 2 stereoisomere *Nonacyclo[9.7.0. $0^{2,10}.0^{3,8}.0^{4,6}$. $0^{5,9}.0^{12,16}.0^{13,18}$. $0^{15,17}$]octadecan*		98 bzw. 134	1
		8-(2-Oxo-propyl)-tetracyclo[4.3.0. $0^{2,4}.0^{3,7}$]nonan		(Kp$_{10}$: 110°)	
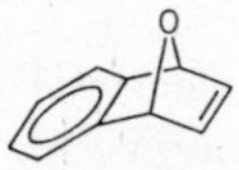 Benzo-7-oxa-bi-cyclo[2.2.1]hepta-dien-(2,5)	Sens.	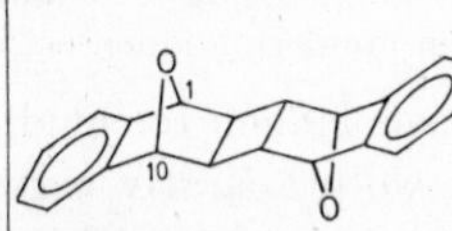 *Dibenzo-13,14-dioxa-exo-anti-exo-pentacyclo [8.2.1.1^{4,7}.0^{2,9}. 0^{3,8}]tetradeca-dien-(5,11)*	8	ab 300° Subl.	2
 Bicyclo[2.2.2]octen	20 g in Aceton; Philips HPK 125 W; Pyrex-Filter; N_2; 25°; 100 Stdn.	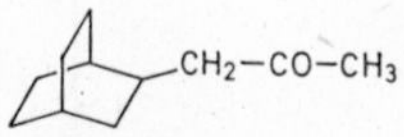 $CH_2-CO-CH_3$ *2-(2-Oxo-propyl)-bicyclo[2.2.2] octan*	20	(Kp$_{10}$: 100–102°)	3
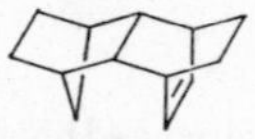 *exo/endo*-Tetracyclo-[6.2.2.1^{3,6}.0^{2,7}] tridecen-(9)	20 g in Aceton; Philips HPK 125; Pyrex-Filter; N_2; 25°; 100 Stdn.	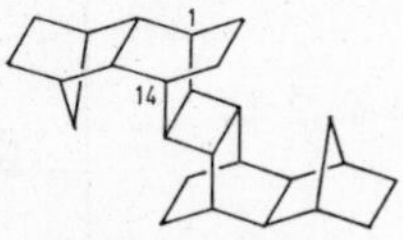 *exo/endo-exo-anti-exo-endo/exo-Nonacyclo[12.6. 2.2^{4,11}.1^{6,9}.1^{16,19}. 0^{2,13}.0^{3,12}.0^{5,10}. 0^{15,20}]hexacosan*	6	280	3

[1] H.-D. SCHARF u. G. WEISGERBER, Tetrahedron Letters **1967**, 1567.
[2] G. R. ZIEGLER, Am. Soc. **91**, 446 (1969).
[3] H.-D. SCHARF, Tetrahedron **23**, 3057 (1967).

Tab. 51 (7. Fortsetzung)

Cycloalken	Sensibilisierungs-bedingungen	Produkte	Ausbeute [% d.Th.]	F [°C]	Lite-ratur
 Basketen	5,6 Mol/l in Aceton; Hanovia 450 W; Pyrex-Filter; 24 Stdn.	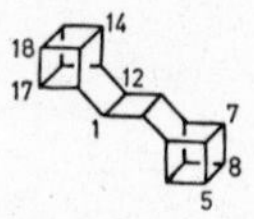 anti-Undecacyclo[10.8. $0.0^{2,11}.0^{3,6}.0^{4,9}.0^{5,8}.$ $0^{7,10}.0^{13,16}.0^{14,19}.0^{15,18}$ $0^{17,20}$]eicosan	27	248–250	1

β) Nicht aromatische konjugierte Diene, Polyene und Enine

In diesem Abschnitt werden die Photodimerisierungen von linear-, cyclisch- und exocyclisch-konju gierten Olefinen ohne Carbonyl-Funktion, jedoch einschließlich der Carbonsäure-Derivate, behandelt Mindestens zwei der konjugierten Doppelbindungen sind nicht Bestandteil eines Benzol-Rings[2]. Nich diskutiert werden die häufiger in verdünnter Lösung studierten Valenzisomerisierungen zu Cyclobutenen Bicyclobutanen (bei 1,3-Cyclohexadienen auch zu Hexatrienen) und Allenen sowie die cis-trans-Isomeri sierungen, welche prinzipiell mit den Dimerisierungsreaktionen konkurrieren und dabei Produkt- sowi Quantenausbeuten der Cycloadditionen mindern können (s. S. 189ff.).

Im Gegensatz zu einfachen Monoolefinen reicht die UV-Absorption konjugierter Dien bis in den Wellenlängen-Bereich, wo präparativ verwendbare Lichtquellen zur Verfügung stehen und zahlreiche Beispiele wurden sowohl bei direkter als auch sensibilisierter An regung untersucht. In beiden Fällen muß prinzipiell mit [2 + 2]-, [2 + 4]- und [4 + 4] Addukten sowie bicyclischen und offenkettigen Dimeren gerechnet werden, welche sich - zumindest übersichtlich – von stereoisomeren Photozwischenprodukten des Typs I mi internen Rotationsmöglichkeiten herleiten lassen[3].

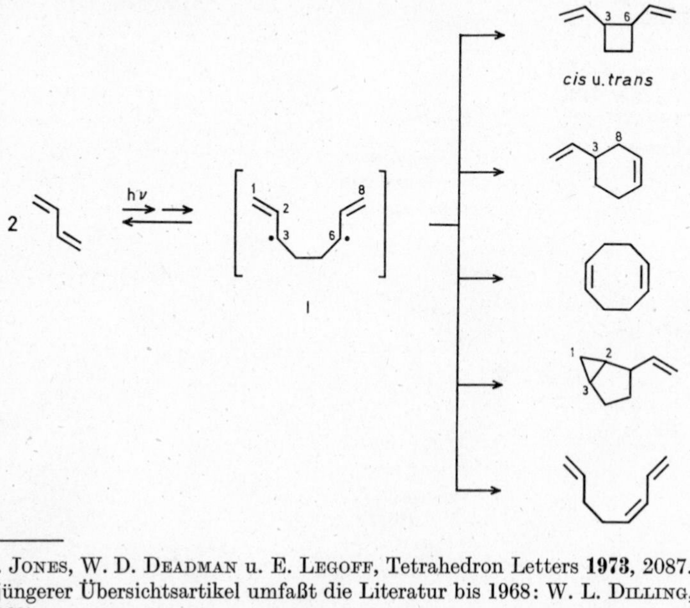

---

[1] N. J. JONES, W. D. DEADMAN u. E. LEGOFF, Tetrahedron Letters 1973, 2087.

[2] Ein jüngerer Übersichtsartikel umfaßt die Literatur bis 1968: W. L. DILLING, Chem. Reviews 69, 84 (1969).

[3] Wegen einer Unterscheidung symmetrie-erlaubter und symmetrie-verbotener Reaktionen auf de Grundlage quantenmechanischer Verallgemeinerungen s. S. 222. Vgl. auch den Übersichtsartikel zu neueren Entwicklungen bei derartigen Symmetrie-Anwendungen: G. KAUPP, The Woodward-Hoff mann-Rules and Thereafter, Freiburg 1975.

Es ist jedoch wahrscheinlich, daß die aus statistischen Gründen ungünstige Achtring-Bildung kaum zum Zuge kommt und daß der größte Teil des gebildeten Cyclooctadiens aus photochemischen oder thermischen Cope-Umlagerungen des 1,2-Divinyl-cyclobutans stammt[1]. Schon dieses Schema macht deutlich, weshalb bei der Photodimerisierung gelöster offenkettiger 1,3-Diene fast immer eine Vielzahl meist nicht vollständig identifizierter Dimerer gebildet wird. Weitere Photodimere können aus weniger stabilen Biradikalen entstehen (z. B. bei Überkreuz-Addition).

β_1) Alkadiene

Die Photolyse des überwiegend *s-trans* konfigurierten Grundstoffs B u t a d i e n - (1,3) I wurde unter den verschiedensten Bedingungen untersucht. Bei direkter Anregung in der Gasphase $\lambda = 200$–250 nm; 4 Torr; 15% Umsatz) überwiegen Spaltprodukte und es lassen sich gaschromatographisch geringe Mengen *4-Vinyl-cyclohexen* (VI) und *Cyclooctadien-(1,5)* (V) nachweisen[2].

Belichtung in Isooctan (konzentrierte Lösung, $\lambda = 254$ nm) ergibt 10% einer Dimeren-Fraktion bezogen auf umgesetztes Butadien[3]. Diese enthält *2-Vinyl-bicyclo[3.1.0]hexan* II; 50%), *cis-* und *trans-1,2-Divinyl-cyclobutan* (III u. IV, zus. 30%), wenig *4-Vinyl-cyclohexen* (VI), *Cyclooctadien-(1,5)* (V; 8%) und ein weiteres Isomeres (10%). Das Dimere VII (*1,3-Divinyl-cyclobutan*) tritt nur in geringer Ausbeute (3%) auf[4]:

u. weitere Dimere, Isomere und Polymere

Bei der mit Ketonen oder kondensierten Aromaten in Benzol oder Äther sensibilisierten Anregung von Butadien-(1,3) wird ein Triplett-Mechanismus angenommen und es überwiegt in der Regel III neben IV und VI[5]. Bedingungen zur Synthese von III wurden ausgearbeitet 49% Ausbeute)[5] und anschließend verbessert[6]. Zur Gewinnung von VI empfiehlt sich die Verwendung eines Sensibilisators mit niedriger Triplett-Energie. So beträgt das Verhältnis III:IV:VI mit Acetophenon ($E_T = 73,6$ kcal/Mol) 78:19:3 und mit 2,3-Dioxo-1,7,7-trimethyl-bicyclo[2.2.1]heptan ($E_T = 50$ kcal/Mol)[7,8] 30:7:63. Die weiteren Dimeren lassen sich präparativ gaschromatographisch gewinnen.

Zur Bildung von 2-Vinyl-bicyclo[3.1.0]hexan wurden mehrere Mechanismen vorgeschlagen:
    R. Srinivasan, Am. Soc. **90**, 4498 (1968).
    N. J. Turro, *Molecular Photochemistry*, S. 216, W. A. Benjamin Inc., New York 1965.
R. Srinivasan, Am. Soc. **82**, 5063 (1960).
R. Srinivasan u. F. I. Sonntag, Am. Soc. **87**, 3778 (1965).
L. Salem, Am. Soc. **90**, 553 (1968); dort Fußnote 4.
G. S. Hammond, N. J. Turro u. R. S. H. Liu, J. Org. Chem. **28**, 3297 (1963).
G. S. Hammond u. C. D. Deboer, Am. Soc. **86**, 899 (1964).
R. B. Cundall u. P. A. Griffiths, Trans. Faraday Soc. **61**, 1968 (1965).
R. S. H. Liu u. D. M. Gale, Am. Soc. **90**, 1897 (1968).
C. D. Deboer, N. J. Turro u. G. S. Hammond, Org. Synth. **47**, 64 (1967).
R. S. Liu, N. J. Turro u. G. S. Hammond, Am. Soc. **87**, 3406 (1965).
Diese Variation wurde mit selektiver Energie-Übertragung auf die in geringer Gleichgewichtskonzentration vorhandene *s-cis*-Konformation des Butadiens-(1,3) gedeutet (bei 25°: *s-trans/s-cis* > 95/5; Enthalpie-Differenz ~ 2 kcal/Mol)[7].

Noch komplizierter sind die Photodimerisierungen von Isopren[1,2], Pentadien-(1,3)[3,4], 2,3-Dimethyl-butadien[3] und Hexadien-(2,4)[5]. Lediglich bei der sensibilisierten Reaktion von unverdünntem Isopren (Quantenausbeute $\varphi = 0,40$) wurden die mit 65%iger Ausbeute erhaltenen Kopf/Kopf- und Kopf/Schwanz-Dimeren VIII bis XIV strukturell aufgeklärt[1]. In Gegenwart von 0,1 Mol/l Benzophenon entstehen sie im angegebenen Verhältnis.

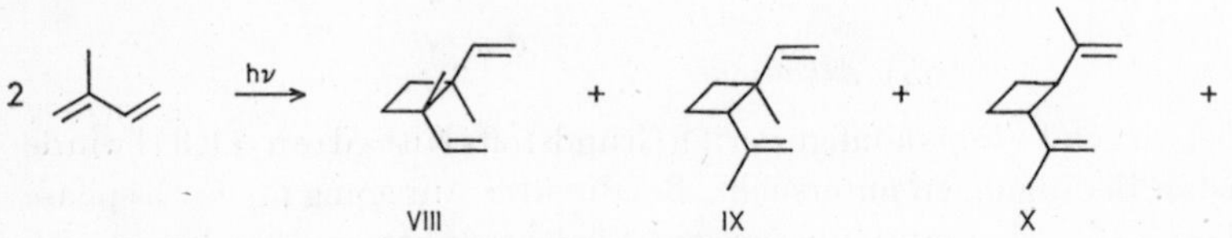

VIII;   *trans*-1,2-Dimethyl-1,2-divinyl-cyclobutan
IX;   (E)-2-Methyl-2-vinyl-1-isopropenyl-...
X;   *trans*-1,2-Di-isopropenyl-...
XI;   1,5-Dimethyl-cyclooctadien-(1,5)
XII;   1,6-Dimethyl-...
XIII;   1,4-Dimethyl-4-vinyl-cyclohexen
XIV;   1-Methyl-4-isopropenyl-...

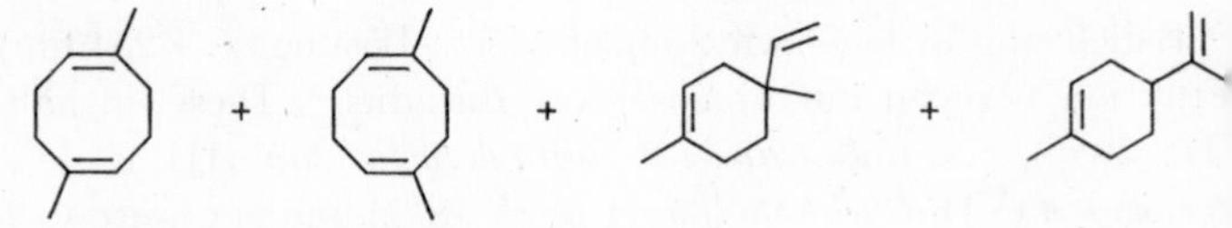

Für die Synthese von *trans*-1,2-Dimethyl-1,2-divinyl-cyclobutan (VIII) wurden präparative Bedingungen ausgearbeitet (s. ds. Handb., Bd. IV/4, S. 321).

Die sensibilisierte Photolyse von Myrcen [7-Methyl-3-methylen-octadien-(1,6)] mit einer zusätzlichen isolierten Doppelbindung bildet mit 75%iger Ausbeute ($\varphi = 0,023$) das intramolekulare Cycloaddukt *5,5-Dimethyl-1-vinyl-bicyclo[2.1.1]hexan*[6]. Die in hoch konzentrierten Lösungen auftretenden Dimeren[7] wurden nicht charakterisiert.

β_2) cyclische Diene und Polyene

Bei cyclischen Dienen, in welchen gewissermaßen die *s-cis*-Konfiguration fixiert ist, bilden sich photochemisch neben Polymeren und isomeren Monomeren ebenfalls mehrere Dimere.

[1] R. S. H. LIU, N. J. TURRO u. G. S. HAMMOND, Am. Soc. 87, 3406 (1965); dort Hinweise auf frühere Arbeiten.
[2] D. J. TRECKER u. J. P. HENRY, Am. Soc. 86, 902 (1964).
    US. P. 3453197 (1969), Union Carbide Corp., Erf.: D. J. TRECKER, J. P. HENRY u. R. L. BRANDON C. A. 71, 70180ʸ (1969).
[3] G. S. HAMMOND, N. J. TURRO u. R. S. H. LIU, J. Org. Chem. 28, 3297 (1963).
[4] J. J. DANNENBERG u. J. H. RICHARDS, Am. Soc. 87, 1626 (1965).
    G. R. DEMARÉ, M.-C. FONTAINE u. P. GOLDFINGER, J. Org. Chem. 33, 2528 (1968).
[5] Fr. P. 1511975 (1968), Montecatini Edison S.p.A.; Erf.: V. TURBA u. G. SARTORI; C. A. 70, 96233 (1969).
[6] R. S. H. LIU in: Organic Photochemical Syntheses, Bd. 1, S. 48, Wiley-Interscience, New York 1971.
[7] R. STEINMETZ, Fortschr. chem. Forsch. 7, 445 (1967).

Die sensibilisierte (Aceton, Acetophenon, Benzophenon u. a.) Anregung von Cyclopentadien (unverdünnt, −10°) liefert mit einer Quantenausbeute $\varphi \sim 1$ *anti-Tricyclo*
[5.3.0.0^{2,6}]decadien-(3,9) (I) sowie *endo-* (II) und *exo-Tricyclo[5.2.1.0^{2,6}]decadien-(3,8)* (III)
nahezu im Verhältnis $1:1:1^1$. Der Anteil des wahrscheinlich radikalisch entstandenen
Δ^2-Cyclopenten-(2)-yl-cyclopentadien (IV) ist temperaturabhängig. Er beträgt bei −10° 9%
und bei −78° 33% (Benzophenon; Gesamtumsatz 13%)^{2,3}.

I	II	III	IV
Kopf/Kopf-[2+2]-Addukt	[4+2]-Addukte		Wasserstoff-Wanderung

Auch die sensibilisierte Photodimerisierung (Benzophenon, 2-Acetyl-naphthalin) von
Cyclohexadien-(1,3) verläuft nicht einheitlich (Quantenausbeute der Dimeren-Bildung
~1). Man erhält zwei Kopf/Kopf-[2 + 2]-Addukte *cis-anti-cis-* (V) und *cis-syn-cis-Tri-*
cyclo[6.4.0.0^{2,7}]dodecadien-(3,11) (VI) sowie *exo-Tricyclo[6.2.2.0^{2,7}]dodecadien-(3,9)* (VII)
im Verhältnis 3:1:1, jedoch nur spurenweise das entsprechende *endo-*Dimere VIII^4:

V	VI	VII	VIII

Eine Reihe weiterer Ketone oder kondensierter Aromaten sind als Sensibilisatoren wirk-
sam^{5,6}. Cyclohexadien-(1,3) läßt sich wie Pentadien-(1,3) und andere konjugierte Diene als
Triplett-Löscher in der mechanistischen Photochemie einsetzen^7, obwohl bei hohen Konzentrationen auch Singulett-Löschung eintritt^8.

Direkte Belichtung ($\lambda > 330$ nm) von Cyclohexadien-(1,3)^9 liefert neben Hexatrienen
geringe Mengen der Dimeren V, VI und VII im Verhältnis 44:23:33. Ein Kopf/Schwanz-
[2 + 2]-Addukt *cis-syn-cis-Tricyclo[6.4.0.0^{2,7}]dodecadien-(3,9)* (27% der mit 0,6% Ausbeute erhaltenen Dimeren-Fraktion), erhöhte Mengen an Verbindung VIII sowie ein nicht

G. S. HAMMOND, N. J. TURRO u. R. S. H. LIU, J. Org. Chem. **28**, 3297 (1963).

N. J. TURRO u. G. S. HAMMOND, Am. Soc. **84**, 2841 (1962).

P. D. BARTLETT, R. HELGESON u. O. A. WESSEL, Pure Appl. Chem. **16**, 187 (1968).

E. H. GOLD u. D. GINSBURG, Ang. Ch. **78**, 207 (1966); bei Sensibilisierung mit Aceton ist das Oxetan
7,7-Dimethyl-6-oxa-bicyclo[3.2.0]hepten-(2) (Kp$_{17}$: 38°) Hauptprodukt, während mit Benzophenon
kein Oxetan gebildet wird. Die Anordnung der Doppelbindungen in IV wird aus den UV- und NMR-
Spektren erschlossen.

Direkte Belichtung von Cyclopentadien führt zu *Bicyclo[2.1.0]penten-(2)*: J. I. BRAUMANN, L. E.
ELLIS u. E. T. v. TAMELEN, Am. Soc. **88**, 846 (1966).

G. O. SCHENCK u. R. STEINMETZ, Bull. Soc. chim. belges **71**, 781 (1962).

D. VALENTINE, N. J. TURRO u. G. S. HAMMOND, Am. Soc. **86**, 5202 (1964).

D. C. HECHT u. P. J. KROPP, Am. Soc. **90**, 4911 (1968).

D. I. SCHUSTER u. D. J. PATEL, Am. Soc. **90**, 5145 (1968).

Die Radiolyse von Cyclohexadien-(1,3) führt zu denselben Dimeren V bis VIII: R. SCHUTTE u. G. R.
FREEMAN, Am. Soc. **91**, 3715 (1969) und Ref. 5.

N. J. TURRO, *Molecular Photochemistry*, S. 212 und an zahlreichen weiteren Stellen, W. A. Benjamin,
Inc., New York 1965.

L. M. STEVENSON u. G. S. HAMMOND, Pure Appl. Chem. **16**, 125 (1968).

G. O. SCHENCK et al., Z. Naturf. **19b**, 18 (1964).

identifiziertes Dimeres wurden bei Belichtung mit $\lambda = 313$ nm isoliert (Quantenausbeut der Dimerisierung: $\varphi = 0,14$)[1].

Bei alkyl-substituierten Cyclohexadienen-(1,3) steigt die Zahl der möglichen isomeren Photodimeren beträchtlich. Untersucht sind die verschiedenen [2 + 2]- und [2 + 4] Dimeren von 2-Methyl-5-isopropyl-cyclohexadien-(1,3) (α-Phellandren)[2], 4-Methyl-1-iso propyl-cyclohexadien-(1,3) (α-Terpinen)[3] und 1,2,6,6-Tetramethyl-cyclohexadien-(1,3 (β-Pyronen)[3].

anti-Tricyclo[5.3.0.0^{2,6}]decadien-(3,9) (I) sowie endo- und exo-Tricyclo[5.2.1.0^{2,6}]decadien-(3,8 (II, III, S. 295)[4]: 140 g frisch hergestelltes Cyclopentadien und 20 g Benzophenon werden mit einem Queck silber-Hochdruck-Brenner (Hanovia 450 W) durch ein Pyrex-Filter bei $-10°$ 24 Stdn. belichtet. Durc Vakuum-Dest. erhält man 130 g (93%) eines 1:1:1-Isomeren-Gemischs I + II + III (Kp$_{1-2}$: 32–40°) Durch präparative Gaschromatographie (35% Apiezon J; 90°) wird I (Kp: 170–172°; n$_D^{25}$ = 1,5080) ab getrennt und II (Kp: 170–172°; n$_D^{25}$ = 1,5080) sowie III ebenfalls gaschromatographisch (Bis-[2-cyan äthyl]-äther) isoliert.

cis-anti-cis- und cis-syn-cis-Tricyclo[6.4.0.0^{2,7}]dodecadien-(3,11) (V, VI) sowie exo-Tricyclo[6.2.2 0^{2,7}]dodecadien-(3,9) (VII[5], S. 295): 100 g Cyclohexadien-(1,3) und 9 g 2-Acetyl-naphthalin werden i 400 ml 2-Methyl-butan gelöst und unter Stickstoff mit einem Quecksilber-Hochdruck-Brenner (Hanovi 450 W) durch ein Pyrex-Filter 24 Stdn. belichtet. Das Lösungsmittel wird am Rotationsverdampfe entfernt und der Rückstand i.Vak. destilliert, wobei 92 g (92%) einer Dimeren-Fraktion (Kp: 34–39° anfallen. Durch präparative Gaschromatographie (35% Apiezon J; <160°) können V, VI und VI (Kp$_{746}$: 229°; n$_D^{20}$ = 1,5265) im Verhältnis 3:1:1 isoliert werden.

Erhöht man im cyclisch konjugierten System die Zahl der Doppelbindungen, so wächs ebenfalls die Zahl der Dimerisierungsmöglichkeiten. So wurden von Cycloheptatrie bei der sensibilisierten Belichtung 5 verschiedene Dimere (5%) erhalten, von denen aller dings nur die in geringster Ausbeute (0,1%, F: 220°) entstandene Käfigverbindung IX strukturell aufgeklärt werden konnte. Bei den anderen handelt es sich wahrscheinlich um [2 + 2]- und [2 + 4]-Dimere[6].

IX; *Pentacyclo[7.5.0.0^{2,8}.0^{5,13}.0^{6,12} tetradecadien-(3,10)*

Produkt IX ist zweifellos durch zweimalige [2 + 2]-Addition entstanden, wobei im ersten Schrit eine Kopf/Schwanz-*syn*-Addition stattgefunden haben muß, um die zweite intramolekulare Stufe z ermöglichen.

Übersichtlicher sind die Photodimerisierungen bi- und tricyclischer 1,3-Diene. Direkt Belichtung von endo-7-Cyan-bicyclo[4.2.1]nonadien-(2,4) ($\lambda = 254$ nm ode Quecksilber-Hochdruck-Brenner; Acetonitril) führt mit 82%iger Ausbeute zu *6,15-Dicyan pentacyclo[12.2.1.1^{4,7}.0^{2,11}.0^{3,10}]octadecadien-(8,12)* (X; wahrscheinlich mehrere Stereo isomere)[7]:

X

[1] Y. L. BAHUREL et al., Am. Soc. **94**, 637 (1972).
[2] G. KOLTZENBURG, K. KRAFT u. G. O. SCHENCK, Tetrahedron Letters **1965**, 353.
    J. E. BALDWIN u. J. P. NELSON, J. Org. Chem. **31**, 336 (1966).
[3] R. STEINMETZ, Fortschr. chem. Forsch. **7**, 445 (besonders S. 467) (1967).
[4] G. S. HAMMOND, N. J. TURRO u. R. S. H. LIU, J. Org. Chem. **28**, 3297 (1963).
[5] D. VALENTINE, N. J. TURRO u. G. S. HAMMOND, Am. Soc. **86**, 5202 (1964).
[6] G. O. SCHENCK, J. KUHLS u. C. H. KRAUCH, A. **693**, 20 (1966).
[7] D. BELLUŠ, G. HELFERICH u. C. D. WEIS, Helv. **54**, 463 (1971).

Ein einziges Dimeres *17,18-Dicyan-17,18-diaza-anti-pentacyclo[12.2.1.1^{4,7}.0^{2,11}.0^{3,10}]octa-ecatetraen-(5,8,12,15)*, (XI; 70%; F: 220–221°) wird bei der sensibilisierten Belichtung Benzophenon) von 9-Cyan-9-aza-bicyclo[4.2.1]nonatrien-(2,4,7) erhalten. Hier-us läßt sich das Cyclooctadien-Dimere XII {*anti*-Tricyclo[8.6.0.0^{2,9}]hexadecahexaen-(3,5,7, 1,13,15); F:98–99°} synthetisieren[1].

XI   XII

Ebenfalls mit hoher Ausbeute und einheitlich im Sinne von Kopf/Kopf-*anti*-Vierring-
erknüpfungen reagieren verdünnte Lösungen (10^{-2} Mol/*l*) der Tricyclen XIII bei sensi-
ilisierter Anregung mit kondensierten Aromaten[2,3]:

XIII   XIVa;   n = 1;   *22,23-Dioxo-exo-anti-exo-
                                                  heptacyclo[16.2.1.1^{2,17}.1^{9,14}.
                                                  1^{10,13}.0^{5,16}.0^{6,15}]tetracosa-
                                                  tetraen-(3,7,11,19)*;
                                                  70–100%; F: 201–202°[2,3]

                                XIVb;   n = 2;   *25,26-Dioxo-exo-anti-exo-
                                                  heptacyclo[16.2.2.2^{10,13}.1^{2,17}.
                                                  1^{9,14}.0^{5,16}.0^{6,15}]hexacosa-
                                                  tetraen-(3,7,11,19)*; quanti-
                                                  tativ; F: 253°[2]

Die günstige Wirkung der mehrfachen Überbrückung in XIII für die Photodimerisierung
u XIV geht besonders daraus hervor, daß in gleich konzentrierten Lösungen von 6-Oxo-
ycloheptadien-(1,3) nach der Lichtreaktion entweder Kohlenmonoxid abgespalten wird
Hexatrien-Bildung) oder Cyclobuten-Ringschluß zu 3-Oxo-bicyclo[3.2.0)hepten-(6) ein-
ritt[4].

Pentacyclo[7.5.0.0^{2,8}.0^{5,13}.0^{6,12}]tetradecadien-(3,10) (IX; S. 396)[5]: 430 *ml* Cycloheptatrien und 8 g Benzo-
henon werden mit einem Quecksilber-Hochdruck-Brenner (Philips HPK 125 W) durch ein Solidex-Fil-
er 144 Stdn. unter Argon bei 18° belichtet. Man destilliert flüchtige Anteile i.Vak. (17 Torr, 50°) ab,
hromatographiert den Rückstand zur Abtrennung von Benzophenon und Polymeren an Kieselgel mit
yclohexan und erhält nach Destillation i.Vak. (Kp_{0,001}: 76–78°) 21,2 g (5%) eines Gemischs aus 5 Cyclo-
eptatrien-Dimeren (laut gaschromatographischer Analyse nach katalytischer Hydrierung im Verhältnis
4:53:14:6:3), wobei es sich bei der letzten Komponente um die Käfigverbindung IX handelt. 14 g
ieser Fraktion werden an Kieselgel (Akt. Stufe 1, Säulendimension 80 × 4 cm) mit Petroläther chroma-
graphiert. Man erhält zuerst 0,3 g IX (F: 220°), dann 4 g, 2,4 g (2 Komponenten) und 2 g flüssiger,
ei der Chromatographie offenbar wenig stabiler, Dimerer. Eines der Dimeren konnte nicht eluiert
erden.

A. G. ANASTASSIOU u. R. M. LAZARUS, Chem. Commun. **1970**, 373.

K. N. HOUK u. D. J. NORTHINGTON, Am. Soc. **94**, 1387 (1972).

T. MUKAI, Y. AKASAKI u. T. HAGIWARA, Am. Soc. **94**, 675 (1972).

D. I. SCHUSTER, B. R. SCKOLNICK u. F.-T. H. LEE, Am. Soc. **90**, 1300 (1968).

G. O. SCHENCK, J. KUHLS u. C. H. KRAUCH, A. **693**, 20 (1966).

17,18-Dicyan-17,18-diaza-anti-pentacyclo[12.2.1.1^{4,7}.0^{2,11}.0^{3,10}]octadecatetraen - (5,8,12,15) (XI) un
anti-Tricyclo[8.6.0.0^{2,9}]hexadecahexaen-(3,5,7,11,13,15) (XII, S. 297)[1]: Eine verdünnte entgaste Lösung
von 9-Cyan-9-aza-bicyclo[4.2.1]nonatrien-(2,4,7) und Benzophenon in Benzol wird mit einem Quecksilber
Hochdruck-Brenner (Hanovia 450 W) durch ein Pyrex-Filter bei Raumtemp. bestrahlt. Dabei bildet sich
nur XI als stereochemisch einheitliche Verbindung (F: 220–221°).

Aus XI erhält man durch längeres Erhitzen mit konz. methanolischer Kalilauge unter Verlust der
Cyan-Gruppen das Diamin (65%; F: 100–101°), aus welchem durch Behandlung mit überschüssiger
salpetriger Säure in verd. Mineralsäure quantitativ ein 17,18-Dinitroso-Derivat gebildet wird (F:
203–204°), welches unter der Einwirkung von Natriumdithionit in erwärmter Natronlauge rasch
Stickstoff entwickelt und dabei 65% XII (F: 98–99°) bildet.

Zum Strukturbeweis wird XII ozonisiert und das Reaktionsprodukt nach Diazomethan-Behandlung
als r-1,c-2,t-3,t-4-Tetramethoxycarbonyl-cyclobutan identifiziert.

Mehrere Vinyl- und Polyvinyl-cyclobutane, wie z. B. *anti*-Tricyclo[8.6.0.0^{2,9}]hexadeca
hexaen-(3,5,7,11,13,15) (XII, S. 297)[1] sind photolabil. Sie können entweder in Umkehrung
ihrer Bildung zerfallen oder zu Polyenen valenzisomerisieren. Präparativ interessant sind
Olefin-Metathesen. So werden aus Cyclooctatetraen (I) unterhalb 100° die Dimeren II
[syn-Tricyclo[8.6.0.0^{2,9}]hexadecahexaen-(3,5,7,11,13,15); F: 53°] und IV
[Pentacyclo[8.3.3.0^{2,9}.0^{3,8}.0^{13,14}]hexadecatetraen-(4,6,11,15); F: 76°] erhal
ten[2]. Sie liefern bei der direkten Belichtung mit Quecksilber-Hochdruck-Brennern durch
[2σ→2π]-Valenzisomerisierung[3] [16]Annulen (III); Cyclohexadecaoctaen; 13% d.Th.; F: 90–
91°)[4] bzw. durch [2σ→2π]-Photospaltung[3] Benzol und Bullvalen (V) [Tricyclo[3.3.2.0^{2,8}]
decatrien-(3,6,9); ~ 80% d.Th.; F: 96°][5]. Ob II beim Belichten teilweise auch zu I zerfällt,
ist nicht bekannt.

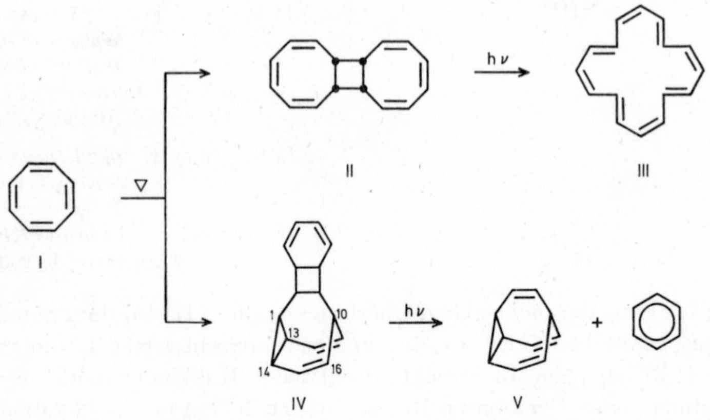

4-Carboxy-syn-tetracyclo[9.6.0.0^{2,10}.0^{3,5}]heptadecapentaen-(6,8,12,14,
16) (VI) ergibt durch Belichtung ($\lambda = 254$ nm; Äther; –80°) und nachfolgende Decarb
oxylierung bei 20° Cycloheptadecaoctaen (VII; 32% d.Th.; F: 126°)[6]:

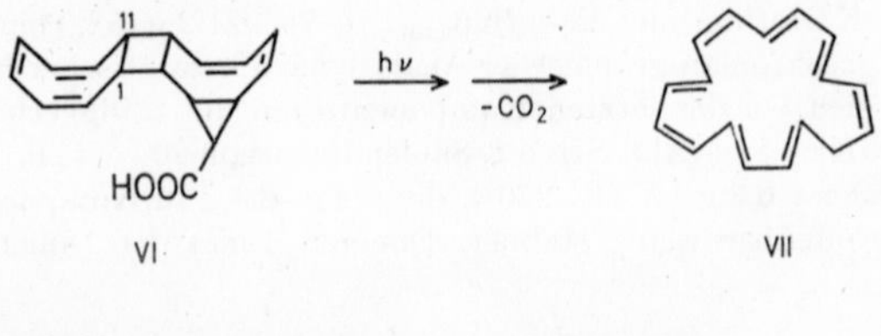

[1] A. G. Anastassiou u. R. M. Lazarus, Chem. Commun. 1970, 373.
[2] G. Schroeder u. W. Martin, Ang. Ch. 78, 117 (1966).
[3] G. Kaupp u. H. Prinzbach, A. 725, 52 (1969).
[4] G. Schroeder u. J. F. M. Oth, Tetrahedron Letters 1966, 4083.
[5] G. Schroeder, B. 97, 3140 (1964).
[6] G. Schroeder et al., Ang. Ch. 85, 350 (1973).

Ähnlich läßt sich aus VIII ⟨11-Äthoxycarbonyl-11-aza-tetracyclo[6.5.0.0^{9,13}. 0^{10,12}]tridecatrien-(2,4,6)⟩ *1-Äthoxycarbonyl-1-aza-cyclotridecahexaen* (IX; 25% d. Th.; F: 78°, Zers.) erhalten[1]. Dagegen zerfällt 11-Äthoxycarbonyl-11-aza-tetracyclo [6.5.0.0^{2,7}.0^{3,6}]tridecatrien-(4,9,12) (X) bevorzugt zu Benzol (~ 90%) und *1-Äthoxycarbonyl-1H-azepin* (XI; 45% d. Th.)[2]:

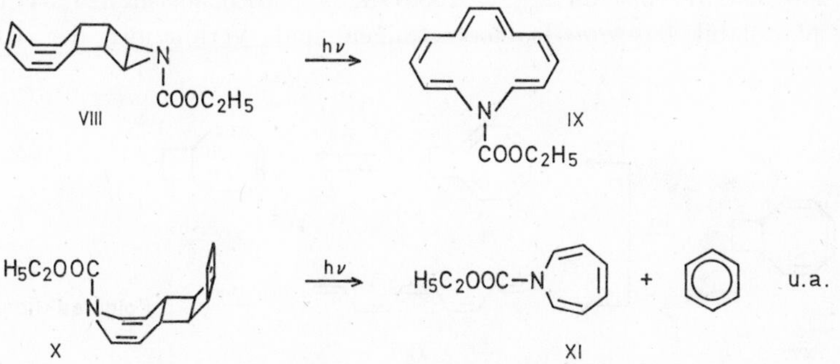

Zur Erzeugung und spektroskopischen Charakterisierung von *Pentalen* (XIV; *Bicyclo [3.3.0]octatetraen-(1,3,5,7)*⟩, welches bereits unterhalb –100° zu Pentacyclo[8.6.0.0^{2,9}. 0^{4,8}.0^{11,15}]- und Pentacyclo[8.6.0.0^{2,9}.0^{4,8}.0^{12,16}]hexadecahexaen-(3,5,7,11, 13,15) (XII bzw. XIII) dimerisiert, wurden diese Verbindungen in Methylcyclohexan/2-Methyl-butan-(1:4)-Gläsern photolytisch gespalten ($\lambda = 254$ nm; –196°)[3]. Auch Methylsubstituierte Derivate sind reaktiv[3].

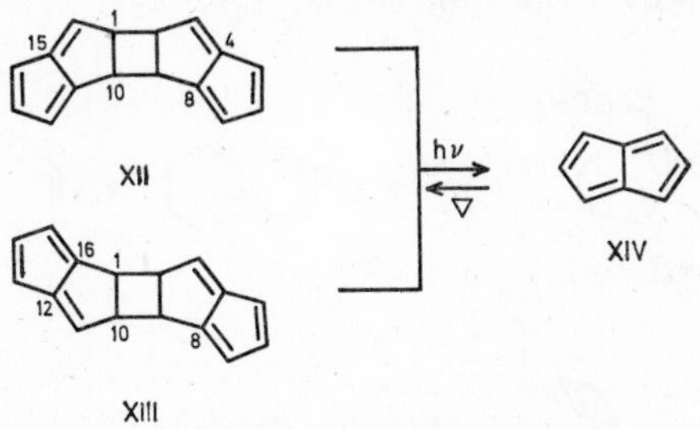

Derartige Photocycloreversionen verlaufen nicht immer glatt, da die Produkte häufig Sekundärreaktionen eingehen. Weil auch die Konformeren-Gleichgewichte bei flexiblen Polyvinyl-cyclobutanen nicht immer genau bekannt sind, ist es schwierig, Voraussagen der Verhältnisse von Valenzisomerisierung und Photospaltung zu treffen. So reagiert endo-7, endo-8-Dimethyl-bicyclo[4.2.0]octadien-(2,4) (XV) ($\lambda = 254$ nm) zum spektroskopisch nachgewiesenen *Decatetraen-(cis-2,cis-4,cis-6,trans-8)* (XVI)[4]. Ob daneben auch Benzol und Buten-(2) oder 7,8-Dimethyl-cyclooctatrien-(1,3,5) gebildet wird, ist nicht bekannt.

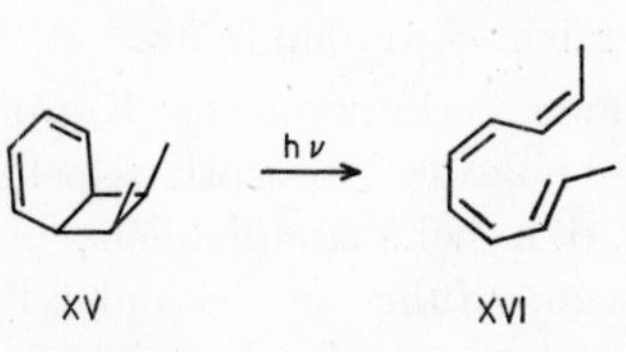

[1] G. Schroeder et al., Ang. Ch. **85**, 350 (1973).
[2] G. Schroeder, G. Frank u. J. F. M. Oth, Ang. Ch. **85**, 353 (1973).
[3] K. Hafner, R. Doenges, E. Goedecke u. R. Kaiser, Ang. Ch. **85**, 362 (1973).
[4] K. E. Wilzbach u. L. Kaplan, Am. Soc. **93**, 2073 (1971).
    Vgl. die Photolyse von Bicyclo[4.2.0]octadien-(2,4):
    P. Datta, T. D. Goldfarb u. R. S. Boikess, Am. Soc. **91**, 5429 (1969).
    W. R. Roth u. B. B. Peltzer, Ang. Ch. **76**, 378 (1964).

Im Gegensatz zum Ergebnis mit XV (S. 299) wurde bei der Belichtung ($\lambda = 254$ nm; Pentan) von XVII {Bicyclo[6.2.0]decatrien-(2,4,6)} angenommen, daß als einziges Primärprodukt *Cyclodecatetraen-(trans-1,cis-3,cis-5,trans-7)* (XVIII) entsteht, welches thermisch mit XIX äquilibriert (max = 291 nm; $\varepsilon = 3480$)[1]. Die UV-spektroskopische Analyse des Photolyseverlaufs zeigt jedoch, daß bei 20° und auch bei –190° *Decapentaen* (XX) gebildet wird ($\lambda_{max}^{20°}$: 288; 303; 317; 334 nm; $\lambda_{max}^{-190°}$: 293,5 sh, 295; 307,5, 309 sh; 323; 341 nm)[2]. XX ist seinerseits photolabil (*cis-trans*-Isomerisierungen und Verkürzung des Konjugationssystems)[2].

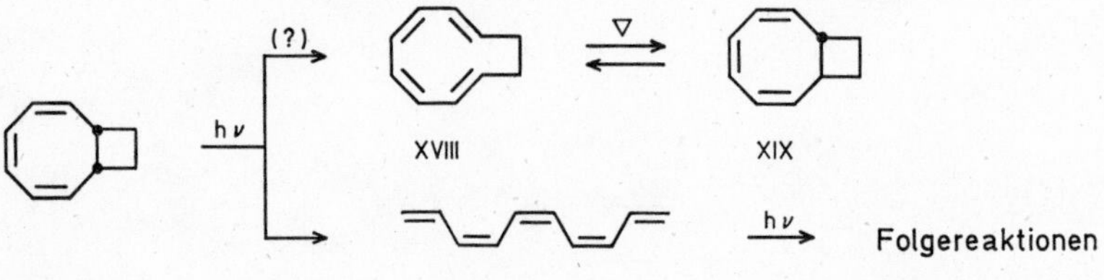

Weitere Anwendungen dieses Synthese-Prinzips bestehen in der Photospaltung von 11-Methoxy-[4.4.2]-propelladien-(2,4) {XXI, 11-Methoxy-tricyclo[4.4.2.0] dodecadien-(2,4)} zu *1,2,3,4-Tetrahydro-naphthalin* und *Methyl-vinyl-äther*[3] sowie einer Cyclobutadien-Synthese. So liefert die Belichtung von 12-Oxa-tetracyclo[4.4.3.0²,⁵. 0⁷,¹⁰]tridecatrien-(3,7,9) (XXII) bei –175° in einem 2-Methyl-tetrahydrofuran-Glas isoliertes *Cyclobutadien* und *1,3-Dihydro-⟨benzo-[c]-furan⟩*[4]:

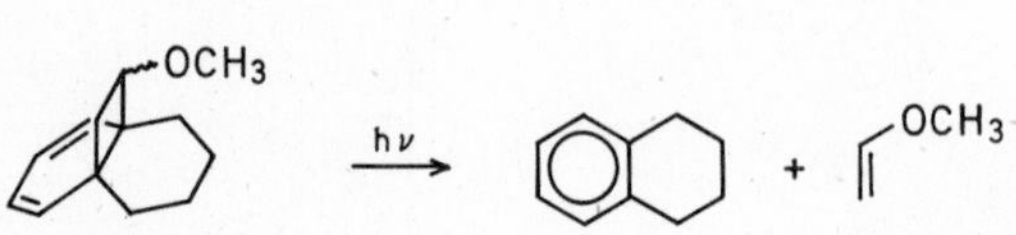

β₃) Aryl- und funktionell-substituierte offenkettige Diene und Polyene

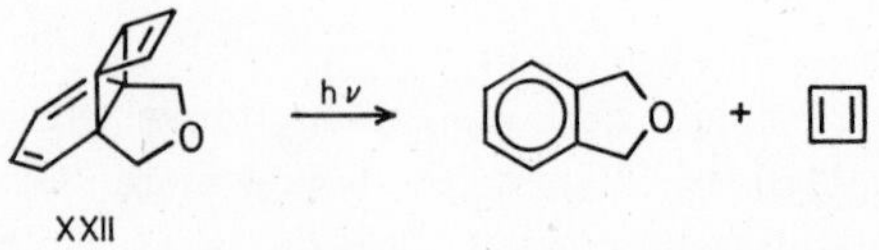

Im Gegensatz zu einfachen 1,3-Dienen absorbieren funktionell substituierte Butadien-Derivate in der Regel so langwellig, daß direkte Lichtanregungen möglich sind und auf Sensibilisierung weitgehend verzichtet werden kann.

Da Photo-Dimerisierungen eine Verkürzung des Konjugationssystems und damit eine kräftige hypsochrome Verschiebung des Absorptionsspektrums bewirken, lassen sich die meisten Umsetzungen selektiv, d. h. bei ausschließlicher Anregung des Ausgangsmaterials, erreichen. Nicht selektive Anregung führt zu Sekundär-Photolysen der Primärprodukte, wobei neben der Einstellung von Photo-Gleichgewichten zwischen Ausgangs- und Endprodukt auch Umlagerungen in Frage kommen.

[1] S. W. STALEY u. T. J. HENRY, Am. Soc. **92**, 7612 (1970).
[2] G. KAUPP, Chemiedozententagung, Düsseldorf 1975.
[3] L. A. PAQUETTE u. G. L. THOMPSON, Am. Soc. **94**, 7127 (1972).
[4] S. MASAMUNE et al., J. C. S. Chem. Commun. **1972**, 1268.

So liefert die nicht selektive Belichtung von 2,3-Diphenyl-butadien (I; $\lambda = 254$ nm; in 2,2,4-Trimethyl-pentan) ein kompliziertes Reaktionsgemisch, welches *1,2,5,6-Tetraphenyl-cyclooctadien-(1,5)* (II) enthält[1]:

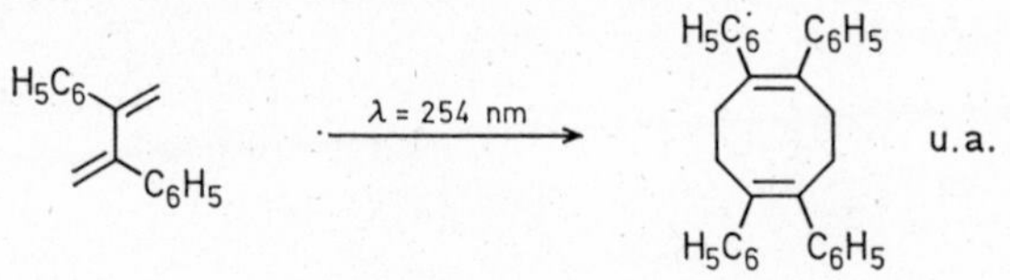

Verbindung II wird jedoch bequemer durch Pyrolyse des [2+2]-Photodimeren von 1,2-Diphenyl-cyclobuten zugänglich (s. S. 344).

Ausgiebig studiert wurden die Photoreaktionen von 1,4-disubstituiertem Butadien-(1,3). Dabei sind wie bei den unsubstituierten Beispielen zahlreiche isomere Dimere zu erwarten, welche jedoch nicht alle gebildet werden. So entstehen aus Muconsäure-dimethyl-ester (III)[2] nur die *trans-trans-trans*-Cyclobutane IV und V mit Kopf/Schwanz-und Kopf/Kopf-Orientierung (zus. 66% d.Th.), wenn mit Benzophenon sensibilisiert wir[3]:

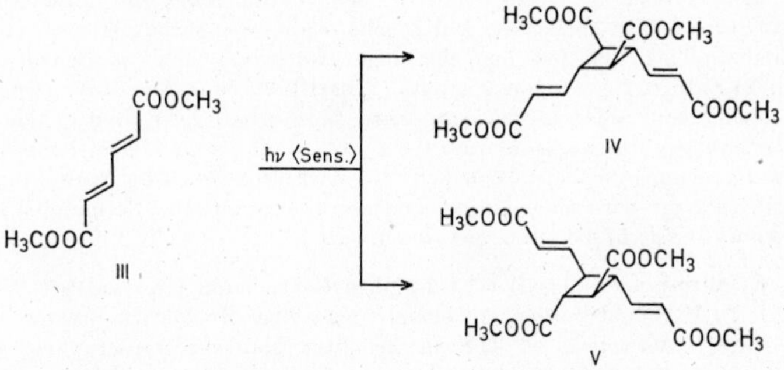

IV: *t-2,t-4-Bis-[2-methoxycarbonyl-vinyl]-r-1,c-3-dimethoxycarbonyl-cyclobutan*; F: 57–58°
V: *c-3,t-4-Bis-[2-methoxycarbonyl-vinyl]-r-1,t-2-dimethoxcyarbonyl-cyclobutan*; F: 43°

Entsprechend bilden sich aus Sorbinsäure-methylester alle der 6 möglichen *trans-trans-trans*-Dimeren[4] mit Kopf/Schwanz- und Kopf/Kopf-Orientierung mit einer Ausbeute von 27% d.Th.[3]. Sie wurden noch nicht vollständig getrennt.

Demgegenüber dimerisieren einige trisubstituierte Butadiene-(1,3) bei direkter Belichtung in hoher Ausbeute zu einheitlicheren Produkten. So geht z. B. 1,4-Diphenyl-1-cyan-butadien-(1,3) (VI; 2 Isomere) in *c-2,t-4-Bis-[2-phenyl-2-cyan-vinyl]-r-1, t-3-diphenyl-cyclobutan* über (VII; 2 Isomere; F: 197° bzw. F: 215°)[5]. 4-(E)-Nitro-1-phenyl-

---

[1] E. H. WHITE u. J. P. ANHALT, Tetrahedron Letters **1965**, 3937.
[2] Aus der *trans-trans*-Form bildet sich unter den Reaktionsbedingungen sehr schnell ein Gemisch der verschiedenen Stereoisomeren.
[3] H. P. KAUFMANN u. A. K. SEN GUPTA, A. **681**, 39 (1965).
[4] Ein weiterer Bericht nennt nur drei der sechs möglichen *all-trans*-Isomeren;
   N. D. EPIOTIS, Am. Soc. **94**, 1941 (1972).
[5] H. STOBBE u. F. KUHRMANN, B. **58**, 85 (1925).

pentadien-(1,3) (VIII) liefert bei Belichtung *c-3,t-4-Bis-[2-(E)-nitro-propen-(1)-yl]-r-1,*
t-2-diphenyl-cyclobutan (IX; 78% d.Th.; F: 188–189°)[1].

VI   VII

VIII   IX

Es reagiert die sterisch möglichst wenig gehinderte Doppelbindung und auch die Orientierungsspezifität dürfte überwiegend geometrische Gründe haben.

**t-2,t-4-Bis-[2-methoxycarbonyl-vinyl]-r-1,c-3-dimethoxycarbonyl- und c-3,t-4-Bis-]2-methoxycar-
bonyl-vinyl]-r-1, t-2-dimethoxycarbonyl-cyclobutan (IV, V, S. 301)[2]:** 10,5 g Muconsäure-dimethylester
werden in einer Lösung von 2 g Benzophenon in 1 l Benzol suspendiert und in einem Kolben aus
Jenaer Glas mit einem Quecksilber-Höchstdruck-Brenner (Osram HBO-200) unter Rühren und Sauerstoff-Ausschluß 40 Stdn. bei 20° belichtet. Dabei geht das Ausgangsmaterial nach 16 Stdn. völlig in
Lösung. Nach Eindampfen i. Vak. löst man den öligen Rückstand in 25 *ml* Benzol und 25 *ml* Cyclohexan, woraus in 24 Stdn. 2,2 g Ausgangsmaterial auskristallisieren. Die Mutterlauge wird an 200 g
Kieselgel mit Benzol/Äther (9:1) chromatographiert. Man erhält nach Benzophenon und den drei
geometrischen Isomeren des Ausgangsmaterials 6,9 g (66% d.Th.) eines öligen Gemischs aus IV und V.
In 50 *ml* Äther aufgenommen scheiden sich bei –30° nach 16 Stdn. 3,4 g Verbindung V ab; F: 43°
(Methanol). Die Mutterlauge wird eingedampft und der Rückstand aus Methanol/Wasser bei 5° 2mal
umkristallisiert, wobei IV (F: 57–58°) rein gewonnen wird.

c-3,t-4-Bis-[2-(E)-nitro-propen-(1)-yl]-r-1,t-2-diphenyl-cyclobutan (IX)[1]: 2,0 g 4-(E)-Nitro-1-phenyl-
pentadien-(1,3) in 1,1 l Methanol werden mit einem Quecksilber-Hochdruck-Brenner (Hanovia 100 W)
durch ein Pyrex-Filter unter Stickstoff 33 Stdn. belichtet. Man chromatographiert an Kieselgel mit
Chloroform/Petroläther = 4:1 und erhält 1,6 g (78%) blaßgelbe Kristalle, welche aus Chloroform/Metha-
nol umkristallisiert werden; F: 188-189°.

Drucktechnisches Interesse besitzt die Photovernetzung von poly-[5-Phenyl-penta-
dien-(1,4)-säure-vinylestern][3]. Die linearen Polymeren lassen sich spektral sensibilisieren (z. B. das Nitril mit Erythrosin, Eosin-G oder Rose bengale). Die Lichteinwirkung auf z. T. lagerfähige Filme führt zur Vernetzung. Dabei bilden sich Vierringe überwiegend aus den die Carboxy-Gruppe tragenden Doppelbindungen. Unvernetztes Polymeres
kann mit Chlorbenzol gelöst werden. Auch zahlreiche weitere photovernetzbare Polymere
mit substituierten Butadien-Gruppen wurden bekannt[4].

[1] I. S. CRIDLAND u. S. T. REID, Tetrahedron Letters **1970**, 2161.
[2] H. P. KAUFMANN u. A. K. SEN GUPTA, A. **681**, 39 (1965).
[3] H. TANAKA, M. TSUDA u. H. NAKANISHI, J. Polymer Sci. [A-1] **10**, 1729 (1972).
     H. TANAKA u. Y. SATO, J. Polymer Sci. [A-1] **10**, 3279 (1972).
[4] M. KATO et al., J. POLYMER Sci. [A-1] **9**, 2109 (1971).

Von besonderem präparativen Interesse ist die Beobachtung, daß zahlreiche 1,4-disubstituierte Butadiene-(1,3) in photolabilen Modifikationen kristallisieren. Dies ermöglicht topochemisch kontrollierte Photodimerisierungen bei notwendigerweise direkter Lichtanregung der Kristalle. Wegen langwelliger Absorption der betreffenden Ausgangsstoffe und in der Regel deutlich kürzerwelliger Absorption der Produkte lassen sich z. T. hochselektive Reaktionen bereits bei Einwirkung von Sonnenlicht erreichen. Das Anregungslicht kann dabei mit fortschreitender Reaktion immer tiefer in die meist gepulverten Kristalle vordringen[1]. Derartige Photoreaktionen sind aufgrund von Kristall-Strukturanalysen verständlich. Es muß besonders auf mögliche Polymorphie der Substanzen geachtet werden. Für photochemische [2 + 2]-Dimerisierungen sind Packungen mit parallelen Doppelbindungen günstig, wenn ihr Abstand nicht wesentlich größer als 4 Å ist[2,3] (s. auch S. 315 u. 330).

So reagieren trans-trans-Muconsäure (X) mit 22% d.Th. zu einem einzigen Dimeren *t-3,t-4-Bis-[2-carboxy-vinyl]-r-1,c-2-dicarboxy-cyclobutan* (XI), mit Kopf/Kopf-*anti*-Struktur[4]. Auch all-trans-Sorbinsäure-amid (XII) liefert entsprechend *c-4-Methyl-t-3-(2-aminocarbonyl-vinyl)-t-2-propen-(2)-yl-r-1-aminocarbonyl-cyclobutan* (XIII). Bedingt durch eine andersartige Packung im Kristallgitter erfolgt hier eine Kopf/Schwanz-*anti*-Verknüpfung. XIII erfährt bereits bei der Aufarbeitung eine Cope-Umlagerung zu *4,8-Dimethyl-3,7-diaminocarbonyl-cyclooctadien-(1,5)* (XIV)[3]:

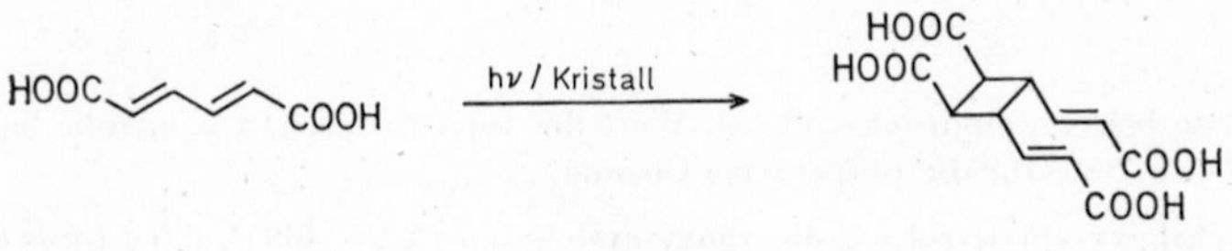

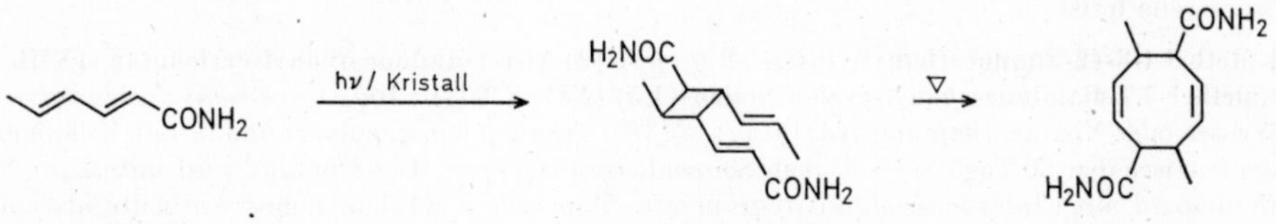

Zahlreiche weitere Beispiele (s. Tab. 52, S. 305) führen zu entsprechenden Ergebnissen, und mehrere substituierte Cyclooctadiene-(1,5) wurden auf diesem Weg präparativ zugänglich.

Wie aufgrund der Kristallstrukturanalyse erwartet[4], liefern die Kristalle von *cis-cis*-Muconsäure XV bei der Bestrahlung mit Sonnenlicht (5,0 g, 14 Tage, 30°) mit 80% d.Th.

---

[1] Selbstverständlich können derartige Reaktionen auch mit Quecksilber-Hochdruck-Brennern und Licht-Filtern durchgeführt werden, wobei die Verwendung gerührter Kristall-Suspensionen apparativ günstig erscheint.

[2] G. M. J. SCHMIDT, Pure Appl. Chem. **27**, 647 (1971).
  M. D. COHEN u. G. M. J. SCHMIDT, Soc. **1964**, 1996.

[3] B. S. GREEN, M. LAHAV u. G. M. J. SCHMIDT, Soc. [B] **1971**, 1552.

[4] M. LAHAV u. G. M. J. SCHMIDT, Soc. [B] **1967**, 312.

die hygroskopische *t-3,t-4-Bis-[2-(Z)-carboxy-vinyl]-cyclobutan-r-1,c-2-dicarbonsäure* (XVI), aus der ein Silbersalz und das Anhydrid XVII (Carbodiimid-Methode) hergestellt wurden[1]:

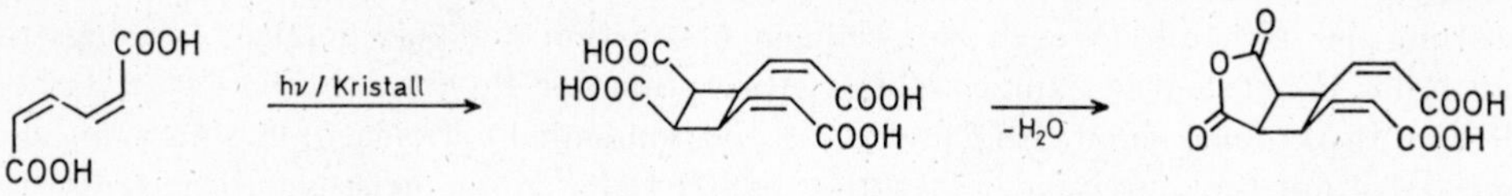

Ebenfalls im Einklang mit den Kristallstrukturen stehen die selektiven Bildungen von 1,3-Divinyl-cyclobutanen. Aus trans-trans-5-Phenyl-pentadien-(2,4)-säure-amid entsteht *c-2,t-4-Bis-[2-(E)-phenyl-vinyl]-r-1,t-3-diaminocarbonyl-cyclobutan* (33% d. Th ; F: 293– 294°)[2], all-trans-Octatrien-(2,4,6)-disäure-dimethylester (XVIII) geht in *c-2,t-4-Bis-[trans-trans-4-methoxycarbonyl-butadien-(1,3)-yl]-r-1,t-3-dimethoxycarbonyl-cyclobutan* (XIX; 22% d Th.; F: 139–140°) über[3] (weitere Beispiee iln Tab. 57, S.305 ff.).

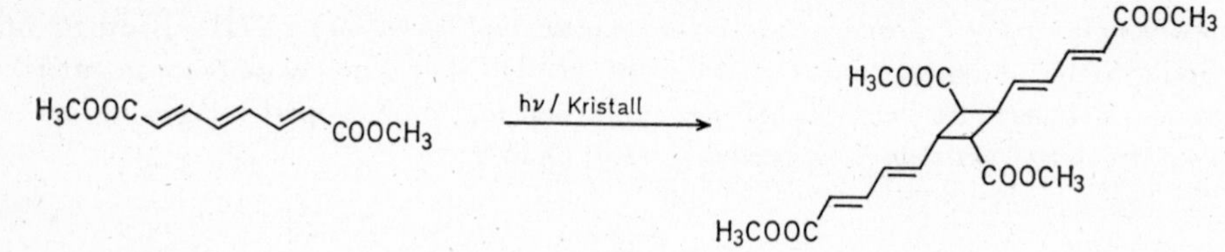

Diese Ergebnisse belegen eindrucksvoll den Wert der topochemischen Kontrolle bei Photodimerisierungen (s. a. S. 315 u. 330) für die präparative Chemie.

t-3,t-4-Bis-[2-carboxy-vinyl]-r-1,c-2-dicarboxy-cyclobutan (XI, S. 309)[2]: 5,0 g *trans-trans*-Muconsäure [(aus Äthanol oder Essigsäure, F: 295° (Zers.)] werden in einer mit Zellophan bedeckten Petrischale unter Stickstoff 30 Tage dem Sonnenlicht ausgesetzt. Das Produkt wird mit kaltem Methanol extrahiert und der Extrakt bei 0° i.Vak. (3 Torr) zur Trockene eingedampft. Die dabei erhaltenen Kristalle löst man in Butanol und chromatographiert an Kieselgel mit Chloroform/Butanol; Ausbeute: 1,1 g (22% d.Th.); hygroskopische Kristalle.

c-4-Methyl-t-3-(2-aminocarbonyl-vinyl)-t-2-propen-(2)-yl-r-1-aminocarbonyl-cyclobutan (XIII) und 4,8-Dimethyl-3,7-diaminocarbonyl-cyclooctadien-(1,5) (XIV, S. 303)[2]: 100 g *trans-trans*-Sorbinsäure-amid (aus Wasser oder Nitromethan umkristallisiert, F: 168°) werden fein gepulvert und in mit Zellophan bedeckten Petrischalen 30 Tage bei +5° dem Sonnenlicht ausgesetzt. Das Produkt wird unterhalb 20° an Aluminiumoxid mit Chloroform chromatographiert. Man erhält XIII in hoher Ausbeute als einziges Dimeres.

XIII geht beim Erhitzen (langsam bei 32°; schnell oberhalb 100°) quantitativ in das Cyclooctadien-Derivat XIV über, welches durch Sublimation bei 150° (1 Torr) gereinigt wird.

c-2,t-4-Bis-[2-(E)-phenyl-vinyl]-r-1,t-3-diaminocarbonyl-cyclobutan[2]: 3,9 g *trans-trans*-5-Phenyl-pentadien-(2,4)-säure-amid werden fein gepulvert und in einer mit Zellophan bedeckten Petrischale 30 Tage bei 30° dem Sonnenlicht ausgesetzt. Man extrahiert das Reaktionsgemisch zunächst 48 Stdn. mit Benzol, dann 12 Stdn. mit Äthanol (Soxhlet-Extraktor). Der Rückstand und die Kristalle aus dem Äthanol-Extrakt, zusammen 1,3 g (33% d.Th.), werden aus Äthanol und Eisessig umkristallisiert.

c-2,t-4-Bis-[trans-trans-4-methoxycarbonyl-butadien-(1,3)-yl]-r-1,t-3-dimethoxycarbonyl-cyclobutan (XIX)[3]: Aus Äthanol umkristallisiertes *all-trans*-Octatrien-(2,4,6)-disäure-dimethylester (F: 172°) wird 6 Tage durch ein Pyrex-Filter dem Sonnenlicht ausgesetzt. Die Belichtung wird dann unterbrochen, um Sekundär-Reaktionen des gebildeten Dimeren oder des Monomeren in seinem teilweise zerstörten Kristallgitter zu vermeiden. Durch Chromatographie mit Benzol und Benzol/Chloroform (9:1) werden unverbrauchtes Ausgangsmaterial und Polymere vom Photodimeren XIX abgetrennt; Ausbeute: 22% d.Th.

---

[1] M. LAHAV u. G. M. J. SCHMIDT, Soc. [B] **1967**, 312.

[2] B. S. GREEN, M. LAHAV u. G. M. J. SCHMIDT, Soc. [B] **1971**, 1552.

[3] M. LAHAV u. G. M. J. SCHMIDT, Tetrahedron Letters **1966**, 2957.

Tab. 52. Dimerisierung von kristallinen Butadien-(1,3)-Derivaten mit Sonnenlicht und Zellophan- oder Pyrex-Filtern ($\lambda > 290$ nm)

Dien	Reaktions-bedingungen	Produkte ...-cyclobutan	Ausbeute[a] [% d.Th.]	F [°C]	Lite-ratur
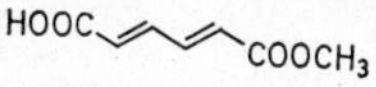 HOOC COOCH₃	5 Tage; 30°	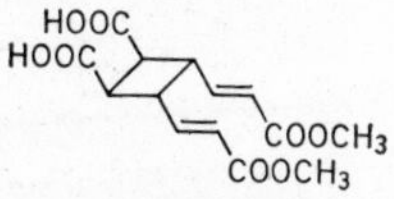 t-3,t-4-Bis-[2-meth-oxycarbonyl-vinyl]-r-1,c-2-carboxy-...			1
		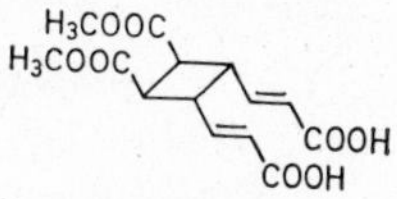 t-3,t-4-Bis-[2-carboxy-vinyl]-r-1,c-2-dimeth-oxycarbonyl-...	7		
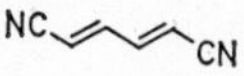 NC CN	10 g; 16 Tage; 25°	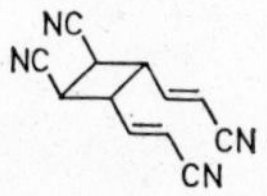 t-3,t-4-Bis-[2-cyan-vinyl]-r-1,c-2-dicyan-...		188–189	2
		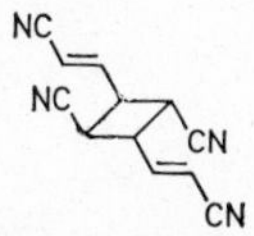 c-2,t-4-Bis-[2-cyan-vinyl]-r-1,t-3-dicyan-...	60	215-216	
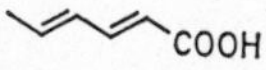 COOH	Vak.; 24 Stdn.; –18°	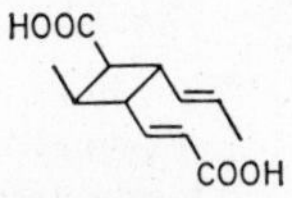 c-4-Methyl-t-3-(2-carboxy-vinyl)-t-2-propen-(1)-yl-r-1-carboxy-...[b]	(20)		2

[a] In Klammern stehende Angaben geben das Produktenverhältnis an.
[b] Erwärmen auf 100° führt zu 4,8-Dimethyl-3,7-dicarboxy-cyclooctadien-(1,5).

M. Lahav u. G. M. J. Schmidt, Soc. [B] 1967, 312.
B. S. Green, M. Lahav u. G. M. J. Schmidt, Soc. [B] 1971, 1552.

Tab. 52. (1. Fortsetzung)

Dien	Reaktions-bedingungen	Produkte ...-cyclobutan	Ausbeute[a] [% d.Th.]	F [°C]	Lite-ratur
(s. umseitig)		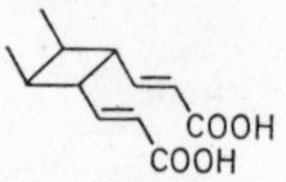 t-3,t-4-Dimethyl-r-1,c-2-bis-[2-carboxy-vinyl]-...[b]	(20)		1
		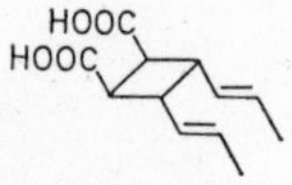 t-3,t-4-Dipropen-(1)-yl-r-1,c-2-dicarboxy-...	(2)		
		ein weiteres Dimeres	(1)		
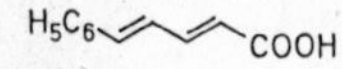 H₅C₆ ... COOH	5 g; 8 Tage; 25°	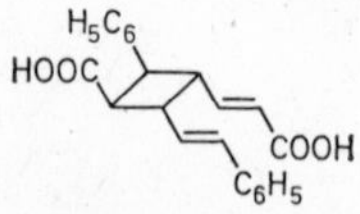 t-4-(2-Phenyl-vinyl)-t-3-(2-carboxy-vinyl)-c-2-phenyl-r-1-carboxy-...[c]			1
		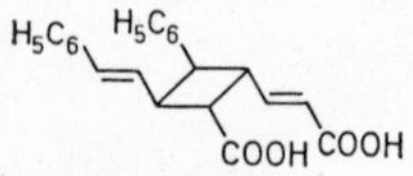 t-4-(2-Phenyl-vinyl)-c-2-(2-carboxy-vinyl)-t-3-phenyl-r-1-carboxy-...		Öl	
		und weitere Produkte			
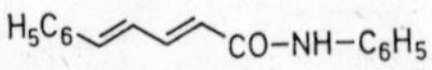 H₅C₆ ... CO–NH–C₆H₅		keine Reaktion!			1

[a] In Klammern stehende Angaben geben das Produktenverhältnis an.
[b] Erwärmen auf 100° führt zu 7,8-Dimethyl-3,4-dicarboxy-cyclooctadien-(1,5) (F: 163–165°).
[c] Bei 50° Umlagerung zu 4,8-Diphenyl-3,7-dicarboxy-cyclooctadien-(1,5) (F: 218–220°).

1 B. S. GREEN, M. LAHAV u. G. M. J. SCHMIDT, Soc. [B] 1971, 1552.

Tab. 52. (2. Fortsetzung)

Dien	Reaktions-bedingungen	Produkte ...-cyclobutan	Ausbeute[a] [% d.Th.]	F [°C]	Lite-ratur
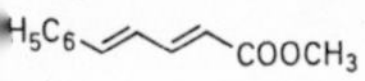 H_5C_6 — COOCH$_3$		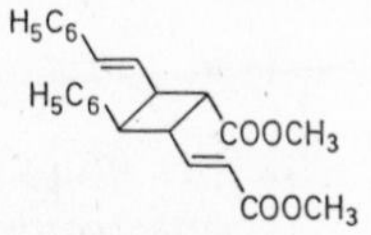 H_5C_6 / H_5C_6 COOCH$_3$ COOCH$_3$ *t-4-(2-Phenyl-vinyl)-c-2-(2-methoxy-carbonyl-vinyl)-t-3-phenyl-r-1-methoxy-carbonyl-...*	50	Öl	1
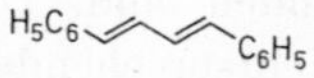 H_5C_6 — C_6H_5		keine Reaktion[b]			2
H_5C_6 — Cl Cl	10 Tage; 5°	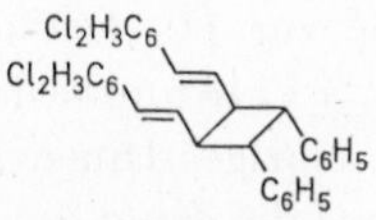 Cl$_2$H$_3$C$_6$ / Cl$_2$H$_3$C$_6$ C$_6$H$_5$ C$_6$H$_5$ *t-3,t-4-Bis-[2-(2,6-dichlor-phenyl)-vinyl]- t-1,c-2-di-phenyl-...*	80	103,5–104	2
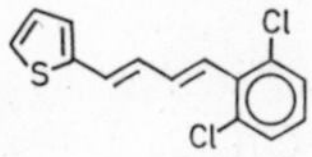 (Thienyl) Cl Cl		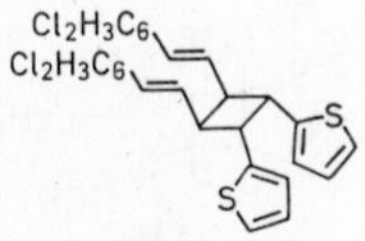 Cl$_2$H$_3$C$_6$ / Cl$_2$H$_3$C$_6$ S S *t-3,t-4-Bis-[2-(2,6-dichlor-phenyl)-vinyl]-r-1,c-2-di-thienyl-(2)-...*			3
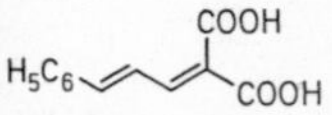 H_5C_6 — COOH COOH	20 Tage	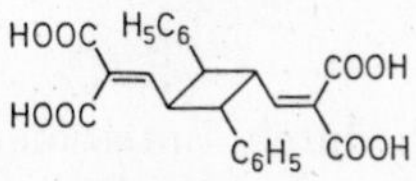 HOOC H$_5$C$_6$ COOH HOOC C$_6$H$_5$ COOH *c-2,t-4-Bis-[2,2-dicarboxy-vinyl]-r-1,t-3-di-phenyl-...*	gut	178 Zers.	4

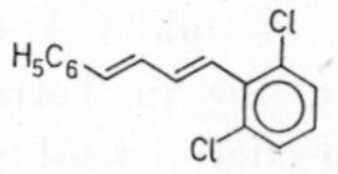

In Klammern stehende Angaben geben das Produktverhältnis an.
In Lösung bilden sich u. a. 50% *1-Phenyl-naphthalin*: G. J. FONKEN, Chem. & Ind. **1962**, 1327.

B. S. GREEN, M. LAHAV u. G. M. J. SCHMIDT, Soc. [B] **1971**, 1552.
M. D. COHEN et al., Am. Soc. **94**, 6776 (1972).
A. ELGAVI, B. S. GREEN u. G. M. J. SCHMIDT, Am. Soc. **95**, 2058 (1973).
C. N. RIIBER, B. **35**, 2411 (1902).

Tab. 52. (3. Fortsetzung)

Dien	Reaktions-bedingungen	Produkte ...-cyclobutan	Ausbeute [% d.Th.]	F [°C]	Literatur
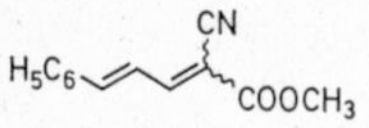	30 Stdn.; 35°	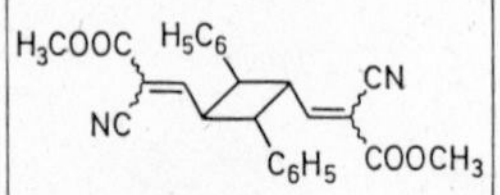 c-2,t-4-Bis-[2-methoxycarbonyl-2-cyan-vinyl]-r-1,t-3-di-phenyl-...	94	172,5	1

β_4) heterocyclische Fünfring-Diene

Heterocyclen mit konjugierten Doppelbindungen gehen in zahlreichen Fällen die photo-chemische Dimerisierung ein, wenn noch weitere Substituenten vorhanden sind. Die Reaktionen sind bei direkter Anregung häufig einheitlicher als bei den entsprechenden Isocyclen (s. S. 294ff.). Dabei neigen die fünfgliedrigen Ringe zur [2 + 2]-, die sechsgliedri-gen (s. S. 586ff.) dagegen häufiger zur [4+4]-Photocyclodimerisierung. So bildet 1,1-Dimethyl-2,5-diphenyl-1-sila-cyclopentadien (I) bei der Belichtung in Tetra-hydrofuran nahezu quantitativ ein einziges Dimeres II[2]. Auch in Alkohol oder Benzol ist 3,3,8,8-Tetramethyl-2,4,7,9-tetraphenyl-3,8-disila-anti-tricyclo[5.3.0.0²,⁶]decadien-(4,9) (II; F: 183–184°) Hauptprodukt. Hier entstehen zusätzlich geringe Mengen der isomeren syn-Ver-bindung III (F: 137–141°) und 3,3,10,10-Tetramethyl-1,2,4,9-tetraphenyl-3,10-disila-anti-bicyclo[5.3.0.0²,⁶]decadien-(4,8) (IV; F: 162–165°)[2]:

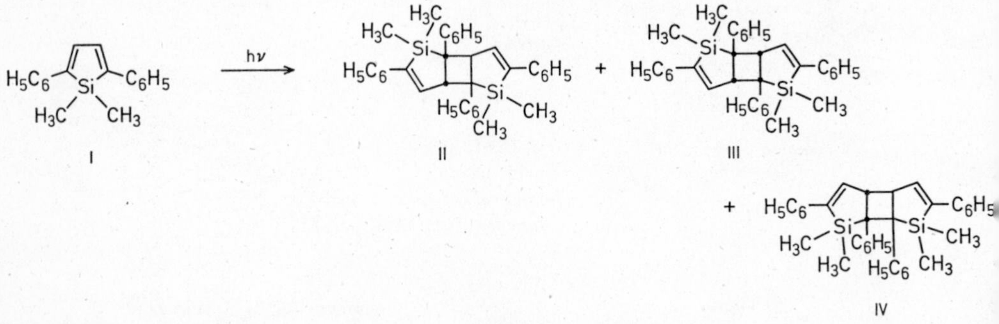

Aus dem Dimeren II läßt sich durch Entsilylierung mit 70%iger Ausbeute 2,4-Bis-[trans-2-phenyl-vinyl]-1,3-diphenyl-cyclobutan (F: 85–87°) gewinnen, welches nicht durch Photolyse von 1,4-Diphenyl-butadien-(1,3) zugänglich ist.

3,3,8,8-Tetramethyl-2,4,7,9-tetraphenyl-3,8-disila-anti-bicyclo[5.3.0.0²,⁶]decadien-(4,9)(II)[2]: Eine 0,01 m Lösung von 1,1-Dimethyl-2,5-diphenyl-1-sila-cyclopentadien in Tetrahydrofuran wird mit einem 450 W Quecksilber-Hochdruck-Brenner durch ein Pyrex-Filter 2 Stdn. unter Stickstoff belichtet. Die Umsetzung verläuft quantitativ zum Kopf/Schwanz-anti-Dimeren II; F: 183–184°.

Bei gleichartiger Belichtung in Äthanol oder Benzol lassen sich neben II geringe Mengen des Kopf/Schwanz-syn- (III; F: 137–141°) und Kopf/Kopf-anti-Dimeren (IV; F: 162–165°) durch präparative Dünnschichtchromatographie isolieren.

¹ M. Reimer, Am. Soc. 45, 417 (1911).
² Y. Nakadaira u. H. Sakurai, Tetrahedron Letters 1971, 1183.

Belichtung von II in Tetrahydrofuran (0,004 Mol/l) mit einem Quecksilber-Niederdruck-Brenner (160 W, 2 Stdn., Stickstoff) führt zur nahezu quantitativen Rückbildung des Monomeren I.

Behandlung von II mit Natrium-methanolat in Methanol/1,4-Dioxan (5:2; 36 Stdn. Rückfluß) führt zu *2,4-Bis-[trans-2-phenyl-vinyl]-1,3-diphenyl-cyclobutan*, welches durch präparative Dünnschicht-chromatographie gereinigt wird; Ausbeute: 70%; F: 85–87°.

Das analoge 1,1-Dimethyl-2,5-diphenyl-1-germana-cyclopentadien geht in ätherischer Lösung (Stickstoff; 450 W Quecksilber-Hochdruck-Brenner; Pyrex-Filter) in *3,3,8,8-Tetramethyl-2,4,7,9-tetraphenyl-3,8-digermana-tricyclo[5.3.0.0^{2,6}]decadien-(4,9)* (F: 215–217°) über[1]. Während Pyrrol und Furan trotz zusätzlicher Substituenten, welche die Absorption langwellig verschieben, sich offenbar nicht photodimerisieren lassen, entsteht aus 1,2,5-Triphenyl-1-phospha-cyclopentadien ein Kopf/Schwanz-Dimeres: *2,3,4, 7,8,9-Hexaphenyl-3,8-diphospha-tricyclo[5.3.0.0^{2,6}]decadien-(4,9)* (V; F: 229–230°) bildet sich in guter Ausbeute bei 7stdg. Bestrahlung mit einem 450 W Quecksilber-Hochdruck-Brenner und Pyrex-Filter in Äther/Tetrahydrofuran (1:1)[1]:

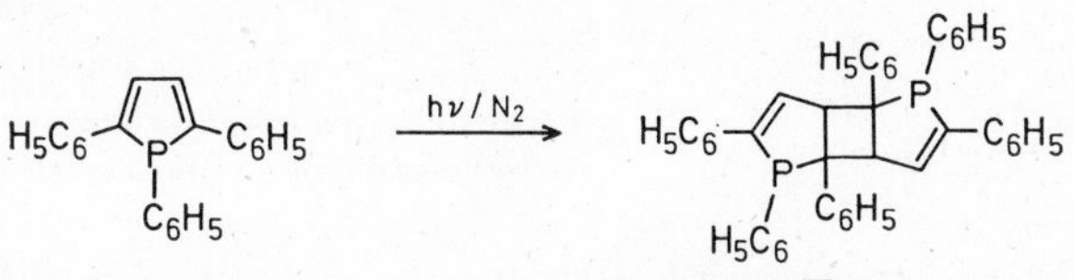

Eine ges. Lösung von 3,4-Dimethyl-thiophen-1,1-dioxid in Benzol liefert bei Einwirkung von Sonnenlicht ein Dimeres (60% d.Th.; F: 290–291°) noch unbekannter Struktur[2].

Photocyclodimerisierung von heterocyclischen Sechsring-Dienen und benzokondensierten Derivaten s. S. 586ff.

β_5) konjugierte Diene mit exocyclischen Doppelbindungen

Neben linearen und cyclischen 1,3-Dienen können auch konjugierte Verbindungen mit einer oder zwei exocyclischen C=C-Doppelbindung(en) photochemisch dimerisiert werden. So liefert die mit Benzophenon in Benzol unter Stickstoff sensibilisierte Anregung von 1,2-Bis-[methylen]-cyclobutan drei Hauptprodukte, *anti-2-Methylen-cyclobutan-⟨1-spiro-2⟩-cyclobutan-⟨1-spiro-1⟩-4-methylen-cyclobutan* (I), das isomere *syn-....-2-methylen-cyclobutan* (II) und *2-Methylen-cyclobutan-⟨1-spiro-3⟩-bicyclo[4.2.0]octen-(1^6)* (III) (Verhältnis 4:2:1), welche als [2+2]-, [2+2]- und [2+4]-Dimere zu bezeichnen sind[3]. Während I und III isolierbar sind, geht II bei der gaschromatographischen Aufarbeitung durch Cope-

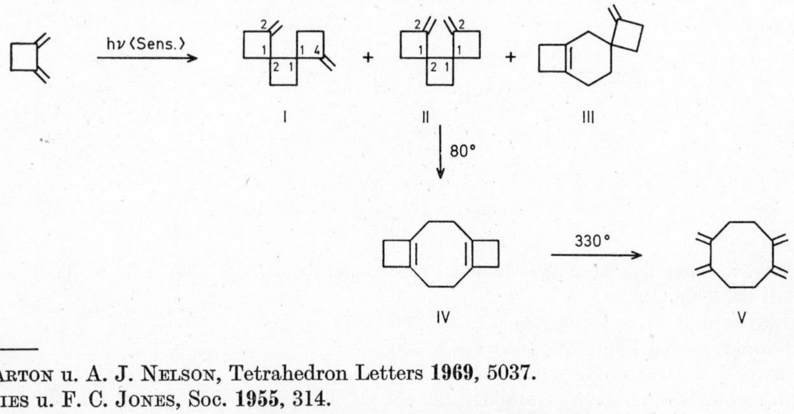

---

[1] T. J. Barton u. A. J. Nelson, Tetrahedron Letters 1969, 5037.

[2] W. Davies u. F. C. Jones, Soc. 1955, 314.

[3] W. T. Borden, L. Sharpe u. I. L. Reich, Chem. Commun. 1970, 461.

Umlagerung in *Tricyclo[8.2.0.0⁴,⁷]dodecadien-(1¹⁰,4⁷)* (IV) über und diese Verbindung ist Ausgangsmaterial für eine bequeme Synthese von *1,2,5,6-Tetrakis-[methylen]-cyclooctan* (V)[1], wenn man in der Gasphase pyrolysiert (Kontaktzeit 3 Sek.).

Mit 25%iger Ausbeute verläuft die Photodimerisierung von 1,2-Bis-[(E)-methoxy-carbonyl-methylen]-benzocyclobuten (VI) (in Methanol; 50 Stdn.; UV-Bestrahlung) zu den Produkten VII und VIII wiederum mit Kopf/Kopf-Anordnung. Sie wurden durch präparative Dünnschichtchromatographie getrennt[2,3].

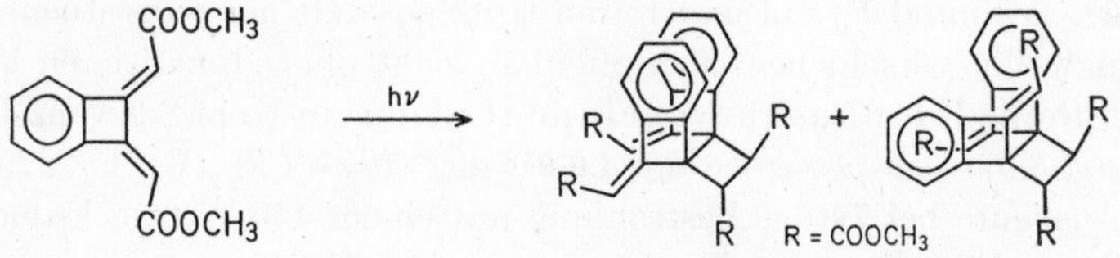

VI   VII   VIII
                                          syn-   *anti-*

2-Methoxycarbonylmethylen-benzocyclobuten-⟨1-spiro-1⟩-3,4-dimethoxycarbonyl-cyclobutan-⟨2-spiro-1⟩-2-methoxycarbonylmethylen-benzocyclobuten

Die Bildung von VII erfordert entweder Kombination von *(E,E)*-VI mit möglicherweise zuvor photochemisch gebildeten *(Z,E)*-VI oder Rotation um eine der ursprünglichen Doppelbindungen in einem biradikalisch polaren Photozwischenprodukt, jedoch wurde diese vor allem theoretisch interessante Frage offenbar nicht geklärt.

Weitere Beispiele sind aus der Reihe der Heterocyclen bekannt. So liefert 5-Oxo-2-methylen-2,5-dihydro-furan (Protoanemonin; IX) beim Belichten in Methanol (–50°, Quecksilber-Hochdruck-Lampe) *5-Oxo-2,5-dihydro-furan-⟨2-spiro-1⟩-cyclobutan-⟨2-spiro-2⟩-5-oxo-2,5-dihydro-furan* (*Anemonin*: X; 75%), welches auch durch thermische [2+2]-Dimerisierung bei 20° entsteht[4]:

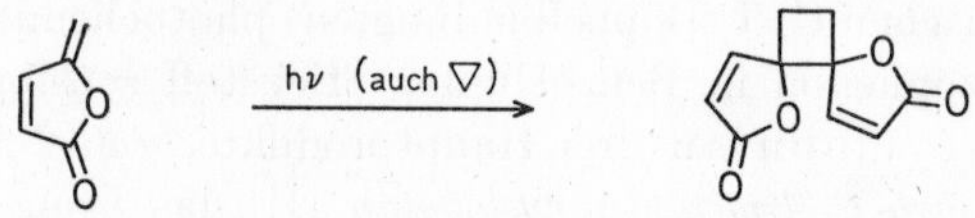

IX   X

Auch die Belichtung von 5-Oxo-2-benzyliden-2,5-dihydro-1,3-oxazol-Derivaten (XI) ist hier einzuordnen[5]:

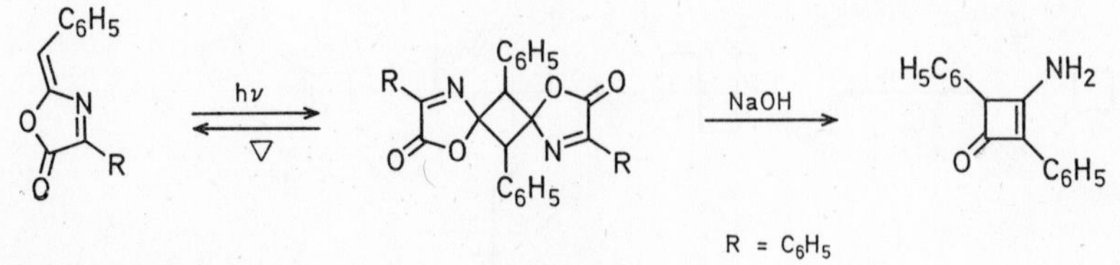

XIa; R = CH₃   XII
XIb; R = C₆H₅

[1] Zur photochemischen Synthese von [3.3.2]-Propellan(en) aus V (S. 309), vgl. N. T. BORDEN et al., Am. Soc. **92**, 3808 (1970).
[2] R. J. SPANGLER u. J. C. SUTTON, Ang. Ch. **84**, 206 (1972).
[3] Vgl. die bifunktionellen Zimtsäure-Derivate S. 320.
[4] H. KATAOKA, K. YAMAA u. N. SUGIYAMA, Bl. chem. Soc. Japan **38**, 2027 (1965).
    I. L. KARLE u. J. KARLE, Acta crystallogr. **20**, 555 (1966).
[5] Vgl. auch Tab. 57 auf S. 340f. sowie das andersartige Ergebnis bei dem Stilben-Derivat XIX, S. 345.

Das 4-Phenyl-Derivat (XIb) bildet bei der UV-Bestrahlung in Benzol das thermisch spaltbare (240°) Kopf/Schwanz-Dimere XII, *trans-5-Oxo-4-phenyl-2,5-dihydro-1,3-oxazol-⟨2-spiro-1⟩-2,4-diphenyl-cyclobutan-⟨3-spiro-2⟩-5-oxo-4-phenyl-2,5-dihydro-1,3-oxazol*, welches durch Basen-Einwirkung *1-Amino-3-oxo-2,4-diphenyl-cyclobuten* präparativ zugänglich macht[1]. Das Methyl-Derivat (XIa) dimerisiert bei der Belichtung der Kristalle mit UV- oder Tageslicht zu einem Dimeren (15%; F: 209–210°), vielleicht ebenfalls mit der Struktur XII[2].

anti-2-Phenyl-thieten-(2)-1,1-dioxid-⟨4-spiro-1⟩-cyclobutan-⟨2-spiro-4⟩-2-phenyl-thieten-(2)-1,1-dioxid[3]:

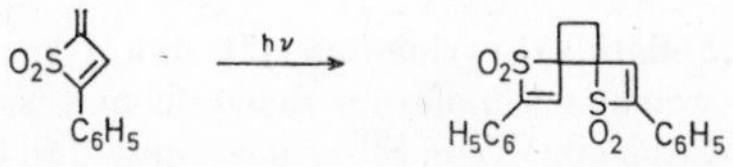

5,1 g (27 mMol) 4-Methylen-2-phenyl-thieten-(2)-1,1-dioxid in 450 *ml* Äther werden unter Stickstoff 5 Tage mit einem Quecksilber-Hochdruck-Brenner (Hanovia 200 W) belichtet. Nach dem Abdampfen des Lösungsmittels wird an neutralem Aluminiumoxid mit Äther/Petroläther (1:1) chromatographiert, wobei 0,5 g (10% d.Th.) farblose Kristalle, F: 232° (Zers.), anfallen.

β_6) konjugierte Enine

Nicht sehr zahlreich sind die Photodimerisierungen von konjugierten Eninen. Bei ihrer Photodimerisierung scheint bevorzugt die Doppelbindung zu reagieren. So liefern **Buten-(1)-in-(3)** (Vinyl-acetylen) und **2-Methyl-buten-(1)-in-(3)** bei der mit aromatischen Ketonen sensibilisierten Reaktion *trans*-(Kp$_{50}$:50–52°)[4,5] und *cis-1,2-Diäthinyl-cyclobutan[5]* (I) bzw. (*E*)- und (*Z*)-*1,2-Dimethyl-1,2-diäthinyl-cyclobutan* (II; Kp$_{40}$: 58–59° und III; zusammen 6%) und zahlreiche nicht identifizierte Nebenprodukte[4].

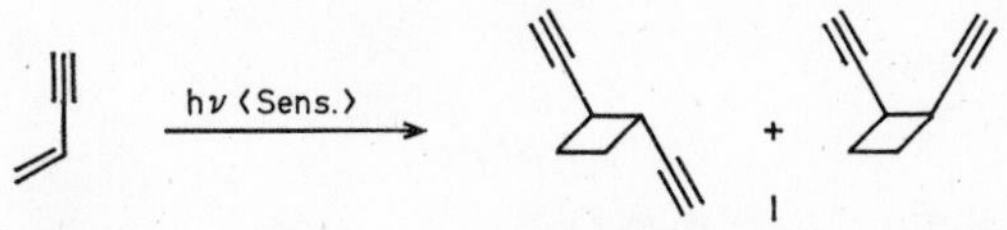

Die im Vergleich zur Doppelbindung geringere Neigung der konjugierten Dreifachbindung sich an der Vierring-Bildung zu beteiligen, wird auch durch die Oxetan-Bildung zwischen 2-Methyl-buten-(1)-in-(3) und Propinal verdeutlicht, wobei (*E*)-*3-Methyl-2,3-diäthinyl-oxetan* (IV) entsteht[4]:

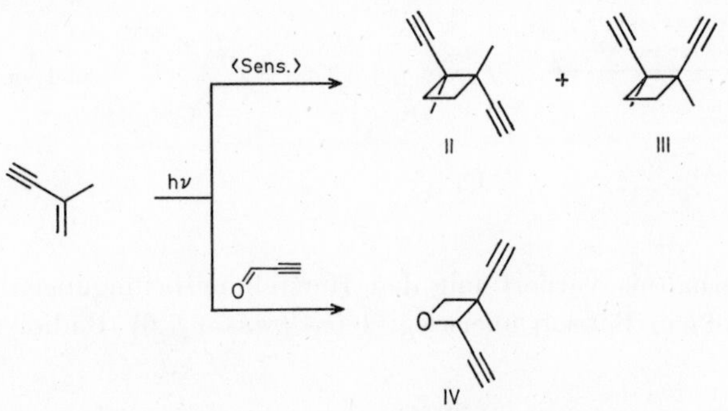

[1] G. ADEMBRI, F. M. CARLINI, P. SARTI-FANTONI u. M. SCOTTON, Tetrahedron Letters 1972, 3347.
[2] R. FILLER u. E. J. PIASEK, J. Org. Chem. 28, 221 (1963).
[3] L. A. PAQUETTE u. M. ROSEN, J. Org. Chem. 33, 3027 (1968).
[4] G. T. KWIATKOWSKI u. D. B. SELLEY, Tetrahedron Letters 1968, 3471.
[5] L. EISENHUTH u. H. HOPF, Am. Soc. 96, 5667 (1974); B. 108 (1975).

Während 1-Methoxy-buten-(1)-in-(3) kein Dimeres bildet[1], dimerisiert das konjugierte Keton 7,7-Dichlor-5-oxo-1-phenyl-heptadien-(3,6)-in-(1) zu *3,4-Bis-[phenyläthinyl]-1,2-bis-[3,3-dichlor-propenoyl]-cyclobutan* (55% d.Th.; F: 110,5–111°), wenn die Kristalle 7 Tage dem Tageslicht ausgesetzt werden[2].

Cis- und trans- 1,2-Diäthinyl-cyclobutan[3]: 9,8 g (0,19 Mol) Butenin werden in mehreren 6-*ml*-Pyrexampullen zusammen mit etwas Michlers-Keton entgast, unter Vakuum abgeschmolzen und 50 Stdn. bei 28° belichtet (Hanovia 450 Watt-Hg-Breuner). Nach destillativer Abtrennung von 3,6 g (37%) Butenin und 0,98 g (10% d.Th.) Polymeren werden 5,2 g (53% d.Th.) *trans*- und *cis*-Derivat (Verhältnis 72:28) an einer DEGS-Säule bei 65° präparativ gaschromatographisch getrennt (Retentionsverhältnis = 1:1,93).

(E)- und (Z)-1,2-Dimethyl-1,2-diäthinyl-cyclobutan (II und III)[1]: Eine 5 molare Lösung von 2-Methyl-buten-(1)-in-(3) in Äther, welche 0,4 molar an Benzophenon ist, wird 60 Stdn. mit einem 450 W Quecksilber-Hochdruck-Brenner durch ein Vycor-Filter belichtet. Man erhält die Isomeren im Verhältnis 8:1 mit einer Gesamtausbeute von 6% als Hauptprodukte und reinigt durch Destillation, wobei das Isomerengemisch in 96%iger Reinheit anfällt.

γ) Styrole, Zimtsäure-Derivate und verwandte Verbindungen

Ein aromatischer Substituent in Konjugation zu einer C=C-Doppelbindung verschiebt die Absorptionswellenlänge stärker bathochrom als eine einzelne konjugierte Doppelbindung; aromatisch substituierte Cyclobutane absorbieren wiederum deutlich kürzerwellig als Styrole. Daher sind in fast allen Fällen selektive Anregungen möglich. Vereinzelt sind jedoch auch sensibilisierte Belichtungen bedeutsam, wenn man die intensiven langwelligen UV-Emissionen von Quecksilber-Hochdruck-Brennern (vor allem bei $\lambda = 365$ und 405 nm) nutzen will, oder wenn im Sonnenlicht bestrahlt werden soll.

γ₁) *Styrole*

Die direkte und sensibilisierte Belichtung von Styrol verläuft in Gegenwart von Radikalketten-Inhibitoren übersichtlicher als die Thermolyse. Neben Polymeren und weiteren Produkten bilden sich in allen Fällen regiospezifisch die Kopf/Kopf-Dimeren *cis*- und *trans-1,2-Diphenyl-cyclobutan* (I sowie II)[4,5]:

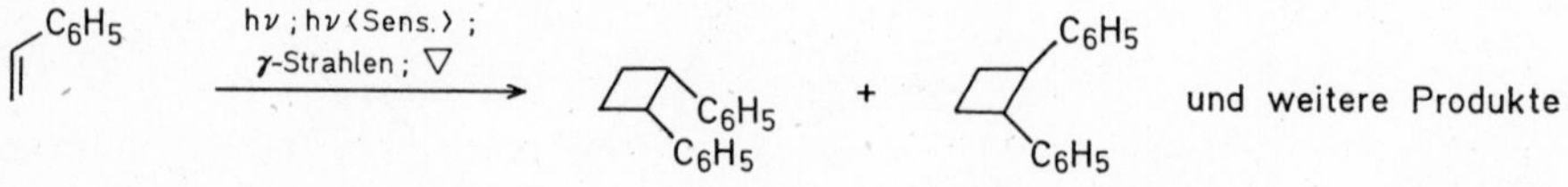

Das *cis/trans*-Verhältnis variiert mit den Herstellungsbedingungen. Bei der direkten Belichtung (0,8 Mol/*l* in Benzol) überwiegt I (*cis/trans* = 7,5). Radiolyse durch ⁶⁰Co von

---

[1] G. T. Kwiatkowski u. D. B. Selley, Tetrahedron Letters **1968**, 3471.

[2] F. Pochat u. E. Levas, C. r. **273** [C], 382 (1971); Bl. **1972**, 4197.

[3] L. Eisenhut u. H. Hopf, B. **108** (1975); wir danken Herrn Hopf für einen Vorabdruck.

[4] W. G. Brown, Am. Soc. **90**, 1916 (1968).

[5] F. R. Mayo, Am. Soc. **90**, 1289 (1968).

Styrol in Benzol (*cis/trans* = 2), sensibilisierte Anregung (0,2 Mol/*l*; Benzophenon) in Benzol (*cis/trans* = 0,3) und thermische Dimerisierung (110°; 0,2 Mol/*l*; 0,1 % tert.-Butyl-catechol) in Benzol (*cis/trans* = 0,5) führen zu deutlich höheren bzw. überwiegenden Anteilen des *trans*-Addukts II. Zur Gewinnung von II wird unverdünntes Styrol mit Benzophenon und etwas Jod belichtet. Beide Dimere I und II sind sehr lichtempfindlich[1,2].

Bei 20° verlaufen die Photolysen von I (F: 39–40°) und II (Kp$_{0,03}$: 87–89°; n$_D^{25}$ = 1,5805) uneinheitlich. So liefert II in Cyclohexan (Quecksilber-Hochdruck-Lampe; Quarz) bei 52 % Umsatz Polymere (34 %), die Umlagerungs-Produkte *1-Phenyl-1,2,3,3a-tetrahydro-azulen* (III; 8 %) und *1-Phenyl-tetralin* (IV; 6 %) sowie spurenweise Styrol[1]. In verdünnter Acetonitril-Lösung (λ = 254 nm) zerfallen I und II bevorzugt zu Styrol[2]. Daneben entstehen in geringen Mengen vermutlich III und IV sowie weitere Produkte. Nur aus II bilden sich auch geringe Mengen *trans*-Stilben[2]. Die mit Acetophenon oder γ-Strahlen und Benzol sensibilisierte Anregung führt zu einem Photogleichgewicht zwischen I und II (1:4). Außerdem bildet sich IV[4]. Bei –190° (Äther/Äthanol-(2:1)-Glas; λ = 250 oder 270 nm) sind die Photo-Spaltungen einheitlich. Das *cis*-Isomere I bildet ausschließlich Styrol, das *trans*-Isomere II fünfmal langsamer Styrol sowie *trans*-Stilben und Äthylen (99:1)[2].

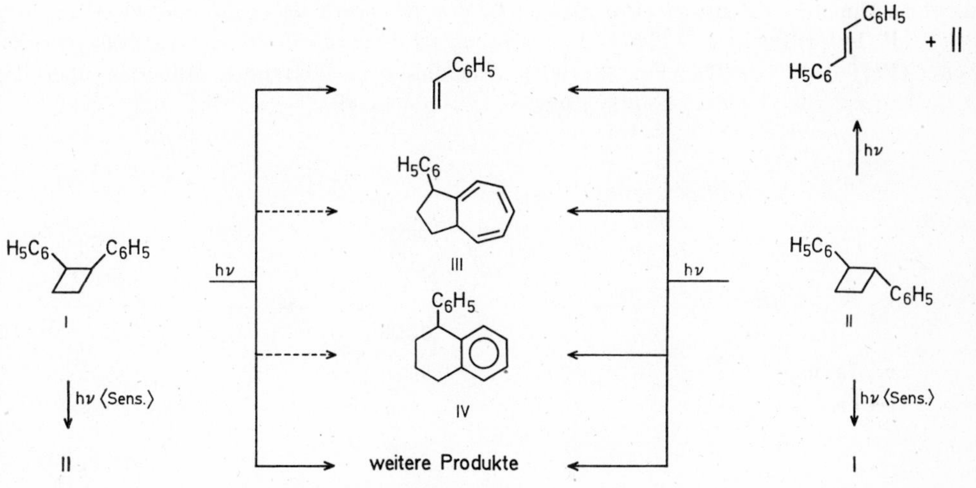

Diese Ergebnisse zeigen auch, daß bei Styrol-Photodimerisierungen selektive Belichtung durch Verwendung zuverlässiger Lichtfilter (z. B. dickwandiges Pyrex-Glas oder meist Filter mit längerwelliger Absorptionskante) wünschenswert ist.

Auch die Photolyse von 4-Nitro-styrol führt zu zahlreichen Produkten. Allerdings bildet sich *cis-1,2-Bis-[4-nitro-phenyl]-cyclobutan* (V, F: 185,5–186,5°) bei der Festkörper-Belichtung (–78°; 450 W-Hanovia-Lampe; Pyrex-Filter; wahrscheinlich nicht völlig

[1] M. SAUERBIER, Ch. Z. **96**, 530 (1972).
[2] G. KAUPP, Ang. Ch. **86**, 741 (1974); auch Phenylcyclobutan geht bei 20° oder einheitlicher bei –190° die [2$\sigma \to$ 2π]-Photospaltung (zu Styrol und Äthylen; vgl. dagegen lit.[1]) ein; nach dessen Belichtung in der Gasphase wurden zusätzlich *cis*- und *trans*-2-Methyl-1-phenyl-cyclopropan isoliert[3].
[3] P. AUTARD, J. phys. Chem. **76**, 3355 (1972).
   S. Y. HO, R. A. GOSSE u. W. A. NOYES, J. phys Chem. **77**, 2609 (1973).
[4] W. G. BROWN u. R. L. MARKEZICH, Abstracts ACS-Meetings **153**, O–139 (1967).

selektive Anregung) mit 15%iger Ausbeute. Hieraus läßt sich beim Erhitzen auf 200° das *trans*-Isomere VI (F: 86–88°) gewinnen[1,2]:

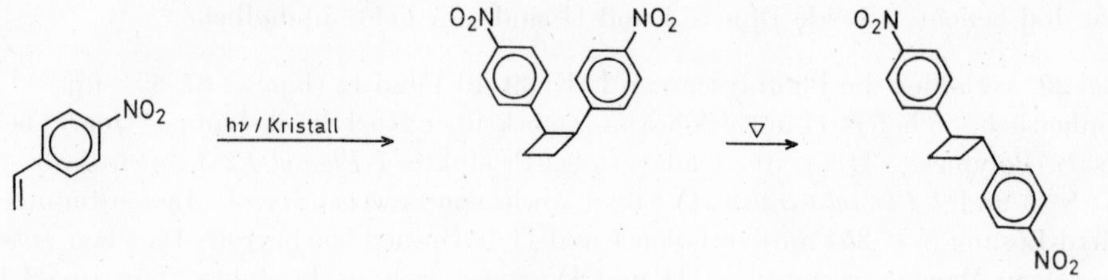

Bessere Ausbeuten an Vierring-Produkten erhält man aus α- oder β-substituierten Derivaten, welche geringere Polymerisationsneigung zeigen. Zum Beispiel liefert die Kristall-Belichtung (275 W sunlamp; Pyrex-Filter) von 2-(4-Nitro-phenyl)-acrylsäure-methylester (VIIa) sowie des entsprechenden 4-Nitro-benzyl-Esters (VIIb) Kopf/Kopf-*cis*-Dimere, *1,2-Bis-[4-nitro-phenyl]-1,2-dimethoxycarbonyl-cyclobutan* (VIIIa; 75% d.Th.; F: 180–181°) bzw. *1,2-Bis-[4-nitro-phenyl]-1,2-bis-[4-nitro-benzyloxycarbonyl]-cyclo-butan* (VIIIb; 72% d.Th.; F: 158–160°). Aus diesen Verbindungen läßt sich über das Anhydrid *1,2-Bis-[4-nitro-phenyl]-cyclobuten* (IX) gewinnen[1]:

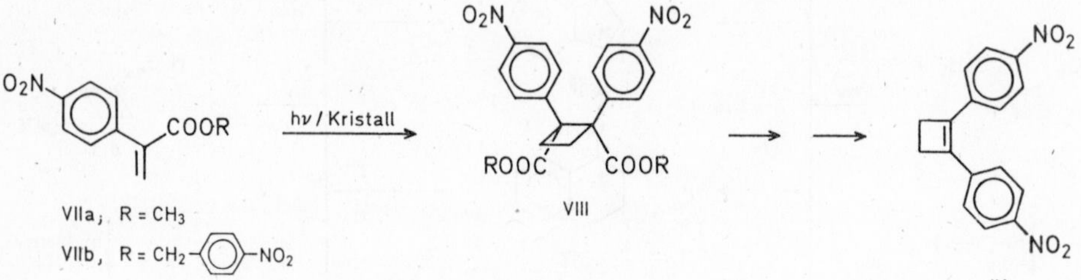

Bei trans-2-Nitro-1-phenyl-äthylen liefert die Kristall-Belichtung topochemisch kontrolliert das *c-2,t-4-Dinitro-r-1,t-3-diphenyl-cyclobutan* (X; 54% d.Th.; F: 183–184°)[3]. Damit verwandt ist die Reaktion von *trans*-2-Nitro-1-furyl-(2)-äthylen zu dem entsprechenden Kopf/Schwanz-*trans*-Cyclobutan-Derivat[4].

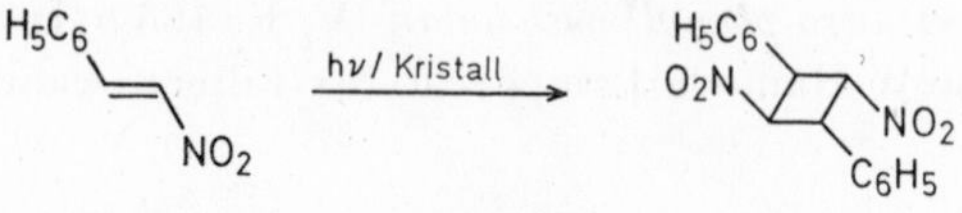

[1] J. H. SCHAUBLE, E. H. FREED u. M. D. SWERDLOFF, J. Org. Chem. **36**, 1302 (1971).
[2] Wegen intramolekularer Beispiele s.: R. P. HOULTON u. W. KEMP, Tetrahedron Letters **1968**, 4093.
[3] D. B. MILLER, P. W. FLANAGAN u. H. SHECHTER, Am. Soc. **94**, 3912; 3919 (1972).
[4] M. LAHAV u. G. M. J. SCHMIDT, Soc. [B] **1967**, 239.

Vollkommen stereospezifisch wird das Kopf/Kopf-Dimere *t-3,t-4-Dimethyl-r-1,c-2-bis-[4-methoxy-phenyl]-cyclobutan* (XI; 39% d.Th.; F: 53°) aus trans-1-(4-Methoxy-phenyl)-propen-(1) (Anethol) in Cyclohexan gewonnen[1]. Aus diesem läßt sich mit Natrium in flüssigem Ammoniak bequem *meso-2,3-Dimethyl-1,4-bis-[4-methoxy-phenyl]-butan* (XII; 82% d.Th.; F: 99–100°) synthetisieren.

H$_3$CO   OCH$_3$ H$_3$CO   OCH$_3$

XI   XII

trans-1,2-Diphenyl-cyclobutan[2]: Styrol wird mit 10 Gew.-% Benzophenon und 0,052% Jod unter Vakuum in ein Pyrex-Rohr eingeschmolzen und bei 40° mit einer Quarzlampe (oder im Sonnenlicht) bestrahlt bis ~ 9% des Monomeren umgesetzt sind. Man destilliert unverbrauchtes Styrol i. Vak. ab, löst den Rückstand in Benzol und fällt höhere Polymere mit Methanol aus (89%, bez. auf Umsatz). Durch präparative Gaschromatographie werden aus der Mutterlauge 9% (bezogen auf Umsatz) *trans*-1,2-Diphenyl-cyclobutan isoliert. Ein in bedeutenden Mengen anfallendes Nebenprodukt ist 2,4-Diphenyl-buten-(1).

c-2,t-4-Dinitro-r-1,t-3-diphenyl-cyclobutan (X, S. 314)[3]: 76,5 g *trans*-2-Nitro-1-phenyl-äthylen werden in 800 *ml* Wasser von 18° aufgeschlämmt und unter mechanischem Rühren in einer Kristallisierschale mit einem wassergekühlten horizontal gelagerten Quecksilber-Hochdruck-Brenner (Hanovia 550 W) durch ein Pyrex-Filter bestrahlt. Zur Steigerung der Lichtausbeute wird das ganze mit einer Aluminiumfolie abgedeckt. Nach 24 Stdn. filtriert man die Kristalle ab und löst unverbrauchtes Ausgangsmaterial durch Soxhlet-Extraktion mit Hexan aus dem getrockneten Gemisch. Der Rückstand wird aus Benzol umkristallisiert; Ausbeute: 41,3 g (54% d.Th.); F: 183–185°.

t-3,t-4-Dimethyl-r-1,c-2-bis-[4-methoxy-phenyl]-cyclobutan (XI)[1]: 3,7 g (25 mMol) *trans*-1-(4-Methoxy-phenyl)-propen-(1) in 25 *ml* Cyclohexan werden bei Raumtemp. 5 Stdn. mit einer 200 Watt Quecksilber-Hochdruck-Lampe durch ein Pyrex-Filter belichtet. Vak.-Destillation ergibt im Vorlauf ein *cis-trans*-Gemisch der Ausgangsverbindung (*trans/cis*=85:15) sowie 1,45 g (39%) des Dimeren (Kp$_{0,07}$: 145–147°; F: 53°).

γ$_2$) *Zimtsäure-Derivate*

Seit langem bekannt und gut untersucht sind die Photodimerisierungen von kristallinen *trans*-Zimtsäuren[4], welche von der Kristall-Modifikation (α-, β- oder γ-Form) abhängen[5]. Die aus Benzol kristallisierende α-trans-Zimtsäure mit einem Doppelbindungsabstand von 3,50 Å[6] liefert je nach den Bestrahlungsbedingungen bis zu 80% d. Th. α-*Truxillsäure* (*c-2,t-4-Diphenyl-r-1,t-3-dicarboxy-cyclobutan*; I; F: 285°)[4]. Für große Ansätze eignet sich besonders die Belichtung in wäßriger Suspension[3]. Demgegenüber erhält man aus β-trans-Zimtsäure [kristallisierbar aus Äther/Petroläther (Kp: 30–50°) bei 0°] β-*Truxinsäure*

---

[1] H. Nozaki, I. Otani, R. Noyori u. M. Kawanisi, Tetrahedron **24**, 2183 (1968).

[2] F. R. Mayo, Am. Soc. **90**, 1289 (1968).

[3] D. G. Farnum u. A. J. Mostashari in: *Organic Photochemical Syntheses*, Bd. 1, S. 79, Wiley-Interscience, New York 1971.

[4] Übersicht in Band. IV/4 ds. Hdb., S. 328 ff.

[5] Vgl. G. M. J. Schmidt, Soc. **1964**, 2014; dort Hinweise auf weitere Arbeiten.

[6] E. D. Eanes u. G. Donnay, Z. Kristallogr. **111**, 368 (1959).

(*t-3,t-4-Diphenyl-r-1,c-2-dicarboxy-cyclobutan*; II; F: 210°) mit 80% d.Th.[1]. Aus diesem wurde elektrolytisch *cis-3,4-Diphenyl-cyclobuten* (III) gewonnen[2].

α-*trans*-Zimtsäure $\xrightarrow{h\nu}$

$$\begin{array}{c} \text{HOOC} \\ \text{H}_5\text{C}_6 \quad \quad \text{C}_6\text{H}_5 \\ \text{COOH} \end{array}$$

I

Kopf/Schwanz-Dimeres

β-*trans*-Zimtsäure $\xrightarrow{h\nu}$

$$\begin{array}{c} \text{HOOC} \\ \text{HOOC} \quad \text{C}_6\text{H}_5 \\ \text{C}_6\text{H}_5 \end{array}$$

$\longrightarrow$

$$\begin{array}{c} \text{C}_6\text{H}_5 \\ \text{C}_6\text{H}_5 \end{array}$$

II   III

Kopf/Kopf-Dimeres

Die Bildungen und Umwandlungen aller stereoisomeren Truxill- und Truxinsäuren wurden bereits zusammengefaßt[1]. Wie die Styrol-Dimeren sind auch die Zimtsäure-Dimeren ihrerseits photolabil und zerfallen bei der Belichtung vollständig zu *Zimtsäure*, welche bei der Belichtung in Lösung *cis-trans*-Isomerisierung, jedoch keine [2 + 2]-Dimerisierung eingeht[3].

Auch aus Zimtsäureestern und Zimtsäureamiden lassen sich in Lösung oder als Schmelze bei direkter Anregung kaum Photodimere erhalten[4], offenbar weil sie zahlreiche Ausweichprozesse wie *cis-trans*-Isomerisierung, Photoreduktion, intramolekulare Lactonbildungen und Decarboxylierungen sowie Polymerisationen eingehen[5]. Sie dimerisieren jedoch bei der Belichtung der Kristalle, wenn sie in α- und β-, nicht jedoch in γ-Modifikationen[6] vorliegen. Frühere Arbeiten wurden bereits vor längerer Zeit zusammengestellt[7] und in jüngeren Arbeiten bestätigt, durch die Entdeckung neuer Beispiele erweitert, sowie durch Kristallstruktur-Untersuchungen abgerundet[8,9]. Danach lassen sich kristalline Zimtsäure-Derivate oder heterocyclische Analoge photochemisch dimerisieren, wenn die intermolekularen Abstände der zentralen Doppelbindungen den Grenzwert 4,1 Å nicht überschreiten[9]. Die sterische Anordnung der Dimeren wird von der relativen Orientierung der nächsten Nachbarn in der betreffenden Kristall-Modifikation bestimmt[9]. So entstehen aus α-Modifikationen immer α-Truxillate (Kopf/Schwanz-*cis-trans-cis*) und aus β-Modifikationen immer β-Truxinate (Kopf/Kopf-*cis-trans-cis*)[9]. Die sog. γ-Modifikationen (kleinster Abstand: 4,7–5,1 Å) sind bezüglich der Dimerisierung photostabil[9] und kristalline *cis-*

[1] Übersicht in Band. IV/4 ds. Hdb., S. 328ff.
[2] J. I. Brauman u. W. C. Archie, Tetrahedron 27, 1275 (1971).
[3] G. Ciamician u. P. Silber, B. 35, 4128 (1902); 36, 4266 (1903).
[4] G. M. J. Schmidt, Pure Appl. Chem. 27, 647 (1971).
    H. G. Curme, C. C. Natale u. D. J. Kelley, J. phys. Chem. 71, 767 (1967): Zimtsäure-äthylester liefert bei sensibilisierter Anregung nicht isolierte, wenig flüchtige Dimere, wie ebullioskopische Messungen andeuten.
[5] N. Baumann, M. Sung u. E. F. Ullmann, Am. Soc. 90, 4157 (1968).
    O. L. Chapman u. W. R. Adams, Am. Soc. 90, 2333 (1968).
[6] Vgl. G. M. J. Schmidt, Soc. 1964, 2014; dort Hinweise auf weitere Arbeiten.
[7] H. Stobbe u. K. Bremer, J. pr. 123, 1 (1929). S. auch A. Mustafa, Chem. Reviews 51, 1 (1952).
[8] M. D. Cohen, G. M. J. Schmidt u. F. I. Sonntag, Soc. 1964, 2000.
[9] G. M. J. Schmidt, Soc. 1964, 2014.
    M. D. Cohen u. G. M. J. Schmidt, Reactivity of the Solids, S. 556, Elsevier, Amsterdam 1971.
    G. M. J. Schmidt in: Reactivity of the Photoexcited Molecule, S. 227, Interscience, 1967.

Zimtsäure(derivate) bilden Photodimere immer erst nach vorheriger Isomerisierung zum *trans*-Derivat[1]. Dies wird durch die Beispiele in Tab. 53 belegt, welche auch α- und β-substituierte Zimtsäure-Derivate und Zimtsäure-Analoge mit heteroaromatischer Endgruppe umfaßt.

Zimtsäure-Dimere; allgemeine Arbeitsvorschrift[2]: Durch sorgfältige Kristallisation der Zimtsäure-Derivate werden 10–20 g im Hinblick auf die gewünschte Modifikation einheitlicher Kristalle hergestellt und in automatisch gedrehten Pyrex-Zylindern dem Sonnenlicht ausgesetzt. Der Fortgang der Reaktion wird durch Röntgenbeugungsmessungen mit einer Guinier Kamera und durch UV-Absorptionsmessungen verfolgt. Sobald keine weiteren Veränderungen feststellbar sind, wird das unverbrauchte Monomere durch Soxhlet-Extraktion entfernt und der Rückstand aus einem geeigneten Lösungsmittel umkristallisiert.

Tab. 53. Photodimerisierung von kristallinen Zimtsäure-Derivaten im Sonnenlicht bei 20–30°

Zimtsäure-Derivat	Modifikation	Reaktionsdauer [Tage]	Produkt ...-cyclobutan	Ausbeute [% d.Th.]	F [°C]	Literatur
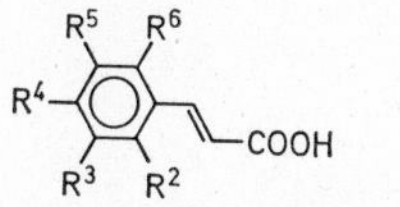 R[5] R[6], R[4], R[3] R[2] mit —COOH; R[2]=R[3]=R[4]=R[5]=R[6]=H	α	15	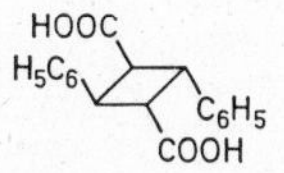 HOOC, H_5C_6, C_6H_5, COOH; *c-2,t-4-Diphenyl-r-1,t-3-dicarboxy-...*	74	285	2,3
	β	15	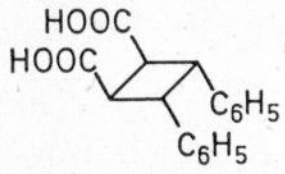 HOOC, HOOC, C_6H_5, C_6H_5; *t-3,t-4-Diphenyl-r-1,c-2-dicarboxy-...*	80	210	2,3
	γ		keine Reaktion!	–		2
R[2]=CH₃	γ	100	keine Reaktion!	–		2
R[4]=CH₃	α	50	*c-2,t-4-Bis-[4-methyl-phenyl]-r-1,t-3-dicarboxy-...*	95	281–282	2
R[2]=Cl	β	42	*t-3,t-4-Bis-[2-chlor-phenyl]-r-1,c-2-dicarboxy-...*	85	200–204	2
R[3]=Cl	β	77	*t-3,t-4-Bis-[3-chlor-phenyl]-r-1,c-2-dicarboxy-...*	70	175–176	2
R[4]=Cl	β	49	*t-3,t-4-Bis-[4-chlor-phenyl]-r-1,c-2-dicarboxy-...*	71	190	2
R[2]=Br	β	30	*t-3,t-4-Bis-[2-brom-phenyl]-r-1,c-2-dicarboxy-...*	82	218–219	2
R[3]=Br	β	60	*t-3,t-4-Bis-[3-brom-phenyl]-r-1,c-2-dicarboxy-...*	91	151	2

J. BERGMAN, K. OSAKI, G. M. J. SCHMIDT u. F. I. SONNTAG, Soc. **1964**, 2021.
M. D. COHEN, G. M. J. SCHMIDT u. F. I. SONNTAG, Soc. **1964**, 2000.
Quantenausbeute der Dimerenbildung $\varphi = 0{,}7$: J. RENNERT, E. M. RUGGIERO u. J. RAPP, Photochem. and Photobiol. **6**, 29 (1967).

Tab. 53. (1. Fortsetzung)

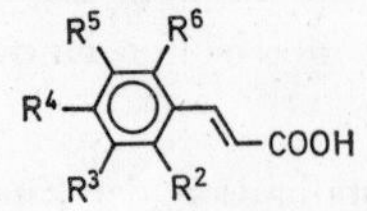

R⁵, R⁶, R⁴, R³, R² phenyl-CH=CH-COOH	Modi-fika-tion	Reak-tions-dauer [Tage]	Produkt ...-cyclobutan	Aus-beute [% d.Th.]	F [°C]	Lite-ratur
R^4=Br	β	60	t-3,t-4-Bis-[4-brom-phenyl]-r-1,c-2-dicarboxy-...	90	219–220	1
R^2=OH	α	21	c-2,t-4-Bis-[2-hydroxy-phenyl]-r-1,t-3-dicarboxy-...	90	320	1, 2
R^3=OH	α	27	c-2,t-4-Bis-[3-hydroxy-phenyl]-r-1,t-3-dicarboxy-...	76	284	1
R^4=OH	α	27	c-2,t-4-Bis-[4-hydroxy-phenyl]-r-1,t-3-dicarboxy-...	78	340 (Zers.)	1
R^2=OCH₃	α	32	c-2,t-4-Bis-[2-methoxy-phenyl]-r-1,t-3-dicarboxy-...	83	264–265	1, 2
R^2=OC₂H₅	α	26	c-2,t-4-Bis-[2-äthoxy-phenyl]-r-1,t-3-dicarboxy-...	93	285–287	1, 2
	β	26	t-3,t-4-Bis-[2-äthoxy-phenyl]-r-1,c-2-dicarboxy-...	90	210–212	1
	γ		keine Reaktion	–		1
R^2=NO₂	β	49	t-3,t-4-Bis-[2-nitro-phenyl]-r-1,c-2-dicarboxy-...	27	225–227	1
R^3=NO₂	β	21	t-3,t-4-Bis-[3-nitro-phenyl]-r-1,c-2-dicarboxy-...	60	205,5–206,5	1
R^4=NO₂	β	28	t-3,t-4-Bis-[4-nitro-phenyl]-r-1,c-2-dicarboxy-...	70	219–221	1
R^2=R^4=Cl	β	90	t-3,t-4-Bis-[2,4-dichlor-phenyl]-r-1,c-2-dicarboxy-...	78	230–232	1
R^2=R^6=Cl	β	90	t-3,t-4-Bis-[2,6-dichlor-phenyl]-r-1,c-2-dicarboxy-...	70	237	1
R^3=R^4=Cl	β	90	t-3,t-4-Bis-[3,4-dichlor-phenyl]-r-1,c-2-dicarboxy-...	60	146–147	1
R^2=OCH₃ R^5=Cl	β	42	t-3,t-4-Bis-[5-chlor-2-methoxy-phenyl]-r-1,c-2-dicarboxy-...	85	242–245	1
R^2=OH R^5=Br	β	45	t-3,t-4-Bis-[5-brom-2-hydroxy-phenyl]-r-1,c-2-dicarboxy-...	30	201–202	1
R^2=OCH₃ R^5=Br	β	10	t-3,t-4-Bis-[5-brom-2-methoxy-phenyl]-r-1,c-2-dicarboxy-...	50	241–244	1

[1] M. D. Cohen, G. M. J. Schmidt u. F. I. Sonntag, Soc. 1964, 2000.
[2] H. Stobbe u. K. Bremer, J. pr. 123, 1 (1921).

Tab. 53. (2. Fortsetzung)

Zimtsäure-Derivat	Modifikation	Reaktionsdauer [Tage]	Produkt ...-cyclobutan	Ausbeute [% d.Th.]	F [°C]	Literatur
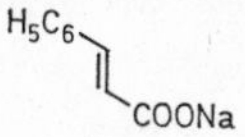 H_5C_6—CH=CH—COONa	fest		*Dinatrium-c-2,t-4-diphenyl-cyclobutan-r-1,t-3-dicarboxylat*			1
			Dinatrium-t-3,t-4-diphenyl-cyclobutan-r-1,c-2-dicarboxylat			1
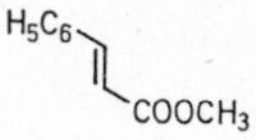 H_5C_6—CH=CH—COOCH$_3$	fest		*c-2,t-4-Diphenyl-r-1,t-3-dimethoxycarbonyl-...*			2
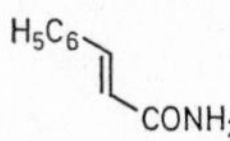 H_5C_6—CH=CH—CONH$_2$	fest		*c-2,t-4-Diphenyl-r-1,t-3-diaminocarbonyl-...*	75		2
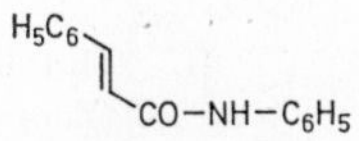 H_5C_6—CH=CH—CO—NH—C$_6$H$_5$	fest		keine Reaktion	–		1
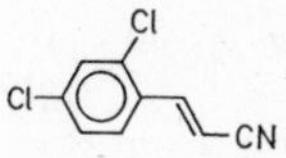 Cl$_2$C$_6$H$_3$—CH=CH—CN	β		*t-3,t-4-Bis-[2,4-dichlor-phenyl]-r-1,c-2-dicyan-...*			3
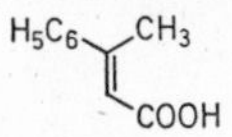 H_5C_6—C(CH$_3$)=CH—COOH	fest		*c-2,t-4-Diphenyl-2,4-dimethyl-r-1,t-3-dicarboxy-...* und andere Produkte			3, 4
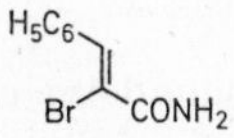 H_5C_6—C(Br)=CH—CONH$_2$	α		*r-1,t-3-Dibrom-c-2,t-4-diphenyl-1,3-diaminocarbonyl-...*			5, 6
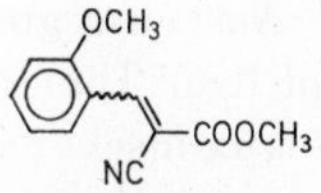 OCH$_3$-C$_6$H$_4$—CH=C(NC)—COOCH$_3$	fest		*c-2,t-4-Bis-[2-methoxy-phenyl]-1,3-dimethoxycarbonyl-r-1,t-3-dicyan-...*			1
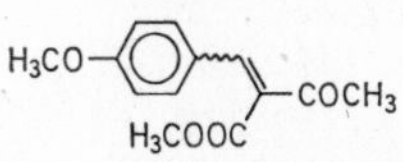 H$_3$CO—C$_6$H$_4$—CH=C(H$_3$COOC)—COCH$_3$	fest		Dimeres			1
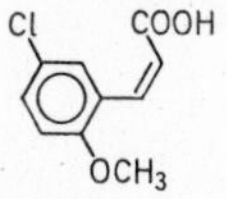 Cl,OCH$_3$-C$_6$H$_3$—CH=CH—COOH	α	40	*t-3,t-4-Bis-[5-chlor-2-methoxy-phenyl]-r-1,c-2-dicarboxy-...*	81	242–245	7

[1] H. STOBBE u. K. BREMER, J. pr. 123, 1 (1921).
[2] H. STOBBE, B. 58, 2859 (1925).
[3] G. M. J. SCHMIDT, Pure Appl. Chem. 27, 647 (1971).
[4] R. STOERMER u. G. FOERSTER, B. 52, 1255 (1919).
[5] M. D. COHEN, G. M. J. SCHMIDT u. F. I. SONNTAG, Soc. 1964, 2000.
[6] G. M. J. SCHMIDT, Soc. 1964, 2014.
[7] J. BREGMAN et al., Soc. 1964, 2021.

Tab. 53. (3. Fortsetzung)

Zimtsäure-Derivat	Modi-fika-tion	Reak-tions dauer [Tage]	Produkt ...-cyclobutan	Aus-beute [% d.Th.]	F [°C]	Lite-ratur
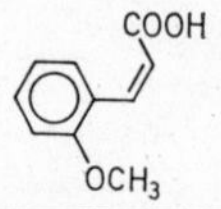 COOH ... OCH₃	F:94°	20	c-2,t-4-Bis-[2-methoxy-phe-nyl]-r-1,t-3-dicarboxy-...	31	264–265	1, 2
	F:89°	20		87		
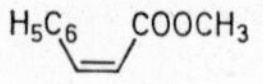 H₅C₆ COOCH₃	fest		c-2,t-4-Diphenyl-r-1,t-3-dimethoxycarbonyl-...		174–175	2
			t-3,t-4-Diphenyl-r-1,c-2-dimethoxycarbonyl-...		76	
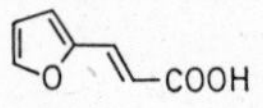 COOH	β	30	t-3,t-4-Difuryl-(2)-r-1,c-2-dicarboxy-...	51	178–179	3
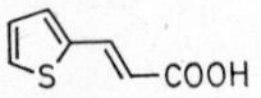 COOH	β	5	t-3,t-4-Dithienyl-(2)-r-1,c-2-dicarboxy-...	80	182–183	3
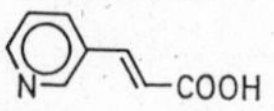 COOH		30	t-3,t-4-Dipyridyl-(3)-r-1,c-2-dicarboxy-...	61	ab 180 (Zers.)	3
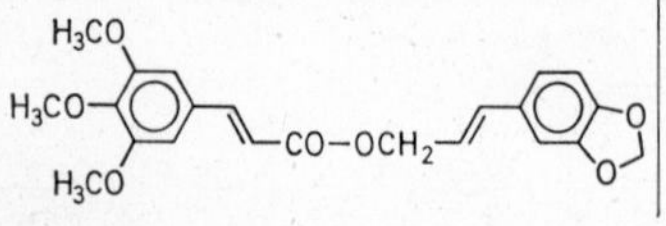 H₃CO H₃CO H₃CO ...CO-OCH₂...	fest	24 Stdn.ᵃ	c-2,t-4-Bis-[3,4,5-trimethoxy-phenyl]-r-1,t-3-bis-[trans-3-(3,4-methylendioxy-phenyl)-allyloxycarbonyl]-...	30	169,5–171	4

ᵃ Bestrahlung von 3 g Substanz mit 450 W Hanovia in einer Quarz-Apparatur.

Während einfache Zimtsäure-Derivate in Lösung kaum photochemische Dimerisierungen ermöglichen (s. S. 316), gelingt dies bei einigen bifunktionellen Derivaten meist intra-molekular, bei den Verbindungen I und III jedoch mit 30%iger Ausbeute auch inter-molekular (5%ige Lösung in Acetonitril; $\lambda = 350$ nm)[5,6]. Das Kopf/Kopf-Dimere II von 1,2-Bis-[trans-2-äthoxycarbonyl-vinyl]-benzol (I) hat β-truxinische Struktur:

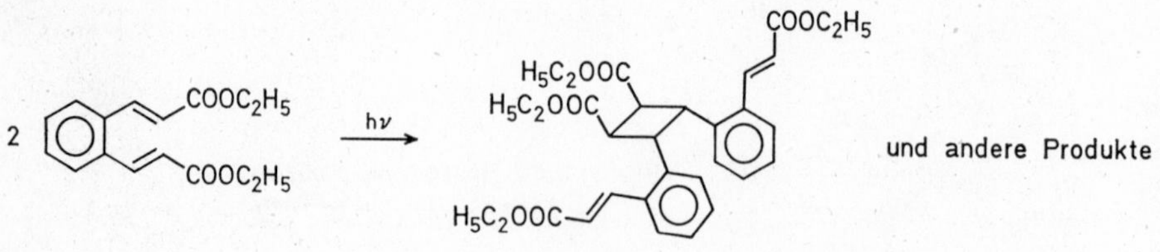

t-3,t-4-Bis-[2-(trans-2-äthoxycarbonyl-vinyl)-phenyl]-r-1,c-2-diäthoxycarbonyl-cyclobutan; 30% d.Th.

[1] J. Bregman et al., Soc. 1964, 2021.
[2] H. Stobbe u. K. Bremer, J. pr. 123, 1 (1921).
[3] M. Lahav u. G. M. J. Schmidt, Soc. [B] 1967, 239.
[4] L. H. Klemm et al., J. Org. Chem. 31, 3003 (1966).
[5] D. F. Tavares u. W. H. Ploder, Tetrahedron Letters 1970, 1567.
[6] Ein ähnliches Beispiel ist bei den exocyclischen Dienen (S. 310) aufgeführt.

Bei den intramolekularen Beispielen sind die beiden Carbonsäure-Funktionen entweder direkt oder über Methylen-Gruppen miteinander verbunden. trans-Zimtsäure-imid (III) liefert in guter Ausbeute t-3,t-4-Diphenyl-cyclobutan-r-1,c-2-dicarbonsäure-imid (IV; β-Truxinimid; 46% d.Th.; F: 225–227°)[1]. Durch Photolyse von 1,3-Di-trans-cinnamoyloxy-propan (V) (1% in Cyclohexan) werden zwei isomere Cyclobutan-Derivate VI erhalten[2], aus denen durch Verseifung 57% d.Th. β-Truxinsäure (F: 210°) und 7% d.Th. der schwieriger zugänglichen δ-Truxinsäure (F: 175°) synthetisierbar sind:

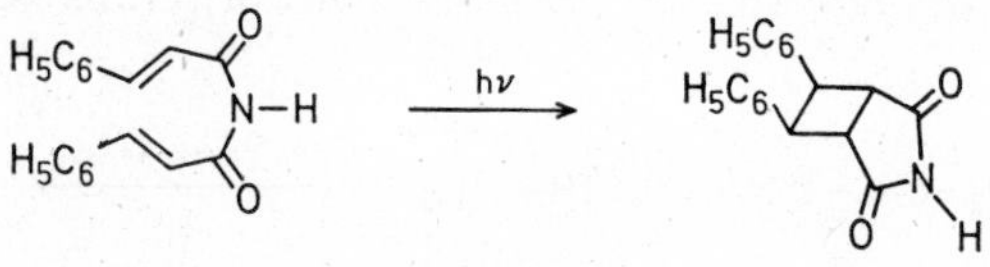

III   IV

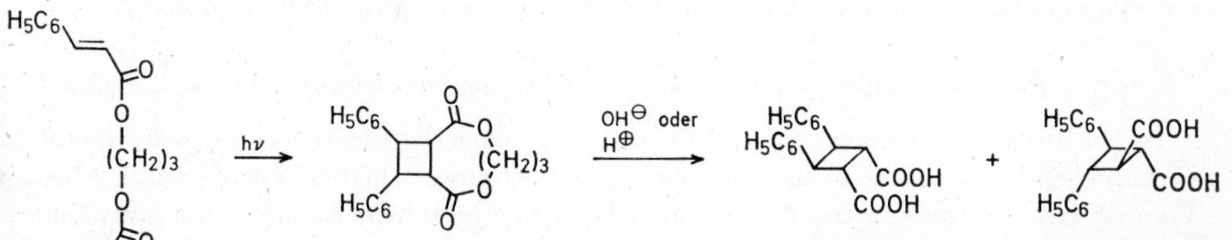

V   VI
2 Isomere

t-3,t-4-Diphenyl-r-1,c-2-dicarboxy-cyclobutan

c-3,t-4-Diphenyl-r-1,t-2-dicarboxy-cyclobutan

t-3,t-4-Diphenyl-cyclobutan-r-1,c-2-dicarbonsäure-imid (IV)[1]: 1,01 g (3,6 mMol) trans-Zimtsäure-mid werden in 400 ml entgastem wasserfreien 1,2-Dimethoxy-äthan unter Vakuum bei 10—15° mit einem 275 W Quecksilber-Mitteldruck-Brenner (General Electric AH-4) durch ein Pyrex-Filter belichtet. Nach 113 Stdn. sind 96% des Ausgangsmaterials umgesetzt. Das Lösungsmittel wird i. Vak. abdestilliert und der Rückstand mehrfach aus Cyclohexan/Aceton umkristallisiert, wobei 202 mg β-Truxinimid F: 225–227°) anfallen. Durch Chromatographie der Mutterlaugen an aktiviertem Kieselgel mit Butanol-(2) in Chloroform und anschließend 1% Methanol in Chloroform lassen sich weitere 266 mg isolieren; Gesamtausbeute: 468 mg (46% d.Th.).

1,4-Bis-[2-carboxy-vinyl]-benzol und davon abgeleitete Ester sowie 1,2-Dicinnamoyloxy-äthan und 1,4-Dicinnamoyloxy-butan polymerisieren bei der Belichtung der Kristalle unter Bildung von Cyclobutan-Einheiten[3]. Das gleiche gilt für 1,4-Bis-[2-propyloxy-carbonyl-2-cyan-vinyl]-benzol:

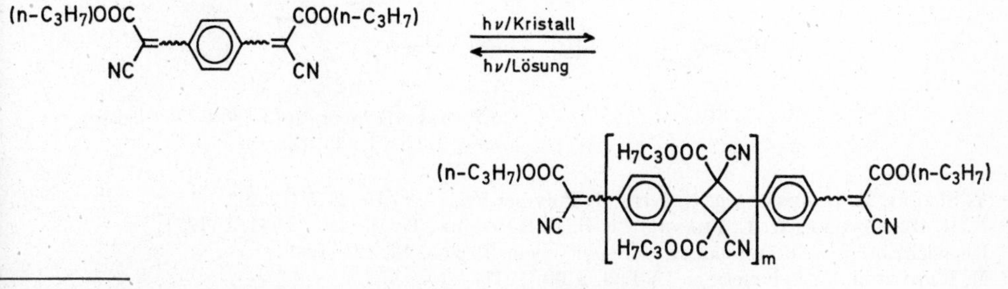

[1] R. T. LALONDE u. C. B. DAVIS, Canad. J. Chem. **47**, 3250 (1969).
[2] M. FREEDMAN et al., Organic Preparations and Procedures, **1**, 267 (1969).
[3] J. RENNERT et al., Am. Soc. **94**, 7242 (1972).
[4] Übersicht in: J. L. R. WILLIAMS, Fortschr. chem. Forsch. **13**, 227 (1969).

Die Belichtung der Kristalle ($\lambda > 360$ nm) führt zu Oligomeren, aus welchen mit kürzerwelligem Licht ($\lambda = 304$ nm) Hochpolymere erzeugt, oder welche in Äthanol ($\lambda = 254$ nm) wieder zum Monomeren abgebaut werden[1]. Die Belichtung ($\lambda = 254$ nm) von Zimtsäureestern, welche durch Behandlung von Baumwolle mit Zimtsäurechlorid entstehen, bewirkt eine Änderung der Festigkeit des Materials[2]. Schließlich kann die zumindest teilweise unter Vierring-Bildung verlaufende Photovernetzung fester Polyvinyl-zimtsäure-ester (oder -amide) zur Bild-Erzeugung dienen. Dabei sind sowohl direkte als auch sensibilisierte (nach Einbau von Sensibilisatoren wie Michlers Keton) Anregung wirkungsvoll[3]. Hohe Bildauflösungen werden mit Poly-2-vinyloxy-äthyl-zimtsäure-ester erreicht[4].

Dieser scheint dem gebräuchlichen Photo-Widerstand Poly-vinyl-zimtsäure-ester überlegen zu sein. Auch weitere lichtempfindliche lösliche Polymere können durch kationische Polymerisation aus den entsprechenden Monomeren synthetisiert werden[4].

γ_3) *1-Phenyl-cycloalkene und benzocyclische konjugierte Olefine ohne Oxo-Funktion*

Da bei Ringen bis zu einer Gliederzahl von etwa 7 nach der Lichtanregung keine quantenverbrauchenden *cis-trans*-Isomerisierungen konkurrieren, ist zu erwarten, daß günstige Voraussetzungen für Vierring-Bildungen in Lösungen bestehen. Tatsächlich erhält man bei verschiedenen Benzocyclen hohe Dimeren-Ausbeuten, jedoch verhindern Polymerisationsneigung und Additionsreaktionen vielfach die Bildung von Photodimeren bei cyclischer Styrol-Abkömmlingen. So liefert 1-Phenyl-cyclopenten bei der Belichtung in Methanol (0,1 Mol/l; 100 W Quecksilber-Hochdruck-Brenner; Quarz; 10 Stdn.) auch bei Gegenwart von Schwefelsäure zwei Dimere in mittleren Ausbeuten neben Polymeren[5]:

Diphenyl-tricyclo [5.3.0.0²,⁶]*decan*, 2 Isomere;
25% d.Th.; F: 186° und 12% d.Th.; Öl

Bei größeren Ringen nimmt jedoch die Polymerisationsneigung zu[5,6]. Aus 1-Phenylcyclohexen entsteht noch ein Dimeres unbestimmter Struktur (46%, bez. auf Umsatz) neben Phenyl-cyclohexan und zwei Methanol-Addukten[7]. Sonst werden Methanol-Addukte, aber keine Dimeren, isoliert[5,6]. Diese Schwierigkeiten sind sogar bei der intramolekularen Reaktion von 3,7-Diphenyl-bicyclo[3.3.0]octadien-(2,7) (Quantenausbeute $\varphi = 0,025$)[8] vorhanden:

3,7-Diphenyl-tetracyclo [3.3.0.0²,⁸.0³,⁷]*octan*;
85% d.Th.; F: 75° (Zers.)

[1] Y. Suzuki, M. Hasegawa u. N. Kita, J. Polymer Sci. [A-1] **10**, 2473 (1972).
[2] N. R. Bertoniere, W. E. Franklin u. S. P. Rowland, Textile Res. J. **41**, 1 (1971).
[3] Übersicht in: J. L. R. Williams, Fortschr. chem. Forsch. **13**, 227 (1969).
[4] M. Kato et al., J. Polymer Sci. [A-1] **9**, 2109 (1971).
[5] M. Tada u. H. Shinozaki, Bl. chem. Soc. Japan **43**, 1270 (1970).
[6] P. J. Kropp, Am. Soc. **91**, 5783 (1969).
[7] H. M. Rosenberg u. M. P. Servé, J. Org. Chem. **37**, 141 (1972).
[8] G. Kaupp u. K. Krieger, Ang. Ch. **84**, 719 (1972).

Zur Vermeidung von Polymerisation und Additionen muß bei starker Verdünnung in einem inerten Lösungsmittel belichtet werden. Photochemische Folgereaktionen lassen sich bei selektiver Anregung vermeiden.

Auch bei benzocyclischen Olefinen wie Inden muß mit Polymerisation[1] gerechnet werden. Das Hauptproblem bei der direkten Belichtung scheint jedoch die Notwendigkeit selektiver Inden-Anregung zu sein, denn das überwiegend entstehende Dimere I (UV-Absorption in CH_3CN: $\lambda_{max} = 255$ sh; 262; 268,5; 275 nm)[2] ist sehr lichtempfindlich. Seine Photolyse führt bereits bei $-190°$ [Äther/Äthanol-(2:1)-Glas; $\lambda = 254$ nm] neben Inden zu weiteren längerwellig absorbierenden Produkten[2]. Tatsächlich läßt sich die Polymeren-Bildung bei möglichst langwelliger Anregung unverdünnten Indens deutlich zurückdrängen. Man erhält *Dibenzo-anti-tricyclo [5.3.0.0²,⁶]decadien-(3,9)* (I; 11% d.Th.; F: 110–112°) und wenig *Dibenzo-anti-tricyclo [5.3.0.0²,⁶]decadien-(3,8)* (II; F: 142–144°) bei 30% Umsatz[2]:

I   Kopf/Kopf-*anti*   II   Kopf/Schwanz-*anti*

Meist wird diese Reaktion jedoch bei sensibilisierter Anregung herbeigeführt[3]. Aus den Reaktionsgemischen wurden bisher zwei weitere Inden-Dimere mit F: 61–63° und mit F: 87–89° isoliert, denen auf der Grundlage von NMR-Spektren und Chromsäure-Oxidationsprodukten Kopf/Kopf-*syn*- und Kopf/Schwanz-*syn*-Strukturen (geometrische Isomere von I bzw. II) zugeordnet wurden. Vor allem die Bildung eines Kopf/Kopf-*syn*-Dimeren erscheint jedoch wegen hier sehr ungünstiger sterischer Verhältnisse wenig wahrscheinlich. Insbesondere wurde nicht untersucht, ob bei der photochemischen Dimerisierungsreaktion möglicherweise auch umgelagerte Produkte entstehen, für deren Bildung sich mehrere Wege anbieten. Die relativen Ausbeuten der verschiedenen Photodimeren bei direkter und sensibilisierter Anregung wurden gaschromatographisch bestimmt[3] (s. Tab. 54).

Tab. 54. Relative Verteilung verschiedener Dimerer bei direkter und sensibilisierter Photolyse von Inden

Reaktions-bedingungen	Umsatz	Ausbeute [% d.Th.]	Kopf/Kopf-*anti*-Dimeres (I) F:110–112°	Kopf/Schwanz-*anti*-Dimeres (II) F:142–144°	Dimeres mit F:61–63°	Kopf/Schwanz-*syn*-Dimeres F:87–89°
mit Benzophenon sensibilisiert	67%	~30%	84	8	3	5
direkte Belichtung durch Pyrex-Filter in Benzol	1%	<0,9%	72	9	14	5

Es zeigt sich, daß vor allem der relative Anteil des Dimeren mit F: 61–63° bei direkter Anregung von Inden gegenüber der sensibilisierten Reaktion stark zunimmt. Hieraus sowie aus Löschversuchen mit

[1] H. STOBBE u. E. FÄRBER, B. **57**, 1838 (1924).
[2] G. KAUPP, unveröffentlicht; auch die Belichtung von I bei 20° (Hanau Q-81, Pyrex-Filter) führt neben Inden zu weiteren Produkten.
[3] W. METZNER u. D. WENDISCH, A. **730**, 111 (1969); dort Hinweise auf weitere Arbeiten.

Pentadien-(1,3) wird geschlossen, daß Triplett-Inden bevorzugt I und elektronisch angeregtes Singulett-Inden bevorzugt das Dimere mit F: 61–63° bildet[1].

Dibenzo-anti-tricyclo[5.3.0.0²,⁶]decadien-(3,9) (I) und Dibenzo-anti-tricyclo[5.3.0.0²,⁶] decadien-(3,8) (II) (S. 223):

Direkte Belichtung[2]: 30 g frisch i. Vak. destilliertes Inden werden 50 Stdn. unter Stickstoff mit einem Quecksilber-Hochdruck-Brenner (Hanau Q 81) durch ein Filterglas [Wertheim UVW-55; % Transmission: <1 ($\lambda = 315$ nm); 12,5 (334); 31 (365); <1 (410)] bei 20° belichtet. Man destilliert 21 g (70%) unverbrauchtes Inden i. Vak. ab und erhält nach Filtration durch 50 g Kieselgel mit 500 ml Tetrachlormethan 6,5 g einer Dimeren-Fraktion, aus welcher nach Zugabe von 50 ml Methanol 1,8 g des Kopf/Kopf-anti-Dimeren I (F: 110–112°) kristallisieren. Aus der Mutterlauge lassen sich durch Chromatographie an Aluminiumoxid (neutral, Akt. Stufe 1) mit Cyclohexan weitere 1,4 g I (zus. 3,2 g, 11% d.Th.) und nach verlustreicher wiederholter Chromatographie geringe Mengen des Kopf/Schwanz-anti-Dimeren II (F: 142–143°) gewinnen. Ob es sich bei den z. T. kristallinen übrigen Produkten ausschließlich um Inden-Dimere mit einem Cyclobutan-Ring handelt, ist noch nicht geklärt[3].

Sensibilisierte Anregung[1,4]: Zwei Lösungen von 150 ml (zus. ~ 300 g) Inden und 3 g Benzophenon werden unter Stickstoff jeweils 54 Stdn. mit einem Quecksilber-Hochdruck-Brenner (Philips HPK 125 W) durch ein Pyrex-Filter bestrahlt. Absaugen der ausgefallenen Kristalle ergibt 88,1 g (29,5% d.Th.) Kopf/Kopf-anti-Dimeres I (F: 110–112°, aus Äthanol). Aus dem Filtrat werden i. Vak. (0,15 Torr) 98,7 g nicht umgesetztes Inden abdestilliert. Der Rückstand wird mit der alkoholischen Mutterlauge der Kristallisation von I vereinigt und nach Entfernen des Lösungsmittels zweimal über eine 1,5 m lange Aluminiumoxid-Säule (Akt. Stufe 2–3) mit Petroläther (Kp: 40–60°) chromatographiert. Nach öligen Fraktionen mit kristallinen Anteilen werden 1,6 g (0,5%) des Kopf/Schwanz-anti-Dimeren II (F: 142–144°, aus Methanol) gewonnen.

Aus den öligen Fraktionen werden durch präparative Gaschromatographie (Chromosorb G mit 5% Carbowax 20 M, behandelt mit Terephthalsäure; 230°) Kristalle (F: 87–89°; Kopf/Schwanz-syn-Dimeres von Inden) und eine Mischfraktion aus 60% Kopf/Schwanz-syn-Dimerem und 40% eines weiteren Dimeren [Kopf/Kopf-syn-(?)] erhalten.

Mehrere am Fünfring substituierte Inden-Derivate wurden photochemisch dimerisiert. Dabei konnte gezeigt werden, daß sich wie beim Grundstoff bevorzugt die Kopf/Kopf-anti-Anordnung ausbildet (s. Tab. 55, S. 325). Das gleiche gilt für heterocyclische Verbindungen wie Cumaron und Benzo-[b]-thiophen-1,1-dioxid, die ausführlich S. 552ff. abgehandelt werden.

Wie die benzokondensierten Cyclopentadiene eignen sich auch entsprechende Cyclohexadiene zur photochemischen Dimerisierung. 1,2-Dihydro-naphthalin wurde vor allem im Hinblick auf Umlagerungsreaktionen bei direkter Anregung untersucht[5], jedoch gelingt auch die mit Benzophenon oder mit ^{60}Co-γ-Strahlen in Benzol sensibilisierte Dimerisierung zum Kopf/Kopf-anti-Dimeren III[6]:

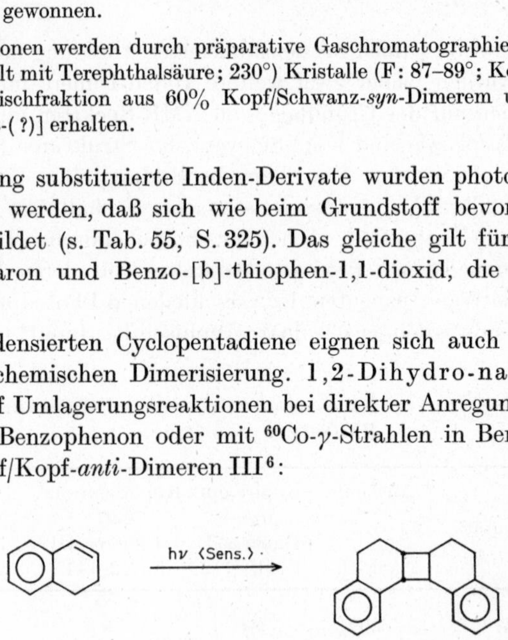

III; *Dibenzo-anti-tricyclo [6.4.0.0²,⁷]dodecadien-(5,9)*; F: 70–71°

---

[1] W. METZNER u. D. WENDISCH, A. **730**, 111 (1969).

[2] G. KAUPP, unveröffentlicht.

[3] Bei direkter Belichtung von Inden in Benzol (durch Pyrex) mit 0,11 Mol/l Pentadien-(1,3) werden 0,6% eines Dimeren (F: 61–63°) chromatographisch isoliert, dem Kopf/Kopf-syn-Cyclobutan-Struktur zugeschrieben wird; W. METZNER, Privatmitteilung (1974) und l.c.[1].

[4] Bei Sensibilisierung mit Michlers Keton werden 25% d.Th. des Kopf/Kopf-anti-Dimeren I (F: 112°) isoliert und durch Erhitzen auf 260° zu hochreinem Inden (60% d.Th.) rückgespalten: Belg. P 630110 (1963), Studienges. Kohle mbH; C. A. **60**, 15801g (1964).

[5] S. z. B.: H. HEIMGARTNER et al., Helv. **54**, 2313 (1971).

[6] C. H. KRAUCH, W. METZNER u. G. O. SCHENCK, Naturwiss. **50**, 710 (1963).

Damit verwandt sind Photodimerisierungen von 1-Hydroxy-isochinolin, 2-Hydroxy-chinolin und Chinolin-N-oxiden, von 2-Oxo-2H-⟨1-benzopyran⟩ und zahlreichen Derivaten[1,2], die auf S. 586ff., 616ff. zusammengestellt sind.

Tab. 55. Photodimerisierung benzocyclischer Olefine

benzocyclisches Olefin	Bestrahlungs-bedingungen	Produkte	Ausbeute [% d.Th.]	F [°C]	Literatur
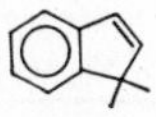 1,1-Dimethyl-inden	in Äthanol; 450 W Hg-Hochdruck-Brenner; ohne Filter	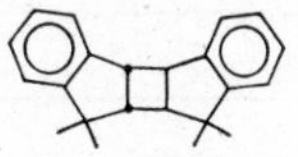 7,7,10,10-Tetrame-thyl-⟨dibenzo-anti-tricyclo[5.3.0.0²,⁶]decadien-(3,9)⟩	43	Öl	3
		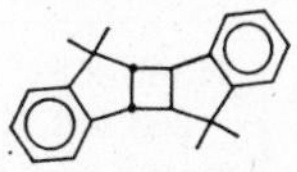 7,7,14,14-Tetrame-thyl-⟨dibenzo-anti-tricyclo[5.3.0.0²,⁶]decadien-(3,8)⟩	7	92–95	
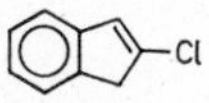 2-Chlor-inden	7,5 g; 2 g Benzo-phenon; 100 ml Benzol; 8 Fluores-zenz-Lampen (λ = 350 nm); Pyrex-Gefäß; 25 Stdn.	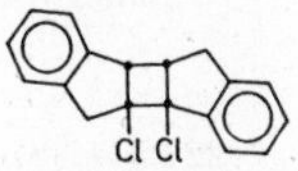 1,2-Dichlor-⟨dibenzo-syn-tricyclo[5.3.0.0²,⁶]decadien-(3,8)⟩[a]	14,5	115	4
		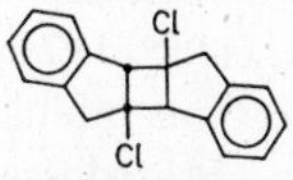 1,8-Dichlor⟨dibenzo-anti-tricyclo[5.3.0.0²,⁶]de-cadien-(3,8)⟩[b]	13,5	173	4
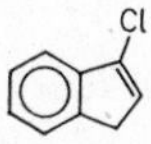 3-Chlor-inden	2,3 g; 0,2 g Benzo-phenon; 5 ml Benzol; Hg-Hoch-druck-Brenner; Pyrex-Filter; 0°; 8 Stdn.	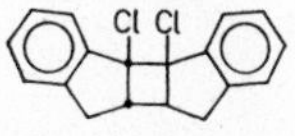 2 Kristall-Modifikati-onen:1,2-Dichlor-⟨dibenzo-anti-tricyclo[5.3.0.0²,⁶]-decadien-(3,9)⟩	21	169–170 und 180–181	4

[a] Diese Struktur ist noch nicht endgültig gesichert; das NMR-Spektrum steht auch im Einklang mit einer Kopf/Kopf-*syn*-Orientierung (vgl. S. 323) ohne Halogen-Wanderung (rel. Ausb. = 56%; F: 115–116°)[5].

[b] Diesem Dimeren läßt sich auch die Kopf/Kopf-*anti*-Struktur zuordnen (rel. Ausb. = 29%; F: 175 – 176°)[5]; ein drittes Dimeres[6] besitzt laut NMR-Zuordnung die Kopf/Schwanz-*syn*-Struktur (rel. Ausb. = 15%; F: 118–120°)[5].

[1] O. BUCHARDT, J. BECHER u. C. LOHSE, Acta chem. scand. 19, 1120 (1965).

[2] M. ISHIKAWA et. al., Chem. Pharm. Bull. (Tokyo) 14, 1102 (1966).

[3] Wegen intramolekularer Beispiele vgl. L. LEENDERS u. F. C. SCHRYVER, Ang. Ch. 83, 359 (1971).

[4] J. McCULLOUGH, Canad. J. Chem. 46, 43 (1968).

[5] G. W. GRIFFIN u. U. HEEP, J. Org. Chem. 35, 4222 (1970).

[6] W. METZNER, Privatmitteilung, September 1974.

W. METZNER u. D. WENDISCH, A. 730, 111 (1969).

δ) Stilben und verwandte Diaryl-äthylene

Die verhältnismäßig langwellige Absorption des Stilben-Chromophors ermöglicht in der Regel eine selektive direkte Anregung auch im präparativen Maßstab, weil die entstehenden Cyclobutan-Derivate deutlich kürzerwellig und weniger intensiv absorbieren. Charakteristische Absorptionsdaten sind in Tab. 56 aufgeführt.

Tab. 56. UV-Absorptionen von Stilben, seinen Photodimeren und 1,2-Diphenyl-cyclobuten

Verbindung	Lösungsmittel	λ_{max} nm (log ε)	Literatur
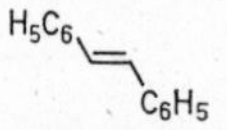 H_5C_6—=—C_6H_5	95% Äthanol	226sh (4,19); 229 (4,215); 237sh (4,05); 296 (4,46); 308 (4,455); 320sh (4,25)	1
 H_5C_6—=—C_6H_5	Äthanol	224 (4,34); 277 (4,02)	1
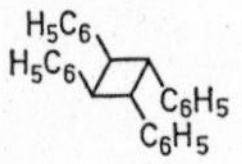 H_5C_6, H_5C_6 / C_6H_5 C_6H_5	95% Äthanol	243sh (2,81); 250,5 (2,85); 255 (2,94); 260,5 (3,01); 263,5 (2,97); 266 (2,89); 270,5 (2,85)	2
	Cyclohexan	251 (2,845); 255 (2,96); 261 (3,02); 264sh (2,97); 267 (2,90); 271 (2,84)	1
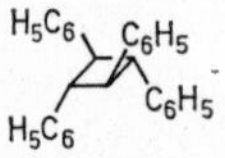 H_5C_6, C_6H_5 / C_6H_5 H_5C_6	95% Äthanol	243sh (3,00); 250 (2,91); 255 (2,98); 260 (3,04); 263sh (3,01); 266sh (2,94); 270,5 (2,89)	2
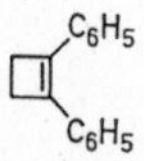 ☐ C_6H_5 C_6H_5	Isooctan	227,5 (4,38); 236sh (4,13); 297 (4,265); 307sh (4,24); 322sh (4,035)	3

Nach der Lichtanregung von *trans*-Stilbenen (I) konkurrieren prinzipiell Lumineszenz und die Bildung der *cis*-Isomeren (II) (s. S. 197ff.) mit der Dimerisierung zu III. Demgegenüber ließen sich bei der Belichtung von offenkettigen *cis*-Stilbenen (II) bisher keine Dimerisierungsreaktionen nachweisen. Stattdessen beobachtet man schnelle *cis-trans*-Isomerisierung (für *cis*-Stilben gilt dies auch bei −190° in einem Äther/Äthanol-[2:1]-Glas[4] und reversible Cyclisierung zu IV, aus welchem durch Oxidation sehr leicht die Phenanthrene V entstehen (s. S. 191ff.):

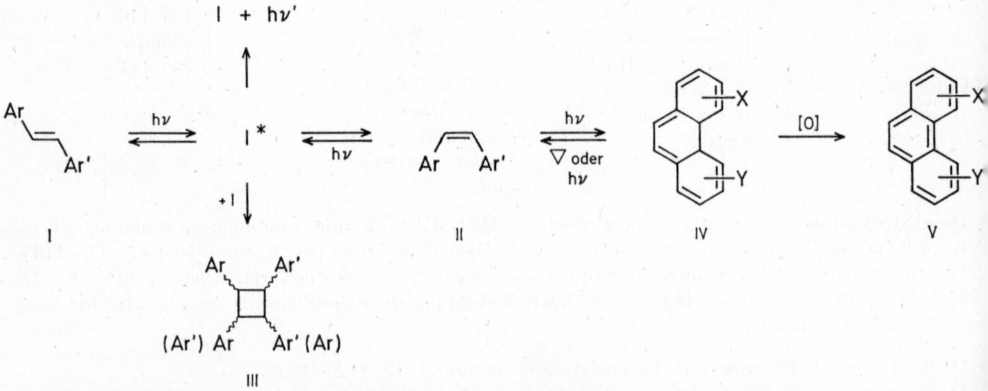

[1] H. H. Perkampus, I. Sandeman u. C. J. Timmons, *DMS UV-Atlas organischer Verbindungen*, Bd. V Butterworths und Verlag Chemie 1971.
[2] G. Kaupp, unveröffentlicht; die Spektren wurden bei einer Auflösung von 0,5 nm gemessen.
[3] M. A. Battiste u. M. E. Burns, Tetrahedron Letters 1966, 523.
[4] G. Kaupp, unveröffentlicht.

Das Ausbleiben der Dimerisierungsreaktion offenkettiger *cis*-Stilbene wurde für den nicht fluoreszierenden Grundstoff auf die geringe Lebensdauer von $\sim 10^{-12}$ Sek. des elektronisch angeregten Singulett-Zustands zurückgeführt. In Methanol bei 20° kann ein derartiges Teilchen vor seiner Desaktivierung im Mittel nur 0,5 Å zurücklegen. Der mittlere Molekülabstand ist jedoch viel größer und beträgt selbst in der Schmelze noch 5 Å[1].

Darüber hinaus ist in Mischungen aus *cis*- und *trans*-Stilben auch eine Cyclobutan-Bildung durch Angriff des elektronisch angeregten *trans*-Isomeren auf nicht angeregtes *cis*-Stilben wahrscheinlich wegen sterischer Hinderung der Annäherung auszuschließen. Insbesondere wird die Fluoreszenz von *trans*-Stilben nicht durch gleichzeitig anwesendes *cis*-Stilben gelöscht, während bei der Photodimerisierung von reinem *trans*-Stilben eine starke Konzentrationslöschung der Fluoreszenz beobachtet wird[1].

Diese Ergebnisse legen einen Singulett-Mechanismus nahe, erklären, weshalb nicht alle möglichen stereoisomeren Cyclobutan-Derivate gebildet werden und lassen verstehen, daß die Photodimerisierungen in den verschiedensten Lösungsmitteln gelingen (z. B. Alkane, Benzol, chlorierte Kohlenwasserstoffe, Äther, Tetrahydrofuran, Acetonitril, Dimethylformamid, Alkohole, bisweilen Wasser)[2].

δ_1) *symmetrisch substituierte Stilbene*

Bei Stilben und symmetrisch substituierten Stilbenen ist im Prinzip die Bildung von vier stereoisomeren Cyclobutan-Derivaten (VI–IX) möglich:

VI	VII	VIII	IX
r-1,c-2,t-3,t-4-	*r-1,t-2,c-3,t-4-*	*r-1,c-2,c-3,t-4*	*r-1,c-2,c-3,c-4-*
	Tetraphenyl-cyclobutan		

Die Belichtung konzentrierter Lösungen von **trans-Stilben** I führt jedoch nach sehr schneller Einstellung eines von den Bestrahlungsbedingungen abhängigen Gleichgewichts I $\rightleftarrows$ II nur zu den Isomeren *r-1,c-2,t-3,t-4-* und *r-1,t-2,c-3,t-4-Tetraphenyl-cyclobutan* (VI; F: 162–164° und VII; F: 152–153°), welche durch Zusammentritt zweier *trans*-Stilben-Einheiten gebildet werden. Die Derivate VIII und IX konnten niemals nachgewiesen werden.

r-1,c-2,t-3,t-4- und r-1,t-2,c-3,t-4-Tetraphenyl-cyclobutan (VI und VII)[4,5]: 136 g (0,76 Mol) *trans*-Stilben in 1 *l* Benzol werden in einem Quarzgefäß mit zwei externen UV-Lampen 2 Monate belichtet. Das Lösungsmittel wird teilweise abgedampft und durch Äther sowie Äthanol ersetzt. Nach 12–14 Tagen filtriert man 36,5 g (27%) Kristalle ab, wäscht diese mit Äther und erhält nach fraktionierter Kristallisation aus Äther/Äthanol 18 g (13% d. Th.) VI (F: 163°) sowie 5 g (4% d. Th.) VII (F: 150°) neben einer Mischfraktion der beiden Isomeren. Durch weitere fraktionierte Kristallisation mit Äther oder Benzol/Äthanol bzw. Äther/Äthanol läßt sich die Ausbeute erhöhen. Manchmal empfiehlt es sich, *cis*- und *trans*-

[1] H. STEGEMEYER, Chimia **19**, 536 (1965).
[2] *trans*-Stilben I (dasselbe gilt für II) dimerisiert nicht bei der Belichtung der Kristalle[1], offenbar weil die Doppelbindungsabstände (bei I: 6,80 Å)[3] zu groß sind, jedoch wurden Beispiele bekannt, bei welchen dank günstigerer Kristallstruktur topochemisch kontrollierte Dimerisierungen gelingen (s. S. 330 und Tab. 56, S. 337 ff.).
[3] J. M. ROBERTSON u. I. WOODWARD, Pr. roy. Soc. [A] **162**, 568 (1937).
[4] H. SHECHTER, W. J. LINK u. G. V. D. TIERS, Am. Soc. **85**, 1601 (1963).
[5] G. KAUPP u. R. DYLLICK-BRENZINGER, unveröffentlichte Versuche.

Stilben- sowie Phenanthren-Beimengungen vor der Kristallisation in verdünnter Stickstoff-Atmosphäre abzudestillieren (Kp$_2$: 110–170°).

Vor allem bei kleineren Ansätzen und zur Gewinnung eines definierten Isomeren-Verhältnisses sind selektive Stilben-Anregung und modifizierte Aufarbeitung günstig[1]: 10 g (0,056 Mol) trans-Stilben in 250 ml Benzol werden unter Stickstoff 1 Woche mit einem Quecksilber-Hochdruck-Brenner (Hanau Q 81) durch ein Pyrex-Filter bei 20° belichtet. Nach Verdampfen des Lösungsmittels erhält man laut NMR-Analyse 47% d.Th. VI und 23% d.Th. VII. Geringe Mengen Phenanthren sowie nicht umgesetztes cis- und trans-Stilben werden mit Wasserdampf abdestilliert. Der Rückstand (7,0 g) wird an der hundertfachen Menge mit Silbernitrat imprägniertem Kieselgel chromatographiert (Laufmittel: Benzol/Cyclohexan = 1:1). Man erhält 1,05 g (10% d.Th.) VII (F: 152–153°; aus Äther) sowie 3,85 g (39% d.Th.) VI (F: 162–164°; aus Äther) neben Mischfraktionen.

Verdünnte Lösungen von VI und VII bilden bei der Belichtung ($\lambda = 254$ nm) als Hauptprodukt Stilben (später Phenanthren)[2]. Daneben ließen sich nach Oxidation mit Chloranil 8% 1,2,3-Triphenyl-azulen isolieren[3]. Nur die photochemischen $2\,\sigma \rightarrow 2\,\pi$-Spaltungen verlaufen auch bei –190° [Äther/Äthanol-(2:1)-Glas], wobei VI dreimal schneller reagiert als VII[2]. Es ist naheliegend, all diese Ergebnisse mit der primären Bildung diradikalischer Zwischenprodukte zu deuten, welche bei VI durch Spaltung einer cis-disubstituierten Vierring-Bindung entstehen (vgl. S. 362).

Phenanthren

Bemerkenswert sind die hohen thermischen Stabilitäten von VI und VII. Unter Vakuum werden bei 282° in 10 Min. 50% VI zu trans-Stilben umgesetzt[4]. Das stabilere VII zerfällt bei derselben Temp. in 200 Min. zu weniger als 8%[4].

Bei den Photodimeren symmetrischer Stilben-Derivate wurden die sterischen Verhältnisse nicht in allen Fällen aufgeklärt. Dennoch ist anzunehmen, daß in Lösung die cis-trans-cis- (entspr. VI) und trans-trans-trans-Dimeren (entspr. VII) nebeneinander, wenn auch in unterschiedlichen Verhältnissen gebildet werden. So liefert die Belichtung einer wäßrigen Lösung des d-2-Hydroxy-äthansulfonats von trans-4,4'-Diamidinio-stilben (X) neben der cis-Verbindung als Hauptprodukt das zentrosymmetrische r-1,c-2,t-3,t-4-Dimere XI (66%; Disulfat · 8 H$_2$O; F:280–290°) und nur in geringen Mengen das r-1,t-2,c-3,t-4-Isomere

[1] G. KAUPP u. R. DYLLICK-BRENZINGER. unveröffentlichte Versuche.
[2] G. KAUPP, Ang. Ch. 86, 741 (1974).
[3] M. SAUERBIER, Tetrahedron Letters 1972, 551.
[4] R. DYLLICK-BRENZINGER, Diplomarbeit, Universität Freiburg 1973.

XII[1]. Die **Toxizität** des bei der Behandlung der Schlafkrankheit verwendeten Mittels X nimmt beim Belichten zu[1].

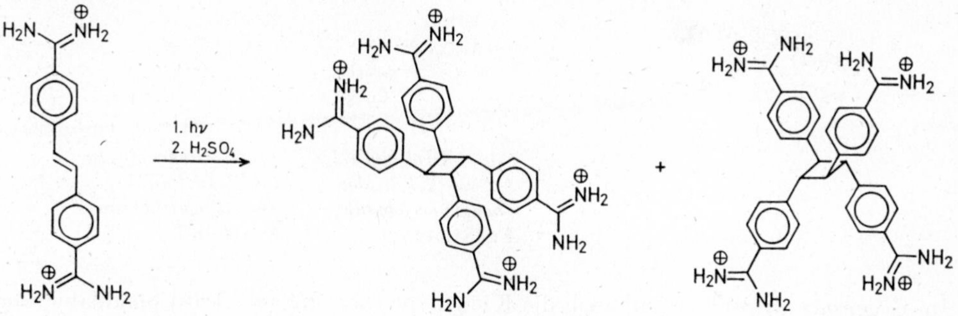

1. hν
2. H_2SO_4

X   XI   XII

r-1,c-2,t-3,t-4-   *r-1,t-2,c-3,t-4-*
Tetrakis-[4-amidino-phenyl]-cyclobutan-disulfat

Weitere Beispiele sind in Tab. 57 (S. 337) angegeben. Sie zeigen, daß die Stilben-Photo-dimerisierung sowohl bei Gegenwart elektronenziehender als auch elektronengebender Substituenten abläuft.

δ_2) *unsymmetrisch substituierte Stilbene*

Aus unsymmetrisch substituierten Stilbenen ist – ohne Zählung verschiedener Enantio-merer – die Bildung von 11 stereoisomeren Cyclobutan-Dimeren denkbar. Von diesen entsprechen 6 einer Kopf/Kopf- und 5 einer Kopf/Schwanz-Dimerisierung. Da offenkettige *cis*-Stilbene, die bei der Belichtung nach kurzer Zeit immer vorhanden sind, keine Dimeri-sierungsreaktion eingehen (vgl. S. 326), entfallen die 4 Kopf/Kopf-Isomeren c–f und die 3 Kopf/Schwanz-Dimeren i–l:

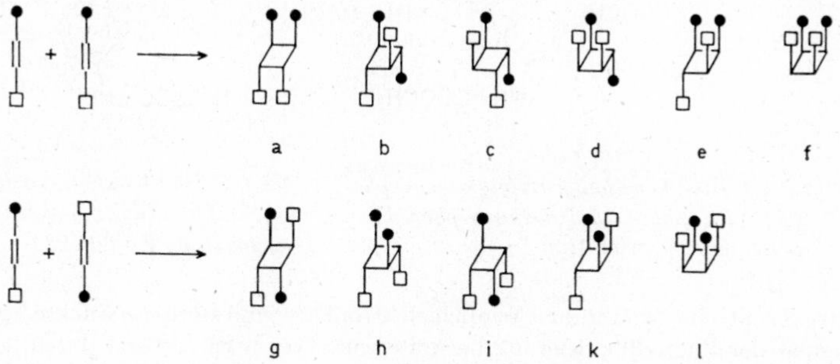

a   b   c   d   e   f

g   h   i   k   l

Welche von den verbleibenden 4 Möglichkeiten (a, b, g, h) tatsächlich wahrgenommen wird, läßt sich nicht ohne weiteres vorhersagen. Die exakte Strukturaufklärung bereitet derzeit noch erhebliche Mühe und die Stereochemie zahlreicher in Tab. 56 (S. 337ff.) auf-geführter Cyclobutan-Derivate ist nicht vollständig aufgeklärt. Die genau bekannten Beispiele legen jedoch nahe, daß die Stilben-Derivate tatsächlich aus der *trans*-Form dimerisieren.

J. D. FULTON u. J. D. DUNITZ, Nature **160**, 161 (1947).
J. D. FULTON, Brit. J. Pharmacol. **3**, 75 (1948); dort weitere Literaturhinweise.

Die Belichtung von trans-2-Phenyl-1-(2,4-dichlor-phenyl)-äthylen I in Lösung führt zu den Kopf/Kopf- und Kopf/Schwanz-Dimeren II und III im Verhältnis 1:1[1].

I

II

t-3,t-4-Diphenyl-r-1,
c-2-bis-[2,4-dichlor-phenyl]-cyclobutan;
F: 181,5–183°

III

c-2,t-4-Diphenyl-r-1,
t-3-bis-[2,4-dichlor-phenyl]-cyclobutan;
F: 159–161°

Im Gegensatz zu Stilben sind auch die Kristalle von I (5° bis −180°) photolabil. Man erhält mit 77% Ausbeute das Kopf/Kopf-Dimere II und nur spurenweise III. Diese topochemisch kontrollierte, bei Anregungen mit $\lambda = 254$ nm reversible Reaktion wird durch die besondere Kristallstruktur ermöglicht (Raumgruppe $P2_1/c$; a = 10,69; b = 3,99; c= 28,38 Å; $\beta = 79°$; D_c (Z = 4) = 1,39; D_m = 1,41 g/cm³). Die zentralen Doppelbindungen liegen entsprechend der kurzen kristallographischen Achse nahe beieinander. Dies wird auch von der unterhalb −93° beobachtbaren Excimer-Fluoreszenz der Kristalle belegt, welche bei −180° mit einer Quantenausbeute $\varphi \sim 0,7$ eintritt[1].

Bei der Belichtung von 4-Methoxycarbonylamino-2′,5′-dimethoxy-trans-stilben (IV) entstehen die beiden Dimeren V und VI in vergleichbaren Mengen. Die Quantenausbeute der Dimerisierung ($\lambda = 365/366$ nm; 0,03 m Lösung in Benzol) beträgt $\varphi \sim 0,06$[2].

IV

V

t-3,t-4-Bis-[4-methoxycarbonylamino-phe-nyl]-r-1,c-2-bis-[2,5-dimethoxy-phenyl]-cyclobutan; F: 103–105°

VI

t-2,t-4-Bis-[4-methoxycarbonylamino-phe-nyl]-r-1,c-3-bis-[2,5-dimethoxy-phenyl]-cyclobutan; F: 223–224°

Für die relative Selektivität sind wahrscheinlich elektronische und sterische Effekte bedeutsam, welche die Geschwindigkeit der Photodimerisierung beeinflussen[2]. Dies wird gestützt durch Ausbeute-Bestimmungen bei partiellem Umsatz unter konstanten Bestrahlungsbedingungen, wenn Anzahl und Stellung von Methoxy-Gruppen und Carbaminsäureester-Resten variiert werden. Sieben weitere Beispiele sind in Tab. 57 (S. 337 ff.) aufgenommen. Es zeigt sich, daß zunehmende Zahl von OCH₃- und p-NHCOOCH₃-Gruppen die Dimerisierung beschleunigt. Dies gilt jedoch nicht für o-NHCOOCH₃-Substituenten.

t-3, t-4-Diphenyl-r-1,c-2-bis-[2,4-dichlor-phenyl]-cyclobutan (II) und c-2, t-4-Diphenyl-r-1, t-3-bis-[2,4-dichlor-phenyl]-cyclobutan (III)[1]: 0,05 m Lösungen von 2,4-Dichlor-trans-stilben in luftfreiem Methanol oder 0,4 molare Lösungen in luftfreiem Benzol werden bei 25° 5 Tage mit "Westinghouse sun lamps" durch ein Pyrex-Filter belichtet. Danach trennt man das Reaktionsgemisch durch Schicht- oder Trockensäulen-Chromatographie an Kieselgel mit Methyl-cyclohexan und erhält neben 2,4-Dichlor-cis-

[1] M. D. Cohen et al., Chem. Phys. Lett. **7**, 486 (1970).
   vgl. S. 315 ff..
[2] H. Ulrich et al., J. Org. Chem. **35**, 1121 (1970).

stilben die aus Chloroform/Methanol kristallisierenden Dimeren II (F: 181,5–183°) und III (F: 159–161°) etwa im Verhältnis 1:1.

Belichtung dünner Kristallschichten von 2,4-Dichlor-*trans*-stilben bei 5° (10 Tage) liefert ein Rohprodukt, welches aus 77% II, Spuren von III und 2,4-Dichlor-*cis*-stilben sowie aus nicht umgesetztem Ausgangsmaterial besteht.

t-3,t-4-Bis-[4-methoxycarbonylamino-phenyl]-r-1,c-2-bis-[2,5-dimethoxy-phenyl]-cyclobutan (V)
und t-2,t-4-Bis-[4-methoxycarbonylamino-phenyl]-r-1,c-3-bis-[2,5-dimethoxy-phenyl]-cyclobutan (VI)[1]:
2 g 4-Methoxycarbonylamino-2′,5′-dimethoxy-*trans*-stilben in 20 *ml* mit Luft oder Stickstoff ges. Benzol werden in einem wassergekühlten Quarz-Gefäß mit einer 8–10 cm entfernten Hanovia 100 W Quecksilber-Lampe 21 Stdn. belichtet. Die dabei gebildeten Kristalle (0,5 g; 25%) werden abfiltriert, mit Benzol gewaschen und aus Essigester umkristallisiert: VI, F: 223–224°. Das konzentrierte Filtrat liefert nach Chromatographie an Kieselgel mit Benzol 0,4 g (20%) Ausgangsmaterial und mit Benzol/ Äther (8:2, Vol.-Teile) 0,7 g (35%) V (F: 103–105°). Die gaschromatographisch bestimmte Dimeren-Ausbeute (V + VI) nach 4 stdg. Belichtung betrug 73%.

Wegen des Singulett-Mechanismus (vgl. S. 326 f.) sind die meisten Stilben-Photodimerisierungen wenig empfindlich gegen Lufteinfluß. Dies ist besonders vorteilhaft für die Verwendung der Photovernetzung von „Stilben-modifizierten" Polymeren wie VII und VIII zu Druckzwecken[2].

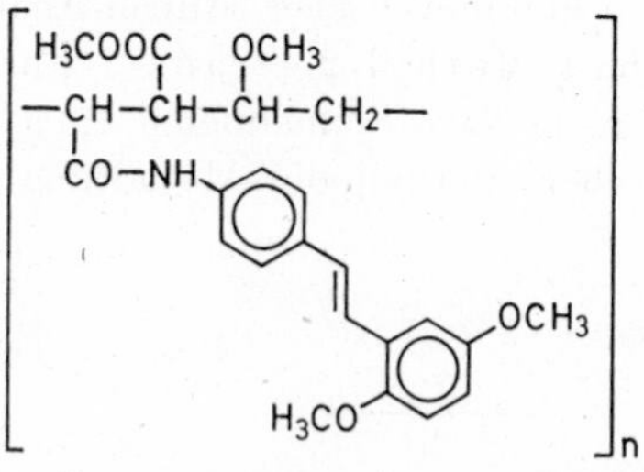

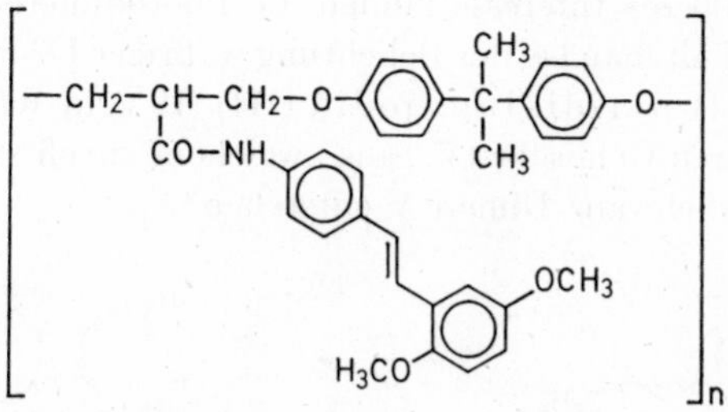

Seltener sind die Berichte über Photodimerisierungen α-substituierter *trans*-Stilbene. Zum Beispiel bildet (Z)-2,3-Diphenyl-acrylnitril (IX) bei der Belichtung in Äthanol (Quecksilber-Hochdruck-Brenner, Pyrex-Filter) ein einziges Photodimeres X (F: 247–248°) mit 1% Ausbeute. Daneben entsteht über Isomerisierung der Ausgangsverbindung und Dehydrocyclisierung zu 9-Cyan-phenanthren das dimere Phenanthren-Derivat XI (25%; F: 214–216°)[3]. Zu einer ausführlichen Behandlung des letzteren Reaktionstyps s. S. 511 ff.

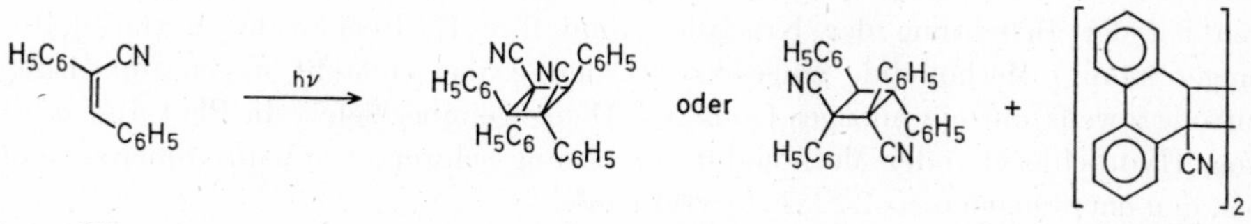

1,2,3,4-Tetraphenyl-cyclobutan-
dicarbonsäure-dinitril

δ₃) *Stilben-Analoge mit kondensiert aromatischen und heterocyclischen Resten*

Die Phenyl-Gruppen des *trans*-Stilbens können in weiten Grenzen variiert werden, ohne daß die Fähigkeit zur Photodimerisierung verlorengeht. Auch hier konkurrieren prinzipiell

[1] H. ULRICH et al., J. Org. Chem. **35**, 1121 (1970).
[2] F. A. STUBER et al., J. Appl. Polymer Sci. **1969**, 2247; Brit. P. 862276 (1961), Time, Inc.: C. A. **55**, 18197¹ (1961).
[3] M. V. SARGENT u. C. J. TIMMONS, Soc. **1964**, 5544.

weitere Prozesse nach der Lichtanregung [Lumineszenz, *cis-trans*-Isomerisierung, (De-hydro)-Cyclisierung]. Bei Stilbenen mit kondensiert aromatischen Resten fanden die Photo-cyclisierungen zu höher kondensierten aromatischen Systemen bisher größeres Interesse (s. S. 511 ff.), jedoch ist nicht daran zu zweifeln, daß sich in vielen Fällen aus konzentrierten Lösungen auch Photodimere mit Cyclobutan-Struktur erhalten lassen könnten.

Bei der Belichtung von 3-(trans-2-Phenyl-vinyl)-phenanthren (I) in Methanol wird als einziges Dimeres das Kopf/Schwanz-Addukt II erhalten, welches seinerseits photolabil ist[1]:

I   II

c-2,t-4-Diphenyl-r-1,t-3-diphenanthryl-(3)-cyclobutan

Größeres Interesse fanden die Photodimerisierungen heterocyclischer Stilben-Analoger. So erhält man bei der Belichtung wäßriger Lösungen von 1-Methyl-2-(trans-2-phenyl-vinyl)-pyridinium-jodid (III) (19 g in 6 *l* Wasser, 18 Tage Sonnenlicht) 1,3 g eines Dimeren-Gemischs IV, aus welchem nach thermischer Methyljodid-Abspaltung zwei Kopf/Schwanz-Dimere V entstehen[2]:

III   IV   V

2 isomere *2,4-Diphenyl-1,3-bis-[1-* *2,4-Diphenyl-1,3-*
methyl-pyridyl-(2)-ium]-cyclobutan-dijodide *dipyridyl-(2)-cyclobutan*

Im Gegensatz dazu liefert die Belichtung der Kristalle von III nahezu quantitativ ein einziges Dimeres IV mit F: 310°[2].

Zahlreiche weitere am Benzol-Kern (5-C_2H_5) und (oder) in 4-Stellung des Hetero-aromaten [H; OCH_3; CH_3; NO_2; $N(CH_3)_2$] substituierte trans-2-Styryl-pyridine dimeri-sieren bei der Belichtung der Kristalle, wenn ihre Hydrochloride, Methosulfate oder (weniger häufig) Methojodide eingesetzt werden. Dabei entsteht wegen topochemischer Kontrolle jeweils nur ein einziges Isomeres[3]. Demgegenüber liefert die Photolyse der freien Basen, Hydrochloride oder Methojodide in Lösung schwer trennbare Dimeren-Gemische neben den entstehenden cis-2-Styryl-pyridinen[3].

2,4-Diphenyl-1,3-bis-[1-methyl-pyridyl-(2)-ium]-cyclobutan-dijodid (IV)[2]: 50 g (1,54 Mol) Kristalle von trans-2-(2-Phenyl-vinyl)-pyridin-methojodid werden 16 Stdn. in 400 *ml* Benzol mittels einer Kugel-mühle zerkleinert. Man verdünnt die Suspension auf 4,7 *l*, belichtet 6 Stdn. mit einem 550 W Quecksilber-Hochdruck-Brenner, filtriert, kristallisiert aus 500 *ml* Wasser und erhält 47 g (97%) eines einzigen Dimeren mit F: 310°.

Neben 6gliedrigen Heterocyclen können auch Fünfring-Heterocyclen als Endgruppe der Stilben-Analogen dienen. So dimerisiert 2-(trans-2-Phenyl-vinyl)-thiophen (VI) bei einmonatiger Belichtung (1,5 g; 15 *ml* Benzol; Argon; Westinghouse sun lamp) mit

---

[1] W. H. Laarhoven, Th. J. H. M. Cuppen u. R. J. F. Nivard, Tetrahedron **26**, 1069 (1970).
[2] J. L. R. Williams, S. K. Webster u. J. A. van Allan, J. Org. Chem. **26**, 4893 (1961).
[3] J. L. R. Williams et al., J. Org. Chem. **28**, 1317 (1963).

2,5%iger Ausbeute zum Kopf/Schwanz-Dimeren VII (F: 110°)[1]. Daneben tritt vor allem geometrische Isomerisierung von VI ein; es bilden sich zahlreiche weitere Produkte[1].

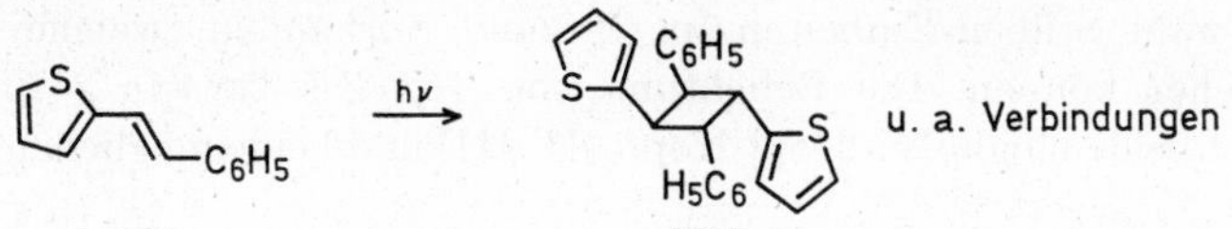

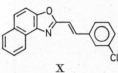

VI   VII

c-2,t-4-Diphenyl-r-1,t-3-di-thienyl-(2)-cyclobutan

Die als optische Aufheller dienenden Derivate VIII, IX und X reagieren bei der Belichtung der Kristalle oder ihrer Lösungen zu Photodimeren mit Cyclobutan-Struktur, welche bei kürzerwelliger UV-Anregung die Ausgangsverbindungen rückbilden, ohne daß Photoumlagerungen konkurrieren[2].

VIII	IX	X
(in Lösung: 2 Dimere; fest: 1 Dimeres) 5-Methyl-2-[trans-2-(3-chlor-4-cyan-phenyl)-vinyl]-⟨benzo-1,3-oxazol⟩	(1 Dimeres) trans-1,2-Bis-[5-methyl-⟨benzo-1,3-oxazolyl-(2)⟩]-äthylen	(2 Dimere) 2-[trans-2-(3-Chlor-phenyl)-vinyl]-⟨naphtho-[1,2-d]-1,3-oxazol⟩

Weitere Beispiele für Photodimerisierungen von Stilben-Analogen mit heterocyclischen Endgruppen sind in Tab. 57 (S. 339f.) aufgenommen, wobei die reaktive Doppelbindung auch exo- oder endo-cyclisch fixiert sein kann.

Sonderfälle stellen die Dimerisierungen der ebenfalls als heterocyclische Stilben-Analoge aufzufassenden Aryl-pyranyl-äthylene XI bei der Festkörperbelichtung dar. Für 4-Methoxy-2-oxo-6-[trans-2-(3-methoxy-4-methoxymethoxy-phenyl)-vinyl]-2H-pyran (XIa) wurde ursprünglich eine (4+2)-Addition diskutiert[3]. Chemische Umwandlungen und die NMR-Daten der Dimeren XIIb und XIIc sowie deren Vergleich mit XIIa zeigen jedoch, daß in allen Fällen die unsymmetrischen [2+2]-Photocycloadditionen XI–XII eintreten[4].

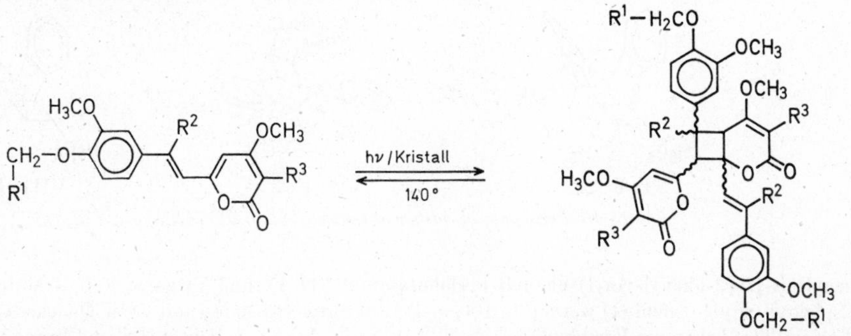

XIa; R[1] = OCH₃; R² = R³ = H
XIb; R[1] = H; R² = D; R³ = H
XIc; R[1] = R² = H; R³ = D

XIIa; *5-Methoxy-3-oxo-1-[trans-2-(3-methoxy-4-methoxymethoxy-phenyl)-vinyl]-7-(3-methoxy-4-methoxymethoxy-phenyl)-8-[4-methoxy-2-oxo-2H-pyranyl-(6)]-2-oxa-bicyclo[4.2.0]octen-(4)*; F: 191–193°

[1] B. S. GREEN u. L. HELLER, J. Org. Chem. **39**, 196 (1974).
[2] I. OKUBA, H. MATSUI u. M. NAGAI, J. chem. Soc. Japan, ind. Chem. Sect. **74**, 1666 (1971); C.A. **75**, 152959f (1971).
[3] H. ACHENBACH, W. KARL u. E. SCHALLER, Ang. Ch. **84**, 479 (1972).
[4] H. ACHENBACH, Privatmitteilung, Oktober 1974.

δ_4) bifunktionelle Stilbene mit zentraler aromatischer Gruppierung

Bei Distyryl-benzolen sind nach der [2 + 2]-Photodimerisierung unter Ausbildung eines Vierrings noch zwei Stilben-Einheiten im Produkt vorhanden, welche weitere Photoreaktionen eingehen können. Die Belichtung von 1,2-Bis-[trans-2-phenyl-vinyl]-benzol (I) liefert beide möglichen Kopf/Kopf- (II, III) und beide möglichen Kopf/Schwanz-Dimere (IV, V)[1]:

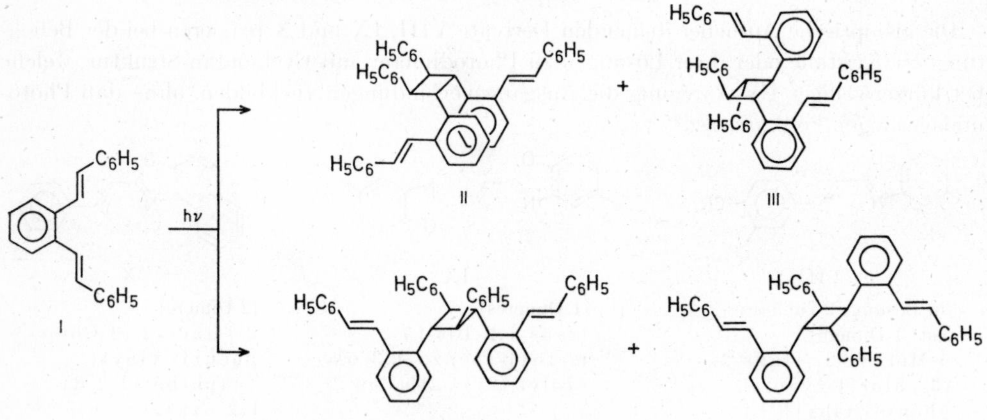

II; t-3,t-4-Diphenyl-r-1,c-2-bis-[2-(2-phenyl-vinyl)-phenyl]-cyclobutan
III; c-3,t-4-Diphenyl-r-1,t-2-bis- ...
IV; t-2,t-4-Diphenyl-r-1,c-3-bis- ...
V; c-2,t-4-Diphenyl-r-1,t-3-bis- ...

Weitere Belichtung von II + III nicht jedoch von IV + V (diese bilden Polymere) führt zu einer jetzt intramolekularen [2 + 2]-Cycloaddition, wobei insgesamt drei trennbare Isomere VI, VII und VIII im Verhältnis 89:8:3 gebildet werden[1]. Unter geeigneten Bedingungen werden aus I photolytisch 30% Picen erhalten(s. a. S. 511ff.).

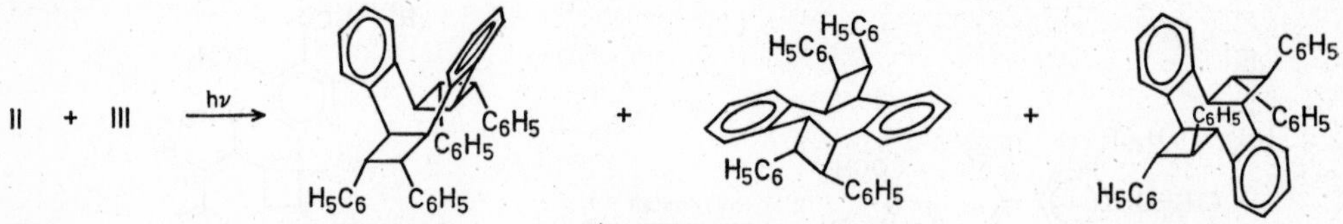

VI; F: 283°   VII; F: 320°   VIII; F: 275°
7,8,15,16-Tetraphenyl-⟨dibenzo-tricyclo[8.2.0.0⁴,⁷]dodecadien-(2,8)⟩

Diphenyl-bis-[2-(2-phenyl-vinyl)-phenyl]-cyclobutane (II, III, IV und V)[2]: 2,82 g (0,01 Mol) 1,2-Bis-[trans-2-phenyl-vinyl]-benzol (I) werden in 100 ml Benzol unter Stickstoff mit einer Quecksilber-Hochdruck-Lampe (TQ81) bis zum Verschwinden von I (∼ 16 Stdn.) bei 20° belichtet. Durch Chromatographie an Aluminiumoxid (Akt. Stufe 1) mit Benzol/Petroläther (5:1, Vol. Teile) erhält man 1,6 g eines Gemischs aus II, III, IV und V. Anschließende Dünnschichtchromatographie an Kieselgel mit Benzol/Petroläther (5:1, Vol.-Teile) ermöglicht eine Trennung der Kopf/Kopf-Dimeren II + III (0,95 g; 34%; F: 113–116°) von den Kopf/Schwanz-Dimeren IV + V (0,35 g; 12%; F: 97–101°).

---

[1] E. Müller, H. Meier u. M. Sauerbier, B. **103**, 1356 (1970).
   Wegen alternativer Strukturvorschläge,
   vgl. W. H. Laarhoven, Th. J. H. M. Cuppen u. R. J. F. Nivard, Tetrahedron **26**, 1069 (1970).
[2] E. Müller, H. Meier u. M. Sauerbier, B. **103**, 1356 (1970).

Die Belichtung von 1,3-Bis-[trans-2-phenyl-vinyl]-benzol (IX) liefert neben 70% *Benzo-[c]-chrysen* in geringen Mengen zwei Kopf/Schwanz-Dimere X[1]:

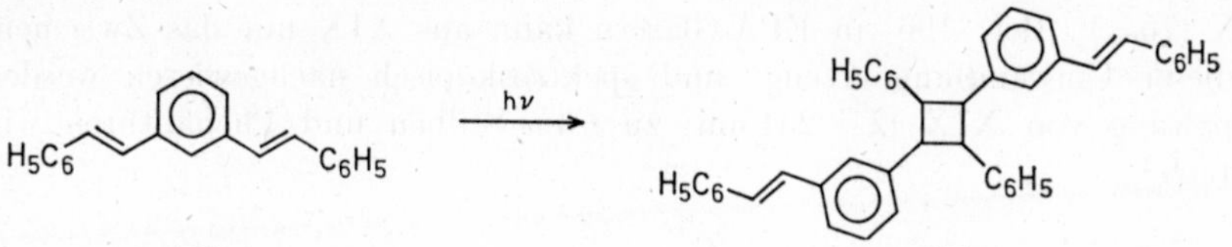

IX

X

2,4-Diphenyl-1,3-bis-[3-(2-phenyl-vinyl)-
phenyl]-cyclobutan
2 Isomere; F: 334—335° bzw. F: 336—337°

Im Gegensatz dazu reagiert 1,4-Bis-[trans-2-phenyl-vinyl]-benzol XI in verschiedenen Lösungsmitteln auch bei Zusatz von Jod überwiegend unter Dimerisierung zu *c-2,t-4-Diphenyl-r-1,t-3-bis-[4-(2-phenyl-vinyl)-phenyl]-cyclobutan* (XII). Isoliert wurden die Folgeprodukte XIII und XIV[1].

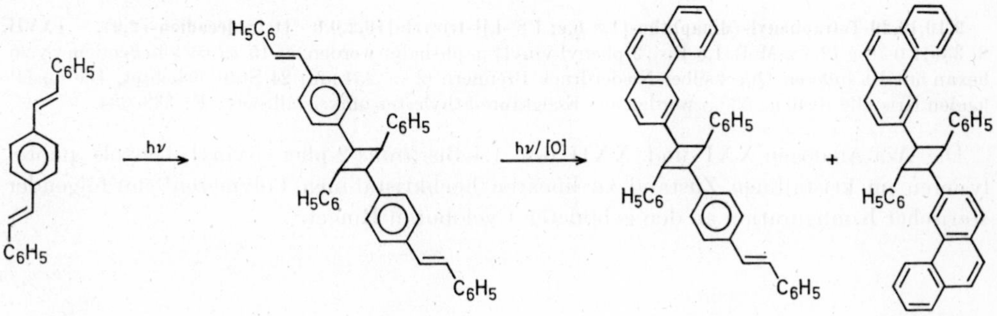

XI

XII

XIII

XIV

c-2,t-4-Diphenyl-
t-3-[4-(2-phenyl-
vinyl)-phenyl]-r-
1-phenanthryl-(3)
-cyclobutan;
F: 113—115°

c-2,t-4-Diphenyl-
r-1,t-3-diphen-
anthryl-(3)-cyclo-
butan;
F:100—103°

Auch 1,8-Distyryl-naphthalin (XV) geht bei der Belichtung konzentrierter Lösungen eine intermolekulare [2 + 2]-Dimerisierung zu *t-3,t-4-Diphenyl-r-1,c-2-bis-[8-(2-phenyl-vinyl)-naphthyl-(1)]-cyclobutan* (XVI) und anschließend eine intramolekulare zu XVII ein[2]:

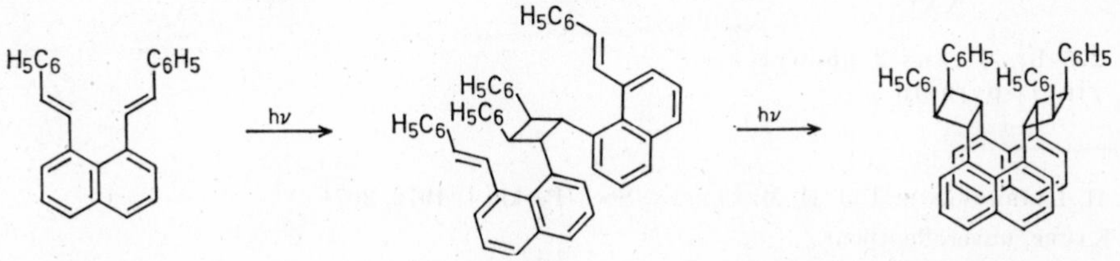

XV

XVI

XVII

9,10,19,20-Tetraphenyl-⟨dinaphtho-[1,8-b,c;
1',8'-i,j]-tricyclo[10.2.0.0⁵,⁸]tetradecadien-
(2,9)⟩; F: 333—334°

---

[1] W. H. Laarhoven, Th. J. H. M. Cuppen u. R. J. F. Nivard, Tetrahedron **26**, 1069 (1970).
[2] J. Meinwald u. J. W. Young, Am. Soc. **93**, 725 (1971).

Aus 2,2'-Bis-[2-phenyl-vinyl]-biphenyl (XVIII) bilden sich bei direkter Belichtung unter Stickstoff nur die Cyclisierungs-Produkte *trans-exo-11,exo-12-Diphenyl-⟨dibenzo-
trans-bicyclo[4.2.0]octadien-(2,4)⟩* (XIX; F:136°) und XX[1]. XIX ergibt bei längerer Belichtung XX (70%)[1]. Bei –190° in EPA-Gläsern kann aus XIX nur das Zwischenprodukt
XVIII dieser Umwandlung erzeugt und spektroskopisch nachgewiesen werden[2]. Eine
Photo-Spaltung von XIX ($\lambda = 254$ nm) zu *trans*-Stilben und Phenanthren wird nicht
beobachtet[1,2].

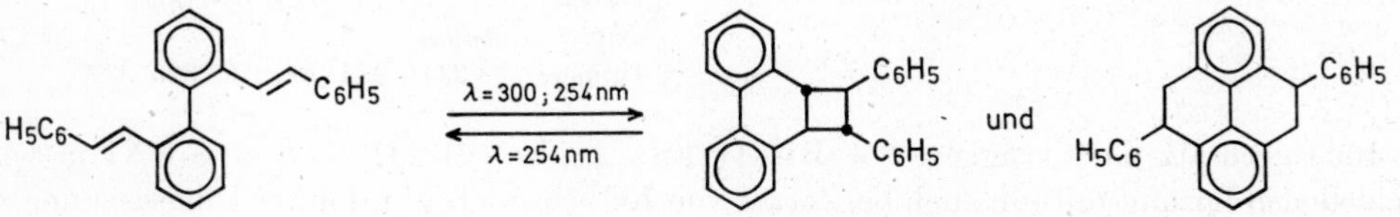

XVIII   XIX   XX

9,10,19,20-Tetraphenyl-⟨dinaphtho-[1,8-b,c; 1′8′-i,j]-tricyclo[10.2.0.0⁵,⁸]tetradecadien-(2,9)⟩[3] **(XVII,
S. 335):** 0,76 g (2,3 mMol) 1,8-Bis-[2-phenyl-vinyl]-naphthalin werden in 15 *ml* rückfließendem Cyclohexan mit 10 äußeren Quecksilber-Niederdruck-Brennern ($\lambda = 254$ nm) 24 Stdn. belichtet. Die ausfal-
lenden Kristalle (0,40 g; 53%) werden aus Essigsäure-äthylester umkristallisiert; F: 333–334°.

Die Aza-Analogen XXI und XXII des 1,4-Bis-[*trans*-2-phenyl-vinyl]-benzols photolysieren im kristallinen Zustand zu linearen hochkristallinen Polymeren[4] mit folgender
sterischer Konfiguration an den gebildeten Cyclobutan-Ringen[5]:

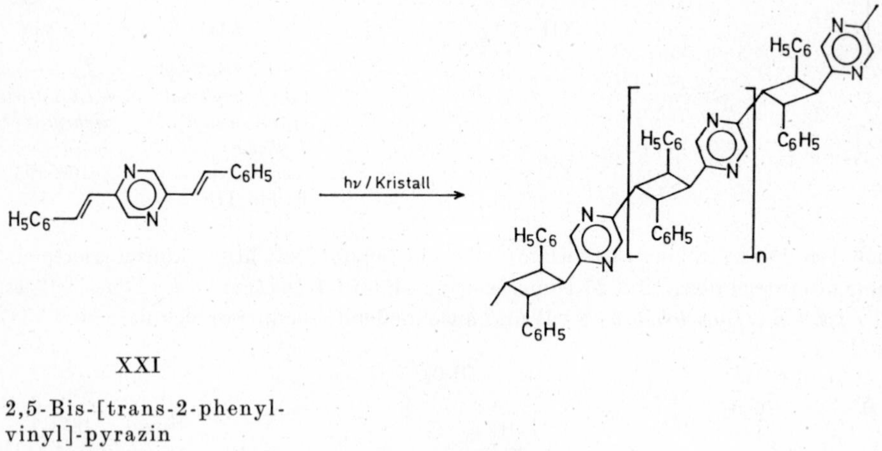

XXI

2,5-Bis-[trans-2-phenyl-
vinyl]-pyrazin

[1] W. H. Laarhoven u. T. J. H. M. Cuppen, Soc. (Perkin I) **1972**, 2074.

[2] G. Kaupp, unveröffentlicht.

[3] J. Meinwald u. J. W. Young, Am. Soc. **93**, 725 (1971).

[4] H. Nakanishi et al., J. Polymer. Sci. [A-1] **7**, 743, 753 (1969).
  M. Iguchi, H. Nakanishi u. M. Hasegawa, J. Polymer Sci. [A-1] **6**, 1055 (1968).
  M. Hasegawa u. Y. Suzuki, Polymer Letters **5**, 815 (1967).
  Übersicht in J. L. R. Williams, Fortschr. chem. Forsch. **13**, 227 (1969).

[5] H. Nakanishi, K. Ueno u. M. Hasegawa, Chemistry Letters, Chem. Soc. Japan **1972**, 301.
  M. Hasegawa et al., Progress in Polymer Science Japan **5**, 143 (1973).

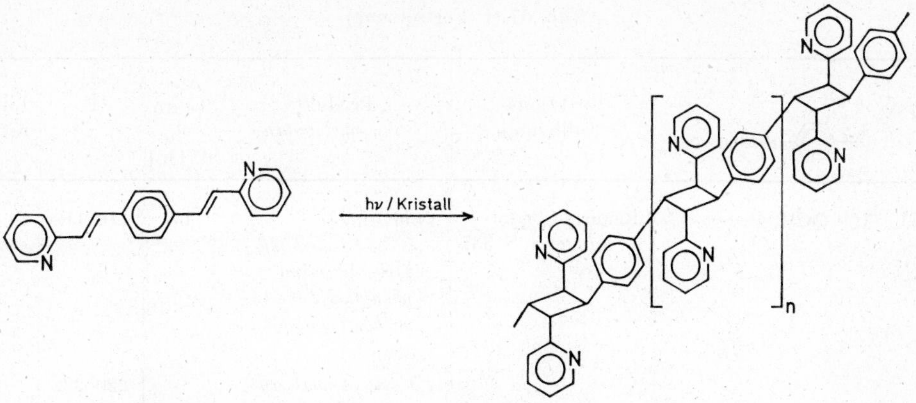

XXII

1,4-Bis-[trans-2-pyridyl-(2)-
vinyl]-benzol

Tab. 57. Photodimerisierung von trans-Stilben-Derivaten und -Analogen bei direkter
Anregung

Ausgangs-verbindung	Reaktions-bedingung	Produkt ...-cyclobutan	Aus-beute [% d. Th.]	F [°C]	Lite-ratur
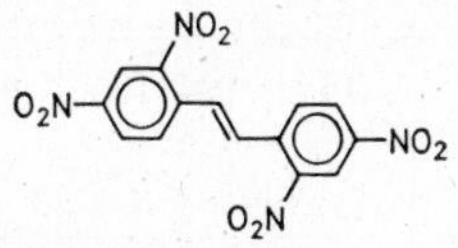	Kristalle	*1,2,3,4-Tetrakis-[2,4-dinitro-phenyl]-* ...[a]		199–200	1
 R²=R²′=R⁴′=R⁵′=H	10%ige Lösung in Essigsäure-äthylester; Hg-Hochdruck-Brenner (100 W Hanovia); Quarzgefäß	*3,4-Diphenyl-1,2-bis-[4-methoxycarbonyl-amino-phenyl]-* ... oder *2,4-Diphenyl-1,3-bis-[4-methoxycarbonyl-amino-phenyl]-* ...	27		2
R²′=OCH₃		zwei Dimere: *3,4-Bis-[4-methoxy-carbonylamino-phenyl]-1,2-bis-[2-methoxy-phenyl]-* ... oder *2,4-Bis-[4-methoxy-carbonylamino-phenyl]-1,3-bis-[2-methoxy-phenyl]-* ...	51	102–105; 219–221	2

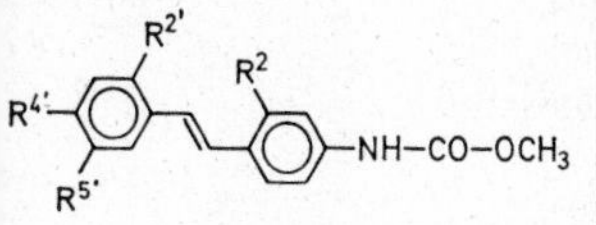

Bei Erhitzen Rückbildung der Ausgangsverbindung.

F. SACHS u. S. HILPERT, B. **39**, 899 (1906).
H. ULRICH et al., J. Org. Chem. **35**, 1121 (1970).

Tab. 57 (1. Fortsetzung)

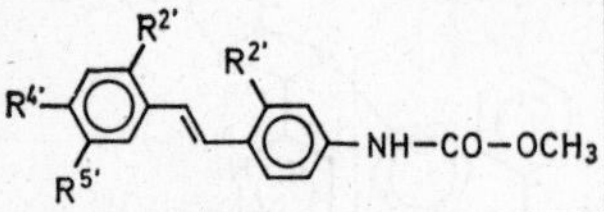

$R^{4'}$—CH=CH—(ring)—NH—CO—OCH$_3$ with $R^{2'}$, $R^{5'}$	Reaktions-bedingung	Produkt ... -cyclobutan	Aus-beute [% d. Th.]	F [°C]	Lite-ratur
$R^{4'}$=OCH$_3$	Realitionsbedingungen s. S. 337	zwei Dimere: 3,4-Bis-[4-methoxy-carbonylamino-phenyl]-1,2-bis-[4-methoxy-phenyl]-... oder	66	116–118	1
		2,4-Bis-[4-methoxy-carbonylamino-phenyl]-1,3-bis-[4-methoxy-phenyl]-...		220–222	
$R^{2'}$ = $R^{5'}$=OCH$_3$		zwei Dimere: 3,4-Bis-[4-methoxy-carbonylamino-phenyl]-1,2-bis-[2,5-dimethoxy-phenyl]-... oder	74	103–105	1
		2,4-Bis-[4-methoxy-carbonylamino-phenyl]-1,3-bis-[2,5-dimethoxy-phenyl]-...		223–224	
$R^{4'}$=NH—CO—OCH$_3$	Tetrahydrofuran; Hg-Lampe (100W Hanovia)	1,2,3,4-Tetrakis-[4-methoxycarbonyl-amino-phenyl]-...	45	194–195	1
R^2=NH—CO—OCH$_3$	10%ige Lösung in Essigsäure-äthylester; Hg-Hochdruck-Brenner (100 W Hanovia) Quarzgefäß	zwei Dimere: 3,4-Diphenyl-1,2-bis-[2,4-dimethoxycar-bonylamino-phenyl]- oder 2,4-Diphenyl-1,3-bis-[2,4-dimethoxycarbo-nylaminophenyl]-...	10		1
R^2=NH—CO—OCH$_3$ $R^{4'}$=OCH$_3$		Bis-[2,4-dimethoxy-carbonylamino-phenyl]-bis-[4-methoxy-phenyl]- ...	35		1
R^2=NH—CO—OCH$_3$ $R^{2'}$=$R^{5'}$=OCH$_3$		zwei Dimere: 3,4-Bis-[2,4-dimethoxycarbonylamino-phenyl]-1,2-bis-[2,5-dimethoxy-phenyl]-... oder 2,4-Bis-[2,4-dimethoxycarbonylamino-phenyl]-1,3-bis-[2,5-dimethoxy-phenyl]-...	22		1

[1] H. ULRICH et al., J. Org. Chem. 35, 1121 (1970).

Tab. 57 (2. Fortsetzung)

Ausgangsverbindung	Reaktionsbedingung	Produkt ...-cyclobutan	Ausbeute [% d.Th.]	F [°C]	Literatur
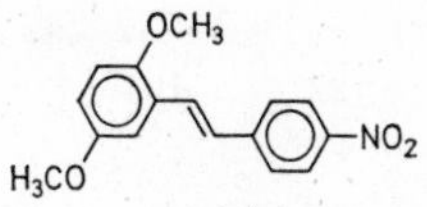		keine Reaktion![a]	–		1
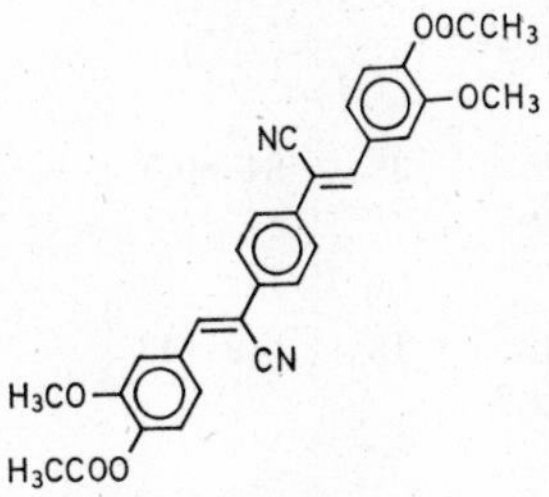	Belichtung der Kristalle einer günstigen Modifikation	Polymeres mit über p-Phenylen-Gruppen verknüpften Vierringen			2
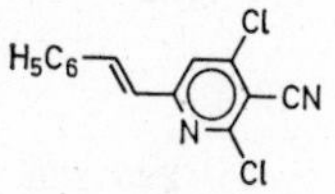	Kristalle; Tageslicht oder Quarzlampe	Diphenyl-bis-[4,6-dichlor-5-cyan-pyridyl-(2)]-...		213–214	3
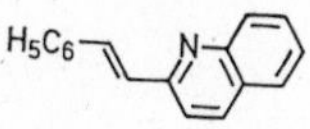	Kristalle oder benzolische Lösung; Sonnenlicht	Diphenyl-dichinolyl-(2)-...		198	4
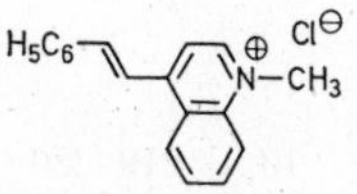	4–6% äthanol. Lösung; 15–30 Tage; Sonnenlicht	2,4-Diphenyl-1,3-bis-[1-methyl-chinolinium-yl-(4)]-... dichlorid	gut	193–195	5
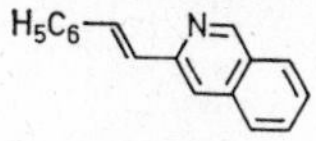	Benzol; 3 Tage; UV-Licht	zwei Dimere: 3,4-Diphenyl-1,2-diisochinolyl-(3)-... oder 2,4-Diphenyl-1,3-diisochinolyl-(3)-...	12 4	282–284 189–192	6
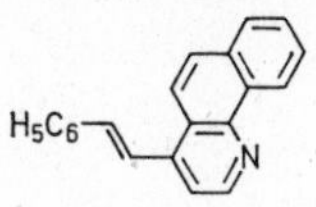	4 g in 1,2 l Alkohol; 30 Stdn.; Hg-Hochdruck-Brenner (TQ 81)	c-2,t-4-Diphenyl-r-1, t-3-bis-[benzo-[h]-chinolyl-(4)]-...	10	294–296	7

[a] Phosphoreszenz bei –196°: λ_{max} = 495 nm.

[1] H. ULRICH et al., J. Org. Chem. **35**, 1121 (1970).
[2] H. J. HOLM u. F. B. ZIENTY, J. Polymer Sci. [A-1] **10**, 1311 (1972).
[3] G. KOLLER, B. **60**, 1920 (1925).
[4] M. HENZE, B. **70**, 1273 (1937).
[5] F. ANDREANI, R. ANDRISANO u. M. TRAMONTINI, J. Heterocyclic. Chem. **4**, 171 (1967); dort weitere substituierte Systeme.
[6] H. ERLENMEYER, H. BAUMANN u. E. SORKIN, Helv. **31**, 1978 (1948).
[7] F. ANDREANI et al., Soc. [C] **1971**, 1007.

Tab. 57 (3. Fortsetzung)

Ausgangs-verbindung	Reaktions-bedingung	Produkt . . .-cyclobutan	Aus-beute [% d. Th.]	F [°C]	Lite-ratur
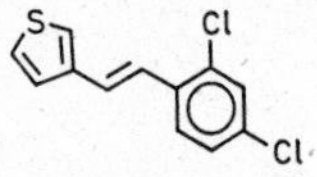	Kristalle; Sonnen-licht; 2 Tage	t-3,t-4-Bis-[2,4-di-chlor-phenyl]-r-1,c-2-dithienyl-(3)-. . .	18	196–197	1
		+ c-2,t-4-Bis-[2,4-di-chlor-phenyl]-r-1,t-3-dithienyl-(3)-. . .	22	194	
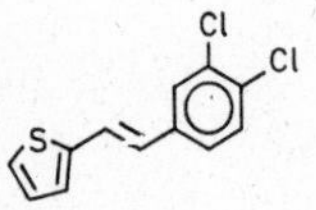	4,9 g; schmelzende Kristalle; West-inghouse sun lamp; Pyrex-Filter; 40°; 1 Monat	t-3,t-4-Bis-[3,4-di-chlor-phenyl]-r-1,c-2-dithienyl-(2)-. . .	6a	Öl	1
		+ c-2,t-4-Bis-[3,4-di-chlor-phenyl]-r-1,t-3-dithienyl-(2)-. . .	3a	84–86,5	
		+ c-3,t-4-Bis-[3,4-di-chlor-phenyl]-r-1,t-2-dithienyl-(2)-. . .	18a	142–143	
		+ t-2,t-4-Bis-[3,4-di-chlor-phenyl]-r-1,c-3-dithienyl-(2)-. . .	3,5a	102–10 3,5	
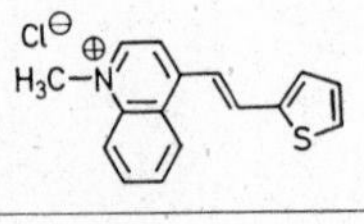	Äthanol; Sonnenlicht	2,4-Dithienyl-(2)-1,3-bis-[1-methyl-chino-linium-yl-(4)]-. . . -dichlorid		225–226	2
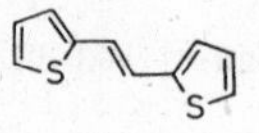		keine Dimerisierung	–		3
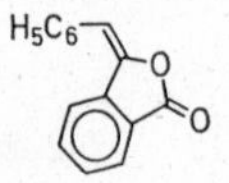	Cyclohexan; Hg-Hochdruck-Brenner (450 W Hanovia); Pyrex-Filter	3-Oxo-1,3-dihydro-⟨benzo-[c]-furan⟩-⟨1-spiro-1⟩-trans-2,3-diphenyl-cyclo-butan-⟨4-spiro-1⟩-3-oxo-1,3-dihydro-⟨benzo-[c]-furan⟩	13	219–220	4
	Kristalle; G.E. 275 W sunlamp	3-Oxo-1,3-dihydro-⟨benzo-[c]-furan⟩-⟨1-spiro-1⟩-trans-2,4-diphenyl-cyclo-butan-⟨3-spiro-1⟩-3-oxo-1,3-dihydro-⟨benzo-[c]-furan⟩	27	294–296	5

a Die Ausbeuten sind kein Maß für das Produktverhältnis, da die Aufarbeitung mit erheblichen Verlusten verbunden ist.

1 B. S. Green u. L. Heller, J. Org. Chem. **39**, 196 (1974).
2 F. Andreani, R. Andrisano u. M. Tramontini, J. Heterocyclic. Chem. **4**, 171 (1967); dort weitere substituierte Systeme.
3 H. Wynberg, M. B. Groen u. T. M. Kellogg, J. Org. Chem. **35**, 2828 (1970).
4 E. V. Blackburn u. C. J. Timmons, Soc. [C] **1970**, 172; zwei weitere isomere Dimere wurden nicht isoliert.
   Die Phenyl-Gruppe kann durch α- und β-Naphthyl-Reste ersetzt werden: A. Mustafa, Chem. Reviews **51**, 1 (1952).
5 M. J. Jorgenson, J. Org. Chem. **28**, 2929 (1973).

Tab. 57. (4. Fortsetzung)

Ausgangs-verbindung	Reaktions-bedingung	Produkt	Aus-beute [% d. Th.]	F [°C]	Lite-ratur
R = CH₃; Ar = C₆H₅	0,5 g; 50 ml Ben-zol; Hg-Mittel-druck-Brenner; 12 Stdn.	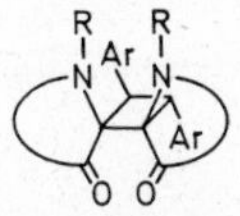 *syn-3-Oxo-1-methyl-2,3-dihydro-indol-⟨2-spiro-1⟩-trans-3,4-diphenyl-cyclo-butan-⟨2-spiro-2⟩-3-oxo-1-methyl-2,3-dihydro-indol*	12	197–198	1
R = CH₃; Ar = 2-Cl—C₆H₄		*...-trans-3,4-bis-[2-chlor-phenyl]-...*	4	184–185	
R = CH₃; Ar = 4-Cl—C₆H₄		*...-trans-3,4-bis-[4-chlor-phenyl]-...*	8	186–187	
R = CH₃; Ar = 2-H₃CO—C₆H₄		*...-trans-3,4-bis-[2-methoxy-phenyl]-...*	11	180–181	
R = CH₃; Ar = 4-H₃CO—C₆H₄		*...-trans-3,4-bis-[4-methoxy-phenyl]-...*	100	169–170	
R = CH₃; Ar = 4-(H₃C)₂N—C₆H₄		*...-trans-3,4-bis-[4-dimethylamino-phenyl]-...*	100	176–177	
R = CH₂–C₆H₅; Ar = C₆H₅		*syn-3-Oxo-1-benzyl-2,3-dihydro-indol-⟨2-spiro-1⟩-trans-3,4-diphenyl-cyclo-butan-⟨2-spiro-2⟩-3-oxo-1-benzyl-2,3-dihydro-indol*	8	185–186	
R = CH₂–C₆H₅; Ar = 2-Cl—C₆H₄		*...-trans-3,4-bis-[2-chlor-phenyl]-...*	11	172–173	
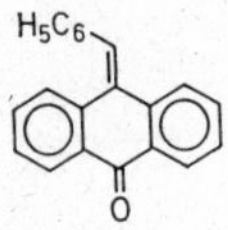	Benzol; Sonnenlicht	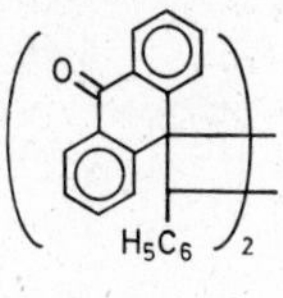		225–226	2
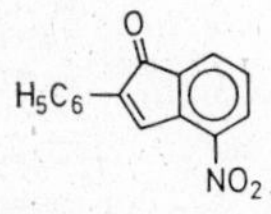	Kristalle; Sonnenlicht	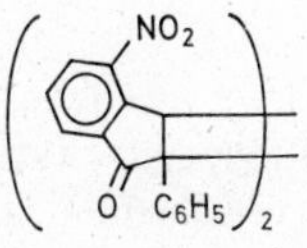			3

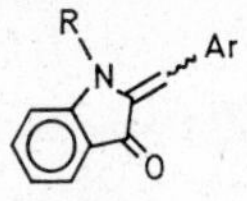

¹ M. Hooper u, W. N. Pitkethly, Soc. (Perkin I) **1973**, 2804.
² A. Mustafa u. A. M. Islam, Soc. **1949**, 81.
³ M. Bakunin u. F. Giordani, G. **46**, 42 (1916); in Lösung führt die Belichtung zu mehreren Dimeren

δ₅) cis-fixierte Stilbene

Die vorangehenden Abschnitte zeigen, daß offenkettige cis-Stilbene die [2 + 2]-Photodimerisierung nicht eingehen können (vgl. besonders S. 326). Es gibt jedoch zwei Typen cis-fixierter Stilben-Derivate a und b, aus denen syn- und (oder) anti-Dimere erhältlich sind.

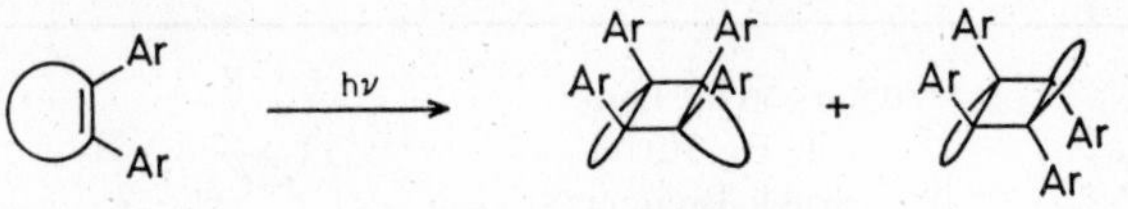

Mangels Fähigkeit zur cis-trans-Isomerisierung ist die Lebensdauer der elektronisch angeregten cyclischen cis-Stilbene soweit erhöht, daß Fluoreszenz und intermolekulare Desaktivierungen zum Zuge kommen. Dennoch scheinen die Photodimerisierungen von a im wesentlichen auf Cyclopropen- und Cyclobuten-Ringe beschränkt zu sein, weil der cis-Stilben-Chromophor in größeren Ringen meist besonders günstige Voraussetzungen für die (Dihydro-)Phenanthren-Bildung mitbringt[1].

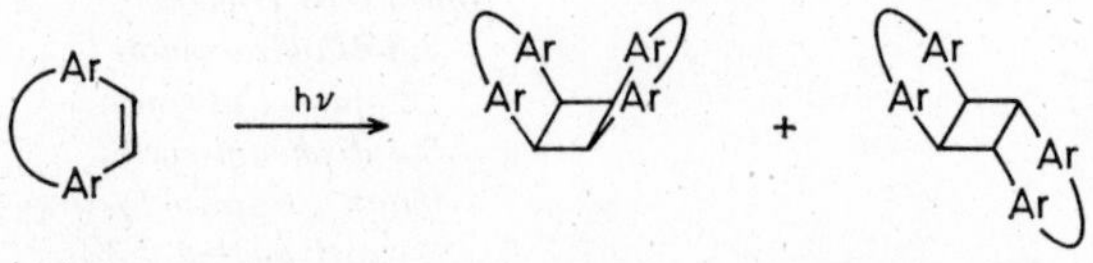

αα) 1,2-Diphenyl-cycloalkene

1,2-Diphenyl-3-acetyl-cyclopropen (I) liefert bei der Belichtung in Tetrahydrofuran (Quecksilber-Hochdruck-Brenner) 7% eines zu 1,2,4,5-Tetraphenyl-benzol photolysierenden Dimeren II[2]:

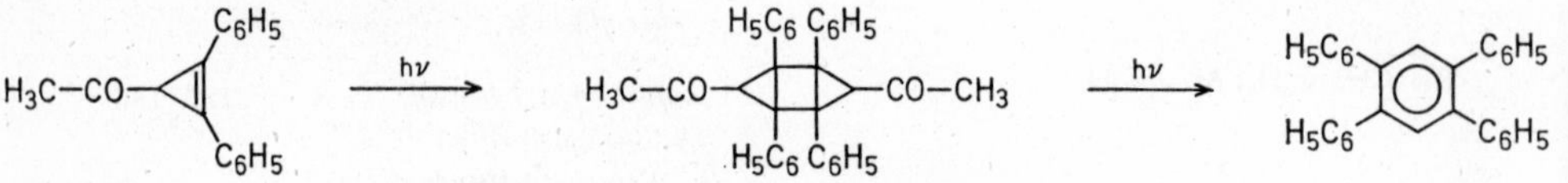

I   II; 1,2,4,5-Tetraphenyl-
                               3,6-diacetyl-tricyclo[3.1.0.0²,⁴]hexan

Mit höherer Ausbeute gelingt die Dimerisierung von 1,2,3-Triphenyl-cyclopropen (III) bei direkter oder sensibilisierter Anregung. Dabei entstehen neben 1,2-Diphenyl-inden (IV) in wechselnden Ausbeuten die beiden Isomeren V und VI[3,4], aus welchen sich mit Palladium/Aktivkohle bei 330° 45% Hexaphenyl-benzol synthetisieren lassen[3].

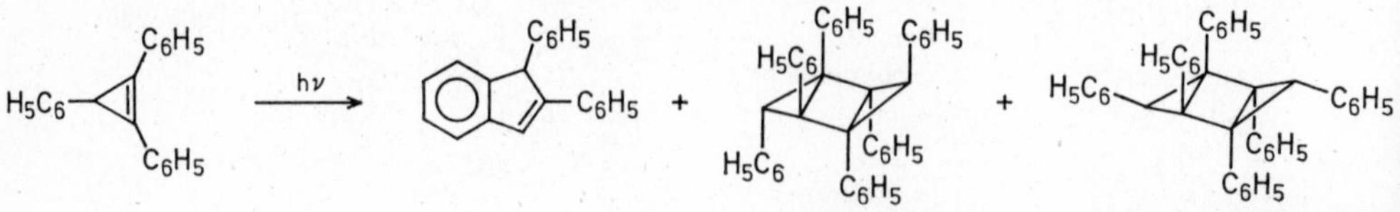

III   IV   V; F: 328–329°   VI; F: 308–311°
                                    1,2,endo-3,4,5,endo-6-   1,2,exo-3,4,5,exo-6-
                                    Hexaphenyl-anti-tricyclo[3.1.0.0²,⁴]hexan

[1] G. Kaupp, Ang. Ch. 83, 361 (1971); A. 1973, 844.
[2] N. Obata u. I. Moritani, Tetrahedron Letters 1966, 1503; Bl. chem. Soc. Japan 39, 2250 (1966); C. A. 66, 10697 (1967).
[3] H. Dürr, A. 723, 102 (1969); dort weitere Literaturhinweise.
[4] Bei der mit Benzophenon sensibilisierten Reaktion von III wird als weiteres Dimeres 3-(r-1,c-2,c-3-Triphenyl-cyclopropyl)-1,2,3-triphenyl-cyclopropen isoliert: C. De Boer u. R. Breslow, Tetrahedron Letters 1967, 1033.

Belichtung von 1,2-Diphenyl-3-methoxycarbonyl-cyclopropen (VII) liefert *1,2,4,5-Tetraphenyl-3,6-dimethoxycarbonyl-anti-tricyclo[3.1.0.0²,⁴]hexan* (VIII; 56% d.Th.; F: 256–257°) neben *1,2,4,5-Tetraphenyl-trans-3,6-dimethoxycarbonyl-cyclohexadien-(1,4)*; (IX 25% d.Th.; F: 256–257°), deren Molekülgeometrie durch Röntgen-Strukturanalyse gesichert wurde[1]. Die Bildungsweise von IX (Pyrex-Filter; Raumtemp.) ist noch nicht untersucht.

$$H_3COOC-\overset{C_6H_5}{\underset{C_6H_5}{\bigtriangleup}} \quad \xrightarrow{h\nu} \quad \text{VIII} \quad + \quad \text{IX}$$

VII	VIII	IX

Besonders schnell verlaufen die Dimerisierungen von III und VII zu VI und *3-(r-1,c-2-c-3-Triphenyl-cyclopropyl)-1,2,3-triphenyl-cyclopropen* (Verh. 60:40) sowie VIII, wenn mit Thioxanthon (E_T = 65 kcal/Mol) in Benzol sensibilisiert wird[2]. Entsprechend erhält man aus 1,2-Diphenyl-cyclopropen bei –78° in Dichlormethan *1,2,4,5-Tetraphenyl-anti-tricyclo[3.1.0.0²,⁴]hexan*. Dieses liefert schon beim Erwärmen auf 13° *1,2,4,5-Tetraphenyl-cyclohexadien-(1,4)* (F: 257–258,5°)[2]:

$$\overset{C_6H_5}{\underset{C_6H_5}{\bigtriangleup}} \quad \xrightarrow{h\nu(Sens.)} \quad \xrightarrow{13°} \quad$$

Zum endgültigen Verständnis der Dimerisierungsmechanismen muß u. a. noch das Studium der Photoreaktionen dieser Tricyclo[3.1.0.0²,⁴]hexane abgewartet werden.

Lichtempfindliche Polymere mit 1,2-Diphenyl-cyclopropen-Gruppen erhält man durch Veresterung von Polyvinylalkohol mit 1,2-Diphenyl-cyclopropen-carbonsäure-chlorid oder durch Behandlung von chlormethyliertem Polystyrol mit 1,2-Diphenyl-cyclopropen-carbonsäure und Triäthylamin. Sie sind bei Raumtemperatur stabil und vernetzen besonders schnell bei direkter (λ = 365 nm) oder sensibilisierter (Michlers Keton) Anregung unter Bildung von Vierringen. Auf Aluminium- oder Kupfer-Platten eignen sie sich für lithographische Anwendungen[3].

1,2-Diphenyl-cyclobuten (X) fluoresziert in verdünnter Hexan-Lösung (λ_{max} =385 nm; φ_{Fl}=0,99; τ_{Fl} <5·10⁻⁹ Sek.) und photolysiert zu *Diphenyl-acetylen* und *Äthylen* mit einer Quantenausbeute[4] φ = 0,01. Die Ringöffnung zu *2,3-Diphenyl-butadien* läßt sich nur thermisch erreichen[5]. In 0,1 molarer Lösung verläuft die photochemische Dimerisierung zu *1,2,5,6-Tetraphenyl-tricyclo[4.2.0.0²,⁵]octan* (XI) unter Fluoreszenz-Löschung mit einer

---

[1] M. J. BENNETT et al., Am. Soc. **93**, 4063 (1971).
[2] C. DE BOER, D. H. WADSWORTH u. W. C. PERKINS, Am. Soc. **95**, 861 (1973).
[3] C. DE BOER, J. Polymer Sci. [B], **11**, 25 (1973).
[4] C. DE BOER u. R. H. SCHLESSINGER, Am. Soc. **90**, 803 (1968).
[5] E. H. WHITE u. J. P. ANHALT, Tetrahedron Letters **1965**, 3937.
    M. A. BATTISTE u. M. E. BURNS, Tetrahedron Letters **1966**, 523.

Quantenausbeute[1] $\varphi = 0{,}18$, und das Photodimere bildet bei etwa 150° quantitativ *1,2,5,6-Tetraphenyl-cyclooctadien-(1,5)* (XII; F: 222,5–223°)[2]:

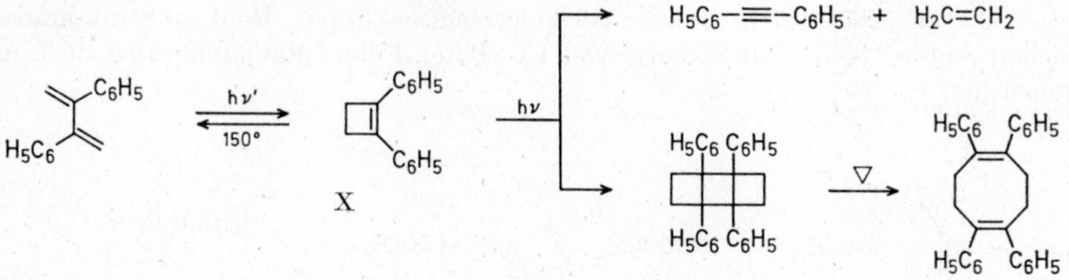

Wie bei der Photodimerisierung von *trans*-Stilbenen verläuft die Reaktion X $\xrightarrow{h\nu}$ XI nach einem Singulett-Mechanismus. 1,2-Diphenyl-cyclobuten ist bei −190° in einem Äther/Äthanol-(2:1,Vol.-Teile)-Glas photostabil (keine Tolan-Bildung) und phosphoresziert nicht[3].

Durch selektive Belichtung (Pyrex-Filter) der intensiv fluoreszierenden[4] Polycyclen endo- bzw. exo-3,4-Diphenyl-tricyclo[4.2.1.0²,⁵]nonadien-(3,7) (XIII[5] und XVI[5]) werden sowohl die *syn*- (XIV, XVII) als auch die *anti*-Dimeren (XV, XVIII) in vergleichbarer Ausbeute erhalten[6], die bei Belichtung ($\lambda = 254$ nm) in Äther wieder in die entsprechenden Ausgangsverbindungen zerfallen[7].

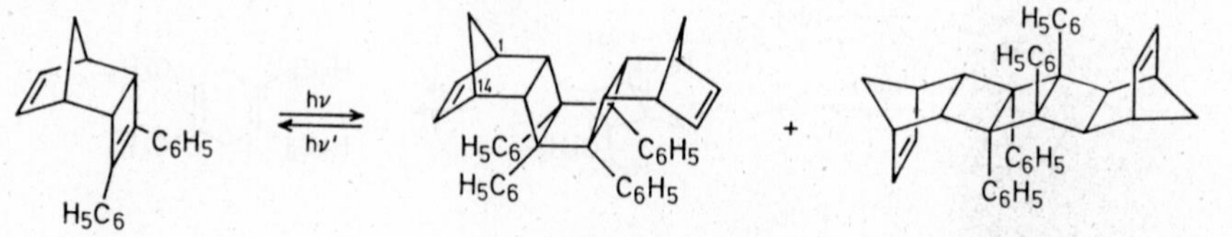

XIII

XIV
25% d.Th.; F: 206°, Zers.
3,4,11,12-Tetraphenyl-endo-syn-endo-heptacyclo[12.2.1.1⁶,⁹.0²,¹³.0³,¹².0⁴,¹¹.0⁵,¹⁰]octadecadien-(7,15)

XV
55%d.Th.; F: 286°
3,4,11,12-Tetraphenyl-endo-anti-endo-heptacyclo[12.2.1.1⁶,⁹.0²,¹³.0³,¹².0⁴,¹¹.0⁵,¹⁰]octadecadien-(7,15)

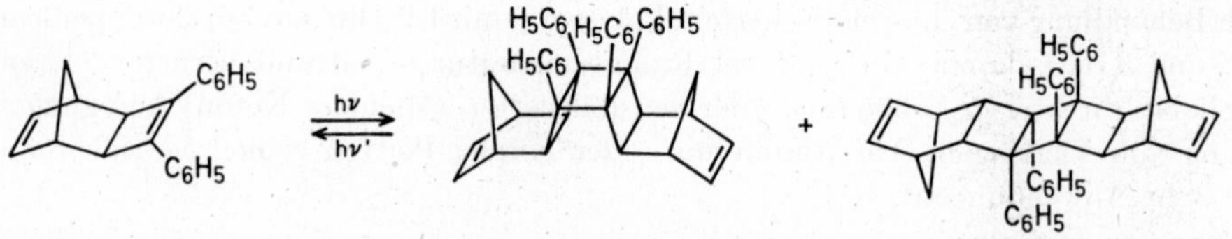

XVI

XVII
30% d.Th.; F: 219–220°, Zers.
3,4,11,12-Tetraphenyl-exo-syn-exo-heptacyclo[12.2.1.1⁶,⁹.0²,¹³.0³,¹².0⁴,¹¹.0⁵,¹⁰]octadecadien-(7,15)

XVIII
45% d.Th.; F: 304–305°
3,4,11,12-Tetraphenyl-exo-anti-exo-heptacyclo[12.2.1.1⁶,⁹.0²,¹³.0³,¹².0⁴,¹¹.0⁵,¹⁰]octadecadien-(7,15)

[1] C. De Boer u. R. H. Schlessinger, Am. Soc. **90**, 803 (1968).
[2] E. H. White u. J. P. Anhalt, Tetrahedron Letters **1965**, 3937;
    M. A. Battiste u. M. E. Burns, Terrahedron Letters **1966**, 523.
[3] G. Kaupp, C. Küchel u. I. Zimmermann, Ang. Ch. **86**, 740 (1974).
[4] G. Kaupp, Ang. Ch. **83**, 361 (1971).
[5] G. N. Schrauzer u. P. Glockner, B. **97**, 2451 (1964).
[6] H. Prinzbach u. D. Hunkler, Privatmitteilung.
[7] G. Kaupp, unveröffentlicht.

1,2,endo-3,4,5, endo-6- und 1,2,exo-3,4,5,exo-6-Hexaphenyl-anti-tricyclo[3.1.0.0²,⁴]hexan (V, VI; S. 342)[1]: 2,5 g (9,3 mMol) 1,2,3-Triphenyl-cyclopropen in 250 ml Cyclohexen werden unter Stickstoff bei 16–18° mit zwei Quecksilber-Hochdruck-Brennern (Philips-HPK 125 W und Hanau Q-81) durch Duran-Glas-50 74 Stdn. belichtet. Man filtriert 1,46 g Dimeren-Gemisch ab und erhält weitere 440 mg Dimeren-Gemisch nach Chromatographie des Filtrats an 100 g Kieselgel mit Benzol/Petroläther (Kp: 60–90°) 1:1. Gesamtausbeute: 76%. Durch verlustreiches Umkristallisieren aus Benzol werden 28% d.Th. V und 7% d.Th. VI erhalten.

Bei entsprechender Belichtung in Cyclohexan werden 26% VI nachgewiesen und 17% 1,2 Diphenyl-inden (IV) chromatographisch isoliert. Die in Dichlormethan mit 3-Oxo-cyclohexen sensibilisierte Reaktion liefert 29,5% V und 14,5% VI.

3,4,11,12-Tetraphenyl-endo-syn-endo- und 3,4,11,12-Tetraphenyl-endo-anti-endo-heptacyclo[12.2.1. 1⁶,⁹.0²,¹³.0³,¹².0⁴,¹¹.0⁵,¹⁰] octadecadien-(7,15) (XIV, XV, S. 344)[2]: 2,7 g (10 mMol) 3,4-Diphenyl-endo-tricyclo [4.2.1.0²,⁵]nonadien-(3,7) (XIII) in 270 ml Äther werden bei −20° unter Stickstoff durch ein Pyrex-Filter 24 Stdn. mit einem Quecksilber-Hochdruck-Brenner (Hanau Q-81) bestrahlt. Nach Verdampfen des Lösungsmittels löst man das endo-syn-endo-Dimere XIV mit 500 ml Chloroform, filtriert und kristallisiert das zurückbleibende endo-anti-endo-Dimere XV aus Toluol um; Ausbeute: 1,5 g (55%). Aus der Mutterlauge wird XIV durch Kristallisation in Benzol/Äthanol-Gemischen isoliert; Ausbeute: 0,67 g (25%). Als Nebenprodukt läßt sich Diphenyl-acetylen in den Mutterlaugen nachweisen.

Die thermische (160°; 1 Stde.) oder photochemische (Quecksilber-Mitteldruck-Lampe; −65°; Äther) Dimerisierung von 6,7-Diphenyl-3-thia-bicyclo[3.2.0]heptatrien (XIX) zu *2,3,9,10-Tetraphenyl-6,13-dithia-tricyclo[9.3.0.0⁴,⁸]tetradecahexaen-(2,4,7,9,11,14)* (XX; F: 258–260°)[3] kann als [2 + 2]-Cycloaddition mit nachfolgender Öffnung des zentralen Vierrings zum ungesättigten Achtring (Olefin-Metathese) gedeutet werden:

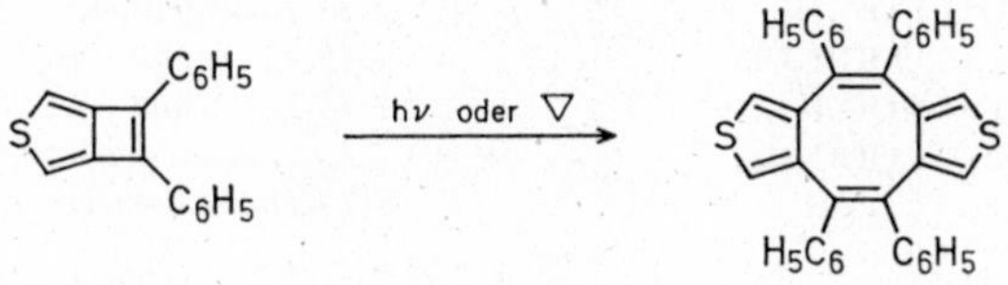

In geringer Ausbeute (1,5% d.Th.) läßt sich aus 4,5-Diphenyl-2-oxo-1,3-dioxol (XXI) in Aceton ($\lambda > 290$ nm; 2,5 Mol/l; 120 Stdn.) *4,9-Dioxo-1,2,6,7-tetraphenyl-3,5,8,10-tetraoxa-syn-tricyclo[5.3.0.0²,⁶]decan* (XXII; F: 265–267°) erhalten. Die *syn*-Struktur wird aus dem IR-Spektrum erschlossen[4]. Bei Gegenwart von Sauerstoff werden bis zu 13% *2-Oxo-⟨phenanthro-[9,10]-1,3-dioxol⟩* (XXIII) isoliert. Weitere Beispiele bevorzugen dagegen Decarbonylierungen zu den jeweiligen 1,2-Dicarbonyl-Verbindungen[4].

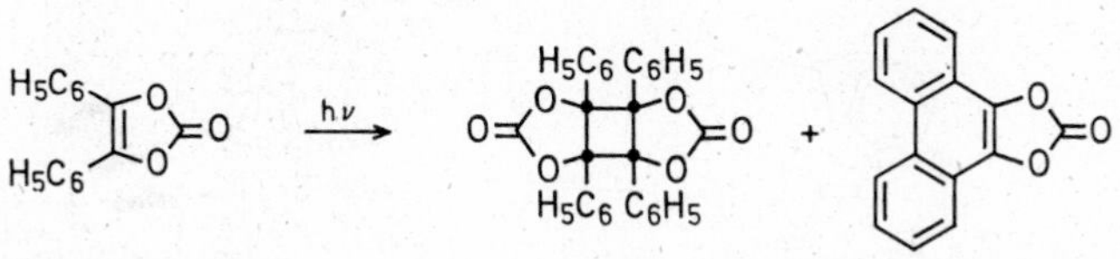

ββ) carbocyclische Stilbene

Bei Verbrückung der Benzol-Kerne von *cis*-Stilbenen (Typ b S. 342) verlaufen die Photodimerisierungen häufig besonders glatt, weil naturgemäß auch die Konkurrenz von

[1] H. DÜRR, A. **723**, 102 (1969).

[2] H. PRINZBACH u. D. HUNKLER, Privatmitteilung.

[3] P. J. GARRATT u. K. P. C. VOLLHART, Am. Soc. **94**, 1022 (1972).

[4] K. R. STAHLKE, H. G. HEINE u. W. HARTMANN, A. **764**, 116 (1972).

(Dehydro-)Cyclisierungen ausgeschlossen ist. So liefert Dibenzo-[a;e]-cycloheptatrien (I) in Cyclohexan 80% des *anti*-Dimeren II, *Tetrabenzo-cis-anti-cis-tricyclo[7.5.0.0^{2,8}]tetradecatetraen-(3,6,10,13)*; F: 341–342° (Zers.)[1]:

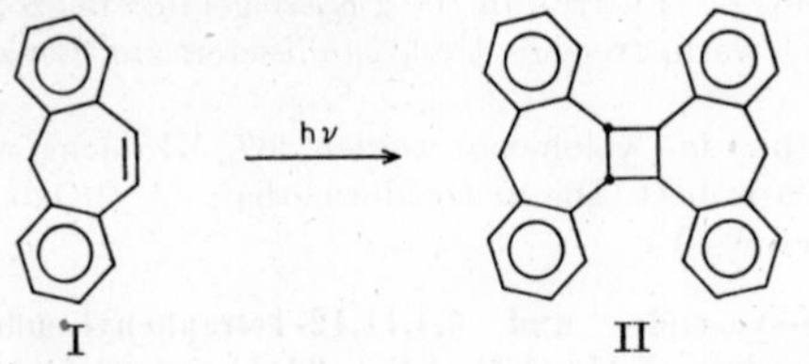

Ähnlich reagieren die 5-Acyl-5H-⟨dibenzo-[a;e]-azepine⟩ III bei der mit Benzophenon in Aceton sensibilisierten Anregung zu IV[2]:

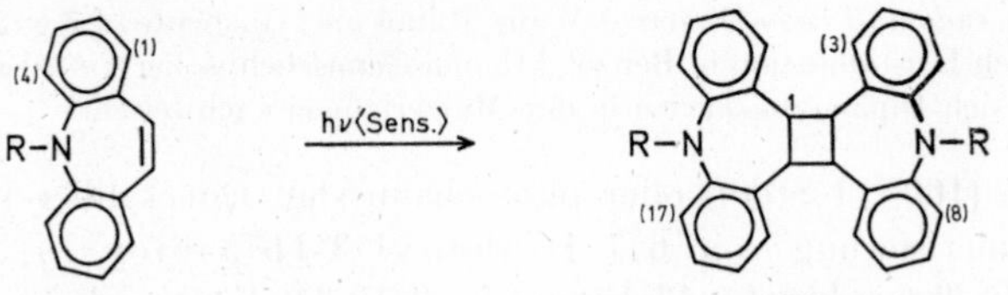

III	IV
R = COCH$_3$;	7,18-Diacetyl-⟨tetrabenzo-5,12-diaza-tricyclo[7.5.0.0^{2,8}]tetradecatetraen-(3,6,10,13)⟩; 77%; F: 342–345°
R = COC$_2$H$_5$;	7,18-Dipropanoyl-...; 80%; F: 323–325°
R = COCH$_2$Cl;	7,18-Bis-[chlor-acetyl]-...; 25%; F: 317–320°
R = COC$_6$H$_5$;	7,18-Dibenzoyl-...; 30%; F: 300–304°
R = COOC$_2$H$_5$;	7,18-Diäthoxycarbonyl-...; 30%; F: 325–327°
R = CONH$_2$;	7,18-Diaminocarbonyl-...; 99%; F: 367–370°

Aus 5-Oxo-5H-⟨dibenzo-[a,e]-cycloheptatrien⟩ (V) entsteht entsprechend *7,18-Dioxo-⟨tetrabenzo-cis-anti-cis-tricyclo[7.5.0.0^{2,8}]tetradecatetraen-(3,6,10,13)⟩* (62% d.Th., F: 237–238,5°, Zers.)[1,3]. Werden I und V zusammen belichtet, so erhält man mit 10%iger Ausbeute auch ein gemischtes *anti*-Dimeres[1] (vgl. S. 369).

Völlig andersartig verläuft die Photodimerisierung von 2,3;6,7;2′,3′;6′,7′-Tetrabenzo-heptafulvalen (VI). Durch zweifache *syn*-Addition wird mit 80%iger Ausbeute der Polycyclus VII gewonnen, wenn 1 g VI in 230 *ml* Benzol 12 Stdn. mit einem Quecksilber-Hochdruck-Brenner (Hanau Q-81) unter Argon belichtet wird[4]. Die Gründe für das unterschiedliche Verhalten sind noch nicht klar.

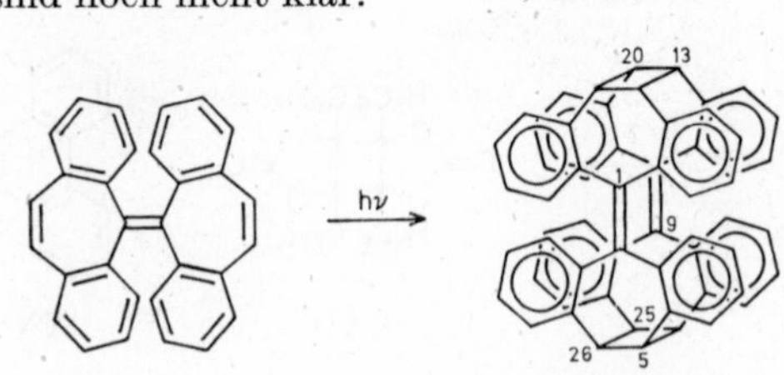

3,4; 7,8; 11,12; 15,16; 17,18; 21,22; 23,24; 27,28-Octabenzo-heptacyclo[8.6.6.6^{2,9}.0^{5,26}.0^{6,25}.0^{13,20}.0^{14,19}]octacosadecaen-(1,3,7,9,11,15,17,21,23,27)

[1] J. Kopecký u. J. E. Shields, Collect. czech. chem. Commun. **36**, 3517 (1971); Tetrahedron Letters **1968**, 2821.

[2] L. J. Kricka, M. C. Lambert u. A. Ledwith, Soc. (Perkin) I **1974**, 52.

[3] W. Tochtermann, G. Schnabel u. A. Mannschreck, A. **705**, 169 (1967).

[4] A. Schönberg, U. Sodtke u. K. Praefcke, Tetrahedron Letters **1968**, 3669.

Tetrabenzo-cis-anti-cis-tricyclo[7.5.0.0.²,⁸] tetradecatetraen-(3,6,10,13) (II, S. 346)[1]: 300 mg Dibenzo-[a;e]-cycloheptatrien in 125 ml Cyclohexan werden bei Raumtemp. unter Stickstoff mit einem Quecksilber-Hochdruck-Brenner (Philips 125 W) durch ein Solidex-Filter 6 Stdn. belichtet. Man filtriert 147 mg Kristalle, erhält nach Konzentrieren weitere 94 mg (zus. 80%) und kristallisiert aus Toluol um.

8,17-Diacetyl-⟨tetrabenzo-5,12-diaza-tricyclo[7.5.0.0²,⁸]tetradecatetraen-(3,6,10,13)⟩ (IV, S. 346)[2]: 200 mg 5-Acetyl-5H-⟨dibenzo-[a;e]-azepin⟩ (III) und 200 mg Benzophenon in 14 ml Aceton werden unter Luftausschluß in einem Rohr aus Pyrex-Glas 5 Min. belichtet (Reading-Reaktor). Die sich abscheidenden Kristalle werden abfiltriert; Ausbeute: 154 mg (77% d.Th.); F: 342–345°.

7,18-Dioxo-⟨tetrabenzo-cis-anti-cis-tricyclo[7.5.0.0²,⁸] tetradecatetraen-(3,6,10,13)⟩[3]: 8,2 g (40 mMol) 5-Oxo-7H-⟨dibenzo-[a;e]-cycloheptatrien⟩ in 75 ml abs. 1,4-Dioxan werden 9 Stdn. mit einer Quecksilber-Hochdruck-Lampe (Hanau Q 400) belichtet. Man dampft das Lösungsmittel ab und erhält nach Zugabe von Aceton 5,1 g (62%) des Dimeren.

Über verwandte Photodimerisierungen von Phenanthren-Derivaten und Acenaphthylen s. S. 481

ε) α,β-ungesättigte Carbonsäuren und Derivate ohne aromatische Substituenten

α,β-ungesättigte Carbonsäure-Derivate ohne zusätzliche Chromophore lassen sich mangels langwelliger Absorption oft bequemer mit sensibilisierter Anregung photodimerisieren. Werden Aldehyde oder Ketone als Sensibilisatoren eingesetzt, so beobachtet man häufig Addition der C=O-Doppelbindung an die C=C-Doppelbindung zu Oxetanen (s. S. 838ff.). Die bei Sensibilisierung mit Aromaten (z. B. Benzol, Phenanthren, Anthracen u. a.) bestehenden Additionsmöglichkeiten sind S. 476ff. abgehandelt.

Bei den Photodimerisierungen mindern cis-trans-Isomerisierungen und manchmal auch lichtinduzierte oder sensibilisierte Öffnungen des Cyclobutan-Rings der Photodimeren die Quantenausbeuten. Wahrscheinlich verlaufen diese Prozesse über z. T. polare Biradikale, welche auch zur linearen Polymerisation fähig sind. Andererseits lassen Interaktionsdiagramme Deutungen im Sinne von Synchron-Mechanismen für die Vierring-Bildungen zu[4].

ε₁) Acrylsäure-Derivate

Acrylsäure bildet keine Cyclobutan-dicarbonsäure, sondern polymerisiert bei der Belichtung im festen Zustand[5], so wie das auf Grund der Kristallstruktur erwartet wird[6]. Ebensowenig läßt sich Crotonsäure im kristallinen Zustand photodimerisieren[6]. Statt dessen tritt Bildung von cis-Buten-(2)-säure ein[6]. Großes Interesse fand die Photodimerisierung von Acrylnitril bei sensibilisierter Anregung z. T. in Gegenwart von Polymerisations-

[1] J. KOPECKÝ u. J. E. SHIELDS, Collect. czech. chem. Commun. **36**, 3517 (1971); Tetrahedron Letters **1968**, 2821.

[2] L. J. KRICKA, M. C. LAMBERT u. A. LEDWITH, Soc. (Perkin) I **1974**, 52.

[3] W. TOCHTERMANN, G. SCHNABEL u. A. MANNSCHRECK, A. **705**, 169 (1967).

[4] N. D. EPIOTIS, Am. Soc. **94**, 1941, 1946 (1972).

[5] C. H. BAMFORD, G. C. EASTMOND u. J. C. WARD, Pr. roy. Soc., Ser. [A] **271**, 357 (1963).

[6] G. M. J. SCHMIDT, in: *Reactivity of the Photoexcited Organic Molecule*, S. 227, Interscience Publ., Amsterdam · London 1967.

inhibitoren (z. B. Bis-[2-cyan-äthyl]-amin)[1], obwohl dessen thermische Dimerisierung ebenfalls zu den Kopf/Kopf-Isomeren I und II ergiebiger ist[2].

I; F: 31°   II; F: 67°

trans-   *cis-*
1,2-Dicyan-cyclobutan

Das Verhältnis I:II beträgt in allen Fällen etwa 0,8. Kopf/Schwanz-Dimere von Acrylnitril treten nur in so geringer Menge auf, daß sie auch gaschromatographisch nicht isoliert werden können. Als Sensibilisatoren sind aliphatische und aromatische Ketone oder Aldehyde und substituierte sowie iso- oder heterocyclisch kondensierte Aromaten wirksam. Bei Verwendung von Aceton überwiegt jedoch die Bildung von 4,4-Dimethyl-2-cyan-oxetan. I und II besitzen wegen zahlreicher Umwandlungsmöglichkeiten (u. a. zu 1,6-Diamino-hexan und Adipinsäure) technische Bedeutung[1,2].

Entsprechend läßt sich Methacrylnitril durch Aceton sensibilisiert in *2,4,4-Trimethyl-2-cyan-oxetan* (III) und die Kopf/Kopf-Dimeren IV sowie V, (Z)- und (E)-*1,2-Dimethyl-1,2-dicyan-cyclobutan* überführen[3]:

III   IV   V

Auch 2-Acetoxy-acrylnitril liefert nur die Kopf/Kopf-Dimeren (Z)- und (E)-*1,2-Diacetoxy-1,2-dicyan-cyclobutan*[4]. Ihre nur langsame Bildung dürfte auf sterischer Hinderung des Ringschlusses beruhen.

trans- und cis-1,2-Dicyan-cyclobutan (I und II)[3]: 100 *ml* Acrylnitril und 100 *ml* Aceton werden unter Stickstoff 22 Stdn. mit dem ungefilterten Licht einer wassergekühlten Hanovia 450 W Quecksilber-Tauchlampe belichtet. Man destilliert unverbrauchte Reagenzien ab, trennt die Addukte von 10 g Acrylnitril-Polymeren durch Dest. i. Vak., chromatographiert das Destillat an Kieselgel mit Äther/Petroläther (Kp: 40–60°) und reinigt die einzelnen Fraktionen durch Destillation. I; Kp_{15}: 160°; II; Kp_{15}: 190°. Durch präparative Gaschromatographie können 0,32 g 4,4-Dimethyl-2-cyan-oxetan isoliert werden.

(Z)- und (E)-1,2-Dimethyl-1,2-dicyan-cyclobutan (IV und V)[3]: 30 *ml* Methacrylnitril und 45 *ml* Aceton werden unter Stickstoff 63 Stdn. mit dem ungefilterten Licht einer Hanovia 450 W Tauchlampe bestrahlt. Man erhält laut gaschromatographischer Analyse III, IV und V im Verhältnis 42:4:17 und isoliert nach Chromatographie an Kieselgel mit Äther/Petroläther (Kp:40–60°) (25/75 Vol.-Teile): III 5,1 g; IV 0,7 g und V 2,9 g. Als Nebenprodukt werden zusätzlich 0,08 g 2,5-Dicyan-hexen-(1) erhalten.

[1] Fr. P. 1470282 (1967), VEB Chem. Werke Buna, Erf.: J. RUNGE u. R. KACHE; C. A. **68**, 12543[w] (1968).
   Brit. P. 1068230, 1095849 (1967), VEB Chem. Werke Buna, Erf.: J. RUNGE u. R. KACHE;
      C. A. **67**, 73215[s] (1967); **68**, 114155[p] (1968).
   DDRP. 60035 (1968), J. RUNGE u. R. KACHE; C. A. **70**, 19657[m] (1969).
   Fr. P. 1511660 (1968), Toyo Rayon Co., Ltd.; C. A. **70**, 96234[y] (1969).
   US. P. 3623966 (1971), Phillips Petroleum Co., Erf.: W. B. HUGHES; C. A. **76**, 45813[c] (1972).
   R. S. H. LIU u. D. M. GALE, Am. Soc. **90**, 1897 (1968).
   D. M. GALE, J. Org. Chem. **35**, 970 (1970).
   S. HOSAKA u. S. WAKAMATSU, Tetrahedron Letters **1968**, 219.
   J. RUNGE u. R. KACHE, Z. 8, 382 (1968).
[2] S. ds. Handb., Bd. IV/4, S. 268 ff.
[3] J. A. BARLTROP u. H. A. J. CARLESS, Am. Soc. **94**, 1951 (1972); Tetrahedron Letters **1968**, 3901.
[4] W. L. DILLING, R. D. KROENING u. J. C. LITTLE, Am. Soc. **92**, 928 (1970).

(Z)- und (E)-1,2-Diacetoxy-1,2-dicyan-cyclobutan[1]: Eine entgaste Lösung von 0,12 g (1,0 mMol) Acetophenon in 0,605 g (5,5 mMol) 2-Acetoxy-acrylnitril wird 43 Stdn. in einer auf 0° gekühlten Pyrex-Ampulle mit einer Hanovia 450 W Lampe belichtet. Der Umsatz beträgt 13% und die im Verhältnis 56:44 gebildeten *trans*- und *cis*-Dimeren werden durch präparative Gaschromatographie gereinigt.

Zwei β-Alkyl-acrylsäureester-Einheiten lassen sich dann sensibilisiert zu Vierring-Produkten photolysieren, wenn sie über eine Alkyl-Kette geeigneter Länge miteinander verbunden sind. Dabei entscheidet die Länge der Alkyl-Gruppe über das Reaktionsergebnis intramolekulare Kopf/Kopf- oder überkreuzte Addition; *cis-trans*-Isomerie der Vierring-Produkte)[2]. Beispiele zu diesem Reaktionstyp s. S. 280ff.

ε₂) cyclische Acrylsäure-Derivate

Sowohl der Äthylester als auch das Amid und das Nitril der 2,2-Dimethyl-4-trifluor-methyl-1,3-dioxol-5-carbonsäure (I) geben bei der vorzugsweise mit Aceton sensibilisierten, jedoch auch bei direkter Anregung durchführbaren, Photodimerisierung 3 Dimere in guten Ausbeuten[3]. Lediglich beim Äthylester tritt die Besonderheit auf, daß im *syn*-Dimeren IVa eine der Ester-Gruppen während der Reaktion verlorengeht und durch Wasserstoff ersetzt wird.

R = COOC₂H₅	IIa; *1,4;2,3-Bis-[isopropylendioxy]-t-3,c-4-bis-[trifluor-methyl]-r-1,t-2-diäthoxycarbonyl-cyclobutan*; 50% d.Th.; F: 114–116°	IIIa; *1,4;2,3-Bis-[isopropylendioxy]-t-2,c-4-bis-[tri-fluormethyl]-r-1,t-3-diäthoxycar-bonyl-cyclobutan*; 10% d.Th.; F: 140–142°	IVa; *1,4;2,3-Bis-[isopropylendioxy]-c-3,c-4-bis-[trifluormethyl]-r-1-äthoxycarbonyl-cyclobutan*, 20% d.Th.; F: 140–142°
R = CN	IIb; *... r-1,t-2-dicyan-cyclobutan*; 65% d.Th.	IIIb; *... r-1,t-3-dicyan-cyclobutan*; 9% d.Th.	IVb; *... r-1,c-2-dicyan-cyclobutan*; 19% d.Th.; F:111°
R = CONH₂	IIc; *... r-1,t-2-diamino-carbonyl-cyclobutan*	IIIc; *...r-1,t-3-diamino-carbonyl-cyclobu-butan*	IVc; *...r-1,c-2-diamino-carbonyl-cyclo-butan*

1,4;2,3-Bis-[isopropylendioxy]-t-3,c-4-bis-[trifluormethyl]-r-1,t-2-dicyan-, 1,4;2,3-Bis-[isopropylen-dioxy]-t-2,c-4-bis-[trifluormethyl]-r-1,t-3-dicyan- und 1,4;2,3-Bis-[isopropylendioxy]-c-3,c-4-bis-[trifluor-methyl]-r-1,c-2-dicyan-cyclobutan (IIb, IIIb und IVb)[3]: 5,8 g 2,2-Dimethyl-5-trifluormethyl-4-cyan-1,3-dioxol (Ib) werden in 250 *ml* Aceton unter Stickstoff mit einem Quecksilber-Hochdruck-Brenner durch ein Glasfilter 15 Stdn. bei Raumtemp. belichtet. Nach dem Eindampfen wird der Rückstand aus Methanol umkristallisiert. Dabei erhält man 3,17 g eines Gemischs der *anti*-Dimeren IIb und IIIb (F: 192–195°). Aus der Mutterlauge werden durch Schichtchromatographie an Kieselgel mit Benzol/Petroläther (2:1, Vol.-Teile) weitere 1,05 g der *anti*-Dimeren (Gesamtausbeute 73%; IIb/IIIb = 7:1) und 1,1 g (19%) des *syn*-Dimeren IVb gewonnen.

W. L. DILLING, R. D. KROENING u. J. C. LITTLE, Am. Soc. **92**, 928 (1970).

J. R. SCHEFFER u. R. A. WOSTRADOWSKI, Chem. Commun. **1971**, 144; J. Org. Chem. **37**, 4317 (1972).

J. R. SCHEFFER, R. A. WOSTRADOWSKI u. K. C. DOOLEY, Chem. Commun. **1971**, 1217.

J. R. SCHEFFER u. B. A. BOIRE, Am. Soc. **93**, 5490 (1971).

J. J. BLOOMFIELD u. D. C. OWSLEY, Tetrahedron Letters **1973**, 1795.

H. DWORSCHAK u. F. WEYGAND, B. **101**, 289 (1968).

Nur durch Belichtung der Kristalle von 2,5-Dihydroxy-1,4-diäthoxycarbonyl-cyclohexadien-(1,4) (V) wird topochemisch kontrolliert das Kopf/Schwanz-*anti*-Dimere VI gewonnen. Vorteilhaft ist die Verwendung eines Corex-Filters ($\lambda > 260$ nm) und wäßriger Suspensionen von V[1]:

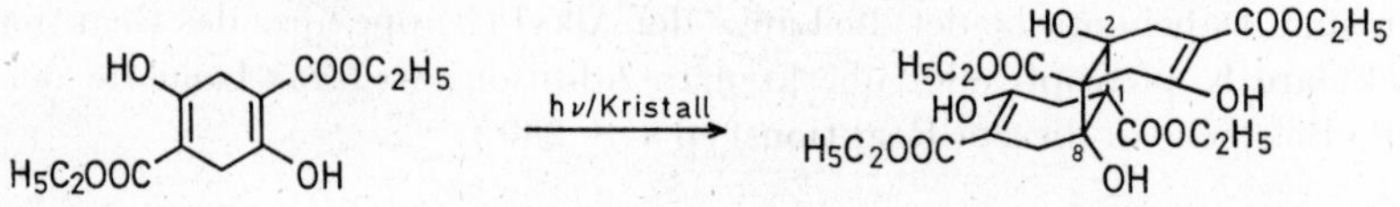

V   VI;

2,5,8,11-Tetrahydroxy-1,4,7,10-tetraäthoxy-carbonyl-anti-tricyclo[6.4.0.0²·⁷]dodecadien-(4,10); 9% d.Th.; F: 162–165°

Auch α,β-ungesättigte Lactone und Lactame sind für Photodimerisierungen besser geeignet als offenkettige Acrylsäure-Derivate, offenbar weil die Polymerisationsneigung geringer ist und quantenverbrauchende *cis-trans*-Isomerisierungen bei kleinen Ringen ausgeschlossen sind. Belichtung von kristallinem 2-Oxo-2,5-dihydro-furan ergibt topochemisch kontrolliert das Kopf/Kopf-Dimere VIII. Im Gegensatz dazu entstehen in Lösung die *anti*-Dimeren IX und X[2]:

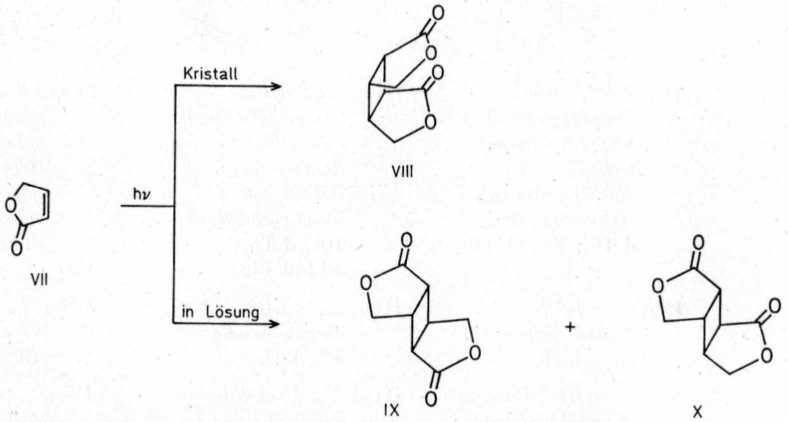

VIII; *3,10-Dioxo-4,9-dioxa-syn-tricyclo[5.3.0.0²·⁶]decan*; 26% d.Th.; F: 235–236°
IX; *3,8-Dioxo-4,9-dioxa-anti-tricyclo[5.3.0.0²·⁶]decan*; F: 292–293°
X; *3,10-Dioxo-4,9-dioxa-anti-tricyclo[5.3.0.0²·⁶]decan*; F: 280–281°; Racemat

3,8- und 3,10-Dioxo-4,9-dioxa-tricyclo[5.3.0.0²·⁶] decane (VIII, IX und X)[2]: Von 2-Oxo-2,5-dihydro-furan wird bei –78° ein dünner Kristallfilm in einem Glaszylinder hergestellt und bei dieser Temperatur mit einem Quecksilber-Niederdruck-Brenner belichtet. Nach Kristallisation aus Aceton erhält man 26% VIII.

0,2–0,6 m Lösungen von VII in Wasser werden bei 20–30° unter Stickstoff mit einer 30 W Quecksilber-Niederdruck-Tauchlampe 20–30 Stdn. belichtet. Man erhält 20–30% eines 1:1-Gemischs der *anti*-Dimeren IX und X, welche durch fraktionierte Kristallisation in Acetonitril oder durch selektive Hydrolyse in 1 n Natronlauge und anschließende Lactonisierung mit Essigsäureanhydrid getrennt werden.

Die Belichtung von VII in Aceton mit einem Quecksilber-Hochdruck-Brenner durch ein Pyrex-Filter liefert mehr IX als X.

---

[1] J. SINNREICH u. H. BATZER, Helv. **56**, 2760 (1973).
[2] K. OHGA u. T. MATSUO, Bl. chem. Soc. Japan **43**, 3505 (1970).

Die Ergebnisse der Belichtung ungesättigter Lactame (beim Siebenring *trans*-Addition einer Doppelbindung) sind in Tab. 58 (S. 354) angeführt.

Über die Photodimerisierung von Pyrimidin-Abkömmlingen wie Uracil, Thymin, Cytosin u. a. s. S. 1535ff.

ε₃) *Fumarsäure- und Maleinsäure-Derivate*

Während Fumarsäure selbst – bedingt durch ihre Kristallstruktur – im festen Zustand lichtstabil ist[1], dimerisieren zahlreiche Derivate wie etwa **Fumarsäure-dimethylester** oder **Fumarsäure-dinitril** bei der Belichtung der Kristalle topochemisch kontrolliert zu Cyclobutanen. Es handelt sich um die kürzesten Synthesen der auch technisch für Alkyd- oder Polyesterharze und Aminoplaste wertvollen Verbindungen **I a**[2] und **I b**[3] (weitere Beispiele in Tab. 58, S. 354f.):

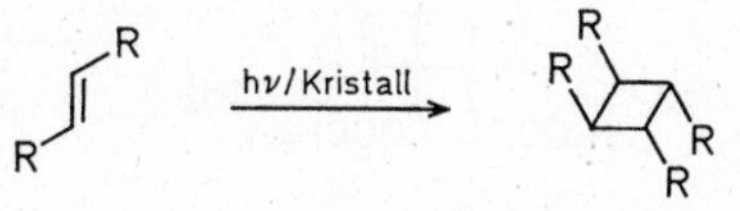

I a; R = COOCH₃   *r-1,c-2,t-3,t-4-Tetramethoxycarbonyl-*
                   cyclobutan; F: 144–145°
I b; R = CN   *r-1,c-2,t-3,t-4-Tetracyan-cyclobutan;*
                   F: 250° (Zers.)

Die übrigen Cyclobutan-1,2,3,4-tetracarbonsäure-Derivate sind durch Ozon-Abbau geeigneter Truxill-säuren (Photodimere von Zimtsäuren)[4] (vgl. S. 315ff.) oder des niedrig schmelzenden Acenaphthylen-Photodimeren[5] (s. S. 481) zugänglich.

Bei **Maleinsäure-anhydrid**[3, 6–8] und seinen Derivaten (vgl. Tab. 57, S. 355f.) werden entsprechende Photodimerisierungen bequemer in Lösung bei direkter oder sensibilisierter Anregung erreicht. Dabei besteht eine erhebliche strukturelle Variationsbreite.

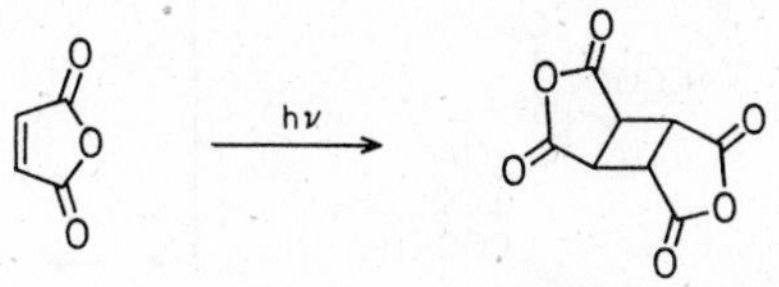

Cyclobutan-r-1,c-2,t-3,t-4-tetracar-
bonsäure-dianhydrid; F: 300° (Zers.)

Entsprechend geht **N-Phenyl-maleinsäure-imid** in *N,N'-Diphenyl-cyclobutan-1,2,3, 4-tetracarbonsäure-diimid* über[7]. Das Dimere (II) von **Dichlor-maleinsäure-anhydrid** dient als Vorstufe für 1,2,3,4-Tetrachlor-tetramethoxycarbonyl-cyclobutan (III, F: 106°),

---

[1] Das gleiche gilt für Tetracyan-äthylen: G. M. J. SCHMIDT, Soc. **1964**, 2014.
[2] G. W. GRIFFIN, A. F. VELLTURO u. K. FURUKAWA, Am. Soc. **83**, 2725 (1961).
    US. P. 3139395 (1964), American Cyanamid Co., Erf.: G. W. GRIFFIN; C. A. **61**, 6937ᵇ (1964).
[3] G. W. GRIFFIN, J. E. BARINSKI u. L. I. PETERSON, Am. Soc. **84**, 1012 (1962).
    US. P. 3203973 (1965), American Cyanamid Co., Erf.: G. W. GRIFFIN; C. A. **63**, 13090ᵉ (1965).
[4] R. CRIEGEE u. H. HÖVER, B. **93**, 252 (1960).
[5] G. W. GRIFFIN u. D. F. VEBER, Am. Soc. **82**, 6417 (1960).
[6] G. W. GRIFFIN, J. E. BARINSKI u. A. F. VELLTURO, Tetrahedron Letters **1960**, Nr. 3, 13.
[7] G. O. SCHENCK et al., B. **95**, 1642 (1962).
[8] Das entsprechende Dimere von Maleinsäure-thioanhydrid wurde als Nebenprodukt bei der Addition von Äthylen an diese Verbindung isoliert: M. VERBECK, H.-D. SCHARF u. F. KORTE, B. **102**, 2471 (1969).

das seinerseits in Oktamethoxycarbonyl-tricyclo[4.2.0.0.^{2,5}]octadien-(3,7) (IV; F: 158°) und in den Cyclobutadien-Komplex V (F: 180–182°) überführt werden kann[1,2]:

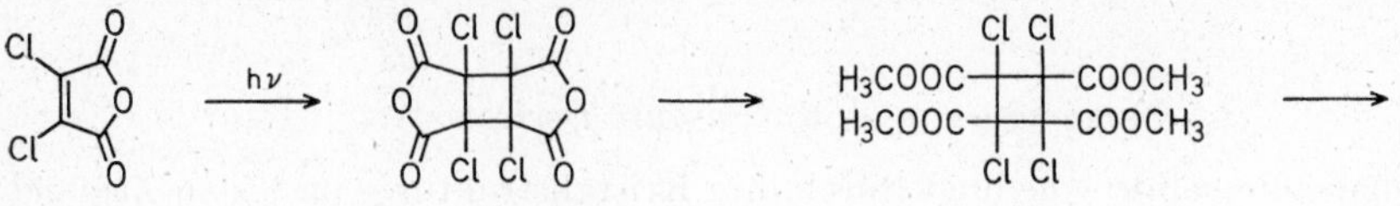

1,2,3,4-Tetrachlor-cyclobutan-tetracarbon=säure-dianhydrid; F : 280°

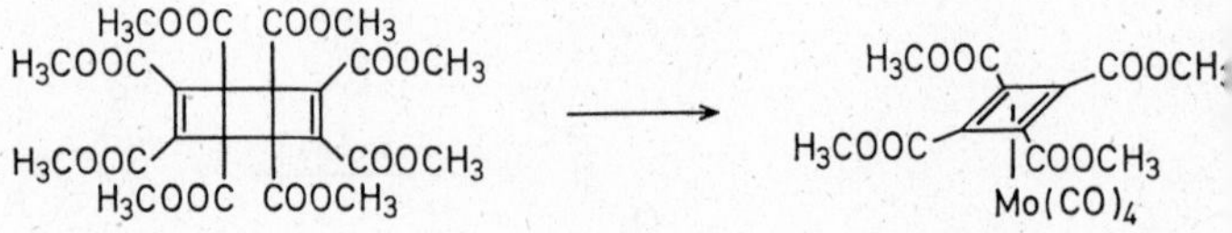

Mit N,N′-Polymethylen-bis-maleinsäureimiden geeigneter Kettenlänge wurden intramolekulare Vierring-Bildungen aber auch intermolekulare Photo-Cycloadditionen erreicht (s. Tab. 58, S. 356) (s. a. S. 1506f.)

Belichtung von 1,2-Dimethoxycarbonyl-cyclobuten liefert *1,2,5,6-Tetramethoxycarbonyl-anti-tricyclo[4.2.0.0^{2,5}]octan* (VI; F: 139°) mit Ausbeuten bis zu 65%[3–6]. Aus diesem entsteht bei 140° quantitativ *1,2,5,6-Tetramethoxycarbonyl-cyclooctadien-(1,5)*[3] bzw. nach Reduktion, Mesylierung und Cyclisierung mit Natriumsulfid das zweifache Thiapropellan VII[6]:

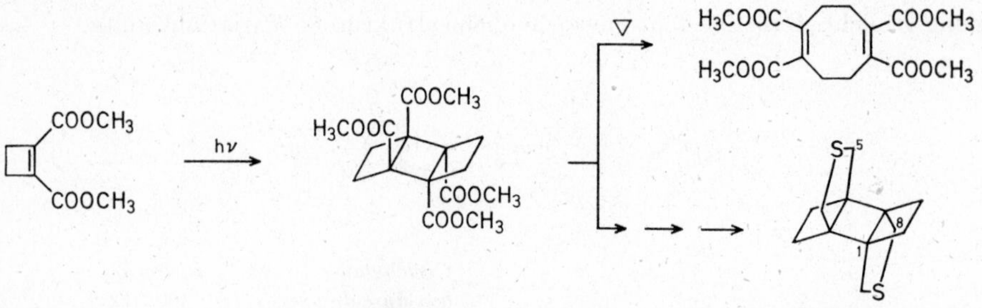

4,9-Dithia-exo-pentacyclo [5.3.2.2^{2,6}.0^{1,8}.0^{2,6}]tetradecan; F: 208–209°

r-1,c-2,t-3,t-4-Tetramethoxycarbonyl-cyclobutan (Ia; S. 351)[7]: Eine Lösung von 10 g Fumarsäure-dimethyl-ester in Aceton wird in einem horizontal rotierenden Glaszylinder unter Stickstoff eingedampft. Anschließend belichtet man den Kristall-Film 1–5 Tage mit einem Quecksilber-Niederdruck-Brenner

[1] H.-D. Scharf u. K. R. Stahlke, Ang. Ch. **82**, 835 (1970).
[2] Auch Dichlor- und Dibrom-maleinsäureimide bilden Photodimere des Typs II: H.-D. Scharf u. F. Korte, B. **98**, 764 (1965).
[3] E Vogel, D. Roos u. K.-H. Disch, A. **653**, 55 (1962).
[4] R. L. Sars u. L. Ratner, Acta Crystallogr. **16**, 433 (1963).
[5] D. Seebach, B. **97**, 2953 (1964).
[6] I. Lantos u. D. Ginsburg, Tetrahedron **28**, 2507 (1972).
[7] G. W. Griffin, A. F. Vellturo u. K. Furukawa, Am. Soc. **83**, 2725 (1961).

Westinghouse 15 T 8) bei 25–30°. Das Reaktionsprodukt wird mit Benzol extrahiert, wobei polymeres Material zurückbleibt. Nach Einengen wird aus wenig Benzol umkristallisiert; Ausbeute: 6 g (60%); : 144–145°.

Beim Erhitzen auf 300° bilden sich 50% aus isomeren r-1,t-2,c-3,t-4-Tetraesters (F: 126–127°).

r-1,c-2,t-3,t-4-Tetracyan-cyclobutan (Ib, S. 351)[1]: Aus 60 g Fumarsäure-dinitril in Äther wird ein Kristall-film im Innern eines 1 l Glaszylinders hergestellt, welcher 1 Woche mit einer Quecksilber-Niederdruck-Lampe (Westinghouse 15 T 8) bei 25–27° belichtet wird. Man extrahiert das braune Gemisch mit heißem Äther und kristallisiert den Rückstand aus Acetonitril um; Ausbeute: 2,1 g (3,5%); F: 250° (Zers.).

Cyclobutan-r-1,c-2,t-3,t-4-tetracarbonsäure-dianhydrid[2]: 29,9 g Maleinsäure-anhydrid und 2,8 g Benzophenon in 150 ml 1,4-Dioxan werden 6 Stdn. mit einem Quecksilber-Hochdruck-Brenner (Philips HPK 125 W) durch ein Glas-Filter unter Argon bei 18° belichtet, während magnetisch gerührt wird. Man filtriert die ausgefallenen Kristalle ab (1,7 g; 6%) und sublimiert das Produkt bei 280° und 0,1 Torr. Die Quantenausbeute dieser Reaktion beträgt $\varphi = 0,26$. Unter sonst gleichen Bedingungen, jedoch ohne Sensibilisator bilden sich (wahrscheinlich wegen geringer Lichtabsorption) nur 0,9 g (3%) desselben Photodimeren.

N,N'-Diphenyl-cyclobutan-1,2,3,4-tetracarbonsäure-diimid[2]: 8,7 g N-Phenyl-maleinsäure-imid und 2,8 g Benzophenon in 150 ml 1,4-Dioxan werden 24 Stdn. mit einem Quecksilber-Hochdruck-Brenner (Philips HPK 125 W) durch ein Glas-Filter unter Argon bei 15° belichtet. Man filtriert die ausgefallenen Kristalle ab (4,8 g; 55%) und reinigt sie durch Sublimation bei 270°/0,1 Torr.

1,2,3,4-Tetrachlor-cyclobutan-tetracarbonsäure-dianhydrid (II, S. 352)[3]: 52 g mehrfach sublimiertes Di-chlor-maleinsäureanhydrid in 100 ml wasserfreiem Aceton werden 3 Tage mit einem Quecksilber-Hoch-druck-Brenner (Philips HPK 125 W) durch ein Pyrex-Filter bei Raumtemp. bestrahlt. Man filtriert die ge-bildeten Kristalle ab und kristallisiert sie aus wasserfreiem 1,4-Dioxan um. Durch 200stdg. Bestrahlen des Filtrats läßt sich die Ausbeute auf insgesamt 6 g (12%) steigern.

Tab. 58. Photodimerisierung α,β-ungesättigter Carbonsäure-Derivate

Ausgangs-verbindung	Reaktions-bedingungen	Produkt	Ausbeute [% d. Th.]	F [°C]	Lite-ratur
	700 mg; 180 ml tert.-Butanol; 3 Stdn.; 450 W Hanovia-Lampe; Pyrex-Filter	*1,5,7,11-Tetraäthoxy-carbonyl-3,9-diaza-syn-tricyclo[6.4.0. 0²,⁷]dodecadien- (4,10)* daneben wenig-*anti*-Dimeres	32	292	4
	10 Stdn. Belichtung wie oben	*1,5,7,11-Tetraäthoxy-carbonyl-3,9-diaza-pentacyclo[6.4.0. 0²,⁷.0⁴,¹¹.0⁵,¹⁰] dodecan*	35	160–161	4

G. W. Griffin, J. E. Basinski u. L. I. Peterson, Am. Soc. **84**, 1012 (1962).

G. O. Schenck et al., B. **95**, 1642 (1962).

H.-D. Scharf u. K. R. Stahlke, Ang. Ch. **82**, 835 (1970).

U. Eisner et al., Tetrahedron **26**, 899 (1970).

Vgl. O. Mitsunobu et al., Bl. chem. Soc. Japan **45**, 1453 (1972).

Tab. 58 (1. Fortsetzung)

Ausgangs-verbindung	Reaktions-bedingungen	Produkt	Ausbeute [% d.Th.]	F [°C]
s. umseitig	Kristall-Film; 2 Tage; Sonnenlicht	*1,5,7,11-Tetraäthoxy-carbonyl-3,9-diaza-anti-tricyclo[6.4.0. 0²,⁷]dodecadien-(4,10)*	73	200–20
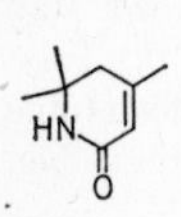	2 g; 180 *ml* H₂O + 20 *ml* tert.-Butanol; 10⁻² Mol/*l* Aceto-phenon; λ = 350 nm; N₂; 27 Stdn.	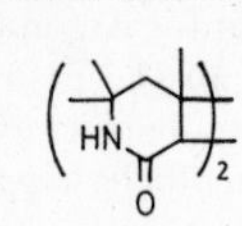 (ein Dimeres)	48	343–34
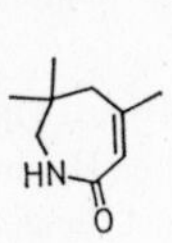	6,5 · 10⁻² Mol/*l* in H₂O/tert.-Butanol (9:1); 2 · 10⁻² Mol/*l* Aceto-phenon; λ = 350 nm; N₂; 4,5 Stdn. oder 4 g; 300 *ml* H₂O; λ = 253,7 nm; N₂; 15 Stdn.	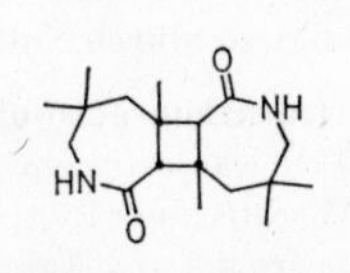 *3,10-Dioxo-r-1,6,6,c-8,13, 13-hexamethyl-c-2-H,t-9-H-4,11-diaza-tricyclo [7.5.0.0²,⁸]tetra-decan*	54	259–26
		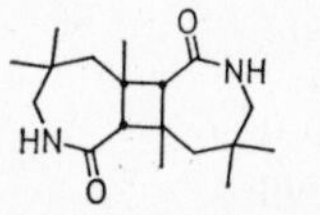 *3,10-Dioxo-r-1,6,6,t-8,13, 13-hexamethyl-c-2-H,C-9-H-4,11-diaza-tricyclo [7.5.0.0²,⁸]tetradecan*	3	346–34
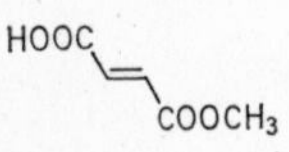	UV-Belichtung von Kristallen für mehrere Tage	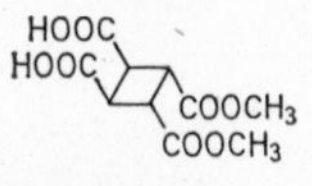 *t-3,t-4-Dicarboxy-r-1,c-2-dimethoxy-carbonyl-cyclo-butan*[a]		153–15

[a] Hieraus ist t-3,t-4-Dimethoxycarbonyl-cyclobutan-r-1,c-2-dicarbonsäure-anhydrid (F: 144°) erhältlic

[1] U. EISNER et al., Tetrahedron 26, 899 (1970).
   Vgl. O. MITSUNOBU et al., Bl. chem. Soc. Japan 45, 1453 (1972).
[2] E. CAVALIERI u. S. HOROUPIAN, Canad. J. Chem. 47, 2781 (1969).
   Die direkte Belichtung von 2-Oxo-4,6,6-trimethyl-1,2,5,6-tetrahydro-pyridin führt überwiegend z Ringöffnung unter Wasserstoff-Wanderung[3].
[3] E. CAVALIERI u. D. GRAVEL, Canad. J. Chem. 48, 2727 (1970).
[4] T. SADEH u. G. M. J. SCHMIDT, Am. Soc. 84, 3970 (1962).

Tab. 58 (2. Fortsetzung)

Ausgangs-verbindung	Reaktions-bedingungen	Produkt	Ausbeute [% d.Th.]	F [°C]	Lite-ratur
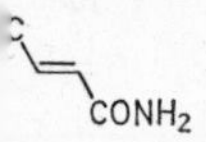 (CONH₂ structure)	Belichtung der Kristalle	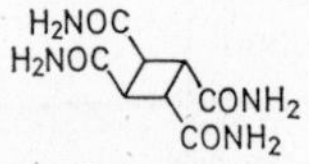 (structure) *r-1,c-2,t-3,t-4-Tetra-aminocarbonyl-cyclobutan*			1
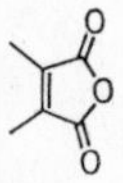 (maleic anhydride structure)	Benzophenon in Benzol; 125 W Hg-Hochdruck-Brenner durch Glas; 6 Stdn.	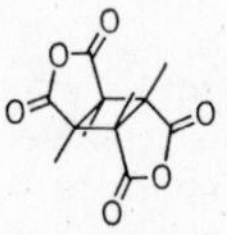 (structure) *r-1,c-2,t-3,t-4-Tetra-methyl-cyclobutan-tetracarbonsäure-1,2;3,4-dianhydrid³*	61	380 (Zers.)	2
	in Aceton		95		3
	in Benzol mit ⁶⁰CO–γ-Strahlen		>90		4
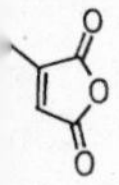 (structure)	Benzophenon in 1,4-Dioxan; 125 W Hg-Hoch-druck-Brenner durch Glas; 18 Stdn.; 10°	*1,3- oder 1,4-Di-methyl-cyclobutan-1,2,3,4-tetracarbon-säure-1,2;3,4-dianhydrid*	25	350 (Zers.)	2
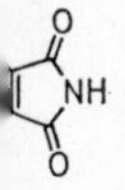 (maleimide structure, NH)	Benzophenon in Benzol; Philips HPK 125 W; Glas-Filter; 16 Stdn.; 10°	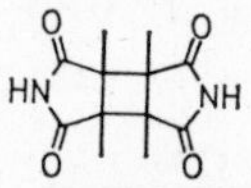 (structure) *1,2,3,4-Tetramethyl-cyclobutan-tetra-carbonsäure-diimid*	84	350 (Zers.)	2
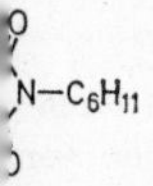 (N–C₆H₁₁ structure)	Benzophenon in 1,4-Dioxan; 125 W Hg-Hoch-druck-Brenner (Philips HPK 125 W) durch Glas; 24 Stdn.;15°	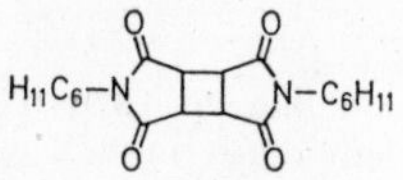 (structure) *N,N'-Dicyclohexyl-cyclobutan-1,2,3,4-tetracarbonsäure-diimid*	26	293	2

G. M. J. Schmidt in: *Reactivity of the Photoexcited Organic Molecule*, S. 227, Interscience Publ., Amsterdam 1967.

G. O. Schenck et al., B. **95**, 1642 (1962).

V. Sh. Shaikhrazieva, R. S. Enikeev u. G. A. Tolstikov, Ž. Org. Chim. 8, 377 (1972); C. A. **76**, 153465ᶻ (1972).

C. H. Krauch, W. Metzner u. G. O. Schenck, Naturwiss. **50**, 710 (1963).

Tab. 58 (3. Fortsetzung)

Ausgangs-verbindung	Reaktions-bedingungen	Produkt	Ausbeute [% d.Th.]	F [°C]
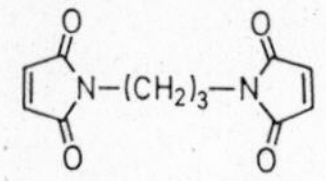	10^{-2} molar in Di-chlormethan; 300- u. 350 nm-Fluoreszenz-Lampen; N_2; 30–40°;4 Stdn.	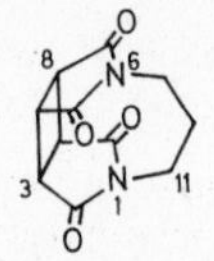 *2,5,7,10-Tetraoxo-1,6-diaza-tetracyclo[4.4.3. $0^{3,9}.0^{4,8}$]tridecan*	100	350
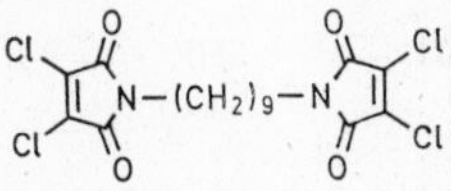	20 g; 0,044 molar in Dichlormethan; 0,027 Mol/l Benzo-phenon; 350 nm-Fluoreszenz-Lam-pen;N_2; 30–40°; 117 Stdn.	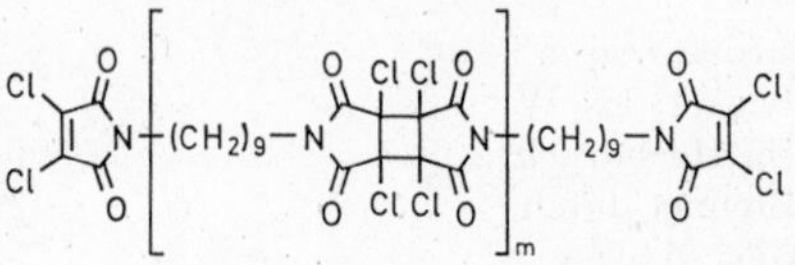 Molekulargewicht: 6300	100	137–200

ζ) Enoläther, Enolester, Thioenoläther, Enamine und Enamide

Einige Heterocyclen bei denen OR-, NRR'- und PRR'-Einheiten direkt an Doppel bindungen gebunden sind, erscheinen wegen zusätzlicher Substituenten in den vorangehen den Abschnitten β), δ) u. ε). α- und γ-Pyron-Derivate sind auf S. 612ff. besprochen.

Bei einfacheren Derivaten bereiten die Photodimerisierungen häufig Schwierigkeiten weil sie kaum mit z. T. intermolekular verlaufenden 1,3-Verschiebungen konkurrieren kön nen. Typische Beispiele sind unter anderen[3] die Umwandlungen von (1-Phenyl-vinyl) benzyl-äther in *1-Oxo-1,3-diphenyl-propan*[4] oder Essigsäure-isopropenylester in *2,4-Dioxo-pentan*[5]. Dagegen können die Dimerisierungsprodukte von Vinyl-phenyl äther mit 30% Ausbeute gefaßt werden. Durch Kopf/Kopf-Addition entstehen *trans* und *cis-1,2-Diphenoxy-cyclobutan* (F: 67,5–68,5° bzw. F: 80–80,5°)[6]:

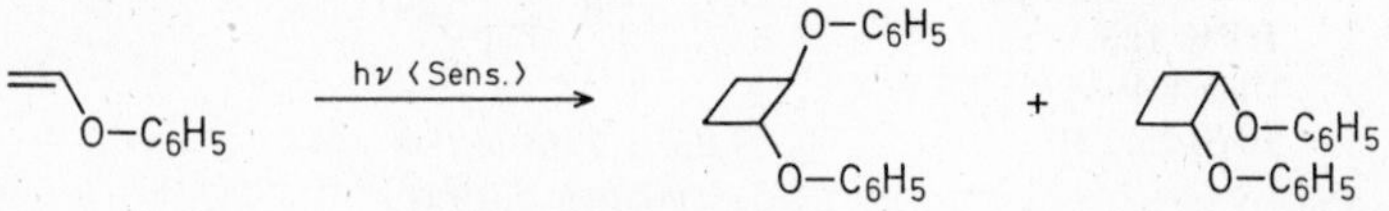

Dasselbe gilt für die photochemische Dimerisierung des Enoläthers β-Lumicolchicin zu α-*Lumicolchicin*[7], bei welchem die substituierte Doppelbindung mit einer Oxo-Gruppe in Konjugation steht.

---

[1] J. PUT u. F. C. DESCHRYVER, Am. Soc. **95**, 137 (1973); die Maleimid-Reste können auch durch längere Alkylketten (bis Octamethylen) oder durch eine CH_2-O-CH_2-Kette miteinander verbunden sein

[2] F. C. DE SCHRYVER, W. J. FEAST u. G. SMETS, J. Polymer Sci. [A-1] **8**, 1939 (1970); dort zahl reiche weitere Beispiele.

[3] M. GORODETSKY u. Y. MAZUR, Am. Soc. **86**, 5213 (1964).
   M. FELDKIMEL-GORODETSKY u. Y. MAZUR, Tetrahedron Letters **1963**, 369.
   R. SRINIVASAN, J. Org. Chem. **35**, 786 (1970).
   R. D. COCKROFT, E. E. WAALI u. S. J. RHOADS, Tetrahedron Letters **1970**, 3539.

[4] Y. IZAWA u. Y. OGATA, J. Org. Chem. **35**, 3192 (1970).

[5] A. YOGEV, M. GORODETSKY u. Y. MAZUR, Am. Soc. **86**, 5208 (1964).

[6] S. KUWATA, Y. SHIGEMITSU u. Y. ODAIRA, Chem. Commun. **1972**, 2.

[7] O. L. CHAPMAN, H. G. SMITH u. R. W. KING, Am. Soc. **85**, 806 (1963).
   A. SCHÖNBERG, G. O. SCHENCK u. O.-A. NEUMÜLLER, *Preparative Organic Photochemistry*, S. 92 Springer, Berlin 1968.

trans- und cis-1,2-Diphenoxy-cyclobutan[1]: 0,05 Mol Vinyl-phenyl-äther sowie 0,021 Mol Terephthal-säure-dimethylester als Sensibilisator werden in Acetonitril gelöst und mit einem 500 W Quecksilber-Hochdruck-Brenner durch ein Pyrex-Filter bestrahlt. Man erhält, bezogen auf umgesetztes Olefin, 30% eines Gemischs aus dem *trans-* und *cis*-Dimeren im Verhältnis 3:4. Die Fluoreszenz des Sensibilisators wird vom Vinyl-phenyl-äther konzentrationsabhängig gelöscht.

Das Enamin N-Vinyl-carbazol (I) bietet einige mechanistische Besonderheiten, welche bei der Durchführung der Photodimerisierung zu *trans-1,2-Dicarbazolyl-(9)-cyclobutan* (II; F: 193°) berücksichtigt werden müssen:

I   II

In wenig polaren Lösungsmitteln wie Benzol oder Tetrahydrofuran sowie bei Abwesenheit von Elektronen-Akzeptoren wie Sauerstoff, Chloranil, Tetranitro-methan, Quecksilber(II)-cyanid u. ä. tritt keine Dimerisierung, sondern Photopolymerisation ein, wenn direkt[2] oder sensibilisiert[3-5] angeregt wird (s. S. 1503). Bei Gegenwart von Elektronen-Akzeptoren ist die Dimerisierung dagegen besonders schnell. In $3 \cdot 10^{-3}$-m Aceton-Lösung beträgt die Quantenausbeute der mit Chloranil sensibilisierten ($\lambda = 405$ nm) Dimerisierung $\varphi = 8,5$, wenn sie mit Luft oder Sauerstoff und $\varphi = 4,3$, wenn sie mit Stickstoff gesättigt ist[5]. All dies zeigt, daß die Dimerisierung von N-Vinyl-carbazol nach einem Kation-Radikal-Ketten-mechanismus verläuft, bei welchem der Akzeptor von elektronisch angeregtem I ein Elektron über-nimmt. Das so gebildete I·⊕ reagiert mit I zum zweiten Kettenträger II·⊕, welcher von I ein Elektron übernimmt usw.. Der direkte Nachweis von Kationenradikalen bei der Belichtung von I ist inzwischen blitzlicht-spektroskopisch[6] sowie durch Laser-Photolyse[7] gelungen und die Einleitung der Ketten-reaktion I → II gelingt auch mit $Fe^{3\oplus}$- und $Ce^{4\oplus}$-Salzen ohne Mitwirkung von Licht[8] oder elektro-lytisch[9]. Entsprechendes gilt für die Dimerisierung von N-Propen-(1)-yl-carbazol.

trans-1,2-Dicarbazolyl-(9)-cyclobutan[2]: 10g N-Vinyl-carbazol und 2g Quecksilber(II)-cyanid in 100 *ml* luftgesättigtem Acetonitril werden mit einem Quecksilber-Hochdruck-Brenner (Philips 500 W) 30 Min. bei Raumtemp. bestrahlt. Der größte Teil des gebildeten Dimeren (70%) kristallisiert direkt und wird aus Hexan umkristallisiert; F: 193°.

Bei direkter Anregung in Aceton ($\lambda > 350$ nm) wird eine 0,5 m luftgesättigte Lösung von N-Vinyl-carbazol mit einem 500 W Quecksilber-Hochdruck-Brenner durch eine ätherische 1,4-Diphenyl-butadien-Filterlösung 5 Stdn. bei 10° belichtet; Ausbeute: 80%.

Bei mit dem Elektronenakzeptor Chloranil ($3 \cdot 10^{-3}$ Mol/l) sensibilisierten Dimerisierungen in luftgesättigtem oder auch sauerstofffreiem Aceton[3] werden 0,1 m Lösungen von N-Vinyl-carbazol in Glasgefäßen mit einer 1000 W Wolfram-Lampe bei 25° belichtet. Nach etwa 30 Min. beginnt sich das Dimere abzuscheiden. Es kann nach längerdauernder Belichtung nahezu quantitativ durch Filtration gewonnen werden.

S. KUWATA, Y. SHIGEMITSU u. Y. ODAIRA, Chem. Commun. **1972**, 2.

J. W. BREITENBACH, F. SOMMER u. G. UNGER, Mh. **101**, 32 (1970).

Y. SHIROTA et al., Chem. Commun. **1970**, 1110.

H. F. KAUFFMANN, T. W. BREITENBACH u. O. F. OLAJ, J. Polymer Sci. [A-1] **11**, 737 (1973).

R. A. CARRUTHERS, R. A. CRELLIN u. A. LEDWITH, Chem. Commun. **1969**, 252.

L. P. ELLINGER, J. FEENEY u. A. LEDWITH, Mh. **96**, 131 (1965).

R. A. CRELLIN, M. C. LAMBERT u. A. LEDWITH, Chem. Commun. **1970**, 682.

Y. SHIROTA et al., Chemistry Letters, Chem. Soc. Japan **1972**, 145; Bl. chem. Soc. Japan **45**, 2683 (1972).

Y. TANIGUCHI, Y. NISHINA u. N. MATAGA, Chemistry Letters, Chem. Soc. Japan **1972**, 221.

F. A. BELL et al., Chem. Commun. **1969**, 251.

W. BREITENBACH, O. F. OLAJ u. F. WEHRMANN, Mh. **95**, 1007 (1964).

2-Oxo-1,3-dioxole[1] und 2-Oxo-2,3-dihydro-imidazole scheinen sich besonders gut für photochemische Dimerisierungen zu eignen. Man gelangt zu hydrolysierbaren Produkten und erhält Polyhydroxy-cyclobutane. 2-Oxo-1,3-dioxol liefert bei der mit Aceton sensibilisierten Belichtung nach 46% Umsatz 53% des *anti*-Dimeren III (F: 320°) und 43% des *syn*-Dimeren IV (F: 232–233°), aus welchen nach alkalischer Verseifung die entsprechenden 1,2,3,4-Tetrahydroxy-cyclobutane gewonnen werden können[2].

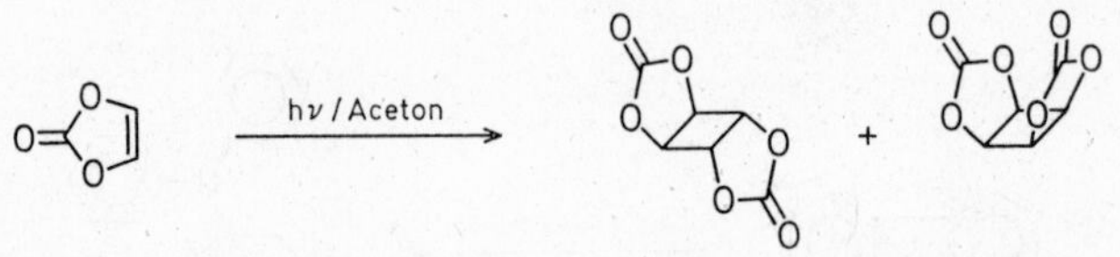

III

IV

4,9-Dioxo-3,5,8,10-tetraoxa-anti-tricyclo[5.3.0.0²,⁶]decan

4,9-Dioxo-3,5,8,10-tetraoxa-syn-

Ebenso gelingt die sensibilisierte Dimerisierung von 4,5-Dichlor-2-oxo-1,3-dioxol zu 1,2,6,7-Tetrachlor-4,9-dioxo-3,5,8,10-tetraoxa-anti- und ...-syn-tricyclo[5.3.0.0²,⁶]decan (Verhältnis 3:1) in guter Ausbeute, woraus zahlreiche hochsubstituierte Cyclobutan-Derivate synthetisiert werden können[3].

Noch nicht geklärt sind die stereochemischen Verhältnisse bei der Photodimerisierung von 4-Chlor-2-oxo-1,3-dioxol (Aceton, Quecksilber-Hochdruckbrenner). Man erhält vier Dimere mit F: 109; 179–180; 189; 191°. Es sind dies die *syn-* und *anti-1,2-* bzw. *1,6-Dichlor-4,9-dioxo-3,5,8,10-tetraoxa-tricyclo[5.3.0.0²,⁶]decane*[4]. Das Isomere mit F: 189° liefert nach der Hydrolyse die als Pilztoxin bekannte *Semiquadratsäure (1-Hydroxy-3,4-dioxo-cyclobuten;* F: 163°; Zers.)[4].

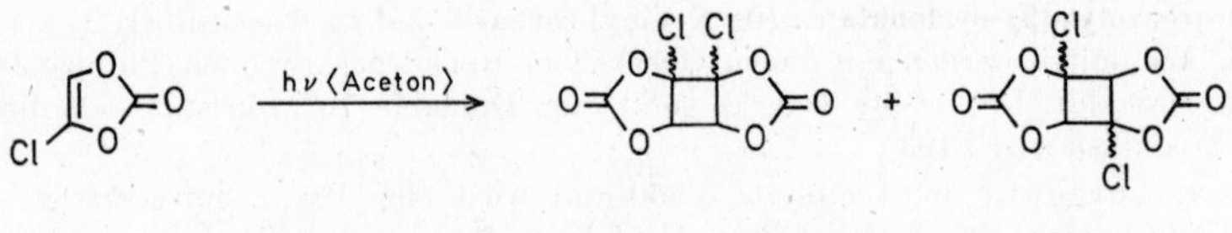

[1] Damit verwandt sind die intramolekularen [2 + 2]-Photoadditionen von I und II: C. H. Krauch, S. Farid u. D. Hess, B. **99**, 1881 (1966).

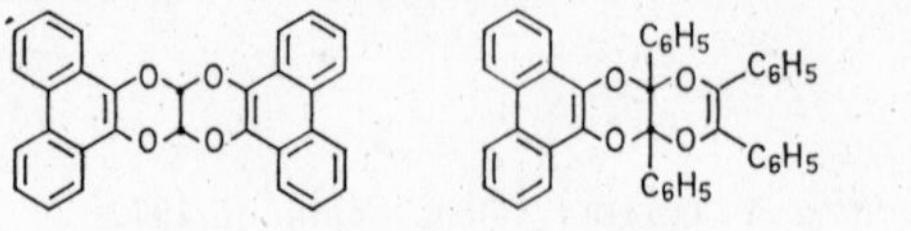

I   II

[2] W. Hartmann u. R. Steinmetz, B. **100**, 217 (1967).

[3] H.-D. Scharf u. H. Seidler, Ang. Ch. **82**, 935 (1970); B. **104**, 2995 (1971). Umwandlungen der Tetrachlor-Dimeren: Hydrolyse ergibt Octahydroxy-cyclobutan und hieraus durch Reduktion mit Schwefeldioxid Quadratsäure; Methanolyse und Äthanolyse des *anti*-Dimeren liefert die 1,2,3,4-Tetraalkoxy-Derivate (F: 200° bzw. 128°), ohne daß die Carbonat-Reste angegriffen werden; mit Semicarbazid-hydrochlorid wird Cyclobutantetron-tris-semicarbazon-monohydrat erhalten.

[4] H.-D. Scharf, Ang. Ch, **86**, 567 (1974).

2-Oxo-1,3-diphenyl-2,3-dihydro-imidazol[1] und 2-Oxo-1,3-diacetyl-2,3-
dihydro-imidazol[2] liefern ebenfalls bei sensibilisierter Anregung nur die *anti*-Dimeren:

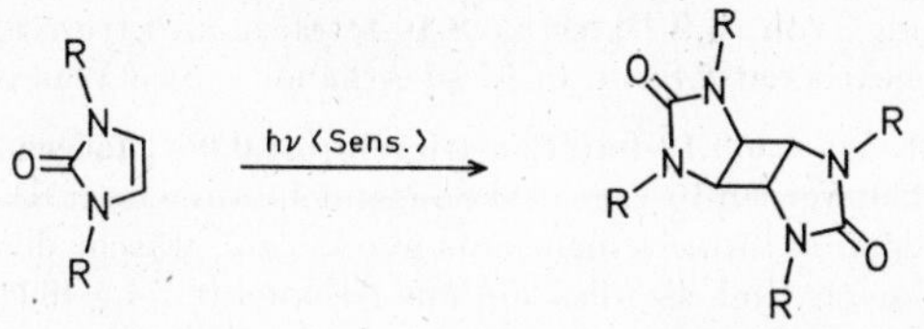

R = C$_6$H$_5$ *4,9-Dioxo-3,5,8,10-tetraphenyl-3,5,8,10-*
           tetraaza-anti-tricyclo[*5.3.0.0^{2,6}*]*decan*;
           23% d. Th.; F: 372–373°

R = COCH$_3$ *4,9-Dioxo-3,5,8,10-tetraacetyl-...*;
           44% d. Th.; F: 298–302 (Zers.)

In beiden Fällen werden jedoch Oxetane erhalten, wenn Sensibilisatoren mit niedrigerer
Triplett-Energie (z. B. Benzophenon) eingesetzt werden. Bei direkter Lichtanregung tritt
Polymerisation z. T. unter Kohlenmonoxid-Eliminierung ein. Der N-acylierte Tricyclus
läßt sich mit Kaliumcarbonat in 75%igem Äthanol fast quantitativ (98%) entacetylieren.

2-Nitro-⟨benzo-1,4-dithiin⟩ (V) hat die Strukturmerkmale eines zweifachen Thio-
enoläthers. Es bildet bei Belichtung von Kristallen ein einziges Dimeres, wobei noch offen
ist, ob Kopf/Schwanz- oder Kopf/Kopf-Dimerisierung eintritt[3].

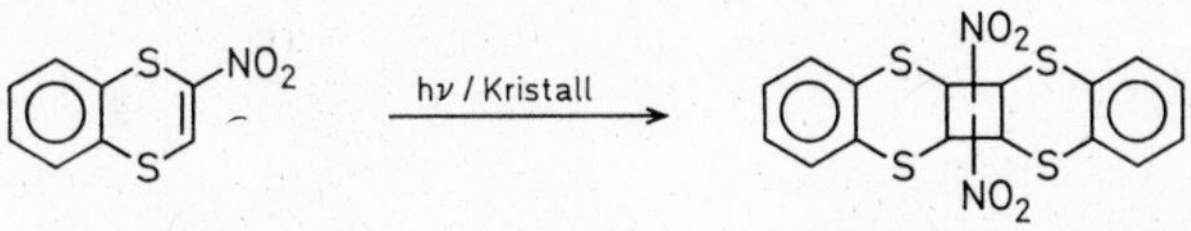

V   *1,2-* oder *1,9-Dinitro-⟨dibenzo-3,6,9,12-tetrathia-tricyclo*
                      [*6.4.0.0^{2,7}*]*dodecadien-(4,10)⟩* ;F: 170,5–172°

Die Additionsfähigkeit von Divinyl-thioäthern ist auch aus der intramolekularen Reaktion von Bis-[2-phenyl-vinyl]-sulfid bei direkter Belichtung in Äther (Hanovia 450 W,
Pyrex-Filter) zum *trans-2,3-Diphenyl-5-thia-bicyclo[2.1.0]pentan* (34%; F: 73,1–73,6°)
erkennbar[4], s. a. S. 1016.

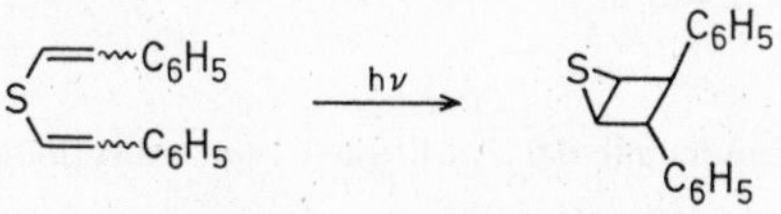

1,2,6,7-Tetrachlor-4,9-dioxo-3,5,8,10-tetraoxa-anti- und ... -syn-tricyclo[5.3.0.0^{2,6}] decan[5]: 70 g 4,5-
Dichlor-2-oxo-1,3-dioxol in 50 *ml* wasserfreiem Aceton werden mit einem Quecksilber-Hochdruck-
Brenner (Philips HPK 125 W) durch ein Pyrex-Filter 7 Tage bei Raumtemp. bestrahlt. Dabei werden
etwa 20 g (29%) Ausgangsmaterial umgesetzt und das Verhältnis der *anti*- und *syn*-Verbindung beträgt
3:1. Man filtriert 8,6 g des *anti*-Dimeren ab, konzentriert die Lösung und erhält durch Ausfrieren eine
weitere Menge. Aus der Mutterlauge werden durch Vakuum-Dest. etwa 50 g Ausgangsverbindung
(Kp$_{3,5}$: 20–30°) und 6 g (Kp$_{3,5}$: 110°) 80%iges *syn*-Dimeres erhalten. Durch fraktionierende Kristallisation aus Petroläther (Kp: 80–100°), in dem das *anti*-Produkt schwerer löslich ist, läßt es sich in kristal-
liner Form gewinnen.

[1] G. Steffan, B. **101**, 3688 (1968).
[2] G. Steffan u. G. O. Schenck, B. **100**, 3961 (1967).
[3] W. E. Parham, P. L. Stright u. W. R. Hasek, J. Org. Chem. **24**, 262 (1959).
[4] E. Block u. E. J. Corey, J. Org. Chem. **34**, 896 (1969).
[5] H.-D. Scharf u. H. Seidler, Ang. Ch. **82**, 935 (1970); B. **104**, 2995 (1971).

4,9-Dioxo-3,5,8,10-tetraacetyl-3,5,8,10-tetraaza-anti-tricyclo[5.3.0.0²,⁶]decan[1]: 3,0 g 2-Oxo-1,3-di-acetyl-2,3-dihydro-imidazol in 170 *ml* Aceton werden mit einem Quecksilber-Hochdruck-Brenner (Philips HPK 125 W) durch ein Solidex-Filter 150 Stdn. unter Argon bei Raumtemp. belichtet. Der feinkristalline Niederschlag (1,72 g; 44%) wird abfiltriert und aus viel Acetonitril umkristallisiert.

Zur Verseifung, Bildung von 4,9-Dioxo-3,5,8,10-tetraaza-anti-tricyclo[5.3.0.0.²,⁶]decan, werden 450 mg mit 370 mg Kaliumcarbonat 2 Stdn. in 15 *ml* Äthanol + 5 *ml* Wasser gekocht.

1,2- oder 1,9-Dinitro-⟨dibenzo-3,6,9,12-tetrathia-tricyclo[6.4.0.0²,⁷]dodecadien-(4,10)⟩[2]: 0,40g 2-Nitro-⟨benzo-1,4-dithiin⟩ (V, S. 359) werden 15 Tage dem Sonnenlicht ausgesetzt. Dabei färben sich die zunächst roten Kristalle hellbraun. Man extrahiert mehrmals mit Benzol, wäscht den Extraktionsrückstand mit wenig Äthanol und erhält nach Umkristallisation aus Äthanol 0,274 g (69% d.Th.) blaßgelbe Nadeln, F: 170,5–172°.

η) Halogen-olefine

Halogen-olefine mit zusätzlichen Chromophoren können bei meist sensibilisierter Belich-tung [2+2]-Additionen eingehen. Entsprechende Beispiele befinden sich in den einzelnen Abschnitten. Von den einfacheren Chlor-olefinen werden cis- und trans-1,2-Dichlor-äthylen in Benzol ($\lambda = 254$ nm) zu *r-1,c-2,t-3,t-4-* und *r-1,c-2,c-3,t-4-Tetrachlor-cyclobutan* (I und II; Verh. 1:1; Ausb. 0,2% d.Th.) dimerisiert. Es überwiegen die zahlreichen Reak-tionen zwischen Benzol und den Chlorolefinen (2%)[3].

In vielen Fällen treten bei Photolysen von Chlor-, Brom- und Jod-olefinen homolytische Spaltungen von C-Halogen-Bindungen ein. Man erhält meist Reduktions-, Fragmentie-rungs-, Umlagerungs-, Telomerisierungs- und Polymerisations-Produkte (s. S. 628). Ver-einzelt lassen sich aber auch dimere Produkte isolieren. Ein Beispiel ist die mit 50%-iger Ausbeute verlaufende radikalische Photodimerisierung von Trifluor-jod-äthylen zu *4,4-Dijod-hexafluor-buten-(1)* (Kp$_{622}$: 146°; n$_{20}^D$ = 1,4794)[4]:

$$2\ F_2C{=}CFJ \xrightarrow{h\nu} F_2C{=}CF{-}CF_2{-}CFJ_2$$

Es handelt sich um einen Sonderfall der Additionen von Alkyljodiden an C=C-Doppelbindungen (S. 639).

5. Cycloadditionen zwischen ungleichen Olefinen

bearbeitet von

Priv. Doz. Dr. Gerd Kaupp*

Bei Olefinen[5] mit deutlich verschiedenen Absorptionsspektren läßt sich erreichen, daß nur eine Molekül-Sorte Licht absorbiert. Die andere wirkt dann als Abfang-Reagenz für den elektronisch angeregten Partner. Dies eröffnet neue synthetische Möglichkeiten. Ins-

* **Chemisches Laboratorium der Universität Freiburg/Brsg.**
[1] G. Steffan u. G. O. Schenck, B. **100**, 3961 (1967).
[2] W. E. Parham, P. L. Stright u. W. R. Hasek, J. Org. Chem. **24**, 262 (1959).
[3] D. Bryce-Smith, B. E. Foulger u. A. Gilbert, J. C. S. Chem. Commun. **1972**, 769.
[4] J. D. Park, R. J. Seffl u. J. R. Lacher, Am. Soc. **78**, 59 (1956).
[5] S. auch die Übersichtsartikel: Zitat[2], S. 278.

besondere lassen sich auch solche *cis-* und *trans-*Olefine für [2+2]-Photocycloadditionen nutzen, welche nicht, oder nur mit geringer Ausbeute, photodimerisieren, weil ihre Anregungszustände zu kurzlebig sind[1]. Im Interesse einer möglichst hohen Quantenausbeute der gemischten Photocycloaddition wird man das Abfang-Reagenz im Überschuß einsetzen, z. B. als Lösungsmittel. Dies drängt gleichzeitig mögliche Dimerisierungsreaktionen zurück und führt manchmal, jedoch nicht immer, zu genügend hohen Konzentrationen an π-Komplexen (EDA-Komplexe; CT-Komplexe)[2], so daß deren längerwellige Absorptionen (CT-Absorptionsbanden) mit signifikanter Intensität auftreten. Dann lassen sich auch diese photochemisch nutzen[3,4]. Selbst wenn es gelingt, ausschließlich π-Komplexe anzuregen, kann die Überschußkomponente als Abfang-Reagenz betrachtet werden. Bei präparativen Ansätzen werden in der Regel ohnehin auch nicht komplexierte Moleküle angeregt.

Unabhängig von z. T. lumineszenzfähigen[2] CT-Komplexen besteht nach der Lichtabsorption nicht komplexierter Moleküle die Möglichkeit der Bildung von lumineszierenden Exciplexen. Dies sind π-Komplexe, wie sie sich vor allem bei Aromaten aus einem elektronisch angeregten Molekül und dem nicht angeregten Überschuß-Reagenz ohne Verlust der Anregungsenergie reversibel bilden[5]. Auch ohne nachweisbare Exciplex-Lumineszenz wurden elektronisch angeregte π-Komplexe zwischen Olefinen postuliert, aus welchen gleichzeitig zwei neue σ-Bindungen gebildet werden sollen[6] unabhängig davon, ob es sich im Singulett- oder Triplett-Prozesse handelt[7,8].

Da Photocycloadditionen meist nicht stereospezifisch verlaufen, wird zusätzlich angenommen, daß suprafacial/suprafaciale- mit suprafacial/antarafacialen-Synchronreaktionen über energetisch günstige Übergangszustände konkurrieren, weil Sekundäreffekte bei den Korrelationsdiagrammen zu berücksichtigen sind[7]. Dennoch belegt die quantitative Produktanalyse bei Triplett-Mechanismen biradikalische Zwischenprodukte mit internen Rotationen[9]. Selbst bei Singulett-Photocycloadditionen belegen Quantenbilanz und Temperaturabhängigkeit von intramolekularen Modellen[10] und Konkurrenzreaktionen wie [2+4]-Additionen[11] (bei Dienen) oder 1,3-Verschiebungen[11] und *cis/trans-*Isomerisierungen[10,11], daß kinetisch wirksame, biradikalische oder polare Zwischenprodukte auftreten können.

Vom präparativen Standpunkt sind experimentelle Entscheidungen zwischen diesen Deutungsmöglichkeiten weniger im Hinblick auf die sterische Unspezifität als vielmehr wegen des Verständnisses der photochemischen Quantenausbeuten von größtem Interesse. Quantenausbeuten hängen vom Reaktionsmechanismus ab und entscheiden darüber, ob eine ins Auge gefaßte Photocycloaddition präparativ ergiebig ist. Die komplizierten Zusammenhänge sollen daher an einer typischen Modell-Reaktion diskutiert werden, auch weil dies einen Eindruck davon vermittelt, wie anfällig Photolyse-Ergebnisse gegenüber geringfügigen Modifikationen der experimentellen Bedingungen sein können[12].

[1] Dies betrifft auch die Fälle, bei denen Ausweich-Reaktionen eintreten; vgl. S. 278 ff.
[2] G. BRIEGLEB, *Elektronen-Donator-Acceptor-Komplexe*, Springer-Verlag, Berlin 1961.
[3] R. ROBSON, P. W. GRUBB u. J. A. BARLTROP, Soc. **1964**, 2153.
[4] Diskussion im Hinblick auf Orbitalkorrelationsdiagramme: N. D. EPIOTIS, Am. Soc. **94**, 1941 (1972).
[5] Übersicht bei J. B. BIRKS, *Photophysics of Aromatic Molecules*, S. 420 ff., Wiley-Interscience, New York 1970.
[6] Literatur-Übersicht: W. FERREE, J. B. GRUTZNER u. H. MORRISON, Am. Soc. **93**, 5502 (1971).
[7] N. D. EPIOTIS, Am. Soc. **94**, 1941 (1972).
[8] R. B. WOODWARD u. R. HOFFMANN, *Die Erhaltung der Orbitalsymmetrie*, 2. Aufl. Verlag Chemie, Weinheim 1972.
[9] B. D. KRAMER u. P. D. BARTLETT, Am. Soc. **94**, 3934 (1972); dort Hinweis auf zahlreiche weitere Arbeiten verschiedener Arbeitsgruppen.
[10] G. KAUPP, Ang. Ch. **83**, 361 (1971); A. **1973**, 844.
[11] G. KAUPP, Ang. Ch. **84**, 259; **84**, 718 (1972).
[12] G. KAUPP, Ang. Ch. **85**, 766 (1973).

Aus Phenanthren[1] als streng selektiv angeregter Komponente und Fumarsäure-
dimethylester (I) oder Maleinsäure-dimethylester (II) in 10facher Ausgangskonzentration (0,045 Mol/l) bilden sich die beiden stereoisomeren Produkte III und IV im
gleichen Verhältnis (3:2) mit nahezu gleicher Ausbeute (30% d.Th. bei 33% Umsatz) und
gleicher Quantenausbeute ($\varphi = 0,010$; Benzol). Dabei löscht I 92% und II nur 48% der
Fluoreszenz von Phenanthren[2].

R = COOCH₃

Diese quantitativen Daten sind verständlich, wenn man berücksichtigt, daß gleichzeitig deutlich mehr
II aus der Überschußkomponente I (7%) als I aus der Überschußkomponente II (5,5%) gebildet werden[2].
Da zusätzlich beide Photoprodukte (III und IV) bei kürzerwelliger Belichtung (20°; auch −190°) wieder
in die Ausgangsprodukte zerfallen und das nahezu doppelt so schnell reagierende III dabei auch IV
bildet, muß angenommen werden, daß I zwei verschiedene Photo-Zwischenprodukte mit Phenanthren
bildet, von denen nur eines mit dem aus II gebildeten im Rotamerengleichgewicht steht. Nur aus diesen
beiden bilden sich die Photoaddukte; hauptsächlich zerfallen sie jedoch wieder in die Ausgangsprodukte.
Aus diesem Grund sind die Quantenausbeuten der Photoaddition verhältnismäßig klein[2]. Bei erhöhter
Konzentration von I (0,45 Mol/l) werden weniger als 1/50 der gelöschten Fluoreszenz (99%) als Exciplex-
Lumineszenz ($\lambda_{max}^{korr.} = 465$ nm) nachweisbar[3, s. a. 4].

Dieses Beispiel einer Singulett-Reaktion unterstreicht die Wichtigkeit streng selektiver
Lichtanregung, wenn der sterische Verlauf einer Photocycloaddition beurteilt werden soll.
Molekül-Modelle lassen erkennen, welche Rotameren sich bei den Zwischenprodukten
bilden können und welche davon günstige Voraussetzungen für die Cyclisierung besitzen.
Man erkennt außerdem, daß eine zuverlässige Vorhersage von Quantenausbeuten (und
damit von spezifischen Reaktionsbeispielen) derzeit kaum möglich ist. Die zahlreichen
bekannten Reaktionsbeispiele (s. die folgenden Abschnitte) vermitteln jedoch ein empirisch-
experimentelles Verständnis, welches unter Zuhilfenahme von Molekül-Modellen auch
Extrapolationen zuläßt.

Viele der bekannten Photocycloadditionen wurden unter Verwendung von Triplett-
Sensibilisatoren erreicht, vor allem wenn die betreffenden Olefine verhältnismäßig kurzwellig absorbieren und die intensiven längerwelligen Emissionen der Quecksilber-Hoch-
druck-Gasentladungslampen genutzt werden sollten.

Wegen der Vielfalt der Kombinationsmöglichkeiten zwischen den verschiedensten
elektronenreichen und elektronenarmen Olefinen wird in diesem Abschnitt eine hier-
archische Systematik nach den Absorptionseigenschaften von Substanzklassen und der

[1] Weitere Photocycloadditionen mit Phenanthren, s. S. 481f.
[2] G. Kaupp, Ang. Ch. 85, 766 (1973).
[3] G. Kaupp, unveröffentlicht.
[4] D. Creed u. R. A. Caldwell, Am. Soc. 96, 7369 (1974).

damit weitgehend parallel laufenden Triplett-Energien gewählt. So werden nacheinander Photocycloadditionen von Stilbenen, Styrolen und Zimtsäure-Derivaten, konjugierten Dienen und Polyenen, α,β-ungesättigten Carbonsäure-Derivaten, Enolestern, Alkenen mit den jeweils folgenden und weiteren Olefinklassen behandelt. Gegebenenfalls wird auf Querverbindungen hingewiesen, welche seltener eingesetzte Olefin-Arten verbinden. Obwohl dies möglicherweise nicht für alle mechanistischen Gesichtspunkte (z. B. Anregungstyp) optimal erscheint, rechtfertigt das synthetische Interesse der meisten Beispiele diese Anordnung.

α) mit Stilbenen

trans-Stilben addiert sich schon bei nicht selektiver Anregung (UV-Spektren s. S. 326) unter Bildung von *trans-3,3,4,4-Tetramethyl-1,2-diphenyl-cyclobutan* (I; 95% d.Th.; F: 106–107°) an 2,3-Dimethyl-buten-(2), vor allem wenn dieses als Lösungsmittel dient[1]. Dabei konkurriert offenbar *cis-trans*-Isomerisierung. So gebildetes oder von vornherein eingesetztes *cis*-Stilben reagiert langsamer als *trans*-Stilben zu I[1] und nach den Ergebnissen der photochemischen Stilben-Dimerisierung (s. S. 326f.) ist zu erwarten, daß sich zunächst die *trans*-Form bildet, welche dann nach erneuter Lichtabsorption additionsfähig ist.

Die Photoaddition wird durch Temperatursenkung beschleunigt (Quantenausbeute bei 65°: $\varphi = 0,24$; bei 5°: $\varphi = 0,69$)[1], weil die Lebensdauer von elektronisch angeregtem Singulett-*trans*-Stilben zunimmt (Lebensdauer bei 54°: $\tau = 1,33 \cdot 10^{-10}$ Sek.; bei $-22°$: $\tau = 4,72 \cdot 10^{-10}$ Sek.)[2] und weil sich vielleicht ein elektronisch angeregter π-Komplex (Exciplex) zwischen *trans*-Stilben und 2,3-Dimethyl-buten-(2) reversibel ausbildet[3,4].

Das gleiche Cyclobutan-Derivat I läßt sich auch durch Belichtung von 2,3-Diphenyl-Acrylsäure in 2,3-Dimethyl-buten-(2) mit 67%iger Ausbeute gewinnen. Dabei ist das β-Lacton II Zwischenprodukt[3]. Durch Oxidation von I (N-Brom-succinimid-Methode) wird *3,3,4,4-Tetramethyl-1,2-diphenyl-cyclobuten* (III; 80% d.Th.) zugänglich.

Bei derartigen Singulett-Photo-Additionen mit trans-Stilben werden offenbar keine internen Rotationen im Abfang-Reagenz angeregt. So reagiert cis-Buten-(2) zu c-3,c-4-

---

[1] O. L. Chapman u. R. D. Lura, Am. Soc. **92**, 6352 (1970).
[2] J. Saltiel et al., Am. Soc. **93**, 2804 (1971).
[3] O. L. Chapman u. W. R. Adams, Am. Soc. **90**, 2333 (1968).
[4] Es erscheint fraglich, ob die experimentellen Daten eine Desaktivierung über σ-Komplexe (biradikalische Zwischenprodukte) wirklich ausschließen (vgl. z. B. S. 362). I zerfällt schon bei $-190°$ zu *trans*-Stilben und 2,3-Dimethyl-buten-(2), wenn es mit UV-Licht ($\lambda = 250$; 253,7; 270 nm) bestrahlt wird: G. Kaupp, V. IUPAC Symposium für Photochemie, Enschede 1974, Manuskript Nr. 30.

Dimethyl-r-1,t-2-diphenyl-cyclobutan (IV), während mit **trans-Buten-(2)** *c-3,t-4-Dimethyl-*
... oder *t-3,c-4-Dimethyl-r-1,t-2-diphenyl-cyclobutan* (V) als einziges Addukt gebildet wird[1]:

IV   V

Weitere Beispiele sind die Photoaddition von **Stilben** an **1-Methyl-cyclohexen** zu
1-Methyl-7,8-diphenyl-bicyclo[4.2.0]octan[2] und an die Enoläther **3,4-Dihydro-2H-
pyran**[3] sowie **5-Methyl-2,3-dihydro-furan**[4], wobei in nicht stereospezifischen Reaktionen *exo-7,exo-8-Diphenyl-* und *exo-7,endo-8-Diphenyl-2-oxa-bicyclo[4.2.0]octan* (VI; 33%
d.Th.; F: 48–50° und VII; 17% d.Th.; F: 36–38°) sowie *1-Methyl-exo-6,exo-7-diphenyl-*
und *1-Methyl-exo-6,endo-7-diphenyl-2-oxa-bicyclo[3.2.0]heptan* (IX; 11% d.Th.; F: 38–40°
und X; 21% d.Th.; F: 52–54°) gebildet werden. Zusätzlich entstehen in beiden Fällen
Stilben-Dimere (VIII; 33 bzw. 54% d.Th.):

VI   VII   VIII

IX   X   VIII

trans-3,3,4,4-Tetramethyl-1,2-diphenyl-cyclobutan (I; S. 363)[5]: 0,50 g (2,8 mMol) *trans*-Stilben und 40 *ml*
2,3-Dimethyl-buten-(2) werden unter Stickstoff mit einem Quecksilber-Niederdruck-Brenner (Hanovia
688 A 45) 19 Stdn. belichtet. Nach Abdampfen von unverbrauchtem 2,3-Dimethyl-buten-(2) wird der
Rückstand aus Hexan umkristallisiert; Ausbeute: 0,70 g (95% d.Th.).
Entsprechende Belichtung von *cis*-Stilben erfordert 44 Stdn. Belichtungsdauer; Ausbeute: 93% d.Th.

exo-7,exo-8-Diphenyl- und exo-7,endo-8-Diphenyl-2-oxa-bicyclo[4.2.0]octan (VI und VII)[3]: 7,5 g
(42 mMol) *trans*-Stilben werden in 200 *ml* 3,4-Dihydro-2H-pyran mit den Quecksilber-Niederdruck-
Lampen ($\lambda = 254$ nm) eines Rayonet Reaktors belichtet. Überschüssiges Lösungsmittel wird i. Vak.
abdestilliert, der Rückstand mit Petroläther aufgekocht und nach dem Abkühlen filtriert, wobei
2,45 g (33% d.Th.) der Stilben-Dimeren VIII zurückbleiben. Das Filtrat liefert nach Chromatographie an
Aluminiumoxid mit Benzol/Petroläther (Kp: 30–60°) (5:95) 3,65 g (33%) VI (F: 48–50°) und 1,95 g
(17%) VII (F: 36–38°).

Wegen erheblicher Photolabilität der Produkte und interner Filterwirkung empfiehlt
sich selektive Anregung von **trans-Stilben** bei der Photoaddition mit **Cyclopentadien**.
Als Hauptprodukt[6] entsteht das *trans*-Addukt *6,7-Diphenyl-bicyclo[3.2.0]hepten-(2)*
(XI oder XII) und hieraus durch katalytische Hydrierung *6,7-Diphenyl-bicyclo[3.2.0]heptan*

[1] O. L. Chapman et al., Canad. J. Chem. **50**, 1984 (1972).
[2] J. Saltiel et al., Am. Soc. **93**, 2804 (1971), Fußnote[8].
[3] H. M. Rosenberg, R. Roudeau u. P. Servé, J. Org. Chem. **34**, 471 (1969).
[4] H. M. Rosenberg u. M. P. Servé, J. Org. Chem. **36**, 3015 (1971).
[5] O. L. Chapman u. W. R. Adams, Am. Soc. **90**, 2333 (1968).
[6] Wegeh Zersetzlichkeit wurden weitere Addukte noch nicht chromatographisch isoliert und charakterisiert.

XIII)[1]. Diese Substanzen sind sehr lichtempfindlich; sie zersetzen sich unter Bildung von *Stilben*, jedoch sind die photochemischen Vierring-Spaltungen nur bei sehr tiefen Temperauren [$\lambda = 254$ nm; Äther/Äthanol (2:1)-Glas; $-190°$] einheitlich[1]. XI (oder XII) und XIII rmöglichen einfache Synthesen von *3,4-Dibenzyl-cyclopenten* und *1,2-Dibenzyl-cyclopentan*[2]:

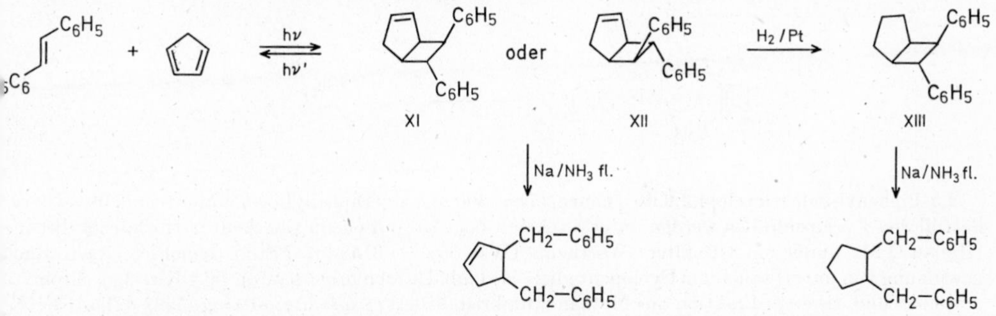

trans-6,7-Diphenyl-bicyclo[3.2.0]hepten-(2) (XI oder XII)[2]: 1,0 g (5,6 mMol) *trans*-Stilben in 50 *ml* lestilliertem Cyclopentadien werden unter Stickstoff bei $-10°$ 65 Stdn. mit einem Quecksilber-Hochdruck-Brenner (Hanau Q 81) durch ein Filterglas (Wertheim UVW 55; $\lambda > 315$ nm) belichtet. Unverbrauchtes Cyclopentadien gewinnt man in einer geschlossenen Hochvakuum-Apparatur durch Kondensation in ·ine mit flüssigem Stickstoff gekühlte Vorlage zurück. Anschließend werden Cyclopentadien-Dimere lurch Kurzweg-Destillation i. Vak. ($4 \cdot 10^{-5}$ Torr; Badtemp. $40°$) weitgehend entfernt. Das blaßgelbe Produkt liefert nach Chromatographie an Kieselgel mit Tetrachlormethan XI oder XII, welches durch Kurzweg-Destillation i. Vak. ($5 \cdot 10^{-4}$ Torr, Badtemp. $100-120°$) vom Lösungsmittel befreit wird. Ausbeute: 0,86 g (62% d.Th.); farbloses Öl. Die chromatographische Isolierung weiterer Addukte bereitet wegen Zersetzlichkeit der Produkte Schwierigkeiten.

Katalytische Hydrierung von XI (oder XII) (Pt: Adams Katalysator) ergibt *trans-6,7-Diphenyl-bicyclo[3.2.0]heptan* (XIII) (96% d.Th.; farbloses Öl). Behandlung von XI oder XII bzw. XIII (0,60 g) mit Natrium (0,5 g) in 200 *ml* flüssigem Ammoniak und 100 *ml* Äther (Abdestillieren des Ammoniaks unter Rühren) liefert nach Eindampfen, Neutralisation mit verd. Salzsäure, Extraktion mit Dichlormethan und Chromatographie an Kieselgel mit Cyclohexan *3,4-Dibenzyl-cyclopenten* 35% d.Th., bzw. *1,2-Dibenzyl-cyclopentan* 87% d.Th. als farblose Öle.

Im Gegensatz zu den Reaktionen mit Cyclopentadien und den cyclischen Enoläthern (s. S. 364) tritt bei der Addition zwischen **trans-Stilben** und **Pyrrol** hauptsächlich **Wasserstoff-Wanderung** ein. Man erhält die Substitutionsprodukte *2-* sowie *3-(1,2-Diphenyl-äthyl)-pyrrol* mit 44 und 10%iger Ausbeute[3]:

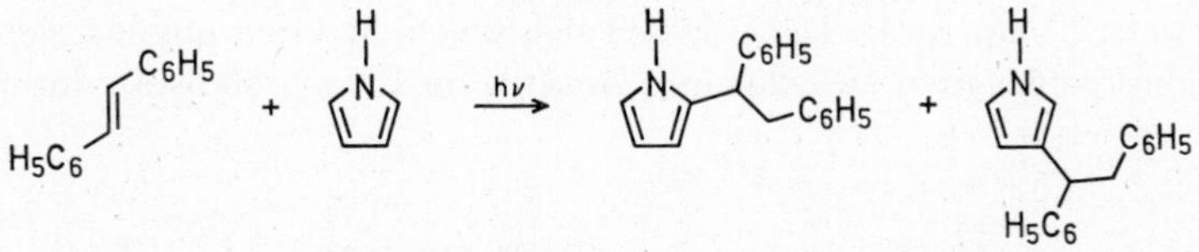

Maleinsäureanhydrid und **trans-Stilben** kopolymerisieren bei der Bestrahlung mit **UV-Licht**. Man erhält lösliche Polymere mit alternierender Struktur[4]:

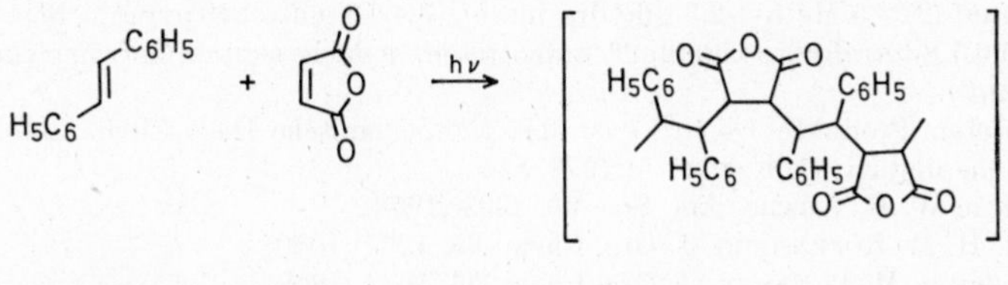

[1] G. KAUPP, Ang. Ch. **86**, 741 (1974).
[2] G. KAUPP, unveröffentlicht.
[3] T. KUBOTA u. H. SAKURAI, Chemistry Letters, Chem. Soc. Japan **1972**, 923; 1249.
[4] M. L. HALLENSLEBEN, Eur. Polym. J. **9**, 227 (1973).

1,2-Diphenyl-cyclobutene sind *cis*-fixiert. Die gegenüber *cis*-Stilben erhöhte Lebensdauer ihres elektronisch angeregten Singulett-Zustands gibt sich durch intensive Fluoreszenz und besonders leichte Photocycloadditionen zu erkennen. So werden aus 1,2-Diphenyl cyclobuten in Cyclopentadien bei starker Fluoreszenz-Löschung *2,5-Diphenyl-anti tricyclo[4.3.0.0²,⁵]nonen-(7)* (59% d.Th.; F: 77°) erhalten[1]:

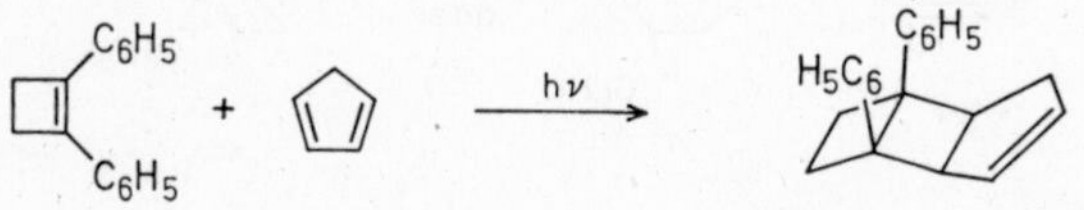

2,5-Diphenyl-anti-tricyclo[4.3.0.0²,⁵]nonen-(7)[2]: 400 mg 1,2-Diphenyl-cyclobuten[3] und 50 *ml* frisch destilliertes Cyclopentadien werden unter Stickstoff bei −10° mit einem Quecksilber-Hochdruck-Brenner (Hanau Q 81) durch ein Glasfilter (Wertheim UVW 55; λ>315 nm) 7 Stdn. belichtet. Nach Rück gewinnung von unverbrauchtem Cyclopentadien wird mit Tetrachlormethan an 50 g Kieselgel chromato graphiert und die erste Fraktion aus Methanol umkristallisiert; Ausbeute: 310 mg (59% d.Th.); F: 77° Ein Nebenprodukt ist Diphenyl-acetylen. Weitere Nebenprodukte sind noch nicht charakterisiert.

Präparativ interessant sind auch Photocycloadditionen von ringkondensierten 1,2 Diphenyl-cyclobutenen, welche durch Photoaddition von Diphenyl-acetylen an geeignete Olefine in situ hergestellt werden. Da sie längerwellig absorbieren als Diphenyl-acetylen ist die nochmalige Photoaddition eines Olefin-Moleküls nicht überraschend und die vorüber gehende Anreicherung des *cis*-fixierten Stilbens z. T. gering[4]. So entstehen bei der Belich tung von Diphenyl-acetylen in Cyclopentadien mit guter Ausbeute über XIV *1,7 Diphenyl-exo-exo-tetracyclo[5.5.0.0²,⁶.0⁸,¹²]dodecadien-(3,9)* (XV; F: 132,5–134°) und ...*-do decadien-(3,10)* (XVI; F: 110°) neben einer Vielzahl weiterer Produkte[5,6]:

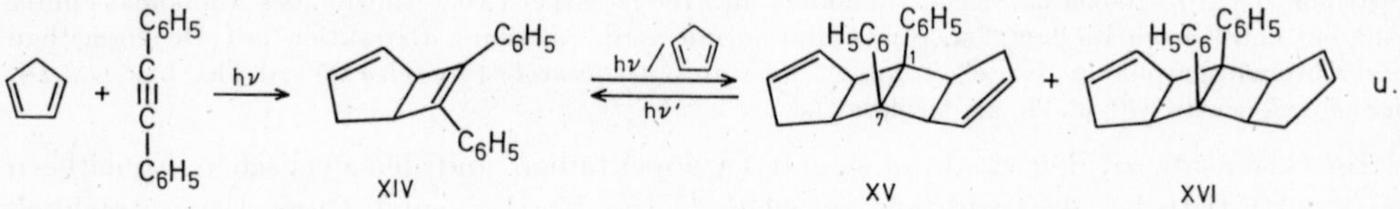

Die Synthese des photolabilen *6,7-Diphenyl-bicyclo[3.2.0]heptadien-(2,6)* (XIV; F: 81–83°) gelingt dann durch Bestrahlen von XV und (langsamer) XVI am besten in einem glasiger Medium bei tiefer Temperatur. Dabei lassen sich wegen nicht zu ungünstiger Verhältnisse der Extinktionskoeffizienten (λ = 254 nm) Ansätze im 100 mg-Maßstab durchführen[1]. Die

[1] G. KAUPP, C. KÜCHEL u. I. ZIMMERMANN, Ang. Ch. **86**, 740 (1974).
[2] G. KAUPP, unveröffentlicht.
[3] R. M. DODSON u. A. G. ZIELSKE, J. Org. Chem. **32**, 28 (1967).
[4] Keine derartigen Folgeadditionen scheinen bei der Photoreaktion von Diphenyl-acetylen mit 2,3-Dimethyl-buten-(2)[6], 5-Methyl-2,3-dihydro-furan[7], 3,4-Dihydro-2H-pyran[8], Benzo-thiophen[9] und 2-Hydroxy-5,6,7,8-tetrahydro-chinolin[10] aufzutreten, jedoch wurden intramolekulare Folgeaddi tionen bekannt[11].
[5] Eines der weiteren Produkte (~10%) ist das photochemische Diels-Alder-Addukt 2,3-Diphenyl-bicyclo[2.2.1]heptadien; G. KAUPP, A. **1973**, 844.
[6] O. L. CHAPMAN u. W. R. ADAMS, Am. Soc. **90**, 2333 (1968).
[7] M. P. SERVÉ u. H. M. ROSENBERG, J. Org. Chem. **35**, 1237 (1970).
[8] H. M. ROSENBERG u. M. P. SERVÉ, J. Org. Chem. **33**, 1653 (1968).
[9] W. H. F. SASSE, P. J. COLLIN u. D. B. ROBERTS, Tetrahedron Letters **1969**, 4791.
[10] A. I. MEYERS u. P. SINGH, J. Org. Chem. **35**, 3022 (1970).
[11] Übersicht: G. SUGOWDZ, P. J. COLLIN u. W. H. SASSE, Austral. J. Chem. **26**, 147 (1973).
     T. KUBOTA u. H. SAKURAI, J. Org. Chem. **38**, 1762 (1973).

beobachteten Spaltungsrichtungen sind nach dem Biradikal-Mechanismus[1] verständlich, la bei der Homolyse von einfach Phenyl-substituierten Vierring-Bindungen in XV und XVI sterische Kompression aufgegeben wird.

Auch das aus Diphenyl-acetylen und Cyclooctadien-(1,5) erhältliche *9,10-Diphenyl-tetracyclo[6.2.0.0^{4,10}.0^{5,9}]decan* (72% d.Th.; F: 105,5–106,5°)[2,3] bestätigt den die Orientierung bestimmenden *cis*-Effekt[1]: Die Tieftemperatur-Belichtung liefert – jetzt unter Lösung der zweifach Phenyl-substituierten Vierring-Bindung – nahezu einheitlich *2,2'-Diphenyl-bi-cyclopenten-(2)-yl*[3]:

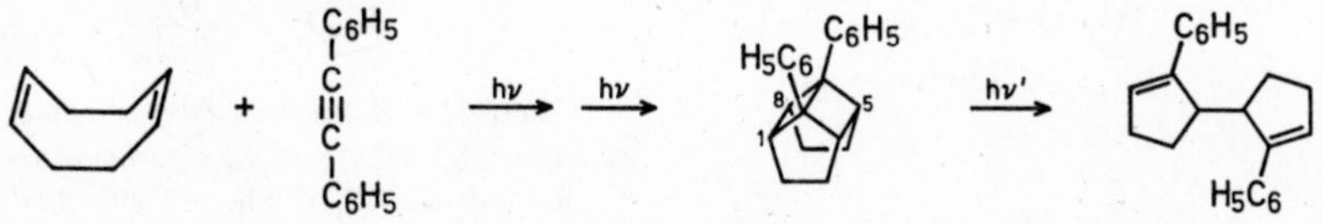

Noch nicht bekannt ist die Stereochemie von *3,10-Diphenyl-hexacyclo[10.2.1.1^{5,8}.0^{2,11}. 0^{3,10}.0^{4,9}]hexadecadien-(6,13)* (7% d.Th.; F: 175–176°) bei der Photoaddition von Diphenylacetylen an zwei Moleküle Bicyclo[2.2.1]heptadien[4].

1,7-Diphenyl-exo-exo-tetracyclo[5.5.0.0^{2,6}.0^{8,12}]dodecadien-(3,9) (XV) und ...dodecadien-(3,10) (XVI)(S.366)[5]: 10 g (56 mMol) Diphenyl-acetylen in 250 *ml* Cyclopentadien werden unter Stickstoff mit einem wassergekühlten Quecksilber-Hochdruck-Brenner (Hanau Q81) durch ein Pyrex-Filter (λ>270nm) bei –30° 180 Stdn. belichtet. Das überschüssige Cyclopentadien wird dann in einer geschlossenen Apparatur unter Hochvak. in eine mit flüssigem Stickstoff gekühlte Vorlage kondensiert. Anschließend entfernt man Dimere des Cyclopentadiens durch Kurzweg-Destillation bei $5 \cdot 10^{-4}$ Torr (Badtemp.: 40°). Chromatographie an 200 g Kieselgel mit 300 *ml* Tetrachlormethan liefert 7,5 g (43% d.Th.) eines Gemischs aus XV und XVI im Verhältnis 3:1, welches aus Methanol 6,8 g Kristalle von XV + XVI (Verhältnis 5:1; F: 118–123°) ergibt. Durch verlustreiche Chromatographie an neutralem Aluminiumoxid (Akt. Stufe 1) mit Cyclohexan lassen sich isomerenfreies XV (F: 132,5–134°) sowie aus der Mutterlauge isomerenfreies XVI (F: 110°) gewinnen. Ein weiteres Produkt in der Mutterlauge ist 2,3-Diphenyl-bicyclo[2.2.1]heptadien[6].

6,7-Diphenyl-bicyclo[3.2.0]heptadien-(2,6) (XIV) (S. 366)[5]: Belichtung bei 20°: 6 Lösungen von jeweils 200 mg des Isomerengemischs XV/XVI = 5:1 in 25 *ml* Acetonitril werden 2 Stdn. bei 20° unter Stickstoff mit einem Quecksilber-Niederdruck-Brenner (Hanau TNK 6/20) bestrahlt. Aus den vereinigten Destillationsrückständen scheiden sich nach Cyclohexan-Zugabe ~300 mg amorphe Massen ab, welche abzentrifugiert werden. Chromatographie an neutralem Aluminiumoxid (Akt. Stufe 1) mit Cyclohexan liefert neben Diphenyl-acetylen und 0,6 g Ausgangsmaterial eine Fraktion mit 60–80% XIV. Durch nochmalige verlustreiche Chromatographie, Kristallisation aus Methanol und Sublimation i. Vak. ($5 \cdot 10^{-4}$ Torr) lassen sich hieraus 50 mg (5% d.Th.) mit F: 81–83° gewinnen.

Belichtung in einem Äther/Äthanol-Glas: 200 mg XV + XVI (5:1) werden in 170 *ml* Äther und 85 *ml* abs. Äthanol in einer von außen mit flüssigem Stickstoff gekühlten evakuierten Quarz-Apparatur (Schichtdicke 0,5 cm; innerer Vakuummantel und Kühlmantel) mit einem Quecksilber-Niederdruck-Brenner (Hanau TNK 6/20) 20 Stdn. belichtet. Danach läßt man auftauen, schüttelt die Lösung um und belichtet nach dem Einfrieren erneut 20 Stdn. Das Lösungsmittel wird i. Vak. verdampft und der Rückstand durch fraktionierte Sublimation ($5 \cdot 10^{-4}$ Torr; Badtemp. 70°) gereinigt; Ausbeute: 93 mg (59% d.Th.); F: 81–83°.

Von benzocyclischen Olefinen mit *cis*-Stilben-Charakter wurde vor allem Acenaphthylen für photochemische Cycloadditionen an verschiedene Olefine eingesetzt, s. S. 485.

---

[1] G. Kaupp, Ang. Ch. 86, 741 (1974).
[2] T. Kubota u. H. Sakurai, J. Org. Chem. 38, 1762 (1973).
[3] G. Kaupp, unveröffentlicht.
[4] T. Kubota, K. Shima u. H. Sakurai, Chem. Commun. 1971, 360.
[5] G. Kaupp u. C. Küchel, unveröffentlicht.
[6] G. Kaupp, A. 1973, 844.

Ebenfalls als benzocyclische *cis*-Stilbene können 5-Oxo-5H-⟨dibenzo-[a;e]-cyclo-heptatrien⟩ und 5-Acetyl-5H-⟨dibenzo-[a;e]-azepin⟩ aufgefaßt werden. Sie addieren Dimethyl-maleinsäureanhydrid bzw. N-Methyl- sowie N-Phenyl-maleinsäureimid, wenn mit Benzophenon sensibilisiert wird[1, 2]:

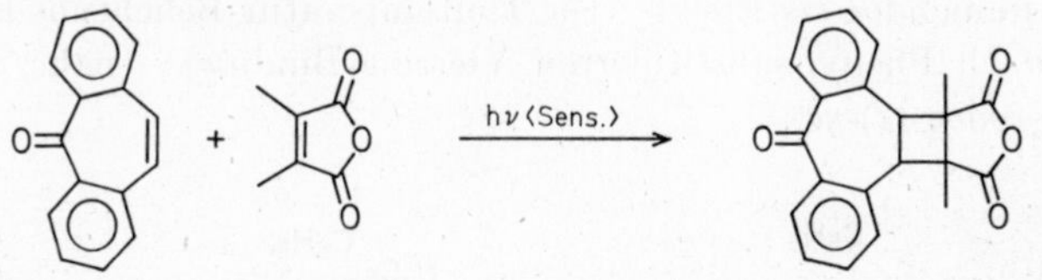

6-Oxo-12,13-dimethyl-⟨dibenzo-bicyclo[5.2.0]
nonadien-(2,5)⟩-12,13-dicarbonsäure-
anhydrid; 57% d.Th.; F: 297–298°

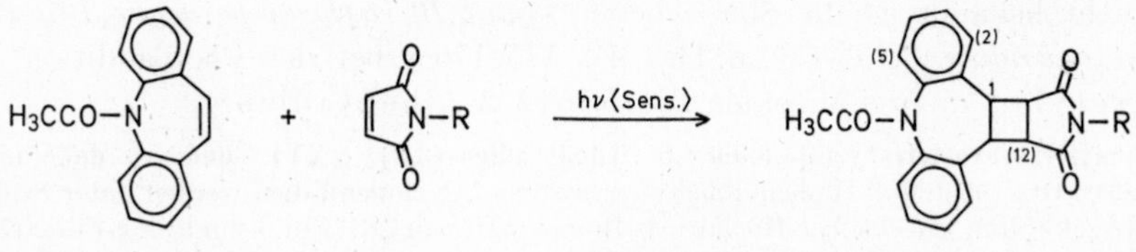

R = CH₃; *6-Acetyl-⟨dibenzo-4-aza-bicyclo[5.2.0]
nonadien-(2,5)⟩-12,13-dicarbonsäure-
methylimid*; 15% d.Th.; F: 227–229°

R = C₆H₅; *...-phenylimid*; 20% d.Th.; F: 253–255°

Weniger untersucht sind gemischte Additionen zwischen verschiedenen Stilben-Derivaten. Bei derartigen Reaktionen sind komplizierte Produktgemische zu erwarten. Die Zahl der Produkte läßt sich jedoch mindern, wenn cyclische Derivate untersucht werden, welche stereochemisch einheitlich kombinieren. Dies ist bei XVII und XVIII der Fall[3]:

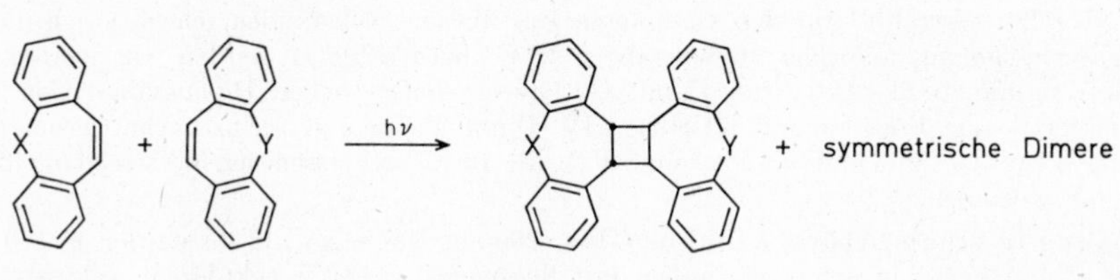

XVII   XVIII   XIX

Die gemischten Addukte XIX entstehen neben den beiden symmetrischen Dimeren (s. S. 346f.)[4] in der *anti*-Form, jedoch nicht im statistischen Verhältnis[3]. Die Gründe hierfür sind noch nicht untersucht. Zweifellos absorbieren sowohl XVII als auch XVIII vom eingestrahlten Licht und möglicherweise gilt dies auch für einige der Produkte XIX.

[1] J. Kopecký u. J. E. Shields, Tetrahedron Letters **1968**, 2821.
[2] L. J. Kricka, M. C. Lambert u. A. A. Ledwith, Soc. Perkin Trans. I **1974**, 52.
[3] J. Kopecký u. J. E. Shields, Collect. czech. chem. Commun. **36**, 3517 (1971).
[4] Die ausschließliche Photoaddition an den endocyclischen Doppelbindungen wird mit den berechneten π-Delokalisierungsenergien in Beziehung gebracht[3].

Bestrahlung mit einem Quecksilber-Hochdruck-Brenner (Philips HPK 125 W) durch ein Solidex-Filter unter Stickstoff bei 20° liefert folgende Produkte[1]:

XVII (Mol/l) (S. 368)	XVIII (Mol/l)	Reaktions-dauer [Stdn.]	Dimere ...-⟨tetrabenzo-anti-tricyclo[$7.5.0.0^{2,8}$] tetradecatetraen-(3,6,10,13)⟩	Ausbeute [% d.Th.]	F (Zers.) [°C]
X = CH₂ (4,15 · 10⁻²)	Y = CO (1,92 · 10⁻²)	6	7-Oxo- ... 7,18-Dioxo- ...	6	290–291
X = CH₂ (2,0 · 10⁻²)	Y = C = CH₂ (2,0 · 10⁻²)	100	7-Methylen- ... ... 7,18-Bis-[methylen]- ...	10 20 31	273–274 341–342
X = CO (1,2 · 10⁻²)	Y = C = CH₂ (1,2 · 10⁻²)	6	18-Oxo-7-methylen- . 7,18-Dioxo- ... 7,18-Bis-[methylen]- ...	14 10 72	217–218 238,5–239 235–240
X = CO (3,85 · 10⁻²)	Y = C = CH₂ (2,0 · 10⁻²)	6	18-Oxo-7-methylen- . 7,18-Dioxo- ... 7,18-Bis-[methylen]- ...	39 13 9	

β) mit Styrolen, Zimtsäuren und verwandten Verbindungen

Offenkettige und vor allem cyclische Olefine, welche nur in 1-Stellung mit aromatischen Resten konjugiert sind, addieren nach der Lichtanregung (meist im Überschuß angebotene) Olefine häufig bevorzugt zu Vierring-Produkten, welche den Aryl-Rest in Nachbarschaft zu möglichst vielen Substituenten tragen. Dies spricht für Reaktionsmechanismen, bei denen zunächst Bindungsbildung an den sterisch weniger gehinderten Enden der Komponenten eintritt, was gleichzeitig zu den höchstmöglich substituierten radikalischen oder partiell ionischen Zentren im so gebildeten Zwischenprodukt führt.

Für trans-2-Nitro-1-phenyl-äthylen wird darüber hinaus aktive Mitwirkung der Nitro-Gruppe angenommen[2-4]. Es reagiert nach direkter Lichtanregung mit Styrol, 1,1-Diphenyl-äthylen, 2,3-Dimethyl-buten-(2) und Cyclohexen zu folgenden Verbindungen[2,3]:

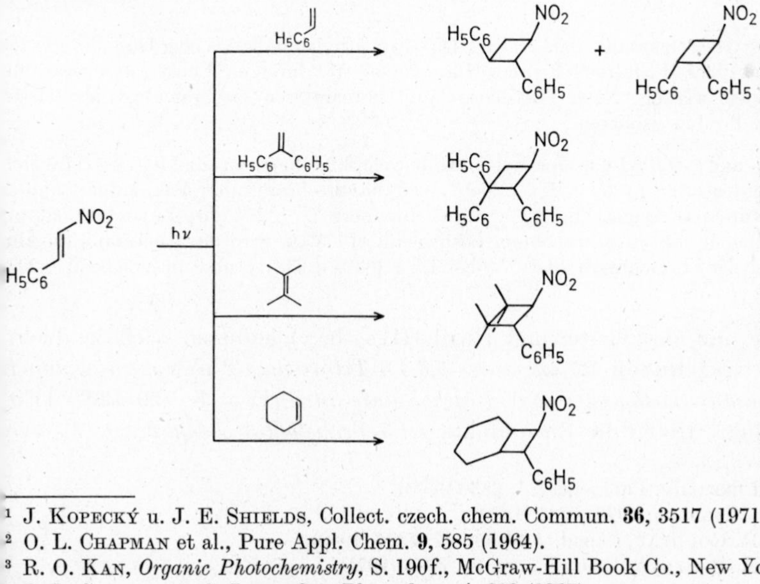

c-3-Nitro-r-1,t-2-diphe-nyl- und t-3-Nitro-r-1,c-2-diphenyl-cyclobutan

trans-3-Nitro-1,1,2-triphenyl-cyclobutan

trans-4-Nitro-2,2,3,3-tetramethyl-1-phenyl-cyclobutan

trans-8-Nitro-7-phenyl-bicyclo[4.2.0]octan

---

[1] J. KOPECKÝ u. J. E. SHIELDS, Collect. czech. chem. Commun. **36**, 3517 (1971).
[2] O. L. CHAPMAN et al., Pure Appl. Chem. **9**, 585 (1964).
[3] R. O. KAN, Organic Photochemistry, S. 190f., McGraw-Hill Book Co., New York 1966.
[4] O. L. CHAPMAN u. G. LENZ, Org. Photochem. **1**, 283 (1967).

In allen Fällen bleibt die *trans*-Beziehung zwischen Nitro- und Phenyl-Gruppe erhalten. Dasselbe gilt für die Belichtung von trans-2-Nitro-1-phenyl-äthylen in Gegenwart von Butadien-(1,3) oder 2,3-Dimethyl-butadien-(1,3). Es bilden sich 75% eines Gemischs aus *c-3-Nitro-r-1-vinyl-t-2-phenyl-* und *t-3-Nitro-r-1-vinyl-c-2-phenyl-cyclobutan* bzw. die beiden Addukte (70%) *c-3-Nitro-1-methyl-r-1-isopropenyl-t-2-phenyl-* und *t-3-Nitro-1-methyl-r-1-isopropenyl-c-2-phenyl-cyclobutan*[1].

1,1-Diphenyl-äthylen addiert Isobuten selektiv zum *2,2-Dimethyl-1,1-diphenyl-cyclobutan* mit großer Gruppenhäufung[2], was auf der Grundlage eines biradikalischen Zwischenprodukts zu verstehen ist. Mit Cyclopenten entstehen *6,6-Diphenyl-bicyclo[3.2.0]heptan* und das „En"-Additionsprodukt *3-(1,1-Diphenyl-äthyl)-cyclopenten* im Verhältnis 1:3:

Die Photoreaktion von 1,1-Diphenyl-äthylen mit Furan liefert ein 1:1-Addukt mit F: 83–84°[2].

Die Orientierungsselektivität der [2+2]-Photoaddition von 1,1-Diphenyl-äthylen an 3,4-Dihydro-2H-pyran bei der mit Benzophenon sensibilisierten Reaktion (Bildung von *7,7-Diphenyl-2-oxa-bicyclo[4.2.0]octan*; 30% d.Th.; F: 46–48°, daneben 25% d.Th. „En"-Additionsprodukte)[3] zeigt, daß nicht notwendigerweise das stabilste Diradikal-Zwischenprodukt aus dem Triplett-Zustand entstehen muß. In dieselbe Richtung weist die Bildung von *1-Methyl-7,7-diphenyl-* und *1-Methyl-6,6-diphenyl-2-oxa-bicyclo[3.2.0]heptan* (I; 63% d.Th. bzw. II; 12% d.Th.) mit 5-Methyl-2,3-dihydro-furan[4].

I   II

2,2-Dimethyl-1,1-diphenyl-cyclobutan[5]: 0,02 Mol 1,1-Diphenyl-äthylen in 34 bis 56 g Isobuten werden 80 Stdn. mit einem Quecksilber-Hochdruck-Brenner (Hanovia 450 W) durch ein Corex-Filter bestrahlt, wobei 33% Umsatz erzielt werden. Nach Destillation und präparativer Gaschromatographie lassen sich 21% d.Th. farbloses Produkt isolieren.

1-Methyl-7,7-diphenyl- und 1-Methyl-6,6-diphenyl-2-oxa-bicyclo[3.2.0]heptan (I und II)[4]: 2 g (11m Mol) 1,1-Diphenyl-äthylen werden in 25 g (300 mMol) 5-Methyl-2,3-dihydro-furan unter Vak. entgast und in einem Quarzgefäß 48 Stdn. mit Quecksilber-Niederdruck-Brennern ($\lambda = 254$ nm; Rayonet Reaktor) belichtet. Nach Abdestillieren von unverbrauchtem Lösungsmittel i. Vak. wird der Rückstand an Aluminiumoxid mit Petroläther chromatographiert, wobei 1,6 g (63% d.Th.) I und anschließend 0,29 g (12% d.Th.) II anfallen.

trans-Zimtsäure, ihr Methylester und Nitril (IIIa, b, c) addieren nach der Lichtanregung 2,3-Dimethyl-buten-(2) zu *trans-3,3,4,4-Tetramethyl-2-phenyl-cyclobutan-1-carbonsäure, -1-carbonsäure-methylester* und *-1-carbonsäure-nitril* (IVa; F: 129–130°; IVb; IVc). Als Nebenprodukte treten die En-Addukte *4,4,5-Trimethyl-3-phenyl-hexen-(5)-säure*

[1] O. L. Chapman u. G. Lenz, Org. Photochem. **1**, 283 (1967).
[2] T. S. Cantrell, Chem. Commun. **1970**, 1633 (1970).
[3] H. M. Rosenberg u. R. Roudeau, Canad. J. Chem. **47**, 4295 (1969).
[4] H. M. Rosenberg u. M. P. Servé, J. Org. Chem. **36**, 3015 (1971).
[5] T. S. Cantrell, Chem. Commun. **1970**, 1633.

oder *3,3,4-Trimethyl-2-benzyl-penten-(4)-säure* (Va; F: 114,5–115,5°) sowie dessen Methyl-ester (Vb) auf (Verhältnis in Benzol: IVa/Va = 5:1; IVb/Vb = 1,5:1; in Essigsäure: IVb/Vb = 3,4:1)[1]:

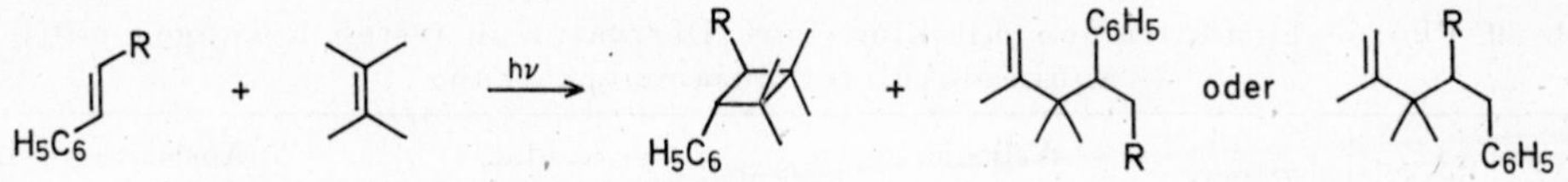

IIIa; R = COOH
IIIb; R = COOCH₃
IIIc; R = CN

IV
a, b, c

V
a, b

Interessanterweise addiert sich auch elektronisch angeregtes cis-Zimtsäure-nitril an 2,3-Dimethyl-buten-(2) zu *cis-3,3,4,4-Tetramethyl-2-phenyl-1-cyan-cyclobutan* (VI). Dies wurde mit einem konzertierten Additionsmechanismus über einen Exciplex gedeutet[1]. Da angesichts der vielen Substituenten nicht vorausgesagt werden kann, ob in möglicherweise biradikalischen Zwischenprodukten interne Rotationen schneller wären als die Ringschlußreaktion oder der Zerfall in die Komponenten, sind weitere Untersuchungen erforderlich, um zwischen ein- und zweistufigem Verlauf zu entscheiden.

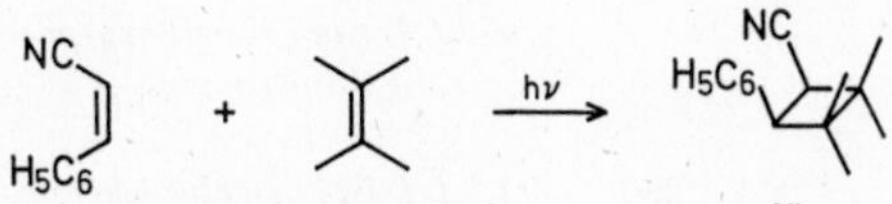

VI

Interessante Fälle topochemisch kontrollierter Photocycloadditionen wurden durch Belichtung von Mischkristallen realisiert. Aus Zimtsäure- und Crotonsäure-amid sowie trans-2-(2,4-Dichlor-phenyl)-1-cyan-äthylen und trans-2-(2,4-Dichlor-phenyl)-1,1-dicyan-äthylen werden neben den Dimeren VII und IX die gemischten Cycloaddukte VIII und X gebildet[2] (vgl. Tab. 53, S. 317ff.):

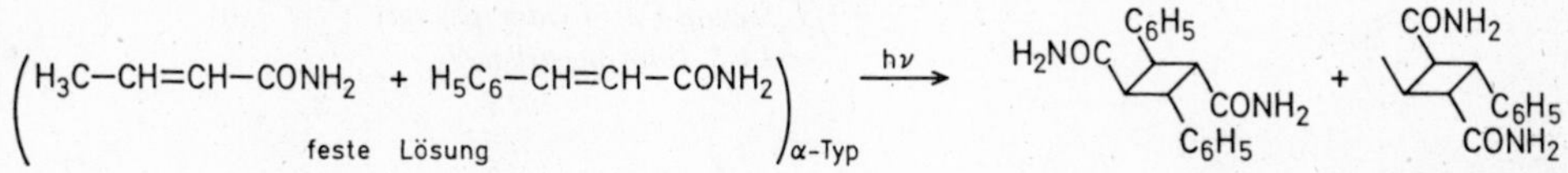

VII
c-2,t-4-Diphenyl-r-1,t-3-diaminocarbo-nyl-cyclobutan

VIII
t-4-Methyl-c-2-phe-nyl-r-1,t-3-diamino-carbonyl-cyclobutan

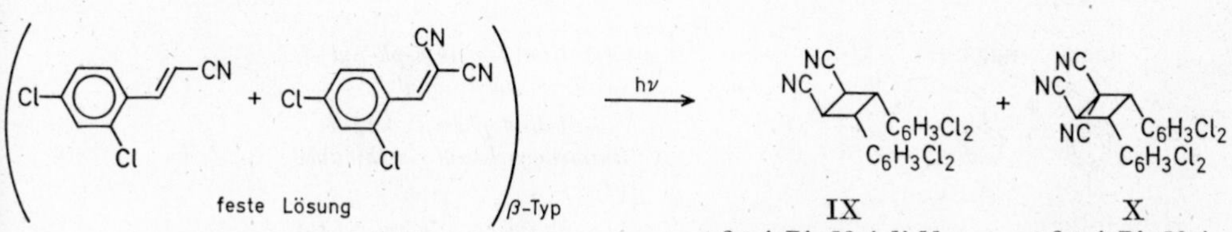

IX
t-3,t-4-Bis-[2,4-dichlor-phenyl]-r-1,c-2-dicyan-cyclobutan

X
t-3,t-4-Bis-[2,4-dichlor-phenyl]-r-1,2,2-tricyan-cyclobutan

---

[1] O. L. CHAPMAN et al., Canad. J. Chem. **50**, 1984 (1972).
[2] G. M. J. SCHMIDT, Pure Appl. Chem. **27**, 647 (1971); dort besonders S. 669f.

Zahlreiche weitere topochemisch kontrollierte Beispiele sind in Tab. 59 angegeben. Sie enthält auch die Synthese eines optisch aktiven Addukts aus gepulverten enantiomorphen Einkristallen nicht aktiver Komponenten.

Tab. 59. Photocycloadditionen mit Zimtsäure-Derivaten in festen Lösungen mit äquimolekularer Zusammensetzung

Reaktionspartner	Wellenlänge [nm]	Cycloaddukte ...-cyclobutan	Ausbeute-Verh.[a]	Literatur
(HOOC, HOOC)	>280	c-2,t-4-Diphenyl-r-1,t-3-dicarboxy-...	0,30	1
		t-4-Phenyl-c-2-(4-methyl-phenyl)-r-1,t-3-dicarboxy-...	0,70	
		c-2,t-4-Bis-[4-methyl-phenyl]-r-1,t-3-dicarboxy-...	1,00	
(HOOC, HOOC, H₃CO)	>280 (>360)	c-2,t-4-Bis-[4-methyl-phenyl]-r-1,t-3-dicarboxy-...	0,88 (0,44)	1
		t-4-(4-Methoxy-phenyl)-c-2-(4-methyl-phenyl)-r-1,t-3-dicarboxy-...	2,47 (1,62)	
		c-2,t-4-Bis-[4-methoxy-phenyl]-r-1,t-3-dicarboxy-...	1,00 (1,00)	
(HOOC, HOOC, Cl, H₃CO)	>280 (>360)	t-3,t-4-Bis-[4-chlor-phenyl]-r-1,c-2-dicarboxy-...	0,99 (0,10)	1
		t-4-(4-Chlor-phenyl)-t-3-(4-methoxy-phenyl)-r-1,c-2-dicarboxy-...	1,34 (0,64)	
		t-3,t-4-Bis-[4-methoxy-phenyl]-r-1,c-2-dicarboxy-...	1,00 (1,00)	
(H₂NOC, H₂NOC, Cl)	>280	c-2,t-4-Bis-[4-chlor-phenyl]-r-1,t-3-diaminocarbonyl-...	6,1	1
		c-4-Methyl-t-2-(4-chlor-phenyl)-r-1,t-3-diaminocarbonyl-...	1	
(H₂NOC, H₂NOC)	>280 (>340)	c-2,t-4-Diphenyl-r-1,t-3-diaminocarbonyl-...	1 (0)	1
		c-2,t-4-Diaminocarbonyl-r-1,t-3-dithienyl-(2)-...	1 (+)	
		t-3-Phenyl-c-2,t-4-diaminocarbonyl-r-1-thienyl-(2)-...	1 (+)	
(H₂NOC, H₂NOC, S)	>280 (>340)	c-2,t-4-Bis-[4-methyl-phenyl]-r-1,t-3-diaminocarbonyl-...	+ (—)	1
		t-3-(4-Methyl-phenyl)-c-2,t-4-diaminocarbonyl-r-1-thienyl-(2)-...	+ (+)	
		c-2,t-4-Diaminocarbonyl-r-1,t-3-dithienyl-(2)-...	+ (+)	

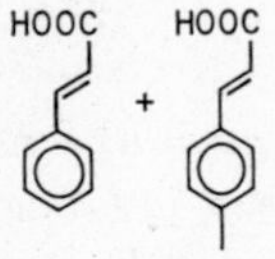

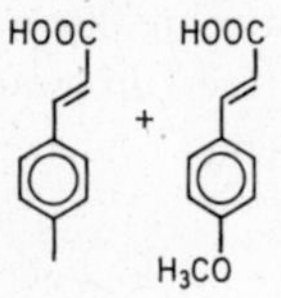

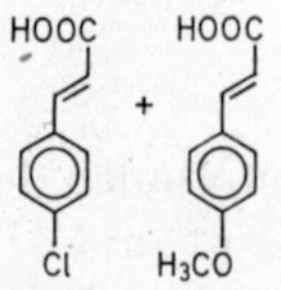

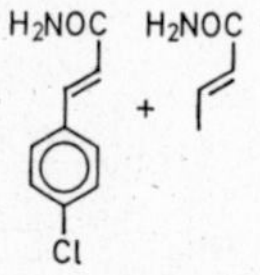

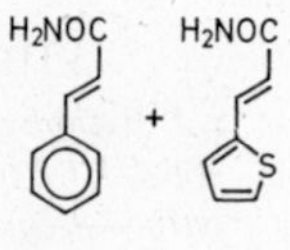

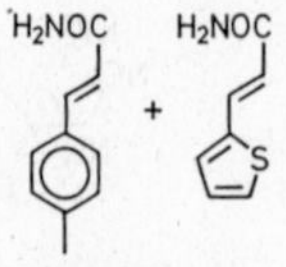

[a] In den Fällen, bei denen Ausbeuten nicht angegeben sind, wird das Auftreten einer Verbindung durch + gekennzeichnet.

[1] M. D. COHEN et al., Soc. (Perkin II) **1973**, 1095.
Weitere Beispiele bei J. D. HUNG et al., Israel J. Chem. **10**, 585 (1972); C. A. **77**, 88048ᵛ (1972).

Tab. 59. (1. Fortsetzung)

Reaktionspartner	Wellenlänge [nm]	Cycloaddukte ...-cyclobutan	Ausbeute-Verh.[a]	Literatur
	>280 (>340)	c-2,t-4-Bis-[4-chlor-phenyl]-r-1,t-3-diaminocarbonyl-...	+ (—)	1
		t-3-(4-Chlor-phenyl)-c-2,t-4-di-aminocarbonyl-r-1-thienyl-(2)-...	+ (+)	
		c-2,t-4-Diaminocarbonyl-r-1,t-3-dithienyl-(2)-...	+ (+)	
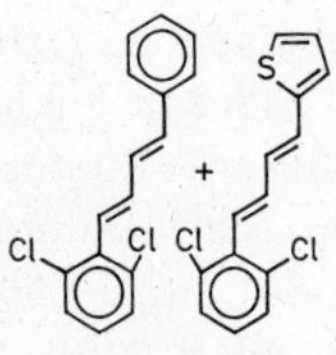	Cut-off-Filter	Racemat[b] t-3,t-4-Bis-[2-(2,6-di-chlor-phenyl)-vinyl]-c-2-phenyl-r-1-thienyl-(2)-...	b	2

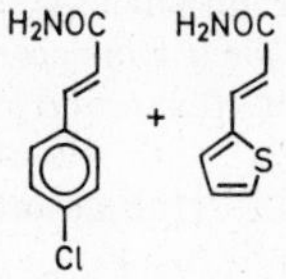

[a] In den Fällen, bei denen Ausbeuten nicht angegeben sind, wird das Auftreten einer Verbindung durch + gekennzeichnet.

[b] 22% d. Th.; F: 93–94°; aus Einkristallen werden optisch aktive Cycloaddukte mit spezifischen Drehungen von $[\alpha]^D \sim +1°$ oder $-1°$ erhalten[2]. Die optische Ausbeute beträgt 70%[3].

Die cyclischen Styrol-Abkömmlinge XI lassen sich bei direkter Belichtung an überschüssiges 1,1-Dimethoxy-äthylen (Ketendimethylacetal) zu XII und an Furan zu den Enoläthern XIII addieren[4]. Die orientierungsspezifisch gebildeten Produkte entstehen ohne vorübergehende Multiplizitätsänderung (Singulett-Mechanismus).

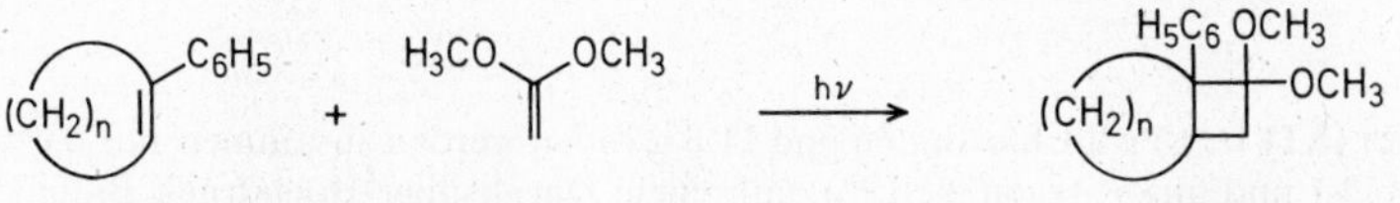

XI XII

n = 3; 7,7-Dimethoxy-1-phenyl-bicyclo[3.2.0]heptan; 49% d.Th.
n = 4; 8,8-Dimethoxy-1-phenyl-bicyclo[4.2.0]octan; 55% d.Th.
n = 5; 9,9-Dimethoxy-1-phenyl-bicyclo[5.2.0]nonan; 33% d.Th.
n = 6; 10,10-Dimethoxy-1-phenyl-bicyclo[6.2.0]decan; 64% d.Th.

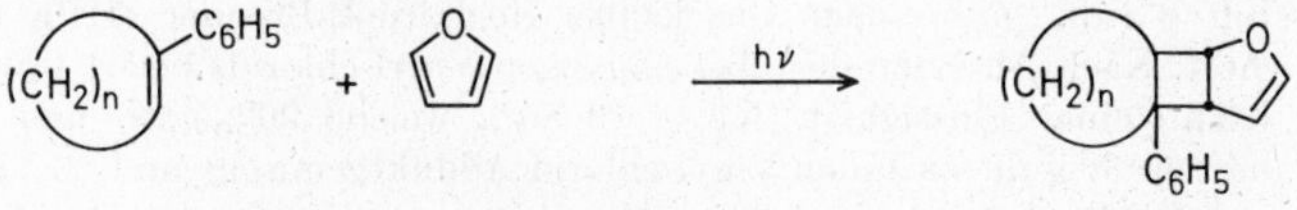

XIII

n = 3; 7-Phenyl-3-oxa-anti-tricyclo[5.3.0.0²,⁶]decen-(4); 39% d.Th.
n = 4; ...-anti-tricyclo[5.4.0.0²,⁶]undecen-(4); 29% d.Th.
n = 5; ...-anti-tricyclo[5.5.0.0²,⁶]dodecen-(4); 25% d.Th.
n = 6; 2-Phenyl-11-oxa-anti-tricyclo[8.3.0.0²,⁹]tridecen-(12); 24% d.Th.

1 M. D. COHEN et al., Soc. (Perkin II) 1973, 1095.
  Weitere Beispiele bei J. D. HUNG et al., Israel J. Chem. 10, 585 (1972); C. A. 77, 88048ᵛ (1972).
2 A. ELGAVI, B. S. GREEN u. G. M. J. SCHMIDT, Am. Soc. 95, 2058 (1973).
3 B. S. GREEN, Privatmitteilung, Oktober 1974.
4 M. TADA, H. SHINOZAKI u. T. SATO, Tetrahedron Letters 1970, 3879.

Ähnliche Reaktionen gelingen zwischen 2-Hydroxy-chinolin und 1,1-Dimethoxy-äthylen[1] sowie bei Sensibilisierung mit Benzophenon zwischen Cumarin und 1,1-Di-äthoxy-äthylen[2]. vgl. hierzu s. S. 589.)

7,7-Dimethoxy-1-phenyl-bicyclo[3.2.0] heptan[3]: 10 ml ($\sim 9,9$ g; 69 mMol) 1-Phenyl-cyclopenten und 110 g (1,25 Mol) 1,1-Dimethoxy-äthylen in 690 ml Hexan werden unter Stickstoff mit einem Quecksilber-Hochdruck-Brenner (Hanovia 450 W) durch ein Vycor-Filter 5 Stdn. belichtet. Nach Konzentrieren des Reaktionsgemischs i. Vak. chromatographiert man an Aluminiumoxid, wobei mit Hexan und später mit Hexan/Chloroform-Mischungen wenig unverbrauchtes Ausgangsmaterial sowie das ölige Addukt eluiert wird; Ausbeute: 7,8 g (49% d.Th.). Eine analytisch reine Probe läßt sich durch sorgfältige präparative Gaschromatographie unterhalb 200° erhalten.

Präparativ ergiebig sind [2+2]-Photocycloadditionen an Inden. Durch Einsatz von 2-Chlor-inden oder von Inden und halogenierten Olefinen werden Addukte zugänglich, welche nach der Photoreaktion die Einführung neuer Doppelbindungen gestatten. Als Beispiel seien die Synthese von Bi-$indenyl$-(2) (XIV; 91% d.Th.; F: 242–243°)[4,5] und $5H$-$Benzocycloheptatrien$ (XV, 83% d.Th.; Kp$_{0,7}$: 60–63°; n$_D^{20}$: 1,6085)[6] über die Photoaddukte 8-$Chlor$-$\langle dibenzo$-$tricyclo[5.3.0.0^{2,6}]decadien$-$(3,9)\rangle$(19% d.Th.; F: 160–162°) bzw. $anti$- und syn-9-$Chlor$-$\langle benzo$-$bicyclo[3.2.0]hepten$-$(2)\rangle$ (69% d.Th.; Kp$_{0,8}$: 82–86°; n$_D^{20}$: 1,5662) genannt. Weitere [2+2]-Photoadditionen von Inden finden sich in Tab. 60, S. 375):

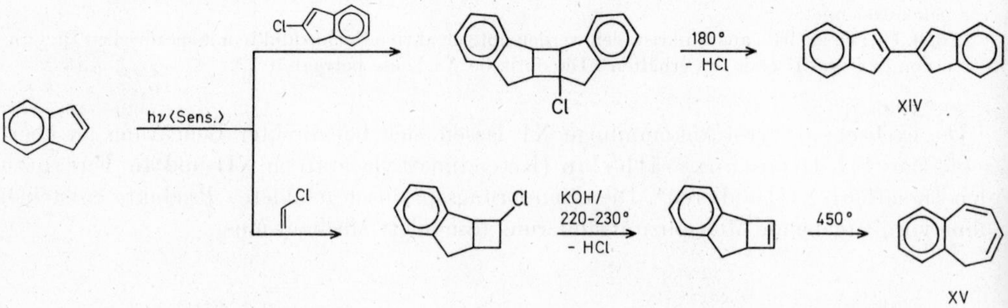

Bi-indenyl-(2) (XIV)[4]: 15 g 2-Chlor-inden und 11,6 g Inden werden zusammen mit 2 g Benzophenon in 50 ml Benzol gelöst und unter Argon 20 Stdn. mit einem Quecksilber-Hochdruck-Brenner (Philips HPK 125 W) durch ein Glas-Filter bei 20° belichtet. Das Lösungsmittel und die überschüssigen Indene werden i. Vak. bei Temp. bis 70° abgedampft. Durch Chromatographie des Rückstands an Kieselgel mit Cyclohexan erhält man nach Umkristallisieren aus Äthanol 5,2 g (19% d.Th.) 1-Chlor-⟨dibenzo-tricyclo[5.3.0.0^{2,6}]decadien-(4,8)⟩. Davon werden 190 mg auf 180° erhitzt, wobei Salzsäure-Abspaltung eintritt und die Schmelze kristallisiert. Aus Äthanol: 150 mg (91% d.Th.); F: 242 – 243°

5H-Benzocycloheptatrien (XV)[6]: 23,2 g Inden, 180 ml Vinyl-chlorid und 2 g Benzophenon werden bei –78° unter Stickstoff 8 Stdn. mit einem Quecksilber-Hochdruck-Brenner (HPK 125 W) durch ein Solidex-Filter belichtet. Nach Absieden des überschüssigen Vinyl-chlorids liefert fraktionierte Destillation 12,3 g (69% d.Th.) einer Flüssigkeit (Kp$_{0,8}$: 82–86°), welche 90% $anti$- und 10% syn-Addukt enthält. Eine Lösung von 30 g dieses Inden/Vinyl-chlorid Adduktgemischs und 23,3 g Kaliumhydroxid in 105 g Triäthylen-glykol wird 2 Stdn. auf 220–230° erhitzt und liefert nach der Aufarbeitung 14,6 g (59% d.Th.) 2,3-Benzo-bicyclo[3.2.0]heptadien-(2,6). Dieses Produkt wird bei 450° in ein Strömungsrohr mit einem Wasserdampf-Strom von 3 Mol/Stde. innerhalb 36 Min. eingetropft und liefert nach der Aufarbeitung 83% d.Th. 5H-Benzocycloheptatrien; kp$_{0,7}$: 60—63°

---

[1] G. R. Evanega u. D. L. Fabiny, J. Org. Chem. **35**, 1757 (1970).

[2] J. W. Hanifin u. E. Cohen, Tetrahedron Letters **1966**, 1419.

[3] M. Tada, H. Shinozaki u. T. Sato, Tetrahedron Letters **1970**, 3897.

[4] C. H. Krauch u. W. Metzner, B. **98**, 2762 (1965).

[5] W. Lüttke u. J. Grussdorf, B. **98**, 140 (1965).

[6] W. Metzner u. W. Hartmann, B. **101**, 4099 (1968).

Als [2+2]-Photocycloaddition zwischen zwei Halogen-olefinen verdient die Reaktion von 2-Chlor-inden mit Tetrachlor-äthylen zu *7,8,8,9,9-Pentachlor-⟨benzo-bicyclo [3.2.0]hepten-(2)⟩* (32% d.Th.; Kp$_{0,7}$: 127–130°)[1] besondere Beachtung (vgl. S. 360; 396):

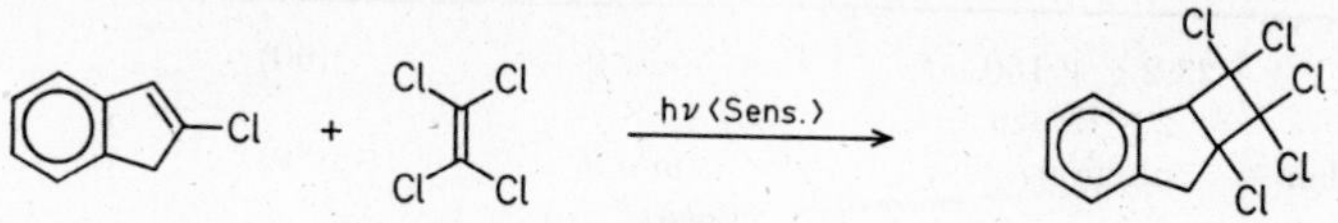

Auch Benzo-[b]-thiophen, welches sich offenbar nicht photochemisch dimerisieren läßt addiert Halogen-olefine nach der sensibilisierten Lichtanregung[2]. Damit verwandt sind Photocycloadditionen mit Benzothiophen-dioxiden[3] und N-acylierten Indolen[4].

7,8,8,9,9-Pentachlor-⟨benzo-bicyclo[3.2.0]hepten-(2)⟩[1]: 15 g 2-Chlor-inden und 2 g Benzophenon in 150 *ml* Tetrachlor-äthylen werden bei 20° mit einem Quecksilber-Hochdruck-Brenner [(Philips HPK 125 W) 32 Stdn. belichtet. Nach Abdampfen nicht umgesetzter Ausgangsverbindungen i. Vak. und Filtrieren über eine Aluminiumoxid-Säule mit Petroläther liefert die fraktionierte Destillation 9,2 g (32% d.Th.) öliges Produkt; Kp$_{0,7}$: 127–130°.

Tab. 60. Photocycloadditionen mit benzocyclischen Olefinen

Ausgangs-verbindungen	Bestrahlungs-bedingungen	Produkte ...-⟨benzo-bicyclo [3.2.0]hepten-(2)⟩	Ausbeute[a] [% d.Th.]	F [°C]	Literatur
Inden + Äthylen	23,2 g + 150 *ml* Aceton, mit Äthylen bei –80° ges.; 2 g Benzo-phenon; N$_2$; HPK 125 W; Solidex-Filter; 12 Stdn.	*Benzo-bicyclo [3.2.0]hepten-(2)*[b]	3	(Kp$_7$: 83°; n$_D^{20}$: 1,5528)	5
+ 1,1-Dichlor-äthylen	23,2 g + 150 *ml*; 2 g Benzophenon –75°; 8 Stdn.	*9,9-Dichlor-...*[c]	62	43–45	5
+ *cis*-1,2-Di-chlor-äthylen	23,2 g + 150 *ml*; 2 g Benzophenon 19°; 8 Stdn.	*exo-8,exo-9-Dichlor-...*	(53)	56–57,5	5,6
		endo-8,exo-9-Dichlor-...	(31)	63,5–65	
		exo-8,endo-9-Dichlor-...	(12)	26–27	
		endo-8,endo-9-Dichlor-...	(4)	114–116	

[a] Relative Ausbeuten in runden Klammern.
[b] Isoliert nach katalytischer Hydrierung von 2,3-Benzo-bicyclo[3.2.0]heptadien-(2,6).
[c] Hieraus mit Kaliumhydroxid Chlorwasserstoff-Abspaltung.

[1] D. WENDISCH u. W. METZNER, B. **101**, 4106 (1968).
[2] D. G. NECKERS, J. H. DOPPER u. H. WYNBERG, J. Org. Chem. **35**, 1582 (1970); wegen [2 + 2]-Photo-additionen mit Acetylen-dicarbonsäure-dimethylester s. Tetrahedron Letters **1969**, 2913.
[3] D. N. HARPP u. C. HEITNER, J. Org. Chem. **38**, 4184 (1973).
[4] D. R. JULIAN u. R. FOSTER, J. C. S. Chem. Comm. **1973**, 311.
[5] W. METZNER u. W. HARTMANN, B. **101**, 4099 (1968).
[6] Zur Temperaturabhängigkeit des Isomerenverhältnisses vgl. W. METZNER, Tetrahedron Letters **1968**, 1321.

Tab. 60 (1. Fortsetzung)

Ausgangs-verbindungen	Bestrahlungs-bedingungen	Produkte ...-⟨benzo-bicyclo [3.2.0]hepten-(2)⟩	Ausbeute[a] [% d.Th.]	F [°C]	Literatur
Inden + *trans*-1,2-Di-chlor-äthylen	23,2 g + 150 *ml*; 2 g Benzo-phenon; 22°;	*endo*-8,*exo*-9-*Dichlor*- ... *exo*-8,*endo*-9-*Dichlor*- ... *exo*-8,*endo*-9-*Dichlor*- ... *endo*-8,*endo*-9-*Dichlor*- ...	(60) (20) (16) (4)		1, 2
+ Trichlor-äthylen	10 g + 150 *ml*; 2 g Benzo-phenon; 11 Stdn.	*exo*-8,9,9-*Trichlor*- ... *endo*-8,9,9-*Trichlor*- ... isomere 8,8,9-*Trichlor*- ...	zus. 89 (25) (50) (25)		1
+ Tetrachlor-äthylen	10 g + 150 *ml*; 2 g Benzo-phenon; 11 Stdn.	8,8,9,9-*Tetrachlor*- ...[b]	86	78–79	1
+ Acrylnitril	5 g + 15 g; 5 g Acetophenon 400 *ml* Äthanol; Hanovia 450 W; Corex-Filter; 3 Stdn.	*exo*-9-*Cyan*- ... *endo*-9-*Cyan*- ...	15 12	48,5–50 70,5–72	3
+ Maleinsäure-anhydrid	10 g + 5 g; 1 g Benzophenon; 100 *ml* Aceton; HPK 125 W; Solidex-Filter; –70°; 25 Stdn.	⟨*Benzo-bicyclo [3.2.0]hepten-(2)*⟩-*exo*-8,*exo*-9-*dicarbonsäure-anhydrid*	86	181–187	4
+ Dimethyl-ma-leinsäure-anhydrid	15°; 22 Stdn.	*endo*-8,-*endo*-9-*Di-methyl*-⟨*benzo-bicyclo*[3.2.0] *hepten-(2)*⟩-8,9-*dicarbonsäure-anhydrid*	92	201–203	4
	Sens. in Benzol	*endo*-8,*endo*-9-*Di-methyl*-⟨*benzo-bicyclo*[3.2.0] *hepten-(2)*⟩-8,9-*dicarbonsäure-anhydrid exo-8,endo-9-Di-methyl*...	(36)		5

[a] Relative Ausbeuten in runden Klammern.
[b] Chlor-Abspaltung mit Zink.

1 W. Metzner u. W. Hartmann, B. **101**, 4099 (1968).
2 Zur Temperaturabhängigkeit des Isomerenverhältnisses vgl. W. Metzner, Tetrahedron Letters **1968**. 1321.
3 J. J. McCullough u. C. W. Huang, Chem. Commun. **1967**, 815; Canad. J. Chem. **47**, 757 (1969); dort entsprechende Addukte mit 1,1-Dimethyl-inden und 1,1-Diphenyl-inden.
R. M. Bowman u. J. J. McCullough, Canad. J. Chem. **47**, 4503 (1969).
4 W. Metzner, H. Partale u. C. H. Krauch, B. **100**, 3156 (1967).
5 S. Farid u. S. E. Shealer, Chem. Commun. **1973**, 296; dort entsprechende Addukte mit 1,1-Di-methyl-inden (Verhältnis 5,8:1).

Tab. 60 (2. Fortsetzung)

Ausgangs-verbindungen	Bestrahlungs-bedingungen	Produkte ...-⟨benzo-bicyclo [3.2.0]hepten-(2)⟩	Ausbeute [% d. Th.]	F [°C]	Literatur
2-Chlor-inden + Maleinsäure-anhydrid	7,5 g + 5 g; 1 g Benzophenon; 25 Stdn.	7-Chlor-⟨benzo-bicyclo[3.2.0] hepten-(2)⟩-exo-8, exo-9-dicarbon-säure-anhydrid	57	140–142	1
+ Dimethyl-maleinsäure-anhydrid	7,5 g + 7,5 g; 24 Stdn.	7-Chlor-endo-8, endo-9-⟨benzo-bicyclo[3.2.0] hepten-(2)⟩-8,9 dicarbonsäure-anhydrid	10	145–146	1

γ) mit 1,3-Dienen und Polyenen

Konjugierte Diene eignen sich nicht nur als Abfang-Reagenzien für elektronisch an-geregte Stilbene und Styrole, wobei Vierring- und Sechsring-Produkte entstehen können (s. S. 365ff.). Ihre meist durch Photosensibilisierung erreichten angeregten Formen können auch von anderen Olefinen und Dienen abgefangen werden. Wie im Falle der Photodimeri-sierung (s. S. 292ff.) sind Vierring- und Sechsring-Produkte zu erwarten. Vor allem bei acyclischen s-trans-Dienen [z. B. Butadien-(1,3)] überwiegen in der Regel die Vinyl-cyclo-butane ([2+2]-Additionen), weil zur Bildung der Diels-Alder-Addukte ([4+2]-Addition) eine partielle Rotation um die zentrale „Einfachbindung" notwendig ist, ohne daß dabei die Anregungsenergie verbraucht oder abgegeben wird[2]. Bei cyclischen Dienen mit cisoid fixierten Doppelbindungen dürfte das Verhältnis von Vierring- und Sechsring-Produkten hauptsächlich von der Zugänglichkeit der reagierenden Zentren abhängen. Zur Addition geeignet sind einfache Olefine und Diene, Halogen-olefine und ungesättigte Carbonsäure-Derivate, wenn von den wichtigen Klassen der Aromaten sowie der konjugierten Aldehyde und Ketone (s. S. 495ff., u. S. 898ff.) abgesehen wird.

Im Hinblick auf die stereochemischen Konsequenzen ist die mit 2-Acetyl-naphthalin sensibilisierte Photoaddition zwischen Cyclopentadien und cis- sowie trans-Buten-(2) eingehend untersucht[3]. In beiden Fällen werden mit geringer Ausbeute (∼ 3%) Addukt-Fraktionen erhalten, welche aus den Produkten I–VII in unterschiedlichem Verhältnis

---

[1] W. METZNER, H. PARTALE u. C. H. KRAUCH, B. **100**, 3156 (1967).

[2] Es gibt Hinweise dafür, daß mit Sensibilisatoren geeigneter Triplett-Energie selektiv die in geringer Gleichgewichtskonzentration vorhandenen s-cis-Konformeren angeregt werden können. Dann werden höhere Anteile an Cyclohexen-Derivaten gebildet (s. S. 293; auch S. 381).

[3] B. D. KRAMER u. P. D. BARTLETT, Am. Soc. **94**, 3934 (1972).

bestehen. Daneben bilden sich hauptsächlich Cyclopentadien-Dimere. Sensibilisie
Isomerisierung der 2-Butene stört die Analyse nicht[1].

I; exo-6, exo-7- II; exo-6, endo-7- V; endo-5, endo-6- VI; endo-5, ex

III; endo-6, exo-7- IV; endo-6, endo-7- VII; exo-5, exo-6- VI; endo-5, exo

Dimethyl-bicyclo[3.2.0]hepten-(2)   *Dimethyl-bicyclo[2.2.1]h
                                             ten-(2)*

| | % der Addukt-Fraktion | | | | | | Buten-(2)-Isomerisieru |
	I	II	III	IV	V	VI	VII	
cis-Buten-(2)	12,8	17,8	25,1	1,4	1,1	26,9	14,8	0,3%
trans-Buten-(2)	18,4	27,1	11,7	0,6	0,9	34,9	6,4	~1 %

Die Daten zeigen, warum photochemische [4+2]-Additionen (Diels-Alder-Typ) wirkungsvoll mit
[2+2]-Additionen konkurrieren können und warum diese Reaktionen nicht stereospezifisch verlau
So wird aus dem mathematischen Vergleich der Isomeren-Verhältnisse geschlossen, daß einmal gebil
biradikalische Photozwischenprodukte[2] aus Triplett-Cyclopentadien und Buten-(2) lange genug lel
um einige interne Rotationszyklen zuzulassen, bevor die Ring-Bildungen eintreten. Die Unterschied
den Produkt-Verhältnissen beruhen dann darauf, daß sich die diastereomeren *threo-* (
Bildung von I, II, V, VI) und *erythro*-Biradikale (nur Bildung von III, IV, VI, VII) aus *cis-* und *tr*
Buten-(2) nicht im gleichen Verhältnis bilden[3,4].

Mit wiederum nur geringer Ausbeute verläuft die Bildung von *endo-* und *exo-Tricy*
[5.2.2.0[2,6]]*undecen-(8)* neben anderen Produkten aus Cyclopenten und Cyclohexadi
(1,3) (Acetophenon als Sensibilisator)[5]. Intensiver bearbeitet und z. T. präparativ ergie
ger sind gemischte Additionen zwischen verschiedenen 1,3-Dienen, obwohl erwartun
gemäß zahlreiche Produkte entstehen, von denen nur wenige isoliert und charakterisiert si
Die mit Benzophenon sensibilisierte Cycloaddition zwischen Butadien-(1,3) und Isopr
(jeweils 3,4 Mol, 150 Stdn. mit 3 Quecksilber-Hochdruck-Brennern, Philips HPK 125
31% Umsatz) ergab eine Fraktion von Dimeren und Addukten, aus welcher gaschroma
graphisch (*E*)-*2-Methyl-1,2-divinyl-cyclobutan* (VIII; 36%; Kp_{24}: 38°; n_D^{20}: 1,4511), *tr*
2-Vinyl-1-isopropenyl-cyclobutan (IX; 17%; Kp_{24}: 40°; n^{20}: 1,4538) und *1-Methyl-cycloo*

[1] 2 × 0,38 Mol Cyclopentadien, 3,3 Mol *cis-* oder *trans*-Buten-(2) und 0,09 Mol 2-Acetyl-naphtha
    450 W Hanovia, Pyrex-Filter; Argon; –15°; 2 × 12 Stdn.
[2] Ob sich daneben noch weitere (energiereichere) Biradikale bilden können, ist nicht untersucht.
    experimentellen Daten[3] scheinen jedoch Addukt-Bildung aus anderen Biradikalen auszuschlie
[3] B. D. KRAMER u. P. D. BARTLETT, Am. Soc. **94**, 3934 (1972).
[4] Vgl. die Singulett-Reaktionen auf S. 362. Dort Einfluß partieller Rotationen auf Produkt-Bildu
    Olefin-Isomerisierung und Quantenausbeuten.
[5] R. S. H. LIU u. G. S. HAMMOND, Am. Soc. **86**, 1892 (1964).

ien-(1,5), (X; 1,5%, Kp_{15}: 56,5–57°; n_D^{20}: 1,4909) isoliert wurden[1]. Das Cyclooctadien-Derivat wird vermutlich aus dem entsprechenden *cis*-Divinyl-cyclobutan durch Cope-Umlagerung gebildet. Bereits dieser Anteil der Additionsprodukte ist höher, als einer rein statistischen Verteilung der Dien-Kombinationen entspräche.

VIII IX X

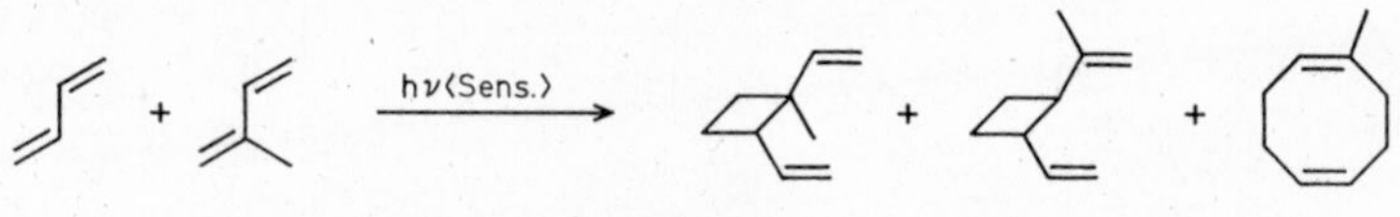

Ähnliche gemischte Addukte wurden mit Butadien-(1,3) und Pentadien-(1,3)[1], 2,3-Dimethyl-butadien[1] sowie Hexadien-(2,4)[2] erhalten:

t-2-Vinyl-r-1-cis-propen-(1)-yl- und *t-2-Vinyl-r-1-trans-propen-(1)-yl-cyclobutan*; Kp_{18}: 40°; n_D^{20}: 1,4559

1-Methyl-2-vinyl-1-isopropenyl-cyclobutan; Kp_{27}: 47°; n_D^{20}: 1,4597

t-3-Methyl- und *c-3-Methyl-t-2-trans-propen-(1)-yl-r-1-vinyl-cyclobutan;* Kp_{15}: 42,5°; n_D^{20}: 1,4497 und Kp_{15}: 44,5–45°; n_D^{20}: 1,4478

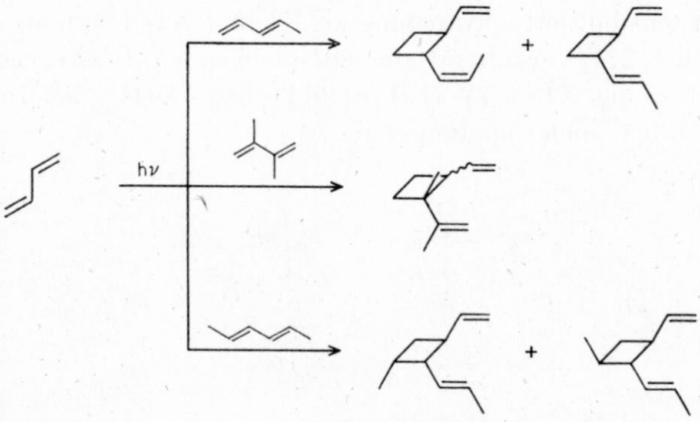

Auch die Kombination von Butadien-(1,3) mit Cyclopentadien (Acetophenon[3] oder Benzophenon[4] als Sensibilisator) wurde untersucht. Dabei entstehen u. a. folgende Stoffe, welche gaschromatographisch isoliert wurden: *5-Vinyl-bicyclo[2.2.1]hepten-(2)* (Kp_{22}: 44,5–45°; n_D^{20}: 1,4809), *endo-7-* bzw. *exo-7-Vinyl-bicyclo[3.2.0]hepten-(2)* (Kp_{16}: 40°; n_D^{20}: 1,4840 bzw. Kp_{36}: 57°; n_D^{20}: 1,4814) und *3a,4,7,7a-Tetrahydro-inden* (Kp_{16}: 50°; n_D^{20}: 1,4978).

Eine Vielzahl z. T. nicht durch thermische Cycloadditionen zugänglicher Produkte wurde durch photosensibilisierte Addition von Halogen-olefinen an konjugierte Diene synthetisiert. So erhält man aus Cyclopentadien und cis- oder trans-Dichlor-äthylen (mit 1-Acetyl-naphthalin als Sens.; 0°) wie bei der entsprechenden Addition von Buten-(2) 7 stereoisomere Produkte im angegebenen Verhältnis u. a. neben Cyclopentadien-Dimeren[5]:

---

1 G. Sartori, V. Turba, A. Valvassori u. M. Riva, Tetrahedron Letters **1966**, 211.
2 Fr. P. 1511975 (1968); Montecatini Edison S.p.A.; Erf.: V. Turba u. G. Sartori; C. A. **70**, 96233x (1969).
3 Fr. P. 1479949 (1967); Montecatini Soc. Gen. per l'Industria Mineraria e Chimica; Erf.: G. Sartori u. V. Turba; C. A. **68**, 12562b (1968).
4 G. Sartori et al., Tetrahedron Letters **1966**, 4777.
5 P. D. Bartlett, R. Helgeson u. O. A. Wessel, Pure Appl. Chem. **16**, 187 (1968).
W. L. Dilling, Chem. Reviews **69**, 845 (1969).

	exo-6, exo-7-	exo-6, endo-7-	endo-6, exo-7-	endo-6, endo-7-	endo-5, endo-6-	trans-	exo-5, exo-6-
	Dichlor-bicyclo[3.2.0]hepten-(2)[1]				Dichlor-bicyclo[2.2.1]hepten-(2)		
Cyclopentadien + cis-Dichlor-äthylen	21,6	52,6[1]	9,3[1]	2,8	1,0	12,6	<0,3
Cyclopentadien + trans-Dichlor-äthylen	10,0	18,5[1]	10,8[1]	4,2	2,5	54,0	<0,2

Das *trans*-Olefin reagiert etwa viermal schneller als das *cis*-Olefin und die Unterschiede in der Stoff-Verteilung scheinen hier, im Gegensatz zu der Umsetzung mit Buten-(2) (s. S. 378), nahezulegen, daß die biradikalischen Zwischenprodukte das Rotameren-Gleichgewicht nur unvollständig erreichen[2].

Auch die Orientierungsspezifität bei der sensibilisierten Photoaddition unsymmetrisch substituierter Halogen-olefine ist auf der Grundlage biradikalischer Triplett-Mechanismen zu verstehen. So reagiert Cyclopentadien mit 1,1-Dichlor-äthylen und 2,2-Di-fluor-1,1-dichlor-äthylen[3] bei sensibilisierter Anregung zu XI und XII (Verhältnis XIa:XIIa = 3:2 sowie XIb:XIIb = 2:1)[3], während die entsprechenden Reaktionen von Butadien-(1,3) XIIIa und wenig XIVa (Verhältnis 9:1) bzw. XIIIb liefern[3] neben Dien-Dimeren[3] und wahrscheinlich auch Copolymeren.

XIa;   R=H   *7,7-Dichlor-bicyclo[3.2.0]hepten-(2)*; 17% d.Th.
XIIa; R=H   *5,5-Dichlor-bicyclo[2.2.1]hepten-(2)*; 12% d.Th.
XIb;   R=F   *6,6-Difluor-7,7-dichlor-bicyclo[3.2.0]hepten-(2)*
XIIb; R=F   *6,6-Difluor-5,5-dichlor-bicyclo[2.2.1]hepten-(2)*
XIIIa; R=H   *2,2-Dichlor-1-vinyl-cyclobutan*; 18% d.Th.
XIVa; R=H   *4,4-Dichlor-cyclohexen*; 2% d.Th.
XIIIb; R=F   *3,3-Difluor-2,2-dichlor-1-vinyl-cyclobutan*

Die voluminösen Substituenten stehen also immer in Nachbarschaft zur Vinyl-Gruppierung und dies bedeutet, daß offenbar in einem ersten Reaktionsschritt das sterisch weniger gehinderte Olefin-Zentrum reagiert und anschließende Cycloaddukt-Bildung nur dann eintritt, wenn C–1 des energiereichen Triplett-1,3-Diens angegriffen wurde[4]. Die geringe Neigung von Butadien zur Bildung von Sechsring-Cyclo-

---

[1] Die Zuordnung ist noch nicht endgültig gesichert[2].
[2] P. D. Bartlett, R. Helgeson u. O. A. Wessel, Pure Appl. Chem. **16**, 187 (1968).
    W. L. Dilling, Chem. Reviews **69**, 845 (1969).
[3] N. J. Turro u. P. D. Bartlett, J. Org. Chem. **30**, 1849; 4396 (1965).
[4] Zur Deutung der Orientierungsselektivität wurde angenommen, daß diese Art des Angriffs wegen möglichst guter Stabilität des Diradikals bevorzugt sei[5]. Diese Frage ließe sich möglicherweise durch Untersuchung der weiteren Produkte (welche bei der Synthese von XIa und XIIa 43% des umgesetzten Cyclopentadiens enthalten müssen) klären.
[5] N. J. Turro u. P. D. Bartlett, J. Org. Chem. **30**, 1849, 4396 (1965).

addukten zeigt, daß bei diesen Photozwischenprodukten offenbar die partielle Rotation um die substituierte Bindung des Allyl-Radikals auch nach photochemischer Erzeugung erschwert ist[1].

7,7-Dichlor-bicyclo[3.2.0]hepten-(2) und 5,5-Dichlor-bicyclo[2.2.1]hepten-(2) (XIa und XIIa)[2]:
27 g (0,41 Mol) frisch hergestelltes Cyclopentadien, 470 g (4,85 Mol) 1,1-Dichlor-äthylen und 11 g Benzophenon werden bei 0° mit einem Quecksilber-Hochdruck-Brenner (Hanovia 450 W) durch ein Pyrex-Filter 5 Stdn. bestrahlt, wobei 90% des Diens verbraucht werden. Die Lösung wird bei 25° am Rotations-verdampfer konzentriert und durch Vakuum-Destillation erhält man verschiedene Fraktionen (Kp$_{40-43}$: 45–90°; 90–92°; Kp$_{25}$ 74–76°) mit zunehmenden Anteilen der Addukte XIa und XIIa neben Cyclopentadien-Dimeren. Die Gesamtmenge der Addukte beträgt 15,3 g (0,094 Mol; 23% d.Th.), die der Cyclopentadien-Dimeren 3,8 g (14% d.Th.). Zur Trennung der Produkte dient die präparative Gaschromatographie an einer Säule aus 1,2,3-Tris-[2-cyan-äthoxy]-propan auf Chromosorb P.

2,2-Dichlor-1-vinyl-cyclobutan (XIIIa)[3]: 1 l 1,1-Dichlor-äthylen, 23 g 2-Acetyl-naphthalin und 16 g (0,30 Mol) Butadien-(1,3) werden bei –18° unter Stickstoff mit einem Quecksilber-Hochdruck-Brenner (Hanovia 450 W) durch ein Pyrex-Filter 2 Tage belichtet. Man entfernt den Polymeren-Belag auf der Licht-Eintrittsfläche und bestrahlt nochmals 3 Tage. Das Gemisch wird mit wasserfreiem Magnesium-sulfat getrocknet und anschließend das Lösungsmittel abdestilliert. Der Rückstand liefert bei der Destillation i. Vak. 5,4 g (11% d.Th.) eines farblosen Öls (Kp$_{15}$: 46°). Aus diesem wird das Produkt durch präparative Gaschromatographie an einer Säule aus 4-Nitro-4-methyl-6-cyan-hexansäure auf Chromosorb P bei 120° isoliert, wobei mehrere Verunreinigungen abgetrennt werden.

Das Produkt eignet sich zur Synthese von Vinyl-cyclobutan durch Behandlung mit Lithium/Natrium in Tetrahydro-furan bei Gegenwart von tert.-Butanol[3].

Entsprechende Photocycloadditionen von Halogen-olefinen wurden mit Isopren[2], Pentadien-(1,3)[2], 2,3-Dimethyl-butadien-(1,3)[2] und Hexadien-(2,4)[2,4] durchgeführt und mit den Photoadditionen derselben Diene an α-Acetoxy-acrylnitril[5,6] sowie thermischen Cycloadditionen verglichen. Ein weiteres Beispiel ist die photosensibilisierte Umsetzung von Butadien-(1,3) mit Acrylnitril[7]. Immer entstehen bei meist geringen Ausbeuten zahl-reiche isomere Produkte, welche größtenteils gaschromatographisch trennbar sind. Da sich für die Photoreaktionen keine weiteren mechanistischen Gesichtspunkte ergeben, muß hier der Hinweis auf die Original-Literatur genügen. Einige Photocycloadditionen von Buta-dien-(1,3) (mit Trifluoräthylen), Cyclopentadien (mit Trifluor-, Trichlor- und Tetra-chlor-äthylen) und Cyclohexadien-(1,3) (mit Halogen-olefinen) sind in Tab. 61, (S. 385 ff.) aufgenommen.

Besonderen präparativen Wert besitzen die meist sensibilisierten Dien-Additionen an Maleinsäureanhydride, obwohl noch nicht in allen Fällen geklärt ist, auf welchen der Reaktionspartner die Anregungsenergie des Sensibilisators übertragen wird. So reagieren Butadien-(1,3) und Dichlor-maleinsäureanhydrid mit 84% Ausbeute zu den

---

[1] Durch selektive Energieübertragung auf die in geringer Konzentration vorhandene *s-cis*-Konformation von Butadien-(1,3) mit Sensibilisatoren geeigneter Triplett-Energie läßt sich die Sechsring-Bildung begünstigen: W. L. DILLING, Am. Soc. **89**, 2742 (1967); vgl. auch S. 293; 377.

[2] N. J. TURRO u. P. D. BARTLETT, J. Org. Chem. **30**, 1849, 4396 (1965).

[3] P. D. BARTLETT u. K. E. SCHUELLER, Am. Soc. **90**, 6071 (1968).

[4] W. L. DILLING u. J. C. LITTLE, Am. Soc. **89**, 2741 (1967).

[5] P. D. BARTLETT u. K. E. SCHUELLER, Am. Soc. **90**, 6077 (1968).

[6] W. L. DILLING u. R. D. KROENING, Tetrahedron Letters **1968**, 5101, 5601.
W. L. DILLING, R. D. KROENING u. J. C. LITTLE, Am. Soc. **92**, 928 (1970).
W. L. DILLING, Am. Soc. **89**, 2742 (1967).

[7] W. L. DILLING u. R. D. KROENING, Tetrahedron Letters **1970**, 695.

Vierring-Addukten XV und XVI[1]. Die Isomeren lassen sich über die Dimethylester trennen und charakterisieren[1].

XV　　　　　　XVI

1,2-Dichlor-t-3-vinyl-　1,2-Dichlor-c-3-vinyl-
cyclobutan-r-1,c-2-dicarbonsäure-anhydrid

1,2-Dichlor-t-3-vinyl- und 1,2-Dichlor-c-3-vinyl-cyclobutan-r-1,c-2-dicarbonsäure-anhydrid (XV und XVI)[1]: 150 g Dichlor-maleinsäureanhydrid, 100 ml Butadien-(1,3) und 4 g Benzophenon in 600 ml 1,4-Dioxan werden mit einem Quecksilber-Hochdruck-Brenner (Hanau Q 700) durch ein Pyrex-Filter 60 Stdn. bei Raumtemp. belichtet. Während der Belichtung wird magnetisch gerührt und Butadien-Verluste werden mit Hilfe von Rückflußkühlern (Kühlflüssigkeit auf −20°) vermieden. Nach Abdampfen des Lösungsmittels destilliert man mehrfach i.Vak. und erhält 167 g (84% d.Th.) eines 1:1-Gemischs der isomeren Anhydride (Kp$_{0,03}$: 95–100°). Dieses wird mit Wasser bei 60° verseift und nach Extraktion mit Äther verestert (Methanol/Salzsäure sowie Nachveresterung mit Diazomethan), wobei 168,5 g Dimethylester-Gemisch anfallen (Kp$_{0,05}$: 115–117°), aus welchem durch fraktionierte Kristallisation [zunächst ohne Lösungsmittel, dann mit Petroläther] die reinen Komponenten isoliert werden. Ester von XV F: 35°, von XVI F: 62–63°.

Der Ester der Verbindung XV läßt sich nach katalytischer Hydrierung mit Nickel-tetracarbonyl zu 3-Äthyl-cyclobuten-1,2-dicarbonsäure-dimethylester umsetzen (Kp$_{0,01}$: 58–60°; n$_D^{20}$: 1,4695)[1].

Direkte Belichtung von Butadien-(1,3) oder 2,3-Dimethyl-butadien und Dichlor-maleinsäureimid in 1,4-Dioxan (Pyrex-Filter) führt neben schwieriger trennbaren Imiden, [2+2]-Addukte analog XV und XVI, zu den direkt abfiltrierbaren Tetracyclen XVIIa und b, bei welchen neben der Cyclobutan-Bildung auch eine Oxetan-Bildung eingetreten ist[1,2].

R = H ; CH₃　　　　　　　　　　　　　　　　XVII

XVIIa;　R=H;　*1,8-Dichlor-2-amino-3-oxa-tricyclo[4.2.0.0²,⁵]octan-8-carbonsäure-lactam*; 2–3% d.Th.; F: 221°

XVIIb;　R=CH₃; *1,8-Dichlor-2-amino-5,6-dimethyl-*...; 13% d.Th.; F: 221°

Bemerkenswert ist der Verlauf der mit Benzophenon sensibilisierten Photocycloaddition von Cyclopentadien mit Dichlor-maleinsäureanhydrid. Gebildet werden das *cis*-Addukt XIX und das energiereiche *trans*-verknüpfte Isomere XX im Verhältnis[3] 1:1:

XVIII　　　　　　XIX　　　　　　XX

XIX;　*6,7-Dichlor-bicyclo[3.2.0]hepten-(2)-endo-6, endo-7-dicarbonsäure-anhydrid*; F: 93°
XX;　*c-6,c-7-Dichlor-r-1-H,t-5-H-bicyclo[3.2.0]hepten-(2)-6,7-dicarbonsäure-anhydrid*; F: 122°

[1] H.-D. Scharf u. F. Korte, B. **99**, 1299 (1966).
[2] H.-D. Scharf u. F. Korte, Tetrahedron Letters **1966**, 2033.
[3] H.-D. Scharf, Tetrahedron Letters **1967**, 4231.

Dies wurde mit verdrillten Anregungszuständen von Cyclopentadien erklärt, deren Bildung wegen π-Komplexbildung der Reaktanten (CT-Absorptionsbande bei $\lambda = 350$ nm) erleichtert sein könnte[1]. Es ist jedoch auch denkbar, daß bei der gegenseitigen Annäherung der Reaktionspartner sterische Effekte eine wesentliche Rolle spielen. Man wird dann vermuten, daß bei chemisch wirksamen Stößen die voluminösen Chlor-Atome nicht über dem Cyclopentadien-Ring liegen (cis-Addukt) und daß die beiden reagierenden Doppelbindungen sich nicht parallel nähern (trans-Addukt), weil bei XVIII alle vorhandenen Gruppen möglichst gut auf Lücke stehen. Ein biradikalisches Zwischenprodukt könnte dann sowohl zu XIX als auch XX weiterreagieren. Ähnlich läßt sich die Bildung der cis- und trans-Addukte zwischen Cyclohexadien-(1,3) und Dichlor-maleinsäureanhydrid (s. Tab. 61, S. 388) deuten[2].

Wie schon früher durchgeführte Synthesen zeigen, ist die photosensibilisierte Dien-Addition an Maleinsäureanhydride nicht an die Anwesenheit der Chlor-Substituenten gebunden. So werden aus Maleinsäureanhydrid mit Cyclohexadien-(1,3) (−80°), Cycloheptatrien und Cyclooctatetraen die Addukte I + II, III + IV + V sowie VI (hieraus VII) erhalten[3]:

I;   Bicyclo[2.2.2]octen-(2)-exo-5,exo-6-dicarbonsäure-anhydrid; 27% d.Th.; F: 157°

II;   ... -endo-5,endo-6-dicarbonsäure-anhydrid; 24% d.Th.[4]; F: 147°

III;   Tricyclo[3.2.2.0²,⁴]nonen-(6)-endo-8,endo-9-dicarbonsäure-anhydrid; 39,7% d.Th.; F: 104°

IV;   Bicyclo[3.2.2]nonadien-(2,6)-exo-8,exo-9-dicarbonsäure-anhydrid; 5,9% d.Th.; F: 138–139°

V;   Bicyclo[5.2.0]nonadien-(2,4)-8,9-dicarbonsäure-anhydrid; 1,4% d.Th.; F: 86°

VI;   Tricyclo[4.2.2.0²,⁵]decadien-(3,7)-exo-9,exo-10-dicarbonsäure-anhydrid[5]; 12% d.Th.; F: 168°

VII: Pentacyclo[4.4.0.0²,⁵.0³,¹⁰.0⁴,⁷]decan-8,9-dicarbonsäure-anhydrid; 33% d.Th.; F: 137–138°

Von diesen sind II, III und VI durch thermische Diels-Alder Reaktion bequemer zugänglich. Ihre Bildung ist hier jedoch photosensibilisiert beschleunigt. Die anderen Produkte (I, IV, V, VII) entstehen offenbar nur bei photochemischer Vereinigung der Komponenten. Es ist bemerkenswert, daß das [2 + 2]-Addukt V neben III und IV nur mit geringer Ausbeute auftritt.

---

[1] H.-D. Scharf, Tetrahedron Letters 1967, 4231.

[2] Wahrscheinlich spielt die Größe der Substituenten auch bei der Bildung des trans-verknüpften Addukts aus Cyclohexadien-(1,3) und Dimethyl-maleinsäure-anhydrid (XI, S. 384) eine wichtige Rolle.

[3] G. O. Schenck, J. Kuhls u. C. H. Krauch, A. 693, 20 (1966).

[4] Die Dunkelreaktion führt unter sonst gleichen Bedingungen mit 13% d.Th. zu II[3].

[5] Nur bei direkter Belichtung oder der 4,5mal langsameren thermischen Reaktion isoliert[3].

Die Bevorzugung der photochemischen [4+2]-Additionen geht verloren, wenn Dimethyl-maleinsäureanhydrid mit Cyclohexadien-(1,3) umgesetzt wird. Offensichtlich verändern die Substituenten die geometrischen Verhältnisse bei chemisch wirksamen Stößen und in Photo-Zwischenprodukten grundlegend. Hierfür spricht vor allem
auch die Bildung des *trans*-verknüpften [2+2]-Addukts XI (vgl. S. 382):

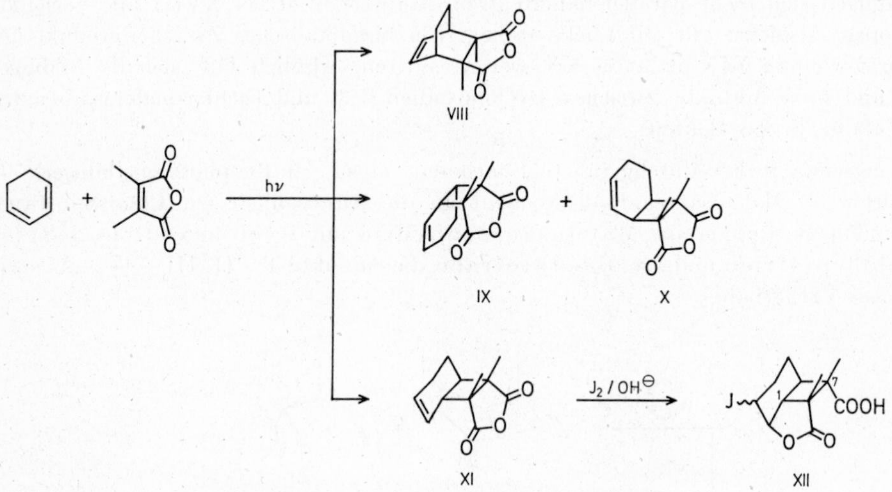

VIII; *endo-5,endo-6-Dimethyl-bicyclo[2.2.2]octen-(2)-5,6-dicarbonsäure-anhydrid*; F: 245°
IX;   *exo-7,exo-8-Dimethyl-bicyclo[4.2.0]octen-(2)-7,8-dicarbonsäure-anhydrid*; F: 101°
X;   *endo-7,endo-8-...*; F: 86°
XI;   *cis-7,8-Dimethyl-trans-bicyclo-...*; F: 115°
XII; *3-Jod-2-hydroxy-cis-7,8-dimethyl-trans-bicyclo[4.2.0]octan-7,8-dicarbonsäure-8,2-lacton*;
      F: 243–247° (Zers.)

Bei der mit Benzophenon sensibilisierten Belichtung entstehen VIII, IX, X und XI ungefähr im Verhältnis 1:4,5:5,5:6 und die Stoffverteilung ändert sich kaum, wenn
ohne Benzophenon in Benzol belichtet wird[1]. Ausschließlich [2+2]-Addukte erhält man,
wenn die 1,3-Cyclohexadiene in 1-Stellung Alkyl-Substituenten tragen (s. Tab. 61, S. 389f.).

Bicyclo[2.2.2]octen-(2)-5,6-dicarbonsäure-anhydride (I. II. S. 383)[1]: Bei –80° werden 10 g Maleinsäureanhydrid und 6 g Benzophenon in 80 *ml* Aceton mit 80 *ml* Cyclohexadien-(1,3) in kleineren Anteilen
versetzt. Man belichtet bei dieser Temperatur 24 Stdn. mit einem Quecksilber-Hochdruck-Brenner
(Philips HPK 125 W) durch ein Solidex-Filter (λ > 270 nm) unter Argon bei Durchmischung mit einem
Magnetrührer und destilliert flüchtige Anteile bei –30° (10⁻³ Torr) ab. Der ölige Rückstand (69,4 g) wird
an Kieselgel mit Petroläther und Petroläther/Benzol (1:1) chromatographiert, wobei nacheinander 40,5 g
dimeres Cyclohexadien-(1,3), 4,3 g (24% d.Th.) des *endo*-Addukts II und 4,8 g (27% d.Th.) des *exo*-
Addukts I (F: 157°) anfallen. Das *endo*-Addukt wird bequemer durch 3stdg. Erhitzen von Maleinsäureanhydrid mit Cyclohexadien-(1,3) auf 150° mit 92% d.Th. Ausbeute erhalten[1].

Cyclohexadien-(1,3)/Dimethyl-maleinsäureanhydrid-Addukte VIII-XI[1]: 10 g Dimethyl-maleinsäure-
anhydrid, 2 g Benzophenon und 45 *ml* Cyclohexadien-(1,3) in 80 *ml* Benzol werden 120 Stdn. bei 20°
unter Argon belichtet (Philips HPK 125 W; Solidex). Nach Abdampfen des Lösungsmittels erhält man
45,7 g eines Öls, welches 20 g dimeres Cyclohexadien-(1,3), 0,92 g (5,6%) VIII, 4,25 g (26%) IX, 5,0 g
(30,5%) X und 5,6 g (34%) XI enthält. Zur Trennung wird zunächst wie oben chromatographiert, wobei
VIII, X und XI im Gemisch mit Benzpinakon, 2,3 g (14% d.Th.) IX (F: 101°) und in einer Nachfraktion
(Elution mit Chloroform) 3,6 g der Dicarbonsäure von XI (F: 210°) anfallen. Das Gemisch wird vor einer
erneuten Chromatographie mit alkalischer Jod-Lösung umgesetzt und anschließend mit Acetylchlorid
dehydratisiert. Man erhält bei Elution mit Petroläther/Benzol (1:1) 0,5 g (3% d.Th.; F: 245°) VIII;
2,7 g (16% d.Th.; F: 86°) X und 1,5 g des Jodlactons XII von XI. Aus IX läßt sich eine analoge Jod-

¹ G. O. Schenck, J. Kuhls u. C. H. Krauch, A. **693**, 20 (1966).

actonsäure (84% d.Th.; F: 185–186°) synthetisieren. Die Stoffverteilung ändert sich kaum, wenn man ohne Benzophenon-Zusatz wie oben belichtet.

Durch sensibilisierte Photoaddition von Cyclopentadien an Dimethyl-maleinäureanhydrid wird hauptsächlich das [4+2]-Addukt XIII zugänglich[1]:

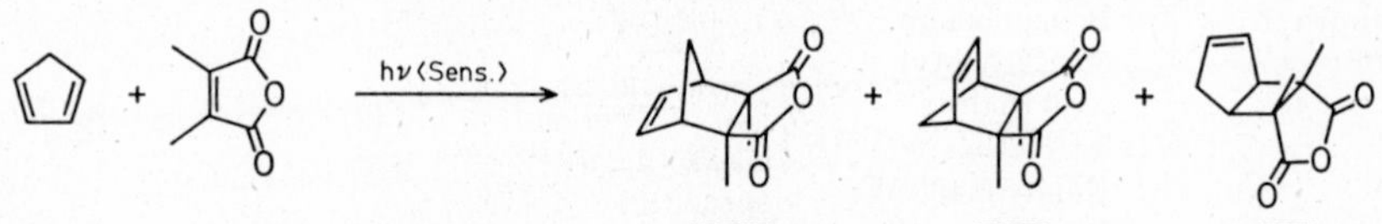

| | XIII | XIV | XV |

XIII; *endo-5,endo-6-Dimethyl-bicyclo[2.2.1]hepten-(2)-5,6-dicarbonsäure-anhydrid*; 20% d.Th.; F: 151°
XIV; *exo-5,exo-6-* . . .; 8% d.Th.; F: 159°
XV; *endo-6,endo-7-Dimethyl-bicyclo[3.2.0]hepten-(2)-6,7-dicarbonsäure-anhydrid*; 9% d.Th.; F: 96–97°

Das Diels-Alder-Addukt XIV und die Vierring-Verbindung XV werden mit vergleichbarer Ausbeute gebildet. Dies steht in wahrscheinlich sterisch bedingtem Gegensatz zum Reaktionsergebnis mit Dichlor-maleinsäureanhydrid (s. S. 382).

Ausschließlich [2+2]-Addukte werden bei den Reaktionen zwischen Furan und Thiophen mit Dimethyl-maleinsäureester gewonnen. Einzelheiten s. S. 554, 558.

Tab. 61. Photocycloadditionen mit 1,3-Dienen

Ausgangs-verbindungen	Photolyse-bedingungen	Produkte	Ausbeute[a] [% d.Th.]	F [°C]	Literatur
Butadien-(1,3) + Trifluoräthylen	0,35 g + 2,7 g; 0,08 g Aceto-phenon oder 0,12 g Fluorenon; Hanovia 450 W; Pyrex-Ampulle; Raumtemp.; 20–100 Stdn.	*t-2,3,3-Trifluor-r-1-vinyl-cyclo-butan*	zus. 1–5% (28,5) oder (26)		2
		+ *c-2,3,3-Trifluor-r-1-vinyl-cyclobutan*	(29,5) oder (20,5)		
		+ *2,2,c-3-* und *2,2, t-3-Trifluor-r-1-vinyl-cyclobutan*	(41,5) oder (31)		
		+ *4,4,5-Trifluor-cyclohexen*	(∼ 0,5) oder (22,5)		

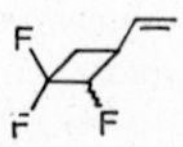

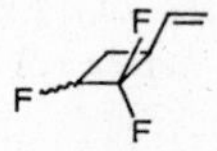

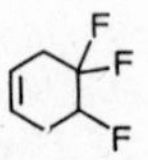

[a] Angaben in runden Klammern stellen relative Ausbeuten dar.

[1] G. O. SCHENCK, J. KUHLS u. C. H. KRAUCH, A. **693**, 20 (1966).
[2] P. D. BARTLETT, B. M. JACOBSON u. L. E. WALKER, Am. Soc. **95**, 146 (1973).

Tab. 61 (1. Fortsetzung)

Ausgangs-verbindungen	Photolyse-bedingungen	Produkte	Ausbeute[a] [% d.Th.]	F [°C]	Literatur
Cyclopentadien + Trifluoräthylen	2 g + 30 g; 0,9 g Benzophenon oder 2-Acetyl-naphthalin; 3 ml Äther; Hanovia 450 W; Pyrex-Ampulle; 3°; 72 Stdn.	6,6,exo-7-Trifluor-bicyclo[3.2.0]hepten-(2) + 6,6,endo-7-Tri-fluor-... + exo-6,7,7-Tri-fluor-bicyclo [3.2.0]hepten-(2) + endo-6,7,7-Tri-fluor-... + 5,5,exo-6-Tri-fluor-bicyclo [2.2.1]hepten-(2) + 5,5,endo-6-Tri-fluor-...	zus. 6–12% (42) (19,5) (20,5) (5) (6,5) (6,5)		1
+ Tetrachlor-äthylen	12,8 g + 240 g; 7 g 2-Acetyl-naphthalin; Hanovia 450 W; Pyrex-Filter; 0°; 15 Stdn.	6,6,7,7-Tetrachlor-bicyclo [3.2.0]hepten-(2) + 5,5,6,6-Tetra-chlor-bicyclo [2.2.1]hepten-(2)	24 16		2

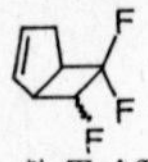

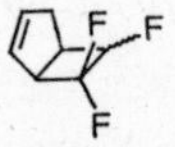

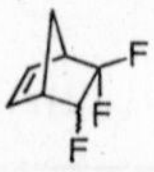

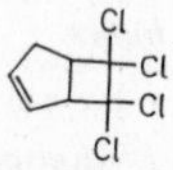

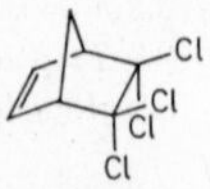

[a] Angaben in runden Klammern stellen relative Ausbeuten dar.

1 B. M. JACOBSON u. P. D. BARTLETT, J. Org. Chem. 38, 1030 (1973); ähnlich verhält sich 2,2-Difluor-1-chlor-äthylen.
2 N. J. TURRO u. P. D. BARTLETT, J. Org. Chem. 30, 1849 (1965).

Tab. 61 (2. Fortsetzung)

Ausgangs-verbindungen	Photolyse-bedingungen	Produkte	Ausbeute[a] [% d. Th.]	F [°C]	Literatur
Cyclopentadien + Trichloräthylen	10°	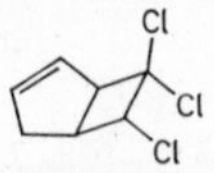 *exo-6,7,7-Trichlor-bicyclo [3.2.0] hepten-(2)*	(27)		[1]
		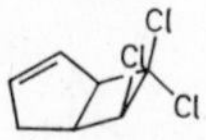 *+ endo-6,7,7-Trichlor- ...*	(17)		
		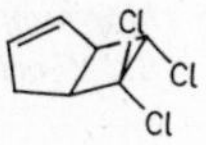 *+ 6,6,exo-7-Trichlor- ...*	(10)		
		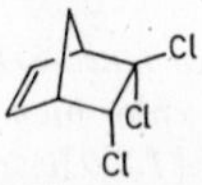 *+ 5,5,endo-6-Trichlor-bicyclo [2.2.1] hepten-(2)*	(46)		
Cyclohexadien-(1,3) + 1,1-Dichlor-äthylen	88 g + 154 g; 32 g 2-Acetyl-naphthalin; 0°; 5 Stdn.	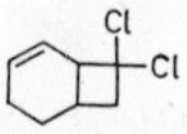 *8,8-Dichlor-bicyclo [4.2.0] octen-(2)*	60	(Kp$_{25}$: 103–105°)	[2]
+ 2,2-Difluor-1,1-dichlor-äthylen	Benzophenon	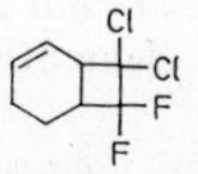 *7,7-Difluor-8,8-dichlor-bicyclo [4.2.0] octen-(2)*	(24)		[2]
		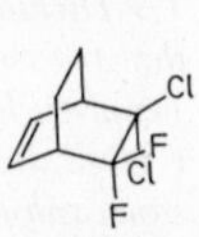 *+ 6,6-Difluor-5,5-dichlor-bicyclo [2.2.2] octen-(2)*	(1)		

[a] Angaben in runden Klammern stellen relative Ausbeuten dar.

[1] P. D. BARTLETT, R. HELGESON u. O. A. WESSEL, Pure Appl. Chem. 16, 187 (1968).
[2] N. J. TURRO u. P. D. BARTLETT, J. Org. Chem. 30, 1849 (1965).

Tab. 61 (3. Fortsetzung)

Ausgangs-verbindungen	Photolyse-bedingungen	Produkte	Ausbeute[a] [% d.Th.]	F [°C]	Literatur
Cyclohexadien-(1,3) + Tetrachlor-äthylen	2-Acetyl-naphthalin	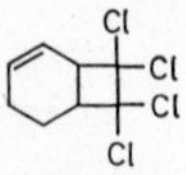 7,7,8,8-Tetrachlor-bicyclo[4.2.0]octen-(2)	38		[1]
		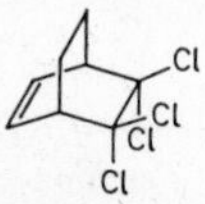 + 5,5,6,6-Tetra-chlor-bicyclo[2.2.2]octen-(2)	2		
+ Dichlor-malein-säureanhydrid	1:1; 1,4-Dioxan; Pyrex-Filter; direkt oder schneller mit Benzophenon	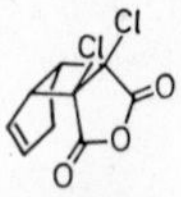 exo-7,exo-8-Di-chlor-bicyclo[4.2.0]octen-(2)-7,8-dicarbonsäure-anhydrid	43	108	[2]
		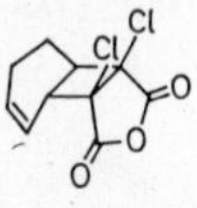 + cis-7,8-Dichlor-trans-bicyclo ...	29	158	
2,3-Dimethyl-butadien + Dichlor-malein-säureanhydrid	200 g + 50 g; 4 g Benzophenon; 500 ml 1,4-Di-oxan; Hanau Q 700; Pyrex-Filter; 70 Stdn.	2 isomere [2+2]-Addukte, hier-aus mit NaOH dann SOCl$_2$ 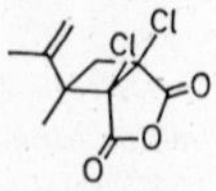 + 1,2-Dichlor-3-me-thyl-t-3-isopro-penyl-cyclobutan-r-1,c-2-dicarbon-säureanhydrid	26	59	[3]

[a] Angaben in runden Klammern stellen relative Ausbeuten dar.

[1] N. J. Turro u. P. D. Bartlett, J. Org. Chem. 30, 1849 (1965).
[2] H.-D. Scharf, Tetrahedron Letters 1967, 4231.
[3] H.-D. Scharf u. F. Korte, B. 99, 1299 (1966).

Tab. 61 (4. Fortsetzung)

Ausgangs-verbindungen	Photolyse-bedingungen	Produkte	Ausbeute[a] [% d.Th.]	F [°C]	Literatur
1-Methyl-4-iso-propyl-cyclo-hexadien-(1,3) (α-Terpinen) + Dimethyl-maleinsäure-anhydrid	20 ml + 10 g; 6 g Benzophenon; 80 ml Benzol; Argon; HPK 125 W; Solidex-Filter; 15°; 87 Stdn.	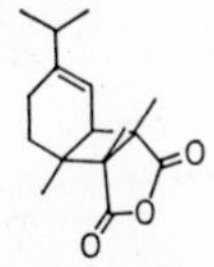 *6,endo-7,endo-8-Tri-methyl-3-isopro-pyl-bicyclo [4.2.0]octen-(2)-7,8-dicarbon-säureanhydrid*	29	97–98	[1]
		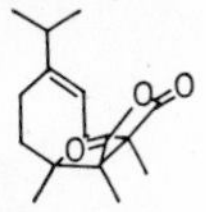 *+ 6,exo-7,exo-8-Trimethyl- . . .*	51	105–106	
2-Methyl-5-iso-propyl-cyclo-hexadien-(1,3) (α-Phellandren) + Dimethyl-maleinsäure-anhydrid	100 ml + 10 g; 2 g Benzo-phenon; 100 ml Benzol; 20°; 96 Stdn.	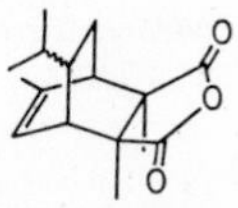 *2,endo-5,endo-6-Trimethyl-8-iso-propyl-bicyclo [2.2.2]octen-(2)-5,6-dicarbon-säureanhydrid*	29	91–92	[1]
		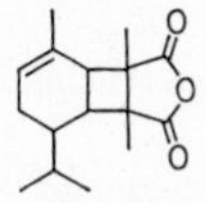 *+ 2,7,8-Trimethyl-5-isopropyl-bi-cyclo[4.2.0]oc-ten-(2)-7,8-di-carbonsäure-anhydrid*	24	79–81	
1,5,5,6-Tetra-methyl-cyclo-hexadien-(1,3) (α-Pyronen) + Dimethyl-maleinsäure-anhydrid	100 ml + 10 g; 6 g Benzo-phenon; 100 ml Benzol; 20°; 4 Tage	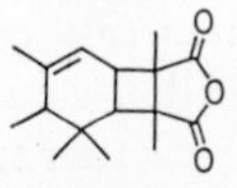 *3,4,5,5,7,8-Hexa-methyl-bicyclo [4.2.0]octen-(2)-7,8-dicarbon-säureanhydrid*	97	138	[1]

[a] Angaben in runden Klammern stellen relative Ausbeuten dar.

[1] G. O. Schenck, J. Kuhls u. C. H. Krauch, A. **693**, 20 (1966).

Tab. 61 (5. Fortsetzung)

Ausgangs-verbindungen	Photolyse-bedingungen	Produkte	Ausbeute[a] [% d.Th.]	F [°C]	Literatur
1,2,6,6-Tetra-methyl-cyclo-hexadien-(1,3) (β-Pyronen) + Dimethyl-maleinsäure-anhydrid	100 *ml* + 10 g; 6 g Benzo-phenon; 100 *ml* Benzol; 20°; 4 Tage	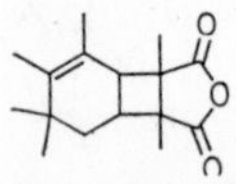 *2,3,4,4,7,8-Hexa-methyl-bicyclo [4.2.0]octen-(2)-7,8-dicarbon-säureanhydrid*	66	139	[1]
Isopren + Dimethyl-maleinsäure-anhydrid	100 *ml* + 10 g; 6 g Benzo-phenon; 100 *ml* Benzol; 24°; 5 Tage	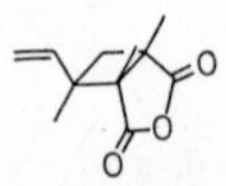 *1,2,3-Trimethyl-t-3-vinyl-cyclo-butan-r-1,c-2-di-carbonsäure-anhydrid*	26	57	[1]
		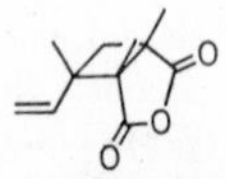 *+ 1,2,3-Trimethyl-c-3-vinyl- . . .*	32	93–94	

[a] Angaben in runden Klammern stellen relative Ausbeuten dar.

δ) mit α,β-ungesättigten Carbonsäure-Derivaten ohne aromatische Substituenten

Olefine mit Carbonsäure-Funktion können sowohl als Abfang-Reagenzien für elektronisch angeregte Doppelbindungen dienen, als auch nach elektronischer Anregung von anderen Olefinen abgefangen werden. Bei den meisten Beispielen dieses Abschnittes dürften die Carbonsäure-Derivate als angeregte Partner in die Reaktion eintreten, auch wenn sie die Anregungsenergie erst von einem Sensibilisator (rein physikalisch oder über π- sowie σ-Komplexe) übernehmen. Vor allem bei offenkettigen Derivaten werden eine Vielzahl stereoisomerer Vierring-Produkte erhalten, weil diese Reaktionen nicht stereospezifisch verlaufen. So reagiert Maleinsäure-dimethylester bei direkter Belichtung mit Cyclo-

---

[1] G. O. SCHENCK, J. KUHLS u. C. H. KRAUCH, A. **693**, 20 (1966).

penten[1] zu 3 Cycloadditionsprodukten I, II, III und einem Stoff der substituierenden Addition („En"-Reaktion[2]) IV im Verhältnis 30:4:1:65[1]:

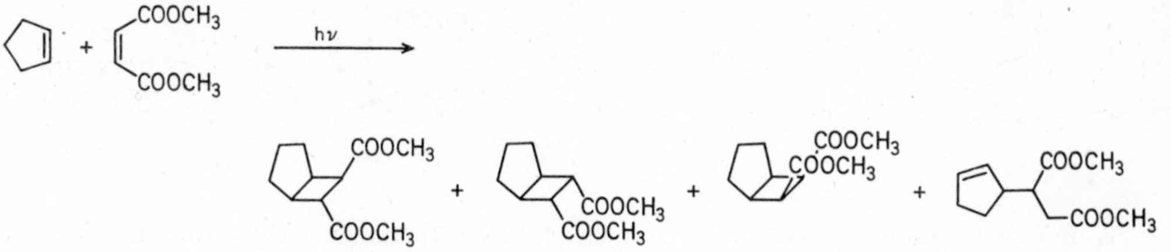

I	II	III	IV
endo-6, exo-7-	exo-6, exo-7-	endo-6, endo-7-	Cyclopenten-(2)-yl-bern-
	Dimethoxycarbonyl-bicyclo[3.2.0]heptan		steinsäure-dimethylester

Bei der entsprechenden Reaktion mit Cyclohexen werden neben *Cyclohexen-(2)-yl-bernsteinsäure-dimethylester* und *Bi-cyclohexen-(2)-yl* vier isomere [2+2]-Addukte, V, VI, VII, VIII (Verhältnis 70:5:10:14) davon VI und VIII mit *trans*-Ringverknüpfung erhalten[3]. Eine andere Studie ergab vier Isomere V, VI, VII, IX im Verhältnis 19:2,7:2,4:<1 und Spuren von X[4]:

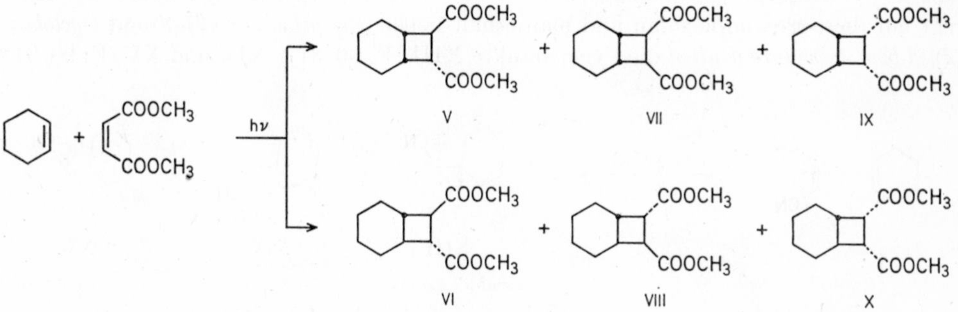

Bicyclo[4.2.0]octan-7,8-dicarbonsäure-dimethylester

Auch die Belichtung von Fumarsäure-dimethylester in Cyclohexen führt zu Stoff-Gemischen ähnlicher Zusammensetzung. Insbesondere wird keine Änderung des Verhältnisses von *cis*- und *trans*-verknüpften Verbindungen festgestellt[5]. Selbst sensibilisierte Anregung ändert das Stoffverhältnis fast nicht, allerdings nimmt der Anteil *trans*-verknüpfter Stoffe bei tieferen Temperaturen ab[5]. Der Mangel an Stereospezifität bei dieser Reaktion wurde später im Sinne einer halb erlaubten ("half allowed") Reaktion als Zweistufen-Prozeß gedeutet[6].

Ebenfalls nicht stereospezifisch verlaufen die Photoadditionen von Malein- und Fumarsäure-dimethylester an Bicyclo[2.2.1]hepten[7]. Man erhält *syn-3,anti-4-Di-*

---

[1] P. De Mayo, S. T. Reid u. R. W. Yip, Canad. J. Chem. **42**, 2828 (1964).

[2] H. M. R. Hoffmann, Ang. Ch. **81**, 597 (1969).

[3] Vgl. Fußnote 8 in Lit.[5]

[4] J. A. Barltrop u. R. Robson, Tetrahedron Letters **1963**, 597.
R. Robson, P. W. Grubb u. J. A. Barltrop, Soc. **1964**, 2153.

[5] A. Cox, P. De Mayo u. R. W. Yip, Am. Soc. 88, 1043 (1966).

[6] G. Ahlgren u. B. Åkermark, Tetrahedron Letters **1970**, 1885.

[7] R. L. Cargill u. M. R. Willcott, J. Org. Chem. **31**, 3938 (1966); dort weitere Hinweise.

methoxycarbonyl-exo-tricyclo[4.2.1.0²,⁵]nonan (XI; F: 78–79°) neben der entsprechenden *anti-3,anti-4-Dimethoxycarbonyl*-Verbindung (XII; F: 84–85°):

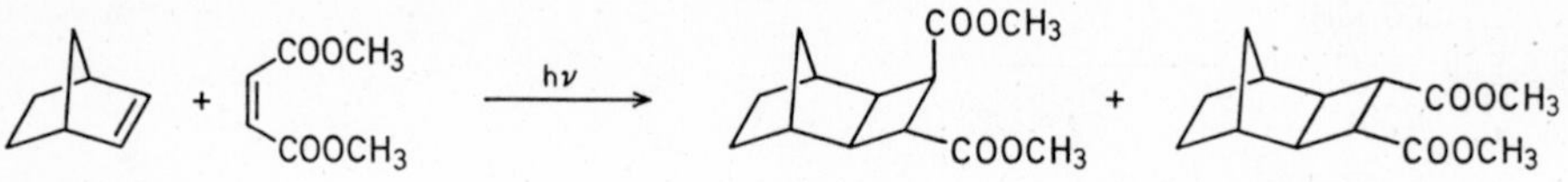

XI   XII

Weitere stereoisomere Ester der Tricyclo[4.2.1.0²,⁵]nonan-dicarbonsäure können aus Maleinsäureanhydrid-Addukten an Norbornen (s. Tab. 62, S. 400) synthetisiert werden.

syn-3,anti-4- und anti-3,anti-4-Dimethoxycarbonyl-exo-tricyclo[4.2.1.0²,⁵]nonan (XI und XII)[1]: 24,1 g Bicyclo[2.2.1]hepten in 60 ml Maleinsäure-dimethylester werden mit einem Quecksilber-Hochdruck-Brenner (Hanovia 450 W) in einer Quarz-Apparatur 9,5 Stdn. belichtet. Man destilliert unverbrauchte Reagenzien i.Vak. ab (bis zu $Kp_{0,25}$: 50°) und erhält anschließend ein gelbes Öl (4,9 g; $Kp_{0,8}$: 106–130°), welches 2,95 g (4,8% d.Th.) XI und 0,73 g (1,2% d.Th.) XII enthält. XII kristallisiert beim Stehen. Es wird gesammelt und sublimiert. Reines XI und XII läßt sich durch präparative Gaschromatographie erhalten.

Fumarsäure-dinitril und **Maleinsäure-dinitril** bilden in **Cyclohexen** ausreichende Konzentrationen von π-Komplexen, so daß eine langwellige UV-Absorption auftritt (CT-Absorptionsbanden bei $\lambda = 245$ bzw. 255 nm)[2]. Belichtung oberhalb $\lambda = 255$ nm regt nur diese π-Komplexe an und man erhält neben *Bi-cyclohexen-(2)-yl* und *Cyclohexen-(2)-yl-bernsteinsäure-dinitril* die Cycloaddukte XIII (F: 80–81°), XIV und XV (F: 90–91°)[2]:

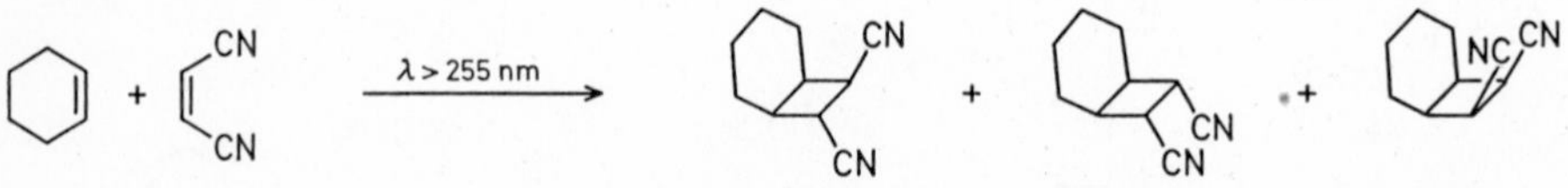

XIII   XIV   XV

endo-7,exo-8-   exo-7,exo-8-   endo-7,endo-8-
Dicyan-bicyclo[4.2.0]octan

Diese Reaktionen verlaufen also ebenfalls nicht stereospezifisch, und es sind biradikalische Zwischenprodukte anzunehmen[2].

In neuerer Zeit wurden Photo-Cycloadditionen mit cyclischen α,β-ungesättigten Monocarbonsäure-Derivaten untersucht. **2-Oxo-2,5-dihydro-furan** addiert **Cyclopenten** zu *3-Oxo-4-oxa-anti-tricyclo[5.3.0.0²,⁶]decan* (36% d.Th.; $Kp_{0,5}$: 93–95°)[3]:

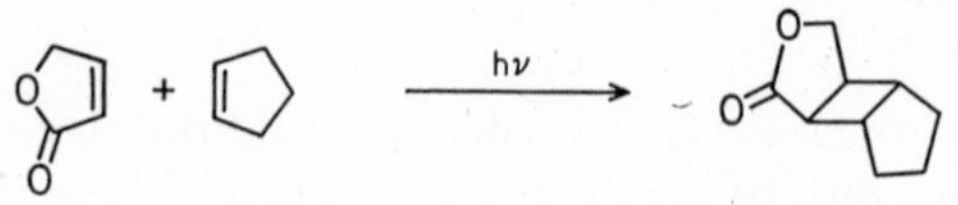

Mit **Cyclohexen** entstehen 3 stereoisomere *3-Oxo-4-oxa-tricyclo[5.4.0.0²,⁶]undecane* (zus. 42% d.Th.; Kp_5: 120–130°) im Verhältnis 1:3,2:2,1, welche gaschromatographisch trennbar sind[3].

---

[1] R. L. CARGILL u. M. R. WILLCOTT, J. Org. Chem. **31**, 3938 (1966).
[2] R. ROBSON, P. W. GRUBB u. J. A. BARLTROP, Soc. **1964**, 2153.
[3] M. TADA, T. KOKUBO u. T. SATO, Tetrahedron **28**, 2121 (1972).

2-Oxo-4-methyl-5,6-dihydro-2H-pyran addiert Äthylen bei mit Acetophenon sensibilisierter Anregung zu *2-Oxo-6-methyl-3-oxa-bicyclo[4.2.0]octan* (56% d.Th.)[1]. Dieses dient als Ausgangsprodukt einer ergiebigen Synthese von (Z)-*2-Methyl-2-(2-hydroxy-äthyl)-1-isopropenyl-cyclobutan* (Grandisol), welches als Sexual-Lockstoff-Komponente des Baumwoll-Schädlings Anthonomus grandis (boll weevil) biologische Bedeutung besitzt[1]:

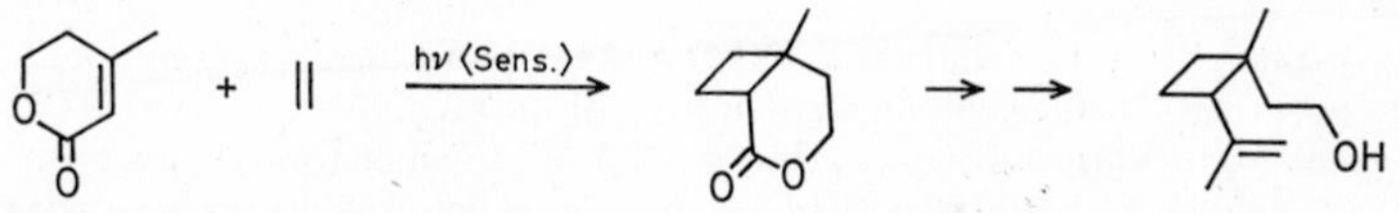

3-Oxo-4-oxa-anti-tricyclo[5.3.0.0^{2,6}] decan[2]: 5,88 g 2-Oxo-2,5-dihydro-furan und 6,2 g Cyclopenten in 70 *ml* Acetonitril werden unter Stickstoff 20 Stdn. mit einem Quecksilber-Niederdruck-Brenner (10 W) belichtet, wobei 70% des ungesättigten Lactons umgesetzt werden. Nach dem Konzentrieren wird restliches Ausgangsmaterial durch Chromatographie an Kieselgel mit Chloroform entfernt und die Addukt-Fraktion i. Vak. destilliert; Ausbeute: 3,83 g (36% d.Th.); Kp$_{0,5}$: 93–95°.

Über entsprechende Cycloadditionen von Pyrimidin-Basen s. S. 603f.

Großes Interesse fanden Photocycloadditionen mit cyclischen Maleinsäureestern. Sowohl Cyclobuten-1,2-dicarbonsäure- als auch Cyclopenten-1,2-dicarbonsäure-dimethylester addieren bei −65° nahezu quantitativ Äthylen zu *1,4-Dimethoxy-carbonyl-bicyclo[2.2.0]hexan* (XVI; 91% d.Th.) bzw. *1,5-Dimethoxycarbonyl-bicyclo[3.2.0]heptan* (XVII; 88% d.Th., Kp$_{0,2}$: 75,5–76°)[3], während Cyclohexen-1,2-dicarbonsäure-dimethylester unter diesen Bedingungen keine Reaktion eingeht[3]:

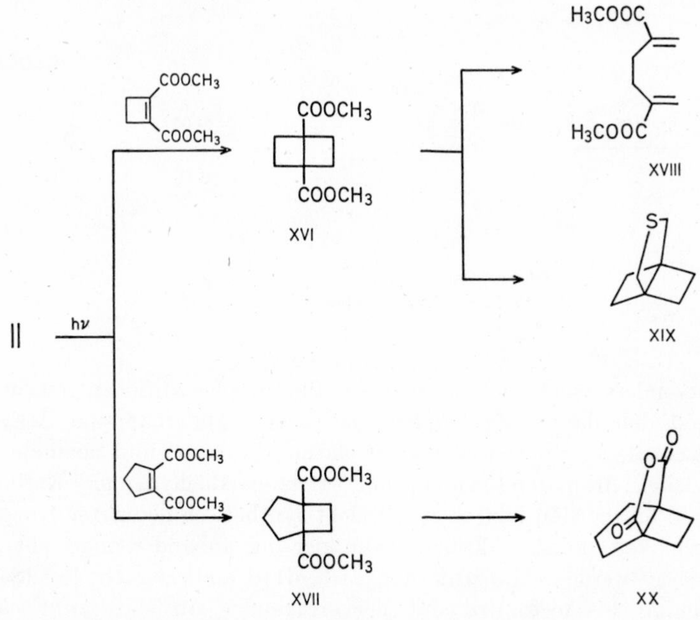

XVI isomerisiert bereits bei 75° zu Hexadien-(1,5)-2,5-dicarbonsäure-dimethylester (XVIII)[3,4]. Es ist ähnlich wie XVII Ausgangsprodukt für die Synthese von Heteropropellanen (XIX[5] und XX[3]).

[1] R. C. GUELDNER, A. C. THOMPSON u. P. A. HEDIN, J. Org. Chem. **37**, 1854 (1972).
[2] M. TADA, T. KOKUBO u. T. SATO, Tetrahedron **28**, 2121 (1972).
[3] D. C. OWSLEY u. J. J. BLOOMFIELD, J. Org. Chem. **36**, 3768 (1971).
[4] D. C. OWSLEY u. J. J. BLOOMFIELD, Am. Soc. **93**, 782 (1971).
[5] I. LANTOS u. D. GINSBURG, Tetrahedron **28**, 2507 (1972).

An Cyclobuten-1,2-dicarbonsäure-dimethylester wird darüber hinaus trans-1,2-Dichlor-äthylen bei direkter Belichtung in Cyclohexan addiert; es bilden sich 3 isomere *2,3-Dichlor-1,4-dimethoxycarbonyl-bicyclo[2.2.0]hexane*. Mit 1,1-Bis-[2-methoxy-äthoxy]-äthylen entsteht unter den entsprechenden Bedingungen *2,2-Bis-[2-methoxy-äthoxy]-1,4-dimethoxycarbonyl-bicyclo[2.2.0]hexan*[1]. Offenbar können die verschiedenartigsten Olefine photochemisch an cyclische Maleinsäureester addiert werden.

1,4-Dimethoxycarbonyl-bicyclo[2.2.0]hexan (XVI; S. 393)[2]: 10 g (0,059 Mol) Cyclobuten-1,2-dicarbonsäure-dimethylester in 2,8 l Dichlormethan werden bei −70° mit Äthylen gesättigt. Man belichtet 2 Stdn. mit einem Quecksilber-Hochdruck-Brenner (Hanovia 450 W) in einer Quarz-Apparatur und leitet währenddessen weiteres Äthylen ein (50–100 ml/Min.). Danach wird bei −15°, später bei 0° überschüssiges Reagenz und Lösungsmittel i. Vak. rotierend abgedampft. Der Rückstand kristallisiert bei tiefer Temp.; Ausbeute: 10,65 g (0,54 Mol; 91% d. Th.). Beim Destillieren i. Vak. (0,2 Torr) wird Hexadien-(1,5)-2,5-dicarbonsäure-dimethylester gebildet[3].

1,5-Dimethoxycarbonyl-bicyclo[3.2.0]heptan (XVII; S. 393)[1]: 27,6 g (0,15 Mol) Cyclopenten-1,2-dicarbonsäure-dimethylester werden 3 Stdn. wie oben in Gegenwart von Äthylen belichtet. Nach Abdampfen des Lösungsmittels und Destillation über eine kurze Vigreux-Kolonne erhält man 28,2 g (0,13 Mol; 88% d. Th.) eines Öls ($Kp_{0,2}$: 75,5–76°).

Zur Addition von 2-Oxo-1,3-dioxolen an I zu II ist es zweckmäßig, den cyclischen Maleinsäureester in situ herzustellen, nämlich durch Photolyse von Acetylen-dicarbonsäure-dimethylester in Gegenwart von Vinylencarbonat[4]. Man erhält *exo-2,exo-3;endo-5,endo-6-Bis-[carbonyldioxy]-1,4-dimethoxycarbonyl-bicyclo[2.2.0]hexan* (II;1,4% d. Th.; F: 205–207°) ohne Isolierung des Primärprodukts I[4]:

I

3,4-Carbonyldioxy-1,2-
dimethoxycarbonyl-cyclobuten

II

Als ganz besonders vielseitig erwiesen sich Photocycloadditionen mit Maleinsäure-anhydrid und den davon abgeleiteten Derivaten. Addierbar sind Äthylen, einfache Alkene und Cycloalkene, Halogen-olefine, Enoläther, Enolester und Enamide, wenn wiederum von Acetylenen, Aromaten sowie α,β-ungesättigten Aldehyden und Ketonen abgesehen wird[5]. Die Tab. 62 (S. 399) gibt eine Übersicht synthetisch genutzter Beispiele. Die präparative Nützlichkeit dieser Reaktionen kann hier nur anhand weniger charakteristischer Beispiele dargelegt werden. Maleinsäure-anhydrid addiert Äthylen (Sensibilisierung mit Acetophenon) in Acetonitril mit hervorragender Ausbeute zu *Cyclobutan-1,2-di-*

[1] I. LANTOS u. D. GINSBURG, Tetrahedron 28, 2507 (1972).
[2] D. C. OWSLEY u. J. J. BLOOMFIELD, J. Org. Chem. 36, 3768 (1971).
[3] D. C. OWSLEY u. J. J. BLOOMFIELD, Am. Soc. 93, 782 (1971).
[4] J. TANCREDE u. M. ROSENBLUM, Synthesis 1971, 219.
[5] Photodimerisierungen sind auf S. 351, 355, Additionen an Stilbene, Styrole, konjugierte Diene auf S. 368, 376, 382ff. abgehandelt.

carbonsäure-anhydrid[1] (52% d.Th.; F: 76,5–77°[2]), einer sehr wichtigen Ausgangssubstanz in der Chemie der carbocyclischen Vierringe[2]. Mit Cycloocten und Benzophenon als Sensibilisator entstehen III und IV, welche nach der Hydrolyse durch elektrolytische Decarboxylierung das *cis*- und das *trans*-verknüpfte *Bicyclo[6.2.0]decen-(9)* (V u. VI) mit 24 bzw. 35% Ausbeute zugänglich machen[3]:

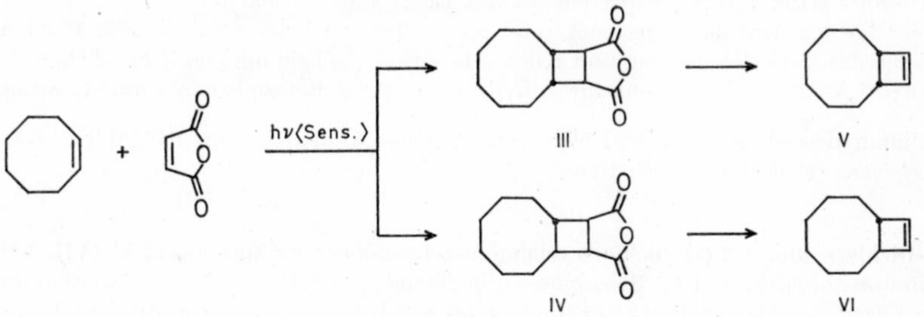

III; *cis-Bicyclo[6.2.0]decan-9,10-dicarbonsäure-anhydrid*
IV; *trans-* ...

Cyclobutan-1,2-dicarbonsäure-anhydrid[1]: Eine Lösung von 98 g (1,0 Mol) Maleinsäureanhydrid und 5 g Acetophenon in 1,3 *l* Acetonitril wird nach kurzzeitigem Durchleiten von Stickstoff mit Äthylen gesättigt und 7 Tage bei 10° mit einem Quecksilber-Hochdruck-Brenner (Hanovia 450 W) bei dauerndem Durchleiten von Äthylen (50–100 *ml*/Min.) durch ein Pyrex-Filter belichtet. Nach Konzentrieren der Lösung werden 23 g Maleinsäure-anhydrid absublimiert und durch Destillation i. Vak. (Kp$_2$: 127–130°[4]) 65 g (52% d.Th.) erhalten.

Die Photocycloaddition von Maleinsäure-anhydrid mit Halogen-olefinen ermöglicht nachträgliche Einführung von Doppelbindungen zu Cyclobuten-dicarbonsäuren. So wird durch Umsetzung mit 2-Chlor-propen *3-Chlor-3-methyl-cyclobutan-1,2-dicarbonsäure-anhydrid* (29% d.Th.; F: 81,5–83°) und hieraus mit Kaliumhydroxid *1-Methyl-2,3-di-carboxy-cyclobuten* (F: 189–191°) zugänglich[4].

Die entsprechende Addition mit cis- und trans-1,2-Dichlor-äthylen (Benzophenon als Sensibilisator) liefert nur die beiden Addukte VII und VIII, jedoch in unterschiedlichem Verhältnis (81:19 bzw. 28:72)[5]:

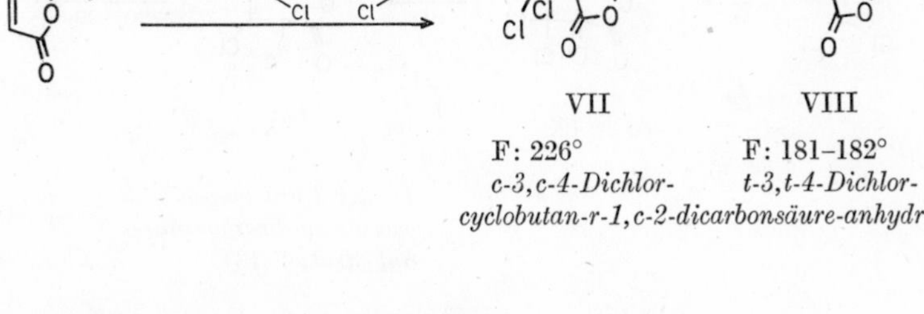

VII
F: 226°
c-3,c-4-Dichlor-
cyclobutan-r-1,c-2-dicarbonsäure-anhydrid

VIII
F: 181–182°
t-3,t-4-Dichlor-

[1] D. C. OWSLEY u. J. J. BLOOMFIELD, J. Org. Chem. **36**, 3768 (1971).
[2] Vgl. die Übersicht in ds. Hdb., Bd. IV/4 S. 269ff.
[3] P. RADLICK et al., Tetrahedron Letters **1968**, 5;7.
[4] E. R. BUCHMAN et al., Am. Soc. **64**, 2696 (1942).
[5] R. STEINMETZ, W. HARTMANN u. G. O. SCHENCK, B. **98**, 3854 (1965).

Es wird vermutet, daß die Reaktion auch im letzten Fall über das *cis*-Olefin verläuft, welches sich bis zu 5% anreichert und sich dann in einem Lösungsmittel mit kleinerem Kirkwood-Onsager Parameter befindet[1]. Entsprechend wird in Acetonitril als Lösungsmittel nur VII erhalten[1]. Diese Beobachtungen sind präparativ wertvoll, obwohl die Deutung Schwierigkeiten bereitet[1].

3-Chlor-3-methyl-cyclobutan-1,2-dicarbonsäure-anhydrid[1]: 10 g Maleinsäureanhydrid, 4 g Benzophenon und 15 g 2-Chlor-propen in 150 *ml* Aceton werden 65 Stdn. mit einem Quecksilber-Hochdruck-Brenner (Philips HPK 125 W) durch ein Solidex-Filter unter Stickstoff bei 8° belichtet. Nach Eindampfen der Lösung wird der ölige Rückstand bis auf 1,2 g amorpher Substanz in 40 *ml* Äther gelöst. Konzentrieren der filtrierten Lösung und Kühlen bewirkt Abscheidung von 5,2 g (29% d.Th.) farbloser Prismen; F: 81,5–83° (5,15 g Maleinsäureanhydrid und 2,2 g Benzophenon wurden zurückgewonnen).

Mit Kaliumhydroxid in siedendem 50%igem Äthanol werden hieraus 64% d.Th. *1-Methyl-2,3-di-carboxy-cyclobuten* (F: 189–191°) erhalten.

c-3,c-4-Dichlor- und t-3,t-4-Dichlor-cyclobutan-r-1,c-2-dicarbonsäure-anhydrid (VII, VIII, S. 395)[1]: 10 g Maleinsäureanhydrid und 4 g Benzophenon in 200 *ml cis*-1,2-Dichlor-äthylen werden unter Verwendung einer Filterlösung ($\lambda > 334$ nm) 24 Stdn. wie oben belichtet. Dabei kristallisieren 7,1 g (36% d.Th.) der beiden stereoisomeren Addukte (Verhältnis 81:19). Hieraus lassen sich durch fraktionierende Kristallisation aus Acetonitril 5,4 g (27% d.Th.) des Isomeren VII (F: 226°) und 1,1 g (6% d.Th.) des Isomeren VIII (F: 181–182°) neben 0,55 g einer 1:1-Mischung gewinnen (4,9 g Maleinsäureanhydrid und 2,5 g Benzophenon wurden zurückgewonnen).

In *trans*-1,2-Dichlor-äthylen unter sonst identischen Bedingungen scheiden sich 3,75 g (19% d.Th.) beider Isomerer (Verhältnis 28:72) ab (7,1 g Maleinsäureanhydrid und 2,8 g Benzophenon wurden zurückgewonnen). Das abdestillierte Dichlor-äthylen enthält 5% des *cis*-Isomeren.

Ebenso lassen sich tri- und tetrasubstituierte Olefine photochemisch an Maleinsäure-anhydrid addieren (s. Tab. 62, S. 401 ff.). Besondere Beachtung verdienen die Photocyclo-additionen zwischen Dichlor-maleinsäure-anhydrid und Chlor-olefinen, weil die Polyhalo-gen-cyclobutane interessante Umwandlungen erfahren können (weitere Beispiele S. 352, 356, 358, 360, 375 und Tab. 62, S. 407 ff.).

So reagiert z. B. Trichlor-äthylen mit Dichlor-maleinsäure-anhydrid photo-chemisch zu *1,2,3,3,4-Pentachlor-cyclobutan-1,2-dicarbonsäure-anhydrid* (IX), aus welchem Chlorwasserstoff-Abspaltung X zugänglich macht und hieraus durch erneute Belichtung, wahrscheinlich über Tetrachlor-cyclobutadien, *Octachlor-cyclooctatetraen*[2]:

IX   X

1,2,3,4-Tetrachlor-
cyclobuten-dicarbonsäure-
anhydrid; F 137°

[1] R. STEINMETZ, W. HARTMANN u. G. O. SCHENCK, B. **98**, 3854 (1965).
[2] G. MAIER, G. FRITSCHI u. B. HOPPE, Tetrahedron Letters **1971**, 1463.

Die analoge Reaktion mit trans-1,2-Dichlor-äthylen (in 1,4-Dioxan; Benzophenon als Sensibilisator) liefert nach Verseifung und Veresterung *r-1,c-2,t-3,c-4-Tetrachlor-1,2-dimethoxycarbonyl-cyclobutan* (XI; 32% d.Th.; F: 92–93°)[1]. Hieraus läßt sich mit aktiviertem Zink und Dieisen-nonacarbonyl der Cyclobutadien-Komplex XII mit 8% Ausbeute isolieren[1]:

XI   XII

*1,2-Dimethoxycarbonyl-
cyclobutadien-
eisentricarbonyl;*
F: 105–106,5°

Ebenfalls synthetisch genutzt sind Photoadditionen von Äthylen an Dichlor-maleinsäure-imide. Aus *1,2-Dichlor-cyclobutan-1,2-dicarbonsäure-imid* (F: 165°) läßt sich durch Verseifung, Veresterung und Nickel-tetracarbonyl-Behandlung *Cyclobuten-1,2-di-carbonsäure-dimethylester* (F: 45°) mit guter Ausbeute darstellen[2]. Zahlreiche weitere Photoadditionen dieses Typs sind in Tab. 62 (S. 407f.) aufgenommen.

1,2-Dichlor-cyclobutan-1,2-dicarbonsäure-imid und Cyclobuten-1,2-dicarbonsäure-dimethylester[2]**:** Ein Belichtungsgefäß mit 1 *l* freiem Volumen und zentralem wassergekühlten Lampen-Tauchschacht aus Pyrex-Glas wird zur Messung des Gasverbrauchs mit einer 1-*l*-Gasbürette verbunden. Eine regelbare Schwinganker-Membranpumpe wälzt Äthylen derart um, daß die Sättigungskonzentration von ~ 650 *ml* in 500 *ml* 1,4-Dioxan mit 16,6 g (0,1 Mol) Dichlor-maleinsäure-imid dauernd aufrechterhalten bleibt. Man belichtet 6 Stdn. mit einer Quecksilber-Hochdruck-Lampe (Hanau Q 700) bei 15°. Dabei werden 0,08 Mol Äthylen verbraucht und es lassen sich 0,4 g des als Nebenprodukt entstehenden [2+2]-Dimeren von Dichlor-maleinsäure-imid (s. S. 352) abfiltrieren. Das Lösungsmittel wird i. Vak. verdampft und der Rückstand aus 1,4-Dioxan danach aus Wasser (bei Zusatz von A-Kohle) umkristallisiert; Ausbeute: 12 g (0,062 Mol; 78% d.Th.); F: 165°.

Bei Gegenwart von 3 g Benzophenon werden unter sonst gleichen Bedingungen 0,096 Mol Äthylen verbraucht und 16 g (86% d.Th.) Addukt isoliert. Daneben entstehen 1,4 g Benzpinakon. Verseifung des Produkts mit 2% Schwefelsäure bei 100° (6 Stdn.) und Veresterung mit Methanol/Salzsäure sowie anschließend Diazomethan liefert 73% d.Th. *cis-1,2-Dichlor-cyclobutan-1,2-dicarbonsäure-dimethylester* (F: 34–35°). 17 g davon ergeben beim Erhitzen (5 Stdn.) in 50 *ml* Benzol und 20 *ml* Dimethyl-formamid mit 59,5 g Nickel-tetracarbonyl nach Aufarbeitung mit verdünnter Schwefelsäure, Ätherextraktion und Destillation 7 g (58% d.Th.) *Cyclobuten-1,2-dicarbonsäure-dimethylester* (F: 45°).

---

[1] B. W. Roberts, A. Wissner u. R. A. Rimerman, Am. Soc. **91**, 6208 (1969).

[2] H.-D. Scharf u. F. Korte, B. **98**, 764 (1965).

Die synthetischen Möglichkeiten, welche derartige Photoaddukte eröffnen, seien noch a▸ einem Beispiel aus der phosphororganischen Chemie dargelegt[1].

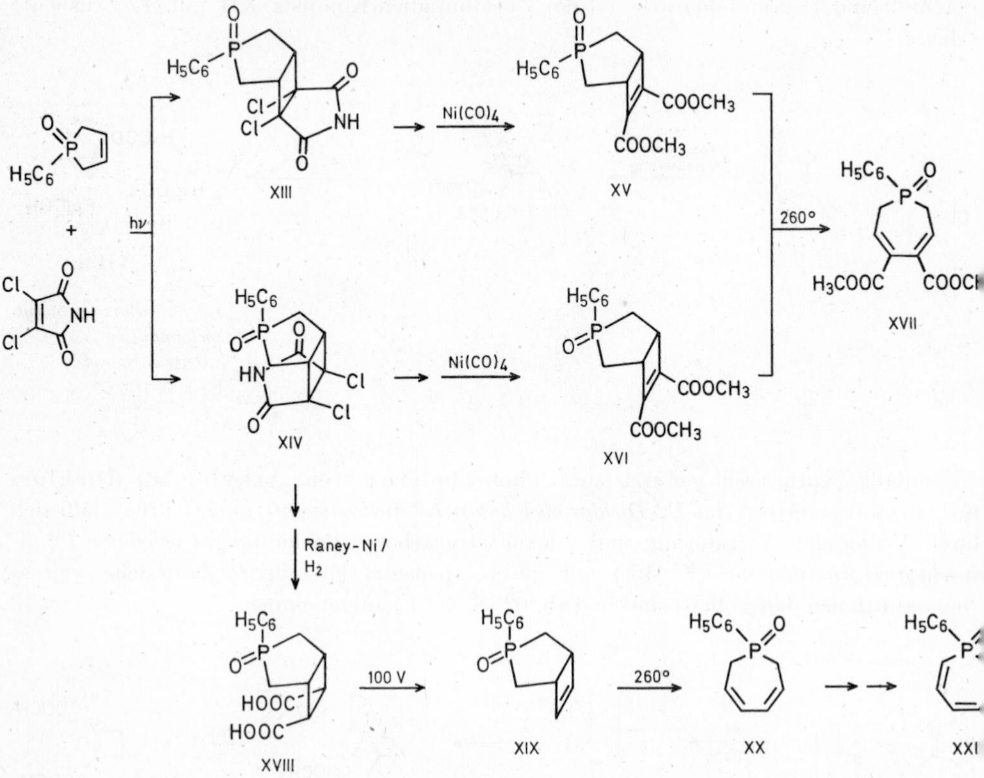

XIII; *endo-6,endo-7-Dichlor-3-oxo-endo-3-phenyl-3-phospha-bicyclo [3.2.0] heptan-6,7-dicarbonsäure-imid*; F: 280–281°

XIV; *exo-6,exo-7-Dichlor-3-oxo-exo-3-phenyl- . . .*; F: 260–261°

XV; *3-Oxo-endo-3-phenyl-6,7-dimethoxycarbonyl-3-phospha-bicyclo [3.2.0] hepten-(6)*; 72% d.Th.; F: 158°

XVI; *3-Oxo-exo-3-phenyl- . . .*; F: 122–123°

XVII; *1-Oxo-1-phenyl-4,5-dimethoxycarbonyl-2,7-dihydro-phosphepin*; $Kp_{0,1}$: 230°

XVIII; *3-Oxo-exo-3-phenyl-3-phospha-bicyclo [3.2.0] heptan-endo-6,endo-7-dicarbonsäure*; 100% d.Th.; F: 227–229°

XIX; *3-Oxo-exo-3-phenyl-3-phospha-bicyclo [3.2.0] hepten-(6)*; 64% d.Th.; F: 171–172°

XX; *1-Oxo-1-phenyl-2,7-dihydro-phosphepin*; 81% d.Th.; $Kp_{0,2}$: 160°

XXI; *1-Oxo-1-phenyl-phosphepin*; F: 91–92°

Aus den leicht zugänglichen Photoaddukten XIII und XIV kann nach Hydrolyse de▸ Imid-Gruppierung und Veresterung Chlor mit Nickeltetracarbonyl abgespalten werder zu den Isomeren XV bzw. XVI. Erhitzen auf 260° liefert anschließend XVII. Andererseits können die Chlor-Atome von XIV nach der Verseifung auch mit Raney-Nickel und Wasserstoff reduktiv entfernt werden. Elektrolyse der so erhaltenen Dicarbonsäure XVIII liefert XIX, welches bei 260° zu XX valenzisomerisiert. Mit Brom und Triäthylamin läßt sich daraus das Phosphepin XXI gewinnen[1].

---

[1] G. Märkl u. H. Schubert, Tetrahedron Letters **1970**, 1273.

Tab. 62. Photocycloadditionen mit Maleinsäure-anhydriden und Maleinsäure-imiden

Ausgangs-verbindungen	Photolyse-bedingungen	Photolyse-Verbindungen	Umwandlungs-Verbindungen	Ausbeute[a] [% d.Th.]	F [°C]	Lite-ratur
Maleinsäure-anhydrid + Cyclohexen	1 g in 245 *ml*; 0,58 g Benzo-phenon; N_2; Hanovia 500 W; $\lambda > 285$ nm; 1,5 Stdn. oder: 10 g + 45 *ml*; 114 *ml* Aceton; Ar; HPK 125 W; Solidex-Filter; –80°; 24 Stdn.	3 isomere *Bi-cyclo[4.2.0] octan-7,8-di-carbonsäure-anhydride*		42		[1, 2]
			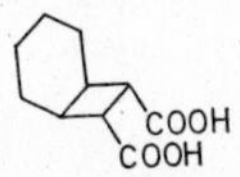 *exo-7,exo-8-Dicarboxy-cis-bicyclo [4.2.0]octan*	(25); (49)	176–179	
			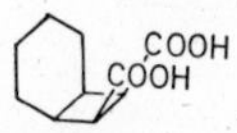 *endo-7,endo-8-Dicarboxy-...*	(2); (34)		
			cis-7,8-Dicarb-oxy-trans-bi-cyclo [4.2.0] octan	(19); (11)	151–155	
+ Cycloocta-dien-(1,5)	Benzophenon; in Aceton	*trans-Bicyclo [6.2.0]decen-(4)-9,10-di-carbonsäure-anhydrid*				[3]
			Verseifung, Elektrolyse: 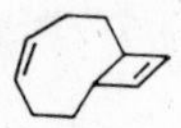 *trans-Bicyclo [6.2.0]deca-dien-(4,9)*	35		

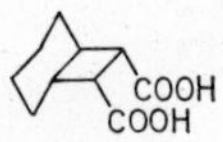

[a] Angaben in runden Klammern stellen relative Ausbeuten dar.

[1] R. ROBSON, P. W. GRUBB u. J. A. BARLTROP, Soc. **1964**, 2153.
[2] G. O. SCHENCK, J. KUHLS u. C. H. KRAUCH, A. **693**, 20 (1966).
[3] P. RADLICK, R. KLEM u. S. SPURLOCK, Tetrahedron Letters **1968**, 5117.

Tab. 62 (1. Fortsetzung)

Ausgangs-verbindungen	Photolyse-bedingungen	Photolyse-Verbindungen	Umwandlungs-Verbindungen	Ausbeute [% d.Th.]	F [°C]	Lite-ratur
Maleinsäure-anhydrid + Bicyclo [2.2.1]hepten	1,17 g + 5,0 g; 0,58 g Benzo-phenon; 130 ml CH$_2$Cl$_2$; Hanovia 450 W; Pyrex-Filter; 4,5 Stdn.	*exo-Tricyclo [4.2.1.0²,⁵] nonan-anti-3, anti-4-dicar-bonsäure-anhydrid + endo-Tri-cyclo...*				1
			anti-3, anti-4-Dimethoxy-carbonyl-exo-tricyclo [4.2. 1.0²,⁵]nonan		84–85	
			...-endo-tri-cyclo [4.2.1. 0²,⁵]nonan		Öl	
+ Cyclobuten-3,4-dicarbon-säureanhydrid	Benzophenon in Aceton	*Bicyclo [2.2.0] hexan-2,3,5,6-tetracarbon-säure-2,3;5,6-dianhydrid*			334 (Zers.)	2
+ Cyclobuten-3,4-dicarbon-säure-äthyl-imid	Benzophenon in Acetonitril; HPK 125 W; Solidex-Filter	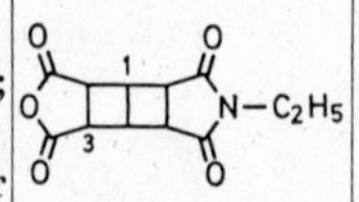 *Bicyclo [2.2.0] hexan-2,3,5,6-tetracarbon-säure-2,3-an-hydrid-5,6-äthylimid*[a]			245–274 (Zers.)	2

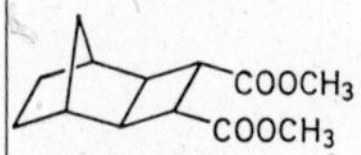

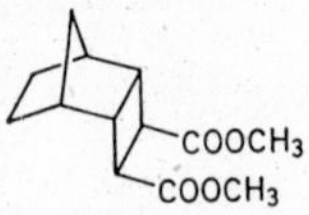

[a] Diese Verbindung läßt sich auch aus Cyclobuten-3,4-dicarbonsäureanhydrid und N-Äthyl-malein-säureimid synthetisieren[2].

[1] R. L. Cargill u. M. R. Willcott, J. Org. Chem. **31**, 3938 (1966).
[2] G. Koltzenburg, P. G. Fuss u. J. Leitich, Tetrahedron Letters **1966**, 3409.

Tab. 62 (2. Fortsetzung)

Ausgangs-verbindungen	Photolyse-bedingungen	Photolyse-Verbindungen	Umwandlungs-Verbindungen	Ausbeute [% d.Th.]	F [°C]	Literatur
Maleinsäure-anhydrid + 2,5-Dihydro-thiophen-1,1-dioxid	Benzophenon in Aceton; Hg-Licht; 25°	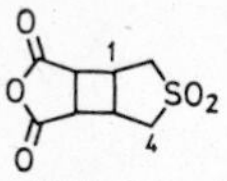 *3-Thia-bicyclo[3.2.0]heptan-6,7-dicarbonsäure-anhydrid-3,3-dioxid*		13–15		[1]
+ 2-Oxo-1,3-dioxol	10 g + 40 g; 4 g Benzophenon; 120 *ml* Aceton; N_2; HPK 125 W; $\lambda > 340$ nm; 20°; 20 Stdn.	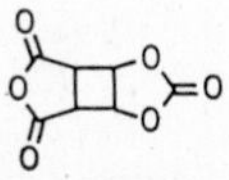 *3,4-Carbonyldioxy-cyclobutan-1,2-dicarbonsäure-anhydrid*		15	230–232	[2]
+ 2-Oxo-1,3-diacetyl-2,3-dihydro-imidazol	1,3 g + 2,1 g; 1 g Xanthon; 170 *ml* Aceton; Ar; HPK 125 W; Solidex-Filter; Raum-Temp.; 65 Stdn.	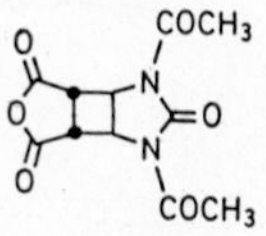 *t-3,t-4-(N,N'-Diacetyl-carbonyl-diamino)-cyclobutan-r-1,c-2-dicarbonsäure-anhydrid*		14	290–293 (Zers.)	[3]
+ 1-Chlor-isobuten	10 g + 150 *ml*; 4 g Benzophenon; 110 *ml* Aceton; N_2; HPK 125 W; Solidex-Filter; 20°; 48 Stdn.		nach Hydrolyse: *c-4-Chlor-3,3-dimethyl-cyclobutan-r-1,c-2-dicarbonsäure*	14	212	[4]
			hieraus: ...*-anhydrid*		84–85	
+ 2,3-Dichlor-propen-(1)	10 g + 50 g; 56 Stdn.	*3-Chlor-3-chlormethyl-cyclobutan-1,2-dicarbonsäure-anhydrid*		31	117–118	[4]

[1] V. Sh. Shaikhrazieva, R. S. Enikeev u. G. A. Tolstikov, Ž. Org. Chim. 8, 377 (1972); Chem. Inform. **1972**, 23–193; C. A. **76**, 153465ᶻ (1972).
[2] W. Hartmann u. R. Steinmetz, B. **100**, 217 (1967).
[3] G. Steffan u. G. O. Schenck, B. **100**, 3961 (1967).
[4] R. Steinmetz, W. Hartmann u. G. O. Schenck, B. **98**, 3854 (1965).

Tab. 62 (3. Fortsetzung)

Ausgangs-verbindungen	Photolyse-bedingungen	Photolyse-Verbindungen	Umwandlungs-Verbindungen	Ausbeute [% d. Th.]	F [°C]	Lite-ratur
Maleinsäure-anhydrid + 2-Chlor-3,3-dimethyl-buten-(1)	10 g + 40 g; 48 Stdn.	*3-Chlor-3-tert.-butyl-cyclo-butan-1,2-di-carbonsäure-anhydrid*		44	90–91	1
+ 1,1-Dichlor-2-methyl-propen-(1)	10 g + 40 g; 93 Stdn.		nach Hydro-lyse: *4,4-Dichlor-3,3-dimethyl-cyclobutan-cis-1,2-di-carbonsäure* hieraus: *…-anhydrid* und: *4-Chlor-3,3-di-methyl-cyclo-buten-1,2-di-carbonsäure*	36 80	192–194 135–136 200–202	1
+ 1,2-Dibrom-äthylen (*cis/trans* = 60/40)	10 g + 180 *ml* (unverdünnt); 20 Stdn.	*c-3,c-4-Dibrom-cyclobutan-r-1,c-2-di-carbonsäure-anhydrid*		4	250–252	1
+ 1-Chlor-cyclohexen	10 g + 40 g; 48 Stdn.		nach 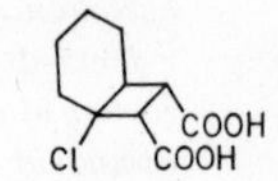 Hydro-lyse: *1-Chlor-cis-bi-cyclo[4.2.0] octan-exo-7, exo-8-di-carbonsäure* hieraus: *…-anhydrid*	33	190–192 85–86	1
Dimethyl-maleinsäure-anhydrid + 2,4,4-Trime-thyl-penten	6 g + 150 *ml*; 4 g Benzo-phenon; HPK 125 W; Solidex-Filter; 20°; 45 Stdn.	*1,2,3-Trime-thyl-3-(2,2-dimethyl-propyl)-cyclo-butan-1,2-di-carbonsäure-anhydrid*		64	100–102	2
+ 2,3-Dimethyl-buten-(2)	8 g + 150 *ml*; 50°; 24 Stdn.	*1,2,3,3,4,4-Hexamethyl-cyclobutan-1,2-di-carbonsäure-anhydrid*		21	>85 (Subl.)	2

1 R. Steinmetz, W. Hartmann u. G. O. Schenck, B. **98**, 3854 (1965).
2 G. O. Schenck, W. Hartmann u. R. Steinmetz, B. **96**, 498 (1963).

Tab. 62 (4. Fortsetzung)

Ausgangs-verbindungen	Photolyse-bedingungen	Photolyse-Verbindungen	Umwandlungs-Verbindungen	Ausbeute [% d.Th.]	F [°C]	Lite-ratur
Dimethyl-malein-säure-anhydrid + Cyclohexen	6 g + 180 ml; 60°; 24 Stdn.	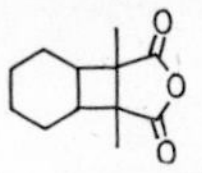 7,8-Dimethyl-bicyclo[4.2.0]octan-7,8-di-carbonsäure-anhydrid		48	66–68	[1]
+ Cyclohexa-dien-(1,4)	10 g + 25 ml; 3 g Benzo-phenon; 25 ml Benzol; Ar; HPK 125 W; Solidex-Filter; 24°; 115 Stdn.	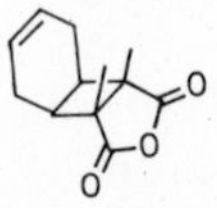 endo-7,endo-8 Dimethyl-cis-bicyclo[4.2.0]octen-(3)-7,8-dicarbon-säure-anhy-drid			133–134	[2]
		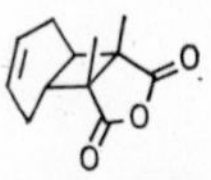 + 7,8-Dimethyl-trans-bicyclo [4.2.0]octen-(3)-...			116–117	
+ 2,2,6,10-Tetramethyl-tricyclo[5.3.1.0³,⁷]undecen-(9) 	5 g + 20 g; 100 ml Ace-ton; Ar; HPK 125 W; Glas-Filter; 10°; 24 Stdn.	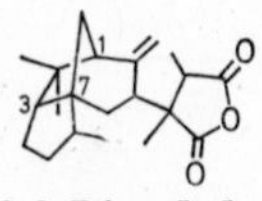 2,3-Dimethyl-2-{2,2,6-tri-methyl-10-methylen-tri-cyclo[5.3.1.0³,⁷]undecyl-(9)}-butandi-säure-anhy-drid		29	120–123	[3]
+ Äthyl-vinyl-äther	11,8 g + 200 ml; 20°; 88 Stdn. (unverdünnt)	3-Äthoxy-1,2-dimethyl-cyclobutan-1,2-dicarbon-säure-anhydrid		48	62–64	[4]

[1] G. O. Schenck, W. Hartmann u. R. Steinmetz, B. 96, 498 (1963).
[2] G. O. Schenck, J. Kuhls u. C. H. Krauch, A. 693, 20 (1966).
[3] C. H. Krauch u. H. Küster, B. 97, 2085 (1964).
[4] G. O. Schenck et al., B. 95, 1642 (1962).

Tab. 62 (5. Fortsetzung)

Ausgangs-verbindungen	Photolyse-bedingungen	Photolyse-Verbindungen	Umwandlungs-Verbindungen	Ausbeute [% d.Th.]	F [°C]	Lite-ratur
Dimethyl-malein-säure-anhydrid + 2-Oxo-1,3-dioxol	10 g + 40 g; Benzo-phenon; 120 *ml* Ace-ton; λ > 340 nm; 48 Stdn.	*3,4-Carbonyl-dioxy-1,2-di-methyl-cyclo-butan-1,2-di-carbonsäure-anhydrid*		65	255–257	1
+ 2-Oxo-1,3-diphenyl-2,3-dihydro-imi-dazol	1,26 g + 2,5 g; 0,3 g Thio-xanthon; 180 *ml* Ben-zol; HPK 125 W; λ > 330 nm; 20°; 21 Stdn.	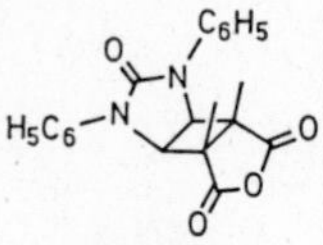 H_5C_6 C_6H_5 *t-3,t-4-(N,N'-Diphenyl-carbonyl-diamino)-1,2-dimethyl-cyclobutan-r-1,c-2-dicar-bonsäure-anhydrid*		90	248–252	2
+ 2-Oxo-1,3-diacetyl-2,3-dihydro-imi-dazol	1,3 g + 1,8 g; 0,15 g Thio-xanthon; Solidex-Filter; 18 Stdn.	*t-3,t-4-(N,N'-Diacetyl-car-bonyl-diamino)-1,2-dimethyl-cyclobutan-r-1,c-2-dicar-bonsäure-anhydrid*				3
+ *trans*-1,2-Di-chlor-äthylen	3 g + 150 *ml*; 4 g Benzo-phenon; HPK 125 W; Solidex-Filter; 10°; 24 Stdn.	*c-3,t-4-Dichlor-1,2-dimethyl-cyclobutan-r-1,c-2-dicar-bonsäure-anhydrid*		15	110–111	4,5
+ *cis*-1,2-Di-chlor-äthylen		*cis-3,4-Dichlor-1,2-dimethyl-cyclobutan-dicarbon-säure-anhydrid*		21	142	4,5

1 W. HARTMANN u. R. STEINMETZ, B. **100**, 217 (1967).
2 G. STEFFAN, B. **101**, 3688 (1968).
3 G. STEFFAN u. G. O. SCHENCK, B. **100**, 3961 (1967).
4 G. O. SCHENCK, W. HARTMANN u. R. STEINMETZ, B. **96**, 498 (1963).
5 R. STEINMETZ, W. HARTMANN u. G. O. SCHENCK, B. **98**, 3854 (1965).

Tab. 62 (6. Fortsetzung)

Ausgangs-verbindungen	Photolyse-bedingungen	Photolyse-Verbindungen	Umwandlungs-Verbindungen	Ausbeute [% d.Th.]	F [°C]	Lite-ratur
Dimethyl-malein-säure-anhydrid + Trichlor-äthylen	8 g + 150 ml; 32 Stdn.	*3,3,4-Trichlor-1,2-dimethyl-cyclobutan-1,2-dicarbon-säure-anhydrid*		34	172–173	[1]
			mit KOH: *1,2-Dichlor-3,4-dimethyl-cyclobuten-3,4-dicarbon-säure*	72	172	
+ Tetrachlor-äthylen	10 g + 100 ml; 4 g Benzo-phenon; 50 ml Aceton; 20°; 48 Stdn.	*3,3,4,4-Tetra-chlor-1,2-di-methyl-cyclo-butan-1,2-di-carbonsäure-anhydrid*		25	>300 (zuge-schm. Rohr)	[2]
+ 1-Chlor-2-methyl-propen	6 g + 150 ml; 30 Stdn. (unverdünnt)	*4-Chlor-1,2,3,3-tetramethyl-cyclobutan-1,2-dicarbon-säure-anhydrid*		21	159–160	[1]
Cyclohexen-1,2-dicar-bonsäure-anhydrid + Äthylen	10 g; CH₂Cl₂ ges. mit Äthylen; Hanovia 450 W; Quarz; –70°; 2 Stdn.	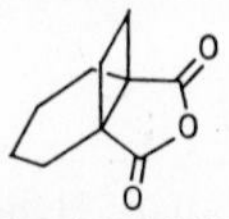 *Bicyclo[4.2.0] octan-1,6-di-carbonsäure-anhydrid*		99	108–110	[3]
Cyclohexa-dien-(1,4)-1,2-dicar-bonsäure-anhydrid	0,4–0,67 Mol/l in 1,4-Dioxan; λ = 300 nm; 20 Stdn.	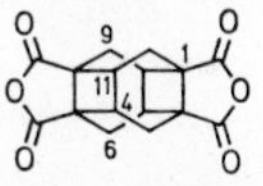 *Pentacyclo[6.4. 0.0²,⁷.0⁴,¹¹. 0⁵,¹⁰]dodecan-1,2,5,10-tetra-carbonsäure-1,2;5,10-dianhydrid*		10	510 (evak. Rohr, Zers.)	[4,5]
			hieraus: ...-1,2,5,10-tetracarbon-säure-tetra-methylester		218–221	

[1] G. O. SCHENCK, W. HARTMANN u. R. STEINMETZ, B. 96, 498 (1963).
[2] R. STEINMETZ, W. HARTMANN u. G. O. SCHENCK, B. 98, 3854 (1965).
[3] D. C. OWSLEY u. J. J. BLOOMFIELD, J. Org. Chem. 36, 3768 (1971).
[4] G. AHLGREN u. B. ÅKERMARK, Acta chem. scand. 25, 753 (1971).
[5] G. AHLGREN u. B. ÅKERMARK, Tetrahedron Letters 1974, 987.

Tab. 62 (7. Fortsetzung)

Ausgangs-verbindungen	Photolyse-bedingungen	Photolyse-Verbindungen	Umwandlungs-Verbindungen	Ausbeute [% d. Th.]	F [°C]	Lite-ratur
Cyclohexa-dien-(1,4)-1,2-dicar-bonsäure-anhydrid	0,4–0 7 Mol/l in 1,4-Dioxan; $\lambda = 300$ nm; 20 Stdn.	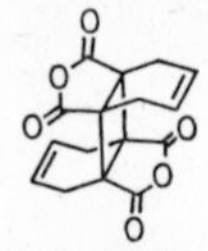 *anti-Tricyclo [6.4.0.0²,⁷] dodecadien-(4,10)-1,2,7,8-tetracarbon-säure-1,8; 2,7-dianhydrid u. a. Verb.*		5–10	327–328	1
	in Diäthyläther	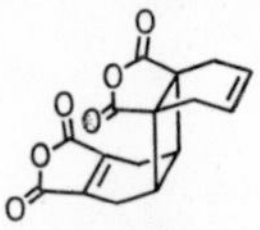 *anti-Tricyclo [6.4.0.0²,⁷] dodecadien-(4,10)-1,4, 5,8-tetracar-bonsäure-1,8; 4,5-dian-hydrid u. a. Verb.*		5–10	265–270	1
Dichlor-male-insäure-an-hydrid + Äthylen	16,7 g; 500 ml 1,4-Dioxan ges. mit Äthylen; 3 g Benzo-phenon; Q-700; Pyrex-Filter; 17°; 6 Stdn.		nach Hydro-lyse: *cis-1,2-Dichlor-cyclobutan-1,2-dicarbon-säure* hieraus: *...-anhydrid*	83 73	171 104	2
+ 2,5-Dihydro-thiophen-1,1-dioxid	Benzophenon; Aceton; Hg-Licht; 25°	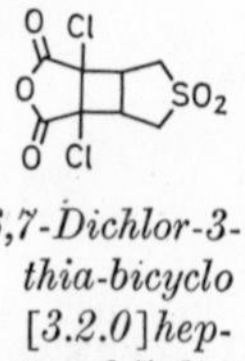 *6,7-Dichlor-3-thia-bicyclo [3.2.0]hep-tan-6,7-di-carbonsäure-anhydrid-3,3-dioxid*		13–55		3

1 G. AHLGREN u. B. ÅKERMARK, Tetrahedron Letters 1974, 987.
2 H.-D. SCHARF u. F. KORTE, B. 98, 764 (1965).
3 V. SH. SHAIKHRAZIEVA, R. S. ENIKEEV u. G. A. TOLSTIKOV, Ž. Org. Chim. 8, 377 (1972); Chem. Inform. 1972, 23—193; C. A. 76, 153465ᶻ (1972).

Tab. 62 (8. Fortsetzung)

Ausgangs-verbindungen	Photolyse-bedingungen	Photolyse-Verbindungen	Umwandlungs-Verbindungen	Ausbeute [% d.Th.]	F [°C]	Lite-ratur
Dibrom-male-insäure-an-hydrid + Äthylen	51,2 g; 500 ml 1,4-Dioxan ges. mit Äthylen; 3 g Benzo-phenon; 17°; 22 Stdn.		nach Hydro-lyse: cis-1,2-Dibrom-cyclobutan-1,2-dicarbon-säure hieraus: ...-anhydrid	90 85	204 104	1
Maleinsäure-thioanhy-drid + Äthylen	4 g; 150 ml 1,4-Dioxan; HPK 125 W; 48 Stdn.	Cyclobutan-1,2-dicarbonsäure-thioanhydrid		9	(Kp$_{0,5}$: 72–78°)	2
Maleinsäure-imid + 2,5-Dihydro-thiophen-1,1-dioxid	Benzophenon; Aceton; Hg-Licht; 25°	3-Thia-bicyclo-[3.2.0]heptan-6,7-dicarbon-säure-imid-3,3-dioxid		13–55		3
N-Methyl-maleinsäure-imid + Trichlor-äthylen	6 g + 250 ml; 3 g Benzo-phenon; Hanovia 400 W; Pyrex-Filter; 20°; 36 Stdn.	3,3,4-Trichlor-cyclobutan-1,2-dicarbon-säure-methyl-imid		31	168–170	4
			hieraus mit Zn: 1-Chlor-cyclo-buten-3,4-di-carbonsäure-methylimid	80	81,5–82,5	
			mit LiAlH$_4$: 6-Chlor-3-me-thyl-3-aza-bicyclo[3.2.0]hepten-(6)	50	Öl	
Dichlor-male-insäure-imid + Isobuten	0,1 Mol + 0,2 Mol; 1,4-Dioxan; HPK 125 W; Pyrex-Filter; 18 Stdn.	1,2-Dichlor-3,3-dimethyl-cyclobutan-1,2-dicarbon-säure-imid		95	153	5
+ 2,5-Dihydro-thiophen-1,1-dioxid		2 isomere 6,7-Dichlor-3-thia-bicyclo [3.2.0]heptan-6,7-dicarbon-säure-imid 3,3-dioxid		zus. 54	286 bzw. 245	5

¹ H.-D. Scharf u. F. Korte, B. 98, 764 (1965).
² M. Verbeck, H.-D. Scharf u. F. Korte, B. 102, 2471 (1969).
³ V. Sh. Shaikhrazieva, R. S. Enikeev u. G. A. Tolstikov, Ž. Org. Chim. 8, 377 (1972); Chem. Inform. 1972, 23–193; C. A. 76, 153465ᶻ (1972).
⁴ R. F. Childs u. A. W. Johnson, Soc. [C] 1967, 874.
⁵ H.-D. Scharf u. F. Korte, Ang. Ch. 77, 452 (1965).

Tab. 62 (9. Fortsetzung)

Ausgangs-verbindungen	Photolyse-bedingungen	Photolyse-Verbindungen	Umwandlungs-Verbindungen	Ausbeute [% d.Th.]	F [°C]	Lite-ratur
Dichlor-malein-säure-imid + 1-Äthoxy-1-oxo-1-phospha-cyclo-penten-(3)	0,1 Mol + 0,2 Mol; 1,4-Dioxan; HPK 125 W; Pyrex-Filter; 18 Stdn.	*6,7-Dichlor-3-äthoxy-3-oxo-3-phospha-bicyclo [3.2.0] heptan-6,7-dicarbon-säure-imid*		65	281	1
+ 1-Äthoxy-1-oxo-1-phospha-cyclo-penten-(2)		2 isomere *6,7-Dichlor-2-äthoxy-2-oxo-2-phospha-bicyclo [3.2.0] heptan-6,7-dicarbonsäure-imid*		zus. 60	296 bzw. 281	1
+ 2-Oxo-2,5-dihydro-furan		*6,7-Dichlor-2-oxo-3-oxa-bicyclo [3.2.0] heptan-6,7-di-carbonsäure-imid*		85	283 (Zers.)	1
+ Tetrachlor-äthylen		*1,2,3,3,4,4-Hexachlor-cyclobutan-1,2-dicarbon-säure-imid*		42	303	1
Dichlor-male-insäure-methylimid + Äthylen	18 g; 500 *ml* 1,4-Dioxan ges. mit Äthy-len; 3 g Ben-zophenon; Q-700; Pyrex-Filter; 15°; 6 Stdn.	*cis-1,2-Di-chlor-cyclo-butan-1,2-di-carbonsäure-methylimid*		73	81	2
Dibrom-male-insäure-imid + Äthylen	25,5 g; 500 *ml* 1,4-Dioxan ges. mit Äthylen; 3 g Benzo-phenon; Q-700; Pyrex-Filter; 15°; 4 Stdn.	*cis-1,2-Dibrom-cyclobutan-1,2-dicarbon-säure-imid*		92	189	2
	ohne Benzo-phenon			89		

---

[1] H.-D. Scharf u. F. Korte, Ang. Ch. **77**, 452 (1965).
[2] H.-D. Scharf u. F. Korte, B. **98**, 764 (1965).

Tab. 62 (10. Fortsetzung)

Ausgangs-verbindungen	Photolyse-bedingungen	Photolyse-Verbindungen	Umwandlungs-Verbindungen	Ausbeute [% d.Th.]	F [°C]	Lite-ratur
Dibrom-male-insäure-imid + Cyclopenten	0,1 Mol + 0,2 Mol; 1,4-Dioxan; HPK 125 W; Pyrex-Filter; 18 Stdn.	*cis-6,7-Dibrom-bicyclo[3.2.0] heptan-6,7-dicarbon-säure-imid*		85	200	1
Dibrom-male-insäure-methyl-imid + Äthylen	26,9 g; 500 *ml* 1,4-Dioxan ges. mit Äthylen; Q-700;Pyrex-Filter; 15°; 6 Stdn.	*cis-1,2-Dibrom-cyclobutan-1,2-dicarbon-säure-methyl-imid*		57	85	1
	mit 3 g Benzo-phenon			52		

ε) mit Enolestern

Elektronenreiche Olefine wie Enoläther, Enolester und Enamide werden photochemisch dimerisiert (s. S. 356ff.) und vielfach als Partner bei gemischten Photoadditionen mit Stilbenen, Styrolen, konjugierten Dienen und α,β-ungesättigten Carbonsäure-Derivaten eingesetzt[2]. Vor allem die Enolester reagieren nach sensibilisierter Anregung auch mit einfachen Olefinen unter Vierring-Bildung. So ließ sich aus Vinyl-acetat und 2-Oxo-tricyclo[3.3.2.0]decen-(9) bei der Belichtung in Benzol 3- oder *4-Acetoxy-7-oxo-tetracyclo[4.3.3.0.0²,⁵]dodecan* (30%) gewinnen[3,4]:

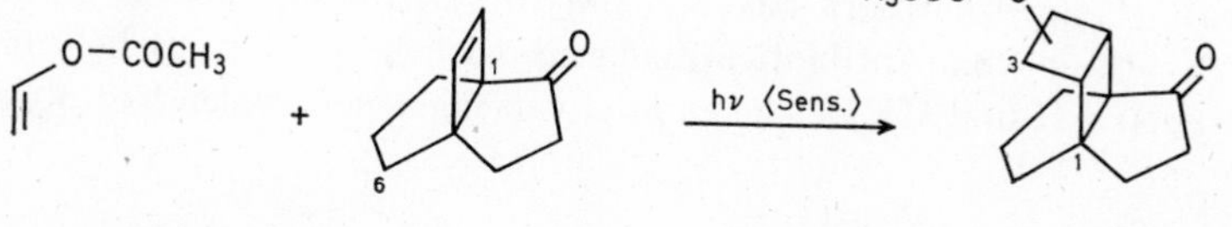

Ein offenbar günstigeres Reagenz ist Vinylen-carbonat (2-Oxo-1,3-dioxol), welches einfache Olefine nach sensibilisierter Anregung mit hohen Ausbeuten addiert und dabei Cyclobutan-Derivate zugänglich macht, aus denen sich durch Hydrolyse *cis*-1,2-Diole und hieraus durch Chromsäure-Oxidation substituierte Bernsteinsäuren gewinnen lassen. So reagiert Vinylen-carbonat in Aceton mit Äthylen, Isobuten, Methylencyclopropan, Methylencyclobutan und in Dicyclopropyl-keton mit 2,3-Dimethyl-buten-(2) sowie Cyclopenten

[1] H.-D. SCHARF u. F. KORTE, B. **98**, 764 (1965).
[2] s. S. 364; 370; 373; 385; 393; 394; 401; 403f.
[3] R. L. CARGILL, J. R. DAMEWOOD u. M. M. COOPER, Am. Soc. **88**, 1330 (1966).
[4] Wegen Umlagerungsmöglichkeiten bei der Synthese des Propellan-Ketons vgl. R. L. CARGILL, D. M. POND u. S. O. LEGRAND, J. Org. Chem. **35**, 359 (1970).

zu folgenden Addukten[1,2]:

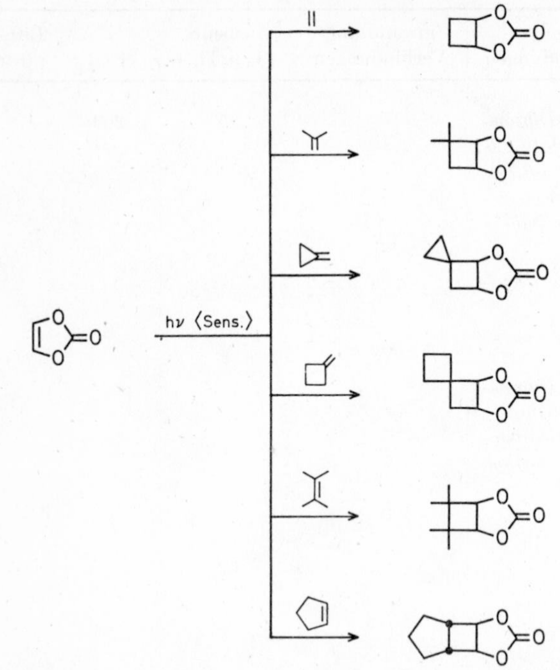

cis-1,2-Carbonyldioxy-cyclobutan; 52% d.Th.; $Kp_{0,2}$: 74°; n_D^{20}: 1,4564

cis-2,3-Carbonyldioxy-1,1-dimethyl-cyclobutan; 27% d.Th.; $Kp_{0,4}$: 75–77°; n_D^{20}: 1,4458

Cyclopropan-⟨1-spiro-1⟩-2,3-carbonyl-dioxy-cyclobutan; 60% d.Th.; $Kp_{0,3}$: 79–80°; n_D^{20}: 1,4731

Cyclobutan-⟨1-spiro-1⟩-2,3-carbonyl-dioxy-cyclobutan; 51% d.Th.; $Kp_{0,2}$: 82–85°; n_D^{20}: 1,4784

cis-3,4-Carbonyldioxy-1,1,2,2-tetramethyl-cyclobutan; 20% d.Th.; F: 120–121°

exo-6,exo-7-Carbonyldioxy-bicyclo[3.2.0] heptan; 23% d.Th.; F: 86–88°

Alle diese Verbindungen lassen sich mit Natronlauge zu den entsprechenden *cis*-1,2-Dihydroxy-cyclobutanen verseifen (71–92% d.Th.)[1] und mit Kaliumdichromat in verdünnter Schwefelsäure zu den entsprechend substituierten Bernsteinsäuren oxidieren (32–89% d.Th.)[1].

cis-1,2-Carbonyldioxy-cyclobutan[1]: Eine Lösung von 10 g (0,116 Mol) 2-Oxo-1,3-dioxol in 150 ml Aceton wird unter Durchleiten von Äthylen 24 Stdn. bei 5° mit einem Quecksilber-Hochdruck-Brenner (Philips HPK 125 W) in einer Quarz-Apparatur belichtet. Abfiltrieren von 0,32 g 4,9-Dioxo-3,5,8,10-tetraoxa-*anti*-tricyclo[5.3.0.0.^{2,6}]decan und Eindampfen i. Vak. ergibt ein mit Kristallen durchsetztes Öl. 0,27 g davon (*syn*-Dimeres) sind in 30 ml Äther unlöslich. Eindampfen des Filtrats und Destillation i. Vak. liefert 6,9 g (0,0605 Mol; 52% d.Th.) eines Öls ($Kp_{0,2}$: 74°). 4,0 g Vinylen-carbonat lassen sich zurückgewinnen.

Die Umsetzung von Cyclohexan-⟨1-spiro-3⟩-6-vinyl-2,4,7-trioxa-bicyclo[3.3.0]octan (I) (synthetisiert aus 2,5-Anhydro-D-Ribose)[3] mit 2-Oxo-1,3-dioxol könnte zur Synthese von Antibiotica-Zuckern[4] wichtig werden. Belichtung in Aceton liefert die Isomeren II und III, welche zu zwei verschiedenen Diolen hydrolysiert werden[3]:

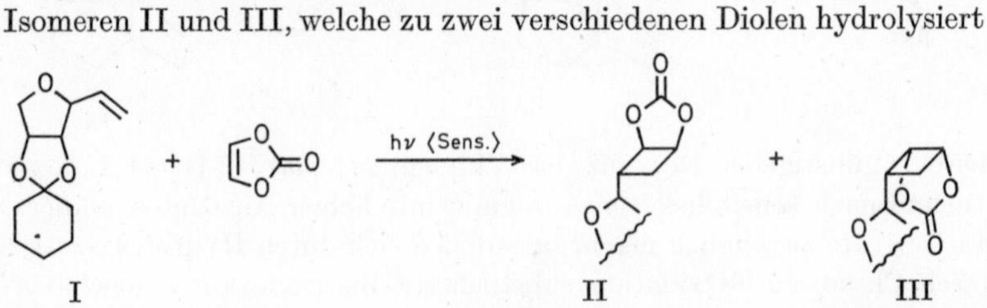

I

+

hν ⟨Sens.⟩

II
Cyclohexan-⟨1-spiro-3⟩-6-(trans-2,trans-3-car-bonyldioxy-cyclobutyl)-2,4,7-trioxa-bicyclo[3.3.0]octan

+

III
...-6-(cis-2, cis-3-carbonyl-dioxy-cyclobutyl)-...

[1] W. Hartmann, B. **101**, 1643 (1968).
[2] W. Hartmann, L. Schrader u. D. Wendisch, B. **106**, 1076 (1973).
[3] R. Bengelmans et al., C. r. [C] **274**, 882 (1972).
[4] J. S. Brimacombe, Ang. Ch. **83**, 261 (1971).

Weitere synthetische Möglichkeiten eröffnet 4,5-Dichlor-2-oxo-1,3-dioxol[1-3]. Es addiert bei sensibilisierter (Aceton) Anregung Äthylen[1], Isobuten[4], Cyclopenten[5] und Cyclohexen[2,5] zu *1,2-Dichlor-1,2-carbonyldioxy-cyclobutan* (F: 50°), *2,3-Dichlor-2,3-carbonyldioxy-1,1-dimethyl-cyclobutan* (90% d.Th.; F: 63°) *exo-6,exo-7-Dichlor-* (47%; F: 99,5°) und *endo-6-endo-7-Dichlor-6,7-carbonyldioxy-cis-bicyclo[3.2.0]heptan* (48%; F: 58,5°) sowie *exo-7,exo-8-Dichlor-* (F: 59°) bzw. *endo-7, endo-8-Dichlor-7,8-carbonyldioxy-cis-bicyclo[4.2.0]octan* (F: 74°) und *cis-7,8-Dichlor-7,8-carbonyldioxy-trans-bicyclo[4.2.0]octan* (F: 43°; zus. 89–95% d.Th.; Verh. 23:41:36).

Der stereochemische Verlauf dieser Reaktionen wurde mit trans- und cis-Cyclododecen untersucht[6]. Es entstehen die 3 möglichen stereoisomeren [2+2]-Addukte IV, V, VI im Verhältnis 30:43:27, wenn die Reaktion in Aceton mit *cis*-Cyclododecen durchgeführt wird. Beim entsprechenden Umsatz von *trans*-Cyclododecen überwiegt dagegen die *trans*-Verknüpfung der Ringe zu IV (*trans/cis*-Verknüpfung = 94:6)[6]:

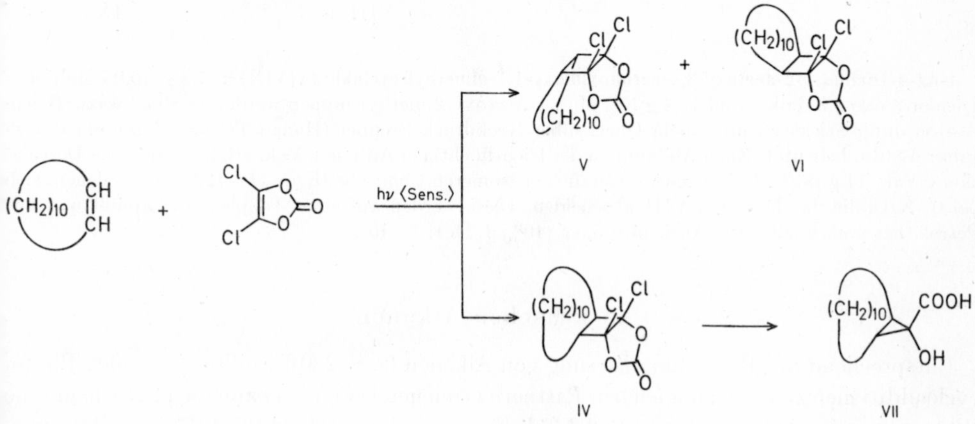

IV; *cis-13,14-Dichlor-13,14-carbonyldioxy-trans-bicyclo[10.2.0]tetradecan*
V; *exo-13, exo-14-Dichlor-13,14-carbonyldioxy-cis-...*
VI; *endo-13, endo-14-Dichlor-cis*

Diese offenbar nach einem zweistufigen Triplett-Mechanismus verlaufenden Reaktionen sind Ausgangspunkt für eine einfache Synthese von 1-Hydroxy-cyclopropan-carbonsäuren, denn diese fallen bei der Hydrolyse der Photo-Addukte in hoher Ausbeute an[1,6]. So wird beispielsweise aus IV das *trans*-verknüpfte Cyclopropan-Derivat VII (*13-Hydroxy-13-carboxy-trans-bicyclo[10.1.0]tridecan*; 73% d.Th.; F: 160–161°) synthetisiert[6].

cis-13,14-Dichlor-13,14-carbonyldioxy-trans-bicyclo[10.2.0]tetradecan (IV)[6]: 41 g (0,26 Mol) 4,5-Dichlor-2-oxo-1,3-dioxol und 44 g (0,26 Mol) Cyclododecen (*cis:trans* = 1:2) in 140 *ml* wasserfreiem Aceton werden mit einem Quecksilber-Hochdruck-Brenner (Philips HPK 125 W) durch ein Pyrex-Filter bei Raumtemp. belichtet. Nach jeweils 20 Stdn. werden dreimal die gebildeten Kristalle des *trans*-verknüpften Produkts abfiltriert und mit Aceton gewaschen; Ausbeute: 35 g (41% d.Th.); F: 97° (Cyclohexan).

[1] H.-D. Scharf, W. Droste u. R. Liebig, Ang. Ch. 80, 194 (1968).
[2] P. Lechtken u. G. Hesse, A. 754, 1 (1972).
[3] H.-D. Scharf et al., B. 105, 554 (1972).
[4] H.-D. Scharf u. H. Seidler, B. 104, 2995 (1971); bei –70° konkurriert die „En"-Reaktion zu *4,5-Dichlor-2-oxo-4-(2-methylen-propyl)-1,3-dioxol*.
[5] H.-D. Scharf et al., B. 106, 1695 (1973).
[6] H.-D. Scharf u. R. Klar, A. 739, 166 (1970).

Die Mutterlauge enthält die isomeren Addukte V und VI, welche durch präparative Gaschromatographie als gelbliche Öle isoliert werden.

Zur Bildung von *13-Hydroxy-13-carboxy-trans-bicyclo[10.1.0]tridecan* (VII) werden 20 g des *trans*-ver-
knüpften Produkts IV mit 40 g Kaliumhydroxid in 400 *ml* 1,4-Dioxan und 500 *ml* Wasser 30 Min. erhitzt.
Anschließende Behandlung des Niederschlags mit 2n Salzsäure und Filtration liefern 11 g (73%);
F: 160–161°.

Auch an Enoläther und Enolacetate läßt sich 4,5-Dichlor-2-oxo-1,3-dioxol photosensibilisiert addieren[1]. So entstehen mit 1-Acetoxy-2-methyl-propen die beiden Isomeren VIII
und IX, von denen das stabilere VIII kristallisiert[2]:

VIII   IX

t-3,t-4-Dichlor-r-2-acetoxy-3,4-carbonyldioxy-1,1-dimethyl-cyclobutan (VIII) [2]: 7,8 g (0,05 Mol) 4,5-
Dichlor-2-oxo-1,3-dioxol und 11,4 g (0,1 Mol) 1-Acetoxy-2-methyl-propen werden in 80 *ml* wasserfreiem
Aceton unter Stickstoff mit einem Quecksilber-Hochdruck-Brenner (Hanau TQ 150) durch ein Pyrex-
Filter 6 Stdn. belichtet. Nach Abdampfen der leichtflüchtigen Anteile i. Vak. erhält man durch Destilla-
tion i. Vak. 11 g (81% d.Th.) eines zersetzlichen Isomeren-Gemischs (Kp$_4$: 112–122°), aus welchem sich
bei 0° Kristalle des Isomeren VIII abscheiden. Diese werden auf einer Tonplatte abgepreßt und aus
Petroläther umkristallisiert; Ausbeute: 5,5 g (40% d.Th.); F: 79°.

ζ) zwischen Alkenen

Entsprechend der Photodimerisierung von Alkenen (s. S. 280ff.) sollten sich auch Photocycloadditionen zwischen ungleichen Partnern erreichen lassen. So kann die photochemische
Bildung von *exo-anti-Tetracyclo[10.2.1.0²,¹¹.0³,¹⁰]pentadecan* (III; 40% d.Th.) aus Bicyclo-
[2.2.1]hepten-(2) (I) und cis-Cycloocten (II) mit Kupfer(I)-trifluormethan-sulfonat
katalysiert und sensibilisiert werden[3]. Wahrscheinlich bildet sich ein Komplex zwischen
dem Kupfersalz und I sowie II. Die neben nicht aufgeklärten Photodimeren bevorzugte
Bildung von III beruht auf der geringen Dimerisierungsneigung von II, welches zweck-
mäßigerweise im Überschuß eingesetzt wird[3]:

I   II   III

exo-anti-Tetracyclo[10.2.1.0²,¹¹.0³,¹⁰]pentadecan (III)[3]: Die Lösung von 1,03 g (CuO$_3$SCF$_3$)$_2$ · C$_6$H$_6$
und 0,39 g Bicyclo[2.2.1]hepten (I) in 6 *ml* cis-Cycloocten (II) und 1 *ml* Tetrahydrofuran wird 4 Tage
in einer Quarz-Ampulle unter Stickstoff in einem Rayonet Photoreaktor bestrahlt (λ = 254 nm). Nach
Zugabe von 30 *ml* Pentan wird der Katalysator mit wäßrigem Kaliumcyanid ausgeschüttelt und die
organische Phase zunächst unter Normaldruck, später bei 100 Torr destilliert. Man erhält 4,5 g (89%) II
und einen öligen Rückstand. Aus diesem werden durch präparative Gaschromatographie (20% FFAP
auf Chromosorb W; 200°) 0,33 g (40% d.Th.) III von einer Vielzahl dimerer Produkte abgetrennt.

---

[1] P. Lechtken, Dissertation, Universität Erlangen, 1971.

[2] P. Lechtken, Privatmitteilung.

[3] R. G. Salomon u. J. K. Kochi, Am. Soc. **96**, 1137 (1974).

6. Di-π-methan-Umlagerungen

bearbeitet von

Prof. Dr. DIETRICH DÖPP*

und

Prof. Dr. HOWARD. E. ZIMMERMAN**

Ein auffallend allgemeiner und häufiger Typ einer photochemischen Gerüstumlagerung ist an Molekülen beobachtet worden, die zwei π-Systeme an ein sp³-Kohlenstoff-Atom gebunden enthalten. Die zwei π-Anteile können aus zwei C=C-Doppelbindungen, einer Doppelbindung und einem Aryl-Rest oder auch aus zwei Aryl-Gruppen bestehen. Die Produkte sind Vinyl- bzw. Phenyl-cyclopropane. Vereinfacht kann der Reaktionsablauf wie folgt skizziert werden:

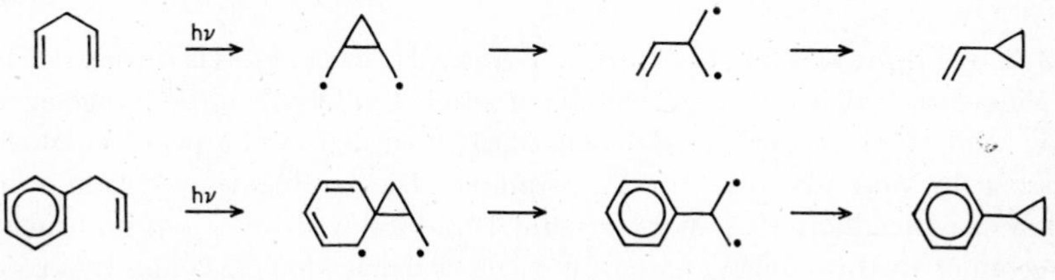

Obwohl dieses Kapitel nicht für sich beansprucht, allumfassend zu sein, zeigt es doch die allgemeine Bedeutung der Di-π-methan-Umlagerung, deren Mechanismus man schon recht gut versteht. Daraus folgt, daß diese Reaktion für synthetische Zwecke nutzbar ist, weil eine bestimmte Reaktion mit hoher Erfolgswahrscheinlichkeit vorausgeplant werden kann.

Cyclische und acyclische Di-π-methane unterscheiden sich auf charakteristische Weise in ihren Reaktionen; sie werden daher in getrennten Kapiteln behandelt.

α) acyclische Di-π-methane

Ein klassisches Beispiel[1] ist die Photoumlagerung von 3,3-Dimethyl-1,1,5,5-tetra-phenyl-pentadien-(1,4) (I) bei direkter Bestrahlung in *3,3-Dimethyl-2-(2,2-diphenyl-vinyl)-1,1-diphenyl-cyclopropan* (II):

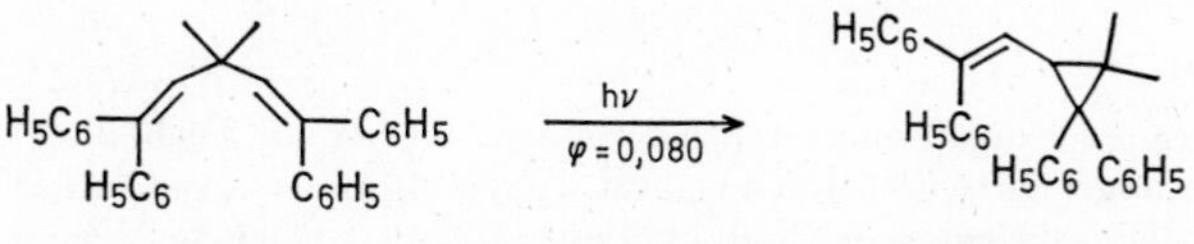

3,3-Dimethyl-2-(2,2-diphenyl-vinyl)-1,1-diphenyl-cyclopropan (II)[1]: Eine Lösung von 3,00 g (7,50 mMol) 3,3-Dimethyl-1,1,5,5-tetraphenyl-pentadien-(1,4) (I) in 1 l tert.-Butanol wird 1 Stde. vor und anschließend während der Belichtung mit nachgereinigtem Stickstoff[2] gespült und mit einer 450 W Hanovia Quecksilber-Mitteldruck-Lampe (Vycor-Filter) mit wassergekühltem Tauchmantel 3 Stdn.[3] belichtet.

---

* **Institut für Organische Chemie der Universität Kaiserslautern.**
** **Department of Chemistry, University of Wisconsin, Wisconsin/USA.**
[1] H. E. ZIMMERMAN u. P. S. MARIANO, Am. Soc. **91**, 1718 (1969).
[2] L. MEITES u. T. MEITES, Anal. Chem. **20**, 984 (1948).
[3] Die zur Erzielung eines bestimmten Umsetzungsgrades notwendigen Belichtungszeiten sind stark vom Alter der verwendeten Lampe abhängig und können daher hier und in den folgenden Fällen nur als grobe Näherungswerte betrachtet werden.

Hierbei wird der Fortgang der Reaktion anhand der Änderungen im UV-Spektrum aliquoter Teile verfolgt. Das Photolysat wird i. Vak. eingeengt und der Rückstand durch Verteilungschromatographie [stationäre Phase: Polystyrol-Perlen, Vernetzungsgrad 2%, mit Chloroform gewaschen, getrocknet, mit der cyclohexanreichen Oberphase des Systems Cyclohexan/Methanol (1:1) getränkt, in der methanol reichen Unterphase des gleichen Systems aufgeschlämmt und gepackt] in einer 3 cm × 204 cm Säule mit der Unterphase als Laufmittel getrennt. Das Eluat wird in 20 ml Portionen aufgefangen und die Extinktion bei λ = 260 nm gemessen. Es werden vier Maxima der Absorption gefunden. Ihnen entsprechen in den Fraktionen 26–43: 0,025 g eines nicht kristallisierenden Öls, in den Fraktionen 90–115 0,189 g eines Nebenproduktes, in den Fraktionen 124–170: 0,902 g reines II als schwach gelbes, kristalli sierendes Öl, in Fraktionen 181–231: 1,557 g einer Mischung aus Ausgangsmaterial und dreier weiterer Nebenprodukte. Umkristallisation aus 95%igem Äthanol ergibt 0,637 g (30,4% bez. auf das umgesetzte I) farbloser Kristalle vom F: 139–141,5°.

Die Quantenausbeute dieser Umsetzung (in mMol Produkt pro m Einstein vom System absorbierte Lichtquanten) beträgt 0,082. Als Faustregel gilt, daß Reaktionen mit Quantenausbeuten größer als 0,005 als für die Synthese brauchbar erachtet werden.

Die entsprechenden Acetophenon- bzw. Benzophenon-sensibilisierten Bestrahlungen von I führten zu keinem Produkt. Aus diesem und den folgenden Beispielen darf geschlossen werden, daß immer dann, wenn der Reaktand acyclisch ist, die Di-π-methan-Umlagerung wirksam nur über den angeregten Singulett-Zustand abläuft.

Auch 3,3,5-Trimethyl-1,1-diphenyl-hexadien-(1,4) (III) wird leicht im angeregten Singulett-, nicht dagegen im angeregten Triplett-Zustand umgelagert[1]. Diese Umsetzung zeigt eine ausgeprägte Regiospezifität, von den zwei a priori möglichen Vinyl cyclopropanen IV und V wurde nur IV gefunden. Dieser Reaktionsverlauf wurde damit erklärt, daß das Diradikal VI bevorzugt zum Diradikal VII (Weg ⓐ) und nicht zu VIII (Weg ⓑ) geöffnet wird, weil in VII wenigstens eines der beiden einsamen Elektronen durch zwei Phenyl-Reste stabilisiert wird, während in VIII diese zusätzliche Stabilisierung fehlt.

Der bevorzugte Weg der Ringöffnung ist also derjenige, welcher zur Ausbildung der Vinyl-Gruppe das weniger delokalisierte ungepaarte Elektron ausnutzt. Dies läuft in der Regel darauf hinaus, daß diejenige Vinyl-Gruppe des Ausgangsmaterials im Produkt erhalten bleibt, welche die kleinere Anzahl endständiger konjugationsfähiger Gruppen trägt.

3,3-Dimethyl-2-[2-methyl-propenyl]-1,1-diphenyl-cyclopropan (IV)[1]: Eine Lösung von 2,00 g (7,25 mMol) 3,3,5-Trimethyl-1,1-diphenyl-hexadien-(1,4) (III) in 200 ml tert.-Butanol wird 1 Stde. mit nachgereinigtem Stickstoff[2] gespült und unter weiterer Stickstoffspülung 3 Stdn. mit einer Hanovia 450 W Quecksilber-Mitteldruck-Lampe durch ein Corex-Filter und einen wassergekühlten Tauchmantel belichtet. Der Eindampfungsrückstand (2,03 g blaßgelbes Öl) ergibt bei der Kristallisation aus Methanol 830 mg IV (F: 77°). Aus dem Eindampfungsrückstand (1,19 g) der Mutterlauge wird bei der Chromatographie an Kieselgel (90 cm × 2 cm) nacheinander mit 5 l Hexan, 500 ml Hexan + 5% Äther, 3 l Hexan + 10% Äther eluiert, wobei Fraktionen zu 40 ml (UV Kontrolle) aufgefangen werden. Neben 549 mg Ausgangsmaterial (Fraktionen 54–116) werden weitere 696 mg IV (Fraktionen 131–176; F: 76°) erhalten

[1] H. E. Zimmerman u. A. C. Pratt, Am. Soc. **92**, 6259 (1970).
[2] L. Meites u. T. Meites, Anal. Chem. **20**, 984 (1948).

Die triplett-sensibilisierte Bestrahlung von III gab kein Reaktionsprodukt. Bei der Bestrahlung von 3,3-Dimethyl-1,1-diphenyl-hexadien-(1,4) (IX) fand man[1] die gleiche Regiospezifität (Weg ⓐ bevorzugt), d. h. die unkonjugierte Doppelbindung bleibt erhalten:

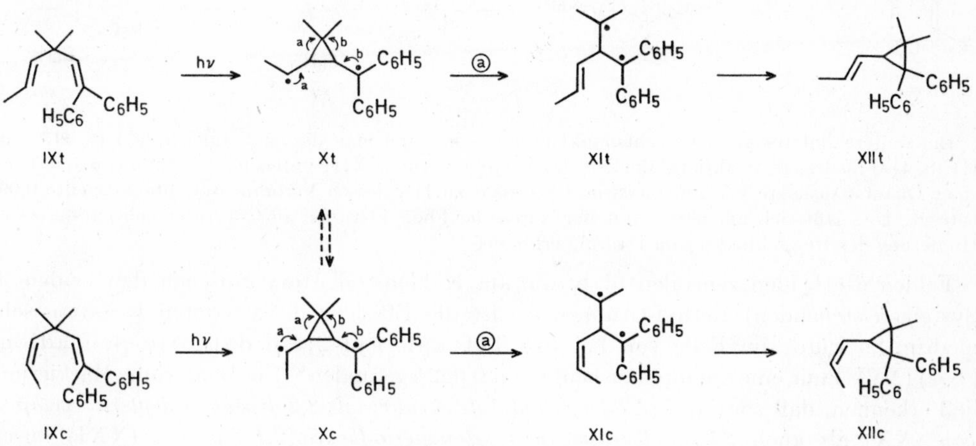

Am auffälligsten ist hier die Stereospezifität der Umwandlung des *cis*-Reaktanden IXc in das *3,3-Dimethyl-2-cis-propenyl-1,1-diphenyl-cyclopropan* (XIIc) und des *trans*-Reaktanden IXt in das entsprechende *trans*-Produkt XIIt. Wegen der konkurrierenden langsamen *cis-trans*-Isomerisierung der stereoisomeren Reaktanden tritt die Stereospezifität am deutlichsten bei kleinen Umsetzungsgraden hervor. Die beobachtete Stereospezifität bedeutet, daß die Cyclopropan-Diradikale Xt und Xc entweder keine echten Zwischenstufen von endlicher Lebensdauer darstellen oder daß ihre Halbwertszeiten klein sind im Verhältnis zu der für die gegenseitige Umwandlung der Rotameren Xc und Xt benötigten Zeit.

Auch in diesem Falle führte die Bestrahlung in Gegenwart eines Triplett-Sensibilisators zu keiner Umlagerung, aber zu einer wechselseitigen Umwandlung von IXt in IXc. Somit verbrauchen die Tripletts offenkettiger Di-π-methane ihre Energie zur *cis-trans*-Isomerisierung. Die entsprechende Isomerisierung von I (S. 413) und III ist entartet und daher nicht zu beobachten. Möglicherweise erfolgt der Verbrauch der Triplett-Anregungsenergie tatsächlich über eine Isomerisierung der Doppelbindung der Reaktanden im Triplett-Anregungszustand. Andererseits ist ein Energieverbrauch auch möglich über eine Äquilibrierung (durch freie Rotation) der Rotameren Xc und Xt, die dann die Ausgangsstoffe IXc und IXt zurückbilden. Diese letztere Erklärung ist eher einleuchtend, wenn man bedenkt, daß es der Diphenyl-vinyl-Anteil und nicht die Propenyl-Gruppe ist, welcher die Triplett-Anregungsenergie der Divinylmethan-Isomeren IXc und IXt trägt. Deswegen sollte man nicht erwarten, daß sich die Tripletts von IXc und IXt direkt ineinander umwandeln, jedoch bietet sich über ein Diradikal wie X ein annehmbarer Reaktionsweg an, falls grundsätzlich ein Triplett-Diradikal vom Typ X zu IXc und IXt zurückkehren kann.

Die beobachtete Regiospezifität wird in der Tat während des Schrittes der Dreiring-Bildung durch Delokalisation gesteuert und für den Reaktionsverlauf ist es nicht relevant, welche der beiden Vinyl-gruppen anfänglich angeregt wird[2]. So lieferte 3,3-Dimethyl-1,1,4-triphenyl-pentadien-(1,4) (XIII) *3,3-Dimethyl-2-(1-phenyl-vinyl)-1,1-diphenyl-cyclopropan* (XVI). Falls die Selektivität davon abhinge, welche der beiden ursprünglich vorhandenen Vinyl-Gruppen am leichtesten anzuregen ist, sollte man erwarten, daß sich

[1] H. E. ZIMMERMAN u. A. C. PRATT, Am. Soc. **92**, 6267 (1970).
[2] H. E. ZIMMERMAN u. A. A. BAUM, Am. Soc. **93**, 3646 (1971).

neben XVI auch 2,2-Dimethyl-1-(2,2-diphenyl-vinyl)-1-phenyl-cyclopropan bildet, da in XIII beide Chromophore (Styryl- und Diphenyl-vinyl) annähernd die gleichen Singulett-Anregungsenergien haben sollten:

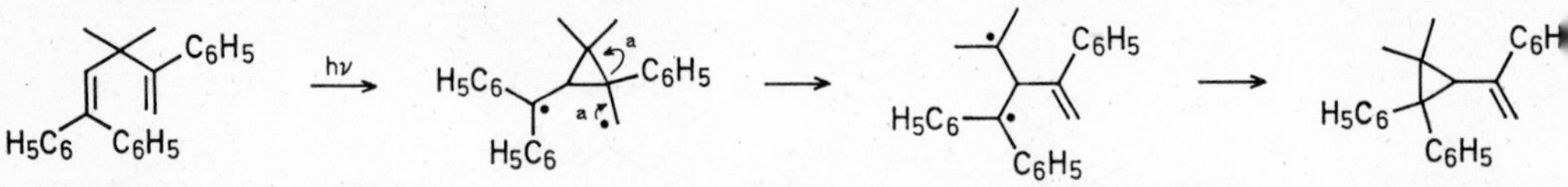

$$XIII \xrightarrow{h\nu} XIV \longrightarrow XV \longrightarrow XVI$$

Ein weiterer interessanter Gesichtspunkt ergibt sich, wenn man die im Vergleich zu I (S. 413) und III (S. 414) niedrigere Reaktionsfähigkeit des Divinyl-methans XIII untersucht. Letzteres reagiert mit einer Quantenausbeute von nur 0,008 im Gegensatz zu III, dessen Verbrauchsquantenausbeute 0,097 beträgt. Dies läßt sich am besten mit der durch die Phenyl-Gruppe an C–4 verursachten sterischen Hinderung des Ringschlusses zum Dreiring erklären.

Fehlen die beiden zentralen (d. h. die am Kohlenstoff-Atom zwischen den beiden π-Systemen stehenden) Methyl-Gruppen, so ist die Effizienz der gesamten Reaktion sehr niedrig. So wurde im Falle von 1,1,5,5-Tetraphenyl-2,4-dideuterio-pentadien-(1,4) (XVII) nur eine Quantenausbeute von 0,0024 gefunden[1]. Die Deuterium-Markierung ließ erkennen, daß sowohl *3-(2,2-Diphenyl-1-deuterio-vinyl)-2,2-dipenyl-1-deuterio-cyclopropan* (XX) als auch *2,2,5,5-Tetraphenyl-1,3-dideuterio-bicyclo[2.1.0]pentan* (XXI) durch Wasserstoff-Wanderung und nicht durch eine Di-π-methan-Umlagerung entstanden waren:

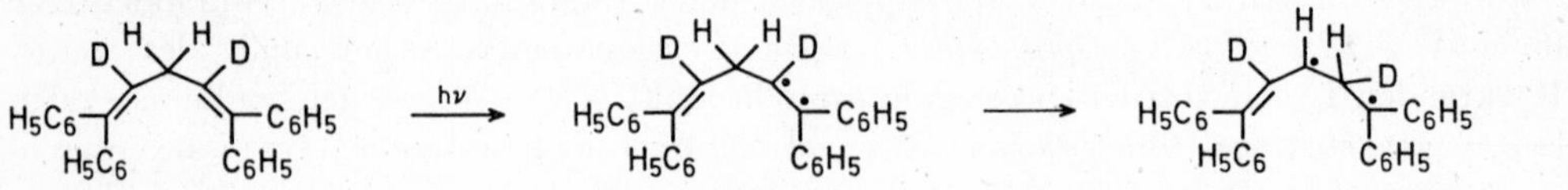

$$XVII \xrightarrow{h\nu} XVIII \longrightarrow XIX$$

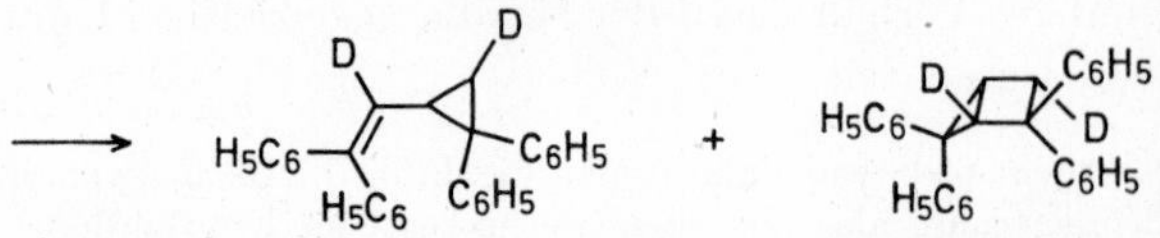

$$\longrightarrow XX \quad + \quad XXI$$

Jede Di-π-methan-Umlagerung von XVII muß sogar sehr viel weniger ergiebig als die tatsächlich beobachtete Reaktion sein, um unbemerkt zu bleiben. Deshalb darf man schließen, daß eine zentrale Substitution Voraussetzung für eine effiziente Di-π-methan-Umlagerung ist. Dies ist leicht zu verstehen, wenn man bedenkt, daß die für eine Di-π-methan-Umlagerung von XVII nötige „Reißverschluß-öffnung" zu einer Stufe mit einem ungepaarten Elektron an einem primären Kohlenstoff-Atom führt. In Analogie zu Beispielen im elektronischen Grundzustand, wo primäre Radikale energetisch höchst ungünstig sind, folgern wir, daß die „Reißverschlußöffnung" (XXII → XXIII) aus energetischen Gründen weniger wahrscheinlich ist als bei Dienen mit zentraler Substitution.

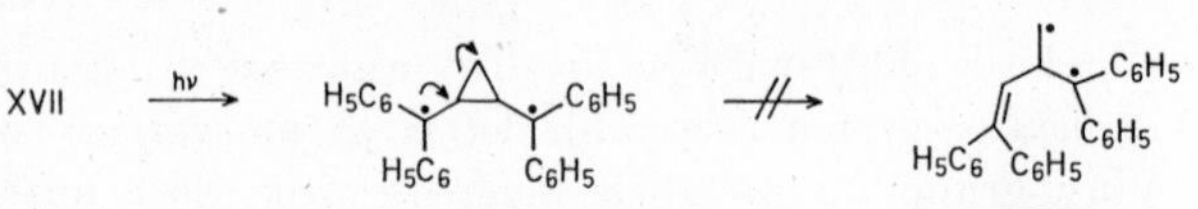

$$XVII \xrightarrow{h\nu} XXII \xrightarrow{\;\;//\;\;} XXIII$$

Andererseits erhöht eine Substitution des zentralen Kohlenstoff-Atoms mit zwei Phenyl-Gruppen die Reaktivität des Di-π-methan-Systems[2], wenn die Reaktion über einen an-

[1] H. E. Zimmerman u. J. A. Pincock, Am. Soc. **94**, 6208 (1972).
[2] H. E. Zimmerman, R. J. Boettcher u. W. Braig, Am. Soc. **95**, 2155 (1973).

geregten Triplett-Zustand abläuft. So entstehen bei der direkten Belichtung von 5-Methyl-
1,1,3,3-tetraphenyl-hexadien-(1,4) (XXIV) in tert.-Butanol mit einer 450 W Quecksilber-Mitteldruck-Tauchlampe durch ein Corex-Filter 40% *3-[2-Methyl-propen-(1)-yl]-
1,1,2,2-tetraphenyl-cyclopropan* (XXV) und 12% *3-[2-Methyl-propen-(1)-yl]-1,1,2,3-tetra-
phenyl-cyclopropan* (XXVI), letzteres durch eine Variante des Reaktionsablaufes, bei der
anfänglich eine Brücke zwischen einer Vinyl- und einer Phenyl-Gruppe geschlagen wird.
Bei Sensibilisierung durch Acetophenon entsteht praktisch nur XXV mit einer Quantenausbeute von $\varphi = 0,42$ neben geringen Mengen *3,3-Dimethyl-1,1,5,5-tetraphenyl-pentadien-
(1,4)* (I) mit $\varphi = 0,01$. Die Quantenausbeuten an XXV und XXVI bei der direkten Bestrahlung mit gefiltertem Licht einer Quecksilber-Hochdruck-Lampe betragen nur
$\varphi = 0,076$ bzw. 0,051.

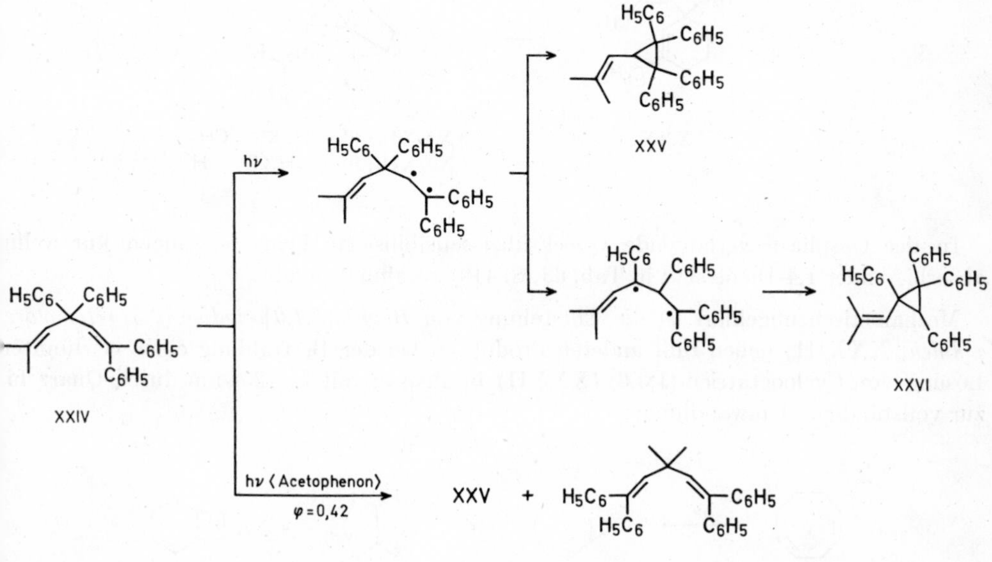

Im Gegensatz zu früher gegebenen Beispielen offenkettiger Di-π-methane ist XXIV im angeregten
Triplett-Zustand offenbar reaktiver als im angeregten Singulett-Zustand.

Zusätzlich zu den vorher genannten Umlagerungen acyclischer Di-π-methane, die mit der
Absicht untersucht wurden, Aufschluß über strukturelle Effekte und den Einfluß der
Multiplizität der beteiligten angeregten Zustände zu erhalten, finden sich in der Literatur
weitere verwandte Reaktionen, von denen einige als Di-π-methan-Umlagerungen bekannt
sind. Hierzu gehören die Isomerisierungen von 3,3-Dimethyl-[1] und 3,3,6-Trimethyl-
heptatrien-(1,4,6) (XXVII)[2]:

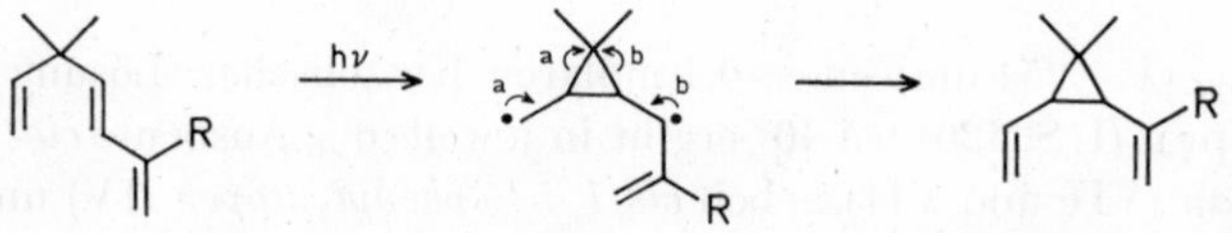

R=H;   *3,3-Dimethyl-1,2-divinyl-cyclopropan*
R=CH₃; *3,3-Dimethyl-2-vinyl-1-isopropenyl-cyclopropan*

[1] Fußnote 34 in: W. R. ROTH u. B. PELTZER, A. **685**, 56 (1965).
[2] T. SASAKI et al., Tetrahedron Letters **1970**, 3895.

In XXVIII ist die Öffnung gemäß ⓐ gegenüber der gemäß ⓑ begünstigt, da für erstere die erforderliche Elektronendichte vorhanden ist, während bei ⓑ das ungepaarte Elektron bereits durch AllylResonanz stabilisiert ist und sich deshalb nicht beteiligt (S. 417).

Der Einbau einer der beiden Vinyl-Gruppen in einen Sechsring behindert den Ablauf der Di-π-methan-Umlagerung nicht. Die direkte Bestrahlung von 3-Methyl-3-[cispropen-(1)-yl]-1-phenyl-cyclohexen (XXX) liefert neben anderen Produkten 5-Methyl-6-endo-[trans-propen-(1)-yl]-1-phenyl-bicyclo[3.1.0]hexan (XXXIa) und dessen cis-Isomeres XXXIb in 38% bzw. 24% Ausbeute[1]. Bei der Benzophenon-sensibilisierten Belichtung von XXX entsteht quantitativ XXXIa.

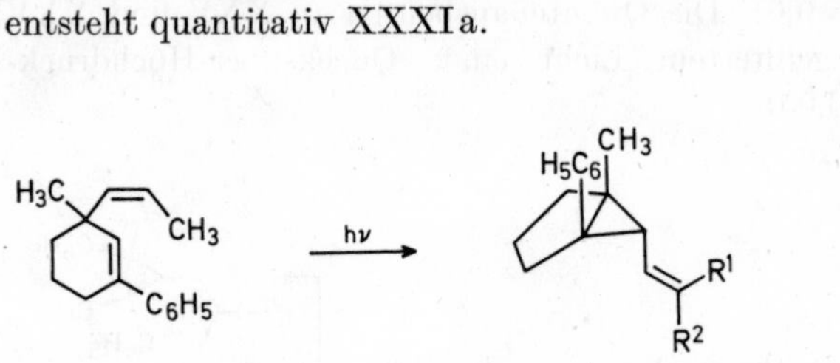

XXX XXXIa; R¹ = H; R² = CH₃
XXXIb; R¹ = CH₃; R² = H

In der Gasphase verlaufende Quecksilber-sensibilisierte Isomerisierungen kurzwellig absorbierender 1,4-Diene sind in Tab. 63 (S. 419) zusammengefaßt.

Mechanistisch ungeklärt ist die Entstehung von *Bicyclo[5.1.0]octadien-(2,5)* (*Homotropyliden*, XXXIII) neben fünf anderen Produkten bei der Bestrahlung einer verdünnten Lösung von Cyclooctatrien-(1,3,6) (XXXII) in Pentan mit $\lambda = 254$ nm durch Quarz bis zur vollständigen Umwandlung[2]:

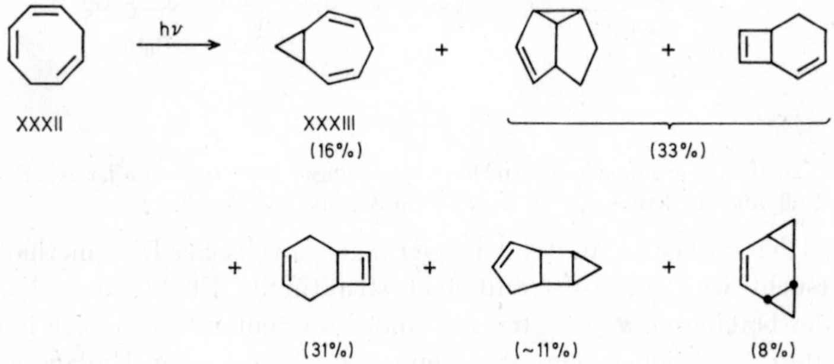

XXXII XXXIII
(16%) (33%)

(31%) (~11%) (8%)

β) Vinyl-phenyl-Systeme

Die Belichtung ($\lambda = 254$ nm) einer 0,1 molaren benzolischen Lösung von trans-1,3-Diphenyl-propen (I, S. 420) bei 40° ergibt in jeweils 6% Ausbeute cis- und trans-1,2-Diphenyl-cyclopropan (VIc und VIt) neben cis-1,3-Diphenyl-propen (IV) und 1-Phenyl-indan (V)[3]. Zur Bildung der Cyclopropane VI ist entweder eine 1,2-Wasserstoff- (Fall A) oder ein

[1] P. S. Mariano u. Jan-Kwei Ko, Am. Soc. 94, 1766 (1972).
[2] J. Zirner u. S. Winstein, Pr. chem. Soc. 1964, 235.
[3] G. W. Griffin et al., Am. Soc. 87, 1410 (1965).

Tab. 63. Quecksilber-sensibilisierte Photolysen von 1,4-Dienen in der Gasphase

Ausgangs-verbindungen	Reaktions-bedingungen[a]	Produkte	Ausbeute [% d.Th.]	Literatur
Pentadien-(1,4)	Methode A: 3,4 g + 3 g Hg; 8 Stdn.	*Vinyl-cyclopropan*[b] + *Bicyclo[2.1.0]pentan* + *Penten-(1)*	18 ~3 2	1
	Methode B	*Vinyl-cyclopropan*[b] + *Bicyclo[2.1.0]pentan* + *Penten-(1)*		2
2-Methyl-pentadien-(1,4)	Methode A: 2,85 g + 3 g Hg; 18 Stdn.	*Isopropenyl-cyclopropan*[b] + *1-Methyl-bicyclo[2.1.0] pentan* + *4-Methyl-penten-(1)* + *3-Methyl-1-methylen-cyclobutan* + *2-Methyl-penten-(1)*	11 5 2,5 2,2 ≦ 0,2	1
	Methode B	*Isopropenyl-cyclopropan*[b] + *1-Methyl-bicyclo[2.1.0] pentan* + *1-Methyl-bicyclo[1.1.1] pentan* + *2-Methyl-1-vinyl-cyclo-propan*		2
3,3-Dimethyl-penta-dien-(1,4)	Methode A: 7,4 g + 3 g Hg; 24 Stdn.	*5-Methyl-hexadien-(1,4)* + *2,2-Dimethyl-1-vinyl-cyclopropan* + Polymere	35 30 15–20	1
2,4-Dimethyl-penta-dien-(1,4)	Methode B	keine isomeren Alkene		2
5-Methyl-hexadien-(1,4)	Methode A: 1,6 g + 3 g Hg; 9 Stdn.	*2,2-Dimethyl-1-vinyl-cyclopropan*[b]		1
1,1-Divinyl-cyclohexan	Methode A: 2,3 g + 2 g Hg; 70 Stdn.	*Cyclohexan-⟨1-spiro-1⟩-2-vinyl-cyclopropan* + *Buten-(3)-yliden-cyclo-hexan*	8,6 5,3	1
3,3,6,6-Tetramethyl-cyclohexadien-(1,4)	λ = 254 nm; 12–20 Stdn.	*4,4,6,6-Tetramethyl-bicyclo[3.1.0]hexen-(2)*		3

A[1]: Die angegebenen Mengen von Reaktand und Quecksilber werden bei –196° in einem 500-*ml*-Quarz-Rundkolben eingefroren, der Kolben zweimal bis auf 1 Torr evakuiert, mit reinem Stickstoff gespült, auf 0,5 Torr evakuiert, verschlossen und bei 35° Umgebungstemp. mit Licht (λ = 254 nm) aus 8 General Electric G 15 T 8 Entkeimungslampen bestrahlt. Die Kontrolle des Reaktionsverlaufs und die präparative Trennung der Komponenten des Photolysats erfolgen gaschromatographisch. Einzelheiten s. Original-Lit.

B[2]: In einem 1,5 *l* fassenden zylindrischen Gefäß aus Quarzglas werden 1 Mol Reaktand und 2 g Quecksilber bei Atmosphärendruck ohne Sauerstoff-Ausschluß unter Rückfluß mit einer 64 W Lampe (λ = 254 nm) belichtet. Der Fortgang der Reaktion wird gaschromatographisch verfolgt, die prä-parativen Trennungen destillativ und chromatographisch erzielt.

[b] Da das zentrale Kohlenstoff-Atom der Ausgangsverbindung nicht substituiert ist, bleibt es fraglich, ob überhaupt eine Di-π-methan-Umlagerung stattfindet. Die Reaktionsbedingungen sind rauh, die Quantenausbeuten, wenn schon nicht berichtet, so doch offenbar klein. Selbst diese für eine Di-π-methan-Umlagerung erwarteten Produkte können a priori ebensogut durch Wasserstoff-Wanderung entstehen.

[1] J. MEINWALD u. G. W. SMITH, Am. Soc. 89, 4923 (1967).
[2] R. SRINIVASAN u. K. H. CARLOUGH, Am. Soc. 89, 4932 (1967).
[3] W. REUSCH u. D. W. FREY, Tetrahedron Letters 1967, 5193.

1,2-Phenyl-Wanderung (Fall B, zugleich allgemeiner Mechanismus für eine 1,2-Phenyl
Wanderung) nötig.

Fall A[1]

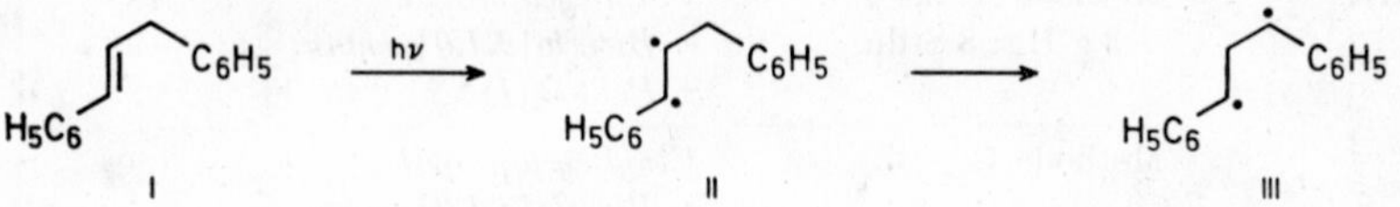

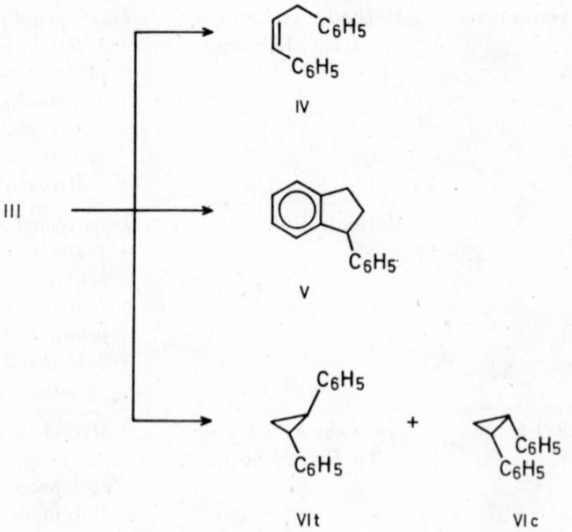

Fall B

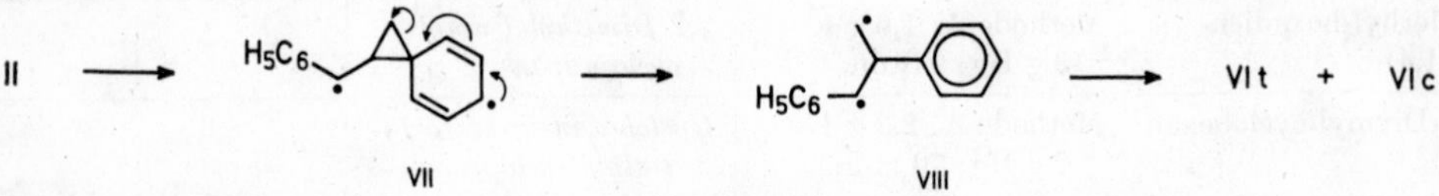

Da gezeigt wurde[1], daß bei kurzer Bestrahlungszeit (0,1 molare Lösungen in Benzol) VIc und VI
dasselbe photostationäre Gleichgewichtsgemisch (*trans*:*cis* = 0,65) ergeben und bei längerer Bestrah
lungszeit (8,5 Stdn.) aus VIt 22% VIc, 7% IV, 16% I und 7% V entstehen, bleibt die Frage offen, ob V
durch nachträgliche Photolyse von VI entsteht und ob der Grund für die fehlende Stereospezifität de
Cyclopropan-Bildung eine nachträgliche Äquilibrierung der Isomeren VIc und VIt ist. In jedem Fall
ist aber die 1,2-Phenyl-Wanderung (II → VII → VIII) (Fall B) nach der einleitenden 1,2-Phenyl-vinyl
Verbrückung eine einleuchtende Alternative zur 1,2-Wasserstoff-Verschiebung.

Weitere Beispiele von 1,2-Phenyl-Verschiebungen in offenkettigen und cyclischen Syste
men zeigt Tab. 64 (S. 421–422).

1,exo-6-Diphenyl- und 1,endo-6-Diphenyl-4-methylen-bicyclo[3.1.0]hexan[2]:

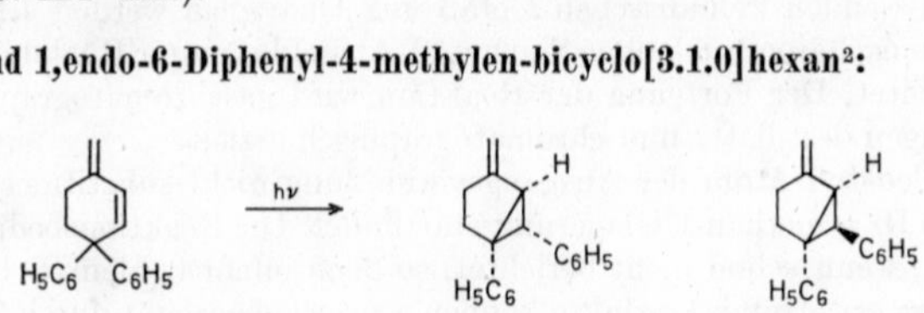

(Fortsetzung S. 422

[1] G. W. Griffin et al., Am. Soc. 87, 1410 (1965).
[2] H. E. Zimmerman u. G. W. Samuelson, Am. Soc. 91, 5307 (1969); 89, 5971 (1967).

Tab. 64. Di-π-methan-Umlagerung von Vinyl-phenyl-Systemen

Ausgangs-verbindung	Reaktions-bedingungen	Produkte	Ausbeute [% d. Th.]	F [°C]	Literatur
3,3,3-Triphenyl-propen	0,1 m Lösung in entgastem Benzol; λ = 254 nm; 50 Stdn.	*1,1,2-Triphenyl-cyclopropan*	a	59,5–60	1
1,3,3,3-Tetraphenyl-propen	...; 5 Stdn.	*trans-1,1,2,3-Tetra-phenyl-cyclopropan*	a	130–131	1
1,1,3,3-Tetraphenyl-propen	...; 17 Stdn.		a		1
5-Methyl-5-phenyl-hexadien-(1,3)		*cis-* und *trans-3,3-Dimethyl-2-vinyl-1-phenyl-cyclo-propan*c	b		2
2,5-Dimethyl-5-phenyl-hexadien-(1,3)		*cis-* und *trans-3,3-Dimethyl-2-iso-propenyl-1-phenyl-cyclopropan*c	b		2
2,6-Dimethyl-6-phenyl-hepta-dien-(2,4)		*cis-* und *trans-3,3-Dimethyl-2-[2-methyl-propen-(1)-yl]-1-phenyl-cyclo-propan*c *(cis:trans = 1:9)*	90		2, 3
5,5-Diphenyl-cyclo-hexadien-(1,3)d	unsensibilisiert	*1,1-Diphenyl-hexa-trien-(1,3,5)*	a		4

a Die Ausbeuten werden als gut bis sehr gut bezeichnet, jedoch nicht spezifiziert.

b Keine Angabe.

c Bei Bestrahlung mit λ = 254 nm entstehen die *trans*-Isomeren der Vinyl-cyclopropane. Unterbricht man bei kleinen Umsätzen, so zeigt sich, daß die *cis-trans*-Isomerisierung der Ausgangsstoffe so schnell abläuft, daß das meiste Produkt aus einem photostationären Gleichgewichtsgemisch entsteht. Aus beiden isomeren Ausgangsverbindungen entsteht dasselbe Produktgemisch. Eine nachträgliche *cis-trans*-Isomerisierung der Cyclopropane wird durch die vorliegenden Ergebnisse weder nahegelegt noch rigoros ausgeschlossen, so daß es unmöglich ist anzugeben, welches der beiden Stereoisomeren in jedem der drei Fälle kinetisch kontrolliert entsteht. Da Triplett-Sensibilisatoren die Reaktion nicht ermöglichen, darf man davon ausgehen, daß die Isomerisierung über einen angeregten Singulett-Zustand verläuft.

d Bemerkenswert ist, daß diese Reaktion nur bei Sensibilisierung abläuft. Weiter oben war dargelegt worden, daß acyclische Di-π-methane ihre Anregungsenergie im Triplett-Zustand durch Rotation um die angeregten Doppelbindungen verbrauchen. Ebenso können Moleküle, die wie 6,6-Diphenyl-3-methylen-diphenyl-cyclohexen und 6,6-Diphenyl-3-methylen-cyclohexadien-(1,4) in Form exocyclischer Methylen-Gruppen potentielle „freie Rotoren" besitzen, desaktiviert werden, was ihre multiplizitätsabhängige Reaktionsweise erklärt. Im Gegensatz dazu kann hier die Triplett-Anregungsenergie nicht durch *cis-trans*-Isomerisierungen bzw. Rotation um angeregte Doppelbindungen verbraucht werden.

1 G. W. GRIFFIN et al., Tetrahedron Letters **1965**, 2951.

2 H. KRISTINSSON u. G. S. HAMMOND, Am. Soc. **89**, 5968 (1967).

3 H. KRISTINSSON u. G. S. HAMMOND, Am. Soc. **89**, 5970 (1967).

4 H. E. ZIMMERMAN u. G. A. EPLING, Am. Soc. **92**, 1411 (1970).

Tab. 64 (Fortsetzung)

Ausgangs-verbindung	Reaktions-bedingungen	Produkte	Ausbeute [% d.Th.]	F [°C]	Literatur
5,5-Diphenyl-cyclo-hexadien-(1,3)	Benzophenon	*5,endo-6-Diphenyl-bicyclo[3.1.0]hex-en-(2)*	85 (13,5:1)	59	1
		5,exo-6-Diphenyl-bicyclo[3.1.0]hex-en-(2)		72–73	
	9-Oxo-fluoren, 2-Acetyl-naphtha-lin oder Michler's Keton	*5,endo-6-Diphenyl-bicyclo[3.1.0]hex-en-(2)*	80–90 (91:9)		2
		endo-4,5-Diphenyl-bicyclo[3.1.0]hex-en-(2)			
6,6-Diphenyl-3-methylen-cyclo-hexadien-(1,4)	4 g in 750 *ml* tert.-Butanol; 22,2 mEinstein einer Hg-Hochdruck-Lampe; Filter durchlässig für λ = 235–315 u. 320–355 nm	*1,endo-6-Diphenyl-4-methylen-bicyclo [3.1.0]hexen-(2)*[e]	11,7		3

[e] Unter diesen Reaktionsbedingungen wird die Verbindung weiter photolysiert[4], s. S. 440.

(Fortsetzung von S. 420)

Eine Lösung von 529 mg (2,14 mMol) 6,6-Diphenyl-3-methylen-cyclohexen[5] (I) in 775 *ml* Cyclohexan wird 2 Stdn. unter nachgereinigtem[6] Stickstoff durch ein Vycor-Filter (λ ≧ 220 nm) mit einer wasser-gekühlten Hanovia 450 W Quecksilber-Mitteldruck-Tauchlampe bestrahlt, bis 70% des Ausgangs-materials verbraucht sind (UV-Kontrolle). Nach Eindampfen des gelben Photolysats wird der Rückstand an einer 1,8 cm × 100 cm Säule von desaktiviertem (d. h. befeuchtetem und bei 50° getrocknetem) Kieselgel mit Pentan chromatographiert und das Eluat in Portionen zu je 200 *ml* gewonnen. Fraktionen 2–3: 70 mg exo-Produkt (III) (F: 38–39°), Fraktion 4: 209 mg einer 4:1-Mischung von III und I, Frak-tion 5: 63 mg einer Mischung von I und II, Fraktionen 6–8: 58 mg kristallines *cis*-Produkt II (F: 104– 105°). Mit 1% Äther in Pentan werden 57 mg gelbes Öl eluiert.

Die fünfstündige Photolyse (450 W Hanovia Tauchlampe, Pyrex-Filter) einer Lösung von 501 mg 6,6-Diphenyl-3-methylen-cyclohexen und 30,60 mg Benzophenon in 700 *ml* Benzol und anschließende Chromatographie ergibt 385 mg Ausgangssubstanz zurück, aber kein Bicyclo[3.1.0]hexan-Derivat.

γ) bicyclische Systeme

Das wahrscheinlich erste Beispiel einer als solche erkannten Di-π-methan-Umlagerung[7] war die Aceton-sensibilisierte Isomerisierung von Bicyclo[2.2.2]octatrien-(2,5,7)

1 H. E. Zimmerman u. G. A. Epling, Am. Soc. **92**, 1411 (1970).
2 J. S. Swenton, A. R. Crumrine u. T. J. Walker, Am. Soc. **92**, 1406 (1970).
3 H. E. Zimmerman et al., Am. Soc. **93**, 3653 (1971); **89**, 5973 (1967).
4 H. E. Zimmerman et al., Am. Soc. **93**, 3662 (1971).
5 H. E. Zimmerman u. G. W. Samuelson, Am. Soc. **91**, 5307 (1969); **89**, 5971 (1967).
6 L. Meites u. T. Meites, Anal. Chem. **20**, 984 (1948).
7 H. E. Zimmerman u. G. L. Grunewald, Am. Soc. 88, 183 (1966).

(Barrelen, I) zu *Tricyclo[3.3.0.0^{2,8}]octadien-(3,6)* (*Semibullvalen*, II):

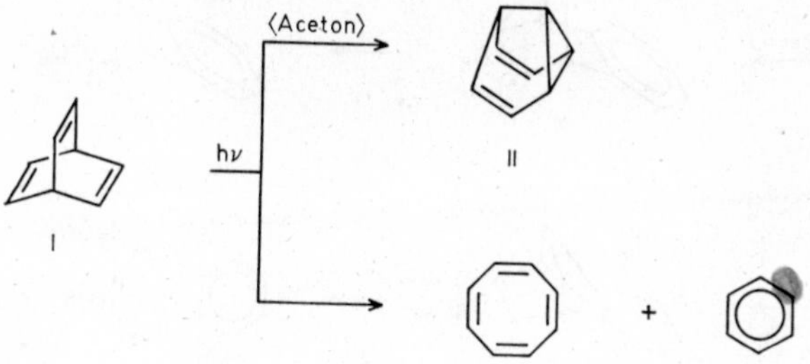

Im Prinzip kann diese Umlagerung ebenso erklärt werden wie die vorher besprochenen Isomerisierungen:

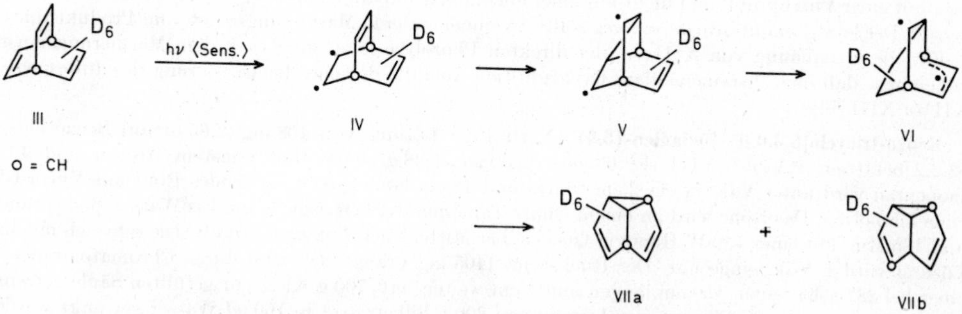

O = CH

Die sensibilisierte Photolyse von 2,3,5,6,7,8-Hexadeuterio-bicyclo[2.2.2]octatrien[1] ergibt ein Semibullvalen (VIIa + VIIb), dessen Markierungsmuster den formulierten Reaktionsverlauf stützt und somit für das intermediäre Auftreten des langlebigen Allyl-Diradikals VI spricht, welches mit jedem Ende des Allyl-Systems den Dreiring schließen kann.

Wesentlich ist, daß die Reaktion nur sensibilisiert ablaufen kann. Damit zeigt dieses bicyclische Di-π-methan ein grundsätzlich anderes Reaktionsverhalten als acyclische Di-π-methane, die unter den Bedingungen der Triplett-Sensibilisierung nicht umlagerungsfähig waren. Dies sollte auch nicht überraschen, da hier um keine der Doppelbindungen im angeregten Zustand Rotation möglich ist. Als Nebenprodukt entsteht – vermutlich über einen angeregten Singulett-Zustand von I – immer etwas Cyclooctatetraen, das bei der direkten Belichtung[2] neben wenig Benzol zum Hauptprodukt wird.

Tricyclo[3.3.0.0^{2,8}]octadien-(3,6) (II)[2]: In einem Vycor-Rohr wird eine Mischung von 694 mg (6,67 mMol) Bicyclo[2.2.2]octatrien (I)[3], 2,011 g Aceton und 50 *ml* Isopentan entgast, unter Vak. verschlossen und mit einer 450 W Hanovia Quecksilber-Mitteldruck-Lampe, die in einem Quarz-Tauchmantel neben dem Vycor-Rohr in ein Eis/Wasser-Bad taucht, 50 Min. bestrahlt. Die Lösung wird über eine wirksame, mit Wendeln gepackte 25 cm × 1,5 cm Füllkörper-Kolonne auf 5 *ml* eingeengt und durch präparative Gaschromatographie (bezüglich der Einzelheiten s. Original-Lit.[2]) aufgetrennt. Es werden erhalten: 285 mg (41%) I und 218 mg eines Gemisches von 94% II und 6% Cyclooctatetraen. Somit ist II mit einer Ausbeute von 50% (bez. auf das nicht zurückgewonnene Ausgangsmaterial) entstanden.

Benzo-bicyclo[2.2.2]octatrien-(2,5,7) (Benzo-barrelen) (VIII) verhält sich völlig analog; die Aceton-sensibilisierte Photolyse liefert *3,4-Benzo-tricyclo[3.3.0.0^{2,8}]octadien-*

[1] H. E. ZIMMERMAN et al., Am. Soc. **89**, 3932 (1967).
[2] H. E. ZIMMERMAN et al., Am. Soc. **91**, 3316 (1969).
[3] H. E. ZIMMERMAN u. R. M. PAUFLER, Am. Soc. **82**, 1514 (1960).
  H. E. ZIMMERMAN et al., Am. Soc. **91**, 2330 (1969).

(3,6) (*Benzosemibullvalen*; XI), die direkte Photolyse nur *Benzo-cyclooctatetraen* (XIII)[1]:

Auch hier zeigt eine Isotopen-Markierung, welche der denkbaren Reaktionswege beschritten werden[1]. 2,3,4,5,7,8,9,10-Octadeuterio-⟨2,3-benzo-bicyclo[2.2.2]octatrien-(2,5,7)⟩ geht bei der Aceton-sensibilisierten Photolyse in das spezifisch markierte Benzo-semibullvalen XI über. Damit ist gezeigt, daß die Reaktion mit einer Vinyl-vinyl- und nicht mit einer ebenfalls denkbaren Vinyl-benzo-Verbrückung eingeleitet wurde. Der letztgenannte Reaktionsweg sollte zu einem anderen Markierungsmuster im Produkt führen.

Für die Entstehung von XIII bei der direkten Photolyse kann man nach dem Markierungsmuster annehmen, daß eine intramolekulare Cycloaddition abläuft, der eine Isomerisierung des Intermediats XII zu XIII folgt.

Benzo-tricyclo[3.3.0.0²,⁸]octadien-(3,6) (XI)[1]: Eine Lösung von 408 mg (2,65 mMol) Benzo-bicyclo [2.2.2]octatrien-(2,5,7)[1,2] (VIII, F: 63–66°), 2,50 *ml* (1,98 g, 0,034 Mol) reinstem Aceton und 40 *ml* Isopentan wird unter Vak. in ein 2 cm weites und 18 cm langes, 50 *ml* fassendes Rohr aus Vycor-Glas eingeschmolzen. Das Rohr wird an einem Quarz-Tauchmantel befestigt, in ein Eis/Wasser-Bad getaucht und 135 Min. mit einer 450 W Hanovia Quecksilber-Mitteldruck-Lampe bestrahlt. Die schwach milchige Lösung wird i. Vak. eingeengt. Der Rückstand (405 mg oranges Öl) wird durch Chromatographie an einer bei 28° gehaltenen, 150 cm langen und 4 cm weiten, mit 700 g Kieselgur gefüllten Säule getrennt. Das Packungsmaterial war mit einer Lösung von 200 g Silbernitrat in 160 *ml* Wasser getränkt worden. Die Elution erfolgt mit wassergesättigtem Äther. Es werden unter Extinktionsmessungen bei $\lambda = 255$ nm Fraktionen von je 40 *ml* aufgefangen. Fraktion 34–39: 13,7 mg oranges Öl; Fraktion 43–48: 196,1 mg XI als gelbes Öl; Fraktion 62–70: 21,8 mg Benzo-cyclooctatetraen (F: 34–36°); Fraktion 88–104: 190,7 mg Ausgangssubstanz (also 53,2 % Umsatz), F: 59–66°. Das vornehmlich XI enthaltende gelbe Öl wird durch Molekular-Destillation in einem 6 mm weiten, 1 m langen und mit 1% Dichlor-dimethyl-silicium in Benzol vorbehandelten Rohr bei 0,2 Torr und einem Temperatur-Gradienten von 36–136° gereinigt; Ausbeute: 136,3 mg (63%), farbloses Öl.

Weitere Beispiele s. Tab. 66 (S.429).

Naphtho-[1,2-b]-bicyclo[2.2.2]octatrien (XIV) lagert sich nur in Gegenwart eines Triplett-Sensibilisators zu einem Gemisch von *anti-* und *syn-Naphtho-[1,2-c]-tricyclo* [3.3.0.0²,⁸]*octadien-(3,6)* (XV; F: 81–83° und XVI; F: 44–46°) um. Bei der direkten Belichtung wird bevorzugt *Naphtho-[a]-cyclooctatetraen* (XVII) gebildet[3]:

[1] H. E. Zimmerman, R. S. Givens u. R. M. Pagni, Am. Soc. **90**, 4191, 6096 (1968).
[2] K. Kitanohoki u. Y. Takano, Tetrahedron Letters **1963**, 1597.
[3] H. E. Zimmerman u. C. O. Bender, Am. Soc. **92**, 4366 (1970).

Dagegen isomerisiert Naphtho-[2,3-b]-bicyclo[2.2.2]octatrien (XVIII) in Gegenwart oder in Abwesenheit eines Sensibilisators zu *Naphtho-[2,3-c]-tricyclo[3.3.0.0^{2,8}] octadien-(3,6)* (XIX; F: 139–140°) bei fast gleichen Quantenausbeuten[1] (s. Tab. 65):

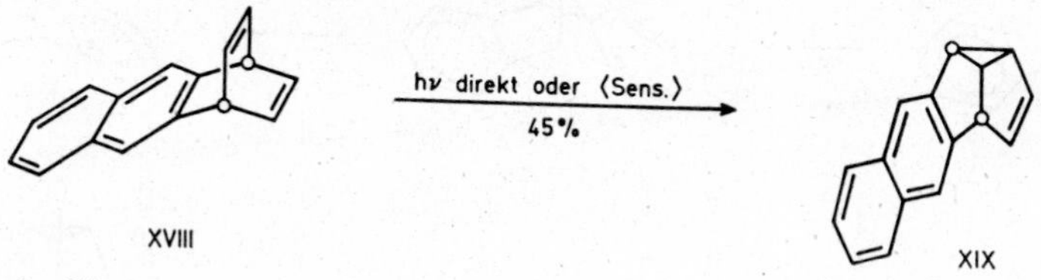

XVIII

O = CH

hν direkt oder ⟨Sens.⟩
45%

XIX

Tab. 65. Quantenausbeuten der Umlagerungen von Naphtho-bicyclo[2.2.2]octatrienen[1]

Ausgangs-verbindung	Photolysebedingungen	Produkte	Quanten-ausbeute
XIV	1,47 mMol + 16,5 mMol Benzophenon in 730 *ml* Cyclohexan; $\lambda = 340$–380; max. 80% Durchlässigkeit bei $\lambda = 385$ nm; 2 Stdn.	XV + XVI (1:1)	0,50
	0,98 mMol in 730 *ml* Cyclohexan; $\lambda = 275$–330 nm; max. 19% Durchlässigkeit bei $\lambda = 304$ nm; 15 Min.	XV + XVI (1:1) XVII	0,13 0,36
XVIII	0,95 mMol XVIII + 504 mg Benzophenon in 730 *ml* Cyclohexan; Belichtung wie bei XIV	XIX	0,47
	1,1 mMol in 200 *ml* Cyclohexan, 450 W Hanovia Hg-Mitteldruck-Lampe; Pyrex-Filter; 30 Min.	XIX	0,45

Der letztgenannte Befund läßt den Schluß zu, daß XVIII in beiden Fällen den gleichen angeregten Triplett-Zustand durchläuft.

Bei der Photolyse außer an den Brückenkopf-Kohlenstoffatomen perdeuterierter Naphthobarrelene zeigt sich, daß die Isomerisierung bei XIV mit einer Vinyl-vinyl-Verbrückung, bei XVIII jedoch spezifisch mit einem Brückenschlag von einer Vinyl-Gruppe zur α-Naphthyl-Position beginnt[1].

Dibenzo-bicyclo[2.2.2]octatrien geht bei direkter Bestrahlung in Cyclohexan oder Tetrahydrofuran in *1,2;5,6-Dibenzo-cyclooctatetraen* (75%) und *Dibenzo-tricyclo[3.3.0. 0^{2,8}]octadien-(3,6)* (10%) über[2]. In Benzol oder Aceton entsteht nur das Cyclooctatetraen-Derivat[3]. Bei der Isomerisierung von 11-Methoxycarbonyl-⟨2,3;5,6-dibenzo-bicyclo[2.2.2]octatrien-(2,5,7)⟩ (XX) kann das Hauptprodukt vorhergesagt werden,

---

[1] H. E. ZIMMERMAN u. C. O. BENDER, Am. Soc. **92**, 4366 (1970).

[2] S. J. CRISTOL u. R. K. BLY, Am. Soc. **82**, 6155 (1960).

[3] P. W. RABIDEAU, J. B. HAMILTON u. L. FRIEDMAN, Am. Soc. **90**, 4465 (1968).

wenn man annimmt, daß die Methoxycarbonyl-Gruppe das ungepaarte Elektron stabilisiert und so die Position des Vinyl-phenyl-Brückenschlages steuert[1].

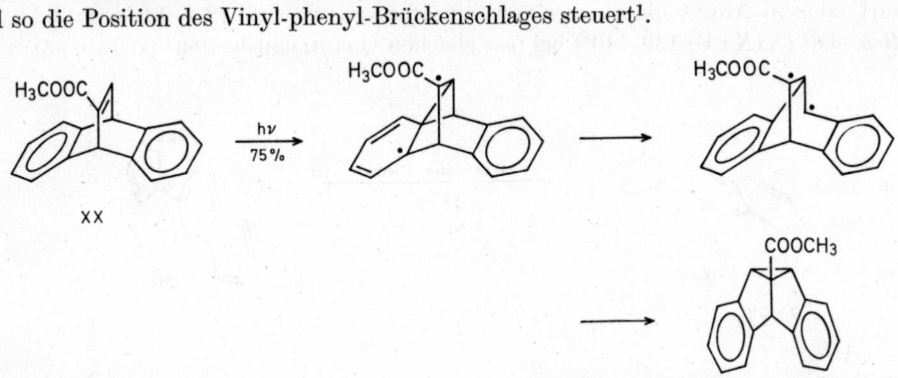

1-Methoxycarbonyl-⟨dibenzo-tricyclo [3.3.0.0²,⁸]octadien-(3,6)⟩; F: 169,5–170,5°

Dagegen scheint die Methoxycarbonyl-Gruppe am Brückenkopf in XXI weniger einen elektronischen als offenbar einen sterischen Einfluß auszuüben, wie das Produktverhältnis *7-Methoxycarbonyl-* und *2-Methoxycarbonyl-⟨dibenzo-tricyclo[3.3.0.0²,⁸]octadien-(3,6)⟩* (XXII und XXIII) von 67:33 zeigt[1]:

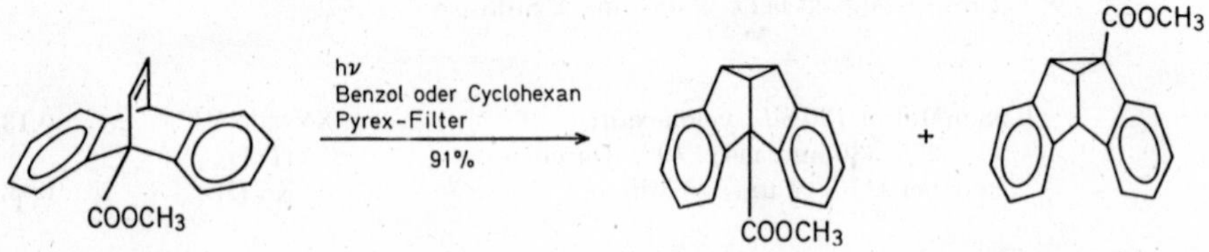

Als Ergebnis einer Di-π-methan-Umlagerung von Tribenzo-tricyclo[2.2.2]octa-trien (Triptycen, XXIVa) sollte man das Semibullvalen XXV erwarten[2–4], jedoch isoliert man nach der Belichtung in Äther oder Aceton[2] bzw. verschiedenen inerten Lösungsmitteln[3] *2,3;5,6-Dibenzo-tetracyclo[5.4.1.0⁴,¹².0⁸,¹²]dodecatetraen-(2,5,9,11)* (XXVII)[2,3], das aus XXV durch eine nachfolgende sigmatrope Umlagerung[5] entstanden sein kann. XXVII geht beim Schmelzpunkt (135–136°[2,3]) in *8,12b-Dihydro-⟨benzo-[a]-fluoranthen⟩* (XXVIII)[2] bzw. direkt in *Benzo-[a]-fluoranthen* (XXIX)[3] über. Ein Cyclooctatetraen-Derivat wird nicht gefunden[2].

Bei der Belichtung (85% Umsatz) von XXIVa in Methanol wird jedoch nicht XXVII, sondern *9-(2-Methoxymethyl-phenyl)-fluoren* (XXXa; 75% d.Th.; F: 120–121°) isoliert[4]. Es wird angenommen, daß XXIVa zu XXVIa fragmentiert, welches in Methanol zu XXXa abreagiert und in inerten Lösungsmitteln sich durch intramolekulare Cycloaddition zu XXVII stabilisiert. Gegen eine a priori mögliche Fragmentierung von XXVII zu XXVIa spricht, daß XXXa in Methanol[4] mit der gleichen Quantenausbeute ($\varphi = 0,3$) gebildet wird wie XXVII ($\varphi = 0,3$) in inerten Lösungsmitteln[3]. Pentadien-(1,3) vermag die Bildung von XXVII nicht zu unterdrücken[3].

---

[1] E. Ciganek, Am. Soc. 88, 2882 (1966).
   S. a.: US. P. 3489791 (1966) DuPont, Erf.: E. Ciganek; C. A. 72, P 66707ᵈ (1970).
[2] T. D. Walsh, Am. Soc. 91, 515 (1969).
[3] N. J. Turro et al., Am. Soc. 91, 516 (1969).
[4] H. Iwamura u. K. Yoshimura, Am. Soc. 96, 2652 (1974).
[5] R. B. Woodward u. R. Hoffmann, *Die Erhaltung der Orbitalsymmetrie*, S. 114ff., Verlag Chemie, Weinheim 1970.

1-Acetyl-⟨tribenzo-tricyclo[2.2.2]octatetraen⟩ (XXIVb) ergibt beim Belichten in Methanol 68% *2-[2-Fluorenyl-(9)-phenyl]-propansäure-methylester* (XXXb); mithin bevorzugt das intermediäre Carben XXVIb eine Wolff-Umlagerung vor möglichen Insertions- und Additionsreaktionen:

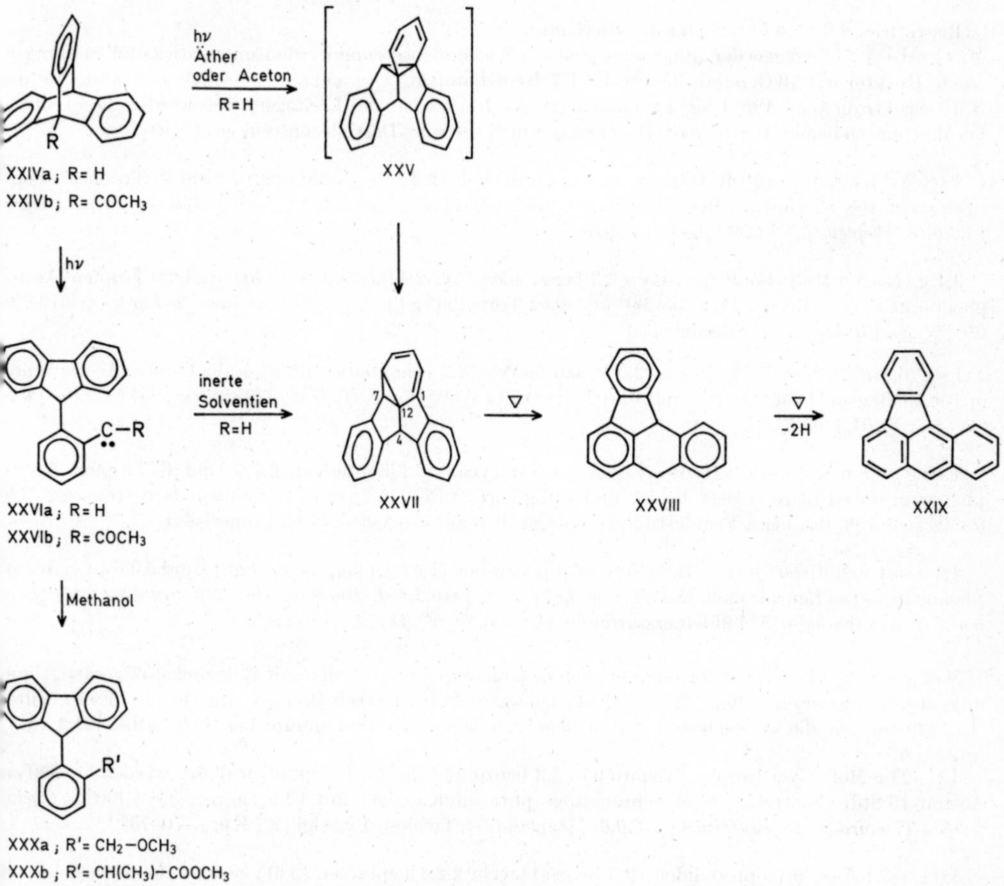

XXIVa; R= H
XXIVb; R= COCH₃

XXV

XXVIa; R= H
XXVIb; R= COCH₃

XXVII

XXVIII

XXIX

XXXa; R'= CH₂−OCH₃
XXXb; R'= CH(CH₃)−COOCH₃

In der Photochemie des Triptycens spielen also intermediäre Carbene eine wichtige Rolle und ein Di-π methan-Mechanismus erscheint für die Isomerisierung XXIVa → XXVII zumindest zweifelhaft.

5,7-Diphenyl-1-methoxycarbonyl- (I) und 5,7-Diphenyl-4-methoxycarbonyl-tricyclo[3.2.0.0²,⁷]hepten-(3) (II) und 2,4-Diphenyl-1-methoxycarbonyl-tetracyclo[3.2.0.0²,⁷.0⁴,⁶]heptan (III) [1]:

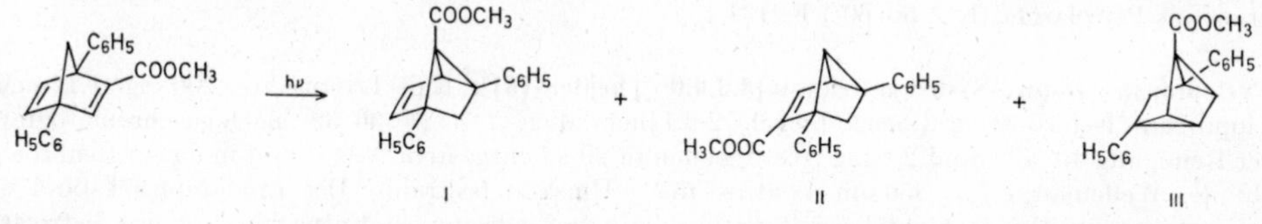

I

II

III

Eine Lösung von 2,0 g (6,6 mMol) 1,4-Diphenyl-2-methoxycarbonyl-bicyclo[2.2.1]heptadien-(2,5) in 320 *ml* reinem Aceton wird bei −10° mit einer Hanau Q 81 Quecksilber-Hochdruck-Tauchlampe unter Wasserkühlung durch ein Pyrex-Filter belichtet, bis nach NMR-Kontrolle vollständige Umsetzung erreicht ist (∼ 5 Stdn.). Das Rohprodukt wird über eine 2,5 cm × 25 cm Kieselgel-Säule mit Benzol/Tetrachlormethan (1:1) chromatographiert. Zuerst wird eine gelbe (Fraktion 1), dann eine orangefarbene (Fraktion 2) und nach Wechsel zu reinem Benzol als Eluens eine farblose Zone (Fraktion 3) eluiert. Fraktion 1 enthält 1,1–1,2 g (55–60%) I als zähes gelbes Öl, das thermisch bis 60–70° stabil ist, aber beim

[1] H. Prinzbach u. M. Theyes, B. **104**, 2489 (1971).

Stehen langsam polymerisiert; in verdünnter Lösung bei 0° hält es sich längere Zeit. Das orangefarbe Öl aus Fraktion 2 hält man in methanolischer Lösung 14 Stdn. bei 0° und filtriert 0,4–0,5 g (20–25% blaßgelbe Kristalle ab. Aus Chloroform/Methanol bei 0° erhält man daraus 0,35–0,40 g (17–20%) II a farblose Kristalle vom F: 99–101°. Das Material aus Fraktion 3 gibt bei der Kristallisation aus Methan 0,12–0,16 g (6–8%) III.

Benzo-tricyclo[3.2.0.0^{2,7}]hepten-(3)-Derivate[1]:

Methode ①: Lösungen der unten angegebenen Zusammensetzung werden unter Stickstoff-Spülung einem Reaktor mit 16 General Electric F8T5 BLB-Lampen ($\lambda = 350$ nm) so lange bestrahlt, bis d NMR-Spektrum keine Vinyl-Signale mehr zeigt. Nach Abziehen des Lösungsmittels werden die Produk bei den angegebenen Temp. und Drucken durch Kugelrohr-Destillation rein gewonnen.

1,08 g (5,4 mMol) *anti*-9-Acetoxy-⟨2,3-benzo-bicyclo[2.2.1]heptadien-(2,5)⟩ und 4 Tropfen Acet phenon in 108 *ml* Hexan; Dest. bei 85–90° und 0,05 Torr; 0,91 g (85%) *exo-8-Acetoxy-⟨benzo-tricyc [3.2.0.0^{2,7}]hepten-(3)⟩* in 99%iger Reinheit.

3,1 g (15,5 mMol) *syn*-9-Acetoxy-⟨2,3-benzo-bicyclo[2.2.1]heptadien-(2,5)⟩ und 20 Tropfen Acet phenon in 400 *ml* Hexan; Dest. bei 90° und 0,04 Torr; 2,93 g (95%) *endo-8-Acetoxy-⟨benzo-tricyclo[3.2. 0^{2,7}]hepten-(3)⟩* als klare Flüssigkeit.

1,0 g (6,8 mMol) *anti*-9-Hydroxy-⟨2,3-benzo-bicyclo[2.2.1]heptadien-(2,5)⟩ und 5 Tropfen Acetophen in 100 *ml* Benzol; Dest. bei 90° und 0,04 Torr; 0,76 g (76%) *exo-8-Hydroxy-⟨benzo-tricyclo[3.2.0.0^{2,7}]he ten-(3)⟩*; F: 61,5–63,5°.

1,08 g (6,8 mMol) *syn*-9-Hydroxy-⟨2,3-benzo-bicyclo[2.2.1]heptadien-(2,5)⟩ und 6 Tropfen Acet phenon in 100 *ml* Benzol; Dest. bei 71° und 0,07 g Torr; 0,75 g (75%) *endo-8-Hydroxy-⟨benzo-tricyclo[3.2. 0^{2,7}]hepten-(3)⟩*, das beim Feindestillieren gelegentlich zur *exo*-Verbindung isomerisiert.

1,1 g (5,1 mMol) *anti*-9-tert.-Butyloxy-⟨2,3-benzo-bicyclo[2.2.1]heptadien-(2,5)⟩ und 5 Tropfen Acet phenon in 100 *ml* Benzol; nach Destillation 0,87 g (95%) *exo-8-tert.-Butyloxy-⟨benzo-tricyclo[3.2.0.0^{2,7}]he ten-(3)⟩* als zähe beim Abkühlen erstarrende Flüssigkeit, F: 71–72° (Hexan).

Methode ②[2]: Lösungen der angegebenen Zusammensetzung werden mit Reinstickstoff gesättigt u mit einem wassergekühlten Hanau Q 81 Quecksilber-Hochdruck-Brenner durch ein Pyrex-Filt ($\lambda \geqq 280$ nm) für die angegebenen Zeiten belichtet, wobei die Innentemp. bei 0° gehalten wird.

4 g (27 mMol) Cyclopropan-⟨1-spiro-9⟩-⟨2,3-benzo-bicyclo[2.2.1]heptadien-(2,5)⟩ werden in 350 Aceton 15 Stdn. bestrahlt. Säulenchromatographie an Kieselgel mit Chloroform; 3,6 g (90%) *Cycl propan-⟨1-spiro-8⟩-⟨benzo-tricyclo[3.2.0.0^{2,7}]hepten-(3)⟩*, farblose Flüssigkeit; Kp$_{0,4}$: 70–75°.

5,0 g (27 mMol) 9-Isopropyliden-⟨2,3-benzo-bicyclo[2.2.1]heptadien-(2,5)⟩ werden in 350 *ml* Acet 14 Stdn. bestrahlt. Säulenchromatographie an Kieselgel mit Chloroform; 4,6 g (92%) *8-Isopropylide ⟨benzo-tricyclo[3.2.0.0^{2,7}]hepten-(3)⟩*; schwach gelbe Flüssigkeit vom Kp$_{0,06}$: 70°.

Eine Lösung von 0,6 g (1,6 mMol) 9-Diphenylmethylen-⟨2,3-benzo-bicyclo[2.2.1]heptadien-(2,5)⟩ 300 *ml* Aceton wird 6 Stdn. bestrahlt. Säulenchromatographie an Kieselgel mit Tetrachlormethan liefe ~ 250 mg (~ 50%) *8-Diphenylmethylen-⟨benzo-tricyclo[3.2.0.0^{2,7}]hepten-(3)⟩*; nach 3maliger Umkrist lisation aus Petroläther (Kp: 50–60°) F: 131°.

Cyclopropan-⟨1-spiro-8⟩-benzo-tricyclo[3.2.0.0^{2,7}]hepten-(3)[3]:
Eine Lösung von 200 mg (1,12 mM Cyclopropan-⟨1-spiro-9⟩-⟨2,3-benzo-bicyclo[2.2.1]heptadien-(2,5)⟩ (F: 36–39°, nach gaschromatograph scher Reinigung 40–42°) und 2,0 mg Acetophenon in 20 *ml* entgastem Äther wird in einem Reaktor m Licht der Wellenlänge $\lambda = 350$ nm 48 Stdn. (65% Umsatz) bestrahlt. Der Eindampfrückstand wi durch präparative Dünnschichtchromatographie mit drei sukzessiven Entwicklungen mit Petroläth (Kp: 60–70°) aufgetrennt. Neben 60 mg (30%) Ausgangsverbindung werden 110 mg (53%) der Spir Verbindung erhalten.

---

[1] J. J. Tufariello u. D. W. Rowe, J. Org. Chem. 36, 2057 (1971).
[2] W. Eberbach, P. Würsch u. H. Prinzbach, Helv. 53, 1235 (1970).
[3] B. M. Trost, J. Org. Chem. 34, 3644 (1968).

Tab. 66. Di-π-methan-Umlagerung bicyclischer Verbindungen

Ausgangs-verbindung	Reaktions-bedingung	Produkte	Ausbeute[a] [% d.Th.]	Literatur
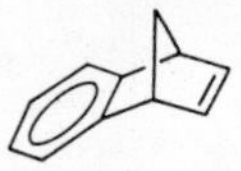 Benzo-bicyclo[2.2.1] heptadien-(2,5)	0,1 Mol + 0,1 Mol Acetophenon in 500 ml Äther; 16 General-Electric F8T5 BLB-Lampen (λ_{max} $\sim$ 350 nm); 20 Min.; 100%iger Umsatz	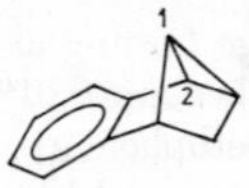 Benzo-tricyclo[3.2.0. $0^{2,7}$]hepten-(3)[b]	$\leqq 100$	1
	1%ige Lösung in Äther mit 0,01% Acetophenon; 16 General Electric F8T5 BLB-Lampen (λ_{max} $\sim$ 350 nm); N$_2$; bis zu 95% Umsatz		$\leqq 95$	2
	$\lambda = 254$ nm wie vorher, ohne Sens.		max. 1	2
7,8-Dideuterio-⟨benzo-bicyclo [2.2.1]heptadien-(2,5)⟩		1,2-Dideuterio-⟨benzo-tricyclo[3.2.0.$0^{2,7}$] hepten-(3)		1
7-Isopropyl-⟨benzo-bicyclo[2. 2.1]heptadien-(2,5)⟩	300 mg in 60 ml Aceton; Q 81 Hg-Hochdruck-Brenner; Pyrex-Filter; 2 Stdn.	1-Isopropyl-⟨benzo-tricyclo[3.2.0.$0^{2,7}$] hepten-(3)⟩	— [c]	3
2-Methyl-⟨benzo-bicyclo[2.2.1] heptadien-(2,5)⟩	2,37 ml + 1,8 ml Acetophenon in 80 ml Äther; 16 General Electric F8T5 BLB-Lampen (λ_{max} $\sim$ 350 nm); N$_2$; 24 Stdn.	3-Methyl-⟨benzo-...⟩	(70)	1
		6-Methyl-⟨benzo-...⟩	(30)	
3-Methyl-⟨benzo-bicyclo[2.2.1]hep-tadien-(2,5)⟩		4-Methyl-⟨benzo-...⟩	(50)	1
		5-Methyl-⟨benzo-...⟩	(50)	

[a] Angaben in runden Klammern stellen relative Ausbeuten dar.
[b] Kp: 220°; n_D^{27}: 1,5742.
[c] Keine Angabe, zusätzlich entstehen 2 weitere Verbindungen.

[1] J. R. EDMAN, Am. Soc. **91**, 7103 (1969).
[2] J. R. EDMAN, Am. Soc. 88, 3454 (1966).
[3] W. EBERBACH, P. WÜRSCH u. H. PRINZBACH, Helv. **53**, 1235 (1970).

Tab. 66 (1. Fortsetzung)

Ausgangs-verbindung	Reaktions-bedingung	Produkte	Ausbeute[a] [% d.Th.]	Literatu
2,5-Diacetoxy-⟨benzo-bicyclo[2.2.1]heptadien-(2,5)⟩[2]	1%ige Lösung in Äther mit 0,01% Acetophenon; 16 General Electric F8T5 BLB-Lampen (λ_{max} ∼ 350 nm); 24 Stdn.	3,6-Diacetoxy-⟨benzo-tricyclo[3.2.0.0^{2,7}]hepten-(3)⟩[b]	80	1
	$\lambda = 254$ nm	kein Umlagerungs-produkt		
 Bicyclo[3.2.1]octa-dien-(2,6)[4]	0,6 g in 20 ml Cyclohexan; $\lambda = 254$ nm; Quarzgefäß; 11 Tage; 25% Umsatz	 Tricyclo[3.2.1.0^{4,6}] octen-(2)	(1)	3
		 Tricyclo[4.2.0.0^{2,8}] octen-(3)	(4)	
	2,0 g + 0,5 Hg in 2 l Quarzkolben; $\lambda = 254$ nm	Tricyclo[3.2.1.0^{4,6}] octen-(2)	(1,45)[c]	
		Tricyclo[4.2.0.0^{2,8}] octen-(3)	(1)[c]	
	0,25 g + 0,05 Acetophenon[d] in 10 ml Cyclohexan; $\lambda = 350$ nm; 24 Stdn.	Tricyclo[3.2.1.0^{4,6}] octen-(2)	(4)[e]	
		Tricyclo[4.2.0.0^{2,8}] octen-(3)	(1)[e]	
Bicyclo[3.2.1]octa-dien-(2,6) + 4,4-Dideuterio-bicyclo[3.2.1]oc-tadien-(2,6)	3 g in 600 ml Aceton; 200 W Hanovia Hg-Mitteldruck-Tauchlampe; Corex-Filter; N_2; 60 Stdn.; 85% Umsatz	Tricyclo[3.2.1.0^{4,6}] octen-(2) + 8,8-Dideuterio-tricyclo-...	36	3
		Tricyclo[4.2.0.0^{2,8}] octen-(3) + 5,5-Dideuterio-tricyclo-...	9	

[a] In runden Klammern relative Ausbeuten.

[b] F: 160–160,5°.

[c] Gaschromatographisch ermittelte Zusammensetzung neben 14,3 Teilen Ausgangsverbindung. Außer dem 1,1 g flüchtige Verbindungen.

[d] Benzophenon oder Fluorenon sind als Sensibilisatoren unwirksam.

[e] Photolysat enthält 17 Teile Ausgangsverbindung.

[1] J. R. Edman, Am. Soc. 88, 3454 (1966).

[2] J. Meinwald u. G. A. Wiley, Am. Soc. 80, 3667 (1958).

[3] R. C. Hahn u. L. J. Rothman, Am. Soc. 91, 2409 (1969).

[4] C. Cupas, W. E. Watts u. P. v. R. Schleyer, Am. Soc. 86, 2503 (1964).

Tab. 66 (2. Fortsetzung)

Ausgangs-verbindung	Reaktions-bedingung	Produkte	Ausbeute[a] [% d.Th.]	Literatur
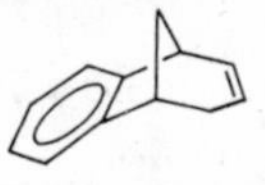 6,7-Benzo-tricyclo [3.2.1]octadien-(2,6)	706 mg in 1100 *ml* Äther; 450 W Hg-Mitteldruck-Tauchlampe; Corex-Filter ($\lambda \geqq 260$ nm); bis 97,5% Umsatz	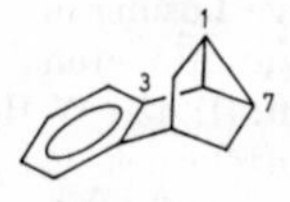 *Benzo-tricyclo[3.2.1. 0²,⁷]octen-(3)*	94	[1]
	140 mg in 140 *ml* Äther mit 1,5% Aceton; 450 W Hg-Mitteldruck-Tauchlampe; Corex-Filter; 155 Min.		92	
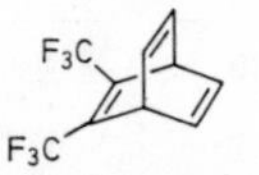 2,3-Bis-[trifluor-methyl]-bicyclo [2.2.2]octatrien	Benzophenon, Ace-tophenon oder Triphenylen als Sensibilisator	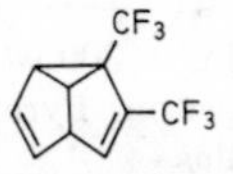 *2,3-Bis-[trifluor-methyl]-tricyclo[3. 3.0.0²,⁸]octadien-(3,6)*[b]	(2)	[2]
		+ 4,5-Bis-[trifluor-methyl]-...[b]	(1)	
		+ 1,5-Bis-[trifluor-methyl]-...[b]	(4)	
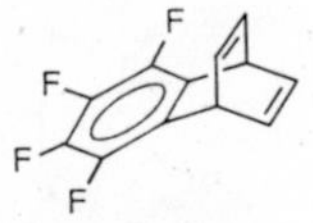 2,3,4,5-Tetrafluor-⟨benzo-tri-cyclo[2.2.2]octa-trien-(2,5,7)⟩	1%ige Lösung in Pentan/Aceton (96:4); 450 W Hg-Mitteldruck-Lampe; Quarz; 66% Umsatz	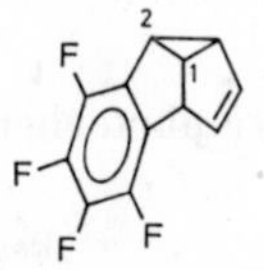 *3,4,5,6-Tetrafluor-⟨benzo-tri-cyclo[3.3.0.0²,⁸]oc-tadien-(3,6)⟩*	~ 66	[3]

[a] Angaben in runden Klammern stellen relative Ausbeuten dar.

[b] Es ist jeweils nur ein Valenztautomeres angeführt, da sich das Gleichgewicht sehr rasch einstellt, und es belanglos ist, welches Tautomere in der Photoreaktion zuerst gebildet wird.

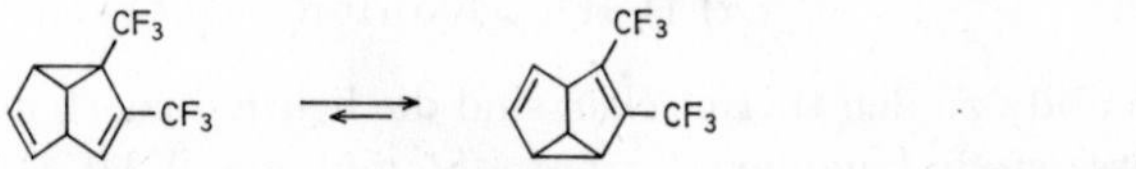

Entsprechend den 3 verschiedenen Verbrückungsmöglichkeiten, können 3 Produkte vorhergesagt werden. Das ausschließliche Auftreten dieser Produkte macht den vorgeschlagenen Mechanismus für die Di-π-methan-Umlagerung wahrscheinlich.

[1] R. C. Hahn u. L. J. Rothman, Am. Soc. **91**, 2409 (1969).
[2] R. S. H. Liu, Am. Soc. **90**, 215 (1968).
[3] J. P. N. Brewer u. H. Heaney, Chem. Commun. **1967**, 811.

Tab. 66 (3. Fortsetzung)

Ausgangs-verbindung	Reaktions-bedingung	Produkte	Ausbeute [% d. Th.]	Literatur
2,3,4,5-Tetrafluor-⟨benzo-tri-cyclo[2.2.2]octa-trien-(2,5,7)⟩	1%ige Lösung in Pentan/Aceton (96:4); 450 W Hg-Mitteldruck-lampe; Quarz, 66% Umsatz	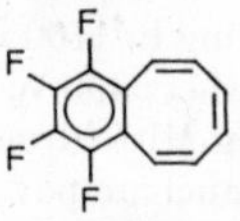 *7,8,9,10-Tetrafluor-⟨benzo-cycloocta-tetraen⟩*	Spur	1
	...; 100 Stdn.	*3,4,5,6-Tetrafluor-⟨benzo-tri-cyclo[3.3.0.0²,⁸]oc-tadien-(3,6)⟩*	17	1
		+ *7,8,9,10-Tetrafluor-⟨benzo-cycloocta-tetraen⟩*	56	
9,10-Dimethoxy-carbonyl-⟨benzo-tricyclo[2.2.2]octatrien-(2,5,7)⟩	0,54 g in 300 *ml* Aceton; Pyrex-Glas	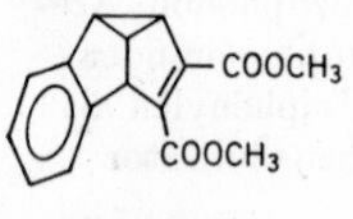 COOCH₃ COOCH₃ *8,9-Dimethoxy-carbonyl-⟨benzo-tricyclo[3.3.0.0²,⁸]octadien-(3,6)⟩*[a]	30	2

[a] 3,6% desselben Stoffes entstehen bei der Belichtung von Acetylen-dicarbonsäure-dimethylester in geschmolzenem Naphthalin[2].

7. andere photochemische Gerüstumlagerungen

bearbeitet von

Prof. Dr. DIETRICH DÖPP*

    Neben der wichtigen Di-π-methan-Umlagerung kennt man einige Gerüst-Umlagerungen von Olefinen, die entweder auf dem Bruch und der Neuknüpfung von σ-Bindungen beruhen oder aber eine nicht in allen Einzelheiten gesicherte Folge gut bekannter elektrocyclischer Reaktionen darstellen.

α) (CH)₁₀-Kohlenwasserstoffe

    Im Gegensatz zu den thermischen sind die lichtinduzierten Isomerisierungen der (CH)₁₀-Kohlenwasserstoffe komplexe Prozesse. So gibt cis-9,10-Dihydro-naphthalin (I) bei der Bestrahlung[3,4] ($\lambda = 254$ nm) *Bicyclo[4.2.2]decatetraen-(2,4,7,9)* (II), *Tricyclo[3.3.2.0⁴,⁶]*

* Institut für Organische Chemie der Universität Kaiserslautern.

1 J. P. N. BREWER u. H. HEANEY, Chem. Commun. 1967, 811.
2 E. GROVENSTEIN, Jr., T. C. CAMPBELL u. T. SHIBATA, J. Org. Chem. 34, 2418 (1969).
3 W. v. E. DOERING u. J. W. ROSENTHAL, Am. Soc. 88, 2078 (1966).
4 W. v. E. DOERING u. J. W. ROSENTHAL, Tetrahedron Letters 1967, 349.

decatrien-(2,7,9) (*Bullvalen*, III), *Naphthalin* (IV) und, wie später gezeigt wurde[1], außerdem *Tricyclo*[5.3.0.0^{4,10}]*decatrien-(2,5,8)* (V):

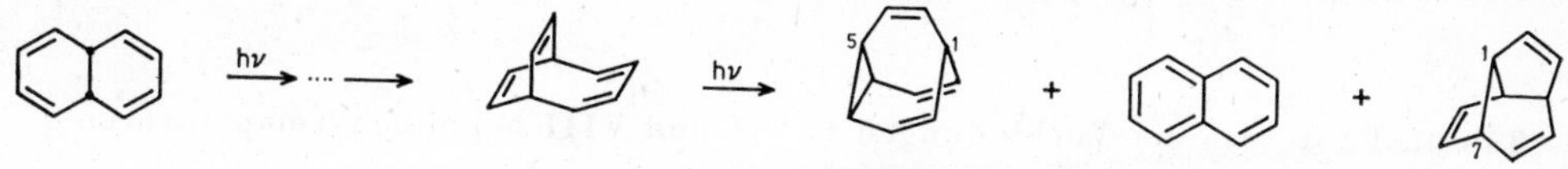

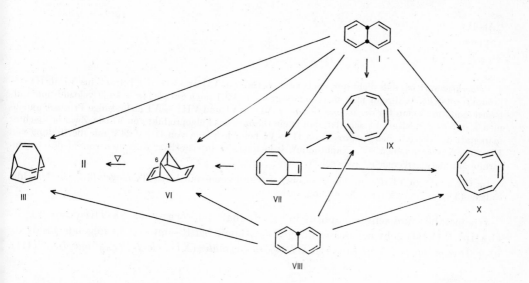

I   II   III   IV   V

Nach den Selektionsregeln von WOODWARD und HOFFMANN[2] sollte aus I durch eine im angeregten Zustand erlaubte [4 π + 4 π]-Cycloaddition der Kohlenwasserstoff VI zugänglich sein, dem als thermische Reaktion im Sinne einer Retro-Diels-Alder-Reaktion die Ringöffnung zu II offensteht. *Tetracyclo*[4.4.0.0^{2,10}.0^{5,7}]*decadien-(3,8)* (VI), als Bindeglied der Photo-Isomerisierung I → II mehrfach gefordert [3-8], konnte erstmals kernresonanz-spektroskopisch in Photolysaten von I, Bicyclo[6.2.0]decatetraen-(2,4,6,9) (VII) und trans-Dihydro-naphthalin (VIII) nachgewiesen werden. Unter den Reaktions-bedingungen (0,25–0,5 molare Lösungen der Ausgangsstoffe in perdeuteriertem Tetra-hydrofuran; λ = 254 nm bei −110 ± 10°; 100 MHz ¹H-NMR-Messungen bei −70°) erreicht man, ausgehend von jedem der drei genannten Ausgangsstoffe, Photolysate ähnlicher Zusammensetzung nach einer Bestrahlungsdauer von jeweils 2,5 Stdn.:

Zum Beispiel besteht das Photolysat aus I zu 19% aus dem *trans*-Isomeren VIII, zu 8% aus I, zu 7% aus Bullvalen (III) und zu 65% aus einer neuen Verbindung, für die nach den Kernresonanz-Daten und den Ergebnissen der Ozonolyse nur die Struktur VI in Frage kommt. Beim Aufwärmen der Probe

[1] M. JONES, jr., Am. Soc. 89, 4236 (1967).
[2] R. B. WOODWARD u. R. HOFFMANN, *Die Erhaltung der Orbitalsymmetrie*, S. 65ff., 38ff., Verlag Chemie, Weinheim 1970.
[3] W. v. E. DOERING u. J. W. ROSENTHAL, Tetrahedron Letters 1967, 349.
[4] G. SCHRÖDER, B. 97, 3140 (1964).
[5] M. JONES, Jr. u. T. SCOTT, Am. Soc. 89, 150 (1967).
[6] G. SCHRÖDER u. J. F. M. OTH, Ang. Ch. 79, 458 (1967).
[7] S. MASAMUNE et al., Am. Soc. 90, 2727 (1968).
[8] S. MASAMUNE et al., Am. Soc. 90, 5286 (1968).

auf Raumtemp. verschwinden[1] die ^{1}H–NMR-Signale von VI quantitativ und irreversibel, dafür tauchten neu die Signale von II auf.

Weitere Ergebnisse von Photolysen der Verbindungen I, VII und VIII unter ähnlichen Bedingungen bei verschiedenen Bestrahlungsdauern s. Tab. 67[2].

Tab. 67. Photolyse der Verbindungen I, VII und VIII bei tiefen Temperaturen[2]
(vgl. S. 433)

Ausgangs-material	Temp. [°C]	Zeit [Min.]	Produktverteilung (%)					
			VI	I	VIII	III	IX	X
I	–190	420	0	100	0	0	0	0
	–110	240	65	8	19	7	b	0
	– 60	80	40	15	0	23	7	15
	0	80	40[a]	18	15	25	0	0
VII	–190	420	0	0	0	0	0	0
	–110	180	63	11	13	10	b	0
	– 60	85	60	10	17	6	1–2	0
VIII	–190	480	0	0	100	0	0	0
	–110	120	55	10	30	5	b	0
	– 60	180	55	14	22	7	1–2	0

[a] Als II.
[b] Spuren.

Bemerkenswert ist, daß nicht nur aus I, sondern auch aus VII und VIII der Tetracyclus VI als Hauptprodukt entsteht. Während man die Isomerisierung 1 → VI noch gut als [$4\pi + 4\pi$]-Cycloaddition[4] auffassen kann, muß man für die Isomerisierungen VII → VI und VIII → VI mehrstufige Prozesse annehmen (s. unten). Jedoch ergibt sich klar, daß II ein thermisches Folgeprodukt von VI ist[5]. Zwar beobachtet man statt der thermischen Rückreaktion II → VI beim Erhitzen von II auf 245° nur die Bildung von I in 20% Ausbeute neben 80% Naphthalin[6], jedoch ist das intermediäre Auftreten von VI durch Deuterium-Markierungsversuche[7] nahegelegt.

Im Gegensatz zu VI sind in den Positionen 1 und 6 heteroannellierte Tetracyclo[4.4.0.0^{2,10}.0^{5,7}]decadiene-(3,8) VI[8] (S. 433) bei Raumtemp. stabil.

Das instabile und schwer naphthalinfrei zu erhaltende trans-4a,8a-Dihydro-naphthalin[9–11] (VIII) geht bei Bestrahlung ($\lambda = 254\,$nm) bei Raumtemp. in folgende Produkte über: Decapentaen-(1,3,5,7,9) (XI), 1,2-Dihydro-napthalin (XII), cis-1-Phenyl-butadien (XIII),

---

[1] Die Autoren[3] geben für die thermische Isomerisierung VI→II folgende Reaktionsgeschwindigkeitskonstanten an: $k_{-14,9°} = 1{,}25 \cdot 10^{-4}$ [sec^{-1}], $k_{-29,0°} = 9{,}5 \cdot 10^{-6}$[sec^{-1}].

[2] S. Masamune u. R. T. Seidner, Chem. Commun. 1969, 542.

[3] S. Masamune et al., Am. Soc. 90, 5286 (1968).

[4] R. B. Woodward u. R. Hoffmann, Die Erhaltung der Orbitalsymmetrie, S. 65ff., 38ff., Verlag Chemie, Weinheim 1970.

[5] S. Masamune et al., Am. Soc. 90, 5286 (1968).

[6] W. v. E. Doering u. W. Rosenthal, Tetrahedron Letters 1967, 349.

[7] M. Jones, Jr. u. B. Fairless, Tetrahedron Letters 1968, 4881.
　R. T. Seidner, N. Nakatsuka u. S. Masamune, Canad. J. Chem. 48, 187 (1970).

[8] W. v. Philippsborn et al., Helv. 53, 725 (1970) und dort zitierte frühere Arbeiten.

[9] E. E. van Tamelen u. T. L. Burkoth, Am. Soc. 89, 151 (1967).

[10] M. Jones, Jr. u. L. T. Scott, Am. Soc. 89, 150 (1967).

[11] E. E. van Tamelen, T. L. Burkoth u. R. H. Greeley, Am. Soc. 93, 6120 (1971).

cis-4a,8a-Dihydro-naphthalin (I) und *Bullvalen* (III), letzteres verunreinigt mit etwas Naphthalin[1,2]:

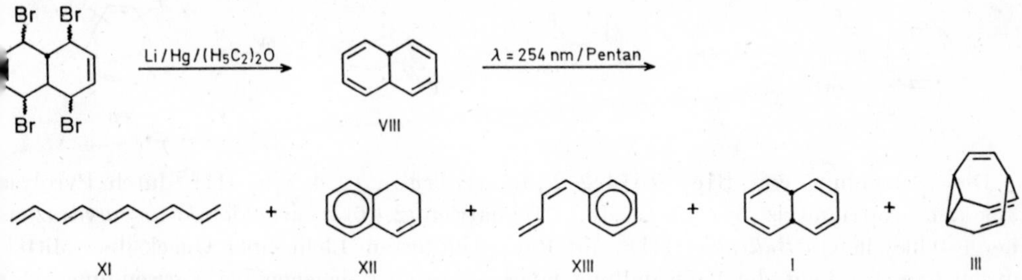

Photolysate von trans-4a,8a-Dihydro-naphthalin, die in Äther/Isopentan/Äthanol bei −190° gewonnen wurden, lassen spektroskopisch neben *cis-4a,8a-Dihydro-naphthalin* (I) eine weitere Komponente erkennen[3], die bei kontrollierter Diimid-Reduktion Cyclodecan ergibt, und bei der es sich entweder um *all-cis-* (IXa) oder *cis,cis,trans,cis,trans-Cyclodecapentaen* (IXb) oder eine Mischung beider handeln muß. Sowohl IXa als auch IXb können aus VIII durch eine im elektronisch angeregten Zustand erlaubte elektrocyclische konrotatorische Ringöffnung[4] entstehen.

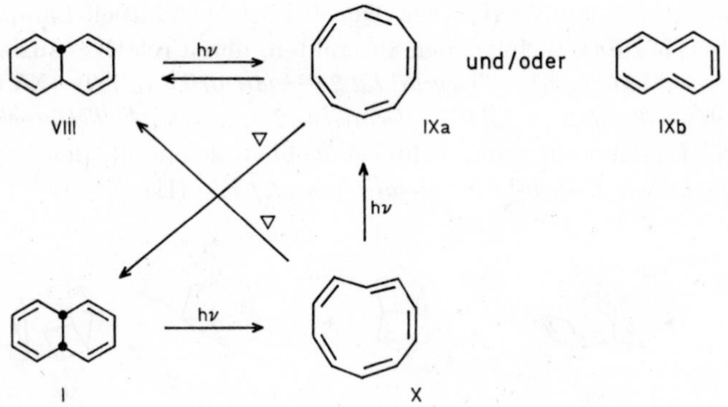

Die intermediäre Existenz kurzlebiger Cyclodecapentaene (IXa, X) wird für die photochemische Umwandlung von VIII in I[1,2] und umgekehrt[5] angenommen (da die thermischen Isomerisierungen, z. B. X → VIII, bei Temp. unterhalb −50° eingefroren sind[5], wird gefolgert, daß hierzu auch rein photochemische Wege beschritten werden, z. B. I → X → IXa → VIII[5]) und aus Abfang-Experimenten abgeleitet[1,2,5]. So liefert die Diimid-Reduktion bei −78° des durch Tieftemperatur-Photolyse gewonnenen[1,2] Photolysats aus VIII ebenso wie die katalytische Hydrierung[5] (bei −70° in Äthanol an einem Rhodium-Katalysator) des Tieftemperatur-Photolysats von I in guter Ausbeute Cyclodecan.

Auch die Photoisomerisierung von 10-Fluor-9-chlor-cis-bicyclo[6.2.0]decatetraen-(2,4,6,9) (XIV) in verschiedene Chlor- und Fluor-substituierte Bicyclo[4.2.2]de-

---

[1] E. E. van Tamelen u. T. L. Burkoth, Am. Soc. **89**, 151 (1967).

[2] E. E. van Tamelen, T. L. Burkoth u. R. H. Greeley, Am. Soc. **93**, 6120 (1971).

[3] M. Jones, Jr. u. L. T. Scott, Am. Soc. **89**, 150 (1967).

[4] R. B. Woodward u. R. Hoffmann, *Die Erhaltung der Orbitalsymmetrie*, S. 38 ff., Verlag Chemie, Weinheim 1970.

[5] S. Masamune u. R. T. Seidner, Chem. Commun. **1969**, 542.

catetraene (XV) und weiter in *Fluor-chlor-bullvalen*[1] (XVI) kann nur über das intermediäre Auftreten von [10]-Annulenen gedeutet werden:

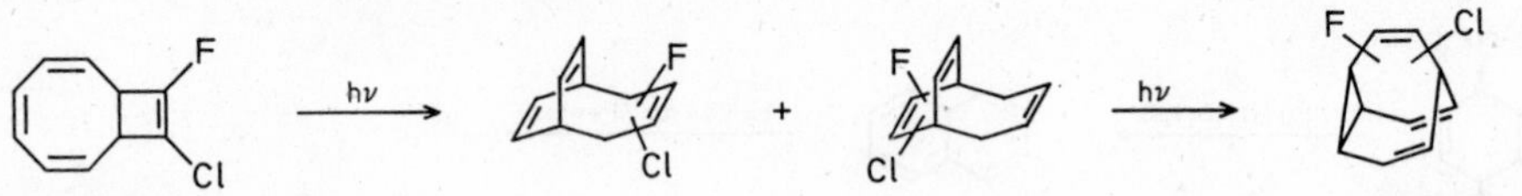

Die Bestrahlung von Bicyclo[4.2.2]decatetraen-(2,4,7,9) (II) (durch Pyrolyse aus dem Natriumsalz des Bicyclo[6.1.0]nonatrien-(2,4,6)-9-carbaldehyd-tosylhydrazons hergestellt[2]) liefert *Bullvalen* (III)[2]. Mit Pyrex-gefiltertem Licht einer Quecksilber-Mitteldruck-Lampe erfolgt die Umwandlung langsam, rascher dagegen bei Verwendung einer Quarz-Apparatur. Aus einem Halbmikro-Ansatz wurden 64% III isoliert. Bei dieser Reaktion handelt es sich um eine sog. Di-π-methan-Umlagerung; Einzelheiten zu diesem Reaktionstyp s. S. 413ff.

Die Photolyse (Äther; 450 W Hanovia Quecksilber-Mitteldruck-Lampe; Vycor-Filter) von Bullvalen (III) führt zu folgenden Produkten, deren relative Ausbeuten stark von den Bedingungen abhängen[3,4]: *Tricyclo[4.2.2.0²,⁵]decatrien-(3,7,9)* (XVII, Nenitzescu's Kohlenwasserstoff), *Tricyclo[5.3.0.0⁴,¹⁰]decatrien-(2,5,8)* (V), *Tetracyclo[4.4.0.0²,⁸.0⁵,⁷] decadien-(3,9)* (XVIII) und ein pentacyclischer Kohlenwasserstoff, dem vermutlich Struktur XIX zukommt, sowie *Bicyclo[4.2.2]decatetraen-(2,4,7,9)* (II):

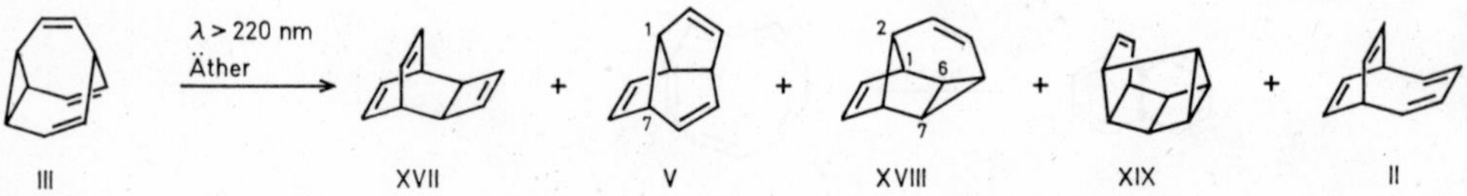

Tab. 68. Gaschromatographische Produktanalyse von Bullvalen-Photolysaten. Die Angaben stellen die unkorrigierten Peakflächen dar

Photolysedauer [Min.]	III	XVII	V	XVIII	XIX	II
0	605	0	0	0	0	0
25	450	4	11	3	0	12
59	432	16	24	14	4	9
128	357	30	28	31	15	8
270	201	53	23	51	36	6
473	100	73	16	75	50	3
530	42	91	9	91	41	0

[1] H. Röttele et al., B. **102**, 3377 (1969).
[2] M. Jones, Jr. u. T. Scott, Am. Soc. **89**, 150 (1967).
[3] M. Jones, Jr., Am. Soc. **89**, 4236 (1967).
[4] M. Jones, Jr., S. D. Reich u. L. T. Scott, Am. Soc. **92**, 3118 (1970).

Der Kohlenwasserstoff V (S. 436) könnte aus III durch eine photochemisch erlaubte[1] suprafaciale [1,3]-Wanderung hervorgehen[2], und für die Bildung von XVIII wird die Sequenz III → XX → XXI → XVIII als möglicher Reaktionsweg vorgeschlagen[2]:

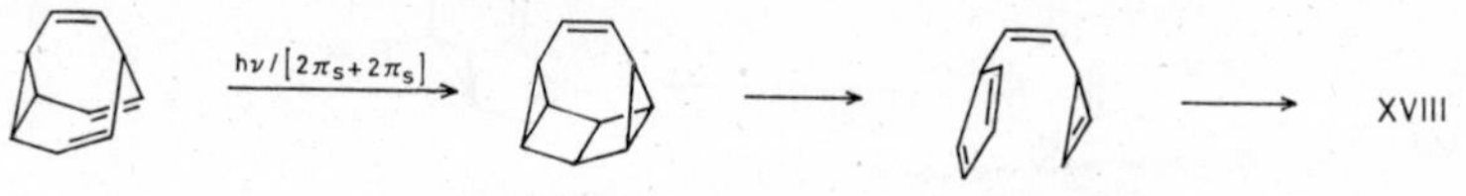

Erwähnt werden soll an dieser Stelle auch der Befund, daß die Isomerisierung des Bullvalens (III) in Bicyclo[4.2.2]decatetraen-(2,4,7,9) (II) (S. 436) auch durch Quecksilberbromid möglich ist[3].

β) 3-Methylen-cyclohexadien-(1,4)-Derivate

Die direkte Belichtung (Hanovia 450 W Quecksilber-Mitteldruck-Lampe, Vycor-Filter) 2,5–5%iger ätherischer Lösungen von 1,2,4,5,6,6-Hexamethyl-3-methylen-cyclo-hexadien-(1,4) (Ia) (durch saure Dehydratisierung des aus Methyl-magnesiumbromid und 6-Oxo-1,2,3,3,4,5-hexamethyl-cyclohexadien-(1,4)[4] erhaltenen Carbinols) liefert *1,2,3,5,6,6-Hexamethyl-4-methylen-bicyclo[3.1.0]hexen-(2)* (IIa)[5]. Da unter analogen Bedingungen aus Ib kein IIb entsteht, das in Pos. 6 eine Trideuteriomethyl-Gruppe neben einer Methyl-Gruppe trägt, scheidet als Reaktionsweg eine Bindung zwischen den Kohlenstoff-Atomen 2 und 6 in Ia und anschließende Methyl-Wanderung (vom Kohlenstoff-Atom 6 an das Kohlenstoff-Atom 1) aus. Während Ic noch im gleichen Sinne reagiert, verhalten sich Id und Ie unter den bei Ia–Ic erfolgreichen Bedingungen reaktionsträge[5].

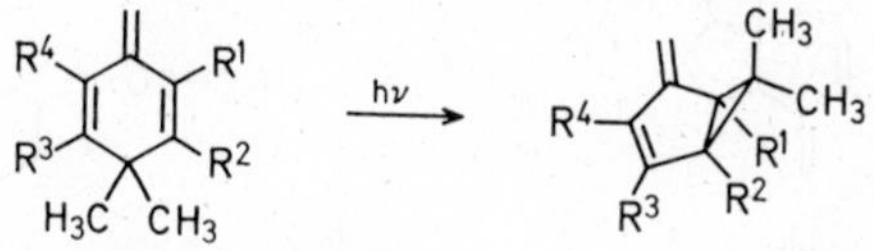

a; $R^1 = R^2 = R^3 = R^4 = CH_3$
b; $R^1 = R^4 = CH_3, R^2 = R^3 = CD_3$
c; $R^1 = R^2 = R^3 = CH_3, R^4 = H$
d; $R^1 = CH_3, R^2 = R^3 = R^4 = H$
e; $R^1 = R^3 = CH_3, R^2 = R^4 = H$

Mit geringer Quantenausbeute ($\varphi = 0,0029$) gelingt die Isomerisierung von 6,6-Dimethyl-3-methylen-cyclohexadien-(1,4) (III)[6] bei der direkten Anregung mit Vycor-gefiltertem Licht in *6,6-Dimethyl-4-methylen-bicyclo[3.1.0]hexen-(2)* (IV). Dagegen verläuft die Isomerisierung des entsprechenden 6,6-Diphenyl-Derivats (V)[6,7] mit größerer

[1] R. B. Woodward u. R. Hoffmann, *Die Erhaltung der Orbitalsymmetrie*, Verlag Chemie, Weinheim 1970.
[2] M. Jones, Jr., S. D. Reich u. L. T. Scott, Am. Soc. **92**, 3188 (1970).
[3] G. Schröder u. H. P. Löffler, Ang. Ch. **80**, 758 (1968).
[4] H. Hart u. D. W. Swatton, Am. Soc. **89**, 1874 (1967).
[5] H. Hart et al., Chem. Commun. **1968**, 1650.
[6] H. E. Zimmerman et al., Am. Soc. **89**, 5973 (1970).
[7] H. E. Zimmerman et al., Am. Soc. **93**, 3653 (1971).

Effizienz ($\varphi = 0{,}135$) zu einem 36:1-Gemisch von *trans-1,6-Diphenyl-4-methylen-* und *cis-1,6-Diphenyl-4-methylen-bicyclo[3.1.0]hexen-(2)* (VI u. VII)[1,2]:

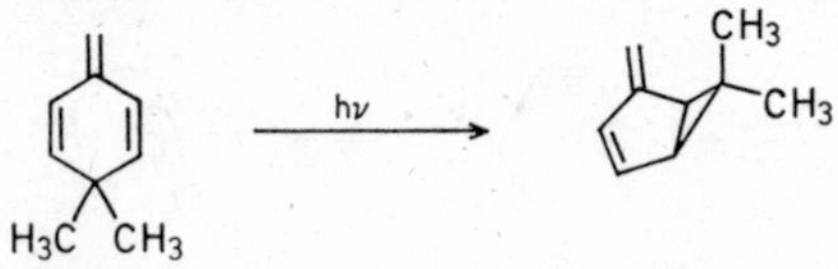

III   IV

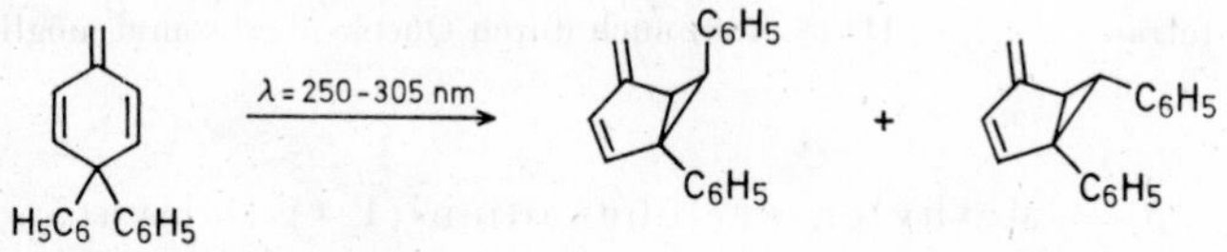

V   VI   VII

In allen genannten Fällen reagieren die Ausgangsstoffe aus einem angeregten Singulett-Zustand. So liefert die Bestrahlung von I a (S. 437) in Aceton kein II a[3] und Benzophenon vermag die Isomerisierungen von III und V nicht zu sensibilisieren[1], obwohl unter den Reaktionsbedingungen[4] Triplett-Energie-Transfer auf das Substrat gewährleistet ist und die Pinakolisierung von Benzophenon durch III und V zu 95% gelöscht wird, ohne daß bicyclische Produkte entstehen[1].

Hinsichtlich des Reaktionsmechanismus bestehen verschiedene[2,3] Auffassungen. Der Klassifizierung der Isomerisierung I → II[3] als synchrone [π^2a + σ^2a]-Cycloaddition[5] wird die Interpretation der Umwandlungen III → IV und V → VI + VII als Di-π-methan-Umlagerungen[2] (s. S. 413ff.) gegenübergestellt.

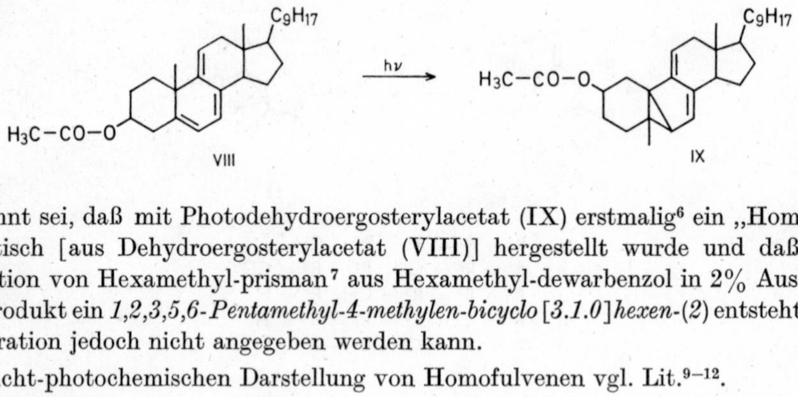

VIII   IX

Erwähnt sei, daß mit Photodehydroergosterylacetat (IX) erstmalig[6] ein „Homofulven" photolytisch [aus Dehydroergosterylacetat (VIII)] hergestellt wurde und daß bei der Präparation von Hexamethyl-prisman[7] aus Hexamethyl-dewarbenzol in 2% Ausbeute als Nebenprodukt ein *1,2,3,5,6-Pentamethyl-4-methylen-bicyclo[3.1.0]hexen-(2)* entsteht[8], dessen Konfiguration jedoch nicht angegeben werden kann.

Zur nicht-photochemischen Darstellung von Homofulvenen vgl. Lit.[9–12].

[1] H. E. ZIMMERMAN et al., Am. Soc. **89**, 5973 (1970).
[2] H. E. ZIMMERMAN et al., Am. Soc. **93**, 3653 (1971).
[3] H. HART et al., Chem. Commun. **1968**, 1650.
[4] H. E. ZIMMERMAN et al., Am. Soc. **88**, 4895 (1966).
[5] R. B. WOODWARD u. R. HOFFMANN, *Die Erhaltung der Orbitalsymmetrie*, S. 65ff., Verlag Chemie, Weinheim 1970.
[6] D. H. R. BARTON u. A. S. KENDE, Soc. **1958**, 688.
[7] W. SCHÄFER et al., Ang. Ch. **79**, 54 (1967).
[8] H. HOGEVEEN u. H. C. VOLGER, Chem. Commun. **1967**, 1133.
[9] M. REY, U. A. HUBER u. A. S. DREIDING, Tetrahedron Letters **1968**, 3583.
[10] W. SCHÄFER u. H. HELLMANN, Ang. Ch. **79**, 566 (1967).
    H. HELLMANN, Chimia **22**, 50 (1968).
[11] R. CRIEGEE u. H. GRÜNER, Ang. Ch. **80**, 447 (1968).
[12] R. CRIEGEE et al., B. **103**, 3696 (1970).

γ) 4-Methylen-bicyclo[3.1.0]hexen-(2)-Derivate

Bei „Homofulvenen" werden lichtinduzierte Isomerisierungen zu Methylen-cyclo-hexadienen[1-4], Cyclopropan-⟨1-spiro-5⟩-cyclopentadienen[2-5] und substituierten Benzolen[1,4] beobachtet.

Die direkte Photolyse[1] von 1,2,3,5,exo-6-Pentamethyl-4-methylen-bicyclo [3.1.0]hexen-(2) (Ia) in (für spektroskopische Zwecke gereinigtem) Hexan mit mono-chromatischem Licht der Wellenlänge $\lambda = 254$ nm läßt sich UV-spektroskopisch verfolgen. Zuerst entsteht eine Verbindung ($\lambda_{max} = 310$ und 212 nm), der Struktur II zugeordnet wird[1]. Bei weiterer Bestrahlung entsteht *Hexamethyl-benzol* (III) in hoher Ausbeute.

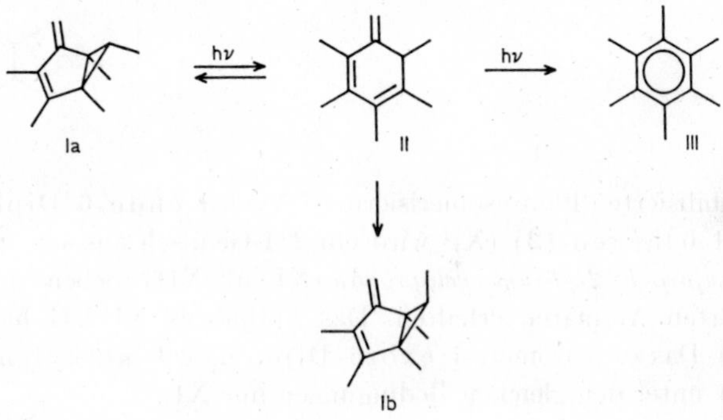

Bei 15 stdg. Belichtung einer hochverdünnten ($5,3 \cdot 10^{-2}$ Mol/l) Lösung von Ia in Hexan mit einer 90 W Quecksilber-Niederdruck-Tauchlampe unter Stickstoffspülung und Wasserkühlung ließ sich *1,2,3,4,6-Pentamethyl-5-methylen-cyclohexadien-(1,3)* (II) in ausreichender Menge anreichern und von unumgesetztem Ausgangsmaterial Ia sowie dessen *endo*-Isomeren Ib sowie III abtrennen.

Belichtung von 1,2,4,6,6-Pentamethyl-3-methylen-cyclohexadien-(1,4)[2,6] (IV, S. 440) in ätherischer Lösung ($\lambda = 254$ nm) zeigt, daß die anfänglich im Verhältnis 62:38 gebildeten Homofulvene, *1,3,5,6,6-Pentamethyl-4-methylen*- und *2,3,5,6,6-Pentamethyl-4-methylen-bicyclo[3.1.0]hexen-(2)* (V u. VI) zu drei weiteren Produkten VII, VIII u. IX photo-lysiert werden. Die separate Bestrahlung von V liefert *1,2,4,6,6-Pentamethyl-5-methylen-cyclo-hexadien-(1,3)* (VII) und *1,2,3-Trimethyl-cyclopentadien-⟨5-spiro-1⟩-2,2-dimethyl-cyclopropan* (VIII) im Verhältnis 68:32, die entsprechende Behandlung von VI führt zu einem Iso-

---

[1] H. Hüther u. H. A. Brune, Z. Naturf. **23b**, 1612 (1968).

[2] T. Tabata u. H. Hart, Tetrahedron Letters **1969**, 4429.

[3] H. Hart u. J. D. de Vrieze, Chem. Commun. **1968**, 1651.

[4] H. E. Zimmerman et al., Am. Soc. **92**, 3473 (1970); **93**, 3662 (1971).

[5] N. K. Hamer u. M. Stubbs, Soc. [D] **1970**, 1013.

[6] H. Hart, P. M. Collins u. A. J. Waring, Am. Soc. 88, 1005 (1966).

merengemisch aus 40% VIII und 60% *1,3,4,6,6-Pentamethyl-5-methylen-cyclohexadien-(1,3)*
(IX). Für den Reaktionsablauf wird ein Diradikal-Mechanismus vorgeschlagen[1].

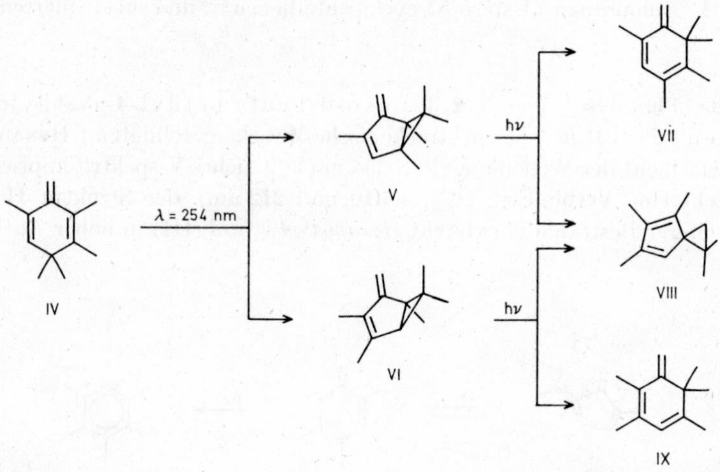

Bei der unsensibilisierten Photoisomerisierung[2,3] von 1,endo-6-Diphenyl-4-methy-
len-bicyclo[3.1.0]hexen-(2) (X)[4] wird ein 2:1-Gemisch aus *syn-* und *anti-2-Phenyl-
cyclopentadien-⟨5-spiro-1⟩-2-phenyl-cyclopropan* (XI u. XII) neben nicht näher untersuchten methylierten Aromaten erhalten. Das Verhältnis XI:XII hängt vom Ausmaß
der Umsetzung ab. Das zu X isomere 1,exo-6-Diphenyl-4-methylen-bicyclo[3.1.0]
hexen-(2) ergibt unter den gleichen Bedingungen nur XI.

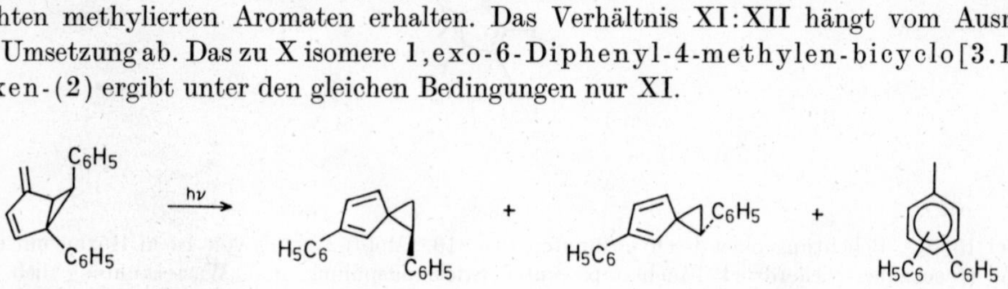

A priori kann eines der beiden Isomeren (XI, XII) stereospezifisch entstanden und das andere daraus
durch einen sekundären Prozeß hervorgegangen sein. Untersuchungen an 1,2,*exo*-6-Triphenyl-4-methylen-
5-deuterio-bicyclo[3.1.0]hexen-(2) (XIII)[3] zeigen eine hohe Stereoselektivität der beteiligten Einzel-
schritte. Die Stoffverteilung (~ 95% XV, 5% XVI) spricht für eine photochemische Isomerisierung
von XIII in XIV im Sinne einer [1,5]-Verschiebung (unter Inversion am Kohlenstoff-Atom 6)[5], die
Zwischenstufe XIV erleidet anschließend eine thermische [1,5]-Verschiebung des Kohlenstoff-Atoms 6
unter Retention.

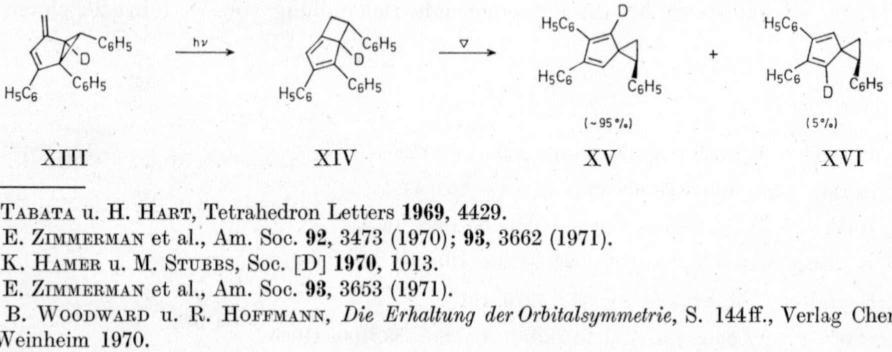

[1] T. TABATA u. H. HART, Tetrahedron Letters **1969**, 4429.
[2] H. E. ZIMMERMAN et al., Am. Soc. **92**, 3473 (1970); **93**, 3662 (1971).
[3] N. K. HAMER u. M. STUBBS, Soc. [D] **1970**, 1013.
[4] H. E. ZIMMERMAN et al., Am. Soc. **93**, 3653 (1971).
[5] R. B. WOODWARD u. R. HOFFMANN, *Die Erhaltung der Orbitalsymmetrie*, S. 144ff., Verlag Chemie,
    Weinheim 1970.

Eine andere Interpretation[1,2], die auch die Entstehung der verschiedenen Diphenyl-toluole zu erklären vermag, schlägt einen Mechanismus vor, bei dem das Kohlenstoff-Atom 6 quasi als divalenter Kohlenstoff auf dem π-System entlanggleitet, solange sich das Molekül im angeregten Singulett-Zustand befindet. Die Bewegung kann „im Uhrzeigersinn" ⓐ oder „gegen den Uhrzeigersinn" ⓑ erfolgen, wobei der endo-ständige Phenyl-Ring immer in endo-Position bleibt. Die Gleitbewegung kann in verschiedenen Stadien abgebrochen werden. Durch Bindung des Kohlenstoff-Atom 6 an das exocyclische Methylen-Kohlenstoff-Atom entstehen die beiden Spiro-Verbindungen, durch Bruch der zentralen Brücke und Wasserstoff-Verschiebung stabilisieren sich die verschiedenen Methyl-diphenyl-benzole[1].

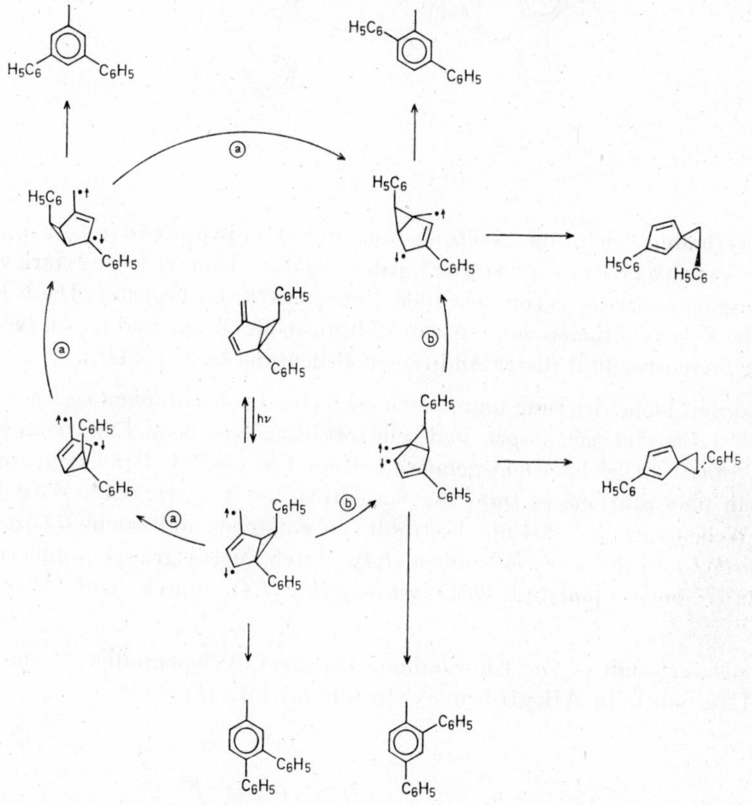

Bei Triplett-Sensibilisierung mit Benzophenon wandelt sich 1,endo-6-Diphenyl-4-methylen-bicyclo[3.1.0]hexen-(2) mit einer Quantenausbeute $\varphi = 0,28$ vollständig in das isomere *1,exo-6-Diphenyl-4-methylen-bicyclo[3.1.0]hexen-(2)* um[2]. Der umgekehrte Vorgang, die Überführung der exo- in die endo-Verbindung, gelingt nicht.

Die Photoumlagerung von 6,6-Dimethyl-4-methylen-bicyclo[3.1.0]hexen-(2) in *Cyclopentadien-⟨5-spiro-1⟩-2,2-dimethyl-cyclopropan* und *6,6-Dimethyl-3-methylen-cyclohexadien-(1,4)* wird ebenfalls mit dem vorher beschriebenen „Gleitmechanismus" gedeutet[2]. Wie bei X verhindert Benzophenon auch hier die Umlagerung. Es wird daraus der Schluß gezogen, daß derartige Gerüst-Umlagerungen von „Homofulvenen" im angeregten Singulett-Zustand ablaufen[2].

---

[1] H. E. Zimmerman et al., Am. Soc. **92**, 3474 (1970).
[2] H. E. Zimmerman et al., Am. Soc. **93**, 3662 (1971).

δ) Cyclopropan-⟨spiro⟩-cycloalkadiene

Fluoren-⟨9-spiro-1⟩-cis-2,3-dimethyl-cyclopropan (I) und sein *trans*-Iso-meres (II) wandeln sich beim Belichten mit Pyrex-gefiltertem Licht einer Quecksilber-Hochdruck-Lampe ineinander um[1]; das photostationäre Gleichgewicht liegt bei einem *trans/cis*-Verhältnis von 1,74.

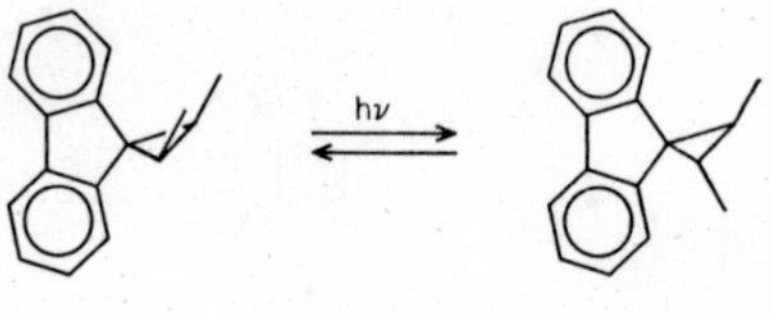

I II

Analog verhalten sich die *cis/trans*-isomeren Cyclopentadien-⟨5-spiro-1⟩-3-methyl-2-isopropyl-cyclopropane[2], jedoch ist diese Isomerisierung stark von den das jeweilige Ausgangsmaterial verbrauchenden Nebenreaktionen begleitet. Diese Reaktionen sind mögliche Folgereaktionen von Carben-Additionen an Olefine und haben für die Untersuchung der Stereospezifität dieser Additionen Bedeutung (s. S. 1224 ff.).

Einer analogen Isomerisierung unterliegen *cis-6-Oxo-1,5-di-tert.-butyl-cyclohexadien-(1,4)-⟨3-spiro-1⟩-2,3-dimethyl-cyclopropan* und sein *trans*-Isomeres beim Erwärmen auf 150° in Decan, das *trans:cis* Gleichgewichtsgemisch beträgt 1,8 ± 0,2:1. Beim Belichten (λ = 350 nm) wird ein photostationäres *trans:cis* Verhältnis von 4:1 erreicht[3]. Wird jedoch mit Licht der Wellenlänge λ = 254 nm bestrahlt, so entstehen außerdem *6-Oxo-1,5-di-tert.-butyl-4-(2-methyl-propyliden)-cyclohexadien-(1,4)* (durch Methylgruppenwanderung) sowie *6-Oxo-1,5-di-tert.-butyl-3-[butyl-(2)-iden]-cyclohexadien-(1,4)* (durch eine Wasserstoffverschiebung)[4].

Hiermit eng verwandt ist die Umwandlung von zwei Cyclopentadien-⟨5-spiro-1⟩-cyclopropanen (IIIa und b) in Alkyliden-cyclopentadiene (IVa–e)[5]:

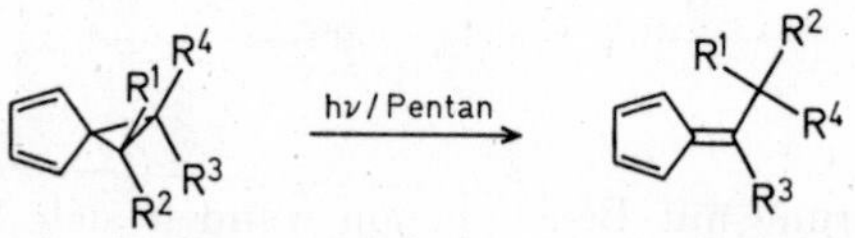

III IV

a; R¹ = R² = R³ = R⁴ = H; *5-Äthyliden-cyclopentadien*;75 %
         d.Th., bez. auf umgesetztes IIIa

b; R¹ = CH₃, R² = R³ = R⁴ = H; *5-Propyliden-cyclopentadien*

c; R¹ = R² = H; R³ = R⁴ = CH₃; *5-Butyliden-(2)-cyclopentadien*

d; R¹ = R² = R³ = R⁴ = CH₃; *5-[3,3-Dimethyl-butyliden-(2)]-cyclopentadien*

e; R¹ = R² = R³ = H; R⁴ = C₆H₅; *5-[2-Phenyl-äthyliden]-cyclopentadien*

[1] W. v. E. Doering u. M. A. Jones, Jr., Tetrahedron Letters 1963, 791.
[2] R. A. Moss u. J. R. Przybyla, J. Org. Chem. 33, 3816 (1968).
[3] W. H. Pirkle, S. G. Smith u. G. F. Koser, Am. Soc. 91, 1580 (1969).
[4] W. H. Pirkle u. G. F. Koser, Tetrahedron Letters 1968, 129.
[5] P. H. Mazzocchi, Tetrahedron Letters 1969, 989.

Die Reaktion III a → IV a verläuft rasch bis zu einem Umsatz von 45%, dann beginnt das Produkt zu stören. Aus IVc, IVd und IVe werden nur polymere Produkte gebildet. Benzophenon vermag die Reaktion III a → IV a nicht zu sensibilisieren, jedoch wird die Pinakolisierung[1] von Benzophenon durch III a gelöscht. Mithin verläuft die Isomerisierung über einen angeregten Singulett-Zustand.

ε) $[2\,\pi + 2\,\sigma]$-Photoadditionen

Intramolekulare $[2\,\pi + 2\,\sigma]$-Cycloadditionen zwischen C=C-Doppelbindungen und Cyclopropan-Ringen lassen sich thermisch[2] und photochemisch[3-5] dann realisieren, wenn das π-System der Doppelbindung möglichst gut mit den in der Ebene des Dreiringes liegenden quasi-Orbitalen („Δ-Orbitalen")[6] des Cyclopropans überlappen kann.

Sehr gute Überlappungsvoraussetzungen bietet exo-Tricyclo$[3.2.1.0^{2,4}]$octen-(6) I; R=H). In Äther wird bei Bestrahlung (450 W Hanovia Quecksilber-Mitteldruck-Lampe) Tetracyclo$[3.3.0.0^{2,8}.0^{4,6}]$octan (II; R=H) mit 29%iger Ausbeute gebildet[7]:

I   II

Die Umsetzung des 3,6,7-Tricarboxy-Derivates (Q 81 Quecksilber-Hochdruck-Lampe; Uviol-Glas-Filter) liefert *1,anti-3,5-Tricarboxy-tetracyclo$[3.3.0.0^{2,8}.0^{4,6}]$octan* (II; R= COOH; 90% d.Th.), der entsprechende Trimethylester entsteht in 40%iger Ausbeute[3]. Cyclopropan-⟨1-spiro-8⟩-anti-3,6,7-trimethoxycarbonyl-exo-tricyclo[3.2. 1.0²,⁴]octen-(6) wird durch Belichtung in Äther hauptsächlich in Dihydro-Derivate überführt[4]; *Cyclopropan-⟨1-spiro-7⟩-1,anti-3,5-trimethoxycarbonyl-tetracyclo$[3.3.0.0^{2,8}.0^{4,6}]$octan* macht nur ~ 3–4% der Produkte aus. Über die Photolyse von 6,7-Dimethoxycarbonyl-3-oxa-tricyclo[3.2.1.0²,⁴]octen-(6) s. S. 684.

Cyclopropan-⟨1-spiro-7⟩-1,anti-3,5-tricarboxy-tetracyclo[3.3.0.0²,⁸.0⁴,⁶]octan[4]: Eine Lösung von 1,2 g (4,6 mMol) Cyclopropan-⟨1-spiro-8⟩-anti-3,6,7-tricarboxy-*exo*-tricyclo[3.2.1.0²,⁴]octen-(6) in 420 *ml* mit Stickstoff gesättigtem Wasser wird mit einer Hanau Q 81 Quecksilber-Hochdruck-Lampe durch ein Vycor-Filter belichtet. Nach 6 Stdn. ist das UV-Absorptionsmaximum der Ausgangsverbindung bei λ = 259 nm im Photolysat nicht mehr zu erkennen. Aus der auf 10 *ml* eingeengten Lösung kristallisieren 0,80 g (66% d.Th.) des Produktes aus; F: 255° (Zers.). Der in der Mutterlauge verbleibende Anteil läßt sich nach Eindampfen, Chlorieren des Rückstandes mit Phosphor(V)-chlorid und Umsetzen als Trimethylester (25–29%) gewinnen.

endo-Orientierte Dreiringe können weniger gut diese intramolekulare $[2\,\pi + 2\,\sigma]$-Cycloaddition eingehen. endo-Tricyclo$[3.2.1.0^{2,4}]$octen-(6) (III) liefert die Verbindung II nur in 15%iger Ausbeute[7]:

III   II; *anti-Tetracyclo$[3.3.0.0^{2,8}.0^{4,6}]$octan*

Für zwei weitere Beispiele vgl. Lit.[4].

[1] W. M. MOORE, G. S. HAMMOND u. R. P. Foss, Am. Soc. **83**, 2789 (1961).
[2] H. PRINZBACH u. H. D. MARTIN, Helv. **51**, 438 (1968).
[3] H. PRINZBACH, W. EBERBACH u. G. v. VEH, Ang. Ch. **77**, 454 (1965).
[4] H. PRINZBACH u. W. EBERBACH, B. **101**, 4083 (1968).
[5] H. PRINZBACH, Pure Appl. Chem. **16**, 17 (1968).
[6] R. HOFFMANN, Tetrahedron Letters **1965**, 3819.
[7] P. K. FREEMAN, D. G. KUPER u. V. N. M. RAO, Tetrahedron Letters **1965**, 3301.

Eine Verminderung der Überlappung tritt auch bei Verbrückung des *exo*-ständigen Dreirings ein. Tetracyclo[4.3.0.0^{2,4}.0^{3,7}]nonen-(8) (IVa) geht bei Belichtung in mäßiger Ausbeute in Verbindung Va über[1,2]:

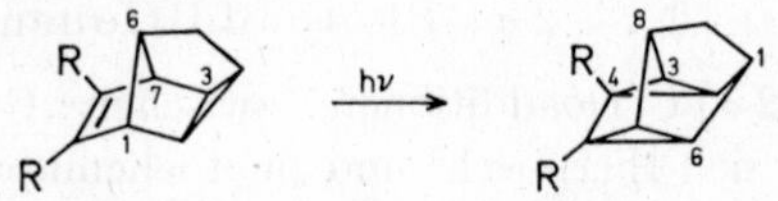

IVa; R=H Va; *Pentacyclo[4.3.0.0^{2,4}.0^{3,8}.0^{5,7}]nonan;*
24%[1] bzw. 30% d.Th.[2]; F: 85–87°[2]

IVb; R=COOCH$_3$ Vb; *4,5-Dimethoxycarbonyl-...* (Ausbeute gering)[3]

Bei Bestrahlung von IVa in Aceton bilden sich ausschließlich Dimere neben einem Aceton-Addukt[4].

4,5-Dicarboxy-pentacyclo[4.3.0.0^{2,4}.0^{3,8}.0^{5,7}]nonan[1]: Eine gesättigte Lösung von 3,8 g 8,9-Dicarboxy-tetracyclo[4.3.0.0^{2,4}.0^{3,7}]nonen-(8) in 500 *ml* wasserfreiem Äther bestrahlt man 12 Stdn. in einem Rayon-net-Reaktor ($\lambda = 254$ nm). Während dieser Zeit kristallisiert eine kleine Menge aus. Konzentration auf 80 *ml* ergibt 2,4 g (63%) Kristalle; F: 245–249°[5].

In wäßriger Lösung[3] findet keine Isomerisierung statt, in Eisessig[3], Äther[1], 1,4-Dioxan[3], Äther/Tetra-hydrofuran-Gemischen[3,5] liegen die Ausbeuten zwischen 15 und 33%[3,5].

In den Fällen, wo sowohl ein *exo*- als auch ein *endo*-ständiger Dreiring vorhanden ist, beteiligt sich ausschließlich der *exo*-ständige[6], z. B. ergibt 3,9,10-Trimethoxycarbonyl-tetracyclo[3.3.2.0^{2,4}.0^{6,8}]decen-(9) (VIa) in Acetonitril *1,4,7-Trimethoxycarbonyl-pentacyclo[5.3.0.0^{2,10}.0^{3,5}.0^{6,8}]decan* (VIIa; 99% d.Th.).:

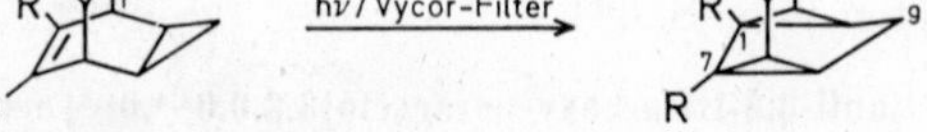

VIa; X=CH–COOCH$_3$ VIIa
VIb; X=O VIIb

Die entsprechende Umsetzung von 9,10-Dimethoxycarbonyl-3-oxa-tetracyclo[3.3.2.0^{2,4}.0^{6,8}]decen-(9) (VIb) liefert quantitativ *1,7-Dimethoxycarbonyl-4-oxa-penta-cyclo[5.3.0.0^{2,10}.0^{3,5}.0^{6,8}]decan* (VIIb)[6].

Eine Verbrückung zweier *exo*-ständiger Dreiringe erschwert deutlich die [2π + 2σ]-Cycloaddition[7,8]:

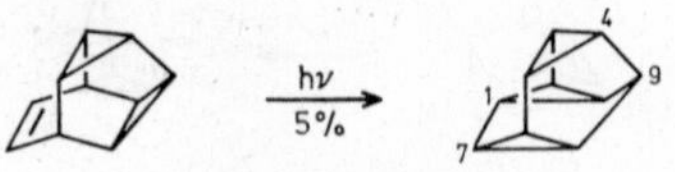

Hexacyclo[5.3.0.0^{2,10}.0^{3,5}.0^{4,9}.0^{6,8}]decan

[1] P. K. FREEMAN u. D. M. BALLS, J. Org. Chem. **32**, 2354 (1967).
[2] E. WISKOTT u. P. v. R. SCHLEYER, Ang. Ch. **79**, 680 (1967).
[3] H. PRINZBACH u. D. HUNKLER, Ang. Ch. **79**, 232 (1967).
[4] H.-D. SCHARF u. G. WEISGERBER, Tetrahedron Letters **1967**, 1567.
[5] C. F. HUEBNER et al., Chem. Commun. **1966**, 419.
[6] H. PRINZBACH, M. KLAUS u. W. MAYER, Ang. Ch. **81**, 902 (1969).
[7] A. DE MEIJERE, D. KAUFMANN u. O. SCHALLNER, Ang. Ch. **83**, 404 (1971).
[8] H. PRINZBACH u. D. STUSCHE, Helv. **54**, 755 (1971).

Keine $[2\pi + 2\sigma]$- sondern ausschließlich $[2\pi + 2\pi]$-Cycloaddition findet man bei 6,7-Dimethoxycarbonyl-tricyclo[3.2.2.0²,⁴]nonadien-(6,8) (VIII)[1]:

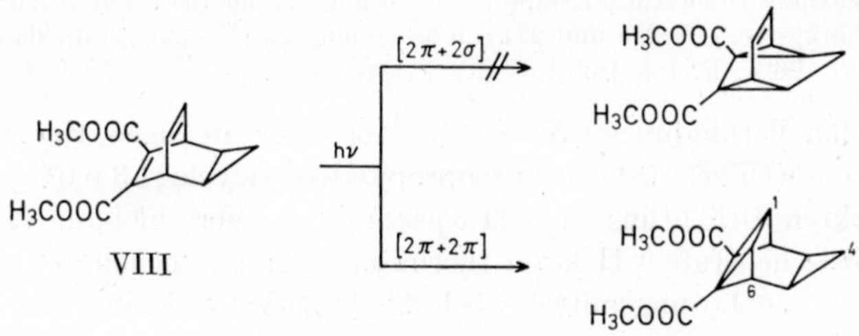

H₃COOC

$[2\pi+2\sigma]$ //

H₃COOC

H₃COOC

hν

VIII

$[2\pi+2\pi]$

H₃COOC

H₃COOC

8,9-Dimethoxycarbonyl-hexacyclo[5.2.0.0²,⁹.0³,⁵.0⁶,⁸]nonan

Die vorgenannten Fälle scheinen sämtlich von angeregten Singulett-Zuständen auszugehen. Die durch Aceton sensibilisierte Isomerisierung[2] von Tricyclo[3.2.2.0²,⁴]nonadien-(6,8) (1%ige Lösung in Pentan/Aceton (1:1); 450 W Hanovia Quecksilber-Mitteldruck-Lampe) zum (unter den Bedingungen der Photolyse nicht sehr beständigen) Tricyclo[3.3.1.0⁴,⁶]nonadien-(2,7) (Barbaralan) unter Beteiligung des Dreiringes (im Gegensatz zu VIII), kann man als möglicherweise mehrstufige „Homo-di-π-methan"-Umlagerung deuten.

ζ) Alkyliden-tetracyclo[5.2.0.0²,⁴.0³,⁷]nonen-(8)-Derivate und Alkyliden-bicyclo[2.2.1]heptadiene

Bei 5-Alkyliden-tetracyclo[5.2.0.0²,⁴.0³,⁷]nonen-(8)-Derivaten (I) sind die beiden äußeren σ-Bindungen des Cyclopropan-Ringes gegenüber der inneren Bindung so stark aktiviert, daß die $[2\pi + 2\sigma]$-Cycloaddition zu (II) ganz hinter der Öffnung des Dreiringes zum Diradikal III zurücktritt[3]:

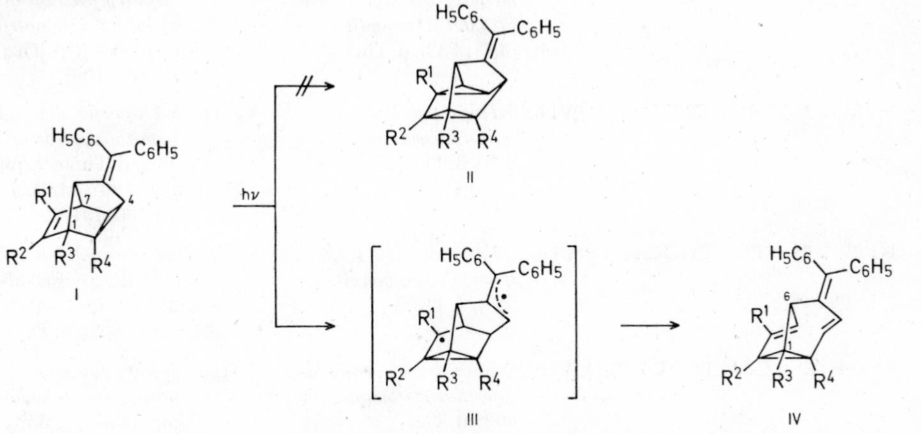

H₅C₆—C₆H₅

R¹

R² R³ R⁴

II

H₅C₆—C₆H₅

R¹ 7 4

1

R² R³ R⁴

I

hν

H₅C₆—C₆H₅

R¹

R² R³ R⁴

III

H₅C₆—C₆H₅

R¹ 6

1

R² R³ R⁴

IV

IVa; R² = R³ = H; R¹ = R⁴ = COOCH₃; 5-Diphenylmethylen-2,8-dimethoxycarbonyl-tricyclo[4.3.0.0²,⁹]nonadien-(3,7); 95% d.Th.; F: 166–167°

IVb; R² = H; R¹ = R³ = R⁴ =COOCH₃; 5-Diphenylmethylen-1,2,8-trimethoxycarbonyl-...; 80% d.Th.; F: 108–109°

IVc; R³ = H, R¹ = R² = R⁴ = COOCH₃; 5-Diphenylmethylen-2,8,9-trimethoxycarbonyl-...; 96% d.Th.; F: 168–169°

Es wird hier selektiv diejenige äußere Cyclopropan-Bindung gespalten, an deren einem Kohlenstoff-Atom sich eine Methoxycarbonyl-Gruppe befindet.

[1] H. PRINZBACH, W. EBERBACH u. G. PHILIPOSSIAN, Ang. Ch. 80, 910 (1968).
[2] J. DAUB u. P. v. R. SCHLEYER, Ang. Ch. 80, 446 (1968).
[3] H. PRINZBACH u. W. AUGE, Ang. Ch. 81, 222 (1969).

5-Diphenylmethylen-2,8,9-trimethoxycarbonyl-tricyclo[4.3.0.0^{2,9}]nonadien-(3,7) (IVc)[1]: Eine entgaste Lösung von 450 mg 5-Diphenylmethylen-2,8,9-trimethoxycarbonyl-tetracyclo[5.2.0.0^{2,4}.0^{3,7}]nonen-(8) (Ia) in 250 ml Acetonitril belichtete man bei –20° ∼ 180 Min. mit dem durch Vycor-Glas gefilterten Licht der Q 81 Quecksilber-Hochdruck-Lampe. Eine Verfolgung der Reaktion durch UV-Kontrolle läßt zwei isosbestische Punkte bei λ = 228 und 271 nm erkennen. Aus Methanol fällt das Produkt in feinen Nadeln aus; Ausbeute: 96%; F: 168–169°.

Die Isopropyliden-Verbindungen V zeigen neben der analogen Reaktion zu den (im Vergleich mit IVa–c weniger stabilen) 5-Isopropyliden-tricyclo[4.3.0.0^{2,9}]nonadienen-(3,7) (VI) bei der direkten Belichtung eine [1,3]-sigmatrope Verschiebung der 1–6-Bindung[2]. Die postulierte Zwischenstufe VII kann thermisch oder photochemisch zu VIII geöffnet werden[2]. In Aceton als Lösungsmittel wird die [1,3]-Verschiebung zur Hauptreaktion.

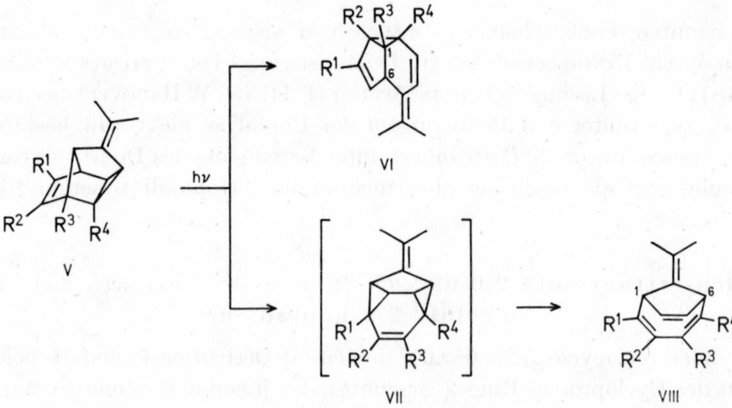

R^2 = R^3 = H; R^1 = R^4 = COOCH$_3$	VIa; *5-Isopropyliden-2,8-di-methoxycarbonyl-tricyclo [4.3.0.0^{2,9}]nonadien-(3,7)*; 35% d.Th.	VIIIa; *9-Isopropyliden-2,5-di-methoxycarbonyl-bi-cyclo[4.2.1]nonatrien-(2,4,7)*; 4% d.Th.; F: 105–106°
R^3 = H; R^1 = R^2 = R^4 = COOCH$_3$	VIb; *5-Isopropyliden-2,8,9-trimethoxycarbonyl-...*; 22% d.Th.	VIIIb; *9-Isopropyliden-2,3,5-trimethoxycarbonyl-...*; 35% d.Th., sensibili-siert: 80% d.Th.; F: 130–131°
R^2 = H; R^1 = R^3 = R^4 = COOCH$_3$	VIc; *5-Isopropyliden-1,2,8-trimethoxycarbonyl-...*; 35% d.Th.	VIIIc; *9-Isopropyliden-2,4,5-trimethoxycarbonyl-...*; 35% d.Th.; sensibili-siert: 80% d.Th.
R^2 = R^3 = H; R^1 = C$_6$H$_5$; R^4 = COOCH$_3$	VId; *8-Phenyl-2-isopropyliden-2-methoxycarbonyl-...*; 40% d.Th.	VIIId; *4-Phenyl-9-iso-propyliden-2-methoxy-carbonyl-...*; 55% d. Th. (sensibilisiert); F: 134°

7-[3,3-Diphenyl-propen-(2)-yliden]-2,3-dimethoxycarbonyl-bicyclo[2.2.1]heptadien (IX) geht unter Sensibilisierung durch Aceton in ein Gemisch der beiden Heptafulvene XII und XIII über. Es wird angenommen, daß zuerst unter Bindungsbildung zwischen Kohlenstoff-Atom 2 und 7 das Diradikal X entsteht, das sich unter Öffnung der

[1] H. PRINZBACH u. W. AUGE, Ang. Ch. **81**, 222 (1969).
[2] H. PRINZBACH, W. AUGE u. M. BASBUDAK, Helv. **54**, 759 (1971).

Bindung zwischen Kohlenstoff-Atom 4 und 7 in das Bicyclo[4.1.0]heptadien-(2,4) XI umwandelt, welches sich zu XII und XIII stabilisiert[1]:

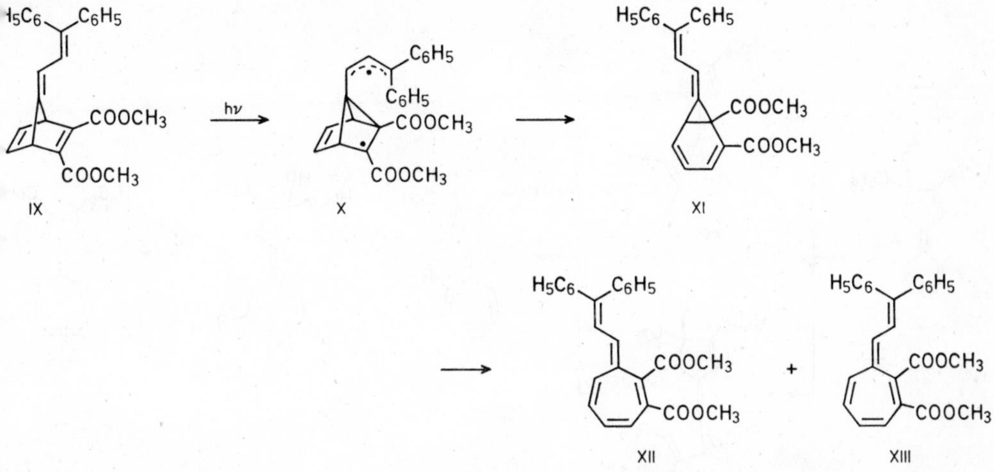

(E)- und (Z)-7-[3,3-Diphenyl-propen-(2)-yliden]-1,2-dimethoxycarbonyl-cycloheptatrien (XII u. XIII)[1]: Eine Lösung von 2,0 g 7-[3,3-Diphenyl-propen-(2)-yliden]-2,3-dimethoxycarbonyl-bicyclo[2.2.1]heptadien (IX) in 2,0 l Aceton wird mit einer TQ 2024 2000 W Lampe durch ein Pyrex-Filter bei –20° belichtet. Bei bis zu 100% Umsatz werden 1,4 g (70%) XII (F: 183°) neben 4% des (Z)-Isomeren XIII isoliert. Das in einem getrennten Experiment ermittelte Photogleichgewicht liegt bei 90% XII und 10% XIII.

Entsprechend werden aus 7-[3-Phenyl-propen-(2)-yliden]-2,3-dimethoxycarbonyl-bicyclo[2.2.1]heptadien (E)- und (Z)-7-[3-Phenyl-propen-(2)-yliden]-1,2-dimethoxycarbonyl-cycloheptatrien (XIV; 25% d.Th. sowie XV; 4% d.Th.) neben 20% eines Gemisches von 3-Phenyl-7,8-dimethoxycarbonyl-3,3a- und 1-Phenyl-4,5-dimethoxycarbonyl-3,9a-dihydro-azulen (XVI u. XVII) erhalten[1]. Das getrennt ermittelte Photogleichgewicht der Heptafulvene liegt bei 87% XIV und 13% XV. Die direkte Belichtung in Acetonitril unter sonst gleichen Bedingungen gibt ein Ergebnis, das von dem der Aceton-sensibilisierten Photolyse nur wenig abweicht.

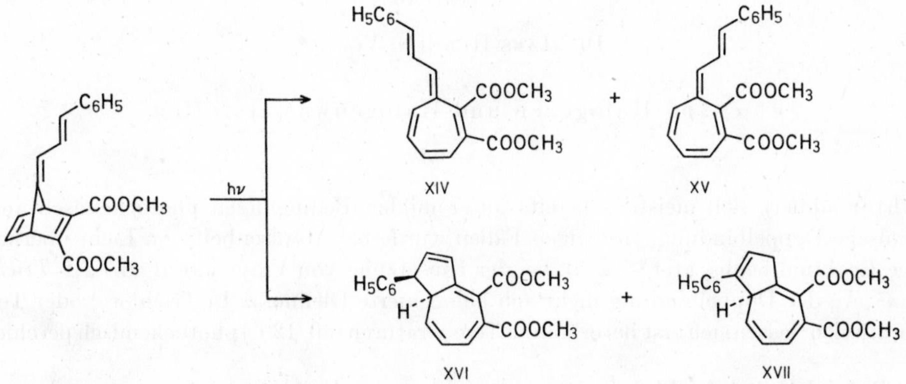

Analog gelangt man bei der Belichtung des Gemisches der Cycloaddukte XVIII und XIX aus 4-Hydroxy-3,4-diphenyl-cyclopenten-(2)-yliden-cyclopentadien und Acetylen-dicarbon-

[1] H. PRINZBACH, H.-J. HERR u. W. REGEL, Ang. Ch. **84**, 113 (1972).

säure-dimethyl-ester zu 7-[4-Hydroxy-3,4-diphenyl-cyclopenten-(2)-yliden]-1,2-dimethoxy carbonyl-cycloheptatrienen (XX und XXI), aus denen durch Wasserabspaltung das Sesqui fulvalen XXII entsteht[1]:

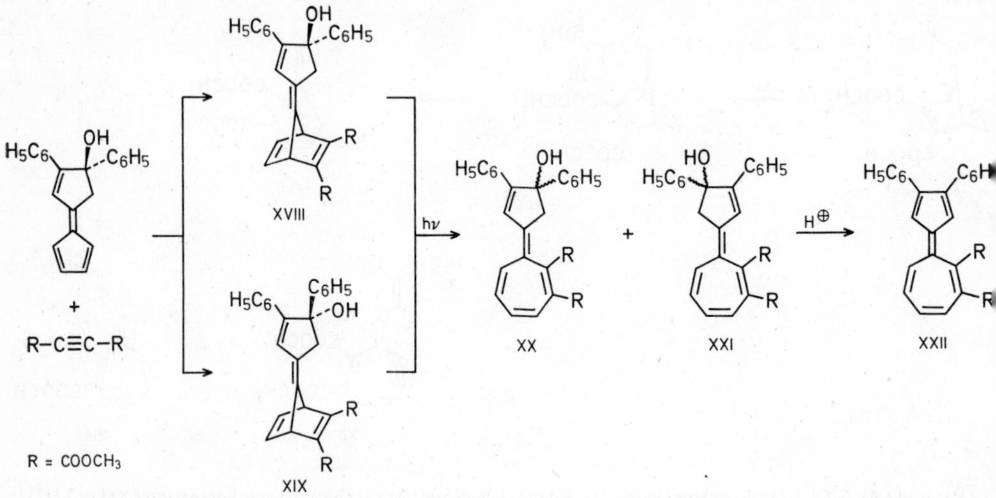

7-(3,4-Diphenyl-cyclopentadienyliden)-1,2-dimethoxycarbonyl-cycloheptatrien (XXII)[1]: Eine Lösung von 14,9 g (50 mMol) 4-Hydroxy-3,4-diphenyl-cyclopenten-(2)-yliden-cyclopentadien und 7,8 g (55 mMol) Acetylen-dicarbonsäure-dimethylester in 100 ml wasserfreiem Benzol wird 4 Stdn. am Rückfluß gekocht. Nach Eindampfen wird der Rückstand (XVIII und XIX) in 1,7 l Aceton gelöst und mit dem vollen Licht der Hanau TQ 2024 2000 W Lampe durch Pyrexglas bis zur vollständigen Umsetzung (NMR-Kontrolle) belichtet. Das Photolysat wird zur Trockene gebracht, der Rückstand in 2 l Dichlormethan aufgenommen und mit 20 ml konz. Salzsäure versetzt. Nach 15 Min. wird durch Zugabe von Natriumhydrogencarbonat Lösung neutralisiert und der Eindampf-Rückstand der organischen Phase an basischem Aluminiumoxid (desaktiviert mit 6 Gew.-% Wasser) mit Benzol chromatographiert. Aus der zuerst eluierten, tiefroten Zone erhält man nach Kristallisation aus Äther 8,2 g (39% d.Th.); F: 141°.

8. Additionen anorganischer Verbindungen

bearbeitet von

Dr. HANS-HENNING VOGEL*

α) von Halogenen und Halogenwasserstoffen

α₁) Chlor

Chlor addiert sich meistens bereits unter milden Bedingungen photochemisch an die olefinische Doppelbindung. In einigen Fällen wurde bei Abwesenheit von Licht überhaupt keine Reaktion beobachtet[2,3], z. B. bei der Umsetzung von Vinylchlorid zu *1,1,2-Trichlor äthan*[2]. An der Doppelbindung mehrfach halogenierte Olefine, z. B. Trichlor-[4] oder Tetra chloräthylen[5] lassen sich erst bei erhöhten Temperaturen (80–120°) photochemisch perchlorie

* **BASF AG, Ludwigshafen/Rhein.**
[1] H. PRINZBACH u. H. SAUTER, Ang. Ch. **84**, 115 (1972).
[2] R. SCHMITZ u. H. J. SCHUMACHER, Z. phys. Chem. B. **52**, 72 (1942).
[3] S. A. FASEEH, Soc. **1953**, 3708.
[4] K. L. MÜLLER u. H. J. SCHUMACHER, Z. phys. Chem. B. **35**, 455 (1937).
[5] C. SCHOTT u. H. J. SCHUMACHER, Z. phys. Chem. B. **49**, 107 (1941).

en[1,2]. Die störende oder reaktionshemmende Wirkung von Sauerstoff wurde häufig beobachtet[3-6]. Die Reaktionszeit kann durch Anwendung von UV-Licht an Stelle von Sonnen-
icht mitunter beträchtlich verringert werden[7]. Geeignete Lösungsmittel für die photochemische Chlor-Addition an Olefine sind Perchloralkane, z. B. Tetrachlormethan. Bei Verwendung aromatischer Solventien, wie z. B. Benzol, kann das Lösungsmittel in die Radikal-
Kettenreaktion einbezogen werden und man erhält 1-Chlor-2-phenyl-alkane[8].

Bei photochemischen Chlorolysen kann bei zu hohen Reaktionstemperaturen als Neben-
eaktion C–C-Spaltung auftreten[9].

Besonders einfach lassen sich fluorierte Olefine photochlorieren, auch halogenierte
Vinyl-silicium-trichloride sind der Reaktion zugänglich, s. Tab. 69 (S. 450). Aus Alkadienen
kann eventuell die Dichlor- und auch die Tetrachlor-Verbindung gewonnen werden[10].

Chloraddition an 5-Phenyl-pentadien-(2,4)-säure[10]:

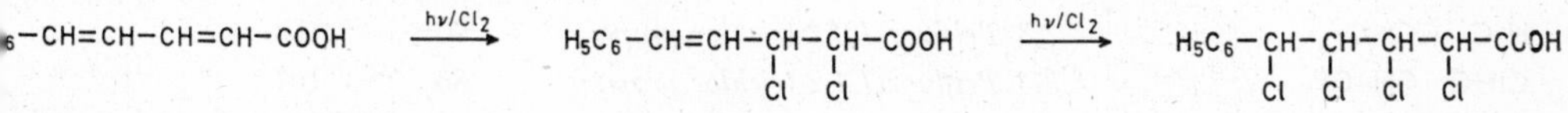

H_5C_6–CH=CH–CH=CH–COOH $\xrightarrow{h\nu/Cl_2}$ H_5C_6–CH=CH–CH–CH–COOH $\xrightarrow{h\nu/Cl_2}$ H_5C_6–CH–CH–CH–CH–COOH
$\qquad\qquad\qquad\qquad\qquad\qquad\qquad\qquad\qquad$ Cl Cl $\qquad\qquad\qquad\qquad\qquad\qquad$ Cl Cl Cl Cl

2,3-Dichlor-5-phenyl-penten-(4)-säure: In eine Lösung von 43,5 g (0,25 Mol) 5-Phenyl-
pentadien-(2,4)-säure in 435 g Tetrachlormethan leitet man bei 37° unter Bestrahlung im Sonnenlicht im
Verlauf von 1 Stde. 0,25 Mol Chlor ein. Dabei klärt sich die Reaktionsmischung auf und die Temperatur
steigt auf 57° an. Man leitet eine weitere Stde. lang 0,125 Mol Chlor ein und beläßt den Reaktionsansatz
eine weitere Stde. im Sonnenlicht. Dabei verschwindet die gelbe Farbe, und eine geringe Menge farbloser
Kristalle scheidet sich ab. Nach Filtration wird das Lösungsmittel abgezogen und der viskose Rückstand
mit einer Mischung aus Leichtbenzin und Xylol behandelt. Der sich bildende farblose Niederschlag wird
aus Leichtbenzin/Xylol umkristallisiert; Ausbeute: 57,7 g (80% d.Th.); F: 126–127°.

2,3,4,5-Tetrachlor-5-phenyl-pentansäure: Die Reaktion wird wie oben beschrieben durchgeführt, jedoch nach der letzten Chlor-Zugabe 5 weitere Stdn. dem Sonnenlicht ausgesetzt. Man erhält
einen kristallinen Niederschlag; Ausbeute: 38 g (95% d.Th.); F: 180°.

Pentachlor-trichlorsilyl-äthan[11]: 15 g Trichlor-trichlorsilyl-äthylen werden bei 20–25° unter Belichtung
mit einer UV-Lampe (Type PRK-2) 9,5 Stdn. mit einer Durchsatzrate von 5 g Chlor/Stde. chloriert. Das
molare Verhältnis von Olefin zu Halogen beträgt 1:12,4. Man erhält 19 g Rohprodukt, aus dem sich
18,4 g (96,8% d.Th.) des Additionsproduktes gewinnen lassen; Kp_3: 98–99°; F: 60–61°.

Die Photoaddition von Chlorwasserstoff hat keinerlei präparative Bedeutung
erlangt[12,13], da die Kettenübertragung des Wasserstoffs an die C=C-Doppelbindung als
endothermer Prozeß ziemlich scharfe Reaktionsbedingungen erfordert.

[1] A. L. Henne u. W. L. Zimmerschied, Am. Soc. **67**, 1235 (1945).
[2] R. N. Haszeldine u. J. E. Osborne, Soc. **1956**, 61.
[3] R. Schmitz u. H. J. Schumacher, Z. phys. Chem. [B] **52**, 72 (1942).
[4] K. L. Müller u. H. J. Schumacher, Z. phys. Chem. [B] **35**, 455 (1937).
[5] C. Schott u. H. J. Schumacher, Z. phys. Chem. [B] **49**, 107 (1941).
[6] K. L. Müller u. H. J. Schumacher, Z. phys. Chem. [B] **35**, 285 (1937).
[7] R. N. Haszeldine u. B. R. Steele, Soc. **1955**, 3005.
[8] G. G. Ecke, L. R. Buzbee u. A. J. Kolka, Am. Soc. **78**, 79 (1956).
Vgl. auch US. P. 2841593 (1958), Ethyl Corp., Erf.: G. G. Ecke, A. J. Kolka u. W. E. Burt;
C. A. **52**, 17191e (1958).
[9] R. W. Bost u. J. A. Krynitsky, Am. Soc. **70**, 1027 (1948).
[10] S. A. Faseeh, Soc. **1953**, 3708.
[11] G. V. Motsarev, T. T. Tarasova u. V. T. Inshakova, Ž. obšč. Chim. **39**, 2023 (1969); engl.: 1979; C. A.
72, 31889n (1970).
[12] F. R. Mayo, Am. Soc. **84**, 3964 (1962).
[13] J. H. Raley, F. F. Rust u. W. E. Vanghan, Am. Soc. **70**, 2767 (1948).

Tab. 69. Photoaddition von Chlor an Olefine[1]

Olefin	Reaktionsprodukt	Ausbeute [% d.Th.]	Kp [°C]	[Torr]	Literatur
$H_2C=CH-SiCl_3$	*1,2-Dichlor-1-trichlorsilyl-äthan*	64	63–65	13	2
$H_2C=CH-SF_5$	*Pentafluor-1,2-dichlor-vinyl-schwefel*	35	111		3
$H_2C=CF_2$	*2,2-Difluor-1,2-dichlor-äthan*	98	47		4
$H_2C=CCl-SiCl_3$	*1,1,2-Trichlor-1-trichlorsilyl-äthan*	73	91	17	2
$FHC=CHF$	*1,2-Difluor-1,2-dichlor-äthan*	99	58		4
$ClHC=CCl-SiCl_3$	*1,1,2,2-Tetrachlor-1-trichlorsilyl-äthan*	71			5
$Cl_2C=CCl_2$	*Hexachlor-äthan*	85	(F: 184°)		6
$Cl_2C=CCl-SiCl_3$	*Pentachlor-trichlorsilyl-äthan*	97	98–99	3	7
$H_2C=CH-CH_2Cl$	*1,2,3-Trichlor-propan*	81	–		8
$H_2C=CH-CF_3$	*3,3,3-Trifluor-1,2-dichlor-propan*	80	76		9
$H_2C=CCl-CF_3$	*3,3,3-Trifluor-1,2,2-trichlor-propan*	90	104		9
$ClHC=CH-CF_3$	*3,3,3-Trifluor-1,1,2-trichlor-propan*	85	107		9
$ClHC=CF-CF_3$	*2,3,3-Trifluor-1,1,2-trichlor-propan*	100	112 (F: 12°)		10
$F_2C=CH-CF_3$	*1,1,3,3,3-Pentafluor-1,2-dichlor-propan*	90	51		11
$F_2C=CF-CHF_2$	*1,1,2,3,3-Pentafluor-1,2-dichlor-propan*	92	53	735	12
$F_2C=CF-CF_3$	*Hexafluor-1,2-dichlor-propan*	90	35		13
$FClC=CF-CF_3$	*Pentafluor-1,1,2-trichlor-propan*	–	71	737	14
$(Cl_2C=CH-CH_2)_2SO_2$	*Bis-[2,3,3,3-tetrachlor-propyl]-sulfon*	45	(F: 187°)		15
$F_2C=C(CH_3)CF_3$	*1,1,3,3,3-Pentafluor-1,2-dichlor-2-methyl-propan*	100	75		16
trans-$F_3C-CH=CH-CF_3$	*1,1,1,4,4,4-Hexafluor-2,3-dichlor-butan*	79	78		17
$F_3C-CF=CF-CF_3$	*Octafluor-2,3-dichlor-butan*	88	62		18

[1] Weitere Beispiele u. Lit. finden sich bei:
G. Sosnovsky, *Free Radical Reactions in Preparativ Organic Chemistry*, Mac Millan, New York · New York · London 1964.
A. Schönberg, G. O. Schenk u. O. A. Neumüller, *Preparative Organic Photochemistry*, Springer Verlag, Berlin · Heidelberg · New York 1968.

[2] C. L. Agre u. W. Hilling, Am. Soc. **74**, 3895 (1952).

[3] J. R. Case, N. H. Ray u. H. L. Roberts, Soc. **1961**, 2066.

[4] R. N. Haszeldine u. B. R. Steele, Soc. **1957**, 2800.

[5] C. L. Agre, Am. Soc. **71**, 300 (1949).

[6] C. Schott u. H. J. Schumacher, Z. phys. Chem. [B] **49**, 107 (1941).
W. T. Miller Jr., S. D. Koch Jr. u. F. W. McLafferty, Am. Soc. **78**, 4992 (1956).

[7] G. V. Motsarev, T. T. Tarasova u. V. T. Inshakova, Ž. obšč. Chim. **39**, 2023 (1969); engl.: 1979; C. A. **72**, 31889ⁿ (1970).

[8] W. Bockemüller u. F. W. Hoffmann, A. **519**, 165 (1935).

[9] R. N. Haszeldine, Soc. **1951**, 2495.

[10] A. L. Henne u. T. P. Waalkes, Am. Soc. **68**, 496 (1946).
A. L. Henne, T. P. Whaley u. J. K. Stevenson, Am. Soc. **63**, 3478 (1941).

[11] R. N. Haszeldine u. B. R. Steele, Soc. **1957**, 2193.

[12] A. H. Fainberg u. W. T. Miller, Am. Soc. **79**, 4170 (1957).

[13] R. N. Haszeldine u. B. R. Steele, Soc. **1953**, 1592.

[14] W. T. Miller u. A. H. Fainberg, Am. Soc. **79**, 4164 (1957).

[15] A. N. Nesmeyanov, L. I. Zakharkin u. R. G. Petrova, Izv. Acad. SSSR **1954**, 253; engl.: 205

[16] R. N. Haszeldine, Soc. **1953**, 3565.

[17] R. N. Haszeldine, Soc. **1952**, 2504.

[18] R. N. Haszeldine u. J. E. Osborne, Soc. **1956**, 61.

Tab. 96. (Fortsetzung)

Olefin	Reaktionsprodukt	Ausbeute [% d.Th.]	Kp [°C]	[Torr]	Literatur
$_3C-CCl=CCl-CF_3$	Hexafluor-2,2,3,3-tetrachlor-butan	100	131		1
$_2C=CH-CH=CF_2$	1,1,4,4-Tetrafluor-1,2,3,4-tetrachlor-butan	33	52	22	2
$_2C=CF-CF=CF_2$	Hexafluor-1,2,3,4-tetrachlor-butan	–	134		3
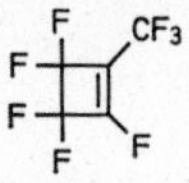	2,3,3,4,4-Pentafluor-1,2-dichlor-1-trifluormethyl-cyclobutan	91	80		4
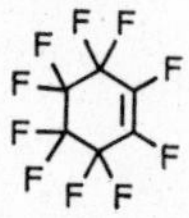	Decafluor-1,2-dichlor-cyclohexan	62	108 (F: 37°)		5

α_2) Brom und Bromwasserstoff

Die Addition von Brom an die C=C-Doppelbindung verläuft im allgemeinen bereits bei Abwesenheit von Licht glatt und mit guten Ausbeuten[6]. Die präparative Durchführung ist an anderer Stelle dieses Handbuchs bereits ausführlich abgehandelt[6]. Geringe Mengen Sauerstoff beschleunigen die Photobromierung, große Mengen Sauerstoff können verzögernde Wirkung ausüben, wie am Beispiel der Photobromierung von Tetrachloräthylen gezeigt wurde[7]. Die reaktionsbeschleunigende Wirkung des Lichtes wurde auch bei der Bromierung von Zimtsäure beobachtet[8]. Bei zu hohen Reaktionstemperaturen kann die Reaktion durch Dehydrobromierung reversibel ablaufen[9]. Bei Halogenolefinen ist außerdem durch Halogen-Verschiebung die Bildung isomerer Additionsprodukte möglich[10].

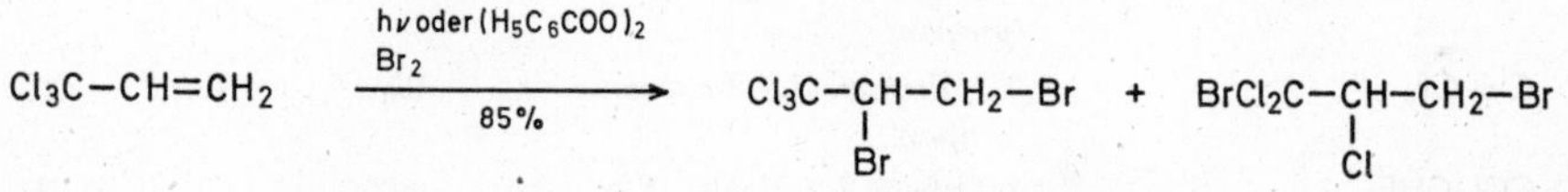

$$Cl_3C-CH=CH_2 \quad \xrightarrow[85\%]{\substack{h\nu \text{ oder}(H_5C_6COO)_2 \\ Br_2}} \quad Cl_3C-\underset{|}{\underset{Br}{CH}}-CH_2-Br \quad + \quad BrCl_2C-\underset{|}{\underset{Cl}{CH}}-CH_2-Br$$

Der stereochemische Verlauf der Brom-Addition ist ebenfalls von den Reaktionsbedingungen abhängig. So liefert die radikalische Addition (peroxidisch oder photochemisch) von Brom an 7-Oxa-bicyclo[2.2.1]hepten-(2)-exo-5,exo-6-dicarbonsäure-anhydrid sowohl das cis- als auch das trans-Addukt, während unter ionischen Bedingungen nur die trans-

---

[1] A. L. Henne u. W. J. Zimmerschied, Am. Soc. 67, 1235 (1945).

[2] J. L. Anderson, R. E. Putnam u. W. H. Sharkey, Am. Soc. 83, 382 (1961).

[3] R. N. Haszeldine, Soc. 1952, 4259, 4423.

[4] R. N. Haszeldine u. J. E. Osborne, Soc. 1956, 61.

[5] T. J. Brice u. J. H. Simons, Am. Soc. 73, 4016 (1951).

[6] Vgl. hierzu Bd. V/4, S. 38ff.; dort weitere Literatur; Bd. V/1b, S. 998; dort weitere Literatur.

[7] J. Willard, F. Daniels, Am. Soc. 57, 2240 (1935).

[8] W. H. Bauer u. F. Daniels Am. Soc. 56, 378 u. 2014 (1934).

[9] J. L. Carrico, R. G. Dickinson, Am. Soc. 57. 1343 (1935).

[10] A. N. Nesmeyanov, R. Kh. Freidlina, V. N. Kost, Izv. Akad. SSSR 1958, 1205.

Dibrom-Verbindung erhalten wird[1]. Ebenso verhält sich Bicyclo[2.2.1]hepten-(2)-*exo*-5 *exo*-6-dicarbonsäure-anhydrid[2].

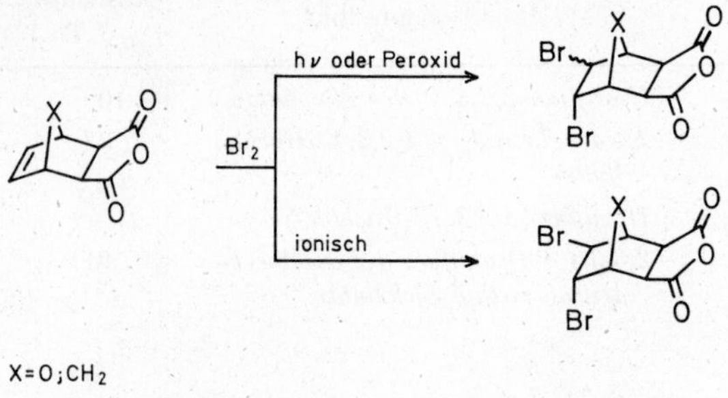

X=O;CH₂

Tab. 70 gibt eine Übersicht über photolytische Brom-Additionen an Alkene.

Tab. 70. Photoaddition von Brom an Olefine

Olefin	Reaktionsprodukt	Ausbeute [% d.Th.]	Kp [°C]	[Torr]	Literatur
H₂C=CH–SiCl₃	*1,2-Dibrom-1-trichlorsilyl-äthan*	91	91	11	3
H₂C=CH–Si(CH₃)Cl₂	*1,2-Dibrom-1-(dichlor-methyl-silyl)-äthan*	94	101	4	4
H₂C=CH–Si(C₂H₅)Cl₂	*1,2-Dibrom-1-(dichlor-äthyl-silyl)-äthan*	90	142	7	4
FHC=CF₂	*Trifluor-1,2-dibrom-äthan*	82	70	630	5,6
ClHC=CCl–SiCl₃	*1,2-Dichlor-1,2-dibrom-1-trichlorsilyl-äthan*	65	118–120	10	7
H₂C=CH–CF₃	*3,3,3-Trifluor-1,2-dibrom-propan*	90	116		8
H₂C=CBr–CF₃	*3,3,3-Trifluor-1,2,2-tribrom-propan*	98	61	20	9
BrHC=CH–CF₃	*3,3,3-Trifluor-1,1,2-tribrom-propan*	95	70	30	9
ClHC=CCl–CHF₂	*3,3-Difluor-1,2-dichlor-1,2-dibrom-propan*	–	87	24	10
F₂C=CF–CHF₂	*1,1,2,3,3-Pentafluor-1,2-dibrom-propan*	–	95	741	11
F₂C=CF–CF₃	*Hexafluor-1,2-dibrom-propan*	–	70	734	12
F₂C=CF–CBrF₂	*Pentafluor-1,2,3-tribrom-propan*	100	132	733	11

[1] J. A. Berson u. R. Swidler, Am. Soc. **76**, 4060 (1954).
[2] J. A. Berson, Am. Soc. **76**, 5748 (1954).
[3] C. L. Agre u. W. Hilling, Am. Soc. **74**, 3895 (1952).
[4] V. F. Mironov, A. D. Petrov u. N. G. Maksimova, Izv. Akad. SSSR **1959**, 1954; C. A. **54**, 9731 ª (1960)
[5] R. N. Haszeldine, Soc. **1952**, 4259, 4423.
[6] J. D. Park, W. R. Lycan u. J. R. Lacher, Am. Soc. **73**, 711 (1951).
[7] C. L. Agre, Am. Soc. **71**, 300 (1949).
[8] R. N. Haszeldine u. K. Leedham, Soc. **1952**, 3483.
   A. L. Henne u. M. Nager, Am. Soc. **73**, 1042 (1951).
[9] R. N. Haszeldine, Soc. **1951**, 2495.
[10] R. N. Haszeldine u. B. R. Steele, Soc. **1957**, 2800.
[11] A. H. Fainberg u. W. T. Miller, Am. Soc. **79**, 4170 (1957).
[12] W. T. Miller Jr., E. Bergman u. A. H. Fainberg, Am. Soc. **79**, 4159 (1957).

Tab. 70 (1. Fortsetzung)

Olefin	Reaktionsprodukt	Ausbeute [% d.Th.]	Kp [°C]	[Torr]	Literatur
$F_2C=CCl–CClF_2$	1,1,3,3-Tetrafluor-2,3-dichlor-1,2-dibrom-propan	–	86	100	1
$F_2C=CCl–CBrF_2$	1,1,3,3-Tetrafluor-2-chlor-1,2,3-tribrom-propan	–	87	50	2
$F_2C=C(CF_3)_2$	1,1,3,3,3-Pentafluor-1,2-dibrom-2-trifluormethyl-propan	35	96 (F: 41°)	140	3
$F_2C=CF–CF_2–CFCl_2$	Hexafluor-4,4-dichlor-1,2-dibrom-butan	91	65	5	4
trans-$F_3C–CH=CH–CF_3$	1,1,1,4,4,4-Hexafluor-2,3-dibrom-butan	82	60	120	5
cis-$HOH_2C–CH=CH–CH_2OH$	d,l-2,3-Dibrom-1,4-dihydroxy-butan	72	(F: 85°)		6
trans-$HOH_2C–CH=CH–CH_2OH$	meso-2,3-Dibrom-1,4-dihydroxy-butan	77	(F: 133°)		7
$F_3C–CH=CBr–CF_3$	1,1,1,4,4,4-Hexafluor-2,2,3-tribrom-butan	–	79	45	5
$F_3C–CF=CF–CF_3$	Octafluor-2,3-dibrom-butan	75	96		8
$F_2ClC–CF=CF–CClF_2$	Hexafluor-1,4-dichlor-2,3-dibrom-butan	95	172	760	9
$F_2C=CF–CF=CF_2$	Hexafluor-1,2,3,4-tetrabrom-butan	100	130	70	9
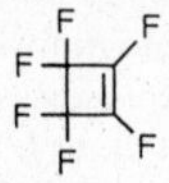	Hexafluor-1,2-dibrom-cyclobutan	65	95		8
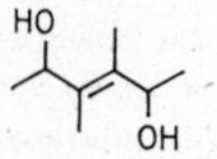	3,4-Dibrom-2,5-dihydroxy-3,4-dimethyl-hexan	–	(F: 82°)		7
	trans-1,2-Dibrom-cyclohexan	92	101	13	7
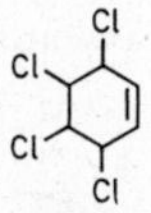 (α-)	α-1,2-Dibrom-2,3,4,5-tetrachlor-cyclohexan	–	(F: 166°)		10
	+ γ-1,2-Dibrom-2,3,4,5-tetrachlor-cyclohexan	–	(F: 123°)		
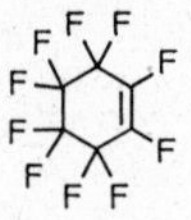	Decafluor-1,2-dibrom-cyclohexan	83	139 (F: 31°)		8

[1] W. T. MILLER Jr. u. A. H. FAINBERG, Am. Soc. **79**, 4164 (1957).
[2] A. H. FAINBERG u. W. T. MILLER, Am. Soc. **79**, 4170 (1957).
[3] T. J. BRICE et al., Am. Soc. **75**, 2698 (1953).
[4] R. N. HASZELDINE, Soc. **1955**, 4291.
[5] R. N. HASZELDINE, Soc. **1952**, 2504.
[6] L. D. BERGELSON, Izv. Akad. SSSR **1960**, 1066.
[7] L. D. BERGELSON u. L. P. BADENKOVA, Izv. Akad. SSSR **1960**, 1073.
[8] R. N. HASZELDINE u. J. E. OSBORNE, Soc. **1956**, 61.
[9] R. N. HASZELDINE, Soc. **1952**, 4259, 4423.
[0] R. RIEMSCHNEIDER, M. **85**, 1133 (1954).

Tab. 70 (2. Fortsetzung)

Olefin	Reaktionsprodukt	Ausbeute [% d. Th.]	Kp [°C]	Kp [Torr]	Literatur
BrHC=CH—(Cl, Cl, Cl, Cl, Cl)	*1,2,2-Tribrom-1-pentachlorphenyl-äthan*	95	(F: 115°)		1
H_5C_6—CH=CH—SO_2—(⟩)—CH_3	*1,2-Dibrom-2-(4-methyl-phenylsulfonyl)-1-phenyl-äthan*	–	(F: 132°)		2

Die photochemische Addition von Bromwasserstoff an Alkene läuft als radikalische Reaktion entgegen der Regel von Markownikow, d. h. das Brom-Atom addiert sich an das Kohlenstoff-Atom mit den meisten Wasserstoff-Atomen („Kharash-Reaktion", „Peroxid-Effekt")[3-8]. Es können jedoch auch die normalen „Markownikow-Addukte" gebildet werden, teilweise sogar in größerer, in Einzelfällen auch in überwiegender Menge.

Die Umsetzungen werden in den meisten Fällen bei tiefen Temperaturen, z. T. auch ohne Lösungsmittel durchgeführt. Die Photoaddition ist aber auch bei höheren Temp. in unpolaren Solventien möglich. Polare Lösungsmittel und tiefe Temp. begünstigen die Addition zu Markownikow-Produkten[9]. Aceton und Tetraäthyl-blei wirken in einigen Fällen als Sensibilisatoren[10,11], während Sauerstoff die Photoaddition hemmen soll[5]. Stereochemische Untersuchungen der Bromwasserstoff-Additionen s. Lit.[12].

2,2-Dichlor-1-brom-äthan und 2,2,4,4-Tetrachlor-1-brom-butan[13]: Man destilliert 24,2 g bzw. 20 *ml* 1,1-Dichlor-äthylen i. Vak. in einen 500-*ml*-Pyrex-Kolben. Der Kolbeninhalt kann magnetisch gerührt werden. In dieses Vakuumsystem destilliert man anschließend 16,6 g bzw. 6,0 *ml* Bromwasserstoff, bis ein Druckausgleich auf nahezu 1 atm erreicht ist. Nach Bestrahlung des Kolbens mit einer UV-Lampe werden bei –78° stündlich zunächst 1 *ml* Bromwasserstoff absorbiert, nach 18 Stdn. läßt die Absorption nach. Nicht umgesetzter Bromwasserstoff und Olefin werden abgepumpt und die Mischung mit 30 *ml* Dichlormethan verdünnt. Man wäscht mit 5%iger Natriumhydrogencarbonat-Lös. und trocknet über wasserfreiem Kaliumcarbonat. Die Lösung wird dann über eine Glasfüllkörper-Kolonne destilliert. Ausbeute an 2,2-Dichlor-1-brom-äthan: 22,4 g (61,5% d.Th.); Kp: 134–135°; n_D^{25}: 1,5054. Der Rückstand der obigen Destillation wird i. Vak. über eine kurze Vigreux-Kolonne destilliert; Ausbeute des Butan-Derivates: 16,2 g (31,6% d.Th.); $Kp_{0,25}$: 56–57°; n_D^{25}: 1,5325.

Wird die Reaktion in einem Quarz-Kolben durchgeführt, so wird der Bromwasserstoff wesentlich schneller absorbiert und die Ausbeute an 2,2-Dichlor-1-brom-äthan steigt an.

Über eine großtechnisch mit ^{60}Co initiierte Anlagerung von Bromwasserstoff an Äthylen s. Lit.[14].

1 G. HUETT u. S. I. MILLER, Am. Soc. **83**, 408 (1961).
2 E. P. KOHLER u. H. POTTER, Am. Soc. **57**, 1316 (1935).
3 Vgl. ds. Handb., Bd. V/4, S. 102ff.
4 F. R. MAYO, *Vistas in Free Radical Chemistry*, Pergamon Press, New York 1959.
5 G. SOSNOVSKY, *Free Radical Reactions in Preparativ Organic Chemistry*, S. 6, McMillan, New York 1964.
6 D. ELAD, Org. Photochem. **2**, 168 (1969).
7 F. R. MAYO u. C. WALLING, Chem. Reviews **27**, 351 (1940).
8 F. W. STACEY u. J. F. HARRIS, Jr., Org. Reactions **13**, 150 (1964).
9 H. L. GOERING u. L. L. SIMS, Am. Soc. **77**, 3465 (1955).
10 US. P. 2376675 (1945), Shell Development Co.; Erf.: T. W. EVANS, W. E. VAUGHAN u. F. F. RUST; C. A. **39**, 3533⁵ (1945).
11 Brit. P. 567524 (1945), Shell Development Co.; Erf.: T. W. EVANS, W. E. VAUGHAN u. F. F. RUST; C. A. **41**, 2745° (1947).
   Vgl. a.: W. E. VAUGHAN, F. F. RUST u. T. W. EVANS, J. Org. Chem. **7**, 477 (1942).
12 B. A. BOHM u. P. I. ABELL, Chem. Reviews **62**, 599 (1962).
13 J. E. FRANCIS u. L. C. LEITCH, Canad. J. Chem. **35**, 500 (1957).
14 F. ASINGER, *Die petrolchemische Industrie*, S. 1070, Akademie-Verlag, Berlin 1971.
   Vgl. a.: R. C. RUMFELDT u. D. A. ARMSTRONG, Canad. J. Chem. **44**, 2219 (1966).

Tab. 71. Photoaddition von Bromwasserstoff an Olefine

Olefin	Reaktions-bedingungen[a]	Reaktionsprodukte	Ausbeute[b] [% d.Th.]	Kp [°C]	[Torr]	Literatur
CD_2		2-Brom-1,2-dideuterio-äthan	100	129		1
CHCl	UV-Licht oder Peroxid	2-Chlor-1-brom-äthan	80	10	735	2
CH–B(OC$_4$H$_9$)	500 W Hg-Lampe; 70°; 4 Stdn.	Dibutyloxy-2-brom-äthyl-bor	76	48–50	0,1	3
CF_2		1,2,2-Trifluor-1-brom-äthan	98	41	735	4
		1,1,2-Trifluor-1-brom-äthan	(57:43)	25	735	
CCl_2		1,2,2-Trichlor-1-brom-äthan	90	171	760	5, 6
CH–CH$_3$	Aceton oder Tetra-äthylblei	1-Brom-propan	87	70		7
CH–CF$_3$		3,3,3-Trifluor-1-brom-propan	90	61		8
CH–CHCl$_2$	Hg-Lampe; Heptan; 35°; 2,4 Stdn.	1,1,3,4-Tetrachlor-2-brom-propan	70	76	11	9
CH–CHBr$_2$	Hg-Lampe; Heptan; 35°; 2,5 Stdn.	3,3-Dichlor-1,1,2-tribrom-propan	77	71	3	9
F–CF$_3$		1,1,2,3,3,3-Hexafluor-1-brom-propan	88	36		10
C(CF$_3$)	nur Gasphase wird bestrahlt	3,3,3-Trifluor-1-brom-2-trifluormethyl-propan	93	78		11
–CH=CH–CH$_3$	DBr; Sonnenlicht	threo-3-Brom-2-deuterio-butan	95	–		12
C–CH=CH$_2$–CH$_3$	DBr; Sonnenlicht	erythro-3-Brom-2-deuterio-butan	98	–		12
(Z)- CCl=CH–CH$_3$	Pentan; –20°; 30 Min.	threo- und erythro-3-Chlor-2-brom-butan	88 (70:30)	63	60	13
–CBr=CH–CH$_3$	25°	meso-2,3-Dibrom-butan	–	103	160	14
–CBr=CH–CH$_3$	25°	d,l-2,3-Dibrom-butan	–	107	160	14
CH–(CH$_2$)$_2$–CHCl	Heptan; –35 bis –45°; 4 Stdn.	1,1,5-Trichlor-2-brom-pentan	90	100	5	9
–Br	Hg-Lampe; Quarz-gefäß, Pentan; 1 Stde.	cis- und trans-1,2-Dibrom-cyclopentan	85 (94:6)	92	13	15

[a] Wenn nicht ausdrücklich anders vermerkt ist, wird Bromwasserstoff eingesetzt und mit UV-Licht bestrahlt.

[b] In Klammern relative Ausbeuten.

1 L. C. LEITCH u. A. T. MORSE, Canad. J. Chem. **30**, 924 (1952).
2 M. S. KHARASCH u. C. W. HANNUM, Am. Soc. **56**, 712 (1934).
3 D. S. MATTESON, J. D. LIEDTKE, J. Org. Chem. **28**, 1924 (1963).
4 R. N. HASZELDINE u. B. R. STEELE, Soc. **1957**, 2800.
5 M. S. KHARASCH, S. C. KLEIGER u. F. R. MAYO, J. Org. Chem. **4**, 428 (1939).
6 M. S. KHARASCH, J. A. NORTON u. F. R. MAYO, J. Org. Chem. **3**, 49 (1938).
7 US. P. 2376675 (1945); Brit. P. 581 775 (1946), Shell Development Co.; Erf.: T. W. EVANS, W. E. VAUGHAN u. F. F. RUST; C. A. **39**, 3533⁵ (1945); **41**, 2745 (1947). Brit. P. 581775 (1946), Shell Development Co.; Erf.: W. E. VAUGHAN u. F. F. RUST.
8 A. L. HENNE u. M. NAGER, Am. Soc. **73**, 5527 (1951).
9 R. KH. FREIDLINA, M. YA. KHORLINA u. V. N. KOST, Izv. Akad. SSSR **1965**, 1788; engl. S. 1752.
10 R. N. HASZELDINE, Soc. **1953**, 3559.
11 H. L. GOERING u. D. W. LARSEN, Am. Soc. **79**, 2653 (1957).
12 P. S. SKELL u. R. G. ALLEN, Am. Soc. **81**, 5383 (1959).
13 N. P. NEUREITER u. F. G. BORDWELL, Am. Soc. **82**, 5354 (1960).
14 H. L. GOERING u. D. W. LARSEN, Am. Soc. **81**, 5937 (1959).
15 P. I. ABELL u. C. CHIAO, Am. Soc. **82**, 3610 (1960).

Tab. 71 (Fortsetzung)

Olefin	Reaktions-bedingungen[a]	Reaktionsprodukte	Ausbeute[b] [% d.Th.]	Kp [°C]	[Torr]
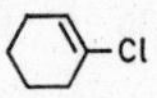 ⬡–Cl	Pentan[c]	*cis-2-Chlor-1-brom-cyclohexan*	88	88	7
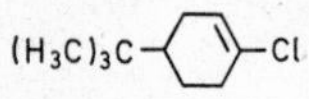 (H₃C)₃C–⬡–Cl	0,13 Mol Olefin + 0,245 Mol HBr; Hg-Mitteldruck-Lampe; Pentan; –78°; 1 Stde.	*t-4-Chlor-t-3-brom-r-1-tert.-butyl-cyclohexan* + *t-4-Chlor-c-3-brom-r-1-tert.-butyl-cyclohexan*	77 (95:5)	64–71 (F: 31,5–32,5°)	0,1
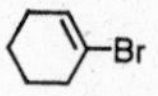 ⬡–Br	Hg-Lampe oder Peroxid; Quarz-Gefäß; Pentan	*cis- und trans-1,2-Dibrom-cyclohexan*	76	104 92	9
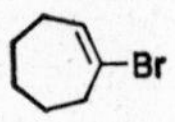 ⬭–Br	Hg-Lampe; Quarz-Gefäß; Pentan	*cis- und trans-1,2-Dibrom-cycloheptan*	85 (91:9)	97 83	2 2
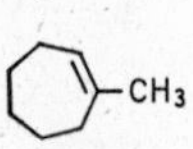 ⬭–CH₃	70°	*cis-2-Brom-1-methyl-cyclo-heptan*	74	98	25
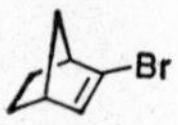 ⬠–Br	Pentan; 0–65°	*trans-2,3-Dibrom-bicyclo[2.2.1]heptan* + *exo-2, exo-3-Dibrom-...*	48–68 23–35	64 (F: 61°)	0,4
Cl₂C=CH–CH₂–C₆H₅	Hg-Lampe; Heptan; –35 bis –37°; 2,5 Stdn.	*3,3-Dichlor-2-brom-1-phenyl-propan*	13	127–129	3

[a] Wenn nicht ausdrücklich anders vermerkt ist, wird Bromwasserstoff eingesetzt und mit UV-Licht bestrahlt.
[b] In Klammern relative Ausbeuten.
[c] In Äther erfolgt die Addition zu *1-Chlor-1-brom-cyclohexan*.

α_3) Jod

Die Photoaddition von Jod an olefinische Doppelbindungen gelingt nur in Einzelfällen bei tiefen Temperaturen. Die Reaktion ist reversibel. Man arbeitet deshalb in flüssigem Propan bei –40° und erhält die entsprechenden Dijod-alkane in nahezu quantitativer Ausbeute als farblose kristalline Substanzen, die sich bereits unterhalb ihres Schmelzpunktes unter Jodwasserstoff-Abspaltung zu zersetzen beginnen[8]. Bei Abwesenheit von Licht ist keine Jod-Addition möglich.

Buten-(1) $\xrightarrow{h\nu}$ *1,2-Dijod-butan*
cis-Buten-(2) $\xrightarrow{h\nu}$ *d,l–2,3-Dijod-butan*; F: –24 bis –23° (Zers.)
trans-Buten-(2) $\xrightarrow{h\nu}$ *meso–2,3-Dijod-butan*; F: –11° (Zers.)
Isobuten $\xrightarrow{h\nu}$ *1,2-Dijod-2-methyl-propan*

[1] H. L. Goering u. L. L. Sims, Am. Soc. **77**, 3465 (1955).
[2] P. D. Readio u. P. S. Skell, J. Org. Chem. **31**, 753 (1966); dort weitere Literatur.
[3] P. I. Abell u. C. Chiao, Am. Soc. **82**, 3610 (1960).
[4] H. L. Goering, P. I. Abell u. B. F. Aycock, Am. Soc. **74**, 3588 (1952).
[5] P. I. Abell, B. A. Bohm, J. Org. Chem. **26**, 252 (1961).
[6] N. A. Le Bel, Am. Soc. **82**, 623 (1960).
[7] R. Kh. Freidlina, M. Ya. Khorlina u. V. N. Kost, Izv. Akad. SSSR **1965**, 1788; engl. S. 1752.
[8] P. S. Skell u. R. R. Pavlis, Am. Soc. **86**, 2956 (1964).

Jodwasserstoff wird zwar photolytisch leicht gespalten[1], doch ist die Addition des Jod-Atoms an die C=C-Doppelbindung ein endothermer Reaktionsschritt, die Photoaddition selbst wird durch die leicht ablaufende thermische Rückreaktion präparativ unbedeutend.

β) von Sauerstoff enthaltenden Verbindungen

Eine photochemische Addition von Wasser an C=C-Doppelbindungen gelingt in einigen Fällen mit mäßigen Ausbeuten. Buten-(2)-säure oder- auch ihr Natriumsalz liefert z. B. nach mehrwöchiger Bestrahlung in wäßriger Lösung *3-Hydroxy-butansäure* (10–25% d. Th.)[2]. Cholesten-(2) kann photolytisch in ein Gemisch aus *2α-, 2β-, 3α-* und *3β-Hydroxy-cholestan* überführt werden[3]. Aus der Reihe der Naturstoffe wurde die photochemische Hydratisierung von Lysergsäure-Derivaten untersucht. In sauerstoff-freier, essigsaurer Lösung geht z. B. Ergotamin bei 30° im Sonnenlicht in zwei Lumi-Produkte über[4]:

R = C₁₇H₂₀N₃O₄

Über die Hydratisierung von Pyrimidin-Basen s. S. 605f.

Auch die Addition von Wasserstoffperoxid stellt keine synthetisch relevante Methode dar, obgleich Beispiele für die Bildung von vic. Diolen bekannt sind. Allylalkohol ergibt nach 168 stdg. Bestrahlung in 43%iger Ausbeute *Glycerin*[5]. Nach einer ähnlich langen Belichtungszeit kann mit einer 5,8%igen Wasserstoffperoxid-Lösung *2,3-Dihydroxy-butansäure* (30% d. Th.) aus Buten-(2)-säure gewonnen werden[5]. Maleinsäure-diäthylester läßt sich in *Mesoweinsäure* überführen[5].

Über Addition von Sauerstoff an olefinische C=C-Doppelbindungen s. S. 1474ff.

γ) von Schwefel enthaltenden Verbindungen

Die photochemische Addition von Schwefelwasserstoff ist Gegenstand zahlreicher Untersuchungen gewesen[6]. Zur Homolyse der S–H-Bindung benötigt man Licht der Wellenlänge λ < 290 nm[7], in Gegenwart von Sensibilisatoren (Aceton) kann auch langwelligeres Licht benutzt werden[8]. Die Mercapto-Gruppe addiert sich entgegen der Markownikow-Regel an das wasserstoffreichere Kohlenstoff-Atom der Doppelbindung.

So erhält man z. B. aus 1-(4-Methoxy-phenyl)-propen, Schwefelwasserstoff und Triphenylphosphit als Promotor bei Einwirkung von UV-Licht *2-Mercapto-1-(4-methoxy-*

[1] R. M. MARTIN u. J. E. WILLARD, J. Chem. Phys. **40**, 2999 (1964).
[2] R. STOERMER u. H. STOCKMANN, B. **47**, 1786 (1914).
[3] J. E. HERZ u. E. GONZALES, Steroids **12**, 551 (1968).
[4] A. STOLL u. W. SCHLIENTZ, Helv. **38**, 585 (1955).
  Vgl. a.: H. HELLBERG, Acta chem. scand. **11**, 219 (1957).
[5] N. A. MILAS, P. F. KURZ u. W. P. ANSLOW Jr., Am. Soc. **59**, 543 (1937).
[6] F. W. STACEY u. J. F. HARRIS Jr., Org. Reactions **13**, 191 (1963).
[7] US. P. 3412001 (1968), Phillips Petroleum Co., Erf.: J. R. EDWARDS.
[8] W. E. VAUGHAN u. F. F. RUST, J. Org. Chem. **7**, 472 (1942).

phenyl)-propan (50–60% d.Th.)[1]. Durch zweifache Addition geht *d,l*-1-Methyl-4-isopro-penyl-cyclohexen (d,l-Limonen) in *2-Mercapto-1-methyl-4-[2-mercapto-propyl-(2)]-cyclo-hexan* über[2]. Allen läßt sich zu *1,3-Dimercapto-propan* thiolieren[3].

Als Nebenreaktion können sich Photoreaktionen der gebildeten Mercaptane (Additionen, Dimerisierungen) störend bemerkbar machen, z. B. ergibt 1-Chlor-cyclohexen mit Schwefelwasserstoff bei –60 bis –80° nach 4 stdg. Bestrahlung ($\lambda = 254$ nm) *cis*- und *trans-2-Chlor-1-mercapto-cyclohexan* (zus. 65%; *cis/trans* = 9:1) sowie *Bis-[2-chlor-cyclohexyl]-sulfid* (35%)[4]. Weitere Beispiele hierzu zeigen halogenierte Olefine[5,6]:

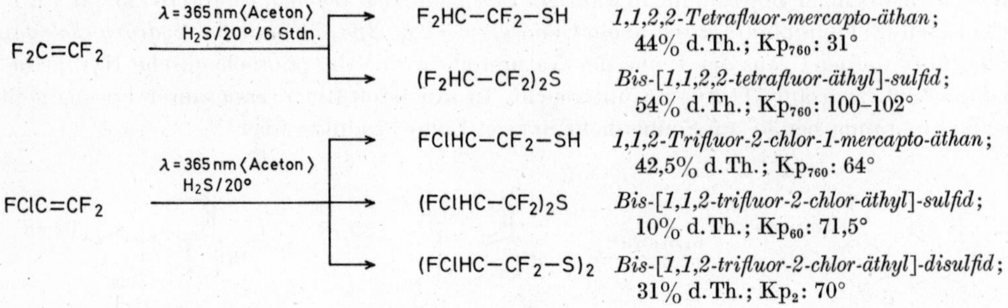

$F_2C=CF_2$ $\xrightarrow[\text{H}_2\text{S/20°/6 Stdn.}]{\lambda = 365\,\text{nm}\langle\text{Aceton}\rangle}$

→ F_2HC-CF_2-SH *1,1,2,2-Tetrafluor-mercapto-äthan*; 44% d.Th.; Kp_{760}: 31°

→ $(F_2HC-CF_2)_2S$ *Bis-[1,1,2,2-tetrafluor-äthyl]-sulfid*; 54% d.Th.; Kp_{760}: 100–102°

$FClC=CF_2$ $\xrightarrow[\text{H}_2\text{S/20°}]{\lambda = 365\,\text{nm}\langle\text{Aceton}\rangle}$

→ $FClHC-CF_2-SH$ *1,1,2-Trifluor-2-chlor-1-mercapto-äthan*; 42,5% d.Th.; Kp_{760}: 64°

→ $(FClHC-CF_2)_2S$ *Bis-[1,1,2-trifluor-2-chlor-äthyl]-sulfid*; 10% d.Th.; Kp_{60}: 71,5°

→ $(FClHC-CF_2-S)_2$ *Bis-[1,1,2-trifluor-2-chlor-äthyl]-disulfid*; 31% d.Th.; Kp_2: 70°

Auch Vinyl-äther lassen sich thiolisieren. Methyl-trifluorvinyl-äther ergibt z. B. *1,1,2-Trifluor-2-methoxy-1-mercapto-äthan* neben dem entsprechenden Thioäther[6,7]. In Gegenwart von Anthracen oder Fluoren und $\lambda = 300$–400 nm kann *Bis-[2-(2-mercapto-äthoxy)-äthyl]-äther* in 87%iger Ausbeute bei 0 bis 5° hergestellt werden[8]:

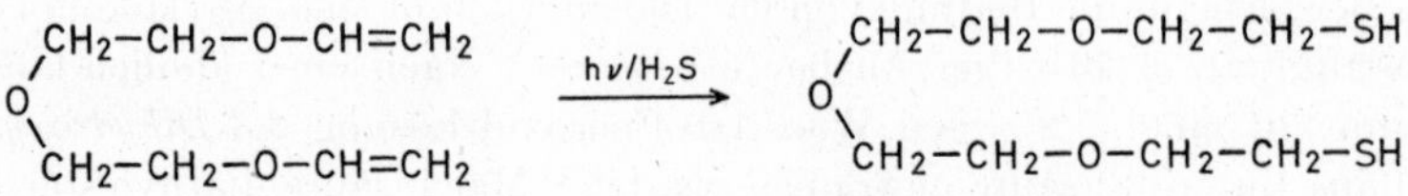

$$O\begin{cases}CH_2-CH_2-O-CH=CH_2\\CH_2-CH_2-O-CH=CH_2\end{cases} \xrightarrow{h\nu/\text{H}_2\text{S}} O\begin{cases}CH_2-CH_2-O-CH_2-CH_2-SH\\CH_2-CH_2-O-CH_2-CH_2-SH\end{cases}$$

Mit recht guten Ausbeuten addiert sich **Chlor-schwefelpentafluorid** an Olefine und Halogenolefine[9]:

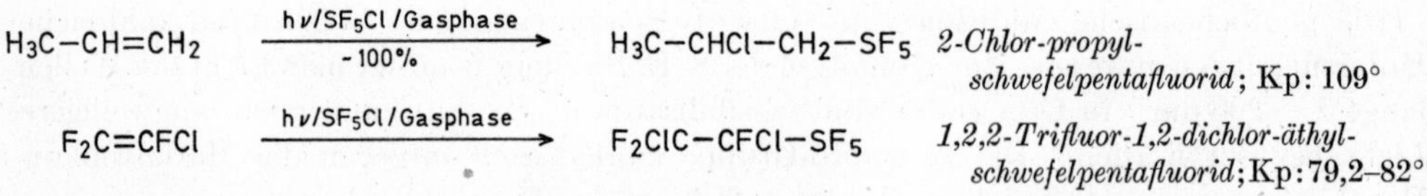

$H_3C-CH=CH_2$ $\xrightarrow[-100\%]{h\nu/\text{SF}_5\text{Cl}/\text{Gasphase}}$ $H_3C-CHCl-CH_2-SF_5$ *2-Chlor-propyl-schwefelpentafluorid*; Kp: 109°

$F_2C=CFCl$ $\xrightarrow{h\nu/\text{SF}_5\text{Cl}/\text{Gasphase}}$ $F_2ClC-CFCl-SF_5$ *1,2,2-Trifluor-1,2-dichlor-äthyl-schwefelpentafluorid*; Kp: 79,2–82°

Die Fluoralkene lassen sich jedoch besser rein thermisch in der Flüssigphase (Autoklav) umsetzen.

[1] US. P. 3637862 (1972), Phillips Petroleum Co., Erf.: P. F. WARNER u. J. W. STANLEY.

[2] US. P. 3257302 (1966), Phillips Petroleum Co., Erf.: P. F. WARNER.
Belg. P. 756386 (1971), Pennwalt Corp.

[3] Franz. P. 1466266 (1966), Esso Co., Erf.: K. GRIESBAUM, A. A. OSWALD u. D. N. HALL.

[4] H. L. GOERING, D. I. RELYEA u. D. W. LARSEN, Am. Soc. **78**, 348 (1956).

[5] A. V. FOKIN et al., Doklady Akad. SSSR **138**, 1132 (1961); engl.: 597; Izv. Akad. SSSR **1967**, 341.
N. L. ARTHUR u. T. N. BELL, Soc. **1962**, 4866.

[6] Mit γ-Strahlen: J. F. HARRIS Jr. u. F. W. STACEY, Am. Soc. **85**, 749 (1963).

[7] J. F. HARRIS Jr. u. F. W. STACEY, Am. Soc. **83**, 840 (1961).

[8] US. P. 2873239 (1959), Dow Chemical Co., Erf.: W. R. NUMMY u. G. D. JONES.

[9] J. R. CASE, N. H. RAY u. H. L. ROBERTS, Soc. **1961**, 2066, 2070.

Additionen von **Natriumhydrogensulfit** an Olefine verlaufen radikalisch, jedoch bereits ohne Anwesenheit von Licht[1]. Die Reaktionen haben hauptsächlich technisches Interesse[2,3].

δ) von Stickstoff enthaltenden Verbindungen

Photoadditionen von **Ammoniak** kommt keine präparative Bedeutung zu[4]. **Chloramin** reagiert mit Cyclohexen unter Bildung von *d,l-trans-2-Chlor-1-amino-cyclohexan* (max. 8% d.Th.)[5].

Umsetzungen von Halogenalkenen mit **Nitrosylchlorid** sind außerordentlich exotherm und haben schon zu heftigen Explosionen geführt[6]. Sie führen auch nicht immer zu vic. Chlor-nitroso-alkanen:

$$F_2C=CClF \xrightarrow{h\nu/NOCl} \begin{cases} F_2ClC-CCl_2F & \textit{1,2,2-Trifluor-1,1,2-trichlor-äthan}; 28\% \text{ d.Th.};\ Kp_{630}: 41\text{--}42° \\ FCl_2C-CF_2-NO_2 & \textit{1,1,2-Trifluor-2,2-dichlor-1-nitro-äthan}; 60\% \text{ d.Th.};\ Kp_{630}: 70{,}5\text{--}72° \end{cases}$$

$$F_2C=CCl_2 \xrightarrow{h\nu/NOCl} \begin{cases} F_2ClC-CCl_3 & \textit{2,2-Difluor-1,1,1,2-tetrachlor-äthan}; 36\% \text{ d.Th.} \\ F_2ClC-CCl_2-NO & \textit{2,2-Difluor-1,1,2-trichlor-1-nitroso-äthan}; 9\% \text{ d.Th.} \end{cases}$$

ε) mit Kohlenstoff enthaltenden Verbindungen

Besonders endständige und cyclische Olefine lassen sich in Gegenwart von UV-Licht mit **Nickel-tetracarbonyl** in wässerig saurer Lösung in guten Ausbeuten **carboxylieren**[7,8]:

Carboxylierung von Olefinen; allgemeine Arbeitsvorschrift[7,8]: In einem 250 mm langen und 60 mm breiten zylindrischen Glasgefäß mit Tauch-Lampe (Hochdruck-Brenner Q 81, 70 W, Quarzlampen GmbH. Hanau) werden 0,25 Mol Olefin, 0,5 Mol Salzsäure (als konz. Säure), 5 Mol Wasser und 200 *ml* Aceton vorgelegt. Das Gefäß wird über ein Wasserbad thermostatisiert und 0,15 Mol Nickel-tetracarbonyl in 100 *ml* Aceton gelöst bei 50–60° innerhalb 1 Stde. zugetropft. Die Reaktionsmischung wird mit einem schwachen Argon-Strom, der über eine Fritte eingeleitet wird, homogenisiert. Zur Vermeidung von Verdampfungsverlusten wird ein Intensivkühler verwendet, dem noch 3 Tiefkühlfallen nachgeschaltet

[1] Vgl ds. Handb., Bd. VIII, S. 380–382.
[2] F. ASINGER, *Die petrolchemische Industrie*, S. 757, Akademie Verlag, Berlin 1971.
[3] C. L. FURROW u. C. E. STOOPS, Ind. Eng. Chem., Prod. Res. Develop. **7**, 29 (1968).
Mit UV-Licht:
US. P. 3336210 (1967), Phillips Petroleum Co.; Erf.: C. L. FURROW; C. A. **67**, 92005^g (1967).
US. P. 3342714 (1967), Phillips Petroleum Co., Erf.: C. L. FURROW u. C. E. STOOPS; C. A. **67**, 116577^f (1967).
US. P. 3337437 (1967), Phillips Petroleum Co., Erf.: C. L. FURROW, C. E. STOOPS u. J. E. MAHAN.
Mit γ-Strahlen:
Belg. P. 667618 (1966), Phillips Petroleum Co.,Erf.: C. L. FURROW, C. E. STOOPS u. J. E. MAHAN.
Mit ^{60}Co:
DAS 1090198 (1960), Esso Res. and Erg. Co., Erf.: E. L. STOGRYN u. P. A. ARGABRIGHT, C. **1964**, 35–2234, S. 247.
[4] Vgl. R. STOERMER u. E. ROBERT, B. **55**, 1030 (1922).
[5] Y. OGATA, Y. IZAWA u. H. TOMIOKA, Tetrahedron **23**, 1509 (1967).
[6] J. D. PARK, A. P. STEFANI u. J. R. LACHER, J. Org. Chem. **26**, 4017 (1961).
[7] B. FELL u. J. M. J. TETTEROO, Ang. Ch. **77**, 813 (1965).
[8] J. M. J. TETTEROO, Dissertation, Technische Hochschule Aachen (1965).

sind. Das Kondensat wird alle 30 Min. in das Reaktionsgefäß zurückgegeben. Auf die **Giftigkeit** des Nickel-tetracarbonyls sei hingewiesen. Falls während der Umsetzung schwarzes metallisches Nickel ausfällt, wird weitere 10%ige Salzsäure zugetropft. Das gelb-grüne Reaktionsgemisch wird nach Abkühlen im Scheidetrichter mit 300 *ml* Wasser unter Zusatz von 100 *ml* 10%iger Salzsäure geschüttelt. Die wässerige Phase wird abgetrennt und 7mal mit 75 *ml* Pentan extrahiert. Die vereinigten organischen Lösungen werden mit 150 *ml* 10%iger Natronlauge und zweimal mit je 75 *ml* 10%iger Natronlauge gewaschen. Die wäßrig-alkalischen Lösungen werden mit 10%iger Salzsäure angesäuert und die Carbonsäuren erneut mit Pentan (5 × je 75 *ml*) extrahiert. Nach Abdampfen des Pentans hinterbleiben die Carbonsäuren, die durch Destillation gereinigt werden.

Es werden z. B. nach 9stdg. Bestrahlung gewonnen aus

Cyclohexen → *Cyclohexan-carbonsäure*; Umsatz 96%; Ausbeute 83%
Octen-(1) → *Nonansäure*; Umsatz 98%; Ausbeute 70%
cis-Octen-(4) → *2-Propyl-hexansäure*; Umsatz 91%; Ausbeute 17%

Bei offenkettigen Olefinen entstehen Isomeren-Gemische; z. B.:

Octen-(1) → *Nonansäure*; 37%
2-Methyl-octansäure; 61%
3- und *4-Methyl-octansäure*; je 1%

Über die Photocarboxylierung von Acetylenen s. Org.-Lit.[1]

Zur Addition von Metall-carbonylen an Alkene unter Ausbildung von Kohlenstoff-Metall-Bindungen s. S. 1417ff.

ζ) von Phosphor enthaltenden Verbindungen
s. S. 1346ff.

η) von Silicium enthaltenden Verbindungen
s. S. 1387ff.

ϑ) von Wasserstoff
s. S. 1436ff.

9. Additionen organischer Verbindungen

Über lineare Additionen von Olefinen an Olefine oder Acetylene gibt es keine präparativ relevanten Ergebnisse.

Methodisch interessant sind dagegen intramolekulare Dehydrocyclisierungen von Vinyl-aryl-Systemen, s. S. 511 ff.

Weitere Photoadditionen von Olefinen mit

Halogenalkanen s. S. 630ff.
Alkoholen s. S. 654ff.
Aldehyden und Ketonen s. S. 838ff.
Chinonen s. S. 944ff.
Mercaptanen s. S. 1011ff.
Sulfonsäure-Derivate s. S. 1050
Thiocarbonyl-Verbindungen s. S. 1061ff.
Carbene s. S. 1199ff., 1224ff.
Metall-carbonylen s. S. 1417ff.

Über Photopolymerisation s. S. 1501ff,.

---

[1] J. M. J. TETTEROO, Dissertation, Technische Hochschule Aachen 1965.

b) Photochemische Reaktionen von der C≡C-Dreifachbindung

bearbeitet von

Priv.-Doz. Dr. MICHAEL SAUERBIER*

Im Gegensatz zur Photochemie der Olefine, die – eingehend untersucht – schon seit längerem als in vielen Fällen echte und manchmal einzige präparative Methode Eingang in die Laboratorien gefunden hat, ist über die Photochemie der Acetylene noch verhältnismäßig wenig bekannt. Dies mag seinen Grund einmal darin haben, daß der präparative Zugang zu Acetylenen oftmals schwieriger, zumindest langwieriger ist, als zu Olefinen; zum anderen darin, daß bei der Photochemie von Acetylen, mit komplizierter verlaufenden und zahlenmäßig mehr Folgereaktionen zu rechnen ist. Die Folgen davon sind, eine erschwerte Auftrennung und Isolierung der Reaktionsprodukte, sowie in fast allen Fällen geringe Ausbeuten.

Die längstwellige Absorption des unsubstituierten Acetylens beginnt bei 237,7 nm[1]. Durch Substitution eines oder beider Wasserstoff-Atome wird die Absorption langwellig verschoben, z. B.: Absorptionsbeginn von Phenyl-acetylen: 284 nm, Diphenyl-acetylen: 312 m. Die Absorption beginnt noch langwelliger, wenn die Substituenten ihrerseits substituiert sind. Eine langwellige Verschiebung der Absorption tritt ebenfalls auf, wenn sich mehr als eine C≡C-Dreifachbindung im Molekül befinden z. B. Absorptionsbeginn von Butadiin-(1,3): 300 nm[2].

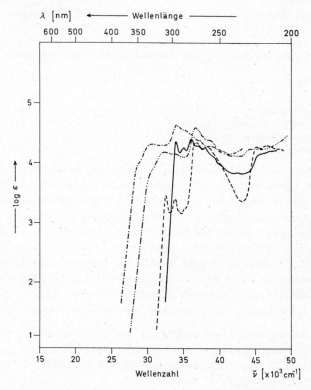

Abb. 69. Absorptionsspektren von: Diphenyl-acetylen ———; 1,2Diäthinyl-benzol - - - -; 1,2-Bis-[phenyl-äthinyl]-benzol ·········; 1,2-Bis-[4-cyan-phenyläthinyl]-benzol -·-·-

---

* Chemisches Institut der Universität Tübingen
[1] M. ZELIKOFF u. L. M. ASCHENBRAND, J. Chem. Physics 24, 1034 (1956).
[2] J. H. CALLOMON u. D. A. RAMSAY, Canad. J. Physics 35, 129 (1957).

Der erste angeregte Zustand des Acetylens ist nicht mehr linear gebaut. Die H–C–C-Winkel betragen ~ 120°. Wie durch Analyse von Schwingungsspektren nachgewiesen werden konnte, besitzen Acetylene im angeregten Zustand, sowohl elektronisch als auch sterisch, die Konfiguration eines *trans*-Äthylens[1]. Die Bindungslängen sind dabei ähnlich denen im Benzol.

So kommt z. B. dem Acetylen selbst im angeregten Zustand folgende Struktur zu:

Die Reaktivität der C≡C-Dreifachbindung ist auch in photochemischer Hinsicht nicht so groß wie bei Olefinen. Sie kann jedoch durch Substituenten gesteigert werden. Hierzu sind vor allem „elektronenziehende" Substituenten, insbesondere Phenyl-Gruppen geeignet. Der „elektronenziehende" Effekt scheint eine Lockerung der Dreifachbindung zu bewirken.

Bei fast allen photochemischen Umsetzungen der Acetylene, soweit sie die Dimerisierung und Cycloaddition betreffen, ist mindestens ein Substituent notwendig, weil er in die Folgereaktion mit einbezogen werden muß. So z. B. bei der Bildung von 1-Phenyl-azulen (s. S. 464) und 1,2,3-Triphenyl-azulen (s. u.) aus Phenylacetylen bzw. Diphenyl-acetylen.

1. Dimerisierungen und intermolekulare Cycloadditionen

Über Cycloadditionen von Acetylen mit

Olefinen s. S. 367
Aromaten s. S. 500ff.
Heteroaromaten s. S. 586ff., 603ff., 616ff.
Aldehyden und Ketonen s. S. 797ff.
Chinonen s. S. 942ff.

Bei den in diesem Abschnitt beschriebenen Beispielen handelt es sich stets um eine Photodimerisation. Inwieweit es sich darüber hinaus zusätzlich um eine Photocycloaddition handelt, ist eine Frage der Formulierung der Reaktionsmechanismen, die bisher ausschließlich hypothetischer Natur sind. Ob bei Belichtung von Acetylen eine Photocycloaddition stattgefunden hat, ist aus den Endprodukten nicht ablesbar, da die Cycloaddition zu Cyclobutadien bzw. seinen Derivaten führen müßte, welches wegen seiner großen Instabilität sofort Folgereaktionen eingeht. Gerade die Bildungsweise dieser Folgeprodukte kann aber auch anders als durch das intermediäre Auftreten eines Cyclobutadiens erklärt werden. Erfolgreiche Abfangversuche bei photochemischen Reaktionen der Acetylene, die die intermediäre Existenz des Cyclobutadiens beweisen, sind bisher nicht beschrieben.

Die erste photochemische Dimerisation eines Acetylens wurde am Diphenyl-acetylen versucht[2]. Belichtet man Diphenyl-acetylen in Hexan mit einer Quecksilber-Hochdruck-Lampe, so erhält man *Octaphenyl-cyclooctatetraen* (0,065% d.Th.)[3], *Hexaphenyl-*

---

[1] C. K. Ingold, Soc. **1954**, 2991.
[2] G. Büchi, C. W. Perry u. E. W. Robb, J. Org. Chem. **27**, 4106 (1962).
   Zur mechanistischen Deutung über eine 1-Phenyl-benzocyclobutadien-Zwischenstufe s.: K. Ota et al., Tetrahedron Letters **1974**, 1431.
[3] G. Büchi hielt diese Verbindung zuerst irrtümlich für Octaphenyl-cuban.

benzol (0,035% d.Th.), *1,2,3-Triphenyl-naphthalin* (1% d.Th.) und *1,2,3-Triphenyl-azulen* (0,89% d.Th.). Die Entstehung dieser vier Verbindungen wird über ein intermediär auftretendes Tetraphenyl-cyclobutadien (II) erklärt:

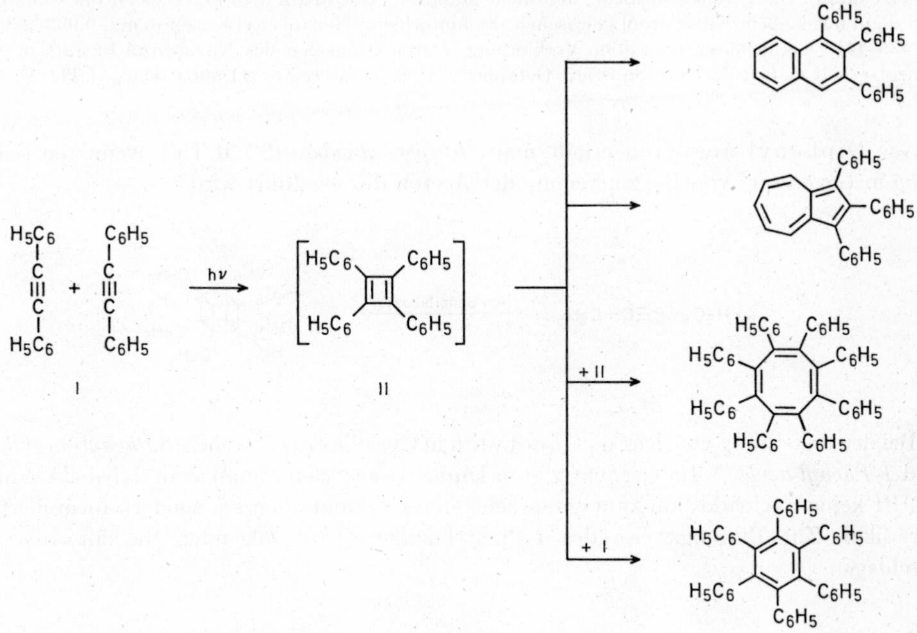

Der Mechanismus dieser Reaktion beinhaltet im primären Schritt eine Cycloaddition. Die Entstehung des Hexaphenyl-benzols und des Octaphenyl-cyclooctatetraens wird durch Addition eines weiteren Diphenyl-acetylen-Moleküls an das primär durch Cycloaddition entstandene, instabile Tetraphenyl-cyclobutadien, bzw. durch Dimerisation zweier Tetraphenyl-cyclobutadiene erklärt.

Zur Bildung des 1,2,3-Triphenyl-azulens nimmt man folgenden Reaktionsmechanismus an:

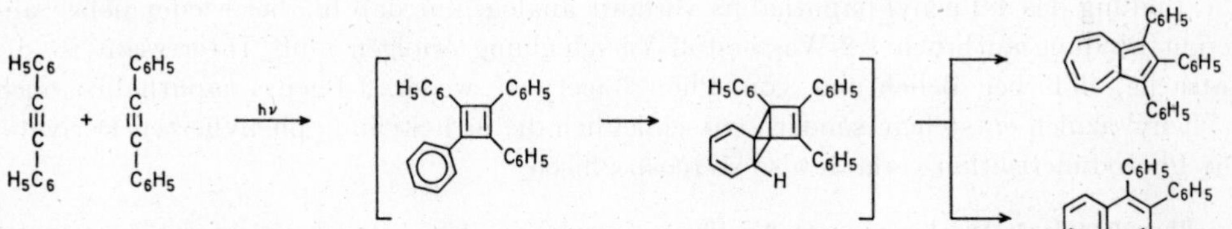

Danach addiert sich eine Doppelbindung des zunächst entstehenden Tetraphenyl-cyclobutadiens an eine Doppelbindung einer der Phenyl-Kerne zu einem Bicyclo[1.1.0]butan-Derivat. Unter Bindungsaufbruch erfolgt dann Stabilisierung zum 1,2,3-Triphenyl-azulen.

Einen fast gleichen Mechanismus nimmt man bei Entstehung des 1,2,3-Triphenyl-naphthalins an. Hierbei muß neben einem anderen Bindungsaufbruch zusätzlich eine 1,2-Wasserstoff-Verschiebung stattfinden.

1,2,3-Triphenyl-naphthalin und 1,2,3-Triphenyl-azulen[1]: 17 g Diphenyl-acetylen werden in 50 *ml* reinem Hexan gelöst und bei 15–30° mit einer Tauchlampe (S 81, Quarzlampengesellschaft Hanau/Main) eine Woche lang belichtet. Während der Belichtung wird mit Reinstickstoff begast. Die Reaktionsmischung wird filtriert, wobei 92 mg unlösliches Material (A) zurückbleiben. Nach Einengen des Filtrats hinterbleibt ein grüner, fester Rückstand. Durch Umkristallisation aus Äthanol wird die Hauptmenge des Ausgangsproduktes entfernt, die Mutterlauge eingeengt und in Hexan auf eine Silikagel-

---

[1] G. Büchi, C. W. Perry u. E. W. Robb, J. Org. Chem. **27**, 4106 (1962).

Säule aufgebracht. Die Elution mit demselben Lösungsmittel ergibt als erste Fraktion restliche Ausgangsverbindung (insgesamt werden 16 g zurückgewonnen). Durch weiteres Eluieren mit Hexan plus 5% Benzol-Zusatz erhält man *1,2,3-Triphenyl-naphthalin* (172 mg, 1% d.Th., F: 151–153°). Die folgende Fraktion enthält *1,2,3-Triphenyl-azulen* (151 mg, 0,89% d.Th., F: 214–226° nach Umkristallisation aus Äther/Pentan). Das zurückgebliebene, unlösliche Material (A) wird auf dem Filter zuerst mit Chloroform und dann mit heißem Nitrobenzol gewaschen. Es hinterbleibt Hexaphenyl-benzol (6 mg, 0,035% d.Th., F: 439–441°) als farblose, kristalline Verbindung. Durch Eingießen des Nitrobenzol-Filtrats in 30 *ml* Benzol, erhält man als farblose Substanz Octaphenyl-cyclo-octatetraen (11 mg, 0,065% d.Th., F: 427 – 429°)[1].

Aus Diphenyl-acetylen erhält man *Octaphenyl-cuban* (2% d.Th.), wenn die Belichtung in Gegenwart von Benzophenon oder Aceton durchgeführt wird[2]:

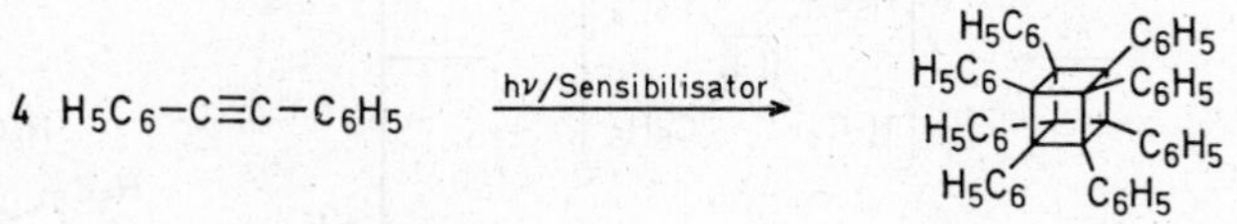

Bei der Belichtung von Phenyl-acetylen in Cyclohexan entstehen *1-Phenyl-naphthalin* und *1-Phenyl-azulen*[3]. Im Gegensatz zum Diphenyl-acetylen nimmt man dabei als Primärschritt keine Cycloaddition zum entsprechenden Cyclobutadien an, sondern formuliert ein Biradikal. Zur Bildungsweise des 1-Phenyl-azulens wird folgender Mechanismus vorgeschlagen:

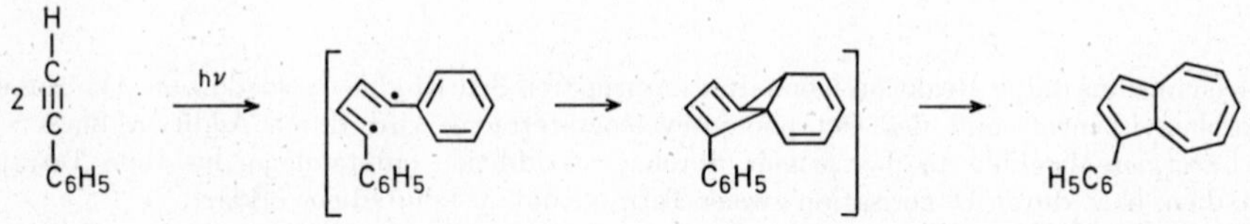

Die Bildung des 1-Phenyl-naphthalins verläuft analog, nur daß hierbei wieder neben anderem Bindungsaufbruch 1,2-Wasserstoff-Verschiebung erfolgen muß. Interessant ist die Tatsache, daß bei Belichtung von Phenyl-acetylen weder 2-Phenyl-naphthalin, noch 2-Phenyl-azulen entstehen, sondern ausschließlich die in 1-Stellung phenylierten Derivate. Die Photodimerisation verläuft also stereospezifisch.

1-Phenyl-azulen[3]**:** Die Lösung von 2 g Phenyl-acetylen in 100 *ml* Cyclohexan wird bei 60°, unter Stickstoff, 2 Stdn. mit einer Hanovia S 500 belichtet. Das Cyclohexan und der Hauptteil des nicht umgesetzten Phenyl-acetylens wird durch Vakuum-Destillation entfernt. Das verbleibende Öl wird mit Cyclohexan intensiv durchgeschüttelt und die so erhaltene grüne Lösung über Aluminiumoxid (Brockmann, Akt. 2) chromatographiert. Die Elution mit Cyclohexan ergibt als erste Fraktion restliches, nicht umgesetztes Phenyl-acetylen. Als zweite Fraktion erhält man 1-Phenyl-naphthalin (0,04 g, 2% d.Th.) und als darauffolgende Fraktion 1-Phenyl-azulen; Ausbeute: 0,2 g (10% d.Th.); F: 54°.

1,2-Dialkin-(1)-yl-benzole dimerisieren bei Belichtung, wobei substituierte Azulen-Derivate entstehen[4]. Aufgrund chemischer und spektroskopischer Daten[5], sowie in einem

[1] G. BÜCHI, C. W. PERRY u. E. W. ROBB, J. Org. Chem. **27**, 4106 (1962).
[2] J. M. SLOBODIN u. A. P. CHITROV, Ž. Org. Chim. **6**, 8, 1751 (1970).
[3] D. BRYCE-SMITH u. J. E. LODGE, Soc. **1963**, 695.
[4] E. MÜLLER, M. SAUERBIER u. J. HEISS, Tetrahedron Letters **1966**, 2473.
[5] E. MÜLLER et al., A. **750**, 63 (1971).

Fall einer Röntgenstrukturanalyse[1], konnte für diese Azulen-Derivate folgende Struktur-formel aufgestellt werden:

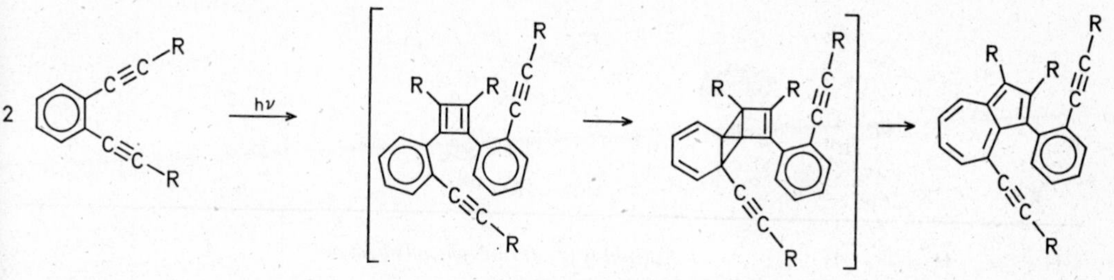

Zur Bildungsweise der Azulene kann wiederum angenommen werden, daß ähnlich wie beim Diphenyl-acetylen, zunächst Cycloaddition zu einem Cyclobutadien eintritt. Durch Addition einer Vierring-Doppelbindung an die Doppelbindung eines Phenyl-Kernes und anschließendem Bindungsaufbruch, erfolgt dann Stabilisierung zum entsprechenden Azulen-Derivat.

Die Tatsache, daß aus 1,2-Bis-[phenyläthinyl]-cyclohexen das zu erwartende *4-Phenyläthinyl-3-[2-phenyl-äthinyl-cyclohexen-(1)-yl]-1,2-diphenyl-5,6,7,8-tetrahydro-azulen* (3% d.Th.) gebildet wird, beweist, daß wirklich einer der Phenylen-Kerne an der Folge-reaktion beteiligt ist[2]. Mit Chloranil kann das Tetrahydro-azulen-Derivat in das entspre-chende Azulen (20% d.Th.) überführt werden:

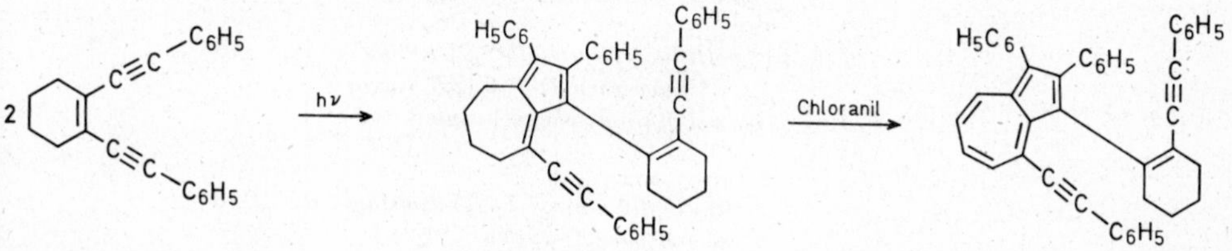

Ein weiterer Beweis dafür ist die Azulen-Bildung aus 1,2-Diäthinyl-benzol selbst[3]. Allerdings entstehen hier zwei in unterschiedlichen Stellungen substituierte Azulene:

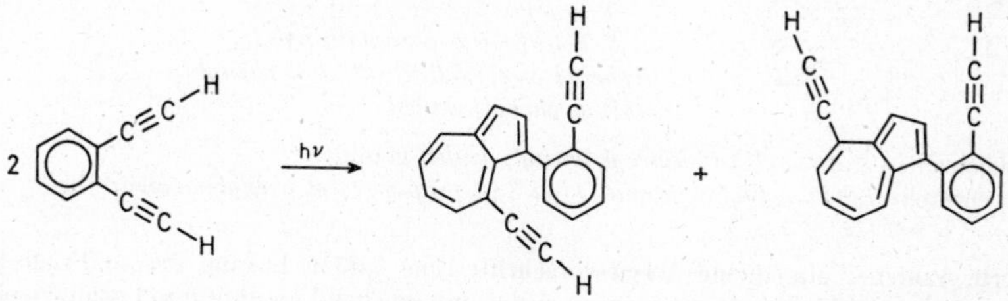

4-Äthinyl-3-(2-äthinyl-phenyl)-   *8-Äthinyl-3-(2-äthinyl-phenyl)-*
azulen; 1% d.Th.   *azulen; 0,5% d.Th.*

Die Belichtungen werden in Cyclohexan als Lösungsmittel ausgeführt. Als Lampen dienen die Quecksilber-Hochdruck-Brenner SQ 81, TQ 150 oder eine Hanovia (Quarz-lampengesellschaft Hanau). Die Ausbeuten an Azulen-Derivat liegen in der Regel zwischen 3 und 10% d.Th. Führt man in die beiden Phenyl-Gruppen des Bis-acetylens zusätzlich „elektronen-ziehende" oder „elektronen-schiebende" Substituenten ein, so kann die Aus-beute an Azulen-Derivat erhöht bzw. erniedrigt werden (s. Tab. 72, S. 466).

---

[1] N. BRODHERR et al., A. **750**, 53 (1971).
[2] E. MÜLLER u. G. ZOUNTSAS, Tetrahedron Letters **1970**, 4531.
[3] E. MÜLLER, M. SAUERBIER u. G. ZOUNTSAS, Tetrahedron Letters **1969**, 3003.

Tab. 72. Photodimerisierung von substituierten 1,2-Dialkin-(1)-yl-benzolen zu Azulenen

Ausgangsverbindung 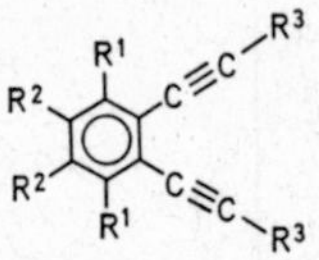			Produkt 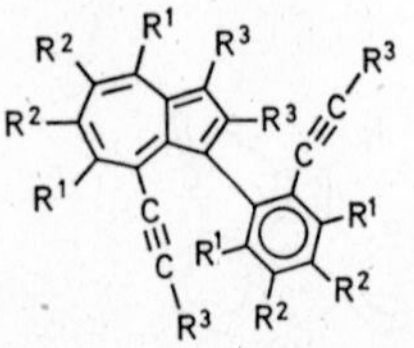	Ausbeute [% d.Th.]	Literatur
R¹	R²	R³			
H	H	H	4-Äthinyl-3-(2-äthinyl-phenyl)-azulen[a]	1	1,2
		CH₃	1,2-Dimethyl-4-propin-(1)-yl-3-[2-propin-(1)-yl-phenyl]-azulen[b]	1	3
		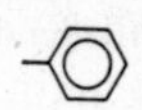 —⟨⟩	4-Phenyläthinyl-1,2-diphenyl-3-(2-phenyläthinyl-phenyl)-azulen (Verden)	3	1,4,5
		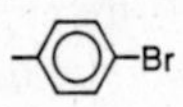 —⟨⟩—Br	4-(4-Bromphenyl-äthinyl)-1,2-bis-[4-brom-phenyl]-3-[2-(4-brom-phenyl-äthinyl)-phenyl]-azulen	1	1
		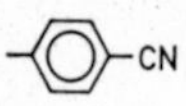 —⟨⟩—CN	4-(4-Cyan-phenyl-äthinyl)-1,2-bis-[4-cyan-phenyl]-3-[2-(4-cyan-phenyl)-äthinyl]-phenyl]-azulen	9	1
		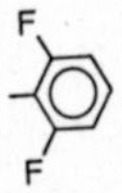 F⟨⟩F	4-(2,6-Difluor-phenyl-äthinyl)-1,2-bis-[2,6-difluor-phenyl]-3-[2-(2,6-difluor-phenyl-äthinyl)-phenyl]-azulen	18	6
	CH₃	H	6,7-Dimethyl-4-äthinyl-3-(4,5-dimethyl-2-äthinyl-phenyl)-azulen	3	1
		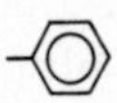 —⟨⟩	6,7-Dimethyl-4-phenyläthinyl-1,2-di-phenyl-3-(4,5-dimethyl-2-phenyl-äthinyl-phenyl)-azulen	7	6
F	F	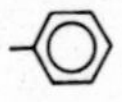 —⟨⟩	5,6,7,8-Tetrafluor-4-phenyläthinyl-1,2-diphenyl-3-(3,4,5,6-tetrafluor-2-phenyl-äthinyl-phenyl)-azulen	4	3

[a] Es wird gleichzeitig 8-Äthinyl-3-(2-äthinyl-phenyl)-azulen gebildet.
[b] Zusätzlich entsteht 1,2-Dimethyl-8-propin-(1)-yl-3-[2-propin-(1)-yl-phenyl]-azulen.

Substituierte Azulene; allgemeine Arbeitsvorschrift: Eine 0,05 m Lösung des in Frage kommenden Diacetylens (bei schwer löslichen Diacetylenen werden entsprechend verdünntere Lösungen eingesetzt) in reinem, trockenem Cyclohexan, wird in die Belichtungsapparatur eingebracht und nach Sättigung mit Reinststickstoff mit einer Quecksilber-Hochdruck-Tauchlampe (Quarzkühler) SQ 81, TQ 150 oder Hanovia (Quarzlampengesellschaft Hanau/Main) belichtet. Während der Belichtung wird weiter mit Stickstoff begast. Bei einer Temp. von 20° wird so 8 Stdn. lang belichtet. Die anfangs farblose Lösung wird in den meisten Fällen nach etwa 15 Min. mehr oder weniger kräftig grün. Mit zunehmender Belichtungsdauer wechselt die Farbe über braungrün nach braun (Polymere). Zugleich tritt ein geringer Lampenbelag auf. Nach beendeter Belichtung und Abziehen des Cyclohexans hinterbleibt ein dunkel-

1 E. Müller, J. Heiss u. M. Sauerbier, A. 723, 61 (1969).
2 E. Müller, M. Sauerbier u. G. Zountsas, Tetrahedron Letters 1969, 3003.
3 E. Müller et al., A. 750, 63 (1971).
4 E. Müller, M. Sauerbier u. J. Heiss, Tetrahedron Letters 1966, 2473.
5 E. Müller et al., Tetrahedron Letters 1968, 1195.
6 E. Müller et al., A. 735, 99 (1970).

braunes Öl, bzw. ein brauner, fester Rückstand. Der Rückstand wird in einem Gemisch von Petroläther (Kp: 50–70°), Benzol, Chloroform (100:10:5) aufgenommen und auf eine Aluminiumoxid-Säule (Durchmesser ~ 3 cm, Länge ~ 80 cm, Aluminiumoxid Akt. 3, neutral, Woelm), aufgebracht. Dasselbe Lösungsmittel-Gemisch dient auch zum nachträglichen Eluieren. Als erste, farblose Fraktion wird nicht umgesetzte Ausgangsverbindung eluiert. Darauf folgt die blaue, blaugrüne oder grüne Azulen-Fraktion. Am Säulenkopf hinterbleiben braune Polymere, die nicht eluiert werden können. Da sich die Ausgangsverbindung vom Azulen schlecht abtrennt, wird die Chromatographie der Azulen-Fraktion noch zweimal wiederholt. Auch jetzt enthält das Azulen-Derivat in vielen Fällen noch Ausgangsverbindung und muß zur endgültigen Reinigung der präparativen Dünnschicht-Chromatographie an Kieselgel unterworfen werden. Als Laufmittel dient wiederum obiges Lösungsmittel-Gemisch. Die so gewonnenen Azulene können nachträglich noch aus Äther/Methanol oder Chloroform/Äthanol umkristallisiert werden.

2. intramolekulare Cycloadditionen

Intramolekulare Cycloaddition ist definitionsgemäß nur bei Bis-acetylenen oder Polyacetylenen möglich. Dazu müssen zwei Dreifachbindungen im Molekül ausreichend benachbart sein, um eine gegenseitige Wechselwirkung zu ermöglichen. Ob eine intramolekulare Photocycloaddition oder eine Photocyclisierung vorliegt, ist eine Frage der Formulierung des Mechanismus.

Bei Belichtung von 1,8-Bis-[phenyläthinyl]-naphthalin in 10^{-3} m Lösung, entstehen als Hauptprodukte die Isomeren *12-Phenyl-⟨acenaphthyleno-[1,2-a]-azulen⟩*[1] und *7-Phenyl-⟨benzo-[k]-fluoranthen⟩* (6% d.Th.)[1–4]:

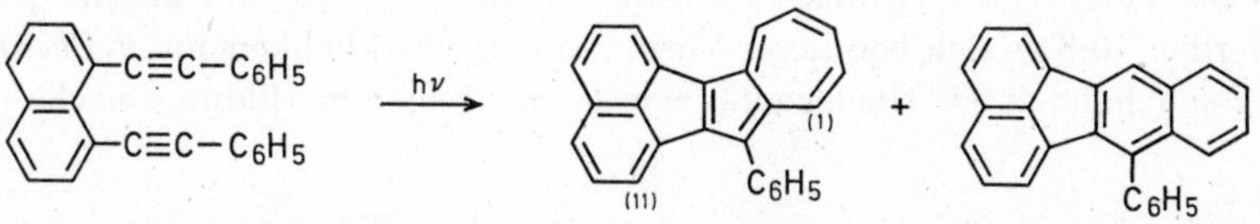

Daneben erhält man in geringerer Menge einen roten, in bezug auf das Ausgangsprodukt dimeren Kohlenwasserstoff[1], dessen Struktur bisher noch nicht geklärt wurde. Diese Dimerisierung ist stark abhängig von der Konzentration an Ausgangs-Diin. In 10^{-2} m Lösung überwiegt sie, um in 10^{-3} m Lösung fast ganz zurückzutreten.

Die photochemische Bildung des 7-Phenyl-⟨benzo-[k]-fluoranthen⟩ kann über ein intermediär auftretendes Biradikal erklärt werden[2]:

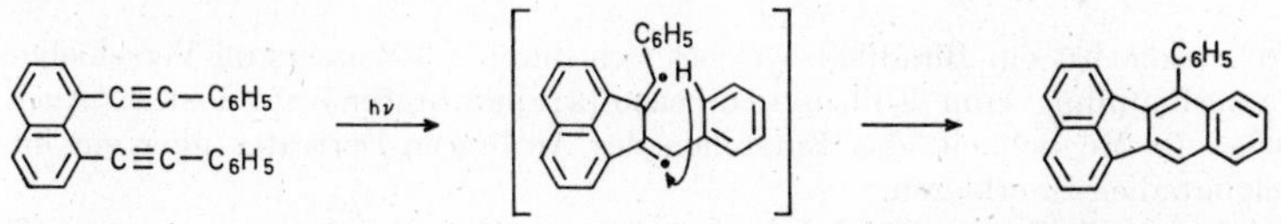

Ähnlich kann man die Bildung des 12-Phenyl-⟨acenaphthyleno-[1,2-a]-azulens⟩ erklären. Aber auch die primäre, intramolekulare Photocycloaddition zu einem Cyclobutadien wird nicht ausgeschlossen[1, 2].

Sind in den beiden Phenyl-Gruppen des 1,8-Bis-[phenyläthinyl]-naphthalin jeweils die 2,6-Stellungen durch Methyl-Gruppen besetzt (z. B. 2,4,6-Trimethyl-phenyl-Reste), so wird kein Benzo-[k]-fluoranthen gebildet, weil dazu mindestens eine freie o-Position nötig ist. In diesem Fall entsteht nur noch das entsprechende Azulen-Derivat[5].

7-Phenyl-⟨benzo-[k]-fluoranthen⟩[5]: 1,5 g 1,8-Bis-[phenyläthinyl]-naphthalin werden in 900 ml Cyclohexan gelöst und unter Stickstoff bei Raumtemp. mit einer Quecksilber-Lampe (Original Hanau, TQ 81) 48 Stdn. bestrahlt. Nach Entfernen des Lösungsmittels i. Vak. wird in 500 ml Benzin (Kp: 60–70°) aufgenommen und an Aluminiumoxid mit Benzol als Eluierungsmittel chromatographiert; Ausbeute: 1,3 g (78% d.Th.); F: 157–159°.

7-Phenyl-⟨benzo-[k]-fluoranthen⟩ und 12-Phenyl-⟨acenaphthyleno-[1,2-a]-azulen⟩[6]: 100 mg 1,8-Bis-[phenyläthinyl]-naphthalin werden in 175 ml trockenem Cyclohexan gelöst und unter Stickstoff 4 Stdn.

[1] E. MÜLLER et al., Tetrahedron Letters **1968**, 1195.
[2] B. BOSSENBROEK u. H. SHECHTER, Am. Soc. 89, 7111 (1967).
[3] J. IPAKTSCHI u. H. A. STAAB, Tetrahedron Letters **1967**, 4403.
[4] B. BOSSENBROEK et al., Am. Soc. 91, 371 (1969).
[5] H. A. STAAB u. J. IPAKTSCHI, B. 104, 1170 (1971).
[6] D. STREICHFUSS, Diplomarbeit, Tübingen 1968.

bei 20° mit einer Quecksilber-Hochdruck-Lampe SQ 81 (Quarzkühler; Quarzlampengesellschaft, Hanau) belichtet. Mehrere solcher Belichtungsansätze werden vereinigt. Nach Abziehen des Cyclohexans wird der Rückstand in ein Gemisch Petroläther (Kp: 50–70°)/Benzol/Chloroform (100:10:5) aufgenommen und zur ersten Grobauftrennung an Aluminiumoxid (Akt. 3, neutral, Woelm) chromatographiert. Zum Eluieren findet obiges Lösungsmittel-Gemisch Verwendung. Als erste Fraktion erhält man nicht umgesetztes Ausgangs-Diin. Darauf folgen das Benzo-[k]-fluoranthen- und Azulen-Derivat, die so noch nicht voneinander getrennt werden können. Zum nächsten Reinigungsschritt wird das vom Lösungsmittel befreite Isomeren-Gemisch in Chloroform gelöst, mit wenig Aluminiumoxid (Akt. 3) vermischt und das Chloroform abgedunstet. Das so auf Aluminiumoxid aufgezogene Produktgemisch wird nun auf den Säulenkopf einer Aluminiumoxid-Säule aufgetragen und erneut chromatographiert, wobei jetzt reiner Petroläther (Kp: 50–70°) zum Eluieren verwendet wird. Als erste Fraktion erhält man 7-Phenyl-⟨benzo-[k]-fluoranthen⟩ [6 mg (6% d. Th.); F: 158–159°] und als zweite, grüne Fraktion 12-Phenyl-⟨acenaphthyleno-[1,2-a]-azulen⟩ [10 mg (10% d. Th.); F: 158–159°].

1,3,5-Trimethyl-12-(2,4,6-trimethyl-phenyl)-⟨acenaphthyleno-[1,2-a]-azulen⟩[1]: 2,8 g 1,8-Bis-[2,4,6-trimethyl-phenyl-äthinyl]-naphthalin werden in 900 ml Cyclohexan 69 Stdn. mit einer Quecksilber-Lampe (TQ 81) unter Stickstoff bestrahlt. Nach Abdampfen des Lösungsmittels i. Vak. wird mit 100 ml siedendem Benzin (Kp: 60–70°) extrahiert und fraktioniert auskristallisiert. Als erste Fraktion erhält man 1 g nicht umgesetzte Ausgangsverbindung. Durch mehrfache Umkristallisation wird das tiefgrüne Azulen-Derivat gewonnen; Ausbeute: 150 mg (85% bez. auf umgesetzte Ausgangsverbindung); F: 265–267°.

Bei der Belichtung von 2,2'-Bis-[phenyläthinyl]-biphenyl entsteht ein neuer, zum Ausgangsprodukt isomerer Kohlenwasserstoff, dem zuerst die Struktur eines Cyclobutadiens oder eines Tetrahedrans zugeordnet wurde[2]. Schon bald konnte jedoch nachgewiesen werden, daß es sich bei dieser Verbindung in Wirklichkeit um 9-Phenyl-⟨dibenzo-[a;c]-anthracen⟩ handelt[3,4]. Gleichzeitig wurde der folgende Bildungsmechanismus vorgeschlagen:

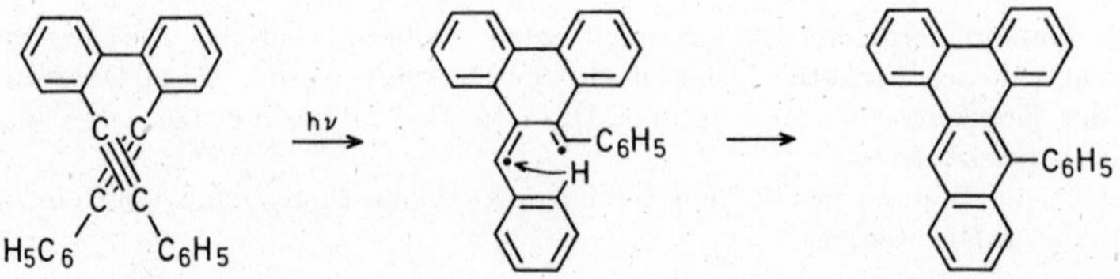

Danach entsteht zunächst ein Biradikal, welches sich durch 1,3-Wasserstoff-Verschiebung und gleichzeitiger Bindungsknüpfung zum 9-Phenyl-⟨dibenzo-[a;c]-anthracen⟩ stabilisiert. Auch hier besteht natürlich wieder die Möglichkeit, das Entstehen des Anthracen-Derivates über ein intermediär auftretendes Cyclobutadien zu erklären.

Belichtet man 2,2'-Bis-[phenyläthinyl]-biphenyl bei −60°, so wird in Spuren ein Azulen-Derivat gebildet, dem sehr wahrscheinlich die folgende Struktur zukommt[5]:

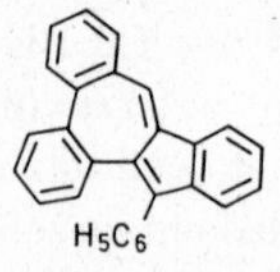

9-Phenyl-⟨dibenzo-[a;c]-anthracen⟩[5]: 500 mg 2,2'-Bis-[phenyläthinyl]-biphenyl werden in 175 ml trockenem Cyclohexan gelöst und unter Stickstoff mit einem Quecksilber-Hochdruckbrenner (SQ 81, Quarzlampengesellschaft Hanau) 8 Stdn. bei 20° belichtet. Nach Abziehen des Lösungsmittels wird der Rückstand in wenig Chloroform aufgenommen und an einer Aluminiumoxid-Säule (Akt. 3, neutral, Woelm) chromatographiert. Zum Eluieren dient ein Gemisch von Petroläther (Kp: 50–70°)/Benzol/Chloroform (100:10:5). Die Polymeren verbleiben am Säulenkopf, während alle eluierbaren Substanzen von der Säule entfernt werden. Das Eluat wird eingedampft und ein zweites Mal über eine Aluminiumoxid-

[1] H. A. STAAB u. J. IPAKTSCHI, B. **104**, 1170 (1971).
[2] S. A. KANDIL u. R. E. DESSY, Am. Soc. 88, 3027 (1966).
[3] E. H. WHITE u. A. A. F. SIEBER, Tetrahedron Letters **1967**, 2713.
[4] E. MÜLLER et al., Tetrahedron Letters **1968**, 1195.
[5] R. THOMAS, Diplomarbeit, Universität Tübingen 1968.

äule chromatographiert, die diesmal jedoch zur Hälfte mit Pikrinsäure belegt ist. Die Elution mit
bigem Lösungsmittel-Gemisch ergibt als erste Fraktion nicht umgesetzte Ausgangsverbindung. Als
weite Fraktion erhält man 9-Phenyl-⟨dibenzo-[a;c]-anthracen⟩; Ausbeute: 147 mg (29,5% d.Th.);
⚹: 232–233° [aus Petroläther (Kp: 50–70°), farblose Nadeln].

3. Cyclisierungen

Beispiele für Cyclisierungen zwischen einer Acetylen-Gruppe und funktionellen Gruppen s.

2-Hydroxy-1-äthinyl-benzol (S. 670)
Mercapto-alkine (S. 1013)
2-Amino-1-äthinyl-benzol (S. 1100).

Die Belichtung von 4,4,4-Triphenyl-butin-(2)-carbonsäure-methylester (I)
n Cyclohexan führt zu *13-Methoxycarbonyl-13H-⟨indeno-[1,2-l]-phenanthren⟩* (VI; 40%
d.Th.) als Hauptprodukt[1]:

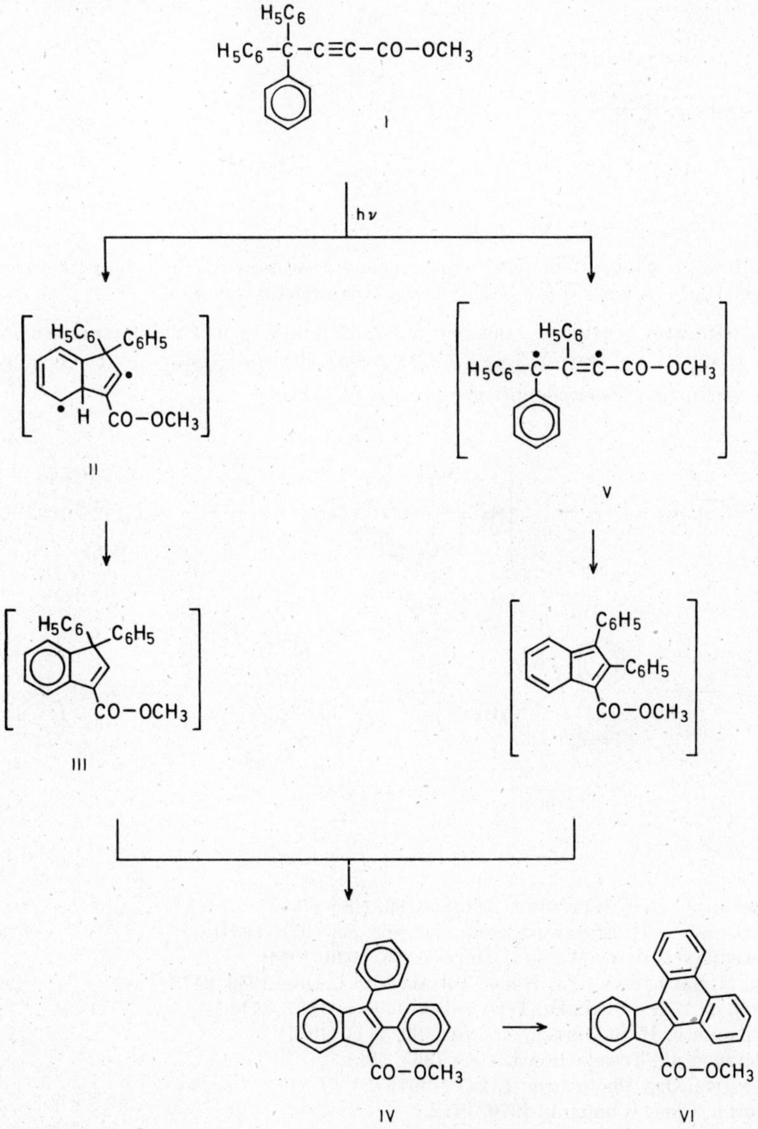

⚹ J. W. Wilson u. K. L. Huhtanen, Chem. Commun. **1968**, 454.

Für den Bildungsmechanismus werden zwei Wege angegeben. Der Weg über die Zwischenstufe (V ist ungewöhnlich für Acetylen-Systeme, obwohl analoge Reaktionen bei Olefinen gefunden wurden[1]

Die Cyclisierung über II bis IV ist wahrscheinlicher und hat Ähnlichkeit mit einigen, schon be kannten, intramolekularen Photocyclisierungen zwischen einem aromatischen Ring und einer Dreifach bindung[2]. Die Umlagerung von III zu IV findet ihre direkte Analogie in der schon beschriebenen Um wandlung von 1,1,3-in 1,2,3-Triphenyl-inden[3]. Der letzte Schritt schließlich, die Reaktion von IV und VI ist ein weiteres Beispiel für den schon gut bekannten Ringschluß von Stilben zu Phenanthren[4].

Belichtet man eine 10^{-2} m Lösung von Diphenyl-acetylen in Äthanol oder Methanol mit einer Quecksilber-Hochdruck-Lampe unter Stickstoff, so entsteht Phenanthren in einer Ausbeute von 10%[5] Die Bildung des Phenanthrens wurde zunächst als echte Photocyclisierung des Diphenyl-acetylen angesehen. Eine detailliertere Untersuchung der Reaktion ergab jedoch, daß die Phenanthren-Bildung wahrscheinlich über, während der Reaktion entstehendes Stilben verläuft[6]. Es konnte nämlich gezeig werden, daß bei Belichtung von Diphenyl-acetylen in Methanol unter Stickstoff, neben Phenanthren zusätzlich 1-Methoxy-*cis*- und *trans*-1,2-Diphenyl-äthylen, *cis*- und *trans*-Stilben, sowie Formaldehy gebildet werden.

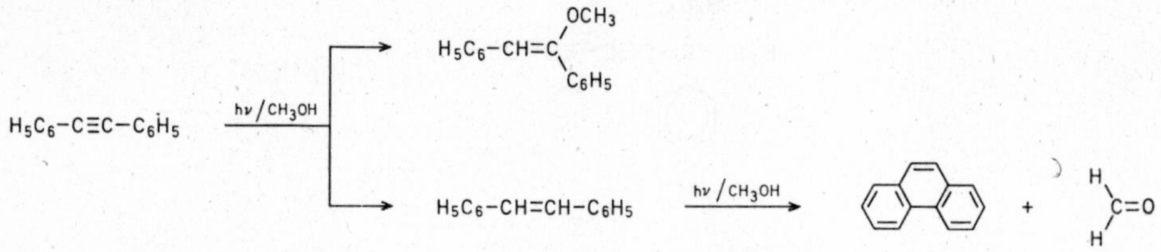

Bei Belichtung in Eisessig entstehen entsprechend 1-Acetoxy-*cis*- und *trans*-1,2-diphenyl-äthylen 9-Acetoxy-phenanthren, sowie 1-Oxo-1,2-diphenyl-äthan (Desoxybenzoin).

Aryl-substituierte Acetylene cyclisieren bei Belichtung in Cyclohexan mit einer 168 W (253,7 nm)-Lampe, zu Cyclopropen-Derivaten[7]. So ergibt z. B. 1,3,3,3-Tetra-phenyl-propin (X) *Tetraphenyl-cyclopropen* (XIII):

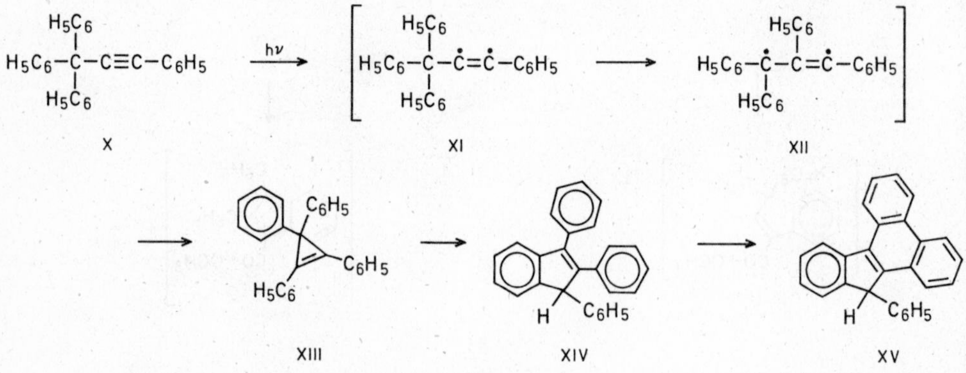

[1] H. KRISTINSSON u. G. S. HAMMOND, Am. Soc. **89**, 5968 (1967).
H. E. ZIMMERMAN u. G. E. SAMMUELSON, Am. Soc. **89**, 5971 (1967).
H. E. ZIMMERMAN u. J. W. WILSON, Am. Soc. **86**, 4036 (1964).
[2] E. MÜLLER, M. SAUERBIER u. J. HEISS, Tetrahedron Letters **1966**, 2473.
E. H. WHITE u. A. A. F. SIEBER, Tetrahedron Letters **1967**, 2713.
B. BOSSENBROEK u. H. SHECHTER, Am. Soc. **89**, 7111 (1967).
[3] G. W. GRIFFIN et al., Tetrahedron Letters **1965**, 2951.
[4] F. R. STERNMITZ, Org. Photochem. **1**, 247 (1967).
[5] W. TEMPLETON, Chem. Commun. **1970**, 1412.
[6] T. D. ROBERTS, Chem. Commun. **1971**, 362.
[7] B. HALTON et al. Am. Soc. **93**, 2327 (1971).

Zur Bildungsweise wird ein diradikalischer Prozeß angenommen, wonach sich das Diradikal XI zu XII umlagert. Darauf erfolgt Ringschluß zum Cyclopropen-Derivat XIII. Die Belichtungszeiten müssen relativ kurz gehalten werden, da sonst Weiterreaktion zu 1,2,3-Triphenyl-inden (XIV) und 13-Phenyl-13H-⟨indeno-[1,2-l]-phenanthren⟩ (XV) erfolgt.

Belichtungs-zeit	Produkte [% d.Th.]		
[Stdn.]	XIII	XIV	XV
24	25	42	19
4	46	35	9
1	70	Spuren	Spuren

Analog kann 3-Methoxy-1,3,3-triphenyl-propin in *3-Methoxy-1,2,3-triphenyl-cyclopropen* (30% d.Th.) überführt werden. Substanzen wie 1-Phenyl-propin, 1,3-Diphenyl-propin und 1,1,3-Triphenyl-propin cyclisieren nicht unter dem Einfluß von Licht zu Cyclopropen-Derivaten.

Cyclisierung erfolgt auch bei Bestrahlung ($\lambda = 360$ nm; 4 Stdn.) von 1-Phenyl-4-naphthyl-(1)-buten-(3)-in-(1) in Benzol zu *1-Phenyl-phenanthren* (45% d.Th.)[1]:

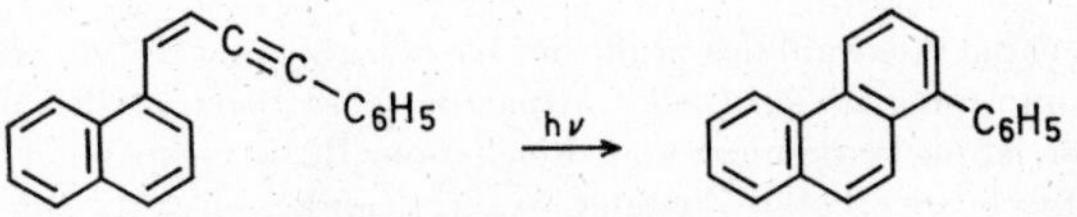

Obwohl es sich hier um keine oxidative Cyclisierung handelt, wird die Reaktion durch Anwesenheit von Luft oder Jod beschleunigt. Nach 2 stdg. Bestrahlung mit einer äquivalenten Menge Jod enthält das Photolysat neben 15% des Cyclisierungsprodukt 50% *2-Jod-1-phenyl-phenanthren*, das bei längerer Bestrahlung zu *1,2-Diphenyl-phenanthren* weiterreagiert.

Ein weiteres Beispiel ist die mit geringer Ausbeute verlaufende Photolyse von 6-Phenyl-hexin-(2) zu *2-Methyl-bicyclo[6.3.0]undecatetraen-(1,3,5,7)*[2]:

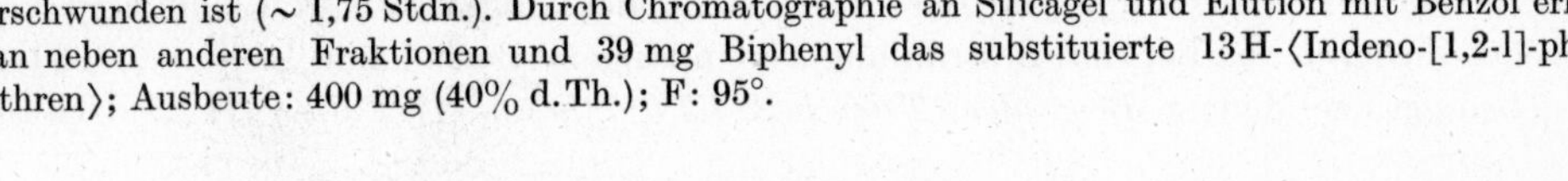

13-Methoxycarbonyl-13H-⟨indeno-[1,2-l]-phenanthren⟩ (VI, S. 469)[3]: 1 g 4,4,4-Triphenyl-butin-(2)-carbonsäure-methylester wird in 450 ml Cyclohexan gelöst und mit einer 450 W Hanovia-Lampe bestrahlt. Die Belichtung wird solange fortgesetzt, bis die Stretching-Frequenz der Dreifachbindung bei 2240 cm⁻¹ verschwunden ist (~ 1,75 Stdn.). Durch Chromatographie an Silicagel und Elution mit Benzol erhält man neben anderen Fraktionen und 39 mg Biphenyl das substituierte 13H-⟨Indeno-[1,2-l]-phen-anthren⟩; Ausbeute: 400 mg (40% d.Th.); F: 95°.

4. Additionen

Photoadditionen von anorg. Verbindungen an Alkine sind im allgemeinen präparativ nicht von Interesse; über Additionen von Phosphor-Verbindungen s. S. 1349, mit Metall-carbonylen s. S. 1477 ff.

---

[1] A. H. A. Tinnemans u. W. H. Laarhoven, Tetrahedron Letters **1973**, 817.
[2] W. Lippke, W. Ferree u. H. Morrison, Am. Soc. **96**, 2134 (1974).
[3] J. W. Wilson u. K. L. Huhtanen, Chem. Commun. **1968**, 454.

Reaktionen von Alkinen mit

c) von Aromaten

Die im folgenden Abschnitt vereinten Reaktionen weisen zum Teil beträchtliche Verschiedenheiten in ihrer Chemie auf. Die Gemeinsamkeit besteht darin, daß, mit einigen wenigen Ausnahmen, alle behandelten Reaktionen am aromatischen Kohlenstoff-Atom eintreten. Das Gebiet findet zwar schon lange das Interesse der Chemiker – die Entdeckung der Photodimerisierung des Anthracens[1] erfolgte vor mehr als hundert Jahren – doch wurden erst Ende der sechziger Jahre eine Reihe von höchst überraschenden Reaktionen gefunden, z. B. die Bildung 6,7-disubstituierter *Tricyclo[3.3.0.0²,⁸]octene-(3)*[2] bei der Photoaddition von Benzol an Olefine.

Nur wenige der hier behandelten Reaktionen sind von technischem Interesse – als Beispiel sei die Photoaddition von Chlor an Benzol genannt – einige sind jedoch von hohem theoretischen Interesse wie etwa die Photocycloaddition von Benzol an Butadien-(1,3) zum stark gespannten *Bicyclo[4.2.2]decatrien-(3,7,9)*[3].

Nicht immer konnte bei der Auswahl des Stoffs der Grundsatz beibehalten werden, daß das die Reaktion auslösende Licht vom aromatischen Reaktionspartner absorbiert werden müsse: Bei manchen der beschriebenen Reaktionen ist bis heute nicht klar, welcher der Reaktionspartner die Strahlung absorbiert und welcher im elektronisch angeregten Zustand reagiert, andere Reaktionen wurden aufgenommen, weil sie sonst an keiner Stelle dieses Bandes erscheinen würden.

Der Begriff „Cycloadditionen" wird im Sinne und entsprechend den Regeln von Huisgen[4] verstanden. Reaktionen, die diesen Regeln nicht entsprechen, werden nicht behandelt.

1. Valenzisomerisierung

bearbeitet von

Dr. Martin Fischer*

Benzol und seine Derivate gehen bei der Einwirkung von UV-Licht Valenzisomerisierungen zu Verbindungen ein[5, 6], die nach herkömmlichen Methoden nur in mehrstufigen Synthesen zugänglich sind. Leider fehlen in den meisten Publikationen, die sich mit Lichtreaktionen von Aromaten befassen, präparative Angaben.

Benzol besitzt Absorptionsmaxima bei 180, 200 und 255 nm[7]. Das photochemische Verhalten von Benzol hängt von der Wellenlänge des eingestrahlten Lichts und vom Aggregat-Zustand ab. Bei der Bestrahlung von flüssigem Benzol mit Licht von 180 nm entstehen geringe Mengen *Benzvalen (Tricyclo[2.1.1.0⁵,⁶]hexen*; I), *Fulven* (II) und *Dewar-*

* BASF AG, Ludwigshafen/Rhein
[1] Fritzsche, J. pr. **101**, 333 (1867).
[2] K. E. Wilzbach u. L. Kaplan, Am. Soc. **88**, 2066 (1966).
    D. Bryce-Smith, A. Gilbert u. B. H. Orger, Chem. Commun. **1966**, 512.
[3] K. Kraft u. G. Koltzenburg, Tetrahedron Letters **1967**, 4357.
[4] R. Huisgen, Ang. Ch. **80**, 329 (1968).
[5] E. E. van Tamelen, Accounts Chem. Res. **5**, 186 (1972).
[6] L. T. Scott u. M. Jones Jr., Chem. Reviews **72**, 181 (1972).
[7] H. H. Jaffé u. M. Orchin, *Theory and Applications of Ultraviolet Spectroscopy*, John Wiley & Sons, New York 1964.

Benzol (*Bicyclo* [*2.2.0*]*hexadien*, III) im Verhältnis 5:2:1[1]. Die Quantenausbeuten sind 0,03, 0,012 bzw. 0,006. Die Produkte können durch präparative Gaschromatographie isoliert werden[1,2]. Während Fulven (II) leicht polymerisiert[3], isomerisieren Benzvalen (I) und Dewarbenzol (III) im Laufe von einigen Tagen bei Raumtemperatur zurück zu Benzol[1,2]. Die Valenzisomerisierung zu Dewarbenzol erfolgt direkt aus dem zweiten und evtl. auch aus dem dritten angeregten Singulett-Zustand[4]. Es handelt sich damit also um einen der in der Photochemie in kondensierter Phase sehr seltenen Fälle einer chemischen Reaktion aus einem höher angeregten Singulett-Zustand.

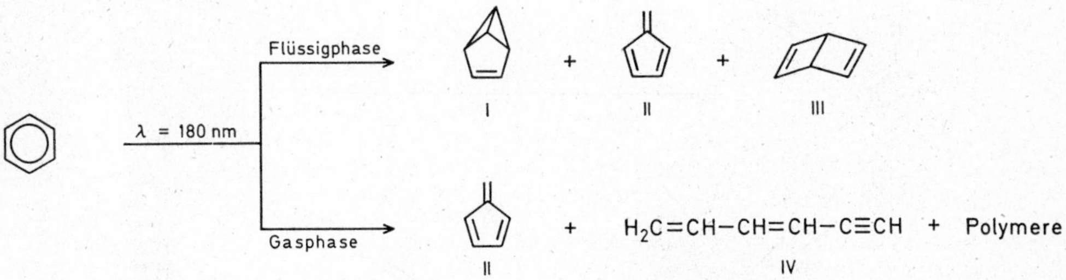

In der Gasphase wird der Benzolring durch Licht von 180 nm geöffnet und unter Wasserstoff-Wanderung entstehen *cis*- und *trans-Hexadien-(3,5)-in-(1)* (IV)[1,5]. Außerdem bilden sich Fulven (II) und polymere Produkte.

Durch Bestrahlung mit Licht der Wellenlänge 254 nm wird Benzol sowohl in der Gasphase als auch in Lösung zu *Benzvalen* isomerisiert[6]. In Hexadecan kann das Valenzisomere bis auf 1% angereichert werden[2]:

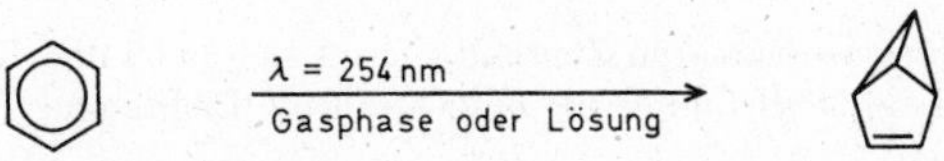

Für alle Valenzisomeren des Benzols wurden inzwischen Synthesen gefunden, die mit besseren Ausbeuten als die Photoisomerisierung von Benzol verlaufen[7-10]. Die Ausbeuten bei der photochemischen Valenzisomerisierung steigen stark an, wenn der Benzolring durch mehrere tert.-Butyl-Gruppen, Fluor-Atome oder Perfluoralkyl-Gruppen substituiert ist.

Bei der Bestrahlung von 1,3,5- oder 1,2,4-Tri-tert.-butyl-benzol in 2-Methylhexan mit Licht von 254 nm, stellt sich das im nachfolgenden Schema dargestellte Isomeren-Gleichgewicht ein[11,12]. Die substituierten verbrückten Valenzisomeren sind thermisch

[1] H. R. WARD u. J. S. WISHNOK, Am. Soc. **90**, 5353 (1968).
[2] K. E. WILZBACH, J. S. RITSCHER u. L. KAPLAN, Am. Soc. **89**, 1031 (1967).
[3] H. F. J. ANGUS, J. M. BLAIR u. D. BRYCE-SMITH, Soc. **1960**, 2003.
[4] D. BRYCE-SMITH, A. GILBERT u. D. A. ROBINSON, Ang. Ch. **83**, 803 (1971).
[5] L. KAPLAN, S. P. WALCH u. K. E. WILZBACH, Am. Soc. **90**, 5646 (1968).
[6] L. KAPLAN u. K. E. WILZBACH, Am. Soc. **90**, 3291 (1968).
[7] E. E. VAN TAMELEN u. S. P. PAPPAS, Am. Soc. **85**, 3297 (1963).
[8] E. E. VAN TAMELEN, S. P. PAPPAS u. K. L. KIRK, Am. Soc. **93**, 6092 (1971).
[9] H. SCHALTEGGER, M. NEUENSCHWANDER u. D. MEUCHE, Helv. **48**, 955 (1965).
[10] T. J. KATZ, E. J. WANG u. N. ACTON, Am. Soc. **93**, 3782 (1971).
[11] K. E. WILZBACH u. L. KAPLAN, Am. Soc. **87**, 4004 (1965).
[12] E. E. VAN TAMELEN, S. PAPPAS u. K. L. KIRK, Am. Soc. **93**, 6092 (1971).

stabiler als die unsubstituierten Verbindungen, vermutlich weil die sperrigen tert.-Butyl-Gruppen die Rückbildung des ebenen aromatischen Kerns sterisch behindern:

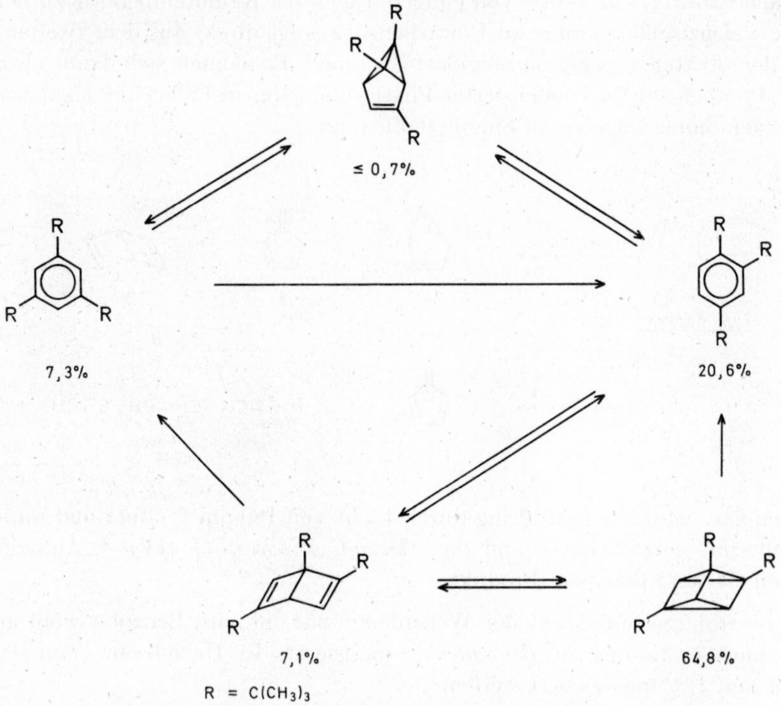

≤ 0,7%

7,3%

20,6%

7,1%

64,8 %

R = C(CH₃)₃

Die Zusammensetzung im photostationären Zustand richtet sich nach den Extinktionskoeffizienten der einzelnen Komponenten bei der Wellenlänge des eingestrahlten Lichts und nach den Quantenausbeuten der einzelnen Umwandlungen.

Wie zu erwarten, wird auch 1,2,4,5-Tetra-tert.-butyl-benzol (V) photochemisch in ein *1,2,4,5-Tetra-tert.-butyl-bicyclo[2.2.0]hexadien* (VI) umgelagert[1]. Daneben entsteht das sterisch überbesetzte *1,2,3,5-Tetra-tert.-butyl-benzol* (VII), das aufgrund seiner starken Verdrillung ein bemerkenswert langwelliges UV-Maximum besitzt (λ_{max} = 307 nm, ε = 434). Es ist anzunehmen, daß die Reaktion von V zu VII über ein Prisman-Derivat verläuft, d. h. auf eine Umlagerung des Benzolrings und nicht auf eine Alkyl-Wanderung unter Erhaltung des aromatischen Kerns zurückzuführen ist.

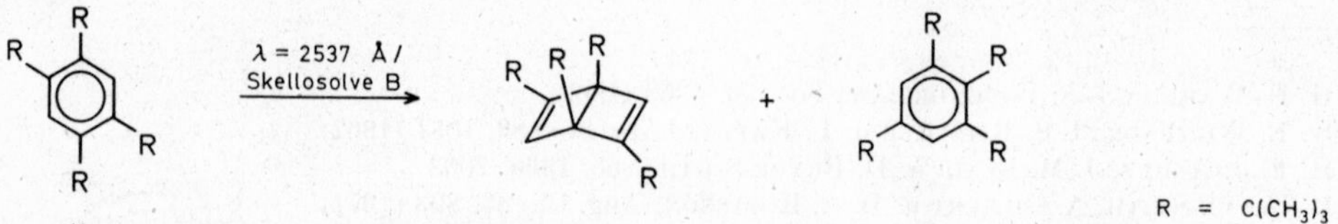

λ = 2537 Å / Skellosolve B

V   VI   +   VII   R = C(CH₃)₃

Durch radioaktive Markierung konnte bewiesen werden, daß auch die Lichtreaktion von 1,3,5-Trimethyl-benzol zu 1,2,4-Trimethyl-benzol über eine Gerüst-Umlagerung

---

[1] E. M. Arnett u. J. M. Bollinger, Tetrahedron Letters **1964**, 3803.

verläuft[1], denn nach einer Methyl-Wanderung wären im Produkt nicht ausschließlich die markierten Kohlenstoff-Atome substituiert.

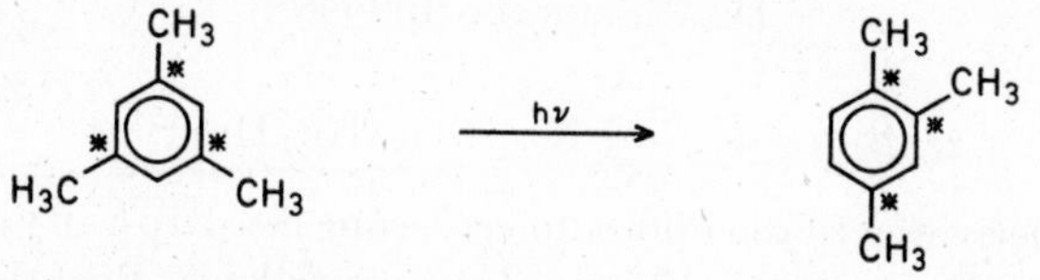

Das bei Belichtung von Hexamethyl-benzol nicht faßbare Hexamethyl-bicyclo [2.2.0]hexadien[2] ist durch Aluminiumchlorid-katalysierte Trimerisierung von Butin-(2) gut zugänglich[3,4]. Durch Bestrahlung mit einer Quecksilber-Niederdruck-Lampe (254 nm) erhält man daraus neben *Hexamethyl-prisman*, wie zu erwarten, Hexamethyl-benzol[2,5].

Bei Bestrahlung von Hexakis-[trifluormethyl]-benzol in perfluoriertem Pentan mit UV-Licht treten die im Formelschema gezeigten Umlagerungen zu Benzvalen-, Dewarbenzol- bzw. Prisman-Derivaten ein[6,7]. Da das substituierte Prisman durch Photoisomerisierung des Dewarbenzol-Derivats entsteht, ist es erst einige Zeit nach Beginn der Belichtung nachweisbar, wenn sich das Zwischenprodukt so weit angereichert hat, daß es einen gewissen Teil des eingestrahlten Lichts absorbieren kann:

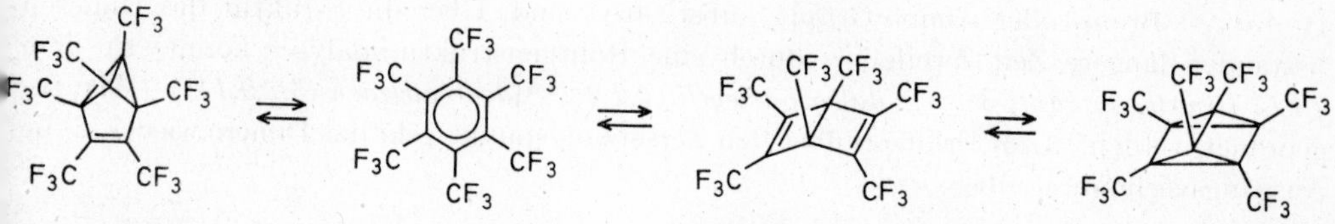

*Hexakis-[trifluor-
methyl]-tricyclo
2.1.1.0^{5,6}]hexen*

*Hexakis-[trifluormethyl]-
bicyclo[2.2.0]hexadien*

*Hexakis-[trifluormethyl]-
prisman*

Hexafluor-benzol wird beim Bestrahlen in der Gasphase zu *Hexafluor-bicyclo[2.2.0] hexadien* isomerisiert[8,9], das sich gaschromatographisch isolieren läßt. In Lösung erfolgt nur eine Fluor-Abspaltung unter Bildung von höhermolekularen Folgeprodukten[10].

Daß lichtinduzierte Substituenten-Wanderungen bei Aromaten nicht in jedem Fall über Valenzisomere des Benzols verlaufen, wurde bei 2,6-Di-tert.-butyl-phenolen gefunden, die über Cyclohexadienone als Zwischenstufen photoisomerisieren[11].

---

[1] K. E. WILZBACH et al., Am. Soc. 87, 675 (1965).
[2] D. M. LEMAL u. J. P. LOKENSGARD, Am. Soc. 88, 5934 (1966).
[3] W. SCHÄFER, Ang. Ch. 78, 716 (1966).
[4] W. SCHÄFER u. H. HELLMANN, Ang. Ch. 79, 566 (1967).
[5] W. SCHÄFER et al., Ang. Ch. 79, 54 (1967).
[6] M. G. BARLOW, R. N. HASZELDINE u. R. HUBBARD, Soc. [C] 1970, 1232.
[7] D. M. LEMAL, J. V. STAROS u. V. AUSTEL, Am. Soc. 91, 3373 (1969).
[8] J. HALLER, Am. Soc. 88, 2070 (1966).
[9] G. CAMMAGI, F. GOZZO u. G. CEDIVALLI, Chem. Comm. 1966, 313.
[10] D. BRYCE-SMITH et al., Chem. & Ind. 1966, 855.
[11] T. MATSUURA et al., Tetrahedron Letters 1970, 3727.

2. Dimerisierungen

bearbeitet von

Dr. Eberhard Leppin*

α) Benzol- und Naphthalin-Derivate

Von den Benzol-Derivaten ist die Photodimerisierung des Biphenylens (I) in siedendem Hexan[1] zu erwähnen. Die spektralen Daten des ausgefallenen Reaktionsproduktes sind in Übereinstimmung mit einer Formulierung des Dimeren als *syn-13,14;15,16-Dibenzo-penta-cyclo[6.4.2.2²,⁷.0.0²,⁷]hexadecahexaen-(3,5,9,11,13,15)* (II):

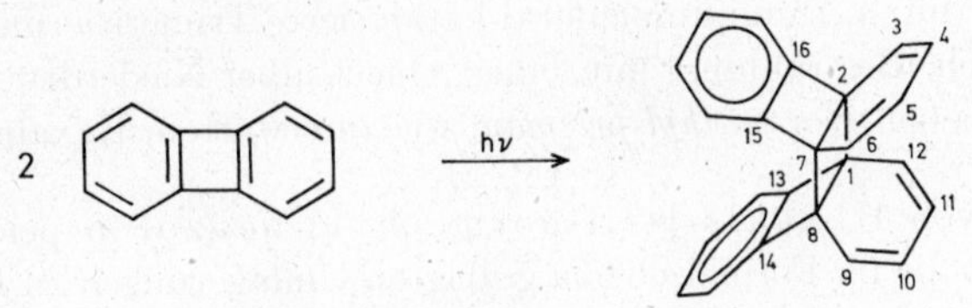

Die älteste bekannte Dimerisierung eines Naphthalin-Derivats ist diejenige des 2-Methoxy-naphthalins und anderer 2-Alkoxy-naphthaline bei UV-Bestrahlung in einer Reihe von Lösungsmitteln[2]. 1-Alkoxy-naphthaline dimerisieren unter den Reaktionsbedingungen nicht, ebensowenig Naphthaline, die in 1- oder 2-Stellung mit einer Methyl-, Hydroxy-, Brom- oder Amino-Gruppe substituiert sind. Über die Struktur des Dimeren bestanden längere Zeit Zweifel[2,3]; durch eine Röntgenstrukturanalyse[4] konnte sie dem *13,15-Dimethoxy-⟨anti-3,4;7,8-dibenzo-tricyclo[4.2.2.2²,⁵]dodecatetraen-(3,7,9,11)⟩* (III) zugeordnet werden. Beim Erhitzen über den Zersetzungspunkt geht das Dimere wieder in die Ausgangsverbindung über:

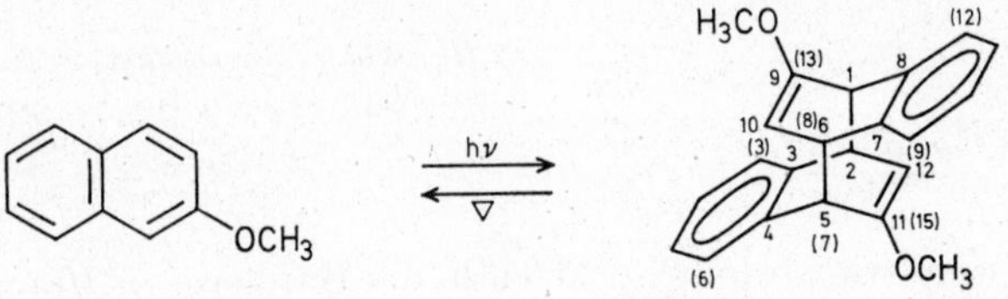

UV-Bestrahlung von 2-Methoxy- oder 2-Äthoxy-naphthalin in benzolischer Lösung führt neben dem Kopf/Schwanz-*anti*-Dimeren III zu *13-Methoxy-15-oxo-⟨syn-dibenzo-tetracyclo [3.3.3.1⁴,⁹.0⁸,¹⁰]dodecadien-(2,6)⟩*[5]:

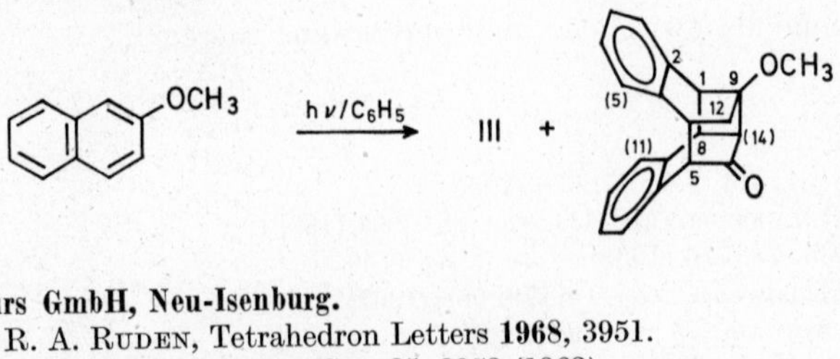

---

* Du Pont de Nemours GmbH, Neu-Isenburg.
[1] N. L. Goldman u. R. A. Ruden, Tetrahedron Letters **1968**, 3951.
[2] J. S. Bradshaw u. G. S. Hammond, Am. Soc. **85**, 3953 (1963).
   J. S. Bradshaw, N. B. Nielson u. D. P. Rees, J. Org. Chem. **33**, 259 (1968).
[3] J. Christie u. B. K. Selinger, Photochem. and Photobiol. **9**, 471 (1969).
   M. Sterns u. B. K. Selinger, Austral. J. Chem. **21**, 2131 (1968).
[4] B. K. Selinger u. M. Sterns, Chem. Commun. **1969**, 978.
[5] P. J. Collin et al., Austral. J. Chem. **27**, 227 (1974).

2-Cyan-naphthalin geht analog in das Kopf/Schwanz-*syn*- oder Kopf/Kopf-*syn*- *13,15-Dicyan*-Derivat (IV) über[1].

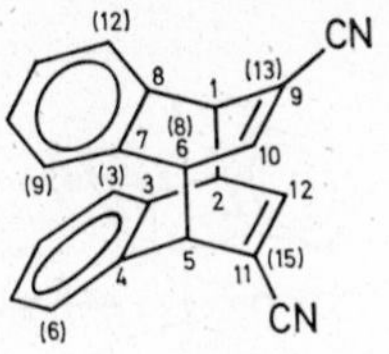

IV

Käfig-Verbindungen, deren Struktur durch Röntgenanalyse gesichert ist[2], ergeben Photolysen folgender Naphthalin-Derivate in Benzol/Cyclohexan[3]:

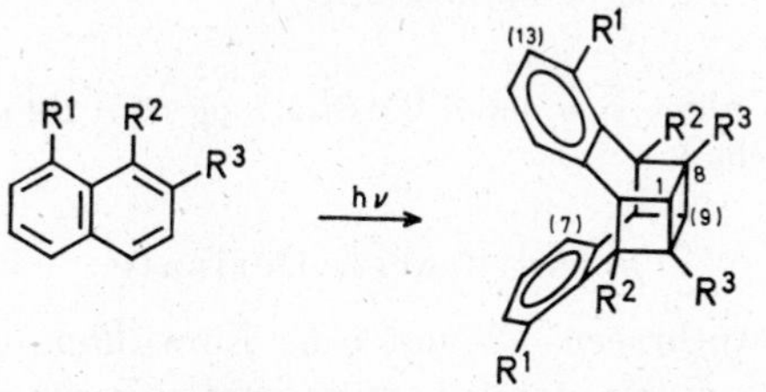

$R^1 = R^2 = COOCH_3$; $R^3 = H$; *3,4,11,12-Tetramethoxycarbonyl-⟨bibenzo-pentacyclo [6.4.0^{2,7}.0^{3,12}.0^{6,9}]dodecadien-(4,10)⟩*

$R^1 = R^2 = H$; $R^3 = COOCH_3$; *2,10-Dimethoxycarbonyl-*. . .

13,15-Dimethoxy-⟨anti-3,4;7,8-dibenzo-tricyclo[4.2.2.2²·⁵] dodecatetraen-(3,7,9,11)⟩ (III, S. 476)[4]: 2 g 2-Methoxy-naphthalin werden in einer Mischung von 10 *ml* Benzol und 10 *ml* Isopropanol gelöst. Die Mischung wird in einem Pyrex-Rohr i. Vak. entgast, zugeschmolzen und mit einer Hanovia-Lampe (oder einem anderen Quecksilber-Hochdruck-Brenner) bestrahlt.Der Fortschritt der Reaktion ist an der Abscheidung eines weißen Niederschlages zu erkennen. Nach zweiwöchiger Bestrahlung; Ausbeute: 900 mg 45% d.Th.); nach 2 Monaten: 1,8 g (90% d.Th.); F: 155–160° (Zers.).

Eine intramolekulare Dimerisierung unter Bildung von vier neuen σ-Bindungen wurde bei der Belichtung von 1,1′;4,4′[2.2]Paracyclonaphthan (V) gefunden[5]. Das Dimere besitzt die Käfigstruktur VI:

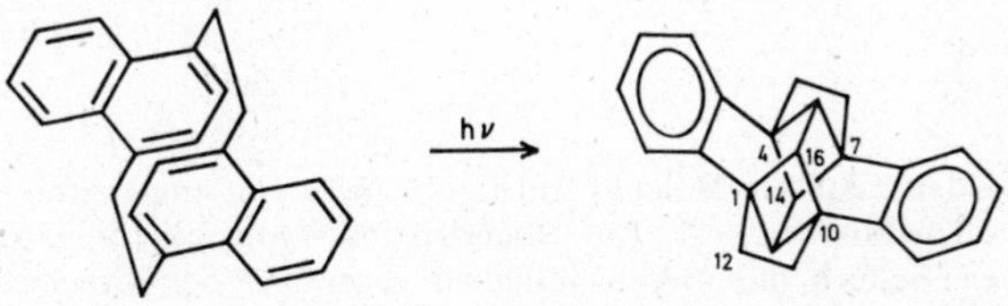

V   VI

Dibenzo-heptacyclo[5.5.2.2.0^{4,14}.0^{4,15}.0^{10,13}.0^{10,16}] hexadecadien-(2,8)

Ebenfalls intramolekular verläuft die Dimerisierung von 1,3-Dinaphthyl-(1)-propan (VII)[6]. Das Photodimere VIII ist thermisch instabil und kann durch Erhitzen in

[1] T. W. MATTINGLY, Jr., J. E. LANCASTER u. A. ZWEIG, Chem. Commun. **1971**, 595.
[2] C. KOWALA et al., Tetrahedron Letters **1972**, 4721.
[3] P. J. COLLIN et al., Tetrahedron Letters **1972**, 321.
[4] J. S. BRADSHAW u. G. S. HAMMOND, Am. Soc. **85**, 3953 (1963).
[5] H. H. WASSERMANN u. P. M. KEEHN, Am. Soc. **89**, 2770 (1967); **91**, 2374 (1969).
[6] E. A. CHANDROSS u. C. J. DEMPSTER, Am. Soc. **92**, 703 (1970).

Chloroform in *2,3;10,11-Dibenzo-tetracyclo[10.3.0.0^{1,6}.0^{7,12}]pentadecatrien-(2,4,10)* (IX) um‹
gewandelt werden:

VII

VIII

IX

6,7;10,11-Dibenzo-tetracyclo[7.2.2.0^{1,5}.2^{5,8}]
pentadecatetraen-(6,10,12,14)

Sowohl VIII als auch IX lassen sich durch UV-Strahlung ($\lambda = 254$ nm) wieder in das Ausgangs‹
material VII zurückverwandeln.

β) Anthracen-Derivate

Die Dimerisierung des Anthracens (X) unter der Einwirkung von Sonnenlicht oder UV‹
Belichtung gehört zu den am längsten bekannten und am gründlichsten studierten photo‹
chemischen Reaktionen[1]. Sie gelingt in den verschiedensten Lösungsmitteln (z. B. Benzol,
Xylol und Essigsäure). Die Photodimerisierung des Anthracens läuft auch in fester Phase
ab, wenn Licht von einer Wellenlänge kürzer als 300 nm ausgeschlossen wird[2-4]. Da das
Dimere XI in den meisten Lösungsmitteln bedeutend weniger löslich ist als das Monomere,
ist es leicht zu isolieren. XI ist thermisch nicht besonders stabil und zerfällt beim Erhitzen
und Belichten ($\varphi = 0,55$)[5] leicht unter Rückbildung von zwei Molekeln Anthracen:

X

XI

Tetrabenzo-tricyclo[4.2.2.2^{2,5}]dodecatetraen‹
(3,7,9,11)

Es konnte gezeigt werden[6], daß ein Molekül Anthracen im ersten angeregten Singulett-Zustand sich
an ein solches im Grundzustand addiert. Die Dimerisierung kann allerdings durch 2,3-Dioxo-butan
sensibilisiert werden[7], wenngleich ihre Geschwindigkeit gegenüber der Geschwindigkeit bei direkter
Anregung des Anthracens stark vermindert ist. Da Singulett-Singulett-Energieübertragung von 2,3‹
Dioxo-butan auf Anthracen unmöglich ist, Triplett-Triplett-Energieübertragung von 2,3-Dioxo-butan
auf Anthracen jedoch mit diffusionskontrollierter Geschwindigkeit abläuft [E$_T$(2,3-Dioxo-butan) = 54,9
kcal/Mol, E$_T$(Anthracen) = 42 kcal/Mol], bedeutet dies, daß die Reaktion entweder auch vom Triplett‹
Zustand des Anthracens aus möglich ist, wenn auch mit sehr viel geringerer Geschwindigkeit, oder es
bedeutet, daß bei der sensibilisierten Reaktion durch Triplett-Triplett-Annihilierung der erste angeregte
Singulett-Zustand des Anthracens entsteht und in der üblichen Weise mit einem Molekül im Grund‹

[1] FRITZSCHE, J. pr. **101**, 333 (1867).
[2] R. LUTHER u. F. WEIGERT, Z. physik. Chem. (Leipzig) **51**, 297 (1905).
[3] A. BERNAS, D. LEONARDI u. M. RENAUD, Photochem. and Photobiol. **5**, 721 (1966).
[4] M. O'DONNELL, Nature **218**, 460 (1968).
[5] G. KAUPP, Chimia **25**, 230 (1971).
[6] E. J. BOWEN u. D. W. TANNER, Trans. Faraday Soc. **51**, 475 (1955).
[7] H. L. J. BÄCKSTRÖM u. K. SANDROS, Acta chem. scand. **12**, 823 (1958).

zustand reagiert. In letzterem Fall wäre die Geschwindigkeit der Dimerisierung von zweiter Ordnung in bezug auf die Lichtintensität, was den langsamen Ablauf der sensibilisierten Reaktion unter normalen Belichtungsbedingungen verständlich macht.

Tetrabenzo-tricyclo[4.2.2.2²,⁵]dodecatetraen-(3,7,9,11) (XI)[1]: Eine Lösung von 2,673 g Anthracen in 150 ml Benzol wird unter Argon durch Solidex-Glas mit einem Quecksilber-Hochdruck-Brenner Philips HPK 125 W in einer Tauchlampenapparatur nach SCHENCK[2] bei 20° bestrahlt. Bereits nach 10 Min. beginnt die Abscheidung des Dimeren. Nach 5stdg. Bestrahlung können 2,211 g (83% d.Th.) gewonnen werden.

Viele Anthracen-Derivate mit einem oder zwei Substituenten in der 1-, 2- oder 9-Position bilden ebenfalls Photodimere. Über Derivate mit Brom-, Chlor-, Methyl-, Äthyl-, Carboxy- und Formyl-Substituenten s. Lit.[3,4]. Es ist jedoch bekannt, daß Substituenten in den Meso-Positionen die Reaktion verlangsamen und in vielen Fällen verhindert Meso-Disubstitution die Reaktion ganz. So können z. B. 9-Hydroxy-[5], 9-Phenyl-[6] und 9,10-Dimethyl-anthracen[6] nicht photodimerisiert werden. Zu einer Diskussion über sterische und elektronische Faktoren, die die Geschwindigkeit der Dimerisierung beeinflussen, s. Lit.[7].

Die Dimerisierung von in 9-Stellung substituierten Anthracenen kann prinzipiell zu zwei verschiedenen Produkten führen, entweder zu dem Kopf/Kopf-Dimeren XII oder dem Kopf-Schwanz-Dimeren XIII:

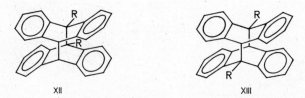

Dipolmoment-[8] und Kernresonanz-Messungen unter Zuhilfenahme der ¹³C-Seitenband-technik[9] haben jedoch gezeigt, daß nur die Kopf/Schwanz-Dimeren gebildet werden. Wenn die Bildung des Kopf/Schwanz-Dimeren aus sterischen Gründen unmöglich ist, wie z. B. beim **Anthracen-9-carbonsäure-anhydrid (XIV)**, dann bildet sich intramolekular das Kopf/Kopf-Dimere[10] mit einer Quantenausbeute[11] von $\varphi = 0,031$:

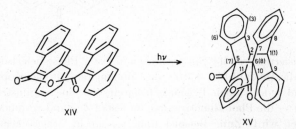

⟨Tetrabenzo-tricyclo[4.2.2.2²,⁵]dodecatetraen-(3,7,9,11)⟩⟨7,8-dicarbonsäure-anhydrid⟩

[1] C. H. KRAUCH u. D. HESS, unveröffentlicht.
[2] G. O. SCHENCK, Dechema Monogr. **24**, 105 (1955).
[3] F. D. GREENE, S. L. MISROCK u. J. R. WOLFE, Jr., Am. Soc. **77**, 3852 (1955).
[4] R. LALANDE u. R. CALAS, Bl. **1960**, 144.
[5] J.-G. FAUGÈRE u. R. CALAS, C. r. **260**, 585 (1965).
[6] A. WILLEMART, C. r. **205**, 993 (1937).
[7] L. BURNELLE, J. LAHIRI u. R. DETRANO, Tetrahedron **24**, 3517 (1968).
[8] D. E. APPLEQUIST, E. C. FRIEDRICH u. M. T. ROGERS, Am. Soc. **81**, 457 (1959).
[9] O. L. CHAPMAN u. K. LEE, J. Org. Chem. **34**, 4166 (1969).
[10] F. D. GREENE, Bl. **1960**, 1356.
[11] G. KAUPP, A. **1973**, 844.

Besonders günstig ($\varphi = 0,30$) ist die intramolekulare Dimerisierung beim 9,9',10,10'-[2.2]Paracycloanthracen zum symmetrischen [4+4]-Addukt, welches >30° oder nach Belichten die Ausgangsverbindung zurückbildet[1]. Gleichfalls intramolekular kann folgender Anthracen-9-carbonsäure-ester sowohl das Kopf/Kopf- als auch das Kopf/Schwanz-Dimere bilden[2]:

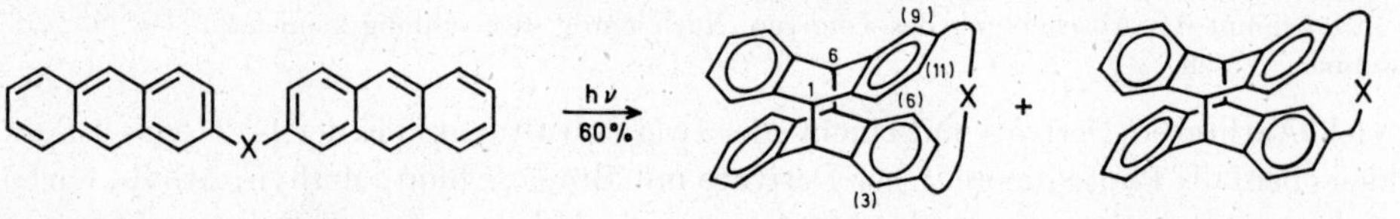

X = −CO−O−(CH₂)₉−O−CO−

⟨Tetrabenzo-tricyclo[4.2.2.2²,⁵]dodecatetraen⟩-4,10-
bzw. 5,10-dicarbonsäure-nonadiyl-(1,9)-diester

Bemerkenswert ist die Photodimerisierung des 9-Nitro-anthracens wegen ihres von der Wellenlänge des anregenden Lichtes abhängigen Verlaufs. Bestrahlung im Bereich zwischen 420 und 530 nm liefert das erwartete Kopf/Schwanz-Dimere XVI. Bei Bestrahlung mit kurzwelligerem Licht (370–410 nm) findet man als Produkte jedoch *10,10'-Dioxo-9,9', 10,10'-tetrahydro-bi-anthryl-(9)* (XVII) und Stickoxid[3]:

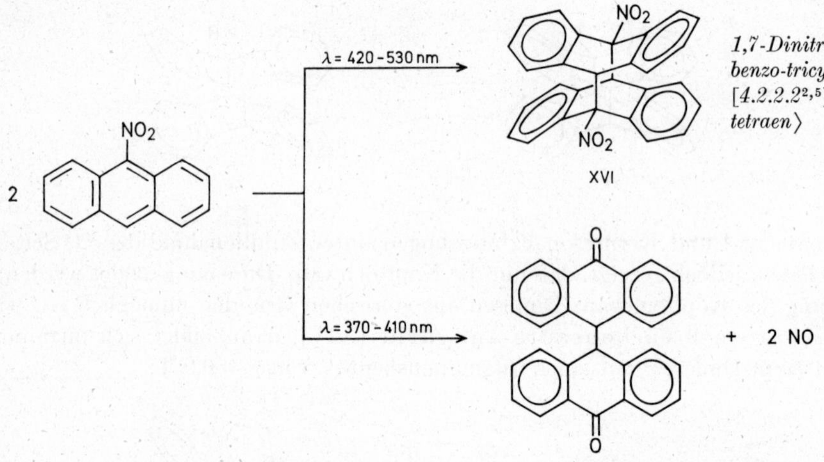

1,7-Dinitro-⟨tetra-
benzo-tricyclo
[4.2.2.2²,⁵]dodeca-
tetraen⟩

XVI

XVII

+ 2 NO

Die Photodimerisierung von 9-Cyan-anthracen in fester Phase liefert das Kopf/Schwanz-Dimere[4], obwohl die Moleküle im Gitter des Monomeren in der Kopf/Kopf-Anordnung vorliegen[5]. Es sind jedoch auch Beispiele bekannt, wo eine ungünstige Anordnung des Monomeren im Gitter die Photodimerisierung im festen Zustand verhindert, während sie in Lösung beobachtet wird. Zum Beispiel dimerisieren in ätherischer Lösung 9-Fluor-, 9-Chlor- und 9-Brom-anthracen (57%, 26% bzw. 7% d.Th.), in fester Phase jedoch nicht[6].

Aus zwei verschiedenen 9,10-disubstituierten Anthracen-Derivaten lassen sich gekreuzte Dimere herstellen[7]. So addiert sich 9,10-Dimethyl-anthracen an 9,10-Dimethoxy-

[1] G. Kaupp, A. **1973**, 844.

[2] F. C. de Schryver et al., Tetrahedron Letters **1973**, 1253.

[3] F. D. Greene, Bl. **1960**, 1356.

[4] E. Heller u. G. M. Schmidt, Isreal J. Chem. **9**, 449 (1971).

[5] G. M. J. Schmidt, *XIIIe Conseil de Chimie Solvay, Bruxelles*, Interscience, 1966.
   D. P. Craig u. P. Sarti Fantoni, Chem. Commun. **1966**, 742.
   M. D. Cohen u. G. M. J. Schmidt, Soc. **1964**, 1966.
   M. D. Cohen et al., Chem. Commun. **1969**, 1172.

[6] R. Lapouyade, H. Bouas-Laurent u. R. Calas, C. r. [C] **266**, 1674 (1968).

[7] R. Lapouyade, A. Castellan u. H. Bouas-Laurent, C. r. [C] **268**, 217 (1969).

nthracen in ätherischer Lösung und liefert *1,8-Dimethoxy-2,7-dimethyl-⟨tetrabenzo-ricyclo[4.2.2.2²,⁵]dodecatetraen-(3,7,9,11)⟩* (XVIII):

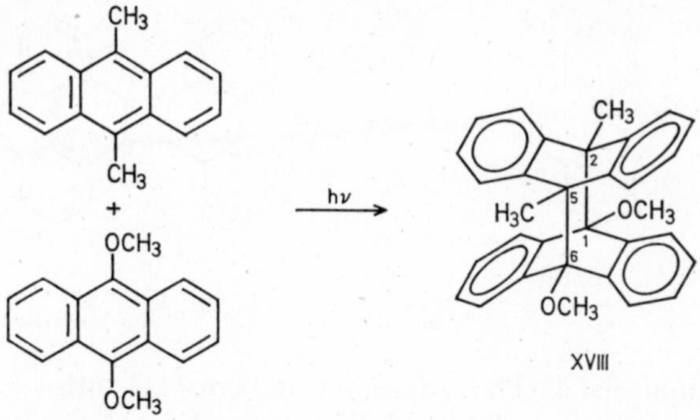

CH₃

+

OCH₃

hν →

H₃C OCH₃

OCH₃

XVIII

nteressanterweise zerfällt XVIII thermisch ∼ 3–4mal so rasch wie das auf anderem Wege hergestellte somere 2,8-Dimethoxy-1,7-dimethyl-Derivat.

Bei der „gemischten" Photodimerisierung von 9,10-Dimethyl-anthracen und ⁾-Cyan-anthracen wird überwiegend *1,7-Dicyan-⟨tetrabenzo-tricyclo[4.2.2.2²,⁵]dodecate-raen-(3,7,9,11)⟩* (XIX) gebildet, wahrscheinlich weil das gekreuzte Dimere XX (*2,7-Dimethyl-1-cyan-⟨tetrabenzo-tricyclo[4.2.2.2²,⁵]dodecatetraen-(3,7,9,11)⟩*)[1] thermisch zu insta-bil ist. Auch XIX zerfällt bereits beim bloßen Kochen in Chloroform zum Monomeren[2]:

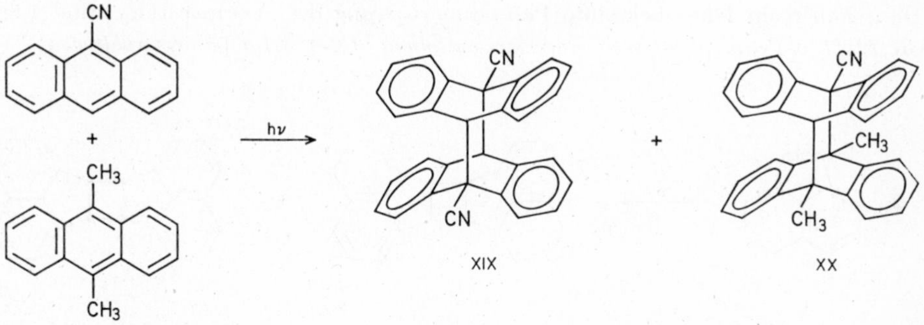

CN

+

CH₃

hν →

CN

CN

XIX

+

CN

CH₃

CH₃

XX

1,7-Diformyl-⟨tetrabenzo-tricyclo[4.2.2.2²,⁵]dodecatetraen-(3,7,9,11)⟩[3]: Eine Lösung von 4,0 g 9-Formyl-anthracen in 100 *ml* Eisessig wird in einem Pyrex-Kolben einen Tag lang dem direkten Sonnen-licht ausgesetzt. Es fallen 3,6 g eines farblosen Pulvers und gelbe Nadeln aus. Das Anthrachinon wird durch Waschen mit Benzol entfernt, der Rückstand aus Benzol umkristallisiert; F: 186–187° (Zers.).

1,7-Diamino-⟨tetrabenzo-tricyclo[4.2.2.2²,⁵]dodecatetraen-(3,7,9,11)⟩[4]: Eine Lösung von 9-Amino-anthracen in Äther wird mit dem ungefilterten Licht eines Quecksilber-Hochdruck-Brenners bestrahlt. Innerhalb einer Stunde werden 60% des Dimeren erhalten; F: 255°.

γ) Phenanthren-Derivate und höherkondensierte aromatische Verbindungen

Dimerisierungen von Phenanthren-Derivaten sind nur wenige bekannt. Durch Bestrah-ung läßt sich z. B. 9-Cyan-phenanthren an der 9,10-Stellung in ein Cyclobutan-Derivat

[1] H. BOUAS-LAURENT u. R. LAPOUYADE, Chem. Commun. **1969**, 817.
[2] R. LALANDE u. R. CALAS, Bl. **1960**, 144.
[3] F. D. GREENE, S. L. MISROCK u. J. R. WOLFE, Jr., Am. Soc. 77, 3852 (1955).
[4] R. LALANDE, H. BOUAS-LAURENT u. A. COT, Bl. **1965**, 2695.

überführen[1]. Entsprechend liefert 4 H - ⟨Cyclopenta-[d,e,f]-phenanthren⟩ (I) *4,7b,7* *11,14b,14c-Hexahydro-⟨cyclobuta-[1,2-k;3,4-k']-bis-(cyclopenta-[d,e,f]-phenan-thren)⟩* (II)[2]

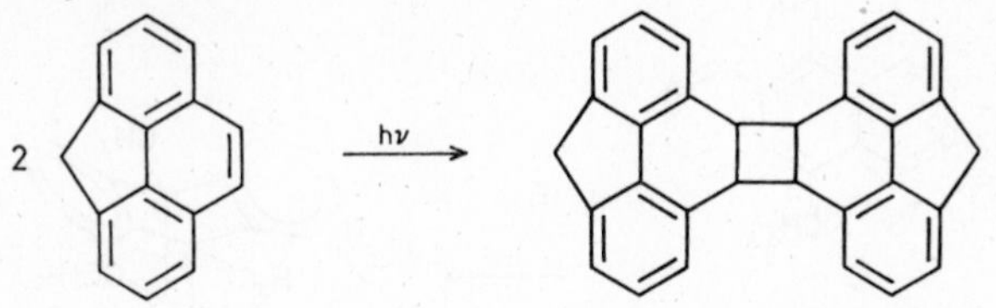

Schon länger bekannt sind die Photodimeren vom Benzo-[a]-anthracen[3] und dem **carcino genen** 3-Methyl-⟨benzo-[j]-aceanthrylen⟩[4]. Dimere von Naphthacen und Pentacen wurde bisher allerdings nur in Lösung erhalten[5].

In allen diesen Fällen führt die Photodimerisierung zur Bildung von tricyclischen Der vaten wie beim Anthracen selbst.

δ) Benzocyclische Olefine

Über die Photodimerisierung von Inden s. S. 323ff.

Die schon recht lange bekannte Photodimerisierung des Acenaphthylens[6] führt z *6b,6c,12b,12c-Tetrahydro-⟨anti-* und *syn-cyclobuta-[1,2-a;3,4-a']-diacenaphthylen⟩* (I un II)[7,8]:

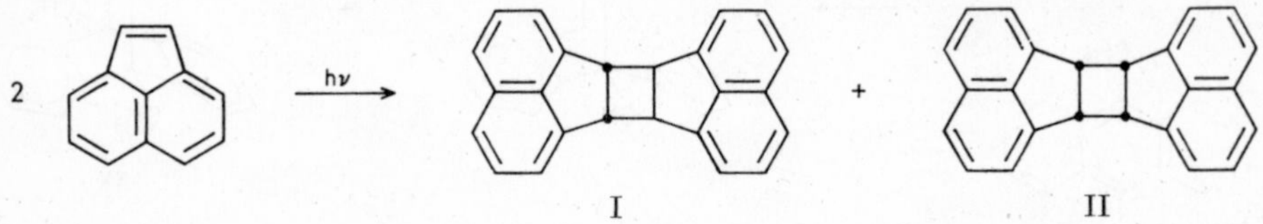

Die Reaktion verläuft nicht nur bei direkter Anregung, sondern kann auch durch Ro Bengale (Tetrachlor-tetrajod-fluorescein) sensibilisiert werden[9]. Sowohl die direkte a auch die sensibilisierte Photodimerisierung sind stark vom Lösungsmittel abhängig. nach Wahl wird überwiegend die *syn-* oder *anti-*Verbindung gebildet, oder es entstehe

[1] M. V. SARGENT u. C. J. TIMMONS, Soc. **1964**, 5544.

[2] G. SUGOWDZ, P. J. COLLIN u. W. H. F. SASSE, Tetrahedron Letters **1969**, 3843.

[3] A. SCHÖNBERG et al., Soc. **1948**, 2126.

[4] A. SCHÖNBERG u. A. MUSTAFA, Soc. **1949**, 1039.

[5] J. B. BIRKS, J. H. APPLEYARD u. R. POPE, Photochem. and Photobiol. **2**, 493 (1963).

[6] K. DZIEWOŃSKI u. G. RAPALSKI, B. **45**, 2491 (1912).
K. DZIEWOŃSKI u. C. PASCHALSKI, B. **46**, 1986 (1913).

[7] J. D. DUNITZ u. L. WEISSMANN, Acta Cryst. **2**, 62 (1949).

[8] G. W. GRIFFIN u. D. F. VEBER, Am. Soc. **82**, 6417 (1960).

[9] G. O. SCHENCK u. R. WOLGAST, Naturwiss. **49**, 36 (1962).

vergleichbare Mengen der beiden Dimeren. Bei der direkten Photodimerisierung hängt außerdem der Umsatz stark vom Lösungsmittel ab[1] (s. Tab. 73).

Tab. 73. Abhängigkeit des Gesamtumsatzes und des Verhältnisses der gebildeten Dimeren vom Lösungsmittel bei der direkten Photodimerisierung von Acenaphthylen[1]

Lösungsmittel	Belichtungs-zeit [Stdn.]	Umsatz [% d.Th.]	Verhältnis anti- (I) : syn (II)	
Tetrachlormethan	6	70	82	18
Chloroform	4	54	76	24
Dioxan	24	57	53	47
Benzol	24	37	35	65
Aceton	24	40	23	77
Hexan	24	26	3	97
Äthanol oder Acetonitril	24	47	0	100

6b,6c,12b,12c-Tetrahydro-⟨anti- und syn-cyclobuta-[1,2-a; 3,4-a′]-diacenaphthylen⟩ (I; II; S. 482)[1]: 2,28 g Acenaphthylen werden in 150 ml Tetrachlormethan gelöst und die Lösung sorgfältig durch Spülen mit Argon von Sauerstoff befreit. Die Lösung wird bei Zimmertemp. in einer Tauch-lampen-Anordnung mit Licht, welches langwelliger als 366 nm sein muß, um Rückspaltung der gebildeten Dimeren zu vermeiden, bestrahlt (Philips HPK 125 W Quecksilber-Hochdruck-Brenner durch GWV-Filterglas der Firma Wertheim). Hierbei verschwindet die gelbe Farbe der Lösung nach und nach. Nach 12 Stdn. Belichtungszeit zieht man das Lösungsmittel i. Vak. ab und nimmt den Rückstand in 25–30 ml Benzol auf. Die anti-Verbindung (I) bleibt ungelöst als feine Nadeln zurück; Ausbeute: 1,77 g (78% d.Th.); F: 307° (ab 300° Sublimation). Verdampfen des Benzols, Waschen des Rückstandes mit Methanol und Kristallisation aus Benzol ergibt das syn-Dimere (II); Ausbeute: 0,41 g (18% d.Th.); F: 232–234°.

6c,12c-Dinitro-6b,6c,12b,12c-tetrahydro-⟨anti- und 6b,6c-Dinitro-6b,6c,12b,12c-tetrahydro-⟨syn-cyclobuta-[1,2-a; 3,4-a′]-diacenaphthylen⟩[2]: 0,90 g (4,6 mMol) 1-Nitro-acenaphthylen in 100 ml Äther werden in einem Pyrex-Gefäß 6 Stdn. dem Sonnenlicht ausgesetzt. Man filtriert von geringen Mengen gebildeten Harzes ab, chromatographiert an Kieselgel mit Hexan/Benzol-Mischungen (2:1 bis 1:2) und erhält 0,034 g (4%) der anti-Verbindung (F: 275–277°, Zers.) sowie 0,32 g (35%) des syn-Dimeren F: 210–211°).

1-Cyan-acenaphthylen ergibt in Äther ($\lambda > 300$ nm) das Kopf/Schwarz-syn- und das Kopf/Kopf-anti-Dimere[3]. Acenaphthylen-1-carbonsäure führt in Lösung zu 6c,12c-Di-carboxy-, bei Bestrahlung des Kristalls zu 6b,6c-Dicarboxy-6b,6c,12b,12c-tetrahydro-⟨syn-cyclobuta-[1,2-a;3,4-a′]-diacenaphthylen⟩[3]:

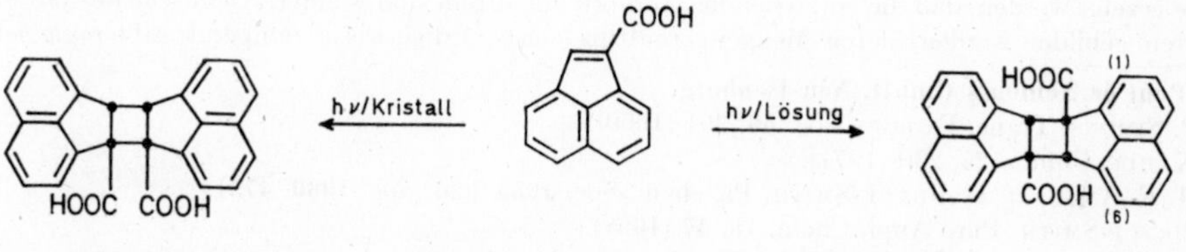

[1] I.-M. Hartmann, W. Hartmann u. G. O. Schenck, B. **100**, 3146 (1967).
[2] T. S. Cantrell u. H. Shechter, J. Org. Chem. **33**, 114 (1968).
[3] H. Bouas-Laurent et al., Chem. Commun. **1972**, 1267.

3. Cycloadditionen

bearbeitet von

Dr. Eberhard Leppin*

α) mit Maleinsäureanhydrid und Derivaten

Während Maleinsäureanhydrid an Anthracen bereits thermisch addiert wird und Licht die Reaktion nur beschleunigt oder Temperaturerniedrigung sie ermöglicht[1], ist die Photoaddition von Maleinsäureanhydrid an Benzol[2] ohne Beispiel in der thermischen Chemie:

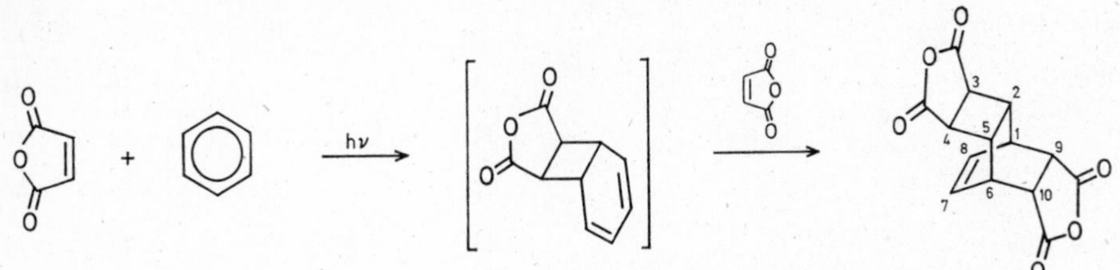

Der Mechanismus der Bildung des 2:1-Adduktes, *Tricyclo[4.2.2.0²,⁵]decen-(7)-3,4,9,10-tetracarbonsäure-dianhydrid* (II; 88% d.Th.) war lange Zeit nicht restlos geklärt[3]; es wurde jedoch von Anfang an angenommen, daß die Reaktion in zwei Stufen verläuft, von denen nur die Bildung des Zwischenproduktes I eine Photoreaktion ist, während die zweite Stufe eine einfache Diels-Alder-Addition von Maleinsäureanhydrid an das Dien I ist. Es gelang nicht, das Zwischenprodukt I beispielsweise mit Tetracyan-äthylen, einem normalerweise sehr starken Dienophil, abzufangen. Jedoch konnte gezeigt werden[4], daß unter den vorliegenden Reaktionsbedingungen (Benzol als Lösungsmittel, relativ hohe Maleinsäure-Konzentration), die Reaktion von Tetracyan-äthylen mit dem Dien zu langsam ist, um mit der Bildung von II wirksam konkurrieren zu können. Somit ist die Existenz von I auch für das System Maleinsäureanhydrid/Benzol gesichert.

Die photochemisch aktive Spezies[5] bei der Bildung von II ist bei direkter Photocycloaddition der erste elektronisch angeregte Singulett-Zustand des Charge-Transfer-Komplexes aus Benzol und Maleinsäureanhydrid. Denn II wird mit unverminderter Quantenausbeute auch dann gebildet, wenn nur in die Charge-Transfer-Bande eingestrahlt wird und die Komponenten (die bei kürzeren Wellenlängen absorbieren) nicht angeregt werden; außerdem ist die direkte Photoaddition unempfindlich gegenüber Sauerstoff.

Die Reaktion wird durch Benzophenon sensibilisiert[6], wobei höhere Ausbeuten an 2:1-Addukt erhalten werden als bei der direkten Photoaddition. Auch an Toluol, o-Xylol, p-Xylol, Chlor-benzol, Benzylchlorid, tert.-Butyl-benzol und Biphenyl konnte Maleinsäureanhydrid bei Sensibilisierung durch Benzophenon photoaddiert werden unter Bildung der entsprechenden 2:1-Addukte[6,7]. Acetophenon oder Benzaldehyd eignen sich ebenfalls als Sensibilisatoren für diese Reaktionen ($E_T \geqq 68$ kcal), nicht dagegen Sensibilisatoren mit niedrigerer Triplett-Anregungsenergie wie z. B. 9-Oxo-thioxanthen, 1,2-Dioxo-1,2-diphenyl-äthan, 2,3-Dioxo-butan oder 4,4′-Bis-[dimethylamino]-benzophenon ($E_T < 68$ kcal). Während im Falle von Toluol und Biphenyl auch bei direkter Bestrahlung in Abwesenheit eines Sensibilisators ein 2:1-Addukt gebildet wird, wenn auch in bedeutend geringerer Ausbeute als bei der sensibilisierten Photoreaktion, können die Addukte mit den übrigen genannten Aromaten nur durch Sensibilisierung erhalten werden[6,7].

Für die Benzophenon-sensibilisierte Addition von Maleinsäureanhydrid an Toluol, o-Xylol und p-Xylol konnte gezeigt werden, daß die entstehenden Addukte nicht rein sind, sondern Gemische aus jeweils zwei Isomeren gebildet werden, deren Mengenverhältnis merkwürdigerweise temperaturabhängig ist[8]. Im

* **Du Pont de Nemours GmbH, Neu-Isenburg.**
[1] J. P. Simons, Trans. Faraday Soc. **56**, 391 (1960).
    G. Kaupp, Chimia **25**, 230 (1971).
[2] H. J. F. Angus u. D. Bryce-Smith, Pr. chem. Soc. **1959**, 326; Soc. **1960**, 4791.
[3] D. Bryce-Smith, Pure Appl. Chem. **16**, 47 (1968).
    P. G. Fuss, Dissertation, Universität Bonn, 1967.
[4] W. Hartmann, H. G. Heine u. L. Schrader, Tetrahedron Letters **1974**, 883, 3101.
[5] D. Bryce-Smith u. J. E. Lodge, Soc. **1962**, 2675.
[6] G. O. Schenck u. R. Steinmetz, Tetrahedron Letters **21**, 1 (1960).
[7] D. Bryce-Smith u. A. Gilbert, Soc. **1965**, 918.
[8] D. Bryce-Smith u. A. Gilbert, Chem. Commun. **1968**, 19.

Gegensatz zur direkten Photoaddition ist die durch Benzophenon sensibilisierte Addition von Malein-säureanhydrid an Benzol gegen Sauerstoff sehr empfindlich und wird von ihm vollständig inhibiert[1]. Die aktive Spezies bei der sensibilisierten Reaktion ist aller Wahrscheinlichkeit nach ein durch Energie-übertragung von triplett-angeregtem Benzophenon gebildetes triplett-angeregtes Maleinsäureanhydrid, welches sich an Benzol addiert[2]. Die Verwendung von Benzophenon als Sensibilisator gibt jedoch nicht die Gewähr für das Eintreten der Cycloaddition. So konnten 2:1-Addukte von Maleinsäureanhydrid an Benzonitril, Benzoesäure-methylester, Nitro-benzol, Naphthalin u. a. weder sensibilisiert noch un-sensibilisiert erhalten werden[3].

Tricyclo[4.2.2.0²,⁵] decen-(7)-3,4,9,10-tetracarbonsäure-dianhydrid (II; S. 484)[4]: Eine Lösung von 10 g Maleinsäureanhydrid und 2,0 g Benzophenon in 150 ml Thiophen-freiem Benzol wird in einer Tauch-lampen-Apparatur unter Argon mit einem Quecksilber-Hochdruck-Brenner Philips HPK 125 W bestrahlt. Während der Bestrahlung fällt das 2:1-Addukt aus. Innerhalb von 3 Stdn. erhält man: 1,5 g (5% d.Th.), F: 350–355° (Zers.). In Abwesenheit des Sensibilisators erhält man unter diesen Bedingungen 0,3 g in 3 Stdn.

Für die direkte Photoaddition ist es von Vorteil, durch Quarz zu belichten und die Reaktionsmischung auf einer Temperatur von 50° zu halten; auf Sauerstoff-Ausschluß braucht bei der direkten Photo-addition nicht geachtet zu werden[1, 5].

Auch Cycloadditionen von Maleinsäureanhydrid an halogenierte Benzole führt zu Sub-stanzen der Struktur II (S. 484), wobei die Ausbeuten bis zu 80% d.Th. betragen können[6].

Während für die Addition von Maleinsäureanhydrid an Benzol u. a. die Bildung von 2:1-Photoaddukten charakteristisch ist und ein 1:1-Addukt zwar als Zwischenprodukt angenommen wird, jedoch nicht isoliert werden konnte, verläuft die Photocycloaddition von Maleinsäureanhydrid an Phenanthren unter Bildung des 1:1-Adduktes zu *1,2,2a,10b-Tetrahydro-⟨cyclobuta-[l]-phenanthren⟩-1,2-dicarbonsäure-anhydrid* (III)[7] (s. a. S. 362):

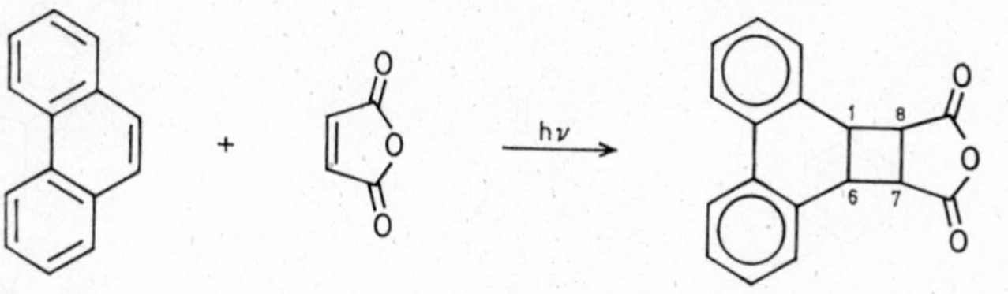

Auch diese Reaktion läßt sich durch Benzophenon, noch besser jedoch durch 1,2-Dioxo-1,2-diphenyl-äthan, sensibilisieren[7]. Beim Erhitzen auf 300° unter Stickstoff zerfällt (III) in Maleinsäureanhydrid und Phenanthren.

1,2,2a,10b-Tetrahydro-⟨cyclobuta-[e]-phenanthren⟩-1,2-dicarbonsäure-anhydrid (III)[7]: UV-Bestrah-lung von Phenanthren mit Maleinsäureanhydrid in Hexan bei 30–60° ergibt ein Addukt von F: 222°. Aus Aceton ergeben sich beim Umkristallisieren farblose Kristalle. Als Sensibilisatoren sind Benzophenon oder, noch besser, Benzil geeignet.

Photoaddukte aus Maleinsäureanhydrid[8,9] oder Brom-maleinsäureanhydrid[10] und Acenaphthylen sind Ausgangsprodukte für die Synthese von Pleiaden.

7-Brom-6b,7,8,8a-tetrahydro-⟨cyclobuta-[a]-acenaphthylen⟩-anti-7,anti-8-dicarbonsäure-an-hydrid (F: 240–242°) bildet sich in 45%iger Ausbeute. Nach Bromwasserstoff-Abspaltung und Veresterung kann durch Umlagerung *Pleiaden-2,3-dicarbonsäure-dimethylester* (F: 107–108°) gewonnen werden[10].

---

[1] D. BRYCE-SMITH u. J. E. LODGE, Soc. **1962**, 2675.
[2] G. S. HAMMOND u. W. M. HARDHAM, Pr. chem. Soc. **1963**, 63.
[3] D. BRYCE-SMITH u. A. GILBERT, Soc. **1965**, 918.
[4] G. O. SCHENCK u. R. STEINMETZ, Tetrahedron Letters **21**, 1 (1960).
[5] H. J. F. ANGUS u. D. BRYCE-SMITH, Soc. **1960**, 4791.
[6] V. S. SHAIKHRAZIEVA, E. V. TALVINSKII u. G. A. TOLSTIKOV, Ž. Org. Chim. **7**, 2225 (1971). V. S. SHAIKHRAZIEVA et al., Ž. Org. Chim. **9**, 1452 (1972).
[7] D. BRYCE-SMITH u. B. VICKERY, Chem. & Ind. **1961**, 429.
[8] W. HARTMANN u. H.-G. HEINE, Ang. Ch. **83**, 291 (1971).
[9] J. MEINWALD, G. E. SAMUELSON u. M. IKEDA, Am. Soc. **92**, 7604 (1970).
[10] J. E. SHIELDS, D. GAVRILOVIC u. J. KOPECKÝ, Tetrahedron Letters **1971**, 271.

Pleiaden[1]:

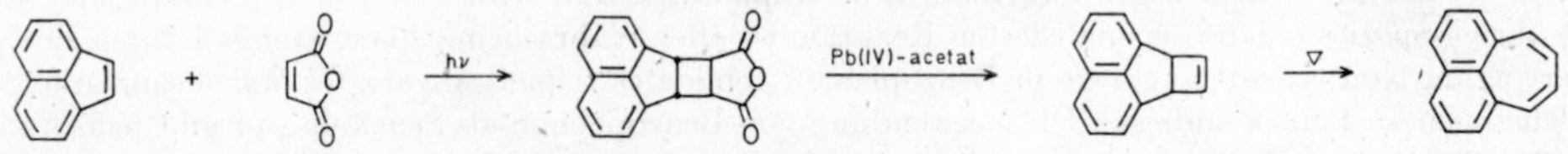

6b,7,8,8a-Tetrahydro-⟨cyclobuta-[a]-acenaphthylen⟩-anti-7,anti-8-dicarbonsäure anhydrid: 8,5 g Acenaphthylen und 15 g Maleinsäureanhydrid in 150 *ml* Dibrom-methan werden unter Stickstoff 48 Stdn. mit einem Quecksilber-Hochdruck-Brenner (Philips HPK 125 W) durch ein Pyrex-Filter bestrahlt. Nach Abfiltrieren von 0,35 g (4% d. Th.) des *anti*-Dimeren von Acenaphthylen wird das Lösungs mittel abgedampft, der Rückstand zweimal mit je 75 *ml* Äther digeriert um 4,5 g unverbrauchtes Ace naphthylen herauszulösen. Nach Kochen des Rückstands mit 150 *ml* Benzol bleiben 1,1 g (5%) Kopoly meres ungelöst. Die benzolische Lösung wird eingeengt und die erhaltenen Kristalle lassen sich durc Kristallisation aus Benzol oder Essigester reinigen; Ausbeute: 4,3 g (33% d. Th.); F: 235–236°. Danebe fallen 0,1 g (1,5% d. Th.) des *syn*-Dimeren von Acenaphthylen an.

Pleiaden: Zur oxidativen Decarboxylierung wird mit Blei(IV)-acetat in Pyridin erhitzt[2]. Pleiade entsteht beim zweimaligen Durchleiten einer benzolischen Lösung von 6b,8a-Dihydro-⟨cyclobuta-[a acenaphthylen⟩ durch ein mit Glaswendeln gefülltes Rohr, welches auf 390–410° erhitzt ist; nac Chromatographie an Aluminiumoxid werden 82% d. Th. Pleiaden erhalten.

Auch Beispiele für die Bildung von 1:1:1-Addukten in Gegenwart eines dritten Reak tionspartners neben Aromaten und Maleinsäureanhydrid sind bekannt geworden. So wurd bei dem Versuch, die Addition von Maleinsäureanhydrid an Benzol mit Durochino zu sensibilisieren, ein Addukt erhalten, dem die Formel IV (*3,6-Dioxo-2,4,5,7-tetrame thylhexacyclo[6.6.0.0^{2,7}.0^{4,10}.0^{5,9}.0^{11,14}]tetradecan-12,13-dicarbonsäure-anhydrid*) zugeschriebe wurde[3]:

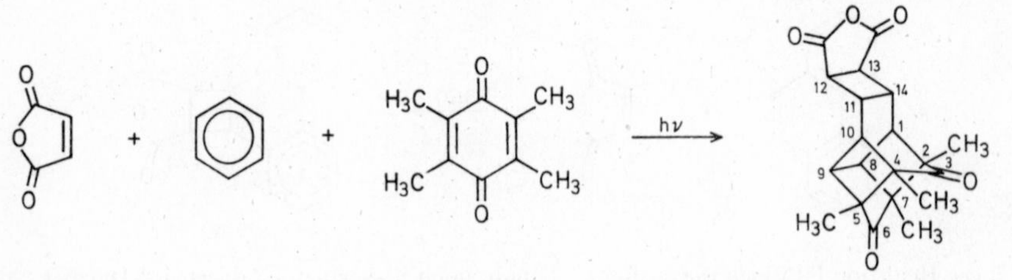

IV

Auch diese Reaktion ist durch Benzophenon sensibilisierbar[3]. Bei der Verwendung von Benzopheno als Sensibilisator läßt sie sich auch auf andere Derivate des Benzols, nämlich Toluol, Brombenzol, Chlo benzol und Fluorbenzol übertragen[3].

Addukt aus Benzol, Maleinsäureanhydrid und Durochinon (IV; 3,6-Dioxo-2,4,5,7-tetramethyl-hexa cyclo[6.6.0.0^{2,7}.0^{4,10}.0^{5,9}.0^{11,14}]tetradecan-12,13-dicarbonsäure-anhydrid)[3]: 3,28 g Durochinon 9,8 g Ma leinsäureanhydrid und 9,18 g Benzophenon werden in 250 *ml* Benzol unter Argon in einer wasse gekühlten Tauchlampen-Apparatur aus Solidex-Glas unter Rühren mit einem Magnetstab mit eine Quecksilber-Hochdruck-Brenner (Philips HPK 125 W) 24 Stdn. bei 14–16° belichtet. Dabei falle 8,88 g eines Gemisches von II (S. 484) und IV aus. Durch Kristallisation aus Benzol unter Zusatz von 5° Aceton läßt sich das leichter lösliche IV abtrennen; Ausbeute: 6,3 g (19% d. Th.); F: 318°. Bei höhere Konzentration an Maleinsäureanhydrid oder an Sensibilisator sowie mit steigender Reaktionstemp. sink die Ausbeute zugunsten des Benzol-Maleinsäureanhydrid-Adduktes.

Während von den substituierten Maleinsäureanhydriden das Dimethyl-maleinsäure anhydrid weder sensibilisiert noch unsensibilisiert ein 2:1-Addukt mit Benzol bilde sondern beim Versuch der Photoaddition an Benzol dimerisiert[4], wurde bei der sens bilisierten Photoaddition von Dichlormaleinsäureanhydrid an Benzol Adduktbildun

[1] W. Hartmann u. H.-G. Heine, Ang. Ch. **83**, 291 (1971).
[2] J. Meinwald, G. E. Samuelson u. M. Ikeda, Am. Soc. **92**, 7604 (1970).
[3] G. Koltzenburg et al., Tetrahedron Letters **1966**, 1861.
[4] G. O. Schenck et al., B. **95**, 1642 (1962).

beobachtet[1]. Von anderen Derivaten des Maleinsäureanhydrids sind vor allem die Photoadditionen des Maleinsäureimids und dessen N-substituierte Derivate an Benzol und andere Aromaten ausführlicher untersucht worden[2-5]. Die 2:1-Addukte besitzen eine Struktur VI analog dem Maleinsäureanhydrid-Addukt II (S. 484) aus welchem sie auch auf konventionellem Wege hergestellt werden können. Die Bildung der Addukte erfolgt sowohl unsensibilisiert als auch sensibilisiert.

In mechanistischer Hinsicht ist hierbei der Befund von Interesse, daß die Geschwindigkeit der Addition N-substituierter Maleinsäureimide an Benzol stark von der Natur des Substituenten am Stickstoff abhängig ist[2,4]. Während Maleinsäureimid selbst, N-Butyl-, N-Benzyl-, N-(2-Methyl-phenyl)- oder N-(2,6-Dimethyl-phenyl)-Derivate leicht addiert werden können (sowohl in Gegenwart wie in Abwesenheit von Benzophenon als Sensibilisator), werden bei der sensibilisierten und unsensibilisierten Photoaddition von N-Phenyl-, N-(3-Methyl-phenyl)-, N-(4-Methyl-phenyl)-, N-(4-Methoxy-phenyl)- oder N-(4-tert.-Butyl-phenyl)-maleinsäureimid an Benzol jeweils nur Spuren an 2:1-Addukt gebildet[2,4]. Hauptprodukte der sensibilisierten Reaktionen waren im Fall der zuletzt genannten N-substituierten Maleinimide *anti*-Dimere der Struktur VIII[4].

Da alle N-substituierten Maleinsäureimide, bei denen die Addition stark gehemmt ist, ein π-Elektronensystem in Konjugation mit dem einsamen Elektronenpaar des Stickstoffs besitzen, soll das Ausbleiben der 2:1-Addition mit der Löschung angeregter Zwischenstufen durch solche Substanzen zusammenhängen[4]. Wenn nun entweder durch das Dazwischenschieben einer Methylen-Gruppe wie im N-Benzyl-maleinsäureimid oder aus sterischen Gründen wie im N-(2-Methyl-phenyl)- oder N-(2,6-Dimethyl-phenyl)-maleinsäureimid eine Überlappung des π-Elektronensystems mit dem einsamen Elektronenpaar des Stickstoffs verhindert wird, kann die 2:1-Addition stattfinden[4].

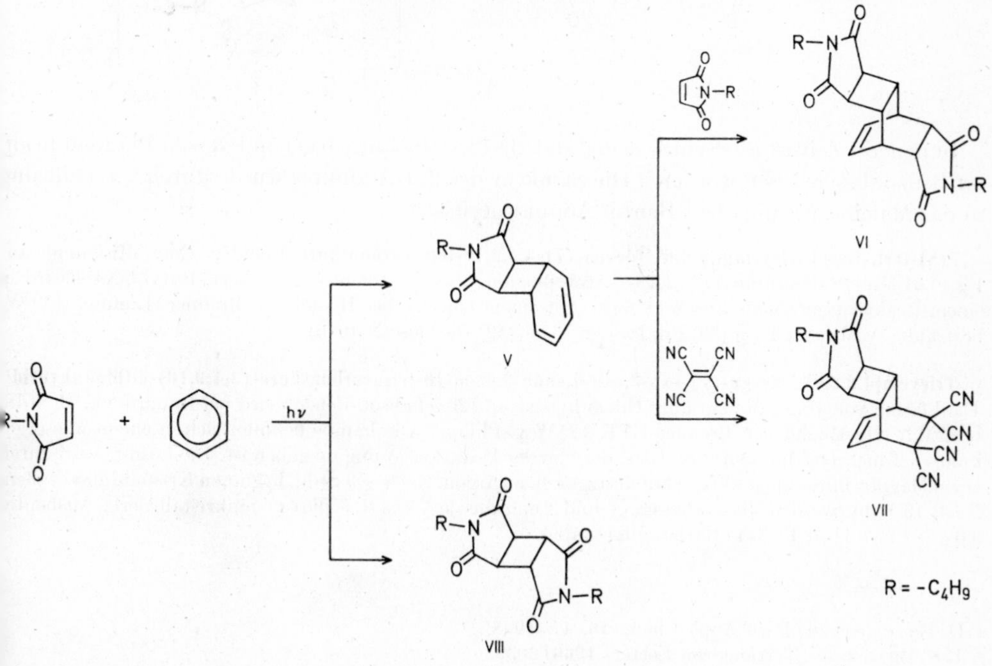

[1] G. B. VERMONT, P. X. RICCOBONO u. J. BLAKE, Am. Soc. 87, 4024 (1965).
[2] D. BRYCE-SMITH u. M. A. HEMS, Tetrahedron Letters 1966, 1895.
[3] J. S. BRADSHAW, Tetrahedron Letters 1966, 2039.
[4] D. BRYCE-SMITH, Pure Appl. Chem. 16, 47 (1968).
[5] V. S. SHAIKHRAZIEVA et al., Ž. Org. Chim. 9, 1452 (1973).

Auch für diese Addition konnte wie im Falle des Maleinsäureanhydrids gezeigt werden, daß bei der unsensibilisierten Reaktion ein Charge-Transfer-Komplex aus Maleinsäureimid und Benzol angeregt wird[1, vgl. 2]. Auch im Falle der Maleinsäureimide verläuft die Bildung der 2:1-Addukte so, daß zunächst in einem photochemischen Schritt ein 1:1-Addukt gebildet wird, an welches sich ein weiteres Molekül in einer Diels-Alder-Reaktion unter Bildung des Endproduktes VI (S. 487) addiert. Setzt man der Reaktionslösung Tetracyan-äthylen zu, so reagiert dieses mit dem Zwischenprodukt V und es bildet sich, beispielsweise im Falle von N-Butyl-maleinsäureimid, das 1:1:1-Addukt VII {*9,9,10,10-Tetracyan-tricyclo [4.2.2. 0²,⁵]decen-(7)-3,4-dicarbonsäure-butylimid*}[3]. Offensichtlich ist selbst in Benzol als Lösungsmittel der dienophile Charakter des Tetracyan-äthylens stark genug, um mit dem N-substituierten Maleinsäureimid, welches naturgemäß nur einen schwächeren dienophilen Charakter besitzt, wirksam um das Zwischenprodukt V in Konkurrenz zu treten.

Neben den Additionen der Maleinsäureimide an das Benzol selbst wurden auch Cycloadditionen an Alkyl-benzole beobachtet[2]. Hierbei wurde Acetophenon als Sensibilisator verwendet. 2:1-Addukte entstehen mit Toluol, Äthyl-benzol und tert.-Butyl-benzol[2]. Sie besitzen wahrscheinlich alle dieselbe Struktur wie die entsprechenden Maleinsäureanhydrid-Alkylbenzol-Addukte; mit der Bildung von Isomeren muß gerechnet werden[2, 4].

Biphenyl reagiert mit Maleinsäure und bei UV-Bestrahlung zu einem 1:1-Addukt (40% d. Th.)[5].

Benzol und auch Alkyl-benzole addieren α,ω-Disuccinimidoalkane unter Bildung von Polymeren[6]; z. B.:

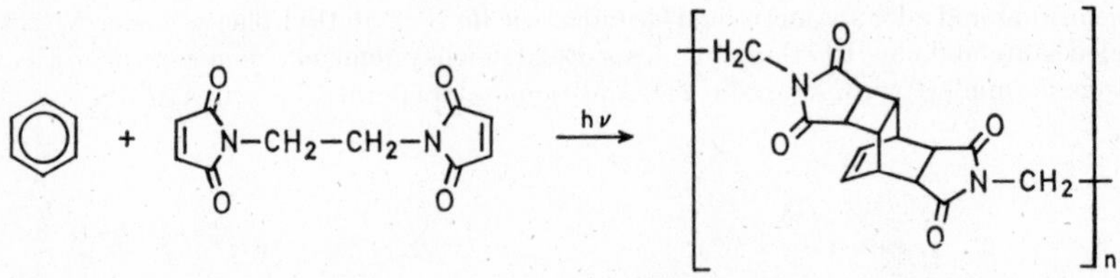

In neuerer Zeit ist die Synthese des Maleinsäure-thioanhydrids und dessen Photoaddition an Benzol beschrieben worden[7]. Die Struktur des 2:1-Adduktes wurde durch Überführung in das Maleinsäureanhydrid-Benzol-Addukt gesichert[8].

7(8)-tert.-Butyl-tricyclo[4.2.2.0²,⁵]decen-(7)-3,4,9,10-tetracarbonsäure-diimid[2]: Eine Mischung aus 1 g (0,01 Mol) Maleinsäureimid, 2,5 ml Acetophenon, 7 ml Aceton und 25 ml tert.-Butyl-benzol wird in einem Reaktionsgefäß aus Pyrex 18 Stdn. mit einem Quecksilber-Hochdruck-Brenner (Hanovia 450 W) bestrahlt; Ausbeute: 1,1 g (33% d.Th.); F: 345–352° (farblose Nadeln).

Tricyclo[4.2.2.0²,⁵]decen-(7)-exo-3,exo-4,endo-9,endo-10-tetracarbonsäure-(3,4;9,10)-dithioanhydrid[7]: Die Lösung von 10,0 g Maleinsäure-thioanhydrid[7] in 120 ml absol. Benzol wird bei Raumtemp. 19 Stdn. bestrahlt (Hg-Hochdruck-Brenner HFK 125W v. Philips). Die Lampe befindet sich in einem wassergekühlten Tauchschacht aus Pyrex-Glas, der von der Reaktionslösung umgeben ist. Die Lösung wird durch einen Magnetrührer umgewälzt, als Schutzgas dient Argon. Nach ~ 3 Stdn. beginnen Kristalle auszufallen. Nach 19 Stdn. werden diese abgesaugt und 2mal aus je 75 ml 1,4-Dioxan umkristallisiert; Ausbeute 3,0 g (22% d.Th.); F: 314° (farblose Kristalle).

[1] D. Bryce-Smith, Pure Appl. Chem. **16**, 47 (1968).
[2] J. S. Bradshaw, Tetrahedron Letters **1966**, 2039.
[3] D. Bryce-Smith et al., Chem. Commun. **1970**, 561.
[4] D. Bryce-Smith u. A. Gilbert, Chem. Commun. **1968**, 19.
[5] V. S. Shaikhrazieva, E. V. Talvinskii u. G. A. Tolstíkov, Ž. Org. Chim. **10**, 665 (1974).
[6] Y. Musa u. M. P. Stevens, J. Polymer Sci. [A-1] **10**, 319 (1972).
   N. Kardush u. M. P. Stevens, J. Polymer Sci. [A-1] **10**, 1039 (1972).
[7] M. Verbeek, H. D. Scharf u. F. Korte, B. **102**, 2471 (1969).
[8] D. Bryce-Smith, B. Vickery u. G. I. Fray, Soc. [C] **1967**, 390.

β) mit Olefinen

Die älteste bekannte Photoaddition eines Aromaten an ein einfaches Olefin ist die von Benzonitril an 2-Methyl-buten-(2)[1,2]. Das hierbei entstehende *7,7,8-Trimethyl-6-cyan-bicyclo[4.2.0]octadien-(2,4)* (I, 42% d.Th.) ist seinerseits photolabil und wird durch Bestrahlung mit ultraviolettem Licht wieder in Benzonitril und 2-Methyl-buten-(2) rückgespalten. Bei der Pyrolyse von I hingegen entsteht als Hauptprodukt ein Gemisch von *cis-trans*-Isomeren des *2-methyl-3-cyan-decatetraen-(2,4,6,8)* (II)[2]. Die Photoaddition des Benzonitrils an 2-Methyl-buten-(2) kann nicht durch Benzophenon sensibilisiert werden, da Oxetan-Bildung eintritt[2]:

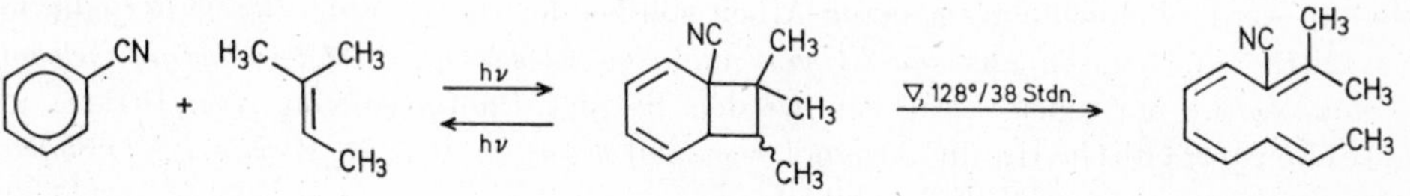

Neben 2-Methyl-buten-(2) bildet auch Äthyl-vinyl-äther mit Benzonitril ein 1:1-Photoaddukt, bei dem es sich wahrscheinlich ebenfalls um ein Derivat des Bicyclo[4.2.0]octadiens-(2,4) handelt[2]; Versuche mit Essigsäure-vinylester und *cis*-1,2-Dichlor-äthylen verliefen dagegen erfolglos[2].

7,7,8-Trimethyl-6-cyan-bicyclo[4.2.0]octadien-(2,4) (I)[2]: Ein mit Stickstoff gesättigtes und magnetisch gerührtes Gemisch aus 232 g (2,25 Mol) Benzonitril, 175 g (2,50 Mol) 2-Methyl-buten-(2) und einige Kristalle Brenzkatechin werden 11 Tage mit einem Quecksilber-Brenner (Labor-Tauchlampe S 81, Quarzlampengesellschaft Hanau) bestrahlt. Das überschüssige Olefin wird an einer Vigreux-Kolonne abdestilliert, zunächst bei Atmosphärendruck, dann bei 45 Torr (Badtemp. unter 80°), anschließend nicht umgesetztes Benzonitril bei 1,7 Torr und 42° (212 g; 91%). Der dunkle Rückstand liefert bei der Destillation ein hellgelbes Öl (17,5 g; Kp $_{0,1}$: 80–95°), das in 100 ml Äther gelöst 4mal mit je 50 ml eines eiskalten Gemisches aus 5%iger Salzsäure und 20%iger Kochsalz-Lösung und anschließend 3mal mit je 50 ml einer kalten 5%igen Natriumhydrogencarbonat-Lösung, die mit Kochsalz gesättigt ist, gewaschen wird. Die wäßrigen Phasen werden mit frischem Äther extrahiert, die Äther-Lösungen vereinigt und mit Natriumsulfat getrocknet. Nach Abziehen des Lösungsmittels hinterbleibt ein gelbes Öl, das über eine kurze Kolonne in Benzonitril (4,2 g; Kp$_1$: 37–42°) und das Photoaddukt I zerlegt wird; Ausbeute: 10,6 g (42%, bez. auf umgesetztes Benzonitril); Kp$_1$: 70–80°; Kp$_{0,6}$: 65–70°. Nach mehrwöchiger Aufbewahrung im Kühlschrank tritt Kristallisation ein; F: 26–30°.

Die Photocycloaddition von Acrylnitril an Benzol liefert ein 1:1-Addukt, *7-Cyan-bicyclo[4.2.0]octadien-(2,4)* (III; 0,2% d.Th.), welches in einer nachfolgenden Diels-Alder-Reaktion ein weiteres Molekül Acrylnitril thermisch zum 3,10- bzw. 4,9-Dicyan-tricyclo[4.2.2.0²,⁵]decen-(7) (IV bzw. V) addiert[3]:

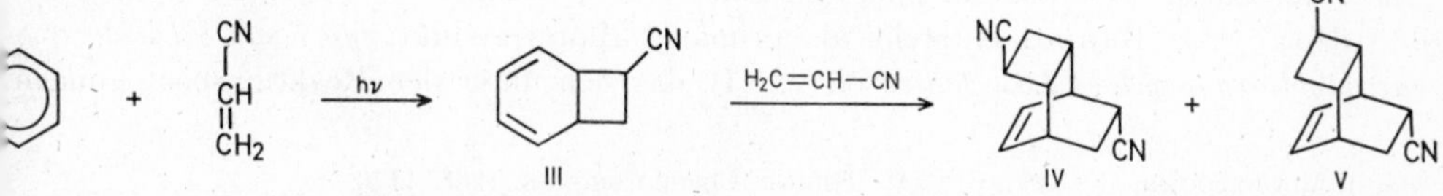

Vorteilhaft soll sich die Verwendung eines Zink(II)-chlorid-Acrynitril-Komplexes anstelle des reinen Olefins auswirken[4].

7-Cyan-bicyclo[4.2.0]octadien-(2,4) (III)[3]: 429 ml (342 g, 6,44 Mol) Acrylnitril und 571 ml (504 g, 6,44 Mol) Benzol werden bei 10–15° unter Stickstoff mit einem Quecksilber-Hochdruck-Brenner (250 W)

[1] US. P. 2805242 (3. 9. 1957), Erf.: D. E. AYER, N. H. BRADFORD u. G. H. BÜCHI.
[2] J. G. ATKINSON et al., Am. Soc. 85, 2257 (1963).
[3] B. E. JOB u. J. D. LITTLEHAILES, Soc. [C] 1968, 886.
[4] M. OHASHI et al., Tetrahedron Letters 1973, 3395.

bestrahlt. Das Fortschreiten der Reaktion kann gaschromatographisch verfolgt werden. Nach 5tägiger Bestrahlung hat die Reaktionsmischung einen ausgeprägten Zimtgeruch, bei Kontakt mit Luft schlägt ihre rosa Farbe nach blaßgelb um. Der Lampenschacht wird in regelmäßigen Abständen während der Belichtung von einem weißen Belag (F: 125°, Zers.) gereinigt. Nach Einengen bei Zimmertemp. i. Vak. unter Stickstoff erhält man ein bewegliches Öl (8 g) als Rückstand, woraus destillativ 2 g einer Fraktion (Kp$_3$: 56°) abgetrennt werden. Weitere Aufarbeitung durch Chromatographie an Silicagel; Ausbeute: 1,85 g (0,2% d.Th.).

Aus Naphthalin und Acrylnitril erhält man neben geringen Mengen von Substitutionsprodukten *1-Cyan-1,2,2a,8b-tetrahydro-⟨cyclobuta-[a]-naphthalin⟩*[1]. Die Reaktion ist nicht durch Triplett-Sensibilisatoren (Acetophenon) sensibilisierbar[2]. Mit Licht der Wellenlänge 254 nm (Quecksilber-Niederdruck-Lampe) kann Naphthalin quantitativ zurückerhalten werden[1]. Nach einer neueren Arbeit soll bei der Bestrahlung von Naphthalin und Acrylnitril ein Gemisch aus *syn-2-Cyan-* und *syn-1-Cyan-1,2,2a,8b-tetrahydro-⟨cyclobuta-[a]-naphthalin⟩* entstehen[3]. Dagegen werden bei der Photolyse von Acrylnitril und 2-Methoxy-naphthalin in Äthanol *cis-* und *trans-2a-Methoxy-2-cyan-1,2,2a,8b-tetrahydro-⟨cyclobuta-[a]-naphthalin⟩* gebildet[4].

Über die Additionen von Acrylnitril an Inden s. S. 376.

Acenaphthylen und Acrylnitril (1 g in 120 *ml*) ergeben bei Bestrahlung *syn-7-Cyan-* und *anti-7-Cyan-6b,7,8,8a-tetrahydro-⟨cyclobuta-[a]-acenaphthylen⟩* (F: 80-82° bzw. 130-131°)[5]. Die Ausbeute hängt stark von zugesetzten Lösungsmitteln ab und variiert bei Belichtung durch ein Pyrex-Filter von 31% (Acetonitril) bis 52% (1-Brom-propan). Gleichzeitig variiert das *syn/anti*-Verhältnis von 2,5 bis 3,4.

Folgender Vinyläther addiert sich bei Bestrahlung in guten Ausbeuten an 1-Cyan-naphthalin[6]:

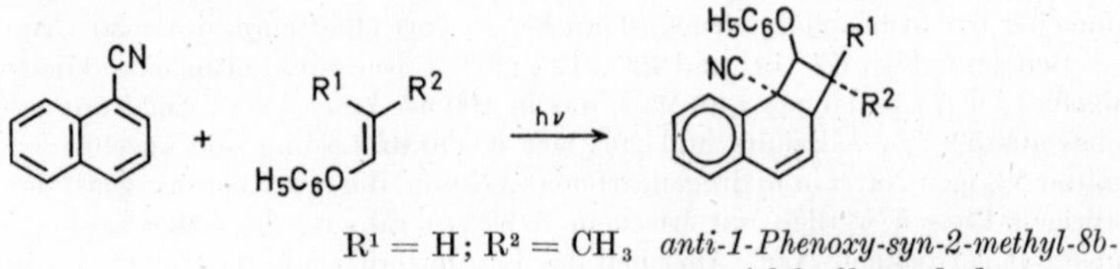

R¹ = H; R² = CH₃   *anti-1-Phenoxy-syn-2-methyl-8b-cyan-1,2,2a,8b-tetrahydro-⟨cyclobuta-[a]-naphthalin⟩*; 80%d.Th.

R¹ = CH₃; R² = H   *anti-1-Phenoxy-anti-2-methyl-...* 85% d.Th.

Analog wird 9-Cyan-phenanthren mit Methyl- oder Äthyl-vinyl-äther in *2-Methoxy-* bzw. *2-Äthoxy-2a-cyan-1,2,2a,10b-tetrahydro-⟨cyclobuta-[l]-phenanthren⟩* (60% d.Th.) überführt[7].

Bei der durch Acetophenon photosensibilisierten Cycloaddition von Dichlor-2-oxo-1,3-dioxol an Benzol entsteht als primäres Hauptprodukt *syn-7,syn-8-Dichlor-7,8-carbonyldioxy-bicyclo[4.2.0]octadien-(2,4)* (XI), das sich unter den Reaktionsbedingungen,

[1] J. J. McCullough, C. Calvo u. C. W. Huang, Chem. Commun. **1968**, 1176.
[2] J. J. McCullough u. C. W. Huang, Chem. Commun. **1967**, 815; Canad. J. Chem. **47**, 757 (1969).
[3] R. M. Bowman et al., Am. Soc. **96**, 692 (1974).
    S. a. R. M. Bowman et al., Canad. J. Chem. **51**, 1060 (1973).
[4] T. R. Chamberlain u. J. J. McCullough, Canad. J. Chem. **51**, 2578 (1973).
[5] B. F. Plummer u. R. A. Hall, Chem. Commun. **1970**, 4.
[6] K. Mizuno, C. Pac u. H. Sakurai, Chem. Commun. **1973**, 219; **1974**, 648.
    C. Pac et al., Bl. chem. Soc. Japan **46**, 238 (1973).
    T. R. Chamberlain u. J. J. McCullough, Canad. J. Chem. **51**, 2578 (1973).
[7] K. Mizuno, C. Pac u. H. Sakurai, Am. Soc. **96**, 2993 (1974).
    R. A. Caldwell u. L. Smith, Am. Soc. **96**, 2994 (1974).

vor allem bei längeren Belichtungszeiten, leicht in *cis-7,8-Dichlor-7,8-carbonyldioxy-bicyclo [2.2.2]octadien-(2,5)* (XII) umlagert[1]:

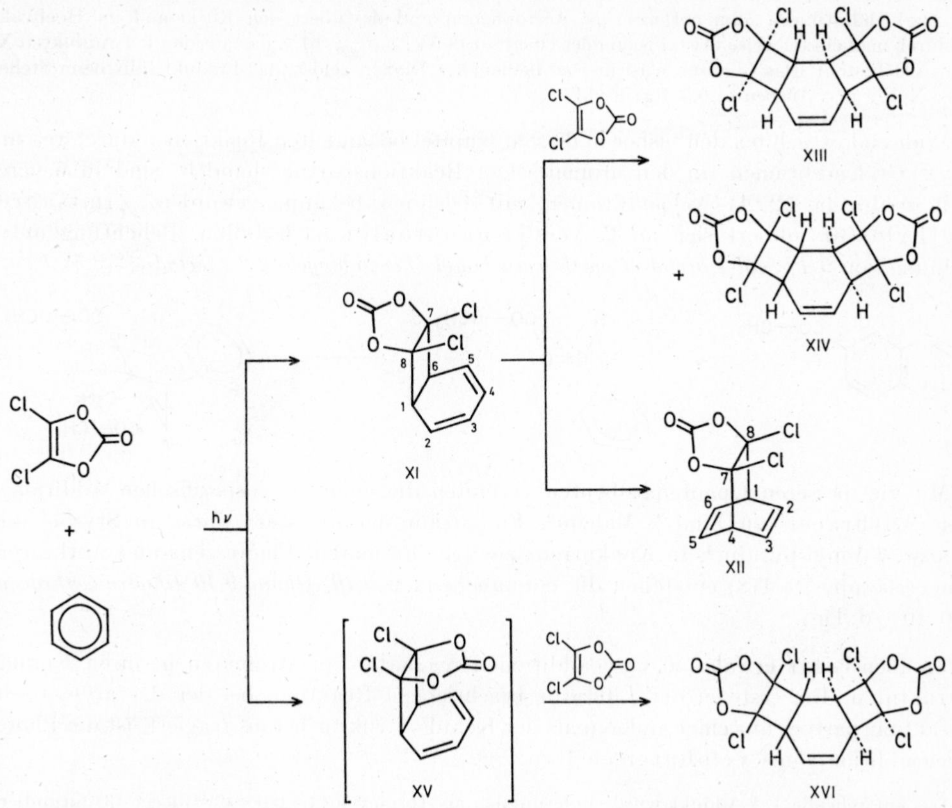

An das 1:1-Addukt XI wird im Verlauf der Reaktion dann noch ein weiteres Molekül Dichlor-2-oxo-1,3-dioxol addiert, und zwar nicht thermisch nach Art einer Diels-Alder-Reaktion, sondern bemerkenswerterweise photochemisch unter Vierring-Bildung[1]. Das entstehende 2:1-Addukt, *5,9,12,16-Tetrachlor-7,14-dioxo-6,8,13,15-tetraoxa-pentacyclo [9.5. 0.0⁴,¹⁰.0⁵,⁹.0¹²,¹⁶]hexadecen-(2)*, liegt in zwei Isomeren vor, bei denen die einzelnen Ringe *anti-anti-anti*-(XIII) bzw. *syn-anti-anti*-ständig (XIV) verknüpft sind. Aus der Tatsache, daß in dem Reaktionsgemisch noch ein drittes 2:1-Addukt XVI mit *syn-anti-syn*-Struktur vorhanden ist, wurde geschlossen, daß ein weiteres 1:1-Addukt, *anti-7,anti-8-Dichlor-7,8-carbonyldioxy-bicyclo[4.2.0]octadien-(2,4)* (XV), in geringerer Menge neben XI als Primärprodukt entsteht, welches jedoch wegen seiner offensichtlich großen Reaktionsfähigkeit im Gegensatz zu XI nicht isoliert werden kann[1].

Die Ursache für den sich in charakteristischer Weise von der Photocycloaddition des Maleinsäure-anhydrids und Maleinsäure-thioanhydrids an Benzol unterscheidenden Reaktionsverlauf der sensibilisierten Cycloaddition von Dichlor-2-oxo-1,3-dioxol dürfte in der im Vergleich zu Maleinsäure-anhydrid und -thioanhydrid stark verringerten Dienophilie des 1,3-Dioxol-Derivates[2] zu suchen sein.

syn-7,syn-8-Dichlor-7,8-carbonyldioxy-bicyclo[4.2.0] octadien-(2,4) (XI) [3]: In drei parallelen Ansätzen werden je 3 g Acetophenon, 10 *ml* Dichlor-2-oxo-1,3-dioxol[4] und 180 *ml* Benzol unter Sauerstoff-

H.-D. SCHARF u. R. KLAR, Tetrahedron Letters 1971, 517; B. 105, 575 (1972).
P. LECHTKEN u. G. HESSE, A. 754, 1 (1971).
G. HESSE u. P. LECHTKEN, Ang. Ch. 83, 143 (1971).
H.-D. SCHARF u. W. KÜSTERS, B. 105, 564 (1972).
H.-D. SCHARF u. R. KLAR, B. 105, 575 (1972).
H.-D. SCHARF et al., B. 105, 554 (1972).

Ausschluß in einer Tauchlampen-Apparatur aus Pyrex-Glas 6 Stdn. mit einer Quecksilber-Hochdruck Lampe (Philips HPK 125 W) bestrahlt. Von den vereinigten Reaktions-Lösungen wird das Benzol und dann bei 10 Torr (Badtemp. 80°) die Hauptmenge des nichtumgesetzten Dichlor-2-oxo-1,3-dioxol ($\sim$ 22 g) abdestilliert. Man entfernt das Acetophenon und destilliert den Rückstand im Hochvak. wodurch man ein teilweise kristallisierendes Öl erhält (3,5 g; Kp$_{0,001}$: 61°), das aus den 1:1-Addukten XI und XII besteht. Das Gemisch wird in 1 ml heißem 1,4-Dioxan gelöst, das Produkt fällt beim Stehen über Nacht aus; Ausbeute: 0,5–1 g; F: 147°.

Während es sich bei den bisher in diesem Kapitel behandelten Reaktionen durchweg um [2+2]-Cycloadditionen an den aromatischen Reaktionspartner handelt, sind in neuerer Zeit zahlreiche [2+4]-Cycloadditionen mit Olefinen bekannt geworden. Zimtsäure-methylester addiert sich an 2-Acetyl-naphthalin nach 1 Mon. Belichtung unter Bildung von *9-Phenyl-7-acetyl-10-methoxycarbonyl-⟨benzo-bicyclo[2.2.2]octadien-(2,5)⟩*[1]:

Mit viel besseren Quantenausbeuten verlaufen die nicht stereospezifischen Additionen von Anthracen an Zimt-[2], Malein-[2], Fumarsäure-methylester[2] sowie an Styrol[3] und 2- bzw. 4-Vinyl-pyridin[4]. In Konkurrenz zur (geschwächten) Fluoreszenz und Anthracen Dimerisierung (S. 478) entstehen die entsprechenden *9,10-Äthano-9,10-dihydro-anthracen* (10–40% d.Th.).

In allen bisher erwähnten Cycloadditionen reagierten die Aromaten in ihren Kekulé Strukturen. Die erste in der Literatur beschriebene Reaktion, bei der der aromatische Reaktionspartner aus einer anderen als der Kekulé-Struktur heraus reagiert, ist die Photo cycloaddition von Cyclobuten an Benzol[5].

Das entstehende 1:1-Addukt wurde ursprünglich als Tetracyclo[4.4.0.0^{2,5}.0^{7,10}]decen-(3) formuliert wonach das Benzol von seiner Dewar-Struktur aus reagiert hätte. Nach der Entdeckung der photochemi schen 1,3-Cycloaddition verschiedener Olefine an Benzol[6,7] kann es als sehr wahrscheinlich gelten daß auch die Photocycloaddition des Cyclobutens zu diesem Reaktionstyp gehört.

Die photochemische 1,3-Cycloaddition von Olefinen an Benzol[6,7] führt zur Bildung von substituierten *Tricyclo[3.3.0.0^{2,8}]octenen-(3)* (II); z. B. das *6,6,7,7-Tetramethyl*-Derivat:

Diese leiten sich formal vom Benzvalen[8] ab, aus dem sie formell durch 1,3-Addition unter Öffnung eines Dreiringes entstanden gedacht werden können. Dies gilt allerdings nur formal, denn es konnte

[1] D. R. Arnold, L. B. Gillis u. E. B. Whipple, Chem. Commun. 1969, 918.
[2] G. Kaupp, Chimia 25, 230 (1971), Ang. Ch. 84, 259 (1972); A. 1973, 844.
[3] G. Kaupp, R. Dyllick-Brenzinger u. I. Zimmermann, Ang. Ch. 87, 520 (1975).
[4] G. Kaupp, Book of Contributed Papers, Euchem Research Conference on Useful Preparative Aspects of Photochemistry, Gent, Belgien, 1975.
[5] R. Srinivasan u. K. A. Hill, Am. Soc. 87, 4653 (1965).
[6] K. E. Wilzbach u. L. Kaplan, Am. Soc. 88, 2066 (1966); 93, 2073 (1971).
[7] D. Bryce-Smith, A. Gilbert u. B. H. Orger, Chem. Commun. 1966, 512.
R. Srinivasan, Am. Chem. Soc. Div. Pet. Chem. Prepr. 18, 286 (1973).
[8] K. E. Wilzbach, J. S. Ritscher u. L. Kaplan, Am. Soc. 89, 1031 (1967).

gezeigt werden, daß die Quantenausbeute der photochemischen Bildung von Benzvalen in Abwesenheit von Olefinen bedeutend kleiner ist als diejenige der Addukte II in Gegenwart von Olefinen[1], daß also Benzvalen nicht der Vorläufer der Addukte sein kann. Die aktive Species, aus der in Abwesenheit von Olefinen Benzvalen[2] und Fulven[3], in Gegenwart von Olefinen 1,3-Addukte[4,5] entstehen, ist aller Wahrscheinlichkeit nach ein Isomeres I (S. 492) von elektronisch angeregtem Benzol[6].

Die Photocycloaddition von Benzol an cis-Buten-(2) und trans-Buten-(2) verläuft stereospezifisch unter Erhaltung der Konfiguration an den olefinischen Kohlenstoff-Atomen zu cis- bzw. *trans-6,7-Dimethyl-tricyclo[3.3.0.0²,⁸]octen-(3)*[7], ein Hinweis darauf, daß die reagierende Spezies I ein Singulett ist. Nach gaschromatographischer Isolierung wurden ferner folgende Derivate erhalten, mit

Buten-(1)	→ 6- bzw. *7-Äthyl-tricyclo[3.3.0.0²,⁸]octen-(3)*[5]
2,3-Dimethyl-buten(2)	→ *6,6,7,7-Tetramethyl-tricyclo[3.3.0.0²,⁸]octen-(3)*[4]
cis-3,4-Dichlor-cyclobuten	→ *4,5-Dichlor-tetracyclo[5.3.0.0²,¹⁰.0³,⁶]decen-(8)*[8]
Cyclopenten	→ *Tetracyclo[6.3.0.0²,¹¹.0³,⁷]undecen-(9)*[4]
Cyclohexen	→ *Tetracyclo[7.3.0.0²,¹².0³,⁸]dodecen-(10)*[5]
Octen-(1)	→ 6- bzw. *7-Hexyl-tricyclo[3.3.0.0²,⁸]octen-(3)*[5]
Cyclooctadien-(1,5)	→ *Tetracyclo[6.6.0.0²,⁴.0³,⁷]tetradecadien-(5,11)*[5]
Äthyl-vinyl-äther	→ 6- bzw. *7-Äthoxy-tricyclo[3.3.0.0²,⁸]octen-(3)*[5]

Für diese Cycloaddition wird Licht der Wellenlänge $\lambda = 235$–285 nm benötigt. Man arbeitet am besten mit einem Quecksilber-Niederdruck-Brenner ($\lambda = 254$ nm) und belichtet durch Vycor-Quarz, welcher alle Strahlung, die kürzerwellig als $\lambda = \sim 230$ nm ist, absorbiert, also auch die hochenergetische 185 nm-Linie, für die normaler Quarz durchlässig ist. Jedoch ist auch ein Hg-Hochdruck-Brenner verwendbar, da er ebenfalls, wenn auch schwächer, im erforderlichen Wellenlängen-Bereich emittiert.

Tetracyclo[6.6.0.0²,⁴.0³,⁷] tetradecen-(5) (III)[5]:

III

Eine äquimolekulare Mischung aus Benzol und *cis*-Cyclooocten wird bei Raumtemp. unter Stickstoff mit Licht der Wellenlänge 235–285 nm (100 W Quecksilber-Hochdruck-Brenner) bestrahlt. Aus der Mischung der 1:1-Addukte wird die Hauptkomponente III ($\sim 85\%$) durch Behandlung der Mischung mit methanolischem Quecksilber(II)-acetat abgetrennt. Man erhält ein farbloses Öl; $Kp_{0,2}$: 80–82°. Auf diese Weise wurden 30 g Addukt nach einer Bestrahlung von 100 Stdn. erhalten.

---

[1] K. E. WILZBACH, A. L. HARKNESS u. L. KAPLAN, Am. Soc. 90, 1116 (1968).

[2] K. E. WILZBACH, J. S. RITSCHER u. L. KAPLAN, Am. Soc. 89, 1031 (1967).

[3] J. McDONALD BLAIR u. D. BRYCE-SMITH, Pr. chem. Soc. 1957, 287.

[4] K. E. WILZBACH u. L. KAPLAN, Am. Soc. 88, 2066 (1966).
J. CORNELISSE, V. Y. MERRITT u. R. SRINIVASAN, Am. Soc. 95, 6195 (1973).
R. SRINIVASAN, V. Y. MERRITT u. G. SUBRAHMANYAM, Tetrahedron Letters 1974, 2715.
Vgl. aber: D. BRYCE-SMITH et al., Chem. Commun. 1971, 794.

[5] D. BRYCE-SMITH, A. GILBERT u. B. H. ORGER, Chem. Commun. 1966, 512.

[6] D. BRYCE-SMITH u. H. C. LONGUET-HIGGINS, Chem. Commun. 1966, 593.

[7] A. MORIKAWA, S. BROWNSTEIN u. R. J. CVETANOVIĆ, Am. Soc. 92, 1471 (1970).

[8] E. L. ALLRED, B. R. BECK u. K. J. VOORHEES, J. Org. Chem. 39, 1426 (1974).

Bei der Bestrahlung von Naphthalin und Cyclooocten wird als Hauptprodukt *Benzo-tetracyclo[6.6.0.0²,⁴.0³,⁷]tetradecen-(5)* (IV) gebildet[1]:

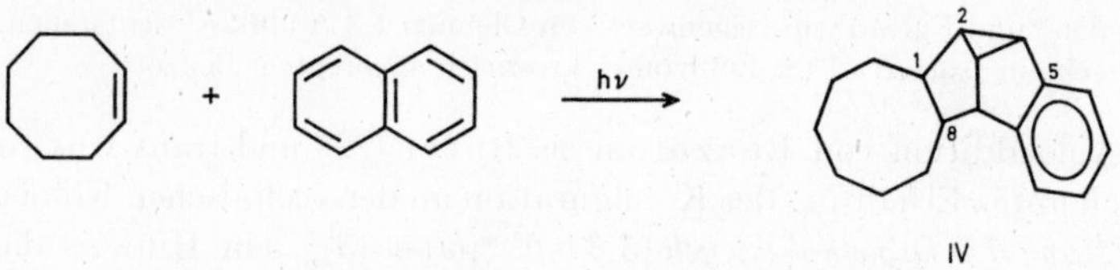

IV

Sieben 1:1-Addukte entstehen bei der Bestrahlung von Hexafluor-benzol in Gegen-wart von cis-Cyclooocten[2]. Die Strukturen von *2,3,4,5,6,7-Hexafluor-tetracyclo-[6.6. 0.0²,⁴.0³,⁷]tetradecen-(5)* (V), *2,3,4,5,6,7-Hexafluor-syn-anti-* und *...-anti-anti-tetracyclo[6. 6.0.0²,⁷.0³,⁶]tetradecen-(4)* (VI bzw. VII) und *2,3,4,5,6,7-Hexafluor-tricyclo[6.6.0.0³,⁷]tetra-decadien-(1,4)* (VIII) sind in Übereinstimmung mit den spektroskopischen Eigenschaften der aufgetrennten Addukte:

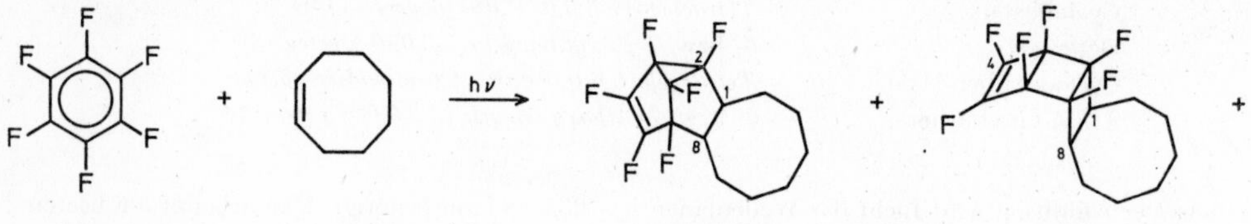

V (32%)   VI (8%)

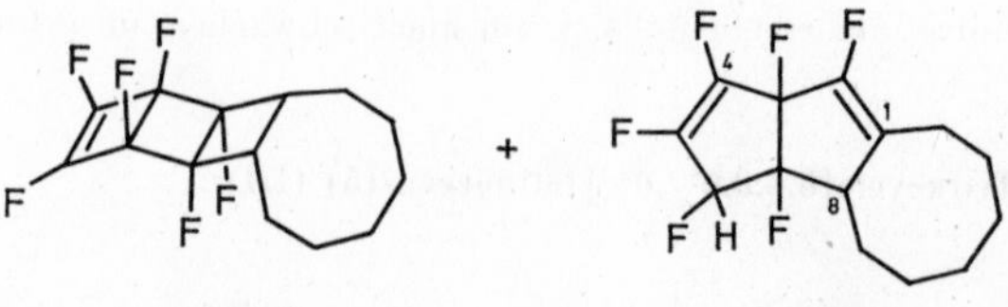

VII (16%)   VIII (29%)

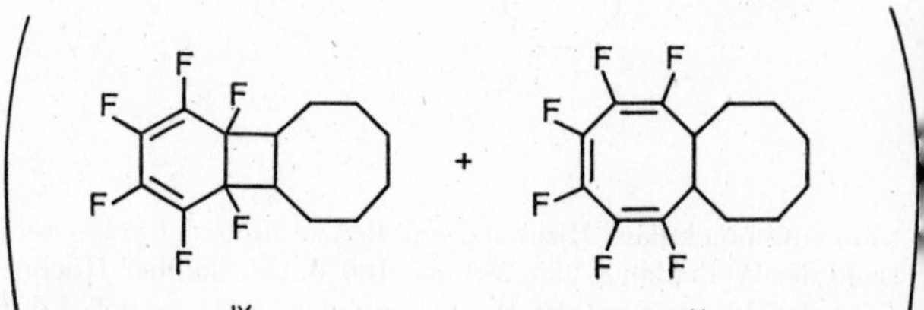

IX   X

+ unbekanntes 1:1-Addukt

Obwohl die drei weiteren 1:1-Addukte des Stoffgemisches nicht rein erhalten werden konnten, wurde den beiden mengenmäßig stärksten Komponenten die Struktur IX bzw. X zuerkannt. In Übereinstim-mung mit dieser Zuordnung ist die thermische Umlagerung der Addukte VI und VII in besagte Drei-komponenten-Mischung (IX und X und Verbindung unbekannter Struktur). Die charakteristischen Unterschiede im Verhalten von Benzol und Hexafluor-benzol bei der Photocycloaddition an Olefine sind recht bemerkenswert: Bei Benzol leiten sich die entstehenden Produkte überwiegend von der Benzvalen-Struktur her, bei Hexafluorbenzol hingegen auch von der Dewar-Struktur.

Neben den bisher besprochenen intermolekularen Photocycloadditionen zwischen Olefinen und Aromaten lassen sich auch Beispiele für eine intramolekulare Reaktion anführen. Neben einer *cis-trans*-Isomerisierung des Ausgangsmaterials findet bei der Belichtung von

[1] D. Bryce-Smith, A. Gilbert u. B. H. Orger, Chem. Commun. **1966**, 512.
[2] D. Bryce-Smith, A. Gilbert u. B. H. Orger, Chem. Commun. **1969**, 800.

ß-Phenyl-hexen-(2)[1] eine intramolekulare Reaktion unter Bildung von 1,3-Additions-produkten XI–XIV statt:

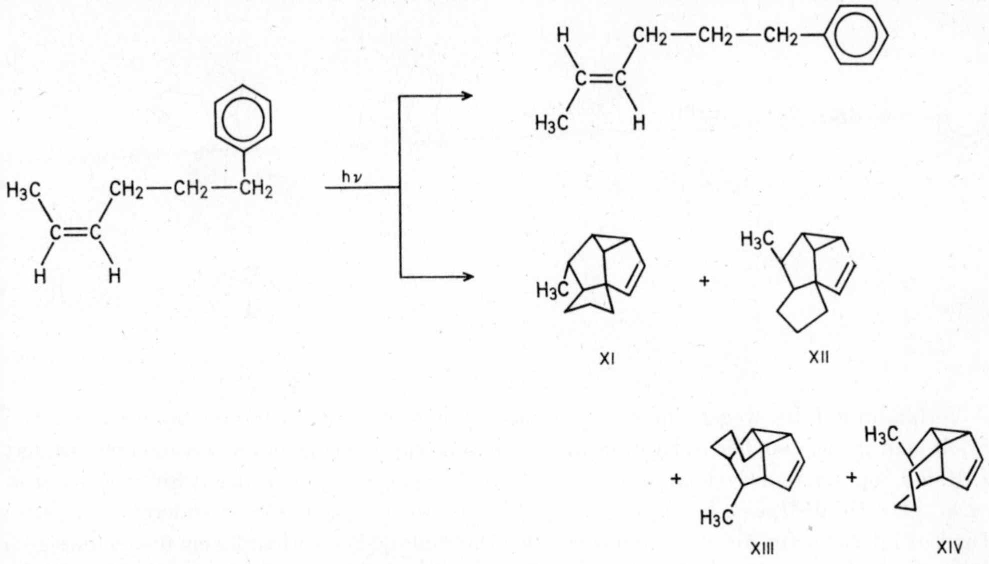

Das thermische Diels-Alder-Produkt aus 1,4-Naphthochinon und Cyclopentadien wandelt sich bei Belichtung in eine Käfig-Verbindung um[2]:

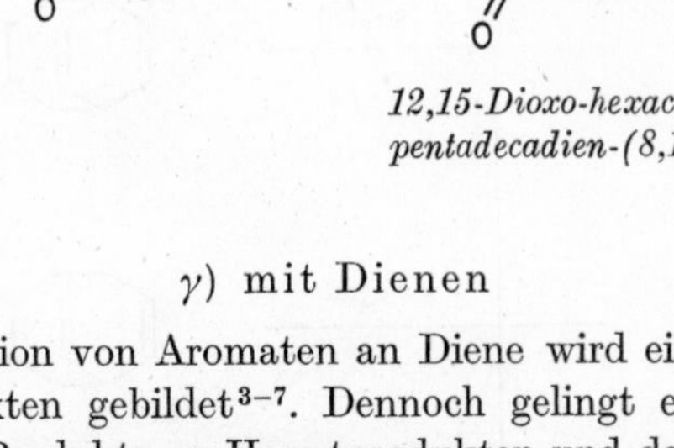

12,15-Dioxo-hexacyclo[5.4.4.0^{2,6}.0^{3,13}.0^{5,14}]
pentadecadien-(8,10)

γ) mit Dienen

Bei der Photocycloaddition von Aromaten an Diene wird eine große Vielzahl von Reaktions- und Folgeprodukten gebildet[3-7]. Dennoch gelingt es, durch geeignete Reaktionsführung, bestimmte Produkte zu Hauptprodukten und damit präparativ zugänglich zu machen. Gemeinsam ist allen bisher untersuchten Reaktionen, daß der Primärangriff des Diens am Aromaten überwiegend in 1,4-Stellung erfolgt, 1,3-Addition, die bei Monoolefinen die Hauptreaktion ist, tritt hier nur in untergeordnetem Maßstab auf.

Bei der Photocycloaddition von Benzol an Butadien-(1,3) (λ = 254 nm) werden folgende Primärprodukte gebildet: *Bicyclo[4.2.2]decatrien-(trans-3,cis-7,cis-9)* (I;67% d.Th.), das

[1] H. MORRISON u. W. I. FERREE, Chem. Commun. 1969, 268.
  W. I. FERREE, J. B. GRUTZNER u. H. MORRISON, Am. Soc. 93, 5502 (1971).
[2] A. S. KUSHNER, Tetrahedron Letters 1971, 3275.
[3] G. KOLTZENBURG u. K. KRAFT, Tetrahedron Letters 1966, 389.
[4] K. KRAFT u. G. KOLTZENBURG, Tetrahedron Letters 1967, 4357.
[5] K. KRAFT u. G. KOLTZENBURG, Tetrahedron Letters 1967, 4723.
[6] K. KRAFT, Dissertation, Universität Bonn, 1968.
[7] D. BRYCE-SMITH, B. E. FONGLER u. A. GILBERT, Chem. Commun. 1972, 664.

entsprechende *all-cis*-Trien II (5% d.Th.), drei isomere 1,3-Addukte (17% d.Th.), z. B. *7-Vinyl-tricyclo* $[3.3.0.0^{2,8}]$*octen-(3)* (III) und *1-Phenyl-buten-(2)* (IV; 3% d.Th.) neben dreizehn weiteren gaschromatographisch erkennbaren 1:1-Addukten[1,2]:

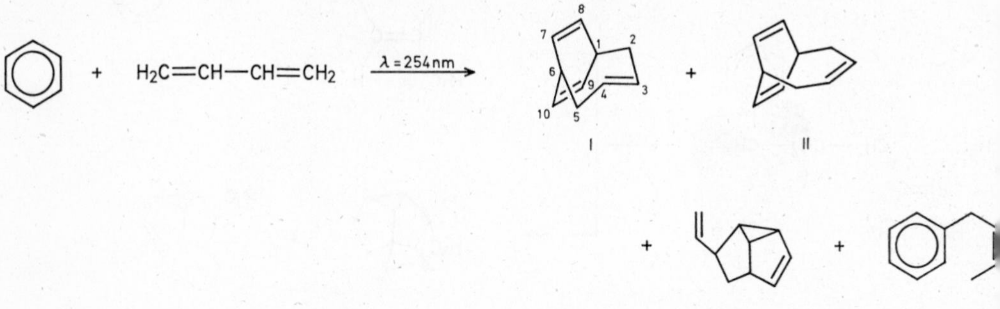

$$\bigcirc \;+\; H_2C{=}CH{-}CH{=}CH_2 \;\xrightarrow{\;\lambda\,=\,254\,nm\;}\quad I \quad+\quad II$$

$$+\quad III \quad+\quad IV$$

Verbindung I ist wegen ihrer sehr gespannten *trans*-Doppelbindung äußerst reaktiv. Stellt man sie bei −80° her, so kann sie längere Zeit unverändert gehalten werden und reagiert z. B. mit zugesetztem Cyclopentadien beim Aufwärmen zum Diels-Alder-Addukt V[2] {*Tetracyclo* $[8.2.2.1^{4,7}.0^{3,8}]$*pentadecatrien-(5,11,13)*}. In Abwesenheit eines anderen reaktiven Diens reagiert I beim Aufwärmen mit von der Darstellung her vorhandenem überschüssigem Butadien zu *Tricyclo* $[8.2.2.0^{3,8}]$*tetradecatrien-(5,11,13)* (VI)[2]. VI ist auch das Hauptprodukt, wenn das Gemisch aus Butadien und Benzol bei Raumtemperatur und darüber bestrahlt wird[2]. Bestrahlt man bei −80°, entfernt dann bei dieser Temperatur das überschüssige Butadien durch Absaugen, verdünnt mit Pentan, das auf −80° vorgekühlt ist, und wärmt dann langsam auf, dann dimerisiert I thermisch in guter Ausbeute zu *Pentacyclo* $[12.2.2.2^{6,9}.0^{3,12}.0^{4,11}]$*eicosatetraen-(7,15,17,19)* (VII)[2]:

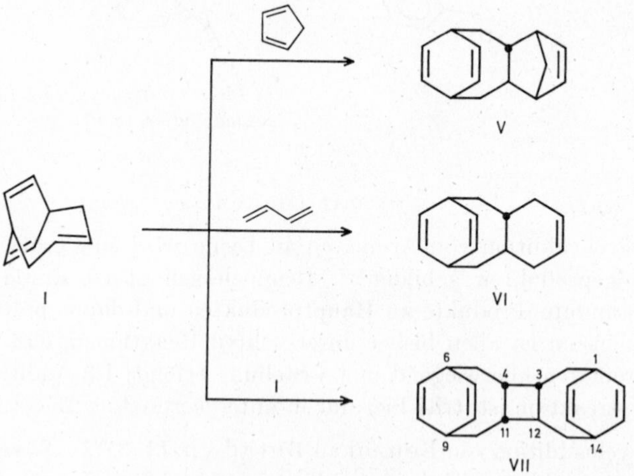

Diese Reaktion ist aus theoretischen Gründen insofern bemerkenswert, als es sich dabei möglicherweise um eine synchron verlaufende $[\pi^2s + \pi^2a]$-Cycloaddition handelt, bei der also die eine Äthylen-Komponente suprafacial, die andere antarafacial reagiert. Ein solcher Prozeß ist nach den Erhaltungsregeln der Orbitalsymmetrie erlaubt, während die entsprechende $[\pi^2s + \pi^2s]$-Cycloaddition von zwei Äthylenen, bei der beide Komponenten suprafacial reagieren, thermisch symmetrieverboten ist[3]. Wird

[1] G. Koltzenburg u. K. Kraft, Tetrahedron Letters **1966**, 389.
[2] K. Kraft u. G. Koltzenburg, Tetrahedron Letters **1967**, 4357.
[3] R. B. Woodward u. R. Hoffmann, Ang. Ch. **81**, 797 (1969).

eine Doppelbindung um ihre Achse verdrillt, wie dies in I der Fall sein muß, so begünstigt die damit einhergehende Verdrillung der Orbitale den $[\pi^2 s + \pi^2 a]$-Prozeß.

all-cis-Tricyclo [8.2.2.0³,⁸] tetradecatrien-(5,11,13) (VI) [1]: Sechs Ansätze von je 500 *ml* mit Butadien-(1,3)-ges. Benzol werden unter Argon jeweils 5 Stdn. mit einer Quecksilber-Niederdruck-Tauchlampe aus Vycor der Firma Gräntzel (Karlsruhe) bei 25° bestrahlt. Benzol und Butadien werden sodann im Wasserstrahl-Vak. bei 30° abgezogen, die hinterbleibenden gelben Öle zusammengefaßt (~ 50 g) und der Vakuum-Destillation unterzogen; Ausbeute: 15 g; Kp$_{0,01}$: 80°; F: $\sim -20°$; gaschromatographisch 98%ig rein.

Auch bei der Photocycloaddition von **Benzol** an **Isopren** erfolgt der Primärangriff überwiegend an den 1,4-Positionen des Benzolkerns [2]. Es entstehen die 1:1-Addukte VIII (*3-Methyl-bicyclo[4.2.2]decatrien-(trans-3,cis-7,cis-9)*); 45% d.Th.) und IX, das entsprechende *all-cis*-Isomere (6% d.Th.) sowie das durch 1,3-Angriff entstandene Addukt X (*7-Methyl-7-vinyl-tricyclo[3.3.0.0²,⁸]octen-(3)*); 32% d.Th.). Neben einem Substitutionsprodukt XI (*1-Phenyl-penten*; 9% d.Th.) werden noch 15 weitere (8% d.Th.) nicht näher charakterisierte 1:1-Addukte gebildet [1, 2].

Wie im Falle des Benzol/Butadien-Systems ist das *trans*-Olefin VIII sehr reaktiv. Es stabilisiert sich jedoch nicht durch Bildung eines Cyclobutan-Derivates, sondern dimerisiert in einer außerordentlich rasch verlaufenden En-Synthese bereits bei Temp. unter 0° zu XII. Anders als aus Benzol und Butadien erhält man aus Benzol und Isopren kein 1:2-Addukt.

all-cis-Pentacyclo [12.2.2.2⁶,⁹.0³,¹².0⁴,¹¹] eicosatetraen-(7,15,17,19) (VII, S. 496) [1]: In einem aus drei konzentrischen Kammern bestehenden Ringmantel-Gefäß aus Quarz, dessen innerste Kammer zum Zwecke der Wärme-Isolierung gegen die Lampe hoch evakuiert ist, dessen mittlere Kammer von ~ 350 *ml* Inhalt das Reaktionsgut aufnimmt und dessen äußerste Kammer zur Kühlung des Reaktionsgutes von Methanol, das mit Hilfe eines Kryostaten der Fa. Lauda auf $-80°$ gehalten wird, durchströmt wird, werden ~ 350 *ml* eines Gemisches aus Benzol und Butadien im Molverhältnis 1:10 mit einer Quecksilber-Niederdruck-Tauchlampe aus Vycor der Fa. Gräntzel 5 Stdn. bestrahlt, welche hierzu in die offene Mitte des Quarz-Ringmantel-Gefäßes gehängt wird. Nun wird das gesamte Butadien bei $-80°$ im Wasserstrahl-Vak. abgezogen. Anschließend verdünnt man den Ansatz mit auf $-80°$ vorgekühltem Pentan bis das auskristallisierte Benzol wieder in Lösung gegangen ist und läßt das Reaktions-Gemisch sich langsam auf Zimmertemp. erwärmen. Man läßt 2 Stdn. bei Raumtemp. stehen und dampft dann das Pentan und Benzol bei 25–30° i. Wasserstrahl-Vak. mit dem Rotationsverdampfer ab. Das hinterbleibende gelbe Öl wird auf $-80°$ abgekühlt, wobei es teilweise kristallisiert. Durch mehrfaches Digerieren mit Methanol bei $-80°$ erhält man farblose Kristalle, die auf dem Heiztisch-Mikroskop ab 125° anfangen zu sublimieren; Ausbeute: 1,2 g (2% d.Th.); F: 195° (Subl.).

4'-Methyl-4-methylen-bi-{bicyclo [4.2.2] decadien-(7,9)-yl-(3)} (XII) [1]: 20 g Benzol und 10 g Isopren werden in 280 *ml* Hexan bei $-50°$ 6 Stdn. in der Belichtungsapparatur, die in der vorhergehenden Arbeitsvorschrift beschrieben wurde, belichtet. Danach werden die Ausgangsmaterialien bei $-20°/1$ Torr so weit als möglich abdestilliert, gegen Ende wird bei Wasserstrahl.-Vak. die Temp. auf $+20°$ erhöht und das restliche Hexan und Benzol abdestilliert. Gleichzeitig findet hierbei nach restloser Entfernung des Isoprens die Dimerisierung von VIII zu XII statt. Man erhält einen Rückstand von ~ 5 g, der der

---

[1] K. KRAFT, Dissertation, Universität Bonn, 1968.

[2] K. KRAFT u. G. KOLTZENBURG, Tetrahedron Letters **1967**, 4723.

Hochvakuum-Destillation unterworfen wird. Es destillieren bei 90°/0,01 Torr 2,5 g eines gelben Öles über. Der hinterbleibende Rückstand von 2,4 g gelblicher Kristalle, die mit etwas Öl verunreinigt sind, wird aus Methanol umkristallisiert; Ausbeute: 2,1 g (5,6% d.Th.); F: 159–162°.

Aus Naphthalin und Isopren entsteht als Hauptprodukt das 1:1-Addukt *3-Methyl-⟨7,8-benzo-bicyclo[4.2.2]decatrien-(3,7,9)⟩* mit *cis*-ständigen Doppelbindungen[1]. Daneben sensibilisiert Naphthalin jedoch bereits in starkem Ausmaß die Dimerisierung des Isoprens zu Cyclobutan-Derivaten.

Auch mit verschiedenen Alkylbenzolen wie Toluol, o-, m- und p-Xylol, tert.-Butyl-benzol und 1,2,4,5-Tetramethyl-benzol läßt sich Butadien zu 1:1-, 1:2- und 2:2-Addukten[2] bzw. Isopren zu 1:1- und 2:2-Addukten[1] photochemisch umsetzen. Wegen der hier möglichen zahlreichen Isomeren erscheint jedoch eine Isolierung einzelner Verbindungen sehr schwierig.

Außer Butadien und Isopren wurden auch *cis*- und *trans*-Pentadien-(1,3) und Cyclopentadien an Benzol photoaddiert, doch konnte die Struktur der entstehenden Addukte bisher nicht aufgeklärt werden[3]. Mit 2,3-Dimethyl-butadien-(1,3) entsteht *endo-6-Methyl-* sowie *exo-6-Methyl-6-isopropenyl-tricyclo[3.3.0.0²,⁸]octen-(3)* und *3,4-Dimethyl-bicyclo[4.2.2]decatrien-(3,7,9)*[4].

Besonders einheitlich verläuft anscheinend die Photocycloaddition von Benzonitril an 2,3-Dimethyl-butadien, denn hier entsteht ganz überwiegend das *3,4-Dimethyl-7-cyan-bicyclo[4.2.2]decatrien-(cis-3,cis-7,cis-9)*[5]:

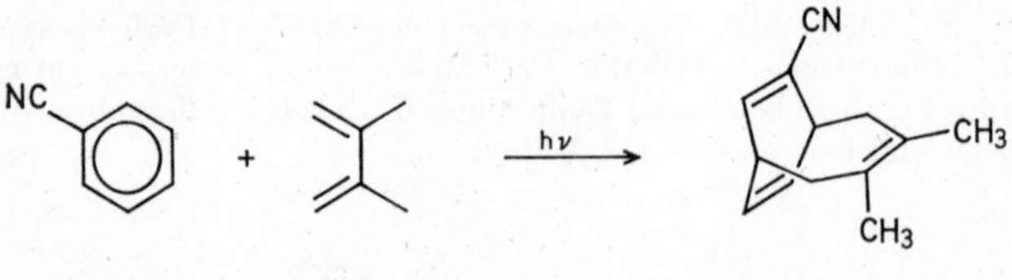

2,3-Dimethyl-pentadien-(1,3) addiert sich an Benzol und liefert lediglich *2,3,4-Trimethyl-bicyclo[4.2.2]decatrien-(3,7,9)* (40% d.Th.)[4]. Naphthalin und 2,4-Dimethyl-pentadien-(1,3) ergeben *2,2,4-Trimethyl-⟨7,8-benzo-bicyclo[4.2.2]decatrien-(3,7,9)⟩* (60% d.Th.) neben *3,3,4-Trimethyl-⟨benzo-tricyclo[4.2.2.0²,⁴]decadien-(7,9)* (11% d.Th.)[6]:

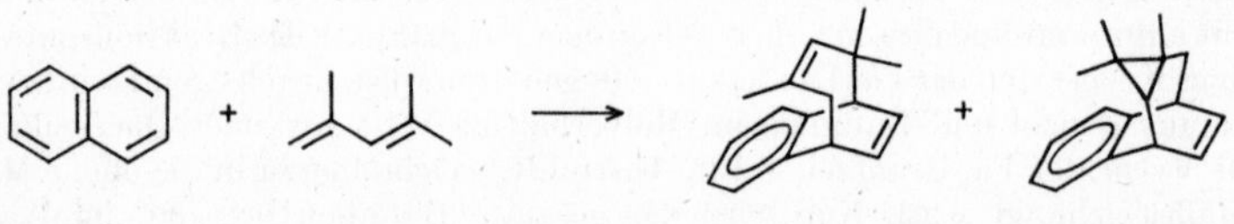

Anthracen addiert nach Lichtanregung Butadien-(1,3)[7], Sorbin- und Muconsäure-methylester[8]. Es überwiegen dabei sehr deutlich die [4+2]-Addukte, z. B. *11-Vinyl-⟨dibenzo-tricyclo[2.2.2]octadien-(2,5)⟩* (17% d.Th.; F: 91°), [4+4]-Addukte und andere Additionsprodukte.

[1] K. KRAFT u. G. KOLTZENBURG, Tetrahedron Letters **1967**, 4723.

[2] K. KRAFT u. G. KOLTZENBURG, Tetrahedron Letters **1967**, 4357.

[3] K. KRAFT, Dissertation, Universität Bonn 1968.

[4] N. C. YANG u. J. LIBMAN, Tetrahedron Letters **1973**, 1409.

[5] K. OKUMURA, S. TAKAMUKU u. H. SAKURAI, J. chem. Soc. Japan, ind. Chem. Sect. **72**, 200 (1969).

[6] N. C. YANG, J. LIBMAN u. M. F. SAVITZKY, Am. Soc. **94**, 9226 (1972).

[7] G. KAUPP, Book of Contributed Papers, Euchem Research Conference on Useful Preparative Aspects of Photochemistry, Gent, Belgien, 1975.

[8] G. KAUPP, R. DYLLICK-BRENZINGER u. I. ZIMMERMANN, Ang. Ch. **87**, 520 (1975).

Cyclopentadien reagiert photochemisch mit Acenaphthylen[1] oder 5-Brom-acenaphthylen[2] unter Bildung von zwei [4+2]-Addukten und einem [2+2]-Addukt, dem wahrscheinlich *anti*-Konfiguration zukommt:

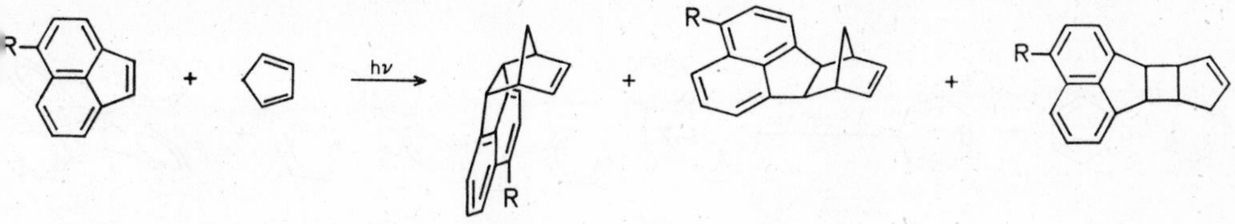

XIV   XV   XVI

R = H; XIVa; *endo-Naphtho-[1,8a,8-c,d]-tricyclo[5.2.1.0²,⁶]decadien-(3,8)*[3]
        XVa; *exo-...*
        XVIa; *Naptho-[1,8a,8-c,d]-tricyclo-[5.3.0.0²,⁶]decadien-(3,8)*

R = Br; XIVb; *5-Brom-⟨endo-naphtho-[1,8a,8-c,d]-tricyclo[5.2.1.0²,⁶]decadien-(3,8)⟩*
        XVb; *5-Brom-⟨exo-...⟩*
        XVIb; *5-Brom-⟨naphtho-[1,8a,8-c,d]-tricyclo[5.3.0.0²,⁶]decadien-(3,8)⟩*

Die Isomerenverhältnisse XIVa/XVa/XVIa sind wiederum vom Lösungsmittel abhängig und variieren von 0,66/3,01/1,00 in Acetonitril bis 0,44/1,2/1,00 in 1,2-Dibrom-äthan. Gleichzeitig nimmt die Quantenausbeute um den Faktor 12,5 zu. Möglicherweise handelt es sich teilweise um Triplett- und teilweise um Singulett-Reaktionen. Im Falle der Brom-Derivate(XIVb:XVb:XVIb = 0,66:3,00:1,00 n Acetonitril) sind die Lösungsmitteleffekte deutlich geringer[2]. Auch hierfür gibt es mehrere Deutungsmöglichkeiten.

[4+4]-Additionen treten bei Bestrahlung von Naphthalin und Cyclohexadien-(*1,3*) n benzolischer Lösung ein. Von den beiden isomeren Addukten reagiert das *syn-Benzo-tri-yclo[4.2.2.2²,⁵]dodecatrien(3,7,9)* (70% d.Th.) weiter zu *Benzo-pentacyclo[6.4.0.0²,⁷.0³,¹².0⁶,⁹] dodecen-(4)*[4]:

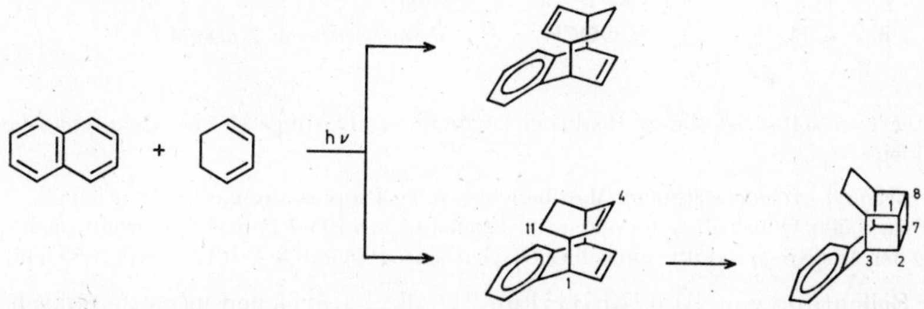

Bei Anthracen addieren sich Diene an den mittleren Ring[5,6]. Mit Cyclopentadien bilden sich *7,8;9,10-Dibenzo-tricyclo[4.2.2.1²,⁵]undecatrien-(3,7,9)* (44% d.Th., F: 117°) und *9;10,11-Dibenzo-tricyclo[5.2.2.0²,⁶]undecatrien-(3,8,10)* (31% d.Th.; F: 153–154°)[7]. Mit Cyclohexadien-(1,3) entsteht z. B. *7,8;9,10-Dibenzo-tricyclo[4.2.2.2²,⁵]dodecatrien-(3,7,9)*[6] (54% d.Th.; F:198°)[8] neben dem [4+2]-Addukt *9,10;11,12-Dibenzo-tricyclo[6.2.2.0²,⁷]dode-atrien-(3,9,11)* (19% d.Th.; F: 155°)[8] und dem Anthracen-Dimeren.

B. F. Plummer u. D. M. Chihal, Am. Soc. **93**, 2071 (1971); **94**, 6248 (1972).

B. F. Plummer u. W. I. Feree, Chem. Commun. **1972**, 306.

R. Baker u. T. J. Mason, Soc. [C] **1970**, 596.

N. C. Yang u. J. Libman, Am. Soc. **94**, 9228 (1972).

N. C. Yang et al., Am. Soc. **94**, 1406 (1972).

N. C. Yang u. J. Libman, Am. Soc. **94**, 1405 (1972).

G. Kaupp, Ang. Ch. **84**, 718 (1972), A. **1973**, 844.

G. Kaupp, R. Dyllick-Brenzinger u. I. Zimmermann, Ang. Ch. **87**, 520 (1975).

2*

Bestrahlung von Anthracen mit Cycloheptatrien liefert außer dem Anthracen-Dimeren {*Tetrabenzo-tricyclo[4.2.2.2^{2,5}]dodecatetraen-(3,7,9,11)*; 30% d.Th.} *9,10;11,12-Dibenzo-tri cyclo[6.2.2.1^{2,7}]tridecatetraen-(3,5,9,11)* (34% d.Th.) und *8,9;10,11-Dibenzo-tricyclo[5.2.2.2^{2,6} tridecatetraen-(3,8,10,12)* (15% d.Th.)[1]:

34%   15%   30%

δ) mit Acetylenen

Die Belichtung von Acetylenen in Benzol führt in vielen Fällen zu Cyclooctatetraen Derivaten[2-6]. Als Zwischenprodukt darf mit großer Sicherheit das durch 1,2-Addition an den Aromaten entstandene Bicyclo[4.2.0]octatrien-(2,4,7)-Derivat angesehen werden welches sich anschließend in das Cyclooctatetraen isomerisiert.

R¹ = H   R² = COOCH₃   *Methoxycarbonyl-cyclooctatetraen*[2,3];
R¹ = COOCH₃   R² = COOCH₃   *2,3-Dimethoxycarbonyl-*. . . [2-4]
R¹ = H   R² = C₆H₅   *Phenyl-*. . . [2,3,7]
R¹ = C₆H₅   R² = COOCH₃   *3-Methoxycarbonyl-2-phenyl-*. . . [5]

Auch Acetylen selbst ist dieser Reaktion zugänglich, allerdings ist die Quantenausbeute außer ordentlich klein[2,3,5].

Methoxycarbonyl-cyclooctatetraen[3]: Man belichtet 5,0 g Propinsäure-methylester bei 53° 20 Stdn. mi einer Hanovia S 500 Quecksilber-Lampe unter Stickstoff in 140 *ml* Benzol und erhält nach destillative Entfernung der Ausgangsprodukte ein gelbes Öl; Ausbeute: 0,8 g (8,3% d.Th.); Kp₀,₄: 89°; n$_D^{25}$ = 1,5388

Bei der Belichtung von Benzonitril und Dialkyl-acetylenen in methanolischer Lösung wurde Cyclooctatetraen-Bildung beobachtet[6]. Mit Hexin-(3) z. B. wird *2,3-Diäthyl-1 cyan-cyclooctatetraen* gebildet und mit Decin-(5) entsprechend *2,3-Dibutyl-1-cyan-cyclo octatetraen*[6].

2,3-Diäthyl-1-cyan-cyclooctatetraen[6]: 35,9 g (0,35 Mol) Benzonitril und 28 g (0,34 Mol) redestillierte Hexin-(3) werden in eine Belichtungsapparatur gegeben und 400 *ml* wasserfreies Methanol unter leichten Stickstoff-Überdruck in die Apparatur destilliert. Während der Belichtung (Labortauchlampe S 81 Quarzlampen-Gesellschaft, Hanau) bildet sich ein dünner Polymerfilm auf der Lampe, der zweima täglich durch Eintauchen der Lampe in konz. Schwefelsäure und anschließend in konz. wäßrige Am

[1] T. Sasaki, K. Kanematsu u. K. Hayakawa, Am. Soc. **95**, 5632 (1973).
[2] D. Bryce-Smith u. J. E. Lodge, Pr. chem. Soc. **1961**, 333.
[3] D. Bryce-Smith u. J. E. Lodge, Soc. **1963**, 695.
[4] E. Grovenstein u. D. V. Rao, Tetrahedron Letters, No. 4, 148 (1961).
[5] D. Bryce-Smith, A. Gilbert u. J. Grzonka, Chem. Commun. **1970**, 498.
[6] J. G. Atkinson et al., Am. Soc. **85**, 2257 (1963).
[7] Zusätzlich wird Phenyl-azulen und Phenyl-naphthalin gebildet, s. S. 464.

moniak-Lösung entfernt wird. Nach dreiwöchiger Belichtung werden überschüssiges Acetylen und Lösungsmittel bei 50°/80 Torr entfernt und unumgesetztes Benzonitril aus dem dunkel-orangeroten Rückstand über eine Drehbandkolonne bei einer Badtemp. von 60–70°/1,5 Torr abdestilliert. Es werden 20 g (56%) wiedergewonnen. Der zähflüssige Rückstand (7,1 g) wird über 200 g Florisil chromatographiert. Eluierung mit Pentan/Benzol (40:60) ergibt ein Produkt, das nach Destillation an einer Mikro-Drehband-Kolonne hellgelbes Aussehen und angenehmen Geruch hat; Ausbeute: 2,43 g (3,8% d.Th.); Kp$_{0,07-0,4}$: 62–72° (gaschromatographisch einheitlich).

Ohne Umlagerung zu den entsprechenden Cyclooctatetraen-Derivaten verläuft die Photocycloaddition von Diphenyl-acetylen (Tolan) an einige Phenanthrene, so daß der ursprünglich gebildete Vierring erhalten bleibt[1]. So wird z. B. mit Phenanthren *1,2-Diphenyl-2a,10b-dihydro-⟨cyclobuta-[l]-phenanthren⟩* gebildet und mit 2-Methyl-phenanthren entsprechend *4-Methyl-1,2-diphenyl-2a,10b-dihydro-⟨cyclobuta-[l]-phenanthren⟩*. 4H-Cyclopenta-[d,e,f]-phenanthren liefert mit Diphenyl-acetylen neben einem Dimeren II (s. S. 481) *1,2-Diphenyl-2a,9b-dihydro-6H-⟨cyclobuta-[l]-cyclopenta-[d,e,f]-phenanthren⟩* (I)[1]:

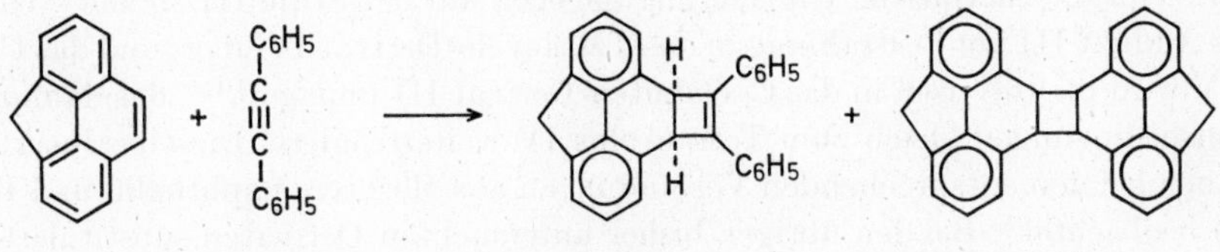

Einen höchst eigenartigen Verlauf nimmt die Photocycloadditionsreaktion zwischen Diphenyl-acetylen und Naphthalin bzw. substituierten Naphthalinen[2,3]. Im Falle des Naphthalins entsteht das Addukt *4,5-Diphenyl-⟨benzo-tetracyclo[3.3.0.0²,⁴.0³,⁶]octen-(7)⟩* (IV):

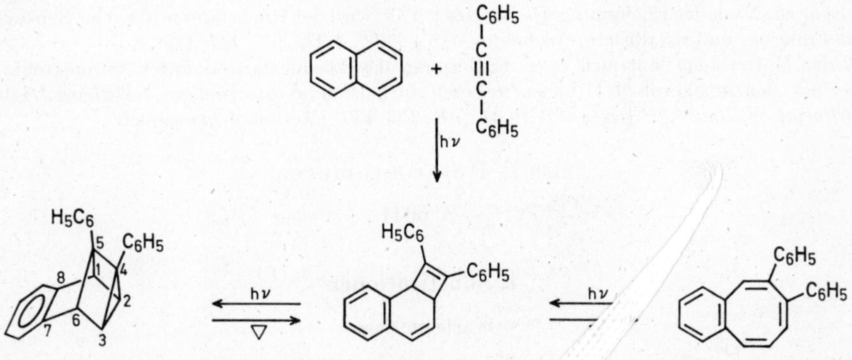

Es gilt als sehr wahrscheinlich[3], daß das tetracyclische ... vat IV nicht das photochemische Primär-produkt ist, sondern 1,2-Diphenyl-2a,8b-dihydro-⟨cyclo... -[a]-naphthalin⟩ (III), welches aus einem Exciplex aus elektronisch angeregtem Naphthalin in ... ngulett-Zustand und Tolan entsteht. Aus III wird dann in einem weiteren photochemischen Sc... durch intramolekulare [2+2]-Cycloaddition das Endprodukt IV gebildet.

[1] G. Sugowdz, P. J. Collin u. W. H. F. Sasse; Tetrahedron Letters **1969**, 3843.
[2] W. H. F. Sasse, P. J. Collin u. G. Sugowdz, Tetrahedron Letters **1965**, 3373.
[3] W. H. F. Sasse, Austral. J. Chem. **22**, 1257 (1969).

Die Reaktion wurde auf eine große Zahl substituierter Naphthaline[1,2] und Bis-hetero-aryl-acetylene[3] ausgedehnt. Bei substituierten Naphthalinen erfolgt die Addukt-Bildung überwiegend an dem Ring, der den bzw. die größere Zahl von Substituenten trägt[1]. Im Falle der 1-Alkoxy-naphthaline erfolgt die Addukt-Bildung praktisch ausschließlich am substituierten Ring[2]. Interessant ist, daß 2-Alkoxy-naphthaline der Reaktion überhaupt nicht zugänglich sind[2]. Dagegen reagieren 2-Alkyl-naphthaline und 2-Fluor-naphthalin durchaus[1]; allerdings überwiegt im Falle des 2-Methyl-naphthalins das Addukt, bei welchem sich Diphenyl-acetylen an den unsubstituierten Ring addiert hat. Mit 2-tert.-Butyl-naphthalin läuft entgegen der allgemeinen Regel die Addukt-Bildung sogar ausschließlich am unsubstituierten Ring[1].

Unter Einhaltung bestimmter Reaktionsbedingungen kann IV thermisch zunächst in III (*1,2-Diphenyl-2a,8b-dihydro-⟨cyclobuta-[a]-naphthalin⟩*), anschließend bei Erhöhung der Temperatur in 6,7-Diphenyl-benzocyclooctatetraen (V, S. 501) umgelagert werden[4,5]. Dasselbe gilt für das Photoaddukt aus 1-Methoxy-naphthalin und Diphenyl-acetylen[5]. Bei den bisher untersuchten Photoaddukten aus verschiedenen anderen substituierten Naphthalinen bleibt die thermische Umlagerung dagegen auf der Stufe III stehen[5]. Umgekehrt geht das Addukt III bei Bestrahlung in das Tetracyclo-Derivat IV über, und das Cyclooctatetraen V wird photolytisch in das Cyclobuten-Derivat III umgelagert[4,5], das dann unter den Reaktionsbedingungen gleich zum Tetracyclus IV weiterreagiert. Dieselbe Reaktionsfolge wurde auch bei den entsprechenden Verbindungen aus Methoxy-naphthalin und Diphenyl-acetylen beobachtet[5]. Bei den übrigen bisher untersuchten Derivaten substituierter Naphthaline wurde dagegen jeweils nur die photochemische Umwandlung beobachtet, die der von III in IV entspricht[5].

Die Photoaddition von Cyan-acetylen an Inden ergibt als Hauptprodukt *2-Cyan-2a,7a-dihydro-7H-⟨cyclobuta-[a]-inden⟩*[6].

6-Methoxy-4,5-diphenyl-⟨benzo-tetracyclo[3.3.0.0²·⁴.0³·⁶]octen-(7)⟩[2]: Eine entgaste Lösung von 25 g 1-Methoxy-naphthalin und 7 g Diphenyl-acetylen in 250 *ml* Benzol werden bei 45–55° 3 Tage mit einer Hanovia 450 W Quecksilber-Hochdruck-Lampe bestrahlt bis kein Tolan mehr gaschromatographisch nachweisbar ist. Nach der Entfernung des Benzols i. Vak. wird der Rückstand mit 500 *ml* Benzin (mittelsiedende Fraktion) umkristallisiert; Ausbeute: 10,5 g (79% d.Th.); F: 147–149°.

Aus der Mutterlauge läßt sich nach Entfernung des Lösungsmittels durch Chromatographie an Kieselgel mit Benzin/Benzol (9:1) neben weiterer 4,0 g Produkt das isomere *7-Methoxy-4,5-diphenyl-⟨benzo-tetracyclo[3.3.0.0²·⁴.0³·⁶]octen-(7)⟩* [0,37 g; F: 136–137° (Methanol)] gewinnen.

ε) mit Heteroaromaten

s. S. 604f.

4. Substitutionen

bearbeitet von

Dr. EBERHARD LEPPIN*

Es gibt in der Literatur viele Beispiele für Reaktionen, bei denen ein auf photochemischem Wege erzeugtes Radikal einen radikalischen Angriff auf einen aromatischen Kern ausführt, wobei letztlich Substitutionsprodukte des Aromaten gebildet werden. Da es sich hierbei nicht eigentlich um Photo-

---

* **Du Pont de Nemours GmbH, Neu-Isenburg.**

[1] W. H. F. SASSE et al., Austral. J. Chem. **24**, 2151 (1971).

[2] W. H. F. SASSE et al., Austral. J. Chem. **24**, 2339 (1971).

[3] T. TEITEI, P. J. COLLIN u. W. H. F. SASSE, Austral. J. Chem. **25**, 171 (1972).
T. TEITEI, D. WELLS u. W. H. F. SASSE, Austral. J. Chem. **26**, 2129 (1973).

[4] P. J. COLLIN u. W. H. F. SASSE, Tetrahedron Letters **1968**, 1689.

[5] P. J. COLLIN u. W. H. F. SASSE, Austral. J. Chem. **24**, 2325 (1971).

[6] R. M. BOWMAN, J. J. McCULLOUGH u. J. S. SWENTON, Canad. J. Chem. **47**, 4503 (1969).

reaktionen am aromatischen Kohlenstoffatom handelt, und zudem die meisten dieser Radikale auch auf thermischem Wege hergestellt und zur Reaktion gebracht werden können, werden diese Reaktionen an anderen Stellen besprochen. Umsetzungen von Aromaten mit

α-Halogen-carbonsäuren s. S. 636f.
Chloracetylamino-Derivaten s. S. 637
Mercaptanen s. S. 1013.

Auch Photolysen von Phenyl-Derivaten, die über Phenyl-Radikale oder andere Intermediate zu substituierten Aromaten führen, werden in diesem Kapitel nicht behandelt. Reaktion von

Phenyl-halogeniden s. S. 642ff.
Phenyl-alkyl-äthern s. S. 687ff.
Phenyl-alkyl-thioäthern s. S. 1015
aromatischen Nitro-Verbindungen s. S. 1338.

Photosolvolysen von Schwefelsäure- und Phosphorsäure-mono-phenylester s. S. 716 u. S. 733.

Die photochemische Einführung eines Substituenten unter Ersatz eines Wasserstoff-Atoms am Aromaten gelingt nur in wenigen Fällen. In Abhängigkeit von der Reaktionstemperatur können Umsetzungen von Chlor mit Aryl-siliciumtrichloriden additiv oder substitutiv verlaufen. Niedrige Reaktionstemperatur, d. h. Raumtemperatur, begünstigt die additive Chlorierung, während bei erhöhter Temperatur (ab ~ 100°) die substitutive Chlorierung dominiert. Bei Phenyl-siliciumtrichlorid liegt die Temperaturschwelle für den Übergang von der mit unterschiedlicher relativer Reaktionsgeschwindigkeit nebeneinanderlaufenden additiven und substitutiven Chlorierung zur reinen substitutiven Chlorierung bei 120°[1]. Bei Raumtemp. liefert die Photochlorierung *1,2,3,4,5,6-Hexachlor-1-trichlorsilyl-cyclohexan* (90% d.Th.)[1], bei Siedetemp. entsteht ein Gemisch von *2-, 3-* und *4-Chlor-1-trichlorsilyl-benzol* im Verhältnis 20–25 : 50 : 20–25[2]:

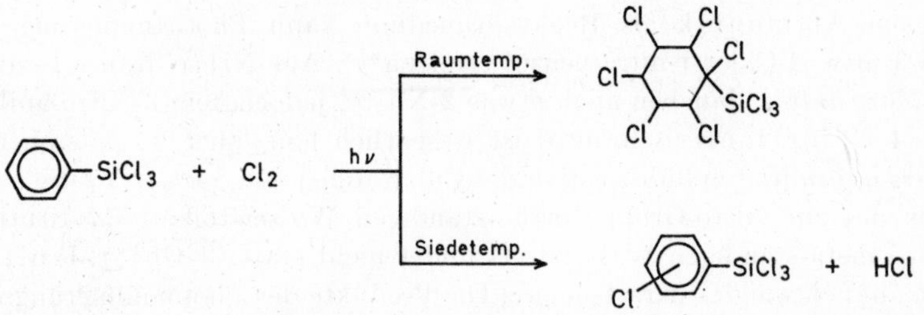

2-,3- und 4-Chlor-1-trichlorsilyl-benzol (Isomerengemisch)[2]: In einer Apparatur (s. S. 129), die es gestattet, die Monochlorierungsprodukte unmittelbar aus der Reaktionszone zu entfernen[3], werden 255 g Phenyl-siliciumtrichlorid (Kp$_{748}$: 199–200°) unter Sieden und UV-Belichtung chloriert, bis die Temp. des Reaktionskolbens auf 226° ansteigt (42 Stdn.). Die anschließende Fraktionierung über eine Kolonne mit 35 theor. Böden ergibt neben 93 g unumgesetzter Ausgangssubstanz das Isomerengemisch; Ausbeute: 137 g (83% d.Th., bez. auf umgesetztes Phenyl-siliciumtrichlorid); Kp: 228–240°.

Ein Gemisch aus *3-* und *4-Chlor-phenyl-siliciumtrichlorid* (47% d.Th.) und *Dichlorphenyl-siliciumtrichloriden* unbekannter Struktur (26% d.Th.) erhält man nach 10stdg. Bestrahlung von Phenyl-siliciumtrichlorid und Sulfurylchlorid in Gegenwart von Eisen(III)-chlorid. Die Belichtung beschleunigt lediglich die bereits im Dunkeln ablaufende

[1] G. V. Motsarev, A. Ya. Yakubovich u. V. R. Rozenberg, Doklady Akad. SSSR **148**, 116 (1962); engl.: 33; C. A. **58**, 1485^c (1963).
[2] A. D. Petrov et al., Ž. obšč. Chim. **26**, 1229 (1956); engl. 1391; C. A. **51**, 6532^g (1957).
[3] V. A. Ponomarenko u. V. F. Mironov, Doklady Akad. SSSR **94**, 485 (1954); C. A. **49**, 3795^c (1955).

Reaktion, der Katalysator vermindert die photochemische Spaltung der Si–C-Bindung[1]. Belichtung von Methoxy-benzol mit Sulfurylchlorid und einer äquimolaren Menge Phosphor(III)-chlorid führt in Tetrachlormethan zu *4-Chlor-1-methoxy-benzol* (43% d.Th.)[2].

In Gegenwart von Chlor kann Brom Phenyl-siliciumtrichlorid mit 40%iger Ausbeute in *4-Brom-1-trichlorsilyl-benzol* überführen[3]:

Mehrfache Substitution durch Chlor bei gleichzeitiger Reduktion der Nitro-Gruppe wird bei der Bestrahlung von Nitrobenzol in konzentrierter Salzsäure ($\lambda \geqq 290$ nm) erhalten[4]. Die Quantenausbeuten an *2,4,6-Trichlor-anilin* (44–62% d.Th.) und *2,4-Dichlor-anilin* ($\sim 10\%$ d.Th.) können durch Zusatz von Lithiumchlorid, also durch eine Erhöhung der Chlorid-Ionenkonzentration noch gesteigert werden.

Ähnlich verhält sich 4-Nitro-phenol bei der Bestrahlung in konzentrierter Salzsäure[5]. Es entstehen *2,3,6-Trichlor-4-amino-phenol* (71% d.Th.) und *Tetrachlor-hydrochinon* (16% d.Th.)[4,5]. Obwohl das Ausgangsmaterial nach einer Kinetik erster Ordnung verschwindet, ist der Mechanismus dieser Reaktionen sicherlich sehr komplex[4,5].

In flüssigem Ammoniak als Reaktionsmedium kann Photoaminierung von Nitrobenzol und 3- bzw. 4-Chlor-1-nitro-benzol erfolgen[6-8]. Aus Nitro-benzol entsteht überwiegend *4-Nitro-anilin*, daneben auch etwas 2-Nitro-, jedoch kein 3-Nitro-anilin. Die Reaktion mit 4-Chlor-1-nitro-benzol ist wesentlich langsamer, es entstehen nebeneinander *4-Nitro-anilin* (durch Substitution des Chloratoms) und *5-Chlor-2-nitro-anilin* (durch Substitution des zur Nitro-Gruppe ortho-ständigen Wasserstoffs); Substitution des zur Nitro-Gruppe meta-ständigen Wasserstoffs findet nicht statt. 3-Chlor-1-nitro-benzol verhält sich ähnlich wie das para-Isomere. Die Produkte der Photoaminierung in flüssigem Ammoniak sind *2-Chlor-4-nitro-anilin* und *4-Chlor-2-nitro-anilin*; Substitution in meta-Stellung zur Nitro-Gruppe findet wiederum nicht statt[7].

Bemerkenswert ist, daß die Photoaminierung des Nitro-benzols in flüssigem Ammoniak durch Sauerstoff praktisch vollständig unterdrückt wird[8], wenn die Wellenlänge des eingestrahlten Lichtes größer als 300 nm (Pyrex-Filter) ist, daß jedoch bei kürzerwelliger Einstrahlung dieser Sauerstoff-Effekt nicht auftritt. Es konnte gezeigt werden, daß bei kurzwelliger Einstrahlung die Reaktion wahrscheinlich über eine nukleophile Substitution eines elektronisch angeregten Singulett-Zustandes von Nitrobenzol verläuft, während bei längerwelliger Einstrahlung das Radikal-Anion des Nitro-benzols bzw. eventuell auch ein Triplett-Zustand des Nitro-benzols eine Rolle spielt[8].

[1] M. G. Voronkov u. V. P. Davydova, Doklady Akad. SSSR **125**, 553 (1959); engl. 230; C. A. **53**, 19850a (1959).

[2] M. G. Voronkov, Ž. Org. Chim. **7**, 1438 (1971).

[3] J. L. Speier, Am. Soc. **73**, 826 (1951).

[4] R. L. Letsinger u. G. G. Wubbels, Am. Soc. **88**, 5041 (1966).

[5] Vgl. a. G. G. Wubbels u. R. L. Letsinger, Am. Soc. **96**, 6698 (1974).

[6] E. Havinga u. M. E. Kronenberg, Pure Appl. Chem. **16**, 137 (1968).

[7] A. van Vliet, M. E. Kronenberg u. E. Havinga, Tetrahedron Letters **1966**, 5957.

[8] A. van Vliet, J. Cornelisse u. E. Havinga, R. **88**, 1339 (1969).

Eine weitere interessante nukleophile aromatische Photosubstitution stellt die Einführung der Nitril-Gruppe durch Reaktion mit wäßrig-alkoholischem Kaliumcyanid dar. Die Reaktion wurde bisher hauptsächlich an Nitro-methoxy-benzolen studiert[1-3]. Im Falle von 4- und 2-Nitro-1-methoxy-benzol erfolgt Substitution jeweils in meta-Stellung zur Nitro-Gruppe[1,2]. Die Reaktion ist an die Gegenwart von Luftsauerstoff gebunden. Aus 4-Nitro-1-methoxy-benzol entsteht *5-Nitro-2-methoxy-benzonitril*, aus 2-Nitro-1-methoxy-benzol eine Mischung von *3-Nitro-4-methoxy-* und *3-Nitro-2-methoxy-benzonitril*:

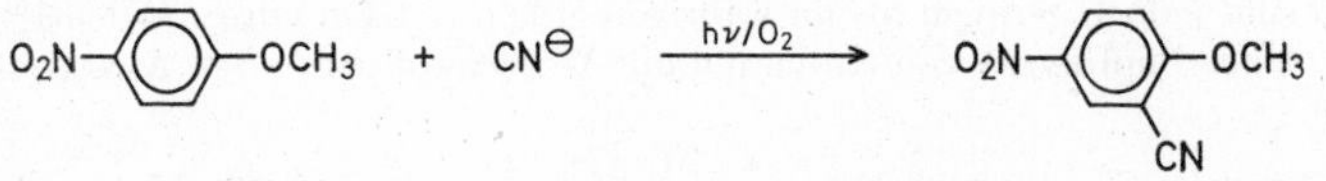

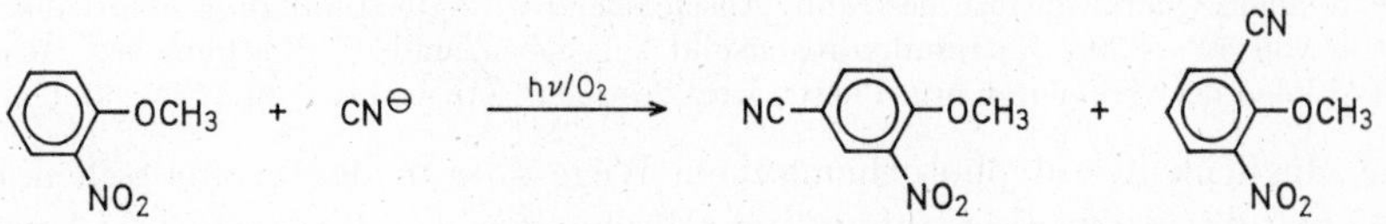

Über die unter Substitution verlaufenden Reaktionen von 3-Nitro-1-methoxy- und 4-Nitro-1,2-dimethoxy-benzol mit Kaliumcyanid s. S. 695.

Biphenyl, Naphthalin und Azulen[4] sowie viele ihrer Nitro-Derivate[5] lassen sich ebenfalls durch Cyanid-Ionen substituieren.

Durch Kaliumcyanat wird 4-Nitro-1-methoxy-benzol bei Bestrahlung substituiert[6]. Das intermediäre Phenylisocyanat geht mit Wasser oder Methanol in *4-Nitro-2-amino-* bzw. *4-Nitro-2-methoxycarbonylamino-1-methoxy-benzol* über:

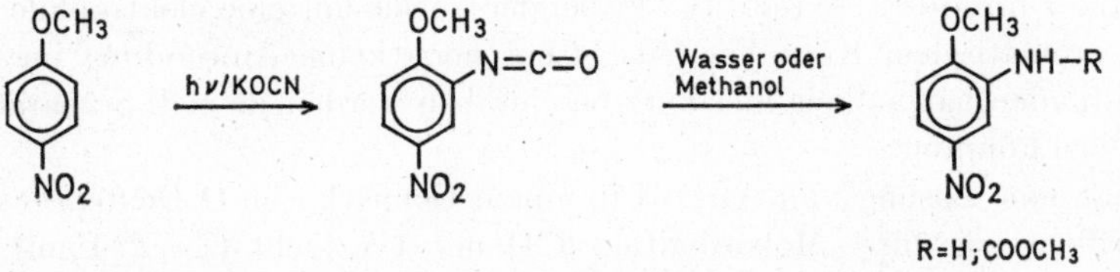

Phenole lassen sich bei Bestrahlung ($\lambda = 254$ nm) mit wäßrigem Wasserstoffperoxid hydroxylieren. Die besten Ergebnisse werden bei $p_H = 3-8$ erzielt. Der Angriff erfolgt in ortho- und para-Stellung, wobei die ortho-Substitution den Vorzug hat. Polysubstitution wird beobachtet, wenn die reaktiven Stellen nicht blockiert sind. Methoxy- oder Carbonyl-Gruppen in para-Stellung zur Hydroxy-Gruppe können zusätzlich zu der Hydroxylierung in ortho-Stellung ersetzt werden. Mit anderen para-substituierten Phenolen tritt nur ortho-Hydroxylierung auf. So läßt sich z. B. aus p-Kresol in 25%iger Ausbeute *3,4-Dihydroxy-1-*

[1] R. L. LETSINGER u. J. H. McCAIN, Am. Soc. **88**, 2884 (1966).
[2] R. L. LETSINGER u. J. H. McCAIN, Am. Soc. **91**, 6425 (1969).
[3] C. M. LOK u. M. E. KRONENBERG, unveröffentlicht, zitiert in E. HAVINGA u. M. E. KRONENBERG, Pure Appl. Chem. **16**, 137 (1968).
[4] J. A. J. VINK et al., Chem. Commun. **1972**, 710.
[5] J. A. J. VINK et al., Tetrahedron **28**, 5081 (1972).
[6] J. HARTSNIKER et al., R. **90**, 611 (1971).

methyl-benzol gewinnen[1,2]. Mit $\lambda = 280$ nm erhält man nur geringe Ausbeuten. Weitere Beispiele s. Lit.[3,4].

H₃C—⟨benzene⟩—OH $\xrightarrow{h\nu/H_2O_2}$ H₃C—⟨benzene⟩—OH, OH

Die präparative Anwendung wird nicht nur durch die geringe Selektivität des reaktiven Hydroxy-Radikals beschränkt, sondern auch durch die schlechte Wasserlöslichkeit von Aromaten. Als bestes Solvens, für eine Hydroxylierung in homogener Phase hat sich Acetonitril erwiesen; die Ausbeuten an Hydroxylierungsprodukten sind jedoch geringer als im wäßrigen Milieu. 3,4-Dihydroxy-1-methyl-benzol wird nur mit 14% gebildet. Über Photolysen von Aromaten mit Wasserstoffperoxid in Anwesenheit von Metall-Katalysatoren s. Lit.[5,6].

3,4-Dihydroxy-1-methyl-benzol[2]: Eine wäßrige Lösung von p-Kresol (~ 230 ml, 37 mMol) und Wasserstoffperoxid ($\sim 0,3$ Mol) wird bei 40° 8 Stdn unter Stickstoff mit einer 40 W Quecksilber-Niederdruck-Lampe in einem Quarz-Gehäuse bestrahlt. Anschließend wird zur Zersetzung überschüssigen Peroxids unterhalb von 50° ~ 30 g Natriumhydrogensulfit zugegeben, und die Mischung mit Äther extrahiert. Nach Trocknen der vereinigten org. Phasen wird destilliert; Ausbeute: 0,96 g (25% d.Th.).

Eine Möglichkeit, auf photochemischem Wege Bor in den aromatischen Kern einzuführen, besteht in der Bestrahlung von Mischungen aus Bortribromid und Benzol[7] bzw. Toluol[8]. Es entstehen die entsprechenden *Aren-boronsäure-dibromide*, die leicht zu den Aren-boronsäuren hydrolysiert werden können. Auch die Photoreaktion zwischen Bortrijodid und Benzol verläuft analog. Bortrichlorid reagiert dagegen nicht. Im Falle des Toluols findet auch Angriff an der Seitenkette statt. Die Ausbeuten an *2-, 3-* und *4-Methylbenzol-boronsäure* (12,7%, 7,5% und 54,8%) befinden sich in Einklang mit einem elektrophilen Angriff auf den aromatischen Kern, der Angriff auf die Seitenkette liefert nur Spuren von Phenylmethan-boronsäure[8]. Es kann als sicher gelten, daß für die Ringsubstitution ähnlich wie bei der Addition von Maleinsäureanhydrid an Benzol Charge-Transfer-Komplexe eine Rolle spielen, die sich durch das Auftreten längerwelliger Absorptionsbanden in den UV-Spektren der Mischungen aus Borhalogenid und Aromaten zu erkennen geben[7,8].

Obwohl die Photodeuterierung[9,10], bei der es sich um eine elektrophile Photosubstitution am aromatischen Kern handelt, bisher noch keine Anwendung im präparativen Maßstab gefunden hat, soll sie hier kurz beschrieben werden, da sich präparative Möglichkeiten ergeben könnten.

Wenn man eine Lösung von Anisol in einem Gemisch von O-Deuterio-essigsäure und Deuterio-trifluoressigsäure (Molverhältnis 8:1) mit UV-Licht ($\lambda = 254$ nm) bestrahlt, so findet in der ortho- und meta-Position Austausch von aromatischem Wasserstoff gegen Deuterium statt[9,10]. Im Dunkeln bei Raumtemperatur findet kein Austausch statt. Beim Erhitzen auf 70° in reiner Deuterio-trifluoressigsäure werden die ortho- und para-Wasserstoffe ausgetauscht. Die Quantenausbeute der Photoreaktion beträgt $\varphi = 0,15$–$0,16$ ($\varphi_{ortho} = 0,10$, $\varphi_{meta} = 0,06$). Toluol und tert.-Butyl-benzol werden unter den Bedingungen der Photoreaktion überwiegend in meta-Position, daneben noch geringfügig in ortho-Position deuteriert, während die thermische Reaktion in Deuterio-trifluoressigsäure

---

[1] T. Matsuura u. K. Omura, Chem. Commun. **1966**, 127.
[2] K. Omura u. T. Matsuura, Tetrahedron **24**, 3475 (1968).
[3] E. Boyland u. P. Sims, Soc. **1953**, 2966.
[4] K. Omura u. T. Matsuura, Tetrahedron **26**, 255 (1970).
[5] C. R. E. Jefcoate, J. R. L. Smith u. R. O. C. Norman, Soc. [B] **1969**, 1013.
[6] R. O. C. Norman u. G. K. Radda, Pr. chem. Soc. **1962**, 138.
[7] R. A. Bowie u. O. C. Musgrave, Pr. chem. Soc. **1964**, 15.
[8] Y. Ogata et al., Tetrahedron **25**, 1817 (1969).
[9] D. A. de Bie u. E. Havinga, Tetrahedron **21**, 2359 (1965).
[10] D. A. de Bie, Dissertation, Universität Leiden (1966).

die in ortho- und para-Position deuterierten Verbindungen ergibt[1]. Auch Nitrobenzol läßt sich in Deuterio-essigsäure/Deuterio-trifluoressigsäure photodeuterieren. Die Reihenfolge des Angriffs an den verschiedenen Positionen ist p>m≫o. Im Dunkeln findet, auch bei erhöhter Temperatur, keine Reaktion statt[1,2], selbst nicht in Gegenwart von Schwefelsäure. Bei 4-Nitro-1-methoxy-benzol erfolgt der Austausch von Wasserstoff gegen Deuterium an den beiden zur Verfügung stehenden Positionen unter den Bedingungen der Photoreaktion mit etwa gleicher Geschwindigkeit. Bei der entsprechenden thermischen Reaktion wird nur der Wasserstoff, welcher in ortho-Stellung zur Methoxy-Gruppe steht, ausgetauscht[1,2]. 3-Nitro-1-methoxy-benzol wird bei Bestrahlung in einem Medium aus Deuterio-trifluoressigsäure und 0,05 m Schwefelsäure in Position 6, also ortho- zur Methoxy- und para-ständig zur Nitro-Gruppe photodeuteriert. Die Geschwindigkeit der Photodeuterierung an den anderen Positionen ist unmeßbar gering[1,2]. In Abwesenheit von UV-Licht zeigen die Positionen 2 und 4 die größte Reaktionsbereitschaft, allerdings bleibt die Geschwindigkeit des Austauschs auch bei erhöhter Temperatur gering[1,2]. In 4-Nitro-toluol und 4-Nitro-tert.-butyl-benzol findet die Photodeuterierung bevorzugt an den Positionen meta zur Alkyl-Gruppe statt[1].

Obwohl in keinem der bisher untersuchten Fälle der Photodeuterierung der erreichte Deuterierungsgrad größer als 10–12% ist, so erscheint es doch recht bemerkenswert, wie komplementär in allen Fällen Photodeuterierung und thermische Deuterierung verlaufen. Dies wird verursacht durch die im elektronisch angeregten Zustand gegenüber dem Grundzustand veränderte Elektronendichte- bzw. Ladungsdichte-Verteilung des aromatischen Ringes und in einigen Fällen besteht gute Übereinstimmung zwischen den gefundenen Reaktivitäten und den theoretisch errechneten Werten der Elektronendichte- bzw. Ladungsdichte-Verteilung[1,2].

Elektronenreiche Aromaten wie Phenol, Anilin und deren Derivate können in wäßrigem Methanol oder Acetonitril mit Chloroform in substituierte Benzaldehyde überführt werden[3], Einzelheiten s. Orig.-Lit.

R = OH; 2- und 4-Hydroxy-benzaldehyd
R = N(C₂H₅)₂; 2- und 4-Diäthylamino-benzaldehyd

Substitutionen von Aromaten durch Addition an Olefine sind äußerst selten. Zum Beispiel ergibt eine 180stdg. Bestrahlung (Quecksilber-Hochdruck-Lampe; Quarz) einer 0,04 m-Lösung von 1,1-Diphenyl-äthylen in Benzol *1,1,1-Triphenyl-äthan* (Umsatz 28%)[4]. Über die Umsetzung von Benzol und Propen in Gegenwart von Silicium- und Aluminiumoxid zu Isopropyl- und Di-isopropyl-benzol s. Lit.[5].

Über eine Substitution von Aromaten durch einen Heteroaromaten s. S. 605.

---

[1] D. A. DE BIE, Dissertation, Universität Leiden (1966).
[2] D. A. DE BIE u. E. HAVINGA, Tetrahedron **21**, 2359 (1965).
[3] K. HIRAO, M. IKEGAME u. O. YONEMITSU, Tetrahedron **30**, 2301 (1974).
[4] M. KAWANISI u. K. MATSUNAGA, Chem. Commun. **1972**, 418.
[5] I. M. KOLESNIKOV et al., Kinetika i Kataliz **13**, 1592 (1972).

5. Additionen

bearbeitet von

Dr. Eberhard Leppin*

α) anorganischer Verbindungen

Die Photoaddition von Chlor an Benzol war ein Prozeß von technischer Bedeutung, denn eines der hierbei entstehenden isomeren 1,2,3,4,5,6-Hexachlor-cyclohexane, das γ-Isomere, besitzt starke insektizide Wirkung[1]. Das γ-Isomere (Gammexan), ist nur zu einem relativ geringen Teil in den Bestrahlungsgemischen enthalten. In der Patent-Literatur[2] sind deshalb verschiedene Variationen bezüglich der Wellenlänge des einzustrahlenden Lichtes, der Wahl des Lösungsmittels, der Reaktionstemperatur und der Konzentration der Reaktanten beschrieben, um seine Ausbeute zu steigern. Zur Herstellung von Gammexan im Laboratoriumsmaßstab ist keine dieser Vorschriften geeignet.

Gammexan[3]: 500 g Benzol (möglichst rein und frei von Thiophen und Cycloparaffinen) werden in einen mit Rührwerk, Rückflußkühler, Gaseinleitungsrohr (in das Benzol eintauchend) und Thermometer versehenen Kolben gegeben, der von außen mit einem Kaltwasserbad gekühlt wird. Man vertreibt die Luft mit Stickstoff und leitet unter gleichzeitiger Belichtung mit einem Quecksilber-Hochdruck-Brenner, der sich in einer Entfernung von ~ 20 cm vom Reaktionsgefäß befindet, Chlor mit einer Geschwindigkeit von ungefähr 25 l/Stde. ein, wobei man die Innentemp. bei etwa 25° hält. Bei dieser Temp. beginnen Kristalle der weniger löslichen α- und β-Isomeren auszufallen, wenn etwa 90 g Chlor absorbiert worden sind. Man unterbricht nun die Chlor-Zufuhr, belichtet noch eine Weile, um restliches gelöstes Chlor zu verbrauchen, und entfernt anschließend das überschüssige Benzol zusammen mit Spuren von gebildetem Chlor-benzol durch Wasserdampf-Destillation. Der hinterbleibende feste Rückstand wird bei 80° getrocknet und enthält ungefähr 63% α-, 7% β-, 14% γ- und 8% δ-1,2,3,4,5,6-Hexachlor-cyclohexan zusammen mit geringeren Mengen des ε-Isomeren und höherer Polychlor-cyclohexane. Eine Auftrennung des Gemisches ist mit Hilfe chromatographischer Methoden möglich; Ausbeute: ~17 g (~ 14% d.Th.); F: 111°.

Über die unter Addition oder Substitution verlaufenden Reaktionen von Phenyl-siliciumtrichlorid mit Chlor s. S. 503. Naphthyl-(1)-siliciumtrichlorid wird lediglich am unsubstituierten Ring angegriffen[4].

1,2,3,4-Tetrachlor-5-trichlorsilyl-1,2,3,4-tetrahydro-naphthalin[4]:

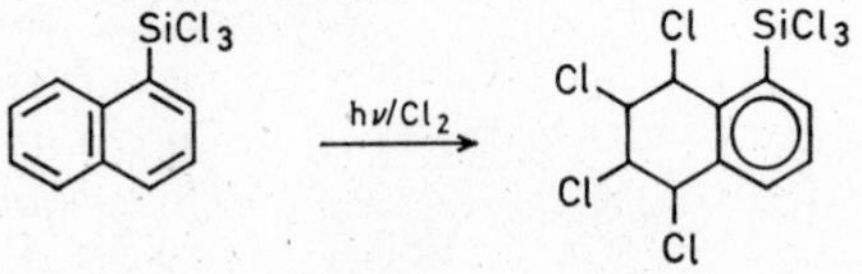

In eine Lösung von 30 g Naphthyl-(1)-siliciumtrichlorid in 30 ml wasserfreiem Tetrachlormethan wird bei 20° unter UV-Bestrahlung (Typ PRK-2) ~ 20 Stdn. gasförmiges Chlor eingeleitet(5 g/Stde.; Mol-Verhältnis von Ausgangssubstanz : Chlor = 1:12). Die Aufarbeitung erfolgt destillativ bei 3 Torr; Ausbeute: 42,3 g (73% d.Th.).

Über Additionen von Sauerstoff s. S. 1486 ff.

---

* **Du Pont de Nemours GmbH, Neu-Isenburg.**
[1] R. E. Slade, Chem. & Ind. 1945, 314.
[2] US. P. 2622105 (1952), L. A. Miller et al.
[3] J. H. Brown, Private Mitteilung an A. Schönberg, aus: A. Schönberg, G. O. Schenck u. O.-A. Neumüller, *Preparative Organic Photochemistry*, S. 343, Springer Verlag, Berlin 1968.
[4] G. V. Motsarev et al., Ž. obšč. Chim. 41, 114 (1971); engl.: 110.

β) organischer Verbindungen

Alkohole, Äther und Amine können durch Protonen katalysiert an Benzol addiert werden.

Bestrahlt man Benzol in 2,2,2-Trifluor-1-hydroxy-äthan mit Licht der Wellenlänge $\lambda = 254$ nm, so erhält man die beiden 1:1-Addukte *4-* bzw. *6-(2,2,2-Trifluor-äthoxy)-bicyclo[3.1.0]hexen-(2)* (I bzw. II) im Verhältnis 2:1 bei einer Gesamtquantenausbeute[1-3] von $\varphi = 0,05$:

F₃C—CH₂OH, λ = 254 nm → F₃C—CH₂—O (I) + F₃C—CH₂—O (II)

I   II

Daß hierbei die Acidität des Trifluor-äthanols eine entscheidende Rolle spielt, erkennt man daran, daß beispielsweise die Bestrahlung von Benzol in Methanol zu keiner analogen Umsetzung führt[1-3], solange kein Protonen-Donator zugegen ist. Wird die Bestrahlung dagegen in Anwesenheit einer Spur Chlorwasserstoff ausgeführt, so werden die entsprechenden Methoxy-Verbindungen erhalten[1-3].

Im Falle des 1,3,5-Tri-tert.-butyl-benzols hinwiederum reicht bereits die Acidität des Methanols für eine Umsetzung aus. Bestrahlung in Methanol führt bei einer Quantenausbeute von $\varphi = 0,15$ zu *4-Methoxy-2,4,6-tri-tert.-butyl-bicyclo[3.1.0]hexen-(2)* (III)[1-3]:

+ H₃C—OH, λ = 254 nm → (III)

III

4-Methoxy-2,4,6-tri-tert.-butyl-bicyclo[3.1.0]hexen-(2) (III)[1]: Man bestrahlt bei Raumtemp. und unter Ausschluß von Sauerstoff 50 *ml* einer etwa 0,02 m Lösung von 1,3,5-Tri-tert.-butyl-benzol in Methanol mit einem Quecksilber-Niederdruck-Brenner (254 nm) durch ein Corning 7910 Filter und verfolgt dabei das Verschwinden des Ausgangsmaterials gaschromatographisch. Nachdem 90% umgesetzt sind, unterbricht man die Belichtung und isoliert die Substanz durch Abdampfen des Lsgm. i. Vak.; Ausbeute: 0,22 g (88% d.Th.); F: 35° (aus Methanol).

Die reaktive Species bei diesen Reaktionen ist aller Wahrscheinlichkeit nach das auf S. 492 beschriebene Isomere von elektronisch angeregtem Benzol der Struktur I. Entweder an diesem selbst oder an hieraus entstandenem Benzvalen erfolgt die protonen-katalysierte Addition des Alkohols.

In einer analogen Reaktion kann Essigsäure bei Belichtung an Benzol addiert werden. Es entstehen *exo-* und *endo-4-Acetyl* sowie *exo-* und *endo-6-Acetyl-bicyclo[3.1.0]hexen-(2)*[4].

Zu ganz anderen Verbindungen führen die Photoadditionen von Benzol an Diäthyl-äther und tertiäre Amine. Ein äquimolares Gemisch aus Benzol und Diäthyl-äther in Gegen-

[1] L. Kaplan, J. S. Ritscher u. K. E. Wilzbach, Am. Soc. **88**, 2881 (1966).
[2] Vgl. a.: L. Kaplan, D. J. Rausch u. K. E. Wilzbach, Am. Soc. **94**, 8638 (1972).
[3] I. E. Den Besten, L. Kaplan u. K. E. Wilzbach, Am. Soc. **90**, 5868 (1968).
[4] J. A. Berson u. N. M. Hasty, Am. Soc. **93**, 1549 (1971).

wart katalytischer Mengen Trifluor-essigsäure liefert beim Bestrahlen ($\lambda = 254$ nm) *3-(1-Äthoxy-äthyl)-cyclohexadien-(1,4)* (IV)[1]:

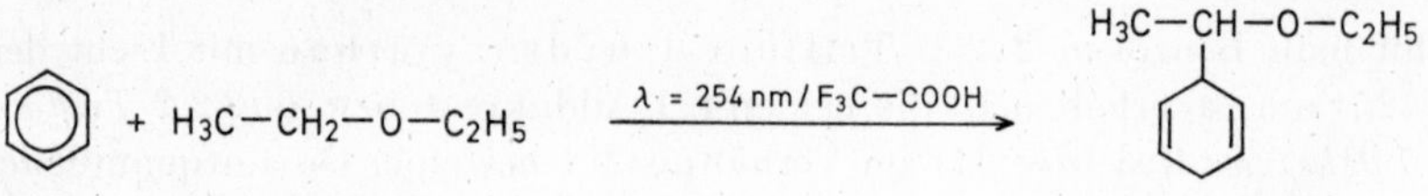

Primäre Amine reagieren mit Benzol bei Bestrahlung unter 1,2- und 1,4-Addition[2]:

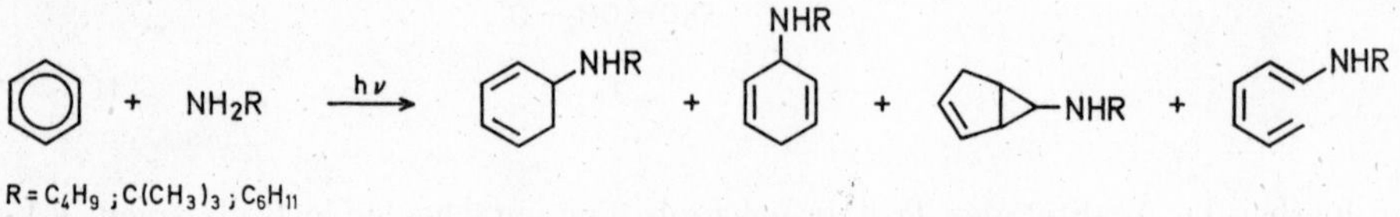

3-tert.-Butylamino-cyclohexadien-(1,4) und *5-tert.-Butylamino-cyclohexadien-(1,3)* sind die Primärprodukte. Das 1,2-Addukt photoisomerisiert zu *6-tert.-Butylamino-bicyclo[3.1.0] hexen-(2)* und *1-tert.-Butylamino-hexatrien-(1,3,5)*. Das 1,3-Addukt bildet sich also auf andere Weise als bei der säurekatalysierten Addition von Alkoholen an Benzol. Sek. Amine liefern unter diesen Reaktionsbedingungen lediglich 1,2- und 1,4-Addukte, tert. Amine reagieren nicht[2].

N-Methyl-anilin addiert sich an Anthracen unter Bildung von *9-(N-Methyl-anilino)-9,10-dihydro-anthracen* (59% d.Th.) und *9-(4-Methylamino-phenyl)-9,10-dihydro-anthracen* (5% d.Th.)[3].

Die Bestrahlung von tertiären Aminen und Benzol in Gegenwart von Protonen-Donatoren wie Methanol oder Wasser führt im wesentlichen zum 1,4-Addukt V neben 1,1',4,4'-Tetrahydro-biphenyl (VI) und Cyclohexadien-(1,4) (VII), während die gleiche Umsetzung in Abwesenheit eines Protonen-Donators die Produkte V, VI und VII nur spurenweise liefert[4]:

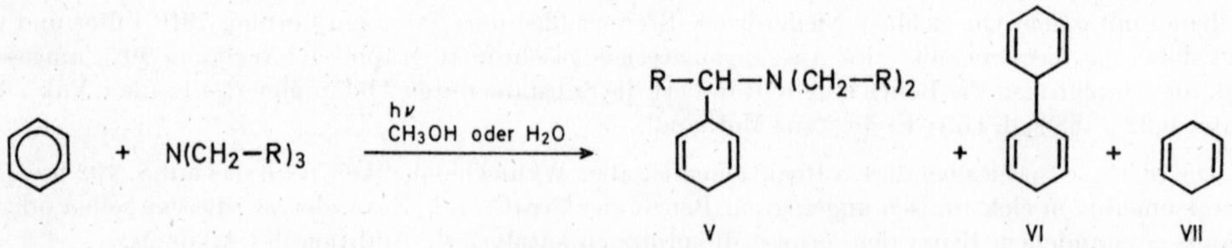

R = H;   *Dimethyl-cyclohexadien-(2,5)-yl-methyl-amin*
R = CH₃; *Diäthyl-1-cyclohexadien-(2,5)-yl-äthyl-amin*
R = C₃H₇; *Dibutyl-1-cyclohexadien-(2,5)-yl-butyl-amin*

Zur Addition von Pyrrol an Naphthalin s. S. 546.

[1] D. BRYCE-SMITH u. G. B. COX, Chem. Commun. **1971**, 915.
[2] D. BRYCE-SMITH, A. GILBERT u. C. MANNIG, Ang. Ch. **86**, 350 (1974).
[3] N. C. YANG u. J. LIBMAN, Am. Soc. **95**, 5783 (1973).
[4] D. BRYCE-SMITH et al., Chem. Commun. **1971**, 916.

6. (Oxidative) Cyclisierungen

α) von Hexatrien-(1,3,5)-Systemen

bearbeitet von

Prof. Dr. HERBERT MEIER*

Die elektrocyclische Valenzisomerisierung des Systems Hexatrien-(1,3,5)/Cyclohexadien-(1,3), eine photochemisch stereospezifisch conrotatorisch ablaufende Reaktion (vgl. S. 189 ff.), erhält einen präparativ besonders interessanten Aspekt durch die anschließende Dehydrierung zum Benzol:

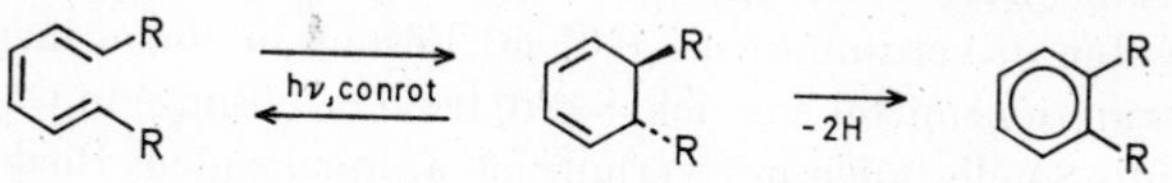

Voraussetzung für den Ringschluß sind die *cis*-Konfiguration der mittleren C=C-Doppelbindung und zwei *cisoide* Konformationen. Die häufig zunächst vorliegenden, thermodynamisch stabileren *trans*-Verbindungen müssen in einem vorgelagerten Schritt photoisomerisiert werden. Voraussetzung für die zweite Stufe ist das Vorhandensein von endständigen Wasserstoff-Atomen.

Die Photocyclisierung findet aus dem ersten angeregten Singulett-Zustand heraus statt. Die Dehydrierung ist i.a. eine thermische Dunkelreaktion, der sich allerdings ein photochemischer Dehydrierungsprozeß überlagern kann[1]. Im Gegensatz zur Bildung von Wasserstoff in der Gasphase wirken in Lösung Oxidationsmittel[2] wie Luftsauerstoff, Eisen(III)- bzw. Kupfer(I)-chlorid und vor allem Jod. Auch atomarer Schwefel, Selen und Tetrachlor-p-benzochinon wurden eingesetzt. Gelegentlich dient ein Teil des Substrats selbst als Wasserstoff-Acceptor.

Jede der drei C=C-Doppelbindungen und der zwei C–C-Einfachbindungen des Hexatrien-(1,3,5)-Systems kann Teil eines aliphatischen, aromatischen oder heterocyclischen Rings sein. Die größte Bedeutung hat die Reaktion beim Stilben[3] und seinen Derivaten[4] erlangt.

---

* Chemisches Institut der Universität Tübingen.

[1] Vgl. z. B.:

    T. KNITTEL-WISMONSKY, G. FISCHER u. E. FISCHER, Tetrahedron Letters 1972, 2853.
    K. A. MUSZKAT u. E. FISCHER, Soc. [B] 1967, 662.
    A. BROMBERG, K. A. MUSZKAT u. E. FISCHER, Chem. Commun. 1968, 1352.
    A. BROMBERG u. K. A. MUSZKAT, Am. Soc. 87, 385 (1968).

[2] E. V. BLACKBURN u. C. J. TIMMONS, Quart. Rev. 23, 482 (1969).

[3] C. O. PARKER u. P. E. SPOERRI, Nature 166, 603 (1950).

[4] Übersichtsartikel:

    E. V. BLACKBURN u. C. J. TIMMONS, Quart. Rev. 23, 482 (1969).
    T. SATO, J. Soc. Org. Synth. Chem. Japan 27, 715 (1969).
    F. R. STERMITZ, *The Photocyclization of Stilbenes* in O. L. CHAPMAN, *Organic Photochemistry*, Vol. I, S. 247, M. Dekker, New York 1967.

Diese recht einfache Methode zur Herstellung von Phenanthrenen ist allen „klassischen" Synthesewegen nach Pschorr[1], Haworth[2] und Wittig[3] weit überlegen:

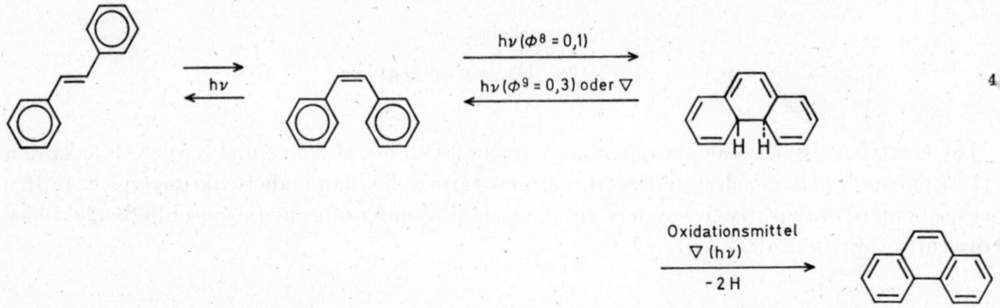

Da Stilben und seine Derivate leicht photochemisch cyclodimerisieren, (vgl. S. 326ff.) arbeitet man am besten in verdünnter (~ 0,01 m) Lösung in einem inerten Solvens (z. B. Cyclohexan). Als Oxidationsmittel hat sich Jod (0,0005 m Lösung) in Gegenwart von Luftsauerstoff bewährt. In Sonderfällen mit vermutlich abweichendem Reaktionsmechanismus — wie z. B. bei der Bildung von Triphenylen aus o-Terphenyl werden äquimolare Mengen Jod benötigt[5].

Dem Reaktionsablauf über die Stufe des 4a,4b-Dihydro-phenanthrens wurden ausführliche Untersuchungen gewidmet[6]. Die 4a,4b-Dihydro-phenanthrene haben eine gegenüber den Ausgangsverbindungen bathochrom verschobene Absorption, die in den sichtbaren

[1] R. Pschorr et al., B. 29, 496 (1896); 33, 176 (1900); 33, 162, 1826, 1829 (1900); 34, 3998 (1901); 35, 4400, 4412 (1902); 39, 1306 (1906); A. 391, 40 (1912).
[2] R. D. Haworth et al., Soc. 1932, 1125, 2717, 1784, 2248, 2720; 1934, 454.
[3] G. Wittig, Ang. Ch. 66, 15 (1954).
[4] Die hier angegebenen Produktquantenausbeuten wurden bei 0° und 313 nm gemessen. Die Quantenausbeuten für die Ringschluß-und Ringöffnungsreaktion sind außer vom Substrat von der Temperatur und der Wellenlänge abhängig; vgl. dazu:
    T. Knittel, G. Fischer u. E. Fischer, Chem. Commun. 1972, 84.
    K. A. Muszkat u. E. Fischer, Soc. [B] 1967, 662.
    S. Malkin u. E. Fischer, J. phys. Chem. 68, 1153 (1964).
[5] T. Sato, Y. Goto u. K. Hata, Bl. Chem. Soc. Japan 40, 1994 (1967).
    N. Kharash et al., Chem. Commun. 1965, 242.
[6] W. M. Moore, D. D. Morgan u. F. R. Stermitz, Am. Soc. 85, 829 (1963).
    F. B. Mallory, C. S. Wood u. J. T. Gordon, Am. Soc. 86, 3094 (1964).
    K. A. Muszkat u. E. Fischer, Soc. [B] 1967, 662.
    H. Güsten u. L. Klasinc, Tetrahedron 24, 5499 (1968).
    E. V. Blackburn, C. E. Loader u. C. J. Timmons, Soc. [C] 1968, 1576.
    A. Bromberg, K. A. Muszkat u. E. Fischer, Chem. Commun. 1968, 1352.
    A. Bromberg u. K. A. Muszkat, Am. Soc. 91, 2860 (1969); Tetrahedron 28, 1265 (1972).
    A. Warshel u. A. Bromberg, J. Chem. Phys. 52, 1262 (1970).
    A. Bromberg et al., Soc. (Perkin II) 1972, 588.
    S. Sharafy u. K. A. Muszkat, Am. Soc. 93, 4119 (1971).
    K. A. Muszkat u. W. Schmidt, Helv. 54, 1195 (1971).
    T. Knittel-Wismonsky, G. Fischer u. E. Fischer, Tetrahedron Letters 1972, 2853.
    A. Bromberg, K. A. Muszkat u. E. Fischer, Israel J. Chem. 10, 765 (1972).
    G. Fischer u. E. Fischer, Mol. Photochem. 3, 373 (1972).
    T. Knittel, G. Fischer u. E. Fischer, Chem. Commun. 1972, 84.
    F. B. Mallory u. C. W. Mallory, Am. Soc. 94, 6042 (1972).
    R. Srinivasan u. J. N. C. Hsu, Am. Soc. 93, 2816 (1971).
    D. D. Morgan, S. W. Horgan u. M. Orchin, Tetrahedron Letters 1970, 4347.
    E. W. Blackburn u. C. J. Timmons, Soc. [C] 1970, 163, 172.
    C. Goedicke u. H. Stegemeyer, Chem. Phys. Lett. 17, 492 (1972).
    R. Chang u. S. I. Weissman, Am. Soc. 99, 8683 (1972).

Bereich fällt. Insbesondere bei Abwesenheit von Oxidationsmitteln lassen sie sich thermisch oder photochemisch zum Stilben-Derivat rückisomerisieren[1].

Aus der Vielzahl der nur intermediär auftretenden 4a,4b-Dihydro-phenanthrene sind *10b,10c-Dihydro-⟨dibenzo-[c;g]-phenanthren⟩* (I)[2,3] und *3,6-Dioxo-9,10-diäthyl-3,4,4a,4b,5,6-hexahydro-phenanthren* (II)[4] als isolierbare Verbindungen hervorzuheben.

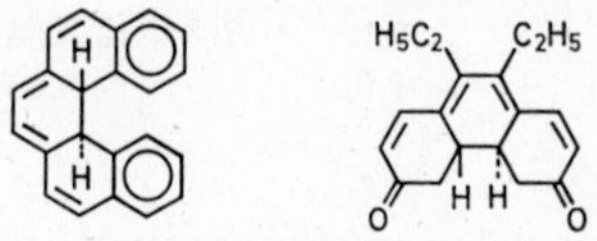

Mit circular polarisiertem Licht ist eine absolute asymmetrische Synthese des Dihydroaromaten I gelungen[3].

Befinden sich an der olefinischen Doppelbindung des Stilbens elektronenziehende Substituenten, so können sich die 4a,4b-Dihydro-phenanthrene durch einen doppelten 1,3-H-Shift zu den 9,10-Dihydro-phenanthrenen isomerisieren[5] (Protonen katalysieren diesen Prozeß[6]):

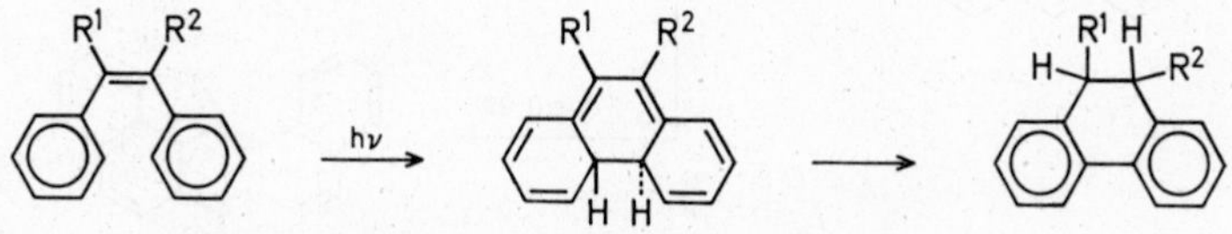

$R^1=R^2=CN$;   *trans-9,10-Dicyan-9,10-dihydro-phenanthren*[5,6]; 85% d.Th.

$R^1-R^2=-CO-NH-CO-$; *cis-9,10-Dihydro-phenanthren-9,10-dicarbonsäure-imid*[5]; 40% d.Th.

$R^1-R^2=-CO-O-CO-$;   *cis-9,10-Dihydro-phenanthren-9,10-dicarbonsäure-anhydrid*[5]; 15% d.Th.

An dieser Stelle sei vermerkt, daß ein weiterer Konkurrenzprozeß möglicherweise über den Triplett-zustand zur Anthracen-Bildung führen kann; z. B. erhält man aus *4,4′-Diäthoxy-stilben* neben *3,6-Diäthoxy-phenanthren* das *2,6-Diäthoxy-anthracen*[7]:

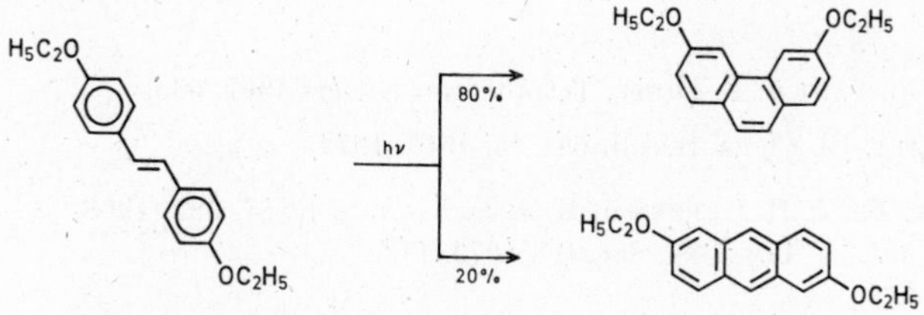

[1] Vgl. E. V. Blackburn, C. E. Loader u. C. J. Timmons, Soc. [C] 1970, 163.
 K. A. Muszkat, D. Gegiou u. E. Fischer, Chem. Commun. 1965, 447.
 K. A. Muszkat u. E. Fischer, Soc. [B] 1967, 662.
[2] E. V. Blackburn, C. E. Loader u. C. J. Timmons, Soc. [B] 1968, 1156.
 T. Knittel, G. Fischer u. E. Fischer, Chem. Commun. 1972, 84.
[3] C. Goedicke u. H. Stegemeyer, Chem. Phys. Lett. 17, 492 (1972).
[4] T. D. Doyle et al., Am. Soc. 92, 6371 (1970).
 Vgl. auch T. J. H. M. Cuppen u. W. H. Laarhoven, Am. Soc. 94, 5914 (1972).
[5] M. V. Sargent u. C. J. Timmons, Soc. 1964, 5544.
[6] S. Watanabe u. K. Ichimura, Chem. Letters 1972, 35.
[7] S. D. Cohen, M. V. Mijovic u. G. A. Newman, Chem. Commun. 1968, 722.

Bei Vorliegen mehrerer Cyclisierungsmöglichkeiten zu 4a,4b-Dihydro-phenanthren Systemen beobachtet man eine Regioselektivität, die zu C–C-Verknüpfungen zwischen den *ortho*-Kohlenstoff-Atomen mit den höchsten Indices der freien Valenz $\Sigma\,F_{r,s}^{\pm}$ oder der niedrigsten Lokalisierungsenergie $L_{r,s}^{\pm}$ führt[1]. Als Grenzwerte unter bzw. über denen die C–C-Verknüpfung ausbleibt, werden angegeben:

$$\Sigma\,F_{r,s}^{\pm} \;\; \begin{array}{l} \geqq 0{,}95 \\ \geqq 1{,}0 \end{array} \qquad L_{r,s}^{\pm} \;\; \begin{array}{l} \leqq 3{,}54\,^{2} \\ \leqq 3{,}45\,^{3} \end{array}$$

Diese empirischen Regeln haben sich auch für das synthetische Konzept als sehr nützlich erwiesen[4]. Als Beispiel sei die Bildung von *Benzo-[c]-chrysen* (II) und *Dibenzo-[a;j]-anthracen* (I) aus 2-(2-Phenyl-vinyl)-phenanthren angeführt[5]:

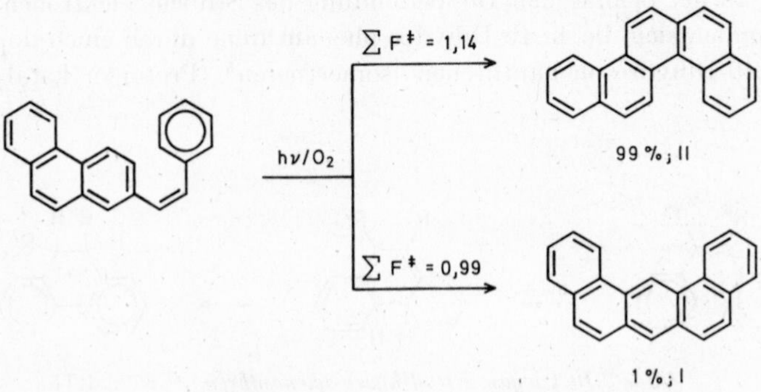

Besonders ergiebig hat sich diese Theorie bei der Photolyse der folgenden Bis-[2-phenyl vinyl]-benzole erwiesen[6] (s. a. S. 334f.):

① Bei der Belichtung von 1,4-Bis-[2-phenyl-vinyl]-benzol kann *3-(2-Phenyl-vinyl)-phenanthren* (III) mit seinen Folgeprodukten {*Dibenzo-[c;g]-phenanthren* (IV) bzw. *Benzo-[g,h,i]-perylen* (V)} nur auf der

[1] M. Scholz, M. Mühlstädt u. F. Dietz, Tetrahedron Letters **1967**, 665.

[2] T. Sato u. T. Morita, Bl. Chem. Soc. Japan **45**, 1548 (1972).

[3] W. H. Laarhoven, Th. J. H. Cuppen u. R. J. F. Nivard, R. **87**, 687 (1968).
E. V. Blackburn u. C. J. Timmons, Soc. [C] **1970**, 172.

[4] Vgl. z. B.:
C. Goedicke u. H. Stegemeyer, Ber. Bunsenges. Phys. Chemie **73**, 782 (1969); Tetrahedron **26**, 486 (1970); 1069 (1970).
H. H. Perkampus u. T. Blumm, Tetrahedron **28**, 2099 (1972).
D. D. Morgan, S. W. Morgan u. M. Orchin, Tetrahedron Letters **1972**, 1789.
T. Sato u. T. Morita, Bl. Chem. Soc. Japan **45**, 1548 (1972).
K. A. Muszkat u. S. Sharafy-Ozeri, Chem. Phys. Lett. **20**, 397 (1973).

[5] D. D. Morgan, S. W. Horgan u. M. Orchin, Tetrahedron Letters **1970**, 4347.

[6] W. H. Laarhoven, T. J. H. M. Cuppen u. R. J. F. Nivard, Tetrahedron **26**, 1069 (1970).
D. D. Morgan, S. W. Morgan u. M. Orchin, Tetrahedron Letters **1970**, 4347.
F. Dietz u. M. Scholz, Tetrahedron **24**, 6845 (1968).

Umweg über die Dimerisierung entstehen:

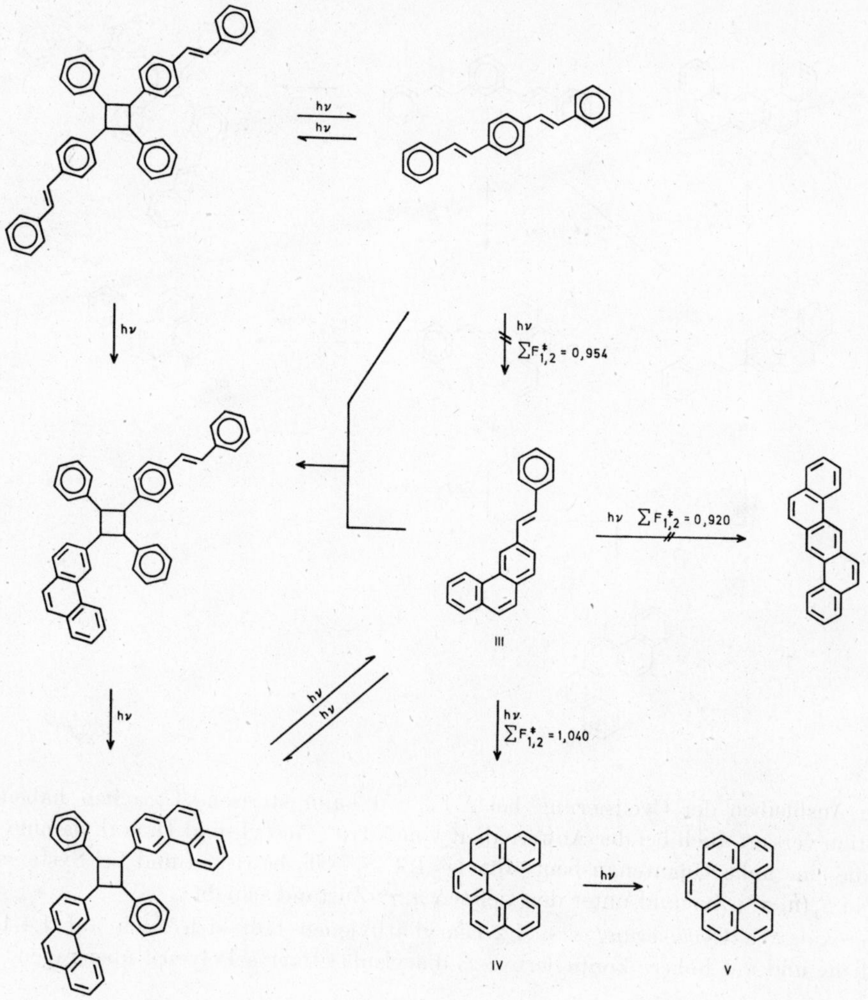

② 1,2-Bis-[2-phenyl-vinyl]-benzol reagiert analog und man erhält *1-(2-Phenyl-vinyl)-phenanthren* (VI) und als Folge-Produkt *Picen* (VII):

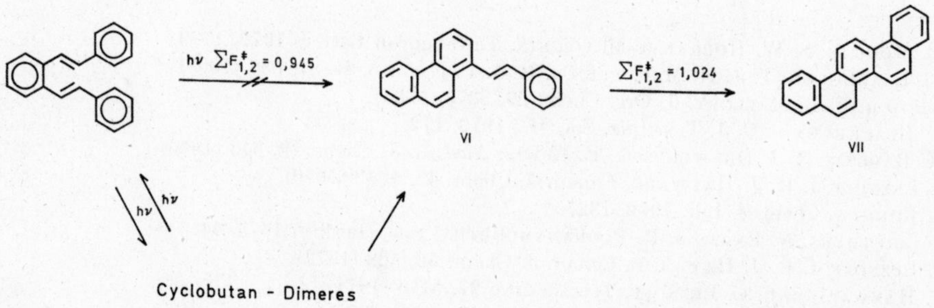

③ Bei der Belichtung von 1,3-Bis-[2-phenyl-vinyl]-benzol ist keine intermediäre Dimerisierung zur Bildung von *1-* und *2-Bis-[2-phenyl-vinyl]-phenanthren* (VIII, IX), *4-Phenyl-pyren* (X) und *Benzo-[c]-chrysen* (XI) notwendig:

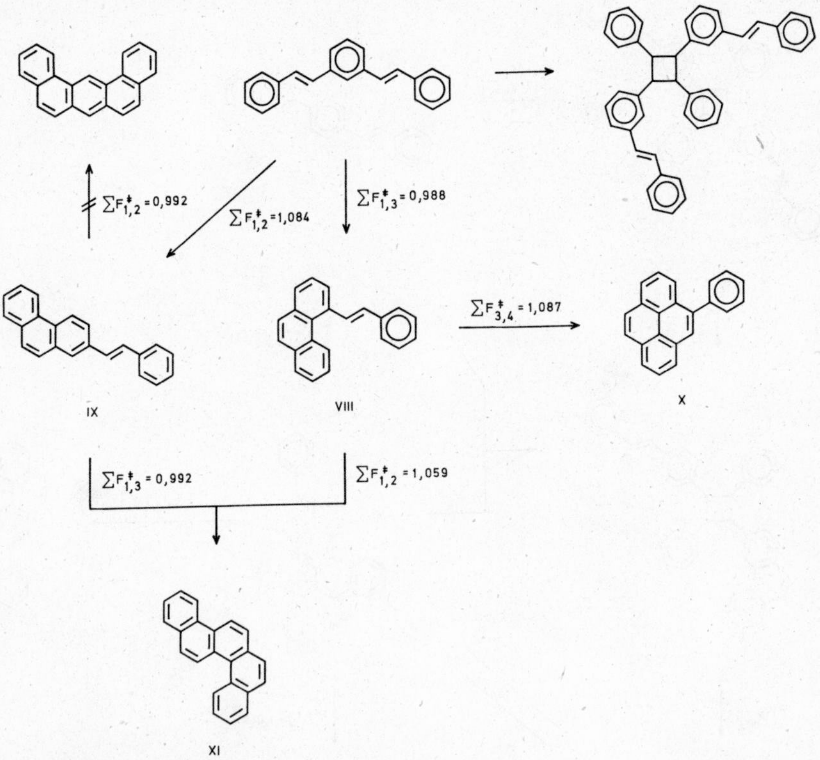

Ein Ausbleiben der Cyclisierung bei $\sum F_{r,s}^{\ddagger} > 1$ kann sterische Ursachen haben[1]. Die Reaktion versagt auch bei der Anwesenheit von Nitro-, Acetyl- und Dimethylamino-Gruppen, die eine hohe Quantenausbeute für das ISC $S_1 \to T_1$ bewirken und bei Systemen, wo sich ein S_1 (n, π^*)-Zustand unter den tiefsten π,π^*-Zustand schiebt[2].

Die oxidative Cyclisierung von 1,2-Diaryl-äthylenen läßt sich auch auf 1,4-Diaryl-butadiene und auf höhere konjugierte α,ω-diarylsubstituierte Polyene, übertragen[3-5]:

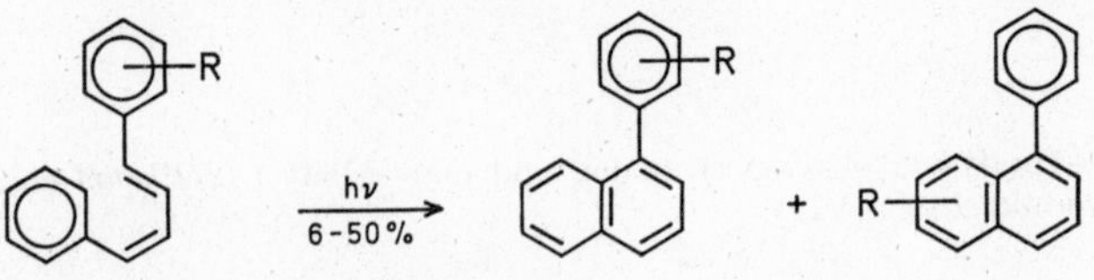

R=H,OCH₃,CH₃,Cl,F,CN[3]

[1] D. D. MORGAN, S. W. HORGAN u. M. ORCHIN, Tetrahedron Letters **1972**, 1789.
[2] W. C. LAARHOVEN, T. J. H. M. CUPPEN u. R. J. F. NIVARD, R. **87**, 687 (1968).
    S. WOOD u. F. B. MALLORY, J. Org. Chem. **29**, 3373 (1964).
    E. V. BLACKBURN u. C. J. TIMMONS, Soc. [C] **1970**, 172.
    G. M. BADGER, R. J. DREWER u. G. E. LEWIS, Austral. J. Chem. **19**, 643 (1966).
[3] C. C. LEZNOFF u. R. J. HAYWARD, Canad. J. Chem. **48**, 1842 (1970).
    G. J. FONKEN, Chem. & Ind. **1962**, 1327.
[4] W. CARRUTHERS, N. EVANS u. R. POORANAMOORTHY, Soc. (Perkin) **1973**, 44.
    C. C. LEZNOFF u. R. J. HAYWARD, Canad. J. Chem. **50**, 528 (1972).
    R. J. HAYWARD u. C. C. LEZNOFF, Tetrahedron **27**, 5115 (1971).
[5] R. J. HAYWARD u. C. C. LEZNOFF, Tetrahedron **27**, 2085 (1971).

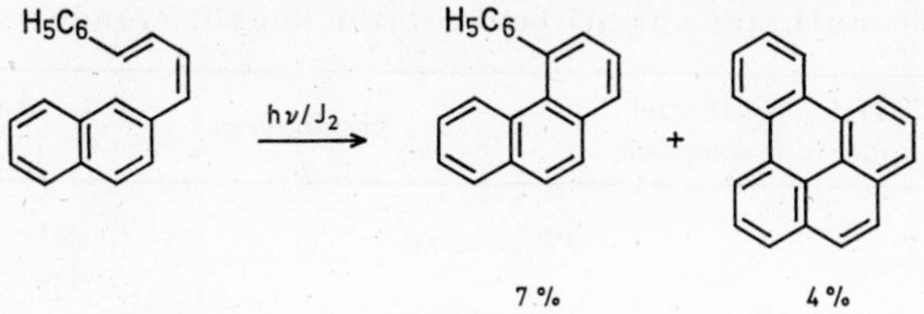

7 %   +   4 %

Analog erhält man z. B. aus

-Phenyl-1-naphthyl-(1)-butadien-(1,3)   → *1-Phenyl-phenanthren*[1]; 9% d. Th.
-Phenyl-1-phenanthryl-(9)-butadien-(1,3)   → *1-Phenyl-triphenylen*[1]; 14% d. Th.
,4-Dinaphthyl-(1)-butadien-(1,3)   → *1-Naphthyl-(1)-phenanthren*[2]; 10% d. Th.
-Naphthyl-(1)-4-naphthyl-(2)-butadien-(1,3) → *4-Naphthyl-(1)-phenanthren*[2]; 11% d. Th.

Während man aus 1,6-Diphenyl-hexatrien-(1,3,5) in Gegenwart von Jod *Chrysen* erhält, yclisiert das 1,3,6-Triphenyl-hexatrien-(1,3,5) unter den gleichen Bedingungen in 90%iger Ausbeute zu *1,2,4-Triphenyl-benzol*[3],[4]:

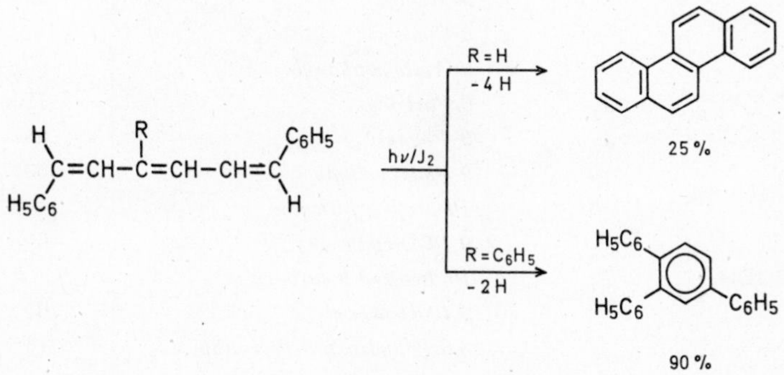

R = H
− 4 H

25 %

R = C₆H₅
− 2 H

90 %

Die dehydrierende Photoarylierung an Heteroaromaten wird an anderer Stelle dieses Bandes beschrieben (vgl. S. 549f. 555, 559, 593ff. 625).

Phenanthren-Derivate; allgemeine Herstellungsvorschrift[5]: 0,01 Mol der reinen *trans*- oder reinen *cis*- oder eines Gemisches) Stilben-Verbindung werden mit 0,127 g (5 · 10⁻⁴ Mol) Jod in 1 *l* dest. Cyclohexan elöst. Die durch Wasserkühlung auf Zimmertemp. gehaltene Lösung wird unter kräftigem Rühren mit iner Quecksilber-Mitteldruck-Lampe durch Quarz belichtet. Anhand einer analytischen Methode (z. B. Dünnschichtchromatographie oder IR-Spektrometrie) läßt sich die Bestrahlungsdauer optimieren. nschließend wird das Reaktionsgut in der Wärme am Rotationsverdampfer auf ∼ 50 *ml* eingeengt und n einer Aluminiumoxid-Säule (Merck Al₂O₃, 1,8 cm, Länge 6–8 cm) mit Cyclohexan chromatographiert. Das Eluat wird vom Solvens befreit und das erhaltene Phenanthren-Derivat durch Sublimation oder Umkristallisation (i. a. aus Methanol oder Äthanol) weiter gereinigt.

Tab. 74 (S. 518) gibt eine Auswahl der nach dieser Vorschrift erhaltenen Phenanthrene.

R. J. Hayward u. C. C. Leznoff, Tetrahedron **27**, 2085 (1971).
R. J. Hayward, A. C. Hopkinson u. C. C. Leznoff, Tetrahedron **28**, 439 (1972).
C. C. Leznoff u. R. J. Hayward, Canad. J. Chem. **48**, 1842 (1970).
W. Carruters, N. Evans u. D. Whitmarsh, Chem. Commun. **1974**, 526.
C. S. Wood u. F. B. Mallory, J. Org. Chem. **29**, 3373 (1964).

Tab. 74. Phenanthrene aus Stilbenen durch dehydrierende Cyclisierung

Stilben-Derivat	Oxidationsmittel außer Luftsauerstoff	...-phenanthren	Ausbeute [% d.Th.]	Literatur
	–	Phenanthren	58	1
	J^2	Phenanthren	82	2
4-F	J_2	3-Fluor-	76	3
2-Cl	J_2	1-Chlor-	57	3
4-Cl	J_2	3-Chlor-	76	3
4-Br	J_2	3-Brom-	76	3
2-OCH$_3$	J_2	1-Methoxy-	46	3
2-CH$_3$	J_2	1-Methyl-	57	3
4-CH$_3$	J_2	3-Methyl-	67	3
3-CF$_3$	J_2	2- und 4-Trifluormethyl-(1:1)	60	3
4,4'-(COOC$_2$H$_5$)$_2$	–	3,6-Diäthoxycarbonyl-	–	4
5,5'-(CH$_3$)$_2$	J_2	4,5-Dimethyl-	–	5
3,3',5,5'-(CH$_3$)$_4$-	J_2	2,4,5,7-Tetramethyl-	–	6
3,5,3'-(OCH$_3$)$_3$- 4'-O-CO-CH$_3$	J_2	2,4,7-Trimethoxy-6-acetoxy-	30	7
α-CH$_3$	–	9-Methyl-	39	8
α-CN	–	9-Cyan-	–	8
α-CO-NH$_2$	–	9-Aminocarbonyl-	–	8
α-COOH	J_2	9-Carboxy-	72	3
α-C$_6$H$_5$	J_2	9-Phenyl-	85	3
α,α'-(CH$_3$)$_2$	–	9,10-Dimethyl-	53	8
α-OCH$_3$-α'-CN	–	10-Methoxy-9-cyan-	–	9
α,α'-(CN)$_2$	–	9,10-Dicyan-	60	8,10,11
α-CO-C$_6$H$_5$-α'-COOH	–	10-Benzoyl-9-carboxy-	–	12
α,α'-(C$_6$H$_5$)$_2$	–	9,10-Diphenyl-	65	8
4,4'-(OH)$_2$-α,α'- (C$_2$H$_5$)$_2$	–	3,6-Dihydroxy-9,10-diäthyl-	14	1,13
4,4'-(OCH$_3$)$_2$-α,α'- (CH$_3$)$_2$	CuCl/C$_2$H$_5$OH	3,6-Dimethoxy-9,10-dimethyl-	54	14
4,4'-(CH$_2$)n n=7	J_2	3,6-Heptandiyl-(1,7)-	–	15
n=8	J_2	3,6-Octandiyl-(1,8)-	–	
n=9	J_2	3,6-Nonandiyl-(1,9)-	–	
n=10	J_2	3,6-Decandiyl-(1,10)-	–	

1 P. HUGELSHOFER, J. KALVODA u. K. SCHAFFNER, Helv. 43, 1322 (1960).
2 F. B. MALLORY, S. WOOD u. J. T. GORDON, Am. Soc. 86, 3094 (1964).
3 C. S. WOOD u. F. B. MALLORY, J. Org. Chem. 29, 3373 (1964).
4 S. D. COHEN, M. V. MIJOVIC u. G. A. NEWMAN, Chem. Commun. 1968, 722.
5 F. B. MALLORY u. C. W. MALLORY, Am. Soc. 94, 6041 (1972).
6 E. V. BLACKBURN, C. E. LOADER u. C. J. TIMMONS, Soc. [C] 1968, 1576.
    Vgl. auch E. J. LEVI u. M. ORCHIN, J. Org. Chem. 31, 4302 (1966).
7 R. M. LETCHER, Photochemistry 12, 2789 (1973).
8 M. V. SARGENT u. C. J. TIMMONS, Am. Soc. 85, 2186 (1963); Soc. 1964, Suppl. 1, 5544.
9 G. RIO u. D. MASURE, Bl. 1971, 3232.
10 S. WATANABE u. K. ICHIMURA, Chem. Letters 1972, 35.
11 K. ICHIMURA u. S. WATANABE, Tetrahedron Letters 1972, 821.
12 G. RIO u. J. C. HARDY, Bl. 1967, 2642.
13 T. J. H. M. CUPPEN u. W. H. LAARHOVEN, Am. Soc. 94, 5914 (1972).
14 D. J. COLLINS u. J. K. HOBBS, Austral. J. Chem. 20, 1905 (1967).
15 S. E. POTTER u. I. O. SUTHERLAND, Chem. Commun. 1973, 520.

Außer auf die 1,2-Diphenyl-äthylene als direkte Stilben-Abkömmlinge ist die Cyclo-ehydrierung auf höhere 1,2-Diaryl-äthylene anwendbar (vgl. Tab. 75).

Spezielle Bedeutung erhält sie bei der Herstellung von Helicenen und Doppelheli-enen[1]. In vielen Fällen, z. B. zur Synthese von [6][2], [11][1], [12][1], [13][3] und [14]Helicen[1] rwiesen sich allerdings zweistufige Photocyclodehydrierungen als vorteilhaft. Die Helicene ind chirale Moleküle. In Doppelhelicenen und Bihelicenylen gibt es zusätzlich zu den ptischen Antipoden eine inaktive meso-Form. Durch Einführung von Substituenten wie -)-Menthyl in die 1,2-Diaryl-äthylene gelingen chemisch induzierte asym. Synthesen[1]. Absolute asymmetrische Synthesen sind mit circular polarisiertem Licht möglich[4]. Über-aschenderweise racemisieren Helicene leicht in Lösung[5]. Dieser Prozeß ist rein thermisch, bwohl die all-Benzol-Helicene photolabil sind!

Tab. 75. Aromaten durch Cyclodehydrierung 1,2-diarylsubstituierter Äthylene

₁	R²	R³	Oxidations-mittel außer Luft	Reaktionsprodukt	Ausbeute [% d. Th.]	Literatur
H	H		J₂	} Chrysen	77	6,7
			FeCl₃		38	8
₃	H	H	J₂	6-Methyl-chrysen	70	9
	CH₃	CH₃	J₂	1,7-Dimethyl-chrysen	40	10

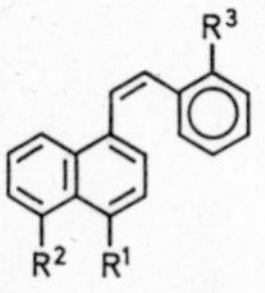

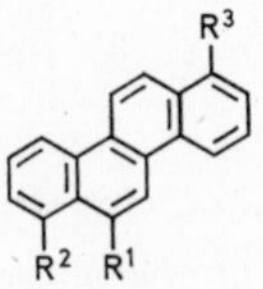

Die Ausgangsverbindungen sind in der für die Reaktion zutreffenden Konfiguration angegeben, i. a. liegt jedoch zunächst meistens die trans-Konfiguration vor.

[1] R. H. MARTIN, Ang. Ch. 86, 727 (1974).

[2] R. H. MARTIN, M. J. MARCHANT u. M. BAES, Helv. 54, 358 (1971).

[3] R. H. MARTIN, G. MORREN u. J. J. SCHURTER, Tetrahedron Letters 1969, 3683.

[4] A. MORADPOUR et al., Am. Soc. 93, 2353 (1971).
G. TSUUCARIS et al., C. r. [B] 272, 1271 (1971).
H. KAGAN et al., Tetrahedron Letters 1971, 2479.
W. J. BERNSTEIN, M. CALVIN u. O. BUCHARDT, Am. Soc. 94, 494 (1972); Tetrahedron Letters 1972, 2195; Am. Soc. 95, 527 (1973).

[5] W. H. LAARHOVEN, T. J. H. M. CUPPEN u. R. J. F. NIVARD, Tetrahedron 30, 3343 (1974).

[6] C. S. WOOD u. F. B. MALLORY, J. Org. Chem. 29, 3373 (1964).

[7] E. V. BLACKBURN, C. E. LOADER u. C. J. TIMMONS, Soc. [C] 1970, 163.

[8] P. HUGELSHOFER, J. KALVODA u. K. SCHAFFNER, Helv. 43, 1322 (1960).

[9] W. H. LAARHOVEN, T. J. H. M. CUPPEN u. R. F. J. NIVARD, Tetrahedron 26, 4865 (1970).

[10] W. CARRUTHERS u. H. N. M. STEWART, Soc. [C] 1967, 560.

Tab. 75 (1. Fortsetzung)

1,2-Diaryl-äthylene[a]	Oxidations-mittel außer Luft	Reaktionsprodukt	Ausbeute [% d.Th.]	Literatur

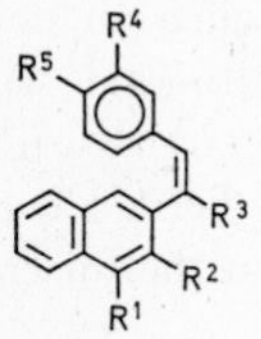

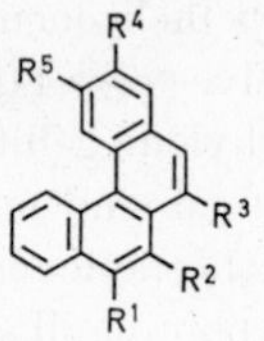

R¹	R²	R³	R⁴	R⁵				
H	H	H	H	H	J_2	*Benzo-[c]-phenanthren*	64	1–4
F	H	H	H	H	J_2	*5-Fluor-⟨benzo-[c]-phenanthren⟩*	80–82	5
H	F	H	H	H	–	*6-Fluor-⟨benzo-[c]-phenanthren⟩*	52	5
H	H	H	Br	CH_3	J_2	*3-Brom-2-methyl-⟨benzo-[c]-phenanthren⟩*	79	6
H	H	CH_3	H	H	–	*6-Methyl-⟨benzo-[c]-phenanthren⟩*		4

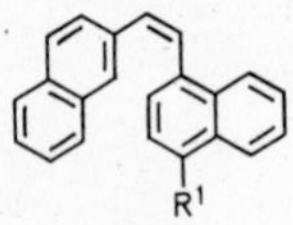		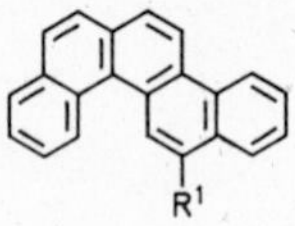		
R¹=H	–	*Benzo-[c]-chrysen*	61	3
R¹=CH_3	J_2	*14-Methyl-⟨benzo-[c]-chrysen⟩*	80	7

| 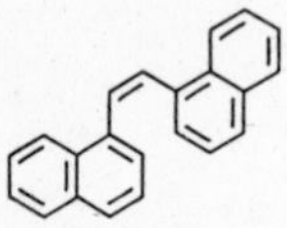 | J_2 | 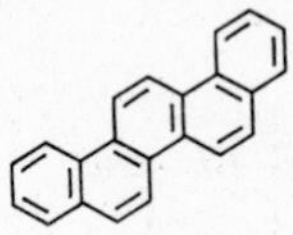 *Picen* | 61 | 3,8 |

| 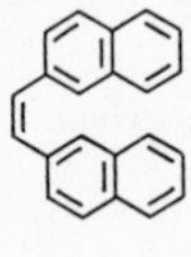 | J_2 | 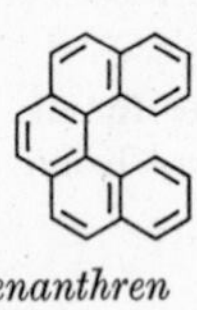 *Dibenzo-[c; g]-phenanthren* | 89 | 1,3,9 |

[a] Die Ausgangsverbindungen sind in der für die Reaktion zutreffenden Konfiguration angegeben, i. a. liegt jedoch zunächst meistens die *trans*-Konfiguration vor.

[1] E. V. BLACKBURN, C. E. LOADER u. C. J. TIMMONS, Soc. [C] 1970, 163.
[2] M. P. CAVA u. S. C. HAVLICEK, Tetrahedron Letters 1967, 2625.
[3] M. SCHOLZ, M. MÜHLSTÄDT u. F. DIETZ, Tetrahedron Letters 1967, 665.
[4] W. CARRUTHERS, Soc. [C] 1967, 152.
[5] G. S. MARX u. E. D. BERGMANN, J. Org. Chem. 37, 1807 (1972).
[6] R. H. MARTIN u. J. J. SCHURTER, Tetrahedron Letters 1969, 3679.
[7] W. H. LAARHOVEN, T. J. H. M. CUPPEN u. R. F. J. NIVARD, Tetrahedron 26, 4865 (1970).
[8] C. GOEDICKE u. H. STEGEMEYER, Z. El. Ch. 73, 782 (1969).
[9] T. KNITTEL, G. FISCHER u. E. FISCHER, Chem. Commun. 1972, 84.

Tab. 75 (2. Fortsetzung)

1,2-Diaryl-äthylene[a]	Oxidations-mittel außer Luft	Reaktionsprodukt	Ausbeute [% d. Th.]	Literatur
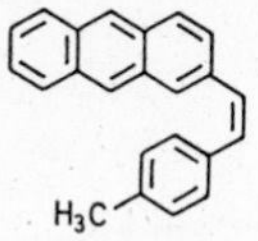	J₂	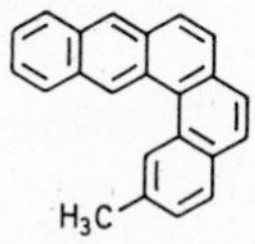 *2-Methyl-⟨dibenzo-[b;g]-phenanthren⟩*	15	1
R = H R = CH₃	J₂	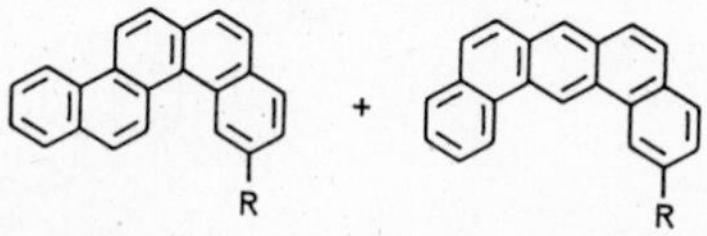 *Benzo-[c]-chrysen* + *Dibenzo-[a;j]-anthracen* *11-Methyl-⟨benzo-[c]-chrysen⟩* + *2-Methyl-⟨dibenzo-[a;j]-anthracen⟩*	(99:1) 82 (80:2)	1–3 1
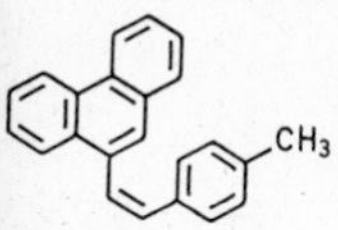	J₂	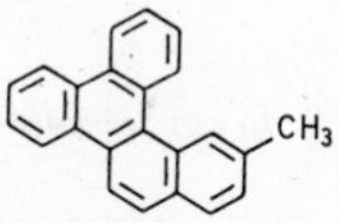 *13-Methyl-⟨benzo-[g]-chrysen⟩*	75	1
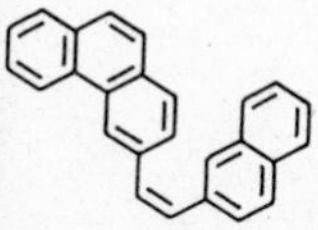		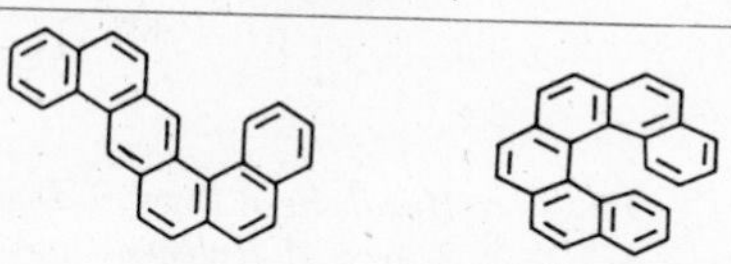 50 : 22 *Phenanthreno-[3,2-c]-phenanthren* + *Phenanthro-[3,4-c]-phenanthren (Hexa-helicen)*	72	1,4,5
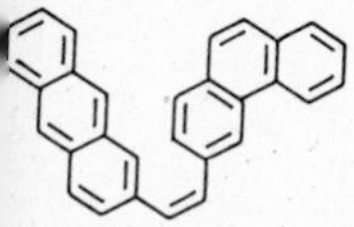	J₂	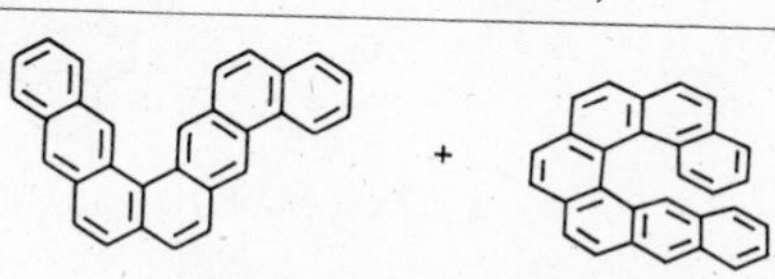 60 : 22 *Benzo-[h]-anthraceno-[1,2-a]-anthracen* + *Benzo-[g]-anthraceno-[2,1-c]-phenanthren*	82	1
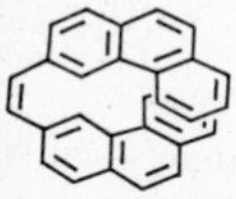	J₂	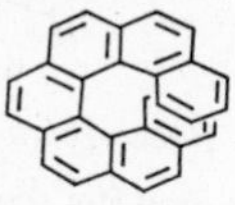 *Heptahelicen*	12	1,3,6

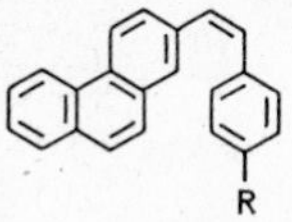

Die Ausgangsverbindungen sind in der für die Reaktion zutreffenden Konfiguration angegeben, i. a. liegt jedoch zunächst meistens die *trans*-Konfiguration vor.

W. H. LAARHOVEN, T. J. H. M. CUPPEN u. R. F. J. NIVARD, Tetrahedron **26**, 4865 (1970).
E. V. BLACKBURN u. C. J. TIMMONS, Soc. [C] **1970**, 172.
D. D. MORGAN, S. W. HORGAN u. M. ORCHIN, Tetrahedron Letters **1970**, 4347
W. J. BERNSTEIN, M. CALVIN u. O. BUCHARDT, Am. Soc. **94**, 494 (1972).
W. J. BERNSTEIN u. M. CALVIN, Tetrahedron Letters **1972**, 2195.
A. MORADPOUR et al., Am. Soc. **93**, 2353 (1971).
W. H. LAARHOVEN u. T. H. J. M. CUPPEN, R. **92**, 553 (1973).

Tab. 75 (3. Fortsetzung)

1,2-Diaryl-äthylene[a]	Oxidations-mittel außer Luft	Reaktionsprodukt	Ausbeute [% d.Th.]	Literat.
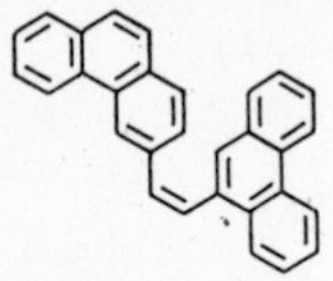	J_2	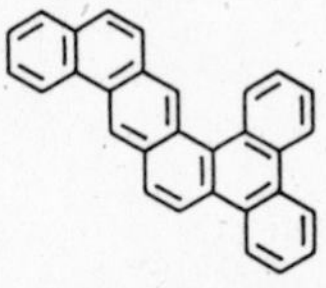 *Phenanthro-[2,3-a-]-triphenylen*	75	1
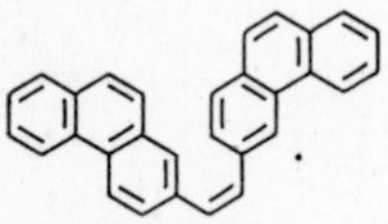	J_2	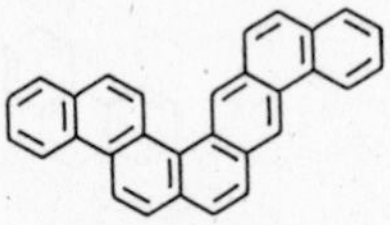 *Phenanthro-[3,2-c]-chrysen*	75	1
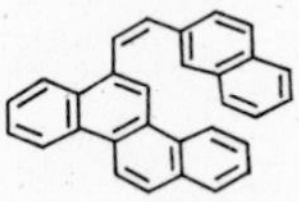	J_2	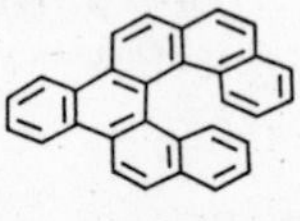 *Benzo-[c]-naphtho-[1,2-g]-chrysen*	90	1
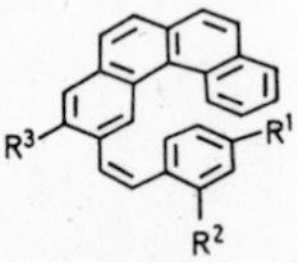 $R^1 = R^2 = R^3 = H(D)$ $R^3 = H$; R^1, $R^2 = H$, Hal, CH_3	J_2 J_2	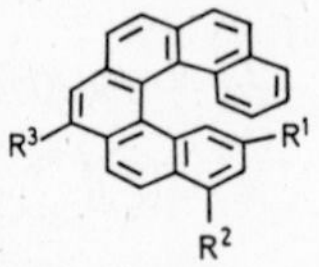 *Hexahelicen* (bzw. *7-Deutero-*) *2- bzw. 4-Halogen-* und *-Methyl-hexahelicen*	87	1—7
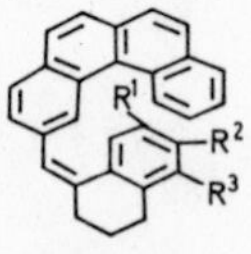 $R^1, R^2, R^3 = H, CH_3$, $(CH_3)_3C$, $4\text{-}CH_3\text{-}C_6H_4$	J_2	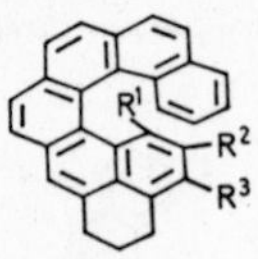 *5,6-Dihydro-4H-⟨benzo-[d,e]-hexahelicene⟩*	70—80	8
$R = H$ 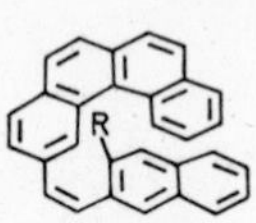	J_2	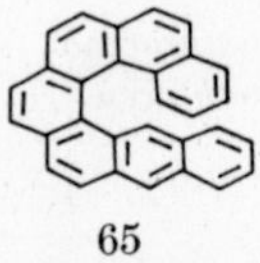 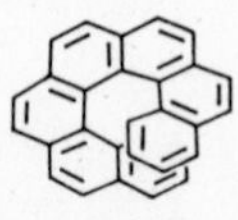 65 : 20 *Benzo-[b]-hexahelicen + Heptahelicen*	85	1,4—6

[a] Die Ausgangsverbindungen sind in der für die Reaktion zutreffenden Konfiguration angegeben, i. a. liegt jedoch zunächst meistens die *trans*-Konfiguration vor.

1 W. H. LAARHOVEN, T. J. H. M. CUPPEN u. R. F. J. NIVARD, Tetrahedron **26**, 4865 (1970).
2 C. S. WOOD u. F. B. MALLORY, J. Org. Chem. **29**, 3373 (1964).
3 R. H. MARTIN u. J. J. SCHURTER, Tetrahedron Letters **1969**, 3679.
4 W. J. BERNSTEIN, M. CALVIN u. O. BUCHARDT, Am. Soc. **94**, 494 (1972).
   W. J. BERNSTEIN u. M. CALVIN, Tetrahedron Letters **1972**, 2195.
   W. J. BERNSTEIN, M. CALVIN u. O. BUCHARDT, Am Soc. **95**, 527 (1973).
5 W. J. BERNSTEIN, M. CALVIN u. O. BUCHARDT, Tetrahedron Letters **1968**, 3507.
6 R. H. MARTIN et al., Tetrahedron Letters **1968**, 3507.
6 R. H. MARTIN et al., R. **92**, 651 (1973).
7 W. H. LAARHOVEN u. M. H. DE JONG, R. **92**, 651 (1973).
8 W. H. LAARHOVEN u. R. G. M. VELDHUIS, Tetrahedron **28**, 1811 (1972).

Tab. 75 (4. Fortsetzung)

-Diaryl-äthylene[a]	Oxidations-mittel außer Luft	Reaktionsprodukt	Ausbeute [% d.Th.]	Literatur
R=CH₃	J₂	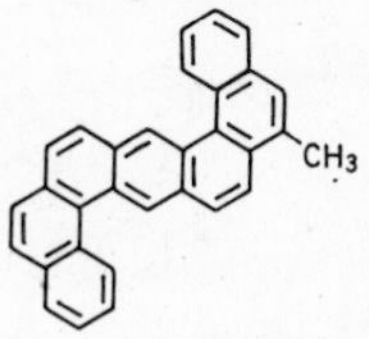 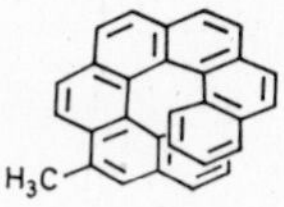 54 : 30 6-Methyl-⟨dinaphtho-[1,2-a; 2′,1′-j]-anthracen⟩ + 6-Methyl-heptahelicen	84	1
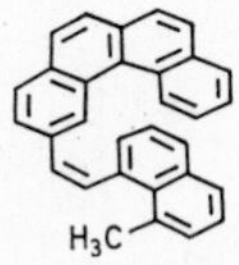	J₂	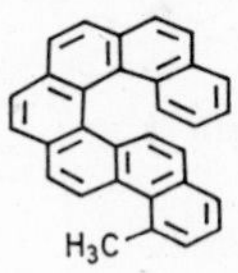 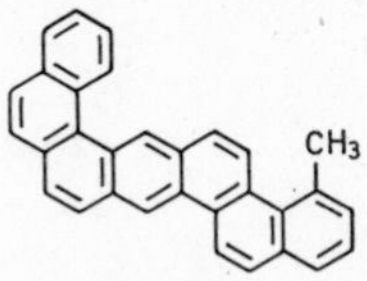 55 : 7 13-Methyl-⟨benzo-[c]-hexahelicen⟩ + 1-Methyl-⟨phenan-thro-[4,3-b]-chrysen⟩	62	2
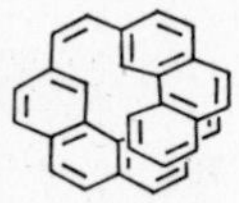	J₂	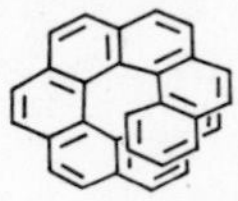 Octahelicen	62	3,4
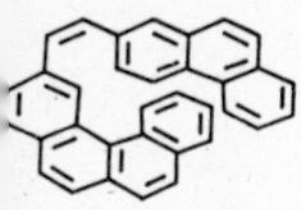	J₂	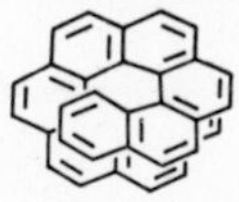 Nonahelicen	70	3–5
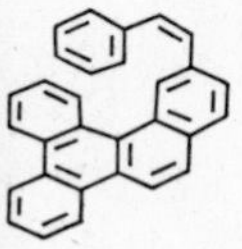	J₂	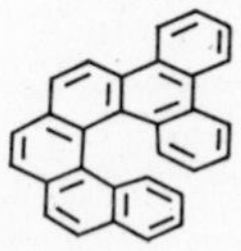 Benzo-[f]-hexahelicen	60	5

Die Ausgangsverbindungen sind in der für die Reaktion zutreffenden Konfiguration angegeben, i. a. liegt jedoch zunächst meistens die *trans*-Konfiguration vor.

R. H. Martin, C. Eyndels u. N. Defay, Tetrahedron 30, 3339 (1974).
W. H. Laarhoven u. T. H. J. M. Cuppen, R. 92, 553 (1973).
R. H. Martin et al., Tetrahedron Letters 1968, 3507.
W. J. Bernstein, M. Calvin u. O. Buchardt, Am. Soc. 94, 494 (1972).
W. J. Bernstein u. M. Calvin, Tetrahedron Letters 1972, 2195.
W. H. Laarhoven, T. J. H. M. Cuppen u. R. F. J. Nivard, Tetrahedron 26, 4865 (1970).

Tab. 75 (5. Fortsetzung)

1,2-Diaryl-äthylene[a]	Oxidations-mittel außer Luft	Reaktionsprodukt	Ausbeute [% d. Th.]	Literat.
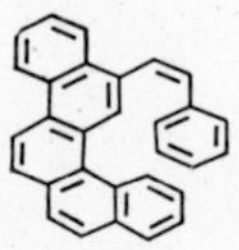	J$_2$	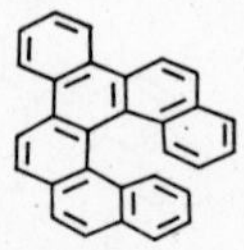 *Benzo-[i]-hexahelicen*	66	1
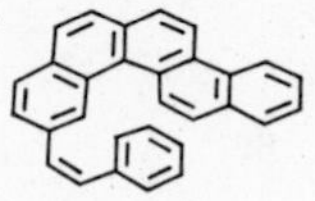		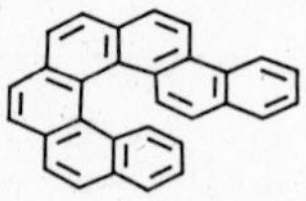 *Benzo-[c]-hexahelicen*	65	1
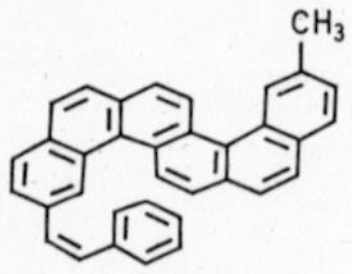		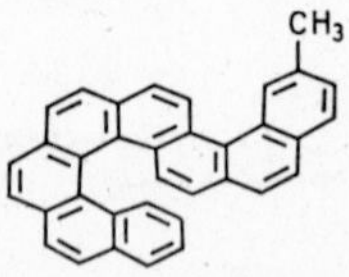 *3-Methyl-⟨naphtho-[2,1-c]-hexahelicen⟩*	60	2,3
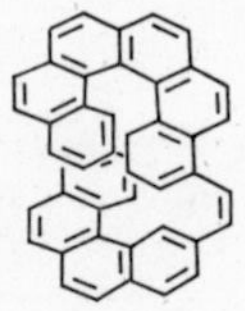	J$_2$	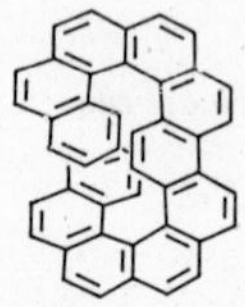 *Pentaheliceno-[1,2-c]-hexahelicen*	73	4, 5
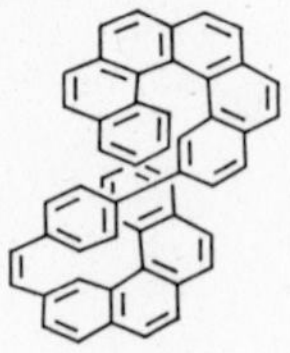		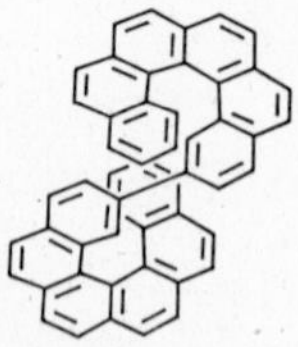 *Bi-hexahelicenyl-(2)*	50	6

[a] Die Ausgangsverbindungen sind in der für die Reaktion zutreffenden Konfiguration angegeben (i. a. liegt jedoch zunächst meistens die *trans*-Konfiguration vor).

1 W. H. Laarhoven, T. J. H. M. Cuppen u. R. F. J. Nivard, Tetrahedron **26**, 4865 (1970).
2 W. H. Laarhoven u. T. H. J. M. Cuppen, R. **92**, 553 (1973).
3 W. H. Laarhoven u. M. H. de Jong, R. **92**, 651 (1973).
4 R. H. Martin, C. Eyndels u. N. Defay, Tetrahedron **30**, 3339 (1974).
5 W. H. Laarhoven, T. J. H. M. Cuppen u. R. J. F. Nivard, Tetrahedron **30**, 3343 (1974).
6 W. H. Laarhoven u. R. G. M. Veldhuis, Tetrahedron **28**, 1823 (1972).

Tab. 75 (6. Fortsetzung)

2-Diaryl-äthylene[a]	Oxidations-mittel außer Luft	Reaktionsprodukt	Ausbeute [% d. Th.]	Literatur
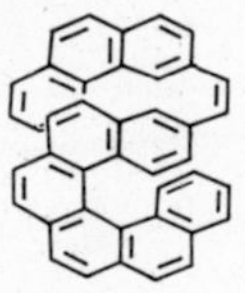		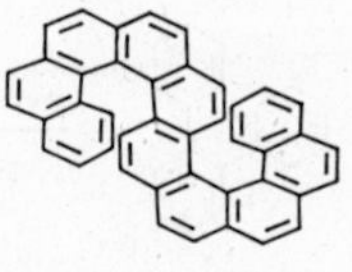 *Diphenanthro-[3,4-c; 3′,4′-l]-chrysen*		1
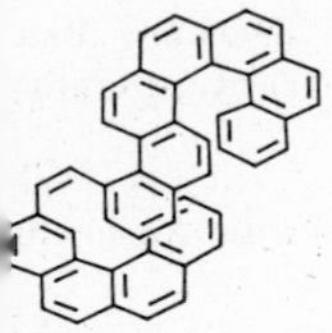		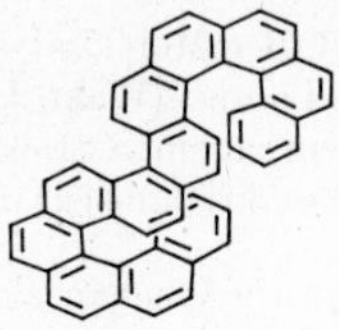 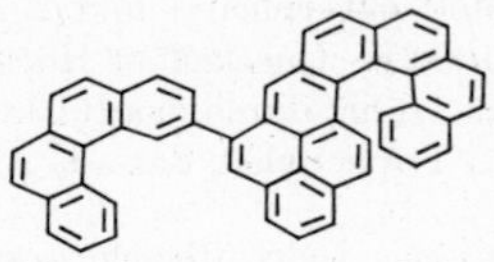 15 : 70 *Hexaheliceno-[3,4-c]-hexa-helicen* + *12-(⟨Benzo-[c]-phenan-thren⟩-2-yl)-⟨(benzo-[c]-phenanthreno-[1,2-a])-pyren⟩*	85	2

[a] Die Ausgangsverbindungen sind in der für die Reaktion zutreffenden Konfiguration angegeben (i. a. liegt jedoch zunächst meistens die *trans*-Konfiguration vor).

6-Fluor-⟨benzo-[c]-phenanthren⟩[3]:

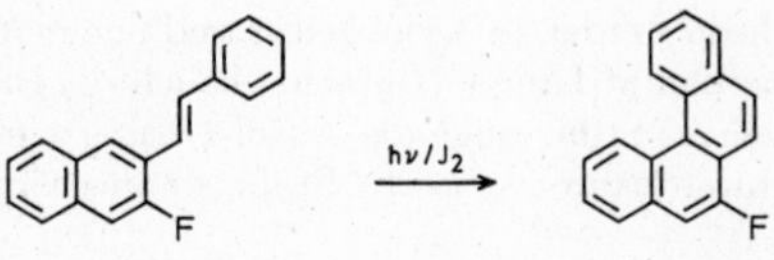

$\xrightarrow{h\nu/J_2}$

100 mg 3-Fluor-2-(*trans*-2-phenyl-vinyl)-naphthalin und 100 mg Jod werden in 200 *ml* Cyclohexan in einem Quarzgefäß im Rayonet-Photoreaktor (vgl. S. 77ff.) mit einer 75 W Quecksilber-Niederdruck-Lampe belichtet. Während der 1 stdgn. Belichtung wird Stickstoff durch die Lösung geleitet. Nach dem Abdestillieren des Solvens wird der Rückstand mit Cyclohexan/Benzol (4:1) an Aluminiumoxid chromatographiert. Das dabei erhaltene 6-Fluor-⟨benzo-[c]-phenanthren⟩ wird aus Hexan umkristallisiert; Ausbeute: 81 mg (82% d.Th.); F: 70–71°.

Pentaheliceno-[1,2-c]-hexahelicen[4]:

$\xrightarrow{h\nu/J_2}$

[1] W. H. Laarhoven u. T. H. J. M. Cuppen, R. **92**, 553 (1973).
[2] W. H. Laarhoven u. M. H. de Jong, R. **92**, 651 (1973).
[3] G. S. Marx u. E. D. Bergmann, J. Org. Chem. **37**, 1807 (1972).
[4] R. H. Martin, C. Eyndels u. N. Defay, Tetrahedron **30**, 3339 (1974).

Eine Lösung von 0,1 g 2-{Benzo-[c]-phenanthryl-(2)}-1-[hexahelicenyl-(4)]-äthylen und 0,01 g Jod in 800 *ml* Toluol wird mit einer Hanovia 450 W Quecksilber-Mitteldruck-Lampe 2 Stdn. bestrahlt. Durch Säulenchromatographie (Al$_2$O$_3$/Benzol) lassen sich 73 mg (73% d.Th.; F: 452–454°) isolieren.

Triphenylen[1]:

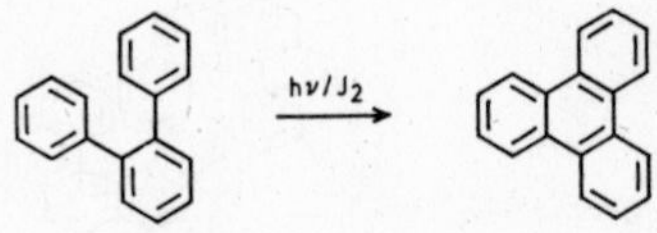

235 mg (1,02 mMol) o-Terphenyl und 257 mg (1,01 mMol) Jod werden in 60 *ml* Benzol im Quarzkolben mit einer 1000 W Quecksilber-Hochdruck-Lampe (Wako-HBC-1000) 20 Stdn. belichtet. Man kühlt mit Wasser und führt durch das Reaktionsgemisch einen Stickstoffstrom. Die Aufarbeitung ergibt 205 mg (88% d.Th.) Triphenylen, das aus Äthanol umkristallisiert wird (F: 194–195°).

Bei Verwendung eines Jod-Unterschusses oder in Cyclohexan als Lösungsmittel sinkt die Ausbeute erheblich ab!

8-Oxo-13-phenyl-8H-⟨dibenzo-[a; d,e]-anthracen⟩[2]:

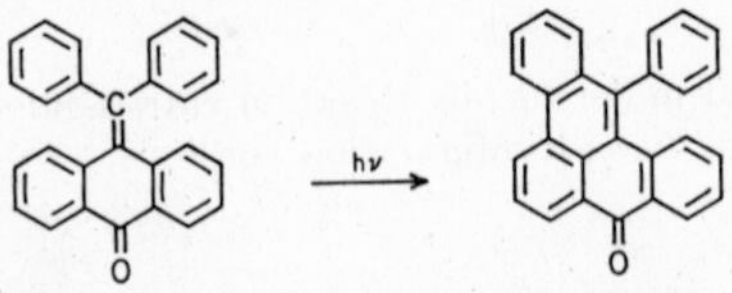

2 g 10-Diphenylmethylen-anthron werden in Xylol gelöst und in einem Quarzkolben mit aufgesetztem Luftkühler mit einer Quecksilberdampf-Lampe (Heraeus) belichtet. Die Erwärmung durch die Lampe hält die Lösung am Sieden. Nach 45 Stdn. zeigt die Xylol-Lösung eine hellrote Farbe mit grünlicher Fluoreszens (eine mit konz. Schwefelsäure versetzte Probe fluoresziert dunkelrot). Man engt ein und filtriert; F: 229° (aus Eisessig).

Benzo-[e]-pyren[3]

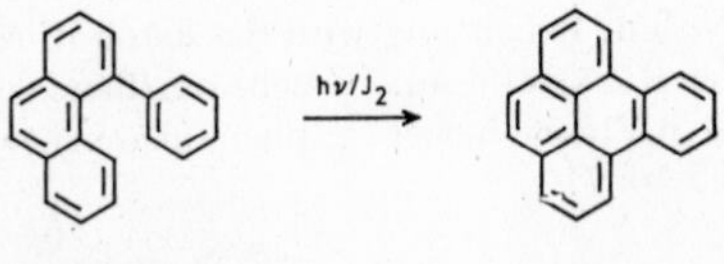

Eine 8,7 · 10^{-4} m Lösung von reinem 4-Phenyl-phenanthren und 4 · 10^{-4} Mol Jod werden 72 Stdn. in trockenem Benzol in einem Rayonet-Reaktor bei 300 nm belichtet. Das dabei anfallende Rohprodukt wird mit präparativer Dünnschichtchromatographie aufgetrennt. Neben 21% der Ausgangsverbindung erhält man 46% d.Th. *Benzo-[e]-pyren* (F: 177°).

---

[1] N. KHARASCH et al., Chem. Commun. **1965**, 242.
   T. SATO, Y. GOTO u. K. HATA, Bl. Chem. Soc. Japan **40**, 1994 (1967).

[2] E. CLAR u. W. MÜLLER, B. **63**, 869 (1930).

[3] R. J. HAYWARD u. C. C. LEZNOFF, Tetrahedron **27**, 2085.
   R. J. HAYWARD, A. C. HOPKINSON u. C. C. LEZNOFF, Tetrahedron **28**, 439 (1972).

Tab. 76. Aromaten durch Cyclodehydrierungen von polycyclischen Systemen

Ausgangsverbindung	Oxidations-mittel außer Luft	Aromat	Ausbeute [% d. Th.]	Literatur
Y = H₂ Y = O	J_2	2,3-Dihydro-1H-⟨cyclopenta-[l]-phenanthren⟩ 2-Oxo-2,3-dihydro-1H-⟨cyclopenta-[l]-phenanthren⟩	71 65	1 2
R=H, OH, OCH₃, O-CO-CH₃	–	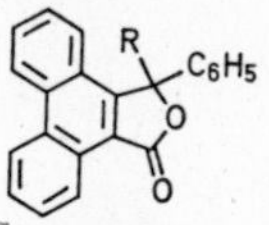 1-Hydroxy(Methoxy; Acetoxy)-3-oxo-1-phenyl-1,3-dihydro-⟨furo-[3,4-l]-phenanthren⟩	65–68	3
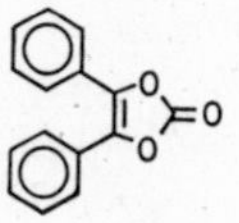	–	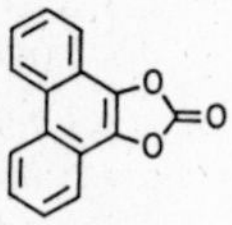 9,10-Carbonyldioxy-phenanthren	13	4
R¹ H / R² H H / Br Br / H F / H OCH₃ / H	J_2	Triphenylen } 2-Brom-triphenylen 2-Fluor-triphenylen 2-Methoxy-triphenylen	88 66 26 77 65	5 6 6 6 6
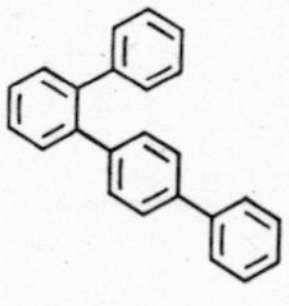	J_2	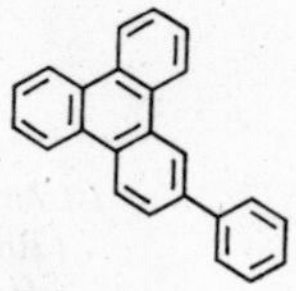 2-Phenyl-triphenylen	–	5

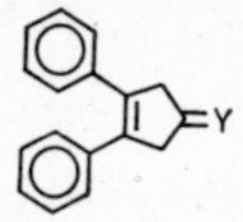

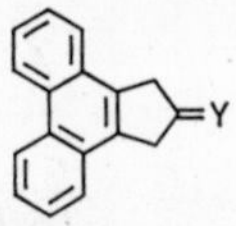

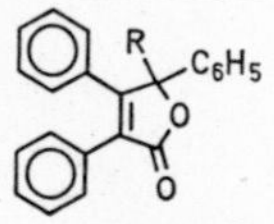

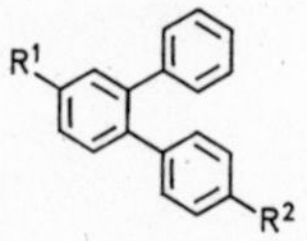

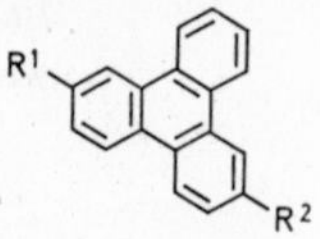

¹ C. S. Wood u. F. B. Mallory. J. Org. Chem. 29, 3373 (1964).
A. Bromberg, K. A. Muszkat u. E. Fischer, Israel J. Chem. 10, 765 (1972).
² I. Moritani et al., Bl. Chem. Soc. Japan 40, 2129 (1967).
³ G. Rio u. J. C. Hardy, Bl. 1970, 3578.
⁴ K.-R. Stahlke, H.-G. Heine u. W. Hartmann, A. 764, 116 (1972).
⁵ N. Kharasch et al., Chem. Commun. 1965, 242.
T. Sato, Y. Goto u. K. Hata, Bl. Chem. Soc. Japan 40, 1994 (1967).
⁶ T. Sato, S. Shimada u. K. Hata, Bl. Chem. Soc. Japan 42, 766 (1969).

Tab. 76 (1. Fortsetzung)

Ausgangsverbindung	Oxidations-mittel außer Luft	Aromat	Ausbeute [% d. Th.]	Literatur

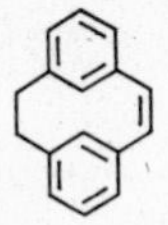

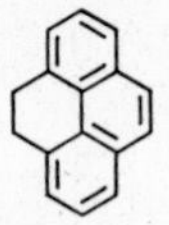

4,5-Dihydro-pyren

| | | | – | [1] |

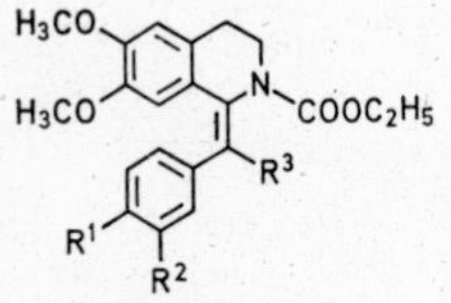 R¹	R²	R³		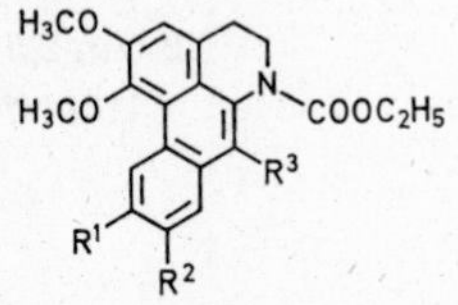		
OCH₃	OCH₃	H	$J_2/$ Cu–acetat	N-Äthoxycarbonyl-6a,7-dehydro-norylaucin		[2]
H	OCH₃	H		N-Äthoxycarbonyl-6a,7-dehydro-nornuceferin		[2]
H	OCH₃	C₆H₅	J_2	1,2,9-Trimethoxy-7-phenyl-6-äthoxycarbonyl-5,6-dihydro-4H-⟨dibenzo-[d,e;g]-chinolin⟩	60	[3]
H	H	H	J_2	1,2-Dimethoxy-6-äthoxycarbonyl-5,6-dihydro-4H-⟨dibenzo-[d,e;g]-chinolin⟩		[4]

| 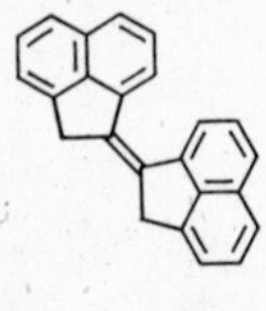 | J_2 | 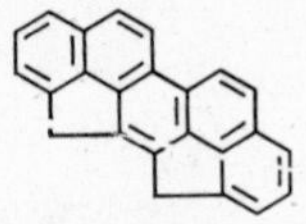 4,5-Dihydro-⟨bis-[cyclopenta]-[d,e,f;h,i,j]-picen⟩ | | [5] |

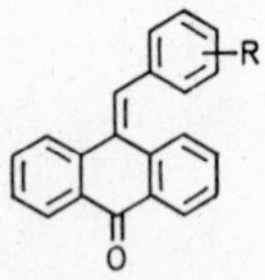

R=H, Cl, Br, OCH₃, CH₃

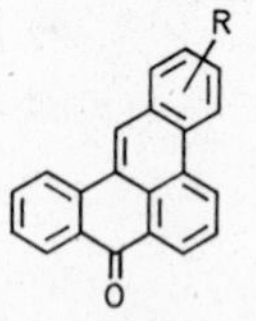

| | | 1-Chlor(Methoxy)[bzw. 3-Chlor (Brom; Methoxy; Methyl)]-8-oxo-8H-⟨dibenzo-[a;d,e]-anthracen⟩ | 20–90 | [6] |

[1] C. E. Ramey u. V. Boekelheide, Am. Soc. 92, 3681 (1970).
[2] M. P. Cava et al., J. Org. Chem. 35, 175 (1970).
[3] M. P. Cava u. S. C. Havlicek, Tetrahedron Letters 1967, 2625.
[4] N. C. Yang, G. R. Lenz u. A. Shani, Tetrahedron Letters 1966, 2941.
[5] C. Goedicke u. H. Stegemeyer, Z. El. Ch. 73, 782 (1969).
[6] M. Scholz, F. Dietz u. M. Mühlstädt, Tetrahedron Letters 1970, 2835.

Tab. 76 (2. Fortsetzung)

Ausgangsverbindung	Oxidationsmittel außer Luft	Aromat	Ausbeute [% d.Th.]	Literatur
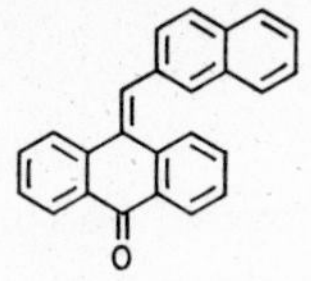		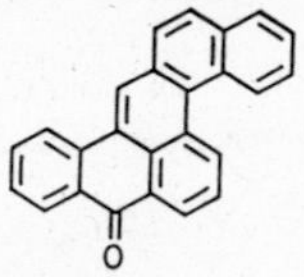 *8-Oxo-8H-⟨phenanthro-[4,3,2-d,e]-anthracen⟩*		1
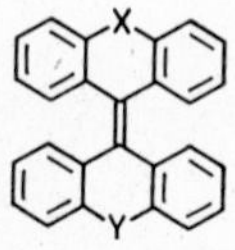 X=Y=CO		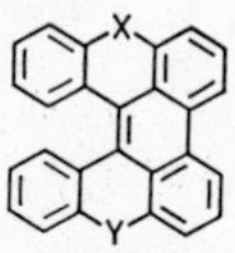 *7,16-Dioxo-7,16-dihydro-⟨dibenzo-[a;o]-perylen⟩*		2
R=H R=C₆H₅	J₂ J₂	*Benzo-[e]-pyren* *1-Phenyl-⟨benzo-[e]-pyren⟩*	46 40	3 4
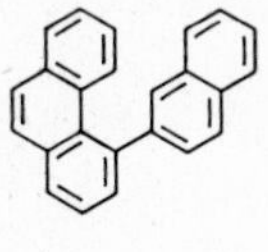	J₂	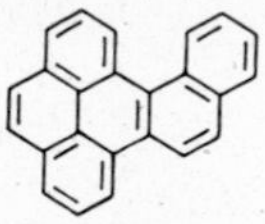 *Naphtho-[1,2-e]-pyren*	35	3
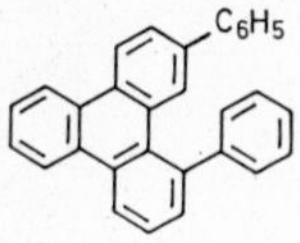	J₂	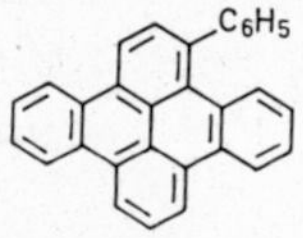 *3-Phenyl-⟨dibenzo-[f,g; o,p]-naphthacen⟩*	33	4
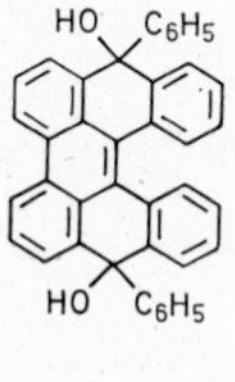		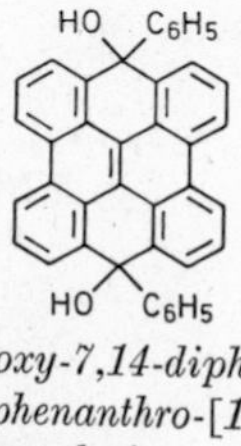 *7,14-Dihydroxy-7,14-diphenyl-7,14-dihydro-⟨phenanthro-[1,10,9,8-o,p,q,r,a]-perylen⟩*		5

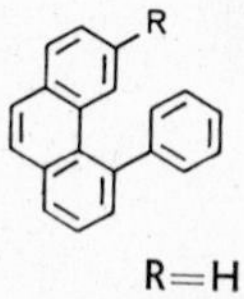

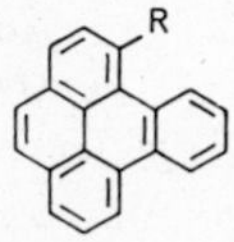

[1] M. Scholz, F. Dietz u. M. Mühlstädt, Tetrahedron Letter **1970**, 2835.
[2] A. Schönberg u. U. Sodthe, Tetrahedron Letters **1967**, 4977.
   M. Scholz, F. Dietz u. M. Mühlstädt, Tetrahedron Letters **1970**, 2835.
[3] R. J. Hayward u. C. C. Leznoff, Tetrahedron **27**, 2085.
   R. J Hayward, A. C. Hopkinson u C. C. Leznoff, Tetrahedron **28**, 439 (1972).
[4] A. H. A. Tinnemans u. W. H. Laarhoven, Am. Soc. **96**, 14 (1974).
[5] G. Sauvage, C. r. **225**, 247 (1947).

Tab. 76 (3. Fortsetzung)

Augangsverbindung	Oxidations-mittel außer Luft	Aromat	Ausbeute [% d.Th.]	Literatur
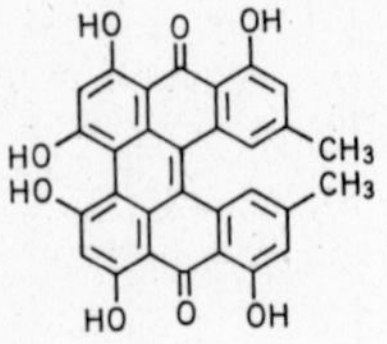		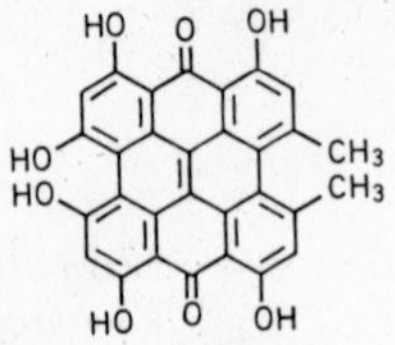 *Hypericin*		1
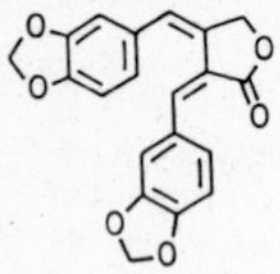		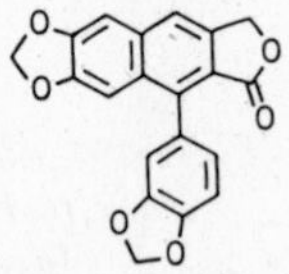 *6,7-Methylendioxy-3-oxo-4-(3,4-methylendioxy-phenyl)-1,3-dihydro-⟨furo-[3,4-b]-naphthalin⟩*		2
R¹ | R²	J₂			
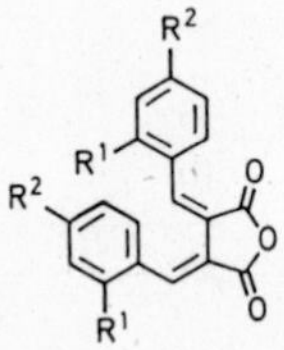		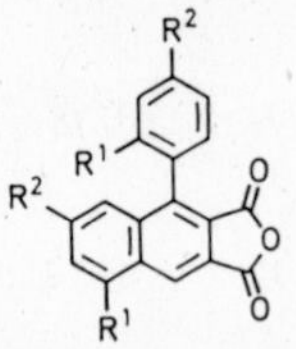 *...-naphthalin-2,3-dicarbonsäure-anhydrid*	~ 100	
H H		*1-Phenyl- ...*		3
OCH₃ H		*5-Methoxy-1-(2-methoxy-phenyl)- ...*		4
H OCH₃		*7-Methoxy-1-(4-methoxy-phenyl)- ...*		4
H CH₃		*7-Methyl-1-(4-methyl-phenyl)- ...*		4
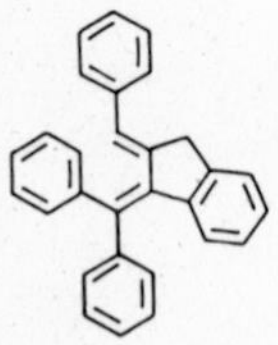		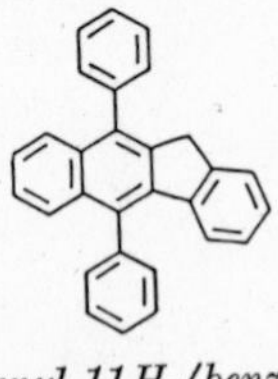 *5,10-Diphenyl-11H-⟨benzo-[b]-fluoren⟩*		5

1 H. BROCKMANN u. H. EGGERS, Ang. Ch. **67**, 706 (1955).
  H. BROCKMANN, Proc. Soc. **1957**, 304.
2 Y. T. LIN, T.-B. LO u. K.-T. WANG, Tetrahedron Letters **1967**, 849.
3 H. STOBBE, B. **40**, 3372 (1907).
  B. WEINSTEIN u. D. N. BRATTESAMI, Chem. & Ind. **1967**, 1292.
4 F. G. BADDAR, L. S. EL-ASSAL u. M. GINDY, Soc. **1948**, 1270.
5 N. CAMPBELL, P. S. DAVISON u. H. G. HELLER, Soc. **1963**, 993.

Dibenzo-[f,g;o,p]-naphthacen[1]:

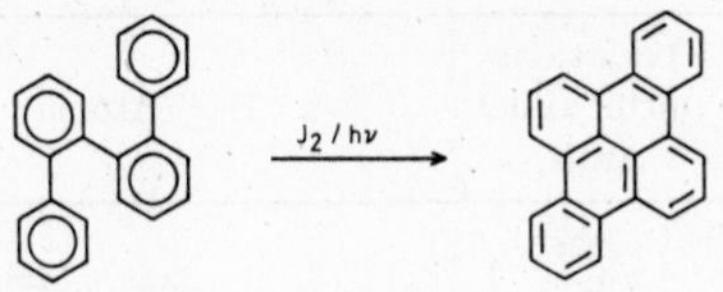

$$J_2 / h\nu \longrightarrow$$

Eine Lösung von 310 mg (10^{-3} Mol) 2,2'-Diphenyl-biphenyl und 265 mg (10^{-3} Mol) Jod in 60 *ml* Benzol wird im Stickstoffstrom mit einer 100 W Quecksilber-Niederdruck-Lampe durch Vycor-Glas belichtet. Nach 72 Stdn. läßt sich das Dibenzo-[f,g;o,p]-naphthacen in Form blaßgelber, prismenartiger Kristalle gewinnen; Ausbeute: 57% d. Th.; F: 351–352° (aus Xylol).

3,11-Dimethyl-⟨dibenzo-[c;l]-chrysen⟩[2]:

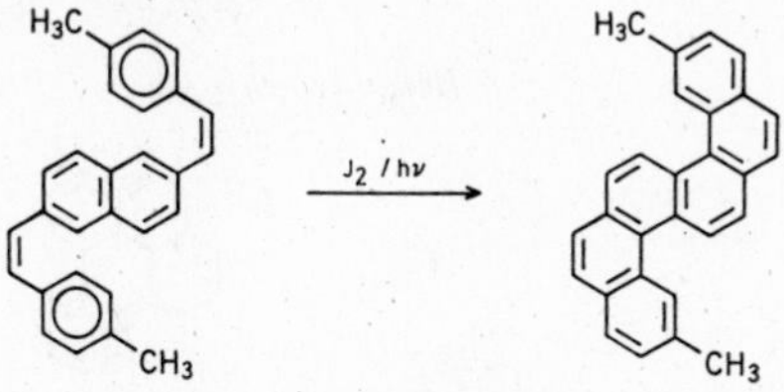

$$J_2 / h\nu \longrightarrow$$

Eine 10^{-4} m Lösung von 2,6-Bis-[2-(4-methyl-phenyl)-vinyl]-naphthalin in Xylol wird in Gegenwart von Jod im Stickstoff-Strom mit einer Sylvania F8T5-Lampe durch Pyrex-Glas belichtet. Man engt ein; Ausbeute: 60% d. Th.; F: 210–212°.

Tab. 77. Aromaten durch Mehrfachcyclodehydrierungen

Ausgangsverbindung[a]	Oxidations-mittel außer Luft	Aromat	Ausbeute [% d. Th.]	Literatur
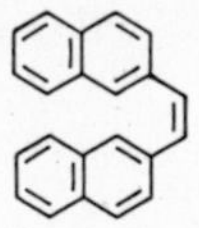		 *Benzo-[g,h,i]-perylen*	16	[3]
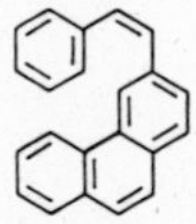	J_2			[4]
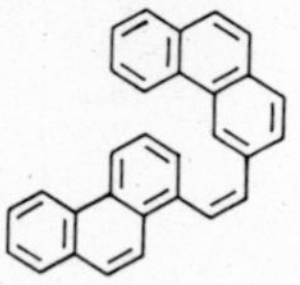	J_2	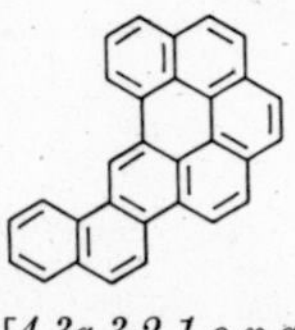 *Phenaleno-[4,3a,3,2,1-o,p,q,r]-picen*	80	[2]

[a] Die Ausgangsverbindungen sind in der für die Reaktion zutreffenden Konfiguration angegeben, auch wenn zunächst ein anderes Isomeres vorliegt.

[1] T. Sato, S. Shimada u. K. Hata, Chem. Commun. **1970**, 766; Bl. Chem. Soc. Japan **44**, 2484 (1971).
[2] W. H. Laarhoven u. T. J. H. M. Cuppen, Tetrahedron Letters **1971**, 163; R. **92**, 553 (1973).
[3] E. V. Blackburn, C. E. Loader u. C. J. Timmons, Soc. [C] **1970**, 163.
[4] W. H. Laarhoven, T. J. H. M. Cuppen u. R. J. F. Nivard, Tetrahedron **26**, 1069 (1970).

Tab. 77 (1. Fortsetzung)

Ausgangsverbindung[a]	Oxidations- mittel außer Luft	Aromat	Ausbeute [% d.Th.]	Literatur
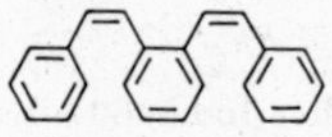	J$_2$	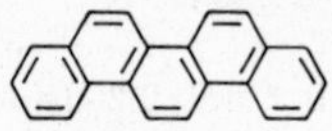 _Picen_	14,5	1
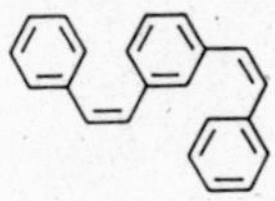	J$_2$	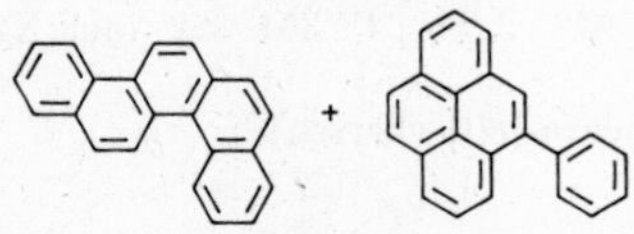 _Benzo-[c]-chrysen + 4-Phenyl-pyren_	80	1
	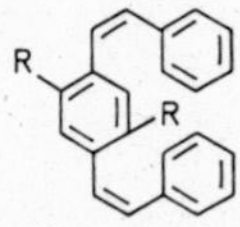 R=H	 _Benzo-[g,h,i]-perylen_	11,5	1
	R=CH$_3$	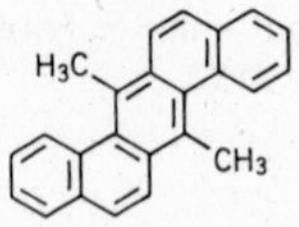 _7,14-Dimethyl-⟨dibenzo-[a;h]- anthracen⟩_		2
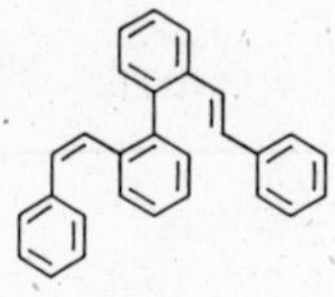	J$_2$	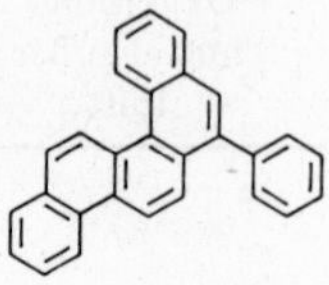 _7-Phenyl-⟨benzo-[c]-chrysen⟩_		3
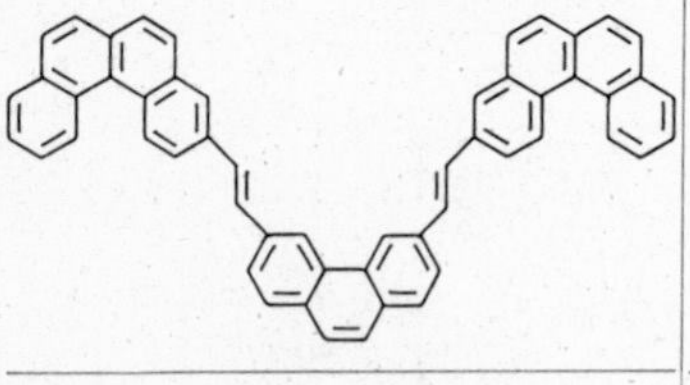	J$_2$	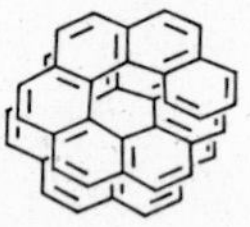 _Tridecahelicen_	52	4
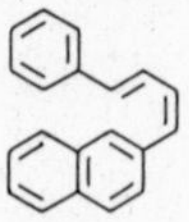	J$_2$	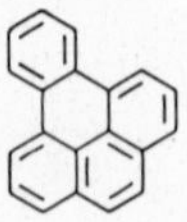 _Benzo-[e]-pyren_	4	5

[a] Die Ausgangsverbindungen sind in der für die Reaktion zutreffenden Konfiguration angegeben, auch wenn zunächst ein anderes Isomeres vorliegt.

[1] F. DIETZ u. M. SCHOLZ, Tetrahedron 24, 6845 (1968).
W. H. LAARHOVEN, T. J. H. M. CUPPEN u. R. J. F. NIVARD, Tetrahedron 26, 1069 (1970).
[2] J. BLUM u. M. ZIMMERMAN, Tetrahedron 28, 275 (1972).
[3] W. H. LAARHOVEN u. T. J. H. M. CUPPEN, Soc. (Perkin I) 1972, 2074.
[4] R. H. MARTIN, G. MORREN u. J. J. SCHURTER, Tetrahedron Letters 1969, 3683.
[5] R. J. HAYWARD u. C. C. LEZNOFF, Tetrahedron 27, 2085 (1971).

Tab. 77 (2. Fortsetzung)

Ausgangsverbindung[a]	Oxidations-mittel außer Luft	Aromat	Ausbeute [% d. Th.]	Literatur
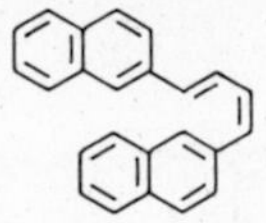	J_2	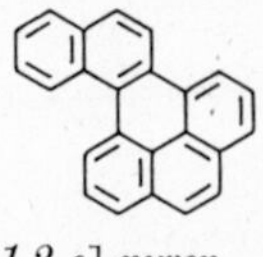 Naphtho-[1,2-e]-pyren	9	1
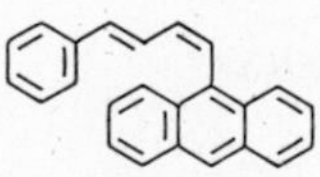	J_2	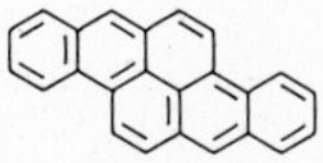 Dibenzo-[b;d,e,f]-chrysen	7	2
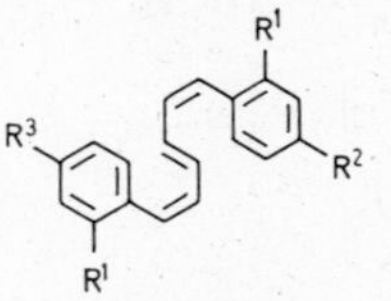 $R^1=R^2=R^3=H$		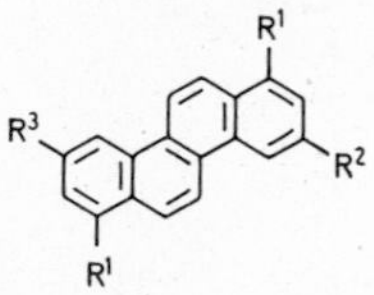 Chrysen	25	3
$R^2=R^3=H$; $R^1=CH_3$		1,7-Dimethyl-chrysen	7	4
R^2, $R^3=Cl$, F, CN, OCH_3, CH_3,H; $R^1=H$		3-Chlor(Fluor; Cyan; Methoxy; Methyl)-chrysen		5
		3,9-Dichlor(Difluor; Dicyan; Dimethoxy; Dimethyl)-chrysen		
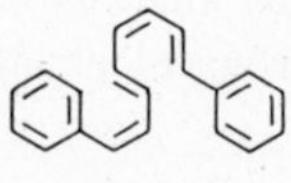	J_2	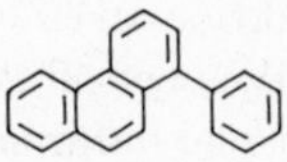 1-Phenyl-phenanthren		5
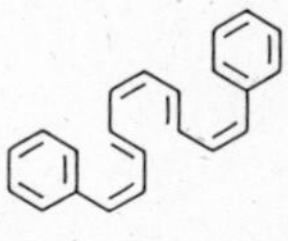	J_2	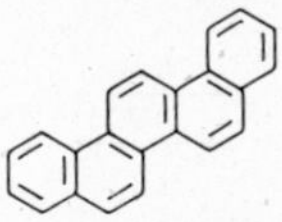 Picen	2	6
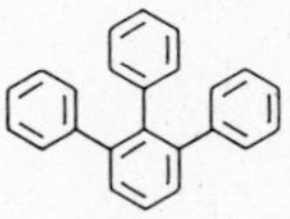	J_2	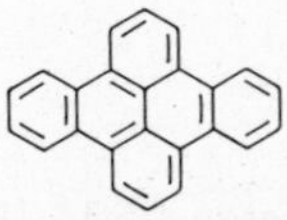 Dibenzo-[f,g;o,p]-naphthacen	21	7

[a] Die Ausgangsverbindungen sind in der für die Reaktion zutreffenden Konfiguration angegeben, auch wenn zunächst ein anderes Isomeres vorliegt.

[1] R. J. Hayward, A. C. Hopkinson u. C. C. Leznoff, Tetrahedron 28, 439 (1972).
[2] R. J. Hayward u. C. C. Leznoff, Tetrahedron 27, 2085 (1971).
[3] G. J. Fonken, Chem. & Ind. 1962, 1327.
[4] W. Carruthers, N. Evans u. R. Pooranamoorthy, Soc. (Perkin I) 1973, 44.
[5] C. C. Leznoff u. R. J. Hayward, Canad. J. Chem. 50, 528 (1972).
[6] R. J. Hayward u. C. C. Leznoff, Tetrahedron 27, 5115 (1971).
[7] T. Sato, S. Shimada u. K. Hata, Chem. Commun. 1970, 766; Bl. Chem. Soc. Japan 44, 2484 (1971).

Tab. 77 (3. Fortsetzung)

Ausgangsverbindung[a]	Oxidations-mittel außer Luft	Aromat	Ausbeute [% d.Th.]	Literatur
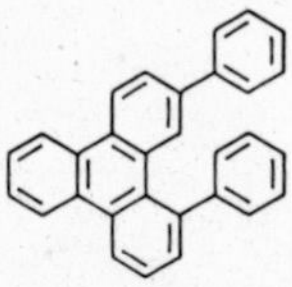	J$_2$	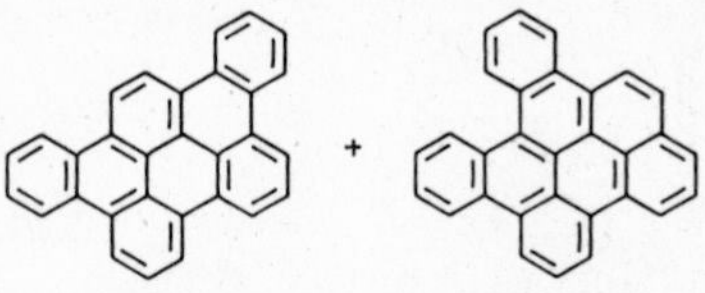 17 : 83 *Phenanthro-[1, 8,9,10-f,g,h, i,j]-picen* *+Benzo-[e]-naphtho- [1,2,3,4-g,h,i]- perylen*	35	1
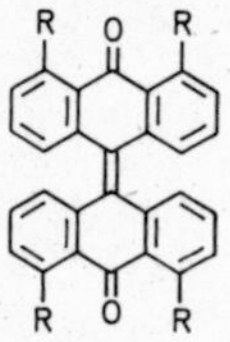 R=H R=OH, OCH$_3$, O-COCH$_3$, Cl		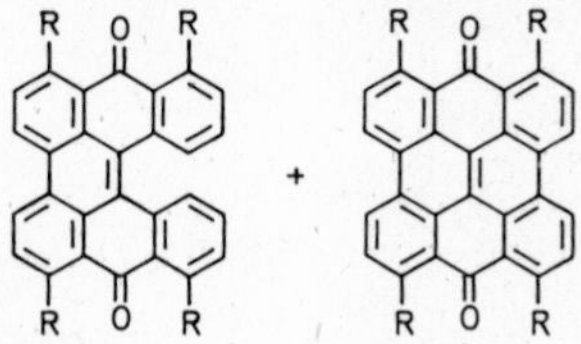 *Helianthron* *+ 7,14-Dioxo-7,14- dihydro-⟨phenan- thro-[1,10,9,8-o,p, q,r,a]-perylen⟩*	60	2,3 s. a. 4,5

[a] Die Ausgangsverbindungen sind in der für die Reaktion zutreffenden Konfiguration angegeben, auch wenn zunächst ein anderes Isomeres vorliegt.

Findet die Ringschlußreaktion an einem System statt, das in mindestens einer der Schlüsselpositionen 1 und 6 kein Wasserstoff-Atom besitzt, so ist die Dehydrierung blockiert. Ein besonders interessantes Beispiel dafür sind die Metacyclophan-1-ene I[6]:

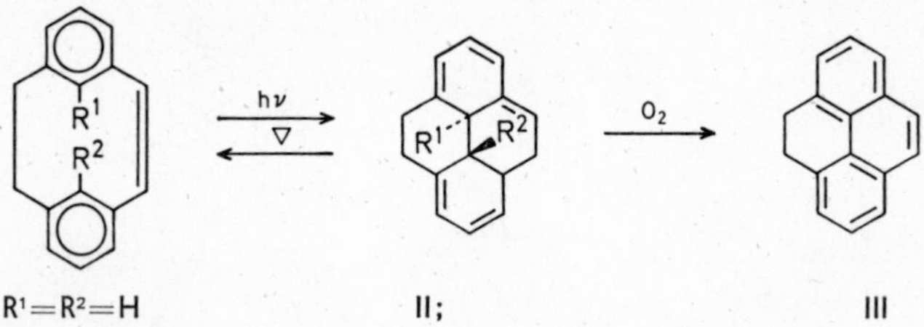

I; R^1=R^2=H
R^1=H; R^2=CH$_3$
R^1=R^2=CH$_3$

II;

III

Die im ersten Schritt gebildeten 4,5,15,16-Tetrahydro-pyrene II wandeln sich unter Wasserstoff- bzw. Methyl-Abspaltung in *4,5-Dihydro-pyren* (III) um. Die Reaktion der Dimethyl-

[1] A. H. A. Tinnemans u. W. H. Laarhoven, Am. Soc. 96, 14 (1974).
[2] H. Meier, R. Bondy u. A. Eckert, M. 33, 1447 (1912).
H. Brockmann u. R. Mühlmann, B. 82, 348 (1949).
[3] T. Bercovici, G. Fischer u. E. Fischer, Israel J. Chem. 8, 277 (1970).
R. Kornstein, K. A. Muszkat u. E. Fischer, Israel J. Chem. 8, 273 (1970).
R. S. Becker u. C. E. Earhart, Am. Soc. 92, 5049 (1970).
[4] H. Brockmann, R. Neef u. E. Mühlmann, B. 83, 467 (1950).
Vgl. auch H. Brockmann, Proc. Chem. Soc. 1957, 304.
[5] A. Eckert, B. 58, 322 (1925).
A. Eckert u. R. Tomaschek, M. 39, 839 (1918).
[6] C. E. Ramey u. V. Boekelheide, Am. Soc. 92, 3681 (1970).

Verbindung I bleibt dagegen auf der Stufe des Tetrahydro-Derivats II stehen. Analog verlaufen die Photocyclisierungen der an den Ringschlußpositionen mit Methyl-Gruppen blockierten 1,2-Diaryl-äthylene:

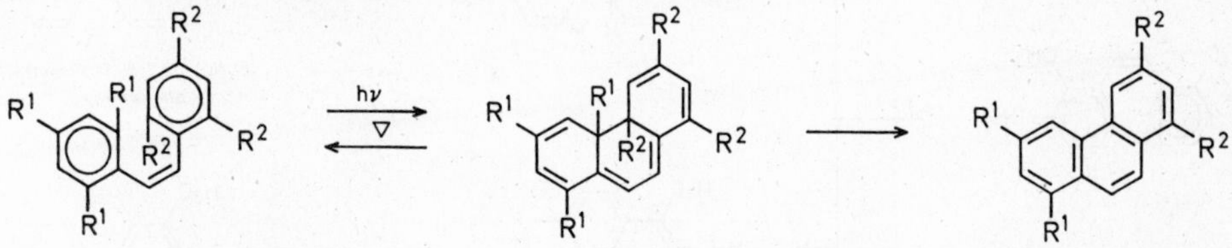

R^1=CH$_3$; R^2=H $\longrightarrow$ *1,3-Dimethyl-phenanthren*[1,2]
R^1=R^2=CH$_3$ $\longrightarrow$ *1,3,4a,4b,6,8-Hexamethyl-4a,4b-dihydro-phenanthren*[1,2]

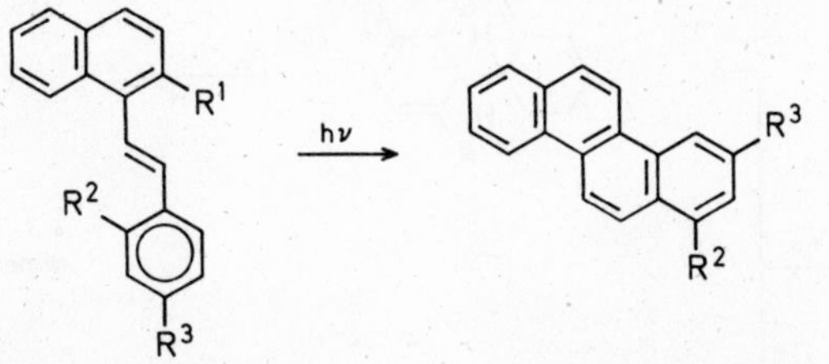

R^1=R^2=R^3=CH$_3$;   *1,3-Dimethyl-chrysen*[3];   0,5% d.Th.
R^1=CH$_3$; R^2=R^3=H;   *Chrysen*[3];   34% d.Th.
R^1=H; R^2=R^3=CH$_3$;   *1,3-Dimethyl-chrysen*[3];   40% d.Th.

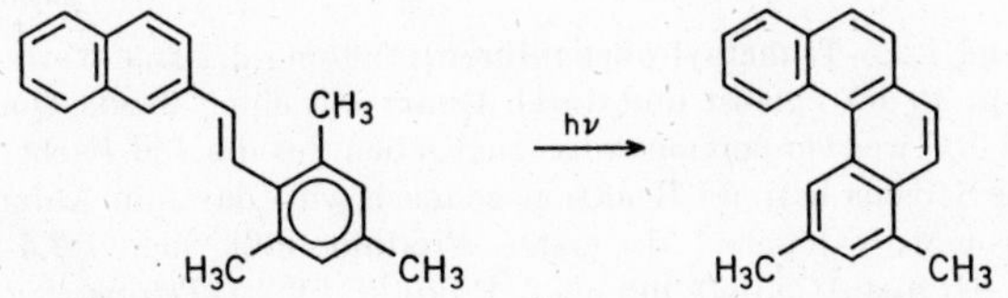

2,4-Dimethyl-⟨benzo-[c]-phenanthren⟩[3];   40% d.Th.

Beim 9-(2-Phenyl-vinyl)-1,2,3,4,5,6,7,8-octahydro-anthracen muß der Chrysen-Bildung eine Ringöffnung vorausgehen[2]:

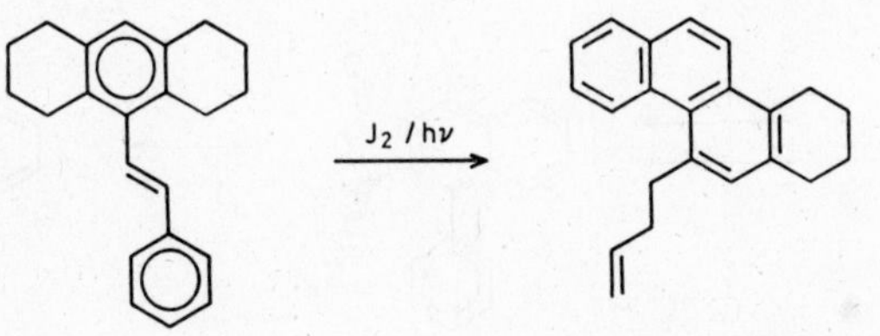

11-Buten-(3)-yl-1,2,3,4-tetrahydro-chrysen

[1] K. A. MUSZKAT, D. GEGION u. E. FISCHER, Chem. Commun. **1965**, 447.
[2] E. V. BLACKBURN, C. E. LOADER u. C. J. TIMMONS, Soc. [C] **1968**, 1576.
[3] E. V. BLACKBURN, C. E. LOADER u. C. J. TIMMONS, Soc. [C] **1970**, 163.

Bei 2,2′,3,3′-Tetramethyl-stilben (I)[1] bzw. 5,5′-Difluor-2,2′-dimethyl-stilben (II)[2] konkurrieren die Wasserstoff- und die Methyl-Abspaltung:

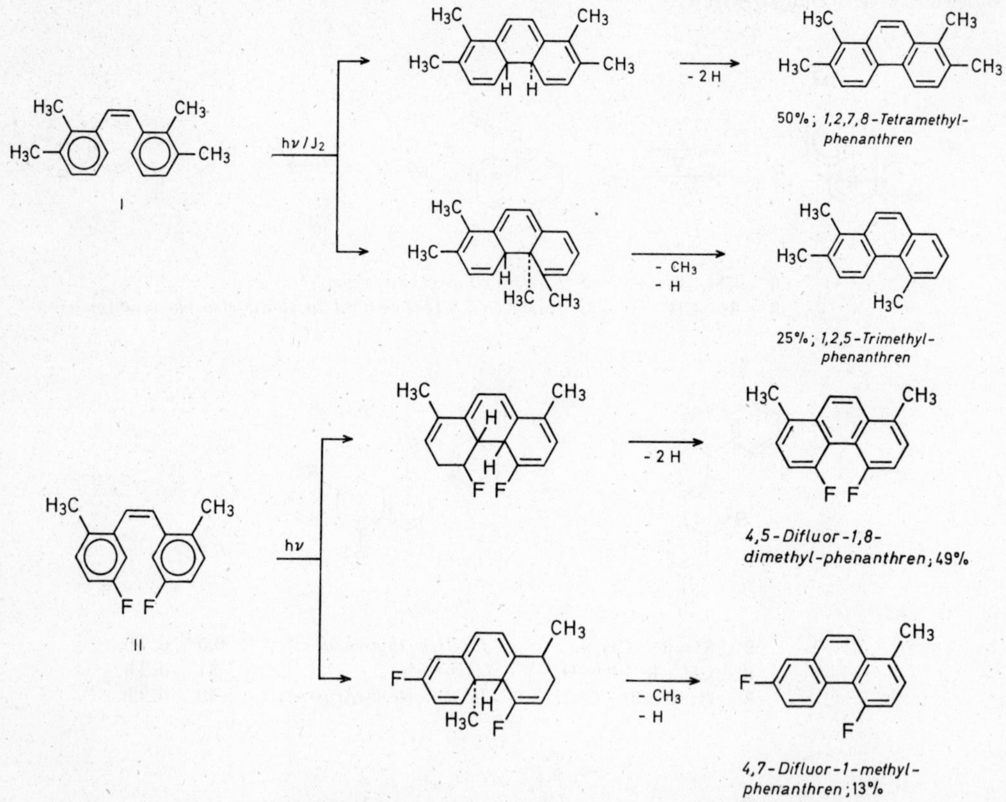

1,2,7,8-Tetramethyl- und 1,2,5-Trimethyl-phenanthren[1]: 500 mg 2,2′,3,3′-Tetramethyl-stilben werden in 150 ml Petroläther (Kp: 40–60°) gelöst und durch Quarz mit einer Mazda-Quecksilberdampf-Lampe bestrahlt. Kleine Mengen Jod werden portionsweise zugegeben, bis die Jod-Farbe nicht mehr verschwindet (4–6 Stdn.). Das vom Solvens befreite Reaktionsgemisch wird dann an Aluminiumoxid mit Petroläther/Benzol (19:1) chromatographiert. Als erstes Produkt läßt sich *1,2,5-Trimethyl-phenanthren* (125 mg; 25% d.Th.; 63–64° aus Äthanol) und als 2. Produkt *1,2,7,8-Tetramethyl-phenanthren* (240 mg; 50% d.Th.; F: 170–171° aus Äthanol) eluieren.

Sind die Ringschlußpositionen mit anderen Gruppen, z. B. Phenyl-Resten besetzt, so treten häufig im Cyclisierungsprodukt sigmatrope 1,5-H-Verschiebungen auf. Die oxidative Abspaltung von Phenyl-Resten konnte bisher nicht beobachtet werden. Als Beispiele für einen normalen und einen „blockierten" Reaktionsablauf (mit 1,5-H-Verschiebung) dienen Maleinsäure-Derivate[3,4]:

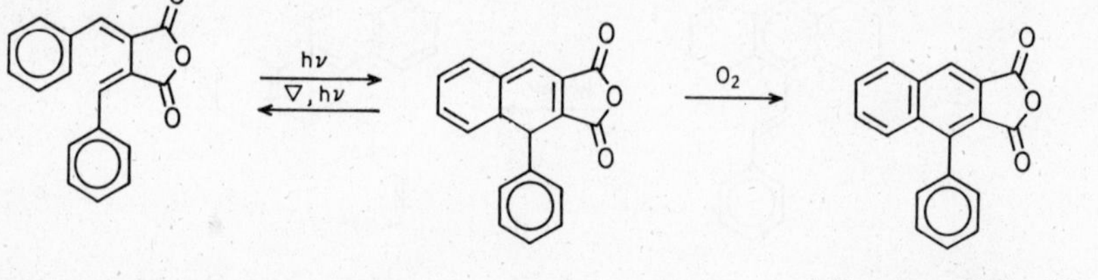

1-Phenyl-naphthalin-2,3-
dicarbonsäure-anhydrid

[1] W. Carruthers u. H. N. M. Stewart, Soc. [C] **1967**, 556.
[2] K. L. Servis u. Kai-Nan Fang, Tetrahedron Letters **1968**, 967.
[3] A. Santiago u. R. S. Becker, Am. Soc. **90**, 3654 (1968).
[4] R. J. Hart, H. G. Heller u. K. Salisbury, Chem. Commun. **1968**, 1627.

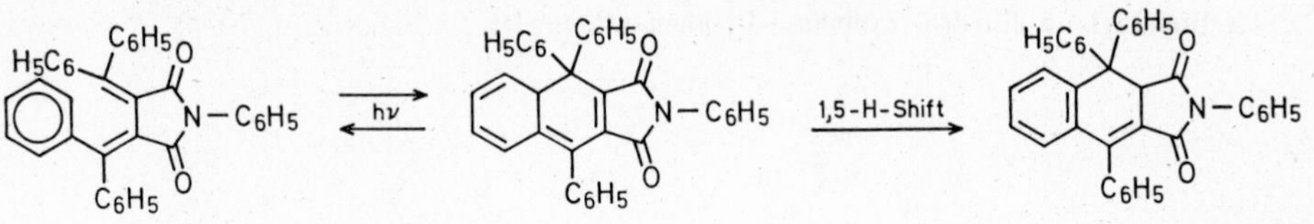

1,1,4-Triphenyl-1,2-dihydro-
naphthalin-2,3-dicarbonsäure-
phenylimid; 100% d.Th.

Weitere Beispiele vgl. Lit. [1-5].

Im Anschluß seien einige Reaktionen aufgeführt, die zusätzliche, der oxidativen Cyclisierung vorausgehende oder nachfolgende photochemische Schritte enthalten.

① **2,3-Diphenyl-1H-⟨cyclopenta-[l]-phenanthren⟩** und **1-Oxo-2,3-diphenyl-2,3-dihydro-1H-⟨cyclopenta-[l]-phenanthren⟩** [6]:

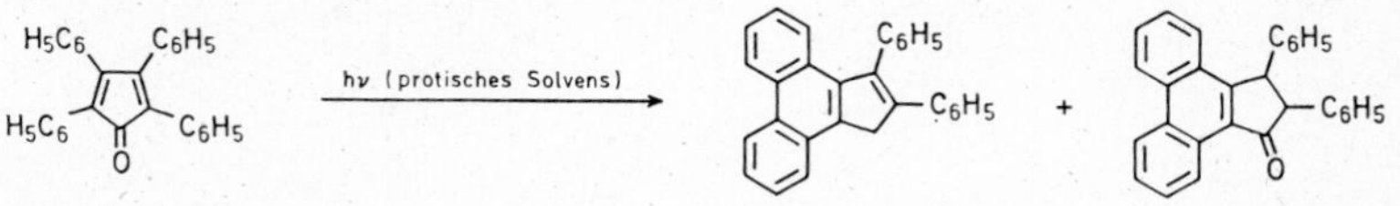

2 g Tetraphenyl-cyclopentadienon werden in 1100 *ml* Isopropanol gelöst und unter Einleiten von Stickstoff 7 Stdn. mit einer Quecksilber-Hochdruck-Lampe belichtet. Nach Abziehen des Lösungsmittels wird das Reaktionsgemisch an 60 g aktivem Aluminiumoxid chromatographiert. Mit Petroläther (Kp: 45–60°) lassen sich zuerst 0,2 g (10% d.Th.) *2,3-Diphenyl-1H-⟨cyclopenta-[l]-phenanthren⟩* (F: 183–184° aus Cyclohexan) isolieren. Als nächste Fraktion erhält man 0,91 g (45% d.Th.) *1-Oxo-2,3-diphenyl-2,3-dihydro-1H-⟨cyclopenta-[l]-phenanthren⟩* (F: 179–180° aus Cyclohexan/Benzol).

② **1-Oxo-1H-⟨cyclopenta-[l]-phenanthrene⟩** aus den folgenden 1,4-Dioxen-Derivaten[7]:

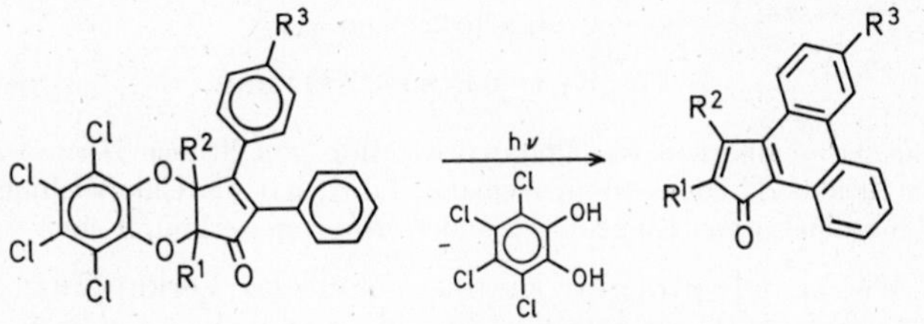

$R^1 = CH_3$; $R^2 = C_6H_5$; $R^3 = H$ *1-Oxo-2-methyl-3-phenyl-1H-⟨cyclopenta-[l]-phen-*
    anthren⟩; 49% d.Th.

$R^1 = R^2 = C_6H_5$; $R = H$ *1-Oxo-2,3-diphenyl-1H-...* ; 50% d.Th.

$R^1 = C_6H_5$; $R^2 = 4-H_3CO-C_6H_4$; $R^3 = OCH_3$ *6-Methoxy-1-oxo-2-phenyl-3-(4-methoxy-phenyl)-1H-...*
    62% d.Th.

$R^1 = C_6H_5$; $R^2 = 4-Cl-C_6H_4$; $R^3 = Cl$ *6-Chlor-1-oxo-2-phenyl-3-(4-chlor-phenyl)-1H ...* ;
    53% d.Th.

---

[1] Y. Kishida, T. Koraoka u. J. Ide, Tetrahedron Letters **1968**, 454.

[2] J. W. Wilson u. K. L. Huhtanen, Chem. Commun. **1968**, 454.

[3] H. G. Heller, D. Auld u. K. Salisbury, Soc. [C] **1967**, 682.

[4] H. G. Heller et al., Soc. [C] **1967**, 2457.

[5] H. G. Heller u. K. Salisbury, Soc. [C] **1970**, 1997.

[6] I. Moritani u. N. Toshima, Tetrahedron Letters **1967**, 467; Bl. chem. Soc. Japan **40**, 1495 (1967).

[7] W. M. Horspool, Chem. Commun. **1969**, 467; Soc. [C] **1971**, 400.

③ **1,1-Dimethyl-1,2-dihydro-⟨cyclobuta-[l]-phenanthren⟩** [1]:

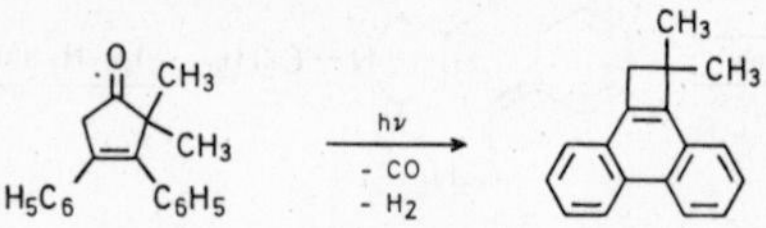

Eine Lösung von 1,0 g 4-Oxo-3,3-dimethyl-1,2-diphenyl-cyclopenten in 550 *ml* Isopropanol wird unter Stickstoffspülung ∼ 7 Stdn. mit einer Quecksilber-Hochdruck-Lampe belichtet. Nach Entfernung des Solvens wird der Rückstand an 30 g aktivem Aluminiumoxid chromatographiert. Mit Cyclohexan lassen sich 300 mg (34% d. Th.) isolieren; F: 123–124° (aus Petroläther; Kp: 40–60°).

④ *7,14-Diphenyl-⟨phenanthro-[1,10,9,8-o,p,q,r,a]-perylen⟩* (59% d. Th.) aus 10,10′-Dihydroxy-10,10′-diphenyl-9,9′,10,10′-tetrahydro-9,9′-bi-anthryliden[2]:

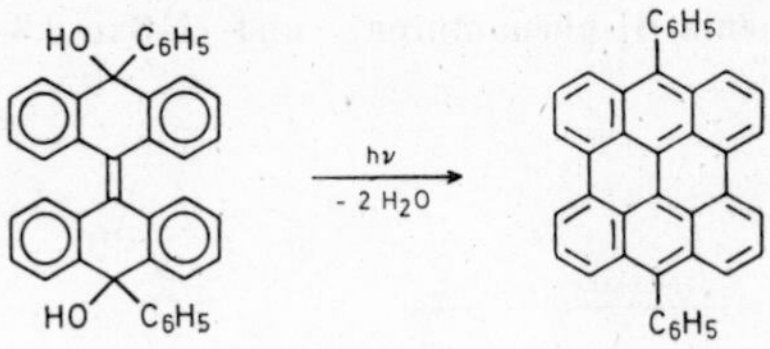

β) **von Azomethinen**

s. S. 1116f.

γ) **von Azobenzolen**

s. S. 1134ff.

δ) **von 1,2-Diaryl-äthanen und Benzoesäure-aniliden**

bearbeitet von

Dr. Klaus-Peter Zeller*

Die umfangreiche Anwendbarkeit der Photocyclisierung von Stilben-Derivaten und Analogen, die nach Dehydrierung zu höherkondensierten Aromaten führt, hat die Untersuchung von Systemen ausgelöst, bei denen die aromatischen Ringe durch andere Brücken verknüpft sind.

In den [2.2]Metacyclophanen ist die olefinische Verknüpfung der aromatischen Reste in den Stilbenen durch eine aliphatische Zweierbrücke ersetzt. Ein elektrocyclischer Ringschluß vom *cis*-Stilben → Phenanthren-Typ scheidet daher aus. Dennoch wandelt sich [2.2]Metacyclophan beim Bestrahlen mit UV-Licht in Gegenwart von Jod in guter Ausbeute in *4,5,9,10-Tetrahydro-pyren* um[3,4]. Sauerstoff ist als Oxidationsmittel wesentlich schlechter geeignet. Wahrscheinlich erfolgt der Ringschluß in einem charge-transfer-Komplex aus Metacyclophan und Jod[5,6] (Quantenausbeute: $\varphi = 0{,}006$):

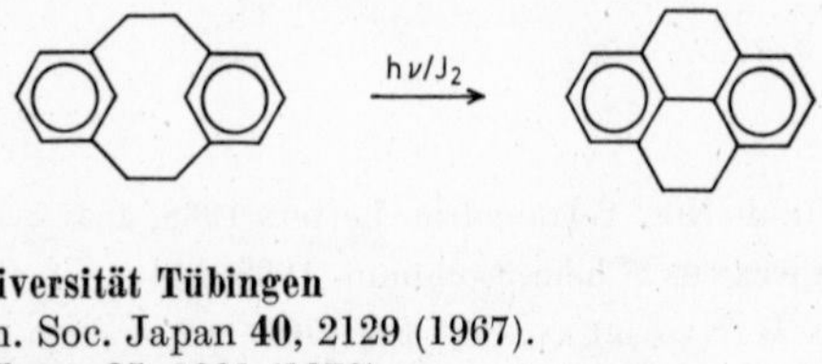

---

* **Chemisches Institut der Universität Tübingen**
[1] I. Maritani et al., Bl. chem. Soc. Japan **40**, 2129 (1967).
[2] D. R. Maulding, J. Org. Chem. **35**, 1221 (1970).
[3] T. Sato et al., Bl. chem. Soc. Japan **38**, 1049 (1965).
[4] T. Sato et al., Bl. chem. Soc. Japan **42**, 773 (1969).
[5] T. Sato u. K. Nishiyama, J. Org. Chem. **37**, 3254 (1972).
[6] T. Sato et al., Bl. chem. Soc. Japan **44**, 2858 (1971).

Je nach Versuchsbedingungen entstehen außerdem stärker dehydrierte Verbindungen als sekundäre Photoprodukte (*4,5-Dihydro-pyren* und *Pyren*)[1].

4,5,9,10-Tetrahydro-pyren[1]: Eine Mischung aus 50 mg (0,25 mMol) [2.2]Metacyclophan, 63 mg (0,25 mMol) Jod und 70 mg Natriumhydrogencarbonat werden in 30 *ml* Cyclohexan 20 Stdn. unter Stickstoffspülung belichtet. Zur Belichtung dient eine 1 kW Quecksilber-Hochdruck-Lampe (Wako HBC-1000), die in einem Behälter montiert ist, durch den zur Kühlung Wasser fließt. Die Cyclohexan-Lösung wird in einem Quarzrohr in den Wasserbehälter eingetaucht. Nach beendeter Reaktion wird nacheinander mit Wasser, Natriumthiosulfat-Lösung und wieder mit Wasser gewaschen, mit Magnesiumsulfat getrocknet und eingeengt. Nach Chromatographie an Aluminiumoxid mit Hexan als Elutionsmittel erhält man der Reihe nach:

> *4,5,9,10-Tetrahydro-pyren* 31 mg (62% d.Th.); F: 138°
> *4,5-Dihydro-pyren* 13 mg (27% d.Th.)
> *Pyren*; 5,5 mg (11% d.Th.)

Mechanistisch ist von Interesse, daß die Photodehydrierung von [2.2]Metacyclophan zu *4,5,9,10-Tetrahydro-pyren* auch mit Triplett-Benzophenon, Alkoxyl- und Thiyl-Radikalen als Wasserstoff-Akzeptoren möglich ist[2].

5,13-Dimethyl-[2.2]metacyclophan gibt beim Bestrahlen in Gegenwart von Jod *2,7-Dimethyl-4,5,9,10-tetrahydro-pyren* (26% d.Th.; F: 147°)[3]:

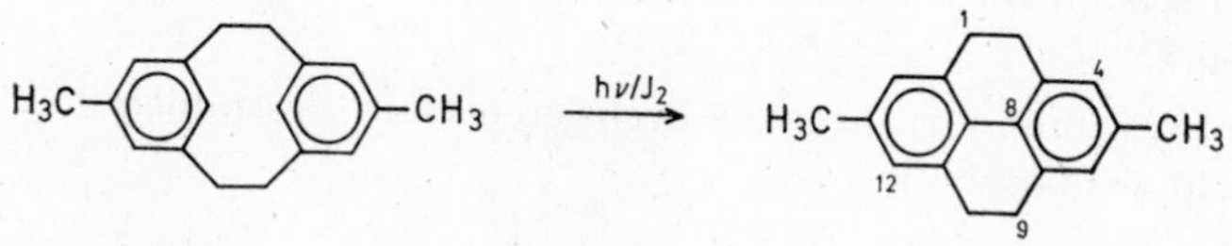

4,6,8,12,14,16-Hexamethyl-[2.2]metacyclophan, bei dem die intraannularen Wasserstoff-Atome durch Methyl-Gruppen ersetzt sind, verändert sich beim Belichten nicht[3].

In wie weit die Annäherung der beiden abzuspaltenden Wasserstoff-Atome in den [2.2] Metacyclophanen für die Cyclisierung entscheidend ist, bleibt vorläufig offen. Während 1,2-Diphenyl-äthan als offenkettige Modellverbindung keine entsprechende Umsetzung zeigt[1], konnte 3-Phenyl-2-(4-brom-phenyl)-propansäure-äthylester photochemisch zu *6-Brom-9-methoxycarbonyl-phenanthren* dehydriert werden[4] (44% d.Th.):

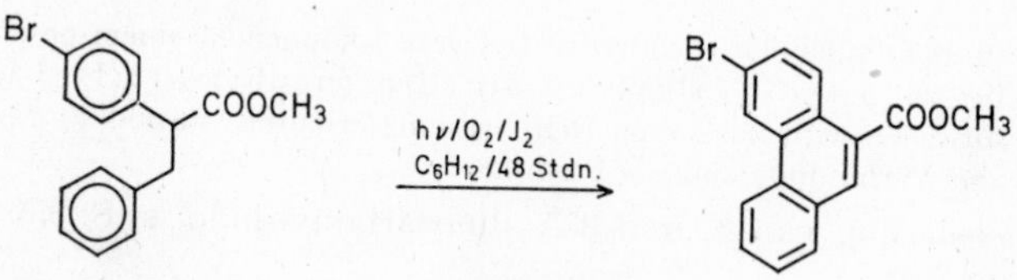

Über die oxidative Cyclisierung von 2,3-Diphenyl-thiiran unter Schwefel-Eliminierung zu Phenanthren s. S. 1018.

Benzoesäure-anilide besitzen wegen des partiellen Doppelbindungscharakters der Amid-Gruppe eine gewisse Verwandtschaft mit Stilbenen. Dies findet seinen Ausdruck in der dehydrierenden Cyclisierung zu **Phenanthridin-Derivaten**, die zum ersten Mal am

---

[1] T. Sato et al., Bl. chem. Soc. Japan **42**, 773 (1969).
[2] T. Sato et al., Bl. chem. Soc. Japan **44**, 2858 (1971).
[3] T. Sato et al., Tetrahedron **24**, 5557 (1968).
[4] T. S. Lin et al., Org. Prep. Proceed. Int. **6**, 185 (1974).

Benzolsäure-anilid in Gegenwart von 0,5 Mol Jod (Quecksilber-Niederdruck-Lampe) demonstriert wurde[1]. Ohne Zusatz von Jod sinkt die Ausbeute fast auf Null ab.

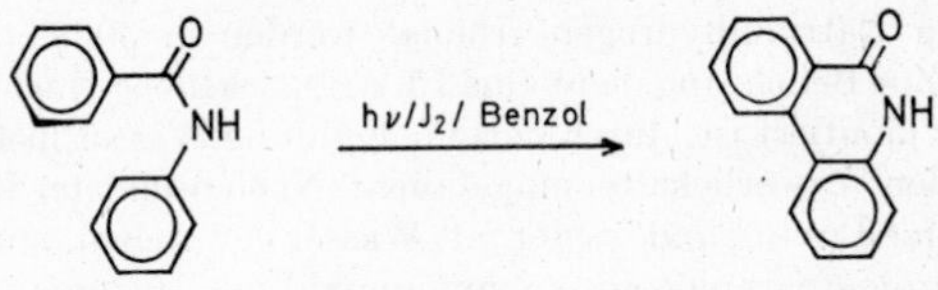

6-Oxo-5,6-dihydro-phenanthridin; 20% d. Th.

Vergleichbare Ausbeuten werden bei der Übertragung der Cyclisierungsreaktion auf das folgende Anilid erzielt[2] (Philips Tauchlampe HPK 125; Pyrex-Gefäß):

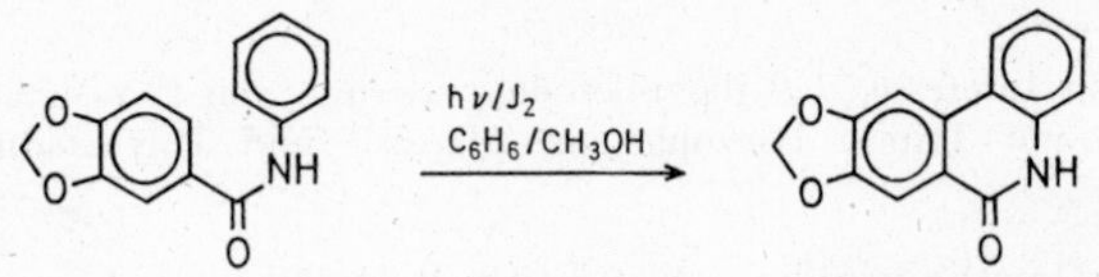

8,9-Methylendioxy-6-oxo-5,6-dihydro-phenanthridin; 15-20% d. Th.

Problematisch scheint die Umsetzung bei Anwesenheit phenolischer Gruppen (auch geschützter) zu sein[2].

1-(Methyl-benzoyl-amino)-naphthaline cyclisieren beim Bestrahlen 0,02 molarer Lösungen in Äther nicht-oxidativ[3]:

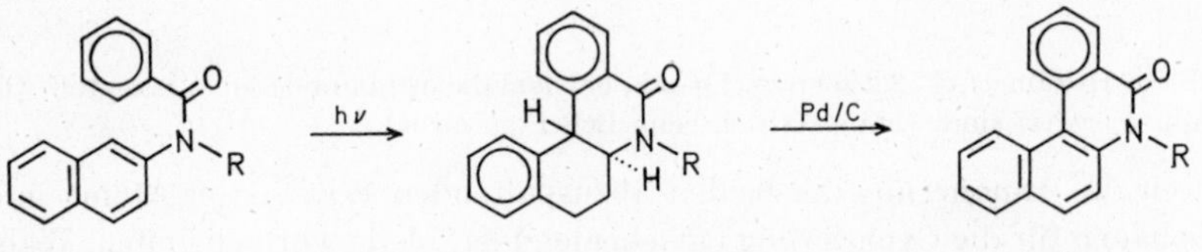

5-Oxo-6-alkyl-5,6,6a,7,8,12b-
hexahydro-⟨trans-naphtho-
[2,1-c]-isochinolin⟩

Die als Hauptprodukte anfallenden Hexahydro-Derivate I können in einem gesonderten Schritt mit Palladium vollständig zu 5-Oxo-6-alkyl-5,6-dihydro-⟨naphtho-[2,1-c]-isochinolin⟩ (II) dehydriert werden. Mit Selen wird nur wenig Dehydrierung erhalten, statt dessen erfolgt überwiegend Isomerisierung der *trans*-Verbindung zum *cis*-Produkt.

Zur Dehydrocyclisierung von 2- und 3-Anilinocarbonyl-indol s. S. 550, entsprechenden Pyridinen s. S. 595.

ε) von Diaryl-äthern, -thioäthern und -aminen

bearbeitet von

Dr. Klaus-Peter Zeller*

Analog der schon länger bekannten Cyclisierungen von Diphenylaminen lassen sich auch aus Diaryl-äthern und -thioäthern Heteroaromaten gewinnen. So wandelt sich Diphenyl-

---

* Chemisches Institut der Universität Tübingen

[1] B. S. Thyagarajan et al., Chem. Commun. **1967**, 614.
[2] A. Mondon u. K. Krohn, B. **105**, 3726 (1972).
[3] I. Ninomiya, T. Naito u. T. Mori, Soc. (Perkin I) **1973**, 505.

äther beim Belichten einer 0,007-molaren Lösung in Cyclohexan mit der ungefilterten Strahlung einer Hanovia 450-W-Quecksilber-Mitteldruck-Lampe mit 60% d.Th. in *Dibenzofuran* um[1]:

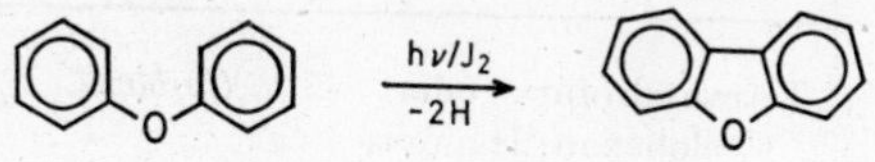

$$\text{(Diphenyläther)} \xrightarrow[-2H]{h\nu/J_2} \text{(Dibenzofuran)}$$

Unter gleichen Bedingungen gibt Bis-[4-methyl-phenyl]-sulfid das *2,8-Dimethyl-⟨dibenzothiophen⟩* (40% d.Th.; F: 119°)[1]:

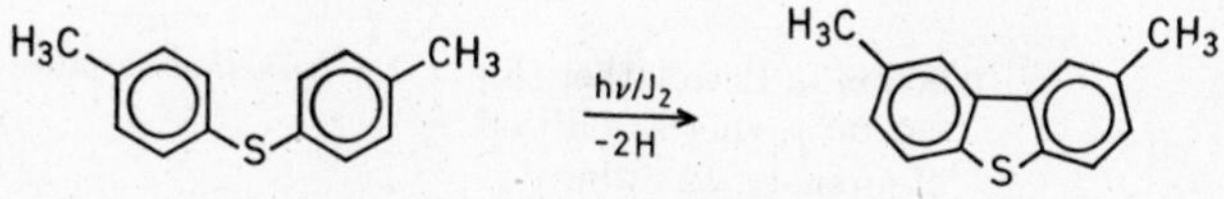

$$\text{(Bis-[4-methyl-phenyl]-sulfid)} \xrightarrow[-2H]{h\nu/J_2} \text{(2,8-Dimethyl-dibenzothiophen)}$$

Die photochemische Umwandlung von Diphenylamin in *Carbazol*[2,3] wurde in mechanistischer Hinsicht gut untersucht[4-8]. Trotz teilweise kontroverser Ergebnisse scheint festzustehen, daß die Reaktion über Triplett-Diphenylamin zu 4a,4b-Dihydro-carbazol führt, das in Gegenwart oder Abwesenheit eines Wasserstoff-Akzeptors Carbazol bildet:

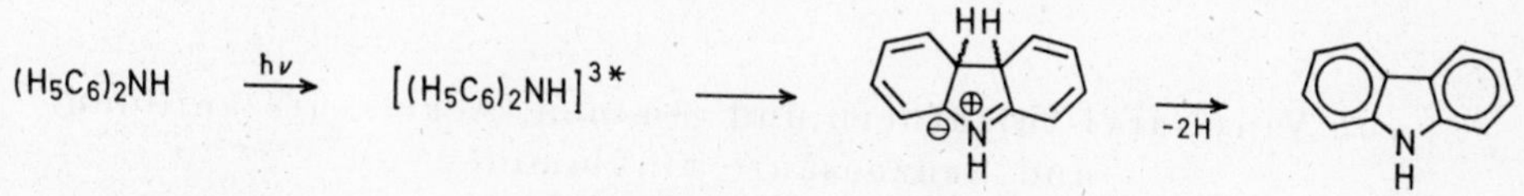

$$(H_5C_6)_2NH \xrightarrow{h\nu} [(H_5C_6)_2NH]^{3*} \longrightarrow \text{(4a,4b-Dihydro-carbazol)} \xrightarrow{-2H} \text{(Carbazol)}$$

In präparativer Hinsicht besitzt die Reaktion große Bedeutung zur Herstellung substituierter Carbazole, die auf anderem Weg oft nur schwer zugänglich sind. Eine Zusammenstellung gibt Tab. 78 (S. 542).

1,3,6,8-Tetramethyl-carbazol[9]:

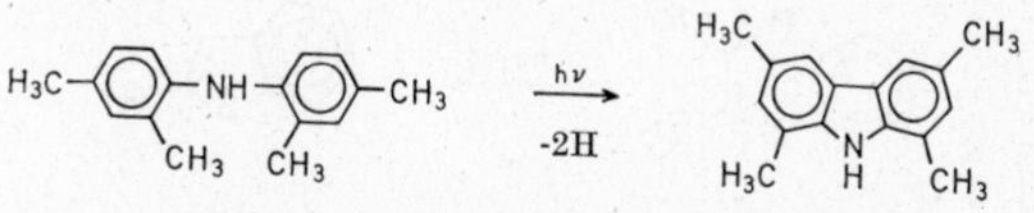

$$\text{(Bis-[2,4-dimethyl-phenyl]-amin)} \xrightarrow[-2H]{h\nu} \text{(1,3,6,8-Tetramethyl-carbazol)}$$

Eine Lösung von 300 mg Bis-[2,4-dimethyl-phenyl]-amin in 500 *ml* Petroläther (Kp: 40–60°) wird 24 Stdn. durch Quarzglas mit einer Mazda-Quecksilberdampf-Lampe bestrahlt (der äußere Glasmantel muß von der Lampe entfernt werden). Chromatographie des Rohproduktes an Aluminiumoxid mit Benzol/Äther 3:1 liefert 100 mg (33% d.Th.); F: 142–143°.

Unter vergleichbaren Bedingungen reagiert 2-Anilino-naphthalin nicht[10].

[1] K.-P. ZELLER u. H. PETERSEN, Synthesis 1975, 532.
[2] C. A. PARKER u. W. J. BARNES, Analyst 82, 606 (1957).
[3] F. J. BOWEN u. J. H. D. ELAND, Proc. chem. Soc. 1963, 202.
[4] H. LINSCHITZ u. K. H. GRELLMANN, Am. Soc. 86, 303 (1964).
[5] E. W. FOERSTER u. K. H. GRELLMANN, Am. Soc. 94, 634 (1972).
[6] E. W. FOERSTER u. K. H. GRELLMANN, Chem. Phys. Letters 14, 536 (1972).
[7] H. SHIZUKA et al., Am. Soc. 92, 727 (1970).
[8] H. SHIZUKA et al., Am. Soc. 93, 5897 (1971).
[9] W. CARRUTHERS, Soc. [C] 1968, 2244.
[10] W. CARRUTHERS, Chem. Commun. 1966, 272.

Tab. 78. Carbazole durch oxidative Photocyclisierung von Diphenylaminen

Diphenylamin	Bedingungen	Carbazol	Ausbeute [% d. Th.]	Literatur
$(H_5C_6)_2NH$	Tetrahydrofuran oder Cyclohexan; Hanovia UVS 250 W; Pyrex-Filter; 48 Stdn.	*Carbazol*	62	1
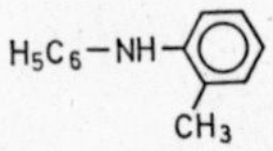		*1-Methyl-carbazol*	60–70	2
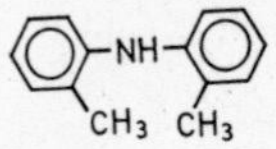	0,005 m in Petroläther (Kp: 40–60°); Quarz; Luft od. Spuren J_2; 12 Stdn.	*1,8-Dimethyl-carbazol*	60–70	2
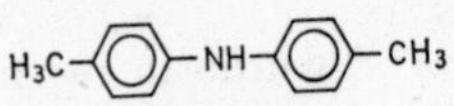	0,005 m in Petroläther (Kp: 30–60°); 450 W Hg-Lampe; 40 Stdn.	*3,6-Dimethyl-carbazol*	–	3
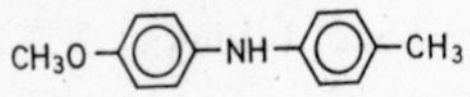		*3-Methoxy-6-methyl-carbazol (Glycozolin)*	–	2

ζ) von Vinyl-aryl-thioäthern und -aminen, Acrylsäure-aniliden
und Benzoesäure-vinylamiden

bearbeitet von

Dr. KLAUS-PETER ZELLER*

Vinyl-phenyl-sulfide cyclisieren bei Belichtung in geringen Ausbeuten ($< 10\%$ d.Th.) zu
Benzo-[b]-thiophenen[4]:

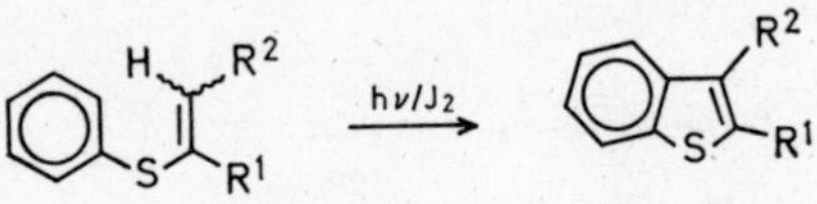

1-Phenylmercapto-cyclohexen führt ebenfalls nur in 6%iger Ausbeute zu *1,2,3,4-Tetra-
hydro-⟨dibenzothiophen⟩*[4], und aus dem folgenden Sulfid wird *1-Oxo-3,3-dimethyl-1,2,3,4-
tetrahydro-⟨dibenzothiophen⟩* (F: 100–102°) ebenfalls nur mit einigen Prozent erhalten[5]:

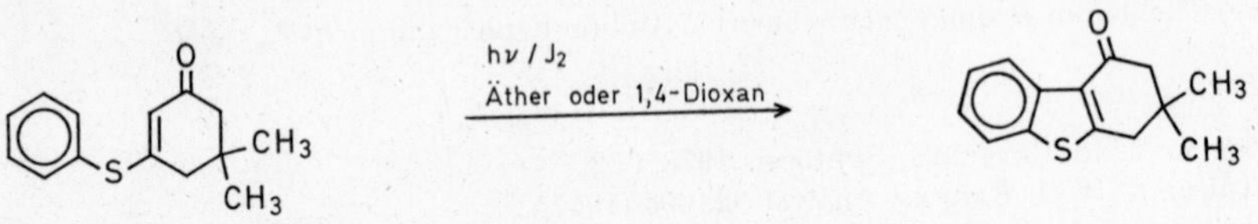

* Chemisches Institut der Universität Tübingen
1 V. M. CLARK, A. COX, u. E. J. HERBERT, Soc. [C] 1968, 831.
2 W. CARRUTHERS, Chem. Commun. 1966, 272.
3 C. WENTRUP u. M. GAUGAZ, Helv. 54, 2108 (1971).
4 S. H. GROEN et al., J. Org. Chem. 33, 2218 (1968).
5 L. DALGAARD u. S.-O. LAWESSON, Acta chem. scand. [B] 28, 1077 (1974).

Bei (1-Phenyl-vinyl)-phenyl-sulfiden werden neben dem „normalen" Cyclisierungspro-dukt (*2-Phenyl-⟨benzo-[b]-thiophen¹⟩*) auch *3-Phenyl-⟨benzo-[b]-thiophene⟩* erhalten[1]:

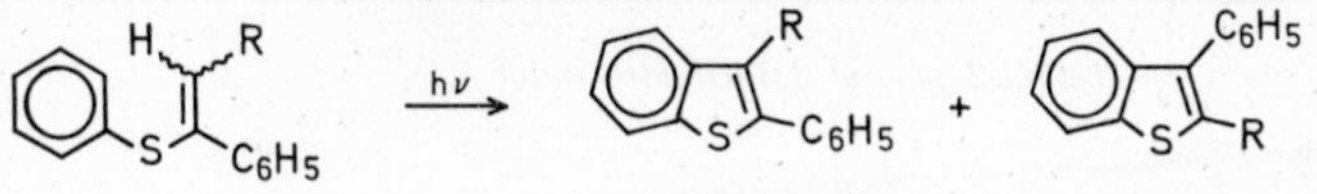

R = H; CH₃   2–5%   4%

Während Diarylamine nach dem Cyclisierungsschritt auch ohne Gegenwart eines Wasser-stoff-Akzeptors dehydriert werden, können Vinyl-aryl-amine bei anaerober Arbeitsweise nicht oxidativ photocyclisiert werden[2,3]. Die Methode läßt sich auf N-Aryl-enamine an-wenden, die sich von cyclischen und acyclischen Ketonen herleiten und liefert in guten Aus-beuten 2,3-Di hydro-indole, vorwiegend in der *trans*-Form. Obwohl fast nur die nicht-oxidative Cyclisierung untersucht ist, zeigt das Beispiel von 1-(N-Methyl-anilino)-cyclo-hexen, daß in Gegenwart von Sauerstoff auch oxidativ photocyclisiert werden kann[3]:

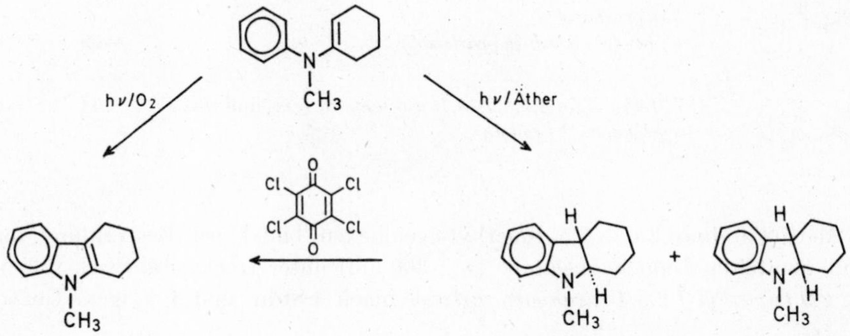

9-Methyl-1,2,3,4-tetrahydro-carbazol   *9-Methyl-1,2,3,4,4a,9a-hexahydro-*
                                     trans-carbazol; 71% d.Th.   *cis-carbazol*; 3% d.Th.

Es müssen hier im Verlauf der Reaktion Wasserstoff-Verschiebungen erfolgen. Mechanistische Unter-suchungen[3] an deuterierten Verbindungen mittels Massen- und NMR-Spektroskopie ergaben keine schlüssigen Aussagen darüber, ob zwei nacheinander ablaufende [1,2]- oder eine [1,4]-Verschiebung stattfinden. Theoretisch ist nach der Cyclisierung im angeregten Molekül sowohl ein suprafacialer [1,4]-H-shift als auch ein suprafacialer [1,2]-H-shift verboten. Im Rahmen des Zimmermann-Mechanis-mus ist aber der gleichzeitige Ablauf zweier [1,2]-H-shifts erlaubt. Alternativ dazu wird ein ionischer Zwischenzustand diskutiert, der aber nicht nachgewiesen werden konnte.

9-Methyl-1,2,3,4,4 a,9 a-hexahydro-trans-carbazol[2]: 4,20 g (2,36 · 10⁻² Mol) 1-(N-Methyl-anilino)-cyclohexen werden in 300 *ml* entgastem, abs. Äther gelöst und 6 Stdn. belichtet (Pyrex-Apparatur; Hanovia A 550 W Quecksilber-Lampe). Nach Abzug des Lösungsmittels bleibt ein Öl zurück, das 71% des *trans*-, 3% *cis*-Produkts und 3% 9-Methyl-1,2,3,4-tetrahydro-carbazol enthält. Das Hauptprodukt wird durch Umkristallisieren aus 95%igem Äthanol gewonnen; Ausbeute: 2,32 g (55% d.Th.); F: 58–60°.

---

[1] S. H. GROEN et al. J. Org. Chem. **33**, 2218 (1968).

[2] O. L. CHAPMAN u. G. L. EIAN, Am. Soc. **90**, 5329 (1968).

[3] O. L. CHAPMAN et al., Am. Soc. **93**, 2918 (1971).

Tab. 79. Nichtoxidative Photocyclisierung von N-Phenyl-enaminen[1]

Ausgangsverbindung	Produkte	Ausbeuten [% d.Th.]	F [°C]
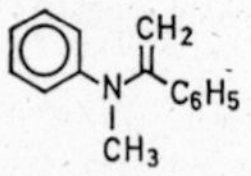	1-Methyl-2-phenyl-2,3-dihydro-indol	73	94–95
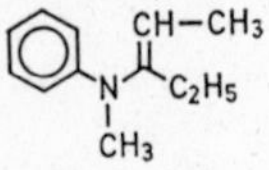	1,3-Dimethyl-2-äthyl-2,3-dihydro-indol	43	Öl
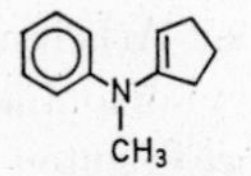	4-Methyl-1,2,3,3a,4,8b-hexahydro-⟨cyclopenta-[b]-indol⟩	57	(Kp$_{0,3}$: 77°)
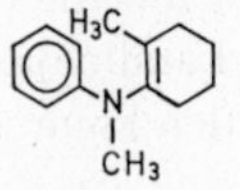	4a,9-Dimethyl-1,2,3,4,4a,9a-hexahydro-trans-4a,9a-carbazol	70	58–60
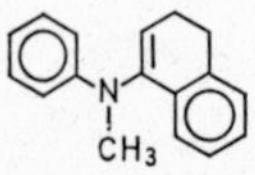	11-Methyl-5,6,6a,11a-tetrahydro-11H-⟨trans-benzo-[a]-carbazol⟩ +....-⟨cis-benzo-[a]-carbazol⟩	56 39	163–164 (Pikrat) 135–136
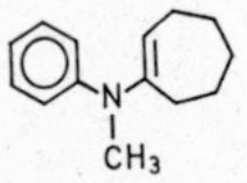	5-Methyl-5,5a,6,7,8,9,10,10a-octahydro-⟨cis- und trans-cyclohepta-[b]-indol⟩	44	115–116 (Pikrat)

1-(N-Methyl-anilino)-3-oxo-5,5-dimethyl-cyclohexen bildet bei Bestrahlung mit einer pyrex-ummantelten Immersionslampe ($\lambda < 300$ nm) unter trockenem Stickstoff in Äther 4-Oxo-2,2,9-trimethyl-1,2,3,4-tetrahydro-carbazol (nach 4 Stdn. und 40%igem Umsatz 38% d.Th.)[2,3]:

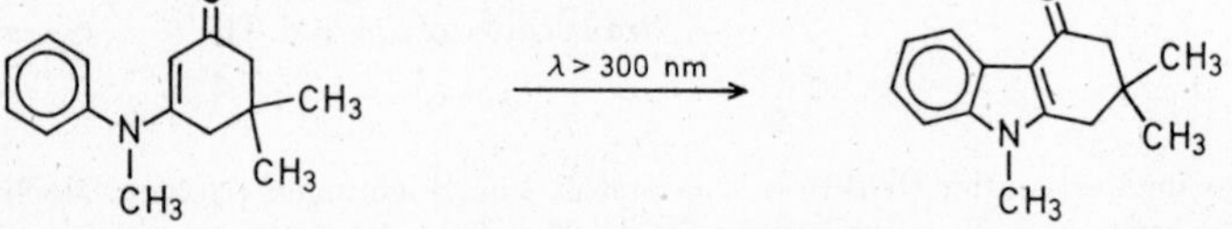

Befindet sich an Stelle der Methyl-Gruppe ein Wasserstoff-Atom am Stickstoff, so entstehen in einer schwer überschaubaren Reaktion unter Eliminierung einer Methylen-Gruppe (Benzol; Stickstoff; 30°; 2 Stdn.) pseudoaromatische 5-Hydroxy-3,4-dihydro-1-benzazocine[2,4]:

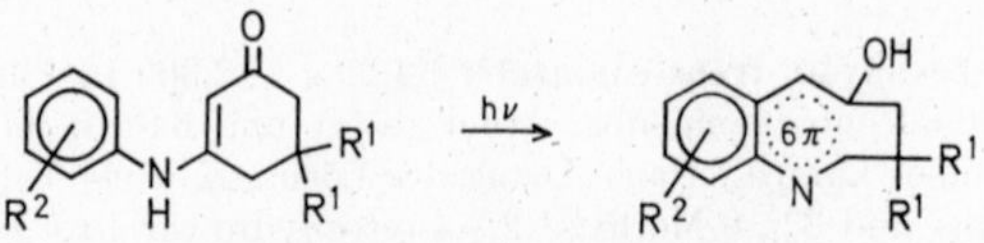

R^1 = R^2 = H   5-Hydroxy-3,4-dihydro-⟨1-benzazocin⟩; 3% d.Th.; F: 101–102,5°
R^1 = CH$_3$; R^2 = H   5-Hydroxy-3,3-dimethyl-...; 14% d.Th.; F: 70–73°
R^1 = CH$_3$; R^2 = 3-Cl   7(8)-Chlor-5-hydroxy-3,3-dimethyl-...; 12% d.Th.; F: 104,5–105°

[1] O. L. Chapman et al., Am. Soc. 93, 2918 (1971).
[2] K. Yamada et al., Tetrahedron Letters 1972, 2513.
[3] K. Yamada, T. Konakahara u. H. Iida, Bl. chem. Soc. Japan 46, 2504 (1973).
[4] K. Yamada et al., Tetrahedron Letters 1974, 1741.

Die Photolyse von Acrylsäure-aniliden ist nur unter nicht-oxidativen Bedingungen untersucht. Sie führt unter Cyclisierung zu 2-Oxo-1,2,3,4-tetrahydro-chinolinen[1]:

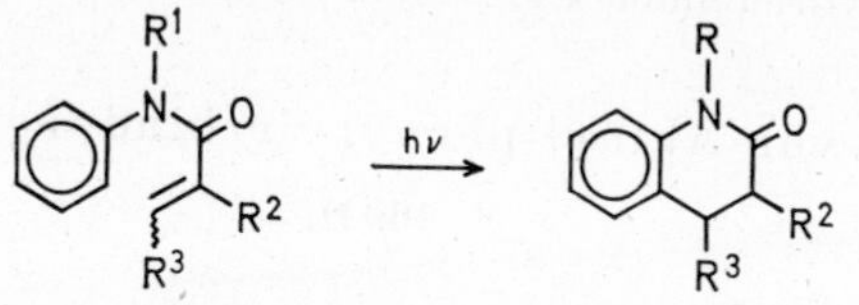

$R^1 = R^2 = R^3 = H$ *2-Oxo-1,2,3,4-tetrahydro-chinolin*; 4% d.Th.; 164–166°
$R^1 = R^3 = H; R^2 = CH_3$ *3-Methyl-2-oxo-1,2,3,4-tetrahydro-chinolin*; 61% d.Th.; F: 129–130°
$R^1 = R^2 = CH_3; R^3 = H$ *1,3-Dimethyl-2-oxo-1,2,3,4-tetrahydro-chinolin*; 57% d.Th.

1-Anilinocarbonyl-cyclohexene cyclisieren analog bei Bestrahlung mit einer Quecksilber-Niederdruck-Lampe[2]:

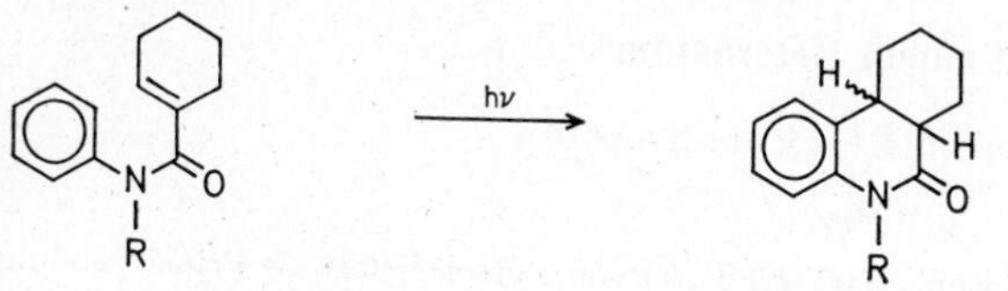

$R = CH_3$ *6-Oxo-5-methyl-5.6,6a, 7,8,9,10,10a-octahydro-⟨cis- bzw. trans-phenan-thridin⟩*; 30–59% d.Th. (*trans:cis*=4,0)
$R = CH_2–C_6H_5$ *6-Oxo-5-benzyl-...*; 48–67% d.Th. (*trans:cis*=15,6)

4-(N-Methyl-anilinocarbonyl)-1,2-dihydro-naphthalin geht unter diesen Photolyse-Bedingungen in *5-Oxo-6-methyl-4b,5,6,10b,11,12-hexahydro-⟨benzo-[i]-phenanthridin⟩* (17% d.Th., F: 177°) über[2]:

Auch für die umgekehrte Anordnung von Phenyl-Rest und C=C-Doppelbindung in bezug auf die Amid-Gruppierung gibt es Beispiele von Cyclisierungen. 1-Methylen-2-aroyl-1,2,3,4-tetrahydro-isochinoline cyclisieren unter anaerober Belichtung zu Verbindungen[3], die mit 5,6-Dichlor-2,3-dicyan-benzochinon zu Oxyprotoberberin-Alkaloiden oxidiert werden können:

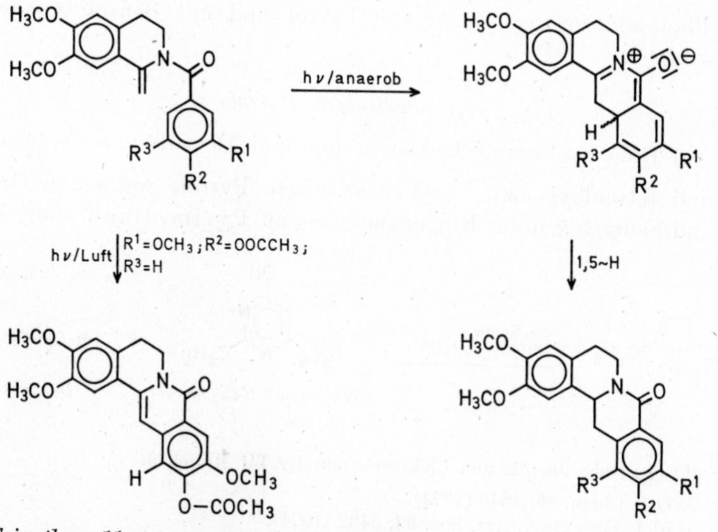

2,3,10-Trimethoxy-11-acetoxy-protoberberin; 65% d.Th.

[1] Y. Ogata, K. Takagi u. I. Ishino, J. Org. Chem. **36**, 3975 (1971).
[2] I. Ninomiya et al., Soc. (Perkin Trans. I) **1974**, 1747.
[3] G. R. Lenz, J. Org. Chem. **39**, 2846 (1974).

Das Beispiel der Bestrahlung von 6,7-Dimethoxy-1-methylen-2-(3-methoxy-4-acetoxy-benzoyl)-1,2,3,4-tetrahydro-isochinolin in Gegenwart von Luftsauerstoff zeigt, daß Oxy-protoberberine durch dehydrierenden Ringschluß auch direkt zugänglich sind[1].

η) von Akinyl-phenyl-Verbindungen

s. S. 469 ff.

III. Reaktionen am Heteroaromaten

bearbeitet von

Prof. Dr. VALENTIN ZANKER*

a) fünfgliedrige Heteroaromaten

1) mit einem Heteroatom

α) mit einem Stickstoff-Atom

α_1) *Pyrrol*

Die Gasphasen-Photolyse bei 23° ($\lambda = 214$ nm; 0,05–4,7 Torr) von Pyrrol[2] liefert als Primärprodukte Propin, Allen, Acetylen, Äthylen, Cyanwasserstoff und Wasserstoff und als Sekundärprodukte Methan und Propen.

Pyrrol wird in Äthanol bzw. Acetonitril an Naphthalin addiert, wobei *1-Pyrrolyl-(2)-1,4-dihydro-* und *2-Pyrrolyl-(2)-1,2-dihydro-naphthalin* (3:1) entstehen[3]:

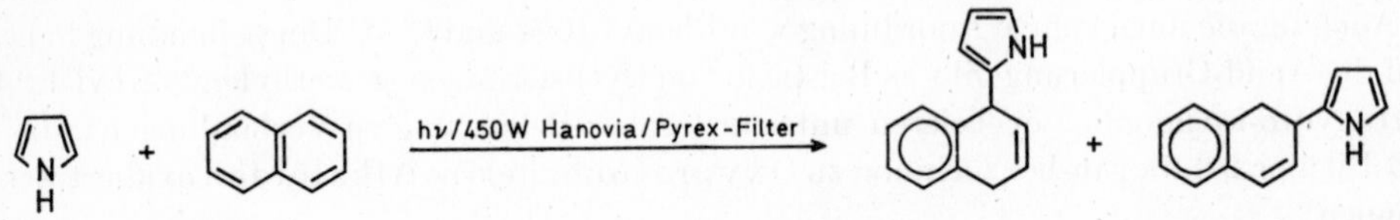

Ähnliche Photoadditionsreaktionen von Pyrrol sind mit Benzol beobachtet worden (*2-Phenyl-pyrrol*)[4,5].

α_2) *substituierte Pyrrole*

$\alpha\alpha$) Ringerweiterung, Isomerisierung und Abspaltungsreaktionen

Di-, tri- und tetraalkyl- bzw. -aryl-substituierte Pyrrole werden in Gegenwart von Ammoniak und Sauerstoff unter Ringerweiterung zu Pyrimidinen[6] umgesetzt, z. B.:

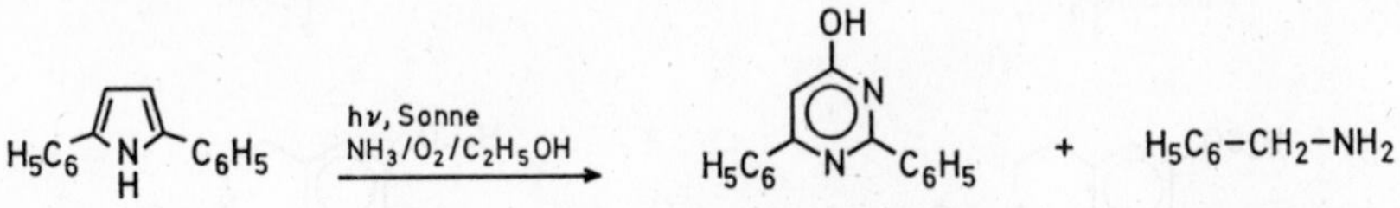

4-Hydroxy-2,6-diphenyl-pyrimidin   *Benzylamin*

* **Institut für physikalische Chemie und Elektrochemie der TH München.**

[1] G. R. LENZ, J. Org. Chem. **39**, 2846 (1974).

[2] E. CHUNG WU u. J. HEICKLEN, Am. Soc. **93**, 3432 (1971).
Zerfall in das Radikal $H_2C=CH-*CH-CN$ bei der Blitzlichtphotolyse, s. a. A. B. CALLEAR u. H. K. LEE, Trans. Faraday Soc. **64**, 308 (1968).

[3] J. J. McCULLOUGH, C. W. HUANG u. W. S. WU, Chem. Commun. **1970**, 1368.

[4] D. BRYCE-SMITH, Pure Appl. Chem. **16**, 47 (1968).

[5] M. BELLAS, D. BRYCE-SMITH u. A. GILBERT, Chem. Commun. **1967**, 263 ,862.

[6] S. CAPUANO u. L. GIAMMANCO, G. **85**, 217 (1955); **86**, 119 (1956).

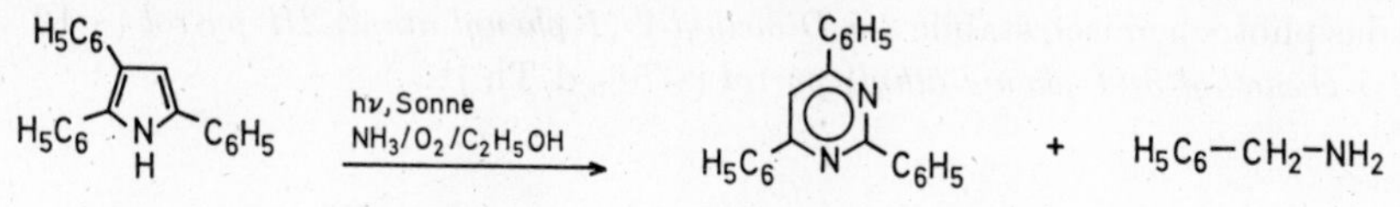

2,4,6-Triphenyl-pyrimidin

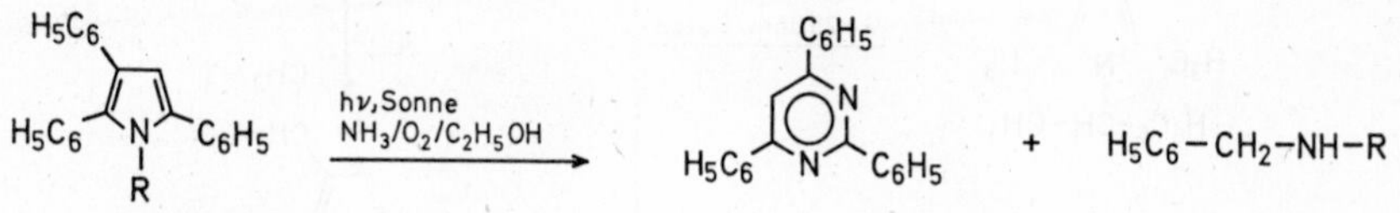

R = CH₃, C₆H₅, 4-CH₃—C₆H₅

Analoge Reaktionen gehen Indole ein; z. B.[1]:

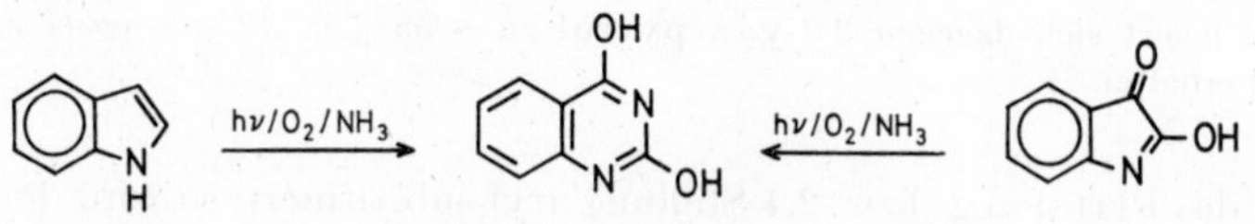

2,4-Dihydroxy-chinazolin

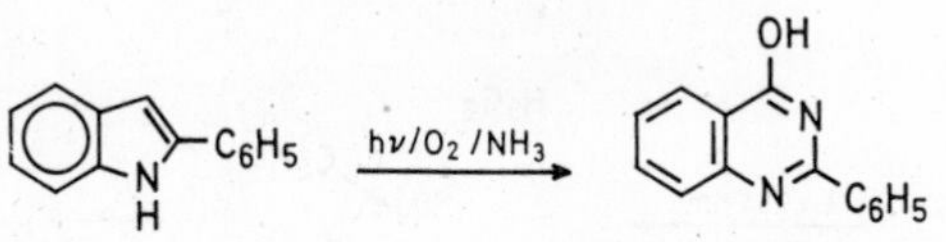

4-Hydroxy-2-phenyl-chinazolin

N-Benzyl- und N-(1-Phenyl-alkyl)-pyrrole werden in Substanz bzw. in Methanol gelöst isomerisiert[2]; z. B.:

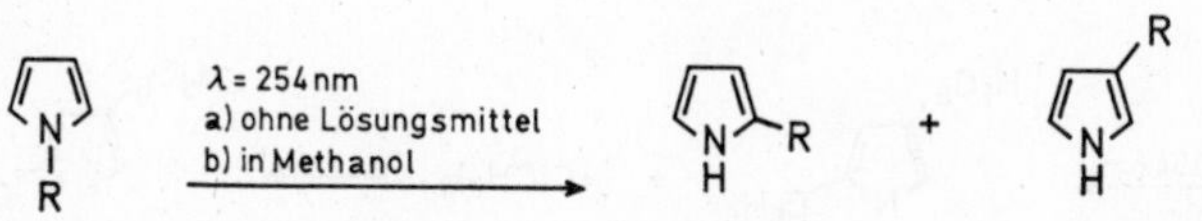

R= CH₂—C₆H₅	2-Benzyl-	3-Benzyl-pyrrol
	a) ~ 13%	~ 3%
	b) ~ 28%	~ 10%
R = CH—C₆H₅ CH₃	2-(1-Phenyl-äthyl)	3-(1-Phenyl-äthyl)-pyrrol
	a) ~ 13%	~ 3%
	b) ~ 22%	~ 7%

Die Isomerisierung zu 2-substituierten Derivaten tritt auch bei bereits alkyl-substituierter 2-Stellung ein. So erhält man aus 2,5-Dimethyl-1-(1-phenyl-äthyl)-

---

S. Capuano u. L. Giammanco, G. **86**, 126 (1956).

J. M. Patterson, L. T. Burka u. M. R. Boyd, J. Org. Chem. **33**, 4033 (1968); Tetrahedron Letters **1969**, 2215.

2- und 3-Benzyl-pyrrole belichtet, liefern ohne Ringerweiterung Zerfallsprodukte.

pyrrol das photochemisch stabile *2,5-Dimethyl-2-(1-phenyl-äthyl)-2H-pyrrol* (~ 12% d. Th.) neben *2,5-Dimethyl-3-(1-phenyl-äthyl)-pyrrol* (~ 5% d. Th.)[1]:

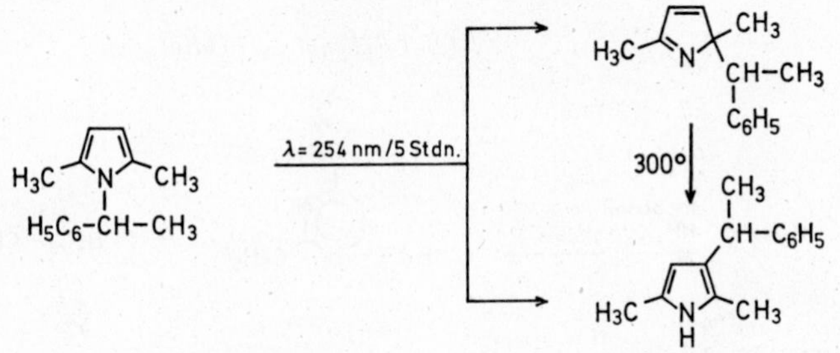

Aufgrund dieser Tatsache wird angenommen, daß die 3-Isomeren entweder durch 1,3-Wanderung direkt oder über 2 H-Isomere durch anschließende thermische Isomerisierung gebildet werden.

In Methanol lagert sich dagegen 2-Cyan-pyrrol zu ~ 55% in *3-Cyan-pyrrol* um (zu 5% wird 2-Formyl-pyrrol erhalten)[2]:

Ist dagegen das Pyrrol in 2- bzw. 2,4-Stellung aryl-substituiert, so wird der 1-Substituent im Falle von tert.-Butyl bzw. Benzyl abgespalten; zwei Mechanismen werden diskutiert[3]

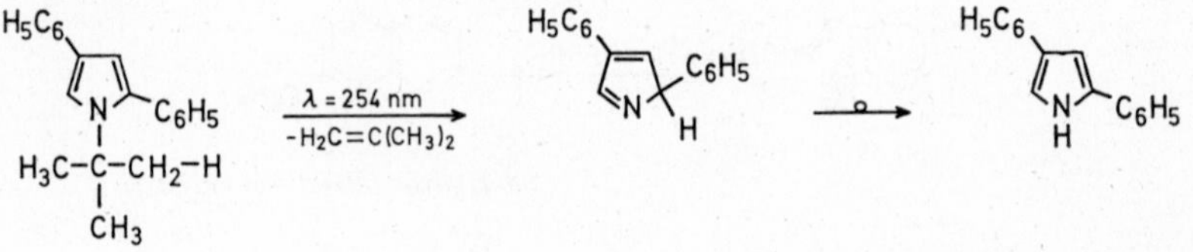

2,4-Diphenyl-pyrrol; 95% d. Th.

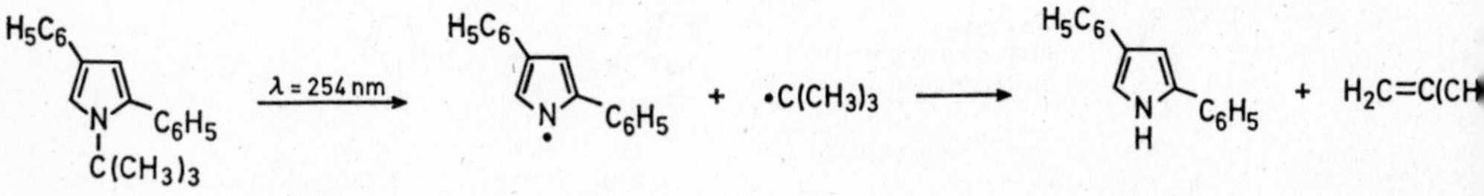

1-Cyclohexyl- bzw. 1-(1-Phenyl-äthyl)-2,4-diphenyl-pyrrol sind dagegen photochemisch stabil.

Über die Herstellung des relativ stabilen *2,3,4,5-Tetraphenyl-pyrrol-Radikals* aus Pyrrol-Dimeren s. Literatur [4, vgl. a. 5, 6]

J. M. Patterson, L. T. Burka u. M. R. Boyd, J. Org. Chem. **33**, 4033 (1968); Tetrahedron Letters **1969**, 2215.
[2] H. Hiraoka, Chem. Commun. **1970**, 1306.
[3] A. Padwa et al., Tetrahedron Letters **1968**, 3659.
[4] K. Maeda, A. Chinone u. T. Hayashi, Bl. chem. Soc. Japan **43**, 1431 (1970).
[5] D. M. White u. J. Sonnenberg, Am. Soc. **88**, 3825 (1966).
[6] R. Kuhn u. H. Kainer, Biochem. biophys. Acta **12**, 325 (1953).

ββ) Aufbau annellierter Pyrrol-Derivate

Mit ~ 44% Ausbeute wird aus 3-[2-Nitro-propen-(1)-yl]-indol (Quecksilber-Mitteldruck-Bogenlampe) 2-Oxo-3-(2-oximino-propyliden)-2,3-dihydro-indol erhalten[1]:

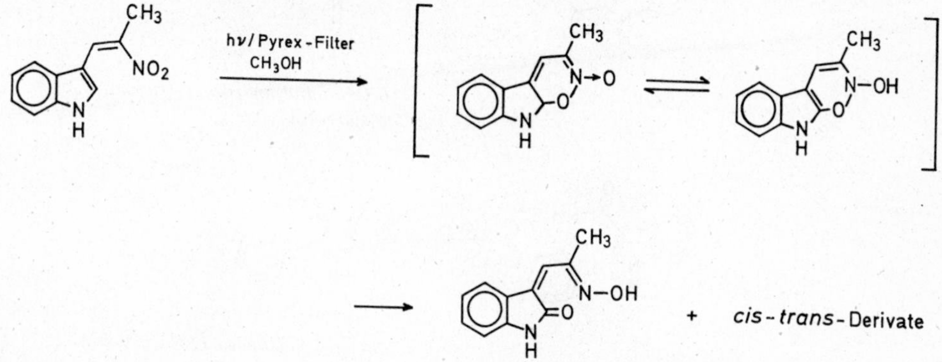

hν/Pyrex-Filter
CH₃OH

+ cis-trans-Derivate

Wird 2-[1-Cyan-2-pyridyl-(3)-vinyl]-indol in Äthanol in Gegenwart von Jod belichtet, so erhält man Pyrido-carbazole, unter Ausschluß von Oxidationsmitteln dagegen 3-Vinyl-substituierte Carbazole[2]:

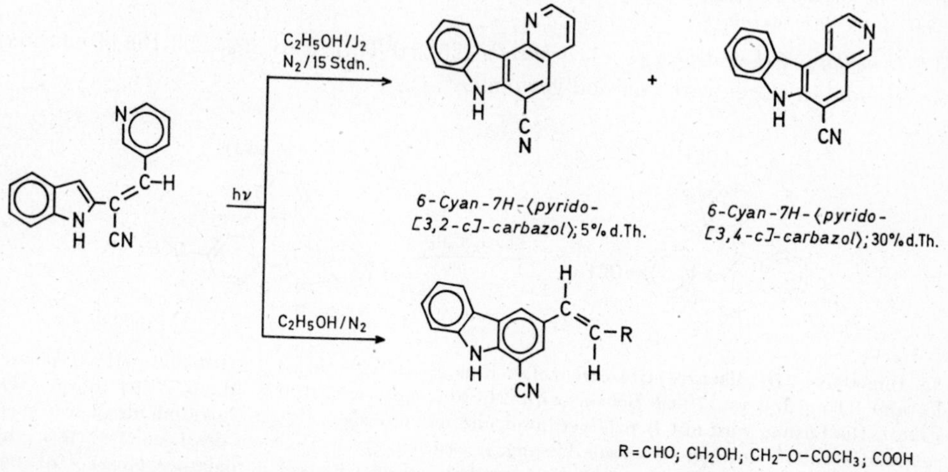

C₂H₅OH/J₂
N₂/15 Stdn.

hν

C₂H₅OH/N₂

6-Cyan-7H-⟨pyrido-[3,2-c]-carbazol⟩; 5% d.Th.

6-Cyan-7H-⟨pyrido-[3,4-c]-carbazol⟩; 30% d.Th.

R = CHO; CH₂OH; CH₂-O-COCH₃; COOH

6-Cyan-7H-⟨pyrido-[3,2-c]-carbazol⟩ und -⟨pyrido-[3,4-c]-carbazol⟩[3]: Eine Lösung von 600 mg 2-[1-Cyan-2-pyridyl-(3)-vinyl]-indol und 100 mg Jod in 250 *ml* Äthanol wird über 5 Stdn. unter Stickstoff mit einer Quecksilber-Lampe Hanau Q 81 bestrahlt. Die Lösung wird nach Zusatz von Dinatriumperoxidisulfat konzentriert, mit Wasser verdünnt und das ausfallende Pyridocarbazol abfiltriert. Man wiederholt die Aufarbeitung nochmals. Das erhaltene Rohprodukt (3,8 g) wird in wenig Methanol gelöst, 30 g Florisil (600–1000 Maschen) zugesetzt, das Lösungsmittel entfernt und das verbleibende Pulver in einer Chromatographier-Kolonne mit zusätzlich 140 g desselben Florisils mit Benzol und Benzol/Chloroform (100:1) eluiert. Anschließend wird aus Chloroform umkristallisiert; Ausbeute: 150 mg (5% d.Th.) 6-Cyan-7H-⟨pyrido-[3,2-c]-carbazol⟩; F: > 260° (gelbe Nadeln).

Die aus dem Chloroform-Eluat erhaltene Festsubstanz wird aus Chloroform/Methanol umkristallisiert; Ausbeute: 1,22 g (30% d.Th.) 6-Cyan-7H-⟨pyridino-[3,4-c]-carbazol⟩; F: > 260° (gelb).

[1] J. S. CRIDLAND u. S. T. REID, Chem. Commun. **1969**, 125.
[2] H. P. HUSSON et al., J. Org. Chem. **35**, 442 (1970).
[3] H.-P. HUSSON et al., J. Org. Chem. **35**, 443 (1970).

Ausgehend von 2- bzw. 3-Anilinocarbonyl-indol werden Indolo-chinoline erhalten[1]:

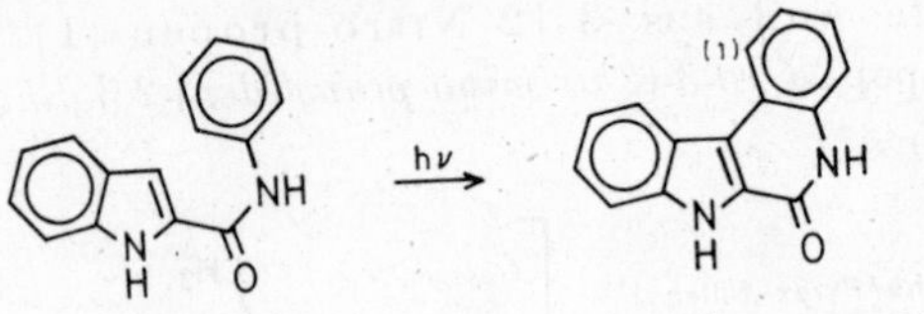

I

6-Oxo-5,6-dihydro-7H-⟨indolo-[2,3-c]-chinolin⟩; 15% d.Th.

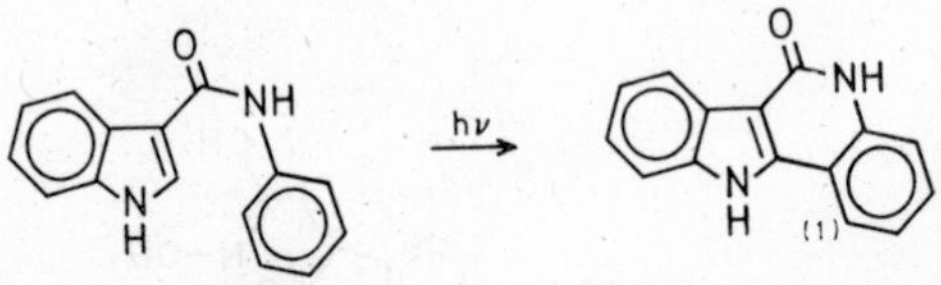

II

6-Oxo-5,6-dihydro-11H-⟨indolo-[3,2-c]-chinolin⟩; 15% d.Th.

6-Oxo-5,6-dihydro-7H-⟨indolo-[2,3-c]-chinolin⟩ (I) bzw. 6-Oxo-5,6-dihydro-11H-⟨indolo-[3,2-c]-chinolin⟩(II)[1]: 100 mg 2- bzw. 3-Anilinocarbonyl-indol werden in 10 ml 1,4-Dioxan und 1 ml Aceton gelöst und in einem Quarz-Kolben 60 Stdn. mit einer 500 W Quecksilber-Mitteldruck-Quarzlampe bestrahlt. Man dampft zur Trockene ein und filtriert den Rückstand über Kieselgel. Die cyclisierten Verbindungen werden mit Dichlormethan/Aceton (1:1) eluiert; Ausbeute: 15% d.Th. Beide Verbindungen schmelzen ab 280° unter Sublimation.

3,6-Dimethoxy-9H-⟨dibenzo-[a;c]-carbazol⟩ (25% d.Th.) wird aus 2,3-Bis-[4-methoxy-phenyl]-indol in Gegenwart von Jod gewonnen[2]:

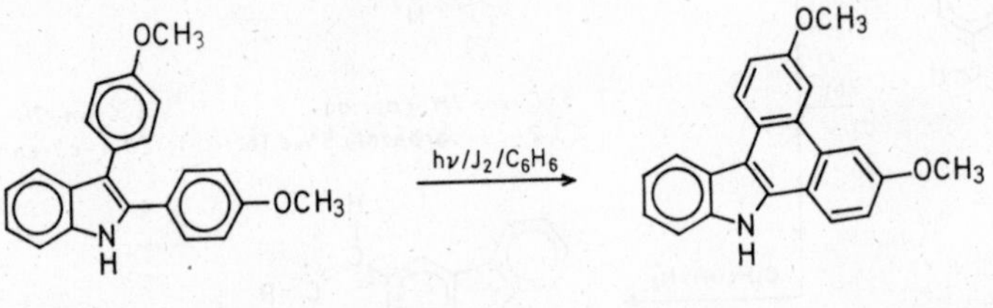

3,6-Dimethoxy-9H-⟨dibenzo-[a;c]-carbazol⟩[2]: Eine Mischung von 1,4 g 2,3-Bis-[4-methoxy-phenyl]-indol und 0,65 g Jod in 170 ml Benzol wird 24 Stdn. mit einer 100 W Hanovia 50 L (Corex-Filter) bestrahlt. Die Lösung wird mit Benzol verdünnt und mit wäßriger 5%iger Natriumhydrogencarbonat-, Dinatriumthiosulfat- und ges. Kochsalz-Lösung gewaschen. Nach Abziehen des Lösungsmittels erhält man 1,6 g Öl, das in 10 ml Dichlormethan suspendiert an 60 g Florisil chromatographiert wird; nach Elution mit Dichlormethan erhält man neben dem Ausgangsprodukt 0,31 g (25% d.Th.); F: 204—205°.

Indol selbst läßt sich mit Formaldehyd in Gegenwart starker Säuren, Luft und Benzophenon als Sensibilisator in *5,11-Dihydro-⟨indolo-[3,2-b]-carbazol⟩* (22% d.Th.) überführen[3]:

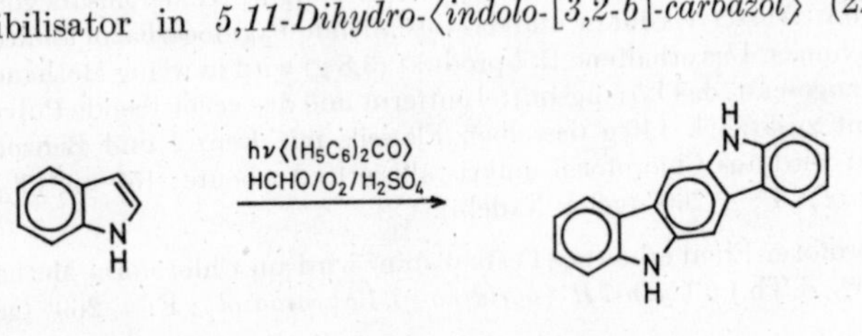

---

[1] E. Winterfeldt u. H.-J. Altmann, Ang. Ch. **80**, 486 (1968).

[2] J. Szmuszkovicz, Org. Prep. Proced. **1969**, 105.

[3] J. Bergman, Tetrahedron **26**, 3353 (1970).

Ohne Benzophenon als Sensibilisator wird ein cyclisches Tetrameres aus 4-Indol-Resten und 4-Methylen-Brücken gebildet[1].

Die photosensibilisierte Cyclodehydrierung von Tryptophanen bietet einen guten Zugang zu 9H-⟨Pyrido-[3,4-b]-indolen⟩[2, s. a. 3]:

1-Methyl-
(16% d.Th.)

1-Methyl-3-carboxy-
(63% d.Th.)

9H-⟨pyrido-[3,4-b]-indol⟩

Primär wird die N–H-Bindung des Pyrrol-Ringes im Tryptophan gespalten [$\lambda = 300$–360 nm (95–80 kcal/Mol)][4]. Über frühere photolytische Untersuchungen am Tryptophan s. Lit.[5–13].

1-Methyl-9H-⟨pyrido-[3,4-b]-indol⟩ und 1-Methyl-3-carboxy-9H-⟨pyrido-[3,4-b]-indol⟩[4]: 150 mg Tryptophan (0,74 mMol) und 240 mg Methylenblau (0,74 mMol) werden in 250 ml 99–100%iger Essigsäure gelöst und bei 37° in einem Pyrex-Gefäß bei Anwesenheit von Sauerstoff 5 Stdn. bestrahlt. Nach Entfernen des Lösungsmittels (Lyophilisation) wird der Rückstand mit Wasser aufgenommen und über eine Kolonne mit Amberlit-Harz CG-50, 200–400 Maschen geführt. Nach Elution mit Wasser wird das Carboxy-Derivat isoliert; Kristallisation aus Methanol/Wasser (80/20) ergibt 103 mg (63% d.Th.) grüne Nadeln (F: 302–304°). Nach weiterer Elution mit 3%iger Ammoniak-Lösung ergibt sich die Methyl-Verbindung; Kristallisation aus Methanol/Wasser (80/20) liefern 40 mg (16% d.Th.) farblose Nadeln (F: 233–235°).

Über die Cyclisierung von N-Chloracetyl-tryptophan s. S. 638.

γγ) Oxidationsreaktionen

(s. S. 1493ff.)

[1] J. Bergman, S. Högberg u. J.-O. Lindström, Tetrahedron 26, 3347 (1970).

[2] G. Jori, G. Galiazzo u. G. Gennari, Photochem. and Photobiol. 9, 179 (1969).

[3] Über die Photoreaktion von Tryptophan in Gegenwart von 2%iger wäßriger Natriumboranat-Lösung s. O. Yonemitsu, P. Cerutti u. B. Witkop, Am. Soc. 88, 3941 (1966).

[4] M. T. Pailthorpe u. C. H. Nicholls, Photochem. and Photobiol. 14, 135 (1971).

[5] G. Matsuda, Nagasaki Igakkai Zasshi 28, 438 (1953).

[6] A. R. Deschreider u. M. Renard, Bull. Inst. Argon, St. Rech. Gembloux, 23, 269 (1955).

[7] G. K. Melchior, Planta 50, 262 (1957).

[8] K. Dose u. B. Rajewsky, Progress in Photobiol. 612 Proc. of the 3rd Int. Congr. of Photobiology 1960, Kopenhagen (1961).

[9] R. A. Luse u. A. D. McLaren, Photochem. and Photobiol. 2, 343 (1963).

[10] L. I. Grossweiner u. E. F. Zwicker, J. Chem. Physics 39, 2774 (1963).

[11] Y. A. Vladimirov u. D. I. Roshchupkin, Biofizika 9, 282 (1964).

[12] Y. A. Vladimirov, D. I. Roshchupkin u. E. E. Fesenko, Photochem. and Photobiol. 11, 227 (1970).

[12] R. Santus, R. Guermonprez u. M. Ptak, C. r. 261, 117 (1965).

[13] O. A. Azizowa et al., Photochem. and Photobiol. 5, 763 (1966).

β) mit einem Sauerstoff-Atom

Die Gasphasen-Photolyse von Furan führt unter Decarbonylierung zu *Cyclopropen*, neben geringen Mengen Propin und Allen[1-3]:

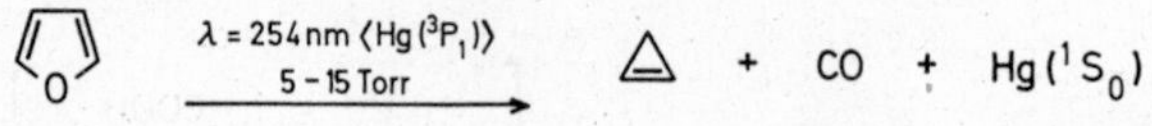

Als Zwischenprodukte werden 3-Formyl-cyclopropen und Vinyl-keten formuliert. Aufgrund der hohen Quantenausbeute ($\varphi = 0{,}41$) stellt die Methode einen Weg zur Herstellung von Cyclopropen dar.

Bei Erhöhung des Furan-Drucks auf 0,2–1 atm entstehen u. a. *8-Oxa-exo-* sowie *8-Oxa-endo-tricyclo[3.2.1.0²,⁴]hepten-(6)* (I bzw. II) und *3-Formyl-8-oxa-tricyclo[3.2.1.0²,⁴]hepten-(6)* (III):

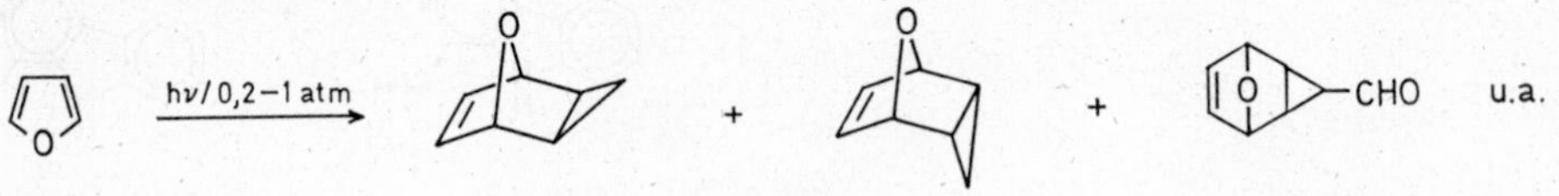

Wird bei Anwesenheit von Cyclopenten photolysiert [mit Hg ($^3P_1$)] so entsteht neben III das Diels-Alder-Derivat *10-Oxa-tricyclo[5.2.1.0²,⁶]decen-(8)*. Bestrahlung von Benzo-[b]-furan in der Gasphase (2 Torr) führt dagegen unter Kohlenmonoxid-Abspaltung zu nicht weiter identifizierten Polymeren[4].

Bei der Photolyse von 2-Methyl-furan[5] erhält man analog dem Furan nach folgendem Mechanismus *3-Methyl-cyclopropen*[4]:

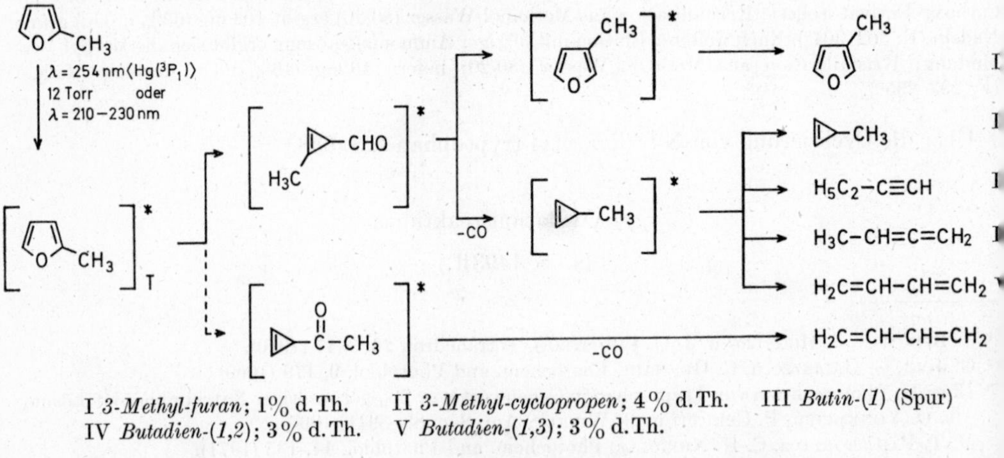

I *3-Methyl-furan*; 1% d.Th.   II *3-Methyl-cyclopropen*; 4% d.Th.   III *Butin-(1)* (Spur)
IV *Butadien-(1,2)*; 3% d.Th.   V *Butadien-(1,3)*; 3% d.Th.

Als Hauptprodukte der Hg($^3P_1$)-Photolyse von 2-Methyl-furan treten Kohlenmonoxid und *3-Methyl-furan* auf (Produktausbeute: 29% d.Th.); bei direkter Bestrahlung entsteht dagegen *Propin* als Hauptprodukt. Über die Druckabhängigkeit s. Lit.

[1] R. Srinivasan, Am. Soc. 89, 1758 (1967).
[2] R. Srinivasan, Am. Soc. 89, 4812 (1967).
[3] R. Srinivasan, Pure Appl. Chem. 16, 65 (1968).
[4] H. Hiraoka u. R. Srinivasan, J. Chem. Physics 48, 2185 (1968).
[5] H. Hiraoka u. R. Srinivasan, Am. Soc. 90, 2720 (1968).
    H. Hiraoka, J. phys. Chem. 74, 574 (1970).

In analoger Reaktion reagieren folgende Furane unter ähnlichen Bedingungen zu Cyclo-propenen bzw. den entsprechenden offenkettigen Derivaten:

Formyl-furan[1] (neben Furan)
3-Methyl-furan[2,3]
2,4-Dimethyl-furan[2,3]
2,5-Dimethyl-furan[4,5] (neben 5-Oxo-3-methyl-cyclopenten)
2-Vinyl-furan[3] (3-Vinyl-cyclopropen → Cyclopentadien)

Während 2,5-Di-tert.-butyl-furan in Pentan im wesentlichen isomerisiert, wird 2,3,5-Tri-tert.-butyl-furan neben Ringverengung zum Cyclopropen-Derivat zu einem 2-Oxo-bicyclo [3.1.0]hexan-Derivat nach Ringspaltung cyclisiert[4]:

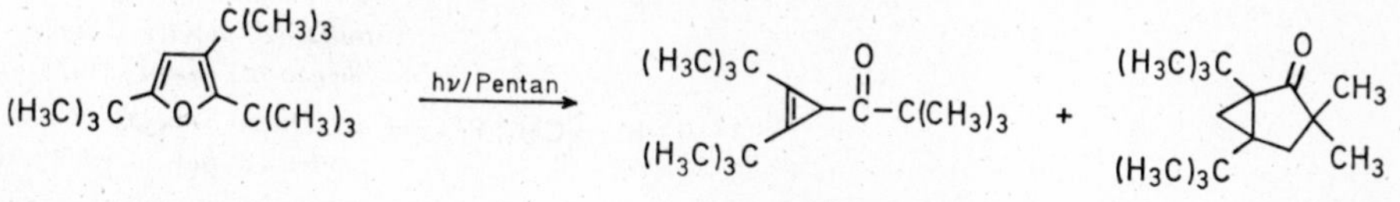

1,2-Di-tert.-butyl-3-(2,2-dimethyl-propanoyl)-cyclo-propan; 5%

2-Oxo-3,3-dimethyl-1,5-di-tert.-butyl-bicyclo[3.1.0]hexan; 95%

In Eisessig oder Heptan als Lösungsmittel wird die Bildung des Bicyclo[3.1.0]hexan-Derivates herabgesetzt (6%), zusätzlich treten 3,6-Dioxo-2,2,7,7-tetramethyl-4-tert.-butyl-octan (5%) und das entsprechende . . .-octen-(4) (14%) auf. 2,4-Di-tert.-butyl-furan zeigt bei Belichtung keine Reaktion!

Während 2-Nitro-furan in Isopropanol Buten-(2)-dial-oxim[6] liefert, erhält man aus 2-Cyan-furan in der Gasphase bei –196° unter Decarboxylierung Cyan-allen. In Lösung treten Additionsreaktionen in den Vordergrund[7].

In einer radikalischen Dissoziationsreaktion wird 2-Methoxy-furan zu Penten-(2)-1,4-olid und 2-Methyl-buten-(3)-1,4-olid (10–20% d.Th.) als Hauptprodukt umgewandelt[8]:

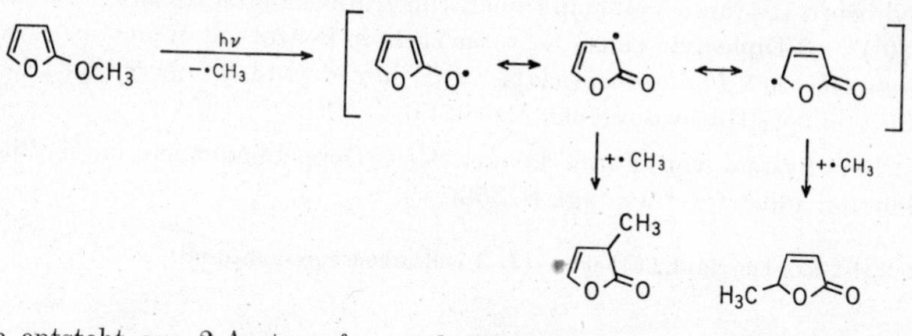

Dagegen entsteht aus 2-Acetoxy-furan als Hauptderivat Penten-(2)-1,4-olid (10–20% d.Th.).

[1] H. HIRAOKA u. R. SRINIVASAN, J. Chem. Physics 48, 2185 (1968); das Cyclopropen soll über 1,3-Diformyl-cyclopropen → 3-Formyl-cyclopropen entstehen.
[2] H. HIRAOKA u. R. SRINIVASAN, Am. Soc. 90, 2720 (1968).
[3] H. HIRAOKA, J. phys. Chem. 74, 574 (1970).
[4] E. E. VON TAMELEN u. T. H. WHITESIDES, Am. Soc. 90, 3894 (1968); 93, 6129 (1971).
[5] S. BUOÉ u. R. SRINIVASAN, Am. Soc. 92, 1824 (1970).
[6] W. KEMULA u. J. ZAWADOWSKI, Bull. Acad. Polon. Sci., Ser. Sci. Chim. Geol. Geograph. 17, 599 (1969) (Über 2-Nitroso-furan und 1-Nitroso-2,3,7-trioxa-bicyclo[2.2.1]hepten).
[7] R. SRINIVASAN u. H. HIRAOKA, Abstr. of the Joint Conference of the Division of Organic Chemistry ACS and Organic Chemistry Division CIC, Toronto, Nr. 59 (1970); in Lösung werden Additionen beobachtet.
[8] R. SRINIVASAN u. H. HIRAOKA, Tetrahedron Letters 1969, 2767.

Eine 1%ige Lösung von 3-Acetyl-2-furyl-(2)-1,4-benzochinon-Derivaten in Benzol ergibt bei Bestrahlung (100 W Lampe; Stickstoff) Benzo-[c]-furane[1]:

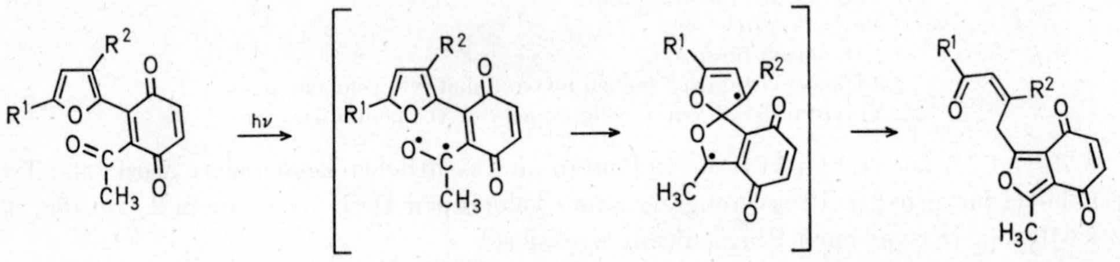

R¹ = R² = H; *4,7-Dioxo-3-methyl-1-[4-oxo-buten-(2)-yl]-4,7- dihydro-⟨benzo-[c]-furan⟩*; 60% d.Th.

R¹ = CH₃; R² = H *4,7-Dioxo-3-methyl-1-[4-oxo-penten-(2)-yl]-...*; 55% d.Th.

R¹ = H; R² = CH₃ *4,7-Dioxo-3-methyl-1-[4-oxo-2-methyl-buten-(2)-yl]-...*; 90% d.Th.

Photodimerisierung wurde durch 45 stdge. Bestrahlung (125 W Philips HPK) von Benzo-[b]-furan in Benzol unter Argon mit Acetophenon als Sensibilisator herbeigeführt[2]:

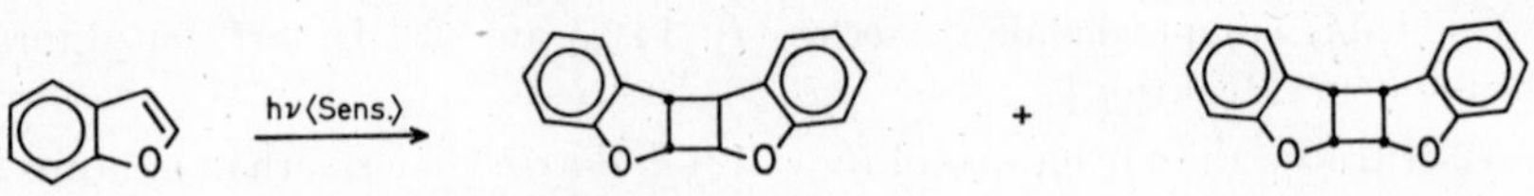

anti-Dibenzo-3,10-dioxa-tricyclo[5.3.0.0²,⁶]decadien-(4,8); 3% d.Th.; F: 165–166°

syn-Dibenzo-...; 1% d.Th.; F: 212–213°

2-Phenyl-benzo-[b]-furan ergibt ein Dimeres noch unbekannter Konstitution (46% d.Th.; F: 279–280°)[2]. 1,3-Diphenyl-⟨benzo-[c]-furan⟩ geht in Benzol mit guter Ausbeute in *1,2,7,8-Tetraphenyl-⟨dibenzo-9,10-dioxa-tricyclo[4.2.1.1²,⁵]decadien-(3,7)⟩* über[3]. Zur Dimerisierung von 7H-Furo-[3,2-g][1]-benzopyranen s. S. 621 ff.

An das Dien-System von Furan können C=C-Doppelbindungen unter Bildung von [2+2]-Addukten addiert werden (vgl. S. 558).

6,7-Dimethyl-2-oxa-bicyclo[3.2.0]hepten-(3)-6,7-dicarbonsäure-anhydrid[4]:

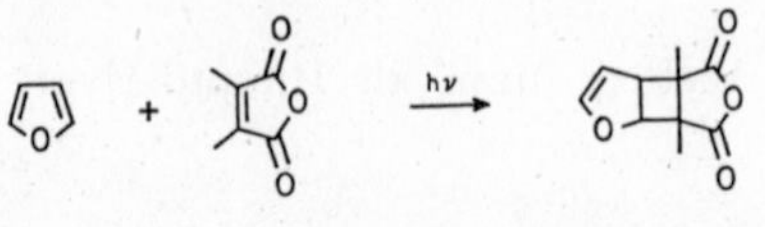

20 g Dimethyl-maleinsäureanhydrid und 2 g Benzophenon in 150 *ml* Furan werden unter Argon mit einem Quecksilber-Hochdruck-Brenner (Philips HPK 125 W) durch ein Glasfilter 48 Stdn. bei 10° belichtet. Nach dem Einengen der Lösung fallen 10,6 g (34% d.Th.) Kristallisat aus, die durch Sublimation (0,1 Torr, 100°) gereinigt werden; F: 153°.

---

[1] G. WEISGERBER u. C. H. EUGSTER, Helv. 49, 1806 (1966).

[2] C. H. KRAUCH, W. METZNER u. G. O. SCHENCK, B. 99, 1723 (1966).

[3] A. GUYOT u. J. CATEL, Bl. 35 [3], 1121 (1906).

A. MUSTAFA, Chem. Reviews 51, 1 (1952).

[4] G. O. SCHENCK et al., B. 95, 1642 (1962).

Analog den Stilbenen erhält man bei der Photocyclisierung von 1,2-Difuryl-(2)-äthylen zu ~ 24% d.Th. *Difuro-[2,3-a;3',2'-c]-benzol*[1,2]:

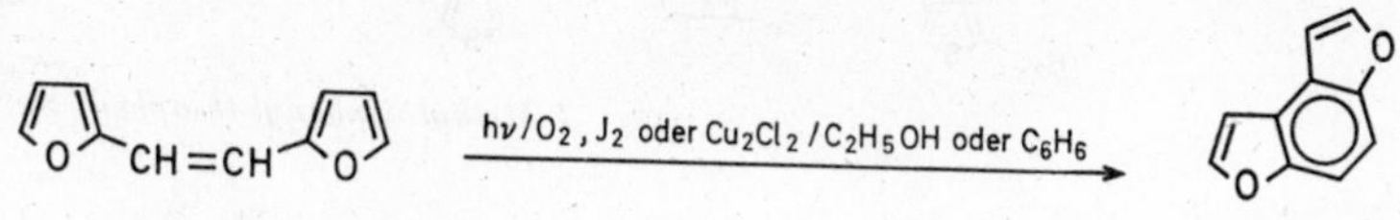

Unter ähnlichen Bedingungen ensteht z. B. aus

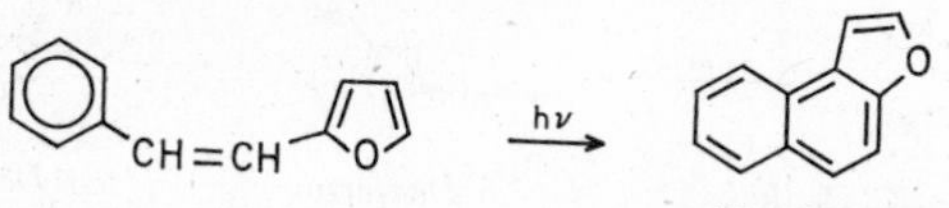

Naphtho-[2,1-b]-furan[1,2];
10% d.Th.

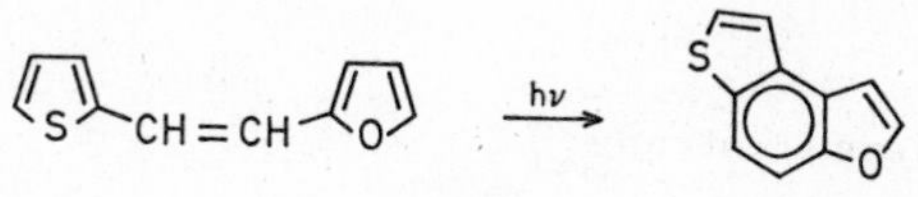

Thieno-[3,2-c]-furo-[2,3-a]-benzol[1,2]; 22% d.Th.

Weitere Reaktionen des Furans werden aufgrund der Systematik an anderer Stelle des Bd. beschrieben:

$$
\begin{array}{lll}
\text{Furane} + \text{Ketone} \to \text{Oxetan-Bildung} & \text{S. 859} \\
+ \text{O}_2 \quad \to \text{Oxidationsprodukte} & \text{S. 1488 ff.} \\
+ \text{Carben} \to \text{Cyclopropan-Derivate} & \text{S. 1241}
\end{array}
$$

γ) mit einem Schwefel-Atom

Thiophen wird in der Gasphase analog Furan bzw. Pyrrol zu Acetylen, Allen, Propin, Butenin und Schwefelkohlenstoff zersetzt[3].

Aryl- und alkyl-substituierte Thiophene werden im wesentlichen isomerisiert[4] (2,3-Verschiebung), wobei 3-Phenyl-thiophene mit zusätzlich Phenyl-, Deuterio- und Methyl-Substituenten eine besondere Spezifität zeigen:

① 2,3-Austausch:

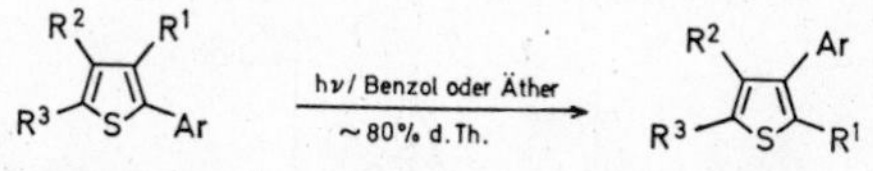

$Ar = C_6H_5; R^1 = R^2 = H; R^3 = CH_3;$ 2-Methyl-4-phenyl-thiophen
$R^1 = R^3 = H; R^2 = CH_3;$ 4-Methyl-3-phenyl-thiophen
$R^2 = C_6H_5;$ 3,4-Diphenyl-thiophen
$Ar = C_6D_5; R^1 = R^2 = H; R^3 = D;$ 2-Deuterio-4-pentadeuteriophenyl-thiophen

---

[1] R. M. KELLOGG, M. B. GROEN u. H. WYNBERG, J. Org. Chem. **32**, 3093 (1967).
[2] C. E. LOADER u. C. J. TIMMONS, Soc. [C] **1967**, 1677.
[3] H. A. WIEBE u. J. HEICKLEN, Canad. J. Chem. **47**, 2965 (1969); dort weitere Einzelheiten.
 S. E. BRASLAWSKY u. J. HEICKLEN, Am. Soc. **94**, 4864 (1972).
[4] H. WYNBERG u. H. VAN DRIEL, Am. Soc. **87**, 3998 (1965); Chem. Commun. **1966**, 204.
 H. WYNBERG et al., Am. Soc. **88**, 5047 (1966); **89**, 3487, 3498, 3501 (1967).
 R. M. KELLOGG u. H. WYNBERG, Am. Soc. **89**, 3495 (1967); Tetrahedron Letters **1968**, 5895; Mechanistische Deutungen in Gegenwart von Dienen bzw. Sensibilisatoren.
 R. M. KELLOGG et al., J. Org. Chem. **35**, 2737 (1970).

② 2,3-Isomerisierung (Alkyl-Substituenten):

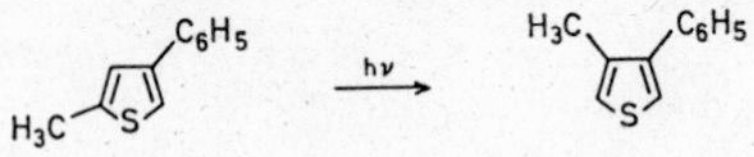

$$H_3C \overset{C_6H_5}{\underset{S}{\diagdown}} \quad \xrightarrow{h\nu} \quad H_3C \overset{C_6H_5}{\underset{S}{\diagdown}}$$

4-Methyl-3-phenyl-thiophen; 80% d. Th.

③ 2,4- + 2,5-Isomerisierung:

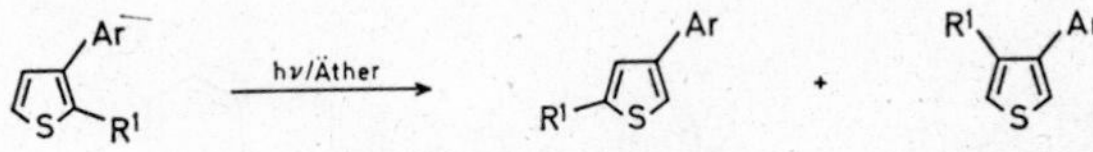

$$R^1 \overset{Ar}{\underset{S}{\diagdown}} \quad \xrightarrow{h\nu/\ddot{A}ther} \quad R^1 \overset{Ar}{\underset{S}{\diagdown}} \quad + \quad R^1 \overset{Ar}{\underset{S}{\diagdown}}$$

Ar = C_6D_5; R^1 = D;   *5-Deuterio-*   *4-Deuterio-3-pentadeuterio-phenyl-thiophen*

Ar = C_6H_5; R^1 = CH_3;   *5-Methyl-*   *4-Methyl-3-phenyl-thiophen*

④ 4,2 + (4,3 mit 3,2)-Isomerisierung:

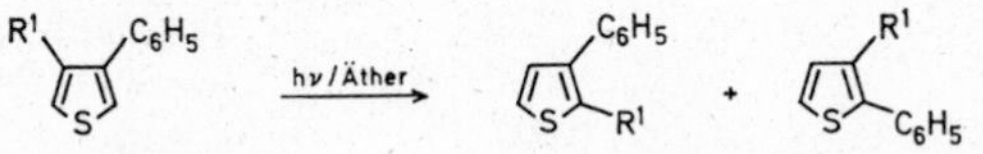

$$R^1 \overset{C_6H_5}{\underset{S}{\diagdown}} \quad \xrightarrow{h\nu/\ddot{A}ther} \quad \overset{C_6H_5}{\underset{S}{\diagdown}} R^1 \quad + \quad R^1 \overset{}{\underset{S}{\diagdown}} C_6H_5$$

R^1 = CH_3;   *2-Methyl-3-*   *3-Methyl-2-phenyl-thiophen*

R^1 = C_6H_5;   *2,3-Diphenyl-thiophen*

Da die Photolyse von 2-Aryl-thiophenen zeigte, daß die Isomerisierung durch Austausch der Kohlenstoff-Atome 2 und 3 im Thiophen-Ring erfolgt, wird folgender Mechanismus angenommen:

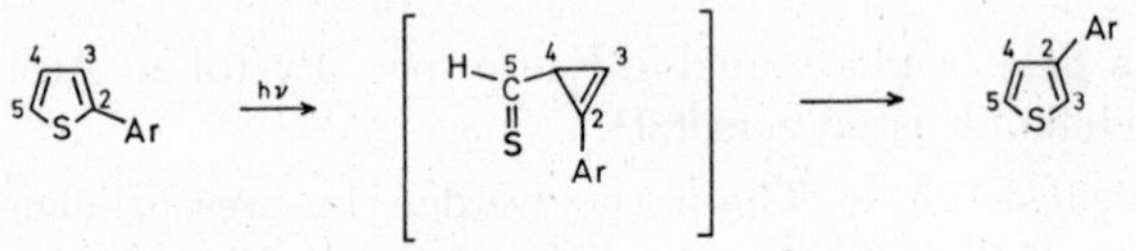

$$\underset{5}{\overset{4\ \ 3}{\diagdown}}_{S}\!_{Ar} \quad \xrightarrow{h\nu} \quad \left[\begin{array}{c} H-\overset{5}{C}\overset{4}{\diagdown}\overset{3}{} \\ \|\ \ \diagdown \\ S \quad Ar \end{array} \right] \quad \longrightarrow \quad \underset{5}{\overset{4\ \ 2}{\diagdown}}_{S}\!_{3}^{Ar}$$

Die Isomerisierung von 3-Aryl-thiophenen verläuft dagegen über 1-Thia$^{(IV)}$-tricyclo[1.1.1.0^{4,5}]pentene-(1^4):

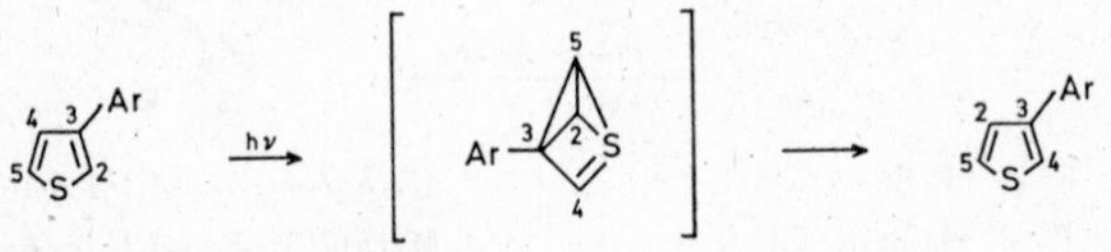

$$\underset{5}{\overset{4\ \ 3}{\diagdown}}_{S}\!_{2}^{Ar} \quad \xrightarrow{h\nu} \quad \left[Ar-\overset{5}{\underset{4}{\diagdown}}\!_{S} \right] \quad \longrightarrow \quad \underset{5}{\overset{2\ \ 3}{\diagdown}}_{S}\!_{4}^{Ar}$$

Neben Isomerisierung konnte an 2,3-, 3,4- und 2,4-Diphenyl-thiophenen auch Photocyclisierung zu *Phenanthro-[9,10-b]-thiophen* nachgewiesen werden.

2,2'- und 2,3'-Bi-thienyl isomerisieren zu *3,3'-Bi-thienyl* und 5,5'-disubstituierte 2,2'-Bithienyle im wesentlichen zu 5,5'-disubstituierten 2,3'-Bi-thienylen[1, 2].

Über Substitutionen von 2- und 3-Jod-thiophen s. S. 648.

---

[1] R. M. KELLOGG et al., J. Org. Chem. **35**, 2737 (1970).

[2] H. WYNBERG u. H. VAN DRIEL, Am. Soc. **87**, 3998 (1965).

Werden Thiophene in Gegenwart von primären Aminen bestrahlt, so findet eine Photoumwandlung in N-alkylierte Pyrrole statt[1]:

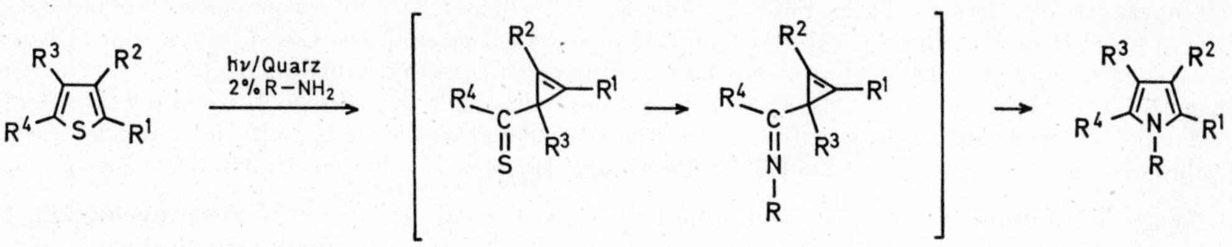

R[1], R[2], R[3], R[4] = H, CH₃

R = C₃H₇, C₆H₁₁

Wird dagegen von Benzo-[b]-thiophenen ausgegangen, so tritt Addition an die Δ^2-Doppelbindung ein[2]:

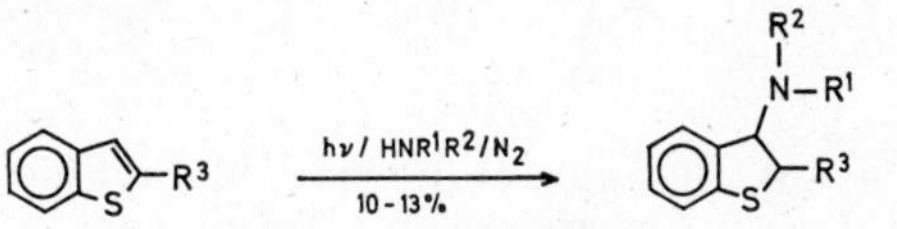

R[3] = H, D

R[1] = H; R[2] = C₃H₇

R[1] — R[2] = — (CH₂)₄ —

Photodimerisierung erfolgt bei Bestrahlung von Benzo-[b]-thiophen-1,1-dioxid, wobei das Verhältnis von Kopf/Kopf- zu Kopf/Schwanz-Addukt mit dem Lösungsmittel variiert[3]:

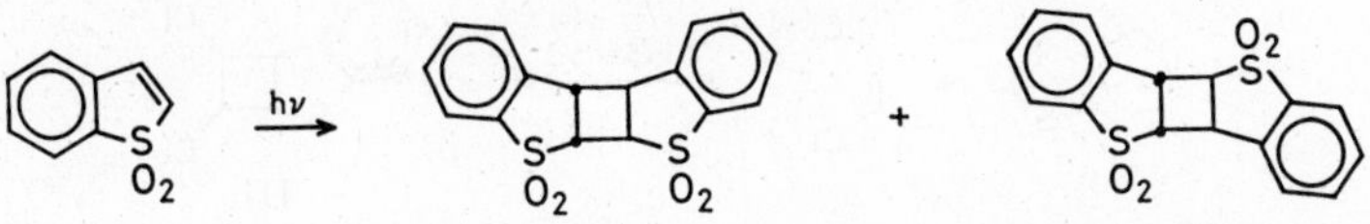

I

Dibenzo-3,10-dithia-anti-tricyclo[5.3.0.0²,⁶]decadien-(4,8)-3,3; 10,10-bis-[dioxid];
F: 329–330° (Zers.)

II

Dibenzo-3,8-dithia-anti-tricyclo[5.3.0.0²,⁶]decadien-(4,9)-3,3; 8,8-bis-[dioxid];
F: 334–335° (Zers.)

Aus diesen Substanzen lassen sich bequem *Dibenzo-3,10-dithia-anti-tricyclo[5.3.0.0²,⁶]de-cadien-(4,8)* (F: 217–218°) und *Dibenzo-3,8-dithia-anti-tricyclo[5.3.0.0²,⁶]decadien-(4,9)* (F: 180–180,5°) herstellen, die photochemisch aus Benzo-[b]-thiophen nicht zugänglich sind[4].

Über analoge Reaktionen (Ausbeuten > 70% d.Th.) von Halogen- und Alkyl-Derivaten vgl. Lit.[5, 6].

Zu einem 1:1-Addukt noch unbekannter Struktur (60% d.Th.; F: 290–291) führt die Einwirkung von Sonnenlicht auf eine gesättigte benzolische Lösung von 3,4-Dimethyl-thiophen-1,1-dioxid[5].

[1] M. P. Fegley, N. M. Bortnick u. C. H. McKeever, Am. Soc. **79**, 4144 (1957).
  F. Ya. Perveev, V. Ya. Statsevich u. L. P. Gavryuchenkova, Ž. Org. Chim. **2**, 397 (1966).
  A. Couture u. A. Lablache-Combier, Chem. Commun. **1969**, 524; Tetrahedron **27**, 1059 (1971).
[2] P. Grandclaudon u. A. Lablache-Combier, Chem. Commun. **1971**, 892.
[3] D. N. Harpp u. C. Heitner, J. Org. Chem. **35**, 3256 (1970); Am. Soc. **94**, 8179 (1972).
[4] E. Block, Quart. Rep. Sulfur Chem. **4**, 237 (1969).
[5] W. Davies u. F. C. James, Soc. **1955**, 314.
[6] A. Mustafa u. S. M. A. D. Zayed, Am. Soc. **78**, 6174 (1956).

Dibenzo-3,10-dithia-anti-tricyclo [5.3.0.0.²·⁶] decadien-(4,8)-3,3;10,10-bis-[dioxid] (I) und Dibenzo-3,8-dithia-anti-tricyclo[5.3.0.0²·⁶] decadien-(4,9)-3,3;8,8-bis-[dioxid] (II; S. 557)¹: 8,0 g (0,024 Mol) Benzo-[b]-thiophen-1,1-dioxid in 2 *l* Benzol werden unter Stickstoff mit einem Quecksilber-Hochdruck-Brenner (Hanovia 450 W) durch ein Pyrex-Filter 20 Stdn. bei 25° belichtet. Das Reaktionsgemisch enthält 6,0 g (75%) I und II im Verhältnis 73:27 und 1,7 g (21%) Ausgangsmaterial. Die Lösung scheidet beim Konzentrieren Kristalle ab, aus welchen nach Umkristallisieren in Dimethylsulfoxid 2,6 g (32,5% d.Th.) des Kopf/Kopf-*anti*-Dimeren I (F: 329–330°; Zers.) rein anfallen. Die benzolische Mutterlauge wird eingedampft, mit siedendem Wasser extrahiert und der Rückstand aus Dimethylsulfoxid umkristallisiert. Dabei werden 1,1 g (14% d.Th.) des Kopf/Schwanz-*anti*-Dimeren II erhalten (F: 334–335°; Zers.).

Weiterhin können an das Thiophen-System C–C-Mehrfachbindungen cycloaddiert werden. Mit 2,3-Dimethyl-maleinsäureanhydrid ergibt die sensibilisierte Photolyse *6,7-Dimethyl-2-thia-bicyclo[3.2.0]hepten-(3)-6,7-dicarbonsäure-anhydrid*² :

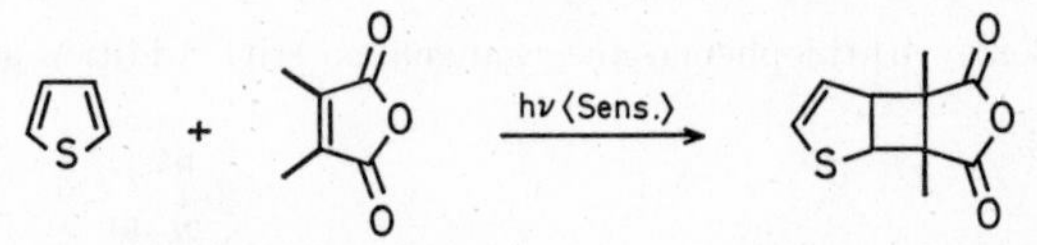

Die Reaktion läßt sich auf Butadien-(1,3)³ und Methyl-maleinsäureanhydrid⁴ übertragen; auch hier bleibt die sterische Struktur des Adduktes noch unbekannt. Thiophen sowie 3-Phenyl-thiophen liefern mit 1,2-Dichlor-äthylen 1:1-Addukte in ~ 50%iger Ausbeute³.

Benzo-[b]-thiophen ist ein guter Reaktionspartner für gemischte Cycloadditionen. *cis*-1,2-Dichlor-äthylen wird bei sensibilisierter Anregung zu *8,9-Dichlor-⟨benzo-2-thia-bicyclo[3.2.0] hepten-(3)⟩* (III; 60% d.Th.; Isomerengemisch) addiert⁵ :

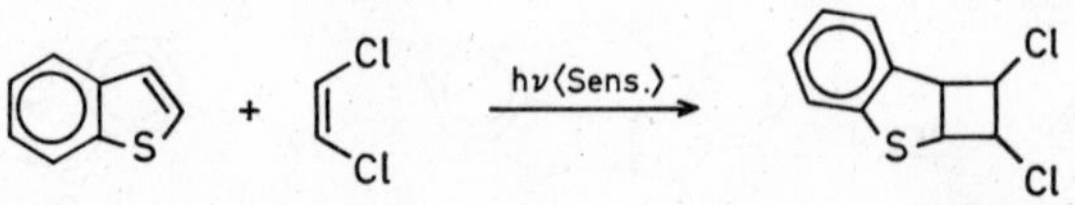

Ebenso lassen sich 2- und 3-Methyl- oder 3-Chlor-Derivate umsetzen; auch 2,2-Difluor-1,1-dichlor-äthylen ist addierbar⁵.

Diphenyl-acetylen bildet mit Benzo-[b]-thiophen neben dem zu erwartenden *8,9-Diphenyl-⟨3,4-benzo-2-thia-bicyclo[3.2.0]heptadien-(3,6)⟩* (IV; 3% d.Th.) das 1,9-Diphenyl-Isomere (V; 30% d.Th.)⁵⁻⁷:

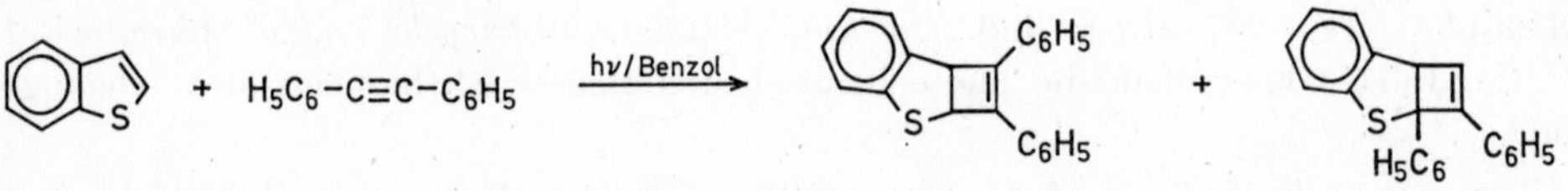

Weitere [2 + 2]-Photoadditionen wurden mit 2- und 3-Methyl- sowie 2,3-Dimethyl-⟨benzo-[b]-thiophen⟩ und Acetylen-dicarbonsäure-dimethylester durchgeführt. Bei ~ 16%iger Ausbeute bilden sich umgelagerte, 1,9-disubstituierte Stoffe analog Verbindung V⁶.

¹ D. N. Harpp u. C. Heitner, Am. Soc. **94**, 8179 (1972).
² G. O. Schenck, W. Hartmann u. R. Steinmetz, B. **96**, 498 (1963).
³ R. M. Kellogg, M. B. Groen u. H. Wynberg, 157ᵗʰ Meeting of the American Chem. Soc. Minneapolis Minn. (April 1969) ORGN-24.
⁴ C. Rivas et al., Photochem. and Photobiol. **7**, 807 (1968); C. A. **70**, 19956ʰ (1969); Acta cient. Venez. **21**, 28 (1970); C. A. **73**, 24636ᵛ (1970); Rev. Latinoamer. Quim. **2**, 9 (1971); C. A. **75**, 140596ˣ (1971).
⁵ D. C. Neckers, J. H. Dopper u. H. Wynberg, J. Org. Chem. **35**, 1582 (1970).
⁶ W. F. H. Sasse, P. J. Collin u. D. B. Roberts, Tetrahedron Letters **1969**, 4791.
⁷ D. G. Neckers, J. H. Dopper u. H. Wynberg, Tetrahedron Letters **1969**, 2913.

6,7-Dimethyl-2-thia-bicyclo[3.2.0] hepten-(3)-6,7-dicarbonsäure-anhydrid[1]: 6 g Dimethyl-maleinsäure-anhydrid und 4 g Benzophenon in 150 ml Thiophen werden unter Argon mit einem Quecksilber-Hochdruck-Brenner (Philips HPK 125 W) durch ein Solidex-Filter 48 Stdn. bei 20° bestrahlt. Nach dem Eindampfen wird mit Äther digeriert. Dabei bleiben 2,8 g (28% d.Th.) Kristalle ungelöst. Nach Sublimation (0,3 Torr, 130°) F: 158–159°. 3,9 g Ausgangsverbindung werden zurückgewonnen.

8,9-Dichlor-⟨benzo-2-thia-bicyclo[3.2.0] hepten-(3)⟩(III; S.558)[2]: 2 g Benzo-[b]-thiophen und 0,5 g Acetophenon in 200 g cis-1,2-Dichlor-äthylen werden 48 Stdn. mit einem Quecksilber-Hochdruck-Brenner (Hanau Q 81 oder Hanovia 450 W) durch ein Pyrex-Filter belichtet. Nach Abdampfen des Lösungsmittels lassen sich durch präparative Schichtchromatographie an Kieselgel (4 Platten; 20 × 100 cm; 2 mm Schichtdicke) mit Pentan/Dichlormethan (1:1) 2,0 g (60% d.Th.) der stereoisomeren Addukte III gewinnen.

Zur Chlorwasserstoff-Abspaltung wird das Isomerengemisch mit Natronlauge in siedendem Methanol behandelt. Zur Bildung von *Phenyl-cyclobutan* wird 12 Stdn. mit Raney-Nickel in abs. Äthanol gekocht.

8,9- und 1,9-Dimethyl-⟨3,4-benzo-2-thia-bicyclo[3.2.0] heptadien-(3,6)⟩ (IV, V; S.558)[3]: Eine entgaste Lösung von 10 g Benzo-[b]-thiophen und 1,78 g Diphenyl-acetylen in 80 ml Benzol wird in einem Pyrex-Gefäß ~ 50 Stdn. mit einer 250 W Hanovia Quecksilber-Mitteldruck-Lampe unter Spülung mit sauerstoff-freiem Stickstoff bestrahlt. Das Produktgemisch wird an Kieselgel mit Petroläther (Kp: 60–80°)/Benzol (95:5) getrennt. V: Ausbeute: 1,04 g (30% d.Th.); F: 123–124° (Petroläther); IV: Ausbeute: 0,11 g (3% d.Th.); F: 152–154° (Methanol).

Benzo-[b]-thiophen liefert bei Bestrahlung *2,2'-Bi-⟨benzo-[b]-thienyl⟩* neben *Benzo-[b]-naphtho-[1,2-d]-thiophen*[4,5]:

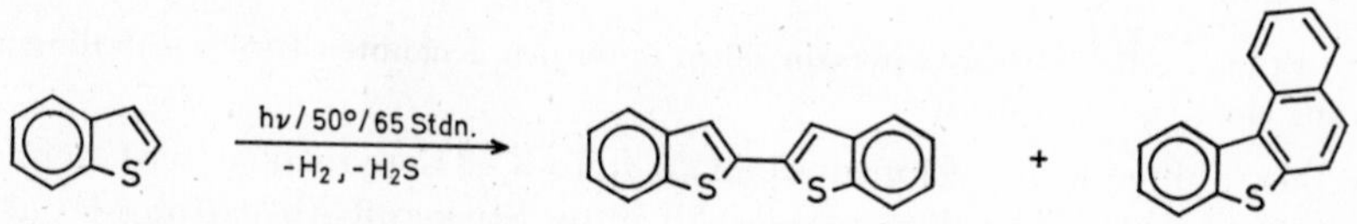

Mit besonders hoher Ausbeute (bis über 90%) tritt in Gegenwart von Oxidationsmitteln Photocyclisierung bei 2-(2-Phenyl-vinyl)-thiophenen ein[6]:

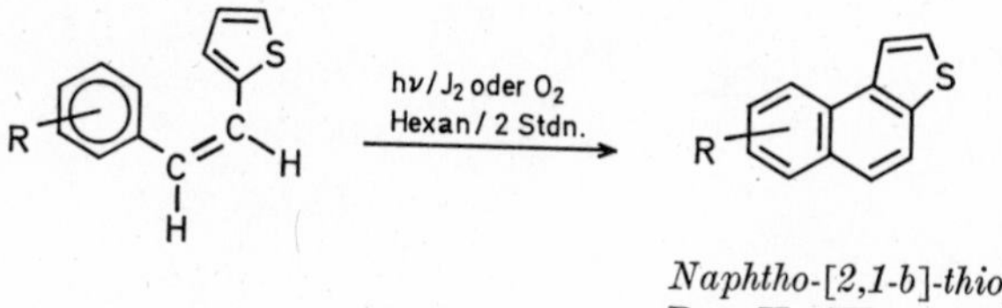

Naphtho-[2,1-b]-thiophene;
R = H; CH₃

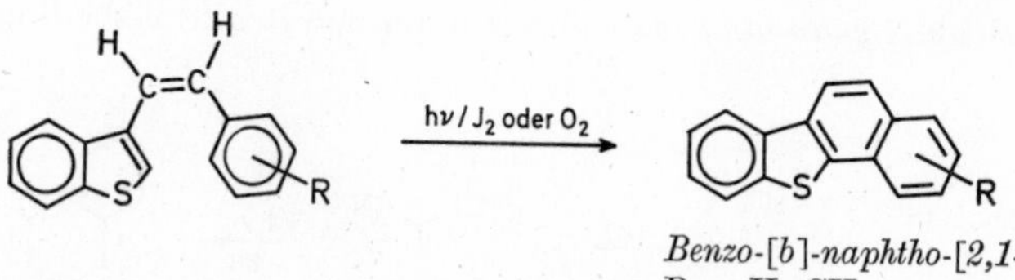

Benzo-[b]-naphtho-[2,1-d]-thiophene;
R = H; CH₃

Die Photoaddition von Carbenen (aus Diazo-Verbindungen) (S. 1241, 1246) werden an anderer Stelle des Bd. beschrieben.

[1] G. O. SCHENCK, W. HARTMANN u. R. STEINMETZ, B. **96**, 498 (1963).
[2] D. C. NECKERS, J. H. DOPPER u. H. WYNBERG, J. Org. Chem. **35**, 1582 (1970).
[3] W. F. H. SASSE, P. J. COLLINS u. D. B. ROBERTS, Tetrahedron LeHers **1969**, 4791.
[4] W. E. HAINES et al., J. phys. Chem. **60**, 549 (1956).
[5] W. E. HAINES, G. L. COOK u. J. S. BALL, Am. Soc. **78**, 5213 (1956).
[6] W. CARRUTHERS u. H. N. M. J. STEWART, Soc. **1965**, 6221; Tetrahedron Letters **1965**, 301.

2. mit zwei Heteroatomen

α) Pyrazole und Benzpyrazole

Pyrazole werden in Gegenwart von 4–8 Mol.-% Benzophenon als Sensibilisator in 1,4-Dioxan, Essigsäure-äthylester, Methanol oder 1,2-Dimethoxy-äthan als Lösungsmittel zu Imidazolen[1] isomerisiert:

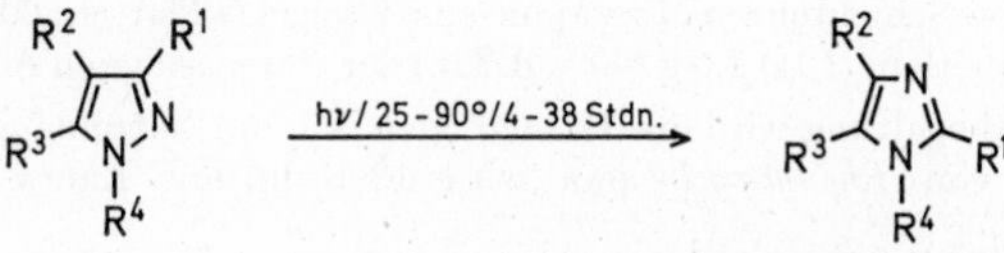

z. B.:

R[1] = R[2] = R[3] = R[4] = H;   *Imidazol*[2]; 16% d.Th. (in 1,4-Dioxan)
R[2] = R[3] = R[4] = H; R[1] = CH₃;   *2-Methyl-imidazol*[2]; 32% d.Th. (in 1,4-Dioxan)
R[1] = R[3] = R[4] = H; R[2] = CH₃;   *4-Methyl-imidazol*[2]; 30% d.Th. (in Methanol)
R[1] = R[2] = R[3] = H; R[4] = CH₃;   *1-Methyl-imidazol*[2]; 29% d.Th. (in Essigsäure-äthylester)
R[4] = C₆H₅;   *1-Phenyl-imidazol*[2]; 24% d.Th. (in 1,4-Dioxan)
R[4] = CH₂–C₆H₅;   *1-Benzyl-imidazol*[2]; 21% d.Th. (in 1,2-Dimethoxy-äthan)
R[2] = H; R[1] = R[3] = R[4] = CH₃;   *1,2,4-* (26% d.Th.) und *1,2,5-Trimethyl-imidazol* (13% d.Th.) [in Cyclohexan; 3 Stdn.][3]

4-Nitro-, 4-Chlor- oder 1-Benzoyl-pyrazol gehen unter den genannten Reaktionsbedingungen keine Isomerisierung ein.

Bei der Bestrahlung von Cyclopentadien-⟨5-spiro-3⟩-3H-pyrazolen tritt keine Isomerisierung zum Imidazol ein, sondern man erhält unter Stickstoff-Abspaltung Cyclopropabenzole[4], die thermisch in die entsprechenden Benzo-[b]-furane umgelagert werden können:

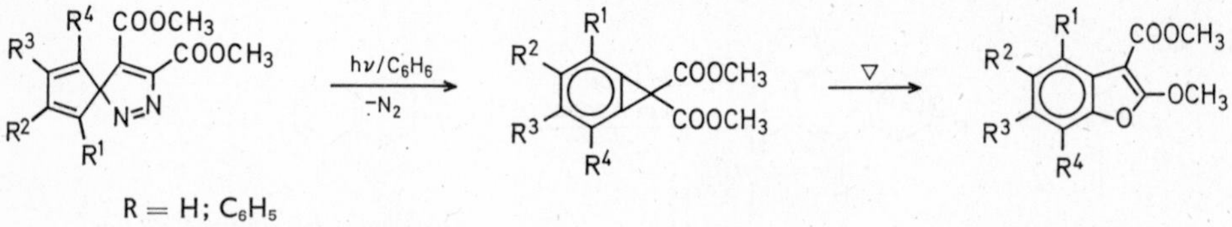

Ebenfalls Stickstoff-Abspaltung erfolgt bei Bestrahlung von 3-Benzyl-3-cyan-3H-indazol[5]. Das *1,2-Diphenyl-1-cyan-äthylen* cyclisiert unter den Reaktionsbedingungen zu *9-Cyanphenanthren*:

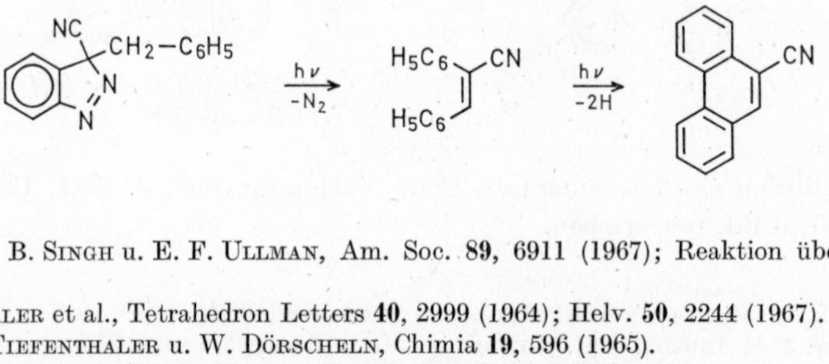

[1] Mechanismus: B. Singh u. E. F. Ullman, Am. Soc. 89, 6911 (1967); Reaktion über ein Aziridin-Derivat.
[2] H. Tiefenthaler et al., Tetrahedron Letters 40, 2999 (1964); Helv. 50, 2244 (1967).
   H. Göth, H. Tiefenthaler u. W. Dörscheln, Chimia 19, 596 (1965).
[3] P. Beak, J. L. Miesel u. W. R. Messer, Tetrahedron Letters 1967, 5315.
   P. Beak u. W. R. Messer, Tetrahedron 25, 3287 (1969).
[4] H. Dürr u. L. Schrader, B. 103, 1334 (1970).
[5] R. E. Bernard u. H. Schechter, Tetrahedron Letters 1972, 4529.

1H- und 2H-Benzo-[c]-pyrazole erleiden in Äther photolysiert, mit Ausnahme der 1-Alkyl(Aryl)-1H-⟨benzo-[c]-pyrazole⟩ Umlagerung zu Benzimidazolen[1]:

① 2-Alkyl-2H-⟨benzo-[c]-pyrazole⟩[2]:

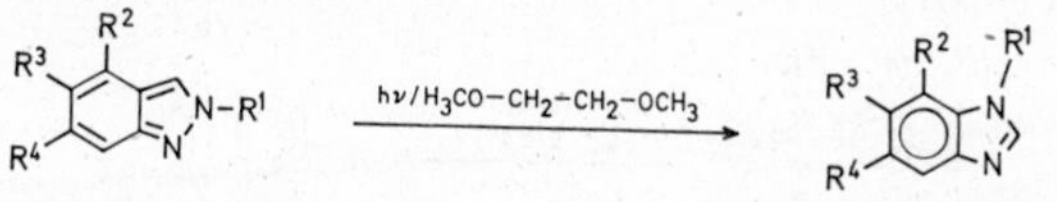

$R^2 = R^3 = R^4 = H$; $R^1 = CH_3$;   1-Methyl-benzimidazol; 96% d.Th.
$R^1 = CH_2-C_6H_5$;   1-Benzyl-benzimidazol; 73% d.Th.
$R^3 = R^4 = H$; $R^1 = R^2 = CH_3$;   1,7-Dimethyl-benzimidazol; 79% d.Th.
$R^2 = R^3 = H$; $R^1 = R^4 = CH_3$;   1,5-Dimethyl-benzimidazol; 83% d.Th.
$R^2 = R^4 = H$; $R^1 = CH_3$; $R^3 = Cl$;   6-Chlor-1-methyl-benzimidazol; 48% d.Th.

② In 1-Stellung unsubstituierte 1H-Benzo-[c]-pyrazole:

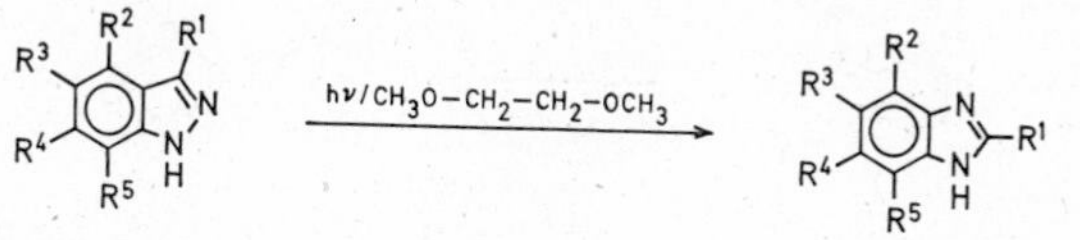

z. B.

$R^1 = R^2 = R^4 = H$; $R^3 = R^5 = C(CH_3)_3$;   5,7-Di-tert.-butyl-benzimidazol; 77% d.Th.
$R^2 = R^3 = R^4 = R^5 = H$; $R^1 = CH_3$;   2-Methyl-benzimidazol; 36% d.Th.

4-Methyl, 3-Phenyl-, 5-Methoxy-, 5- oder 6-Chlor-, 6-Nitro-1H-⟨benzo-[c]-pyrazol⟩ sowie einige benzokondensierte Derivate gehen diese Umlagerung nicht ein.

1-Methyl-benzimidazol[1]: 100 mg 2-Methyl-2H-⟨benzo-[c]-pyrazol⟩ ($c = 2{,}1 \cdot 10^{-2}$ m) werden in 35 ml 1,2-Dimethoxy-äthan gelöst und bei 90° 1 Stde. mit einer Quecksilber-Hochdruck-Lampe bestrahlt. Nach Abdampfen des Lösungsmittels wird der Rückstand an Kieselgel chromatographiert und nach Elution mit Essigsäure-äthylester/Methanol (10:1) ein Hauptprodukt gewonnen, das bei 55–60°/0,01 Torr destilliert wird; Ausbeute: 96 mg (96% d.Th.) (farbloses Öl); F: 244–245° (Pikrat).

1-Substituierte 1H-⟨Benzo-[c]-pyrazole⟩ werden dagegen auch in Äther als Lösungsmittel zu 2-Amino-benzonitrilen[3] gespalten:

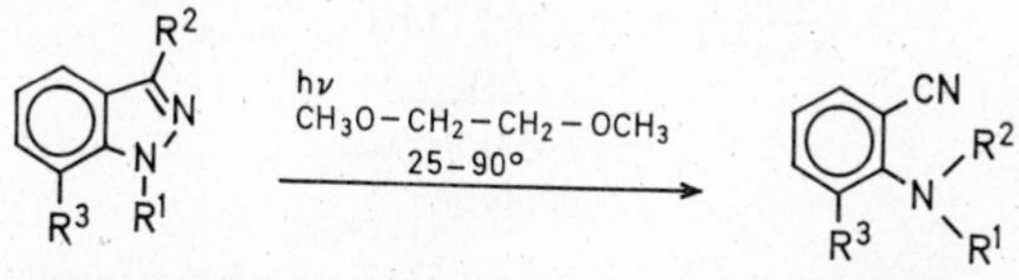

$R^2 = R^3 = H$; $R^1 = CH_3$;   2-Methylamino-benzonitril; 33,5% d.Th.
$R^1 = C_6H_5$;   2-Anilino-benzonitril; 58% d.Th.
$R^1 = CH_2-C_6H_5$;   2-Benzylamino-benzonitril; 10% d.Th.

Die Primärreaktion der Photoisomerisierung von 2-Alkyl-2H-⟨benzo-[c]-pyrazolen⟩ zu 1-Alkyl-benzimidazolen geht vom tiefstangeregten Singulett aus. Der Ablauf ist in Cyclohexan, Diäthyläther, Hexan und 1,4-Dioxan gleich schnell, in Äthanol und Wasser halb so schnell (in saurer Lösung findet kein Umsatz statt). Die Quantenausbeute ist unabhängig von der Erregerwellenlänge[4–6].

---

[1] H. Tiefenthaler et al., Helv. **50**, 2244 (1967); dort zahlreiche weitere Beispiele.
[2] 2-Aryl-Derivate gehen die Reaktion nicht ein.
[3] Bei $R^2 = CH_3$, C_6H_5 tritt keine Reaktion ein.
[4] J. P. Dubois u. H. Labhart, Chimia **23**, 109 (1969).
[5] H. Labhart, 3. Internationales Symposium für Photochemie der IUPAC, St. Moritz, 12.-18. Juli 1970.
[6] H. Labhart, W. Heinzelmann u. J. P. Dubois, Pure Appl. Chem. **24**, 495 (1970).

In saurer Lösung (0,1–0,75n Schwefelsäure) werden Benzo-[c]-pyrazole unter Reaktion mit dem Lösungsmittel zu (*2-Amino-phenyl*)-*carbonyl*-Verbindungen gespalten[1] (das Lösungsmittel erscheint als Substituent in 5-Stellung):

① 1H-⟨Benzo-[c]-pyrazol⟩

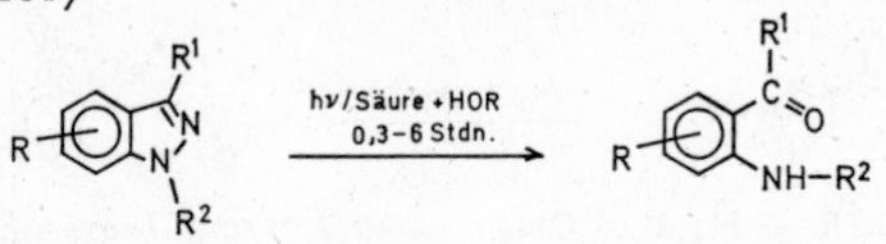

R = R¹ = R² = H　　　　　(0,75n H₂SO₄/C₂H₅OH)　　　*2-Amino-5-äthoxy-benzaldehyd*; 40% d.Th.
R = R¹ = H; R² = CH₃　　(0,1n H₂SO₄/H₂O)　　　　*2-Methylamino-5-hydroxy-benzaldehyd*; 70% d.Th.
R¹ = R² = H; R = 4-CH₃　(0,3n H₂SO₄/H₂O)　　　　*2-Amino-5-hydroxy-6-methyl-benzaldehyd*; 73% d.Th.
R = R² = H; R¹ = CH₃　　(0,1n H₂SO₄/H₂O)　　　　*2-Amino-5-hydroxy-benzophenon*; 44% d.Th.

② 2H-⟨Benzo-[c]-pyrazole⟩

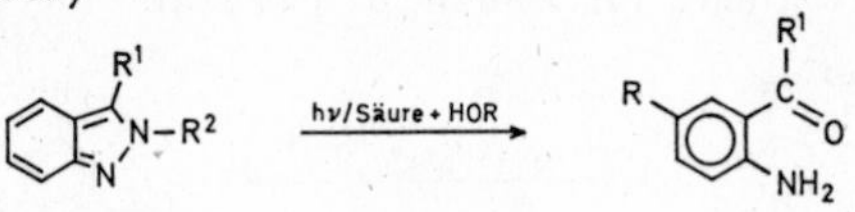

z. B.:
R¹ = H; R² = CH₃　　　　(0,1n H₂SO₄/H₂O)　　　*2-Amino-5-hydroxy-benzaldehyd*; 20% d.Th.
R¹ = R² = H; R = 6-CH₃　(0,7n H₂SO₄/CH₃OH)　*2-Amino-5-methoxy-4-methyl-benzaldehyd*; 50% d.Th.

β) Imidazole und Benzimidazole

Methyl-substituierte Imidazole isomerisieren unter Gerüstumlagerung[2]; z. B.

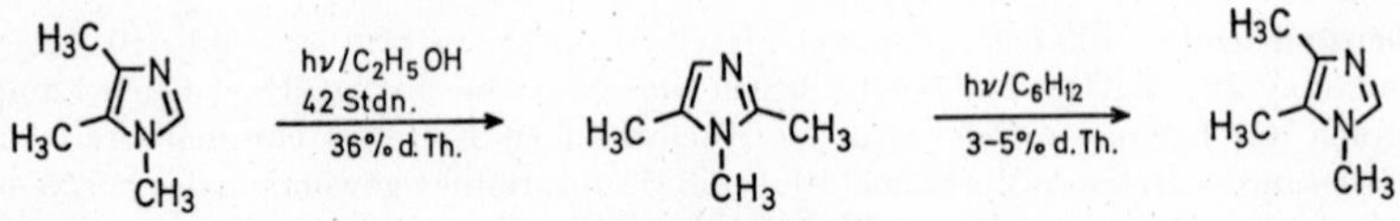

1,2,5-Trimethyl-imidazol

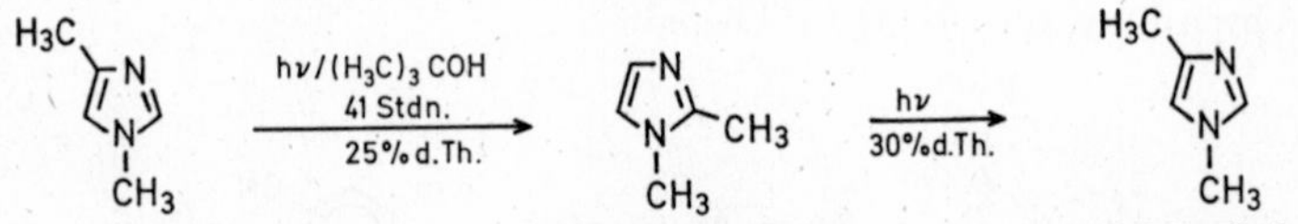

1,2-Dimethyl-imidazol　　　　*1,4-Dimethyl-imidazol*

2-Phenyl-benzimidazol (50% d.Th.) und *2-(2-Äthoxy-phenyl)-benzimidazol* (16% d.Th.) werden bei der Photolyse von Benzimidazo-[1,2-c]-[1,2,3]-benzotriazol in Äthanol erhalten[3]:

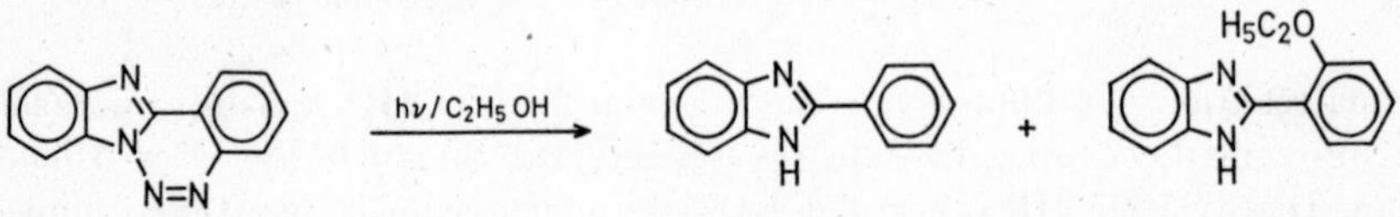

2-Phenyl- und 2-(2-Äthoxy-phenyl)-benzimidazol[3]: Eine Lösung von 0,5 g Benzimidazo-[1,2-c]-1,2,3-benzotriazin in Äthanol wird in einem Quarzgefäß (220 mm Länge und 34 cm ⌀) zur Entfernung von Sauerstoff 30 Min. mit Stickstoff gespült. Dann wird mit einer 450 W Quecksilber UV-Lampe

[1] M. Georgarakis et al., Helv. **54**, 2916 (1971); dort zahlreiche Beispiele.
[2] P. Beak, J. L. Miesel u. W. R. Messer, Tetrahedron Letters **1967**, 5315.
　　P. Beak u. W. R. Messer, Tetrahedron **25**, 3287 (1969).
　　P. Beak u. W. Messer in O. L. Chapman, *Organic Photochemistry*, Bd. 2, Marcel Dekker, New York 1969.
[3] R. H. Spector u. M. M. Joullié, J. Hererocyclic Chem. **6**, 605 (1969).

3 Stdn. bestrahlt. Nach Entfernung des Lösungsmittels i. Vak. wird der Rückstand mit Chloroform behandelt und das Ungelöste abfiltriert. Dieses wird aus 65%igem wäßrigen Äthanol umkristallisiert; Ausbeute: 0,2 g (49,8% d. Th.) 2-*Phenyl-benzimidazol* (F: 294–296°).

Das Chloroform-Filtrat wird konzentriert, über Aluminiumoxid mit Chloroform als Laufmittel chromatographiert. Von der 1. Fraktion wird i. Vak. das Lösungsmittel entfernt und die zähe Festsubstanz aus Cyclohexan umkristallisiert (F: 115–121°). Danach wird in wenig Benzol gelöst und über Aluminiumoxid mit Benzol als Eluierungsmittel chromatographiert; die 1. Fraktion ergibt nach Entfernen des Lösungsmittels gelbe Kristalle, die aus Cyclohexan umkristallisiert werden; Ausbeute: 90 mg (16,4% d. Th.) 2-*(2-Äthoxy-phenyl)-benzimidazol*; F: 121–122,5°.

Die Photolyse von 2-Äthyl-1-benzyl-benzimidazol-3-oxid ist stark lösungsmittelabhängig[1]:

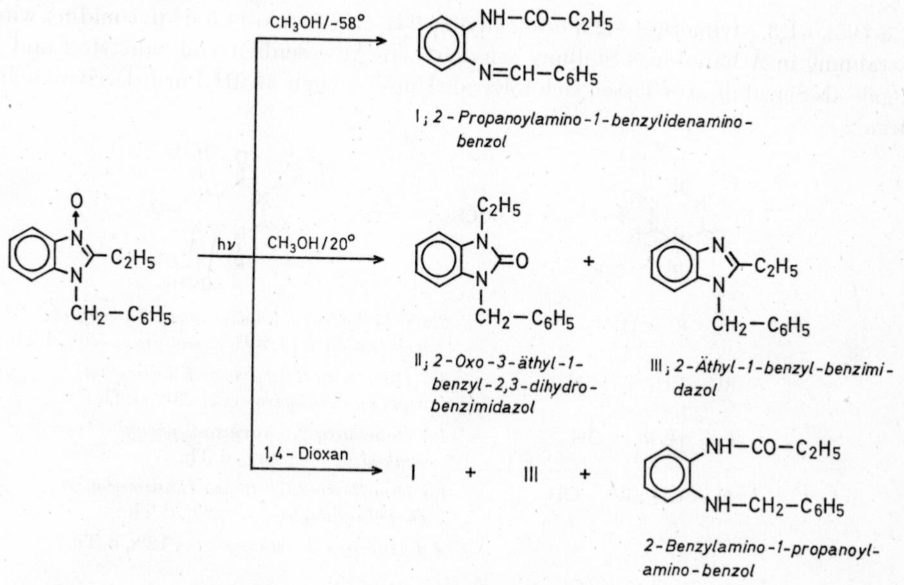

4,5-Diphenyl-imidazole werden in äthanolischer Lösung durch Jod dehydrocyclisiert[2]:

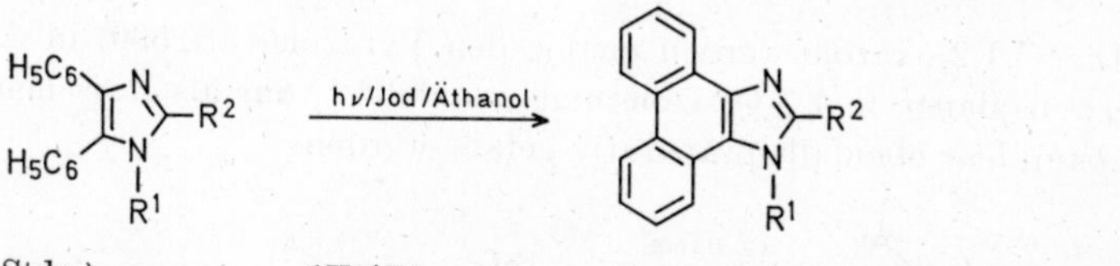

R[1] = R[2] = H (12 Stdn.)   *1H-⟨Phenanthro-[9,10-d]-imidazol⟩*; 75% d.Th.; F: 302°
R[1] = H; R[2] = C_6H_5 (55 Stdn.)   *2-Phenyl-1H-* . . . ; 40% d.Th.; F: 320–321°
R[1] = R[2] = C_6H_5 (3 Stdn.)   *1,2-Diphenyl-1H-* . . . ; 90% d.Th.; F: 198–201°

Die durch thermische Oxidation von 2,4,5-Triaryl-imidazolen mit Kalium-hexacyanoferrat(III) anfallenden Dimeren werden u. a. photolytisch zu 2,4,5-Triaryl-imidazolyl-Radikale gespalten[3]:

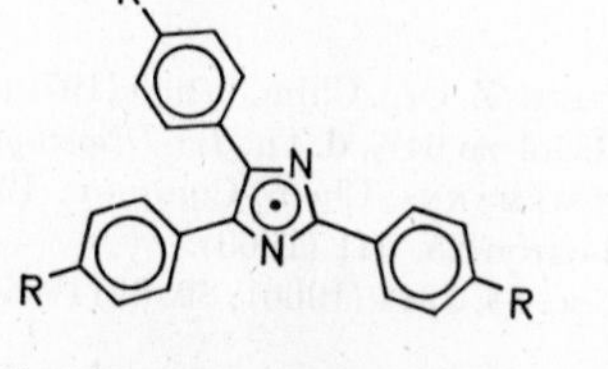

R = H, CH_3, Cl

[1] M. Ogata et al., Chem. Pharm. Bull. (Tokyo) **18**, 964 (1970).
[2] J. L. Cooper u. H. H. Wasserman, Chem. Commun. **1969**, 200.
[3] K. Maeda u. T. Hayashi, Bl. chem. Soc. Japan **43**, 429 (1970).

36*

2-Mercapto-1-methyl-benzimidazole werden in äthanolischer Salzsäure unter Heteroaryl-S-Spaltung photolysiert[1]:

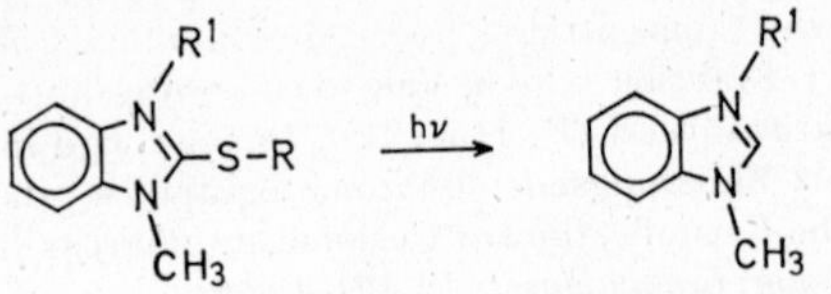

R¹ = H;   *1-Methyl-benzimidazol*; 88% d. Th.
R¹ = CH₃; *1,3-Dimethyl-benzimidazol*; 65% d. Th.

2,6-Dioxo-1,3,7-trimethyl-1,2,3,6-tetrahydro-7 H-⟨imidazolo-[4,5-d]-pyrimidin⟩ wird bei Bestrahlung in Äthanol in 8-Stellung äthyliert[2]. In Anwesenheit von Sauerstoff und Rose Bengale als Sensibilisator lassen sich folgende Umsetzungen an 9H-Purin-Derivaten durchführen[3]:

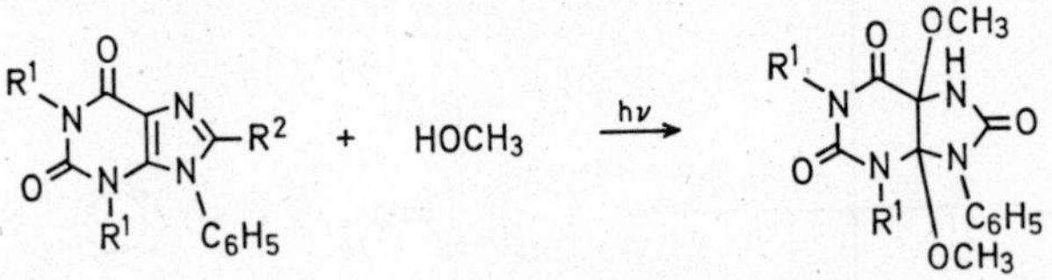

R¹ = R² = H

2,6,8-Trihydroxy-4,5-dimethoxy-9-phenyl-4,5-dihydro-9H-⟨imidazo-[4,5-d]-pyrimidin⟩; 58% d. Th.

R¹ = CH₃; R² = H

4,5-Dimethoxy-2,6,8-trioxo-1,3-dimethyl-9-phenyl-octahydro- . . .; 23% d. Th.

R¹ = H; R² = OH

4,5-Dimethoxy-2,6,8-trioxo-9-phenyl-octahydro- . . .; 46% d. Th.

R¹ = CH₃; R² = OH

4,5-Dimethoxy-2,6,8-trioxo-1,3-dimethyl-9-phenyl-octahydro- . . .; 2% d. Th.

+ *4-Hydroxy-5-methoxy-* . . .; 12% d. Th.

γ) 1,2- und 1,3-Oxazole sowie Benzoxazole

3,5-Diaryl-1,2-oxazole werden analog den Pyrazolen (S. 560) in Abhängigkeit von der Erregerwellenlänge in 1,3-Oxazole umgewandelt[4,5]; das als Zwischenprodukt auftretende Azirin kann hier ebenfalls präparativ gefaßt werden:

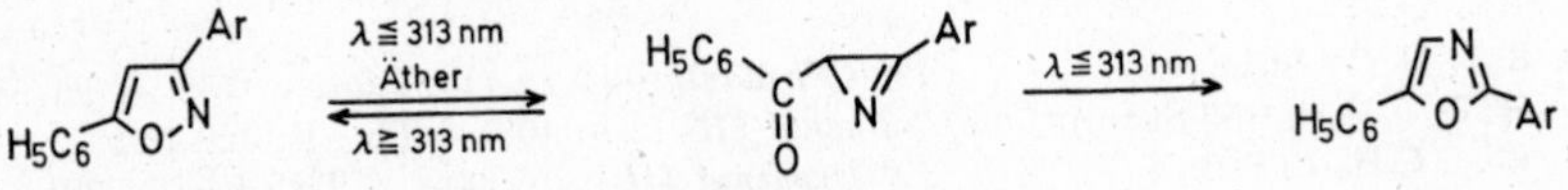

2,5-Diphenyl-1,3-oxazol und 3-Phenyl-2-benzoyl-2 H-azirin[6]:

Methode ①: Eine Lösung von 80 mg 3,5-Diphenyl-1,3-oxazol in wasserfreiem Äther wird unter Stickstoff mit λ = 254 nm bestrahlt; nach Verschwinden der UV-Absorption der Ausgangssubstanz wird die Bestrahlung unterbrochen, das Lösungsmittel abgedampft und der ölige Rückstand mit heißem

[1] A. V. El'Tsov u. K. M. Krivozheiko, Ž. Org. Chim. **6**, 635 (1970); analog erhält man aus 2-Thiono-1,3-dimethyl-2,3-dihydro-benzimidazol zu 64% d. Th. *1,3-Dimethyl-benzimidazolium-chlorid*.

[2] D. Elad, I. Rosenthal u. H. Steinmanns, Chem. Commun. **1969**, 305.

[3] T. Matsuura u. I. Saito, Tetrahedron **25**, 541 (1969).

[4] E. F. Ullman u. B. Singh, Am. Soc. 88, 1844 (1966); 89, 6911 (1967); hier auch Angaben über Quantenausbeuten.

[5] B. Singh, A. Zweig u. J. B. Gallivan, Am. Soc. 94, 1199 (1972); theoretische Deutung sowie Herstellung weiterer 2-Aryl-3-acyl-3 H-azirine.

[6] B. Singh u. E. F. Ullman, Am. Soc. 89, 6911 (1967).

Petroläther (Kp: 30–60°) mehrmals extrahiert. Die kombinierten Extrakte werden an Silikagel chromatographiert und ergeben 39 mg (49% d.Th.) *2,5-Diphenyl-1,3-oxazol* (F: 72–74°) und 12 mg (15% d.Th.) *3-Phenyl-2-benzoyl-2H-azirin* (gelbliche Flüssigkeit).

Bei längerem Belichten wird weniger Azirin und mehr 1,3-Oxazol (bis zu 65% d.Th.) isoliert.

Methode ②: 620 mg 2,5-Diphenyl-1,3-oxazol in 200 *ml* Benzol gelöst werden unter Stickstoff im Pyrex-Gefäß bestrahlt (mit λ > 280 nm wird nur wenig Azirin in 1,3-Oxazol umgewandelt). Nach 30 Stdn. wird das Lösungsmittel entfernt, die Reaktionsmischung chromatographiert und 250 mg *3-Phenyl-2-benzoyl-2H-azirin* (58% d.Th. bez. auf umgesetztes Ausgangsmaterial) neben 237 mg Ausgangsmaterial gewonnen.

Das Azirin (F: 44–46°) kann nicht umkristallisiert werden. Nach wiederholter Chromatographie ist es analytisch rein.

Die Photolyse von Triphenyl-1,2-oxazol stellt eine gute Methode zur Herstellung von Keten-iminen dar[1]; z. B.:

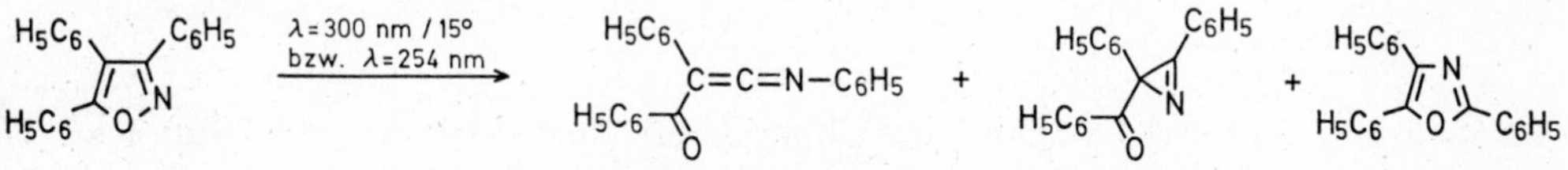

Phenyl-benzoyl-keten-phenylimin; 40% d.Th.

Dagegen kann im Falle des 5-Amino-3-phenyl-1,2-oxazol in Äther, Alkoholen oder Estern das instabile 5-Amino-2-phenyl-1,3-oxazol nicht isoliert werden[2]:

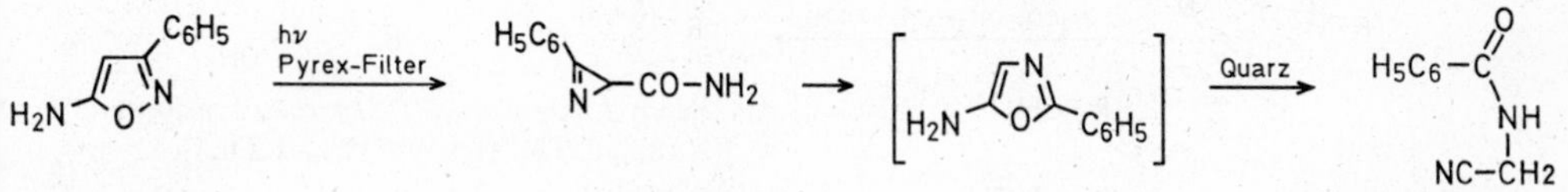

3-Phenyl-2-amino-carbonyl-2H-azirin; 42% d.Th.

Benzoesäure-cyanmethylamid; 11% d.Th.

3-Phenyl-2-aminocarbonyl-2H-azirin[2]: 0,728 g 5-Amino-3-phenyl-1,2-oxazol werden in 300 *ml* Dichlormethan mit einer Quecksilber-Niederdruck-Lampe 3 Stdn. bestrahlt. Nach Entfernen des Lösungsmittels wird der Rückstand mit Äther aufgenommen und vorsichtig mit 2 *ml* Essigsäure-äthylester erwärmt; es ergeben sich zunächst 0,26 g Azirin; das Filtrat wird dann mit Essigsäure-äthylester an Kieselgel chromatographiert und daraus zusätzlich 0,021 g Azirin erhalten. Das kombinierte Material beträgt 0,281 g (38% d.Th.); nach Umkristallisation F: 189° (Zers.).

Die Ausbeute in Äthanol als Lösungsmittel beträgt 3% d.Th., in Benzol 10% d.Th. und in Äther 42% d.Th.

Analog erhält man *3-(4-Methyl-phenyl)-2-aminocarbonyl-2H-azirin* (33% d.Th.).

Aus 3-Hydroxy-1,2-oxazolen werden in wäßriger Lösung 2-Hydroxy-1,3-oxazole[3] erhalten:

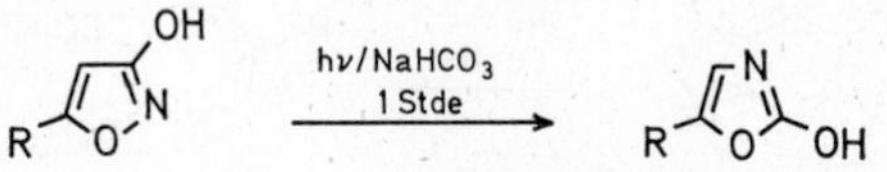

R = CH$_3$;   *2-Hydroxy-5-methyl-1,3-oxazol*; 10–40% d.Th.

R = CH$_2$–NH$_2$;   *2-Hydroxy-5-aminomethyl-1,3-oxazol*; 15% d.Th.
                       + *2-Hydroxy-5-hydroxymethyl-1,3-oxazol*; 30% d.Th.

R = —CH(NH$_2$)–COOH;   *Muscazon*; 35% d.Th.

---

[1] D. W. KURTZ u. H. SHECHTER, Chem. Commun. **1966,** 689; die Photolyse führt direkt zu den Endprodukten.

[2] T. NISHIWAKI, A. NAKANO u. H. MATSUOKA, Soc. [C] **1970,** 1825.

[3] H. GÖTH et al., Helv. **50,** 137 (1967).

Die Photoumwandlung von 1,3-Oxazolen in 1,2-Oxazole[1] verläuft nur mit geringer Ausbeute. So erhält man z. B. aus 2,5-Diphenyl-1,3-oxazol in Äthanol neben 20% *4,5-Diphenyl-1,3-oxazol* nur 3% *3,5-Diphenyl-1,2-oxazol*. Wird in Gegenwart von Luft gearbeitet, so erhält man über das 4,5-Diphenyl-1,3-oxazol zu 42% *Phenanthro-[9,10-d]-1,3-oxazol* (45%):

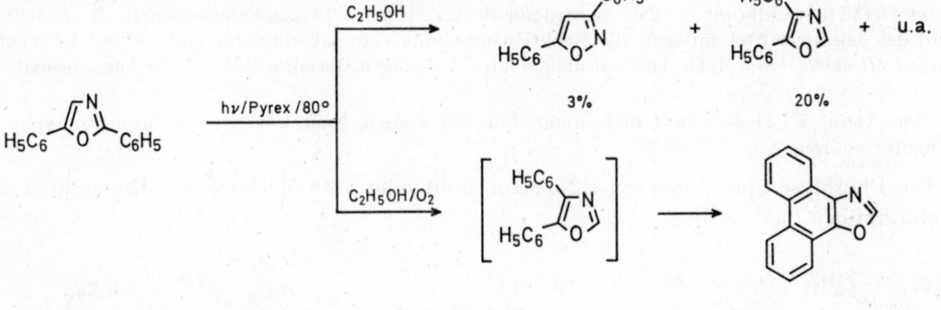

2-Methyl-4,5-diphenyl-1,3-oxazol dehydrocyclisiert (Jod; Äthanol; 12,5 Stdn.) zu *2-Methyl-⟨phenanthro-[9,10-d]-1,3-oxazol⟩* (55% d. Th.; F: 147—148°), 2,4,5-Triphenyl-1,3-oxazol unter entsprechenden Bedingungen (12 Tage) zu *2-Phenyl-⟨phenanthro-[9,10-d]-1,3-oxazol⟩* (46% d. Th.; F: 203—204°)[2].

Benzo-[d]-1,2-oxazole erleiden neben einer Isomerisierung Ringspaltung[3]:

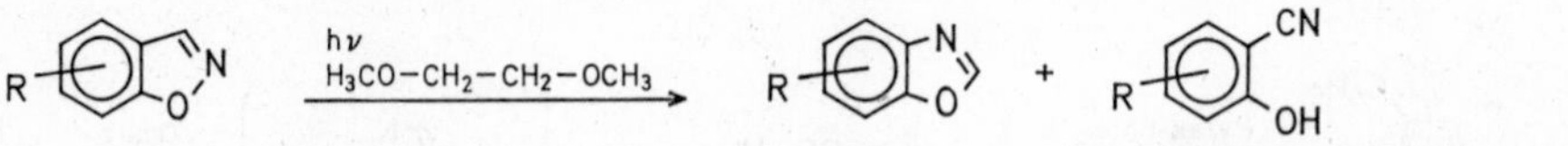

R = H;	*Benzo-1,3-oxazol;* 18% d. Th.	*2-Hydroxy-benzonitril;* 17% d. Th.
R = 5-CH₃;	*5-Methyl- ....;* 17% d. Th.	*2-Hydroxy-5-methyl-benzonitril;* 21% d. Th.
R = 6-CH₃;	*6-Methyl- ....;* 48% d. Th.	*2-Hydroxy-4-methyl-benzonitril;* 7% d. Th.
R = 7-CH₃;	*7-Methyl- ....;* 18% d. Th.	*2-Hydroxy-3-methyl-benzonitril;* 13% d. Th.

Wird in 98%iger Schwefelsäure photolysiert, so tritt nur noch Ringspaltung auf[4], z. B. erhält man aus

Benzo-[d]-1,2-oxazol → *2,5-*(64% d. Th.) + *2,3-Dihydroxy-benzaldehyd* (17% d. Th.)
3-Methyl-⟨benzo-[d]-1,2-oxazol⟩ → *2,5-*(57% d. Th.) + *2,3-Dihydroxy-acetophenon* (10% d. Th.)

Substituierte Benzo-[c]-1,2-oxazole (Anthranile) werden photolytisch in methanolischer Lösung in 3H-Azepine[5] überführt[2]:

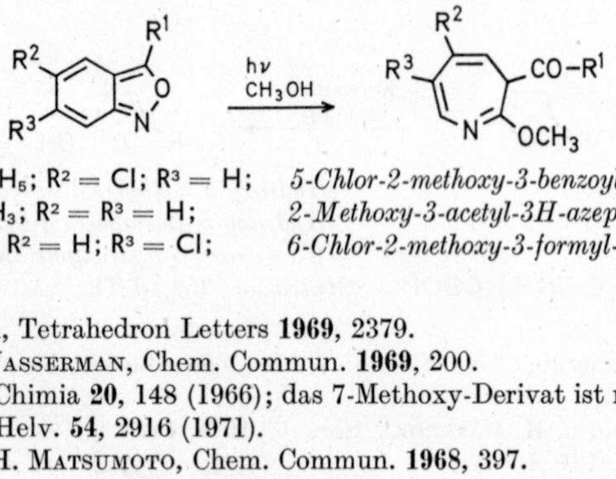

R¹ = C₆H₅; R² = Cl; R³ = H;   *5-Chlor-2-methoxy-3-benzoyl-3H-azepin;* ∼ 70% d. Th.
R¹ = CH₃; R² = R³ = H;   *2-Methoxy-3-acetyl-3H-azepin;* 42% d. Th.
R¹ = H; R² = H; R³ = Cl;   *6-Chlor-2-methoxy-3-formyl-3H-azepin;* 11% d. Th.

[1] M. Kojima u. M. Maeda, Tetrahedron Letters 1969, 2379.
[2] J. L. Cooper u. H. H. Wasserman, Chem. Commun. 1969, 200.
[3] H. Göth u. H. Schmid, Chimia 20, 148 (1966); das 7-Methoxy-Derivat ist resistent.
[4] M. Georgarakis et al., Helv. 54, 2916 (1971).
[5] M. Ogata, H. Kanô u. H. Matsumoto, Chem. Commun. 1968, 397.

Die bei 3-Aryl-⟨benzo-[c]-1,2-oxazolen⟩ in geringem Maß auftretenden 9-Hydroxy-acridine werden bei 3-Phenyl-⟨naphtho-[1,2-c]-1,2-oxazolen⟩ zu Hauptprodukten[1]:

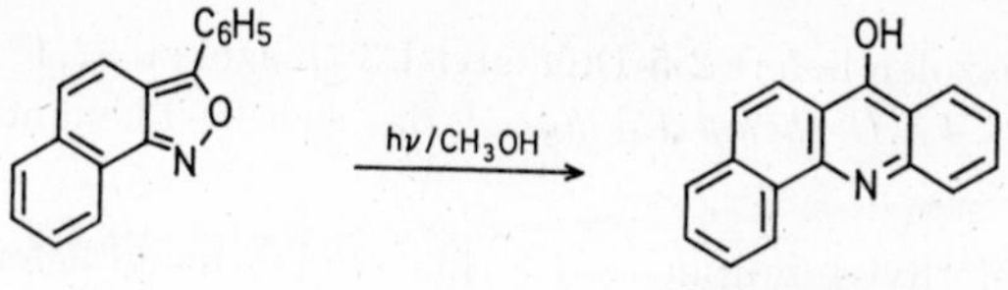

7-Hydroxy-⟨benzo-[c]-acridin⟩; 20% d. Th.

In Gegenwart von Wasser bzw. Aminen werden die Benzo-[c]-1,2-oxazole in 2-Oxo-2,3-dihydro-azepine bzw. 2-Amino-3H-azepine umgewandelt.

In konzentrierter Schwefelsäure tritt unter Mitreaktion des Lösungsmittels (Substituent in 5-Stellung) nur noch Ringspaltung zu (2-Amino-phenyl)-carbonyl-Verbindungen ein[2-4]:

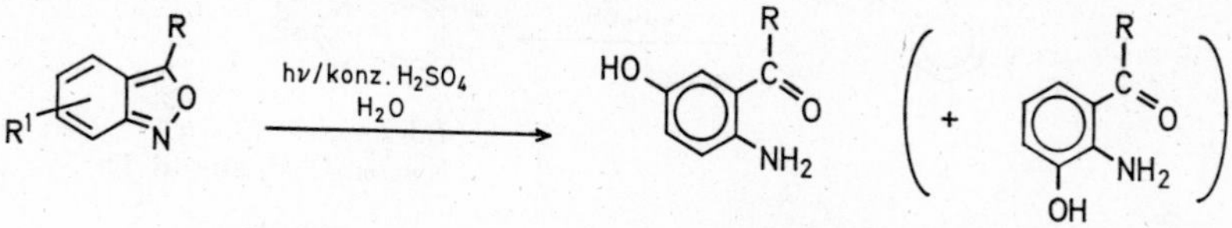

R[1] = R = H;   *2-Amino-5-hydroxy-benzaldehyd*; 82% d.Th.
R[1] = H; R = CH₃;   *2-Amino-5-hydroxy-acetophenon*; 87% d.Th.
R = CH₃; R[1] = 4-CH₃; *2-Amino-5-hydroxy-6-methyl-acetophenon*; 67% d.Th.

Bei der Bestrahlung von 3,5-Dimethyl-⟨benzo-[c]-1,2-oxazol⟩/Schwefelsäure erhält man u. a. neben *6-Amino-3-hydroxymethyl-acetophenon* (13% d.Th.) 28% *6-Amino-3-hydroxy-2-methyl-acetophenon* (Mechanismus s. Lit.).

In konzentrierter Salzsäure tritt das Chlor-Atom in die 5-Stellung ein; z. B. erhält man aus 3-Äthyl- bzw. 3-Phenyl-⟨benzo-[c]-1,2-oxazol⟩ *5-Chlor-2-amino-propiophenon* (75% d.Th.) bzw. *-benzophenon* (75% d.Th.)[5].

δ) 1,2-, 1,3-Thiazole und 1,3-Dithiolium-Salze

Während 3-Phenyl- und 3,5-Diphenyl-1,2-thiazol in absol. Äther zu *4-Phenyl-* (12% d.Th.) bzw. *2,4-Diphenyl-1,3-thiazol* (48% d.Th.) isomerisieren, verhält sich 5-Phenyl-1,2-thiazol praktisch inert (2% 3-Phenyl-1,2-thiazol).

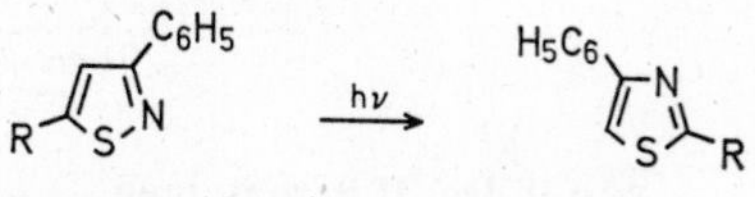

R=H;C₆H₅

3-Methyl-1,2-thiazol wird in Gegenwart von Alkylaminen/Wasser im wesentlichen zu *2-Methyl-penten-(2)-al* (25% d.Th. mit Propylamin) bzw. *2-Äthyl-hexen-(2)-al* (20% d.Th. mit Butylamin) gespalten[6] und unter ähnlichen Bedingungen erhält man aus 4-

[1] M. OGATA, H. MATSUMOTO u. H. KANÔ, Tetrahedron **25**, 5205 (1969).
[2] M. GEORGARAKIS et al., Helv. **54**, 2916 (1971).
[3] T. DOPPLER, H.-J. HANSEN u. H. SCHMID, Helv. **55**, 1730 (1972).
[4] In 66%iger Schwefelsäure werden ähnliche Ausbeuten erhalten; z. B. *6-Amino-3-hydroxy-benzophenon* (R = C₆H₅); 95% d.Th..
[5] E. GIOVANNINI, J. ROSALES u. B. DE SOUZA, Helv. **54**, 2111 (1971).
[6] A. LABLACHE-COMBIER u. A. POLLET, Tetrahedron **28**, 3141 (1972).

Methyl-1,2-thiazol (absol. Propylamin, Propylamin/Wasser, absol. Äthanol) *4-Methyl-1,3-thiazol* (53–60% d.Th.) bzw. aus 5-Methyl-1,2-thiazol *5-Methyl-1,3-thiazol* (55% d.Th. Propylamin/Wasser).

Ähnlich den 1,3-Thiazolen liefert 2,5-Diphenyl-1,3-thiazol zu 32,4% d.Th. *3,4-Diphenyl-1,2-thiazol* neben ∼ 8% *4,5-Diphenyl-1,3-thiazol*, das sich zu Phenanthro-[9,10]-1,3-thiazol cyclisieren kann.

Bestrahlung von 2-Methyl-4,5-diphenyl-1,3-thiazol in Äthanol liefert bei Zusatz von Jod nach ∼ 6 Stdn. in 87%iger Ausbeute *2-Methyl-⟨phenanthro-[9,10]-1,3-thiazol⟩* (F: 144–145°)[1].

Tri- und tetracyclische 1,3-Thiazol-Derivate entstehen auf folgenden Wegen[2,3]:

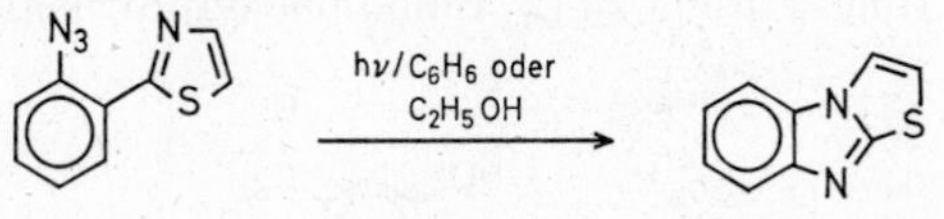

1,3-Thiazolo-[3,2-a]-benzimidazol; 30% d.Th.

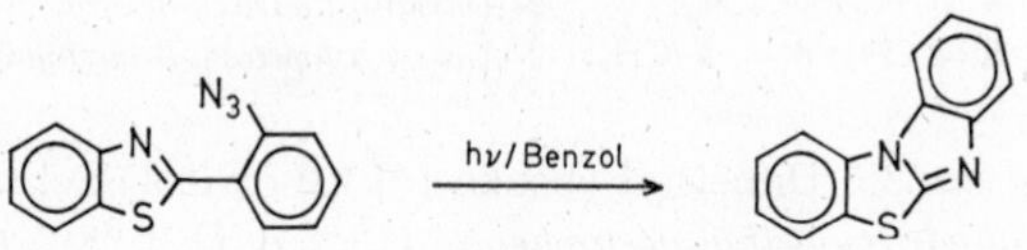

Benzimidazolo-[2,1-b]-benzo-1,3-thiazol; 20% d.Th.

5-Oxi-2,4-diphenyl-1,3-dithiolium zerfällt in Benzol unter Kohlenoxidsulfid-Abspaltung zu *Tetraphenyl-1,4-dithiin* (19% d.Th.) und *Tolan* (16% d.Th.)[4]:

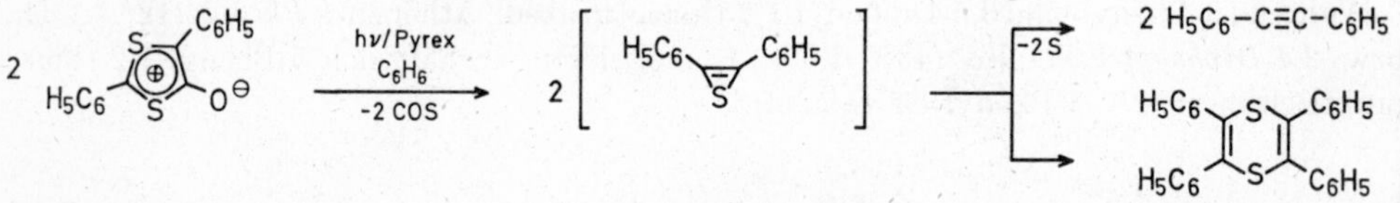

3. mit drei Heteroatomen

α) Triazole

α₁) 1,2,3-Triazole

Im Gegensatz zu den photostabilen 2-substituierten 2H-1,2,3-Triazolen spalten 1-Phenyl-1,2,3-triazole mit Substituenten in 4- oder 5-Stellung leicht Stickstoff ab und bilden 1,3-

[1] J. L. Cooper u. H. H. Wasserman, Chem. Commun. 1969, 200.

[2] A. J. Hubert, Chem. Commun. 1969, 328.

[3] A. J. Hubert, Soc. [C] 1969, 1334.

[4] H. Kato et al., Chem. Commun. 1970, 959.

Diradikale, die durch eine Reihe von Reaktionen zu stabilen Endprodukten führen[1]:

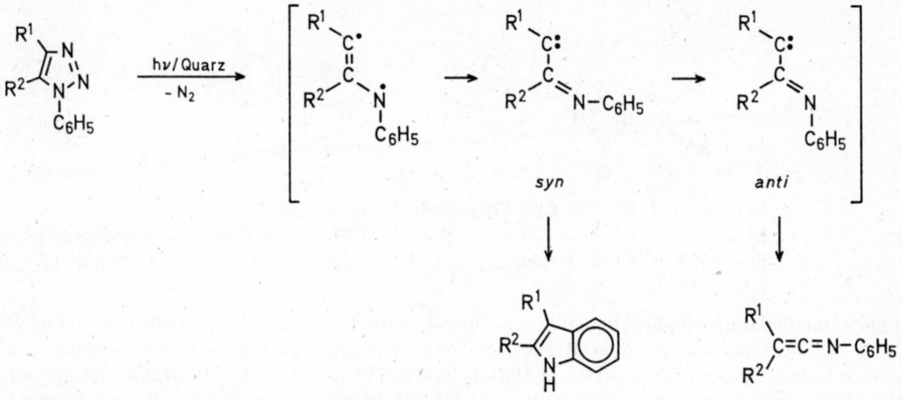

$R^1 = R^2 = C_6H_5$;   *2,3-Diphenyl-indol* (I; $\sim$ 30% d.Th.) + *Diphenyl-keten-phenylimin* (II; $\sim$ 30% d.Th.
$R^1 = H$; $R^2 = C_6H_5$; *2-Phenyl-indol* (I; $\sim$ 16% d.Th.) + *Phenyl-keten-phenylimin* (II; $\sim$ 54% d.Th.)
$R^2 = H$; $R^1 = C_6H_5$; *3-Phenyl-indol* (I; < 5% d.Th.) + *Phenyl-keten-phenylimin* (II; 75% d.Th.)

Während 1-Amino-1,2,3-triazol in Benzol zu 100% d.Th. *Biphenyl* liefert, stellt die Photolyse von 1-Tosylamino-1,2,3-triazol-Anionen eine allgemeine Methode zur Synthese von Alkinen dar[2]:

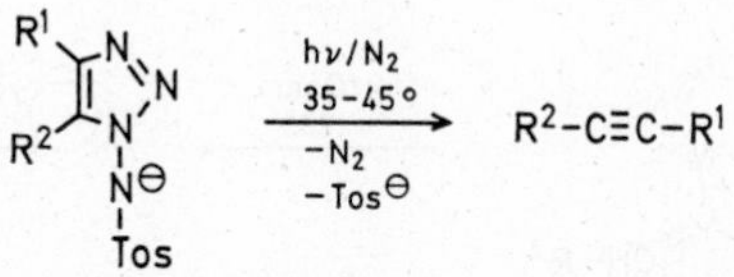

$R^1 = R^2 = C_6H_5$ (in 1,4-Dioxan); *Tolan*; 85% d.Th.
$R^1 - R^2 = - (CH_2)_n -$ (in 1,4-Dioxan); n = 4,5,6; 26–77% d.Th

In methanolischer Lösung führt die Photolyse von 4-Phenyl-1H-1,2,3-triazol unter Stickstoff-Abspaltung zu *Phenylacetonitril* (35% d.Th.).

Über die Photolyse von 4- und 4,5-substituierten 1,2,3-Triazolen s. Lit.[3].

1,2,3-Triazolo-[1,5-a]-pyridin wird z.B. in Essigsäure zu *2-Acetoxymethyl-pyridin* (39% d.Th.) gespalten[1]. Während 1-Phenyl-1H-⟨benzotriazol⟩ in 0,1 m Benzol-Lösung *Carbazol* (90% d.Th.)[4] liefert, reagieren 1H-Benzotriazol und 1-Alkyl-1H-⟨benzotriazole⟩ in

---

[1] E. M. Burgess, R. Carithers u. L. McCullagh, Am. Soc. **90**, 1923 (1968).

[2] F. G. Willey, Ang. Ch. **76**, 144 (1964).

[3] J. H. Boyer u. R. Selvarajan, Tetrahedron Letters **1969**, 47.

[4] E. M. Burgess, R. Carithers u. L. McCullagh, Am. Soc. **90**, 1923 (1968); 5-Chlor-1-(4-chlor-phenyl)-1H-⟨benzotriazol⟩ liefert analog *3,6-Dichlor-carbazol* (89% d.Th.).
  Zum genauen Studium dieser Reaktion s. K. Tsujimoto, M. Ohashi u. T. Yonezawa, Bl. chem. Soc. Japan **45**, 515 (1972).

aromatischen Lösungsmitteln (z. B. Benzol, p-Xylol, 1,4-Difluor-benzol) unter Bildung von o-aryl-substituierten Anilinen[1-3]:

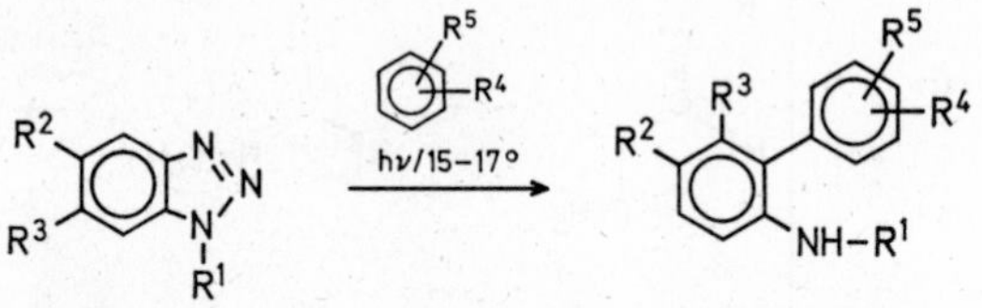

R² = R³ = H; R¹ = H, CH₃, CH₂–C₆H₅;   50–90% d.Th.
R³ = H; R² = Cl; R¹ = CH₃;   *5-Chlor-2-methylamino-biphenyl*; 61% d.Th.
R² = H; R³ = Cl; R¹ = CH₃;   *6-Chlor-2-methylamino-biphenyl*; 66% d.Th.

5-Chlor-2-methylamino-biphenyl[1]: 382 mg 5-Chlor-1-methyl-⟨benzotriazol⟩ werden in 100 *ml* Benzol ($c = 2,28 \cdot 10^{-2}$ m) 6 Stdn. mit einer Heräus Quecksilber-Hochdruck-Lampe unter Zwischenschaltung eines Nickelsulfat-Filters (27,6 g $NiSO_4 \cdot 6\,H_2O$ in 100 *ml* Wasser) bei 15° bestrahlt. Es entsteht ein Photoprodukt, das im DC ($R_f = 0,55$ in Pentan/Äther 2:1) eine rötlichviolette Farbreaktion [1%ige Cer(IV)-sulfat-Lösung] zeigt. Bei der Aufarbeitung mittels präp. Dünnschichtchromatographie werden 205 mg Ausgangsmaterial (54%) zurück erhalten und 140 mg (61% d.Th.) Produkt gewonnen. Destillation bei 95–100°/0,001 Torr liefert ein farbloses Öl.

In 0,1n Schwefelsäure werden allgemein 2-Amino-phenole (7–16% d.Th.) und aus 1H-Benzotriazol in Methanol *2-Methoxy-anilin* (70%) und *Anilin* (30%) sowie in Benzol *2-Amino-biphenyl* (32% d.Th.) erhalten. 1-Methoxy-1H-⟨benzotriazol⟩ wird in Propanol zu *1H-Benzotriazol* (51% d.Th.) reduziert.

1-Vinyl-substituierte 1H-Benzotriazole werden analog dem 1-Phenyl-1H-⟨benzotriazol⟩ (s. S. 569) in Indole übergeführt[1,3]:

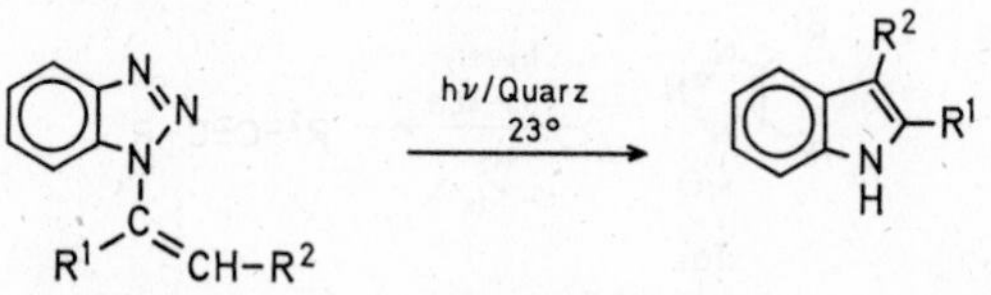

R¹ = R² = H;   *Indol*; 40% d.Th. (nach 14 Stdn.)
R¹ = H; R² = CH₃;   *3-Methyl-indol*; 14% d.Th. (nach 8,5 Stdn.)
R¹ = R² = CH₃;   *2,3-Dimethyl-indol*; 41% d.Th. (nach 7,5 Stdn.)
R¹ — R² = –(CH₂)₄–;   *1,2,3,4-Tetrahydro-carbazol*; 62% d.Th. (nach 5 Stdn.)

1,2,3,4-Tetrahydro-carbazol[1,3]: 300 mg 1-[Cyclohexen-(1)-yl]-1H-⟨benzotriazol⟩ werden in 145 *ml* Cyclohexan ($c = 1,04 \cdot 10^{-2}$ m) bei 15° unter Argon mit einer Heräus Quecksilber-Hochdruck-Lampe unter Zwischenschaltung eines Nickelsulfat-Filters (27,6 g $NiSO_4 \cdot 6\,H_2O$ in 100 *ml* Wasser) 5 Stdn. bestrahlt. Im DC-Diagramm (Benzol/Essigsäure-äthylester 9:1) zeigt sich das Photoprodukt mit $R_f = 0,35$ und gelbbrauner Farbreaktion an. Präparative Dünnschichtchromatographie liefert 65 mg (62% d.Th., bez. auf Umsatz) Photoprodukt neben 181 mg (60%) Ausgangsmaterial.

Photolytische Untersuchungen am 1-Acetyl- und 1-Benzoyl-1H-⟨benzotriazol⟩ in Abhängigkeit von der Konzentration, der Erregerwellenlänge und vom Lösungsmittel zeigen[4], daß im Primärschritt unter Stickstoff-Abspaltung Diradikale gebildet werden, die sich unter Wasserstoff-Abstraktion vom Lösungsmittel zu N-acylierten Anilinen I,

[1] M. Märky, Dissertation Universität Zürich 1971.
[2] Vgl. a. J. H. Boyer u. R. Selvarajan, J. Heterocyclic Chem. **6**, 503 (1969).
[3] M. Märky et al., Chimia **23**, 230 (1969).
[4] H. Meier u. I. Menzel, A. **739**, 56 (1970);
Vgl. a. M. Ohashi, K. Tsujimoto u. T. Yonezawa, Chem. Commun. **1970**, 1089.

durch Lösungsmittel-Addition zu 2-Acylamino-biphenylen II oder durch Ringschluß-
reaktion unter Wasserstoff-Verschiebung zum *9-Hydroxy-phenanthridin* (III) stabilisieren:

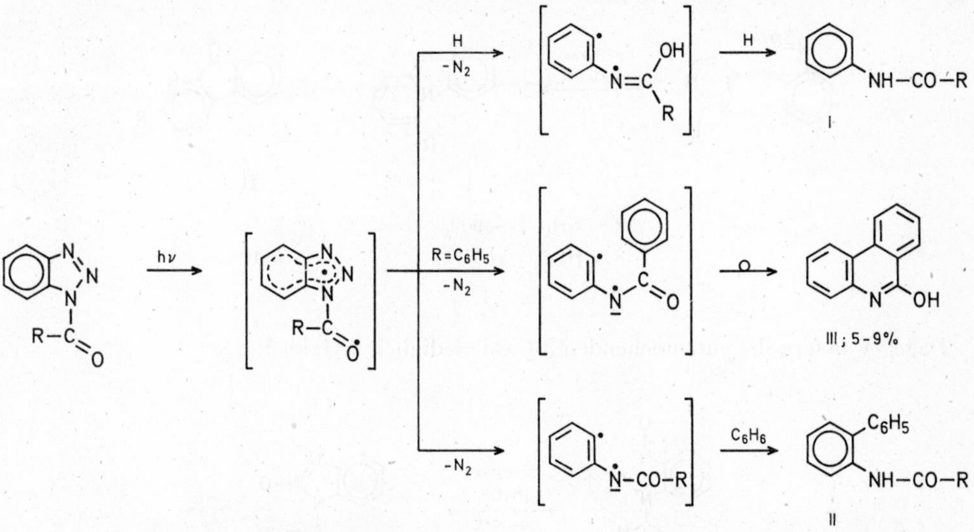

III; 5-9%

II

R = CH₃ (CHCl₃/C₆H₆);   37–74% *2-Acetyl-biphenyl* + 20–55% Polymeres + 5–8% *Acetanilid*
R = C₆H₅ (CHCl₃/C₆H₆);   39–57% *2-Benzoyl-biphenyl* + 24–50% Polymeres + 5–10% *Benzanilid*

In Gegenwart von Aceton findet unter Abspaltung von Stickstoff und Ringverengung Addition von
Aceton statt:

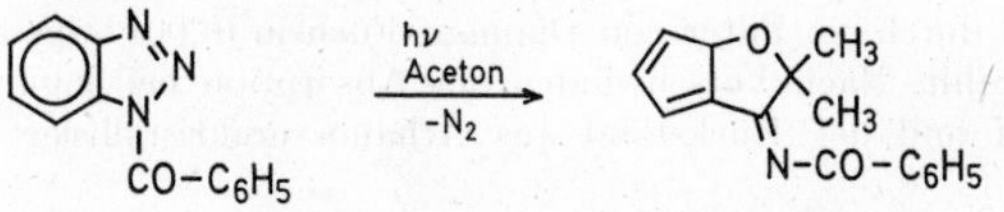

4-Benzoylimino-3,3-dimethyl-2-oxa-
bicyclo[3.3.0]octadien-(5,7); ~ 10% d. Th.

2-Benzoylamino-biphenyl: Eine Lösung von 1,0 g 1-Benzoyl-1H-⟨benzotriazol⟩ in 500 *ml* Benzo
werden 4 Stdn. mit einer 200 W Quecksilber-Hochdruck-Lampe unter Stickstoff bestrahlt. Nach Entfernen des Lösungsmittels i. Vak. wird der Rückstand an Silikagel chromatographiert und mit 200 *ml*
Dichlormethan eluiert; zunächst werden 600 mg unumgesetztes Triazol erhalten. Nach weiterer Elution
mit 400 *ml* Dichlormethan werden 60 mg erhalten, die aus Ligroin umkristallisiert werden (F: 88°); Ausbeute: 15% d. Th..

Durch Bestrahlung von 1-substituierten 2-Benzotriazolino-1-benzimidazolen (20°,
30–60 Min. in Äthanol) werden 10H-Benzimidazo-[1,2-a]-benzimidazole gebildet[1]:

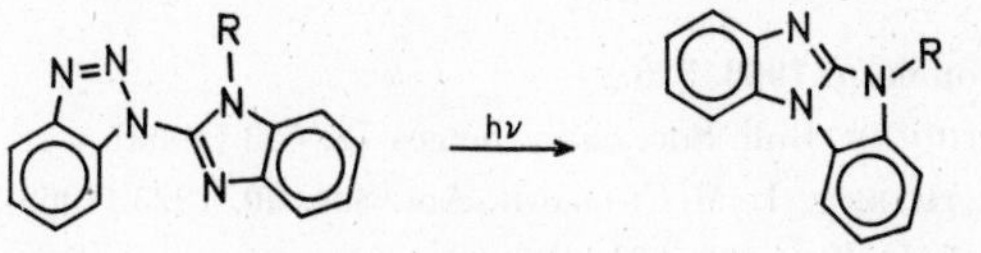

R = H;   25% d. Th.
R = CH₃; 30% d. Th.

---

[1] A. J. HUBERT u. H. REIMLINGER, B. **103**, 2828 (1970).

Bei der Photolyse von 1-Pyridyl-(2)-1H-⟨benzotriazol⟩ erhält man in analoger Weise Pyrido-[1,2-a]-benzimidazole I und 9H-Pyrido-[2,3-b]-indole II[1]:

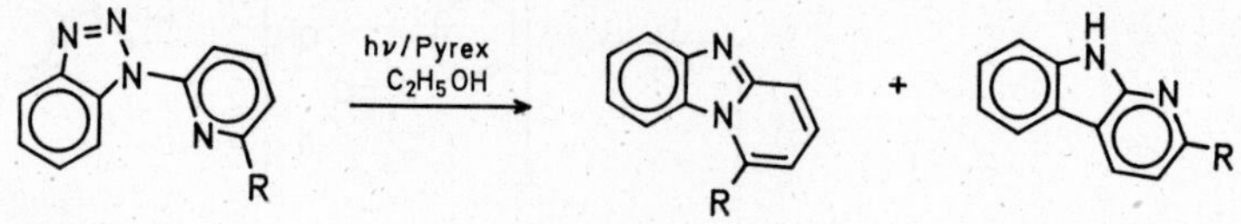

I II

R = CH₃; ~ 90% –

R = H; > 70% ~ 5–10%

Dagegen liefern die entsprechenden 3-Oxide lediglich 2-Oxide[2]:

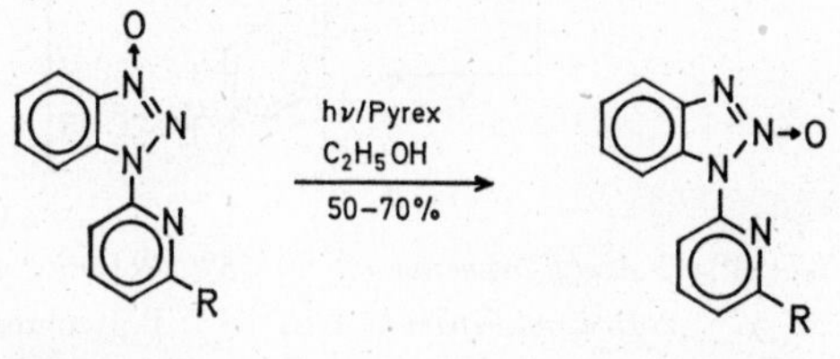

R = H; Cl

1-Pyridyl-(2)-1H-⟨benzotriazol⟩-2-oxid[2]: 0,5 g 1-Pyridyl-(2)-1H-⟨benzotriazol⟩-3-oxid werden in 80 *ml* Äthanol gelöst und durch ein Filter von Diamant-Fuchsin (0,001%ige äthanolische Lösung) mit einer Wood-Lampe bestrahlt. Nach Verschwinden der Absorption bei 350 nm (~ 20 Stdn.) wird das Lösungsmittel abgezogen und der Rückstand aus Äthanol umkristallisiert; Ausbeute: 70% d.Th.; F: 169°.

1-Phenyl-1H-⟨benzotriazol⟩[3] bildet je nach Lösungsmittel verschiedene Produkte; z. B.:

in Benzol (0,1 m Lösung) → *Benzophenon-biphenylyl-(2)-hydrazon*; 80% d.Th.

in Äthanol → *Benzophenon-phenylhydrazon*

in Acetonitril → *9-Phenyl-fluoren*; 80% d.Th.

α₂) 1,2,4-Triazole

Da N-unsubstituierte 1,2,4-Triazole gegen UV-Licht stabil sind[4,5], sind die wenigen photolytischen Untersuchungen auf solche C-substituierte Derivate beschränkt, die einen

[1] A. J. Hubert, Chem. Commun. **1969**, 328.

[2] A. J. Hubert u. G. Anthoine, Bull. Soc. chim. belges **78**, 553 (1969).

[3] E. M. Burgess, R. Carithers u. L. McCullagh, Am. Soc. **90**, 1923 (1968).

[4] A. J. Blackman, Austral. J. Chem. **23**, 631 (1970).

[5] C. Ainsworth, Org. Synth. **40**, 99 (1960).
  R. G. Jones u. C. Ainsworth, Am. Soc. **77**, 1538 (1955).
  G. B. Bachman u. L. V. Heisey, Am. Soc. **71**, 1985 (1949).
  S. Tagaki u. A. Sugii, J. pharm. Soc. Japan **78**, 280 (1958).
  I. Y. Postovskii u. N. N. Vereshchagina, Ž. obšč. Chim. **29**, 2139 (1959).

Ylid-Charakter bzw. eine 3-Hydroxy- oder -Mercapto-Gruppe besitzen:

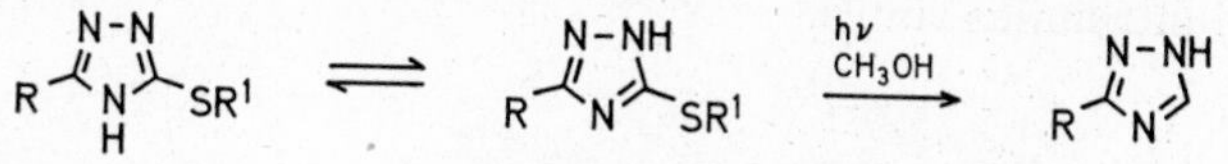

R¹ = H; R = CH₃;   *3-Methyl-1H-1,2,4-triazol*; 82% d.Th.
R = C₆H₁₁;   *3-Cyclohexyl-1H-1,2,4-triazol*; 86% d.Th.
R = C₂H₅;   *3-Äthyl-1H-1,2,4-triazol*; 84% d.Th.
R = CH₂–C₆H₅;   *3-Benzyl-1H-1,2,4-triazol*; 96% d.Th.
R = H; R¹ = CH₃   *1H-1,2,4-Triazol*; 67% d.Th.

R¹ = [structure]   *1H-1,2,4-Triazol*; 81% d.Th.

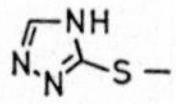

1,2,4-Triazol[1]: Eine Lösung von 5,00 g 3-Mercapto-1,2,4-triazol in Methanol wird mit einer Quecksilber-Mitteldruck-Immersions-Lampe 18 Stdn. belichtet (bis der durch UV-Spektroskopie kontrollierte Umsatz vollständig ist). Im Laufe der Photolyse fällt Schwefel aus der Lösung (1,49 g), der durch Filtration entfernt wird; das Filtrat wird unter vermindertem Druck zur Trockne eingeengt und der Rückstand mit heißem Äthylacetat extrahiert, wobei unlöslicher Schwefel (0,05 g; total 1,54 g = 97%) zurückbleibt. Nach Konzentration des Extrakts und Zusatz von Benzol ergeben sich 3,32 g (97% d.Th.) reines 1,2,4-Triazol.

Werden 4-Acylimino-1,2,4-triazolium-Ylide in Methanol belichtet, so entstehen zu 81–91% d.Th. 1-substituierte 1,2,4-Triazole[2]:

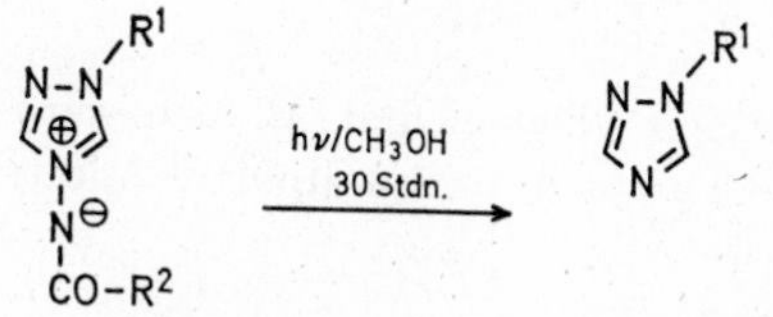

R² = CH₃; C₆H₅;   R¹ = CH₂–C₆H₅;   *1-Benzyl-1H-1,2,4-triazol*; 91% d.Th.
R¹ = C₄H₉;   *1-Butyl-1H-1,2,4-triazol*; 81% d.Th.

Die Bestrahlung von 3-Oxi-2,4-diaryl-1,2,4-triazolium in Dichlormethan/5% Methanol führt zu *Benzimidazol* (18% d.Th.), Arylisocyanaten (25–44% d.Th.) und Azo-Verbindungen (7–23% d.Th.)[3,4]:

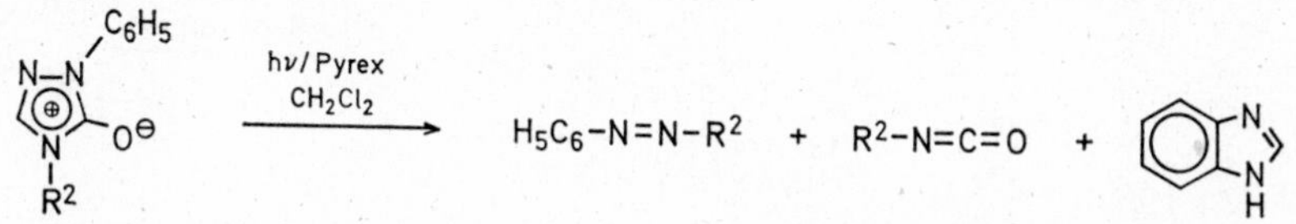

β) 5-Oxi-1,2,3-oxadiazolium (Sydnone), 1,2,4- und 1,2,5-Oxadiazole

Wird 3-Phenyl-sydnon in Benzol oder 1,4-Dioxan belichtet, so erhält man neben einer Reihe von anderen Produkten *2-Oxo-3-phenyl-2,3-dihydro-1,3,4-oxadiazol*[5, vgl. a. 6]:

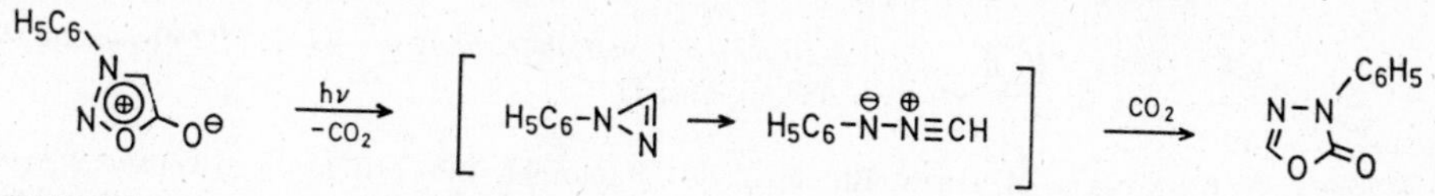

[1] A. J. BLACKMANN, Austral. J. Chem. **23**, 631 (1970).
[2] H. G. O. BECKER, D. BEYER u. H.-J. TIMPE, Z. **10**, 264 (1970).
[3] H. KATO et al., Chem. Commun. **1970**, 1591.
[4] H. KATO, T. SHIBA u. Y. MIKI, Chem. Commun. **1972**, 498.
[5] C. H. KRAUCH, J. KUHLS u. H. J. PIEK, Tetrahedron Letters **1966**, 4043.
[6] R. HUISGEN u. H. BLASCHKE, A. **686**, 145 (1965).
R. HUISGEN et al., Ang. Ch. **72**, 416 (1960).
E. F. ULLMAN u. B. SINGH, Am. Soc. **88**, 1844 (1966).

Dagegen tritt bei der Photolyse von 3,4-Diphenyl-sydnon in Benzol zunächst Dimerisation des Diphenyl-nitrilimins ein[1,2]:

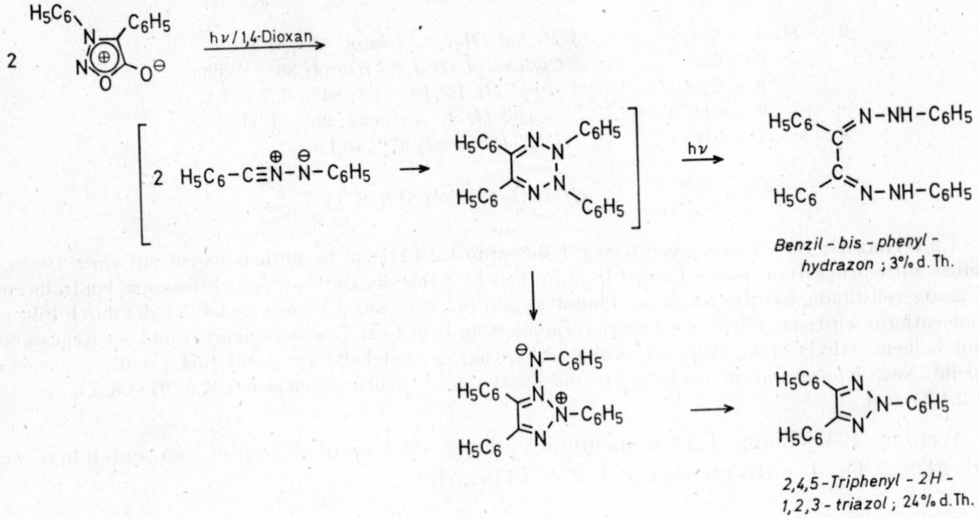

Benzil - bis - phenyl - hydrazon ; 3% d. Th.

2,4,5 - Triphenyl - 2H - 1,2,3 - triazol ; 24% d. Th.

In Gegenwart von aktivierten Alkenen und Alkinen werden aus 3,4-Diaryl-sydnonen Photoaddukte gebildet, die man sich als 1,3-dipolare Addition von Nitriliminen an die Substrate vorstellen kann[3-7]:

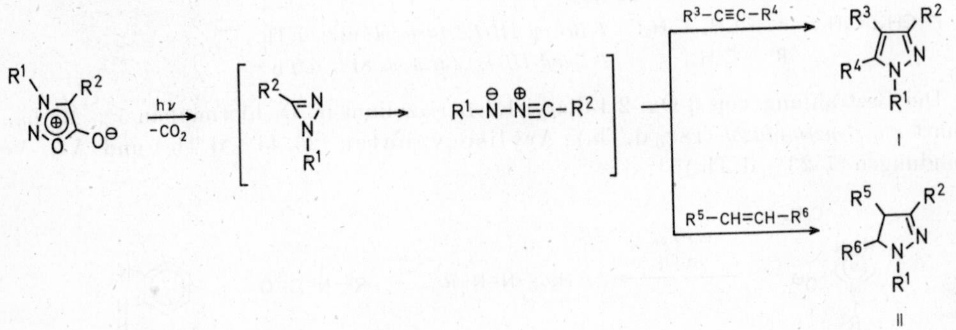

z. B.:

$R^1 = R^2 = C_6H_5$; $R^3 = R^4 = COOCH_3$;   *1,3-Diphenyl-4,5-dimethoxycarbonyl-pyrazol*[4]; 80% d. Th.; I

                  $R^5 = R^6 = COOCH_3$;   *1,3-Diphenyl-4,5-dimethoxycarbonyl-4,5-dihydro-pyrazol*[3]; 52% d. Th.; II

                  $R^5 - R^6 =$ 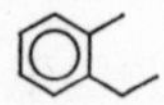   *1,3-Diphenyl-1,3a,4,5b-tetrahydro-⟨indeno-[1,2-c]-pyrazol⟩*[4,5]; 68% d. Th.; II

[1] Y. HUSEYA, A. CHINONE u. M. OHTA, Bl. chem. Soc. Japan 44, 1667 (1971); dort weitere 2-Aryl-4,5-diphenyl-2H-1,2,3-triazole.

[2] R. HUISGEN et al., Ang. Ch. 72, 416 (1960) (in Benzol).
vgl. a. P. SCHEINER u. J. F. DINDA, Tetrahedron 26, 2619 (1970).

[3] C. S. ANGADIYAVAR u. M. V. GEORGE, J. Org. Chem. 36, 1589 (1971).

[4] M. MÄRKY, H.-J. HANSEN u. H. SCHMID, Helv. 54, 1275 (1971); in 1,4-Dioxan.

[5] Y. HUSEYA, A. CHINONE u. M. OHTA, Bl. chem. Soc. Japan 44, 1667 (1971).

[6] H. GOTTHARDT u. F. REITER, Tetrahedron Letters 1971, 2749; in Dichlormethan z. B. mit Propiolsäure-methylester 75% des Pyrazols, mit Phenyl-acetylen 62% Pyrazol-Derivat.

[7] H. KATO, T. SHIBA u. Y. MIKI, Chem. Commun. 1972, 498.

1,3-Diphenyl-trans-4,5-dimethoxycarbonyl-4,5-dihydro-pyrazol[1]: 0,48 g (0,002 Mol) 3,4-Diphenyl-sydnon und 0,58 g (0,004 Mol) Fumarsäure-dimethylester werden in 175 ml Benzol 2 Stdn. bestrahlt. Nach Entfernung des Lösungsmittels i. Vak. wird der Rückstand aus Methanol fraktioniert kristallisiert; Ausbeute: 0,35 g (52% d. Th.); F: 156°.

Photolytische Untersuchungen[2] an 1,2,4-Oxadiazolen sind bisher unbedeutend. Im wesentlichen werden Benzamidine erhalten; z. B. aus 3,5-Diphenyl-1,2,4-oxadiazol in Isopropanol *O-Isopropyl-N-(α-benzoylimino-benzyl)-hydroxylamin* (52% d. Th.):

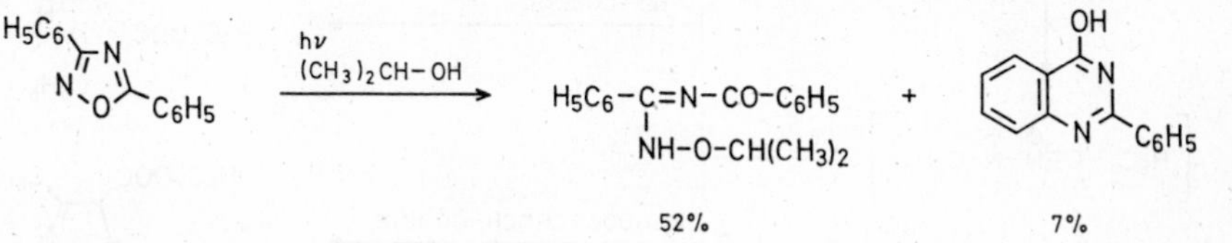

3,4-Diphenyl-1,2,5-oxadiazol in ätherischer Lösung (0,5%ig) bestrahlt liefert zu 82% d. Th. *Benzonitril* neben etwas Phenylisocyanat und aus 3,4-Dimethyl-1,2,5-oxadiazol werden 41% d. Th. *Acetonitril* erhalten[3,4]. In benzolischer Lösung erhält man auf Kosten des Nitrils weitere Produkte[4]:

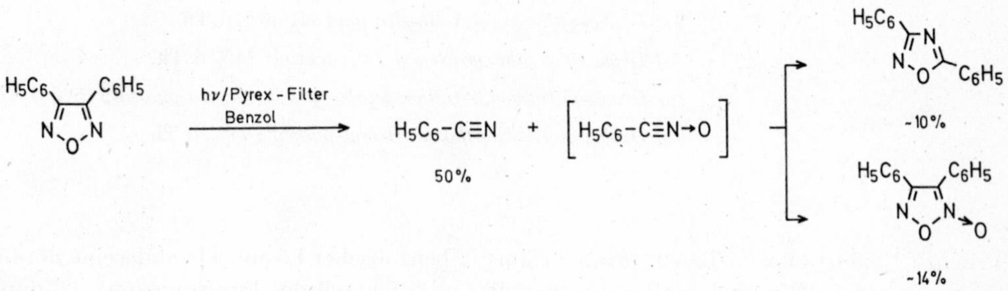

5-Oxi-3,4-diphenyl-1,2,4-oxadiazolium wird ähnlich den Sydnonen photolytisch unter Kohlendioxid-Abspaltung und Recyclisierung in *2-Phenyl-benzimidazol* (75% d. Th. in 1,4-Dioxan; 87% d. Th. in Benzonitril)[5] überführt:

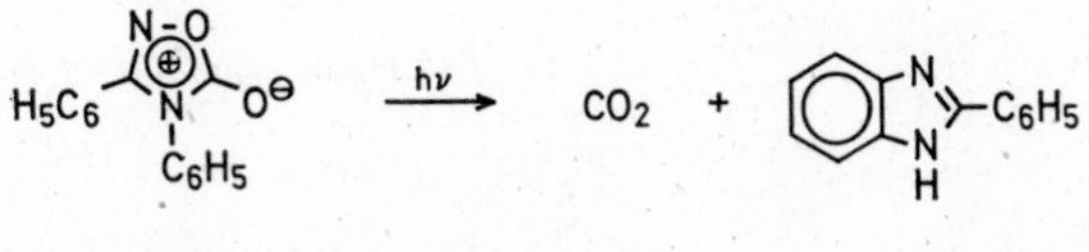

5-Oxi-2,4-diphenyl-1,3,4-oxadiazolium zerfällt in undefinierte Produkte, dagegen erhält man in Gegenwart verschiedener Abfänger Pyrazole, 4,5-Dihydro-pyrazole und

[1] C. S. Angadiyavar u. M. V. George, J. Org. Chem. **36**, 1589 (1971).
[2] H. Newman, Tetrahedron Letters **1968**, 2417, 2421.
[3] T. S. Cantrell u. W. S. Haller, Chem. Commun. **1968**, 977.
[4] T. Mukai, T. Oine u. A. Matsubara, Bl. chem. Soc. Japan **42**, 581 (1969).
[5] E. F. Ullman u. B. Singh, Am. Soc. **88**, 1844 (1966); 2-Oxo-3,4-diphenyl-3H-1,2,3,5-oxathiadiazol wird zu *Diphenyl-carbodiimid* (62% d. Th.) und 1,5-Diphenyl-1,2,3,4-tetrazol zu *2-Phenyl-benzimidazol* (66% d. Th.) gespalten.

1,2,4-Triazole:

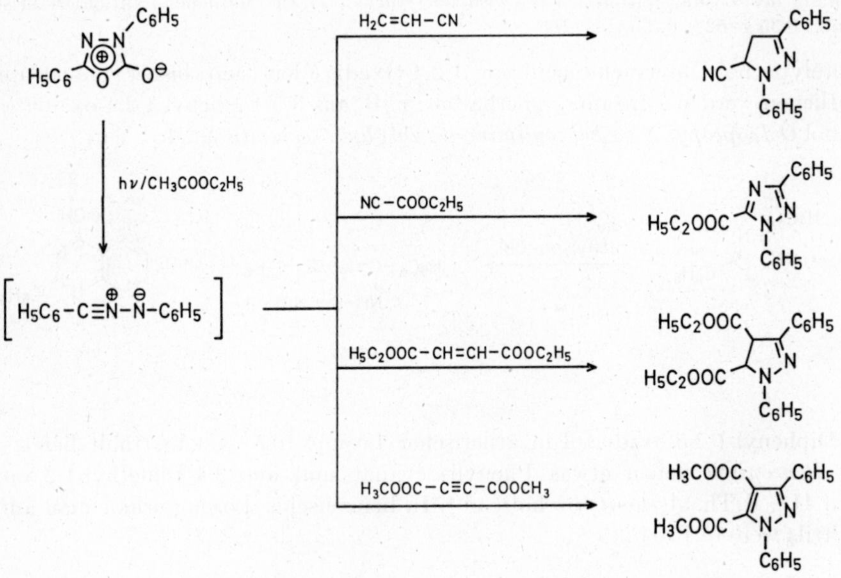

1,3-Diphenyl-5-cyan-4,5-dihydro-pyrazol; 96% d.Th.

1,3-Diphenyl-5-äthoxycarbonyl-1,2,4-triazol; 74% d.Th.

1,3-Diphenyl-trans-4,5-diäthoxycarbonyl-4,5-dihydro-pyrazol; 75% d.Th.

1,3-Diphenyl-4,5-dimethoxycarbonyl-pyrazol; 71% d.Th.

Benzo-1,2,5-oxadiazol (Benzfurazan) erfährt in benzolischer Lösung ebenfalls eine Photofragmentierung[1] (Bindungsspaltung Sauerstoff und Stickstoff des Fünfrings sowie Öffnung des Benzo-Ringes) und man erhält Azepine als Hauptprodukte:

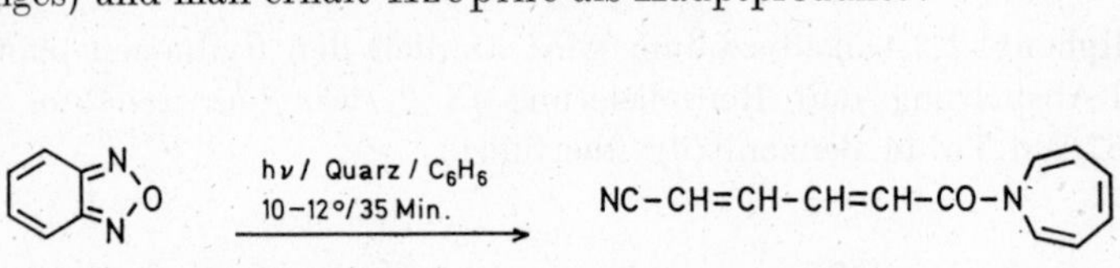

1-[5-Cyan-pentadien-(2,4)-oyl]-azepin; 16% d.Th.

In Gegenwart von Alkoholen werden Carbamate ($\sim$ 16%) erhalten[1] und bei Zusatz von Phosphorigsäure-triäthylester zur benzolischen Lösung erhält man 80% d.Th. *Hexadien-(cis-2, cis-4)-disäure-dinitril*[2].

Bei Bestrahlung des Naphtho-[1,2]-1,2,5-oxadiazols entsteht unter gleichen Bedingungen *2-Cyan-cis-* (45% d.Th.) und *-trans-zimtsäure-nitril* (35% d.Th.) und aus Phenanthro-[9,10]-1,2,5-oxadiazol wird in 70%iger Ausbeute *2,2'-Dicyan-biphenyl* erhalten[2].

---

[1] M. Goergarakis, H.-J. Rosenkranz u. H. Schmid, Helv. **54**, 819 (1971).

[2] T. Mukai u. M. Nitta, Chem. Commun. **1970**, 1192.

Einer Photofragmentierung unterliegen auch die 2-Oxo-1,4,2-dioxazole. Man erhält unter Kohlendioxid-Abspaltung Benzamide bzw. es bilden sich Addukte mit dem Lösungsmittel[1]:

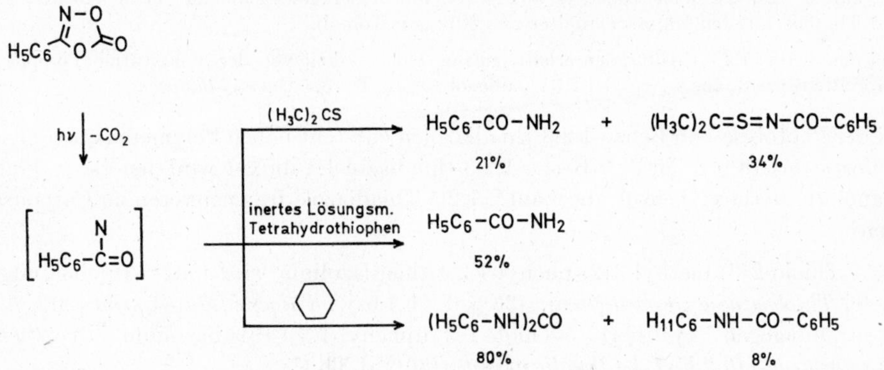

In Essigsäure-äthylester liefert 2-Oxo-5-(2,4,6-trimethyl-phenyl)-1,3,4-dioxazol 41% d. Th. *3-Hydroxy-4,6-dimethyl-isoindol* neben 42% d. Th. *2,4,6-Trimethyl-phenylisocyanat* und 2-Oxo-5-(2-hydroxy-phenyl)-1,3,4-dioxazol, in Dimethylsulfoxid 69% d. Th. *2-Hydroxy-⟨benzo-1,3-oxazol⟩*.

γ) Thiadiazole und Oxathiazole

Bei der Photolyse von 1,2,3-Thiadiazol und 5-Methyl-1,2,3-thiadiazol werden in Gegenwart von Hexafluor-butin-(2) in guten Ausbeuten *2,3-Bis-[trifluormethyl]*- bzw. *5-Methyl-2,3-bis-[trifluormethyl]-thiophen* erhalten[2].

Aromatisch substituierte 1,2,3-Thiadiazole liefern in benzolischer Lösung 2-Methylen-1,3-dithiole:

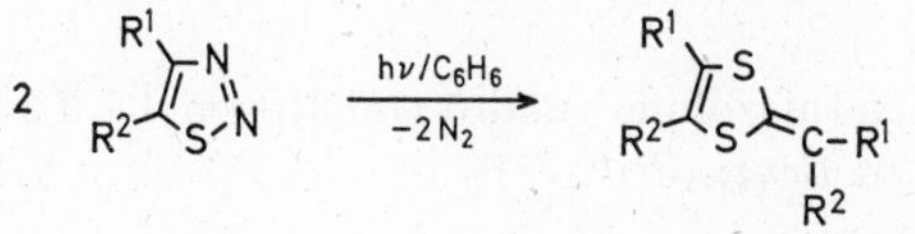

z. B.:

$R^1 = H; R^2 = C_6H_5$ \
$R^2 = H; R^1 = C_6H_5$ \
4-Phenyl-2-benzyliden-1,3-dithiol[3, 4]; 55% d. Th., ∼ 10% d. Th.

$R^1 = R^2 = C_6H_5$; \
4,5-Diphenyl-2-diphenylmethylen-1,3-dithiol[3, 4]; 18% d. Th.

$R^1 = H; R^2 = 4\text{-}C_6H_5\text{-}C_6H_4$; \
2-[Biphenylyl-(4)-methylen]-4-biphenylyl-(4)-1,3-dithiol[3, 4]; 25% d. Th.

$R^2 = H; R^1 = COOC_2H_5$; \
2-Äthoxycarbonylmethylen-4-äthoxycarbonyl-1,3-dithiol[5]; 45% d. Th.

$R^2 = CH_3; R^1 = COOC_2H_5$; \
5-Methyl-2-(1-äthoxycarbonyl-äthyliden)-4-äthoxycarbonyl-1,3-dithiol[5]; 50% d. Th.

$R^2 = CH_3; R^1 = CO\text{–}CH_3$; \
5-Methyl-2-[3-oxo-butyliden-(2)]-4-acetyl-1,3-dithiol[5]; 48% d. Th.

---

[1] J. SAUER u. K. K. MAYER, Tetrahedron Letters **1968**, 319, 325.
[2] O. P. STRAUSZ et al., Am. Soc. **89**, 4805 (1967); ohne Abfänger werden lediglich Polymere erhalten. Vgl. a. K.-P. ZELLER, H. MEIER u. E. MÜLLER, A. **766**, 32 (1972).
[3] W. KIRMSE u. L. HORNER, A. **614**, 4 (1958).
[4] W. KIRMSE, *Carben Chemistry*, S. 139, Academic Press, New York 1964.
[5] K.-P. ZELLER, H. MEIER u. E. MÜLLER, A. **766**, 32 (1972); Tetrahedron Letters **1971**, 537. H. MEIER, 4. IUPAC-Symposium für Photochemie, Baden-Baden, Juli 1972. 3,4-Diphenyl-1,2,3-thiazol liefert *1,4-Dithiin*: W. KIRMSE u. L. HORNER, A. **614**, 4 (1958). P. KRAUSS, K.-P. ZELLER, H. MEIER u. E. MÜLLER, Tetrahedron **27**, 5953 (1971); hier auch ESR-Studien.

4-Phenyl-2-benzyliden-1,3-dithiol[1]: 16,2 g 4-Phenyl-1,2,3-thiadiazol werden in 1,1 *l* Benzol in der Quarz-Umlaufapparatur UVM mit S 700-Brenner (Quarzlampenges., Hanau) und einer Glas-Zentrifugal-pumpe (Schott, Mainz) 1,5–2 Stdn. bestrahlt bis 1000 *ml* Stickstoff freigesetzt sind. Benzol wird auf einem Wasserbad bei schwachem Vak. abdestilliert und der Rückstand mit 100 *ml* Äther versetzt. Nach dem Erkalten wird die gelbe Substanz abgesaugt, mit Äther gewaschen und nach Trocknung 3,1 g (55% d.Th., bez. auf den Umsatz) erhalten; F: 207° (aus Toluol).

Bei den 4-Acyl-1,2,3-thiadiazolen erhält man in Abhängigkeit von der Substitution Thiophene als Nebenprodukte; z. B. aus 4-Acetyl-1,2,3-thiadiazol 29% d.Th. *3,4-Diacetyl-thiophen*.

Bei der Photolyse von Benzo-1,2,3-thiadiazolen entsteht neben Polymeren ausschließlich *Thianthren* (bis 18% d.Th.)[1-3]. Benzo-1,2,3-thiadiazol-1,1-dioxid wird bei Bestrahlung in Methanol zu Methoxy-benzol abgebaut[4]. 1,2,5-Thiadiazole fragmentieren zu Carbonsäure-nitrilen[5].

Aus 5-Thiolo-2(3)-methyl-3(2)-phenyl-1,3,4-thiadiazolium wird unter Abscheidung von Schwefel *Thiobenzoesäure-methylamid* (33% d.Th.) bzw. *Thioessigsäure-anilid* (20% d.Th.) erhalten[6], dagegen cyclisiert 5-Thiolo-2,3-diphenyl-1,3,4-thiadiazolium zu *2-Thiolo-⟨phenanthridino-[10,9-b]-1,3,4-thiadiazolium⟩* (30% d.Th.)[7]:

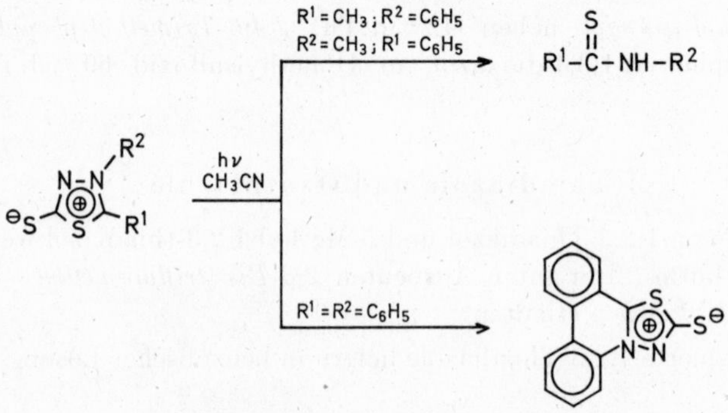

2-Oxi-5-phenyl-1,3,4-oxathiazolium[8] und 5-Oxi-4-phenyl-1,3,2-oxathiazolium[9] fragmentieren unter Belichtung zu *Benzonitril*:

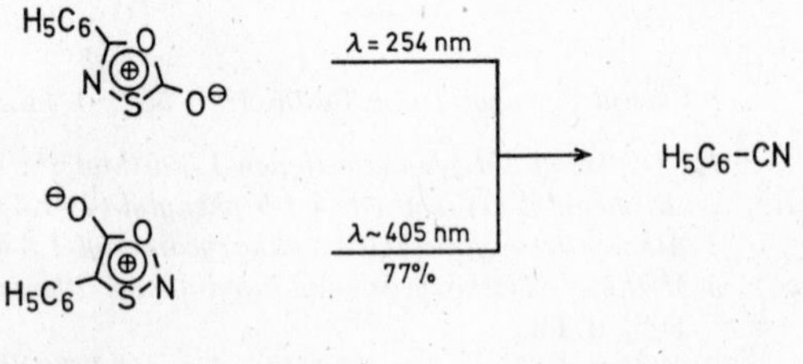

1 W. KIRMSE u. L. HORNER, A. **614**, 4 (1958).
  W. KIRMSE, *Carben Chemistry*, S. 139, Academic Press, New York 1964.
2 P. KRAUSS et al., Tetrahedron **27**, 5953 (1971).
3 M. MÄRKY, Dissertation, Universität Zürich 1971.
4 R. W. HOFFMANN, W. SIEBER u. G. GUHN, B. **98**, 3470 (1965).
5 T. S. CANTRELL u. W. S. HALLER, Chem. Commun. **1968**, 977.
6 R. M. MORIARTY u. R. MUKUERJEE, Tetrahedron Letters **1969**, 4627.
7 R. M. MORIARTY, J. M. KLIEGMAN u. R. B. DESAI, Chem. Commun. **1967**, 1255.
8 J. E. FRANZ u. L. L. BLACK, Tetrahedron Letters **1970**, 1381.
9 H. GOTTHARDT, Tetrahedron Letters **1971**, 1277; B. **105**, 188 (1972); in Gegenwart von Acetylen-dicarbonsäure-dimethylester wird *3-Phenyl-4,5-dimethoxycarbonyl-1,2-thiazol* (10% d.Th.) erhalten.
  Vgl. a. A. HOLM et al., Chem. Commun. **1972**, 1125.

4. mit vier Heteroatomen

α) Tetrazole

2,3,5-Triaryl-tetrazolium-chloride geben beim photolytischen Zerfall zunächst Triaryl-formazane, die unter Belichtung zu Dibenzopyridazino-[1,2-b]-tetrazolium-chloriden cyclisieren[1-4]:

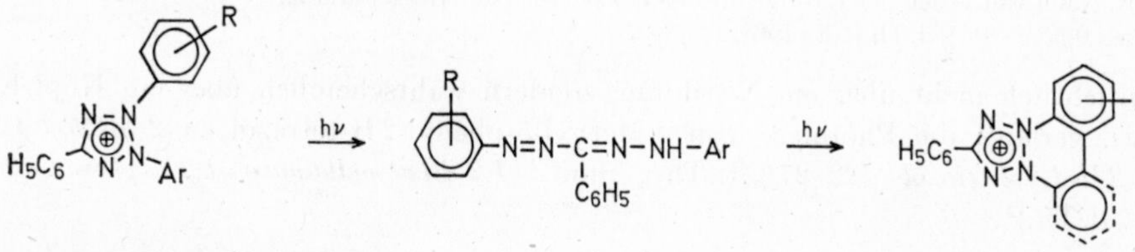

Ar = C₆H₅; Pyridyl
R = CH₃, Cl, OCH₃, COOH, COOC₂H₅

bis 85% d. Th.

2-Phenyl-⟨pyrido-[3,2,-c]-tetrazolo-[2,3-a]-cinnolinium⟩-nitrat[4]: 3 g 2-Pyridyl-(2)-3,5-diphenyl-tetra-zolium-bromid werden in 300 *ml* Wasser/Äthanol (1:1) unter Zusatz von 10 *ml* Salpetersäure gelöst und mit einer Heräus Quecksilber-UV-Tauchschacht-Lampe PL 313 mit Brenner S 81/80 W bei 25° bestrahlt. Nach 60 Stdn. Dauerbelichtung läßt sich mit Natriumdithionit in Natriumcarbonat-Lsg. kein Tetra-zoliumsalz durch Formazan-Bildung mehr nachweisen. Das Lösungsmittel wird i. Vak. entfernt, der Rückstand mit ~15 *ml* Isopropanol nachgewaschen und aus Äthanol/Essigsäure-äthylester umkristalli-siert; Ausbeute: 1,5 g (52% d. Th.); F: 312° (Zers., gelbliche Nadeln).

2,5-Diphenyl-2H-tetrazol liefert unter Stickstoff-Abspaltung als Hauptprodukt *2,4,5-Triphenyl-2H-1,2,3-triazol* (63% d. Th., in Tetrahydrofuran)[5, s. a. 6, 7]. Das als Zwischen-produkt auftretende Nitrilimin kann mit Alkenen bzw. Alkinen abgefangen werden[6,7].

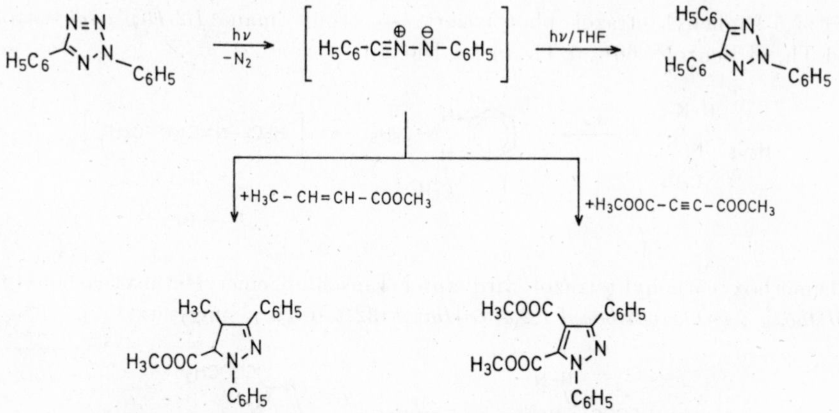

cis/trans-4-Methyl-1,3-diphenyl-5-methoxycarbonyl-4,5-dihydro-pyrazol; 78% d. Th.

1,3-Diphenyl-4,5-diäthoxycarbonyl-pyrazol; 81% d. Th.

[1] Z. S. Gierlach u. A. T. Krebs, Am. J. Röntgenol. Radium Therapy Nuclear Med. **62**, 559 (1949).
[2] J. Hausser, D. Jerchel u. R. Kuhn, B. **82**, 195 (1949).
[3] R. Kuhn u. D. Jerchel, A. **578**, 1 (1952).
[4] D. Jerchel u. H. Fischer, A. **590**, 216 (1954); B. **88**, 1595 (1955); **89**, 563 (1956).
[5] R. R. Fraser, Gurudata u. K. E. Haque, J. Org. Chem. **34**, 4118 (1969).
[6] C. S. Angadiyavar u. M. V. George, J. Org. Chem. **36**, 1589 (1971).
[7] J. S. Clovis u. R. Huisgen et al., B. **100**, 60 (1967).

2,4,5-Triphenyl-2H-1,2,3-triazol[1]**:** Eine Lösung von 2,26 mMol 2,5-Diphenyl-2H-tetrazol in 70 ml Tetrahydrofuran wird unter Stickstoff mit $\lambda = 254$ nm 20 Stdn. bestrahlt. Dabei verfärbt sich die ursprünglich farblose Lösung zunächst nach tiefrotbraun, wird aber wieder lichtgelb, wenn ~ 62 ml Gas entbunden sind. Nach Lösungsmittel-Abzug wird der Rückstand über 25 g Aluminiumoxid chromatographiert; die Elution mit Hexan/Benzol (2:1) ergibt 0,209 g (63% d.Th.); F: 117–119,5°.

Die Photolyse in Benzol liefert 57% d.Th..

1,3-Diphenyl-4,5-diäthoxycarbonyl-pyrazol[2]**:** Eine Mischung von 0,45 g (0,02 Mol) 2,5-Diphenyl-2H-tetrazol und 0,43 g (0,002 Mol) Acetylen-dicarbonsäure-dimethylester wird in 175 ml Benzol 2 Stdn. bestrahlt. Nach Entfernen des Lösungsmittels i. Vak. wird der Rückstand mit wenig Äthanol behandelt; Ausbeute: 0,55 g (81% d.Th.); F: 156°.

Offensichtlich nicht über ein Nitrilimin, sondern wahrscheinlich über ein Kopf-Kopf-Dimeres, verläuft die Photolyse von 2-Methyl-5-phenyl-2H-tetrazol zu *2-Methyl-4,5-diphenyl-2H-1,2,3-triazol* (22–27% d.Th.) und *1,2-Bis-[methanazo]-1,2-diphenyl-äthylen* (6–10% d.Th.)[3]:

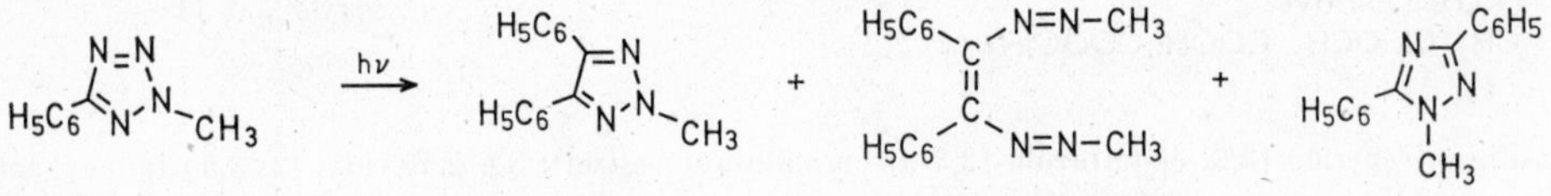

2-Methyl-4,5-diphenyl-2H-1,2,3-triazol[3]**:** Eine Lösung von 3,01 g (0,0188 Mol) 2-Methyl-5-phenyl-2H-tetrazol in 100 ml Benzol wird über 3 Stdn. im wassergekühlten Quarzgefäß mit einer Hanovia Quecksilber-Mitteldruck-Lampe 450 W (Vycor-Filter) bestrahlt (Stickstoff wird während der Photolyse eingeleitet). Das Lösungsmittel wird bis auf 10 ml i. Vak. entfernt und die rotbraune Flüssigkeit an 200 g Silikagel chromatographiert und mit Benzol eluiert; das Totalgewicht aller Fraktionen beträgt 1,756 g. Die 1. Fraktion besteht aus 2 Produkten (0,2 g), die an 100 g Aluminiumoxid chromatographiert werden. Zunächst wird mit Diäthyläther/Petroläther (1:4) eluiert; laufend wird der Diäthyläther-Gehalt gesteigert bis zum reinen Äther. Aus dem Eluat können 0,294 g Ausgangsprodukt und 0,538 g (27,1% d.Th.) Triazol erhalten werden; F: 61,5–63°.

Wird 1,5-Diphenyl-tetrazol photolysiert, so erhält man *1,2-Diphenyl-benzimidazol* (52% d.Th. in Benzol[3]; 66% d.Th. in 1,4-Dioxan[5, 6]):

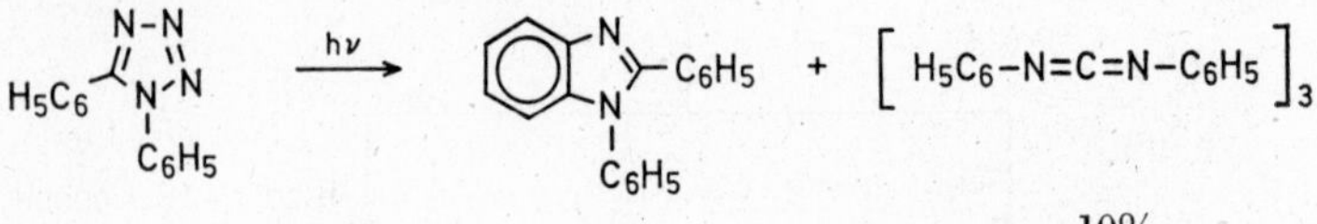

$\sim 10\%$

1,5-Dimethoxycarbonyl-tetrazol wird unter Einschluß einer Methoxycarbonyl-Gruppe zu *5-Methoxy-3-methoxycarbonyl-1,2,4-oxadiazol* (32% d.Th.)[7] umgesetzt:

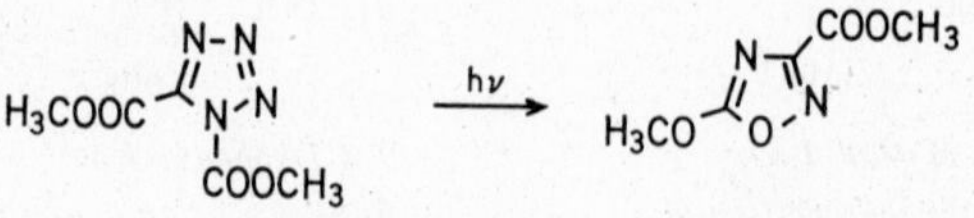

[1] P. SCHEINER u. J. F. DINDA, Tetrahedron **26**, 2619 (1970).
[2] C. S. ANGADIYAVAR u. M. V. GEORGE, J. Org. Chem. **36**, 1589 (1971).
[3] R. R. FRASER, GURUDATA u. K. E. HAQUE, J. Org. Chem. **34**, 4118 (1969).
vgl. a. R. HUISGEN et al., A. **653**, 105 (1962).
R. HUISGEN, J. SAUER u. M. SEIDEL, B. **94**, 2503 (1961).
[4] R. M. MORIARTY u. J. M. KLIEGMAN, Am. Soc. **89**, 5959 (1967).
[5] J. SAUER u. K. K. MAYER, Tetrahedron Letters **1968**, 325.
[6] W. KIRMSE, Ang. Ch. **71**, 537 (1959).
[7] R. MORIARTY, J. M. KLIEGMAN u. C. SHOVLIN, Am. Soc. **89**, 5958 (1967).

Benzimidazol-Bildung wird auch bei der Photolyse von 5-Phenoxy-1-phenyl-1H-tetrazol beobachtet[1]:

2-Hydroxy-1-phenyl-benzimidazol; 25% d. Th.

O,N-Diphenyl-isoharnstoff; 30% d. Th.

Die bei der Photolyse 5-substituierter Tetrazole auftretenden 1,2-Dihydro-1,2,4,5-tetrazine werden zu 1,2,4-Triazolen und Carbonsäure-nitrilen weiter umgesetzt[2-5] (Mechanismus[2,4]):

	...-1,2-dihydro-1,2,4,5-tetrazin	...-4H-1,2,4-triazol	
R = C_6H_5	3,6-Diphenyl-...; 70% d. Th.	–	Benzonitril;
R = OC_6H_5	3,6-Diphenoxy-...; 52% d. Th.	3,5-Diphenoxy-...;	92% d. Th.
R = CH_3	3,6-Dimethyl-...; 39% d. Th.	20% d. Th.	

3,6-Diphenyl-1,2-dihydro-tetrazin und 3,5-Diphenyl-4H-1,2,4-triazol[2]: Eine Lösung von 2,90 g (19,84 mMol) 5-Phenyl-tetrazol in 120 ml wasserfreiem Tetrahydrofuran wird in einem zylindrischen Quarz-Gefäß unter Stickstoff-Spülung 30 Min. bestrahlt und der abgespaltene Stickstoff ($\sim$ 100%) in einer großen Quecksilber-Gas-Bürette aufgefangen. Nach $\sim$ 70 Stdn. ist die Gesamtreaktion beendet und das schwach gelb gefärbte Photolysat wird filtriert, wodurch 160 mg ($\sim$ 18%) farbloses Ausgangsprodukt zurück-gewonnen werden. Vom gelben Filtrat wird das Lösungsmittel unter reduz. Druck entfernt und der Rückstand in 30 ml Toluol suspendiert; nach 4stdgm. Stehen bei –5° wird die Mischung filtriert und der Filter-Rückstand mit einigen ml Cyclohexan gewaschen; das Filtrat davon (A) wird zunächst zurück-gestellt. Der Filterrückstand wird unter Stickstoff 30 Min. mit 30 ml 2n Natriumhydroxid-Lösung digeriert, filtriert und mit Wasser gewaschen; die zurückbleibenden gelben Kristalle werden 16 Stdn. bei 90° (120 Torr) getrocknet. Es ergeben sich 1,217 g (52% d. Th.) des 3,6-Diphenyl-1,2-dihydro-tetrazins, F: 185–190°. Filtrat (A) wird mit 4 Teilen von je 12 ml 2n Natriumhydroxid-Lösung extrahiert und die kombinierten Extrakte mit konz. Salzsäure angesäuert; aus der wäßrigen Phase wird der farblose Nieder-schlag gesammelt und bei 90°/120 Torr getrocknet; es ergeben sich 0,168 g (8% d. Th.) des 2,5-Diphenyl-1,2,4-triazol; F: 189–190°.

Photolytisch völlig anders verhält sich das 5-Phenyl-tetrazolid-Anion, das in Cyclohexan unter Abspaltung von zwei Äquivalenten Stickstoff in eine Reihe von Verbindungen zerfällt[6], die alle aus dem intermediär gebildeten *Phenyl-carben* entstehen[2,6].

In Sauerstoff-freiem Methanol wird zu 90% d. Th. *Methyl-benzyl-äther*, in Wasser *Benzyl-alkohol*, in tert.-Butanol *tert.-Butyl-benzyl-äther* und in tert.-Butylamin *tert.-Butyl-phenyl-amin* gebildet.

[1] F. L. BACH, J. KARLINER u. G. E. VAN LEAR, Chem. Commun. **1969**, 1110.
[2] P. SCHEINER, J. Org. Chem. **34**, 199 (1969).
[3] P. SCHEINER u. J. F. DINDA, Tetrahedron **26**, 1619 (1970).
[4] P. SCHEINER u. W. M. LITCHMAN, Chem. Commun. **1972**, 781.
[5] P. SCHEINER, Tetrahedron Letters **1969**, 4863.
[6] Photolyse in Gegenwart von Dienen s. P. SCHEINER, Tetrahedron Letters **1969**, 4863.

Tetrazolo-[1,5-b]-pyridazine ergeben in Dichlormethan *3-Cyan-cyclopropene* (20–25 % d.Th.) als Hauptprodukt[1]:

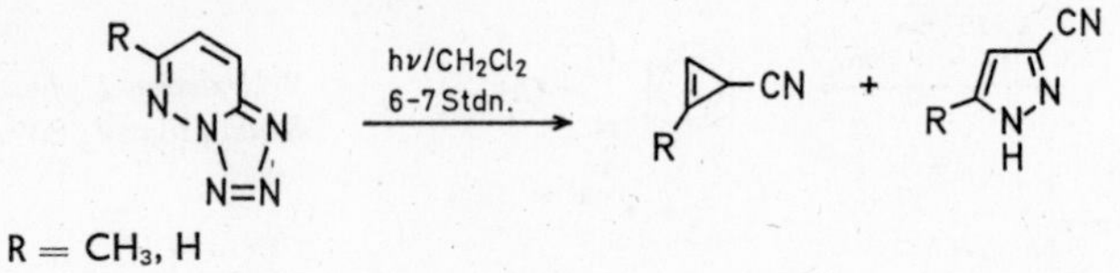

R = CH₃, H

β) 1,2,3,4-Thiatriazole

5-Phenyl-, 5-Benzyl-, 5-Naphthyl-(1)-1,2,3,4-thiatriazol fragmentieren unter Stickstoff- und Schwefel-Abspaltung zu Carbonsäure-nitrilen (63–94 % d.Th.) und *Isothiocyanat* (6–9 % d.Th.)[2]:

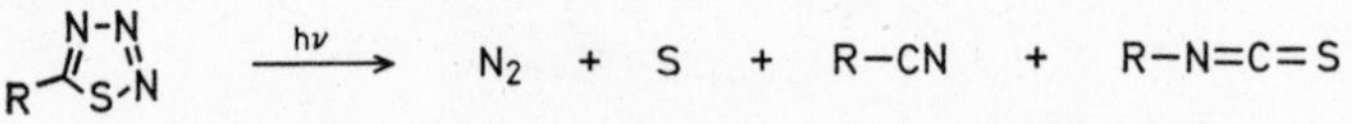

b. sechsgliedrige Heteroaromaten

1. mit einem Stickstoff-Atom

α) Isomerisierungen und Umlagerungen

Wird Pyridin mit Alkohol oder Wasser gemischt und in Anwesenheit von Sauerstoff belichtet, so bildet sich *5-Amino-pentadien-(2,4)-al* (I)[3]:

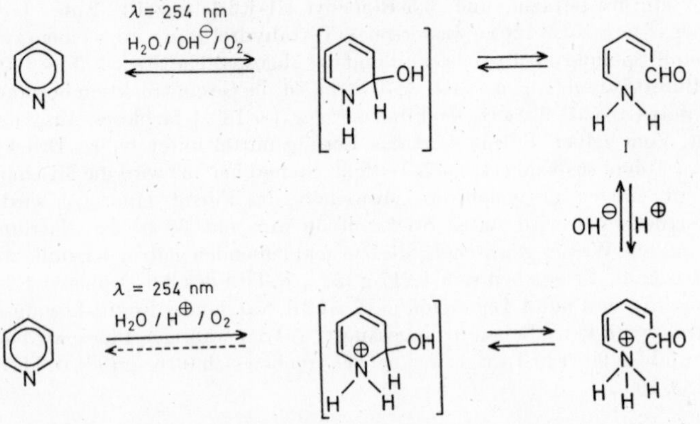

Die Quantenausbeute der Aldehyd-Bildung beträgt $\varphi = 0{,}007$ und ist unabhängig von der Licht-intensität in einem Konzentrationsbereich von $1{,}2 \cdot 10^{-2}$ bis $5 \cdot 10^{-5}$ molar. Die Bildung von I erfolgt analog der photosensibilisierten Hydrolyse von Iminen, die auf eine Reaktion von Peroxid und/oder Wasser zurückgeführt wird[4]. In basischer Lösung ist der erste Reaktionsschritt eine im Dunkeln rever-sible Wasser-Anlagerung[5].

[1] T. Tsuchiya, H. Arai u. H. Igeta, Chem. Commun. **1972**, 1059.

[2] W. Kirmse, B. **93**, 2353 (1960).

[3] H. Freytag et al., J. pr. **135**, 15 (1932); **136**, 193, 288 (1933); **138**, 264 (1933); **139**, 44 (1934).
　　S. a. F. Feigl u. V. Anger, J. pr. **139**, 180 (1934); B. **69**, 32 (1936); Naturwiss. **21**, 720 (1933).

[4] R. L. Furey u. R. O. Kan, Tetrahedron **24**, 3085 (1968).

[5] J. Joussot-Dubien u. J. Houdard, Tetrahedron Letters **1967**, 4389.
　　J. Joussot-Dubien u. J. Houdard-Pereyre, Bl. **1969**, 2619.

Auch reines Pyridin wird, entgegen früheren Behauptungen[1], durch UV-Bestrahlung angegriffen[2]. Als instabiles Zwischenprodukt tritt *2-Aza-bicyclo[2.2.0]hexadien* (II; *Dewar-Pyridin*) mit einer Quantenausbeute von $\varphi = 0,06$ auf. Durch Wasser-Anlagerung und Ringöffnung entsteht der Aldehyd I; Reduktion führt zum *2-Aza-bicyclo[2.2.0]hexen-(5)* (III):

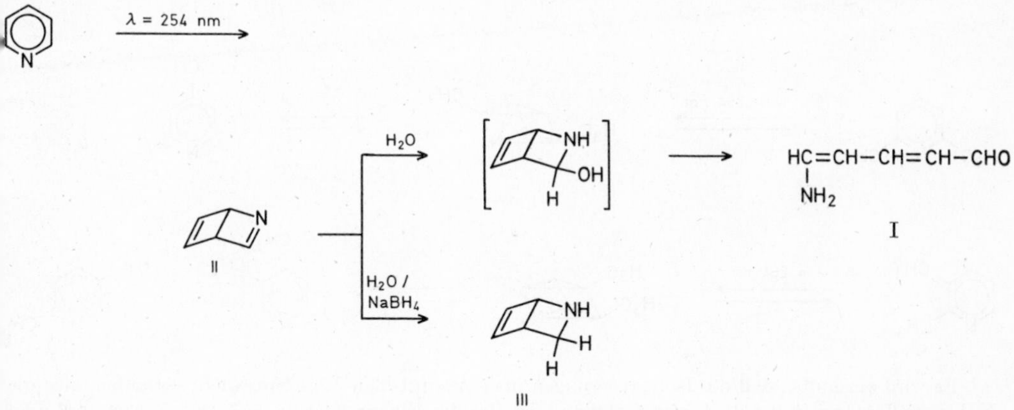

$$\lambda = 254 \text{ nm}$$

$$\mathrm{HC{=}CH{-}CH{=}CH{-}CHO}$$
$$\mathrm{NH_2}$$

$$\mathrm{H_2O}$$

$$\mathrm{H_2O / NaBH_4}$$

Beständige Valenzisomere lassen sich vom Pentakis-[pentafluoräthyl]-pyridin herstellen[3]:

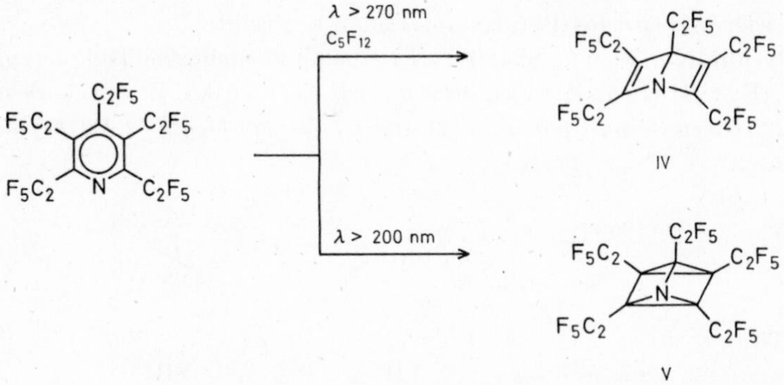

$$\lambda > 270 \text{ nm}$$
$$\mathrm{C_5F_{12}}$$

Pentakis-[pentafluoräthyl]-1-aza-bicyclo[2.2.0]hexadien-(2,5)

IV

$$\lambda > 200 \text{ nm}$$

Pentakis-[pentafluoräthyl]-1-aza-tetracyclo[2.2.0.0²,⁶.0³,⁵]hexan

V

Das Dewar- und das Prisman-Isomere (IV und V) sind bei 160° einige Stdn. haltbar. Der Strukturbeweis wurde UV-, NMR- und massenspektrometrisch erbracht.

Dewar-Isomere vom 5-Chlor-2-amino-pyridin[4] ließen sich nicht bestätigen[5].

Das Auftreten von Umlagerungsprodukten bei der Bestrahlung von methyliertem Pyridin kann über valenzisomere Zwischenstufen gedeutet werden[6]. Die Gasphasen-Photolyse (10 Torr) von 2-Methyl-pyridin führt z. B. u. a. zu *4-Methyl-pyridin* (5% d.Th.) und

[1] D. Berthelot u. H. Gaudechon, C. r. 152, 376 (1911).

[2] K. E. Wilzbach u. D. J. Rausch, Am. Soc. 92, 2178 (1970).

[3] M. G. Barlow, J. G. Dingwall u. R. N. Haszeldine, Chem. Commun. 1970, 1580.

[4] E. C. Taylor, W. W. Paudler u. I. Kuntz, Am. Soc. 83, 2967 (1961).

[5] E. C. Taylor u. R. O. Kan, Am. Soc. 85, 776 (1963).

[6] O. S. Pascual u. L. O. Tuazon, Philipp. Nucl. J., 1, 49 (1966); C. A. 66, 115127 (1967).

2,6-Dimethyl-pyridin liefert entsprechend *2,4-Dimethyl-pyridin*. 2,3-Dimethyl-pyridin geht in *2,5-* und *3,4-Dimethyl-pyridin* über (je 1% d.Th.)[1]:

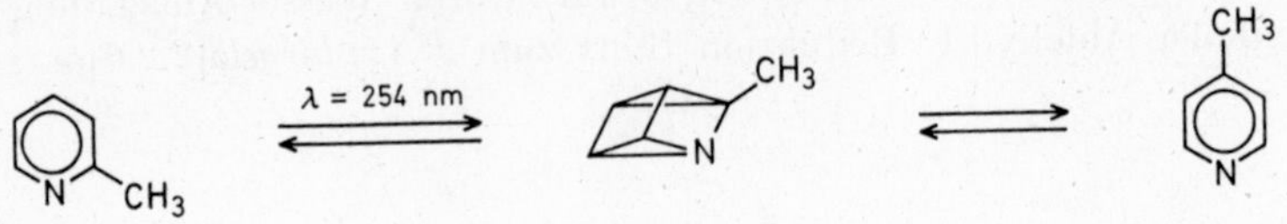

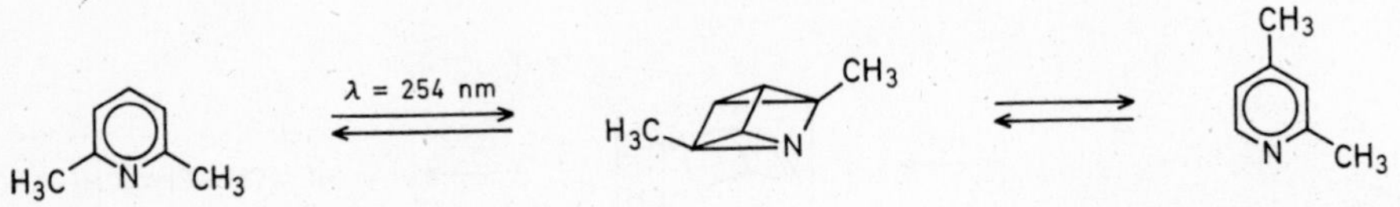

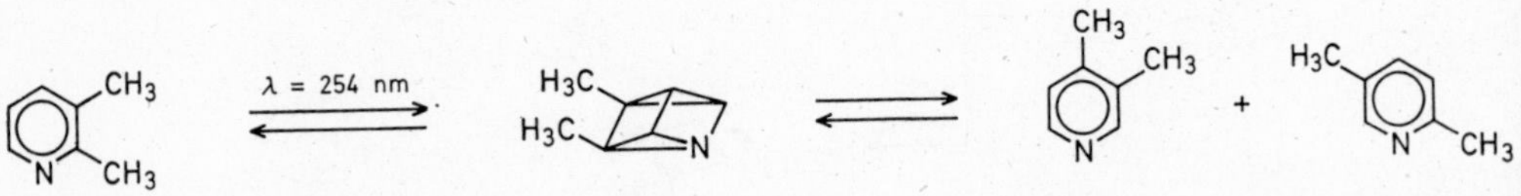

Es wird vermutet, daß die Isomerisierungen über Aza-prisman-Zwischenstufen[1] verlaufen, also die Kohlenstoff-Atome in der 2-, 4- und 6-Stellung des Pyridin-Ringes, oder die in 3- und 5- bzw. in 2- und 6-Stellung in Wechselwirkung treten. 3,5-Dimethyl-pyridin bildet z. B. kein Isomeres. Eine fehlende 1,2-Verschiebung der Methyl-Gruppe schließt eine Aza-benzvalen-Zwischenstufe aus. Der Nachweis von Pyridin (1% d.Th.) und 2,4-Dimethyl-pyridin (2,5% d.Th.) unter den Photolyse-Produkten von 2-Methyl-pyridin läßt vermuten, daß neben der Photoisomerisierung auch Methylierungs- und Demethylierungsprozesse ablaufen.

Eine andere Isomerisierung wird bei Pyridinium-Yliden beobachtet.

Ähnlich wie bei den Pyridin-N-oxiden (s. S. 1290) tritt eine photochemische Ringverengung und -erweiterung ein. Pyridinium-dicyan-methylid[2] (VI) wird z. B. durch Bestrahlung in Benzol in *2-(2,2-Dicyan-vinyl)-pyrrol* (VII) und *7,7-Dicyan-bicyclo[4.1.0]heptadien-(2,4)* (VIII) umgewandelt:

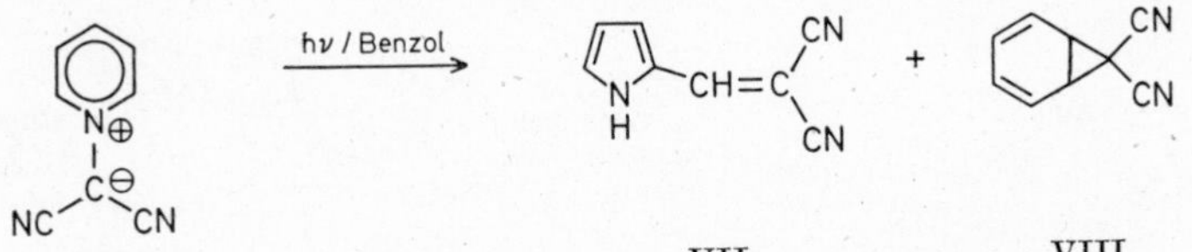

1-(Äthoxycarbonyl-imino)-pyridinium-Ylid (IX) erfährt durch Bestrahlung über ein 1,7-Diaza-bicyclo[4.1.0]heptadien-(2,4)-Derivat Ringerweiterung zu *1-Äthoxy-carbonyl-1H-1,2-diazepin* (X; 95% d.Th.)[3]:

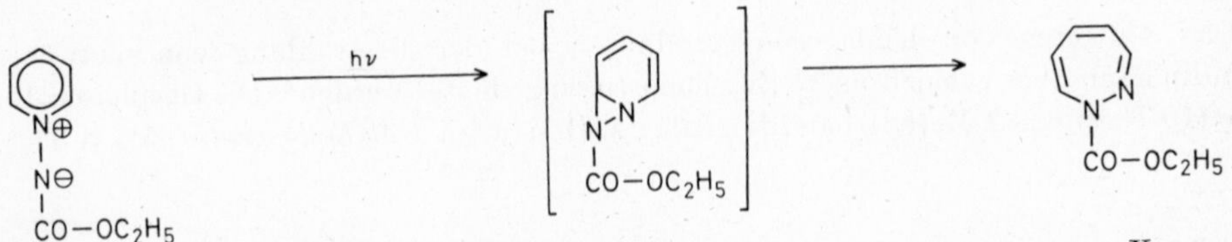

---

[1] S. Caplain u. A. Lablache-Combier, Chem. Commun. **1970**, 1247 (dort weitere Literatur über Methyl-pyridine u. a. Aza-heterocyclen).

[2] J. Streith u. J. M. Cassal, C. r. **264** [C], 1307 (1967); Ang. Ch. **80**, 117 (1968); engl.: **7**, 129 (1968); Tetrahedron Letters **1968**, 4541.

[3] J. Streith u. J. M. Cassal, Bl. **1969**, 2175.

Als Nebenprodukte fallen mit je 2%iger Ausbeute *Pyridin* und *1-Äthoxycarbonyl-1H-azepin* an, ein Reaktionsweg der durch Triplett-Sensibilisatoren, z. Z. Benzophenon, bevorzugt eingeschlagen wird. Elektronenziehende Substituenten an C-4 des Ylids sollen die N-N-Spaltung, Elektronen-schiebende Substituenten dagegen die Isomerisierung fördern[1]. Die theoretisch erwartete hohe Regiospezifität von in 2-Stellung substituierten Imino-pyridinium-Yliden bestätigte sich am 2-Cyan-Derivat (s. Tab. 80), bei der entsprechenden 2-Methyl-Verbindung scheinen sterische Effekte zu überwiegen[2]. Die Ringerweiterung läßt sich in guten Ausbeuten außer an Alkoxycarbonyl- auch an Benzoyl-, Acyl- und Arylsulfonylimino-pyridinium Yliden durchführen[3].

3-Methoxy-1-äthoxycarbonylimino-pyridinium-Ylid führt bei UV-Bestrahlung über das 1H-1,2-Diazepin-Derivat zu *5-Methoxy-1-äthoxycarbonyl-2,3-diaza-bicyclo[3.2.0]heptadien-(3,6)*[4] (S. 1124):

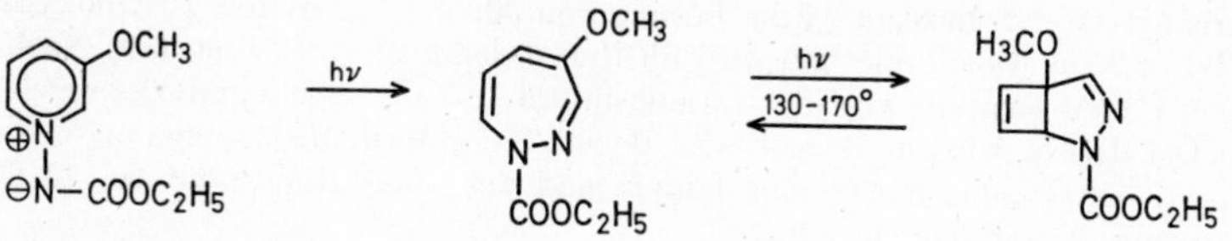

Tab. 80. Ringerweiterung von Imino-pyridinium-Yliden zu substituierten 1H-1,2-Diazepinen

Pyridinium-Ylid		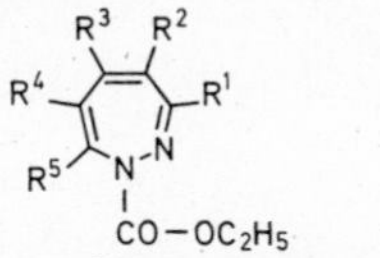 ...-1H-1,2-diazepin	Ausbeute [% d.Th.]	Literatur
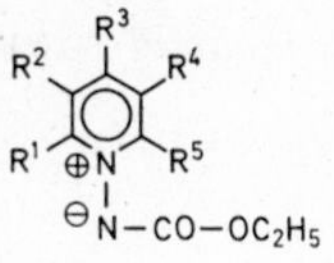 $R^1 = CH_3$		3-Methyl-1-äthoxycarbonyl-...	84	1,5
		6-Methyl-1-äthoxycarbonyl...	33	
$R^1 = CN$		1-Äthoxycarbonyl-3-cyan-...	86	3
$R^2 = CH_3$		4-Methyl-1-äthoxycarbonyl-...	84	3 vgl. a. 5
$R^2 = COOC_2H_5$		1,4-Diäthoxycarbonyl-...	80	3
$R^3 = CH_3$		5-Methyl-1-äthoxycarbonyl-...	98	1,5
$R^3 = C_6H_5$		5-Phenyl-1-äthoxycarbonyl-...	90	3
$R^3 = N(CH_3)_2$		5-Dimethylamino-1-äthoxy-carbonyl-...	65	1
$R^1 = R^3 = CH_3$		3,5-Dimethyl-1-äthoxycarbonyl-...	77	5
$R^1 = R^4 = CH_3$		3,6-Dimethyl-1-äthoxycarbonyl-...	70	5
$R^1 = R^5 = CH_3$		3,7-Dimethyl-1-äthoxycarbonyl-...	72	1,5
$R^2 = R^3 = CH_3$		4,5-Dimethyl-1-äthoxycarbonyl-...	80	5
$R^2 = R^4 = CH_3$		4,6-Dimethyl-1-äthoxycarbonyl-...	84	1,5

[1] A. BALASUBRAMANIAN, J. M. McINTOSH u. V. SNIECKUS, J. Org. Chem. **35**, 433 (1970).
[2] M. NASTASI u. J. STREITH, Bl. **1973**, 630.
[3] J. M. CASSAL et al., Lectures in Heterocyclic Chem. **2**, S 17 (1974).
[4] J. P. LUTTRINGER u. J. STREITH, Tetrahedron Letters **1973**, 4163.
[5] T. SASAKI et al., J. Org. Chem. **35**, 426 (1970).

Tab. 80 (1. Fortsetzung)

Pyridinium-Ylid	...-1H-1,2-diazepin	Ausbeute [% d.Th.]	Literatur
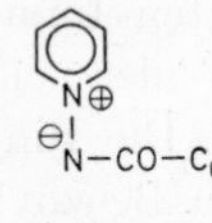 (Struktur: Pyridinium, N⊕, ⊖N—CO—C₆H₅)	1-Benzoyl-...	64	1
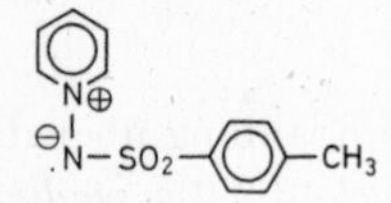 (Struktur: Pyridinium, N⊕, ⊖N—SO₂—C₆H₄—CH₃)	1-(4-Methyl-phenylsulfonyl)-...	61	1

1-Äthoxycarbonyl-1H-1,2-diazepin[2]: Eine Lösung von 399 mg (2,5 mMol) 1-(Äthoxycarbonyl-imino)-pyridinium-Ylid in 90 *ml* Dichlormethan wird im Pyrex-Gefäß 24 Stdn. bestrahlt. Nach Verschwinden der langwelligen UV-Absorption wird das Lösungsmittel i. Vak. abgedampft; es ergeben sich 370 mg eines braunen Öls. Dieses wird in Benzol oder Benzol/Chloroform-Mischungen an Silikagel chromatographiert, eluiert, das Lösungsmittel abgedampft und der ölige Rückstand bei 45–60°/0,1–0,5 Torr destilliert; Ausbeute: 97% d.Th.; n_D^{25}: 1,5400.

1-Thioureido-pyridinium-Ylide dagegen liefern andere Photolyse-Produkte[3]:

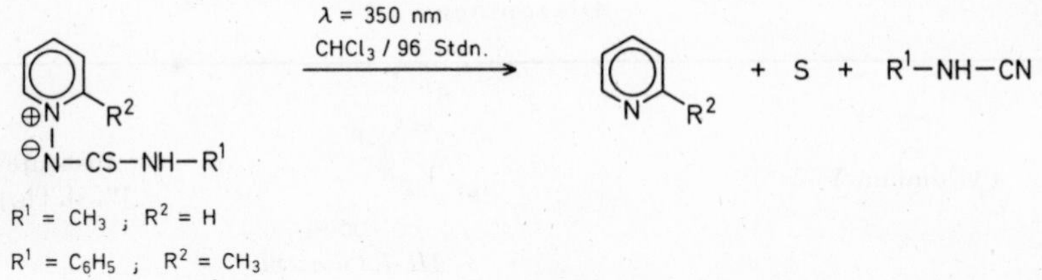

$$R^1 = CH_3 \; ; \; R^2 = H$$
$$R^1 = C_6H_5 \; ; \; R^2 = CH_3$$

Durch Fragmentierung entstehen neben Schwefel *Methyl-* bzw. *Phenyl-cyanamid* sowie *Pyridin* bzw. *2-Methyl-pyridin*.

β) Dimerisierungen und Additionen

Bestrahlung von reinem Pyridin führt in geringen Ausbeuten zu *2,2'-Bi-pyridyl* (I; ∼ 1% d.Th.)[4], eine Reaktion, die sich auf 2-Methyl-pyridin und Chinolin[4-6] übertragen läßt:

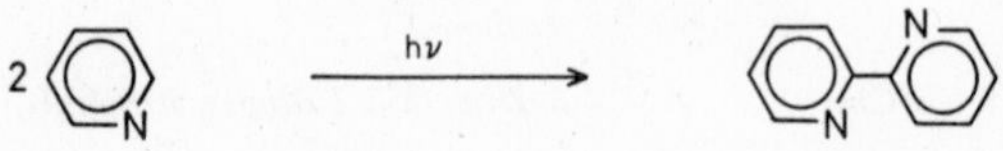

Bei der Photolyse von 2-Amino-pyridin (II) in wäßriger Salzsäure tritt Dimerisierung zu *4,8-Diamino-3,7-diaza-anti-tricyclo[4.2.2.2²,⁵]dodecatetraen-(3,7,9,11)-Dihydrochlorid* (III;

[1] A. BALASUBRAMANIAN, J. M. McINTOSH u. V. SNIECKUS, J. Org. Chem. **35**, 433 (1970).
[2] J. STREITH u. J. M. CASSAL, Bl. **1969**, 2175.
[3] K. T. POTTS u. R. DUGAS, Chem. Commun. **12**, 732 (1970); dort weitere Literatur.
[4] K. PFORDTE u. G. LEUSCHNER, A. **646**, 30 (1961).
[5] G. A. SWAN u. P. S. TIMMONS, Soc. **1958**, 4669.
[6] R. H. LINNEL u. W. A. NOYES, jr., Am. Soc. **73**, 3986 (1951).

66% d.Th.) ein[1,2]. Die [4 + 4]-Cycloaddition verläuft nur in saurem Medium, da durch Protonierung am Ring-Stickstoff ein partieller Dien-Charakter erhalten wird:

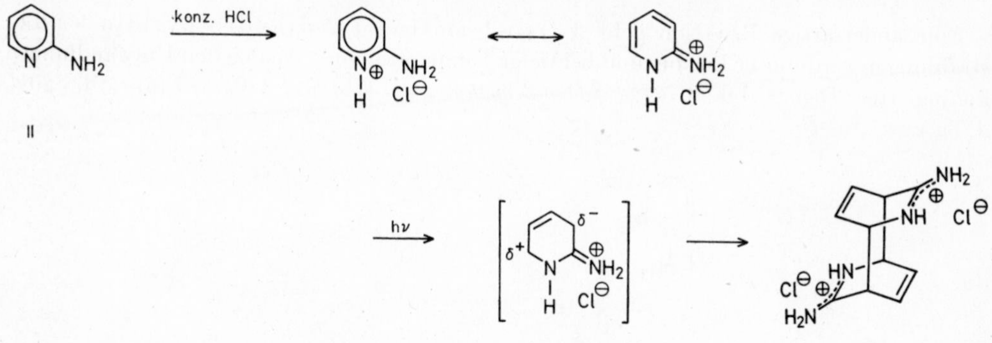

Die räumliche Struktur des Dimeren konnte röntgenographisch[3] und NMR-spektroskopisch ermittelt werden.

4,8-Diamino-3,7-diaza-anti-tricyclo[4.2.2.2^{2,5}] dodecatetraen-(3,7,9,11)-Dihydrochlorid (III)[4]: 78 g (0,83 Mol) 2-Amino-pyridin in 150 ml konz. Salzsäure werden entweder mit einem Quecksilber-Niederdruck-Brenner (Bogenlänge 78 cm) oder mit einer Quecksilber-Hochdruck-Lampe (Hanovia 450 W) durch Quarz belichtet. Die abgeschiedenen Kristalle werden im Abstand von 8 Stdn. abfiltriert und die Mutterlauge weiterbelichtet, bis nach etwa 40 Stdn. 59,5 g (55%) des Dimeren gewonnen sind, welches aus 200 ml Äthanol/Wasser (40:60) umkristallisiert wird; F: 215–218° (Zers. bei schnellem Aufheizen).

Die Reaktion läßt sich auf 2-Aminomethyl-pyridine und 5-Chlor-2-amino-pyridin sowie auf 2-Methylamino- und 2-Benzylamino-pyridin übertragen. Dagegen bilden 2,5-Diaminopyridin, 5-Nitro-2-amino- und 6-Amino-3-carboxy-pyridin keine Dimere.

Bei den nicht mehr aromatischen 2-Oxo-1-alkyl-1,2-dihydro-pyridinen tritt diese [4 + 4]-Cycloaddition bereits in konzentrierter alkoholischer oder wäßriger Lösung ein[2,3,5]. Aus 2-Oxo-1-methyl-1,2-dihydro-pyridin (IV) entsteht durch Belichtung *4,8-Dioxo-3,7-dimethyl-3,7-diaza-tricyclo[4.2.2.2^{2,5}]dodecadien-(9,11)* (V; 43% d.Th.; F: 222–222,5°):

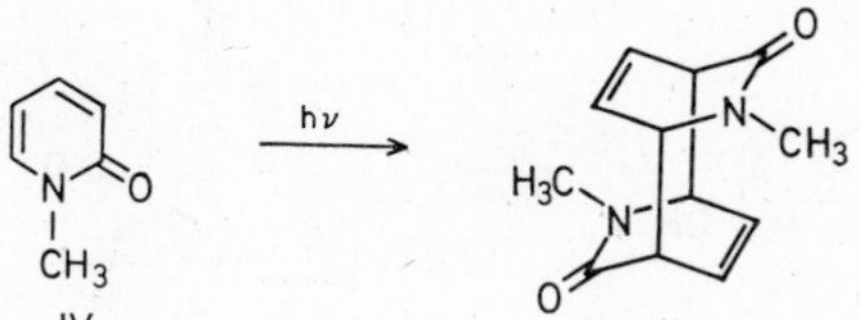

[1] E. C. TAYLOR, R. O. KAN u. W. W. PAUDLER, Am. Soc. **83**, 4484 (1961);

[2] E. C. TAYLOR u. R. O. KAN, Am. Soc. **85**, 776 (1963).

[3] M. LAING, Pr. chem. Soc. **1964**, 343.

[4] E. C. TAYLOR u. G. G. SPENCE in: *Organic Photochemical Syntheses*, Bd. 1, S. 46, Wiley-Interscience, New York 1971.

[5] E. C. TAYLOR u. W. W. PAUDLER, Tetrahedron Letters **25**, 1 (1960).
W. A. AYER et al., Tetrahedron Letters **1961**, 648.
L. A. PAQUETTE u. G. SLOMP, Am. Soc. **85**, 765 (1963).
G. SLOMP, F. A. MACKELLAR u. L. A. PAQUETTE, Am. Soc. **83**, 4472 (1961).

2-Oxo-1,2-dihydro-pyridin bildet analog in wäßriger Lösung durch UV-Bestrahlung *4,8-Dioxo-3,7-diaza-anti-tricyclo[4.2.2.2²,⁵]dodecadien-(9,11)*. Auch im Kern methylierte Pyridone gehen die gleiche Umsetzung ein, indifferent verhalten sich dagegen 2- bzw. 6-Chlor-pyridon.

Eine andersartige Reaktion geht 2-Oxo-1-methyl-1,2-dihydro-pyridin bei Bestrahlung in verdünnter Lösung und bei tiefer Temperatur ein[1]. Analog den Umwandlungen konjugierter Diene[2] bildet sich *3-Oxo-2-methyl-2-aza-bicyclo[2.2.0]hexen-(5)* (VI; 20% d.Th.):

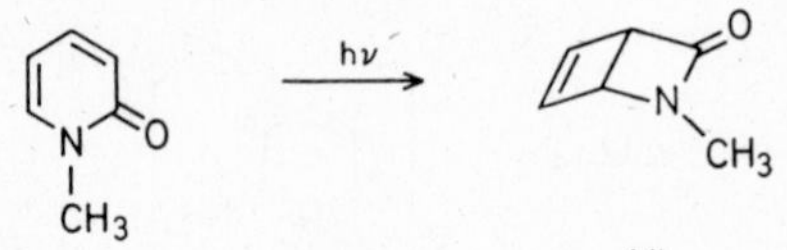

Dimerisierung unter Ausbildung eines Cyclobutan-Ringes wird bei Chinolinen beobachtet. So bildet sich ein Kopf/Kopf-*anti*-Produkt bei Bestrahlung von 2-Hydroxy-chinolin in Benzol, wäßriger Suspension oder als Festsubstanz[3-5]:

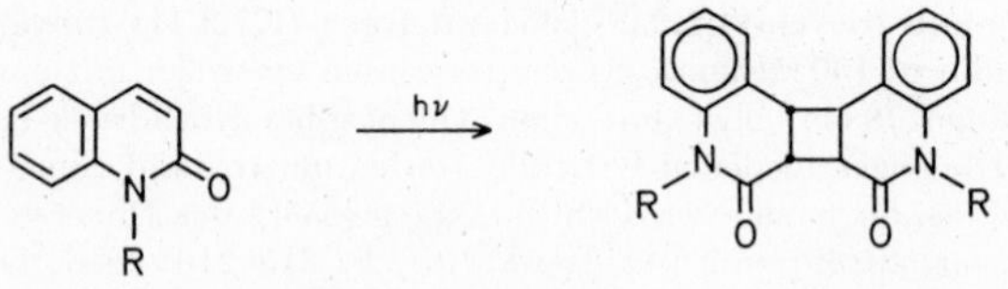

VIIa; R = H   *6,7-Dioxo-5,6,6a,6b,7,8,12b,12c-octahydro-anti-⟨cyclobuta-[1,2-c; 4,3-c']-di-chinolin⟩*; 70% d.Th.; F: 300°

VIIb; R = CH₃ *6,7-Dioxo-5,8-dimethyl-5,6,6a,6b,7,8,12b,12c-octahydro-anti-⟨cyclobuta-[1,2-c; 4,3-c']-di-chinolin⟩*; 80% d.Th.; F: 215–216°

Weitere Beispiele zu diesem Reaktionstyp s. Tab. 81 (S. 589).

2-Oxo-1,2,5,6,7,8-hexahydro-chinolin durchläuft dagegen bei Bestrahlung (Methanol, Stickstoff, $\lambda = 350$ nm) eine [4+4]-Cycloaddition[6]:

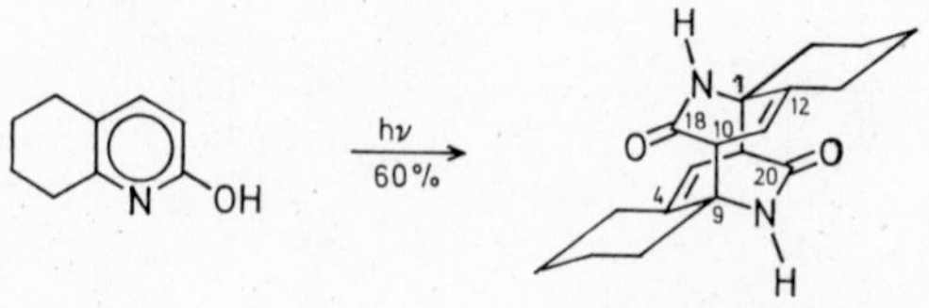

18,20-Dioxo-17,19-diaza-pentacyclo[8.6.2.2²,⁹.0¹,¹².0⁴,⁹] eicosadien-(3,11)

[1] E. J. COREY u. J. STREITH, Am. Soc. **86**, 950 (1964).

[2] R. STEINMETZ, Fortschr. chem. Forsch. **7**, 445 (1967).

[3] E. C. TAYLOR u. W. W. PAUDLER, Tetrahedron Letters **25**, 1 (1960).

[4] O. BUCHARDT, Acta chem. scand. **18**, 1389 (1964).

[5] I. W. ELLIOT, J. Org. Chem. **29**, 305 (1964).

[6] A. I. MEYERS u. P. SINGH, J. Org. Chem. **35**, 3022 (1970).

Tab. 81. Dimerisierung von Isochinolin- und Chinolin-Derivaten

Ausgangs-verbindung	Photolyse-bedingung	Produkt	Ausbeute [% d. Th.]	F [°C]	Literatur
1-Oxo-1,2-di-hydro-iso-chinolin	Äthanol; $\lambda = 350$ nm	*5,8-Dioxo-5,6,6a,6b,7,8,12b,12c-octahydro-⟨cyclobuta-[1,2-c; 4,3-c']-di-isochinolin⟩*	36	301–302	1
2-Oxo-6-methyl-1,2-dihydro-chinolin	1 g in Äthanol; Hanau Q-700 Pyrex-Filter; 100 Stdn.	*6,7-Dioxo-2,11-dimethyl-5,6,6a, 6b,7,8,12b,12c-octahydro-anti-⟨cyclobuta-[1,2-c; 4,3-c']-di-chinolin⟩*	90	>300	2
2-Oxo-7-methyl-. . .	Äthanol	*6,7-Dioxo-3,10-dimethyl-. . .*	70	>275	2
6-Fluor-2-oxo-. . .	Aceton	*2,11-Difluor-6,7-dioxo-. . .*	4	307–312	2
6-Chlor-2-oxo-. . .	Äthanol	*2,11-Dichlor-6,7-dioxo-. . .*	70	335–350	2
6-Methoxy-2-oxo-. . .	Methanol	*2,11-Dimethoxy-6,7-dioxo-. . .*	63	267–270	2
8-Methoxy-2-oxo-. . .	Wasser	*4,9-Dimethoxy-6,7-dioxo-. . .*	50	260–261	2

In Gegenwart von 2,3-Dimethyl-buten-(2) bildet 2-Oxo-1,2-dihydro-chinolin neben 90% des Dimeren VIIa noch *2-Oxo-9,9,10,10-tetramethyl-⟨benzo-3-aza-bicyclo[4.2.0] octen-(4)⟩* (VIII; 9,4% d.Th.)[3]:

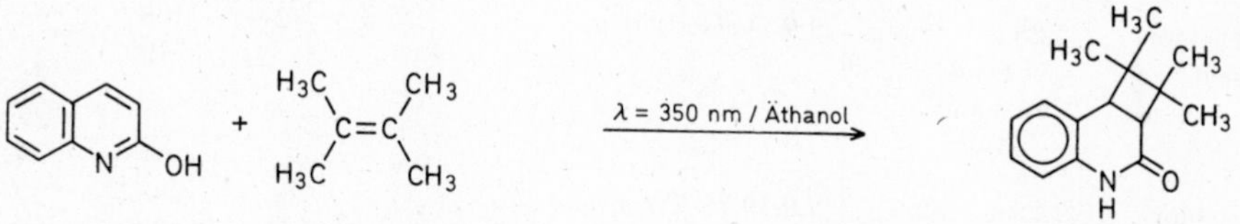

VIII

Mit 1,1-Dimethoxy-äthylen entsteht *9,9-Dimethoxy-2-oxo-⟨benzo-3-aza-bicyclo[4.2.0] octen-(4)⟩*[4]. Diese Orientierungsspezifität entspricht den Erwartungen bei der Annahme nicht gleichzeitiger Ausbildung der beiden neuen σ-Bindungen (Zwischenprodukt-Mechanismus). Weitere Beispiele s. Tab. 82 (S. 590).

9,9-Dimethoxy-2-oxo-⟨benzo-3-aza-bicyclo [4.2.0] octen-(4) ⟩[4]: 100 mg 2-Hydroxy-chinolin und 650 mg 1,1-Dimethoxy-äthylen (Keten-dimethylacetal) in 25 *ml* N,N-Dimethyl-acetamid werden unter Stickstoff 24 Stdn. in einem Rayonet-Reaktor (16 Fluoreszenz-Lampen, $\lambda = 350$ nm) belichtet. Nach Verdampfen des Lösungsmittels und unverbrauchten Reagenzes i. Vak. wird das Produkt aus Aceton/Wasser (40/60) umkristallisiert; Ausbeute: 64 mg (40% d.Th.); F: 167–168,5°.

---

[1] G. R. Evanega u. D. L. Fabiny, Tetrahedron Letters 1971, 1749.
[2] Belichtet werden die entsprechenden Chinolin-N-oxide ohne Isolierung der 2-Oxo-1,2-dihydro-chinoline. L. Paolillo, H. Ziffer u. O. Buchardt, J. Org. Chem. 35, 38 (1970).
[3] G. R. Evanega u. D. L. Fabiny, Tetrahedron Letters 1968, 2241.
[4] G. R. Evanega u. D. L. Fabiny, J. Org. Chem. 35, 1757 (1970).

Tab. 82. Cycloadditionen an 2-Hydroxy-chinolin und 1-Hydroxy-isochinolin

Ausgangs-verbindungen	Photolyse-bedingungen	Produkte	Ausbeute [% d.Th.]	F [°C]	Literatur
2-Hydroxy-chinolin + 1,1-Dimethyl-äthylen	1,0 g + 17 g; 700 ml Äthanol	2-Oxo-9,9-dimethyl-⟨benzo-3-aza-bicyclo[4.2.0]octen-(4)⟩	39	172,5–173,5	1
+ 2-Äthyl-buten-(1)	6,0 g + 34,8 g; 700 ml Äthanol	2-Oxo-9,9-diäthyl-...	35	152–153	1
+ 1,1-Diphenyl-äthylen	1 g + 12,4 g; 125 ml Äthanol; λ = 350 nm	2-Oxo-9,9-diphenyl-...	7	191,5–192,5	1
+ Methyl-vinyl-äther	10 g + 24,9 g; 700 ml Äthanol	syn-9-Methoxy-2-oxo-... + anti-9-Methoxy-2-oxo-... im Verhältnis 1:2	33	124–125 149,5–151	1
+ Vinyl-butyl-äther	10 g + 69 g; 700 ml Äthanol	9-Butyloxy-2-oxo-...	40	121,5–122,5	1
+ Acetoxy-äthylen	10 g + 60 g; 700 ml Äthanol	9-Acetoxy-2-oxo-...	4,4	190,5–192	1
+ Acrylnitril	7,25 g + 27,5 g; 700 ml Äthanol	2-Oxo-anti-9-cyan-... + 2-Oxo-syn-9-cyan-...	42	164–176	1
+ 1,1-Dichlor-äthylen	7,25 g + 48,5 g; 700 ml Äthanol, 3 Tage	9,9-Dichlor-2-oxo-...	72	198–199,5	2
+ Tetrachlor-äthylen	7,25 g + 82,9 g; 700 ml N,N-Dimethyl-acetamid	9,9,10,10-Tetrachlor-2-oxo-...	36	285,5–287,5	1
+ Cyclopenten	10 g + 47 g; 700 ml Äthanol	8-Oxo-⟨benzo-9-aza-anti-tricyclo[5.4.0.0²,⁶]undecen-(10)⟩	38	161 (Zers.)	1
+ Cycloocten	10 g + 76 g; 700 ml Äthanol	11-Oxo-⟨benzo-12-aza-anti-tri-cyclo[8.4.0.0²,⁹]tetradecen-(13)⟩	22	166 (Zers.)	1
1-Hydroxy-isochinolin + 1,1-Dimethyl-äthylen	6 g + 31 g; 700 ml N,N-Dimethyl-acetamid; 6 Tage	3-Oxo-9,9-dimethyl-⟨benzo-2-aza-bicyclo[4.2.0]octen-(4)⟩	46	144–147	2

[1] G. R. Evanega u. D. L. Fabiny, J. Org. Chem. 35, 1757 (1970).
[2] G. R. Evanega u. D. L. Fabiny, Tetrahedron Letters 1971, 1749.

Tab. 82 (Fortsetzung)

Ausgangs-verbindungen	Photolyse-bedingungen	Produkte	Ausbeute [% d.Th.]	F [°C]	Literatur
1-Hydroxy-isochinolin + 2,3-Dimethyl-buten-(2)	7,25 g + 42 g; 700 ml Äthanol; λ = 350 nm; 9 Tage	*3-Oxo-9,9,10,10-tetramethyl-⟨benzo-3-aza-bicyclo[4.2.0]octen-(4)⟩*	76	212,5– 213,5	1
+ 1,1-Dichlor-äthylen	7,25 g + 48,5 g; 700 ml N,N-Dimethyl-acetamid; 5 Tage	*9,9-Dichlor-3-oxo-...* + *10,10-Dichlor-3-oxo-...*	57 9	175,5– 177,2 168–169	1

Ein anderer Dimeren-Typ wird bei 2-(2-Phenyl-vinyl)-chinolin gefunden. Bestrahlung einer benzolischen Lösung oder der fein pulverisierten Festsubstanz führt zur Vierring-Bildung an der olefinischen Doppelbindung. Allerdings ist die genaue Struktur des Dimeren noch nicht bekannt[2].

Wird Acridin[3] in wasserstoff-haltigen Lösungsmitteln (z. B. Äthanol, Isopropanol, Benzol, Toluol, Heptan) bestrahlt, so wird nicht in Analogie zur Photoreaktion des Anthracens ein tricyclisches Dimeres[4,5] gebildet, sondern *9,9',10,10'-Tetrahydro-bi-acridyl-(9,9')*[6,7], wie spektroskopisch gezeigt werden konnte[8,9]:

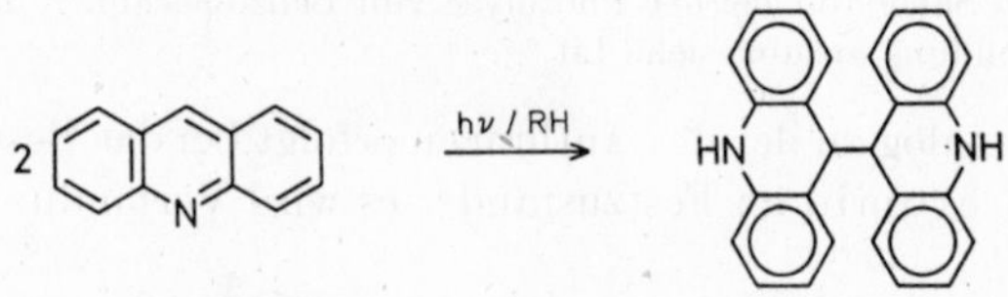

Zusätzlich fallen Reduktionsprodukte an (s. S. 1446). In Cyclohexan oder 1,4-Dioxan entstehen neben dem Acridan-Dimeren z. B. 9-Cyclohexyl- bzw. 9-(1,4-Dioxanyl)-acridan (27 bzw. 30% d.Th.)[10]. Die Dimerisation tritt bei Konzentrationen $\geq 10^{-3}$ Mol/l in den Vordergrund.

[1] G. R. EVANEGA u. D. L. FABINY, Tetrahedron Letters **1971**, 1749.
[2] M. HENZE, B. **70**, 1273 (1937).
[3] Zum photoreaktiven Zustand des Acridins:
   A. KELLMANN u. J. T. DUBOIS, J. Chem. Physics **42**, 2518 (1965).
   A. KELLMANN, J. Chim. physique Phisico-Chim. biol. **63**, 936 (1966).
   A. V. BUETTNER, Dissertation Abstr. **23**, 4125 (1963).
   F. WILKINSON u. J. T. DUBOIS, J. Chem. Physics **48**, 2651 (1968).
   E. VANDER-DONCKT u. G. PORTER, J. Chem. Physics **46**, 1173 (1967).
   A. KIRA, Y. IDEDA u. M. KOIZUMI, Bl. chem. Soc. Japan **39**, 1673 (1966).
   A. KIRA, S. KATO u. M. KOIZUMI, Bl. chem. Soc. Japan **39**, 1221 (1966).
   M. KOIZUMI, Y. IKEDA u. T. IWAOKA, J. Chem. Physics **48**, 1869 (1968).
   K. NAKAMARU, S. NIIZUMA u. M. KOIZUMI, Bl. chem. Soc. Japan **42**, 255 (1969).
[4] C. J. FRITSCHE, J. pr. **101**, 333 (1867).
[5] A. KELLMANN, J. Chim. physique Phisico-Chim. biol. **54**, 468 (1957).
[6] W. R. ORNDORFF u. F. K. CAMERON, Am. **17**, 658 (1895).
[7] V. ZANKER u. P. SCHMID, Z. phys. Chem. **17**, 11 (1958).
[8] V. ZANKER u. H. SCHNITH, B. **92**, 2210 (1959).
[9] A. KELLMANN, J. Chim. physique Phisico-Chim. **56**, 574 (1959); **57**, 1 (1960).
[10] F. MADER u. V. ZANKER, B. **97**, 2418 (1964).
   F. MADER, Dissertation, Technische Hochschule München (1963/64).

9-(1,4-Dioxanyl)- bzw. 9-Cyclohexyl-9,10-dihydro-acridin[1]: 450 mg Acridin werden in 50 *ml* wasserfreiem, stickstoffgesättigtem 1,4-Dioxan (Cyclohexan) gelöst und in einem mit Stickstoff gefüllten Glas-Schlenk-Rohr $\sim 2{,}5$ Stdn. mit einer Quecksilber-Höchstdruck-Lampe HBO 200 Interferenz-Filter 366 nm) bestrahlt. Das ausfallende *9,9',10,10'-Tetrahydro-bi-acridyl-(9,9')* wird abfiltriert ($\sim 50\%$ der eingesetzten Substanz), das Filtrat i.Vak. eingeengt, bis gelbes Öl zurückbleibt. Nach Zugabe geringer Mengen Methanol (Petroläther) verfestigt das jeweilige Öl; Ausbeute 200 mg am Rohprodukt: $\sim$ (45% d. Th.); nach mehrmaliger Kristallisation aus Benzol (Heptan) ergeben sich 140 mg bzw. 130 mg farblose Kristalle; F: 211° bzw. 205°.

In 9- und/oder 10-Stellung substituierte Acridine verhalten sich analog[2]. Bei Photolysen von N-alkylierten Acridinium-halogeniden muß auf Sauerstoff-Ausschluß geachtet werden, da sonst neben freiem Halogen und Acetaldehyd 9-Oxo-10-alkyl-9,10-dihydro-acridine entstehen[3,4].

Über Photolysen von Acridin in Alkansäuren, bei denen ebenfalls reduktive Substitution und auch Dimerisierung erfolgt s. S. 994.

Der Oxidation unterliegen Benzo-acridine, wenn sie in Anwesenheit von Sauerstoff belichtet werden. So liefert Benzo-[b]-acridin in Benzol oder Schwefelkohlenstoff *6,11-Dioxo-6,11-dihydro-⟨benzo-[b]-acridin⟩* (48% d.Th.)[5]. In Äther bildet sich bei Ausschluß von Sauerstoff ein Photodimeres unbekannter Struktur (75% d.Th.), das sich bei 360° wieder in die Ausgangsverbindung zurückverwandelt.

Entsprechend liefert Dibenzo-[b;h]-acridin *8,13-⟨Dibenzo-[b;h]-acridin⟩-endoperoxid* (50% d.Th.) und Dibenzo-[a;i]-acridin über ein labiles Endoperoxid *8,13-Dioxo-8,13-dihydro-⟨dibenzo-[a;i]-acridin⟩* (79% d.Th.). In Äther führt die Umsetzung mit beiden Ausgangsverbindungen zu Dimeren (72 bzw. 70% d.Th.)[5].

Über den Einfluß, den Sauerstoff bei der Photolyse von Benzo-acridinen in verschiedenen Lösungsmitteln auf die Produktbildung ausübt, siehe Lit.[6,7].

Eine Dimerisation analog zu der des Anthracen erfolgt bei der Bestrahlung von Benzo-[b]-chinolizinium-bromid im Festzustand[8]; es wird Verbindung X gebildet:

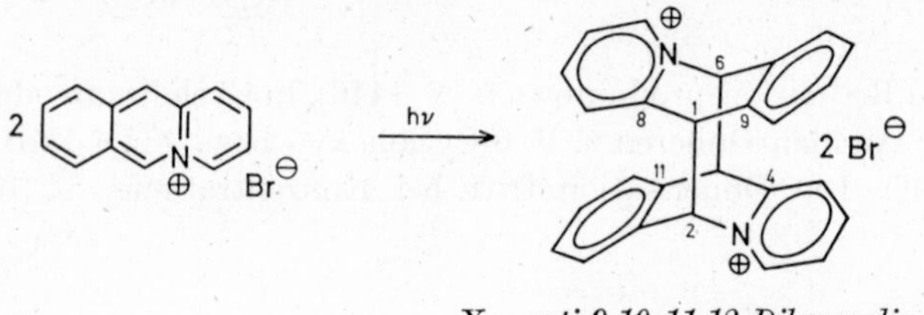

X; *anti-9,10;11,12-Dibenzo-dipyridio-[1,2-c;1',2'-g]-3,7-diaza-tricyclo [4.2.2.2²,⁵]dodecatetraen-(3,7,9,11)-dibromid*

12-Amino-1,2,3,4-dihydro-⟨benzo-[b]-acridin⟩ soll ebenfalls schnell dimerisieren[8].

---

[1] F. Mader u. V. Zanker, B. **97**, 2418 (1964).
  F. Mader, Dissertation, Technische Hochschule München (1963/64).
[2] P. Cerutti u. H. Göth, Ang. Ch. **76**, 54 (1964).
  H. Göth, P. Cerutti u. H. Schmid, Helv. **48**, 1395 (1965).
[3] V. Zanker u. H. Cnobloch, Z. Naturf. **17b**, 819 (1962).
[4] Zum Bildungsmechanismus:
  V. Zanker et al., Z. phys. Chemie **48**, 179 (1966); Z. Naturf. **21b**, 102 (1966).
  V. Zanker, E. Erhardt u. J. Thies, Ind. chim. belge **1967**, 32 (Spez. Nr. III) 24; C. A. **70**, 87538 (1969).
[5] A. Etienne u. A. Staehelin, Bl. **21**, 748 (1954).
[6] V. Zanker u. F. Mader, B. **93**, 850 (1960).
[7] A. Kellmann, J. Chim. physique Physico-Chim. biol. **63**, 949 (1966).
[8] A. Albert, *The Acridines*, S. 275, Edw. Arnold Ltd., London, 2. Aufl. 1966.

γ) (Dehydro)cyclisierungen

2-Phenyl-1-pyridyl-(2)-äthylene können photochemisch cyclisiert werden und ergeben nach Oxidation kondensierte Heteroaromaten[1] (vgl. S. 511 ff.). So liefert z. B. 4-(2-Phenyl-vinyl)-pyridin *Benzo-[h]-isochinolin* (21% d.Th.). Substituierte 2-(2-Phenyl-vinyl)-pyridine (I) werden in die entsprechenden Benzo-[f]-chinoline (II) überführt[2,3]:

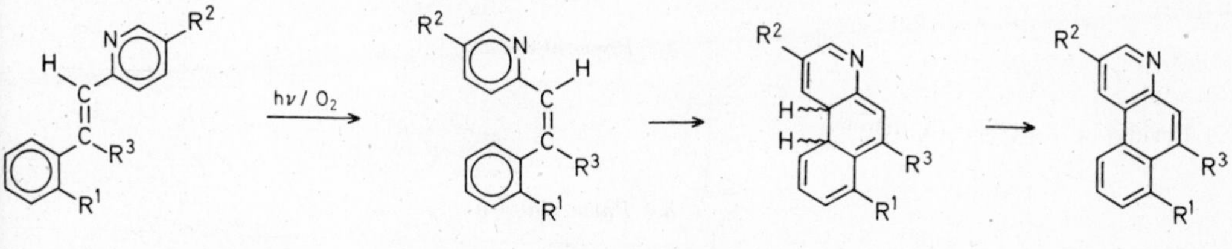

I
II

R¹ = R² = R³ = H
R¹ = R² = H; R³ = CN
R¹ = R² = H; R³ = COOCH₃
R² = R³ = H; R¹ = NH—COCH₃
R¹ = H; R² = OCH₃; R³ = CN

Benzo-[f]-chinolin; 35% d.Th.
6-Cyan-⟨benzo-[f]-chinolin⟩; 62% d.Th.
6-Methoxycarbonyl-⟨benzo-[f]-chinolin⟩; 25% d.Th.
7-Acetylamino-⟨benzo-[f]-chinolin⟩; 64% d.Th.
2-Methoxy-6-cyan-⟨benzo-[f]-chinolin⟩; 70% d.Th.

Durch 5,5stdg. Bestrahlung in Benzol/tert.-Butanol bei Anwesenheit von Sauerstoff kann *6,6-Dimethyl-5,6-dihydro-4H-⟨naphtho-[1,8-f,g]-chinolin⟩* (53% d.Th.; F: 134–139°) synthetisiert werden[4]:

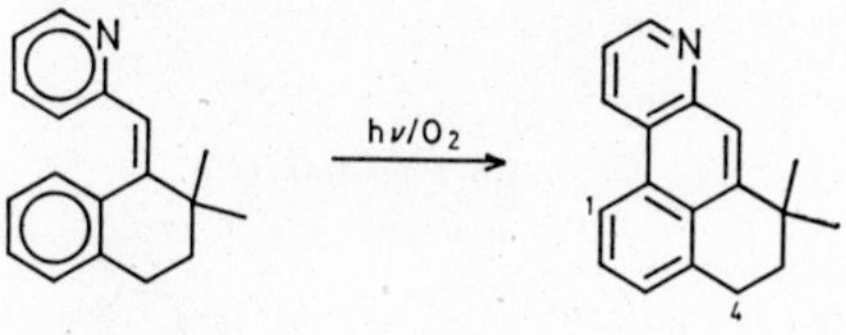

1,2-Diphenyl-1-pyridyl-(2)-äthylen kann zu zwei verschiedenen kondensierten Aromaten cyclisieren[5]:

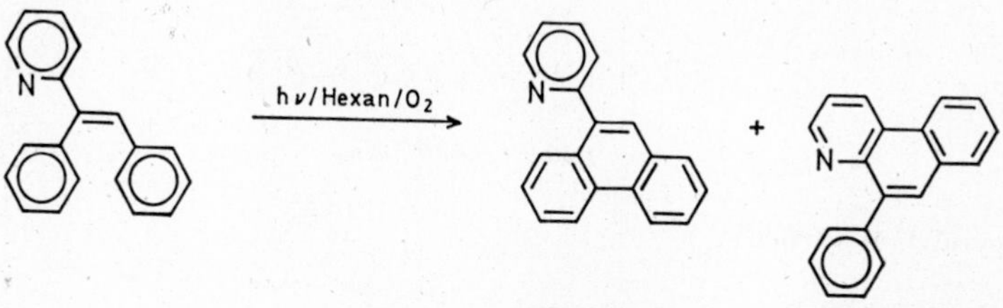

9-Pyridyl-(2)-
phenanthren;
40% d.Th.,
F: 87–89°

5-Phenyl-⟨benzo-[f]-
chinolin⟩; 6% d.Th.;
F: 113–114°

Der Cyclodehydrogenierung unterliegen auch 1,2-Dipyridyl-äthylene, wenn sie in Benzol in Gegenwart von Sauerstoff bestrahlt werden. Auf diese Weise können alle möglichen isomeren Phenanthroline hergestellt werden[6] (s. Tab. 83, S. 594).

---

[1] C. E. LOADER u. C. J. TIMMONS, Soc. [C] **1966**, 1078; **1967**, 1343, 1457.
[2] P. L. KUMLER u. R. A. DYBAS, J. Org. Chem. **35**, 125 (1970).
[3] P. BORTOLUS, G. CAUZZO u. G. GALIAZZO, Tetrahedron Letters **1966**, 239.
[4] P. L. KUMLER u. R. A. DYBAS, J. Org. Chem. **35**, 3825 (1970).
[5] G. GALIAZZO et al., J. Heterocyclic Chem. **6**, 465 (1969).
[6] H. H. PERKAMPUS u. G. KASSEBEER, A. **696**, 1 (1966).
  H. H. PERKAMPUS u. P. SENGER, Z. El. Ch. **67**, 876 (1963).
  H. H. PERKAMPUS, G. KASSEBEER u. P. MÜLLER, Z. El. Ch. **71**, 40 (1967).

Tab. 83. Dehydrocyclisierung von 1,2-Dipyridyl-äthylenen[1]

Ausgangsverbindung	Produkt	Ausbeute [% d.Th.]
1,2-Dipyridyl-(2)-äthylen	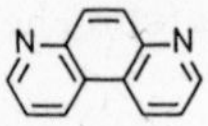 *4,7-Phenanthrolin*	17
1-Pyridyl-(2)-2-pyridyl-(3)-äthylen	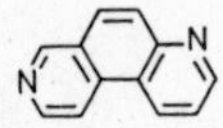 *3,7-Phenanthrolin*	1
	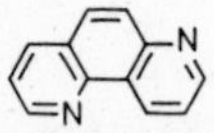 *1,7-Phenanthrolin*	15
1-Pyridyl-(2)-2-pyridyl-(4)-äthylen	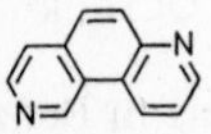 *2,7-Phenanthrolin*	23
1,2-Dipyridyl-(3)-äthylen	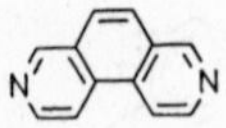 *3,8-Phenanthrolin*	12
	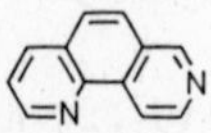 *1,8-Phenanthrolin*	20
	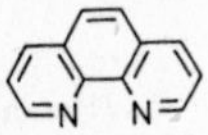 *1,10-Phenanthrolin*	1
1-Pyridyl-(3)-2-pyridyl-(4)-äthylen	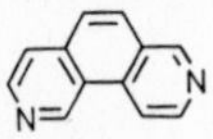 *2,8-Phenanthrolin*	21
	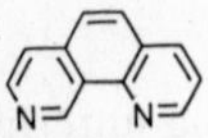 *2,10-Phenanthrolin*	35
1,2-Dipyridyl-(4)-äthylen	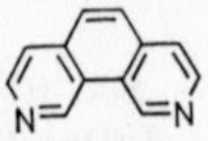 *2,9-Phenanthrolin*	47

[1] H. H. Perkampus u. G. Kassebeer, A. **696**, 1 (1966).
    H. H. Perkampus u. P. Senger, Z. El. Ch. **67**, 876 (1963).
    H. H. Perkampus, G. Kassebeer u. P. Müller, Z. El. Ch. **71**, 40 (1967).

2,9-Phenanthrolin und 5,6-Dihydro-2,9-phenanthrolin[1]: 2 g trans-1,2-Dipyridyl-(4)-äthylen werden in Benzol gelöst und 16 Stdn. mit einer 1000 WLampe bestrahlt. Beim Einengen der Lösung kristallisieren 40 mg 2,9-Phenanthrolin (47% d.Th.) aus; nach Umkristallisation ergibt sich F: 142,5–145°.

Ein zweiter Ansatz mit 1 g trans-Verbindung wird unter Stickstoff im wassergesättigten Benzol 20 Stdn. mit der 1000 WLampe bestrahlt und nach Lösungseinengen 120 mg (12% d.Th.) 2,9-Phenanthrolin (F: 141–143°) und 23 mg (2,3% d.Th.) 5,6-Dihydro-2,9-phenanthrolin (F: 112–113°) gewonnen.

1-(2-Phenyl-vinyl)-pyridinium-bromid (III) wird durch Belichtung und etwas Jod in Benzo-[c]-chinolizinium-bromid (IV; 60% d.Th.) überführt[2]:

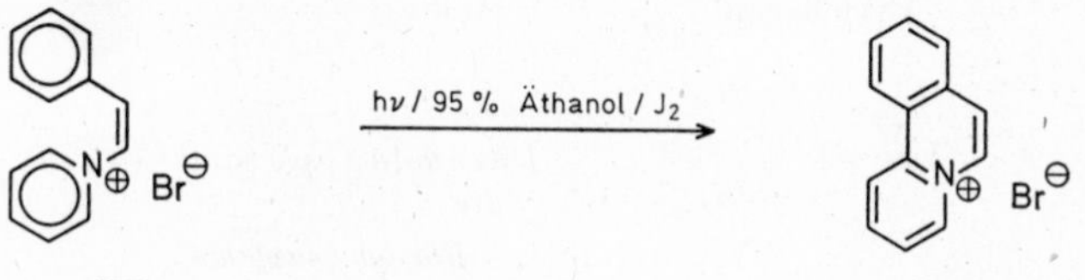

hν / 95 % Äthanol / J₂

III   IV

Die Reaktion läßt sich mit einer Reihe von 1-(2-Phenyl-vinyl)-pyridinium-Salzen ausführen, die entweder am carbo- oder heterocyclischen Ring substituiert sind.

Weiterhin können durch Belichtung von entsprechend substituierten Chinolinen und Isochinolinen in Cyclohexan Heteroaromaten aufgebaut werden (s. Tab. 84, S. 596). 2-Phenyl- und 2-Pyridyl-(3)-1-chinolyl-(2)-äthylen gehen diese Reaktion nicht ein[3,4].

Dehydrocyclisierung tritt auch bei Benzoylamino-pyridinen ein. Während die in 4-Stellung substituierte Pyridine ausschließlich 6-Oxo-5,6-dihydro-⟨benzo-[c]-1,6-naphthyridin⟩ (V; 28% d.Th.) liefert, das m-Derivat unter den gleichen Reaktionsbedingungen lediglich einer Photo-Fries-Umlagerung unterliegt (s. S. 985), laufen bei 2-Benzoylamino-pyridin sowohl Umlagerung als auch Cyclisierung zu 6-Oxo-5,6-dihydro-⟨benzo-[c]-1,8-naphthyridin⟩ (VI; F: 275–276°) ab[5]. In Äthanol beträgt dessen Ausbeute nach 48 Stdn. (3 × 10 W Quecksilber-Niederdruck-Lampen) 7% d.Th.; in Benzol als Lösungsmittel fällt es als einziges Produkt nach 10 Stdn. mit 29% d.Th. an:

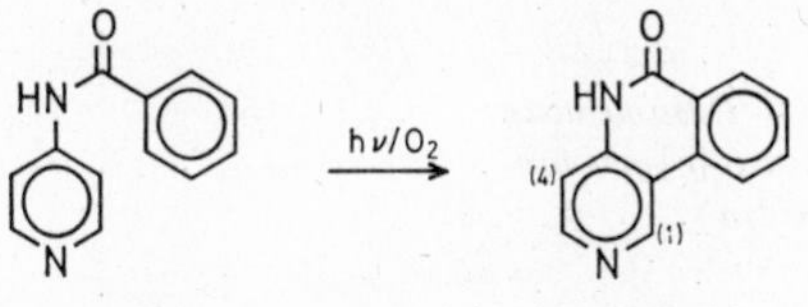

hν/O₂

V

hν/O₂

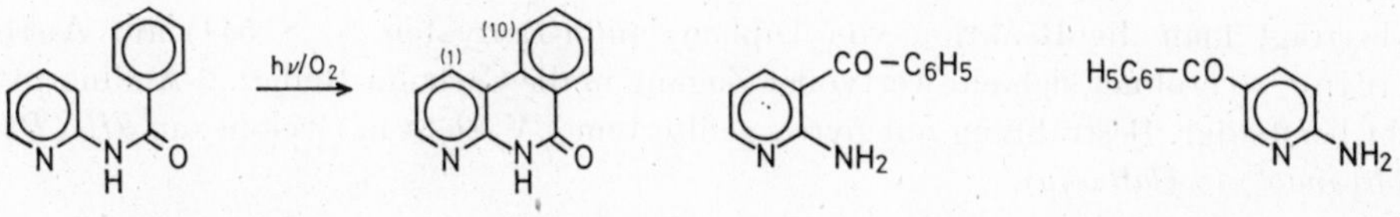

VI

H. H. Perkampus u. G. Kassebeer, A. **696**, 1 (1966).

H. H. Perkampus u. P. Senger, Z. El. Ch. **67**, 876 (1963).

H. H. Perkampus, G. Kassebeer u. P. Müller, Z. El. Ch. **71**, 40 (1967).

R. E. Doolittle u. C. K. Bradsher, J. Org. Chem. **31**, 2616 (1966).

C. E. Loader u. C. J. Timmons, Soc. [C] **1967**, 1457; **1968**, 330.

C. E. Loader, M. V. Sargent u. C. J. Timmons, Chem. Commun. **1965**, 127.

K. Itoh u. Y. Kanaoka, Chem. Pharm. Bull. (Tokyo) **22**, 1431 (1974).

Tab. 84. Cyclodehydrogenierung von Chinolin- und Isochinolin-Derivaten

Ausgangssubstanz	Lösungsmittel	Produkt	Ausbeute [% d.Th.]	Literatur
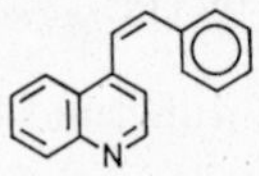	Cyclohexan	*Benzo-[i]-phenanthridin*	25	1, 2
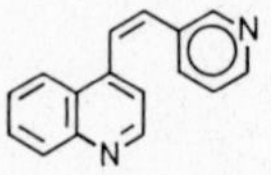	Hexan oder Cyclohexan	*Benzo-[c]-2,8-phenanthrolin*	10	1
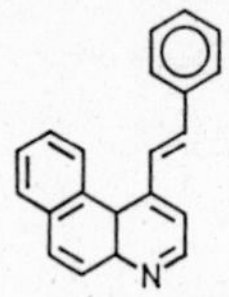	Äthanol	*Dibenzo-[a;i]-phenanthridin* + *5-Phenyl-⟨naphtho-[2,1,8-d,e,f]-chinolin*	5	3
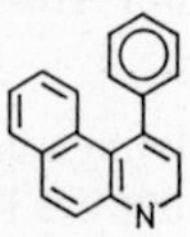	Äthanol/Wasser (1:1); 0,5 Mol HCl; 5 Stdn.	*Phenanthro-[9,10,1-d,e,f]-chinolin*	51	3
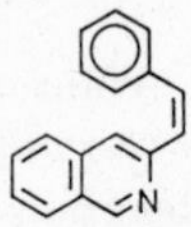	Hexan oder Cyclohexan	*Benzo-[a]-phenanthridin*	34	1
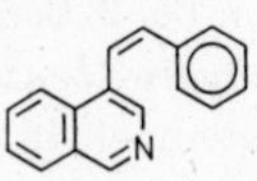	Äthanol	*Benzo-[c]-phenanthridin*	43	1
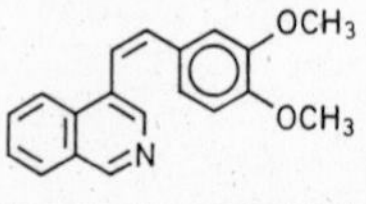	Äthanol	*2,3-Dimethoxy-⟨benzo-[c]-phenanthridin⟩*	Spuren	1
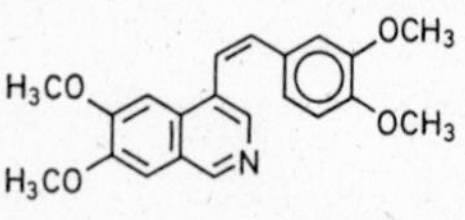	Äthanol	*2,3,8,9-Tetramethoxy-⟨benzo-[c]-phenanthridin⟩*	50	1

Überträgt man die Reaktion von Diphenylamin-Derivaten (s. S. 541) auf Anilino pyridine, so eröffnet sich ein wertvoller Zugang in die Carbolin-Reihe[4]. 2-Anilino-pyridi ergibt bei 9stdgr. Bestrahlung mit pyrex-gefiltertem UV-Licht in Cyclohexan *9H-⟨Pyrido [2,3-b]-indol⟩ (α-Carbolin)*:

9H-⟨Pyrido-[2,3-b]-indol⟩ (α-Carbolin)[4]:

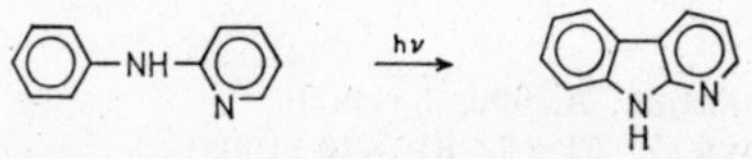

[1] C. E. LOADER u. C. J. TIMMONS, Soc. [C] 1967, 1457; 1968, 330.
[2] C. E. LOADER, M. V. SARGENT u. C. J. TIMMONS, Chem. Commun. 1965, 127.
[3] H. ANDREANI et al., Soc. [C] 1971, 1007.
[4] V. M. CLARK, A. COX u. E. J. HERBERT, Soc. [C] 1968, 831.

102 mg (0,6 mMol) 2-Anilino-pyridin in 300 *ml* Cyclohexan wird 9 Stdn. mit pyrex-gefiltertem Licht iner Hanovia 250 W UVS-Lampe bestrahlt. Nach dem Einengen wird mit siedendem Benzol extrahiert 2mal 100 *ml*), wobei 91 mg eines braunen Feststoffes erhalten werden. Umkristallisation aus Benzol inter Zuhilfenahme von Aktivkohle ergeben 81 mg (81% d. Th.).

Ähnlich wird 2-(N-Methyl-anilino)-pyridin in *9-Methyl-5H-⟨pyrido-[2,3-b]-indol⟩* (74% l. Th.) und 4-Anilino-pyridin in *9H-⟨Pyrido-[4,3-b]-indol⟩* (*γ-Carbolin*) (70% d. Th.) um-gewandelt[1]. 3-Anilino-pyridin geht entsprechend in ein Gemisch aus *9H-⟨Pyrido-[3,4-b]-ndol⟩* (*β-Carbolin*) (24% d. Th.) und *5H-⟨Pyrido-[3,2-b]-indol⟩* (*δ-Carbolin*) (46% d. Th.) iber[1], die durch Chromatographie an Aluminiumoxid (Woelm, Aktivität IV) getrennt wer-len können:

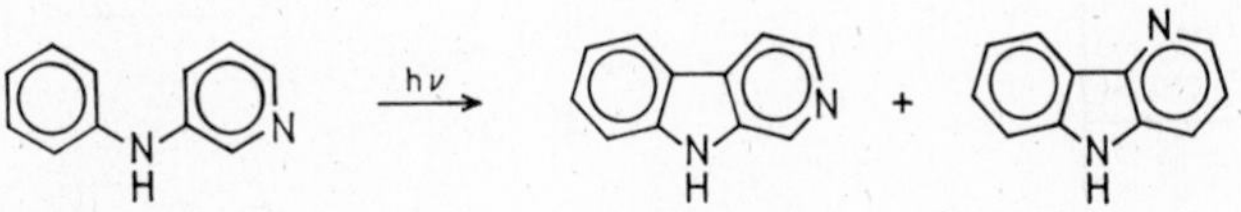

β-Carbolin   *δ-Carbolin*

Dipyridyl-(2)-amin erleidet auf gleichem Weg eine oxidative Cyclisierung zu *9H-⟨Pyrrolo-2,3-b;5,4-b']-dipyridin⟩* (53% d. Th.)[1]:

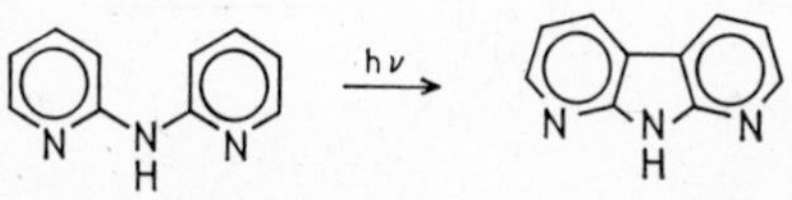

Analog zu der Beobachtung an 2-Anilino-naphthalin (s. S. 541) zeigen auch *2-[Naphthyl-(1)-* bzw. *(2)-amino]-pyridine* keine oxidative Photocyclisierung[1].

Während die Photolyse von Dipyridyl-(2)-keton in Isopropanol zu Dipyridyl-(2)-carbinol ührt (vgl. S. 810, 816), bildet sich in Wasser bei Ausschluß von Luft ein Cyclisierungs->rodukt. Auch 2-Benzoyl-pyridin reagiert so[2]:

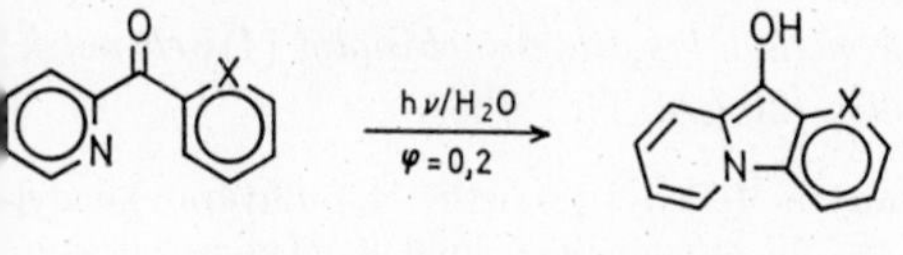

X = N;   *9-Hydroxy-⟨dipyrido-[1,2-a;2'3'-d]-pyrrol⟩*
X = CH; *9-Hydroxy-⟨pyrido-[1,2-a]-indol⟩*

δ) Substitutionen

Photomethylierung tritt bei Bestrahlung von **Pyridin** in Methanol und Salzsäure auf[3]. Die Primärprodukte *2-Methyl-pyridin* (I; 2,5% d. Th.) und *4-Methyl-pyridin* (II; 10% d. Th.) können sich zu *1-Pyridyl-(2)-2-pyridyl-(4)-äthan* (III; ~ 1% d. Th.) und *1,2-Dipyri-lyl-(4)-äthan* (IV; 3% d. Th.) dimerisieren:

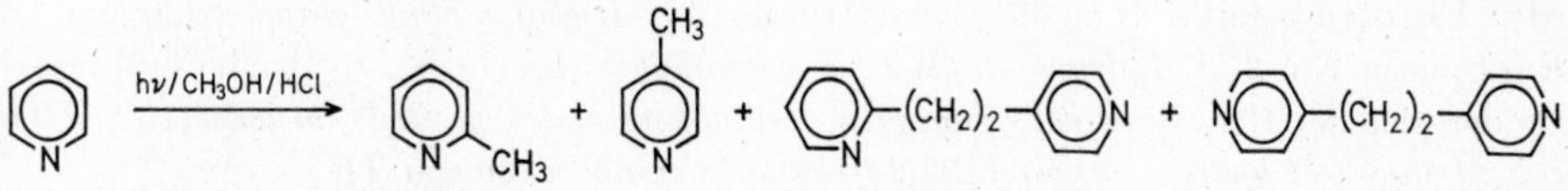

I   II   III   IV

[1] V. M. Clark, A. Cox u. E. J. Herbert, Soc. [C] **1968**, 831.
[2] C. R. Hurt u. N. Filipescu, Am. Soc. **94**, 3649 (1972).
[3] E. F. Travecedo u. V. I. Stenberg, Chem. Commun. **1970**, 609.

Alkylierung von Chinolin und Isochinolin führt z. B. mit äthanolischer Salzsäure (36 *ml* konz. Salzsäure auf 4,5 *l* 95%iges Äthanol; Stickstoff; Hanovia 450 W Lampe) zu 2- und *4-Äthyl-chinolin* (7% bzw. 10% d.Th.) bzw. zu *1-Äthyl-isochinolin* (22% d.Th.)[1],[2]

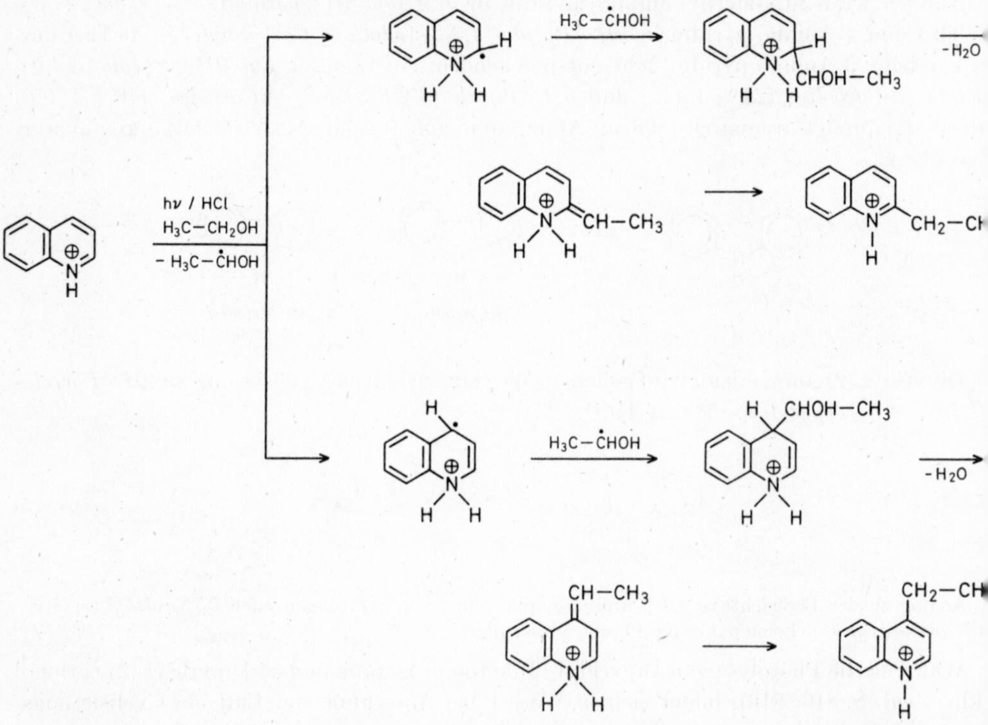

8-Methyl-chinolin liefert entsprechend *8-Methyl-2-äthyl-* und *8-Methyl-4-äthyl-chinolin* (10% bzw. 30% d.Th.) neben *8-Methyl-3-[8-methyl-1,4-dihydro-chinolyl-(4)]-chinolin* 2-Butyl-chinolin geht in *4-Äthyl-2-butyl-chinolin* (20% d.Th.) über.

8-Methyl-2-äthyl-chinolin, 8-Methyl-4-äthyl-chinolin und 8-Methyl-3-[8-methyl-1,4-dihydro-chinolyl-(4)]-chinolin[2]: Eine Lösung von 6,44 g 8-Methyl-chinolin in 4,5 *l* Äthanol (95%) und 36 *ml* konz. Salzsäure wird mit einer Corex-Hanovia-Lampe 80 Stdn. bestrahlt. Nach Entfernung des Lösungsmittels im Rotationsverdampfer wird der Rückstand in Äther oder Chloroform gelöst und mit 0,1 n Salzsäure extrahiert. Die saure Lösung wird alkalisch gemacht und 3mal mit gleichen Volumina Chloroform extrahiert und die org. Lösungen vereinigt. Nach Trocknen über Natriumsulfat und Abdampfen des Lösungsmittels ergeben sich 5,9 g Rohprodukt. Durch Kieselgel- und präp. Gaschromatographie werden zunächst 0,6 g (10% d.Th.) 8-Methyl-2-äthyl-chinolin als Öl erhalten und als Pikrat (F: 154–156°) identifiziert; daneben können 1,8 g (30% d.Th.) des 4-Methyl-Derivates als Hydrochlorid (F: 187–189°) und ∼ 350 mg (∼ 6% d.Th.) der Chinolyl-Verbindung (F: 219–220°) isoliert werden.

Hydroxyalkylierung tritt ein, wenn die Bestrahlung ohne Säure-Zusatz durchgeführt wird; Chinolin liefert z. B. in 96%igem Äthanol *2-(1-Hydroxy-äthyl)-chinolin* (20% d.Th.) neben Spuren von *2-(1-Hydroxy-äthyl)-1,2,3,4-tetrahydro-chinolin*[2],[3], 8-Methyl-chinolin unter den gleichen Reaktionsbedingungen *8-Methyl-2-(1-hydroxy-äthyl)-chinolin* (15% d.Th.) und *8-Methyl-2-(1-hydroxy-äthyl)-1,2,3,4-tetrahydro-chinolin* (20% d.Th.).

[1] F. R. Stermitz, C. C. Wei u. W. H. Huang, Chem. Commun. **1968**, 482.
[2] F. R. Stermitz, C. C. Wei u. C. M. O'Donnell, Am. Soc. **92**, 2745 (1970).
[3] Möglicherweise über eine Cyclobutan-Zwischenstufe zwischen den 3- und 4-Stellungen zweier Chinolin-Moleküle.

Wird Chinolin in Isopropanol belichtet (Hanovia 450 W Lampe), so tritt trotz Zusatz von Salzsäure keine Reaktion ein; Bestrahlung mit $\lambda = 300$ nm führt dagegen in Gegenwart von Salzsäure zu 2 Dimeren von Tetrahydro-chinolin. In tert.-Butanol als Lösungsmittel entsteht *2-Methyl-chinolin* (3% d. Th.) und *2-[1-Hydroxy-2-methyl-propyl-(2)]-chinolin* (14% d. Th.).

Genau wie Phenanthridin (Benzo-[c]-chinolin) bei Bestrahlung in Alkohol in der 6-Stellung alkyliert wird[1], so wird Papaverin (6,7-Dimethoxy-1-(3,4-dimethoxy-benzyl)-isochinolin; V) an der 1-Stellung, d. h. unter Verdrängung des Benzyl-Restes, substituiert. In Methanol wird *6,7-Dimethoxy-1-methyl-isochinolin* (VIa), in Äthanol das entsprechende *6,7-Dimethoxy-1-äthyl-isochinolin* (VIb) gebildet. Der abgespaltene Benzyl-Rest wird in Abhängigkeit von den Reaktionsbedingungen (Salzsäure-Zusatz, Reaktionsdauer) in 3,4-Dimethoxy-1-methyl-benzol und Alkyl-3,4-dimethoxy-benzyl-äther überführt, oder zu einem Aldehyd bzw. zu Estern weiter oxidiert:

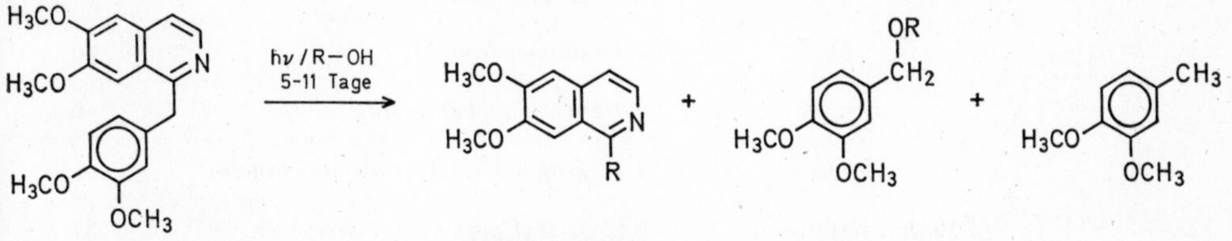

V

VIa; R = CH$_3$
VIb; R = C$_2$H$_5$

N-Äthoxy-chinolinium-perchlorat wird bei Belichtung in Methanol unter gleichzeitiger Abspaltung des Äthoxy-Restes hydroxymethyliert; neben *Chinolin* (3% d. Th.) entstehen *2-Hydroxymethyl-chinolinium-perchlorat* (VII; 43% d. Th.) und *4-Hydroxymethyl-chinolin* (14% d. Th.)[2]:

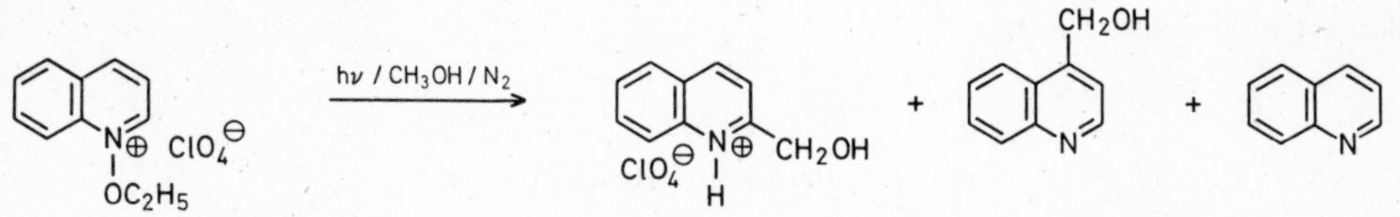

VII

Verbindung VII wird mit Hydroxy-Ionen in die freie Base überführt, die durch Luftsauerstoff zu 1,2-Dihydroxy-1,2-dichinolyl-(2)-äthan oxidiert wird.

Alkylierung tritt auch bei der Bestrahlung von gewissen Aza-aromaten in Carbonsäuren ein[3]. Unter Abspaltung von Kohlendioxid wird der Alkyl-Rest der Carbonsäuren in die Benzo-pyridin-Derivate eingeführt (s. Tab. 85, S. 600, s. a. S. 1052). Über den Mechanismus liegen noch keine sicheren Befunde vor:

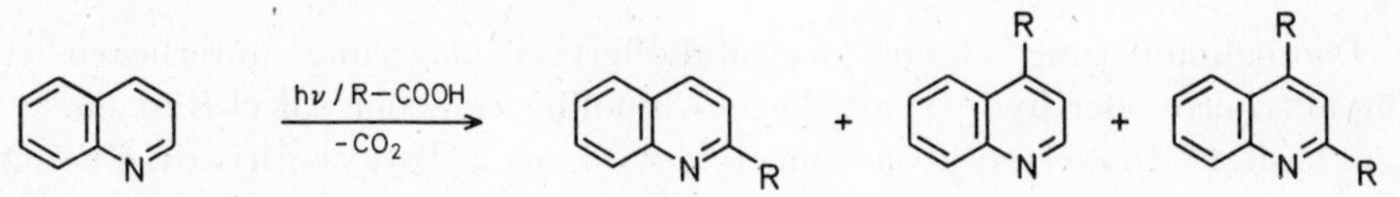

---

[1] F. R. STERMITZ, R. P. SEIBER u. D. E. NICODEM, J. Org. Chem. **33**, 1136 (1968).
[2] M. HAMANA u. H. NODA, Chem. Pharm. Bull. (Tokyo) **17**, 2633 (1969).
[3] H. NOZAKI et al., Tetrahedron Letters **1967**, 4259.

Tab. 85. Photoalkylierung von Benzo-pyridinen durch Bestrahlung in Carbonsäuren[1]

Heteroaromat	Carbonsäure	Produkt	Ausbeute [% d.Th.][a]
Chinolin	Essigsäure	2-Methyl-chinolin	20
		4-Methyl-chinolin	10
		2,4-Dimethyl-chinolin	5
	Propansäure	2-Äthyl-chinolin	23
		2,4-Diäthyl-chinolin	6
		4-Äthyl-1,2,3,4-tetrahydro-chinolin	16
	2-Methyl-propansäure	2-Isopropyl-chinolin	27
		4-Isopropyl-chinolin	20
		2,4-Diisopropyl-chinolin	6
		4-Isopropyl-1,2,3,4-tetrahydro-chinolin	—
	3-Methyl-butansäure	2-(2-Methyl-propyl)-chinolin	37
		4-(2-Methyl-propyl)-1,2,3,4-tetrahydro-chinolin	—
Isochinolin	Essigsäure	1-Methyl-isochinolin	10
	Propansäure	1-Äthyl-isochinolin	20
Acridin	Essigsäure	9-Methyl-acridin	12

[a] Bez. auf verbrauchtes Substrat.

ε) verschiedene Reaktionen

Reaktionen, die sich an Substituenten oder funktionellen Gruppen eines Heteroaromaten abspielen, sind an anderen Stellen behandelt.

Methyl-heteroaromaten → Halogenmethyl-heteroaromaten (S. 104f.)
Heteroaryl-halogenide zu Heteroaromaten (S. 1456), zu Derivaten (S. 648ff.)
Hydroxyalkyl-chinoline → Alkylchinolinen (S. 1457)
Heteroaryl-ester → Hydroxy-acyl-heteroaromaten (S. 985)
Heteroaryl-essigsäuren → Methyl-heteroaromaten (S. 990)
o-Diazo-ketone von Heteroaromaten (S. 1158ff.).

Einer Photoeliminierung analog der McLafferty-Umlagerung unterliegen einige in 2-Stellung alkylierte oder hydroxyalkylierte Chinoline, falls der Alkyl-Rest ein γ-Wasserstoff-Atom besitzt[2]. In inerten Lösungsmitteln wird aus 2-Butyl-chinolin bei Quanten-

[1] H. Nozaki et al., Tetrahedron Letters 1967, 4259.
[2] F. R. Stermitz u. C. C. Wei, Am. Soc. 91, 3103 (1969).

ausbeuten von $\varphi = 0{,}014{-}0{,}29$ unter Eliminierung von Propen *2-Methyl-chinolin* gebildet. Die Reaktion soll über n → π*-Singuletts ablaufen.

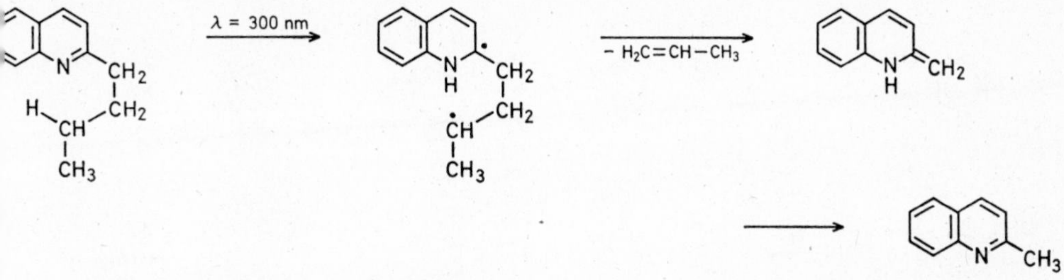

Außer 2-Butyl-chinolin wurden auch 2-Methoxymethyl- und 2-(2-Hydroxy-äthyl)-chinolin abgebaut. Aus 2-(2-Deuterioxy-äthyl)-chinolin läßt sich auf diese Art *2-Deuteriomethyl-chinolin* gewinnen.

Auf die gleiche Weise wird 2-(2-Hydroxy-äthyl)-, 2-(3-Hydroxy-propyl)- und 2-Propyl-pyridin abgebaut. Durch Bestrahlung in Tetrahydrofuran wird *2-Methyl-pyridin* gebildet[1]. In 3- oder 4-Stellung entsprechend substituierte Pyridine bleiben unter diesen Reaktionsbedingungen unverändert.

2. mit zwei und mehr Stickstoff-Atomen

α) Isomerisierungen

Bei Einwirkung von sehr kurzwelligem Licht wird Pyrazin zu *Cyanwasserstoff* und *Acetylen* fragmentiert[2]. 4,5,6-Triphenyl-1,2,3-triazin mit seinem noch weniger ausgeprägten aromatischen Charakter wird photolytisch in Benzol als Lösungsmittel zu *Benzonitril, Diphenyl-acetylen* (72% d.Th.) und Stickstoff abgebaut[3].

Photoisomerisierung von Pyrazin zu *Pyrimidin* tritt dagegen ein, wenn mit Licht der Wellenlänge $\lambda = 254$ nm angeregt wird. In 2,2,4-Trimethyl-pentan (Isooctan) ist die Ausbeute geringer als bei der Gasphasen-Photolyse[4]:

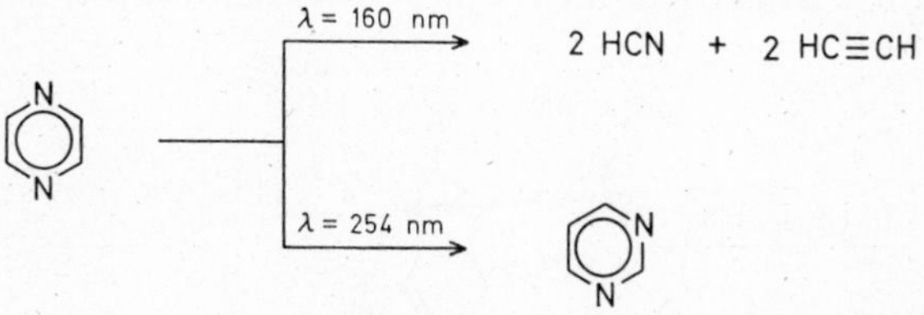

Licht der Wellenlänge $\lambda = 310$ nm ist unwirksam. Dies weist darauf hin, daß die Isomerisierung trotz zweier Stickstoff-Atome im Molekül nicht über ein n → π*-, sondern über ein π → π*-Singulett führt.

---

[1] F. R. STERMITZ u. W. H. HUANG, Am. Soc. **92**, 1446 (1970).
[2] K. K. INNES, Abstr., 149th Nat. Meeting Am. Chem. Soc., Detroit (1965).
[3] E. A. CHANDROSS u. G. SMOLINSKI, Tetrahedron Letters **1960** (13), 19.
[4] F. LAHMANI, N. IVANOFF u. M. MAGAT, C. r. **263** [C] 1005 (1966).

Mit methylierten Pyrazinen wurde der Reaktionsablauf dieser Isomerisierung untersucht. Anhand der Endprodukte wird auf eine dem Benzvalen entsprechende Zwischenstufe geschlossen[1]:

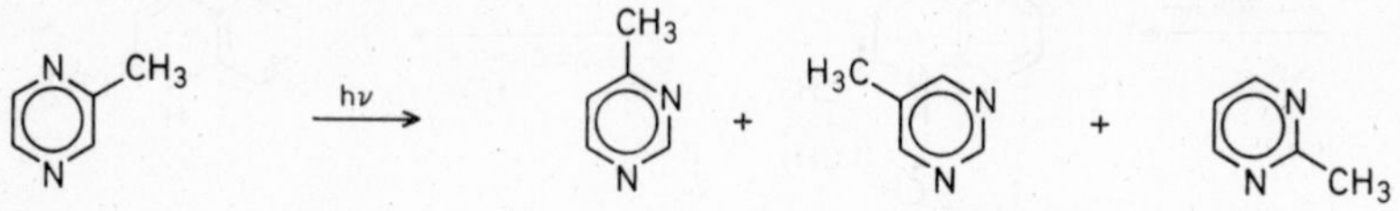

4-, 5-, 2-Methyl pyrimidin

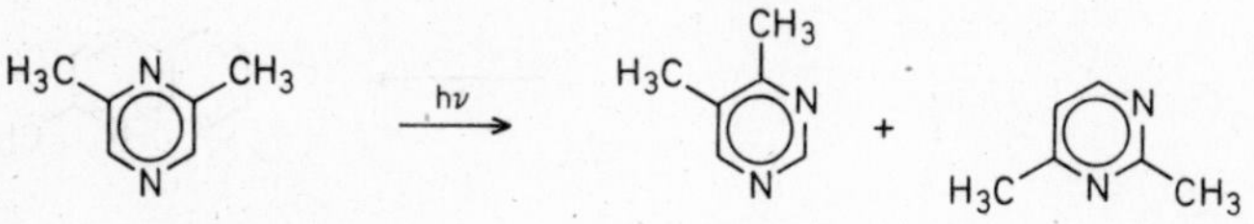

4,5-, 2,6-Di-methyl-pyri-midin

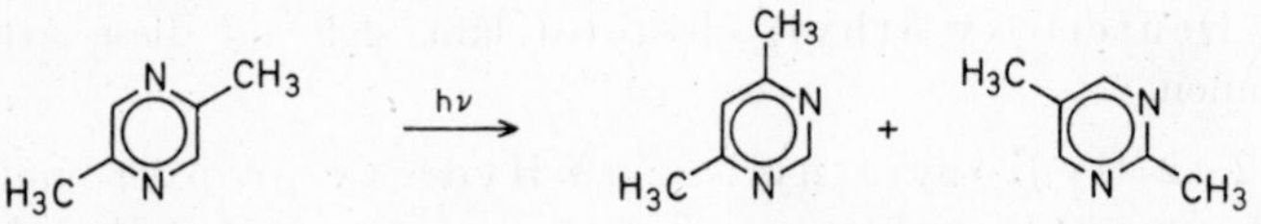

4,6-, 2,5-Di-methyl-pyri-midin

Der Weg ist analog dem, der zur Erklärung der Photochemie des Benzols vorgeschlagen[2] und als energetisch erlaubt[3] vorhergesagt wurde. Die Primärreaktion soll über einen n → π*-Singulett-Zustand laufen; n → π*- und π → π*-Tripletts spielen keine Rolle.

Neuere Arbeiten zur Pyridazin-Pyrazin-Photoumlagerung[4,5] weisen darauf hin, daß Pyridazine zunächst in *Pyrazine* und diese wiederum in *Pyrimidine* isomerisiert werden z. B.:

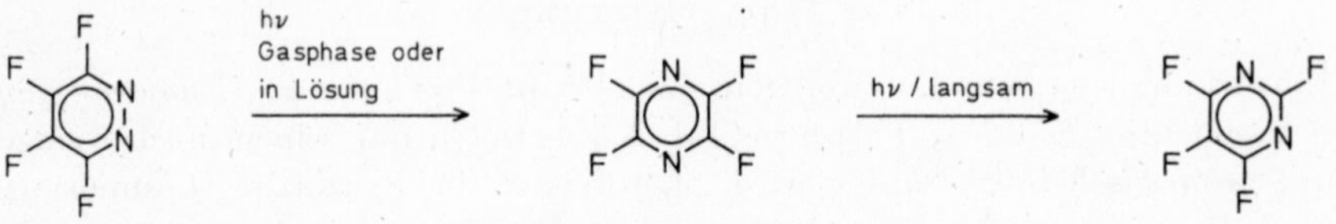

Für die in der ersten Stufe ablaufende Valenzisomerisierung wird eine Diaza-prisman-Struktur angenommen. Zusätzlich werden Bildungs- und Spaltungsprozesse diskutiert, die über angeregte, quadrupolare n → π*-Zustände – also nicht über energiereichere π → π*-Zustände – verlaufen[5,6].

Auch benzo-kondensierte Pyridazine können photochemisch isomerisiert werden. So geht z. B. Hexafluor-cinnolin über ein Diaza-benzvalen-Derivat in *Hexafluor-chinazolin* (I; 5–10% d.Th.) über[7]:

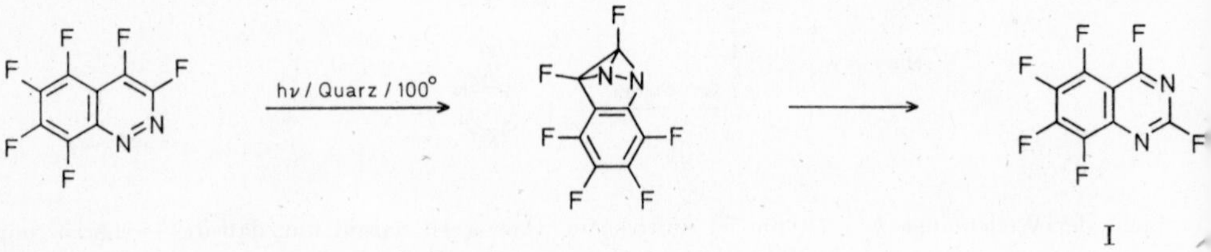

I

[1] F. Lahmani u. N. Ivanoff, Tetrahedron Letters **1967**, 3913.
[2] K. E. Wilzbach, A. L. Harkness u. L. Kaplan, Am. Soc. **90**, 1116 (1968).
[3] D. Bryce-Smith u. H. C. Longuet-Higgins, Chem. Commun. **1966**, 593.
[4] D. W. Johnson et al., Am. Soc. **92**, 7505 (1970).
  V. Austel, C. L. Braun u. D. M. Lemal, Pr. Nation. Acad. USA **64**, 1423 (1969).
[5] C. G. Allison et al., Chem. Commun. **1969**, 1200.
[6] K. K. Innes, Abstr., 149th Nat. Meeting Am. Chem. Soc., Detroit (1965).
[7] R. D. Chambers, J. A. H. MacBride u. W. K. R. Musgrave, Chem. Commun. **1970**, 739.

Isomerisierung und Ringöffnung tritt bei der Belichtung von 6-Amino-2,4-dimethyl-pyrimidin (II) in wäßrigem Phosphat-Puffer (p_H = 8,5–8,7) auf[1]. Über 5-Amino-1,3-dimethyl-2,6-diaza-bicyclo[2.2.0]hexadien-(2,5) (III) und das isomere 4-Amino-2,4-di-methyl-3-cyan-1-azetin (IV) wird *2-Amino-4-imino-3-cyan-penten-(2)* (V) gebildet, das weiter zu *2-Hydroxy-4-oxo-3-cyan-penten-(2)* hydrolysiert:

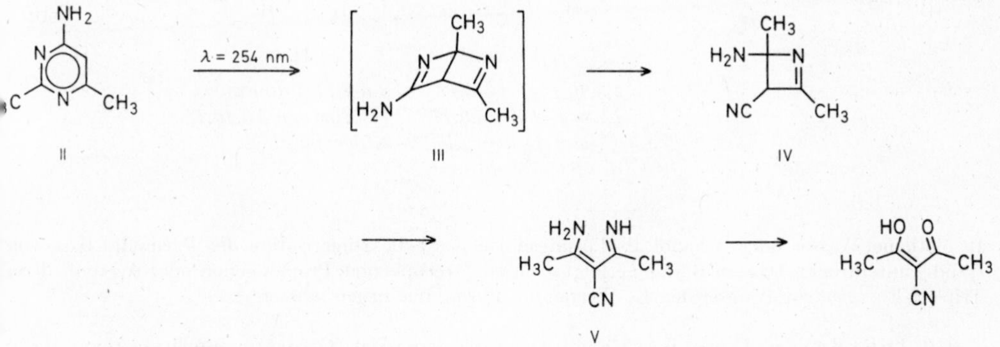

Benzo-[3,4]-cyclobuta-[1,2-b]-chinoxalin wird photolytisch in Methanol unter Stickstoff in *11H-⟨Isoindolo-[2,1-a]-benzimidazol⟩* umgelagert, ohne daß Hydroxymethylierung eintritt[2]:

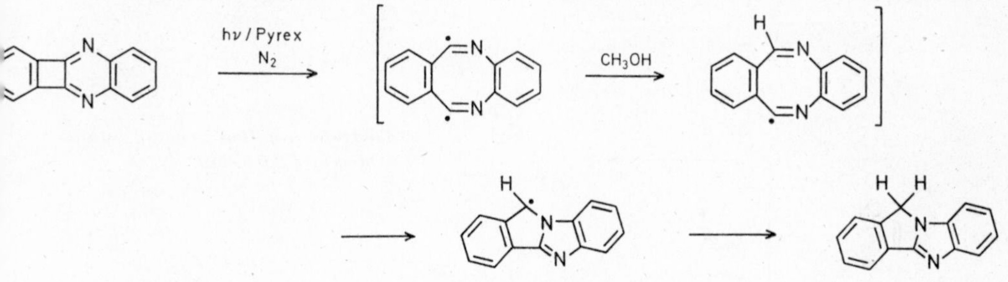

β) Dimerisierungen und Additionen

Dimerisierung von Pyrimidinen führt zu Cyclobutan-Systemen (s. S. 1035ff.; vgl. Lit.[3–5]). Versucht man die Reaktion zu sensibilisieren[6], z. B. mit Benzophenon, so tritt zusätzlich Oxetan-Bildung ein.

Belichtung von 2,6-Dihydroxy-5-methyl-pyrimidin und Benzophenon in Äthanol/1,4-Dioxan/Wasser führt neben den beiden *Pyrimidin-Dimeren* (I, II, S. 604) zu *3,5-Dioxo-8,8-diphenyl-2,4-diaza-7-oxa-bicyclo[4.2.0]octan* (III), das durch katal. Hydrie-

---

[1] K. L. WIERZCHOWSKI u. D. SHUGAR, Photochem. and Photobiol. 2, 377 (1963).
　 K. L. WIERZCHOWSKI, D. SHUGAR u. A. R. KATRITSKY, Am. Soc. 85, 827 (1963).
[2] J. I. SARKISIAN u. R. W. BINKLEY, J. Org. Chem. 35, 1228 (1970).
[3] J. G. BURR, *Photochemistry of Nucleic Acid Derivatives*, in: *Advances in Photochemistry*, 6, 193, Inter-science Publ. Div. John Wiley Sons, N. Y. 1968.
[4] P. J. WAGNER u. D. J. BUCHECK, Am. Soc. 92, 181 (1970).
[5] N. CAMERMAN u. A. CAMERMAN, Am. Soc. 92. 2523 (1970).
[6] I. v. WILUCKI, H. MATTHAEUS u. C. H. KRAUCH, Photochem. and Photobiol. 6, 497 (1967).

rung in *2,5,6-Trihydroxy-5-methyl-4-diphenylmethyl-4,5-dihydro-pyrimidin* überführt werden kann[1]:

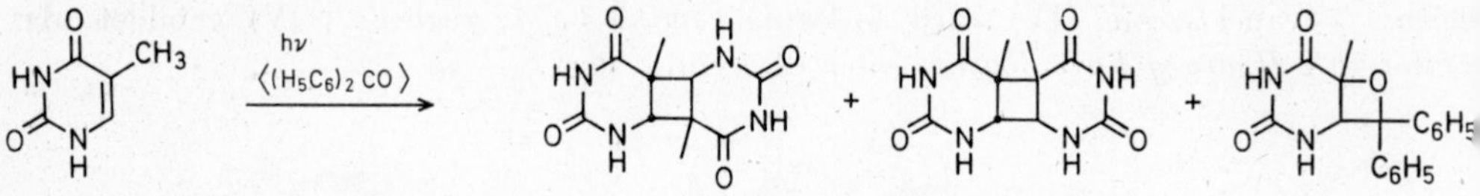

	I	II	III
	4,6,10,12-Tetraoxo-1,7-dimethyl-3,5,9,11-tetraaza-anti-tricyclo [6.4.0.0²,⁷]dodecan	*4,6,9,11-Tetraoxo-7,8-dimethyl-3,5,10,12-tetraaza-anti-. . .*	

In Methanol/Wasser oder Äthanol als Lösungsmittel wird die Dimerisation der Pyrimidin-Base vollständig unterdrückt. Oxetan-Bildung erfolgt auch mit Acetophenon, Propiophenon oder Aceton[1], deren Triplett-Energien somit unter den E_T-Werten der Pyrimidine liegen müssen[2,3].

2,6-Dihydroxy-4-methoxycarbonyl-pyrimidin (Orotsäure-methylester) geht in wäßriger Lösung durch Bestrahlung (450 W Hanovia; Pyrex-Filter) in *4,6,9,11-Tetraoxo-1,2-dimethoxycarbonyl-3,5,10,12-tetraaza-anti-tricyclo[6.4.0.0²,⁷]dodecan* (73% d.Th.; F: >195°) über[4].

Cycloadditionsprodukte werden bei der photochemisch induzierten Polymerisation von Acrylnitril in Gegenwart von Thymin oder Orotsäure nachgewiesen[5]:

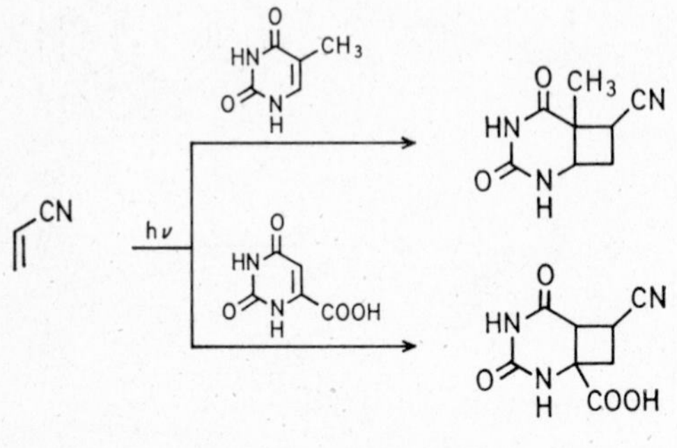

3,5-Dioxo-6-methyl-7-cyan-2,4-diaza-bicyclo[4.2.0]octan

3,5-Dioxo-1-carboxy-7-cyan-2,4-diaza-. . .

2,4-Dioxo-1,3-dimethyl-1,2,3,4-tetrahydro-pyrimidin und **2-Oxo-1,3-dioxol** ergeben in Aceton *4,8,10-Trioxo-9,11-dimethyl-3,5-dioxa-9,11-diaza-syn-* und *. . .-anti-tricyclo[5.4.0.0²,⁶]undecan* (je 35% d.Th.; F: 169–170° bzw. 187–188°)[6].

Eine Photoaddition findet zwischen **Benzo-[a]-pyren** und z.B. **4-Amino-2-hydroxy-pyrimidin** (Cytosin) statt, wenn man in 4%iger, wäßriger Natrium-dodecylsulfat-Lösung belichtet. Bessere Ausbeute erhält man mit 0,2m Natronlauge: *4-Amino-6-*

[1] I. v. Wilucki, H. Matthaeus u. C. H. Krauch, Photochem. and Photobiol. **6**, 497 (1967).
[2] D. R. Arnold, R. L. Hinman u. A. H. Glick, Tetrahedron Letters **1964**, 1425.
[3] C. H. Krauch, W. Metzner u. G. O. Schenck, B. **99**, 1723 (1966).
[4] G. I. Birnbaum, J. M. Durston u. A. G. Szabo, Tetrahedron Letters **1971**, 947.
[5] C. Helene u. F. Brun, Photochem. and Photobiol. **11**, 77 (1970).
[6] R. Bengelmans et al., C. r. **274** [C], 882 (1972).

ydroxy-3b,3c,7a,7b-tetrahydro-⟨benzo-[a]-pyreno-[4,5-a]-cyclobuta-[3,4-d]-pyrimidin⟩ (IV; *0% d.Th.)*[1]:

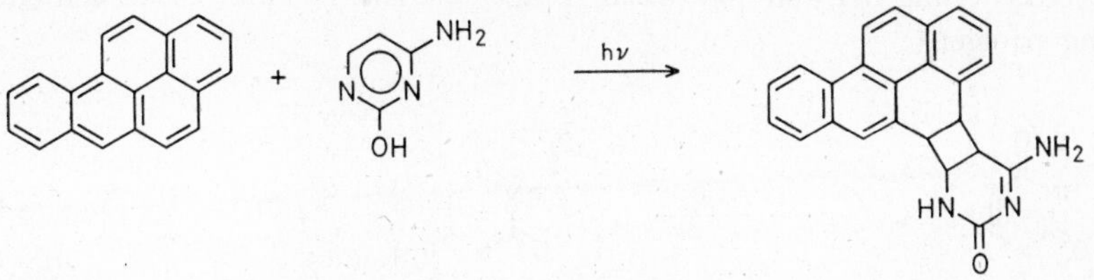

IV

Die Reaktion läßt sich auf solche Pyrimidin-Derivate übertragen, bei denen die C=C-Doppelbindung in Konjugation mit der C=O-Gruppe in Position 2 steht: 2,4-Dihydroxy-pyrimidin (Uracil), 2,6-Dihydroxy-5-methyl-pyrimidin (Thymin). Auch 6-Aza-thymin und *2*-Amino-6-hydroxy-7H-⟨purin⟩ (Guanin) geben stabile Cycloadditionsprodukte. Pyrimidin, 2-Amino-pyrimidin, Dihydro-uracil und -thymin, Purin und Adenin reagieren dagegen nicht.

Mit Thymin wurde aber auch *6-[2,6-Dihydroxy-5-methyl-pyrimidyl-(4)]-⟨benzo-[a]-pyren⟩* und dazu isomere Verbindungen noch unbekannter Struktur gefunden[2].

4-Amino-6-hydroxy-3b,3c,7a,7b-tetrahydro-⟨benzo-[a]-pyreno-[4,5,-a]-cyclobuta-[3,4-d]-pyrimidin⟩[1]: Eine wäßrige 4%ige Natriumdodecylsulfat-Lösung (pH = 6–7), enthaltend 0,0001 m Benzo-[a]-pyren und *0*,032 m 5-Methyl-cytosin wird in Quarz-Küvetten mehrere Tage mit glasgefiltertem Sonnenlicht oder *e*iner Hanovia Quecksilber-Niederdruck-Lampe bestrahlt. Mit dem Verschwinden der Benzpyren-Absorp-tionsbanden färbt sich die Lösung orange infolge Photooxidation des Benzpyrens. Das Reaktionsprodukt *w*ird durch Gefriertrocknung großer Volumina der Reaktionsmischung, Lösen des Rückstands in heißem *9*6%igem Äthanol und Kristallisation in viel Dodecylsulfat sowie Chromatographie der Mutterlauge an *D*owex 1-X8-Anionaustausch-Harz (Chlorid-Form) gewonnen; Ausbeute: 50% d.Th.; F: 300° aus *9*5%igem Äthanol, gelbe Nadeln). In Natriumhydroxid-Lösung photolysiert fällt das Addukt in 95%iger Ausbeute an.

Bei 2,4-Dioxo-5-methyl-1-carboxymethyl-1,2,3,4-tetrahydro-pyrimidin V) konkurriert die Decarboxylierung zu *2,4-Dioxo-1,5-dimethyl-pyrimidin* (VI) mit der Photodimerisierung[3]:

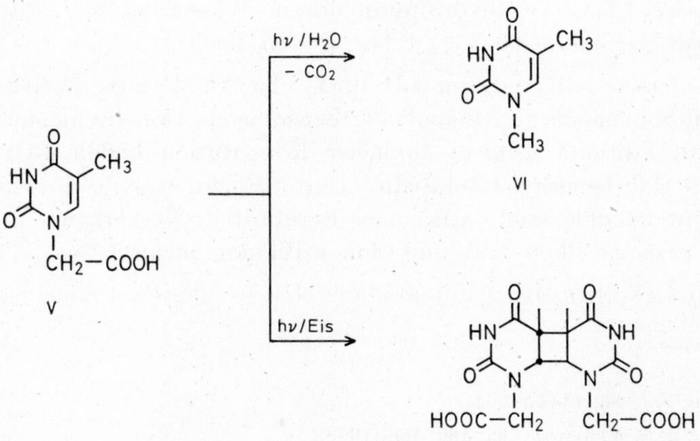

J. M. Rice, Am. Soc. **86**, 1444 (1964).

G. M. Blackburn, R. G. Fenwic ku. M. H. Thompson, Tetrahedron Letters **1972**, 589.

S. Y. Wang, J. C. Nnadi u. D. Greenfeld, Chem. Commun. **1968**, 1162.

2,4-Dioxo-1-carboxymethyl-1,2,3,4-tetrahydro-pyrimidin wird durch Bestrahlung in der Eismatrix ebenfalls dimerisiert. In wäßriger Lösung hat Belichtung nicht
nur Decarboxylierung der Seitenkette zur Folge, sondern es kann zusätzlich eine Wasser-
anlagerung erfolgen[1]:

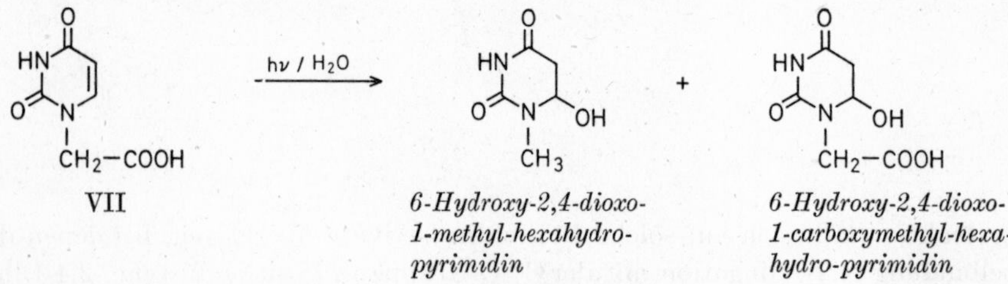

VII

6-Hydroxy-2,4-dioxo-
1-methyl-hexahydro-
pyrimidin

6-Hydroxy-2,4-dioxo-
1-carboxymethyl-hexa-
hydro-pyrimidin

Der von VII abgeleitete Äthylester oder das Säureamid unterliegen bei Bestrahlung
nur der Hydratisierung.

Weiteres über die Dimerisierung von Pyrimidin-Basen s. S. 1035ff.

Von Thymin wird noch ein anderes 1:1-Addukt beschrieben[2]. In gefrorener wäßriger
Lösung bildet sich *5-Hydroxy-2,6-dioxo-5-methyl-4-[2-hydroxy-5-methyl-pyrimidinyl-(4)]-
hexahydro-pyrimidin* (VIII), das durch Erhitzen mit Säuren in IX überführt wird:

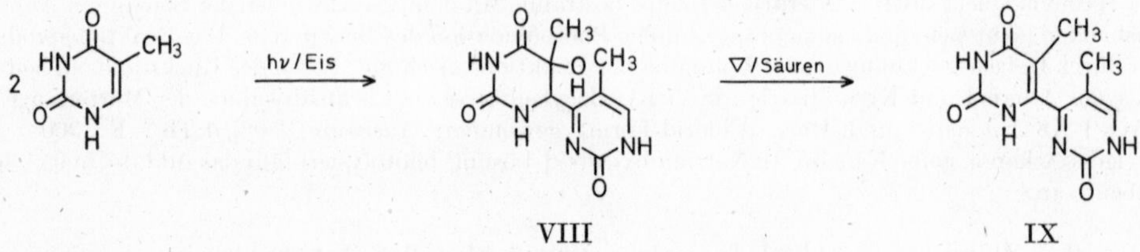

VIII

IX

Vermutlich verläuft die Reaktion über ein instabiles Photoadditionsprodukt.

Ausschließlich Wasser-Addition erfolgt bei UV-Bestrahlung einer 0,07 m Lösung von 2,4-
Dioxo-1,3-dimethyl-1,2,3,4-tetrahydro-pyrimidin in Wasser zu *6-Hydroxy-2,4-dioxo-1,3-
dimethyl-hexahydropyrimidin* (60–75% d. Th.; F: 105–106°)[3].

Benzo-[g]-chinazolin und sein 4-Hydroxy- bzw. 4-Methoxy-Derivat werden durch
Bestrahlung mit Sonnenlicht in Äthanol oder Benzol in ein Dimeres umgewandelt, vermutlich durch 5,10-Addition[4]. Dimere ähnlicher Konstitution bilden 4-Oxo-3-methyl-3,4-
dihydro- und 4-Oxo-1-methyl-1,4-dihydro-⟨benzo-[g]-chinazolin⟩. In anderen Lösungsmitteln wie Schwefelkohlenstoff, Äther oder Pyridin tritt Verharzung ein. Im Gegensatz
zu den Acenen ist keine Photooxid- und Chinon-Bildung nachweisbar.

Auch Benzo-[g]-chinolin soll in äthanolischer Lösung Photodimere bilden[5].

[1] J. M. Rice Am. Soc. **86**, 1444 (1964).
[2] A. J. Varghese u. S. Y. Wang, Sci. **160**, 186 (1968).
[3] S. Y. Wang, M. Apicella u. B. R. Stone, Am. Soc. **78**, 4180 (1956).
[4] A. Etienne u. M. Legrand, C. r. **232**, 1223 (1951).
  A. Etienne, C. r. **218**, 841 (1944).
[5] C. H. Krauch u. D. Hess, zitiert in: A. Schönberg, *Präparative Organic Photochemistry*, S. 104
  Springer-Verlag Berlin, Heidelberg, New York 1968.

γ) Substitutionen

Photoreaktionen, die den Austausch eines Substituenten am Heteroaromaten beinhalten, oder sich an Seitenketten abspielen, sind an anderen Stellen beschrieben:

Chlor-1,3,5-triazine → Alkoxy-1,3,5-triazine s. S. 651

Smiles-Umlagerungen von 1,3,5-Triazin-Derivaten s. S. 688

Photo-Fries-Umlagerungen von Sulfonsäure-pyrimidyl-(4)-estern s. S. 1049

Methylmercapto-1,3,5-triazine → 1,3,5-Triazine s. S. 1018

Fragmentierung von Folsäure s. S. 1098

Reduktion von Phenazin s. S. 1452.

Bestrahlung von substituierten Pyrimidinen in Methanol unter Zusatz von 2% Salzsäure führt in guten Ausbeuten zu methylierten Produkten[1] (s. Tab. 86, S. 608). Der mechanistische Ablauf wurde an der Photomethylierung von 4-Amino-1H-⟨pyrazolo-[5,4-d]-pyrimidin⟩ (I; Adenin) geklärt[2]:

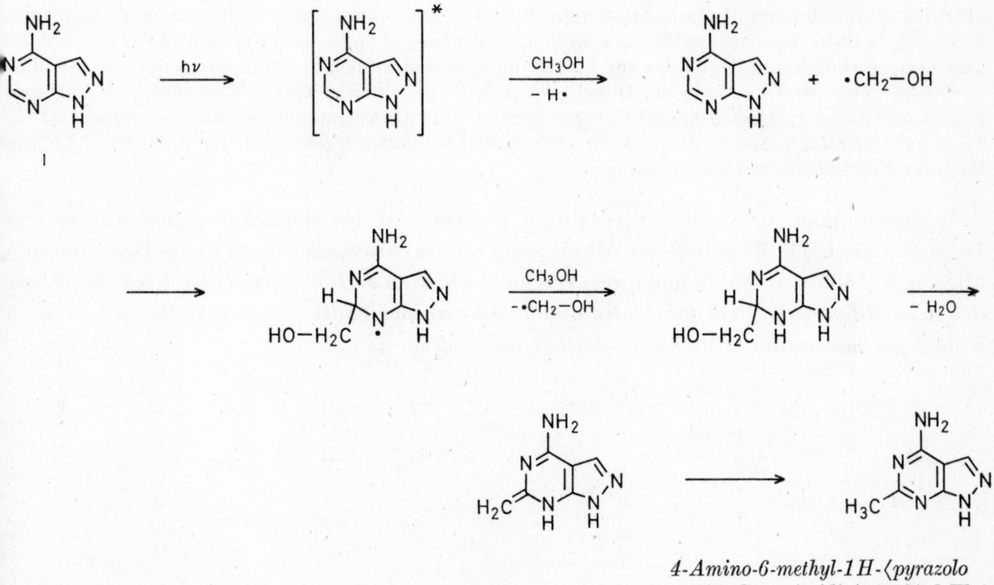

HO—H₂C $\quad$

4-Amino-6-methyl-1H-⟨pyrazolo
[4,5-d]-pyrimidin⟩;(45% d.Th.)

Analog können *4-Amino-6-äthyl-* (41% d.Th.), *4-Amino-3,6-dimethyl-* (56% d.Th.) sowie *4-Hydroxy-6-methyl-1H-⟨pyrazolo-[4,5-d]-pyrimidin⟩* (67% d.Th.) hergestellt werden[1,2].

Über die Photoalkoxylierung von Purinen s. S. 564.

[1] M. Ochiai u. K. Morita, Tetrahedron Letters 1967, 2349.

[2] M. Ochiai et al., Tetrahedron 24, 5861 (1968).

Tab. 86. Photomethylierung substituierter Pyrimidine[1]

Ausgangsverbindung 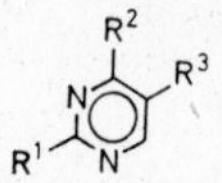 $\begin{array}{c} R^2 \\ N \diagup \diagdown R^3 \\ R^1 \diagdown N \end{array}$	Belichtungszeit [Stdn.]	Produkt	Ausbeute [% d.Th.]
$R^1 = H$; $R^2 = NH_2$; $R^3 = CN$	6	6-Amino-2,4-dimethyl-5-cyan-pyrimidin	60
$R^1 = CH_3$; $R^2 = NH_2$; $R^3 = CN$	6	6-Amino-2,4-dimethyl-5-cyan-pyrimidin	86
$R^1 = R^2 = NH_2$; $R^3 = CN$	12	2,6-Diamino-4-methyl-5-cyan-pyrimidin	57
$R^1 = H$; $R^2 = NH_2$; $R^3 = CH_2NH_2$	18	6-Amino-2,4-dimethyl-5-aminomethyl-pyrimidin	52
$R^1 = CH_3$; $R^2 = NH_2$; $R^3 = CH_2NH_2$	6	6-Amino-2,4-dimethyl-5-aminomethyl-pyrimidin	33

6-Amino-2,4-dimethyl-pyrimidin und 4-Amino-2-hydroxy-6-methyl-pyrimidin[2]: Eine Lösung von 717,5 mg 2-Chlor-6-amino-4-methyl-pyrimidin in 800 ml Methanol (+ 2% Chlorwasserstoff) wird unter Stickstoff 14 Stdn. mit einer 60 W Quecksilber-Niederdruck-Lampe bestrahlt. Das Reaktionsgemisch wird unter vermindertem Druck bis zur Ausfällung einer kristallinen Substanz eingeengt. Nach Kühlen im Eisbad werden 400 mg (55%) der Dimethyl-Verbindung abfiltriert. Zum Filtrat werden 10 ml Wasser gesetzt und die saure Lösung mit Aktivkohle behandelt. Nach Filtration und Chromatographie an Silikagel mit Chloroform/Aceton/Äthanol (30 : 70 : 5) als Fließmittel ergeben sich 120 mg (18% d.Th.) der Hydroxy-Verbindung, farblose Kristalle.

Bestrahlt man 5-Brom-2-methoxy-pyrimidin in Methanol unter Zusatz von Diäthyl-amin, so läuft neben der Alkylierung und Hydroxyalkylierung eine Debromierung ab (s. a. S. 1456)[3]. Es entstehen mit geringen Ausbeuten 5-Brom-2-methoxy-4-methyl-pyrimidin bzw. -4-hydroxymethyl-pyrimidin und 2-Methoxy-pyrimidin neben 2-Methoxy-4-hydroxymethyl-pyrimidin und 2-Methoxy-x-methyl-pyrimidin:

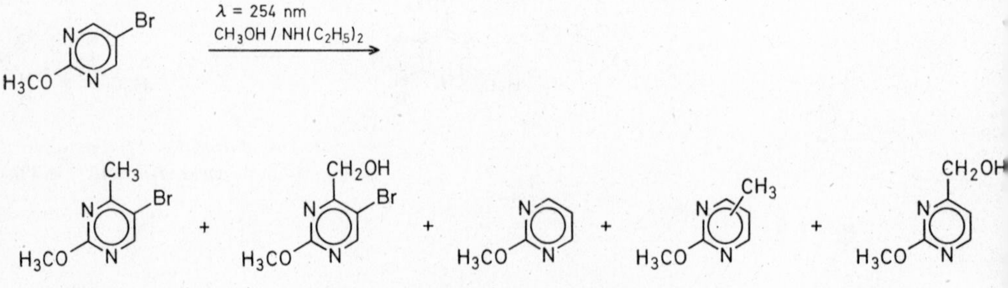

Das Amin fungiert dabei wahrscheinlich als Elektronen-Donator, indem es das angeregte Pyrimidin in ein Radikal-Anion überführt, das dann reduziert wird. Ähnliche Ergebnisse liefern 5-Brom-2-diäthyl-amino- und 5-Brom-2-phenyl-pyrimidin.

---

[1] M. Ochiai u. K. Morita, Tetrahedron **1967**, 2349.
[2] M. Ochiai et al., Tetrahedron **24**, 5861 (1968).
[3] J. Nasielski et al., Chem. Commun. **1970**, 302.

Photo-Methylierung und -Hydroxymethylierung lassen sich auch mit Pyridazinen durchführen[1]. 3,6-Dichlor-pyridazin liefert z. B. nach 6stdg. Bestrahlung an faßbaren Primärprodukten die Verbindungen I–III, die zu substituierten 4-Hydroxy-butansäurelactonen IV–VI und Bernsteinsäureestern VII u. VIII weiterreagieren (Mechanismus s. S. 610):

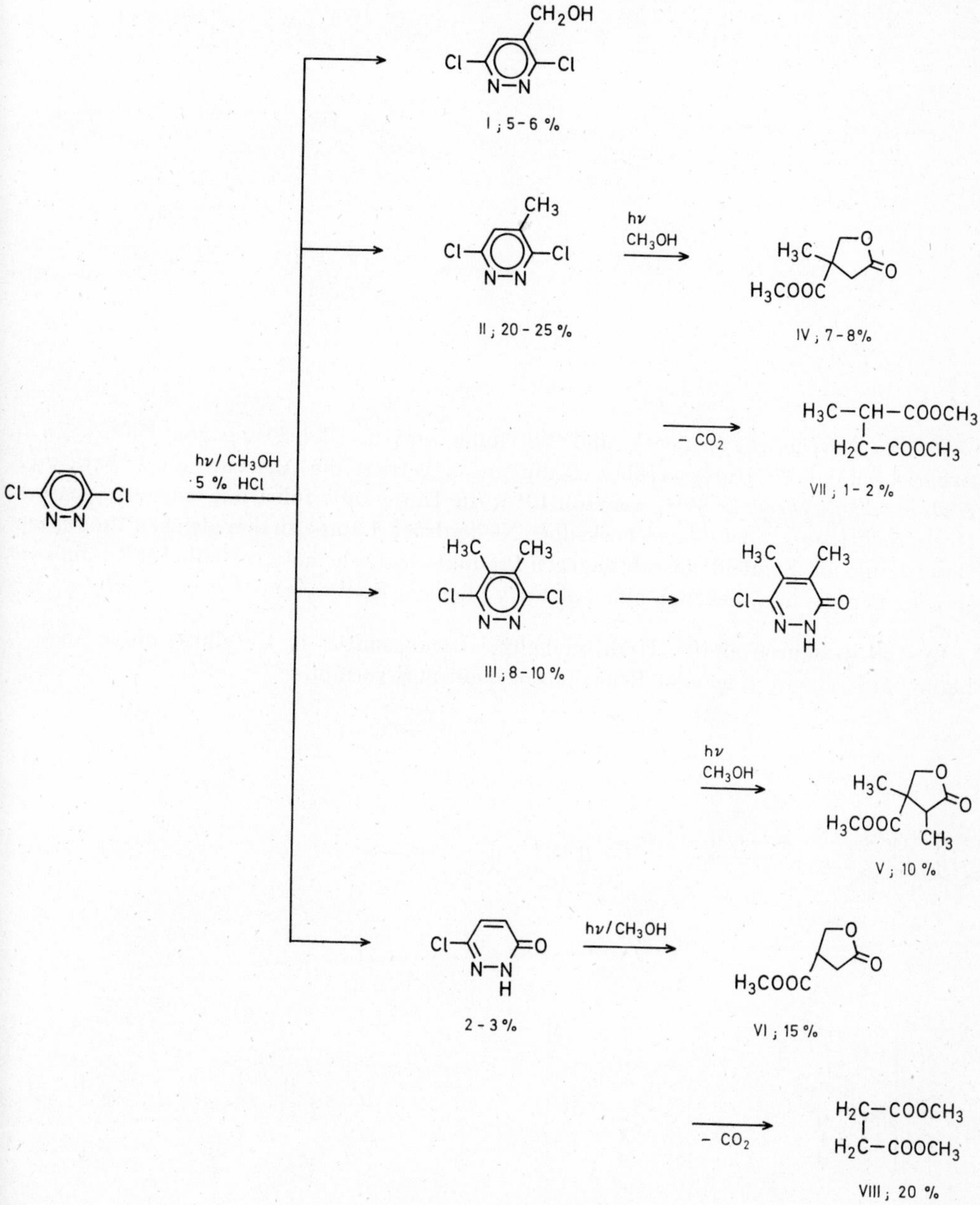

T. Tsuchiya, H. Arai u. H. Igeta, Tetrahedron 44, 3839 (1970).

Für die Umwandlung der Pyridazine in die Lactone und Bernsteinsäurediester wird folgender Mechanismus angegeben:

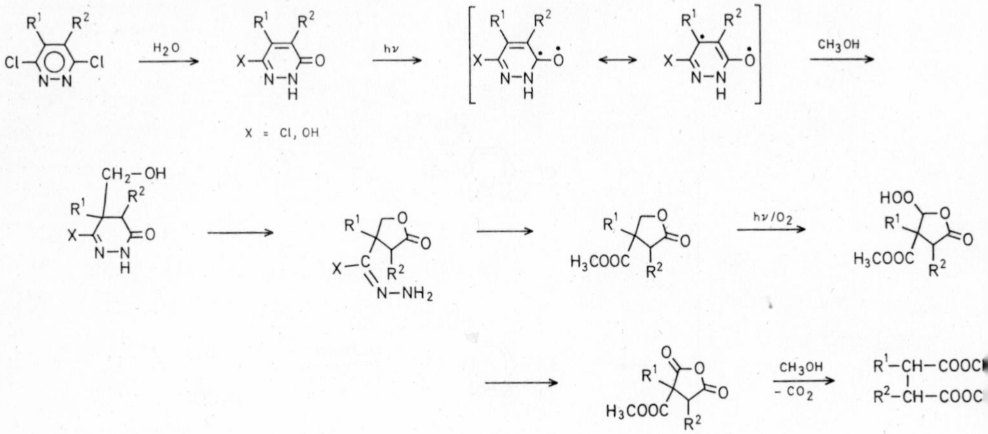

Hydroxyäthylierung in der 1- und 2-Stellung wird bei Belichtung von Phenazin in Äthanol gefunden[1]. Unter aeroben Bedingungen beträgt die Ausbeute an *1-* bzw. *2-(1-Hydroxy-äthyl)-phenazin* 30%, anaerob 10%; die Umsetzung führt mit einer Quecksilber-Hochdruck-Lampe oder einer Quecksilber-Niederdruck-Lampe zu den gleichen Produkten. Bestrahlung mit Sonnenlicht ruft dagegen Produkt-Gemische unterschiedlicher Zusammensetzung hervor; u. a. ließ sich hier 1-Äthoxy-phenazin nachweisen[2].

In starken Säuren greifen Hydroxy-haltige Lösungsmittel in 1-Stellung unter Alkoxylierung an[2]; so wird folgender Reaktionsmechanismus vermutet:

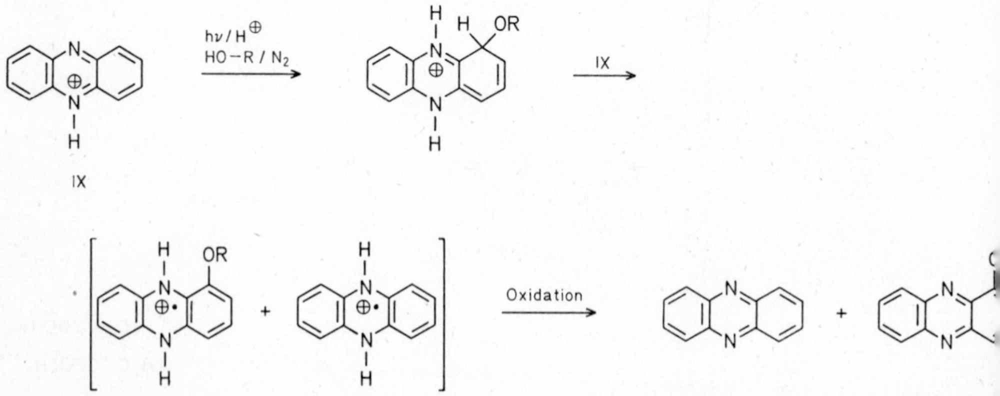

[1] A. Albini et al., G. **100**, 700 (1970).

[2] S. Wake et al., Tetrahedron Letters **1970**, 2415.

Lösungsmittel	Belichtungszeit [Stdn.]	Produkt	Ausbeute [%]	Umsatz [%]
2m Phosphorsäure	7	1-Hydroxy-phenazin	94	48
	48		100	47
50 ml Methanol + 1 g p-Toluol-sulfonsäure	7	1-Methoxy-phenazin	74	35
50 ml Äthanol + 1 g p-Toluol-sulfonsäure	7	1-Äthoxy-phenazin	54	30
50 ml Essigsäure + 1 g p-Toluol-sulfonsäure	7	1-Acetoxy-phenazin	74	24

Belichtung von Chinoxalin in Tetrahydrofuran, 1,4-Dioxan oder Diäthyläther führt zu Substitutionsprodukten[1]:

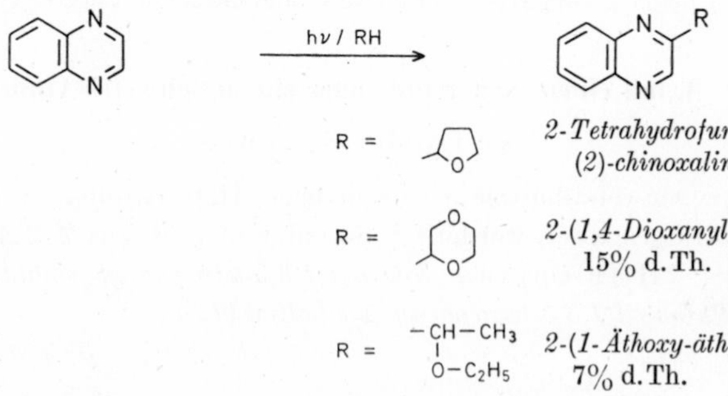

R = (Tetrahydrofuranyl) — 2-Tetrahydrofuranyl-(2)-chinoxalin; 25% d.Th.

R = (1,4-Dioxanyl) — 2-(1,4-Dioxanyl)-chinoxalin; 15% d.Th.

R = $-CH-CH_3$ / $O-C_2H_5$ — 2-(1-Äthoxy-äthyl)-chinoxalin; 7% d.Th.

Bei der Umsetzung von 2,3-Dimethyl-chinoxalin in Tetrahydrofuran wird 2,3-Dimethyl-2-[tetrahydro-furanyl-(2)]-1,2-dihydro-chinoxalin gebildet, aus 2-tert.-Butyl-chinoxalin entsprechend 3-tert.-Butyl-2-[tetrahydro-furanyl-(2)]-1,2-dihydro-chinoxalin. Diese 1,2-Additionsprodukte und die leichte Oxidierbarkeit von 1,2-Dihydro-chinoxalinen weisen darauf hin, daß die Substitutionen am unsubstituierten Heteroaromaten ebenfalls primär über einen Additionsschritt verlaufen.

Hydroxylierung und Entalkylierung finden bei der Photolyse von N-Alkyl-phenazi-nium-Salzen mit sichtbarem Licht in Sauerstoff-haltigen sauren bis schwach alkalischen Lösungen statt[2]:

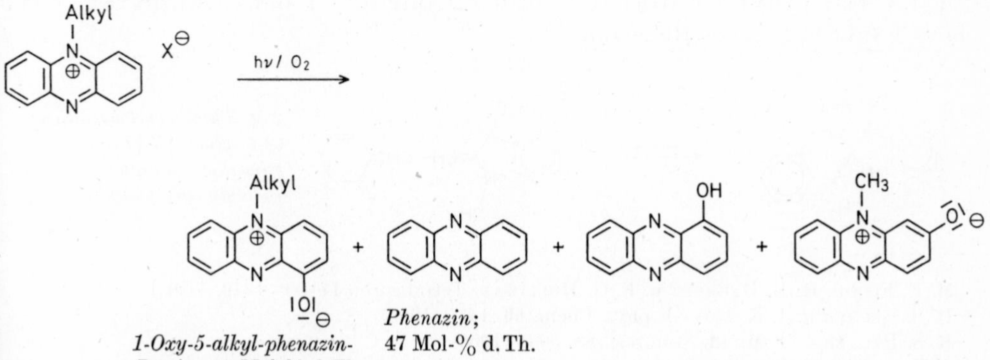

1-Oxy-5-alkyl-phenazin-Betain; 45 Mol-% d.Th.

Phenazin; 47 Mol-% d.Th.

---

[1] T. T. Chen et al., Helv. **51**, 632 (1968).

[2] H. McIlwain, Soc. **1937**, 1704.

In 1 n wäßriger Salzsäure wird 1-Carboxy-phenazin und 5-Methyl-1-carboxy-phenazinium Salz zu *1-Hydroxy-phenazin* (5% d.Th.) bzw. *1-Hydroxy-5-methyl-phena-zinium Salz* (5% d.Th.) abgebaut[1]:

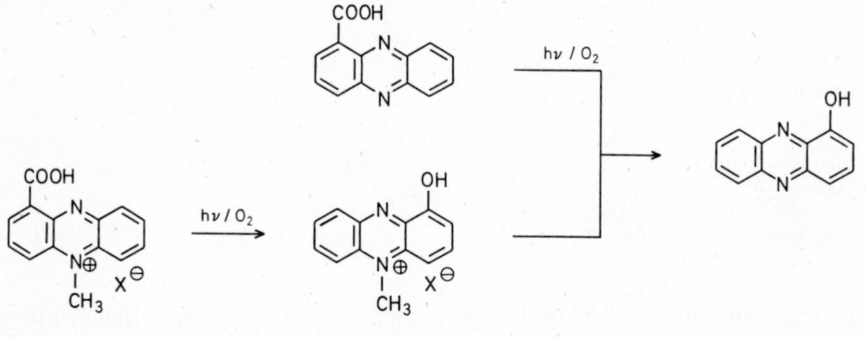

Die Umsetzung läuft vermutlich über ein 6,9-Endoperoxid, das durch Addition von Singulett-Sauerstoff entstanden ist, Übergang zum Hydroperoxid und anschließende Decarboxylierung und Demethylierung.

3. mit einem Sauerstoff- oder einem Schwefel-Atom

α) Isomerisierungen

Sauerstoff- oder schwefel-haltige sechsgliedrige Heteroaromaten können unter dem Einfluß von Licht aufgespalten werden[2-7]. So entsteht z. B. aus 2,2,4,6-Tetraphenyl-2H-pyran oder -2H-thiopyran *5-Oxo-1,1,3,5-tetraphenyl-pentadien-(1,3)* bzw. das entsprechende *5-Thiono-1,1,3,5-tetraphenyl-pentadien-(1,3)*:

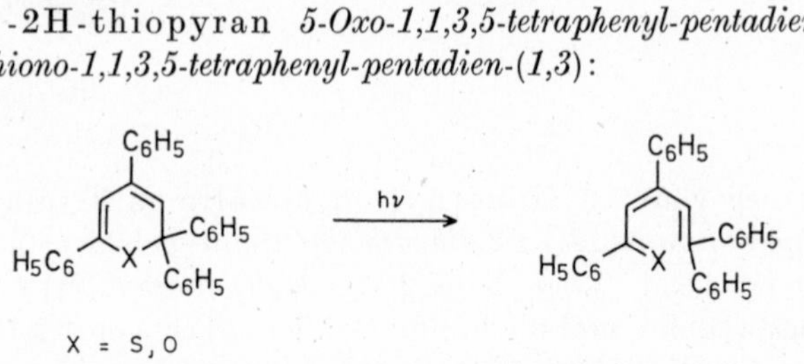

2,4,6-Triphenyl-2-benzyl-2H-thiopyran geht entsprechend in *6-Thiono-1,2,4,6-tetraphenyl-hexadien-(2,4)* über[5]. 2H-Chromen wird analog in *6-Oxo-5-propen-(2)-yliden-cyclohexa-dien-(1,3)* überführt[3] und 2,2-Diphenyl-2H-1-benzothiopyran in *6-Thiono-5-[3,3-diphenyl-propen-(2)-yliden]-cyclohexadien-(1,3)*[5].

1,3,3-Trimethyl-2,3-dihydro-indol-⟨2-spiro-2⟩-1-benzothiopyran erfährt durch UV-Licht folgende Ringöffnung[5]:

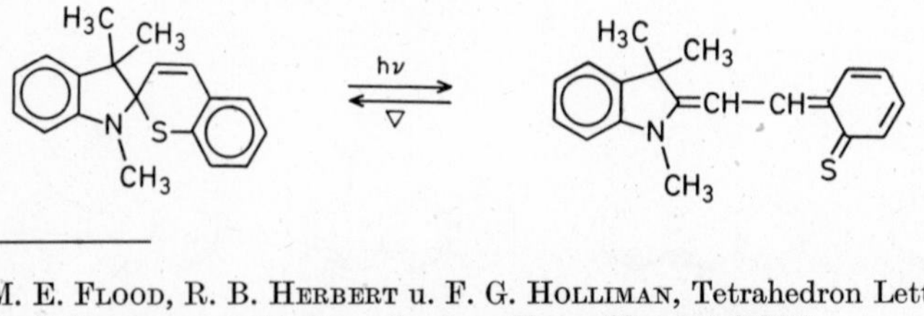

2-[6-Thiono-cyclohexadien-(2,4)-yliden]-1-[1,3,3-trimethyl-2,3-dihydro-indolyliden-(2)]-äthan

[1] M. E. Flood, R. B. Herbert u. F. G. Holliman, Tetrahedron Letters **1970**, 4101.
[2] R. S. Becker u. J. K. Roy, J. phys. Chem. **69**, 1435 (1965).
[3] R. S. Becker u. J. Michl, Am. Soc. **88**, 5931 (1966).
[4] J. Kolc u. R. S. Becker, J. phys. Chem. **71**, 4045 (1967).
[5] R. S. Becker u. J. Kolc, J. phys. Chem. **72**, 997 (1968).
[6] R. S. Becker, E. Dolan u. D. E. Balke, J. phys. Chem. **50**, 239 (1969).
[7] N. W. Tyer, jr., u. R. S. Becker, Am. Soc. **92**, 1295 (1970).

Die Rückreaktion zur Spiro-Verbindung ist durch Erwärmen möglich. Im Falle von 3,3-Trimethyl-2,3-dihydro-indol-⟨2-spiro-2⟩-3H-⟨naphtho-[2,1-b]-pyran⟩ wird das entsprechende Merocyanin durch sichtbares Licht rückverwandelt[1]. Über weitere photophysikalische Untersuchungen s. Lit.[2-4].

Auch 2-Oxo-4,6-dimethyl-2H-pyran kann in Methanol als Lösungsmittel photochemisch aufgespalten werden. Das entstehende Keten stabilisiert sich zu *5-Oxo-3-methyl-hexen-(2)-säure-methylester*[5]:

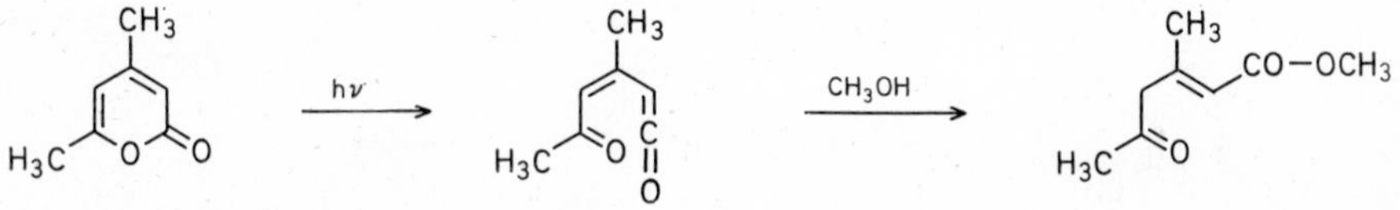

Die Ringöffnung gelingt ebenfalls mit dem unsubstituierten 2-Oxo-2H-pyran; in Äther/Methanol (9:1) als Lösungsmittel geht es in den *trans-5-Oxo-penten-(3)-säure-methyl-ester* (70% d.Th.) über[6]. Eine Belichtung in reinem Äther führt dagegen zum valenzisomeren *3-Oxo-2-oxa-bicyclo[2.2.0]hexen-(5)* (60% d.Th.)[6]:

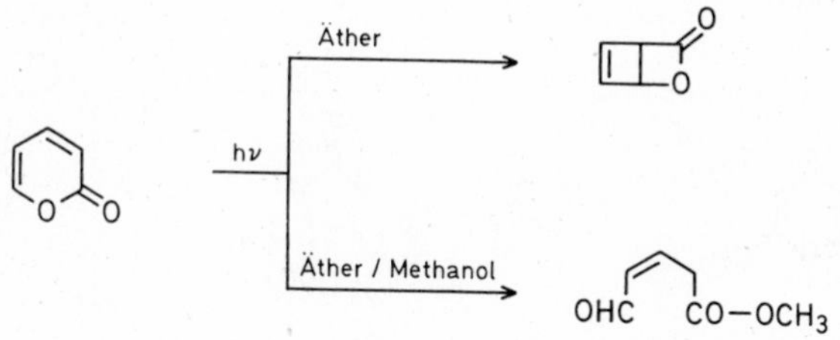

Umwandlung von 4H- in 2H-Pyrane durch sigmatrope [1,3]-Verschiebung eines Benzylrests wurde bei der Photolyse in Cyclohexan unter Stickstoff entdeckt. 2,4,6-Triphenyl-4-benzyl-4H-pyran geht z. B. in *2,4,6-Triphenyl-2-benzyl-2H-pyran* (32% bzw. 72% d.Th.)[7,8] über, 2,6-Diphenyl-4-(4-methyl-phenyl)-4-benzyl-4H-pyran entsprechend in *2,6-Diphenyl-4-(4-methyl-phenyl)-2-benzyl-2H-pyran* (60% d.Th.)[7]. Die Umlagerung von 2,4,6-Triphenyl-4-benzyl-4H-thiopyran in *2,4,6-Triphenyl-2-benzyl-2H-thiopyran* gelingt mit 62%iger Ausbeute[8]:

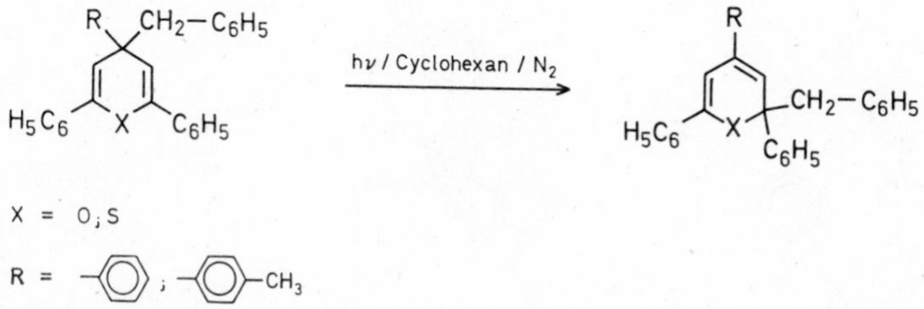

R. EXELBY u. R. GRINTER, Chem. Reviews 65, 247 (1965).
Y. HIRSHBERG u. E. FISCHER, Soc. 1954, 3129.
Y. HIRSHBERG, Am. Soc. 78, 2304 (1956).
R. HEILIGMAN-RIM, Y. HIRSHBERG u. E. FISCHER, Soc. 1961, 156; J. phys. Chem. 66, 2465 (1962).
P. DE MAYO, Adv. Org. Chem. 2, 394 (1960).
W. H. PIRKLE u. L. H. MCKENDRY, Tetrahedron Letters 1968, 5279; Am. Soc. 91, 1179 (1969).
N. KIM CUONG, F. FOURNIER u. J.-J. BASSELIER, C. r. 271 [C], 1626 (1970).
K. DIMROTH, K. WOLF u. H. KROKE, A. 678, 183 (1964).

2,4,6-Triphenyl-2-benzyl-2H-thiopyran [1]: 1 g 2,4,6-Triphenyl-4-benzyl-4H-thiopyran werden in 200 n Cyclohexan gelöst und unter Durchleiten von Reinststickstoff ~ 1 Stde. mit einer UV-Tauchlamp belichtet. Das Cyclohexan wird abdestilliert und der kristalline gelbliche Rückstand aus Essigsäure äthylester umkristallisiert; Ausbeute: 0,62 g (62% d.Th.); F: 158–160°. Durch Äthanol-Zusatz zu de Mutterlaugen ist noch eine kleine Menge unreineren Materials zu gewinnen.

Eine Ringkontraktion wird durch Bestrahlung bei 4-Oxo-2,6-dimethyl-4H-pyra ausgelöst. In stark verdünnter wäßriger Lösung entsteht über eine Oxiran-Zwischenstuf 4,5-Dimethyl-2-formyl-furan (1% d.Th.) [2]:

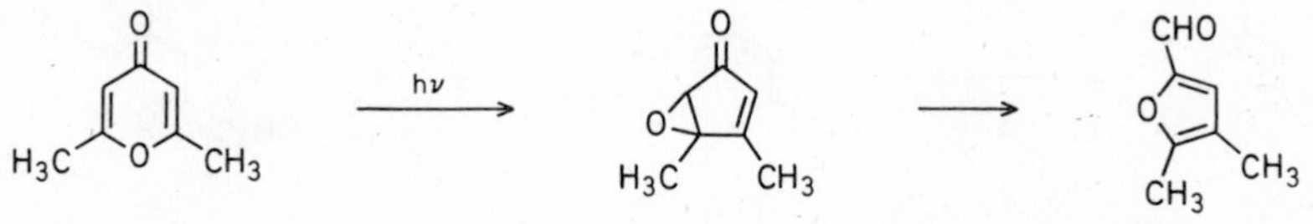

Eine 1%ige Lösung von 3-Hydroxy-4-oxo-2,6-dimethyl-4H-pyran in Methanol liefe nach 2,5 Stdn. (450 W Hanovia; Corex-Filter; Stickstoff) ein 1:1-Gemisch (F: 150–165 aus 5-Hydroxy-3,4-dioxo-1,5-dimethyl-cyclopenten und 5-Hydroxy-4-oxo-1,2-dimethyl-6-ox bicyclo[3.1.0]hexen-(2) [3]:

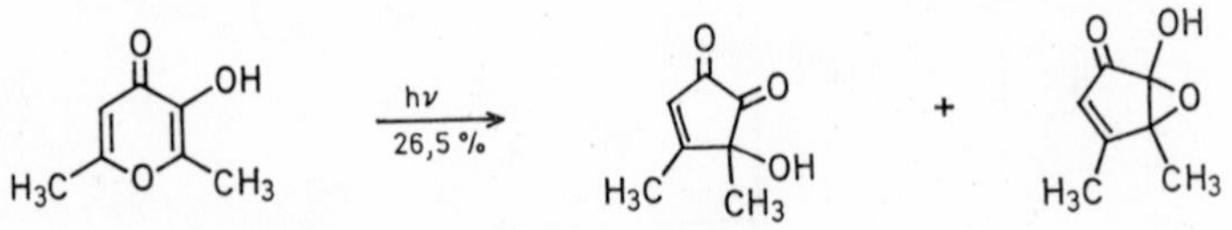

3-Hydroxy-4-oxo-2-methyl-4H-pyran isomerisiert zu dem entsprechenden Cyclopenten, das sich z einem 1,4-Dioxan-Derivat mit Kopf/Kopf oder Kopf/Schwanz-Anordnung dimerisiert.

5-Hydroxy-2,4,6-triphenyl- und 5-Hydroxy-2,3,4,6-tetraphenyl-pyryli um-Betain werden in Äthanol, Aceton oder Benzol durch Belichtung in das valenztaute mere 4-Oxo-1,3,5-triphenyl- bzw. 4-Oxo-1,2,3,5-tetraphenyl-6-oxa-bicyclo[3.1.0]hexen-(2 umgewandelt. Der Bicyclus kann sich unter dem Einfluß von Strahlung weiter zu 2-Oxe 3,5,6-triphenyl- bzw. 2-Oxo-3,4,5,6-tetraphenyl-2H-pyran umwandeln [4–6]:

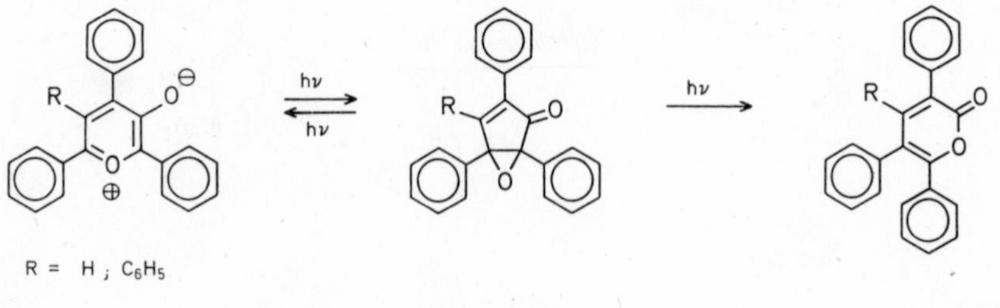

R = H ; C₆H₅

[1] K. DIMROTH, K. WOLF u. H. KROKE, A. **678**, 183 (1964).
[2] P. YATES u. I. W. J. STILL, Am. Soc. **85**, 1208 (1963).
[3] M. SHIOZAKI u. T. HIRAOKA, Tetrahedron, Letters **1972**, 4655.
[4] J. M. DUNSTON u. P. YATES, Tetrahedron Letters **1964**, 505.
[5] R. PÜTTER u. W. DILTHEY, J. pr. **149**, 183 (1937).
[6] E. F. ULLMANN, Am. Soc. **85**, 3529 (1963).

Entsprechend lagert sich 6-Oxo-1,7-diphenyl-[1,2] bzw. 6-Oxo-7-methyl-1-henyl-⟨benzo-6-oxa-bicyclo[3.1.0]hexen-(2)⟩[2] in sauerstoff-freier benzolischer ösung in das intensiv rot gefärbte *4-Oxi-1,3-diphenyl-* bzw. *4-Oxi-3-methyl-1-phenyl-2-nzopyrylium* um[1], wie Abfangversuche mit Acetylen-dicarbonsäure-dimethylester zeien[1,2]:

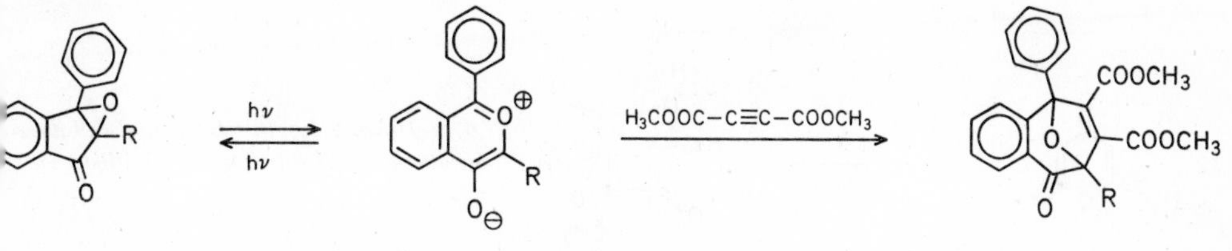

R =   C₆H₅ ; CH₃

Eine Umlagerung zu *1-Oxo-3-methyl-4-phenyl-1H-⟨2-benzopyran⟩* läßt sich allerdings nur it der Methyl-Verbindung erzielen[2].

Über ein intermediär auftretendes valenzisomeres Lacton wird die Bildung von *1,2,4,7-'etraphenyl-cyclooctatetraen* neben p-Terphenyl und Diphenyl-acetylen aus *2-Oxo-4,5-iphenyl-2H-pyran* gedeutet[3,4]:

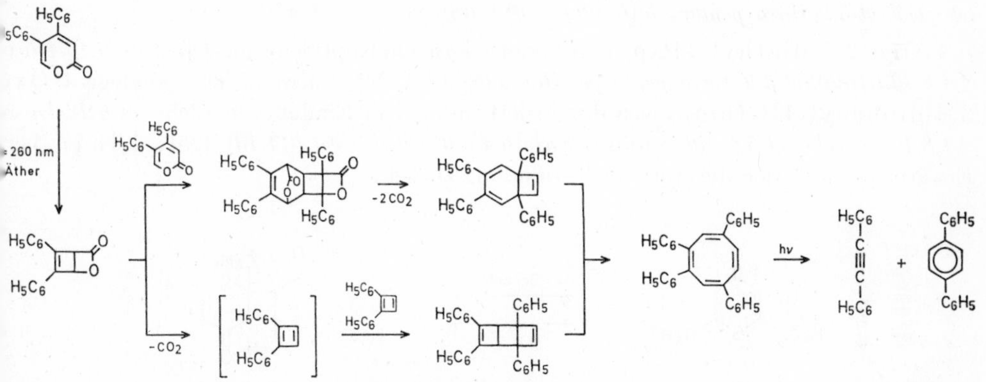

Über eine primäre Ring-Ketten-Isomerisierung wird der Übergang von 4-Methyl-3-henyl-1H-2-benzopyran in *1-Methyl-7-phenyl-⟨benzo-6-oxa-bicyclo[3.1.0]hexen-(2)⟩* formu-ert. Nach 8 stdg. Bestrahlung (450 W Hanovia; Pyrex) der 0,003 m Lösung in Methanol egen 40% des Epoxids (F: 89–90°) vor und 10% *2-Hydroxy-1-methoxy-1-methyl-2-phenyl-,3-dihydro-inden*, das nach 16 stdg. Belichtung als Hauptprodukt anfällt[5]:

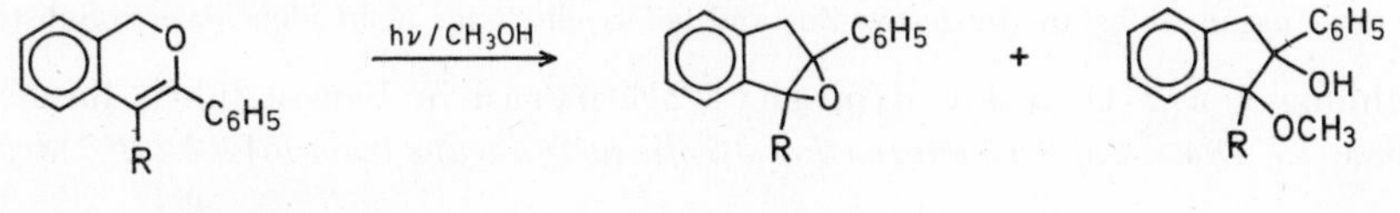

R = H ; CH₃ ; C₆H₅

E. F. ULLMAN u. W. A. HENDERSON, Am. Soc. 88, 4942 (1966);

E. WEITZ u. A. SCHEFFER, B. 54, 2327 (1921).

E. F. ULLMANN u. J. E. MILKS, Am. Soc. 86, 3814 (1964).

E. F. ULLMAN u. J. E. MILKS, Am. Soc. 84, 1315 (1962).

H. E. ZIMMERMANN u. R. D. SIMKIN, Tetrahedron Letters 1964, 1847.

A. PADWA u. R. HARTMAN, Am. Soc. 86, 4212 (1964).

R. B. CUNDALL u. A. GILBERT in: *Photochemistry*, S. 126, Nelson and Sons Ltd., London 1970.

A. PADWA, A. AU u. W. OWENS, Chem. Commun. 1974, 675.

β) Dimerisierungen und Additionen

Die C=C-Doppelbindungen von Pyran und Thiopyran sowie den benzokondensierte Derivaten neigen entsprechend ihrem olefinischen Charakter zu Additionsreaktionen.

Eine Dimerisierung von 4-Oxo-2,6-dimethyl-4H-pyran läßt sich photolytisch i Lösung und auch in fester Phase herbeiführen[1-6]:

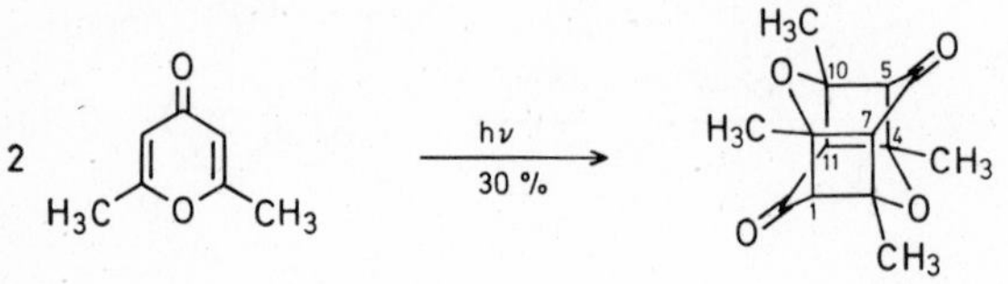

6,12-Dioxo-2,4,8,10-tetramethyl-3,9-dioxa pentacyclo[6.4.0.0²,⁷.0⁴,¹¹.0⁵,¹⁰]dodecan

Durch Behandlung mit Säuren kann die Käfig-Verbindung in die Ausgangssubstanz zurück verwandelt werden[3].

Durch flüssiges Brom wird das Dimere in verschiedene bromierte *6,12-Dioxo-2,4,8,10-tetramethyl-3,* *dioxa-tricyclo[6.4.0.0²,⁷]dodecacien-(4,10)*-Derivate überführt, aus denen durch konz. Schwefelsäure br mierte Monomere gewonnen werden können[5].

In Benzol als Lösungsmittel geht 4-Oxo-2,6-diphenyl-4H-pyran in *6,12-Dioxo-2,4,8,1(tetraphenyl-3,9-dioxa-pentacyclo[6.4.0.0²,⁷.0⁴,¹¹.0⁵,¹⁰]dodecan* über[7].

4-Oxo-2,6-diäthyl-4H-pyran bildet ebenso ein Kopf/Schwanz-Dimeres, *6,12-Dioxe 2,4,8,10-tetraäthyl-3,9-dioxa-pentacyclo[6.4.0.0²,⁷.0⁴,¹¹.0⁵,¹⁰]dodecan*[4]. Das analoge 4-Oxc 2,6-diphenyl-4H-thiopyran dimerisiert unter dem Einfluß von Licht zu *6,12-Dioxe 2,4,8,10-tetraphenyl-3,9-dithia-anti-tricyclo[6.4.0.0²,⁷]dodecadien-(4,10)* (25% d.Th.)[8]; bei Erwärmen bildet sich die Ausgangsverbindung zurück:

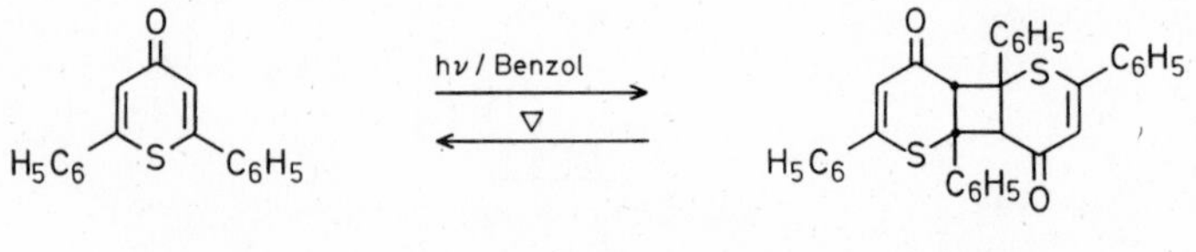

6,12-Dioxo-2,4,8,10-tetraphenyl-3,9-dithia-tricyclo[6.4.0.0²,⁷]dodecadien-(4,10)[8]: Eine benzolisch Lösung von 4-Oxo-2,6-diphenyl-4H-thiopyran (0,3 Mol/l) wird mit einer Quecksilber-Hochdruck-Lamp unter Stickstoff über eine Woche bestrahlt. An den Wänden des Reaktionsgefäßes scheiden sich dab schwach gelbgefärbte Kristalle ab; Ausbeute: 25% d.Th. Nach Umkristallisation aus Chloroform un nachfolgender Chromatographie der wieder in Chloroform gelösten Substanz an Silikagel wird nochma aus Benzol bzw. einer Chloroform/Hexan-Mischung umkristallisiert; F: 160–161° bzw. 159–160°. B strahlung der Ausgangssubstanz im festen Zustand liefert eine ölige nicht identifizierte Substanz.

Bestrahlung von 2-Oxo-4,6-dimethyl-2H-pyran in Benzol führt durch [4 + 4 Addition zu *4,8-Dioxo-2,6,9,12-tetramethyl-3,7-dioxa-syn-trans-tricyclo[4.2.2.2²,⁵]dodecadier*

[1] P. YATES u. M. J. JORGENSON, Am. Soc. **80**, 6150 (1958).
[2] P. YATES u. E. S. HAND, Tetrahedron Letters **1961**, 669.
[3] P. YATES u. M. J. JORGENSON, Am. Soc. **85**, 2956 (1963).
[4] P. YATES et al., J. Org. Chem. **34**, 4046 (1969).
[5] P. YATES u. P. SINGH, J. Org. Chem. **34**, 4052 (1969).
[6] P. YATES, M. J. JORGENSON u. P. SINGH, Am. Soc. **91**, 4739 (1969).
[7] N. SUGIYAMA, Y. SATO u. C. NASHIMA, Bl. chem. Soc. Japan **43**, 3205 (1970).
[8] N. SUGIYAMA et al., Bl. chem. Soc. Japan **42**, 3005 (1969).

9,11) (I) und der entsprechenden *anti-trans*-Verbindung (II) und durch [2 + 2]-Addition zu
,12-Dioxo-2,6,8,10-tetramethyl-3,11-dioxa-tricyclo[6.4.0.0²,⁷]dodecadien-(5,9)[1] (III):

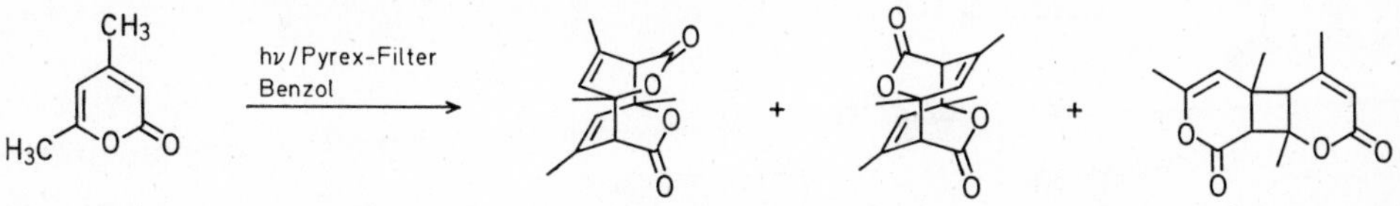

| I | II | III |
| *syn-trans* | *anti-trans* | |

Thermisch wird III in I umgelagert. Sowohl I als auch II spalten beim Erhitzen Kohlendioxid ab und
·hen in 1,3,5,7-Tetramethyl-cyclooctatetraen über.

Photolyse von 2-Oxo-4,5-diphenyl-2H-pyran (Äther; $\lambda > 260$ nm) eröffnet eine
ynthese für *1,2,4,7-Tetraphenyl-cyclooctatetraen* (24% d.Th.)[2]. [4 + 4]-Addition erfolgt bei
·estrahlung von kristallinem 2-Oxo-4,6-diphenyl-2H-pyran (450 W Hanovia;
orex-Filter). *4,8-Dioxo-2,6,9,11-tetraphenyl-3,7-dioxa-anti-tricyclo[4.2.2.2²,⁵]dodecadien-(9,*
1) entsteht in 100%iger Ausbeute (bezogen auf umgesetztes Material; F: 168° Zers.)[3].
·elöst in Benzol dagegen führt die Photolyse (450 W Hanovia; Corex-Filter) zu *4,11-Dioxo-*
2,6,9-tetraphenyl-3,12-dioxa-tricyclo[6.4.0.0²,⁷]dodecadien-(5,9) (20% d.Th., bez. auf Um-
·tz; F: 124°; Zers.) und dem Kopf/Schwanz-Addukt *4,9-Dioxo-1,2,6,11-tetraphenyl-3,10-*
·*oxa-tricyclo[6.4.0.0²,⁷]dodecadien-(5,11)* (60% d.Th., bez. auf Umsatz; F: 120°; Zers.).

1,3,5,7-Tetramethyl-cyclooctatetraen[4]: 20 g 2-Oxo-4,6-dimethyl-2H-pyran und 15 *ml* trockenes Benzol
·erden auf drei Reagenzgläser verteilt (9 mm ∅), welche nach Durchleiten von Stickstoff (30 Min.) mit
·ummistopfen verschlossen und am Pyrex-Kühlstutzen eines Quecksilber-Hochdruck-Brenners (Hano-
·a 450 W) befestigt werden. Das ganze wird mit Aluminiumfolie umwickelt und in einen Eimer Wasser
·ngetaucht. Man bestrahlt 100 Stdn., verdampft das Lösungsmittel i. Vak. und erhitzt in einem 50 *ml*
·olben 15 Min. auf 230–235°, destilliert das gebildete Tetramethyl-cyclooctatetraen i. Vak. ab (Kp₁₅:
·-95°), pyrolysiert den Rückstand erneut, gewinnt eine zweite Fraktion und chromatographiert an
· g Kieselgel mit Petroläther (Kp: 35–60°); Ausbeute: 2,0–2,2 g (16–18% d.Th.); F: 69,5–70°.

2-Oxo-2H-pyran dimerisiert in Anwesenheit eines Triplett-Sensibilisators zu folgenden
·erbindungen[5]:

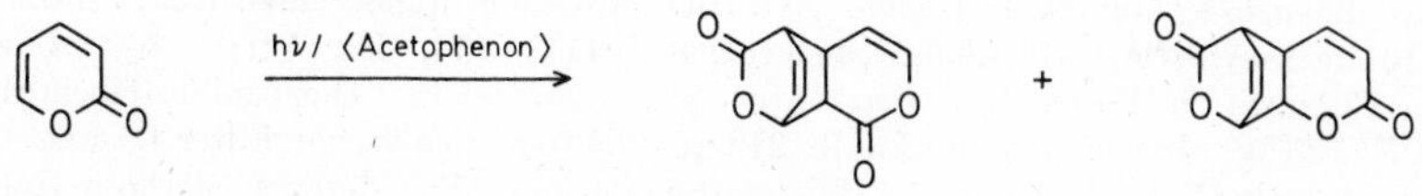

3,9-Dioxo-4,10-dioxa-
tricyclo[6.2.2.0²,⁷]
dodecadien-(5,11);
F: 162°

4,9-Dioxo-3,10-dioxa-
tricyclo[6.2.2.0²,⁷]
dodecadien-(5,11);
F: 160,5°

P. DeMayo u. R. W. Yip, Pr. chem. Soc. **1964**, 84.

A. Padwa u. R. Hartman, Am. Soc. 86, 4212 (1964).

R. D. Rieke u. R. A. Copenhafer, Tetrahedron Letters **1971**, 879.

E. C. Taylor u. G. G. Spence, in: *Organic Photochemical Syntheses*, Bd. 1, S. 46, Wiley-Interscience,
New York 1971.

W. H. Pirkle u. L. H. McKendry, Tetrahedron Letters **1968**, 5279.

Die Cyclodimerisierung[1] von 2-Oxo-2H-chromen (Cumarin) führt in Abhängigkei? von den Reaktionsbedingungen zu verschiedenen Isomeren:

IV	V	VI	VII
Kopf/Kopf-*syn*	Kopf/Schwanz-*syn*	Kopf/Kopf-*anti*	Kopf/Schwanz-*ant?*

Da die Dimeren photochemisch sehr schnell Cumarin rückspalten, wurden eindeutig Verhältnisse nur bei Belichtung oberhalb $\lambda = 310$ nm erhalten[2]. Tatsächlich stellt sich b? Belichtung unterhalb $\lambda = 310$ nm in Chloroform das von Anregerwellenlänge und Konze? tration abhängige Photo-Gleichgewicht zwischen Cumarin und hauptsächlich VI ein[3].

Das Verhältnis der Dimeren IV, V, VI und VII hängt stark vom verwendeten Mediu? ab[4]. VI und VII werden am besten in Benzol (vor allem bei Gegenwart von Benzophenon synthetisiert. Die prozentualen Anteile von IV und V sind dagegen bei direkter Belichtur? in Ameisensäure am höchsten. Dies sowie der Nachweis von Excimer-Fluoreszenz bei tief? Temperatur und die Verminderung des Anteils an VI (nicht jedoch an IV) bei Zugabe v? *cis*-Pentadien-(1,3) wurde im Sinne eines Triplett-Mechanismus für die Bildung der *ant? Dimeren VI und VII sowie eines Singulett-Mechanismus für die Bildung der *syn*-Dimere IV und V gedeutet[6]. Für eine ausschließliche Bildung des Kopf/Kopf-*syn*-Dimeren IV i? schließlich noch die topochemisch kontrollierte Photodimerisierung in Cumarin-Kristalle der instabilen Modifikation oder in mit Quecksilberchlorid gebildeten Mischkristalle $(C_9H_6O_2, HgCl_2)$ von Bedeutung[7].

3,16-Dioxo-⟨dibenzo-4,11-dioxa-anti-tricyclo[6.4.0.0²,⁷]dodecadien-(5,9)⟩(VI) und 3,11-Dioxo-⟨ dibenz? 4,10-dioxa-anti-tricyclo[6.4.0.0²,⁷]dodecadien-(5,11)⟩ (VII)[5]: 29 g Cumarin werden mit 5 g Benzophen? in 250 ml Benzol 60 Stdn. unter Argon mit einem Quecksilber-Hochdruck-Brenner (Philips HPK 125 ? durch ein Glas-Filter bei 10–15° belichtet. Man erhält nach dem Konzentrieren 27,9 g (96%) Kristal? Beim Umkristallisieren aus Äthanol bleiben 0,45 g (1,5%) des Kopf/Schwanz-*anti*-Dimeren VII (F: 32? 325°) ungelöst. Aus der kalten Lösung kristallisiert das Kopf/Kopf-*anti*-Dimere VI, welches durch K? stallisation aus Benzol und Eisessig sowie durch Sublimation i. Hochvak. weiter gereinigt wird.

3,16-Dioxo-⟨ dibenzo-4,11-dioxa-anti- und ...syn-tricyclo[6.4.0.0²,⁷]dodecadien-(5,9)⟩ sowie 3,11-Diox? ⟨ dibenzo-4,10-dioxa-syn-tricyclo[6.4.0.0.²,⁷]dodecadien-(5,11)⟩ (VI, IV, VII)[8]: 100 ml einer 0,5 Lösung von Cumarin in Eisessig werden unter Argon mit einem Quecksilber-Hochdruck-Brenn? (Philips HPK 125 W) durch eine unterhalb 310 nm lichtundurchlässige Filter-Lösung 60 Stdn. b? 15–20° belichtet. Dabei fallen 1,15 g (16%) Kristalle aus (F: 225–245°), deren wiederholte fraktionieren?

[1] G. CIAMICIAN u. P. SILBER, B. **35**, 4128 (1902).
A. SCHÖNBERG et al., Soc. **1950**, 374.
A. SCHÖNBERG, *Präparative Organische Photochemie*, S. 29ff., Springer-Verlag Berlin 1958.
R. ANET, Chem. & Ind. **1960**, 897; Canad. J. Chem. **40**, 1249 (1962).
[2] C. H. KRAUCH, S. FARID u. G. O. SCHENCK, B. **99**, 625 (1966).
[3] Nach Hydrolyse der Lactonringe in IV werden photolytisch 68% d.Th. *trans*-2,2′-Dihydroxy-stilbe? gewonnen: M. HASEGAWA u. Y. SUZUKI, Chemistry Letters, Chem. Soc. Japan **1972**, 317.
[4] R. HOFFMAN, P. WELLS u. H. MORRISON, J. Org. Chem. **36**, 102 (1971); dort auch Angabe von Quante? ausbeuten.
[5] G. O. SCHENCK, J. v. WILUCKI u. C. H. KRAUCH, B. **95**, 1409 (1962).
[6] R. HOFFMAN, P. WELLS u. H. MORRISON, J. Org. Chem. **36**, 102 (1971).
[7] J. BREGMAN, et al., Soc. **1964**, 2021.
[8] C. H. KRAUCH, S. FARID u. G. O. SCHENCK, B. **99**, 624 (1966).

ristallisation aus Aceton 0,2 g (3% d.Th.) IV (F: 279–280°; Zers.) und 0,5 g eines 1:1-Gemischs aus VI
ıd VII (F: 261°; Zers.) liefert. Dieses Gemisch wird in 10 *ml* 2n Natriumhydroxid gelöst, mit 12 *ml*
ı Salzsäure angesäuert und 1 Stde. auf 80° erwärmt. Dabei fallen 0,23 g (3% d.Th.) des Kopf/Schwanz-
n-Dimeren V aus (F: 204–206°, aus Aceton). Die Mutterlauge liefert beim Extrahieren mit Essigsäure-
hylester, Eindampfen des Extrakts und 1 stdgm. Erhitzen auf 100° 0,26 g (3,5% d.Th.) des Kopf/Kopf-
ıti-Dimeren VI (F: 179–181°, aus Aceton/Wasser).

Einwirkung von Sonnenlicht auf die benzolische Lösung von 2-Oxo-3-phenyl-2H-
hromen liefert ein Photodimeres noch unbekannter Struktur (90% d.Th.; F: 242°), das
ddukt aus 3-Phenyl-isocumarin entsteht sogar quantitativ (F: 254°)[1].

Bei der Belichtung von 3-Chlor-2-oxo-2H-chromen in Gegenwart von Benzophenon
ıtsteht neben *6a,12a-Dichlor-6,12-dioxo-6a,6b,12a,12b-tetrahydro-6H,12H-⟨cyclobuta-[1,2-c;*
4-c']-bis-[1]-benzopyran⟩ (VIII; 26% d.Th.) noch *3-Chlor-2-oxo-4-[2-oxo-2H-chromen-yl-*
ı)]-2H-chromen (IX; 13% d.Th.)[2]:

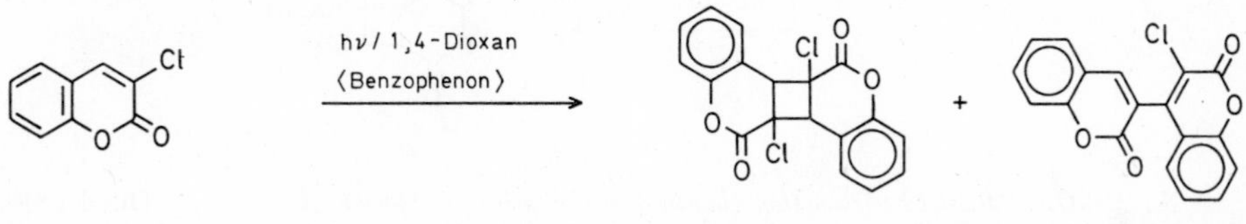

VIII   IX

Eine intramolekulare Cycloaddition tritt bei folgendem 2-Oxo-2H-chromen-Derivat ein[3]:

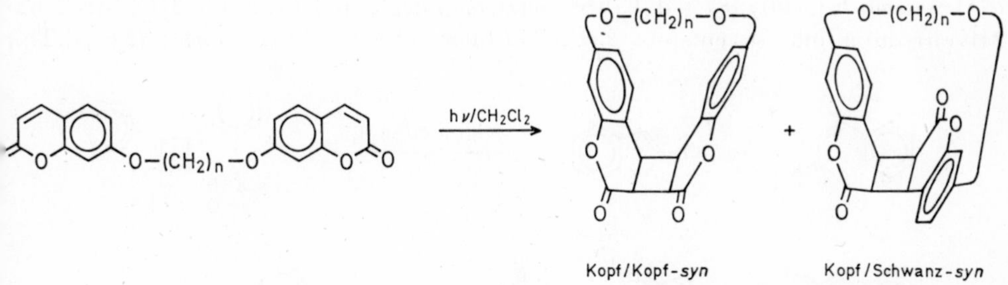

Kopf/Kopf-*syn*   Kopf/Schwanz-*syn*

6,13-(1,ω-Alkandioxy)-   *6,14-(1,ω-Alkandioxy)-*
3,16-dioxo-⟨dibenzo-   *3,11-dioxo-⟨dibenzo-*
4,11-dioxa-syn-   *4,10-dioxa-syn-*
tricyclo[6.4.0.0²,⁷]   *tricyclo[6.4.0.0²,⁷]*
dodecadien-(5,9)⟩   *dodecadien-(5,11)⟩*

	Kopf/Kopf-syn	Kopf/Schwanz-syn
n = 3	38% d.Th.; F: 241°	60% d.Th.; F: 271°
n = 4	42% d.Th.; F: 252°	56% d.Th.; F: 279°
n = 5	45% d.Th.; F: 236,5°	52% d.Th.; F: 291,5°

Photolysiert man 2-Oxo-2H-chromen in 1,4-Dioxan mit Benzophenon unter Zusatz
on 2,3-Dimethyl-buten-(2), Cyclopenten oder 1,1-Diäthoxy-äthylen, so

A. Schönberg et al., Soc. **1950**, 374.

J. W. Hanifin u. E. Cohen, J. Org. Chem. **33**, 2811 (1968); Tetrahedron Letters **1966**, 5421.

L. Leenders u. F. C. De Schryver, Ang. Ch. **83**, 359 (1971).

treten folgende Additionen ein[1]:

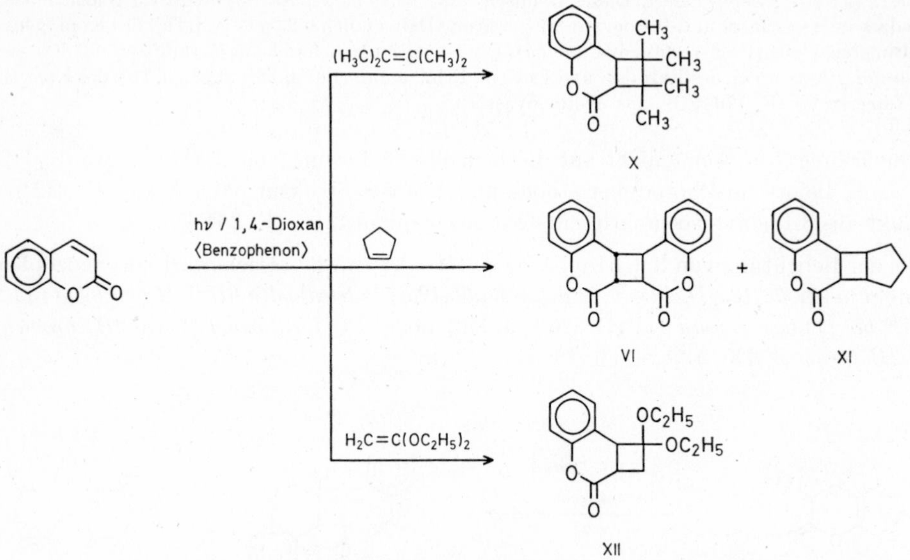

(H₃C)₂C=C(CH₃)₂ → ... X

hν / 1,4-Dioxan ⟨Benzophenon⟩ ... VI + XI

H₂C=C(OC₂H₅)₂ → ... XII

X; *2-Oxo-9,9,10,10-tetramethyl-⟨benzo-3-oxa-bicyclo[4.2.0]octen-(4)⟩*; 51% d.Th.; F: 81°
XI; *8-Oxo-⟨benzo-9-oxa-tricyclo[5.4.0.0²,⁶]undecen-(10)⟩*; 50% d.Th.; F: 139°
XII; *2-Oxo-9,9-diäthoxy-⟨benzo-3-oxa-bicyclo[4.2.0]octen-(4)⟩*; 41% d.Th. Kp$_{0,25}$: 95–100°

2-Chlor-inden wird mit Benzophenon als Sensibilisator in benzolischer Lösung a 2-Oxo-2H-chromen addiert; es bildet sich *8-Chlor-10-oxo-⟨dibenzo-9-oxa-tricyclo[5.4. 0²,⁶]undecadien-(3,10)⟩* (87% d.Th.)[2,3]. Setzt man dagegen Inden mit 3-Chlor-2-ox 2H-chromen um, so entsteht *2-Oxo-3-[1-chlor-indenyl-(2)]-2H-chromen* (28% d.Th.)

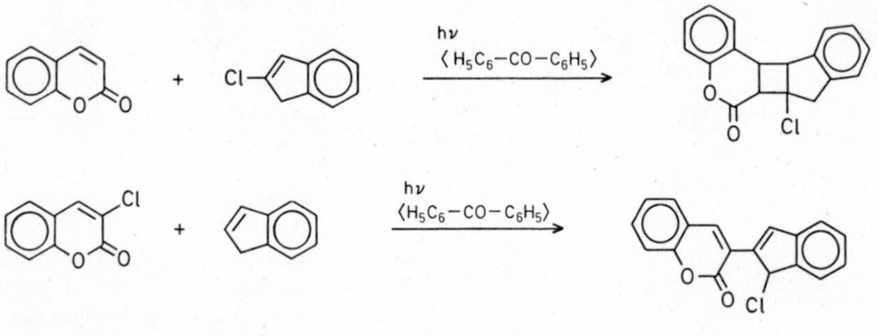

hν ⟨H₅C₆—CO—C₆H₅⟩ →

hν ⟨H₅C₆—CO—C₆H₅⟩ →

Mit Inden bildet sich bei Belichtung (Benzol; Argon; Benzophenon) *10-Oxo-⟨dibenzo-oxa-anti-tricyclo[5.4.0.0²,⁶]undecadien-3,10)⟩* (24% d.Th.; F: 160,5°)[4].

8-Chlor-10-oxo-⟨dibenzo-9-oxa-tricyclo[5.4.0.0²,⁶]undecadien-(3,10)⟩[2,3]: Eine Lösung von 4,52 2-Chlor-inden und 4,38 g 2-Oxo-2H-chromen mit 1,5 g Benzophenon in 150 ml Benzol wird 21 Stdn. einer wassergekühlten Tauchschacht-Apparatur aus Glas mit einem Quecksilber-Hochdruck-Brenn Philips HPK 125 W unter Argon belichtet. Nach Abziehen des Lösungsmittels und nachfolgender Chr matographie an Kieselgel sowie Kristallisation aus Petroläther/Äther ergeben sich 7,74 g (87% d.Th farbloser Kristalle; F: 160–162°.

[1] J. W. Hanifin u. E. Cohen, Tetrahedron Letters **1966**, 1419.
[2] J. Bowyer u. Q. N. Porter, Austral. J. Chem. **19**, 1455 (1966).
[3] C. H. Krauch u. W. Metzner, B. **99**, 88 (1966). Erhitzen auf 250° führt zu *2-Oxo-3-indenyl-(2)-2H chromen* (72% d.Th.; F: 243–244°).
[4] G. O. Schenck et al., B. **95**, 1642 (1962).

2-Oxo-3-[1-chlor-indenyl-(2)]-2H-chromen [1]: Nach 20 stdgr. Belichtung einer Lösung von 4,72 g Inden und 7,51 g 3-Chlor-2-oxo-2H-chromen mit 1,5 g Benzophenon in 150 ml Benzol werden nach Abziehen des Lösungsmittels farblose Kristalle erhalten; Ausbeute: 4,47 g (28% d.Th.); F: 239–242° (aus Essigsäure-äthylester).

Kopf/Kopf-*anti*-Dimere bilden sich bei Belichtung von 7H-⟨Furo-[3,2-g]-[1]-benzopyranen⟩[2-4]:

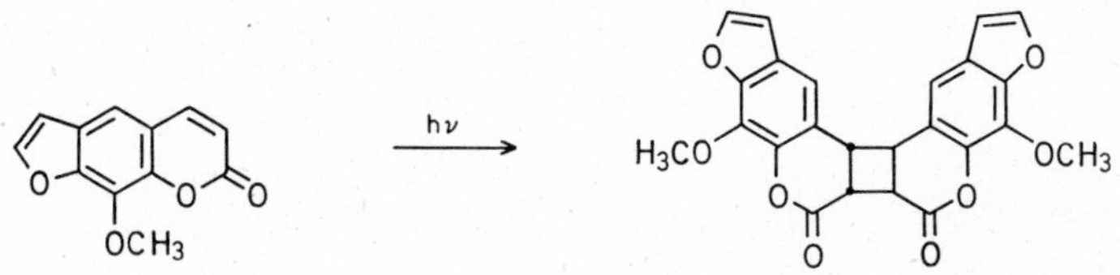

Xanthotoxin

4,9-Dimethoxy-6,7-dioxo-6,6a,6b,7,13b,13c-hexahydro-⟨bis-[furo-[3,2-g]-[1]-benzopyrano]-[3,4-a;4',3'-c]-cyclobutan⟩ F: 300–303°

Die Ausbeute beträgt in 1,4-Dioxan mit $\lambda = 290$ nm 25% d.Th., mit Benzophenon in Benzol 59% d.Th.[5]. Weitere Beispiele s. Tab. 87.

Tab. 87. Dimerisierung von das 2-Oxo-2H-chromen-System enthaltenden Naturstoffen[a]

Ausgangsverbindung	Photolysebedingung	Ausbeute [% d.Th.]	F [°C]	Literatur
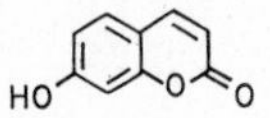 Umbelliferon	[b]			6
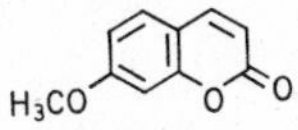 Herniarin	Kristall; Sonne oder Quarz-UV-Lampe; $\lambda = 366$ nm	gut	207–208	6
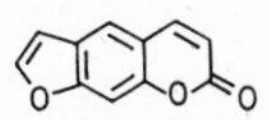 Psoralen	Kristall; 500 WHg-Lampe. 1,4-Dioxan oder Äthanol; $\lambda = 365$ nm	80–85	289–290	7, 8

[a] Es ist nicht gesichert, ob Kopf/Kopf- oder Kopf/Schwanz-Dimere gebildet werden.
[b] keine näheren Angaben

[1] C. H. KRAUCH u. W. METZNER, B. **99**, 88 (1966). Erhitzen auf 180° führt zu *2-Oxo-3-indenyl-(2)-2H-chromen* (95% d.Th.; F: 241-243°).

[2] C. H. KRAUCH u. S. FARID, B. **100**, 1685 (1967).

[3] F. WESSELY u. J. KOTLAN, M. **86**, 430 (1955).

[4] G. RODIGHIERO u. V. CAPPELINA, G. **91**, 103 (1961).

[5] C. H. KRAUCH u. S. FARID, B. **100**, 1685 (1967); **99**, 625 (1966).

[6] R. FISCHER, Ar. **279**, 306 (1941).

[7] G. RODIGHIERO u. V. CAPPELLINA, G. **91**, 103 (1961); dort Quantenausbeuten.

[8] S. MARCIANI et al., G. **100**, 435 (1970); hier zahlreiche Methyl- und Polymethyl-psoralen-Photodimere.

Tab. 87. (Fortsetzung)

Ausgangsverbindung	Photolysebedingung	Ausbeute [% d.Th.]	F [°C]	Literatur
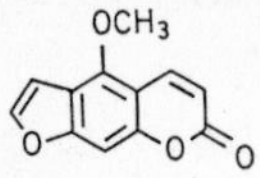 Bergapten	Kristall oder in Äthanol	65–72	242	1
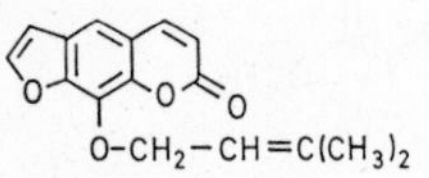 O–CH₂–CH=C(CH₃)₂ Imperatorin	a			1
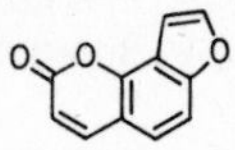 Angelicin	Kristall oder in Äthanol	65–75	262	1
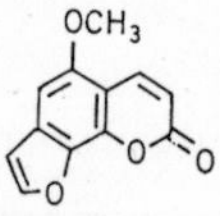 Isobergapten	Kristall	26	>300 (Zers.)	2
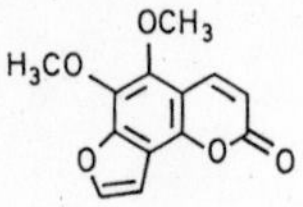 Pimpinellin	Kristall; Tageslicht Essigester; UV-Licht	25 44	237–238 256–257	3
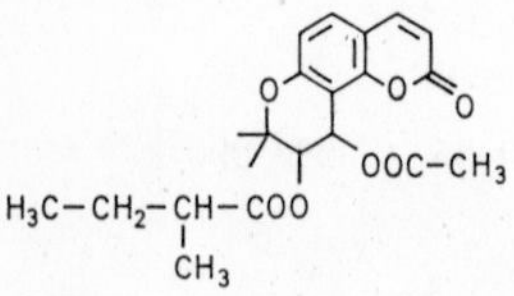 Visnadin	Benzol, Sonnenlicht, 1 Monat		258–260	4
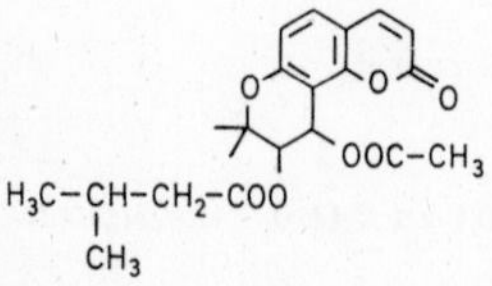 Dihydrosamidin			222–224	4

ᵃ keine näheren Angaben.

¹ G. Rodighiero u. V. Cappellina, G. 91, 103 (1961); dort Quantenausbeuten.
² F. Wesseley u. J. Kotlan, M. 86, 430 (1955).
³ F. Wesseley u. K. Dinjaski, M. 64, 131 (1934).
⁴ F. G. Baddar, S. Farid u. N. A. Starkovsky, Soc. 1963, 4522.

Einige dieser natürlich vorkommenden Cumarin-Derivate, besonders das Psoralen, wirken photosensibilisierend auf die menschliche Haut[1]. Gewisse Typen von Photodermatitis werden auf die Anwesenheit von Bergapten und Oxypeucedanin zurückgeführt, jedoch scheint keine direkte Beziehung zwischen Photodimerisierung und photosensibilisierender Aktivität vorhanden zu sein.

Inden, Äthyl-vinyl-äther oder 1,4-Dioxen können an 9-Methoxy- bzw. 2-[2-Hydroxy-propyl-(2)]-7H-⟨furo-[3,2-g]-[1]-benzopyran⟩ photoaddiert werden[2]:

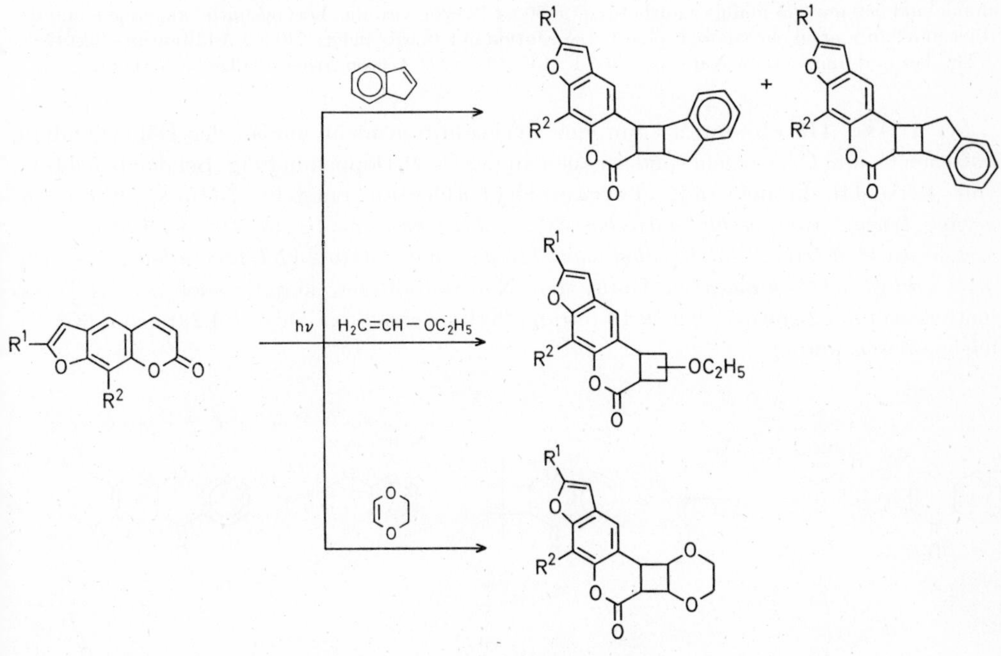

R[1] = H; R[2] = OCH₃
R[1] = C(OH)(CH₃)₂; R[2] = H

Durochinon und Naphthochinon werden nicht an den Pyran-Ring, sondern an die Doppelbindung des Furan-Ringes addiert[2]:

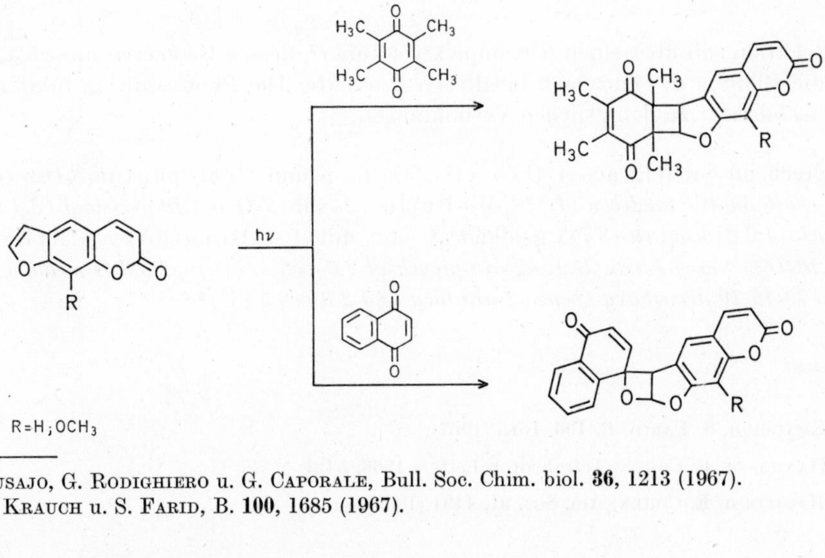

R = H; OCH₃

---

[1] L. Musajo, G. Rodighiero u. G. Caporale, Bull. Soc. Chim. biol. **36**, 1213 (1967).
[2] C. H. Krauch u. S. Farid, B. **100**, 1685 (1967).

Photoaddukt aus Tetramethyl-1,4-benzochinon bzw. 1,4-Naphthochinon und Xanthotoxin[1]:

2,6,9-Trioxo-5c,7,8,9a-tetramethyl-5b,5c,6,9,9a,9b-hexahydro-2H-⟨benzocyclobuta-[1,2-d]-[1]-benzpyrano[7,6-b]-furan⟩: Nach 5stdgr. Belichtung mit GWV-Filter von 0,82 g (5 mMol) Durochinon und 0,54 g (2,5 mMol) Xanthotoxin in 60 *ml* Benzol und Abziehen des Lösungsmittels wird der Rückstand an Silikagel chromatographiert. Eluieren mit Benzol ergibt 260 mg Additionsprodukt (81% d.Th. bez. auf Xanthotoxin); F: 262–264° (aus Methanol).

4-Oxo-1,4-dihydro-naphthalin-⟨1-spiro-1⟩-6-oxo-2a,9b-dihydro-1H,6H-⟨oxet-[3,2-d]-[1]-benzpyrano-[7,6-b]-furan⟩: Nach 3stdgr. Belichtung von 395 mg (2,5 mMol) 1,4-Naphthochinon und 540 mg (2,5 mMol) Xanthotoxin in 50 *ml* Benzol wird das Lösungsmittel abgezogen und der Rückstand an Florisil chromatographiert. Die Elution mit Benzol liefert 230 mg Additionsprodukt (75% d.Th., bez. auf umgesetztes Xanthotoxin); F: 158–161° (aus Aceton/Äther, blaßgelbe Nadeln).

Bei 4-Oxo-4H-chromen kann eine Cycloaddition nicht nur an der Doppelbindung zwischen C_2 und C_3 erfolgen, sondern auch an der C=O-Doppelbindung. Bei der Belichtung von 4-Oxo-4H-chromen mit Tetramethyl-äthylen entsteht *7-Oxo-9,9,10,10-tetramethyl-⟨benzo-2-oxa-bicyclo[4.2.0]octen-(3)⟩*, *4H-Chromen-⟨4-spiro-2⟩-3,3,4,4-tetramethyl-oxetan* sowie *4-Oxo-2-[2,3-dimethyl-buten-(2)-yl]-* und *4-Oxo-2-[1,1,2-trimethyl-propen-(2)-yl]-2,3-dihydro-4H-chromen*[2,3]. Unter den Nebenprodukten konnte auch *3,3,4,4-Tetramethyl-oxetan-⟨2-spiro-7⟩-9,9,10,10-tetramethyl-⟨benzo-2-oxa-bicyclo[4.2.0]octen-(3)⟩* nachgewiesen werden[2]:

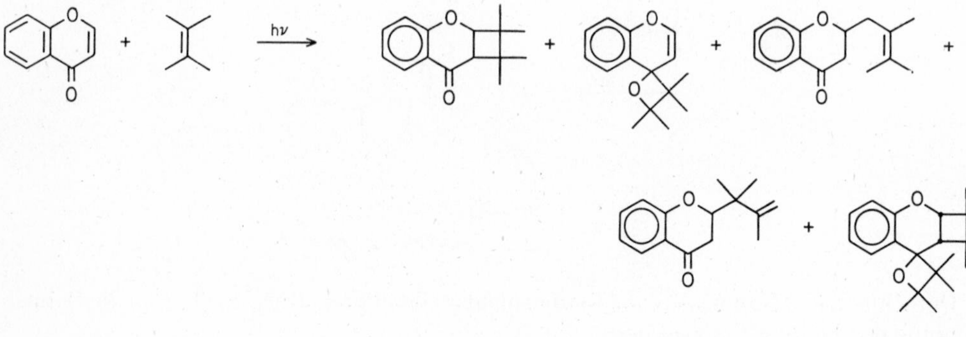

Die Reaktion soll über einen π-Komplex verlaufen[3], dessen Geometrie ausschlaggebend ist für die Bildung der einzelnen möglichen Produkte. Die Photoaddition führt mit und ohne Sensibilisator zu den gleichen Verbindungen.

Entsprechend entsteht aus 4-Oxo-4H-chromen und Cyclopenten *8-Oxo-⟨benzo-3-oxa-tricyclo[6.3.0.0²,⁷]undecen-(4)⟩*[2,3]. Mit Butin-(2) wird *7-Oxo-9,10-dimethyl-⟨3,4-benzo-2-oxa-bicyclo[4.2.0]octadien-(3,7)⟩* gebildet[1,2], und mit 1,1-Dimethoxy-äthylen ergibt sich *10,10-Dimethoxy-7-oxo-⟨benzo-2-oxa-bicyclo[4.2.0]octen-(3)⟩* und *3,3-Dimethoxy-oxetan-⟨2-spiro-7⟩-10,10-dimethoxy-⟨benzo-2-oxa-bicyclo[4.2.0]octen-(3)⟩*[2,3].

---

[1] C. H. Krauch u. S. Farid, B. **100**, 1685 (1967).

[2] J. W. Hanifin u. E. Cohen, Tetrahedron Letters **1966**, 5421.

[3] J. W. Hanifin u. E. Cohen, Am. Soc. **91**, 4494 (1969).

Ebenfalls unter [2+2]-Cycloaddition reagieren 4-Oxo-4H-chromene mit Diphenyl-acetylen[1]:

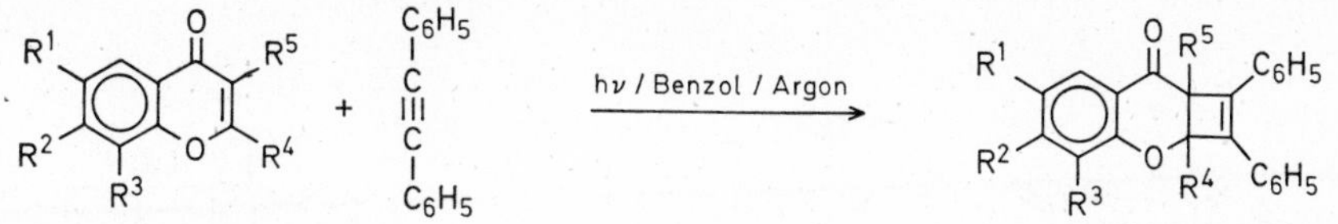

R¹ = R² = R³ = R⁴ = H; R⁵ = C₆H₅   *7-Oxo-8,9,10-triphenyl-⟨3,4-benzo-2-oxa-bicyclo[4.2.0]* *octadien-(3,7)⟩*; ~ 100% d.Th.

R¹ = R² = R³ = R⁵ = H;   R⁴ = C₆H₅   *7-Oxo-1,9,10-triphenyl-* . . .; 80% d.Th.

R² = R³ = R⁵ = H;   R¹ = CH₃; R⁴ = C₆H₅   *7-Oxo-5-methyl-1,9,10-triphenyl-* . . .; ~ 100% d.Th.

R¹ = R⁵ = H;   R²—R³=C₄H₄; R⁴ = C₆H₅   *9-Oxo-1,11,12-triphenyl-⟨naphtho-[1,2-c]-2-oxa-* *bicyclo[4.2.0]octadien-(3,7)⟩*; ~ 100% d.Th.

7-Oxo-5-methyl-1,9,10-triphenyl-⟨3,4-benzo-2-oxa-bicyclo[4.2.0]octadien-(3,7)⟩[1]: Eine Lösung von 0,40 g Methyl-flavon (6-Methyl-2-phenyl-4-oxo-4H-chromen) und 0,44 g Diphenylacetylen in 250 *ml* Benzol wird unter Reinststickstoff 15 Stdn. in einem Quarz-Gefäß bestrahlt. Die Reaktionslösung wird i. Vak. eingeengt und an Kieselgel S (Riedel-de-Haën) chromatographiert. Die mit Petroläther (Kp: 40–60°) eluierte Fraktion liefert nach dem Einengen i. Vak. Diphenylacetylen, mit Benzol/Petroläther (1:1) erhält man das Produkt; Ausbeute: fast quantitativ; F: 197–199° (aus Benzol/Petroläther blaß-gelbe Kristalle).

4-Oxo-2-phenyl-4H-⟨1-benzothiopyran⟩ liefert unter diesen Bedingungen mit Diphenylacetylen *7-Oxo-1,9,10-triphenyl-⟨3,4-benzo-2-thia-bicyclo[4.2.0]octadien-(3,7)⟩* (~ 100% d.Th.)[1].

γ) Cyclisierungen und andere Reaktionen

Photochemische Dehydrocyclisierung erfolgt an folgenden Verbindungen[2,3]:

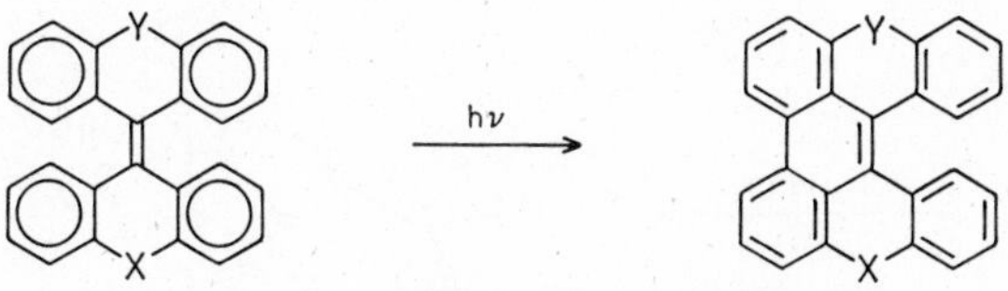

X = Y = S   *Benzo-[1,2,3-k,l;4,5,6-k',l']-bis-thioxanthen*
X = Y = O   *Benzo-[1,2,3-k,l;4,5,6-k'l']-dixanthen*
X = O; Y = S   *Xantheno-[9,10-a,b]-thioxantheno-[10,9-c,d]-benzol*
X = O; Y = CO   *16-Oxo-16H-⟨benzo-[4,5]-phenaleno-[1,2,3-k,l]-xanthen⟩*; 50% d.Th.
X = S; Y = CO   *16-Oxo-16H-⟨benzo-[4,5]-phenaleno-[1,2,3-k,l]-thioxanthen[3]*; 80% d.Th.

Bestrahlung von folgendem Xanthen-Derivat führt zu *Benzo-[1,2,3-k,l;4,5,6-k'l']-dixanthen*[4]:

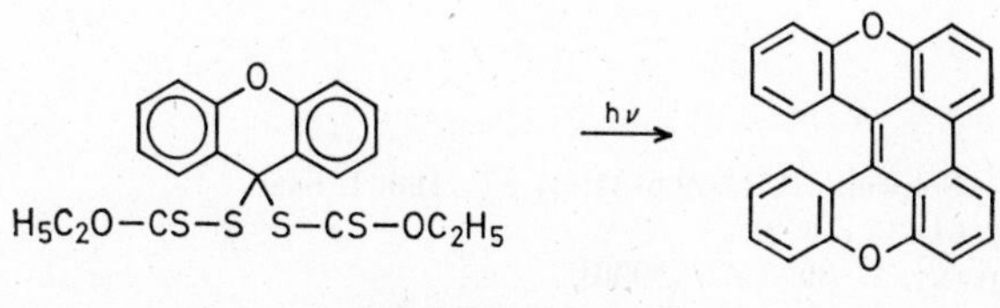

---

[1] A. Schönberg u. G. D. Khandelwal, B. **103**, 2780 (1970).
[2] A. Schönberg, A. F. Ismail u. W. Asker, Soc. **1946**, 442.
    M. Scholz, F. Dietz u. M. Mühlstädt, Tetrahedron Letters **1970**, 2835.
[3] A. F. Ismail u. Z. M. El-Shafei, Soc. **1957**, 3393.
[4] A. Schönberg u. U. Sodtke, Tetrahedron Letters **1967**, 4977.

Einer ähnlichen Cyclisierung unterliegen verschieden substituierte 14-Phenyl-⟨dibenzo-[a;j]-xanthylium⟩-Salze, die unter dem Einfluß von Licht in ⟨Benzo-[a]-phenanthro-[1,10,9-j,k,l]-xantheno⟩-16c-carbonium-Salze übergehen[1,2]:

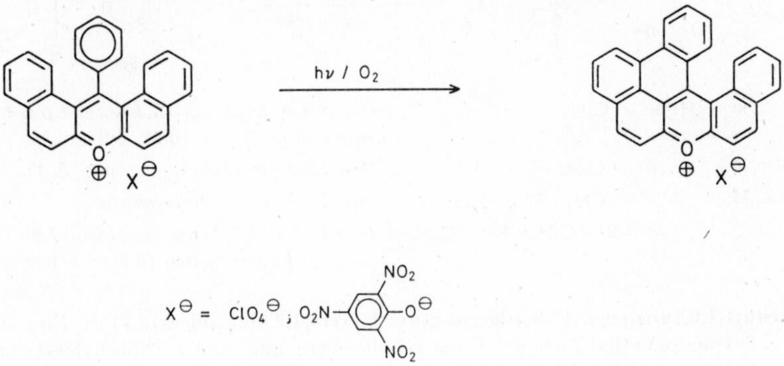

Bei Abwesenheit von Sauerstoff wird zusätzlich *14-Phenyl-14H-⟨dibenzo-[a;j]-xanthen⟩* gebildet[3-5]. Über mechanistische Einzelheiten vgl. Lit.[6,7].

Über die Cyclisierung eines 4-Oxo-4H-chromen-Derivates aus der Reihe der Flavone s. Lit.[8].

1,3,6,7-Tetraphenyl-⟨acenaphtho-[5,6-c,d]-thiopyran⟩ geht im Sauerstoff und Methylenblau als Sensibilisator in ein Thio-ozonid I über, das sich bei weiterer Bestrahlung über die radikalische Zwischenstufe II in *6-Thiobenzoyloxy-5-benzoyl-1,2-diphenyl-acenaphthen* umlagert[9]:

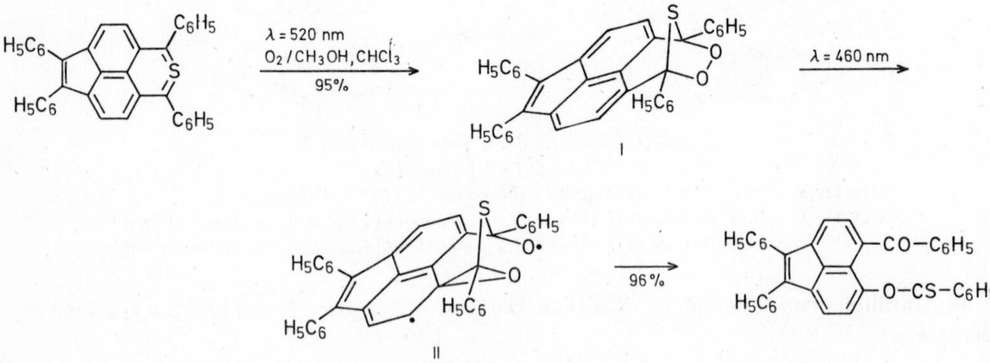

[1] Fr. P. 772781 (1934); Schweiz. P. 176926 (1934); C. **1936** I, 648.
[2] E. HERTEL, Ang. Ch. **61**, 35 (1949).
[3] W. DILTHEY u. F. QUINT, B. **69**, 1575 (1936).
[4] W. DILTHEY, F. QUINT u. J. HEINEN, J. pr. **152**, 49 (1939).
[5] W. DILTHEY, F. QUINT u. H. STEPHAN, J. pr. **152**, 99 (1939).
[6] E. HERTEL u. G. SOCK, Z. phys. Chem. (Leipzig) **189** (A), 95 (1941).
[7] E. ERHARDT, Dissertation, Technische Hochschule, München 1966.
[8] A. C. WAISS et al., Am. Soc. **89**, 6213 (1967).
[9] J. M. HOFFMAN u. R. H. SCHLESSINGER, Tetrahedron Letters **1970**, 797.

Xanthen bzw. Thioxanthen dimerisieren zu 9,9'-Bi-xanthyl bzw. der entsprechenden Schwefel-Verbindung[1]:

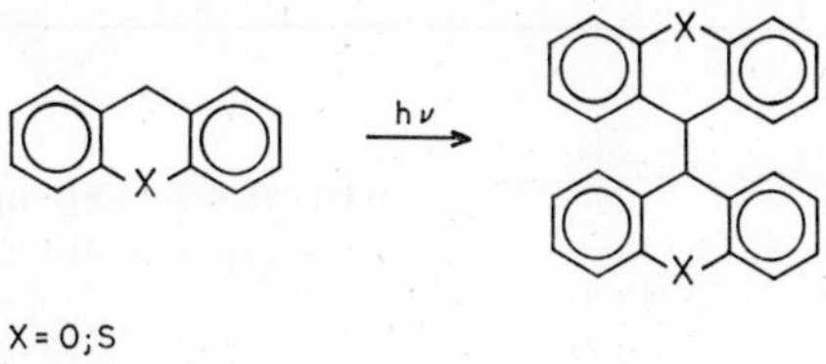

X = O; S

3-Oxo-1,4-diphenyl-3H-⟨2-benzopyran⟩ bildet mit Eisencarbonyl folgende Verbindungen[2]:

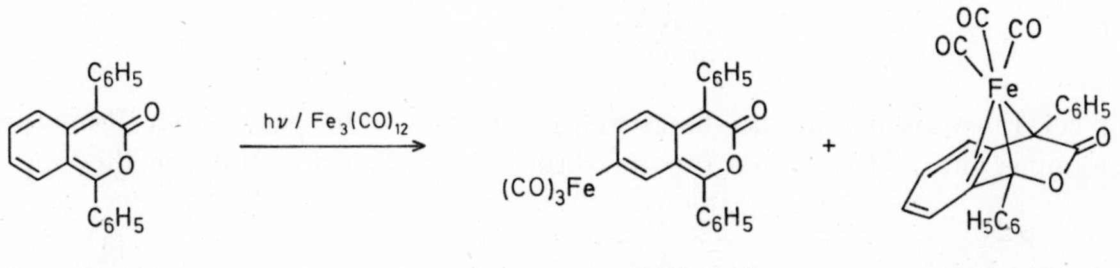

22% d.Th.   11% d.Th.

Über Reaktionen von 9-Oxo-xanthen und -thioxanthen an der Carbonyl-Funktion s. S. 873. Zur Überführung von 9-Thiono-in 9-Oxo-Verbindungen s. S. 1064. Umsetzungen mit Sauerstoff zu Peroxiden s. S. 1488ff.

4. mit zwei verschiedenen Heteroatomen

Zur Photoreaktion von Phenoxazinen mit Singulett-Sauerstoff s. Lit.[3], sowie zum oxidativen Ringschluß entsprechend substituierter Derivate, s. S. 1098.

IV. an funktionellen Gruppen

a) an der C–Hal-Bindung

In Abhängigkeit von der Bindungsenergie der Kohlenstoff-Halogen-Bindung beobachtet man in der Reihe Alkyl- (oder Aryl-)chloride, -bromide, -jodide eine bathochrome Verschiebung der längstwelligen Maxima. Die längstwelligen Maxima der Alkyl-halogenide werden von einem Übergang eines nichtbindenden p-Elektrons in ein σ^*-Orbital verursacht, der teilweise verboten ist, weshalb die Extinktionswerte in der Größenordnung von $\varepsilon = 10^2$–10^3 liegen. In Vinyl- oder Aryl-halogeniden rührt jedoch die längstwellige Absorptionsbande von einer $\pi \rightarrow \pi^*$-Anregung. In Tab. 88 (S. 628) sind die UV-Absorptionen einiger Halogenide zusammengefaßt.

[1] A. Schönberg u. A. Mustafa, Soc. 1944, 67; 1945, 657.
[2] J. M. Holland u. D. W. Jones, Soc. [C] 1970, 530.
[3] D. Gegiou, J R. Huber u. K. Weiss, Am. Soc. 92, 5058 (1970).

Tab. 88. UV-Spektren von Alkyl- und Aryl-halogeniden

Verbindung	λ_{max} [nm]	ε	Quantenausbeute φ für Prozeß (1)	Literatur
CH_3Cl	173	–	–	1
CH_3Br	203	264	–	1
CH_3J	257,6	380	0,05 (bei $\lambda = 216$ nm)	1, 2
			0,008 (bei $\lambda = 313$ nm	
CH_2J_2	290	1320	–	1, 2
	240	600	0,55 (bei $\lambda = 313$ nm)	
CHJ_3	349	2170	–	1
$F_2C\!=\!CF_2$	258	–	–	3
$H_5C_6\!-\!Cl$	263,5	190	0,38 (bei $\lambda = 254$ nm)[5]	4
	209	7400	–	
$H_5C_6\!-\!Br$	261	192	–	4
	210	7900	–	
$H_5C_6\!-\!J$	257	700	–	4
	207	7000	–	

Die bei Einstrahlung in das längstwellige Maximum beobachtbaren Primärprozesse führen immer zum radikalischen Bindungsbruch der Kohlenstoff-Halogen-Bindung:

$$R-X \xrightarrow{\;h\nu,\,n\to\sigma^*\;} R\cdot \;+\; X\cdot \qquad\qquad (1)$$

Bei Poly-halogeniden können auch zwei Kohlenstoff-Halogen-Bindungen gespalten werden, wodurch Carbene und Arine entstehen:

$$H_2CJ_2 \xrightarrow{\;h\nu\;} H_2C\!:\;+\;2\,J\cdot \qquad\qquad (2)$$

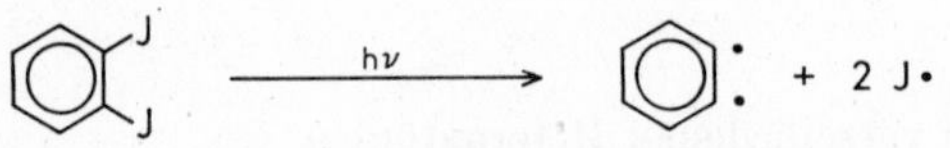

Die verschiedenen Halogenide dieses Kapitels sind nach zunehmender Substitution des das Halogen tragenden Kohlenstoff-Atoms geordnet.

1. Alkyl-halogenide

bearbeitet von

Prof. Dr. Heinz Dürr*

Alkyl-halogenide[6] werden photochemisch nach Prozeß (1) in Alkyl- und Halogen-Radikale gespalten, die auf verschiedenen Wegen weiterreagieren können:

---

* Fachbereich Organische Chemie der Universität Saarbrücken.

1 D. Porret u. C. F. Goodeve, Proc. Roy. Soc. A **165**, 31 (1958).

2 D. C. Blomstrom, K. Herbig u. H. E. Simmons, J. Org. Chem. **30**, 959 (1965).

3 J. D. Park, R. J. Seffl u. J. R. Lacher, Am. Soc. **78**, 59 (1956).

4 H. H. Jaffé u. M. Orchin, *Theory and Applications of Ultraviolet Spectroscopy*, John Wiley Sons, New York 1962.

5 M. Fox, W. C. Nichols, Jr. u. D. M. Lemal, Am. Soc. **95**, 8166 (1973); hier wird ein π-Chlor-Benzol-Komplex als entscheidende Zwischenstufe diskutiert.

6 Zusammenfassende Artikel:

E. W. Steacie, *Atomic and Free Radical Reactions*, Bd. 1, S. 397, Verlag Reinhold, New York 1954.

C. Walling u. E. S. Huyser, Org. Reactions **13**, 91 (1963).

J. R. Majer u. J. P. Simons, Adv. in Photochem. **2**, 137 (1964).

P. G. Sammes, in S. Patai: *The Chemistry of the Carbon Halogen Bond*, Bd. 2, S. 747, John Wiley Sons, London 1973.

① Reduktion zum zugrundeliegenden Kohlenwasserstoff; diese wird durch Reduktionsmittel wie Alkohol, Amin, Halogensilan u. a. begünstigt

② Kupplung der gebildeten Alkyl-Radikale

③ Olefin-Bildung unter Eliminierung von Halogenwasserstoff

④ Addition der Alkyl-Radikale an Olefine, auch an Halogenalkane

⑤ intramolekulare Cyclisierungen.

Die Homolyse verläuft in der Reihe der Alkyl-chloride, -bromide und -jodide zunehmend leichter, da einmal das Absorptionsmaximum in dieser Reihe bathochrom verschoben wird, zum anderen die Bindungsenergie in dieser Reihe abnimmt.

So ergibt die Photolyse von Methyljodid mit einer Quecksilber-Niederdruck-Lampe in der Gasphase typische Folgeprodukte einer Radikalreaktion. Man erhält vorwiegend *Methan* (89% d.Th.), *Äthan* (4% d.Th.), *Dijodmethan* (5% d.Th.) und *Jod* (5% d.Th.)[1]:

$$H_3C-J \xrightarrow{\lambda\,=\,300nm\,/\,Gasphase} H_3\overset{*}{C}\cdot \; + \; J\cdot$$

$$H_3\overset{*}{C}\cdot \; + \; H_3C-J \longrightarrow CH_4 \; + \; \cdot CH_2-J$$

$$\cdot CH_2-J \; + \; J\cdot \longrightarrow H_2CJ_2$$

$$2\,J\cdot \longrightarrow J_2$$

$$2\,H_3C\cdot \longrightarrow H_3C-CH_3$$

Die primär entstehenden Methyl- und Jod-Radikale reagieren dabei unter Substitution oder Rekombination zu stabilen Produkten ab[2,3]. Infolge der Vielzahl der Reaktionsprodukte sind Umsetzungen in der Gasphase präparativ von geringer Bedeutung. In kondensierter Phase ist der Reaktionsverlauf meist einheitlicher.

Polyhalogen-alkane werden infolge ihrer langwelligen Absorption und ihrer höheren Extinktionskoeffizienten leichter als Alkyl-monohalogenide gespalten. Während Tetrachlormethan nur mit UV-Licht gespalten wird, kann Tetrabrommethan bereits mit sichtbarem Licht photolysiert werden. Noch leichter findet die Spaltung der C–J-Bindung statt. So bildet sich bei der Photolyse von 1,2,2,3,4,4-Hexafluor-1,3,4-trichlor-1-jodbutan (I) unter Spaltung der C–J-Bindung und Kombination der entstehenden Radikale *Dodecafluor-1,2,4,5,7,8-hexachlor-octan* (II; 81% d.Th.)[4]:

$$\underset{\text{I}}{\underset{\displaystyle \begin{array}{c} F\;Cl\;F\;Cl \\ |\;\;|\;\;|\;\;| \\ Cl-C-C-C-C-J \\ |\;\;|\;\;|\;\;| \\ F\;\;F\;\;F\;\;F \end{array}}{}} \xrightarrow{h\nu,\,ohne\,Filter} \underset{\text{II}}{\left(\begin{array}{c} F\;Cl\;F\;Cl \\ |\;\;|\;\;|\;\;| \\ Cl-C-C-C-C- \\ |\;\;|\;\;|\;\;| \\ F\;\;F\;\;F\;\;F \end{array}\right)_2}$$

[1] W. WEST u. L. SCHLESINGER, Am. Soc. **60**, 961 (1938).

[2] J. R. MAJER u. J. P. SIMONS, Adv. Photochem. **2**, 137 (1964).

[3] Neuere mechanistische Arbeiten:
V. S. GURMAN, V. Z. DUBINSKI u. G. N. KOVALEV, Ž. fiz. Chim. **46**, 2893 (1972); Cheminform. **6**, 150 (1972).
D. A. COATES u. J. M. TEDDER, Soc. Perkin II, **1973**, 1570.
S. H. JONES u. E. WHITTLE, Canad. J. Chem. **48**, 3601 (1970).

[4] R. N. HASZELDINE, Soc. **1955**, 4302.

Dodecafluor-1,2,4,5,7,8-hexachlor-octan[1]: 5,1 g 1,2,2,3,4,4-Hexafluor-1,3,4-trichlor-1-jod-butan werden mit 5 ml Trifluor-1,1,2-trichlor-äthan verdünnt und in Gegenwart von 20 ml Quecksilber in einem Quarzrohr 8 Tage mit einer Hanovia S 250 Hg-Niederdruck-Lampe unter heftigem Schütteln belichtet. Das Produkt wird mit Äther extrahiert und das Lösungsmittel anschließend abgezogen; Ausbeute: 2,83 g (81% d.Th.); Kp$_{20}$: 142–144°.

Die bei der Photolyse der Tetrahalogenide entstehenden Trichlormethyl- oder Tribrommethyl-Radikale lagern sich leicht an Olefine an, und zwar entgegen der Markownikow-Regel (s. Tab. 89, S. 631). Die Photolyse von Tetrachlormethan in Äthyl-vinyl-äther ergibt *1,3,3,3-Tetrachlor-1-äthoxy-propan* (92% d.Th.)[2].

Analoge Reaktionen des Tetrabrommethan mit Octen bzw. Styrol ergeben *1,1,1,3-Tetrabrom-nonan* (88% d.Th.) bzw. *1,3,3,3-Tetrabrom-1-phenyl-propan* (96% d.Th.)[3]:

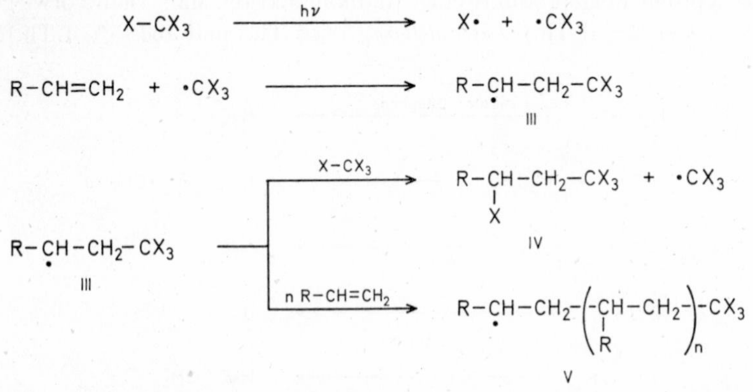

$$X-CX_3 \xrightarrow{\ h\nu\ } X\cdot + \cdot CX_3$$

$$R-CH=CH_2 + \cdot CX_3 \longrightarrow R-\overset{\bullet}{C}H-CH_2-CX_3$$

(III)

$$R-\overset{\bullet}{C}H-CH_2-CX_3 \text{ (III)}$$

$\xrightarrow{X-CX_3}$ $R-\underset{X}{\overset{|}{C}H}-CH_2-CX_3 + \cdot CX_3$ (IV)

$\xrightarrow{n\ R-CH=CH_2}$ $R-\overset{\bullet}{C}H-CH_2-\left(-\underset{R}{\overset{|}{C}H}-CH_2-\right)_n-CX_3$ (V)

Das Radikal III kann sich entweder mit Tetrahalogenmethan zu dem 1,2-Additionsprodukt IV stabilisieren, oder, falls es genügend reaktiv ist, die Polymerisation des Olefins verursachen. Die Bildung des Polymeren V läßt sich durch einen Überschuß von Tetrahalogenmethan unterdrücken (Tetrabrommethan: 2–4facher; Tetrachlormethan: 5–100facher Überschuß).

Die Stereochemie dieser Reaktion ist nicht eindeutig geklärt. Während flexible Systeme wie Cyclohexen oder Cyclooocten zu *cis-* und *trans-*Addukten führen, ergeben starre Moleküle wie Bicyclo[2.2.1]hepten nur *trans-*Addukte[4].

Die Photolyse von äquimolaren Gemischen, z. B. von 1,2-Dichlor-1,2,2-trifluor-1-jod-äthan und Chlor-trifluor-äthylen, führt über ein Analoges des Radikals III zu einem Gemisch von Oligo- oder Telomeren der allgemeinen Formel $Cl-(CF_2-CFCl)_n-J$. Die Ausbeuten[5] betragen dabei für:

n = 2; *Hexafluor-1,3,4-trichlor-1-jod-butan;* 18 % d.Th.
n = 3; *Nonafluor-1,3,5,6-tetrachlor-1-jod-hexan;* 14 % d.Th.
n = 4; *Dodecafluor-1,3,5,7,8-pentachlor-1-jod-octan;* 17 % d.Th.
n = 5; *Pentadecafluor-1,3,5,7,9,10-hexachlor-1-jod-decan;* 39 % d.Th.

1,1,1,3-Tetrabrom-3-phenyl-propan[6]: Eine Mischung von 10 g (0,1 Mol) Styrol, 203 g (0,61 Mol) Tetrabrommethan und 173 g (1,12 Mol) Tetrachlormethan werden mit sichtbarem Licht 4 Stdn. bei 90° belichtet. Die überschüssigen Polyhalogenide werden bei Normaldruck, dann i. Vak. abdestilliert und die letzten Spuren durch Sublimation abgetrennt. Der ölige Rückstand (46 g) wird destilliert, wobei die Hauptfraktion bei 112–124°/0,1 Torr übergeht und nach einiger Zeit kristallisiert; Ausbeute: 41,8 g (96% d.Th.); F: 57–59°.

---

[1] R. N. Haszeldine, Soc. **1955**, 4302.
[2] US. P. 2560219 (1951), General Aniline & Film Corp. Erf.: S. A. Glickmann; C. A. **46**, 1023 (1952).
[3] M. S. Kharynch, E. V. Jensen u. W. H. Urry, Am. Soc. **68**, 154 (1946); **69**, 1100 (1947).
[4] J. G. Traynham, T. M. Couvillon u. N. S. Bhacca, J. Org. Chem. **32**, 529 (1967).
J. G. Traynham, A. G. Lee u. N. S. Bhacca, J. Org. Chem. **34**, 1302 (1969).
[5] R. N. Haszeldine, Soc. **1955**, 4291.
[6] M. S. Kharasch, E. V. Jensen u. W. H. Urry, Am. Soc. **68**, 154 (1946); **69**, 1100 (1947).

Tab. 89. Addition von Polyhalogenalkanen an ungesättigte Kohlenwasserstoffe

Olefin oder Acetylen	Polyhalogenalkan	Produkt	Ausbeute [% d.Th.]	Literatur
$F_2C=CF-CF_3$	F_3C-J a	*Nonafluor-2-jod-butan*	94	1
$\begin{array}{c}CH_3\\\|\\H_2C=C-CH_3\end{array}$	Cl_3C-Br b	*4,4,4-Trichlor-2-brom-2-methyl-butan*	95	2
$H_2C=CH-COOCH_3$	Cl_3C-Br b	*4,4,4-Trichlor-2-brom-butansäure-methylester*	90	2
$H_2C=CH-Si(CH_3)_3$	$F_2BrC-Br$ d	*3,3-Difluor-1,3-dibrom-1-trimethylsilyl-propan*	79	3
	$F_2ClC-CFCl-J$ d	*3,4,4-Trifluor-3,4-dichlor-1-jod-1-trimethylsilyl-butan*	66	3
$H_2C=CH-SiCl_2CH_3$	$F_2ClC-CFCl-J$ d	*3,4,4-Trifluor-3,4-dichlor-1-jod-1-dichlormethyl-silyl-butan*	58	3
$H_2C=CH-SiCl_3$	F_3C-J d	*3,3,3-Trifluor-1-jod-1-trichlorsilyl-propan*	35	3
	$F_2ClC-CFCl-J$ d	*3,4,4-Trifluor-3,4-dichlor-1-jod-1-trichlorsilyl-butan*	26	3
$H_2C=CH-(CH_2)_5-CH_3$	Cl_3C-Br a	*1,1,1-Trichlor-3-brom-nonan*	88	2
	Br_3C-Br a	*1,1,1,3-Tetrabrom-nonan*	88	4
$H-C≡C-H$	$\begin{array}{c}F_3C-CF-J\\\|\\CF_3\end{array}$ c	*3,4,4,4-Trifluor-1-jod-3-trifluormethyl-buten-(1)*	85	5
$HC≡C-Si(CH_3)_3$	$Cl_2BrC-Br$ d	*3,3-Dichlor-1,3-dibrom-1-trimethylsilyl-propen*	61	6
	$(H_3C)_3Si-CBr=CH-CCl_2-Br$ d	*3,3-Dichlor-1,5-dibrom-1,5-bis-[trimethylsilyl]-pentadien-(1,4)*	58	6
$\begin{array}{c}HC≡C-Si(CH_3)_2\\\|\\C_2H_5\end{array}$	Cl_3C-Br d	*3,3,3-Trichlor-1-brom-1-(dimethyl-äthyl-silyl)-propen*	79	6

a Hanovia S-250-Lampe, ohne Filter.
b Glaswendel für Neon-Lampen gefüllt mit Hg-Dampf.
c 100 W Hg-Hochdruck-Lampe, Carius Gefäße.
d Keine Angabe.

1 R. N. Haszeldine, Soc. **1953**, 3559.
2 M. S. Kharasch, O. Reinmuth u. W. Urry, Am. Soc. **69**, 1105 (1947).
3 A. M. Geyer et al., Soc. **1957**, 4472.
4 M. S. Kharasch, E. V. Jensen u. W. H. Urry, Am. Soc. **68**, 154 (1946); **69**, 1100 (1947), Vgl.: D. Elad, Org. Photochem. **2**, 178 (1969).
5 W. R. Cullen u. M. C. Waldmann, Canad. J. Chem. **47**, 3092 (1969).
6 M. F. Shostakovskii, N. V. Komarov u. O. G. Yarosh, Izv. Acad. SSSR **1969**, 2058; engl.: 1913; C. A. **72**, 12806^8 (1970).

Tab. 89 (1. Fortsetzung)

Olefin oder Acetylen	Polyhalogenalkan	Produkt	Ausbeute [% d.Th.]	Literatur
HC≡C−Si(CH₃)₂ C₆H₅	Cl₃C−Br ᵃ	*3,3,3-Trichlor-1-brom-1-(dimethyl-phenyl-silyl)-propen*	34	1
(HC≡C)₂Si(CH₃)₂	Cl₃C−Br ᵃ	*Dimethyl-[3,3,3-trichlor-1-brom-propen-(1)-yl]-äthinyl-silicium*	46	1

ᵃ Keine Angabe.

3,3,3-Trifluor-1-jod-1-trimethylsilyl-propan[2]: 75 mMol Trimethylsilyl-äthylen und 67 mMol Trifluor-jod-methan werden in ein 200 *ml* fassendes Quarz-Rohr eingeschmolzen und unter ständigem Schütteln 102 Stdn. mit einer UV-Lampe bestrahlt. Die destillative Aufarbeitung ergibt 12% nicht umgesetztes Olefin, eine Spur Trifluor-jod-methan und das Propan-Derivat; Ausbeute: 79% d.Th.; Kp₂₀: 72°.

Analog erhält man aus 55 mMol Trichlorsilyl-äthylen und 53 mMol Trichlor-brom-methan nach 90stdgr. Belichtung *3,3,3-Trichlor-1-brom-1-trichlorsilyl-propan* (79% d.Th.; Kp₃₅: 145°).

3,3,3-Trichlor-1-brom-1-trimethylsilyl-propen[3]: In eine Ampulle aus Pyrex-Glas werden 1,96 g (0,02 Mol) Trimethylsilyl-acetylen und 3,96 g (0,02 Mol) Trichlor-brom-methan eingeschmolzen und 12 Stdn. mit einer Quarz-Lampe bestrahlt. Die Aufarbeitung erfolgt destillativ; Ausbeute: 4,1 g (68% d.Th.); Kp₁₀: 102–103°; n_D^{20}: 1,5164; d_4^{20}: 1,4478.

Polyhalogen-jod-Verbindungen werden bei der Bestrahlung reduziert; so erhält man z. B. aus Trifluor-jod-methan in Gegenwart von Äthanol *Trifluor-methan* (93% d.Th.)[4]:

$$F_3C-J \xrightarrow{h\nu} F_3C\cdot \ + \ J\cdot \xrightarrow[-HgJ]{C_2H_5OH/Hg} F_3C-H \ + \ H_3C-\overset{\bullet}{C}H-OH$$

$$2 \ H_3C-\overset{\bullet}{C}H-OH \longrightarrow H_3C-CH_2-OH \ + \ H_3C-CHO$$

Die auftretenden Jod-Radikale können durch Quecksilber abgefangen werden.

Trifluor-methan[4]: 1 *ml* Quecksilber, 2,0 g Trifluor-jod-methan und 20 *ml* Äthanol werden in einem geschlossenen Pyrex-Gefäß 3 Tage bei Raumtemp. mit einer Hanovia S 250 Lampe unter heftigem Schütteln belichtet. Dabei fällt Quecksilberjodid aus und die Lösung färbt sich bräunlich. Die Aufarbeitung erfolgt destillativ; Ausbeute: 0,08 g (93% d.Th.).

Mit hohen Ausbeuten verläuft auch die Reduktion der Polyhalogen-alkane in Tetrahydrofuran. So entsteht bei der Belichtung von 1,1,1,3-Tetrabrom-nonan *1,1,3-Tribrom-nonan*(69% d.Th.), während 1,1,1,3-Tetrachlor-octan unter gleichen Bedingungen *1,1,3-Trichlor-octan* (78% d.Th.) ergibt[5]. Die Bestrahlung bicyclischer Systeme wie z. B. *exo*-2-Jod-bicyclo[2.2.1]heptan in Methanol liefert *Bicyclo[2.2.1]hepten* (77%) und *Bicyclo[2.2.1]heptan* (13%), während *exo*-2-Brom-bicyclo[2.2.1]heptan in 92%iger Ausbeute lediglich *Bicyclo[2.2.1]heptan* ergibt[6]. Die größere Selektivität der Bromalkan-Photolyse wird auf

[1] M. F. Shostakovskii, N. V. Komarov u. O. G. Yarosh, Izv. Acad. SSSR **1969**, 2058; engl.: 1913; C. A. **72**, 12806³ (1970).

[2] A. M. Geyer et al., Soc. **1957**, 4472.

[3] USSR. P. 182721 (1965), N. V. Komarov u. O. G. Yarosh; C. A. **66**, 11041ᵈ (1967).

[4] J. Banus, H. J. Eméléus u. R. N. Haszeldine, Soc. **1950**, 3041.

[5] N. Mitsuo, T. Kunieda u. T. Takizawa, J. Org. Chem. **38**, 2255 (1973).

[6] P. J. Kropp, T. H. Jones u. G. S. Poindexter, Am. Soc. **95**, 5420 (1973).

einen radikalischen Bindungsbruch zurückgeführt. Bei der Photolyse des Jodalkans sollen – wie Versuche an Jodlactonen[1] zeigen – ionische Zwischenstufen auftreten.

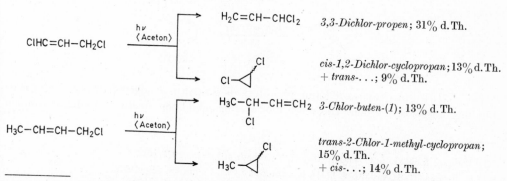

Auch anorganische Substanzen können bei der Photolyse von Alkyl-halogeniden zum Abfangen der gebildeten Alkyl-Radikale eingesetzt werden. So ergibt 3,3,3-Trifluor-1-jod-propan (VI) in Gegenwart von Chlor *3,3,3-Trifluor-1-chlor-propan* (VII; 16% d. Th.) neben *3,3,3-Trifluor-1-chlor-1-jod-propan* (VIII; 43% d. Th.)[2].

$$F_3C-CH_2-CH_2-J \xrightarrow{h\nu} F_3C-CH_2-\overset{\bullet}{C}H_2 + J\bullet \xrightarrow[-JCl]{Cl_2} F_3C-CH_2-CH_2-Cl + F_3C-CH_2-\underset{\underset{J}{|}}{CH}-Cl$$

VI   VII   VIII

Aus 2,2,2-Trifluor-1,1-dichlor-äthan wird in Anwesenheit von Chlor und Sauerstoff *Trifluor-acetylchlorid* (90% d. Th.)[3], aus Trifluor-jod-methan und Stickstoffoxid *Trifluor-nitroso-methan* (75% d. Th.)[4] gebildet.

Fluor-nitroso-alkane[4]: 0,01–0,02 Mol Trifluor-jod-methan werden in 100 *ml* Quarzröhren mit 20-30 *ml* Quecksilber und 0,02–0,04 Mol Stickstoffoxid eingeschmolzen. Unter heftigem Schütteln wird im Abstand von 5–10 cm mit einer Hanovia S 250Lampe belichtet. Nach 6–7 Stdn. tritt eine blaue Farbe auf. Nach 3–7 tägiger Bestrahlung wird i. Vak. fraktioniert, mit wäßrigem Alkali geschüttelt und ein weiteres Mal i. Vak. fraktioniert. Ausbeute an tiefblauen Fluor-nitroso-alkanen:

        Trifluor-nitroso-methan; 75% d. Th.; Kp: –84°.

        Pentafluor-nitroso-äthan; 80% d. Th.; Kp: –42°.

        Heptafluor-1-nitroso-propan; 83% d. Th.; Kp: –12°.

Während die direkte Belichtung von Alkylchloriden und -jodiden wenig übersichtlich verläuft, so entstehen auch bei der Photolyse von Allylchlorid bis zu 18 Reaktionsprodukte[5]. Die sensibilisierte Bestrahlung stellt dagegen eine saubere Reaktion dar. Allylchlorid liefert mit Butanon als Sensibilisator in einer eleganten Reaktion *Chlor-cyclopropan* (17% d. Th.)[6]. Diese Methode ist von präparativem Interesse zur Synthese von Cyclopropanen, da sie die Umkehr der thermischen Reaktion darstellt.

ClHC=CH–CH₂Cl

$\xrightarrow[\langle Aceton\rangle]{h\nu}$

H₂C=CH–CHCl₂   *3,3-Dichlor-propen*; 31% d. Th.

cis-1,2-Dichlor-cyclopropan; 13% d. Th. + *trans*-...; 9% d. Th.

H₃C–CH=CH–CH₂Cl

$\xrightarrow[\langle Aceton\rangle]{h\nu}$

H₃C–CH–CH=CH₂   *3-Chlor-buten-(1)*; 13% d. Th.
       |
      Cl

trans-2-Chlor-1-methyl-cyclopropan; 15% d. Th. + *cis*-...; 14% d. Th.

[1] P. J. KROPP, T. H. JONES u. G. S. POINDEXTER, Am. Soc. **95**, 5420 (1973).

[2] R. N. HASZELDINE, Soc. **1951**, 2495.

[3] R. N. HASZELDINE u. F. NYMAN, Soc. **1959**, 387.

[4] R. N. HASZELDINE, Soc. **1953**, 2075, 3559.

[5] R. W. WEST u. D. H. VOLMAN, Am. Soc. **91**, 3418 (1969).

[6] S. J. CRISTOL, G. A. LEE u. A. L. NOREEN, Am. Soc. **95**, 7067 (1973).

   S. J. CRISTOL u. G. A. LEE, Am. Soc. **91**, 7554 (1969).

Die Reaktion soll dabei – wie mechanistische Studien zeigen – über ein Triplett-Diradikal verlaufen. Ein charge-transfer-Komplex wurde jedoch nicht ausgeschlossen.

Eine ähnliche Halogen-Verschiebung jedoch ohne Cyclopropan-Bildung wurde in verwandten Systemen beobachtet[1].

Allylständiges Chlor wird in aromatischen Verbindungen ebenfalls leicht abgespalten. So liefert die Photolyse des Pesticids DDT in Äthanol oder Cyclohexan bei 310 nm ausschließlich DDD (*2,2-Dichlor-1,1-bis-[4-chlor-phenyl]-äthan*). Mit 254 nm UV-Licht werden jedoch bis zu 17 Photoprodukte gebildet[2]. Analoge Ergebnisse wurden für Dimethoxy-DDT erhalten[3].

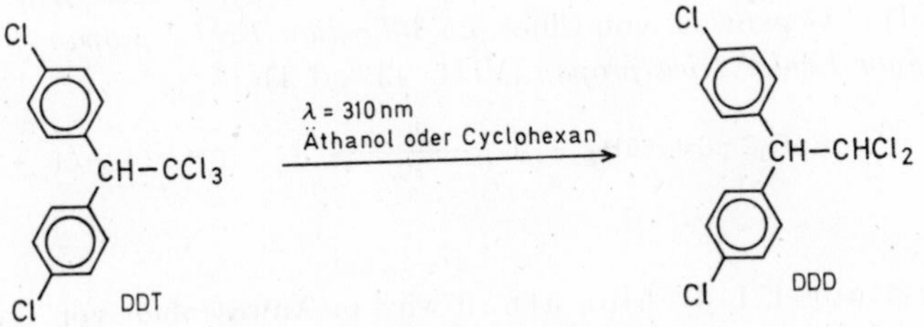

9-Aryl-substituiertes 9-Halogen-fluoren, wie z. B. 9-Chlor-9-phenyl-fluoren, wird in benzolischer Lösung bereits durch Sonnenlicht gespalten und setzt sich mit 9-Phenyl-fluoren zu *9,9'-Diphenyl-bi-fluorenyl-(9)* (100% d.Th.) um[4]:

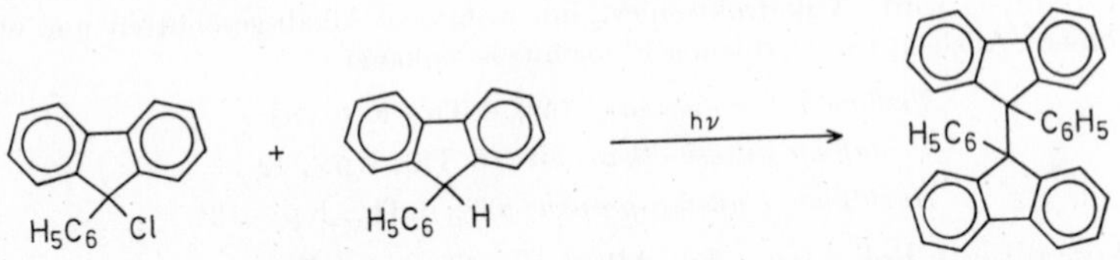

Einem völlig anderen Reaktionstyp unterliegt 5-Hydroxy-1-trifluormethyl-naphthalin in 0,1 n Natronlauge unter Stickstoff bei Einwirkung von $\lambda = 365$ nm. Es wird quantitativ in *5-Hydroxy-1-carboxy-naphthalin* überführt[5]. Weitere Beispiele s. Org. Lit..

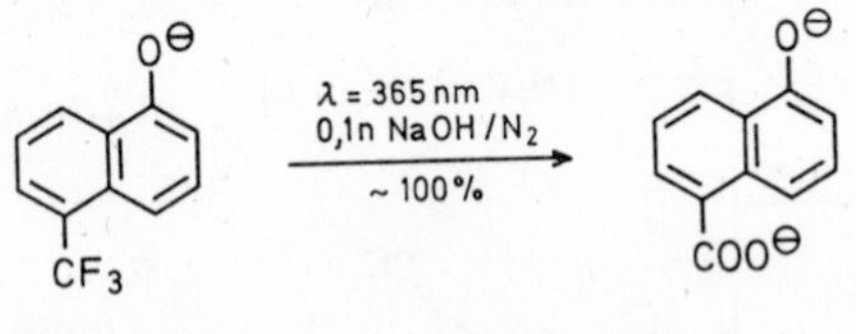

Bei α-Halogen-ketonen kann photolytisch α-Spaltung oder Spaltung der C–Hal-Bindung ausgelöst werden. Die aus Chlor-aceton gebildeten Acetonyl-Radikale können

[1] E. MICHEL, J. RAFFI u. C. TROYANOWSKI, Tetrahedron Letters **1973**, 825.

[2] L. L. MILLER, R. S. NARANG u. G. D. NORDBLOM, J.Org. Chem. **38**, 340 (1973).
J. R. PLIMMER, U. I. KLINGEBIEL u. B. E. HUMMER, Science **167**, 67 (1970).

[3] H. J. LIU, P. J. SILK u. I. UNGER, Canad. J. Chem. **50**, 55 (1972).
Vgl. a.: J. J. DANNENBERG u. K. DILL, Tetrahedron Letters **1972**, 1571.

[4] W. SCHLENK u. A. HERZENSTEIN, B. **43**, 3541 (1910).
J. SCHMIDLIN u. A. GARCIA-BANUS, B. **45**, 1344 (1912),
Vgl. a. W. KOCH, T. SAITO u. Z. YOSHIDA, Tetrahedron **28**, 3191 (1972).

[5] P. SEILER u. J. WIRZ, Tetrahedron Letters **1971**, 1683.

z. B. entweder dimerisieren oder sich durch Wasserstoff-Abstraktion stabilisieren[1]:

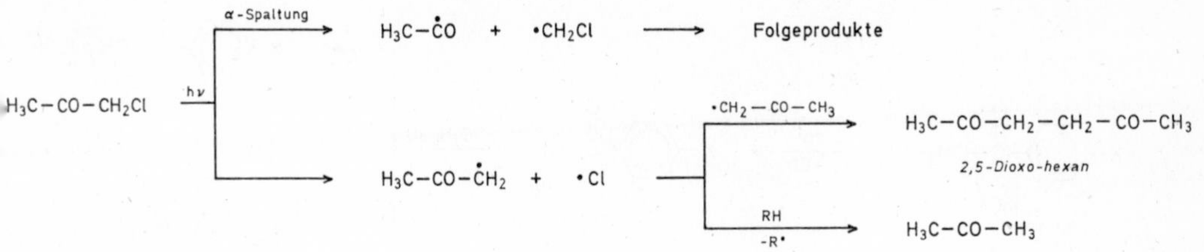

Über Photoreaktionen von β-Halogen-ketonen mit Alkoholen, die je nach Ausgangsverbindung an der Carbonyl-Gruppe und/oder an der C–Hal-Bindung ansetzen, s. Lit.[2].

Eine reduktive Substitution eines Broms findet bei der Photolyse von 11a-Brom-6-demethyl-6-deoxy-tetracyclin (IX; 11a-Brom-4-dimethylamino-3,9,12a-trihydroxy-1,11,12-trioxo-2-aminocarbonyl-1,4,4a,5,5a,6,11,11a,12,12a-decahydro-naphthacen) in protischen Lösungsmitteln statt, wobei *4-Dimethylamino-3,10,11,12a-tetrahydroxy-1,12-dioxo-2-aminocarbonyl-1,4,4a,5,12,12a-hexahydro-naphthacen* (XI; 10% d.Th.) und über ein intermediär auftretendes Methylhypobromit *7-Brom-4-dimethylamino-3,10,12a-trihydroxy-1,11,12-trioxo-2-aminocarbonyl-1,4,4a,5,5a,6,11,11a,12,12a-decahydro-naphthacen* (X; 90% d. Th.)[3] gebildet werden:

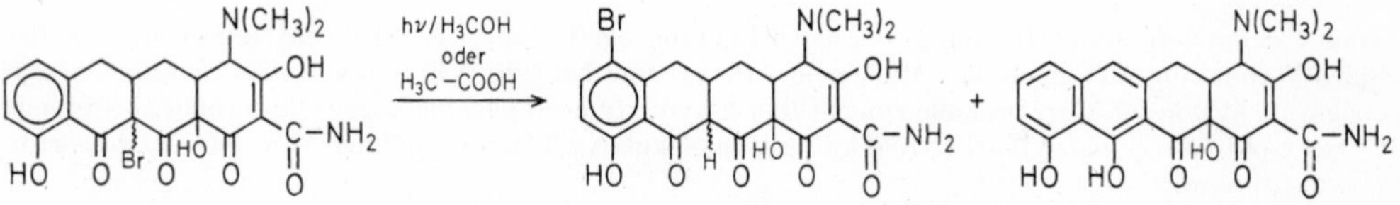

7-Brom-6-demethyl-6-deoxy-tetracyclin (X)[3]: Eine Lösung von 100 mg 11a-Brom-6-demethyl-6-deoxy-tetracyclin in 50 *ml* Methanol werden mit einer Hanovia 30600 Lampe in einer doppelwandigen Tauchapparatur 4 Stdn. belichtet. Dann wird i. Vak. zur Trockene eingedampft. Durch Verteilungschromatographie an einer Säule (s. Org.-Lit.) wird neben dem dehydrohalogenierten Tetracyclin XI (10 mg, 10% d.Th.) das Hauptprodukt isoliert; Ausbeute: 71 mg (90% d.Th.); α_D^{25}: $-97°$; R_f 0,82.

Eine ähnliche reduktive Chlor-Substitution tritt bei Trichloressigsäure-vinylestern auf[4].

ω-Chlor-acetophenone gehen neben reduktiver Chlor-Substitution eine interessante Umlagerung ein. Aus ω-Chlor-4-methoxy-acetophenon (XII) erhält man bei der

[1] A. N. STRACHAN u. F. E. BLACET, Am. Soc. **77**, 5254 (1955).
   Vgl. a.: M. K. M. DIRANIA, Chem. & Ind. **1973**, 187.

[2] J. KAN MOGTO u. J. KOSSANYI, A. ch. 14. Série **5**, 481 (1970).

[3] J. J. HLAVKA u. H. M. KRAZINSKI, J. Org. Chem. **28**, 1422 (1963).

[4] J. LIBMAN, M. SPRECHER u. Y. MAZUR, Am. Soc. **91**, 2062 (1969).

Belichtung (Hg-Hochdruck-Lampe) in alkoholischer Lösung *4-Methoxy-acetophenon* (XIII; 30% d.Th.) und *4-Methoxy-phenyl-essigsäure-äthylester*[1] (XV; 32% d.Th.):

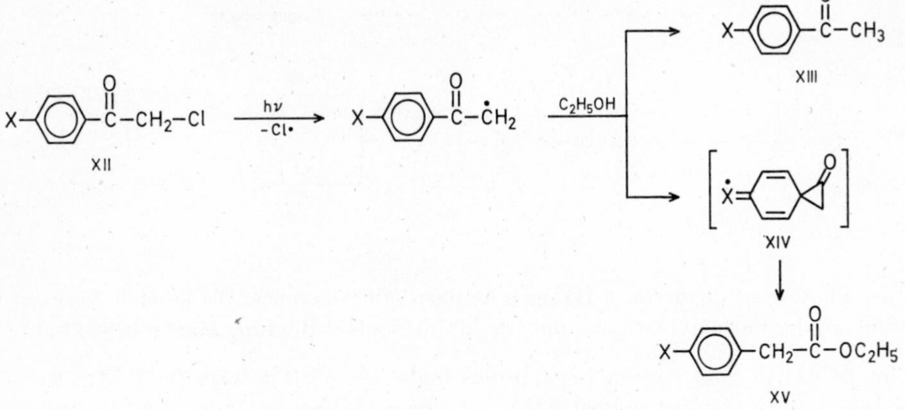

X	Substitutions-produkt XIII [% d.Th.]	Umlagerungs-produkt XV [% d.Th.]
H	53	–
Cl	45	–
OH	26	32
OCH₃	30	32

Zunächst entsteht unter Homolyse der C–Cl-Bindung ein Phenacyl-Radikal, das intermediär zu der Spiro-Verbindung XIV cyclisiert. Mit einem Äthoxyl-Radikal geht XIV unter Ringöffnung in Phenyl-essigsäure-äthylester über. Im Falle von ω-Chlor-2-hydroxy-acetophenon reagiert das primär auftretende 2-Oxo-2-(4-hydroxy-phenyl)-äthyl-Radikal intramolekular ab unter Bildung von *3-Oxo-2,3-dihydro-⟨benzo-[b]-furan⟩*.

10-Brom-9-oxo-9,10-dihydro-anthracen kann mit $\lambda = 390$–420 nm in 1,4-Dioxan unter Stickstoff in *10,10′-Dioxo-9,9′,10,10′-tetrahydro-bi-anthryl-(9)* überführt werden. Die entsprechende 10,10-Dibrom-Verbindung wird ebenfalls dimerisiert, unter weiterer Halogen-Abspaltung erfolgt dann Cyclisierung zu *7,14-Dioxo-7,14-dihydro-⟨phenanthro-[1,10,9,8-f,g,h,i,j]-perylen⟩*[2]:

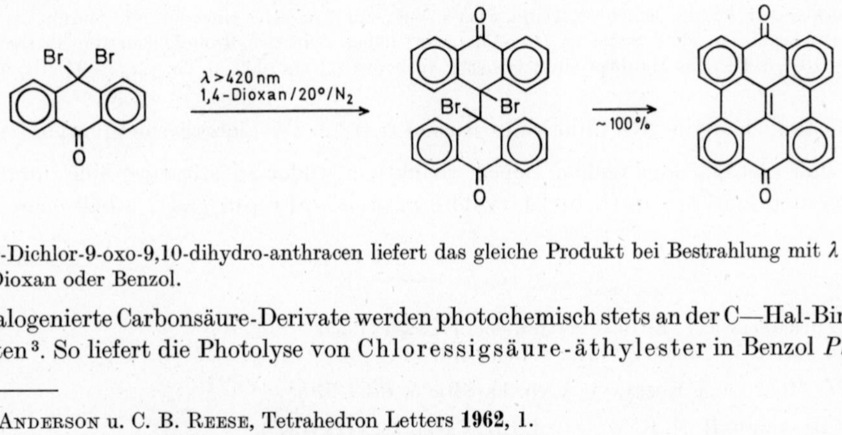

10,10-Dichlor-9-oxo-9,10-dihydro-anthracen liefert das gleiche Produkt bei Bestrahlung mit $\lambda > 390$ in 1,4-Dioxan oder Benzol.

α-Halogenierte Carbonsäure-Derivate werden photochemisch stets an der C—Hal-Bindung gespalten[3]. So liefert die Photolyse von Chloressigsäure-äthylester in Benzol *Phenyl-*

[1] J. C. Anderson u. C. B. Reese, Tetrahedron Letters 1962, 1.
[2] W. Koch, T. Saito u. Z. Yoshida, Tetrahedron 28, 3191 (1972).
[3] P. H. Kasai u. D. McLeod Jr., Am. Soc. 94, 7975 (1972).

essigsäure-äthylester und *Bernsteinsäure-diäthylester* (je 2% d.Th.). In Gegenwart von Antimon(V)-chlorid wird in sauberer Reaktion als einziges Produkt Phenylessigsäure-äthylester (25% d.Th.) erhalten[1]:

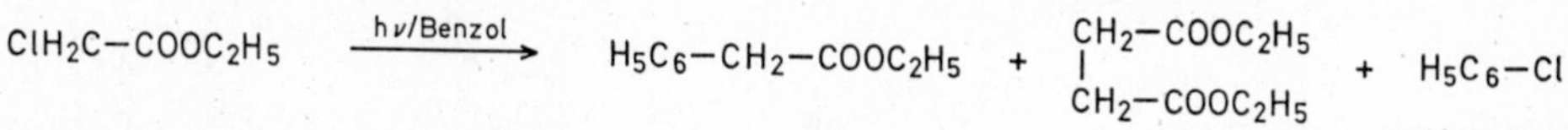

Während die direkte Photolyse über Radikale verläuft, wird bei der in Gegenwart von Lewis-Säuren ausgeführten Reaktion ein Exiplex zwischen Halogenacetat und der Lewis-Säure diskutiert.

Chloressigsäure-amid kann bei Bestrahlung Phenol oder Methoxy-benzol in der ortho-Stellung substituieren[2]:

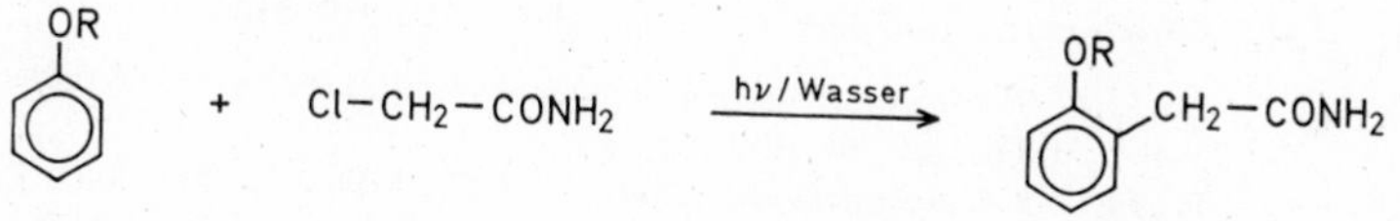

R = H   *2-Hydroxy-phenyl-essigsäure-amid*
R = CH₃ *2-Methoxy-...*

Die entsprechende intramolekulare Reaktion aromatischer Chloracetyl-amino-Derivate führt zu sieben- oder auch achtgliedrigen Lactamen; hier wurden besonders Derivate einiger pharmakodynamisch wirkender Amine untersucht:

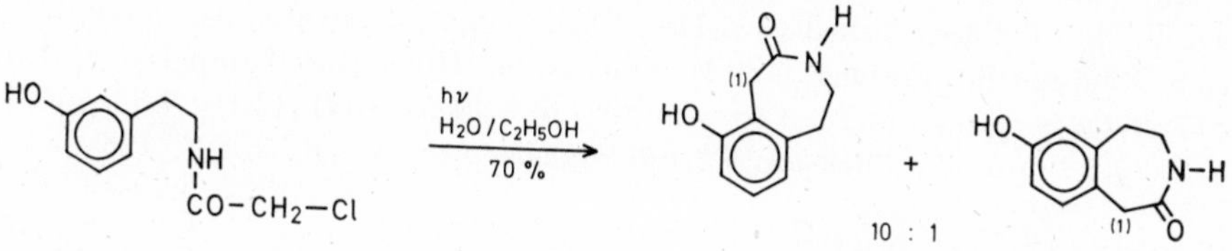

10 : 1

*9-Hydroxy- und 7-Hydroxy-
2-oxo-2,3,4,5-tetrahydro-1H-
⟨3-benzazepin⟩*[3]

Auch an folgendem 2-Aza-bicyclo[3.3.1]nonan-Derivat laufen in wäßriger Lösung analoge Cyclisierungen ab (200 W Quecksilber-Hochdruck-Lampe; Vycor-Filter)[4]:

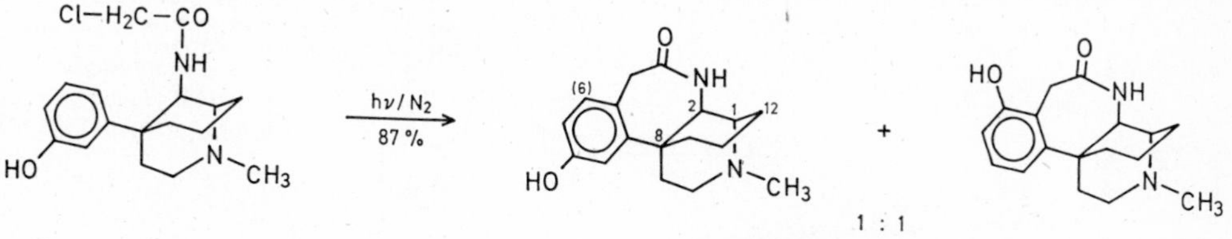

1 : 1

*8-Hydroxy- und 6-Hydroxy-
4-oxo-13-methyl-⟨benzo-
3,11-diaza-tricyclo
[6.3.3.0²,⁸]tetradecen-(6)⟩*

---

[1] Y. OGATA, T. ITOH u. Y. IZAWA, Bl. chem. Soc. Japan **42**, 794 (1969).
  Y. IZAWA, T. ISHIHARA u. Y. OGATA, Tetrahedron **28**, 211 (1972).
[2] O. YONEMITSU u. S. NARUTO, Chem. Pharm. Bull. (Tokyo) **19**, 1158 (1971).
[3] O. YONEMITSU et al., Am. Soc. **90**, 776 (1968).
  Y. O. KUNO, M. KAWAMORI u. O. YONEMITSU, Tetrahedron Letters **1973**, 3009.
  Photolysen von 3-Methoxy- bzw. 3,5-Dimethoxy-1-(2-chloracetylamino-äthyl)benzol s.: Y. OKUNO, K. HEMMI u. O. YONEMITSU, Chem. Pharm. Bull. (Tokyo) **20**, 1164 (1972).
  Photolysen von N-Chloracetyl-mescalin s.: S. NARUTO, K. HEMMI u. B. WITKOP, Photochem. and Photobiol. **15**, 509 (1972).
[4] H. H. OIGN u. E. L. MAY, J. Org. Chem. **37**, 712 (1972).

Bei 4-Hydroxy-1-(2-chloracetylamino-äthyl)-benzolen bilden sich neben siebengliedrigen Lactamen auch achtgliedrige, die allerdings als 5-Oxo-cyclohexadien-(1,3)-Derivate sofort zu Käfig-Verbindungen dimerisieren[1]:

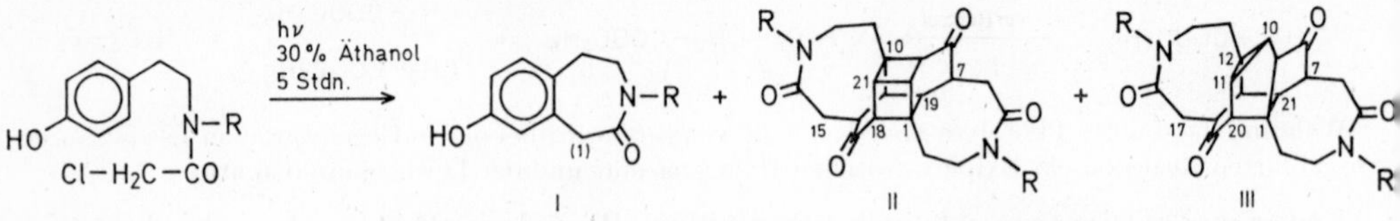

Ia; R = H   *8-Hydroxy-2-oxo-2,3,4,5-tetrahydro-1H-⟨3-benzazepin⟩*; 5% d.Th.; F: 201–203°
Ib; R = CH$_3$ *8-Hydroxy-2-oxo-3-methyl-...*; 2% d.Th.; F: 206–209°
Ic; R = CH$_2$-C$_6$H$_5$ *8-Hydroxy-2-oxo-3-benzyl-...*; 2% d.Th.; F: 213–215°

IIa; R = H   *5,8,14,17-Tetraoxo-4,13-diaza-heptacyclo[8.8.2.2.0^{7,19}.0^{9,22}.0^{16,20}.0^{18,21}]docosan*; 40% d.Th.; F: 308–309° (Zers.)
IIb; R = CH$_3$ *5,8,14,17-Tetraoxo-4,13-dimethyl-...*; 10% d.Th.; F: 300–305° (Zers.)
IIc; R = CH$_2$-C$_6$H$_5$ *5,8,14,17-Tetraoxo-4,13-dibenzyl-...*; 7% d.Th.; F: 273–275° (Zers.)

IIIa; R = H   *5,8,16,19-Tetraoxo-4,15-diaza-heptacyclo[10.8.2.0^{1,9}.0^{7,21}.0^{10,12}.0^{11,20}.0^{18,22}]docosan*; 12% d.Th.; F: >314°
IIIb; R = CH$_3$ *5,8,16,19-Tetraoxo-4,15-dimethyl-...*; 1% d.Th.; F: >300°
IIIc; R = CH$_2$-C$_6$H$_5$ *5,8,16,19-Tetraoxo-4,15-dibenzyl-...*; 2,5% d.Th.; F: 287–289°

Interessant sind auch die Photoprodukte von 2,5-Dimethoxy-1-(2-chloracetylamino-äthyl)-benzol. Neben 2,3,4,5-Tetrahydro-1H-⟨3-benzazepin⟩-Derivaten (zus. ~ 10% d.Th.) fallen nach 1,5stdg. Bestrahlung (100 W Quecksilber-Hochdruck-Lampe) in 20%igem Äthanol *11-Methoxy-6,10-dioxo-1-aza-tricyclo[6.2.1.0^{4,11}]undecen-(4)* (12,4% d.Th.; F: 113°) und *4-Methoxy-2,7-dioxo-1-aza-tricyclo[6.2.1.0^{4,11}]undecen-(5)* (3% d.Th.; F: 126°) an[2]:

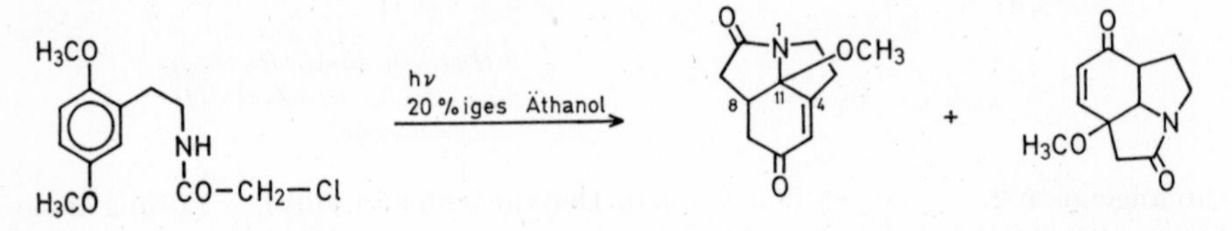

Bei kondensierten Aromaten erfolgt der radikalische Angriff am unsubstituierten Ring:

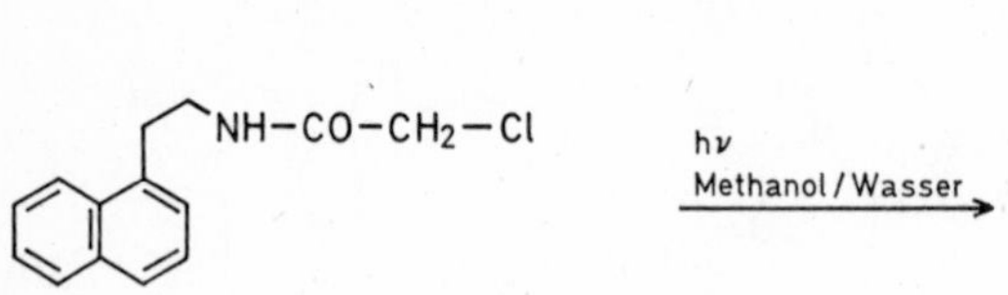

8-(2-Amino-äthyl)-naphthyl-(1)-essigsäure-lactam; 47% d.Th.[3]

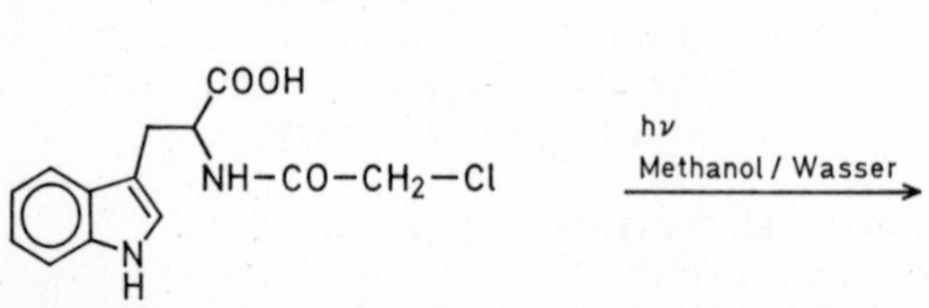

4-Carboxymethyl-tryptophan-lactam; 40% d.Th.[4]

[1] T. IWAKUMA et al., Am. Soc. **96**, 2564 (1974).
   Mechanistische Studien:
     T. IWAKUMA et al., Ang. Chem. **85**, 84 (1973).
     T. IWAKUMA, K. HIRAO u. O. YONEMITSU, Am. Soc. **96**, 2570 (1974).
[2] Y. OKUNO, M. KOWAMORI u. O. YONEMITSU, Tetrahedron Letters **1973**, 3009.
[3] O. YONEMITSU, P. CERUTTI u. B. WITKOP, Am. Soc. **88**, 3941 (1966).
[4] C. M. FOLTZ, J. Org. Chem. **36**, 24 (1971).

Achtgliedrige Lactame entstehen bei Bestrahlung von 3-Chloracetylamino-propyl-Aromaten, z. B.:

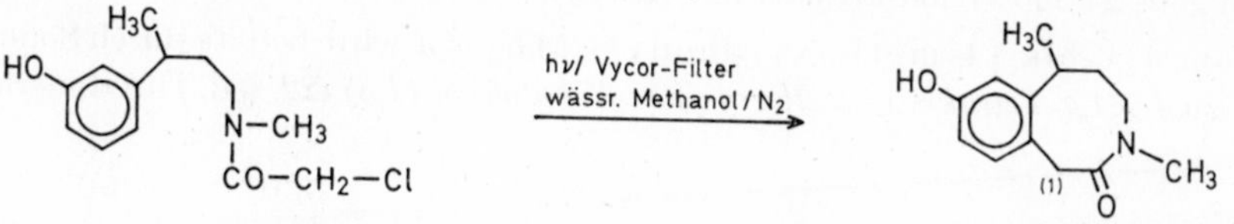

8-Hydroxy-2-oxo-3,6-dimethyl-1,2,3,4,5,6-hexahydro-⟨3-benzazocin⟩; 30% d. Th.[1]

Eine para-ständige Hydroxy-Gruppe führt auch hier zu einer Käfig-Verbindung; z. B. entstehen aus V *9-Hydroxy-2-oxo-1,2,3,4,5,6-hexahydro-⟨3-benzazocin⟩* (F: 255–257°, Zers.) und *6,9,16,19-Tetraoxo-5,15-diaza-heptacyclo[9.9.2.2.0^{8,21}.0^{10,24}.0^{18,22}.0^{20,23}]tetracosan* (F: 292–294°, Zers.) in 2,5 bzw. 3%iger Ausbeute[2]:

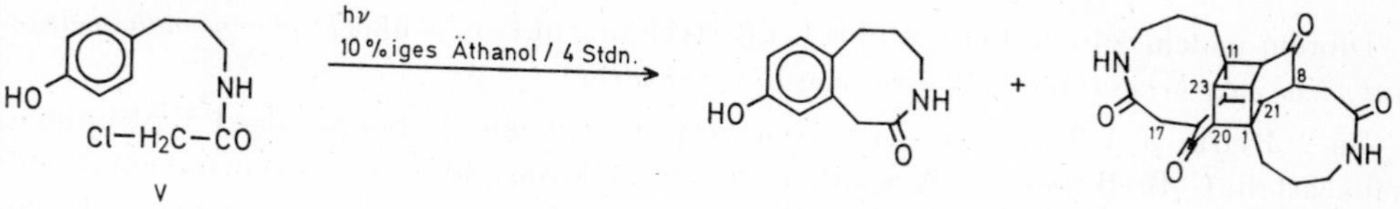

2. Vinyl-halogenide

bearbeitet von

Prof. Dr. HEINZ DÜRR*

Vinyl-halogenide ergeben bei der Bestrahlung Vinyl- und Halogen-Radikale, die sich an Lösungsmittel oder Olefine radikalisch addieren können. Vinyljodid liefert bei Belichtung in Tetrachlormethan *Äthylen, Acetylen* und *Vinyl-chlorid* neben Jod und Jodwasserstoff[3]:

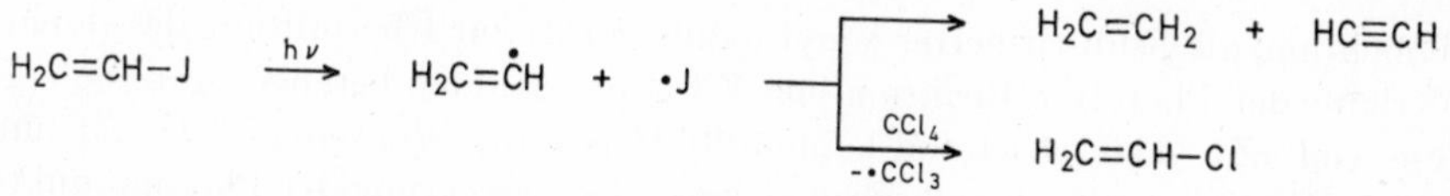

Das primär entstehende Radikalpaar ergibt in einer Disproportionierungsreaktion Acetylen und Äthylen, während das Vinylchlorid[4] durch Abstraktion eines Chlor-Atoms aus dem Solvens entsteht. Ähnlich zerfällt auch *cis*-Dichlor-äthylen bei der Photolyse.

Trifluor-jod-äthylen liefert bei der Photolyse (Pyrex-Filter) in Gegenwart von Äthylen *1,1,2-Trifluor-4-jod-buten-(1)* (67% d. Th.)[5]:

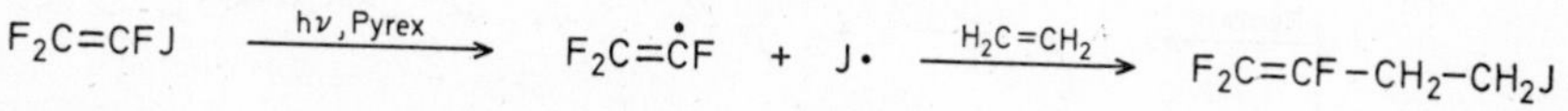

---

* **Fachbereich Organische Chemie der Universität Saarbrücken.**
[1] H. H. ONG u. E. L. MAY, J. Org. Chem. **38**, 924 (1973).
[2] T. IWAKUMA et al.. Am. Soc. **96**, 2564 (1974).
Mechanistische Studien:
    T. IWAKUMA et al., Ang. Chem. **85**, 84 (1973).
    T. IWAKUMA, K. HIRAO u. O. YONEMITSU, Am. Soc. **96**, 2570 (1974).
[3] P. C. ROBERGE u. J. A. HENNAN, Canad. J. Chem. **42**, 2262 (1964); **45**, 1361 (1967).
Vgl. a.: S. YAMASHITA, S. NOGUCHI u. T. HAYAKAWA, Bl. chem. Soc. Japan **45**, 659 (1972).
[4] M. H. WYNEN, Am. Soc. **83**, 4109 (1969).
[5] J. D. PARK, R. J. SEFFL u. J. R. LACHER, Am. Soc. **78**, 59 (1956).

An eine Reihe weiterer Olefine wie Fluor-äthylen, 1,1-Difluor-äthylen und 1,1,2-Trifluor-äthylen wird Trifluor-jod-äthylen ebenfalls glatt addiert[1]. Eine analoge Addition geht 2-Fluor-1-jod-äthylen mit Äthylen ein[2].

2-Brom-1,1-bis-[4-methoxy-phenyl]-äthylen wird bereits durch Sonnenlicht in Eisessig zu *1,1,4,4-Tetrakis-[4-methoxy-phenyl]-butadien-(1,3)* (22% d.Th.) dimerisiert[3]:

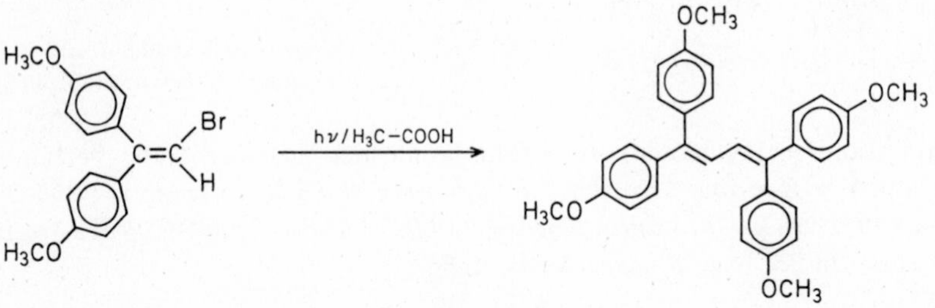

Dibrom-maleinsäure-anhydrid führt bei Bestrahlung in Benzol über *Diphenyl-maleinsäure-anhydrid* zu *Phenanthren-9,10-dicarbonsäure-anhydrid*[4].

Im 2-Brom-3,3,3-trichlor-propen wird photochemisch (Sonne oder UV-Strahlung) zunächst die C–Br-Bindung aufgespalten. Das Brom-Atom addiert sich an ein unverändertes Propen-Molekül; es erfolgt eine Chlor-Wanderung und durch die Abspaltung eines Brom-Atoms bildet sich *1,1,2-Trichlor-3-brom-propen*[5] (100% d.Th.):

1,1,2-Trifluor-4-jod-buten-(1)[1]: 21 g (0,10 Mol) Trifluor-jod-äthylen und 4,2 g (0,15 Mol) Äthylen werden in einem 5 l Pyrex-Kolben mit einer Hanovia EH4 Hg-Lampe 7 Tage lang belichtet. Das Reaktionsgemisch färbt sich braun, das Produkt wird durch Destillation an einer Metroware-Kolonne isoliert; Ausbeute: 16,2 g (67% d.Th.); Kp$_{760}$: 112°.

Die Belichtung alkylsubstituierter Vinyl-jodide wurde zur Überprüfung des stereochemischen Verlaufs der Photolyse-Reaktion von Vinyl-halogeniden herangezogen. So ergibt die Photolyse von (Z)- oder (E)-4-Jod-hepten-(3) *Heptin-(3)*, *Heptadien-(3,4)*, (E)- und (Z)-*Hepten-(3)*[6]. Hierbei ist jedoch außerdem *cis-trans*-Isomerisierung der Photoprodukte möglich, was die beobachtete Retention bei dieser Reaktion etwas problematisch macht. Bei der Belichtung von *cis*- bzw. *trans*-1-Jod-propen wurden jedoch keine Unterschiede im Produktverhältnis der Photoprodukte gefunden[7].

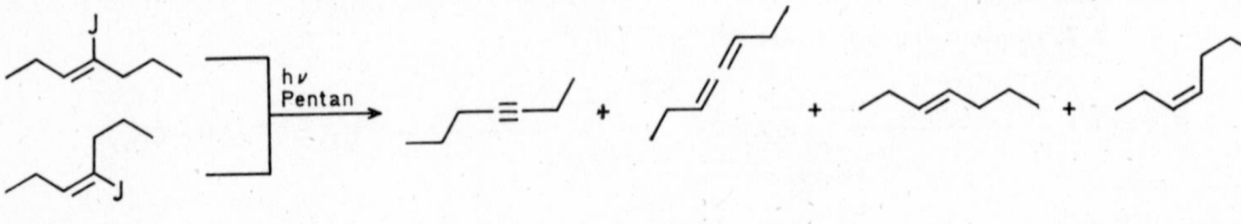

[1] J. D. Park, R. J. Seffl u. J. R. Lacher, Am. Soc. **78**, 59 (1956).
[2] H. G. Viehe, B. **97**, 598 (1964).
[3] W. Tadros, A. B. Sakla u. Y. Akhookh, Soc. **1956**, 2701.
[4] T. Matsuo, Y. Tanone u. T. Matsunaga, Chem. Lett. **1972**, 709.
[5] A. N. Nesmeyanov, R. K. Freidlina u. V. N. Kost, Tetrahedron **1**, 241 (1957).
    Vgl. auch A. N. Nesmeyanov et al., Tetrahedron **16**, 94 (1961).
[6] R. C. Neuman Jr. u. G. D. Holmes, J. Org. Chem. **33**, 4317 (1968).
    Vgl. a.: N. Wada, K. Tokomaru u. O. Simamura, Bl. chem. Soc. Japan **44**, 1112 (1971).
[7] R. C. Neuman Jr., J. Org. Chem. **31**, 1852 (1966).

Im Zusammenhang mit ökologischen Studien wurden polyhalogenierte Insektizide untersucht, die sich von Vinyl-halogeniden ableiten. Da diese Insektizide licht- und luftempfindlich sind, hat das Studium ihres photochemischen Verhaltens eine relativ große Bedeutung. So liefert der Primärmetabolit des DDT, das sogenannte DDE (I), bei der Belichtung in Hexan nach C–Cl-Spaltung neben anderen Produkten *2-Chlor-1,1-bis-[4-chlorphenyl]-äthylen* (II; 35% d.Th.) und *2-Chlor-1-(4-chlor-phenyl)-1-(dichlor-phenyl)-äthylen* (III; 20% d.Th.)[1]:

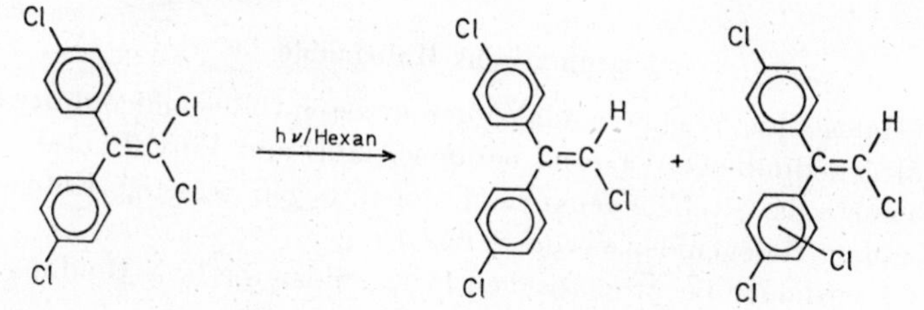

Bei Aldrin (IV) erfolgt in Essigsäure-äthylester photochemisch außer einer reduktiven C–Hal-Spaltung zu *3,4,6,12,12-Pentachlor-endo/exo-tetracyclo[6.2.1.1³,⁶.0²,⁵]dodecadien-(4,9)* (V) Isomerisierung zu *1,8,9,10,11,11-Hexachlor-pentacyclo[6.2.1.1³,⁶.0²,⁷.0⁹,¹²]dodecen-(4)* (VI)[2]:

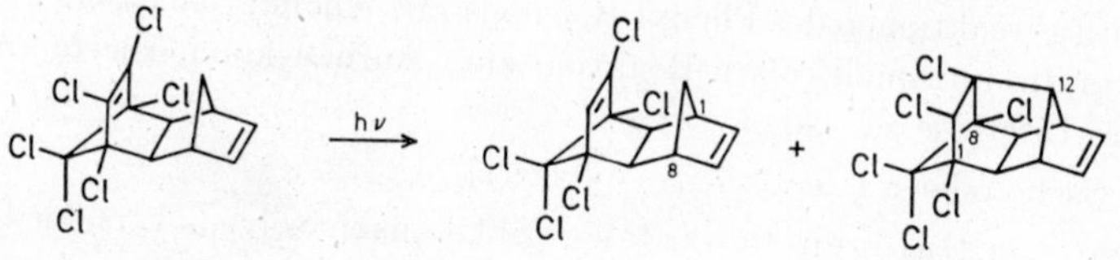

Analoge C–Cl-Spaltung gehen auch *endo*-Sulphan (VII)[3] und Chlordan (VIII)[4] ein, während Dieldrin IX[5] und X[6] unter Ausbildung einer C–C-Bindung reagieren.

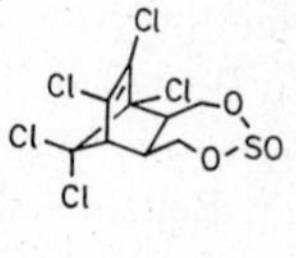

3. Acetylen-halogenide

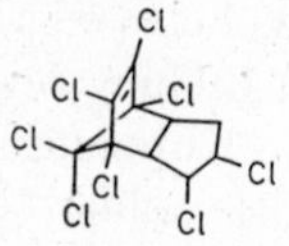

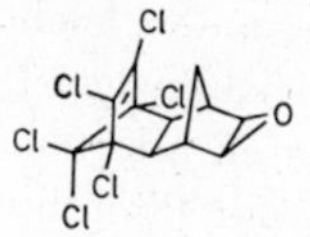

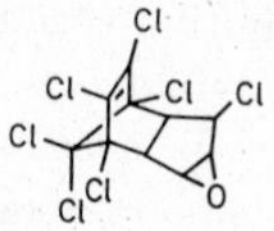

bearbeitet von

Prof. Dr. Heinz Dürr*

Äthinyl-halogenide reagieren in ähnlicher Weise wie Vinyl-halogenide unter Angriff des Solvens oder Dimerisierung der nach Halogen-Abspaltung entstandenen Radikale. Aus

---

* Fachbereich Organische Chemie der Universität Saarbrücken.
[1] I. Kerner, W. Klein u. F. Korte, Tetrahedron 28, 1575 (1972).
[2] J. D. Rosen, Chem. Commun. 1967, 189.
[3] G. Schumacher, W. Klein u. F. Korte, Tetrahedron Letters 1971, 2229.
[4] L. Vollner et al., Tetrahedron 27, 501 (1971).
[5] A. M. Parsons u. D. J. Moore, Soc. [C] 1966, 2026.
    Vgl. a.: W. J. Feast u. W. E. Preston, Tetrahedron 28, 2805 (1972).
[6] R. E. Graham et al., J. Agr. Food Chem. 21, 824 (1973).

Jod-phenyl-acetylen bildet sich bei Belichtung in Benzol *1,2-Diphenyl-acetylen*, während ohne Lösungsmittel das Kupplungsprodukt *1,4-Diphenyl-butadiin* (23% d.Th.)[1] entsteht:

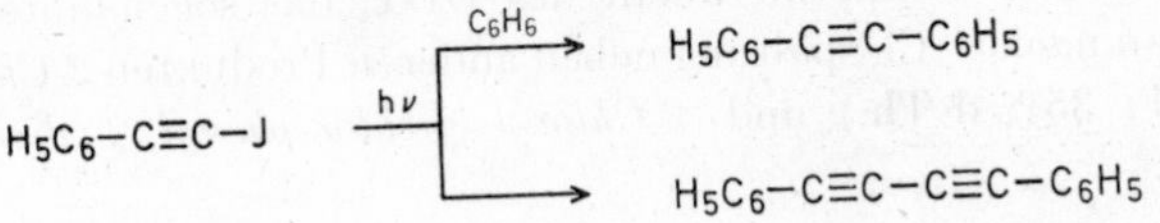

$$H_5C_6-C\equiv C-J \xrightarrow[h\nu]{C_6H_6} \begin{cases} H_5C_6-C\equiv C-C_6H_5 \\ H_5C_6-C\equiv C-C\equiv C-C_6H_5 \end{cases}$$

4. aromatische Halogenide

Aromatische Halogenide[2] reagieren analog den anderen Halogeniden unter Homolyse der Kohlenstoff-Halogen-Bindung. Während bei den Alkyl- und Vinyl-Photolysen Multiplizitäts- und mechanistische Studien weitgehend fehlen, liegen derartige Untersuchungen bei einigen aromatischen Halogeniden vor (s. S. 642ff).

Normalerweise wird auch bei aromatischen Halogeniden die C–X-Bindung in der Reihe: X = Cl, Br, J zunehmend leichter gespalten[3,4].

Die so entstehenden Radikalpaare können sich auf verschiedene Weise stabilisieren, d. h. es sind folgende Reaktionen möglich:

ⓐ Reduktion zum Aromaten durch Wasserstoff-Abstraktion des primär gebildeten Phenyl-Radikals vom Solvens; zur ausführlichen Abhandlung s. S. 1454ff.

ⓑ Kupplungsreaktionen des Phenyl-Radikals mit einem aromatischen Kern. Hier hat besonders die intramolekulare Reaktion zum Aufbau kondensierter Aromaten präparatives Interesse gefunden.

ⓒ Homolytische oder nukleophile Substitution.

Die Photolyse von Halogen-benzolen ergibt je nach Solvens verschiedene Produkte:

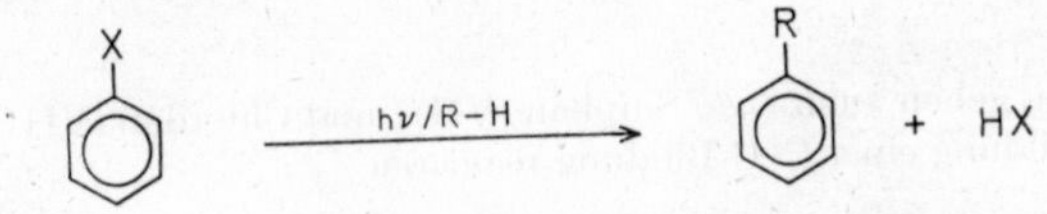

Die Reduktion verläuft besonders leicht in Alkoholen oder Aminen ab[5] (s. S. 647), in Isopropanol entsteht z. B. bei gleichzeitiger Pinakol-Bildung *Benzol*. In Benzol als Lösungsmittel führt die Bestrahlung durch intermolekulare Kupplung zu *Biphenyl*. Aryl-jodide sind präparativ am ergiebigsten. Zur Photolyse von Hexafluor-benzol in Benzol s. Lit.[6].

Brom-benzol[7] $\xrightarrow{a}$ *Biphenyl*; 40% d.Th.

4-Brom-phenol[4,8,9] $\xrightarrow{a}$ *4-Hydroxy-biphenyl* (31% d.Th.) + *Phenol* (10% d.Th.)

ᵃ 40 W Hg-Niederdruck-Lampe, kein Filter.

---

[1] I. D. CAMBELL u. G. EGLINGTON, Soc. [C] **1968**, 2120.

[2] Übersichtsartikel:
R. K. SHARMA u. N. KHARASH, Ang. Ch. **80**, 691 (1968).

[3] Vgl. jedoch: J. T. PINHEY u. R. D. RIGBY, Tetrahedron Letters **1969**, 1267.

[4] W. WOLF u. N. KHARASCH, J. Org. Chem. **30**, 2493 (1965); Mechanismus.

[5] P. H. MAZZOCCHI u. M. P. RAO, J. Agric. Food Chem. **20**, 557 (1972); Cheminform 6, 154 (1973).
D. G. CROSBY u. N. HAMADAH, J. Agric. Food Chem. **19**, 1171 (1971); Cheminform 15, 149 (1972).

[6] D. BRYCE-SMITH, A. GILBERT u. P. J. TWITCHETT, Chem. Commun. **1973**, 457.

[7] T. MATSUURA u. K. OMURA, Bl. chem. Soc. Japan **39**, 944 (1966).
Vgl. a.: G. E. ROBINSON u. J. M. VERNON, Soc. [C] **1971**, 3363.

[8] W. WOLF u. N. KHARASCH, J. Org. Chem. **26**, 283 (1961).

[9] Vgl. a.: N. KHARASCH, R. K. SHARMA u. H. B. LEWIS, Chem. Commun. **1966**, 418.
K. OMURA u. T. MATSUURA, Synthesis **1971**, 28.

4-Brom-benzoesäure-methylester[1]

$\xrightarrow{a}$ *4-Phenyl-benzoesäure-methylester*; 34% d.Th.
+Benzoesäure-methylester; 10% d.Th.

(4-Chlor-phenyl)-(4-brom-phenyl)-
methan[1]

$\xrightarrow{b}$ *4-(4-Chlor-benzyl)-biphenyl*; 29% d.Th.
+4-Chlor-1-benzyl-benzol; 4% d.Th.

Jod-benzol[2–4]

$\xrightarrow{c}$ *Biphenyl*; 65% d.Th.

2-Jod-phenol[2–4]

$\xrightarrow{c}$ *2-Hydroxy-biphenyl*; 60% d.Th.

4-Jod-benzoesäure[2–4]

$\xrightarrow{c}$ *4-Phenyl-benzoesäure*; 80% d.Th.

3,5-Dijod-4-hydroxy-benzonitril[5]

$\longrightarrow$ *6-Hydroxy-5-phenyl-3-cyan-biphenyl*; 71% d.Th.

7-Jod-2-oxo-2,3-dihydro-indol[6]

$\longrightarrow$ *2-Oxo-7-phenyl-2,3-dihydro-indol*; 46% d.Th.

[a] 40 W Hg-Niederdruck-Lampe, kein Filter.
[b] 15 W Hanovia Hg-Niederdruck-Lampe, Quarz.
[c] 200 W Hg-Niederdruck-Lampe, Vycor-Filter.

Die Photolyse von 4-Jod-biphenyl in Benzol ergibt *4-Terphenyl* (91% d.Th.)[2,3] (Quanten-ausbeute: $\varphi = 0{,}08 \pm 0{,}01$ [2,3]; die Multiplizität dieser Reaktion wurde nicht bestimmt). Eine Photolyse von 1-(2-Halogen-phenyl)-naphthalinen zeigt jedoch, daß substituierte Chlor- und Brom-benzole über einen angeregten Singulett-, Jod-benzol über einen Triplett-Zustand reagieren. Sensibilisatoren mit einer Triplett-Energie von $E_T > 60$ kcal/Mol sensibilisieren lediglich die Photolyse des Jod-Derivates[7].

4-Terphenyl[2,3]: Eine Lösung von 1 g 4-Jod-biphenyl in 200 *ml* absol. Benzol wird mit einer 200 W Hg-Niederdruck-Lampe in Gegenwart eines Vycor-Filters (7910) nach Entgasen 20 Stdn. bestrahlt. Die Reaktionstemp. steigt dabei auf ~ 60°. Die Benzol-Phase wird dann in einem Scheidetrichter mit 5% Natriumhydrogensulfit vom Jod befreit, mit Wasser gewaschen und über Natriumsulfat getrocknet. Die Lösung wird durch eine Aluminiumoxid-Säule filtriert, destilliert und das Produkt aus Benzol umkristalli-siert; Ausbeute: 750 mg (91% d.Th.); F: 201–202°.

Photolytische Brom-Abspaltung von 4-Brom-2,6-di-tert.-butyl-phenol in Benzol führt wahrscheinlich über Phenoxy-Radikale zu *2,2′,6,6′-Tetra-tert.-butyl-diphenochinon* (43,2% d.Th.) neben *2,6-Di-tert.-butyl-phenol* (~ 4% d.Th.) und *4-Hydroxy-3,5-di-tert.-butyl-biphenyl* (8% d.Th.)[8]:

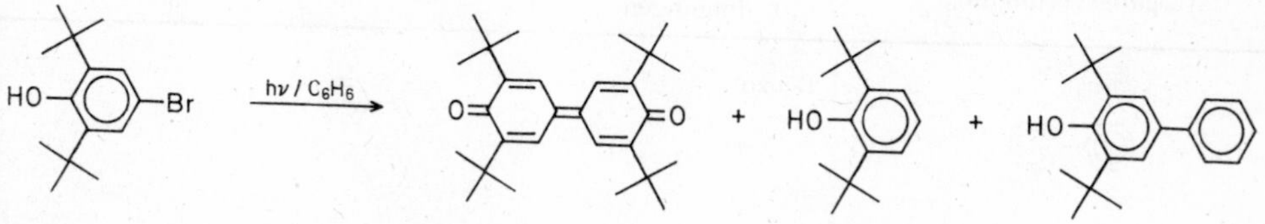

[1] T. Matsuura u. K. Omura, Bl. chem. Soc. Japan **39**, 944 (1966).
Vgl. a.: G. E. Robinson u. J. M. Vernon, Soc. [C] **1971**, 3363.
[2] W. Wolf u. N. Kharasch, J. Org. Chem. **30**, 2493 (1965); Mechanismus.
[3] W. Wolf u. N. Kharasch, J. Org. Chem. **26**, 283 (1961).
Vgl. a.: N. Kharasch, R. K. Sharma u. H. B. Lewis, Chem. Commun. **1966**, 418.
[4] K. Omura u. T. Matsuura, Synthesis **1971**, 28.
[5] E. N. Ugochukwie u. R. L. Wain, Chem. & Ind. **1965**, 35.
[6] R. F. C. Brown u. M. Butcher, Tetrahedron Letters **1971**, 667.
[7] W. A. Henderson, R. Lopresti u. A. Zweig, Am. Soc. **91**, 6049 (1969).
[8] G. R. Lappin u. J. S. Zannucci, Tetrahedron Letters **1969**, 5085.

1*

Bestrahlung von 2-Naphthyl-(1)-phenyl-halogeniden (Rayonet-Reaktor mit RPR 253,7 nm Lampen) in Benzol oder Methanol führen nicht nur zu *1-Phenyl-naphthalin* (I; Reduktions-produkt), *Fluoranthen* und *2-Naphthyl-(1)-biphenyl* (II u. III, intra- und intermolekulares Kupplungsprodukt), sondern ergibt auch durch Dehydrocyclisierung *Benzo-[g]-chrysen* (IV)[1,2]:

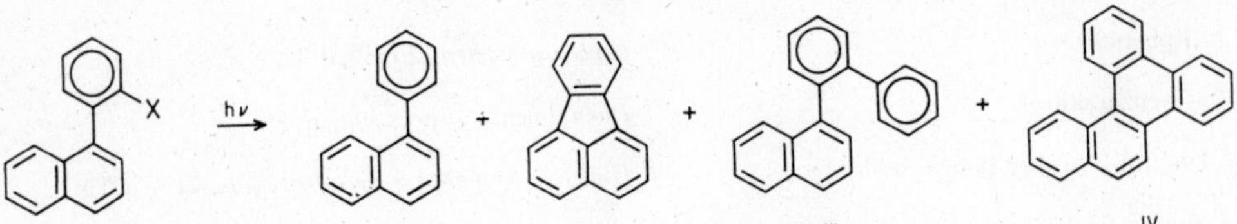

x	Lösungsmittel	Produkt %		
		I	II	III+IV
J	Benzol	59	–	41
	Methanol	100	–	–
Br	Benzol	75	6	20
	Methanol	68	32	–
Cl	Benzol	10	72	18
	Methanol	35	63	–

Besondere präparative Bedeutung hat die intramolekulare Kupplungsreaktion, vor allem von Jod-benzolen, erlangt, da sie u. a. auch zur Synthese von Naturstoffen herangezogen werden kann[3,4]. Andererseits stellen eine Reihe von Halogen-aromaten wirksame Herbicide dar, die im Licht zerfallen können, weshalb ihr photochemisches Verhalten vor allem aus ökologischen Gründen studiert wurde. Beispiele sind in Tab. 90 zusammengefaßt.

Tab. 90. Cyclisierungen von Halogen-aromaten

Ausgangsverbindung	Reaktions-bedingungen	Produkte	Ausbeute [% d.Th.]	Literatur
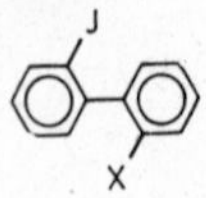 X=Cl	Benzol	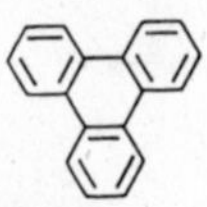		5
		Triphenylen	37	
X=Br		*Triphenylen*	25	

[1] W. A. Henderson u. A. Zweig, Am. Soc. **89**, 6778 (1967).
[2] Vgl. a.: G. de Luca et al., Soc. [C] **1970**, 2504.
[3] J. T. Pinhey u. R. D. Rigby, Tetrahedron Letters **1969**, 1267.
    J. G. Lammers u. J. Lugtenburg, Tetrahedron Letters **1973**, 1777.
[4] R. K. Sharma u. N. Kharasch, Ang. Ch. **80**, 69 (1968).
[5] T. Sato, S. Shimada u. K. Hata, Bl. chem. Soc. Japan **44**, 2484 (1971).

Tab. 90. (1. Fortsetzung)

Ausgangsverbindung	Reaktions-bedingungen	Produkte	Ausbeute [% d. Th.]	Literatur
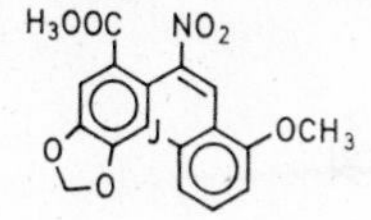	Cyclohexan	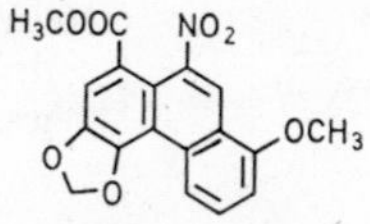 *8-Methoxy-3,4-methylen-dioxy-10-nitro-1-me-thoxycarbonyl-phen-anthren*	54	1
	NaOH; NaBH₄; Methanol	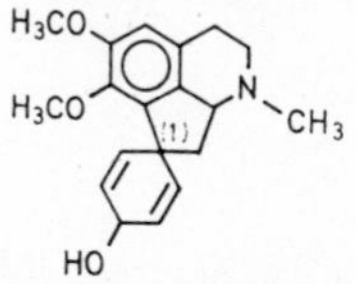 *6-Hydroxy-cyclohexadien-(1,4)-⟨3-spiro-1⟩-7,8-dimethoxy-3-methyl-1,2,2a,3,4,5-hexahydro-⟨cyclopenta-[i,j]-isochinolin⟩*[a]	20	2
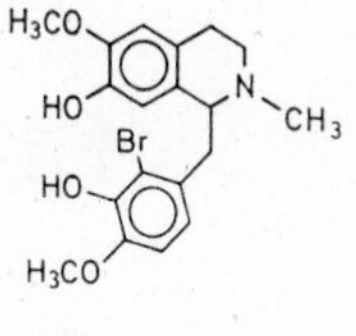	NaOH; NaJ; Äthanol	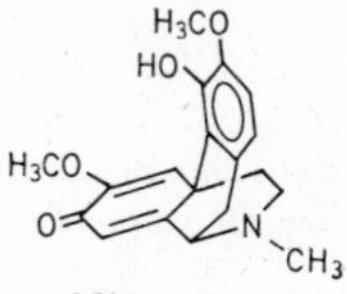 *Salutaridin*	12	3
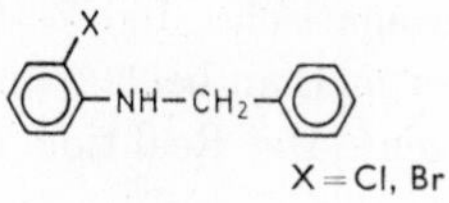 X = Cl, Br	NaOH; Wasser; Acetonitril	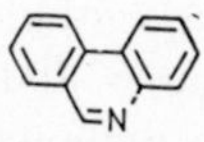 *Phenanthridin + 5,5',6,6'-Tetrahydro-bi-phenanthridinyl-(6)*	13 9–28	4
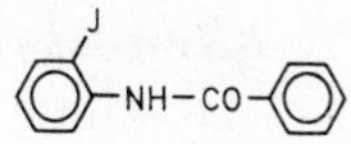	Benzol	*6-Oxo-5,6-dihydro-phen-anthriden +2-Benzoylamino-biphenyl*	48 48	5

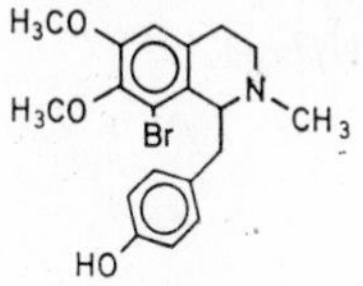

[a] Oxidation liefert Pronuciferin.

S. M. Kupchan u. C. Wormser, J. Org. Chem. **30**, 3792 (1965).
Vgl. a.: S. M. Kupchan et al., J. Org. Chem. **36**, 2413 (1971).
Z. Hori, Y. Nakashita u. C. Iwata, Tetrahedron Letters **1971**, 1167.
T. Kametani et al., Chem. & Ind. **1971**, 788.
T. Kametani u. T. Kohno, Tetrahedron Letters **1971**, 3155.
K. Mizuno, C. Pac u. H. Sakurai, Bl. chem. Soc. Japan **46**, 3316 (1973).
D. H. Hey, G. H. Jones u. M. J. Perkins, Soc. [C] **1971**, 116; Soc. [Perkin I] **1972**, 1150.
Vgl. a.: Z. M. Hori et al., Chem. Pharm. Bull. (Tokyo) **21**, 2679 (1973).

Tab. 90. (2. Fortsetzung)

Ausgangsverbindungen	Reaktions-bedingungen	Produkte	Ausbeute [% d.Th.]	Literatur
	100 W Hg-Hoch-druck-Lampe; wässr. NaOH; 7,5 Stdn.[a]	*6-Oxo-cyclohexadien-(1,4)-⟨3-spiro-1⟩-3-oxo-2-äthyl-2,3-dihydro-1H-isoindol* + *4'-Hydroxy-2-äthyl-amino carbonyl-biphenyl* + *4-Benzoylamino-1-hydroxy-benzol*	1 25 3	1
	450 W Hanovia; Pyrex; 0,2%ige wässr. NaOH; 8 Stdn.	*6-Methoxy-3-oxo-9b-(2-methylamino-äthyl)-3,4,4a,9b-tetrahydro-⟨dibenzofuran⟩-9-car-bonsäure-lactam*		2

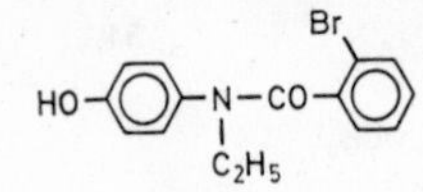

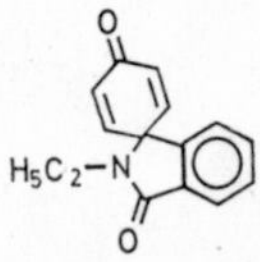

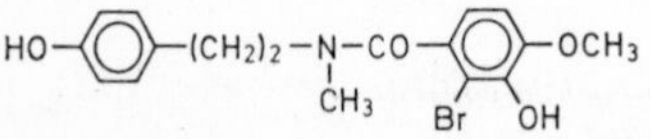

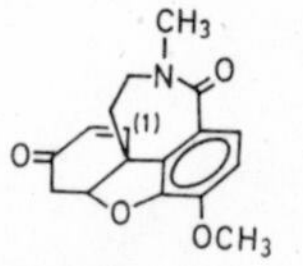

[a] In NaOH/NaBH$_4$ entsteht bei Belichtung nach 3 Stdn. u. a. *6-Hydroxy-cyclohexadien-(1,4)-⟨3-spiro-1⟩-3-oxo-2-äthyl-2,3-dihydro-1H-isoindol* (29%) und *4-Hydroxy-N-äthyl-N-benzoyl-anilin*.

Bei den Substitutionsreaktionen beansprucht der Halogen-Austausch geringes Interesse. Die Belichtung verdünnter Lösungen verschiedener aromatischer Jod-Verbindungen, z. B. Jod-benzoesäuren, Jod-methoxy-benzole in Tetrachlor-methan bei 300 nm liefert in oft guten Ausbeuten die entsprechenden Chlor-Verbindungen[3]. Die Reaktion verläuft aller Wahrscheinlichkeit nach radikalisch.

Größere Bedeutung kommt der nucleophilen Photohydrolyse bzw. Photoalkoholyse[4] von in meta-Stellung substituierten Arylhalogeniden zu. 2-Chlor- bzw. 2-Brom-4-nitro-1-methoxy-benzol wird z. B. bei Bestrahlung in wäßrigem Alkali zu *4-Nitro-2-hydroxy-1-methoxy-benzol* hydrolysiert[5]:

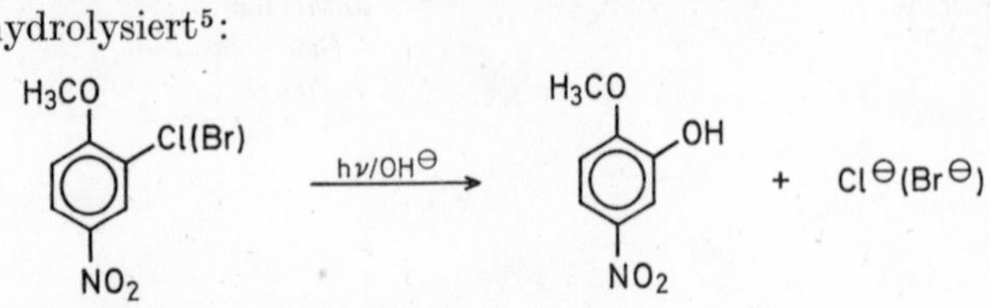

Interessant ist, daß in einigen Fällen Photosubstitution von Halogen sogar dann beobachtet wurde, wenn sich in meta-Stellung keine elektronenanziehenden, sondern elektronen

[1] Z. M. Horii et al., Chem. Pharm. Bull. (Tokyo) **21**, 2679 (1973).
[2] T. Kametani et al., Soc. (Perkin I) **1972**, 1513.
[3] F. Kienzle u. E. C. Taylor, J. Org. Chem. **35**, 528 (1970).
[4] F. Pietra, Quart. Rev. **23**, 504 (1969).
[5] D. F. Nijhoff u. E. Havinga, Tetrahedron Letters **1965**, 4199.
D. F. Nijhoff, Dissertation, Universität Leiden 1967.

bgebende Substituenten befinden. So laufen bei der Bestrahlung von 3-Chlor-phenol n Isopropanol nebeneinander die Homolyse der Chlor-Kohlenstoff-Bindung und die nukleohile Photosubstitution des Chlor-Atoms ab, wobei letztere überwiegt. Das Hauptprodukt st *3-Hydroxy-1-isopropyloxy-benzol*[1]. Photolyse in Äthanol ergibt als Hauptprodukt *3-Äthoxy-phenol*[1]:

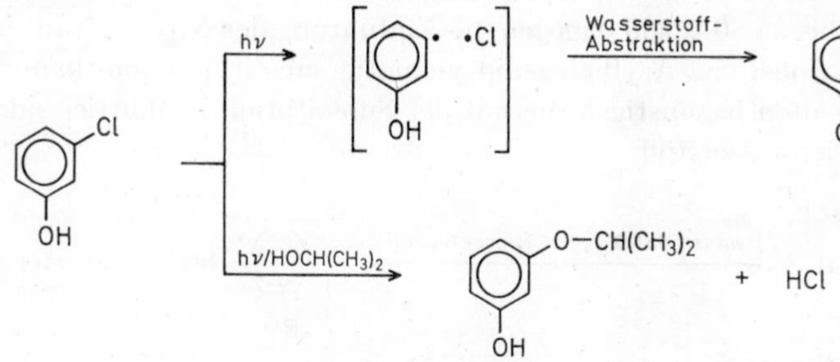

3-Chlor-1-methoxy-benzol ergibt bei Bestrahlung in Methanol gute Ausbeuten an *1,3-Dimethoxy-benzol*[1]. Im Falle der Bestrahlung von 3-Brom-phenol in Alkoholen überwiegt allerdings bei weitem die Homolyse der Kohlenstoff-Brom-Bindung gegenüber der Substitution, was nicht verwunderlich ist, wenn man bedenkt, daß die Trennungsenergie einer Brom-aryl-Bindung ja bedeutend kleiner ist als diejenige einer Chlor-aryl-Bindung[1].

Über die Reaktionen von 3- bzw. 4-Chlor-1-nitro-benzol in flüssigem Ammoniak s. S. 1338 ff.

4-Fluor-2-nitro-naphthalin wird in 80–90%iger Ausbeute zu *3-Nitro-1-hydroxy-* bzw. *3-Nitro-1-methoxy-naphthalin* photolysiert [0,1 n Natronlauge in Acetonitril/Wasser (1:1) bzw. Natriummethanolat in Methanol][2]:

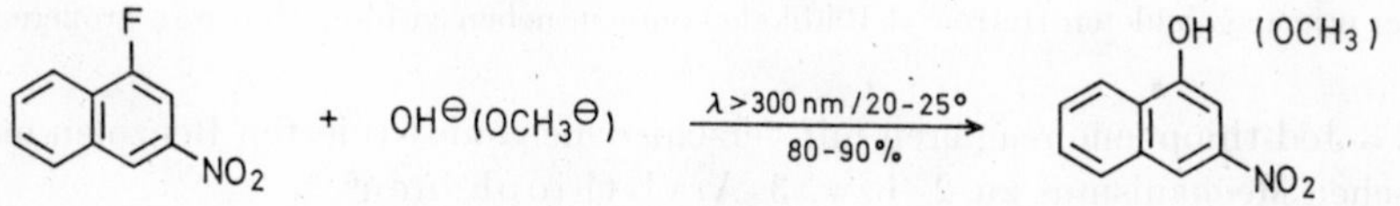

Bei 4-Fluor-1-nitro-naphthalin dagegen hängt es vom Nucleophil ab, welcher Substituent ersetzt wird. Mit Hydroxy-Ionen bildet sich *4-Nitro-1-hydroxy-naphthalin*, durch Methoxy- oder Cyanid-Ionen entstehen *4-Fluor-1-methoxy-* bzw. *4-Fluor-1-cyan-naphthalin*. Bei 3-Fluor-4-chlor-1-nitronaphthalin wird durch Hydroxy- oder Methoxy-Ionen das Fluor substituiert. Als vielseitig erweist sich 2-Fluor-4-nitro-1-methoxy-naphthalin!

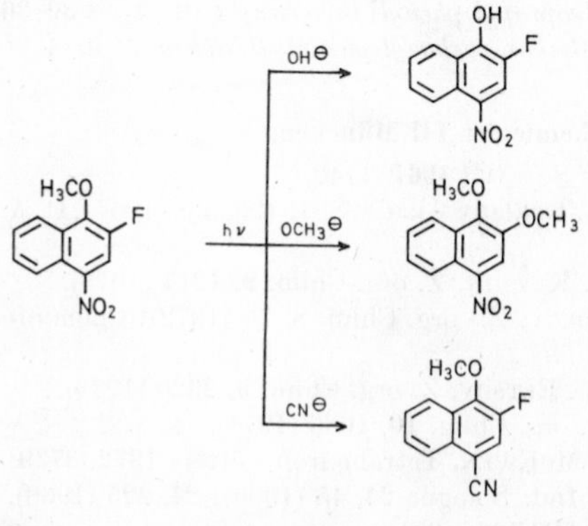

2-Fluor-4-nitro-1-hydroxy-naphthalin

4-Nitro-1,2-dimethoxy-naphthalin

3-Fluor-4-methoxy-1-cyan-naphthalin

J. T. PINHEY u. R. D. G. RIGBY, Tetrahedron Letters 1969, 1271.
J. G. LAMMERS u. J. LUGTENBURG, Tetrahedron Letters 1973, 1777.

Eine vergleichende Untersuchung mit verschiedenen Nucleophilen (OH$^\ominus$, OCH$_3{}^\ominus$, Piperidin) zeigte, daß Chlor-benzol i. a. mit niedrigeren Ausbeuten substituiert wird als Fluorbenzol; auch hier fallen die Produkte mit weniger als 10% an[1].

1-Brom-naphthalin wird in wäßrigen Natriumhydroxid zu *1-Hydroxy-naphthalin* photolysiert. Wie Messungen der Quantenausbeute zeigen, ist bis $p_H = 8$ Wasser das angreifende Nucleophil, bei höherem p_H dann das Hydroxy-Ion[2].

Mit Ausbeuten bis zu 80% soll dagegen die Einführung der Nitro-, Cyan- und Thiocyan-Gruppe gelingen, wobei das Arylhalogenid vielfältig substituiert sein kann[3]. Elektronenziehende Substituenten begünstigen die mit der Substitution konkurrierende Enthalogennierung zum Kohlenwasserstoff.

$$Hal = Cl, Br, J$$

Zur photochemischen Herstellung von Sulfonsäuren aus Arylhalogeniden und Sulfit-Ionen s. Lit.[4].

Über Photolysen von Diphenyl-jodonium-Salzen in Äthanol oder Isopropanol s. Lit.[5].

5. heteroaromatische Halogenide

bearbeitet von

Prof. Dr. Valentine Zanker*

Das photochemische Verhalten gleicht dem der aromatischen Halogenide. Es kann z. B. Dehalogenierung zum Heteroaromaten erfolgen, s. S. 642. Inter- und auch intramolekularen Kupplungsreaktionen der primär gebildeten Hetroaryl-Radikale kommen neben Substitutionen größere Bedeutung zu.

2- und 3-Jod-thiophene reagieren mit verschiedenen substituierten Benzolen nach einem radikalischen Mechanismus zu 2- bzw. 3-Aryl-thiophenen[6-9]:

R = H;	*2-Phenyl-thiophen*; 65% d.Th.
R = OCH₃;	*2-(x-Methoxy-phenyl)-thiophen* (2-: 3-: 4- = 64:14:23)
R = C(CH₃)₃;	*2-(x-tert.-Butyl-phenyl)-thiophen* (2-: 3-: 4- = 26:47:27)
R = CH(CH₃)₂;	*2-(x-Isopropyl-phenyl)-thiophen* (2-:3-:4- = 39:36:24)
R = COOCH₃;	*2-(x-Methoxycarbonyl-phenyl)-thiophen* (2-:3-:4- = 49:24:26)

* Institut für physikalische Chemie und Elektrochemie der TH München.

[1] J. A. Barltrop, N. J. Bunce u. A. Thompson, Soc. [C] 1967, 1142.
[2] M. G. Kuz'min, Y. A. Mikhiev u. L. N. Guseva, Doklady Akad. SSSR 196, 368 (1967); C. A. 68, 58878 (1968).
   Vgl. a. Y. Y. Kulis, I. Y. Poletaeva u. M. G. Kuzmin, Ž. org. Chim. 9, 1214 (1973).
[3] A. El'tsov, O. V. Kul'Bitskaya u. A. N. Frolov, Ž. org. Chim. 8, 76 (1972); Cheminform 20, 18: (1972).
   Vgl. a. A. Frolov, O. V. Kulbitskaya u. A. V. Eltsov, Ž. org. Chim. 9, 2320 (1973).
[4] A. N. Frolov, E. Smirnov u. A. V. Eltsov, Ž. org. Chim. 10, 1686 (1974).
[5] J. W. Knapczpk, J. J. Lubinkowski u. W. E. McEwen, Tetrahedron Letters 1972, 3739.
[6] L. Benati u. M. Tiecco, Bull. Sci. Fac. Chim. Ind. Bologna 24, 45 (1966); 24, 225 (1966).
[7] G. Martelli, P. Spagnolo u. M. Tiecco, Soc. [B] 1968, 901.
[8] L. Benati et al., Soc. [B] 1969, 472.
[9] J. Metzger et al., Soc. [B] 1970, 1678.

$$ \text{[thiophene-J]} \xrightarrow{h\nu/C_6H_6} \text{[thiophene-C}_6\text{H}_5] $$

3-Phenyl-thiophen; 23% d.Th.

3-Jod-⟨benzo-[b]-thiophen⟩ wird unter ähnlichen Bedingungen in 3-Aryl-⟨benzo-[b]-thiophen⟩ umgewandelt und Bis-[3-jod-thienyl-(2)]quecksilber (11 Stdn., 50–60°) liefert in Benzol unter Abspaltung von Quecksilber(II)-jodid in analoger Weise *3-Phenyl-thiophen*[1].

3-Jod-pyridin reagiert bei Bestrahlung mit fünfgliedrigen Heteroaromaten[2]:

$$ \text{[pyridine-J]} + \text{[X—R]} \xrightarrow{h\nu} \text{[product]} $$

X = O; R = H   *3-Furyl-(2)-pyridin*; 64% d.Th.
X = S; R = H   *3-Thienyl-(2)-pyridin*; 42% d.Th.
X = NH; R = H   *3-Pyrrolyl-(2)-pyridin*
X = NH; R = CH₃   *3-[5-methyl-pyrrolyl-(2)]-pyridin*; 72% d.Th.

Abspaltung von Bromwasserstoff und Cyclisierung unter Ausbildung eines Fünfringes findet man bei der Bestrahlung von 2-Brom-1-benzyl-pyridinium-bromid[3]:

$$ \text{[starting material]} \xrightarrow{h\nu / H_2O} \text{[isindolo product]} $$

R¹ = R² = R³ = H   *Isindolo-[2,3-a]-pyridinium-bromid*; 50% d.Th.
R¹ = R³ = H; R² = CH₃   *8-Methyl-...*; 44% d.Th.
R² = R³ = H; R¹ = CH₃   *3-Methyl-...*; 60% d.Th.
R¹ = R² = H; R³ = CH(CH₃)₂   *6-Isopropyl-...*; 35% d.Th.
R¹ = R³ = H; R² = Br   *8-Brom-...*; 66% d.Th.
R¹ = R² = H; R³ = Br   *6-Brom-...*; 67% d.Th.

Isindolo-[2,3-a]-pyridinium-bromid[3]: 2,0 g 2-Brom-1-benzyl-pyridinium-bromid werden in 430 *ml* Wasser gelöst und mit einer wassergekühlten 450 W Hanovia UV-Lampe unter Zwischenschalten eines Pyrex-Filters bestrahlt. Dabei wird im UV-Spektrum das Absinken der 278 nm-Absorption der Ausgangslösung und das Auftreten neuer Banden bei 256 und 313 nm beobachtet. Nach ∼5 Stdn. ist die Umsetzung beendet. Die dunkelgrüne Lösung wird dann bis auf ein kleines Volumen eingeengt und mit 0,5 g Aktivkohle versetzt. Nach Filtration wird zur Trockene eingeengt und der Rückstand in der geringsten Menge Äthanol gelöst und durch sorgfältigen Zusatz von Essigsäure-äthylester 0,8 g (50% d.Th.) Substanz ausgefällt (Hemihydrat); nach Umkristallisation aus abs. Äthanol, F: 207,5–209,5°.

Wird 10%ige Bromwasserstoffsäure dem Lösungsmittel bei Bestrahlung zugesetzt, ist die Aktivkohle-Reinigung nicht notwendig und es werden 1,18 g (75% d.Th.) nach 8stdg. Bestrahlungszeit gewonnen.

Photoreaktionen an Halogen-substituierten Pyridinen sind deshalb interessant, weil im angeregten Zustand das Halogen unter wesentlich milderen Reaktionsbedingungen durch die Hydroxy-Gruppe ausgetauscht wird als im Grundzustand. So wird z. B. 3-Brom-

---

G. Wittig u. M. Rings, A. **719**, 127 (1969).
Hong-Son-Ryang u. H. Sakurai, Chem. Commun. **1972**, 594.
A. Fozard u. C. K. Bradsher, J. Org. Chem. **32**, 2966 (1967).

pyridin mit wäßriger, luftgesättigter 0,01n Natriumhydroxid-Lösung in *3-Hydroxy-pyridin* (54% d.Th.) umgewandelt[1]:

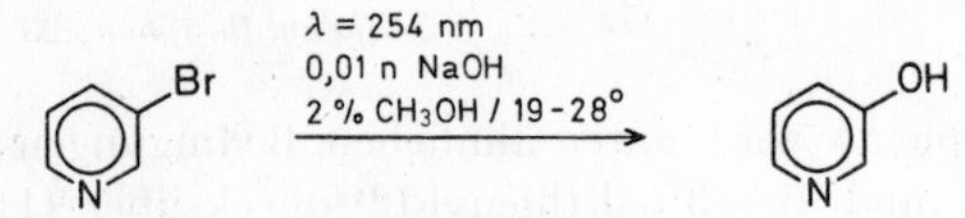

3-Hydroxy-pyridin[1]: 1,12 g redestilliertes 3-Brom-pyridin und 5 *ml* Methanol werden in 2 *l* 0,01 n Natriumhydroxid-Lösung gelöst und 16$\frac{1}{2}$ Stdn. bei 19–28° mit einer Quecksilber-Niederdruck-Lampe Hanau NK 6/20 bestrahlt. Der Reaktionsablauf wird durch UV-Absorptionsmessung kontrolliert. Von der schwach gelben Photolyse-Lösung wird die Hälfte des Lösungsmittels im Rotationsverdampfer entfernt und die verbleibende Lösung mehrmals mit Äther extrahiert; mit Salpetersäure wird auf p$_H$ = 6,8 eingestellt und die wäßrige Lösung zur Trockene eingeengt; der Rückstand wird mit trockenem Benzol extrahiert und nach Abdampfen des Benzols fallen 150 mg (54% d.Th., bez. auf umgesetzte Ausgangsverbindung) reinen 3-Hydroxy-pyridins an; Umkristallisation liefert farblose Kristalle, F: 124°.

9-Halogen-acridine werden in Sauerstoff-haltigem Äthanol in *9-Oxo-9,10-dihydroacridin* umgewandelt[2]. Photolyse in Sauerstoff-freiem Äthanol soll 9-Chlor-acridin dagegen über Bi-acridinyl-(9,9') in *9,9',10,10'-Tetrahydro-bi-acridinyliden-(9,9')* überführen[3]:

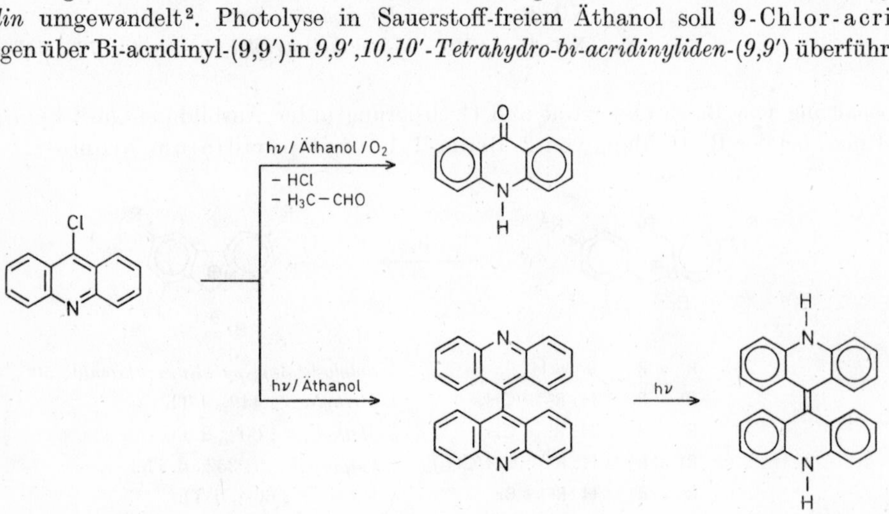

In Benzol als Lösungsmittel entsteht aus 5-Jod-6-(2-phenyl-phenoxy)-2,4-dioxo-1,3-dimethyl-pyrimidin nach 5stdg. Belichtung (100 W Hanovia; Quarz; Raumtemp.) *12,14-Dioxo-13,15-dimethyl-⟨dibenzo-2-oxa-9,11-diaza-bicyclo[5.4.0]undecatrien-(1⁷,3,5)⟩* (21% d Th.; F:257–259°) neben *1,3-Dioxo-2,4-dimethyl-6-phenyl-1,2,3,4-tetrahydro-⟨benzo-[b]-furano [2,3-d]-pyrimidin⟩* (3% d.Th.)[4]:

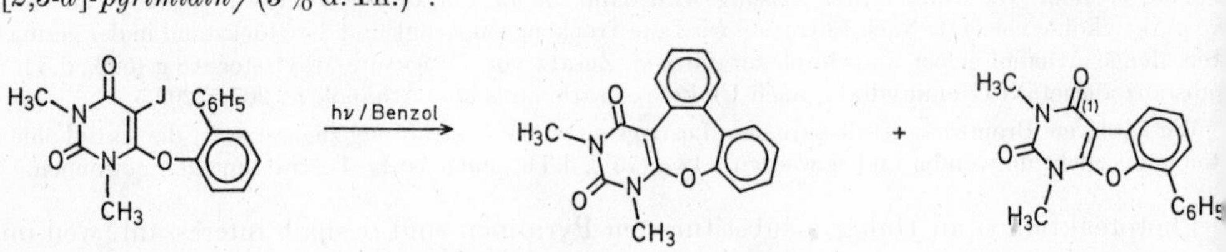

[1] G. H. D. VAN DER STEGEN et al., Tetrahedron Letters **1966**, 6371.
    Vgl. a. H. FREYTAG, B. **69**, 32 (1936).
[2] V. ZANKER u. W. FLÜGEL, Z. Naturf. **19 b**, 376 (1964).
[3] M. KOIZUMI et al., Z. Physik. Chemie **73**, 113 (1970).
[4] R. D. YOUSSEFYEH u. M. WEISZ, Am. Soc. **96**, 315 (1974).

Die entsprechende nicht halogenierte Verbindung cyclisiert auf folgendem Weg zu *1,3-Dioxo-2,4-dimethyl-1,2,3,4-tetrahydro-⟨phenanthro-[9,10-d]-pyrimidin⟩* (F: 162–163°)[1]:

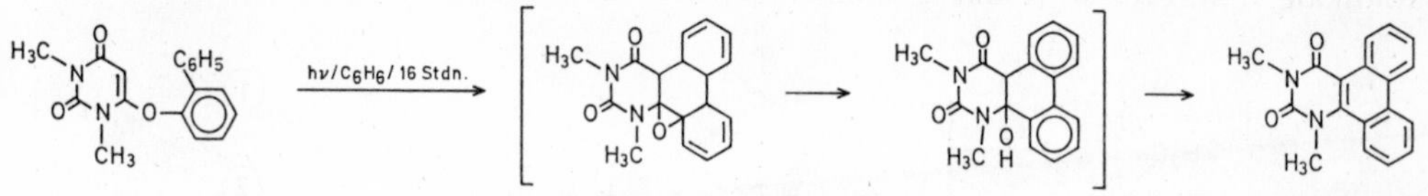

Auch an 1,3,5-Triazinen können durch Belichtung Substitutionsreaktionen ausgelöst werden. N,N'-disubstituierte 6-Chlor-2,4-diamino-1,3,5-triazine werden in wäßriger oder alkoholischer Lösung in 4,6-Diamino-2-hydroxy- bzw. 4,6-Diamino-2-alkoxy-1,3,5-triazine überführt[2]. Die Ausbeuten liegen zwischen 85 und 95% d.Th..

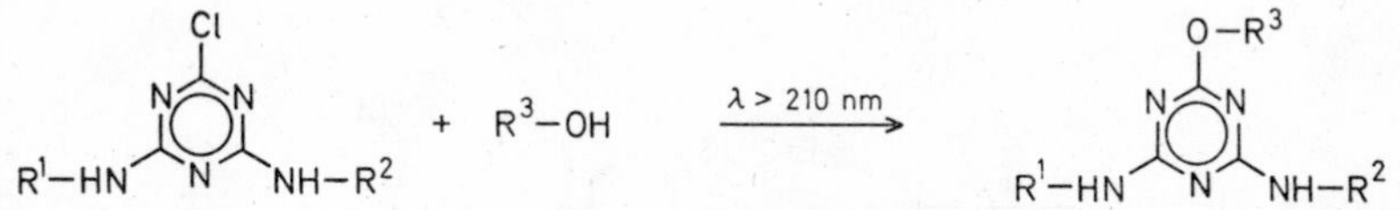

$R^1 = R^2 = C_2H_5$;	$R^3 = H$	*4,6-Diäthylamino-2-hydroxy-1,3,5-triazin*
	$R^3 = CH_3$	*...-2-methoxy-1,3,5-triazin*
	$R^3 = C_2H_5$	*...-2-äthoxy-1,3,5-triazin*
	$R^3 = C_4H_9$	*...-2-butyloxy-1,3,5-triazin*
$R^1 = C_2H_5$; $R^2 = CH(CH_3)_2$;	$R^3 = H$	*6-Äthylamino-4-isopropylamino-2-hydroxy-1,3,5-triazin*
	$R^3 = CH_3$	*...-2-methoxy-1,3,5-triazin*
	$R^3 = C_2H_5$	*...-2-äthoxy-1,3,5-triazin*
	$R^3 = C_4H_9$	*...-2-butyloxy-1,3,5-triazin*
$R^1 = R^2 = CH(CH_3)_2$;	$R^3 = H$	*4,6-Diisopropylamino-2-hydroxy-1,3,5-triazin*
	$R^3 = CH_3$	*...-2-methoxy-1,3,5-triazin*
	$R^3 = C_2H_5$	*...-2-äthoxy-1,3,5-triazin*
	$R^3 = C_4H_9$	*...-2-butyloxy-1,3,5-triazin*

6-Äthylamino-4-isopropylamino-2-methoxy-, 4,6-Diisopropylamino-2-methoxy- und 4,6-Diäthylamino-2-methoxy-1,3,5-triazin[2]: 0,2–1,0 g 2-Chlor-4-äthylamino-6-isopropylamino- bzw. 2-Chlor-4,6-diisopropylamino- bzw. 2-Chlor-4,6-diäthylamino-1,3,5-triazin werden jeweils in 100 *ml* Methanol gelöst und mit einer 550 W Lampe (Primäremission bei 254 nm) 6–10 Stdn. bestrahlt; dabei wird keine Chlorwasserstoff-Abspaltung beobachtet. Nach der Bestrahlung wird das Lösungsmittel in einem Rotationsverdampfer unter red. Druck bei 40–55° entfernt. Der viskose Rückstand wird mit einer geringen Menge Chloroform/Aceton (9:1) gelöst und an einer Kieselsäure-Säule chromatographiert; die Fraktionen werden mittels Gas- und Dünnschichtchromatographie analysiert. Die Aufarbeitung der Fraktionen mit dem reinen Hauptprodukt erfolgt durch Abziehen des Lösungsmittels i. Vak. und Trocknen in der Pistole; die Ausbeuten ergeben sich zu 85–90% d.Th.; F: 94° bzw. 91° bzw. 88°.

6. geminale aliphatische Polyhalogenide und vicinale aromatische Dihalogenide

bearbeitet von

Prof. Dr. Heinz Dürr*

Geminale Polyhalogenide können nach Prozeß ② (s. S. 628) bei der Photolyse auch zwei Halogen-Radikale abspalten, wodurch als Zwischenprodukte Carbene entstehen. Die

* Fachbereich Organische Chemie der Universität Saarbrücken.

[1] R. D. Youssefyeh u. M. Weisz, Am. Soc. **96**, 315 (1974).

[2] B. E. Pape u. M. J. Zabik, J. Agr. Food. Chem. **18**, 202 (1970), C. A. **72**, 110111 (1970).

Quantenausbeute für Prozeß ① ist z. B. bei Dijod-methan $\varphi_{310\,nm} = 0{,}55$[1]. Energiereichere Strahlung bewirkt direkte Abspaltung zweier Jod-Radikale oder allgemeiner Halogen-Radikale, d. h. Prozeß ① und ② können nebeneinander ablaufen[2]:

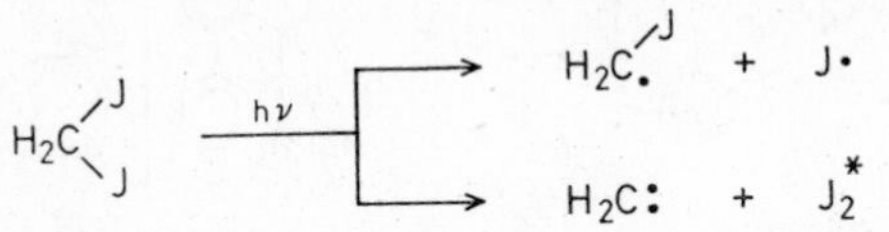

$$H_2C \overset{J}{\underset{J}{\diagdown}} \xrightarrow{h\nu} \begin{cases} H_2\overset{\cdot}{C}{\diagup}^{J} + J\cdot & \qquad ① \\[2mm] H_2C\colon + J_2^* & \qquad ② \end{cases}$$

Die bei der Photolyse von Polyhalogeniden entstehenden Carbene lassen sich mit Olefinen abfangen, wobei Additions- und/oder Insertionsprodukte gebildet werden. So liefert z. B. die Belichtung von Dibrom-chlor-methan in Cyclohexen u. a. *2-Brom-1-bromchlor-methyl-cyclohexan* (2,5% d.Th.) und *endo-* sowie *exo-7-Chlor-bicyclo[4.1.0]heptan* (je 4% d.Th.)[3]:

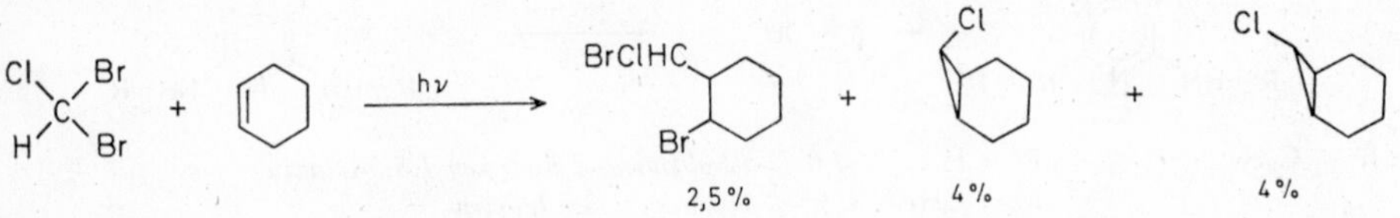

$$Cl\overset{Br}{\underset{H}{\overset{|}{C}}}{\underset{Br}{}} + \bigcirc\!\!\!\!\text{(Cyclohexen)} \xrightarrow{h\nu} \text{BrClHC}\!-\!\bigcirc\!\!\!\text{Br} + \bigcirc\!\!\!\!\overset{Cl}{\triangle} + \bigcirc\!\!\!\!\overset{Cl}{\triangle}$$

$$\qquad\qquad\qquad\qquad\qquad\qquad\qquad 2{,}5\% \qquad\qquad 4\% \qquad\qquad 4\%$$

Wird Dijod-methan in Cyclohexen belichtet (Hg-Hoch- oder Niederdruck-Lampe), so erhält man geringe Ausbeuten an Bicyclo[4.1.0]heptan[4]. Die Multiplizität des entstehenden Methylens wurde durch die stereospezifisch verlaufende Addition an *cis-* bzw. *trans-*Hexen-(3) einem Singulett-Zustand zugeordnet:

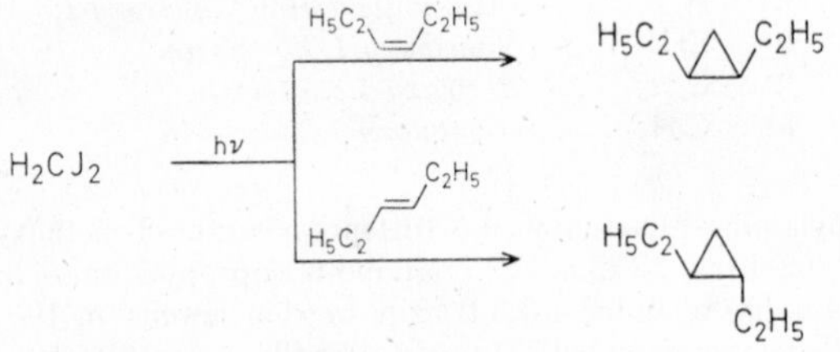

$$H_2CJ_2 \xrightarrow{h\nu} \begin{cases} H_5C_2\!-\!\!=\!\!-\!C_2H_5 \quad\longrightarrow\quad H_5C_2\overset{\triangle}{}C_2H_5 \\[4mm] H_5C_2\!-\!\!=\!\!-\!C_2H_5 \quad\longrightarrow\quad H_5C_2\overset{\triangle}{}{}_{C_2H_5} \end{cases}$$

1,2-Dihalogen-benzole können photochemisch ebenfalls zwei Halogen-Radikale verlieren, wobei nach Prozeß ③ Dehydrobenzol entsteht. Es ist noch nicht geklärt, ob die Eliminierung schrittweise oder synchron abläuft:

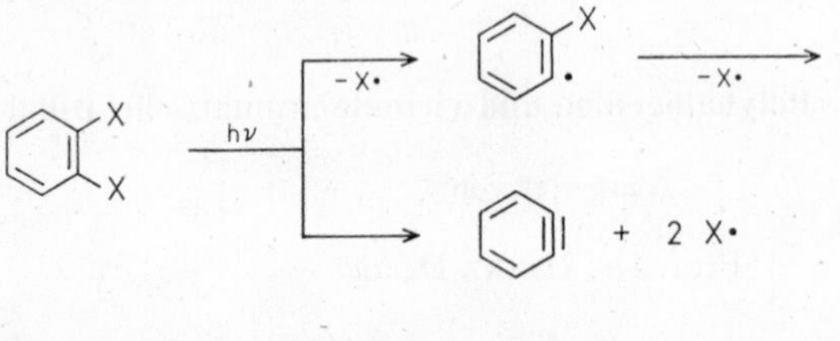

$$\bigcirc\!\!\!\overset{X}{\underset{X}{}} \xrightarrow{h\nu} \begin{cases} \bigcirc\!\!\!\overset{X}{\underset{\cdot}{}} \xrightarrow{-X\cdot} \bigcirc\!\!\!\parallel & \qquad ③ \\[3mm] \bigcirc\!\!\!\parallel + 2\,X\cdot \end{cases}$$

Die als reaktive Zwischenstufen auftretenden Arine können mit nucleophilen Reagentien wie Dienen, Alkoholen u. a. abgefangen werden.

---

[1] K. E. Gibson u. T. Iredale, Trans. Faraday Soc. **32**, 571 (1936).
[2] Vgl. auch: J. R. Majer u. C. R. Patrick, Nature **192**, 866 (1961).
[3] T. Marolewski u. N. C. Yang, Chem. Commun. **1967**, 1225.
[4] D. C. Blomstrom, K. Herbig u. H. E. Simmons, J. Org. Chem. **30**, 959 (1965).

Die Belichtung von 1,2-Dijod-benzol (I) in Benzol mit einer Hg-Niederdruck-Lampe in Gegenwart von 5-Oxo-1,2,3,4-tetraphenyl-cyclopentadien liefert *1,2,3,4-Tetra-phenyl-naphthalin* (II; 10% d.Th.)[1]. Aus 2-Jod-phenyl-quecksilberjodid erhält man unter entsprechenden Bedingungen das gleiche Produkt in 25%iger Ausbeute[2]. Wird die Photolyse des 1,2-Dijod-benzols in Gegenwart von Monodeuterio-methanol vorgenommen, so wird *2-Methoxy-1-deuterio-benzol* (IV; 67% d.Th.) isoliert. Dieser Befund beweist eindeutig die Dehydrobenzol-Zwischenstufe[3]:

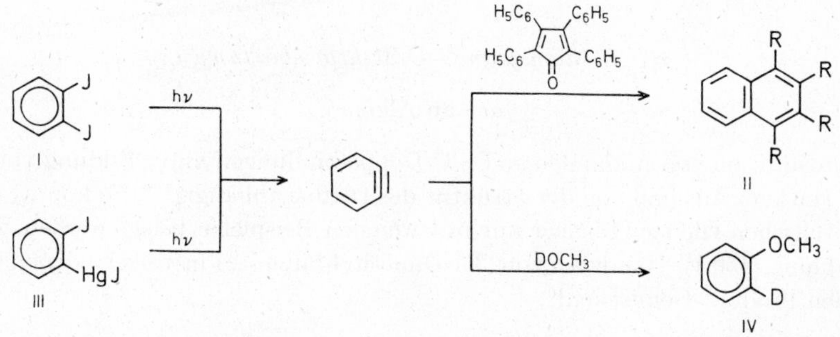

1,2,3,4-Tetraphenyl-naphthalin[2]: 1,06 g (2 mMol) 2-Jod-phenyl-quecksilberjodid werden mit 0,77 g (2 mMol) 5-Oxo-1,2,3,4-tetraphenyl-cyclopentadien in 150 *ml* absol. Benzol gelöst und 8 Stdn. mit einer Hanau Q 81 Hg-Hochdruck-Lampe ohne Filter bei 65° belichtet. Die organische Phase wird vom schwarzen Niederschlag getrennt, das Lösungsmittel abgezogen und der Rückstand an Aluminiumoxid mit Cyclohexan/Benzol chromatographiert. Das Produkt fällt als Öl an, erstarrt dann und wird aus Äthanol/Benzol umkristallisiert; Ausbeute: 0,21 g (25% d.Th.); F: 205–206°.

Tetrafluor-1,2-dijod-benzol ergibt bei der Photolyse Tetrafluor-dehydrobenzol, das sich mit Benzol zu *2,3,4,5-Tetrafluor-⟨2,3-benzo-bicyclo[2.2.2]octatrien-(2,5,7)⟩* (3% d.Th.) umsetzt[4].

Zur aromatischen nucleophilen Substitution bei der Photolyse von Halogenbenzolen s. Lit.[5] (Fluorbenzole[6], Hexafluorbenzol[7], Fluor-nitro-naphthaline[8], Chlorphenole[9], Chlornitro-benzole[10] und 1-Brom-naphthalin[11]).

b) am Kohlenstoff-Sauerstoff-System

1. an den C—O—H- und C—O—C-Bindungen

α) Alkohole

bearbeitet von

Prof. Dr. GEORGE SOSNOVSKY* und Dr. DAVID J. RAWLINSON**

Einfache gesättigte Alkohole absorbieren unterhalb von $\lambda = 200$ nm, sodaß sich photochemisch eine Vielzahl von Reaktionen einleiten läßt, von denen jedoch nur wenige prä-

* Department of Chemistry, University of Wisconsin-Milwaukee, Wisconsin 5320/USA.
** Department of Chemistry, Western Illinois University, Macomb, Illinois 61455/USA.

[1] J. A. KAMPMEIER u. E. HOFFMEISTER, Am. Soc. 84, 3787 (1962).
[2] G. WITTIG u. H. F. EBEL, A. 650, 20 (1961).
[3] N. KHARASCH u. R. K. SHARMA, Chem. Commun. 1967, 492.
[4] H. HEANEY et al., Soc. [C] 1970, 2569.
[5] F. PIETRA, Quart. Rev. (London) 24, 504 (1969).
[6] J. A. BARLTROP, N. J. BUNCE u. A. THOMPSON, Soc. [C] 1967, 1142.
[7] D. BRYCE-SMITH, A. GILBERT u. P. J. TWITCHETT, Chem. Commun. 1973, 457.
[8] J. G. LAMMERS u. J. LUGTENBURG, Tetrahedron Letters 1973, 1777.
[9] J. T. PINHEY u. R. D. RIGBY, Tetrahedron Letters 1969, 1267.
[10] A. ELTSOV, O. V. KULBITSKAYA u. A. N. FROLOV, Ž. Org. Chim. 8, 76 (1972); Cheminform 20, 183 (1972).
[11] M. G. KUZMIN, Y. A. MIKHIEV u. L. N. GUSEVA, Pokl. Akad. Nauk SSSR 196, 368 (1967).

paratives Interesse haben[1-4]. Das im folgenden zusammengestellte Material befaßt sich also nur in ganz geringem Umfang mit der Photolyse von reinen Alkoholen, ausführlich dagegen mit den Reaktionen, die Alkohole mit anderen optisch angeregten Molekülen eingehen.

Über die Photochemie von Glykolen ist wenig Information verfügbar. Bestrahlung in Gegenwart von Eisen(III)- oder Kupfer(II)-Ionen führt unter Spaltung von Kohlenstoff-Kohlenstoff oder Kohlenstoff-Sauerstoff-Bindungen zu einer Vielzahl von Produkten, so daß diesen Umsetzungen wenig präparative Bedeutung zukommt[5, 6].

α_1) Additionen an C–C-Mehrfachbindungen

$\alpha\alpha$) an Alkene

Die Photoaddition von Alkoholen an C=C-Doppelbindungen unter Bildung von Äthern ist in sehr starkem Ausmaß von der Struktur des Olefins abhängig[7-9]. So konnte die Reaktion an acyclischen Olefinen[8] bisher nur mit wenigen Beispielen belegt werden, z. B. führt die Bestrahlung (450 W Hanovia) von 2,3-Dimethyl-buten-(2) in verschiedenen Alkoholen zu folgenden Produkt-Gemischen[10]:

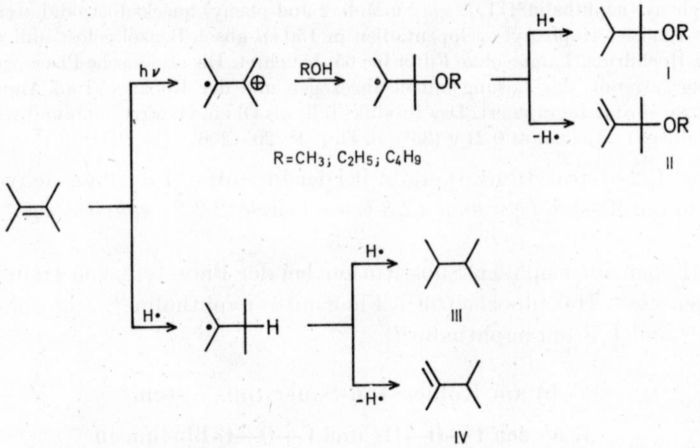

Die *2-Alkoxy-2,3-dimethyl-butane* I fallen jedoch nur in Ausbeuten <37% d.Th. an, die *3-Alkoxy-2,3-methyl-buten-(1)*-Verbindungen II erreichen je nach Bestrahlungsdauer bis zu 30% d.Th. *2,3-Dimethyl-butan* (III) und *2,3-Dimethyl-buten-(1)* (IV) sind stets mit einigen Prozenten in den Produkt-Gemischen vertreten.

Mit über 50%iger Ausbeute soll nach 4stdg. Bestrahlung von 1,2-Bis-[1-methyl-pyridyl-(4)-ium]-äthylen-dijodid in abs. Äthanol *2-Äthoxy-1,2-bis-[1-methyl-pyridyl-(4)-ium]-äthan-*

[1] J. G. Calvert u. J. N. Pitts, Jr., *Photochemie*, S. 441, 443, John Wiley and Sons, Inc., New York, N.Y. 1967.
[2] C. von Sonntag, Fortschr. chem. Forsch. **13**, 333 (1969).
[3] C. von Sonntag, Tetrahedron **25**, 5853 (1969).
[4] N. C. Yang et al., Am. Soc. 88, 2851 (1966).
[5] H. Inoue et al., J. chem. Soc. Japan, ind. Chem. Sect. **69**, 654 (1966); C. A. **65**, 19997c (1966).
[6] H. Inoue et al., Bl. chem. Soc. Japan **39**, 1577 (1966); **40**, 875 (1967); **41**, 2726 (1963).
[7] J. A. Marshall, Accounts Chem. Res. **2**, 33 (1969).
[8] P. J. Kropp u. H. J. Krauss, Am. Soc. **91**, 7466 (1969) und dort zitierte Lit.
[9] P. J. Kropp u. H. J. Krauss, Am. Soc. **89**, 5199 (1967).
[10] E. J. Reardon u. P. J. Kropp, Am. Soc. **93**, 5593 (1971).

dijodid (F: 220–240°) gebildet werden[1] (s. a. S. 666):

$$H_3C-\overset{\oplus}{N}\langle\rangle-CH=CH-\langle\rangle\overset{\oplus}{N}-CH_3 \quad 2\,J^{\ominus} \xrightarrow{h\nu/C_2H_5OH} H_3C-\overset{\oplus}{N}\langle\rangle-\underset{\underset{OC_2H_5}{|}}{CH}-CH_2-\langle\rangle\overset{\oplus}{N}-CH_3 \quad 2\,J^{\ominus}$$

Photolysen von Methyl-(2-phenyl-vinyl)-sulfoxid in Alkoholen (200 W Quecksilber-Hoch-druck-Brenner; Pyrex; Stickstoff; Raumtemp.; 120 Stdn.) führen zu *Methyl-(2-alkoxy-2-phenyl-äthyl)-sulfoxiden* und nach Reduktion der Ausgangsverbindung zu Methyl-(2-phenyl-vinyl)-sulfid durch den Alkohol gleichfalls zu *Methyl-(2-alkoxy-2-phenyl-äthyl)-sulfiden*[2]:

$$R = CH_3\,;\,C_2H_5$$

R = CH₃ Va; *Methyl-(2-methoxy-2-phenyl-äthyl)-sulfoxid*; 65% d.Th.
R = C₂H₅ Vb; *Methyl-(2-äthoxy-2-phenyl-äthyl)-sulfid*; 53% d.Th.
R = CH₃ VIa; *Methyl-(2-methoxy-2-phenyl-äthyl-)sulfid*; 5% d.Th.
VIb; *Methyl-(2-äthoxy-2-phenyl-äthyl)-sulfid*; 9% d.Th.

In Isopropanol erfolgt ausschließlich Reduktion des Sulfoxids zum Sulfid und dann erst Addition zum *Methyl-(2-isopropyloxy-2-phenyl-äthyl-)sulfid* (52% d.Th.). Methanol kann photoinduziert auch an (2-Phenyl-vinyl)-phenyl-sulfid und an 2-Propen-(2)-yl-phenol addiert werden, vgl. Org.-Lit.[2].

Während photoinduzierte Additionen von Alkoholen an Cycloalkene mit *exo*-cyclischer C=C-Doppelbindung bisher nicht nachgewiesen werden konnten, so gelingt die direkte oder sensibilisierte Photoaddition im allgemeinen mit sechs- und siebengliedrigen Cycloalkenen, bei noch größeren Cycloalkenen hingegen nur vereinzelt. In einigen Fällen kann der Reaktionsablauf durch Zugabe von Säure erleichtert werden. Die Umsetzungen werden bei Ausschluß von Sauerstoff durchgeführt[3], Beispiele enthält Tab. 91 (S. 657).

$$n = 4,5,6$$

Der genaue Charakter des photochemisch aktiven Zwischenproduktes ist noch nicht bekannt, er kann dem T₁- oder S₀-Zustand des *trans*-Alkens entsprechen. Wie Untersuchungen mit O-Deuterio-methanol zeigen, wird primär das angeregte Alken an C=C-Doppelbindung photoprotoniert[4,5].

Die Alkohol-Addition erfolgt unter sonst gleichen Bedingungen in der Reihe

Methanol > Äthanol > Isopropanol > tert.-Butanol

zunehmend schwerer. Die Richtung der Anlagerung entspricht der Markownikow-Regel; es wird ein ionischer Reaktionsmechanismus angenommen[4,6,7].

[1] J. W. Happ, M. T. McCall u. D. G. Whitten, Am. Soc. **93**, 5496 (1971).
[2] N. Miyamoto u. H. Nozaki, Tetrahedron **29**, 3819 (1973).
[3] J. A. Marshall u. R. D. Carroll, Am. Soc. **88**, 4092 (1966).
[4] P. J. Kropp u. H. J. Krauss, Am. Soc. **89**, 5199 (1967).
[5] P. J. Kropp, Pure Appl. Chem., **24**, 585 (1970).
[6] J. A. Marshall, Accounts Chem. Res. **2**, 33 (1969).
[7] P. J. Kropp u. H. J. Krauss, Am. Soc. **91**, 7466 (1969) und dort zitierte Lit.

An Cyclopenten und 1-Methyl-cyclopenten lassen sich weder direkt noch sensibilisiert, auch nicht bei Zusatz katalytischer Mengen einer Säure, Alkohole addieren[1]. Die 4fach substituierte C=C-Doppelbindung von 1,2-Dimethyl-cyclopenten kann dagegen bei Bestrahlung in Methanol/Cyclohexan angegriffen werden[2]. Es entstehen vermutlich über ein Radikal-Kation *2-Methoxy-1,2-dimethyl-cyclopentan* sowie *3-Methoxy-2,3-dimethyl-cyclopenten* und *2-Methoxy-2-methyl-1-methylen-cyclopentan*. Auch 1,2-Dimethyl-cyclohexan liefert neben dem normalen Additionsprodukt ungesättigte Alkoxy-Derivate (s. a. S. 654).

Ein weiteres Beispiel zur Alkohol-Addition an ein fünfgliedriges Cycloalken stellt 3-Methyl-1-phenyl-4,5-dihydro-phosphol dar[3]. Bestrahlungen von 0,04 m Lösungen in Alkohol/Xylol-Gemischen (1:10) mit einer 300 W Quecksilber-Hochdruck-Lampe in einem Quarz-Gefäß unter Stickstoff liefern:

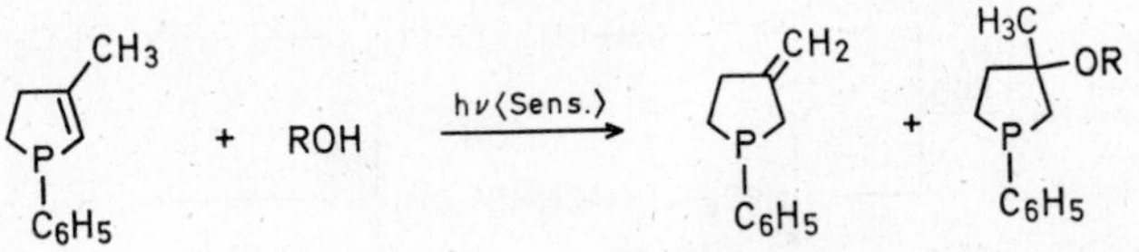

	1-Phenyl-3-methylen-phospholan	3-Alkoxy-3-methyl-1-phenyl-phospholan
R = CH$_3$	54% d.Th.	20% d.Th.
R = C$_2$H$_5$	46% d.Th.	14% d.Th.
R = CH(CH$_3$)$_2$	42% d.Th.	13% d.Th.
R = C(CH$_3$)$_3$	36% d.Th.	10% d.Th.

Alkoxy-cycloalkane; allgemeine Arbeitsvorschrift[4]: ~ 150 *ml* einer Lösung aus 31 mMol Olefin, 3 *ml* Xylol in dem betreffenden Alkohol werden mit einer Hanovia 450 W Quecksilber-Mitteldruck-Lampe in einem wassergekühlten Tauchrohr (Vycor) belichtet. Ein Stickstoffstrom, der durch eine Düse am Gefäß-boden eingeleitet wird, sorgt für kräftige Durchmischung. Anschließend wird die Mischung an einer 45 cm Drehband-Kolonne konzentriert und die einzelnen Stoffe gaschromatographisch isoliert.

An bicyclische Verbindungen, wie z. B. Bicyclo[2.2.1]hepten[5] oder 2-Methyl-bicyclo[2.2.1]hepten-(2)[5,6] gelingt eine photochemische Alkohol-Addition zu Alkoxy-Derivaten nicht. 2-Phenyl-bicyclo[2.2.1]hepten-(2) dagegen liefert in wäßrigem Methanol oder Methanol/Hexadecan nach 6 Stdn. (450 W Hanovia Quecksilber-Mitteldruck-Lampe; Vycor) *exo*- und *endo*-*2-Phenyl-bicyclo[2.2.1]heptan* (12–18% d.Th.) sowie *exo-2-Methoxy-2-phenyl-bicyclo[2.2.1]heptan* (51–47% d.Th.)[7]. Die gaschromatographische Analyse eines Photolysats von 1,7,7-Trimethyl-2-phenyl-bicyclo[2.2.1]hepten-(2) in Methanol zeigt folgende Verbindungen an[7]:

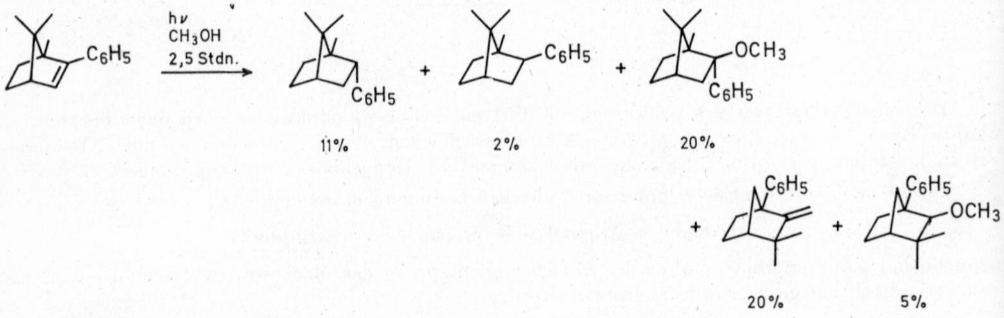

[1] P. J. Kropp et al., Am. Soc. **95**, 7058 (1973).
[2] P. J. Kropp, Pure Appl. Chem., **24**, 585 (1970).
[3] H. Tomioka u. Y. Izawa, Tetrahedron Letters **1973**, 5059.
[4] P. J. Kropp u. H. J. Krauss, Am. Soc. **89**, 5199 (1967).
[5] P. J. Kropp, Am. Soc. **89**, 3650 (1967).
[6] P. J. Kropp, Am. Soc. **91**, 5783 (1969).
[7] P. J. Kropp, Am. Soc. **95**, 4611 (1973).

Auch mit 2,7,7-Trimethyl-bicyclo[3.1.1]hepten-(2)[1], Bicyclo[2.2.2]octen[1,2] oder 4,6,6,10-Tetramethyl-tricyclo[5.3.1.^{1,5}.0]undecen-(3) (α-Cedren)[3,4] läßt sich eine Photoaddition von Methanol nicht durchführen.

Dagegen lagern sich tert.-Butanol oder Methanol in saurem Milieu an Bicyclo[3.2.1] octen-(2) an unter Bildung von Äther-Gemischen[1]:

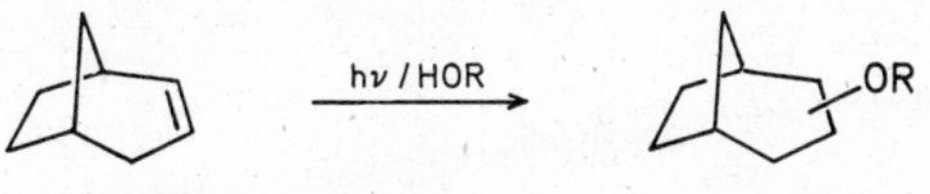

R = CH₃;   *exo-* und *endo-2-* bzw. *3-Methoxy-bicyclo[3.2.1]octan*; 73% d.Th.

R = C(CH₃)₃; *exo-* und *endo-2-* bzw. *3-tert.-Butyl-oxy-bicyclo[3.2.1]octan*; 32% d.Th.

Substituierte Cyclohexadiene-(1,4) werden nur an einer Doppelbindung angegriffen. So liefert z. B. 1-Äthyl-cyclohexadien-(1,4) mit Methanol *4-Methoxy-4-äthyl-cyclohexen* (6% d.Th.)[3,4] und 4-Methyl-1-isopropyl-cyclohexadien-(1,4) entsprechend *cis-* und *trans-4-Methoxy-4-methyl-1-isopropyl-cyclohexen* (60% d.Th.)[3].

Die Xylol-sensibilisierte Bestrahlung von (+)-1-Methyl-4-isopropenyl-cyclohexen (Limonen) führt in Methanol zu *cis-* und *trans-4-Methoxy-4-methyl-1-isopropenyl-cyclohexan* (28 bzw. 18% d.Th.)[5]. Das unumgesetzte Limonen wurde zu 84% racemisiert.

Die photochemische Anlagerung eines Alkohols an eine Doppelbindung kann auch intramolekular verlaufen. So läßt sich z. B. endo-5-Hydroxymethyl-bicyclo[2.2.1]hepten-(2) in *3-Oxa-tricyclo[3.2.1.1^{2,6}]nonan* (43% d.Th.)[6] überführen:

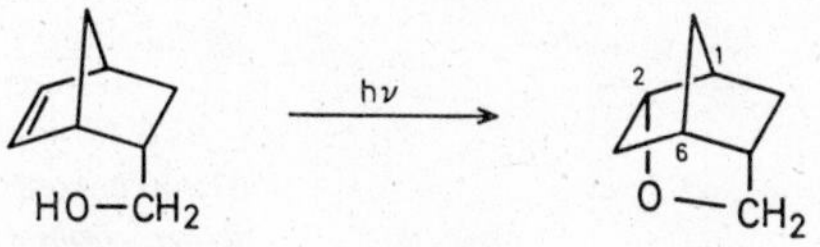

Die entsprechende Umsetzung von endo-5-[2-Hydroxy-propyl-(2)]-bicyclo[2.2.1]hepten-(2) verläuft sogar mit 85%iger Ausbeute zu *4,4-Dimethyl-3-oxa-tricyclo[3.2.1.1^{2,6}]nonan*, obwohl bei einem tertiären Alkohol geringere Ausbeuten zu erwarten gewesen wären. Bei der säurekatalysierten, nicht photochemischen Reaktion addiert sich der Alkohol an das andere Kohlenstoff-Atom der Doppelbindung.

Bei *trans*-2-Hydroxy-1-allyl-cyclohexan und bei 1-(2-Hydroxy-propyl)-cyclohexen wurde keine intramolekulare Addition beobachtet.

Tab. 91. Photoaddition von Alkoholen an Cycloalkene

Cycloalken	Alkohol	Reaktions-bedingungen	Produkt	Ausbeute [% d.Th.]	Literatur
Cyclohexen	Methanol	in Benzol, Toluol oder Xylol	*1-Methoxy-cyclo-hexan*	0	1
		Säure		62	1

[1] P. J. KROPP, Am. Soc. **91**, 5783 (1969).
[2] P. J. KROPP, Am. Soc. 89, 3650 (1967).
[3] P. J. KROPP u. H. J. KRAUSS, Am. Soc. 89, 5199 (1967).
[4] P. J. KROPP, Am. Soc. 88, 4091 (1966).
[5] K. J. KROPP, J. Org. Chem. **35**, 2435 (1970).
[6] P. J. KROPP u. H. J. KRAUSS, Am. Soc. **91**, 7466 (1969); und dort zitierte Lit.

Tab. 91 (1. Fortsetzung)

Cycloalken	Alkohol	Reaktions-bedingungen	Produkt	Ausbeute [% d. Th.]	Literatur
1-Methyl-cyclo-hexen	Methanol	in Benzol, Toluol oder Xylol	*1-Methoxy-1-me-thyl-cyclohexan*	44	[1]
	tert.-Butanol	Xylol	*1-tert.-Butyloxy-1-methyl-cyclohexan*	0	[1]
	Benzylalkohol	ohne Zusatz	*1-Benzyloxy-1-me-thyl-cyclohexan*	0	[1]
1-Phenyl-cyclo-hexen	Methanol	[a]	*1-Methoxy-1-phe-nyl-cyclohexan*	13	[2]
		Säure		80	[2]
4-Isopropyl-cyclohexen	Methanol	in Benzol	*cis-* und *trans-3-* bzw. *4-Methoxy-1-isopropyl-cyclohexan*	24	[1]
1-Methyl-4-iso-propyl-cyclohexen	Methanol	in Benzol, Toluol oder Xylol	*cis-* und *trans-4-Methoxy-4-me-thyl-1-isopropyl-cyclohexan*[b]	61	[1, 3, 4]
	Äthanol		*cis-* und *trans-4-Äthoxy-4-methyl-1-isopropyl-cyclohexan*	49	[1, 4, 5]
	Isopropanol		*cis-* und *trans-4-Isopropyloxy-4-methyl-1-isopro-pyl-cyclohexan*	27	[1, 4, 5]
1-Äthyl-4-isopropyl-cyclohexen	Methanol		*cis-* und *trans-4-Methoxy-4-äthyl-1-isopropyl-cyclohexan*	60	[1]
(+)-3,7,7-Tri-methyl-bicyclo [4.1.0]hepten-(3) [(+)-Caren-(3)]	Methanol	in Xylol	*exo-* und *endo-3-Methoxy-3,7,7-trimethyl-bicyclo-[4.1.0]heptan*[c]	20	[1, 2]
Cholesten-(4)	Methanol	in Benzol	*5-Methoxy-cholestan*	20	[6]
	Isopropanol		*5-Isopropyloxy-cholestan*	20	[6]

[a] Die Photoanlagerung ist auch ohne Sensibilisator durchführbar.
[b] Es entsteht mehr *cis-* als *trans-*Äther im Gegensatz zur nicht photochemischen durch Säure katalysierten Reaktion.

[1] P. J. KROPP u. H. J. KRAUSS, Am. Soc. **89**, 5199 (1967).
[2] P. J. KROPP, Am. Soc. **91**, 5783 (1969).
[3] J. A. MARSHALL, Accounts Chem. Res. **2**, 33 (1969).
[4] J. A. MARSHALL u. R. D. CARROLL, Am. Soc. **88**, 4092 (1966).
[5] P. J. KROPP, Am. Soc. **88**, 4091 (1966).
[6] H. CAMPAIGNON DE MARCHEVILLE u. R. BEUGELMANS, Tetrahedron Letters **1969**, 1901.

Tab. 91 (2. Fortsetzung)

Cykloalken	Alkohol	Reaktions-bedingungen	Produkt	Ausbeute [% d. Th.]	Literatur
Cholesten-(5)	Methanol	in Benzol	5-Methoxy-cholestan	20	1
1-Methoxy-cyclo-hexen	Methanol	in Xylol	1,1-Dimethoxy-cyclohexan	60	2
1-Acetyl-cyclohexen	Methanol	ohne Zusätze	cis- und trans-2-Methoxy-1-acetyl-cyclohexan	58	3, 4
	Äthanol		cis- und trans-2-Äthoxy-1-acetyl-cyclohexan	62	3, 4
	tert.-Butanol		cis- und trans-2-tert.-Butyloxy-1-acetyl-cyclohexan	63	4
3-Acetoxy-cyclohexen	Methanol	in Xylol	cis- und trans-3-Methoxy-1-acetoxy-cyclo-hexan	51	5
Cyclohepten	Methanol	in Xylol	1-Methoxy-cyclo-heptan	0	6
		Säure		51	6
1-Methyl-cyclohepten	Methanol	in Xylol	1-Methoxy-1-me-thyl-cycloheptan	62	2
1-Phenyl-cyclohepten	Methanol	ohne Zusätze	1-Methoxy-1-phenyl-cyclo-heptan	0	6
		Säure		80	6
1-Methyl-cycloocten	Methanol	ohne Zusatz	1-Methoxy-1-methyl-cyclooctan	0	7
		Schwefel-säure		47	
		Xylol		0	
		Xylol/ Schwefel-säure		37	

c In 12%iger Ausbeute fällt zusätzlich $(H_3C)_2C$ $\underset{H_3CO}{\overset{CH_3}{|}}$ {1-Methyl-4-[2-methoxy-propyl-(2)]-bicyclo

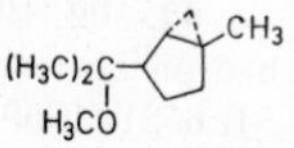

[3.1.0]hexan} an

1 H. Campaignon de Marcheville u. R. Beugelmans, Tetrahedron Letters 1969, 1901.
2 P. J. Kropp u. H. J. Krauss, Am. Soc. 89, 5199 (1967).
3 M. B. Rubin, Israel J. Chem. 7, 49 (1969).
4 B. J. Ramey u. P. D. Gardner, Am. Soc. 89, 3949 (1967).
5 T. Okada et al., Tetrahedron Letters 1970, 859.
6 P. J. Kropp, Am. Soc. 91, 5783 (1969).
7 P. J. Kropp et al., Am. Soc. 95, 7058 (1973).

$\beta\beta$) an Diene

Bestrahlung substituierter Butadiene-(1,3) führt in Gegenwart von Alkoholen zu Äthern[1,2]. Die Umsetzung von Butadien-(1,3)[2] in Methanol, die zu *Methoxy-cyclobutan* (<3% d.Th.) und Methyl-cyclopropylmethyl-äther (<3% d.Th.) führt, verläuft jedoch über eine Bicyclo[1.1.0]butan-Zwischenstufe[3,4], sodaß die Alkohol-Addition erst in einer sich anschließenden Dunkelreaktion erfolgt:

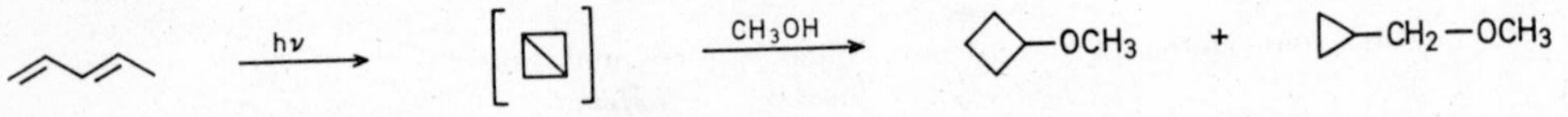

Eine ganze Reihe von Reaktionen[5,6] verläuft nach diesem Mechanismus.

So ergibt auch Cholestadien-(3,5) in Äthanol bei UV-Bestrahlung (Quecksilber-Bogen) *6β-Äthoxy-3,5-cyclo-cholestan* (60% d.Th.) und *3α-Äthoxymethyl-A-nor-cholesten-(5)* (15% d.Th.)[7–9]:

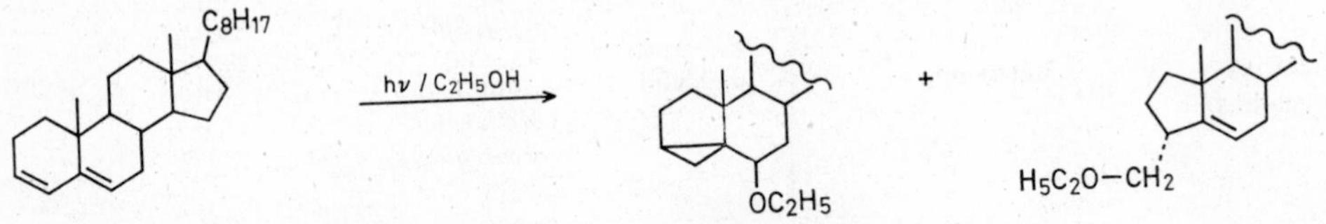

Im Gegensatz hierzu liefert 3-Methoxy-cholestadien-(3,5) mit abs. Äthanol (Quecksilber-Hochdruck-Lampe) *3α-Methoxy-3β-äthoxy-cholesten-(5)* (60% d.Th.)[10]. In diesem Fall soll keine Bicyclobutan-Zwischenstufe durchlaufen werden. Das angeregte Dien abstrahiert vom Alkohol ein Proton und reagiert als Carbenium-Ion mit dem Lösungsmittel weiter[11].

Mechanistische Einzelheiten[10] und das Verhältnis der auf beiden Reaktionswegen entstehenden Produkte wurden an einer Vielzahl von 3- und 6-substituierten Cholestadienen-(3,5) untersucht[10-15]. Auch hier begünstigt Säure-Zusatz die Photoaddition[10].

3α-Methoxy-3β-äthoxy-cholesten-(5)[10,16]: 2,0 g 3-Methoxy-cholestadien-(3,5) werden in 1800 *ml* abs. Äthanol 3 Stdn. mit einer Hanovia 250 W Lampe (wassergekühlter Tauchschacht) bestrahlt. Das Produkt (2,3 g) wird an Aluminiumoxid mit Hexan chromatographiert; Ausbeute: 1,1 g (60% d.Th.). Das Produkt ist durch kleine Mengen der epimeren Verbindung verunreinigt, die durch Umkristallisieren aus Äthanol entfernt werden können; F: 98–99°; $[\alpha]_D^{20} = -32,3$ (in Chloroform).

Über eine angeregte polare Zwischenstufe verläuft wahrscheinlich auch die Umsetzung von Abietinsäure bzw. ihres Methylesters. Die mit Methanol (Benzol kann als

[1] J. A. Barltrop u. H. E. Browning, Chem. Commun. **1968**, 1481.
[2] W. G. Dauben, J. H. Smith u. J. Saltiel, J. Org. Chem. **34**, 261 (1969).
[3] R. Srinivasan, Am. Soc. **85**, 4045 (1963).
[4] R. Srinivasan, Am. Soc. **90**, 4498 (1968).
[5] W. G. Dauben u. W. A. Spitzer, Am. Soc. **90**, 802 (1968).
[6] W. G. Dauben u. C. D. Poulter, Tetrahedron Letters **1967**, 3021.
[7] W. G. Dauben u. J. A. Ross, Am. Soc. **81**, 6521 (1959).
[8] W. G. Dauben u. F. G. Willey, Tetrahedron Letters **1962**, 893.
[9] W. G. Dauben u. W. T. Wipke, Pure Appl. Chem. **9**, 539 (1964).
[10] G. Just u. C. C. Leznoff, Canad. J. Chem. **42**, 79 (1964).
[11] G. Bauslaugh, G. Just u. E. Lee-Ruff, Canad. J. Chem. **44**, 2837 (1966).
[12] G. Just u. C. Pace-Asciak, Tetrahedron **22**, 1069 (1966).
[13] C. C. Leznoff u. G. Just, Canad. J. Chem. **42**, 2919 (1964).
[14] G. Just u. V. di Tullio, Canad. J. Chem. **42**, 2153 (1964).
[15] J. Pusset u. R. Beugelmans, Tetrahedron Letters **1967**, 3249.
[16] C. C. Leznoff u. G. Just, Canad. J. Chem. **42**, 2801 (1964).

Sensibilisator zugesetzt werden) gebildeten epimeren Äther, *7-Methoxy-1,4a-dimethyl-7-isopropyl-1-methoxycarbonyl-1,2,3,4,4a,4b,5,6,7,8,10,10a-dodecahydro-phenanthren*, fallen in 35%iger Ausbeute an[1]:

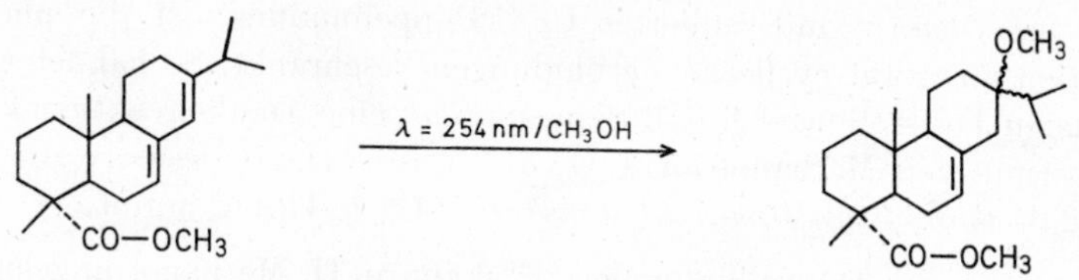

Abweichend hiervon zieht die Photoaddition von Methanol an Neoabietinsäure-methylester einen Dehydrierungsschritt nach sich[2] und liefert *1,4a-Dimethyl-7-[2-methoxy-propyl-(2)]-1-methoxycarbonyl-1,2,3,4,4a,4b, 5,6,10,10a-decahydro-phenanthren*:

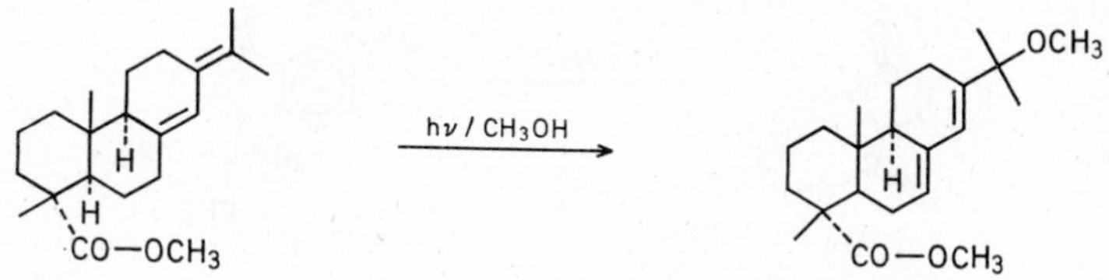

Angesäuertes Methanol wird durch UV-Bestrahlung an die olefinische C=C-Doppelbindung von Benzo-cycloheptadien-(1,3) addiert und liefert *5-Methoxy-6,7,8,9-tetrahydro-5H-⟨benzocycloheptatrien⟩* (8% d.Th.). Mit Acetophenon als Sensibilisator läßt sich die Ausbeute auf 14% d.Th. steigern[3].

Über Additionen von Alkoholen an Valenzisomere des Benzols s. S. 509, an Purin-Derivate s. S. 564.

γγ) an Enone

Eine der Michael-Addition entsprechende photochemische Anlagerung von Alkoholen an Enone ist wohl bekannt. Sie läßt sich bei sieben-[4,5], acht-[6,7] und neungliedrigen cyclischen Enonen durchführen (s. Tab. 92, S. 663), wobei die Alkoxy-Gruppe in β-Stellung zur Carbonyl-Funktion eintritt[6,8]. Bei entsprechenden Dienonen werden zusätzlich unter Ringverengungen bicyclische Äther gebildet[7,9]. So liefert die UV-Bestrahlung von Isocolchicin (7-Acetamino-1,2,3,9-tetramethoxy-10-oxo-5,6,7,10-tetrahydro-⟨benzo-[a]-heptalen⟩) in Methanol als Nebenprodukt *7-Acetamino-1,2,3,8,8-pentamethoxy-9-oxo-5,6,7,7b,8,9,10,10a-octa-hydro-⟨benzo-[a]-(cyclopenta-[3,4]-cyclobuta)-[1,2-c]-cycloheptatrien⟩* (14% d.Th.)[10]:

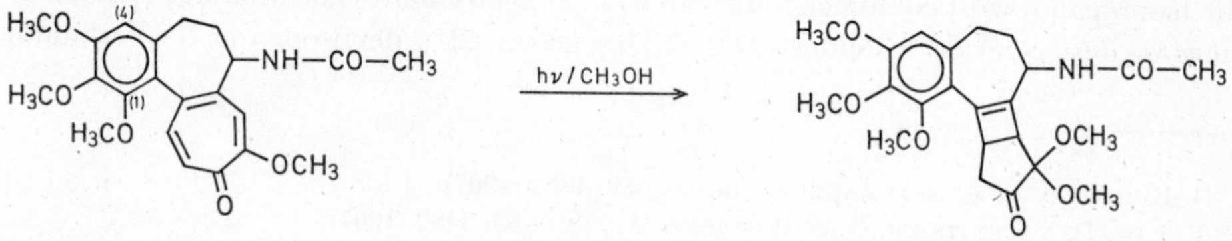

[1] J. C. SIRCAR u. G. S. FISCHER, J. Org. Chem. **34**, 404 (1969).
[2] J. C. SIRCAR u. G. S. FISCHER, Chem. & Ind. **1970**, 26.
[3] S. FUJITA, T. NOMI u. H. NOZAKI, Tetrahedron Letters **1969**, 3557.
[4] L. KAPLAN, J. S. RITSCHER u. K. E. WILZBACH, Am. Soc. **88**, 2881 (1966).
[5] I. E. DEN BESTEN, L. KAPLAN u. K. E. WILZBACH, Am. Soc. **90**, 5868 (1968).
[6] H. NOZAKI, M. KURITA u. R. NOYORI, Tetrahedron Letters **1968**, 2025.
[7] H. NOZAKI, M. KURITA u. R. NOYORI, Tetrahedron Letters **1968**, 3635.
[8] R. NOYORI, A. WATANABE u. M. KATO, Tetrahedron Letters **1968**, 5443.
[9] R. NOYORI u. M. KATO, Tetrahedron Letters **1968**, 5075.
[10] W. G. DAUBEN u. D. A. COX, Am. Soc. **85**, 2130 (1963).

3-Oxo-cyclopenten[1] und 3-Oxo-cyclohexen[2] verhalten sich gegenüber Alkohol indifferent, wogegen die photoinduzierte Anlagerung an Pummerer's Keton[3] mit guten Ausbeuten verläuft (s. u.).

Anders als bei Olefinen mit isolierter C=C-Doppelbindung, ist die photoinduzierte Alkohol-Addition nicht auf cyclische Verbindungen beschränkt. So handelt es sich z. B., entgegen früheren Feststellungen[4], daß Säurespuren[5] eine Dunkelreaktion katalysierten, bei der Anlagerung von Methanol an 4-Oxo-4-phenyl-butensäure um eine Photoreaktion, die *2-Methoxy-4-oxo-4-phenyl-butansäure* (81% d.Th.)[6, 7] ergibt.

Auch an *exo*-cyclische Doppelbindungen[8-10] kann u. U. Methanol angelagert werden. So wird z. B. 3-Oxo-1-isopropyliden-1,3-dihydro-⟨benzo-[c]-furan⟩ in *3-Oxo-1-[2-methoxy-propyl-(2)]-1,3-dihydro-⟨benzo-[c]-furan⟩* überführt (39% d.Th.)[10]:

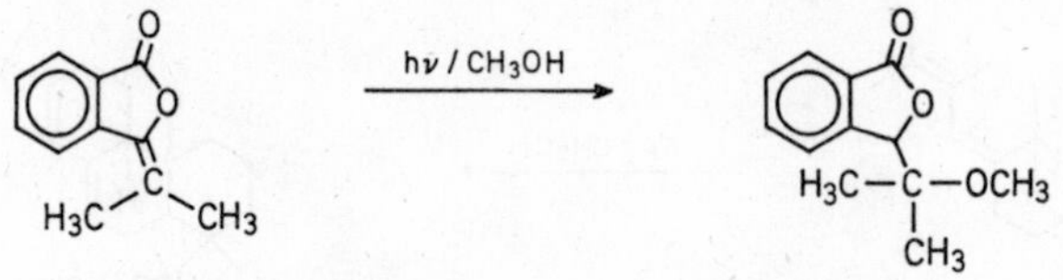

In den meisten Fällen ist der genaue Reaktionsablauf unklar. Als Zwischenstufen wurden Triplett-Zustände[9], angeregte Grundzustände[9] oder ein hypothetischer „polarer Zustand"[3,11,12] diskutiert.

1-Methoxy-3-oxo-8,9b-dimethyl-1,2,3,4,4a,9b-hexahydro-⟨dibenzofuran⟩[3]:

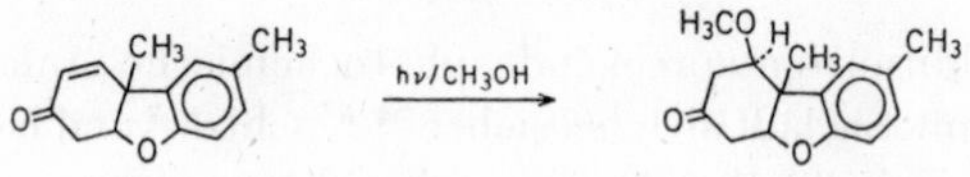

Eine 1%ige Lösung von 3-Oxo-8,9b-dimethyl-3,4,4a,9b-tetrahydro-⟨dibenzofuran⟩ in Methanol wird in einem wassergekühlten Tauchschacht aus Pyrex, mit einer Quecksilber-Hochdruck-Lampe (Ushio UM 450) unter Durchperlen von Stickstoff bestrahlt. Ausbeute, bez. auf umgesetztes Keton: 79%; F: 106–107°.

Mit Isopropanol wird entsprechend *trans-1-Isopropyloxy-3-oxo-8,9b-dimethyl-1,2,3,4,4a,9b-hexahydro-⟨dibenzofuran⟩* gebildet (37% d.Th.) neben 22% der isomeren *cis*-Verbindung.

---

[1] J. H. Ruhlen u. P. A. Leermakers, Am. Soc. **89**, 4944 (1967).

[2] E. Y. Lam, D. Valentine u. G. S. Hammond, Am. Soc. **89**, 3482 (1967).

[3] T. Matsuura u. K. Ogura, Am. Soc. **88**, 2602 (1966).

[4] R. Stoermer u. H. Stockmann, B. **47**, 1786 (1914).

[5] P. J. Kropp u. H. J. Krauss, J. Org. Chem. **32**, 3222 (1967).

[6] N. Sugiyama et al., Bl. chem. Soc. Japan **42**, 1353 (1969).

[7] D. V. Rao, V. Lambert u. H. M. Gardner, Tetrahedron Letters **1968**, 1613.

[8] M. B. Rubin, Israel J. Chem. **7**, 49 (1969).

[9] B. J. Ramey u. P. D. Gardner, Am. Soc. **89**, 3949 (1967).

[10] S. F. Nelsen u. P. J. Hintz, Am. Soc. **91**, 6190 (1969).

[11] H. Nozaki, M. Kurita u. R. Noyori, Tetrahedron Letters **1968**, 3635.

[12] R. Noyori u. M. Kato, Tetrahedron Letters **1968**, 5075.

Tab. 92. Addition von Alkoholen an Enone

Enon	Alkohol	Produkt	Ausbeute [% d.Th.]	Literatur
3-Oxo-cyclohepten	Methanol	*3-Methoxy-1-oxo-cyclo-heptan*	86	1
	Äthanol	*3-Äthoxy-1-oxo-cyclo-heptan*	73	1
	Isopropanol	*3-Isopropyloxy-1-oxo-cycloheptan*	50	1
	tert.-Butanol	*3-tert.-Butyloxy-1-oxo-cycloheptan*	3	1
3-Oxo-cycloheptadien-(1,4)	Methanol	*5-Methoxy-3-oxo-cyclo-hepten*	a	2
	tert.-Butanol	*2-tert.-Butyloxy-3-oxo-cis-bicyclo[3.2.0]hep-tan*	60	2
cis-3-Oxo-cycloocten[b]	Methanol	*3-Methoxy-1-oxo-cyclooctan*	72	3
	Isopropanol	*3-Isopropyloxy-1-oxo-cyclooctan*	43	3
5-Oxo-cyclooctadien-(1,3)	Methanol; $\lambda = 350$ nm; Pyrex; 4 Stdn.	*8-Methoxy-6-oxo-cyclo-octen*[c]	18	4
	Methanol + konz. HCl; $\lambda = 350$ nm; Pyrex; 8 Stdn.	*2-Methoxy-cis-bicyclo[4.2.0]octadien-(2,7)*[c]	~60	4
3-Oxo-cyclooctadien-(1,4)	Methanol	*2-Methoxy-3-oxo-cis-bicyclo[3.3.0]octan*	60	5
3-Oxo-cyclooctadien-(1,5)	0,2% in Methanol; $\lambda > 350$ nm; $CuSO_4$-Filter; 30 Min.	*6-Methoxy-4-oxo-cycloocten*	85	6
3-Oxo-cyclononadien-(1,4)	1% in Methanol; Pyrex	*endo-9-Methoxy-8-oxo-bicyclo[4.3.0]nonan*	45	7
		+ exo-9-Methoxy-...	13	
		+ 5-Methoxy-3-oxo-cyclo-nonen	7	

[a] Keine Angaben.

[b] Nach Umlagerung zur *trans*-Verbindung erfolgt ein thermischer nucleophiler Angriff des Alkohols auf die Doppelbindung. Der polaren Addition an angeregte Zustände kommt wenig Bedeutung zu[3].

[c] Außerdem bilden sich 2 isomere Kopf/Kopf-Dimere des Enons.

[1] H. NOZAKI, M. KURITA u. R. NOYORI, Tetrahedron Letters **1968**, 2025.

[2] H. NOZAKI, M. KURITA u. R. NOYORI, Tetrahedron Letters **1968**, 3635.

[3] R. NOYORI, A. WATANABE u. M. KATO, Tetrahedron Letters **1968**, 5443.

[4] G. L. LANGE u. E. NEIDERT, Canad. J. Chem. **51**, 2215 (1973).

[5] R. NOYORI u. M. KATO, Tetrahedron Letters **1968**, 5075.

[6] R. NOYORI, H. INONE u. M. KATO, Chem. Commun. **1970**, 1695.

[7] R. NOYORI, Y. OHNISHI u. M. KATO, Tetrahedron Letters **1971**, 1515.

δδ) an α,β-ungesättigte Carbonsäuren

Eine Anlagerung von Alkoholen an α,β-ungesättigte Carbonsäuren erfolgt bei Bestrahlung in Gegenwart von Sensibilisatoren[1-3].

$$R^1-\underset{\underset{OH}{|}}{\overset{\overset{CH_3}{|}}{C}}-H \quad + \quad \underset{\underset{COOH}{|}}{\overset{\overset{CH-R^2}{||}}{CH}} \quad \xrightarrow{h\nu \ (Sens.)} \quad \left[R^1-\underset{\underset{OH}{|}}{\overset{\overset{CH_3}{|}}{C}}-\underset{\underset{COOH}{|}}{\overset{\overset{CH-R^2}{|}}{CH_2}} \right] \quad \xrightarrow{-H_2O} \quad$$

R^1 = H, Alkyl R^2 = CH_3, COOH

Die Photoaddition führt zu einer γ-Hydroxy-carbonsäure, die in einer sich anschließenden Dunkelreaktion unter Wasserabspaltung in ein Lacton übergeht. Die Umsetzung wurde mit primären und sekundären Alkoholen sowie Buten-(2)-säure[5], Fumarsäure[4,5] und Maleinsäure[4,5] durchgeführt (s. Tab. 93).

Tab. 93. Addition von Alkoholen an α,β-ungesättigte Carbonsäuren

Säure	Sensibilisator	Alkohol	Produkt	Ausbeute [% d.Th.]	Literatur
Maleinsäure	Benzophenon, Anthrachinon	Isopropanol	5-Oxo-2,2-dimethyl-3-carboxy-tetrahydrofuran	96	4
		2-Hydroxybutan	5-Oxo-2-methyl-2-äthyl-3-carboxy-tetrahydrofuran	57	
		2-Hydroxyoctan	5-Oxo-2-methyl-2-hexyl-3-carboxy-tetrahydrofuran	23	
Buten-(2)-säure	Benzophenon, Anthrachinon	Isopropanol	5-Oxo-2,2,3-trimethyl-tetrahydrofuran	38	4

5-Oxo-2-methyl-3-carboxy-tetrahydrofuran[4]: 24 Stdn. wird eine am Rückfluß kochende Lösung aus 27 g Maleinsäure, 5 g Benzophenon in 400 ml Äthanol in einem Tauchrohr aus Quarz mit einer 315 W UV-Lampe (Hanau, Typ 581) belichtet. Nach Abdampfen des Lösungsmittels wird der in heißem Wasser lösliche Anteil mit Diazomethan verestert und anschließend destilliert. Durch Verseifen der Fraktion vom $Kp_{0,05}$: 63–71° wird die freie Carbonsäure gewonnen; Ausbeute: 6 g (18% d.Th.); F: 80°.

Mit Methacrylsäure nimmt die Reaktion einen etwas anderen Verlauf[6]. Bei der Bestrahlung mit Benzophenon in Isopropanol wird der Sensibilisator in das Lacton mit

[1] G. Sosnovsky, *Free Radical Reactions in Preparative Organic Chemistry*, S. 121, The MacMillan Company, New York, N. Y. 1964.

[2] D. Elad in O. L. Chapman, *Organic Photochemistry*, S. 168, Marcel Dekker, New York, N. Y. 1969.

[3] M. Pfau, Publ. Sci. Tech. Min. Air (France), Notes Techn. **143**, Paris (Serv. Doc. Sci. Tech. Armement 1965); C. A. **63**, 14645ᵍ (1965).

[4] R. Dulou, M. Vilkas u. M. Pfau, C. r. **249**, 429 (1960).

[5] G. O. Schenck, G. Koltzenburg u. H. Grossman, Ang. Ch. **69**, 177 (1957).

[6] M. Pfau, C. r. **254**, 2017 (1962).

eingebaut und kann durch Erhitzen wieder abgespalten werden:

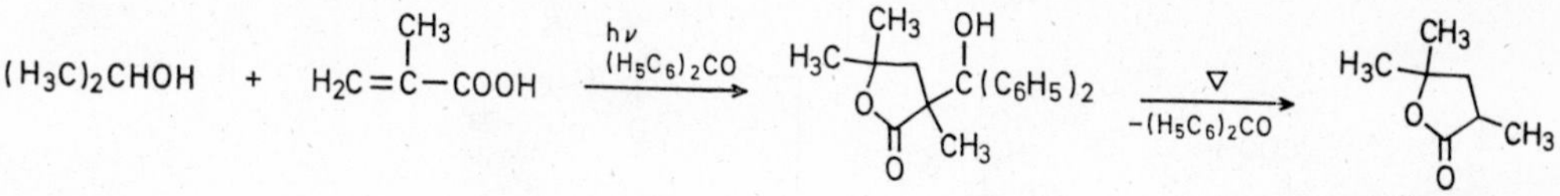

5-Oxo-2,2,4-trimethyl-tetrahydrofuran

εε) an Äthinyl-Verbindungen

Für die Photoaddition von Isopropanol an Acetylen-Derivate gibt es inzwischen Belege; die Ausbeuten der entstehenden α,β-ungesättigten Alkohole sind sehr unterschiedlich[1,2]:

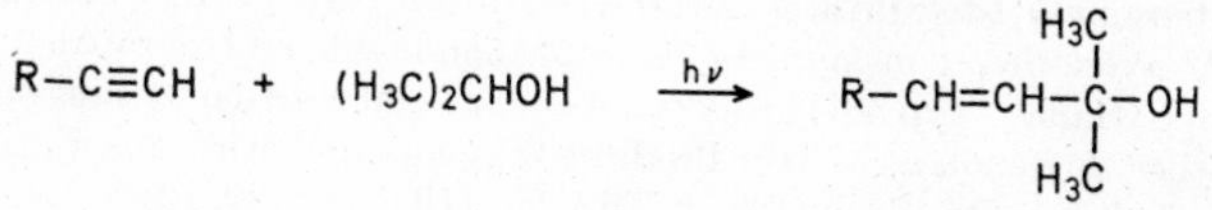

R = C(CH₃)₂OH;   *2,5-Dihydroxy-2,5-dimethyl-hexen-(3)*; ~ 91% d. Th.

R = CH₂OH;   *1,4-Dihydroxy-4-methyl-penten-(2)*; ~ 22% d. Th.

R = C(CH₃)₃;   *5-Hydroxy-2,2,5-trimethyl-hexen-(3)*; ~ 16% d. Th.

Bei Propinal erfolgt die Addition an der C=O-Doppelbindung[1]; das Diäthylacetal geht indessen bei Einwirkung von UV-Licht unter Reaktion an der C≡C-Dreifachbindung in ein fünfgliedriges cyclisches Acetal, *cis-5-Isopropyloxy-2,2-dimethyl-4-[2-hydroxy-propyl-(2)]-tetrahydrofuran* (21–23% d. Th.), über[3].

Die Anlagerung von Alkoholen an Alkin-(2)-säuren führt zu ungesättigten Lactonen, die in einer erneuten Photoreaktion ein weiteres Molekül Alkohol addieren. Aus Propiolsäure z. B. entsteht in Isopropanol mit Benzophenon als Sensibilisator über 5-Oxo-2,2-dimethyl-2,5-dihydro-furan *5-Oxo-2,2-dimethyl-3-[2-hydroxy-propyl-(2)]-tetrahydrofuran*[4]:

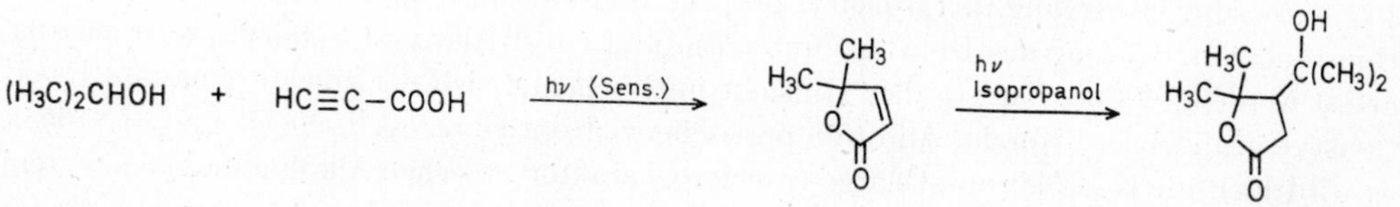

Wird Acetylen-dicarbonsäure eingesetzt, so entstehen zwei verschiedene Produkte[4,5], das Dilacton I (S. 666) und ein 2-Hydroxy-propyl-(2)-carboxy-lacton, dem wahrscheinlich

[1] L. M. KOSTOCHKA, E. P. SEREBRYAKOV u. V. F. KUCHEROV, Ž. Org. Chim. **9**, 1611 (1973); C. A. **79**, 136404 (1973).

[2] E. P. SEREBRYAKOV, L. M. KOSTOCHKA u. V. F. KUCHEROV, Ž. Org. Chim. **9**, 1606 (1973); C. A. **79**, 17593 (1973).

[3] E. P. SEREBRYOKOV, L. M. KOSTACHKO u. V. F. KUCHEROV, Ž. Org. Chim. **9**, 1617 (1973).

[4] M. PFAU, R. DOLOU u. M. VILKAS, C. r. **251**, 2188 (1960).

[5] G. O. SCHENCK u. R. STEINMETZ, Naturwiss. **47**, 514 (1960).

Struktur IIb zukommt[1]:

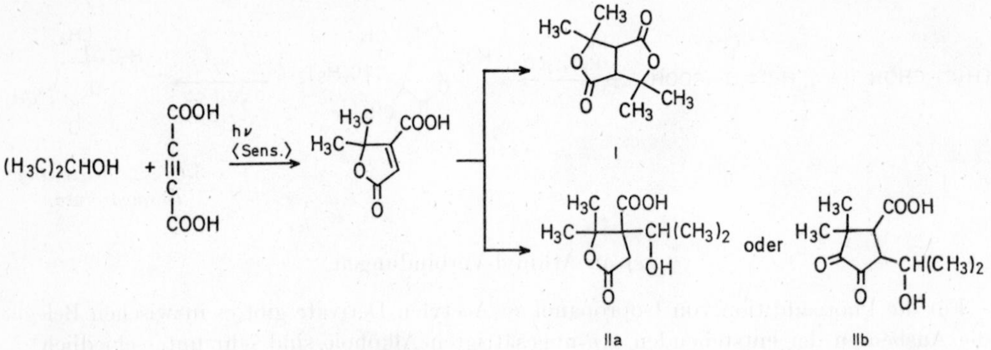

3,6-Dioxo-1,1,4,4-tetramethyl-tetrahydro-⟨furo-[3,4-c]-furan⟩ (I)[2,3]: In einer Tauchapparatur aus Quarz werden 17 g Acetylen-dicarbonsäure, 4g Benzophenon in 400 ml Isopropanol 60 Stdn. bei 35° mit einer 315 W UV-Lampe (Hanau, Typ 581) belichtet. Anschließend wird das Lösungsmittel verdampft und der Rückstand in Äther aufgenommen. Das Produkt fällt aus und wird aus Benzol/Petroläther (Kp: 60–70°) umkristallisiert; Ausbeute: 4,3 g (12% d.Th.); F: 110°[3], F: 120–124°[2].

Aus dem vom Dilacton befreiten Rückstand läßt sich *5-Oxo-2,2-dimethyl-3-* oder *-4-[2-hydroxy-propyl-(2)]-3-carboxy-tetrahydrofuran* (IIa oder b) gewinnen. Dazu wird der Rückstand mit Wasser ausgezogen, die wäßrige Phase nach Ansäuern mit Schwefelsäure mit Äther extrahiert. Nach Abdampfen des Extraktionsmittels hinterbleibt ein viskoser Rückstand, der mit siedendem Benzol aufgenommen wird. Beim Abkühlen fällt die Säure aus; Ausbeute: 4 g (10% d.Th.); F: 154–155° (Wasser).

α_2) *Additionen an C=N-Doppelbindungen*

Additionen von Alkoholen an Imine s. S. 1177ff..

Photoalkylierung und -hydroxyalkylierung von Heteroaromaten s. S. 597ff., 607ff.

α_3) *Additionen an die C=O-Doppelbindung*

s. S. 836f.

α_4) *Ringspaltungen von 1,2-Diaryl-cyclopropanen*

Bei 1,2-Diaryl-cyclopropanen können durch Bestrahlung in protischen Solventien *cis-trans*-Isomerisierung, Übergang in 1,3-Diaryl-propene und auf einer davon unabhängigen Reaktionsroute Aufspaltung des Dreirings unter Bildung von 1-Alkoxy-1,3-diaryl-propanen ausgelöst werden[4]. In mechanistischer Hinsicht unterscheidet sich der zuletzt genannte Reaktionstyp grundlegend von der Addition protischer Solventien an cyclische Olefine (s. S. 655), es wird hier ein Komplex mit Charge-transfer-Charakter zwischen Alkohol und angeregtem Cyclopropan-Derivat, durchlaufen[5].

Bei unsymmetrisch substituierten Ausgangsverbindungen zeigt sich im Falle von 2-Phenyl-1-(4- bzw. 3-methoxy-phenyl)-cyclopropan kein dirigierender Einfluß der Methoxy-Gruppe. *1- bzw. 3-Methoxy-3-phenyl-1-(3-methoxy-phenyl)-propan* fallen z. B. nach 130 Min. Belichtung

---

[1] A. Schönberg, G. O. Schenck u. O. A. Neumüller, *Preparative Organic Photochemistry*, S. 231, Springer Verlag, New York 1968.

[2] M. Pfau, R. Dolou u. M. Vilkas, C. r. **251**, 2188 (1960).

[3] G. O. Schenck u. R. Steinmetz, Naturwiss. **47**, 514 (1960).

[4] C. S. Irving et al., Am. Soc. 88, 5675 (1966).

[5] S. S. Hixson u. D. W. Garrett, Am. Soc. **96**, 4872 (1974).

(450 W Hanovia Quecksilber-Mitteldruck-Lampe, Vycor-Filter) in wasserfreiem Methanol unter Stickstoff mit 8% d.Th. an[1]:

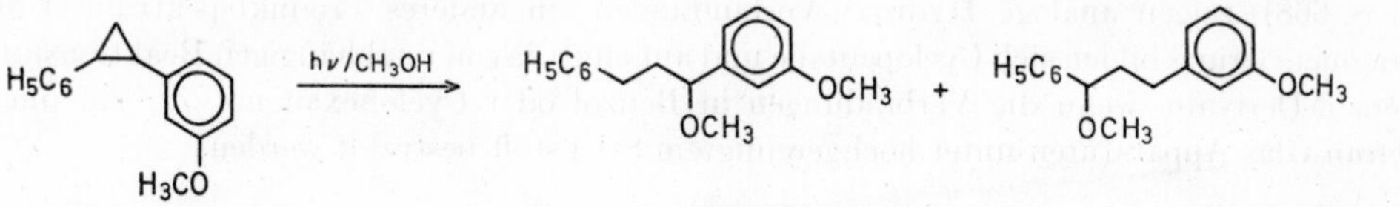

Photolysen in O-Deuterio-methanol führen überwiegend bis ausschließlich zu 3-Methoxy-1-deuterio-propanen, zeigen also den direkten Angriff des Alkohols am Dreiring. Erst bei langen Belichtungszeiten und vollständigem Umsatz treten in geringen Mengen die den Ausgangsverbindungen isomeren Propene auf. Unter diesen Reaktionsbedingungen kann dann ein gewisser Prozentsatz des gebildeten Äthers durch Addition an das Olefin entstanden sein.

Bei 2-Phenyl-1-(4-cyan-phenyl)-cyclopropan macht sich nicht nur der elektronenziehende Einfluß des Cyan-Substituenten bemerkbar, hier gewinnt auch die Isomerisierung zum Propen und anschließende Photoaddition zu einem anti- Markownikow-Addukt Bedeutung[1,2]:

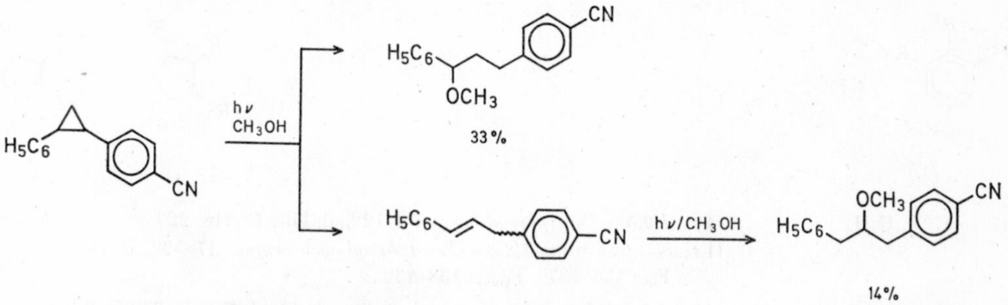

Der stereochemische Ablauf der unter Alkohol-Addition verlaufenden Cyclopropan-Spaltungen wurde an Dibenzo-semibullvalen untersucht. Photolysen in O-Deuterio-methanol zeigen, daß überwiegend das sterisch gehinderte endo-8-Methoxy-endo-6-deuterio-⟨dibenzo-cis-bicyclo[3.3.0]octadien-(2,7)⟩ (I) gebildet wird. Beim exo-8-Methoxy-Derivat II ist die Stellung des eintretenden Deuteriums nicht einheitlich[3], endo : exo = 60 : 40.

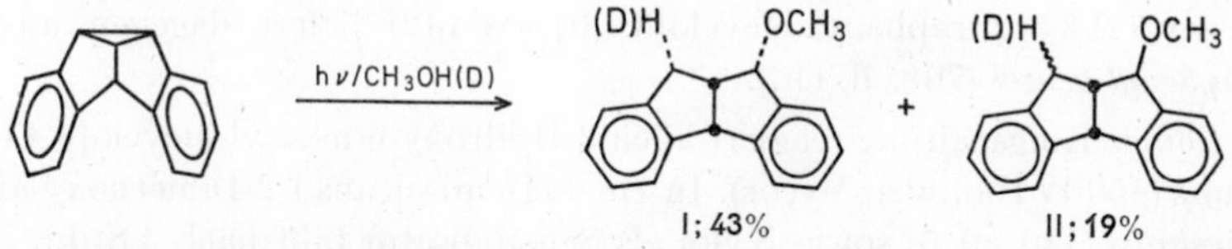

endo-8-tert.-Butyloxy-⟨dibenzo-cis-bicyclo[3.3.0]octadien-(2,7)⟩[1]: Eine Lösung von 0,488 g (2,39 mMol) Dibenzo-tricyclo[3.3.0.0²,⁸]octadien in 375 ml tert.-Butanol wird 14,5 Stdn. unter Stickstoff mit einer 450 W Hanovia Quecksilber-Mitteldruck-Lampe durch ein Vycor-Filter bestrahlt. Anschließend wird das Lösungsmittel i. Vak. entfernt und der Rückstand an einer Aluminiumoxid-Säule (2 × 38 cm) mit Benzol als Eluierungsmittel aufgearbeitet. Als Nebenprodukt fallen 52 mg (8% d.Th.) des isomeren exo-8-tert.-Butyloxy-bicyclus an; Ausbeute: 315 mg (47% d.Th.); nach Umkristallisieren aus Äthanol und Sublimation i. Vak., F: 97–98°.

Über Photolysen von 1,1,3,3-Tetraaryl-propanen in Methanol, die zu Biphenylen, 1,2-Diaryl-cyclopropanen sowie zu 3-Alkoxy-1,3-diaryl-propanen führt, s. Org.-Lit.[4].

---

[1] S. S. HIXSON u. D. W. GARRETT, Am. Soc 96, 4872 (1974).

[2] S. S. HIXSON, Tetrahedron Letters 1971, 4211.

[3] S. S. HIXSON u. D. W. GARRETT, Am. Soc. 93, 5294 (1971).

[4] R. W. BINKLEY u. W. C. SCHUMANN, Am. Soc. 94, 1769 (1972).

α_5) verschiedene Reaktionen

Während die Photolyse von 4-Oxo-bicyclo[3.1.0]hexenen ausschließlich zu Phenolen führt (s. S. 668), zeigen analoge Hydroxy-Verbindungen ein anderes Produktspektrum. Unter Fragmentierung bilden sich Cyclopentene und auf einer davon unabhängigen Reaktionsroute Benzol-Derivate, wenn die Verbindungen in Benzol oder Cyclohexan mit $\lambda > 280$ nm in Duran-Glas-Apparaturen unter hochgereinigtem Stickstoff bestrahlt werden[1]:

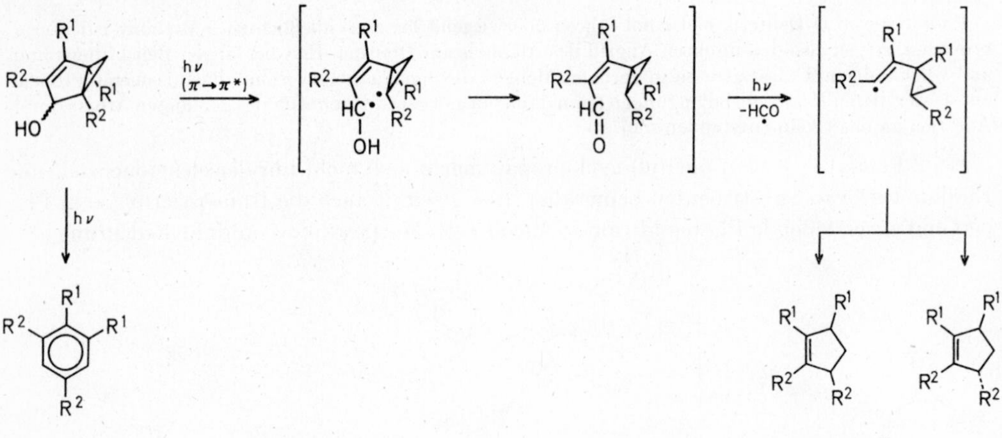

$R^1 = R^2 = C_6H_5$ 　　　Ia; *1,2,3,5-Tetraphenyl-benzol*; 9–12% d.Th.; F: 218–220°

　　　　　　　　　　　　IIa; *cis-* und *trans-1,2,3,5-Tetraphenyl-cyclopenten*; 47–52% d.Th.;
　　　　　　　　　　　　　　F_{cis}: 136–137°, F_{trans}: 138–139°

$R^1 = $ Pyridyl-(2); $R^2 = C_6H_5$ Ib; *3,5-Diphenyl-1,2-dipyridyl-(2)-benzol*; 4% d.Th.; F: 252–253°

　　　　　　　　　　　　IIb; *cis-* und *trans-2,3-Diphenyl-1,5-dipyridyl-(2)-cyclopenten*;
　　　　　　　　　　　　　　15% d.Th.; F_{cis}: 141–142°, F_{trans}: 140–141°

$R^1 = C_6H_5$; $R^2 = C_2H_5$ 　IIc; *cis-* und *trans-2,3-Diäthyl-1,5-diphenyl-cyclopenten*; 51–57% d.Th.

Bei der 4fach phenylierten Verbindung entsteht in einem weiteren photochemischen Schritt *1,3-Diphenyl-2,3-dihydro-1H-⟨cyclopenta-[l]-phenanthren⟩* (5% d.Th.). Das Acetat von 4-Hydroxy-1,2,3,5-tetraphenyl-bicyclo[3.1.0]hexen-(2) liefert dagegen ausschließlich *1,2,3,5-Tetraphenyl-benzol* (70% d.Th.).

Primär mit einer Ringspaltung reagiert auch 3-Hydroxy-6-methyl-bicyclo[4.4.0]decen-(1) bei Bestrahlung (450 W Hanovia; Vycor). In einem Gemisch aus 1,2-Dimethoxy-äthan, Wasser und Essigsäure (140:40:5) sowie Xylol als Sensibilisator fällt nach 4 Stdn. *7-Methyl-3-oxa-tricyclo[5.4.0.0^{1,4}]undecan* in 60%iger Ausbeute an[2]:

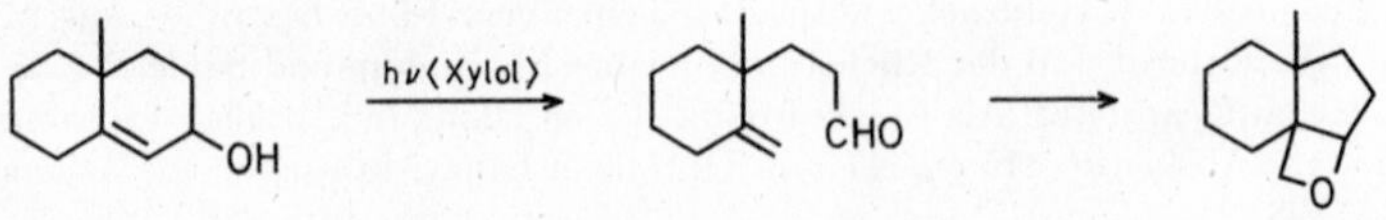

Wird die Bestrahlung in methanolischer Essigsäure durchgeführt, so können außer dem Oxetan auch das primär gebildete *3-(1-Methyl-2-methylen-cyclohexyl)-propanal* und dessen Dimethyl-acetal isoliert werden.

---

[1] H. DÜRR, B. **101**, 3047 (1968).

W. BENZ u. H. DÜRR, Tetrahedron **24**, 6503 (1968).

[2] J. A. MARSHALL u. J. P. ARRINGTON, J. Org. Chem. **36**, 214 (1971).

β) Phenole

bearbeitet von

Prof. Dr. GEORGE SOSNOVSKY* u. Prof. Dr. DAVID J. RAWLNISON**

Additionen an C=O-Doppelbindungen s. S. 835f..

Additionen an C–N-Mehrfachbindungen s. S. 1117, 1123.

Zur Photooxidation von Phenolen s. S. 1486.

Addition an eine C=C-Doppelbindung erfolgt bei der Belichtung eines äquimolaren Gemisches von *cis*-Cycloocten und Phenol in Benzol. Der *Cyclooctyl-phenyl-äther* entsteht in 12%iger Ausbeute[1]:

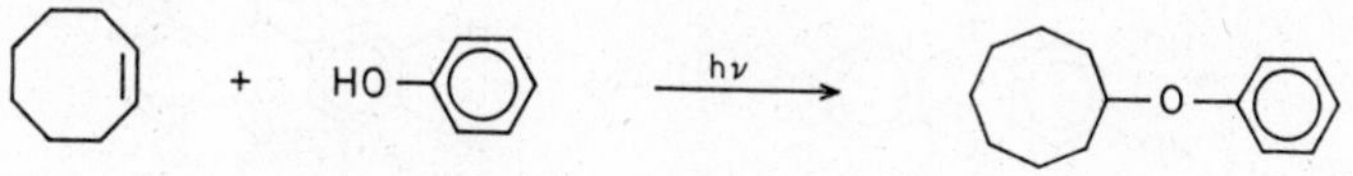

Bei 2-Allyl-phenol verläuft die Ätherbildung intramolekular[2,3]; *2-Methyl-2,3-dihydro-⟨benzo-[b]-furan⟩* und *Chroman* entstehen im Verhältnis 9:1 bei einer Ausbeute von 35% d.Th.:

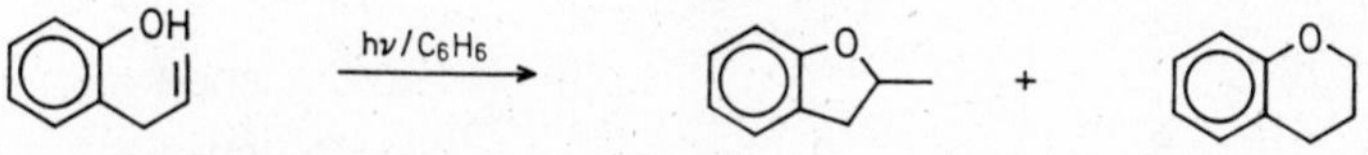

In 1,4-Dioxan oder Cyclohexan als Lösungsmittel sind die Ausbeuten erniedrigt, in Äthanol erfolgt gar kein Ringschluß.

Bei Cannabidiol können zwei verschiedene intramolekulare Photoadditionen eintreten. Nach 22stdg. Bestrahlung (Hanau Q 81) in Cyclohexan liegen folgende Stoffe vor[4]:

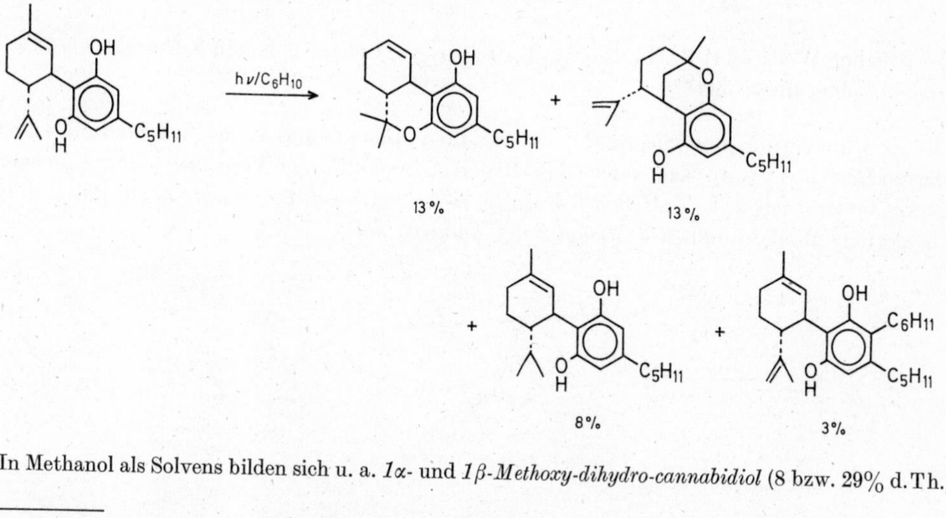

In Methanol als Solvens bilden sich u. a. *1α*- und *1β-Methoxy-dihydro-cannabidiol* (8 bzw. 29% d.Th.).

---

* Department of Chemistry, University of Wisconsin-Milwaukee, Wisconsin 3320/USA
** Department of Chemistry, Western Illinois University, Macomb, Illinois 61455/USA

[1] H. KATO u. KAWANISI, Tetrahedron Letters 1970, 865.
[2] G. FRÄTER u. H. SCHMID, Helv. 50, 255 (1967).
[3] W. M. HORSPOOL u. P. L. PAUSON, Chem. Commun. 1967, 195.
[4] A. SHANI u. R. MECHONLAM, Tetrahedron 27, 601 (1971).

Auch eine C≡C-Dreifachbindung kann angegriffen werden. Bestrahlung von 2-Hydroxy-1-äthinyl-benzol in 10^{-2} molarem wäßrigen Natriumhydroxid (Rayonet-Reaktor; $\lambda = 254$nm; 13 Stdn.) ergibt *Benzo-[b]-furan* (60% d.Th.) und *2-Hydroxy-acetophenon* (20% d.Th.)[1]:

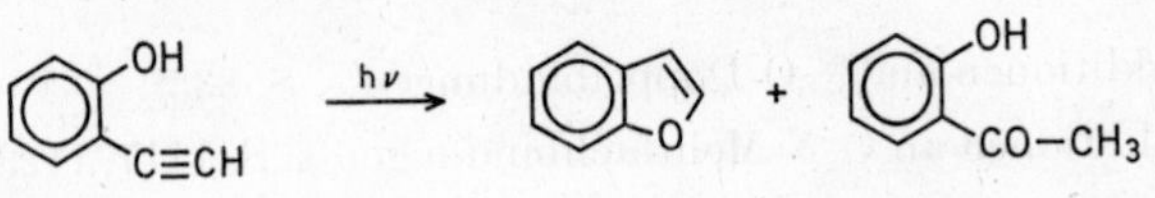

Cyclisierung erfolgt bei Bestrahlung von 2,3',4',6-Tetrahydroxy-benzophenon in Äthanol zu *9-Oxo-2,3,8-trihydroxy-xanthen*[2]:

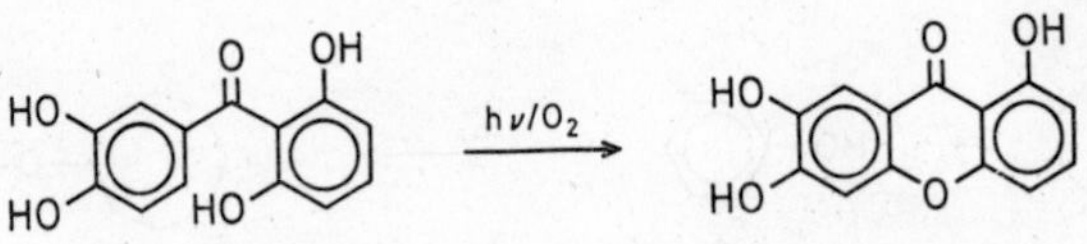

Auch photolytische Abbau-Reaktionen von Phenolen sind bekannt. Zum Beispiel geht die alkalische Lösung von 3-Hydroxy-fluoranthen bei Bestrahlung mit einer 200 W Wolfram-Lampe in *9-Carboxymethyl-1-carboxy-fluoren* (82% d.Th.) über[3]:

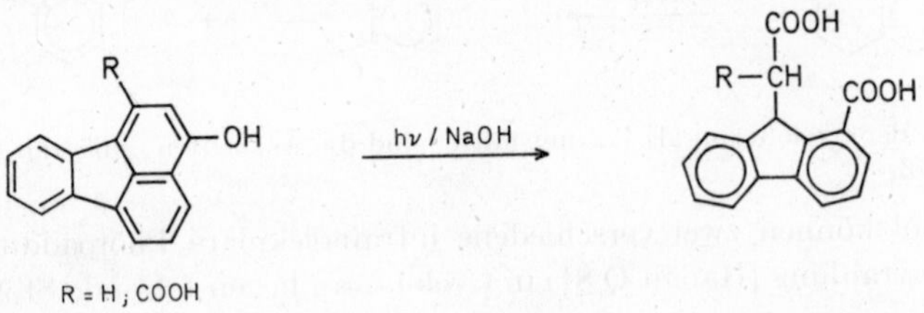

In gleicher Weise wird 3-Hydroxy-1-carboxy-fluoranthen in *9-Dicarboxymethyl-1-carboxy-fluoren* überführt[3].

Einer Umlagerung unterliegen 2,6-Di-tert.-butyl-phenol und seine in 4-Stellung substituierten Derivate bei direkter oder sensibilisierter Bestrahlung[4]. Vermutlich über tautomere Ketone bilden sich z. B. *6-Methyl-2,5-* sowie *4-Methyl-2,5-di-tert.-butyl-phenol* (28% d.Th. bzw. geringe Mengen) neben *4-Methyl-2-tert.-butyl-phenol*:

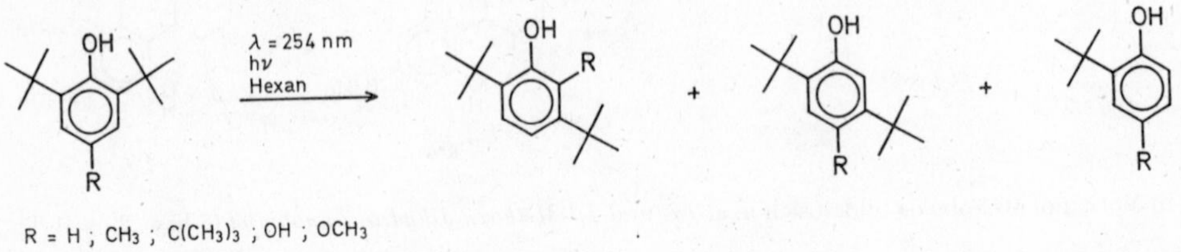

[1] J. P. Ferris u. F. R. Antonucci, Am. Soc. **96**, 2010 (1974).

[2] H. D. Locksley u. J. G. Murray, Soc. [C] **1970**, 392.

[3] A. Sieglitz, H. Tröster u. P. Böhme, B. **95**, 3013 (1962).

[4] T. Matsuura et al., Tetrahedron **29**, 2981 (1973).

γ) Äther

bearbeitet von

Prof. Dr. George Sosnovsky* und
Prof. Dr. David J. Rawlinson**

γ₁) Dialkyl-äther

Aliphatische Äther werden durch Bestrahlung gespalten[1-5]. Zum Beispiel wird 2-Methoxy-4-oxo-2-methyl-pentan mit Hilfe einer Hanovia SOL 100 W Quecksilber-Lampe unter Verwendung von Vycor-Glas in ein Gemisch aus *4-Oxo-2-methyl-penten-(2)* und *4-Hydroxy-2,2,4-trimethyl-tetrahydrofuran* sowie Methanol und Aceton überführt[4]:

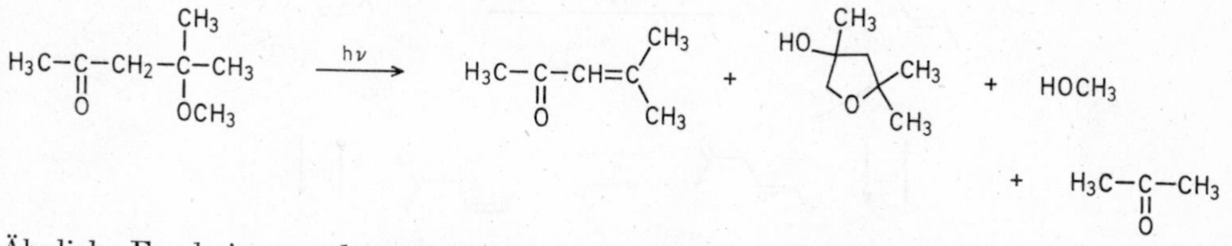

$$H_3C-\underset{\underset{O}{\|}}{C}-CH_2-\underset{\underset{OCH_3}{|}}{\overset{\overset{CH_3}{|}}{C}}-CH_3 \quad \xrightarrow{h\nu} \quad H_3C-\underset{\underset{O}{\|}}{C}-CH=C\underset{CH_3}{\overset{CH_3}{}} \quad + \quad \text{(4-Hydroxy-2,2,4-trimethyl-tetrahydrofuran)} \quad + \quad HOCH_3 \quad + \quad H_3C-\underset{\underset{O}{\|}}{C}-CH_3$$

Ähnliche Ergebnisse werden mit anderen β-Alkoxy-ketonen erhalten[5].

Auch an Kohlenhydraten wurde diese Entalkylierungsreaktion durchgeführt[3,6]. Eine 5%ige Lösung von Methyl-3,4-O-isopropyliden-β-L-erythro-pentosidulose in tert.-Butanol geht bei 1,5stdg. Bestrahlung in einem Quarzgefäß in *4S,5S-Isopropyliden-dioxy-3-oxo-tetrahydropyran* (40% d.Th.)[6] über:

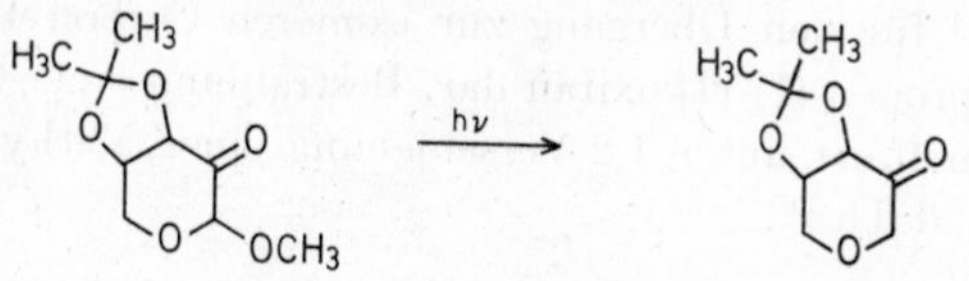

Photolyse einer benzolischen Lösung von 4,6-O-Benzyliden-2-O-methyl-α-D-ribo-hexopyranosid-3-ulose führt neben wenig *2-Deoxy-3-ulose* hauptsächlich zu einem Enon[6]:

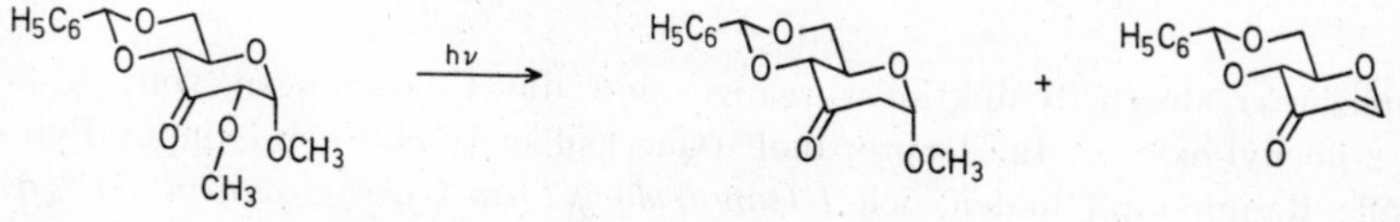

Eine partielle Entmethylierung tritt nach 400stdg. Belichtung von 2,5-Dimethoxybenzophenon in Tetrachlormethan ein. *2-Hydroxy-5-methoxy-benzophenon* entsteht allerdings nur in 3%iger Ausbeute. *6-Hydroxy-2,4-dimethoxy-benzophenon* (3% d.Th.) läßt sich aus der entsprechenden Trimethoxy-Verbindung herstellen[7].

* Department of Chemistry, University of Wisconsin-Milwaukee, Wisconsin 5320/USA.
** Department of Chemistry, Western-Illinois University, Macomb, Illinois 61455/USA.

[1] A. M. Clover, Am. Soc. 46, 419 (1924).
[2] N. A. Milas, Am. Soc. 53, 221 (1931).
[3] G. O. Phillips, Adv. Carbohydrate Chem. 18, 9 (1963).
[4] D. J. Coyle, R. V. Peterson u. J. Heicklen, Am. Soc. 80, 3850 (1964).
[5] P. Yates u. J. M. Pal, Chem. Commun. 1970, 553.
[6] P. M. Collins u. P. Gupta, Chem. Commun. 1969, 90.
[7] G. Leary u. J. A. Oliver, Tetrahedron Letters 1968, 299.

γ_2) *cyclische Äther*

$\alpha\alpha$) Oxirane

UV-Bestrahlung von Oxiranen[1-4] führt zur Spaltung des Dreirings, wodurch Fragmentierungs- und/oder Isomerisierungsprodukte entstehen bzw. bei Zusatz von weiteren Reaktionspartnern Folgeprodukte.

$\alpha\alpha_1$) substituierte Oxirane ohne Oxo-Funktionen

Bei der mit Aceton sensibilisierten Photolyse ($\lambda = 300$ nm) von 3-Methyl-2-propen-(1)-yl-oxiran erfolgen *cis-trans*-Isomerisierung und Umlagerung zu *5-Oxo-hexen-(2)*[5]:

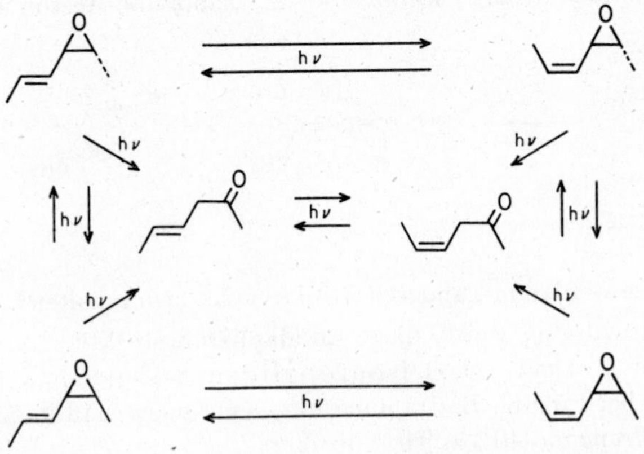

Ein weiteres Beispiel für den Übergang zur isomeren Carbonyl-Verbindung stellt 3,3-Dimethyl-2-[2-methyl-propen-(1)-yl]-oxiran dar. Bestrahlung einer 0,08 molaren Lösung in Aceton mit $\lambda = 300$ nm führt unter 1,2-Verschiebung einer Methyl-Gruppe zu *5-Oxo-2,4-dimethyl-hexen-(2)* (60% d.Th.)[6]:

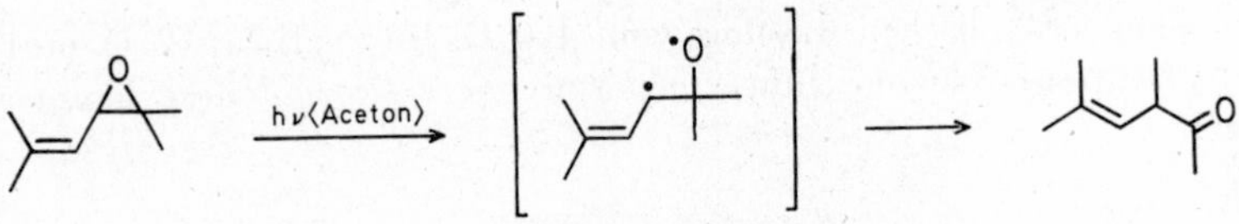

Komplizierter durch Reduktionsvorgänge sind die Umsetzungen von (*E*)-3-Nitro-3-methyl-2-phenyl-oxiran. In Isopropanol (Quecksilber-Hochdruck-Lampe; Pyrex-Filter; Stickstoff; Raumtemp.) bilden sich *1-Isopropyloxy-2-oxo-1-phenyl-propan* (31% d.Th.), *1-Hydroxyimino-2-oxo-1-phenyl-propan* (41% d.Th.) und *1-Hydroxy-2-hydroxyimino-1-phenyl-propan* (11% d.Th.)[7]:

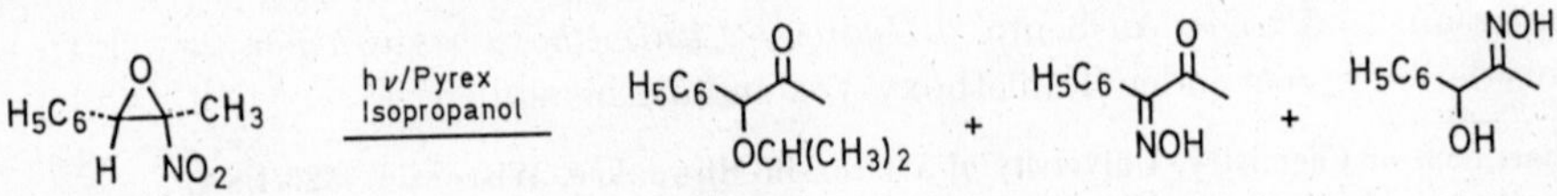

[1] R. J. Gritter u. E. C. Sabatino, J. Org. Chem. **29**, 1965 (1964).

[2] R. J. Gritter, in S. Patai: *The Chemistry of the Ether Linkage*, Interscience, New York 1967.

[3] A. Schönberg, *Preparative Organic Photochemistry*, S. 407, Springer Verlag, New York 1968.

[4] A. Padwa, in O. L. Chapman: *Organic Photochemistry* 1, Kap. 2, Marcel Dekker, New York 1967

[5] D. R. Paulson, F. Y. N. Tang u. R. B. Sloan, J. Org. Chem. **38**, 3967 (1973).

[6] D. R. Paulson, G. Korngold u. G. Jones, Tetrahedron Letters **1972**, 1723.

[7] I. Saito et al., Tetrahedron Letters **1972**, 2689.

Bestrahlung in Gegenwart von Alkenen bewirkt die Bildung von Cyclopropan-Derivaten und einem Aldehyd oder Keton. Die Carbonyl-Verbindungen können ihrerseits mit den Alkenen zu Oxetanen[1] weiterreagieren:

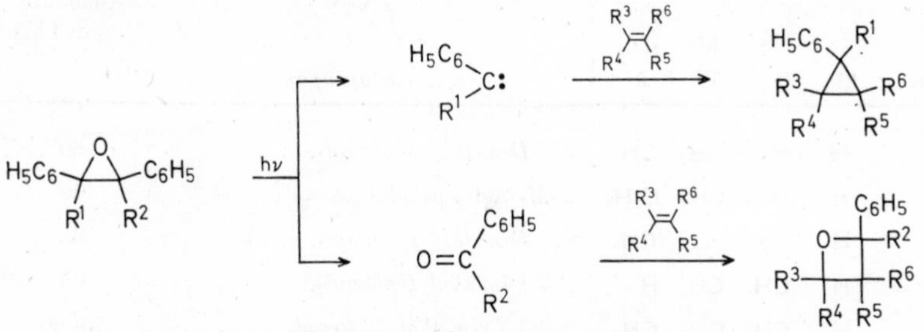

Der Aufbau des Cyclopropans erfolgt durch Addition eines Carbens an die C=C-Doppelbindung. Bei unsymmetrisch substituierten Oxiranen können je nach Lage des Bindungsbruchs verschiedene Cyclopropan-Derivate gebildet werden. Die Erfahrung zeigt jedoch, daß die Spaltung bevorzugt an einer der beiden möglichen Stellen auftritt[2-5] (s. Tab. 94, S. 674). Erfolgt die Photolyse in Gegenwart eines unsymmetrisch substituierten Alkens, so entstehen epimere Cyclopropane. Meist hat das sterisch am wenigsten behinderte Isomere den Vorrang[1]. Über vertiefte mechanistische Untersuchungen s. Lit.[1,6-9].

Obwohl der Anwendungsbereich dieser Arbeitsweise z. Z. noch nicht genau abgeklärt ist, so zeigt sich immerhin an den besseren Ausbeuten die Überlegenheit gegenüber anderen Methoden, die ebenfalls über Carben-Zwischenstufen verlaufen[1].

Alkyl-phenyl-cyclopropane; allgemeine Arbeitsvorschrift[1]: Eine 0,2–0,3 m Lösung von 2,3-Diphenyl-oxiran in dem betreffenden Alken (oder Alkin) wird in einem Gefäß aus Quarz bestrahlt, das für niedrig siedende Substanzen mit einem Druckverschluß ausgestattet ist. Als Lichtquelle dient ein luftgekühlter Rayonet Reaktor mit 16 keimtötenden Lampen (λ = 254 nm). Nach 50 Stdn. sind 70–80% des eingesetzten Epoxids zersetzt. Das Cyclopropan-Derivat wird durch eine Kurzweg-Destillation i. Vak. abgetrennt. Die Ausbeuten betragen ∼ 60–75%. Die Belichtung muß vor dem Verschwinden des Oxirans abgebrochen werden, weil sonst Isomerisierung des Cyclopropans zu einem Alken einsetzt.

Phenyl-substituierte Oxirane, die photolytisch in Carbene überführt werden können, wurden auch in Gegenwart von Alkanen[10], Acetylenen[1,11], Benzol[1] und Alkoholen[1,3,11-14] untersucht. Zum Beispiel ergibt 2,3-Diphenyl-oxiran bei Bestrahlung in Butin-(2) *1,2-Dimethyl-3-phenyl-cyclopropen* (65% d.Th.)[1]. Mit Benzol entsteht *Phenyl-cycloheptatrien*, falls keine reaktionsfreudigeren Materialien vorhanden sind; Anwesenheit von Methanol führt mit hoher Ausbeute zu *Methyl-benzyl-äther*[1].

---

[1] H. Kristinsson u. G. W. Griffin, Am. Soc. **88**, 1579 (1966).

[2] T. I. Temnikova, I. P. Stepanov u. L. A. Dotsenko, Ž. Org. Chim. **3**, 1707 (1967); C. A. **68**, 77481u (1968).

[3] P. C. Petrellis, H. Dietrich u. G. W. Griffin, Am. Soc. **89**, 1967 (1967).

[4] P. C. Petrellis u. G. W. Griffin, Chem. Commun. **1967**, 691.

[5] T. I. Temnikova u. I. P. Stepanov, Ž. Org. Chim. **3**, 2253 (1967); C. A. **68**, 49260e (1967).

[6] R. S. Becker et al., Am. Soc. **92**, 1302 (1970).

[7] M. D. Thap, A. M. Trozzolo u. G. W. Griffin, Am. Soc. **92**, 1402 (1970).

[8] R. S. Becker et al., Am. Soc. **90**, 3292 (1968).

[9] A. M. Trozzolo et al., Am. Soc. **89**, 3357 (1967).

[10] H. Dietrich, G. W. Griffin u. R. C. Petterson, Tetrahedron Letters **1968**, 153.

[11] H. Kristinsson, Tetrahedron Letters **1966**, 2343.

[12] H. Kristinsson u. G. W. Griffin, Ang. Ch. **77**, 859 (1965); engl.: **4**, 868 (1965).

[13] T. I. Temnikova u. I. P. Stepanov, Ž. Org. Chim. **3**, 2253 (1967); C. A. **68**, 49260e (1967).

[14] K. Tokumaru, Bl. chem. Soc. Japan **40**, 242 (1967).

Tab. 94. Photolyse von Oxiranen in Gegenwart von Alkenen

R¹	R²	R³	R⁴	R⁵	R⁶	...-cyclopropan[a]	Ausbeute [% d.Th.]	Literatur
H	H	H	H	CH₃	CH₃	*2,2-Dimethyl-1-phenyl-*...	60	1
H	H	H	H	CH₃	C₂H₅	*2-Methyl-2-äthyl-1-phenyl-*...	70	1
H	H	H	CH₃	H	CH₃	*2,3-Dimethyl-1-phenyl-*...	65	1
H	H	H	CH₃	CH₃	H	*2,3-Dimethyl-1-phenyl-*...	65	1
H	H	H	CH₃	CH₃	CH₃	*2,2,3-Trimethyl-1-phenyl-*...	75–90	1, 2
H	H	CH₃	CH₃	CH₃	CH₃	*2,2,3,3-Tetramethyl-1-phenyl-*...	60	1
H	OCH₃	H	CH₃	CH₃	CH₃	*2,2,3-Trimethyl-1-phenyl-*...	b	3
H	OCH₃	CH₃	CH₃	CH₃	CH₃	*2,2,3,3-Tetramethyl-1-phenyl-*...	b	3
CH₃	CH₃	CH₃	H	H	CH₃	*1,2,3-Trimethyl-1-phenyl-* ...	40–60	4
CH₃	CH₃	CH₃	CH₃	H	H	*1,2,2-Trimethyl-1-phenyl-*...	40–60	4
CH₃	CH₃	CH₃	CH₃	CH₃	CH₃	*1,2,2,3,3-Pentamethyl-1-phenyl-*...	40–60	4
CN	H	H	CH₃	CH₃	CH₃	*2,2,3-Trimethyl-1-phenyl-1-cyan-*... (zwei Isomere)	b	5
CN	H	CH₃	CH₃	CH₃	CH₃	*2,2,3,3-Tetramethyl-1-phenyl-1-cyan-*...	28	5
CN	C₆H₅	CH₃	CH₃	CH₃	CH₃	*2,2,3,3-Tetramethyl-1-phenyl-1-cyan-*...	70	5
CN	CN	H	CH₃	CH₃	CH₃	*2,2,3-Trimethyl-1-phenyl-1-cyan-*...	65–80	6,7
CN	CN	CH₃	CH₃	CH₃	CH₃	*2,2,3,3-Tetramethyl-1-phenyl-1-cyan-*...	65–80	6,7
COOCH₃	H	H	CH₃	CH₃	CH₃	*2,2,3-Trimethyl-1-phenyl-1-methoxycarbonyl-*...	70–75	8
COOCH₃	H	CH₃	CH₃	CH₃	CH₃	*2,2,3,3-Tetramethyl-1-phenyl-1-methoxycarbonyl-*...	20	7
COOCH₃	C₆H₅	CH₃	CH₃	CH₃	CH₃	*2,2,3,3-Tetramethyl-1-phenyl-1-methoxycarbonyl-*...	40	7
NC, H₅C₆ (oxiran-cyclohexan)		CH₃	CH₃	CH₃	CH₃	*2,2,3,3-Tetramethyl-1-phenyl-1-cyan-*...	20	5

[a] Häufig verunreinigt durch das entsprechende Oxetan.

[b] Keine Angaben.

1 H. Kristinsson u. G. W. Griffin, Am. Soc. 88, 1579 (1966).
2 H. Kristinsson u. G. W. Griffin, Ang. Ch. 77, 859 (1965); engl.: 4, 868 (1965).
3 T. I. Temnikova, I. P. Stepanov u. L. A. Dotsenko, Ž. Org. Chim. 3, 1707 (1967); C. A. 68, 77481ᵘ (1968).
4 H. Kristinsson, Tetrahedron Letters 1966, 2343.
5 P. C. Petrellis, H. Dietrich u. G. W. Griffin, Am. Soc. 89, 1967 (1967).
6 T. I. Temnikova, I. P. Stepanov u. L. O. Semenova, Ž. Org. Chim. 3, 1708 (1967); C. A. 68, 21348ᵃ (1968).
7 P. C. Petrellis u. G. W. Griffin, Chem. Commun. 1967, 691.
8 T. I. Temnikova u. I. P. Stepanov, Ž. Org. Chim. 3, 2253 (1967); C. A. 68, 49260ᶜ (1967).

$\alpha\alpha_2$) α,β-Epoxi-ketone (Acyl-oxirane)

Durch Bestrahlung wird auch hier der Dreiring gesprengt, jedoch ermöglicht die benachbarte Carbonyl-Gruppe eine intramolekulare Stabilisierung, vgl. auch S. 894. Die unterschiedlichen Produkte, die bei acyclischen Verbindungen auftreten, hängen hauptsächlich von der Art der Substituenten der Ausgangsverbindung ab[1-3].

Die Bestrahlung von 3-Methyl-3-phenyl-2-acetyl-oxiran liefert z. B. unter Wanderung der Methyl-Gruppe *1,3-Dioxo-1-phenyl-2-methyl-butan* (25% d.Th.)[1]:

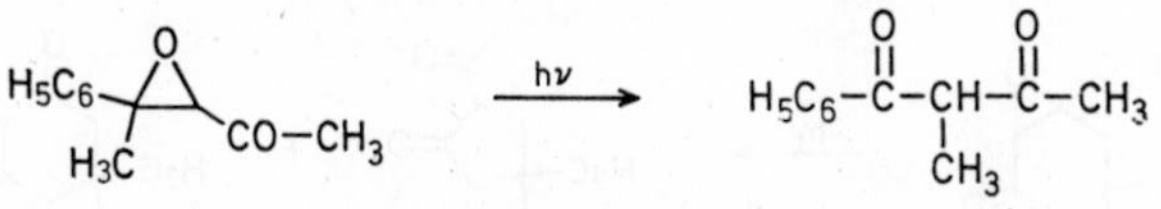

Demgegenüber ergibt die Photolyse von 3,3-Dimethyl- (Ia; R=CH$_3$) oder von 3-Methyl-3-phenyl-2-benzoyl-oxiran (Ib; R=C$_6$H$_5$) *3-Hydroxy-4-oxo-2-methyl-4-phenyl-buten-(1)* (IIa; 25% d.Th.) bzw. *3-Hydroxy-4-oxo-2,4-diphenyl-buten-(1)* (IIb; 64% d.Th.)[1, 3]:

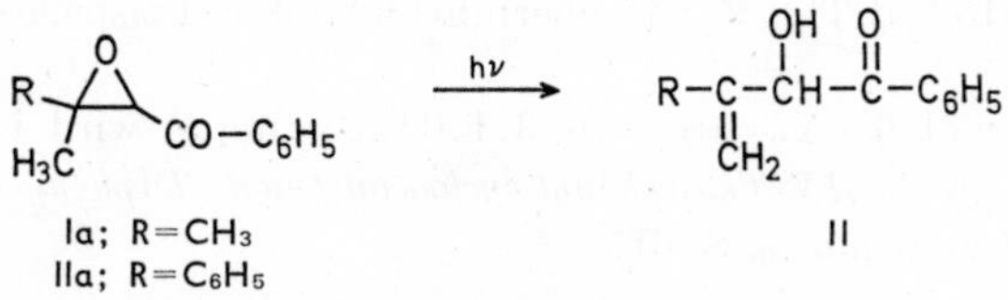

Ia; R=CH$_3$
IIa; R=C$_6$H$_5$

II

Die Photoisomerisierung von 3-Phenyl-2-benzoyl-oxiran führt zu *1,3-Dioxo-1,3-diphenyl-propan* (25% d.Th.)[2, 3]. Analoge Ergebnisse lassen sich mit einem 4-Chlor-benzoyl- oder 3-Nitro-benzoyl-Rest erzielen[2, 3].

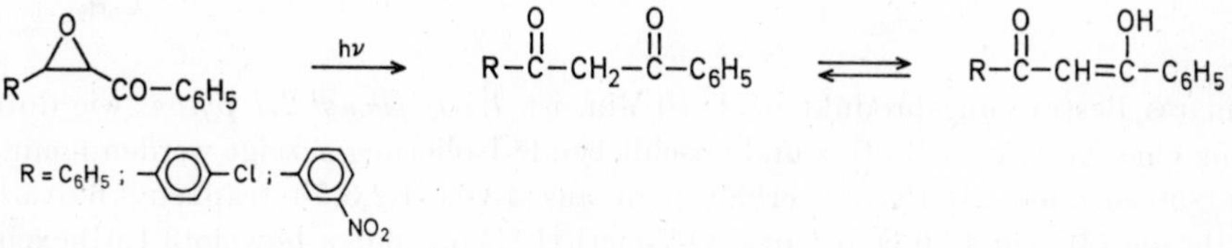

$R = C_6H_5 ; $ —⟨ ⟩—$Cl ; $ —⟨ ⟩—NO_2

Diese Reaktionen lassen sich auf cyclische Verbindungen übertragen und haben in der Steroid-Chemie Anwendung gefunden (s. S. 677ff.)[4].

Ein weiterer Umlagerungstyp wurde am 2-Oxo-4-methyl-cyclohexan-⟨1-spiro-2⟩-3,3-dimethyl-oxiran (III; Pulegon-α-oxid) gefunden[2, 5]:

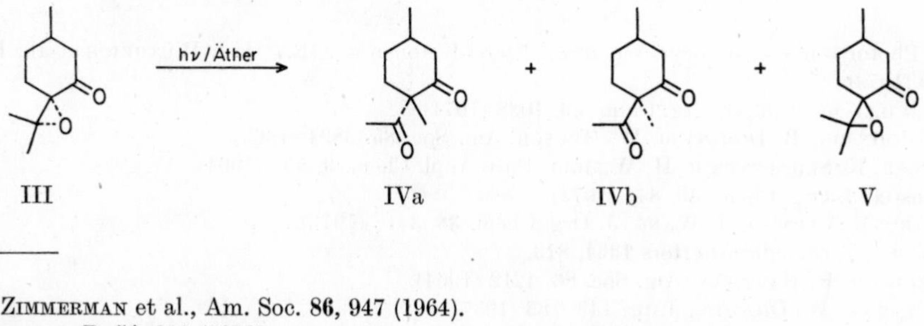

III   IVa   IVb   V

---

[1] H. E. ZIMMERMAN et al., Am. Soc. **86**, 947 (1964).

[2] S. BODFORSS, B. **51**, 214 (1918).

[3] A. PADWA, in O. L. CHAPMAN, *Organic Photochemistry*, Marcel Dekker, New York 1961.

[4] O. JEGER, K. SCHAFFNER u. H. WEHRLI, Pure Appl. Chem. **9**, 555 (1964).

[5] C. K. JOHNSON, B. DOMINY u. W. REUSCH, Am. Soc. **85**, 3894 (1963).

Neben (E)- und (Z)-2-Oxo-1,4-dimethyl-1-acetyl-cyclohexan (IVa und IVb, S. 675) wird das zur Ausgangsverbindung isomere Oxiran V (4-Oxo-2,2,6-trimethyl-1-oxa-spiro[2.5]octan) gefunden.

Bicyclische und polycyclische Epoxi-ketone[1] zeigen kein einheitliches Reaktionsverhalten Isophoren-oxid, mit einer Hanovia Typ S 200-W Lampe (Vylor) in Benzol oder Äther be strahlt, liefert hauptsächlich das ringverengte Produkt 5-Oxo-3,3-dimethyl-1-acetyl-cyclo pentan (VI) und 3,5-Dioxo-1,1,4-trimethyl-cyclohexan (VII)[2]:

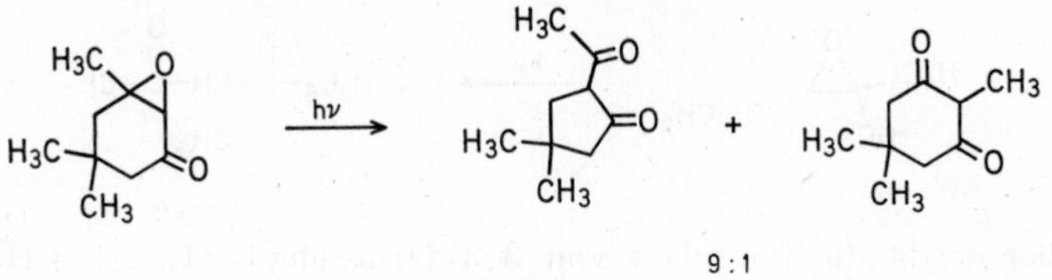

9 : 1

VI   VII

Das entsprechende Phenyl-Analoge wird bei gleicher Arbeitsweise in 5-Oxo-3,3-dimethyl 1-benzoyl-cyclopentan (15% d.Th.; F: 85°) überführt[2]. Weitere Beispiele dieses Reaktionstyp s. Lit.[3,4].

4-Oxo-1,2-diphenyl-6-oxa-bicyclo[3.1.0]hexen-(2) wird in Abhängigkeit von der Bestrahlungszeit zu 1,2,4,7-Tetraphenyl-cyclooctatetraen, Diphenyl-acetylen und p-Ter phenyl umgesetzt (Mechanismus s. S. 615)[5,6]:

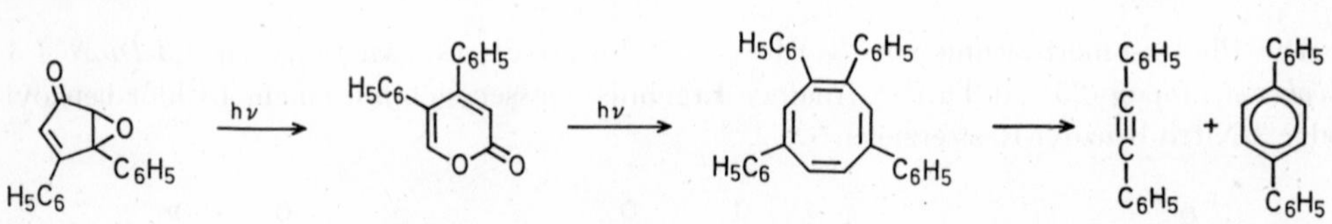

Primäres Bestrahlungsprodukt nach 10 Min. ist 4,5-Diphenyl-2H-pyron, wie durch Be nutzung eines geeigneten Filters und anschließende Isolierung gezeigt werden konnte. Nu die entsprechenden 2H-Pyrone erhält man aus 4-Oxo-1,2,3,5-tetraphenyl-6-oxa-bicycl [3.1.0]hexen-(2)[7] und 6-Oxo-1-phenyl-7-methyl-⟨benzo-6-oxa-bicyclo[3.1.0]hexen-(2)⟩[8]

Im Gegensatz dazu zeigen manche Epoxi-ketone eine photochemische Valenzisomerisie rung zu entsprechenden Pyrylium-Verbindungen[9-11], deren auffallende Färbung[10] z. B. bei 6 Oxo-1,7-diphenyl-⟨benzo-6-oxa-bicyclo[3.1.0]hexen-(2)⟩ bereits beim Stehenlassen in feste oder gelöster Form in diffusem Tageslicht bemerkt worden ist. Diese Pyrylium-Verbindun

---

[1] Über Photolysen von spirocyclischen α,β-Epoxi-Ketonen s. z. B.: H. J. Wüthrich et al., Helv. 56 239 (1973).
J. R. Williams et al., J. Org. Chim. 39, 1028 (1974).
[2] C. K. Johnson, B. Dominy u. W. Reusch, Am. Soc. 85, 3894 (1963).
[3] O. Jeger, K. Schaffner u. H. Wehrli, Pure Appl. Chem. 9, 555 (1964).
[4] T. Gibson, J. Org. Chem. 39, 845 (1974).
H. Hart, M. Verma u. I. Wang, J. Org. Chem. 38, 3418 (1973).
[5] A. Padwa, Tetrahedron Letters 1964, 813.
[6] A. Padwa u. R. Hartman, Am. Soc. 86, 4212 (1964).
[7] R. Pütter u. W. Dilthey, J. pr. 149, 183 (1937).
[8] H. E. Zimmermann u. R. D. Simkin, Tetrahedron Letters 1964, 1847.
[9] E. F. Ullmann, Am. Soc. 85, 3529 (1963).
[10] E. F. Ullmann u. W. A. Henderson, Am. Soc. 86, 5050 (1964).
[11] E. Weitz u. A. Scheffer, B. 54 2327 (1921).

gen können nicht direkt isoliert werden, sondern werden mit Acetylendicarbonsäure-dimethylester[1,1] (s. S. 615) oder mit Bicyclo[2.2.1]heptadien[2] abgefangen:

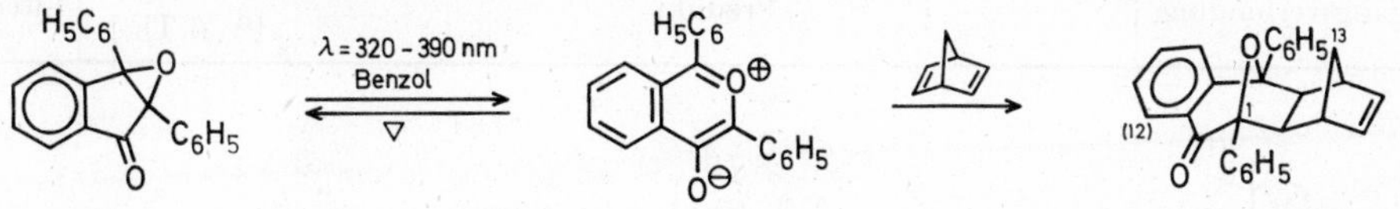

Im Falle des 4-Oxo-1,2,3,5-tetraphenyl-6-oxa-bicyclo[3.1.0]hexen-(2) kann das entsprechende Pyryium-Salz als Perchlorat[3] (F: 278–279°) abgefangen werden.

13-Oxo-1,8-diphenyl-⟨benzo-12-oxa-tetracyclo[6.3.1.1³,⁶.0²,⁷]tridecadien-(4,9)⟩[2]: Eine Lösung von 1 g 6-Oxo-1,7-diphenyl-⟨benzo-6-oxa-bicyclo[3.1.0]hexen-(2)⟩ in 50 *ml* frisch destiliertem Bicyclo[2.2.1]heptadien wird in einem wassergekühlten Quarzgefäß mit einer 100 W Quecksilber-Mitteldruck-Lampe 5 Stdn. bestrahlt. Anschließend wird das überschüssige Bicyclo[2.2.1]heptadien i. Vak. entfernt und der Rückstand mit 25 *ml* heißem Äthanol zerrieben; Ausbeute: 0,83 g (63% d.Th.); F: 215–216° (Äthanol).

Von erheblichem präparativem Interesse ist die photochemische Umwandlung von α,β-Epoxi-ketonen in β-Dicarbonyl-Verbindungen bei Steroiden, die mit guten Ausbeuten verläuft[4–14]. So wird z. B. *4β,5β-Epoxi-17β-acetoxy-3-oxo-androstan* in 30 Min. mit einem 70 W Quecksilber-Hochdruck-Brenner Q 81 (Quarzlampen GmbH, Hanau; 5%ige Kaliumhydrogenphthalat Filterlsg.) in Benzol mit 46% Ausbeute zu *17β-Acetoxy-3,6-dioxo-β(7a)-homo-A-nor-androstan* photolysiert. Bestrahlungen in 2-Propanol oder 1,3-Pentadien vermindern die Ausbeuten erheblich[12] (weitere Beispiele s. Tab. 95, S. 678).

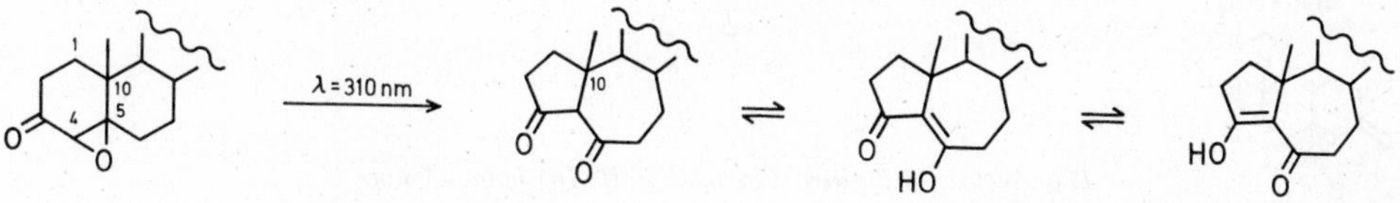

Der C–O-Bindungsbruch erfolgt bezogen auf die Oxo-Gruppe an C_α. Daran schließt sich eine 1,2-Verschiebung eines Substituenten (Wasserstoff oder Alkyl-Rest) von C_β an. Die Wanderung des Kohlenstoff-Atoms 10 z. B. von der Position 5 nach 4 verläuft stereospezifisch; die Konfiguration des wandernden Restes bleibt erhalten, die der neuen Verknüpfungsstelle wird umgekehrt[6,7].

Ungesättigte Steroide unterliegen der gleichen Umwandlung, die Anregung erfolgt mit Licht der Wellenlänge $\lambda = 254$ nm[6,7]. Geeignete Lösungsmittel sind 1,4-Dioxan, Benzol, Alkohole.

---

[1] E. WEITZ u. A. SCHEFFER, B. **54**, 2327 (1921).
[2] E. F. ULLMANN u. J. E. MILKS, Am. Soc. **86**, 3814 (1964).
[3] J. M. DUNSTON u. P. YATES, Tetrahedron Letters **1964**, 505.
[4] O. JEGER, K. SCHAFFNER u. H. WEHRLI, Pure Appl. Chem. **9**, 555 (1964).
[5] A. SCHÖNBERG, *Preparative Organic Photochemistry*, S. 407, Springer Verlag, New York 1968.
[6] O. JEGER u. K. SCHAFFNER, Pure Appl. Chem. **21**, 247 (1970).
[7] H. WEHRLI et al., Helv. **49**, 2218 (1966).
[8] C. LEHMANN, K. SCHAFFNER u. O. JEGER, Helv. **45**, 1031 (1962).
[9] H. WEHRLI et al., Chimia **18**, 404 (1964).
[10] H. WEHRLI et al., Helv. **47**, 1336 (1964).
[11] H. WEHRLI et al., Helv. **50**, 2403 (1967).
[12] P. KELLER et al., Helv. **50**, 2259 (1967).
[13] K. SCHAFFNER, Pure Appl. Chem. **16**, 75 (1968).
[14] J. P. PETE u. M. L. VILLAUME, Tetrahedron Letters **1969**, 3753.

Tab. 95. Umwandlung von Epoxi-oxo-steroiden

Ausgangsverbindung	Produkt	Ausbeute [% d.Th.]	Literatur
	17β-Hydroxy-3,6-dioxo-17α-methyl-B-(7a)-homo-A-nor-androsten-(1)	41	1, 2
	17β-Hydroxy-3,6-dioxo-5β,17α-dimethyl-B-(7a)-homo-A-nor-androsten-(1)	69	3
	17β-Acetoxy-3,7-dioxo-17α-methyl-B-(7a)-homo-A-nor-androsten-(9¹¹)	94	1, 3
	17β-Acetoxy-3,6-dioxo-5β,17α-dimethyl-B-(7a)-homo-A-nor-androsten-(9¹¹)	26	3
	17β-Acetoxy-3,6-dioxo-5α,17α-dimethyl-B-(7a)-homo-A-nor-androsten-(9¹¹)	3,5	3

¹ H. Wehrli et al., Helv. **49**, 2218 (1966).
² C. Lehmann, K. Schaffner u. O. Jeger, Helv. **45**, 1031 (1962).
³ H. Wehrli et al., Helv. **50**, 2403 (1967).

Tab. 95 (1.Fortsetzung)

Ausgangsverbindung	Produkt	Ausbeute [% d.Th.]	Literatur
	17β-Acetoxy-3,6-dioxo-B-(7a)-homo-A-nor-androsten-(1)	60–95	[1-3]
		34–60	
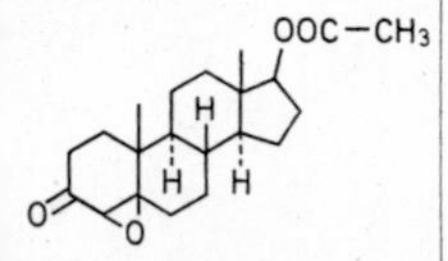	*17β-Acetoxy-3,6-dioxo-B(7a).-homo-A-nor-androstan*		[1-4]
		45–68	
	11α,17β-Diacetoxy-3,6-dioxo-17α-methyl-B-(7a)-homo-A-nor-androsten-(1)	56	[2]
		50	
	11α-Hydroxy-17β-acetoxy-3,6-dioxo-17α-methyl-B-(7a)-homo-A-nor-androstan	[a]	[2]
		19	
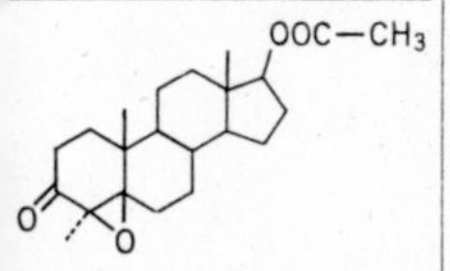	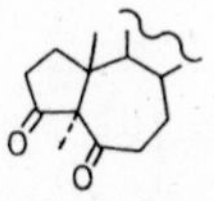 *17β-Acetoxy-3,6-dioxo-5α-methyl-B-homo-(7a)-A-nor-androstan*	31	[3,4]

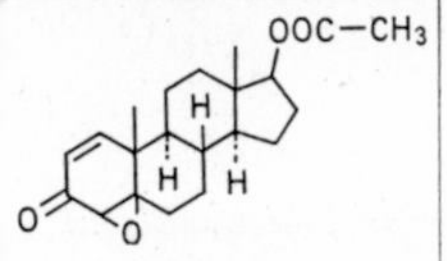

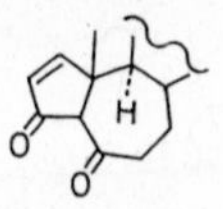

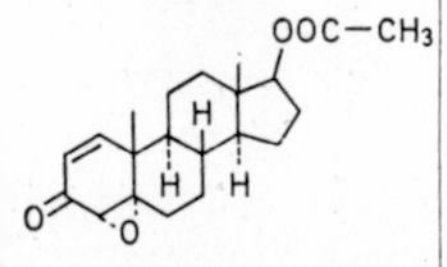

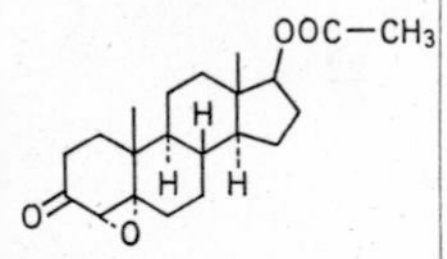

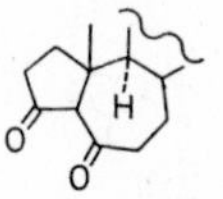

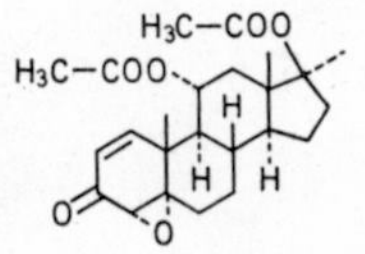

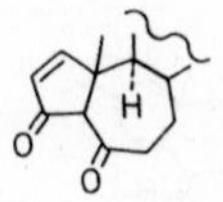

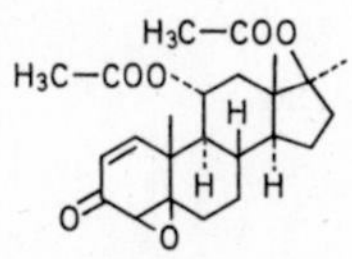

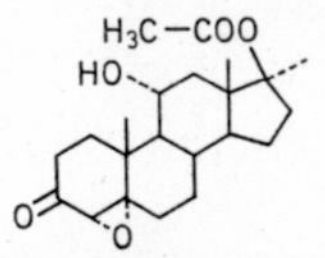

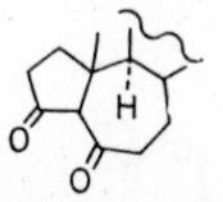

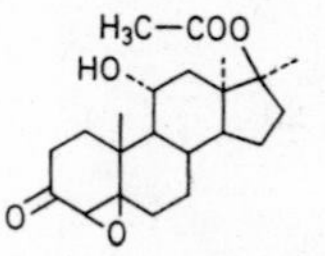

[a] keine Angaben.

[1] C. Lehmann, K. Schaffner u. O. Jeger, Helv. **45**, 1031 (1962).
[2] H. Wehrli et al., Helv. **49**, 2218 (1966).
[3] H. Wehrli et al., Helv. **47**, 1336 (1964).
[4] H. Wehrli et al., Helv. **50**, 2403 (1967).

Tab. 95 (2. Fortsetzung)

Ausgangsverbindung	Produkt	Ausbeute [% d.Th.]	Literatur
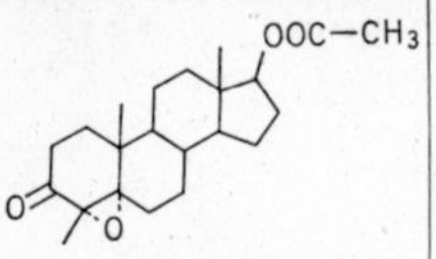	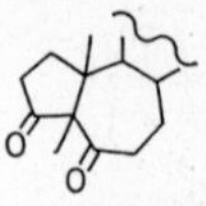 *17β-Acetoxy-3,6-dioxo-5β-methyl-B-(7a)-homo-A-nor-androstan*	21	1,2
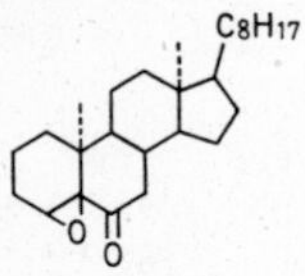	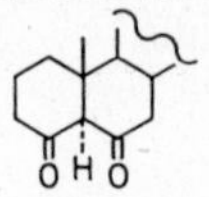 *4,6-Dioxo-cholestan*	25	3
	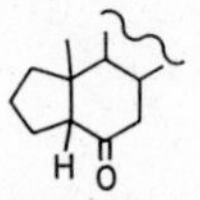 *6-Oxo-A-nor-koprostan*	22	
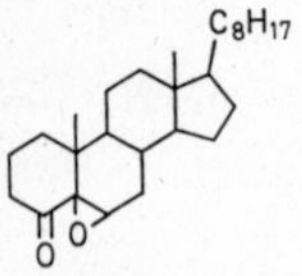	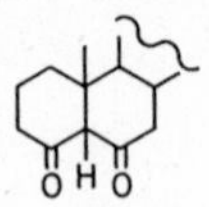 *4,6-Dioxo-koprostan*	45	3
	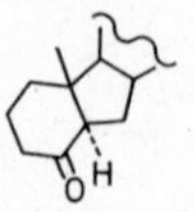 *4-Oxo-B-nor-cholestan*	3	
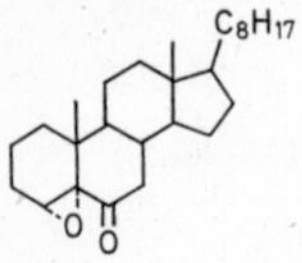	*4,6-Dioxo-koprostan*	30	3
	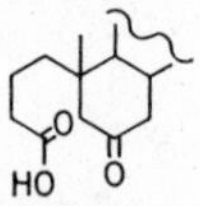 *6-Oxo-4,5-seco-koprostan-4-säure*	35	
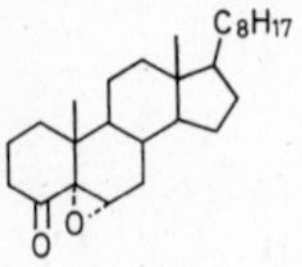	*4,6-Dioxo-koprostan*	.30	3
	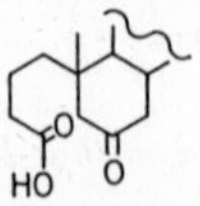 *6-Oxo-4,5-seco-koprostan-4-säure*	35	

ᵃ Keine Angabe.

¹ H. Wehrli et al., Helv. **50**, 2403 (1967).
² H. Wehrli et al., Helv. **47**, 1336 (1964).
³ J. P. Pete u. M. L. Villaume, Tetrahedron Letters **1969**, 3753.

Tab. 95 (3. Fortsetzung)

Ausgangsverbindung	Produkt	Ausbeute [% d.Th.]	Literatur
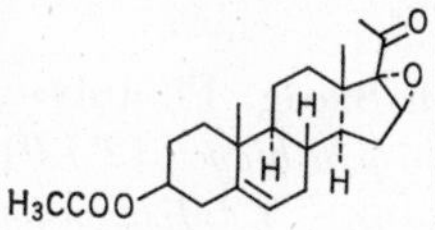	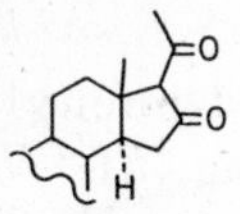 3β-Acetoxy-16-oxo-17β-acetyl-androsten-(5)	85	1
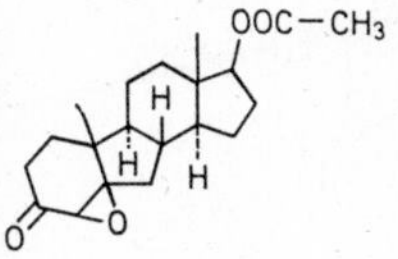	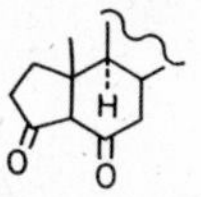 17β-Acetoxy-3,6-dioxo-A-nor-androstan	40	1
	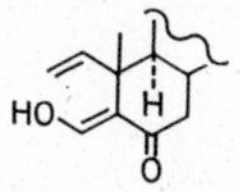 3-Hydroxy-17β-acetoxy-6-oxo-A-nor-2,3-seco-androstadien-(1,3)	16	
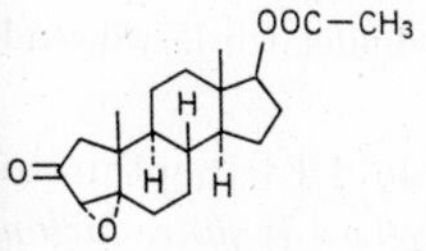	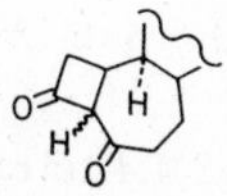 17β-Acetoxy-2,6-dioxo-A-dinor-B-(7a)-homo-androstan	23	1

Während prim. und sek. Alkohole oder Äther als Wasserstoff-Donatoren keinen Einfluß auf den Verlauf der Umlagerung haben, bewirkt der Zusatz von Tributylzinnhydrid in Benzol bei gesättigten Steroiden Reduktion zu Hydroxy-ketonen [2-4]. So wird z. B. 17β-Hydroxy-4β,5β-epoxi-3-oxo-17α-methyl-östran mittels einer 0,74 m Lösung von Tributylzinnhydrid in Benzol in 30 Min. (Quecksilber-Hochdruck-Brenner Q 81) in 5β,17β-Dihydroxy-3-oxo-17α-methyl-östran (70% d.Th.; F: 181–183°) überführt [3]:

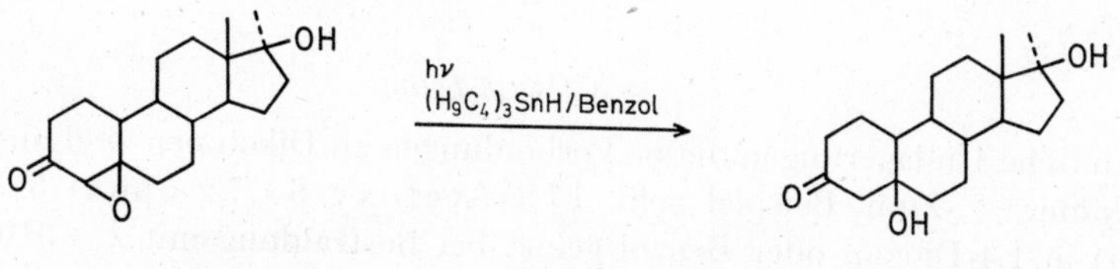

Analog können 17β-Hydroxy-4β,5β-epoxi-3-oxo-7α,17α-dimethyl-östran und 16α,17α-Epoxi-3β-acetoxy-20-oxo-pregnen-(5) mit 55 bzw. 27% reduziert werden [3]. Im Falle ungesättigter Steroide werden kompliziertere Produkt-Gemische erhalten [3].

Dioxo-steroide; allgemeine Arbeitsvorschrift [1]: Eine 0,02 m Lösung der Ausgangssubstanz in 1,4-Dioxan wird bei Zimmertemp. unter Rühren und Begasen mit Stickstoff belichtet. Bei gesättigten Steroiden wird mit ungefiltertem Licht einer Quecksilber-Hochdruck-Lampe (70 W Quarzlampe Q 81), bei un-

H. WEHRLI et al., Helv. **49**, 2218 (1966).
O. JEGER u. K. SCHAFFNER, Pure Appl. Chem. **21**, 247 (1970).
P. KELLER et al., Helv. **50**, 2259 (1967).
K. SCHAFFNER, Pure Appl. Chem. **16**, 75 (1968).

gesättigten Ausgangsverbindungen mit fast monochromatischem Licht ($\lambda = 254$ nm) einer Quecksilber-Niederdruck-Lampe (20 W Quarzlampe NK 6/20) und einem zentralen, wassergekühlten Tauchschacht aus Quarz gearbeitet. Nach beendeter Belichtung wird die Lösung am Rotationsverdampfer konzentriert und an einer Silicagel-Säule chromatographiert.

$\alpha\alpha_3$) β,γ-Epoxi-ketone

trans-3-(2-Oxo-2-phenyl-äthyl)-2-phenyl-oxiran wird durch 8stdg. Photolyse (450 W Hanovia Typ L, Pyrex-Filter) in *(E)-2-Hydroxy-1,2-diphenyl-5-oxa-bicyclo [2.1.0] pentan* (I; 23% d.Th.), *2,5-Diphenyl-furan* (II; 27% d.Th.) und *1,4-Dioxo-1,4-diphenyl-butan* (III; 18% d.Th.) umgewandelt. Außerdem fallen kleinere Mengen Acetophenon und Phenyl-essigsäure an[1,2]:

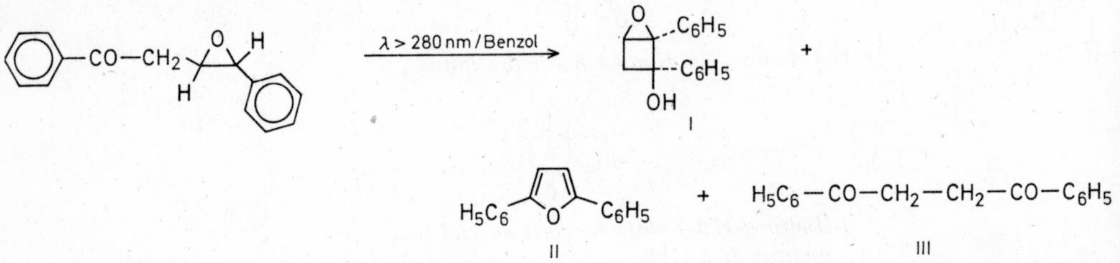

Es hat den Anschein, daß Verbindung III durch die Aufarbeitungen aus I gebildet wird, während Substanz II unter sauren Bedingungen entsteht.

Einer Umlagerung unterliegt 3-Oxo-2,2,4,4-tetramethyl-7-oxa-bicyclo[4.1.0]heptan in Äther (450 W Hanovia L; Corex-Filter). *4-Hydroxy-2,2,6-trimethyl-hepten-(5)-säure-lacton* und *4-Oxo-2,2,6-trimethyl-hepten-(5)-al* fallen bei $\sim 95\%$igem Umsatz mit ~ 50 bzw. $\sim 20\%$ d.Th. an[3]:

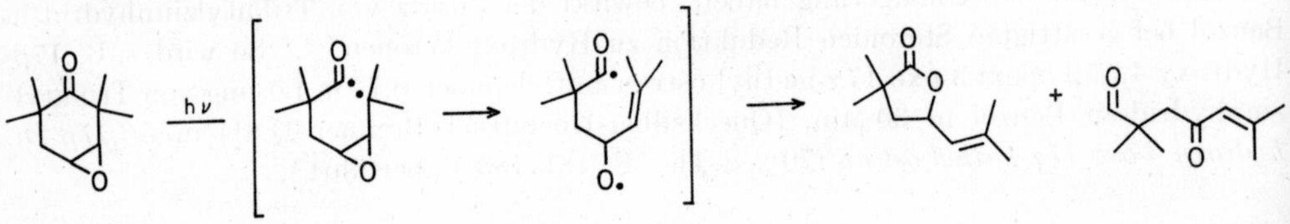

$\alpha\alpha_4$) γ,δ-Epoxi-ketone

Photochemische Umlagerungen dieser Verbindungen zu Diketonen sind aus der Steroid-Chemie bekannt[4-8]. Zum Beispiel geht 17β-Acetoxy-6α,7α-epoxi-3-oxo-andro-sten-(4) (I) in 1,4-Dioxan oder Benzol gelöst bei Bestrahlung mit $\lambda > 310$ nm (Queck-silber-Hochdruck-Lampe, Q 81 Quarzlampen GmbH; Tauchschacht aus Pyrex mit Kaliumhydrogenphthalat-Lösung als Kühlflüssigkeit; 20°) oder sensibilisiert mit Aceto-phenon in *17β-Acetoxy-3,7-dioxo-androsten-(4)* (II; 52% d.Th.) über[7]. Bei Belichtung mit

[1] A. PADWA, Am. Soc. **87**, 4205 (1965).
[2] A. PADWA et al., Am. Soc. **89**, 4435 (1967).
[3] R. K. MURRAY u. D. L. GOFF, Chem. Commun. **1973**, 881.
[4] O. JEGER, K. SCHAFFNER u. H. WEHRLI, Pure Appl. Chem. **9**, 555 (1964).
[5] O. JEGER u. K. SCHAFFNER, Pure Appl. Chem. **21**, 247 (1970).
[6] H. WEHRLI et al., Chimia **18**, 404 (1964).
[7] J. A. SABOZ et al., Helv. **51**, 1362 (1968).
    S. a. J. JOSKA, J. FAJKOŠ u. F. ŠORM, Collet czech. chem. Commun. **25**, 1086 (1960).
[8] M. DEBONO et al., Am. Soc. **92**, 420 (1970).

$\lambda = 254$ nm (NK6 Quarzlampe; Tauchschacht) entsteht zusätzlich *17β-Acetoxy-3-oxo-B-nor-androsten-(4)* (III; 29% d.Th.) neben dem Diketon II (19% d.Th.):

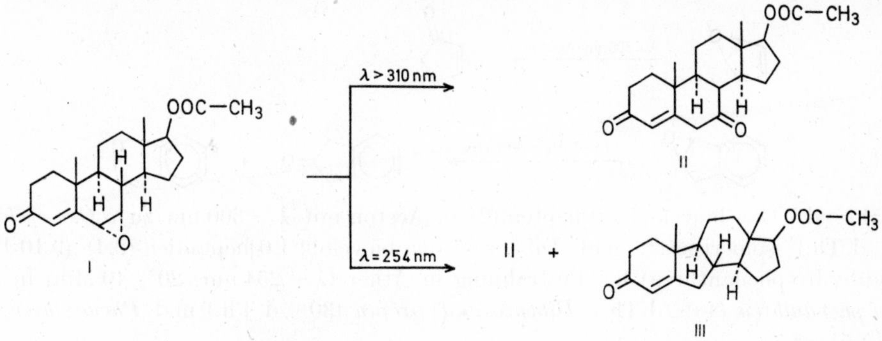

Veränderung der Ringgröße tritt bei folgender Verbindung auf[1]:

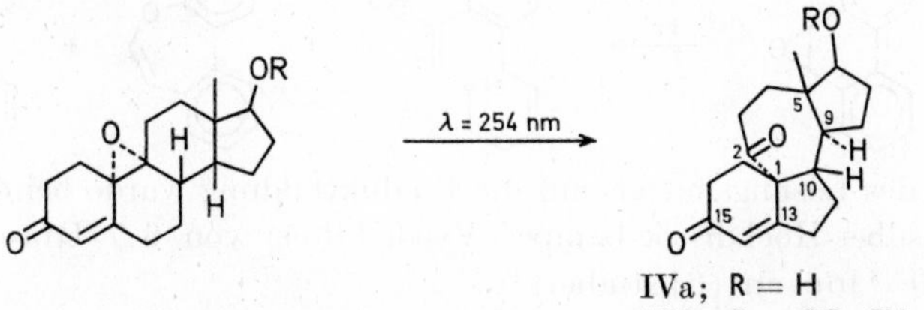

IVa; R = H
IVb; R = CO—CH₃

In tert.-Butanol entsteht mit Licht der Wellenlänge $\lambda = 254$ nm (Rayonet-Reaktor; 40°; Stickstoff) *6-Hydroxy-2,15-dioxo-5-methyl-tetracyclo[8.7.0.0^{1,13}.0^{5,9}]heptadecen-(13)* (IVa; 75% d.Th.), die entsprechende 6β-Acetoxy-Verbindung IVb unter ähnlichen Bedingungen (NK 6 Quarzlampen GmbH; Tauchschacht; magnetische Rührung; 20°) in 1,4-Dioxan als Lösungsmittel in 80%iger Ausbeute. Diese Umsetzung kann auch selektiv sensibilisiert bei $\lambda = 310$ nm in Benzol oder 1,4-Dioxan durchgeführt werden. Über zwei weitere Umlagerungsprodukte, V (< 4% d.Th.) und VI (9% d.Th.), durch 4stdg. Bestrahlung in tert.-Butanol mit $\lambda > 280$ nm s. Lit.[2].

Ein weiteres Umlagerungsprodukt zeigt **17β-Acetoxy-9β,10β-epoxi-3-oxo-19-nor-androsten-(4)** bei der Photolyse in 1,4-Dioxan oder tert.-Butanol[1]:

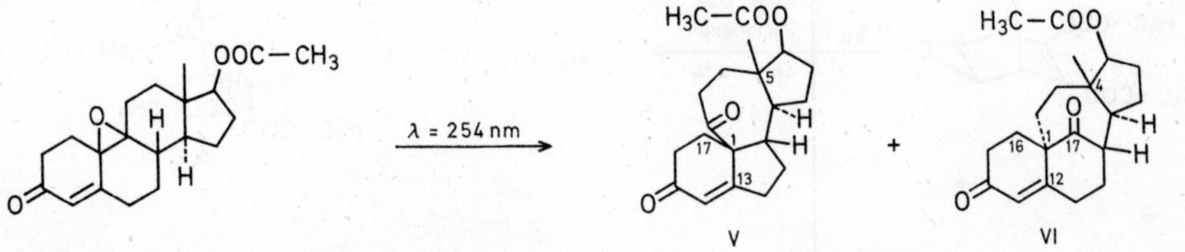

6-Acetoxy-2,15-dioxo-5-methyl-tetracyclo[8.7.0.0^{1,13}.0^{5,9}]heptadecen-(13) (V) und *5-Acetoxy-14,17-dioxo-4-methyl-tetracyclo[7.7.1.0^{1,12}.0^{4,8}]heptadecen-(12)* (VI) entstehen im Verhältnis 3:1.

αα₅) bicyclische Verbindungen ohne Oxo-Funktion

Bei Epoxi-cycloalkenen werden photolytisch im allgemeinen Umlagerungen ausgelöst. Eine 0,08 molare Lösung von 6-Oxa-bicyclo[3.1.0]hexen-(2) in Aceton geht mit Licht der Wellenlänge $\lambda = 300$ nm in *3-Oxo-cyclopenten* (20% d.Th.) über[3]. Benzo-6-oxa-bicyclo[3.1.0]

---

[1] M. DEBONO et al., Am. Soc. **92**, 420 (1970).
[2] D. BAUER et al., Helv. **55**, 852 (1972).
[3] D. R. PAULSON, G. KORNGOLD u. G. JONES, Tetrahedron Letters **1972**, 1723.

hexen-(2) liefert nach 3–24 stdg. Bestrahlung in Hexan oder Benzol *2-Oxo-2,3-dihydro-inden* (32–48% d. Th.) und *1H-⟨Benzo-[c]-pyran⟩* (27–30% d. Th.)[1]:

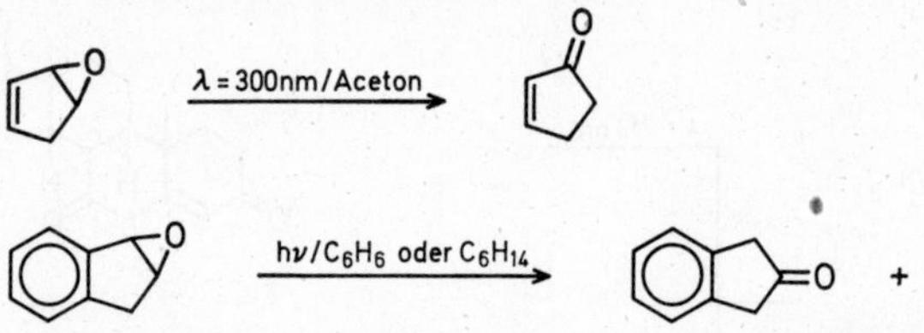

Während 7-Oxa-bicyclo[4.1.0]hepten-(2) in Aceton mit $\lambda = 300$ nm zu *3-Oxo-cyclohexen* (60% d. Th.) isomerisiert[2], geht Dibenzo-7-oxa-bicyclo[4.1.0]heptadien-(2,4) (9,10-Epoxi-9,10-dihydro-phenanthren) bei Bestrahlung in Äther ($\lambda = 254$ nm; 20°; 40 Min) in *9-Hydroxy-phenanthren* (40% d. Th.), *Dibenzo-[b,d]-oxepin* (30% d. Th.) und *Phenanthren* (10% d. Th.) über[3]:

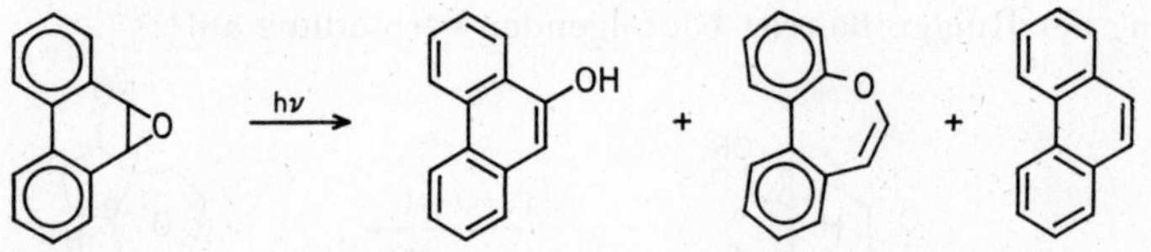

Der Einfluß des Lösungsmittels auf die Produktbildung wurde bei der UV-Bestrahlung (450 W Quecksilber-Hochdruck-Lampe; Vycor-Filter) von 6,7-Diacetoxy-3-oxa-tricyclo[3.2.1.0²,⁴]octen-(6) studiert[4]:

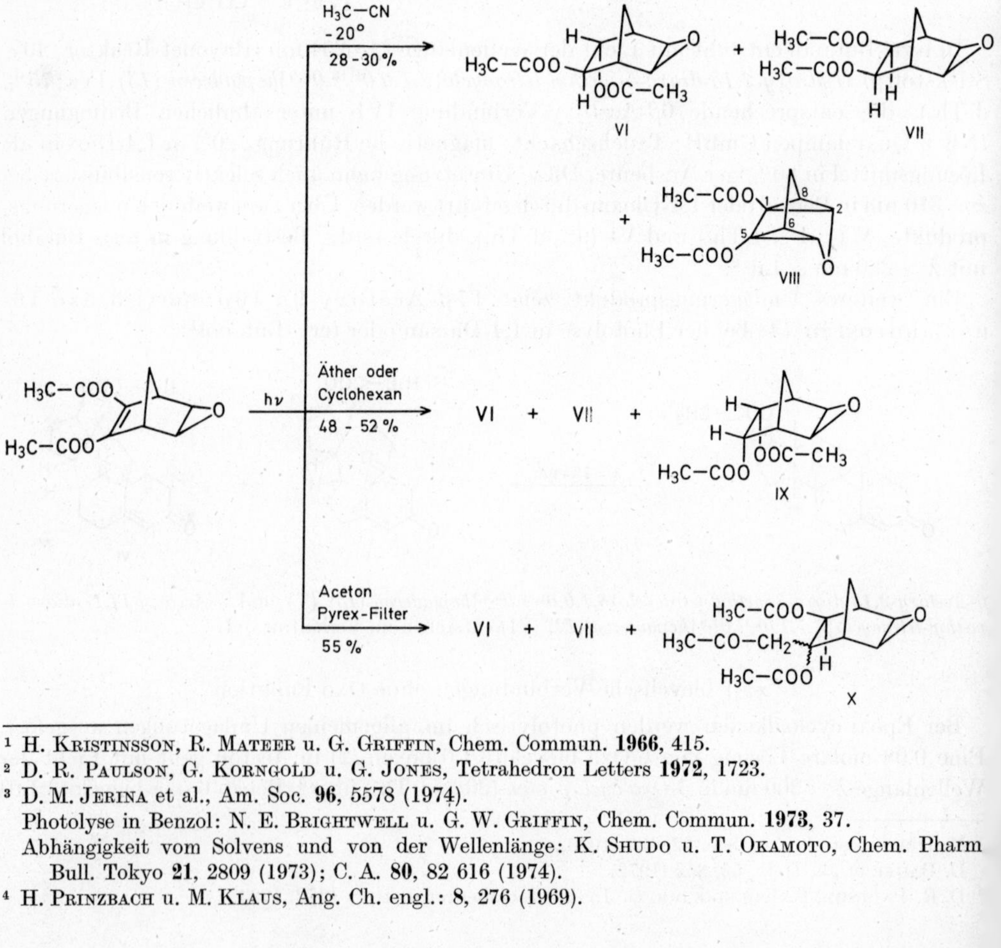

---

[1] H. Kristinsson, R. Mateer u. G. Griffin, Chem. Commun. **1966**, 415.

[2] D. R. Paulson, G. Korngold u. G. Jones, Tetrahedron Letters **1972**, 1723.

[3] D. M. Jerina et al., Am. Soc. **96**, 5578 (1974).
   Photolyse in Benzol: N. E. Brightwell u. G. W. Griffin, Chem. Commun. **1973**, 37.
   Abhängigkeit vom Solvens und von der Wellenlänge: K. Shudo u. T. Okamoto, Chem. Pharm Bull. Tokyo **21**, 2809 (1973); C. A. **80**, 82 616 (1974).

[4] H. Prinzbach u. M. Klaus, Ang. Ch. engl.: **8**, 276 (1969).

Eine Hydrierung der C=C-Doppelbindung zu *endo-6,exo-7-* und *exo-6,exo-7-Diacetoxy-3-oxa-tricyclo[3.2.1.0²,⁴]octan* (VI und VII, S. 684) tritt in allen untersuchten Lösungsmitteln auf. Das *endo-endo-*Isomere IX, bildet sich außerdem in Äther oder Cyclohexan. Aceton wird in Form eines 2-Oxo-propyl-Restes inkorporiert (Substanz X). In Acetonitril tritt zusätzlich Isomerisierung zu *1,5-Diacetoxy-3-oxa-tetracyclo[3.3.0.0²,⁸.0⁴,⁶]octan* (VIII) ein.

8-Oxa-bicyclo[5.1.0]octadien-(2,4) photoisomerisiert in Äther oder Aceton bei 0° unter Stickstoff (Hanau TNK 6/20) zu *Heptatrienal*, 5- und *6-Oxo-cycloheptadien-(1,3),n-(2,4,6)-3-Oxa-tricyclo[4.2.0.0²,⁴]octen-(7)* sowie *Benzaldehyd*[1]:

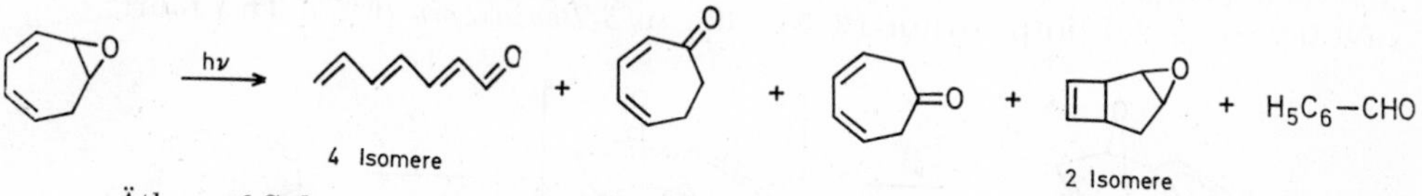

		4 Isomere				2 Isomere	

Äther; 6 Stdn.   47% d. Th.   zus. 15% d. Th.   23% d. Th.   4% d. Th.
Aceton; 4 Stdn.   91% d. Th.   zus. 5% d. Th.   –   4% d. Th.

Während 9-Oxa-bicyclo[6.1.0]nonen-(2) in Aceton ($\lambda = 300$ nm) zu *3-Oxo-cycloocten* (30% d. Th.) isomerisiert[2], führt die Photolyse des entsprechenden Triens in Pentan mit $\lambda > 310$ nm zu einem komplexen Produktgemisch[3]. Es bilden sich über Oxonin (I) oder über II als Primärprodukt[4] *7-Oxa-cis-bicyclo[4.3.0]nonatrien-(2,4,8)* (II; 45% d. Th.)[5], *Cycloheptatrien* (III; 12% d. Th.), *9-Oxa-bicyclo[6.2.0]decatrien-(3,5,1¹⁰)* (IV); 10% d. Th.) und *2-Oxa-bicyclo[5.2.0]nonatrien-(3,5,8)* (V; 6% d. Th.):

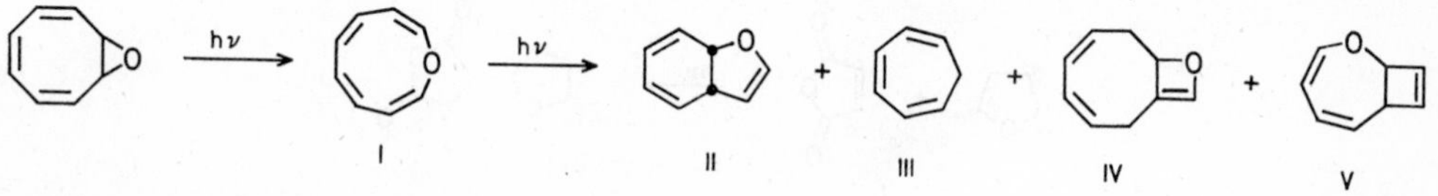

Die Verbindung II kann weiter in *2-* und *4-Formyl-cycloheptatrien* (12 bzw. 24% d. Th.), *Cycloheptatrien* (24% d. Th.), *Phenyl-acetaldehyd* (9% d. Th.) und *Benzol* (5% d. Th.) sowie in ein Polymeres (26% d. Th.) umgewandelt werden[5].

ββ) Oxetane

Oxetane werden photochemisch in Umkehr zu ihrer Bildung in Alkene und Carbonyl-Verbindungen gespalten. Eine ausführlichere Behandlung s. S. 838.

γγ) fünf- und sechsgliedrige cyclische Äther

Während 2,5-Dihydro-furan in Benzol durch ein Vycor-Filter bestrahlt zu *Furan* und *Tetra-hydrofuran* disproportioniert, bildet sich in Äther, Methanol oder Cyclohexan zusätzlich *Vinyl-oxiran* (∼ 10% bez. auf umgesetzten Äther)[6]:

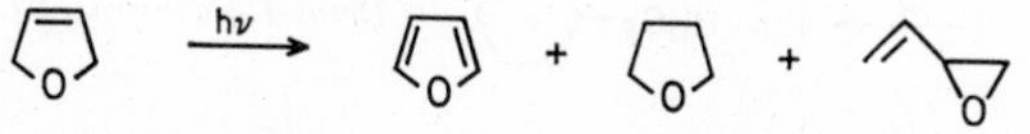

4-Oxo-3-methoxycarbonyl-3,4-dihydro-1H-⟨2-benzopyran⟩ isomerisiert durch Bestrahlung mit Pyrex-gefiltertem Licht in Methanol unter einer Argon-Atmosphäre bei 25° zu 2-

[1] P. SCHIESS u. M. WISSON, Helv. 57, 1692 (1974).
[2] D. R. PAULSON, G. KORNGOLD u. G. JONES, Tetrahedron Letters 1972, 1723.
[3] J. M. HOLOVKA et al., Am. Soc. 90, 5041 (1968).
[4] A. G. ANASTASSIOU u. R. P. CELLURA, Chem. Commun. 1969, 903.
[5] J. M. HOLOVKA et al., Chem. Commun. 1969, 1522.
[6] S. J. CRISTOL, G. A. LEE u. A. L. NOREEN, Tetrahedron Letters 1971, 4175.

Hydroxy-1-oxo-2-methoxycarbonyl-2,3-dihydro-inden (F: 131–132°) und *1-Hydroxy-3-methoxy-carbonyl-1H-⟨2-benzopyran⟩* (F: 110–111°)[1]:

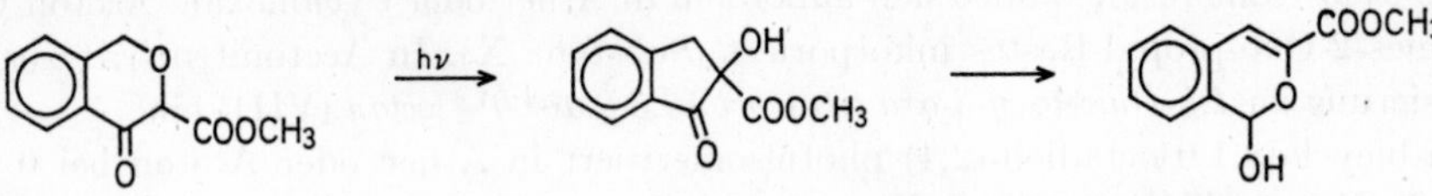

Über ein quadricyclisches Zwischenprodukt verläuft die Isomerisierung von Benzo-7-oxa-bicyclo[2.2.1]heptadien-(2,5)[2], die zu *3-Benzoxepin* (6% d.Th.) führt:

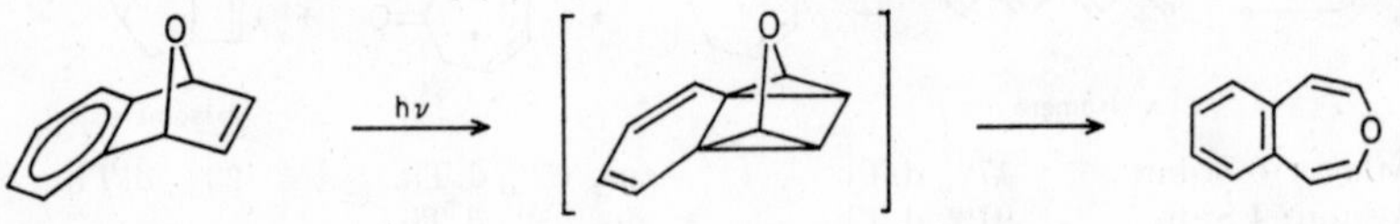

Die Addition von Äthern an eine C=C-Doppelbindung läßt sich auch photochemisch initiieren. Tetrahydrofuran lagert sich z. B. an Maleinsäureanhydrid (General Electric CG401-E6; Pyrex; Rückfluß; 6 Stdn.) unter Bildung von *Tetrahydrofuranyl-(2)-bernsteinsäure-anhydrid* (61% d.Th.) an[3]. Tetrahydropyran und 1,4-Dioxan liefern unter diesen Reaktionsbedingungen lediglich nichtdestillierbare Produkte.

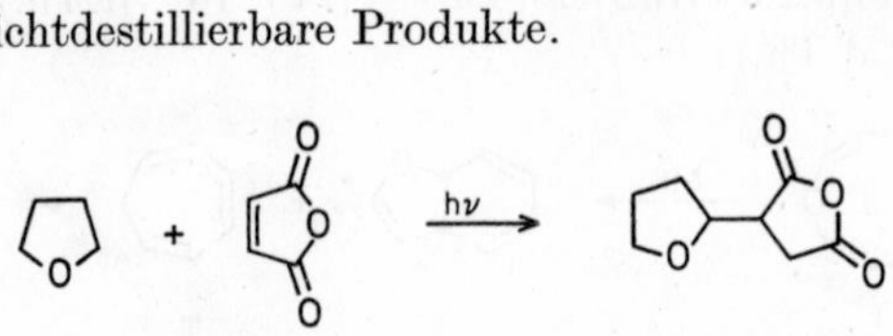

Bei direkter oder mit Aceton sensibilisierter Bestrahlung können dagegen an Octen-(1) folgende Äther addiert werden[4]:

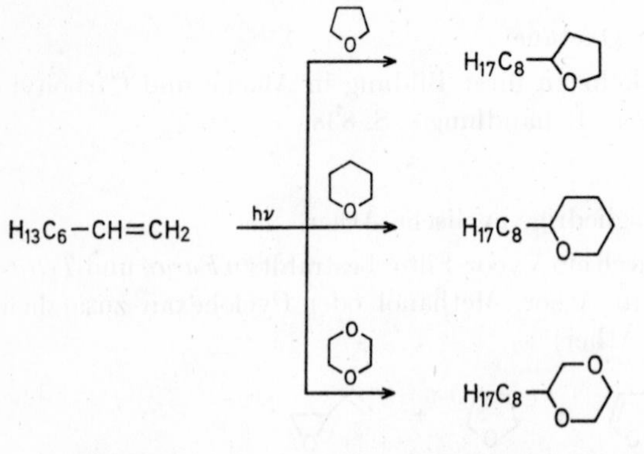

2-Octyl-tetrahydrofuran; 25–30% d.Th.

2-Octyl-tetrahydropyran; 17–21% d.Th.

Octyl-1,4-dioxan; 27–34% d.Th.

Die Umsetzungen werden mit einer Quecksilber-Hochdruck-Lampe (Hanau Q 81; Tauchschacht aus Pyrex oder Quarz) unter Sauerstoff-freiem Stickstoff bei Wasserkühlung durchgeführt. Mit Sonnenlicht sind die Ausbeuten etwas höher.

Über Reaktionen von cyclischen Äthern mit Chinonen s. S. 946, 951, 953ff., 959, 966f.

[1] A. Padwa u. A. Au, Am. Soc. 96, 1633 (1974).
[2] G. R. Ziegler, Am. Soc. 91, 446 (1969).
    G. R. Ziegler u. G. S. Hammond, Am. Soc. 90, 513 (1968).
[3] R. L. Jacobs u. G. G. Eche, J. Org. Chem. 28, 3036 (1963).
[4] D. Elad u. R. D. Youssefyeh, J. Org. Chem. 29, 2031 (1964).

γ₃) *Diaryl- und Aryl-heteroaryl-äther*

Über Cyclodehydrierungen von Diaryl-äthern s. S. 540.

Bestrahlung von aromatischen Äthern führt im allgemeinen neben Abbauprodukten zu umgelagerten Verbindungen. Genau wie bei der Photo-Fries-Reaktion wandert auch hier die über den Sauerstoff gebundene Gruppe direkt an den aromatischen Kern in die ortho- oder para-Stellung[1-3].

So ergibt z. B. die UV-Belichtung von Diphenyläthern neben Phenol[2,4,5] 2- und *4-Hydroxy-biphenyl*[2,4,5], Hauptprodukt ist die para-Verbindung[4-8]:

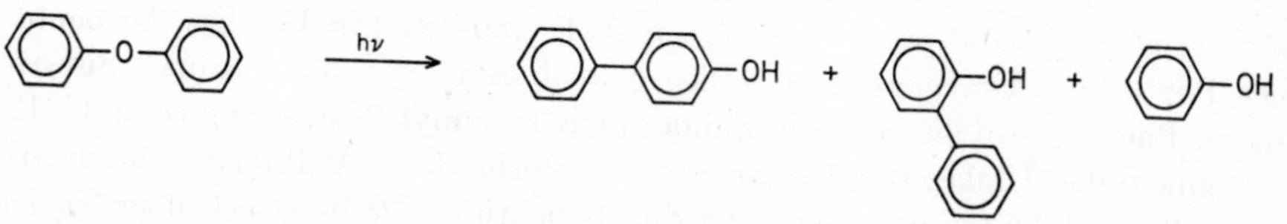

Analoge Ergebnisse wurden mit 1,4-Diphenoxy-benzol und anderen substituierten Diaryläthern erzielt[8].

Nebenreaktionen deuten sich bei der Photolyse von 5-(2,6-Dimethyl-phenoxy)-2-acetoxy-1,3-dimethyl-benzol (Quecksilber-Hochdruck-Lampe, Hanau Q 81; Stickstoff) an[9]. In verschiedenen Lösungsmitteln wird die Acetoxy-Gruppe angegriffen, so daß *5-(2,6-Dimethyl-phenoxy)-1,2,3-trimethyl-benzol* entsteht. Verwendung von Isopropanol als Lösungsmittel führt zu *6-Hydroxy-2,3,4,2′,6′-pentamethyl-biphenyl* (5% d.Th.):

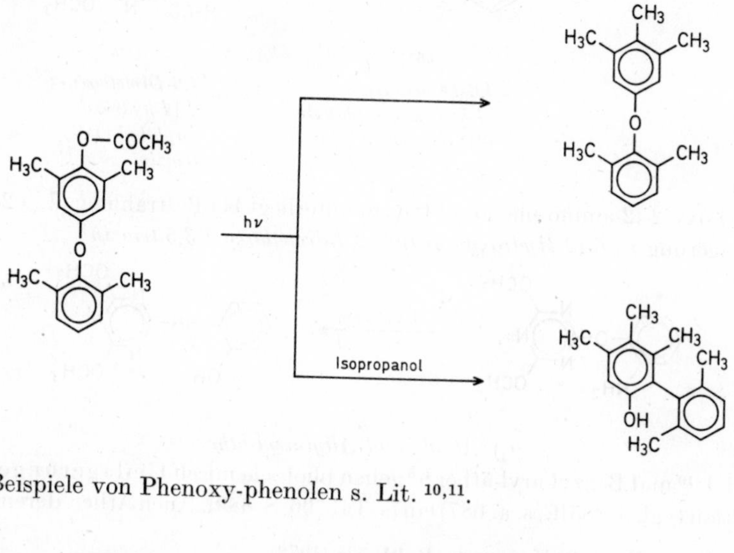

Weitere Beispiele von Phenoxy-phenolen s. Lit.[10,11].

---

[1] A. Schönberg, *Preparative Organic Photochemistry*, S. 236, Springer Verlag, New York 1968.

[2] H. J. Shine, *Reaction Mechanisms in Organic Chemistry*, Monograph 6, Aromatic Rearrangements, S. 353, Elsevier, Amsterdam · London · New York 1967.

[3] V. I. Stenberg, in O. L. Chapman: *Organic Photochemistry*, 1, 127, Marcel Dekker, New York 1969.

[4] M. S. Kharasch, G. Stampa u. W. Nudenberg, Science 116, 309 (1959).

[5] D. P. Kelly, J. T. Pinhey u. R. D. G. Rigby, Austral. J. Chem. 22, 977 (1969).

[6] F. L. Bach u. J. C. Barclay, Abst. of Papers, 150th meeting of Amer. Chem. Soc. 1965, 95.

[7] D. P. Kelly, J. T. Pinley u. R. D. Rigby, Tetrahedron Letters 1966, 5953.

[8] H. J. Hageman, H. L. Louwerse u. W. J. Mijs, Tetrahedron 26, 2045 (1970).

[9] H. J. Hageman, Chem. Commun. 1968, 401.

[10] H.-I. Joschek u. S. I. Miller, Am. Soc. 88, 3261, 3269, 3273 (1966).

[11] H.-D. Becker, J. Org. Chem. 32, 2136 (1967).

Eine andere Umlagerung erfährt folgender phenylierter Äther[1]:

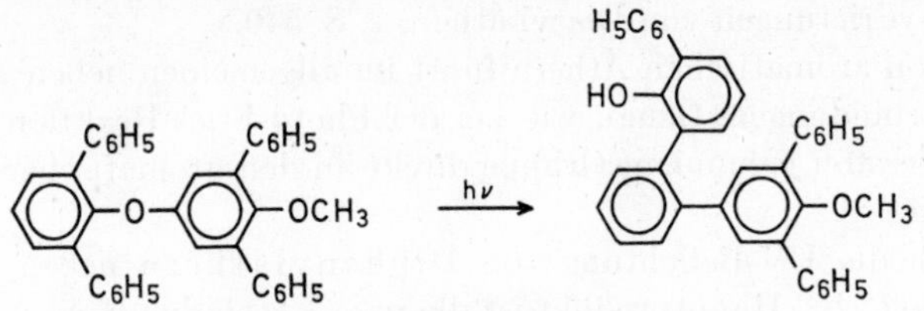

In Cyclohexan unter Stickstoff (Hanau TQ 81; 8 Stdn.) bildet sich *2-[6-Hydroxy-5-phenyl-phenyl)-1-(4-methoxy-3,5-diphenyl-phenyl)-benzol* (F: 180–181°) in 41%iger Ausbeute.

Einer Photo-Fries-Umlagerung unterliegen auch Aryloxy-1,3,5-triazine[2]. Substituenten sowohl am Phenyl-Kern als auch am wandernden Triazinyl-Rest beeinflussen die Reaktion stark, können die Umlagerung sogar völlig unterbinden[2]. Während 4,6-Dimethoxy-2-naphthyl-(2)-oxy-1,3,5-triazin nach 70 Stdn. Belichtung (10 W Quecksilber-Niederdruck-Lampe) in Äthanol nur *4,6-Dimethoxy-2-[2-hydroxy-naphthyl-(2)]-triazin* (67% d.Th.) und *2-Hydroxy-naphthalin* (17% d.Th.) liefert, führt die Photolyse der entsprechenden naphthyl-(1)-Verbindung zu zwei Umlagerungsprodukten[2]:

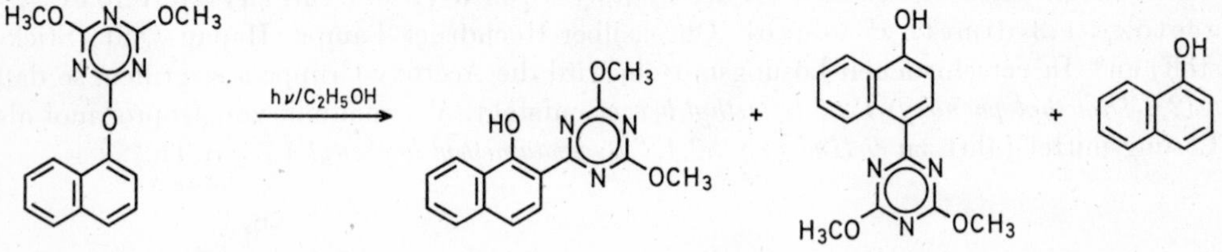

48%	**27%**	**18%**
4,6-Dimethoxy-2-[1-hydroxy-naphthyl-(2)]-triazin	*4,6-Dimethoxy-2-[4-hydroxy-naphthyl-(1)]-triazin*	*1-Hydroxy-naphthalin*

4,6-Dimethoxy-2-(2-amino-phenoxy)-triazin unterliegt bei Bestrahlung ($\lambda = 254$ nm) einer Smiles-Umlagerung zu *6-(2-Hydroxy-anilino)-2,4-dimethoxy-1,3,5-triazin*[3]:

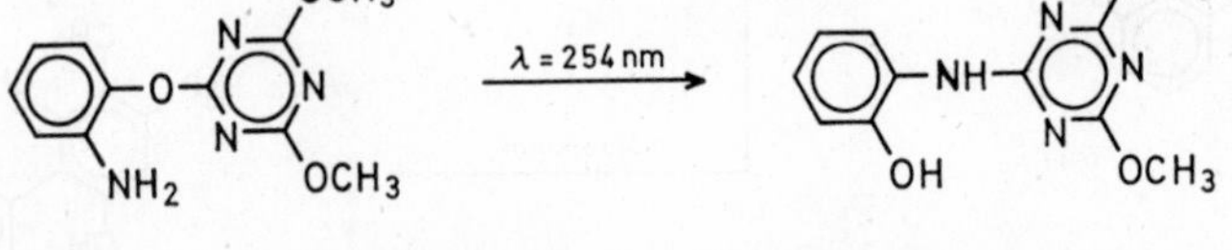

γ_4) Alkyl- und Allyl-aryl-äther

Allyl-aryl-[4–10] und Benzyl-aryl-äther[4,5] gehen photochemisch **Umlagerungen** analog zur Fries-Reaktion (vgl. S. 985ff., s. a. 687) ein (s. Tab. 96, S. 689). Auch Äther, deren Alkyl-Reste

[1] H. J. Hageman u. W. G. B. Huysmans, R. **91**, 528 (1972).
[2] Y. Ohto, Bl. chem. Soc. Japan **47**, 1209 (1974).
[3] K. Matsui et al., Tetrahedron Letters **1970**, 1467.
      Vgl. a. H. Shizuka et al., Tetrahedron **27**, 4021 (1971).
[4] M. S. Kharasch, G. Stampa u. W. Nudenberg, Science **116**, 309 (1952).
[5] D. P. Kelly, J. T. Pinhey u. R. D. G. Rigby, Austral. J. Chem. **22**, 977 (1969).
[6] H. J. Shine, *Reaction Mechanisms in Organic Chemistry*, Monograph 6, Aromatic Rearrangements, S. 353, Elsevier, Amsterdam · London · New York 1967.
[7] D. P. Kelly, J. T. Pinhey u. R. D. G. Rigby, Tetrahedron Letters **1966**, 5953.
[8] K. Schmid u. H. Schmid, Helv. **36**, 687 (1953).
[9] G. Koga, N. Kikuchi u. N. Koga, Bl. chem. Soc. Japan **41**, 745 (1968).
[10] Blitzlicht-Photolysen Allyl-phenyl-äthern: K. Hemmi et al., Chem. Pharm. Bull. Tokyo **22**, 718 (1974); C. A. **81**, 12808 (1974).

Doppelbindungen in Form von Oxo-, Carboxy- oder Cyan-Gruppen enthalten, ergebe neben Spaltprodukten umgelagerte Verbindungen. Die Interpretation der Untersuchungen deutet auf einen, durch den Lösungsmittelkäfig erzwungenen, „intramolekularen" Verlauf der Umlagerung.

2- bzw. 4-Alken-(2)-yl-phenole, allgemeine Arbeitsvorschrift[1]: Eine 0,09 bis 0,3 m Lösung des Äthers in 95%igem Äthanol wird in einer wassergekühlten Tauchapparatur aus Quarz mit einer 125 W Quecksilber-Mitteldruck-Lampe bestrahlt. Das Fortschreiten der Reaktion wird IR-spektroskopisch verfolgt und bei konstanten Absorptionswerten (ROH ~ 3400 cm^{-1}; ROR ~ 1000–1100 cm^{-1}) die Belichtung abgebrochen. Das Lösungsmittel wird entfernt und der verbleibende Rückstand bei 1–10 Torr destilliert.

Tab. 96. Umlagerung von Allyl-aryl-äthern

Ausgangsverbindung ... phenyl-äther	Ausbeuten [% d.Th.]			Literatur
	Phenol	*2-Alken-(2)-yl-phenol*	*4-Alken-(2)-yl-phenol*	
Allyl-...	10	17	19	1, 2
trans-Buten-(2)-yl-...	8	10	8 (*trans*)	1, 2
cis-Buten-(2)-yl-...	–	8	8 (*cis*)	1
1-Methyl-propen-(2)-yl-...	–	10	7	1
3-Methyl-buten-(2)-yl-...	10	23	18	1, 3
Allyl-(4-methyl-phenyl)-äther	15^a	35^b	–	1
Allyl-(3,5-dimethyl-phenyl)-äther	15^c	29^d	19^d	2

^{a} Ausbeute an *4-Hydroxy-1-methyl-benzol*.
^{b} Ausbeute an *4-Hydroxy-3-allyl-1-methyl-benzol*.
^{c} Ausbeute an *5-Hydroxy-1,3-dimethyl-benzol*.
^{d} Ausbeute an *3-Hydroxy-4-allyl-* bzw. *3-Hydroxy-6-allyl-1,5-dimethyl-benzol*.

(2-Carboxy-alkyl)-phenyl-äther erfahren bei Bestrahlung eine ähnliche Umlagerung[4–10], während (2-Oxo-propyl)-phenyl-äther vornehmlich Spaltungsprodukte[4–9] liefern:

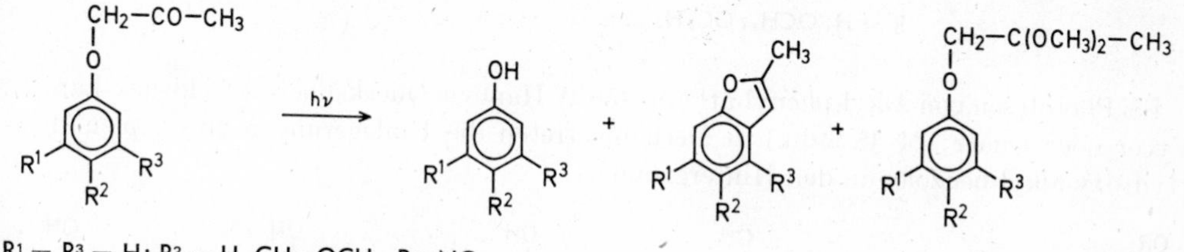

R^1 = R^3 = H; R^2 = H, CH$_3$, OCH$_3$, Br, NO$_2$
R^2 = H; R^1 = R^3 = CH$_3$, OCH$_3$
R^1 = R^2 = H; R^3 = CH$_3$, OCH$_3$ Cl, NO$_2$

[1] D. P. KELLY, J. T. PINHEY u. R. D. G. RIGBY, Austral. J. Chem. **22**, 977 (1969).
[2] G. KOGA, N. KIKUCHI u. N. KOGA, Bl. chem. Soc. Japan **41**, 745 (1968).
[3] Quantenausbeuten der verschiedenen Produkte von Photolysen in Cyclohexan oder Isopropanol: F. A. CARROL u. G. S. HAMMOND, Am. Soc. **94**, 7151 (1972).
[4] M. K. M. DIRANIA u. J. HILL, Soc. [C] **1968**, 1311.
[5] J. HILL, Chem. Commun. **1966**, 260.
[6] J. R. COLLIER, M. K. M. DIRANIA u. J. HILL, Soc. [C] **1970**, 155.
[7] Y. SABURI, T. YOSHIMOTO u. K. MINAMI, J. chem. Soc. Japan, pure Chem. Sect. **89**, 1248 (1968); C. A. **70**, 77036^a (1969).
[8] Y. SABURI, T. YOSHIMOTO u. K. MINAMI, J. chem. Soc. Japan. pure Chem. Sect. **83**, 1326 (1962); C. A. **69**, 35630^g (1968).
[9] Y. SABURI, K. MINAMI u. T. YOSHIMOTO, J. chem. Soc. Japan, pure Chem. Sect. **88**, 557 (1967).
[10] D. P. KELLY u. J. T. PINHEY, Tetrahedron Letters **1964**, 3427.

Neben den *Phenolen* bilden sich aus dem ortho-Umlagerungsprodukt durch Ringschluß *Benzo-[b]-furane*; zusätzlich entstehen unter diesen Reaktionsbedingungen *Acetale*.

Über die entsprechenden Umsetzungen von α-Phenoxy-ketonen s. Lit. [1,2].

Bestrahlung von Aryloxy-essigsäuren führt zu Gemischen aus *Phenolen* und *2-* bzw. *4-Hydroxy-phenyl-essigsäuren* (vgl. Tab. 97, S. 691). Auch hier bilden sich während der Aufarbeitung *2,3-Dihydro-benzofuran-Derivate*.

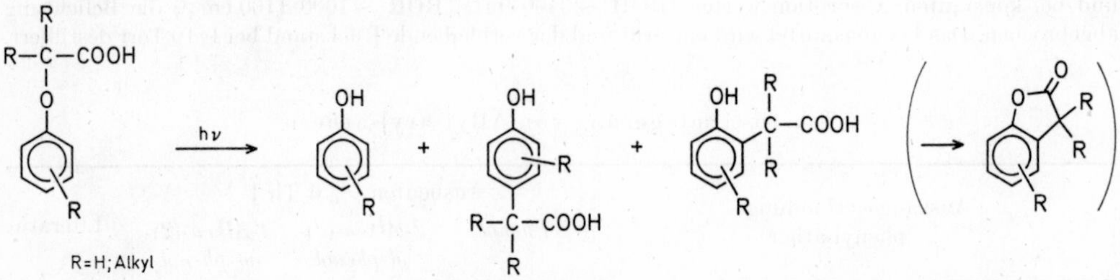

R = H; Alkyl

Eine wäßrige Lösung von 4-Chlor-phenoxy-essigsäure wird durch Sonnenlicht oder λ = 300–450 nm zu einer Vielzahl von Verbindungen photolysiert; Hauptprodukt ist *4-Chlorphenol*. Wanderung des Carboxymethyl-Restes in die freien ortho-Stellungen findet nicht statt[3].

Ein weiteres und synthetisch nützliches Beispiel stellt die Photolyse von 2,4-Dinitrophenoxy-essigsäuren dar, die unter gleichzeitiger Reduktion einer Nitro-Gruppe zu den entsprechenden 2-Nitroso-4-nitro-1-hydroxy-benzolen führt[4] – eine echte Alternative zur Baudisch'schen Arbeitsweise:

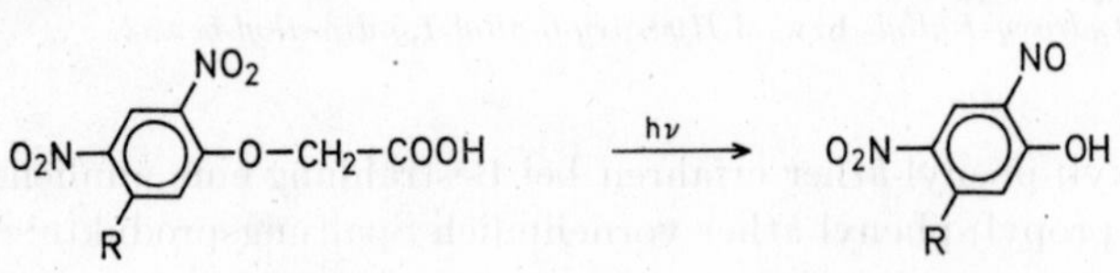

R = H; OCH₃; OC₂H₅ u. a.

Bei Photolysen von Alkyl-phenyl-äthern (450 W Hanovia Quecksilber-Mitteldruck-Lampe; Vycor oder Quarz; 24–48 Stdn.) in Methanol treten die Umlagerungen zu *o-*, *p-* und *m-*Hydroxy-alkyl-benzolen in den Hintergrund[5]:

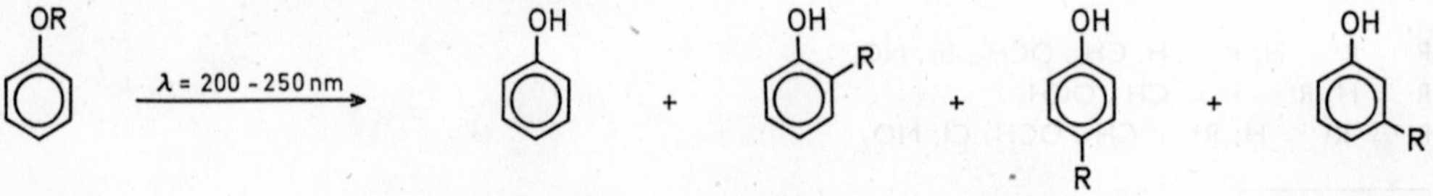

	Phenol	2-Hydroxy-1-alkyl-benzol	4-Hydroxy-1-alkyl-benzol	3-Hydroxy-1-alkyl-benzol
R = CH₃	3%	2%	2%	0,3%
R = C₂H₅	3%	2%	2%	0,4%
R = CH(CH₃)₂	9%	2%	2%	0,8%
R = C(CH₃)₃	41%	7%	10%	1%

[1] J. R. Collier, M. K. M. Dirania u. J. Hill, Soc. [C] **1970**, 155.

[2] Y. Saburi, K. Minami u. T. Yoshimoto, J. chem. Soc. Japan, pure Chem. Sect. 88, 557 (1967).

[3] D. G. Crosby u. A. S. Wong, J. Agric. Food Chem. 21, 1049 (1973); C. A. 79, 143501 (1973).

[4] P. H. McFarlane u. W. D. Russell, Soc. [D] **1969**, 475.

[5] J. J. Houser u. M.-C. Chen, Chem. Commun. **1970**, 1447.

Tab. 97. Photolysen von α-Aryloxy-carbonsäuren und -carbonsäure-nitrilen

Ausgangsverbindung	Produkte	Ausbeute [% d. Th.]	F [°C]	Literatur
Phenoxy-essigsäure	2-Hydroxy-phenyl-essigsäure +4-Hydroxy-phenyl- . . . + Phenol	18 10 4		1, 2
Phenoxy-essigsäure-nitril	2-Hydroxy-phenyl-essigsäure-nitril +4-Hydroxy-phenyl- . . . + Phenol	6 3 2	119 69	3
4-Methyl-phenoxy-essigsäure	6-Hydroxy-3-methyl-phenyl-essigsäure +4-Hydroxy-1-methyl-benzol	22 7		1, 2
4-Methyl-phenoxy-essigsäure-nitril	6-Hydroxy-3-methyl-phenyl-essigsäure-nitril +4-Hydroxy-1-methyl-benzol	24 1	105–106	3
2,6-Dimethyl-phenoxy-essigsäure	2-Hydroxy-1,3-dimethyl-benzol +4-Hydroxy-3,5-dimethyl-phenyl-essigsäure	9 4		1, 2
2,6-Dimethyl-phenoxy-essigsäure-nitril	4-Hydroxy-3,5-dimethyl-phenyl-essigsäure-nitril	3	76	3
3,5-Dimethyl-phenoxy-essigsäure-nitril	4-Hydroxy-2,6-dimethyl-phenyl-essigsäure-nitril +6-Hydroxy-2,4-dimethyl-phenyl-essigsäure-lacton	7 2	146–147 105–106	3
4-Äthyl-phenoxy-essigsäure	6-Hydroxy-3-äthyl-phenyl-essigsäure +4-Hydroxy-1-äthyl-benzol	29 14		1, 2
4-tert.-Butyl-phenoxy-essigsäure	6-Hydroxy-3-tert.-butyl-phenyl-essigsäure +4-Hydroxy-1-tert.-butyl-benzol	29 21		1, 2
4-Methoxy-phenoxy-essigsäure-nitril	6-Hydroxy-3-methoxy-phenyl-essigsäure-nitril +4-Hydroxy-1-methoxy-benzol	15 4	110–111	3
2-Phenoxy-propansäure	2-(2-Hydroxy-phenyl)-propansäure +2-(4-Hydroxy-phenyl)- . . . + Phenol	14 9 12		1, 2
2-Phenoxy-2-methyl-propansäure	2-Methyl-2-(2-hydroxy-phenyl)-propansäure +2-Methyl-2-(4-hydroxy-phenyl)- . . . + Phenol	12 10 13		1, 2
2-(4-Äthyl-phenoxy)-propansäure	2-(6-Hydroxy-3-äthyl-phenyl)-propansäure +4-Hydroxy-1-äthyl-benzol	24 16		1, 2

Wird ein Gemisch aus Isopropyl-phenyl-äther und Di-tert.-butyl-peroxid (Molverhältnis 2:1) 20 Stdn. in einem Pyrex-Kolben bei 25° mit einer 400 W Quecksilber-Hochdruck-Lampe bestrahlt, so entstehen *Isopropyloxy-isopropyl-benzole* (52% bez. auf

---

[1] D. P. KELLY, J. T. PINHEY u. R. D. G. RIGBY, Austral. J. Chem. **22**, 977 (1969).

[2] D. P. KELLY u. J. T. PINHEY, Tetrahedron Letters **1964**, 3427.

[3] J. S. ARORA, M. K. M. DIRANIA u. J. HILL, Soc. [C] **1971**, 2865. 2–2,5%ige Lösungen in Methanol werden 8–31 Stdn. unter Stickstoff bestrahlt (Hanau Q 81).

umgesetzten Äther), wobei das *ortho*-Isomere überwiegt[1]:

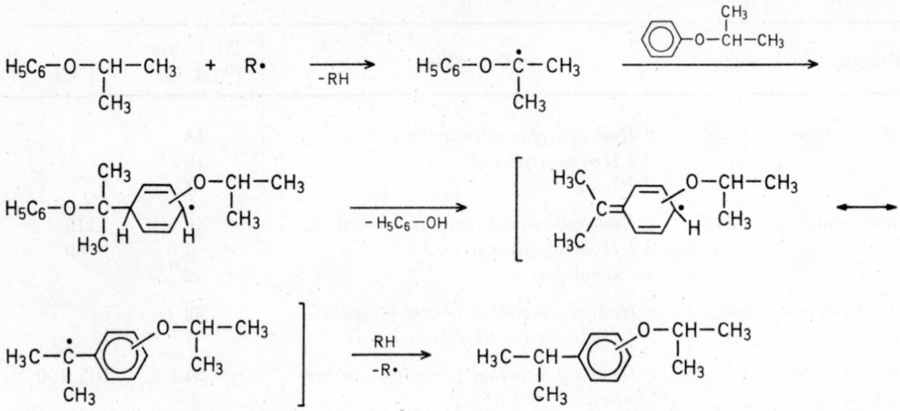

Einer Cyclisierung unterliegen folgende substituierte Diphenyläther bei Bestrahlung (Quecksilber-Mitteldruck-Lampe; Quarz) in Äthanol. *2,7-Dimethoxy-1,4,6,9-tetramethyldibenzofuran* entsteht z. B. mit 35%iger Ausbeute[2]:

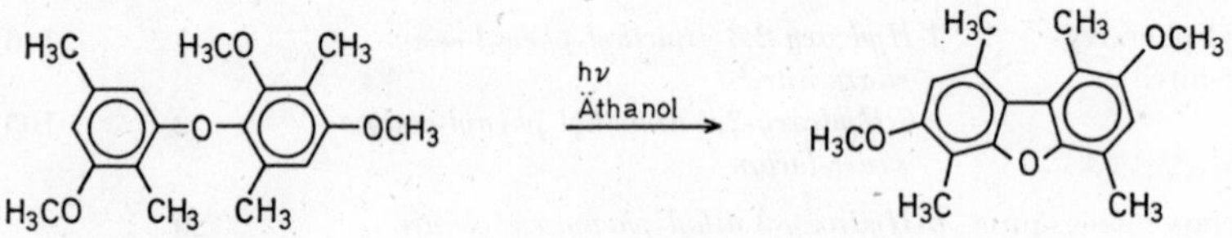

Photosubstitutionsreaktionen von Alkyl-phenyl-äthern sind ausführlich untersucht worden. 3-Nitro-1-methoxy-benzol, welches in neutralem Medium bei UV-Bestrahlung beständig ist, wird in alkalischem Medium bei UV-Belichtung glatt zu 3-Nitro-phenolat hydrolysiert[3-6]:

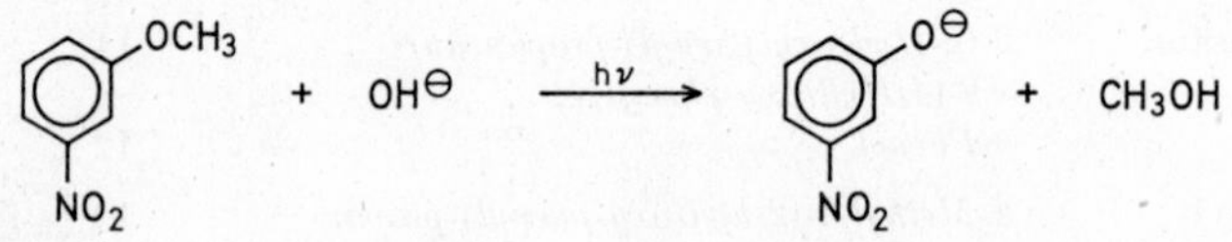

Die Quantenausbeute dieser Reaktion steigt von $\varphi = 0{,}06$ bei einer Hydroxyl-Ionenkonzentration von $0{,}39 \cdot 10^{-3}$ m auf $\varphi = 0{,}22$–$0{,}23$ bei Hydroxyl-Konzentrationen, die größer als $4 \cdot 10^{-3}$ m sind und ist bei $p_H = 12$ unabhängig von der Wellenlänge des eingestrahlten Lichtes zwischen $\lambda = 254$–334 nm.

Auch die isomeren x,3-Dinitro-1-methoxy-benzole zeigen diese Reaktion[3]. In diesen Fällen liegen die Quantenausbeuten sogar um $\varphi = 0{,}4$.

4-Nitro-1-methoxy-benzol verhält sich unter den Bedingungen der Photohydrolyse anders, denn *4-Nitro-phenolat* wird nur zu 20% gebildet. Hauptreaktion ist hier die Sub-

[1] A. Ohno u. N. Kito, Bl. chem. Soc. Japan 43, 1272 (1970).
[2] J. A. Elix, D. P. H. Murphy u. M. V. Sargent, Synth. Commun. 2, 427 (1972).
[3] E. Havinga u. R. O. de Jongh, Bl. Soc. chim. Belg. 71, 803 (1962).
[4] E. Havinga, *Heterolytic photosubstitution reactions in aromatic compounds* in: Reactivity of the Photoexcited Organic Molecule; Proceedings of the 13th Conference on Chemistry, Brussels 1965, S. 201; Interscience Publ. London, New York 1967.
[5] E. Havinga u. M. E. Kronenberg, Pure Appl. Chem. 16, 137 (1968).
[6] R. O. de Jongh u. E. Havinga, R. 85, 275 (1966).

stitution der Nitro-Gruppe unter Bildung von *4-Methoxy-phenol* (80% d.Th.)[1,2], s. a. S. 694. In Gegenwart von Sauerstoff wird zusätzlich noch *2-Nitro-4-methoxy-phenol* gebildet[3]:

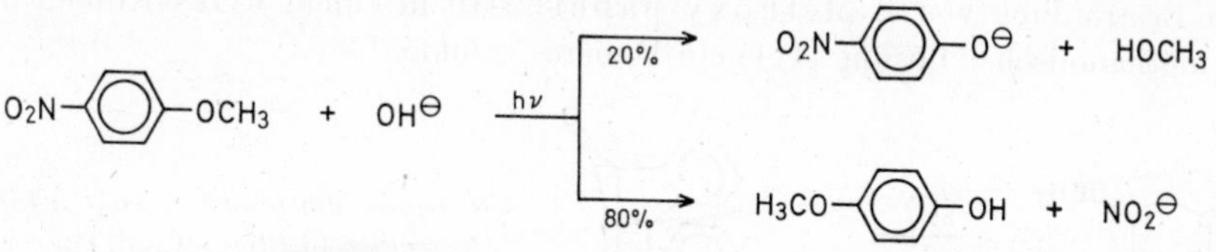

Bemerkenswert ist, daß die Photohydrolyse durch Benzophenon sensibilisierbar ist[4]. Die Beteiligung von Triplett-Zuständen ist daher nicht ganz auszuschließen[2], obwohl aufgrund aller anderen Charakteristika der heterolytischen Photosubstitution, besonders der Kurzlebigkeit des beteiligten elektronisch angeregten Zustandes sowie des geringen Einflusses von Sauerstoff auf die Reaktion, die Annahme eines elektronisch angeregten Singulett-Zustandes als der reaktiven Species näherliegt[4].

Eine Photosubstitution einer Nitro-Gruppe wird auch im Falle von 2,4,6-Trinitro-1-methoxy-benzol beobachtet[5].

Die Meta-Aktivierung durch die Nitro-Gruppe im elektronisch angeregten Zustand zeigt sich dagegen wiederum sehr eindrucksvoll bei 4-Nitro-1,2-dimethoxy-benzol, das in Abwesenheit von Licht bei 80° in wäßrigem Alkali zu *5-Nitro-2-hydroxy-1-methoxy-benzol* hydrolysiert wird, also die para-ständige Methoxy-Gruppe Hydrolyse erfährt. Durch Bestrahlung bei 20° tritt Hydrolyse zu *4-Nitro-2-hydroxy-1-methoxy-benzol* ein[4,6]:

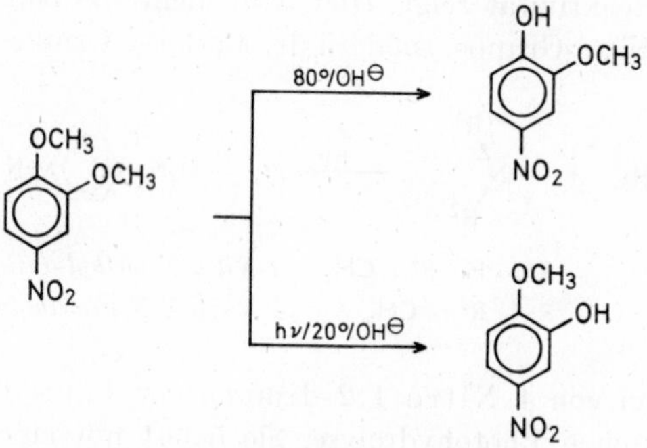

Entsprechend verhält sich 2-Nitro-1,4-dimethoxy-benzol, das bei Bestrahlung in verdünnter Natronlauge *6-Nitro-4-hydroxy-1-methoxy-benzol* ergibt, während bei thermischer Hydrolyse in alkalischem Medium *3-Nitro-4-hydroxy-1-methoxy-benzol* erhalten wird[4,6]. Durch diese Selektivität der photochemischen Hydrolyse eröffnen sich interessante synthetische Möglichkeiten.

Zu den leicht photohydrolysierbaren Phenyl-äthern gehören auch Triphenylmethyl-phenyl-äther, die in meta-Stellung einen elektronenanziehenden Substituenten, eine Nitro- oder eine Cyan-Gruppe tragen[7]:

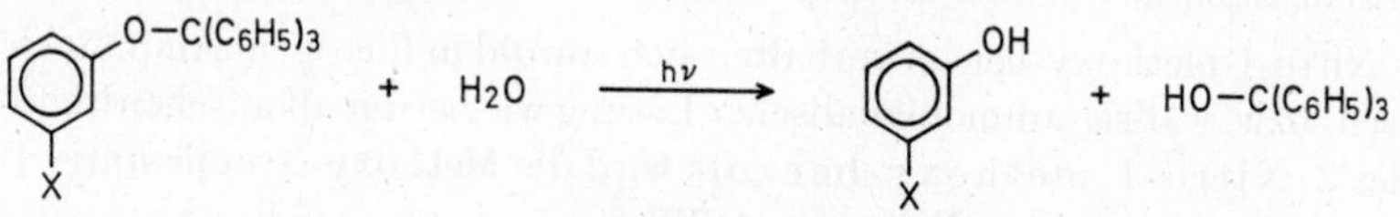

X = NO₂, CN

[1] R. L. LETSINGER, O. B. RAMSAY u. J. H. McCAIN, Am. Soc. **87**, 2945 (1965).
[2] R. L. LETSINGER u. K. E. STELLER, Tetrahedron Letters **1969**, 1401.
[3] S. DE VRIES u. E. HAVINGA, R. **84**, 601 (1965).
[4] E. HAVINGA u. M. E. KRONENBERG, Pure Appl. Chem. **16**, 137 (1968).
[5] V. GOLD u. C. H. ROCHESTER, Pr. chem. Soc. **1960**, 403; Soc. **1964**, 1687–1735.
[6] J. L. STRATENUS, Dissertation, Universität Leiden 1966.
[7] H. E. ZIMMERMAN u. S. SOMASEKHARA, Am. Soc. **85**, 922 (1963).

5-Nitro-2,3-dimethoxy-naphthalin wird in alkalischer Lösung durch eine Queck-silber-Hochdruck-Lampe in *5-Nitro-2-hydroxy-3-methoxy-naphthalin* überführt[1]. Dagegen wird bei Bestrahlung von 2-Methoxy-naphthalin in einem Pyrex-Kolben in 0,01 m wäßrig, methanolischer Lösung (1:1) ein Dimeres gebildet[2]:

8,16-Dioxo-⟨dibenzo-tetracyclo[6.3.1.0²,⁷.0⁵,⁹]
dodecadien-(3,10)⟩: 50% d.Th.

Bestrahlung von 9-Methoxy-anthracen in Anwesenheit von Nukleophilen wie Wasser oder Hydroxy-Ionen liefert *9-Oxo-9,10-dihydro-anthracen*[3]. 2,6,9-Trimethoxy-anthra-cen in Chloroform gelöst wird bereits durch Tageslicht zu *2,6-Dimethoxy-9,10-anthrachinon* photooxidiert[4]. Im allgemeinen tritt Entalkylierung häufig bei Endo-peroxiden von Alkoxy-naphthalin- und Alkoxy-anthracen-Derivaten auf (s. S. 1489)[5].

3-Nitro-1-methoxy-benzol ist bei Bestrahlung in Methylamin der Photoaminie-rung zugänglich und man erhält *3-Nitro-N-methyl-anilin*. Interessanterweise ist es gerade das 4-Nitro-1-methoxy-benzol, das bei Belichtung gegenüber Methylamin und Dimethyl-amin eine sehr große Reaktivität zeigt. Hier wird nicht wie beim Angriff von Hydroxy-Ionen (s. S. 692f.) die Nitro-Gruppe, sondern die Methoxy-Gruppe substituiert[6]:

$$O_2N-\bigcirc-OCH_3 \;+\; HN\genfrac{}{}{0pt}{}{R^1}{R^2} \xrightarrow{h\nu} O_2N-\bigcirc-N\genfrac{}{}{0pt}{}{R^1}{R^2} \;+\; HOCH_3$$

$R^1 = H \quad R^2 = CH_3$ *4-Nitro-N-methyl-anilin*; 54% d.Th.

$R^1 = R^2 = CH_3$ *4-Nitro-N,N-dimethyl-anilin*; >65% d.Th.

Die Photosubstitution von 4-Nitro-1,2-dimethoxy-benzol mit Methylamin ver-läuft analog zur alkalischen Photohydrolyse. Sie liefert mit einer Quantenausbeute von $\varphi = 0,19$ *5-Nitro-2-methoxy-N-methyl-anilin* (64% d.Th.)[7], eine Verbindung, die auf konven-tionellem Wege nur sehr umständlich und in geringer Ausbeute zu erhalten ist[8].

5-Nitro-2-methoxy-N-methyl-anilin[7]: 1,473 g 4-Nitro-1,2-dimethoxy-benzol werden in 3,8 *l* einer methanolisch-wäßrigen Methylamin-Lösung (16% Methylamin, 30% Methanol) gelöst und bei Raum-temp. mit einem Quecksilber-Hochdruck-Brenner (Hanau Q 81) bestrahlt. Nach Filtration durch ein Kaliumchromat-Filter wird die Reaktionslösung i. Vak. auf ein kleines Vol. eingedampft. Die aus-geschiedenen Kristalle werden abfiltriert und getrocknet. Man erhält 1,303 g Rohprodukt (89% d.Th.), welches noch mit 4-Nitro-2-methoxy-N-methyl-anilin verunreinigt ist. Zur Trennung der beiden Iso-meren chromatographiert man mit Benzol an saurem Aluminiumoxid (Woelm) und erhält 1,17 g Produkt. Nach Umkristallisation aus Petroläther (Kp: 60–80°); Ausbeute: 940 mg (64% d.Th.); F: 86–87,5°.

3- und 4-Nitro-1-methoxy-benzol verhalten sich sowohl in flüssigem Ammoniak als auch in methanolisch- bzw. wäßrig-ammoniakalischer Lösung wie bei der alkalischen Photohydrolyse: Im Falle des 3-Nitro-1-methoxy-benzols wird die Methoxy-Gruppe unter Bildung von *3-Nitro-anilin* substituiert, im Falle des 4-Nitro-1-methoxy-benzols entsteht unter

[1] J. Lugtenburg u. E. Havinga, Tetrahedron Letters **1969**, 1505.
[2] T. W. Mattingly u. A. Zweig, Tetrahedron Letters **1969**, 621.
[3] M. G. Kuzmin, Yu. A. Mikheev u. L. N. Guseva, Doklady Physik. Ch. USSR **176**, 368 (1967).
[4] D. W. Cameron u. P. E. Schutz, Soc. [C] **1967**, 2121.
[5] O. C. Musgrave, Chem. Reviews **69**, 499 (1969).
[6] M. E. Kronenberg, A. van der Heyden u. E. Havinga, R. **85**, 56 (1966).
[7] M. E. Kronenberg, A. van der Heyden u. E. Havinga, R. **86**, 254 (1967).
[8] C. K. Ingold u. E. H. Ingold, Soc. **1926**, 1310.

Substituierung der Nitro-Gruppe *4-Methoxy-anilin*[1,2]. In flüssigem Ammoniak bei −60° betragen die Ausbeuten 89 bzw. 95% d. Th.[3].

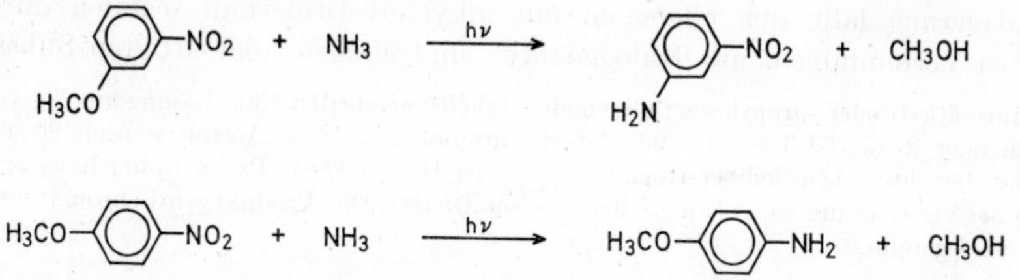

Bei 3-Nitro-1-methoxy-benzol kann die Methoxy-Gruppe durch Cyanid-Ionen angegriffen werden[4,5]. Für diese Reaktion ist die Gegenwart von Luftsauerstoff nicht erforderlich. Das Reaktionsprodukt ist *3-Nitro-benzonitril*[4,5]:

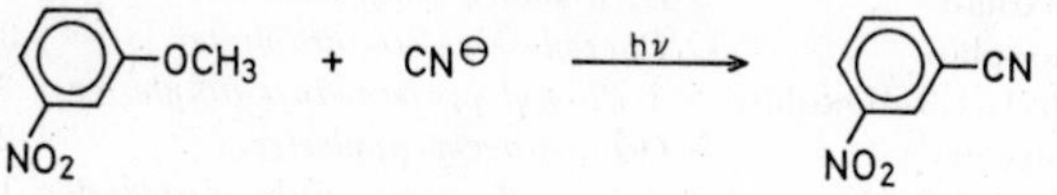

Die Photosubstitution von 4-Nitro-1,2-dimethoxy-benzol mit Cyanid gelingt ebenfalls in Abwesenheit von Luftsauerstoff. Sie verläuft wie die entsprechende alkalische Photohydrolyse unter Verdrängung der zur Nitro-Gruppe meta-ständigen Methoxy-Gruppe und liefert *5-Nitro-2-methoxy-benzonitril*[6]:

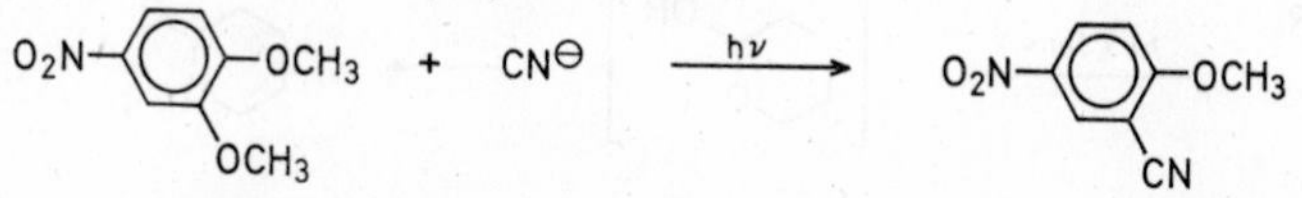

5-Nitro-2-methoxy-benzonitril[5]: Eine Lösung von 500 mg 4-Nitro-1,2-dimethoxy-benzol und 2,0 g Kaliumcyanid in einem Gemisch aus 100 *ml* tert.-Butanol und 400 *ml* Wasser wird unter Durchleiten von Luft und unter Kühlung auf 0° 1,5 Stdn. mit einem Quecksilber-Hochdruck-Brenner in einem Gefäß aus Pyrex bestrahlt. Die Lösung wird sodann i. Vak. bei 40° auf die Hälfte eingedampft, von einem eventuell sich abscheidenden braunen Niederschlag durch Filtrieren befreit und das Filtrat mehrfach mit Äther extrahiert. Die Äther-Extrakte werden nach Verdampfen des Äthers auf Kieselgel mit Hexan, Benzol und schließlich Methanol chromatographiert; Ausbeute: 133 mg (23% d. Th.); F: 127,5–128°.

δ) Acetale

bearbeitet von

Prof. Dr. GEORGE SOSNOVSKY* und Prof. Dr. DAVID RAWLINSON

Einige cyclische Acetale von Aldehyden können in Gegenwart von Aceton durch UV-Bestrahlung in Carbonsäureester umgewandelt werden[7,8]:

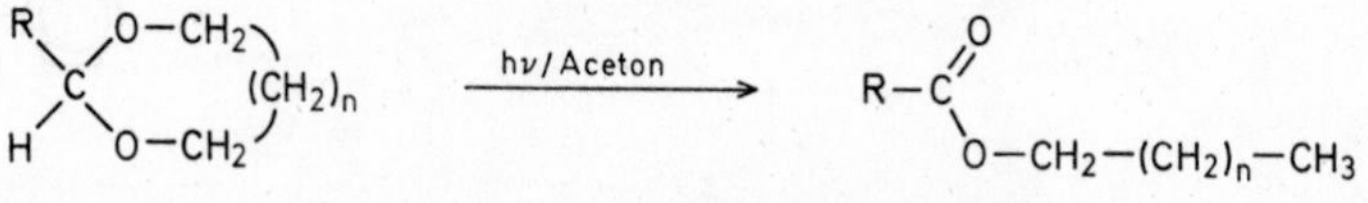

* Department of Chemistry, University of Wisconsin, Wisconsin/5320/USA.
Department of Chemistry, Western Illinois University, Macomb, Illinois 61455/USA.
[1] E. HAVINGA u. M. E. KRONENBERG, Pure Appl. Chem. **16**, 137 (1968).
[2] R. O. DE JONGH, M. E. KRONENBERG u. E. HAVINGA, Helv. **50**, 2550 (1967).
[3] A. VAN VLIET et al., Tetrahedron **26**, 1061 (1970).
[4] R. L. LETSINGER u. J. H. McCAIN, Am. Soc. **88**, 2884 (1966).
[5] R. L. LETSINGER u. J. H. McCAIN, Am. Soc. **91**, 6425 (1969).
[6] C. M. LOK u. M. E. KRONENBERG, unveröffentlicht, zitiert in E. HAVINGA u. M. E. KRONENBERG, Pure Appl. Chem. **16**, 137 (1968).
[7] D. ELAD u. R. D. YOUSSEFYETH, Tetrahedron Letters **1963**, 2189.
[8] H. E. SEYFARTH, A. HESSE u. H. PASTOHR, Z. **9**, 150 (1969).

Es ist dabei auf Ausschluß von Sauerstoff zu achten, um eine Photoperoxidierung zu vermeiden[1]. Peroxide können ihrerseits eine ähnliche, thermische Isomerisierung induzieren[2-4]. Diese Umlagerung läßt sich allgemein mit alkyl-substituierten Acetalen durchführen, mißlingt bei Verbindungen mit Halogenalkyl- und einigen ungesättigten Substituenten.

Carbonsäure-äthyl- oder -propylester; allgemeine Arbeitsvorschrift[5]: Eine Lösung aus 3 g von 2-Alkyl-1,3-dioxolan oder 2-Alkyl-1,3-dioxan, 90 ml tert.-Butanol und 10 ml Aceton werden 20–40 Stdn. bei Zimmertemp. belichtet (Quecksilber-Hochdruck-Lampe Hanau Q 81, Pyrex-Rohr; bessere Ausbeuten erzielt man bei Verwendung eines Tauchschachtes aus Quarz). Das Produkt wird chromatographisch an Aluminiumoxid gereinigt.

Nach dieser Arbeitsvorschrift erhält man z. B. aus[5,1]:

2-Pentyl-1,3-dioxolan	→ *Hexansäure-äthylester*	36% d.Th.
2-Heptyl-1,3-dioxolan	→ *Octansäure-äthylester*	55% d.Th.
2-Nonyl-1,3-dioxolan	→ *Decansäure-äthylester*	33% d.Th.
2-Benzyl-1,3-dioxolan	→ *Phenylessigsäure-äthylester*	35% d.Th.
2-(2-Phenyl-äthyl)-1,3-dioxolan	→ *3-Phenyl-propansäure-äthylester*	30% d.Th.[6]
2-Heptyl-1,3-dioxan	→ *Octansäure-propylester*	23% d.Th.
2-(2-Phenyl-äthyl)-1,3-dioxan	→ *3-Phenyl-propansäure-propylester*	14% d.Th.

2-Alkoxy-tetrahydropyrane gehen bei der mit Benzophenon sensibilisierten Belichtung in Benzol in *Pentan-5-olid* (27–76% d.Th.) und Pentansäure-alkylester (1-3% d.Th.) über[7]:

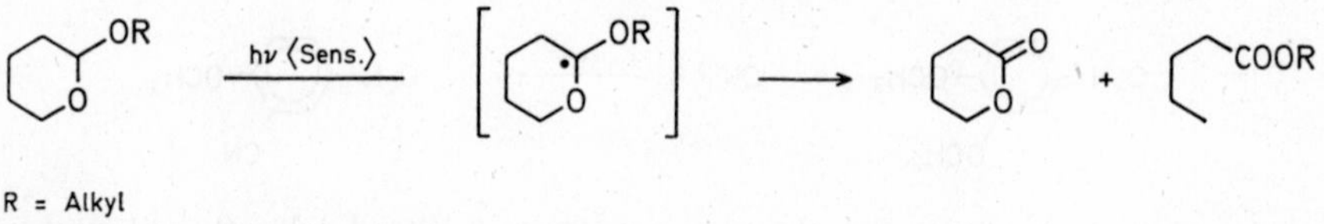

R = Alkyl

An einigen Acetalen des Phenylketens wurde eine ähnliche Photoisomerisation beobachtet[8,9]. Während 2-Benzyliden-1,3-dioxolan nicht reagiert, liefert 2-Benzyliden-1,3-dioxan in 40%iger Ausbeute *2-Phenyl-pentan-5-olid*. Phenylketen-diäthylacetal lagert sich durch Bestrahlung (450 W Hanovia, Quecksilber-Hochdruck-Lampe, Vycor-Filter) in Cyclohexan zu *2-Phenyl-butansäure-äthylester* (87% d.Th.), *2-Äthyl-phenyl-essigsäure-äthylester* (8% d.Th.) und *Phenylessigsäure-äthylester* (5% d.Th.) um[9]:

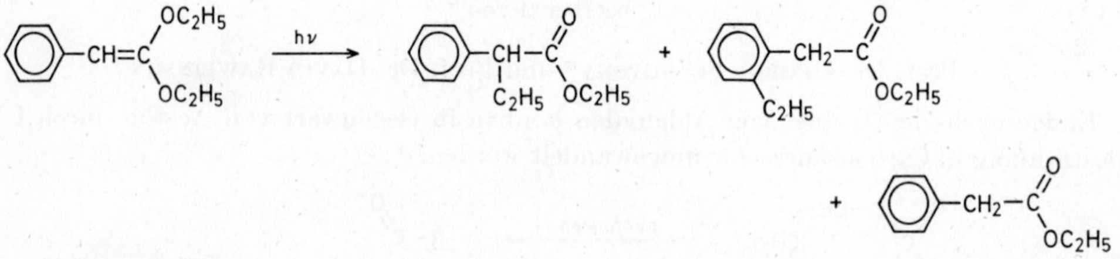

[1] H. E. Seyfarth, A. Hesse u. H. Pastohr, Z. **9**, 150 (1969).
[2] E. S. Huyser u. Z. Garcia, J. Org. Chem. **27**, 2716 (1962).
[3] E. S. Huyser, J. Org. Chem. **25**, 1820 (1960).
[4] L. P. Kuhn u. C. Wellman, J. Org. Chem. **22**, 774 (1957).
[5] D. Elad u. R. D. Youssefyeth, Tetrahedron Letters **1963**, 2189.
[6] Bei Bestrahlung durch einen Tauchschacht aus Quarz Ausbeute: 52% d.Th.
[7] T. Yamagishi, T. Yoshimoto u. K. Minami, Tetrahedron Letters **1971**, 2795.
[8] J. E. Baldwin u. L. E. Walker, Am. Soc. **88**, 4191 (1966).
[9] J. E. Baldwin u. L. E. Walker, Am. Soc. **88**, 3769 (1966).

Durch die Einwirkung von Licht lassen sich 2-Nitro-benzaldehyd-acetale in *2-Nitroso-benzoesäureester* umwandeln[1-3]; z. B.:

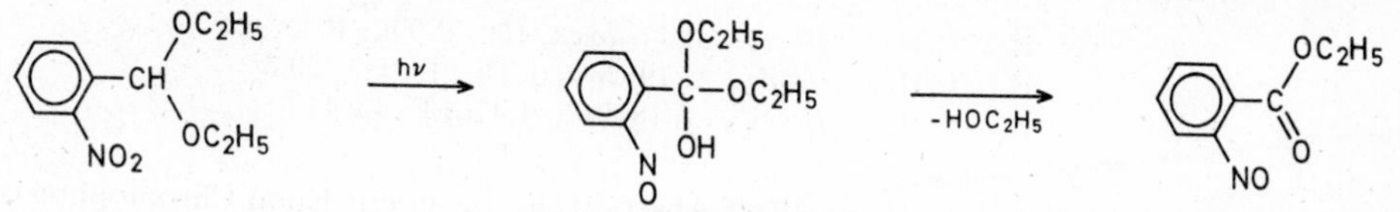

Diese Reaktion hat auf dem Gebiet der Kohlenhydrat- und Steroid-Chemie Anwendung gefunden[4-8].

2-Nitroso-benzoesäure-äthylester[2,3]: Im diffusen Licht färbt sich 2-Nitro-benzaldehyd-diäthylacetal innerhalb von 2–3 Monaten dunkelgrün. Es fallen schließlich farblose, glänzende Kristalle aus, die abgenutscht auf einem Tonteller abgepreßt werden; F: 120–121°.
Im direkten Sonnenlicht ist die Reaktion bereits nach 1,5–2 Stdn. abgeschlossen.

Während aliphatische Aldehyd-acetale mit Licht durch N-Brom-succinimid zu 1-Brom-aldehyd-acetalen bromiert werden[9], reagieren Acetale von Benzaldehyd[9] oder α-Oxo-aldehyden[10] zu Estern weiter.
Folgende Umsetzungen wurden u. a. beschrieben:

Benzaldehyd-diäthylacetal   → *Benzoesäure-äthylester*[9]
2-Oxo-propanal-dibutylacetal   → *2-Oxo-propansäure-butylester*[10]; 72% d.Th.
2-Oxo-3,3-dimethyl-butanal-diäthylacetal → *2-Oxo-3,3-dimethyl-butansäure-äthylester*[10]; 82% d.Th.
Phenyl-glyoxal-diäthylacetal   → *Phenyl-glyoxylsäure-äthylester*[10]; 56% d.Th.

2-Oxo-propansäure-äthylester[10]: 57,5 g frisch destilliertes 2-Oxo-propanal-diäthylacetal und 70,2 g N-Brom-succinimid werden in einem Glaskolben mit Rückflußkühler und Calciumchlorid-Trockenrohr in 288 *ml* Tetrachlormethan gelöst. Eine 250 W Trockenlampe unterhalb des Kolbens dient gleichzeitig der Bestrahlung und dem Erhitzen. Die Mischung wird 3 Stdn. am Rückfluß erhitzt und über Nacht stehen gelassen. Succinimid wird abfiltriert; das Filtrat an einer mit Glasspiralen bepackten Kolonne i. Vak. fraktioniert; Ausbeute: 36,3 g (78% d.Th.); Kp_{14}: 48–59°.

Additionen von Acetalen an Olefine können bei Raumtemp. durch UV-Bestrahlung (Hanau Q 81, 450 W Hanovia oder Sonnenlicht) mit Aceton als Sensibilisator erzielt werden[11]:

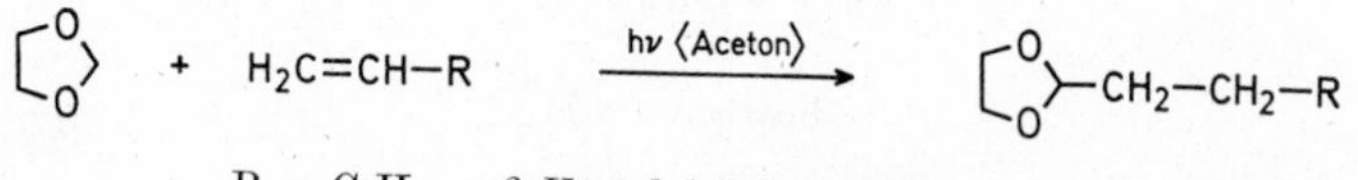

R = C_5H_{11} *2-Heptyl-1,3-dioxolan*; 22–34% d.Th.; Kp_{45}: 115–116°
R = C_6H_{13} *2-Octyl-* . . .; 22% d.Th.; Kp_{45}: 141–142°
R = C_8H_{17} *2-Decyl-* . . .; 20% d.Th.; Kp_{35}: 172–174°

[1] E. BAMBERGER u. F. ELGER, A. **475**, 288 (1929).
[2] E. BAMBERGER u. F. ELGER, A. **371**, 319 (1910).
[3] A. SCHÖNBERG, *Preparative Organic Photochemistry*, S. 269, Springer Verlag, New York 1968.
[4] I. TANASESCU, Bl. Soc. Stiinte Cluj **2**, 111 (1924/25); C. A. **19**, 2932 (1915); C. **1924** II, 2827–2828.
[5] I. TANASESCU, Bl. **39**, 1443 (1926).
[6] I. TANASESCU, Bl. **7**, 84 (1940), sowie die darin angegebenen Literaturhinweise.
[7] I. TANASESCU, F. HODOSAN u. I. JUDE, Acad. Rep. Populare Romine Filiana Cluj, Studii Cercetari Chim. **11**, 309 (1960); C. A. **58**, 4619 (1963).
[8] I. TANASESCU u. S. MAGER, Acad. Rep. Populare Romine Filiana Cluj, Studii Cercetari Chim. **13**, 69 (1962); C. A. **59**, 11637 (1963).
[9] E. N. MARWELL u. M. J. JONCICH, Am. Soc. **73**, 973 (1951).
[10] J. B. WRIGHT, Am. Soc. **77**, 4883 (1955).
[11] D. ELAD u. I. ROSENTHAL, Chem. Commun. **1966**, 684.

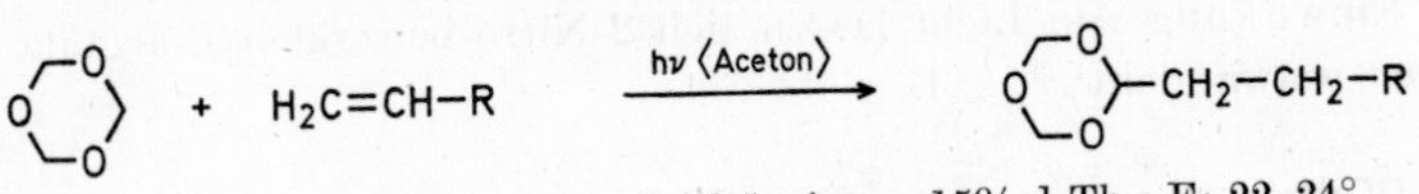

$$R = C_5H_{11} \quad \textit{Heptyl-1,3,5-trioxan}, 15\% \text{ d. Th.; F: } 22\text{--}24°$$
$$R = C_6H_{13} \quad \textit{Octyl-} \ldots; 19\text{--}20\% \text{ d. Th.; F: } 28{,}5\text{--}29{,}5°$$
$$R = C_8H_{17} \quad \textit{Decyl-} \ldots; 18\text{--}21\% \text{ d. Th.; F: } 43\text{--}44°$$

Eine analoge intramolekulare Wasserstoff-Abstraktion durch ein Enon-Chromophor tritt bei folgendem Steroid in Isopropanol unter Stickstoff auf[1]:

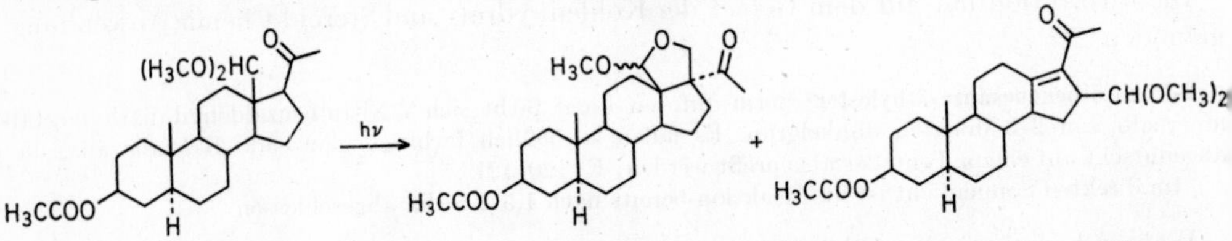

Bei 65%igem Umsatz liegt nach 1stdg. Bestrahlung *18ξ-Methoxy-17β,18-methylenoxy-3β-acetoxy-20-oxo-5α-pregnan* (22% d. Th.; F: 172°) neben *3β-Acetoxy-20-oxo-16β-dimethoxy-methyl-18-nor-5α-pregnen-(13[17])* (11% d. Th.) im Photolysat vor.

3-Oxo-6-dimethoxymethyl-bicyclo[4.4.0]decen-(1) geht mit λ = 254 nm in *13-Methoxy-3-oxo-12-oxa-tricyclo[4.4.3.0[1,6]]tridecan*, *9-Oxo-6-dimethoxymethyl-bicyclo[4.4.0]decen-(1)* und *7-Oxo-10-dimethoxymethyl-tricyclo[4.3.1.0[1,6]]decan* über[2] (weitere Beispiele s. Lit.[1]):

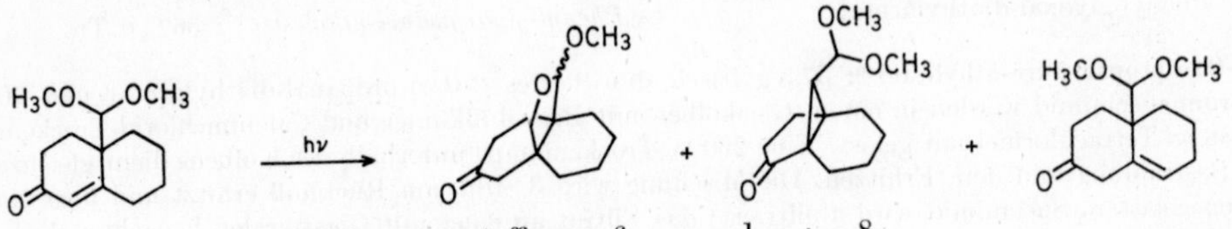

in Kohlenwasserstoffen: 6 :   1 :   8
in Methanol: 1 : 10 :   –

ε) Alkylcyanate

bearbeitet von

Prof. Dr. Wolfgang Rundel*

Unsensibilisierte oder mit Benzol oder Quecksilber sensibilisierte Belichtung von gas-förmigem **Butyl-cyanat** mit einem Quecksilber-Hochdruck-Strahler in einem Quarz-gefäß bei 20 Torr bewirkt neben Bindungsspaltungen hauptsächlich Isomerisierung. Man findet in 38–46%iger Ausbeute *Butyl-isocyanat* neben 39–48% des Trimeren:

$$H_9C_4\text{--}O\text{--}CN \xrightarrow{h\nu} H_9C_4\text{--}NCO + (H_9C_4\text{--}NCO)_3$$

Mit Strahlung λ > 250 nm unterbleiben die Spaltungen[3].

* **Chemisches Institut der Universität Tübingen.**
[1] F. Marti, H. Wehrli u. O. Jeger, Helv. **56**, 2698 (1973).
[2] J. Gloor, K. Schaffner u. O. Jeger, Helv. **54**, 1864 (1971).
[3] M. Hara, Y. Odaira u. S. Tsutsumi, Tetrahedron Letters **1967**, 1641.

2. an den C—O—OH- und C—O—O—C-Bindungen

bearbeitet von

Prof. Dr. GEORGE SOSNOVSKY und Prof. Dr. DAVID J. RAWLINSON*

α) Hydroperoxide

Hydroperoxide sind als Produkte vieler Photooxidationsreaktionen, besonders den Umsetzungen mit Singulett-Sauerstoff[1-7] bekannt. Weiterhin werden sie in vielen Fällen als Zwischenprodukte gefunden oder aufgrund der Analogien zu thermisch initiierten Reaktionen zumindest postuliert.

tert.-Butyl-hydroperoxid absorbiert in einem Bereich[7] von $\lambda = 200$ bis $\lambda = 320$ nm. Einstrahlung von $\lambda = 245–280$ nm oder $\lambda = 313$ nm hat eine Homolyse der schwachen O—O-Bindung zur Folge. Das entstandene tert.-Butyloxy-Radikal stabilisiert sich durch Wasserstoff-Abstraktion zu tert.-Butanol oder durch Disproportionierung zu Aceton:

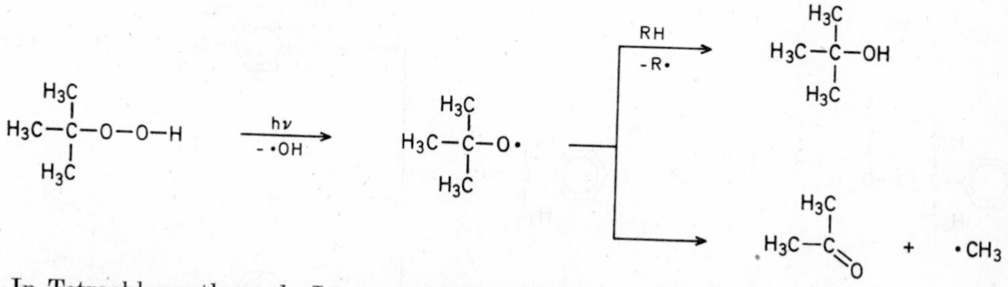

In Tetrachlormethan als Lösungsmittel spielt sich eine Kettenreaktion ab, die wahrscheinlich über folgenden Mechanismus zu den Produkten tert.-Butanol und Sauerstoff führt. In kleineren Mengen treten Aceton, Wasser u. a. auf.

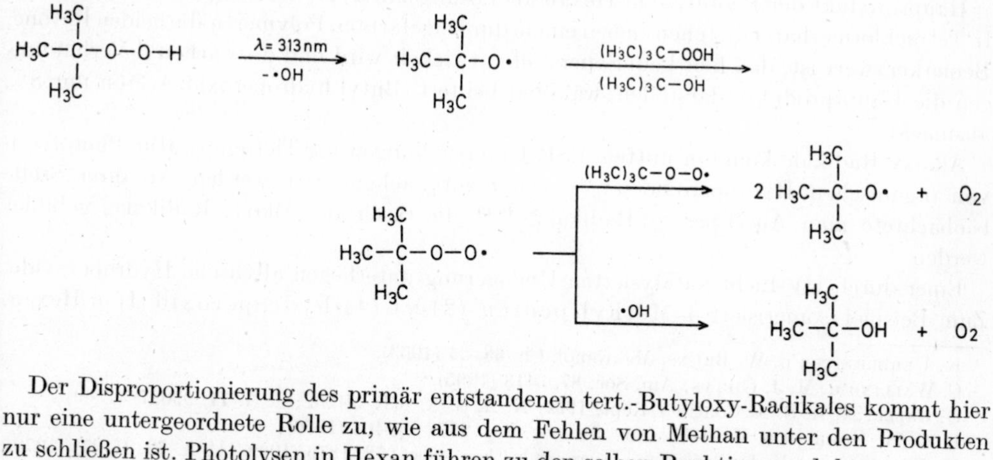

Der Disproportionierung des primär entstandenen tert.-Butyloxy-Radikales kommt hier nur eine untergeordnete Rolle zu, wie aus dem Fehlen von Methan unter den Produkten zu schließen ist. Photolysen in Hexan führen zu den selben Reaktionsprodukten.

---

* **Department of Chemistry, University of Wisconsin, Wisconsin 5320/USA.**
Department of Chemistry, Western Illinois University, Macomb, Illinois 61455/USA.
[1] K. GOLLNICK, Adv. Photochem. **6**, 1 (1968).
[2] A. SCHÖNBERG, G. O. SCHENCK u. O.-A. NEUMÜLLER, *Preparative Organic Photochemistry*, S. 373, Springer Verlag New York, Inc., New York 1968.
[3] A. U. KHAN u. D. R. KEARNS, Adv. Ser. **77**, 143 (1968).
[4] J. E. FOX, A. I. SCOTT u. D. W. YOUNG, Chem. Commun. **1967**, 1105.
[5] A. FISH in D. SWERN, *Organic Peroxides*, Bd. 1, S. 146, Wiley-Interscience, New York 1970.
[6] R. HIATT, in D. SWERN, *Organic Peroxides*, Bd. 2, S. 22. Wiley-Interscience, New York 1971.
[7] J. T. MARTIN u. R. G. W. NORRISH, Pr. roy. Soc. **220** [A], 322 (1953).

1,4-Dioxan als Lösungsmittel verhindert dagegen solch eine Kettenreaktion, indem es die photochemischen Primärprodukte abfängt und dadurch selbst bis zum Formaldehyd fragmentiert wird. Bei Anwendung von Licht der Wellenlänge $\lambda = 245$–280 nm wird diese Zersetzung des Lösungsmittels erhöht.

Anwendung von Sensibilisatoren (Fluorenon[1], Acetophenon[2], Benzophenon[2] oder Chlorophyll[3]) läßt aus tert.-Butyl-hydroperoxid ebenfalls tert.-Butanol und Spuren von Aceton entstehen, so daß vermutlich der gleiche Reaktionsmechanismus wie bei der direkten Photolyse zugrunde liegt.

Eine weitere gut untersuchte Verbindung stellt 2-Phenyl-propyl-(2)-hydroperoxid dar[4]. Einstrahlung in den Absorptionsbereich von $\lambda = 230$–320 nm (eine weitere Bande liegt unterhalb von $\lambda = 230$ nm) führt zu homolytischem Bindungsbruch zwischen den Sauerstoff-Atomen. Die Stabilisierung des 2-Phenyl-propyloxy-(2)-Radikals erfolgt auch hier durch Wasserstoff-Abstraktion zu *2-Hydroxy-2-phenyl-propan*. Die Disproportionierung kann entweder unter Abspaltung eines Methyl-Radikals oder eines Phenyl-Radikals zu *Acetophenon* oder *Aceton* führen:

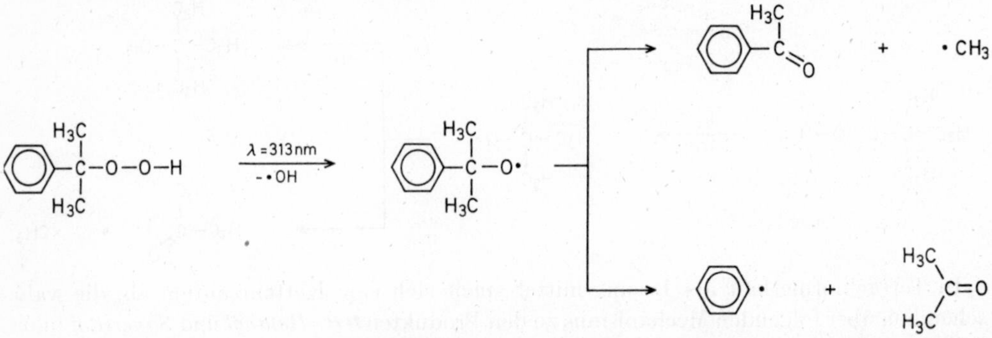

Hauptprodukt der Photolyse in Hexan als Lösungsmittel ist der entsprechende Alkohol. In Tetrachlormethan entstehen neben einem dunkelgefärbten Polymeren die beiden Ketone. Bemerkenswert ist, daß hier kein Sauerstoff entwickelt wird und die Carbonyl-Verbindungen die Hauptprodukte darstellen, während bei tert.-Butyl-hydroperoxid Aceton nur 8% ausmacht.

Alkoxy-Radikale konnten mittels ESR-Untersuchungen bei Tieftemperatur-Photolysen von organischen Hydroperoxiden[5–11] noch nicht nachgewiesen werden. An ihrer Stelle beobachtete man Alkyl-peroxy-Radikale[8,11–13], die rasch aus Alkoxy-Radikalen gebildet werden.

Einer durch UV-Licht katalysierten Umlagerung unterliegen allylische Hydroperoxide. Zum Beispiel isomerisiert 4-Methyl-penten-(2)-yl-(4)-hydroperoxid (I) in Hexan,

[1] K. Ueberreiter u. W. Bruns, Makromol. Ch. 68, 24 (1963).

[2] C. Walling u. M. J. Gibian, Am. Soc. 87, 3413 (1965).

[3] G. Oster, N. A. S. A. Contract Rept. 1967, N. A. S. A. -CR- 94252; C. A. 71, 99027^g (1969).

[4] R. G. W. Norrish u. M. H. Searby, Pr. roy. Soc. 237 [A], 464 (1956).

[5] Y. Takegami et al., J. chem. Soc. Japan, ind. Chem. Sect. 72, 1876 (1969); C. A. 72, 21137^b (1970).

[6] S. S. Ivanchev, V. V. Konovalenko u. Y. V. Gak, Doklady Akad. SSSR 178, 634 (1968); C. A. 69, 35224^e (1968).

[7] J. J. Zwolenik, J. phys. Chem. 71, 2464 (1967).

[8] W. J. Maguire u. R. C. Pink, Trans. Faraday Soc. 63, 1097 (1967).

[9] J. C. W. Chien u. C. R. Boss, Am. Soc. 89, 571 (1967).

[10] K. U. Ingold u. J. R. Morton, Am. Soc. 86, 3400 (1964).

[11] L. H. Piette u. W. C. Landgraf, J. Chem. Physics 32, 1107 (1960).

[12] G. A. Russell, in J. O. Edwards: *Peroxide Reaction Mechanisms*, S. 108, Interscience Publishers, Inc., New York 1962.

[13] M. C. R. Symons, in V. Gold: *Advances in Physical Organic Chemistry*, Vol. 1, S. 283, Academic Press, New York 1963.

Tetrachlormethan oder 4-Methyl-penten-(2) bei 40° ohne Zersetzung zu *2-Methyl-penten-(2)-yl-(4)-hydroperoxid* (II). Die gleiche Produktmischung (~ 1:1) bildet sich bei Bestrahlung von Verbindung II. Es wird folgender Mechanismus vorgeschlagen[1]:

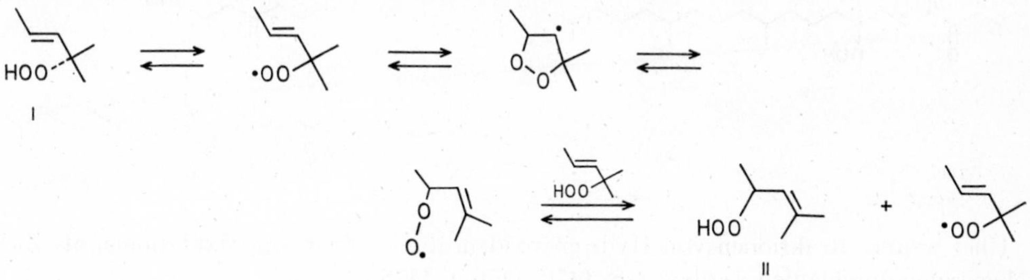

Bei der Autoxidation von *trans*-4-Methyl-penten-(2) entsteht demzufolge ein Gemisch der beiden Hydroperoxide I und II. Die Umlagerung läßt sich durch Zugabe von 4-Methyl-2,6-di-tert.-butyl-phenol verhindern.

In einer ähnlich verlaufenden Reaktion wird das Steroid III durch Licht in *3β-Hydroxy-7α-hydroperoxy-17β-acetyl-androsten-(5)* (IV) umgelagert[2]:

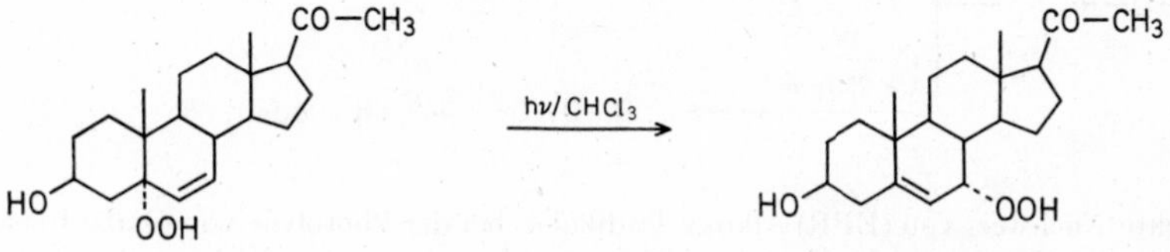

So wie die Bestrahlung erhöhen auch Zugaben von Dibenzoyl-peroxid oder Kupferchloride die Reaktionsgeschwindigkeit; durch Hydrochinon wird die Umsetzung verhindert[2]. Ähnliche Ergebnisse werden auch bei anderen polycyclischen Verbindungen gefunden[3,4].

3-Hydroperoxy-2,3-bis-[4-methoxy-phenyl]-buten-(1), ein Oxidationsprodukt des entsprechenden Stilben-Derivats[5], wird in Cyclohexan durch UV-Licht (125 W Quecksilber-Mitteldruck-Lampe, Osram; wassergekühlter Tauchschacht) aufgespalten; *4-Methoxy-acetophenon* entsteht mit 21 %iger Ausbeute:

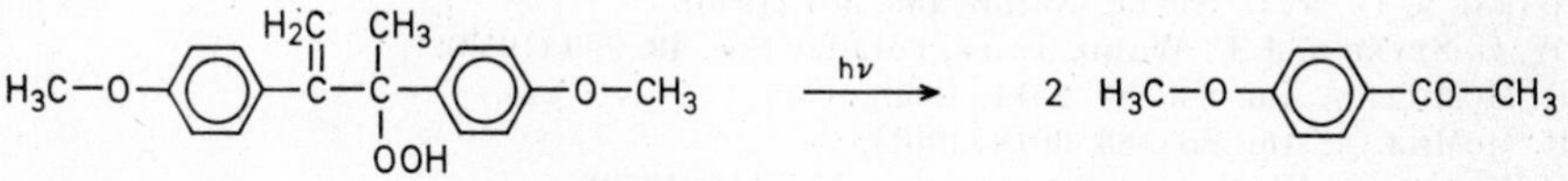

[1] W. F. BRILL, Am. Soc. **87**, 3286 (1965).
[2] G. O. SCHENCK, O. A. NEUMÜLLER u. W. EISFELD, A. **618**, 202 (1958).
[3] A. NICKON et al., J. Org. Chem. **30**, 1711 (1965).
[4] K. GOLLNICK, Adv. Photochem. **6**, 1 (1968).
[5] D. J. COLLINS u. J. J. HOBBS, Austral. J. Chem. **20**, 1905 (1967).

Gleichfalls einer Fragmentierung unterliegt das Hydroperoxid von Phyllochinon[1]:

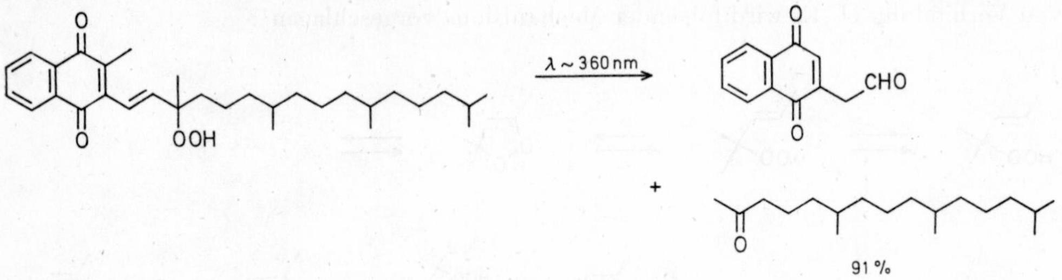

Über weitere Reaktionen von Hydroperoxiden, die im Zuge von Oxidationen als Zwischenstufen durchlaufen werden, s. S. 1470, 1476 u. 1478.

β) Dialkyl-peroxide

Je nach der Wellenlänge des eingestrahlten Lichtes können folgende primären Bindungsbrüche eintreten[2]:

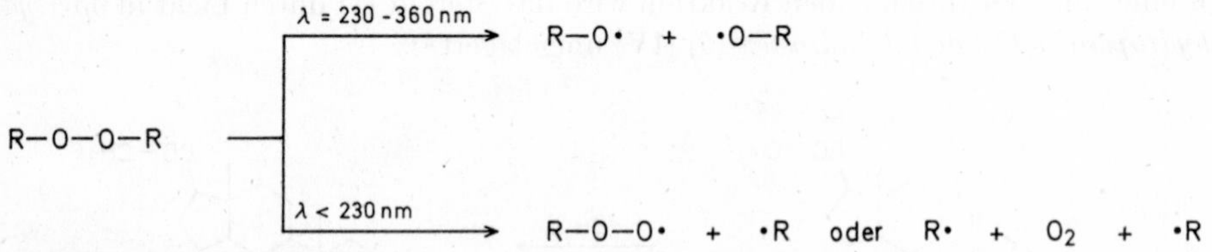

Der direkte Nachweis von (EPR) Alkoxy-Radikalen bei der Photolyse von Dialkyl-peroxiden in der Flüssigphase ist noch nicht gelungen. Auf ihr Vorhandensein wird indirekt, anhand der Reaktionsprodukte geschlossen. Für die homolytische Spaltung von Dialkyl-peroxiden in Alkoxy-Radikale liegen aus Gasphasen-Photolysen jedoch klare Beweise vor[3-18].

Bestrahlung von reinem Di-tert.-butyl-peroxid bei 17° mit einer 250 W UV-Lampe (Typ AH 5, General Electric) im Abstand von 10 cm führt zu *tert.-Butanol, Aceton, 2,2-Dimethyl-oxiran* und Polymeren neben kleineren Mengen Methan und Äthan[16]. Folgende

[1] C. D. Snyder u. H. Rapoport, Am. Soc. **91**, 731 (1969).
[2] J. G. Calvert u. J. N. Pitts, Jr., *Photochemistry*, S. 201, 447, Johne Wiley & Sons, Inc., New York 1966.
[3] D. E. Hoare u. G. S. Pearson, Adv. Photochem. **3**, 83 (1964).
[4] Y. Takezaki, T. Miyazaki u. N. Nakahara, J. Chem. Physics **25**, 536 (1956).
[5] Y. Takezaki u. C. Takeuchi, J. Chem. Physics **22**, 1527 (1954).
[6] M. Barak u. D. W. G. Style, Nature **135**, 307 (1935).
[7] D. W. G. Style u. J. C. Ward, Trans. Faraday Soc. **49**, 999 (1953).
[8] G. R. McMillan, Am. Soc. **84**, 2514 (1962).
[9] G. R. McMillan, Am. Soc. **83**, 3018 (1961).
[10] D. H. Volman u. W. M. Graven, Am. Soc. **75**, 3111 (1953).
[11] L. M. Dorfman u. Z. W. Salsburg, Am. Soc. **73**, 255 (1951).
[12] G. R. McMillan u. M. H. J. Wijnen, Canad. J. Chem. **36**, 1227 (1958).
[13] H. M. Frey, Pr. chem. Soc. **1959**, 385.
[14] G. R. McMillan, Am. Soc. **82**, 2422 (1960).
[15] L. M. Toth u. H. S. Johnston, Am. Soc. **91**, 1276 (1969).
[16] E. R. Bell, F. F. Rust u. W. E. Vaughan, Am. Soc. **72**, 337 (1950).
[17] K. W. Ingold u. B. P. Roberts, *Free Radical Substitution Reactions*, S. 180, J. Wiley & Sons, New York 1971.
[18] R. Hiatt in D. Swern, *Organic Peroxides*, Bd. 3, S. 39, Wiley-Interscience, New York 1972.

Reaktionsschritte sollen die Bildung der Produkte erklären:

$$(CH_3)_3C-O-O-C(CH_3)_3 \xrightarrow{h\nu} \quad H_3C-\underset{CH_3}{\overset{CH_3}{C}}-O\cdot$$

$$H_3C-\underset{CH_3}{\overset{CH_3}{C}}-O\cdot \longrightarrow \underset{H_3C}{\overset{H_3C}{>}}C{=}O \; + \; \cdot CH_3$$

$$H_3C-\underset{CH_3}{\overset{CH_3}{C}}-O\cdot \xrightarrow{(H_3C)_3C-O-O-C(CH_3)_3} H_3C-\underset{CH_3}{\overset{CH_3}{C}}-OH \; + \; H_3C-\underset{CH_3}{\overset{CH_3}{C}}-O-O-\underset{CH_3}{\overset{\cdot CH_2}{C}}-CH_3$$

$$\cdot CH_3 \xrightarrow{(H_3C)_3C-O-O-C(CH_3)_3} CH_4 \; + \; H_3C-\underset{CH_3}{\overset{CH_3}{C}}-O-O-\underset{CH_3}{\overset{\cdot CH_2}{C}}-CH_3$$

$$H_3C-\underset{CH_3}{\overset{CH_3}{C}}-O-O-\underset{CH_3}{\overset{\cdot CH_2}{C}}-CH_3 \longrightarrow H_3C-\underset{H_3C}{\overset{H_3C}{C}}-O\cdot \; + \; \overset{O}{\triangle}\underset{CH_3}{\overset{CH_3}{<}}$$

Photolyse von Di-tert.-butyl-peroxid in Gegenwart von geeigneten Substraten führt zu sekundären Radikalen dieser zugesetzten Stoffe, die ihrerseits mittels ESR-Spektroskopie bei tiefer Temperatur oder mit Hilfe der Flow-Technik untersucht wurden[1–14].

Ein gut untersuchtes Beispiel ist die Zersetzung in Gegenwart von 4-Vinyl-cyclohexen bei 80°[15,16]. Bestrahlung (GE H8 5A3/UV-Lampe) führt – auch in Gegenwart von Kupfer(II)-chlorid – zu tert.-Butanol und einem Di-dehydro-dimeren. Die Geschwindigkeit, mit der das Peroxid verschwindet, läßt sich durch das Kupfer-Ion nicht beeinflussen, im Gegensatz zur photochemischen Perester-Reaktion (s. S. 706). Thermisch entstehen die gleichen Produkte. Setzt man hier Kupfer(II)-chlorid hinzu, so bildet sich zusätzlich etwas tert.-Butyloxy-4-vinyl-cyclohexen. Beide Umsetzungen verlaufen langsamer als die photochemischen Reaktionen.

Eine ähnliche Diskrepanz zwischen Photolyse und Thermolyse gibt es bei der Zersetzung von Di-tert.-butyl-peroxid in Methoxy-benzol[17]. Bei der Bestrahlung (Quecksilber-Bogenlampe; 40–45°) wird

[1] Y. Takegami et al., J. chem. Soc. Japan, ind. Chem. Sect. **72**, 1876 (1969); C. A. **72**, 21137[b] (1970).
[2] A. G. Davies u. B. P. Roberts, Chem. Commun. **1969**, 699.
[3] J. Q. Adams, Am. Soc. **90**, 5363 (1968).
[4] J. K. Kochi u. P. J. Krusic, Am. Soc. **90**, 7157 (1968).
[5] P. J. Krusic u. J. K. Kochi, Am. Soc. **90**, 7155 (1968).
[6] P. J. Krusic u. J. K. Kochi, Am. Soc. **91**, 6161 (1969).
[7] P. J. Krusic, J. P. Jesson u. J. K. Kochi, Am. Soc. **91**, 4566 (1969).
[8] P. J. Krusic u. J. K. Kochi, Am. Soc. **91**, 3938 (1969).
[9] J. K. Kochi u. P. J. Krusic, Am. Soc. **91**, 3944 (1969).
[10] P. J. Krusic u. J. K. Kochi, Am. Soc. **91**, 3942 (1969).
[11] J. K. Kochi, P. J. Krusic u. D. R. Eaton, Am. Soc. **91**, 1879 (1969).
[12] J. K. Kochi, P. J. Krusic u. D. R. Eaton, Am. Soc. **91**, 1877 (1969).
[13] P. J. Krusic u. T. A. Rettig, Am. Soc. **92**, 722 (1970).
[14] A. G. Davies u. B. P. Roberts, J. Organomet. Chem. **19**, 17 (1969).
[15] J. R. Shelton u. A. Champ, J. Org. Chem. **28**, 1393 (1963).
[16] J. R. Shelton u. J. N. Henderson, J. Org. Chem. **26**, 2185 (1961).
[17] H. B. Henbest, J. A. W. Reid u. C. J. M. Stirling, Soc. **1961**, 5239.

die Disproportionierung des Alkoxy-Radikals unterdrückt; als Produkte fallen tert.-Butanol, 1,2-Di-phenoxy-äthan und isomere Methoxy-phenoxymethyl-benzole an. Die thermische Reaktion bei 140° liefert dagegen tert.-Butanol, Methoxy-phenoxymethyl-benzole, Aceton und Methoxy-methyl-benzole.

Bis-[2-phenyl-propyl-(2)]-peroxid zerfällt durch Belichtung in Alkoxy-Radikale, die sich in Abhängigkeit vom Lösungsmittel und der Wellenlänge des eingestrahlten Lichtes zu verschiedenen Produkten stabilisieren[1,2]. In Hexan wird mit $\lambda = 213$ nm hauptsächlich *2-Hydroxy-2-phenyl-propan* gebildet, bei $\lambda = 254$ nm zusätzlich etwas *Acetophenon*. In Tetrachlormethan gelöst entsteht aus dem Peroxid bei $\lambda = 313$ nm Acetophenon, Strahlung der Wellenlänge $\lambda = 254$ nm führt weiterhin zu *Aceton*.

Auch von Dialkyl-peroxiden ließen sich Alkoxy-Radikale bei tiefen Temp. mittels ESR-Untersuchungen noch nicht nachweisen[2-5]. Von Bis-[trifluormethyl]-peroxid konnte bei −190° bis −170° ein Radikal nachgewiesen werden, das in mit ^{17}O angereichertem Sauerstoff als F_3C–OOO-Radikal identifiziert wurde[6,7]. Das Auftreten von Methyl-Radikalen ließ sich bei der Photolyse von Bis-[2-phenyl-propyl-(2)]-peroxid in Benzol zeigen[2].

Bestrahlung einer Lösung von Bis-[4-oxo-1,3,5-tri-tert.-butyl-cyclohexadien-(2,5)-yl]-peroxid in Petroläther unter Stickstoff mit einer 60 W Quecksilber-Niederdruck-Lampe führt nach 12 Stdn. zu *2,4,6-Tri-tert.-butyl-phenol* (13% d.Th.) und *2,6-Di-tert.-butyl-benzochinon* (46% d.Th.)[8]:

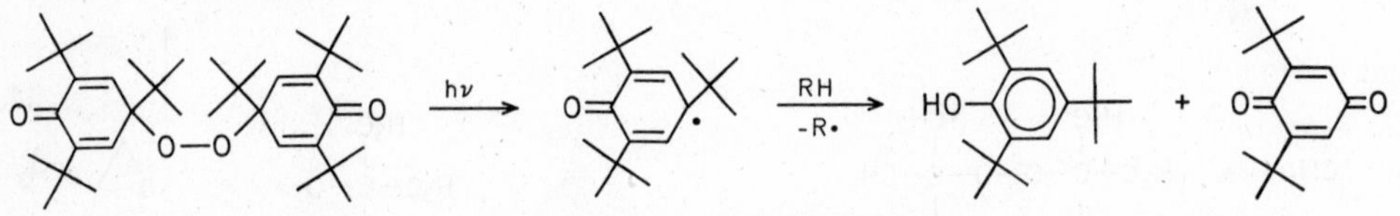

3,3,5,5-Tetramethyl-1,2-dioxolan wird durch Bestrahlung ($\lambda = 350$ nm; Benzol) in *2,2-Dimethyl-oxiran* (70% d.Th.), *2-Oxo-butan* (13% d.Th.) und *Aceton* (7% d.Th.) überführt[9]. Bei den phenylierten Verbindungen sind die Ausbeuten allgemein niedriger.

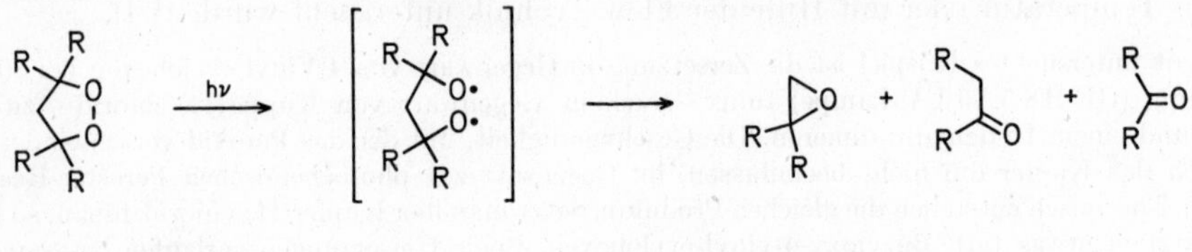

R = CH₃ ; C₆H₅

Eine interessante Reaktion geht 2,3-Dioxa-10-aza-tricyclo[9.4.0.0⁴,⁹]penta-decan ein[10]. Nach 10stdg. Bestrahlung ($\lambda = 310$–360 nm) unter Stickstoff in Benzol bildet sich *Dodecandisäure-imid* neben wenig ε-*Caprolactam*:

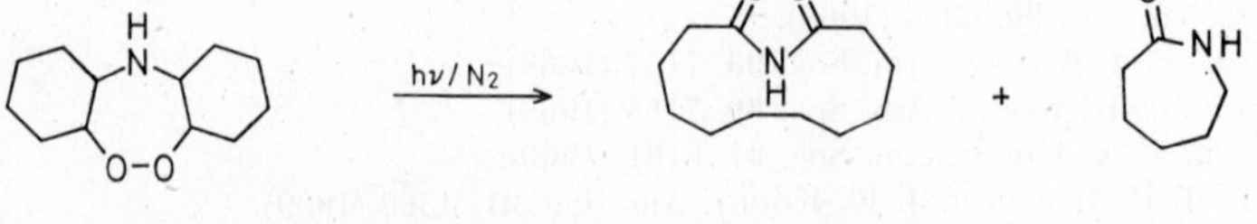

[1] R. G. W. Norrish u. M. H. Searby, Pr. roy. Soc. **237** [A], 464 (1956).
[2] J. J. Zwolenik, J. phys. Chem. **71**, 2464 (1967).
[3] M. C. R. Symons u. M. G. Townsend, Soc. **1959**, 263.
[4] J. Q. Adams, Am. Soc. **90**, 5363 (1968).
[5] K. U. Ingold u. J. R. Morton, Am. Soc. **86**, 3400 (1964).
[6] N. Vanderkool u. W. B. Fox, J. Chem. Phys. **47**, 3634 (1967).
[7] R. W. Fessenden, J. Chem. Physics **48**, 3725 (1968).
[8] T. Matsuura, Bl. chem. Soc. Japan **37**, 564 (1964).
[9] W. Adam u. N. Duran, Tetrahedron Letters **1972**, 1357.
[10] Fr. P. 1552975 (1969), B. P. Chemicals (U.K.) Ltd. ; C. A. **72**, 12155ᵈ (1970).

Wird die Belichtung in Gegenwart von Benzochinon durchgeführt, so enthält das Produkt-gemisch noch *11-Cyan-undecansäure*.

γ) Carbon-persäuren

Über organische Persäuren, die als Zwischen- oder Endprodukt der licht-katalysierten Autoxidation von Aldehyden auftreten[1–7], liegt erstaunlich wenig Lit. vor. Zur Photolyse von Peressigsäure, Furan-carbonpersäure oder 2-Alkoxycarbonyl-benzoepersäuren vgl. Lit.[8–10].

Eine präparative Anwendung der durch UV-Licht initiierten Zersetzung dieser Verbin-dungen besteht in der Übertragung von Hydroxy-Gruppen auf andere organische Sub-stanzen. Geeignete Substrate sind gesättigte Kohlenwasserstoffe, Säuren, Alkohole, Ester, Lactone oder Äther[11]. Allerdings treten häufig Nebenreaktionen auf.

Cyclohexanol[11]: Zu 2340 g (27,25 Mol) Cyclohexan werden tropfenweise unter UV-Bestrahlung inner-halb von 15 Stdn. bei 22–25° 1023 g (28,2 Mol) einer Lösung von 240 g (3,16 Mol) Peressigsäure in Essig-säure-äthylester gegeben. Kohlendioxid und Methan entweichen. Anschließend wird das Reaktions-gemisch unter Kühlung und Rühren mit 1485 g 20%iger Kaliumhydroxid-Lösung neutralisiert. Die organische Phase und die ätherischen Auszüge der wäßrigen Schicht werden vereinigt und destilliert; Ausbeute: 120 g (38% d.Th.), bestehend aus 90,2% Cyclohexanol und 6,3% Cyclohexanon.

δ) Carbonsäure-perester

Photolysen von reinen Perestern kommt wenig präparative Bedeutung zu. **Hexansäure-** bzw. **Dodecansäure-tert.-butyl-perester** werden bei 30° durch Licht der Wellenlänge λ = 254 nm in *Methan, Kohlendioxid, tert.-Butanol, Aceton, 2,2-Dimethyl-oxiran* und kleine Mengen *Hexan-* bzw. *Dodecansäure* überführt. Es können auch keine Rückschlüsse auf die primär stattfindenden elektronischen Prozesse gemacht werden, da das anregende Licht in beide Absorptionsbanden des Dodecansäure-peresters (λ_{max} = 270 bzw. 217 nm) einstrahlt[12].

Gewisse Rückschlüsse auf radikalische Zwischenstufen ergeben sich aus ESR-Untersuchungen wäh-rend der Photolyse von **Essigsäure-tert.-butyl-perester**. In reiner Form oder in Cyclopropan gelöst, lassen sich bei niedriger Temperatur Methyl-Radikale nachweisen; das erwartete tert.-Butyloxy-Radikal wurde nicht beobachtet[13,14]:

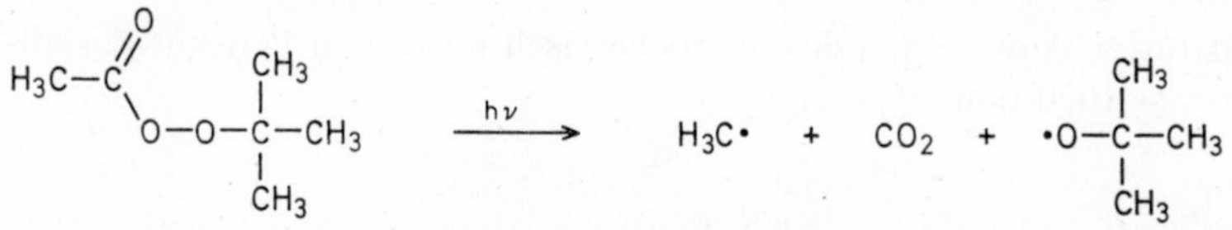

Immerhin lassen sich mit reaktiveren Lösungsmitteln sekundäre Radikale beobachten. In Cyclo-pentan als Lösungsmittel erhält man neben Methyl- auch Signale von Cyclopentyl-Radikalen[14]. Ähnliche Beobachtungen lassen sich an den tert.-Butyl-perestern von Butansäure und 2-Methyl-propansäure machen, an Essigsäure-2-methyl-butyl-(2)-perester und -2,3-dimethyl-butyl-(2)-perester[14].

1 D. Swern, *Organic Peroxides*, Bd. 1, Wiley-Interscience, New York 1970.
2 K. Shimomura, J. chem. Soc. Japan, pure Chem. Sect. **82**, 1314 (1961); C. A. **57**, 116[f] (1962).
3 M. Niclause, J. Lemaire u. M. Letort, Adv. Photochem. **4**, 25 (1966).
4 A. P. Altshuller, I. R. Cohen u. T. C. Purcell, Canad. J. Chem. **44**, 2973 (1966).
5 X. Deglise, J. Lemaire u. N. Groos, J. chim. physique Physico-Chim. biol. **64**, 1768 (1967).
6 X. Deglise, J. Lemaire u. M. Niclause, Rev. Inst. franç. Pétr. **23**, 793 (1968); C. A. **69**, 95630[s] (1968).
7 J. C. Andre et al., Rev. Inst. franç. Pétr. **23**, 219 (1968); C. A. **68**, 113770[y] (1968).
8 F. Fichter u. L. Panizzon, Helv. **15**, 996 (1932).
9 N. A. Milas u. A. Mcalevy, Am. Soc. **56**, 1221 (1934).
10 M. R. DeChamp u. M. Jones, J. Org. Chem. **37**, 3942 (1972).
11 U.S.P. 3182008 (1965), Union Carbide Corp., Erf.: D. L. Heywood, H. A. Stansbury u. B. Phillips; C. A. **63**, 1716[f] (1965).
12 W. H. Simpson u. J. G. Miller, Am. Soc. **90**, 4093 (1968).
13 H. Fischer u. H. Hefter, Z. Naturf. **23**, 1763 (1968).
14 J. K. Kochi u. P. J. Krusic, Am. Soc. **91**, 3940 (1969).

Die photochemische Zersetzung von 7-tert.-Butylperoxycarbonyl-norbornan und 7-*anti*-tert.-Butyl-peroxycarbonyl-norbornen-(2) bei −98° bis −134° soll in Cyclopropan oder Äther/Cyclopropan-Gemischen zu Norbornyl-(7) bzw. Norbornen-(2)-yl-(7)-Radikalen, tert.-Butoxy-Radikalen und Kohlendioxid führen[1].

Sekundäre, vom Lösungsmittel sich ableitende Radikale lassen sich ESR-spektroskopisch bei Photolysen von Benzoesäure-tert.-butylperester in Alkoholen, Formamiden und Ameisensäureestern zeigen[2].

N-(tert.-Butylperoxycarbonyl)-succinimid (I) wird durch Bestrahlung (Hanovia Lampe; Vycor-Filter) in Isopropyl-benzol als Lösungsmittel in *tert.-Butanol* (92% d.Th.), *Aceton* (3% d.Th.) und *Succinimid* (71% d.Th.) zerlegt. Daneben entsteht aus den Lösungsmittel-Radikalen *2,3-Dimethyl-2,3-diphenyl-butan* (29% d.Th.). Die folgenden homolytischen Spaltungsschritte erklären auch das Vorhandensein von N-[2-Phenyl-propyl-(2)-oxy-carbonyl]-succinimid[3]:

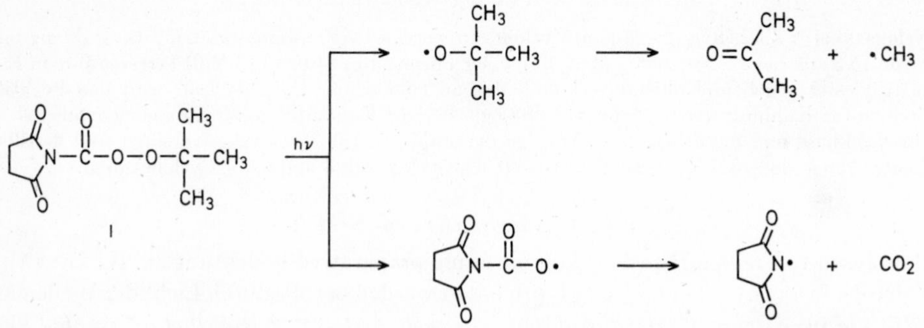

In Toluol als Reaktionsmedium kommt es zu denselben Fragmenten der Verbindung I; von den Lösungsmittel-Radikalen rühren *1,2-Diphenyl-äthan* (82% d.Th.) und N-(*Benzyl-oxycarbonyl*)-succinimid her.

Im Falle der Thermolyse (100°) überlagern sich heterolytische Spaltungsprozesse, wie aus den auftretenden Produkten zu entnehmen ist: tert.-Butanol (17% d.Th.), Aceton, dessen Dimethylacetal (20% d.Th.), Methyl-isopropenyl-äther (40% d.Th.), 2,3-Dimethyl-2,3-diphenyl-butan (20% d.Th.) und Succinimid (99% d.Th.).

Eine präparative Anwendung des photochemisch initiierten Perester-Zerfalls hat sich in der sog. Perester-Reaktion[4-6] gezeigt:

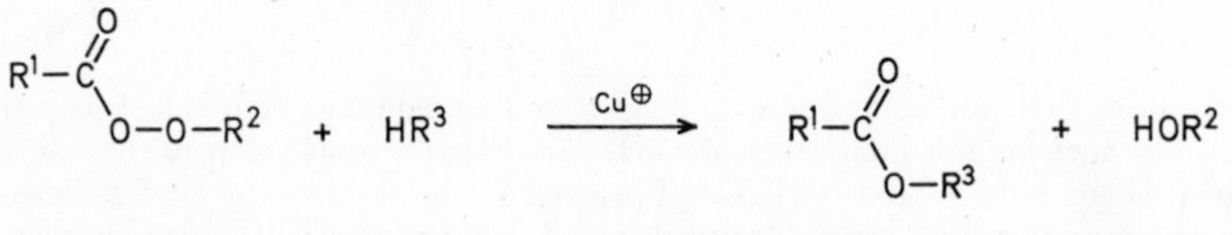

Mit dieser photochemischen Variante lassen sich erhöhte Arbeitstemperaturen umgehen, wodurch die Herstellung von thermisch instabileren Acyloxy-Verbindungen ermöglicht wird. Nachteilig ist, daß gewisse Substrate wie Olefine oder Sulfide den Kupfersalz- Katalysator desaktivieren. Ausführliche Behandlung der Perester-Reaktion s. ds. Handb., Bd. VIII und VI/1 a,b.

---

[1] P. Bazukis, J. K. Kochi u. P. J. Krusic, Am. Soc. **92**, 1434 (1970).

[2] H. Hefter u. H. Fischer, Ber. Bunsenges. Phys. Chem. **74**, 493 (1970).

[3] E. Hedaya et al., Am. Soc. **89**, 4875 (1967).

[4] G. Sosnovsky u. D. J. Rawlinson, in D. Swern: *Organic Peroxides*, Bd. 1, S. 585, Wiley-Interscience, New York 1970.

[5] G. Sosnovsky, Tetrahedron **21**, 871 (1965).

[6] G. Sosnovsky, J. Org. Chem. **28**, 2934 (1963).

ε) Diacyl-peroxide

Eine allgemein anwendbare Technik zur Herstellung von Alkyl-Radikalen und zu ihrer weiteren ESR-spektroskopischen Beobachtung ist die Photolyse von Diacyl-peroxiden[1-7]. Sie führt primär zu einer Spaltung der O–O-Bindung. Durch Decarboxylierung gehen anschließend die Acyloxy-Radikale – aliphatische schneller als aromatische – in Alkyl- bzw. Aryl-Radikale über:

$$R-\overset{\overset{\textstyle O}{\|}}{C}-O-O-\overset{\overset{\textstyle O}{\|}}{C}-R \xrightarrow{h\nu} R-\overset{\overset{\textstyle O}{\|}}{C}-O\cdot \longrightarrow \cdot R + CO_2$$

Als Lösungsmittel dienen Cyclopropan, 2-Methyl-butan, Propen oder Silane. Über Absorptionsspektren von Diacyl-peroxiden vgl. Lit.[8-10].

Im Einklang mit dem Zerfallschema bilden sich bei der Photolyse von **Diacetyl-peroxid** folgende gasförmigen Produkte: *Kohlendioxid* (66–75%) und *Äthan* (17–25%) neben Methan, Äthylen, Kohlenmonoxid und Sauerstoff[9,11,12]. Thermisch entstehen die gleichen Stoffe[9]. Dibenzoyl-peroxid und Bis-[methoxy-benzoyl]-peroxid in Gegenwart von Styrol verhalten sich genauso[10].

Wird die Zersetzung ($\lambda = 254$ nm; 12°) von Diacetyl-peroxid in Anwesenheit von N,N-Dimethyl-acetamid durchgeführt, so erhält man nach 2 Stdn. *N-Methyl-N-acetoxymethyl-acetamid* in 22%iger Ausbeute[13]. Bessere Ergebnisse (67% d.Th.) lassen sich hier mit der photochemischen Peroxy-ester-Reaktion erzielen[14]. Ähnliche Resultate werden mit der Peroxyester-Reaktion auch mit N,N-Dimethyl-formamid erhalten[15,16].

Bis-[fluorcarbonyl]-peroxid führt nach Anregung mit einer intensitätsschwachen UV-Quelle zu *Bis-[trifluormethyl]-peroxid* (50% d.Th.)[17]. Im Beisein von Difluor-diazirin entsteht *Fluorameisensäure-trifluormethylperester* (18% d.Th.)[17], mit Schwefeldioxid gewinnt man *Fluorameisensäure-Fluorsulfensäure-Anhydrid*[18]:

$$F-\overset{\overset{\textstyle O}{\|}}{C}-O-O-\overset{\overset{\textstyle O}{\|}}{C}-F \xrightarrow{h\nu}$$

$$F_3C-O-O-CF_3 + CO_2 + O_2$$

$$\xrightarrow{N=N} F-\overset{\overset{\textstyle O}{\|}}{C}-O-O-CF_3 + N_2 + O_2 + CO + CO_2$$

$$\xrightarrow{SO_2} F-\overset{\overset{\textstyle O}{\|}}{C}-O-SO_2-F + CO_2$$

[1] J. K. KOCHI u. P. J. KRUSIC, Am. Soc. **91**, 3940 (1969).
[2] A. G. DAVIES u. B. P. ROBERTS, Chem. Commun. **1969**, 699.
[3] S. S. IVANCHEV et al., Doklady Akad. SSSR **171**, 894 (1966); C. A. **66**, 60584ʳ (1967).
[4] A. T. KORITSKII, A. V. ZUBKOV u. Y. S. LEBEDEV, Khim. Vys. Energ. **3**, 387 (1969); C.A. **72**, 2840ʲ (1970.)
[5] A. V. ZUBKOV, A. T. KORITSKII u. Y. S. LEBEDEV, Doklady Akad. SSSR **180**, 1150 (1968); C. A. **69**. 85990ᵛ (1970).
[6] M. C. R. SYMONS u. M. G. TOWNSEND, Soc. **1959**, 263.
[7] S. S. IVANCHEV et al., Teor. Eksp. Khim. **4**, 780 (1968); C. A. **70**, 52977ᵖ (1969).
[8] J. G. CALVERT u. J. N. PITTS, Jr., *Photochemistry*, S. 201,447, John Wiley & Sons, Inc., New York 1966.
[9] O. J. WALKER u. G. L. E. WILD, Soc. **1937**, 1132.
[10] J. G. CALVERT u. J. N. PITTS, Jr., *Photochemistry*, S. 450, John Wiley & Sons, Inc., New York 1966.
[11] P. J. WAGNER u. G. S. HAMMOND, Adv. Photochem. **5**, 21 (1968).
[12] O. J. WALKER, Soc. **1928**, 2040.
[13] W. WALTER, M. STEFFEN u. K. HEYNS, B. **99**, 3214 (1966).
[14] D. J. RAWLINSON u. B. M. HUMKE, unveröffentlichte Ergebnisse (1970).
[15] G. SOSNOVSKY, Tetrahedron **21**, 871 (1965).
[16] D. J. RAWLINSON u. B. M. HUMKE, Tetrahedron Letters **1972**, 4395.
[17] R. L. TALBOTT, J. Org. Chem. **33**, 2095 (1968).
[18] W. B. FOX u. G. FRANZ, Inorg. Chem. **5**, 946 (1966).

Die homolytischen Zersetzungen von Diacyl-peroxiden können mit aromatischen Kohlenwasserstoffen, Ketonen usw. sensibilisiert durchgeführt werden[1-6].

Eine 0,044 m Lösung von Bis-[trans-4-tert.-butyl-cyclohexylcarbonyl]-peroxid in Tetrachlormethan wird in Anwesenheit von Benzophenon bei 0° in *cis-* und *trans4-Chlor-1-tert.-butyl-cyclohexan* (45% d.Th.; *cis:trans* = 23:77) und *Hexachlor-äthan* (66% d.Th.) überführt[1]. Bemerkenswert ist die Abwesenheit des von der Thermolyse her bekannten und dort in hohen Ausbeuten anfallenden *trans*-4-tert.-Butyl-cyclohexan-carbonsäure-*trans*-4-tert.-butyl-cyclohexyl-esters.

Eine andere vielseitig untersuchte Verbindung ist Dibenzoyl-peroxid[1,7]. Die Photolyse einer 0,02–0,1 molare Lösung in Benzol bei Zusatz von 10% Benzophenon führt zu einer Mischung von Kohlendioxid (1,06 Mol), einer organischen Säure, vermutlich Benzoesäure (0,59 Mol), Biphenyl (0,3 Mol) und nur Spuren von Benzoesäure-phenylester[1]. Dagegen bildet sich dieser Ester in ~ 10%iger Ausbeute bei Belichtung in reinem Benzol. Weitere Reaktionsprodukte sind hier Kohlendioxid, Benzoesäure, Biphenyl, Terphenyl und 3-Phenyl-cyclohexadien-(1,4)[8]. Die mechanistische Interpretation legt einen homolytischen, durch den Singulett-Zustand des Benzols sensibilisierten Zerfall des Peroxids nahe[9].

Anwesenheit von Sauerstoff beeinflußt die Produktverteilung[8,10]. Der Anteil benzoyloxylierter Verbindungen steigt, die Ausbeute an *Benzoesäure-phenylester* kann sich auf 50–60% erhöhen. Weiterhin wird auf Kosten von Biphenyl Phenol gebildet. Folgende Reaktionsschritte werden vermutet[8]:

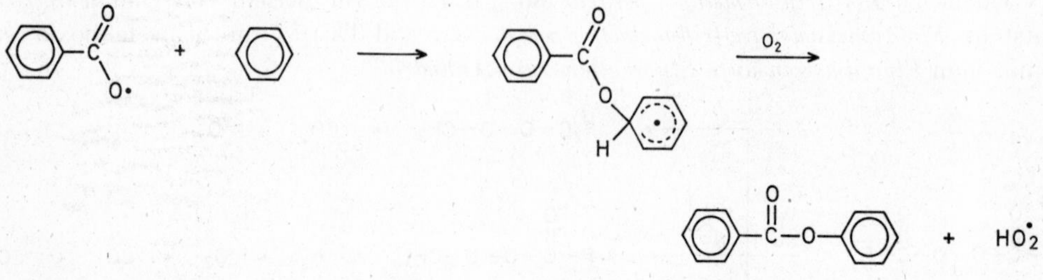

Über weitere Beispiele zur Einführung von Arylcarbonyloxy-Resten an Benzol-Derivate vgl. Lit.[8] oder dieses Handb., Bd. VI/1c. Man muß bei derartigen Umsetzungen immer, unabhängig von Sauerstoff oder anderen Radikalfängern, mit der Bildung von Estern (~ 10%) rechnen, zu denen sich das primäre Acyloxy-Radikal in seinem Lösungsmittelkäfig stabilisieren kann.

Als weiteres Beispiel ist Di-cinnamoyl-peroxid zu nennen, das bei der Photolyse in Benzol unter einer Stickstoff-Atmosphäre bei 25° in eine Mischung aus Benzaldehyd, Benzoe-

[1] C. Walling u. M. J. Gibian, Soc. 87, 3413 (1965).
[2] K. Ueberreiter u. W. Bruns, Makromol. Ch. 68, 24 (1963).
[3] C. Luner u. M. Szwarc, J. Chem. Physics 23, 1978 (1955).
[4] I. N. Vasilev u. V. A. Krongauz, Kinetika i Kataliz 4, 204 (1963); C. A. 59, 2313ᶠ (1963).
[5] N. S. Kardash u. V. A. Krongauz, Teor. Eksp. Khim. 1, 796 (1965); C. A. 64, 10634ʰ (1966).
[6] J. Saltiel u. H. C. Curtis, Mol. Photochem. 1, 239 (1969).
[7] W. F. Smith, Tetrahedron 25, 2071 (1969).
[8] T. Nakata, K. Tokumaru u. O. Simamura, Tetrahedron Letters 1967, 3303.
[9] M. Kobayashi, H. Minato u. Y. Ogi, Bl. chem. Soc. Japan 42, 2737 (1969).
[10] G. E. Gream, J. C. Paice u. C. C. R. Ramsay, Austral. J. Chem. 22, 1229 (1969).

säure, Phenylacetaldehyd und Phenylessigsäure übergeht[1]. Mit Sauerstoff entsteht hier zusätzlich Zimtsäure-phenylester[1].

Kompliziertere Produkt-Gemische treten bei unsymmetrisch substituierten Peroxiden auf. Zum Beispiel ergibt die Photolyse von Phenylacetoxy-benzoyl-peroxid bei $-5°$ bis $-10°$ in Toluol Kohlensäure (82% d.Th.), Benzoesäure (9% d.Th.), Benzylalkohol (16% d.Th.) *Benzoesäure-benzylester* (33% d.Th.), *1,2-Diphenyl-äthan* (36% d.Th.), Phenyl-(4-methyl-phenyl)-methan (3% d.Th.), Diphenyl-methan (9% d.Th.) und 4-Methyl-biphenyl (6% d.Th.). Neben diesen Produkten, die wahrscheinlich aus Benzoyloxy- und Benzyl-Radikalen entstanden sind, wird für das Auftreten von Benzoesäure-anhydrid und *Benzylalkohol* (16% d.Th.) folgender Weg vorgeschlagen[2]:

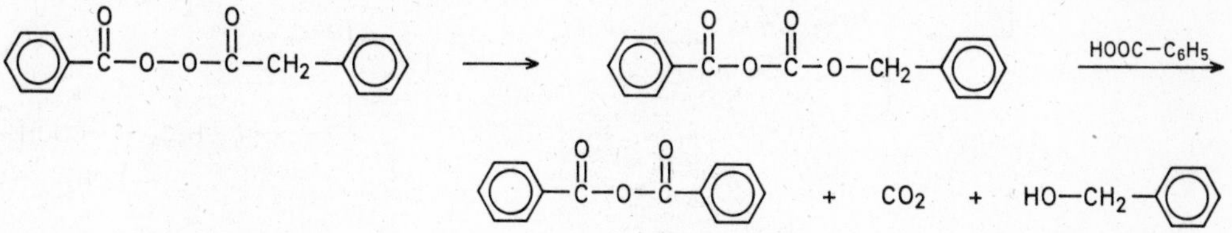

(4-Chlor-phenylacetoxy)-benzoyl-peroxid wird unter den gleichen Bedingungen in folgende Verbindungen überführt: Kohlensäure (85% d.Th.), Benzoesäure (13% d.Th.), *Benzoesäure-4-chlor-benzylester* (30% d.Th.), *4,4'-Dichlor-bibenzyl* (29% d.Th.), Phenyl-(4-chlor-phenyl)-methan (10% d.Th.), *O-Benzoyl-kohlensäure-4-chlor-benzylester* (16% d.Th.) und *Benzoesäure-anhydrid* (13% d.Th.). 1,2-Diphenyl-äthan (5,6% d.Th.) und Methyl-biphenyle (2% d.Th.) zeigen an, daß das Lösungsmittel Toluol bis zu einem gewissen Umfang an den Reaktionen beteiligt ist[2].

Auch der Einfluß von Kupfer-Ionen bei der Photolyse von Diacyl-peroxiden wurde untersucht. Bis-[isopropyloxy-carbonyl]-peroxid bildet in Acetonitril und Toluol bei Zusatz von Kupfer(II)-chlorid *Kohlensäure-isopropylester-(x-methyl-phenylester)* (26% d.Th.), ohne Katalysator entstehen nur Spuren dieses Produktes[3].

Beispiele für Kupfer-katalysierte Benzoyloxylierungen von C=C-Doppelbindungen bei gleichzeitiger Cyclisierung s. Lit.[4,5] oder ds. Handb., Bd. VI/1a.

Phthaldioyl-peroxid zerfällt bei Bestrahlung (450 W Hanovia Quecksilber-Mittel-druck-Lampe, Pyrex-Filter) zu *Dehydro-benzol*. Der Vorteil der photochemischen Herstellung liegt darin, daß bei Raumtemp. oder darunter gearbeitet wird und dadurch Umsetzungen mit niedrig siedenden Verbindungen ermöglicht werden. Oft sind die Ausbeuten besser als bei konventioneller Arbeitsweise[6].

Decarboxylierung zu einem α-Lacton erfolgt bei Bestrahlung von 3,5-Dioxo-4,4-di-butyl-1,2-dioxolan ($\lambda = 350$ nm; Pyrex; 35–40°; 20 Stdn.)[7]. In Benzol oder Hexan als Lösungsmittel entsteht als Hauptprodukt ein Polyester (82–89% d.Th.) neben kleinen Mengen *5-Oxo-nonan* (6–7% d.Th.) und *Nonen-(4)* (4–8% d.Th.). In Methanol dagegen gelingt es das intermediare α-Lacton als *2-Methoxy-2-butyl-hexansäure* (88% d.Th.)[8] abzufangen.

[1] K. TOKUMARU, Chem. & Ind. **1969**, 297.
[2] T. SUEHIRO, S. HIBINO u. T. SAITO, Bl. chem. Soc. Japan **41**, 1707 (1968).
[3] P. KOVACIC, C. G. REID u. M. E. KURZ, J. Org. Chem. **34**, 3302 (1969).
[4] R. BRESLOW, J. T. GROVES u. S. S. OLIN, Tetrahedron Letters **1966**, 4717.
[5] R. BRESLOW, S. S. OLIN u. J. T. GROVES, Tetrahedron Letters **1968**, 1837.
[6] M. JONES u. M. R. DECAMP, J. Org. Chem. **36**, 1536 (1971).
[7] W. ADAM u. R. RUCKTÄSCHEL, Am. Soc. **93**, 557 (1971).
[8] Als Ester nach Behandlung des Produktgemisches mit Diazomethan.

Weiterhin fallen 5-Oxo-nonan (5% d.Th.)[1] Dibutyl-malonsäure (4% d.Th.)[1] und 2-Butyl-hexen-(2)-säure (3% d.Th.)[1] an:

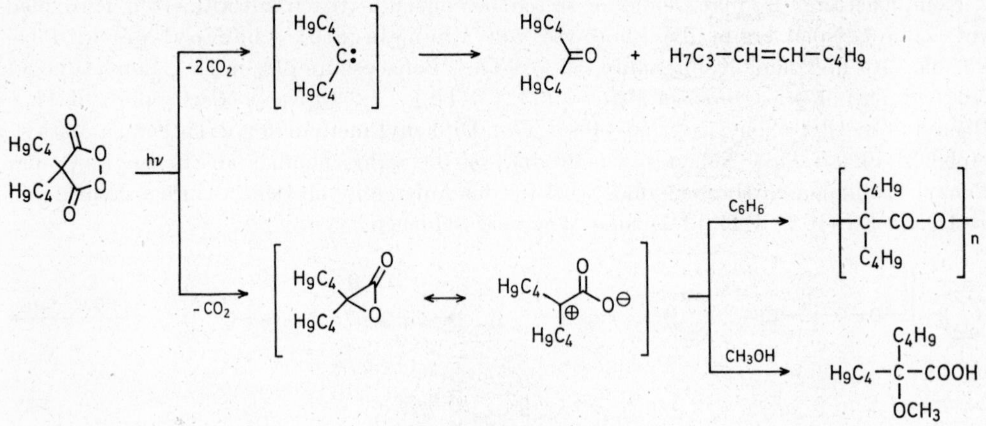

x) Keton-peracetale

Eine einfache Synthese für höhermolekulare Verbindungen mit wahrscheinlich weitem, noch nicht vollständig erfaßtem Anwendungsbereich, ist die Photolyse oder Thermolyse von geeigneten Keton-peroxiden[2-6].

So zerfällt z. B. Cyclohexan-⟨1-spiro-3⟩-1,2,4,5-tetroxan-⟨6-spiro-1⟩-cyclohexan (I) in Methanol oder Benzol durch UV-Licht in *Cyclodecan* (II; 14% d.Th.), *11-Hydroxy-undecansäure-lacton* (III; 10% d.Th.) und *Cyclohexanon* (30% d.Th.). Man nimmt folgenden Reaktionsablauf an:

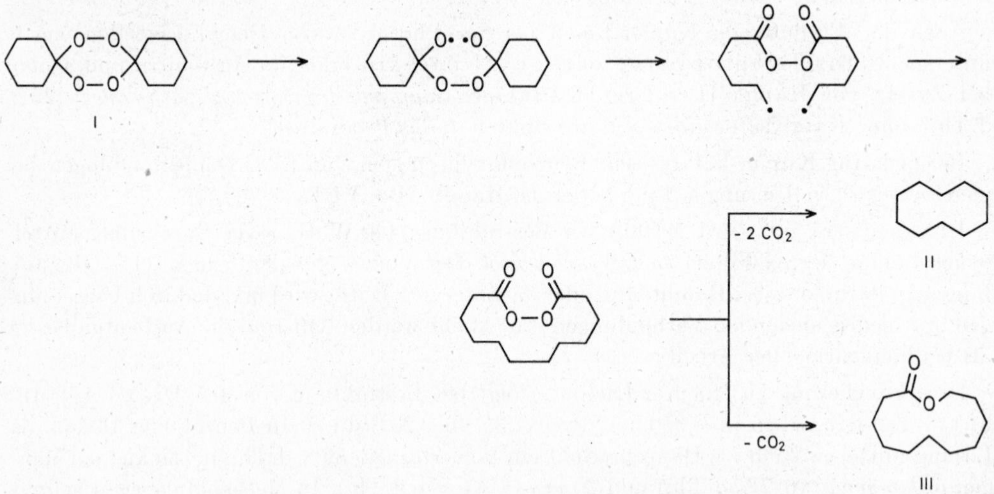

Die thermische Reaktion führt mit besseren Ausbeuten zu den gleichen Produkten (II, 44% d.Th.; III, 23% d.Th.; *Cyclohexanon*, 21% d.Th.). Bei Cycloheptan-⟨1-spiro-3⟩-1,2,4,5-tetroxan-⟨6-spiro-1⟩-cycloheptan ist die photolytische Umsetzung

[1] Als Ester nach Behandlung des Produktgemisches mit Diazomethan.
[2] P. R. Story et al., Am. Soc. 90, 817 (1968).
[3] P. Busch u. P. R. Story, Synthesis 1970, 181.
[4] M. Schulz u. K. Kirschke in D. Swern, *Organic Peroxides*, Bd. 3, S. 80, Wiley-Interscience, New York 1972.
[5] J. R. Sanderson u. A. G. Zeiler, Synthesis 1975, 125.
[6] J. R. Sanderson et al., Synthesis 1975, 159.

ergiebiger: *Cyclododecan* (32% d.Th.; thermisch 22% d.Th.), *Tridecan-13-olid* (7% d.Th.; thermisch <1% d.Th.), *Cycloheptanon* (24% d.Th.; thermisch 33% d.Th.).

In ähnlicher Weise entstehen aus Verbindung IV *Cyclopentadecan* (15% d.Th.), *Hexadecan-16-olid* (25% d.Th.) und *Cyclohexanon* (20% d.Th.):

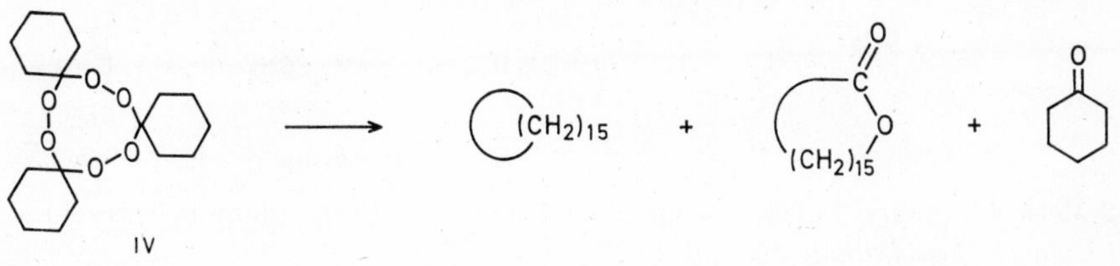

3. an den C–O–Hal-Bindungen

bearbeitet von

Dr. HANS-HENNING VOGEL*

α) Hypochlorite

Eine selektive Photosubstitution eines nicht-aktivierten Wasserstoff-Atoms durch ein Halogen-Atom kann dann erfolgen, wenn, analog der Barton-Reaktion[1] (s. S. 717), aus einem Alkylhypochlorit nach homolytischer Halogen-Abspaltung eine intramolekulare 1,5-Wasserstoff-Verschiebung über einen sechsgliedrigen cyclischen Übergangszustand[2] ablaufen kann. Das so entstandene Hydroxy-alkyl-Radikal kombiniert mit einem Chlor-Atom zu 1,4-Chlor-Hydroxy-Verbindungen. Entsprechende Umsetzungen lassen sich mit N-Chlor-aminen oder N-Chlor-amiden durchführen (s. S. 1101). Die im Falle der Hypochlorite[3] gebildeten γ-Chlor-carbinole cyclisieren in Gegenwart von Basen zu Tetrahydrofuran-Derivaten:

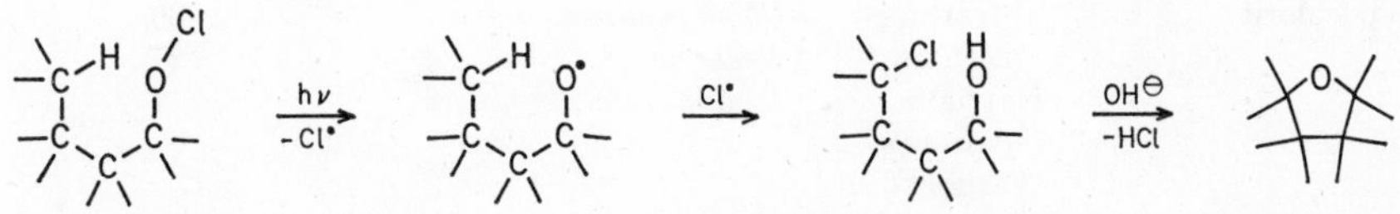

Die Wanderungsfähigkeit des Wasserstoffs nimmt in der Reihenfolge $CH_{prim.}$ > $CH_{sek.}$ > $CH_{tert.}$ ab[4], unter Umständen ist auch eine 1,6-Wasserstoff-Verschiebung möglich[4], vgl. Tab. 98 (S. 712). Als Nebenreaktion zur Umlagerung der Hypochlorite in Chlor-alkohole kann auch eine Fragmentierung ablaufen, die zur Hauptreaktion werden kann, wenn der

---

* BASF AG., Ludwigshafen/Rh.

[1] D. H. R. BARTON u. J. M. BEATON, Am. Soc. **82**, 2641 (1960); **83**, 4083 (1961).
   A. L. NUSSBAUM u. C. H. ROBINSON, Tetrahedron **17**, 35 (1962).

[2] G. ADAM, Z. **8**, 441 (1968).

[3] Zur Herstellung von organischen Hypochloriten vgl. ds. Handb., Bd. VI/1, S. 487ff., Bd. V/3, S. 764f.

[4] C. WALLING u. A. PADWA, Am. Soc. **85**, 1597 (1963).

sechsgliedrige cyclische Übergangszustand sterisch erschwert oder nicht ausbildbar ist[1]:

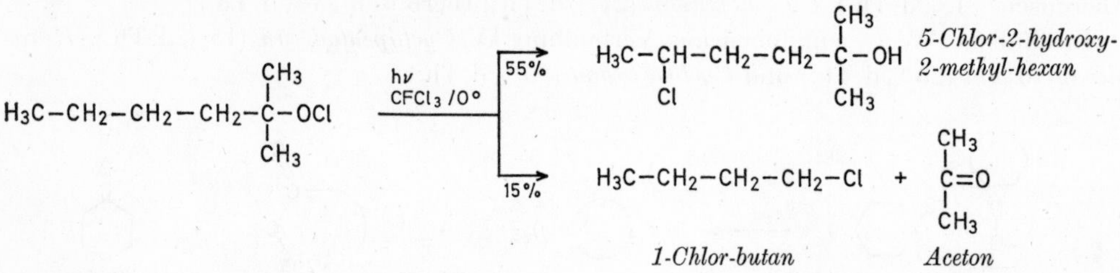

L-(+)-2-Methyl-3-phenyl-butyl-(2)-hypochlorit liefert bei Bestrahlung in Tetrachlormethan (80°) *1-Chlor-1-phenyl-äthan* (98% d.Th.)[2].

Das Lösungsmittel hat wenig Einfluß auf den Ablauf der intramolekularen Umsetzung; Tetrachlormethan, Fluortrichlormethan, 1,2-Difluor-tetrachlor-äthan, Cyclohexan und Toluol sind geeignet[1,3]. Die Hypochlorit-Konzentration ist in weiten Grenzen variierbar, zwischen 1 und 7 molar; die Reaktionstemperatur zeigt im Bereich zwischen 0° und 80° keinen Einfluß auf Ausbeuten und Produktverteilung[4,5]. Es wurde jedoch gefunden, daß die Menge an Nebenprodukten vom gewählten Lösungsmittel abhängt (vgl. Tab. 98)[5].

γ-**Chlor-carbinole; allgemeine Arbeitsvorschrift**[6]: Die Zersetzung der tert.-Alkylhypochlorit-Lösung erfolgt bereits bei 0° unter Bestrahlung mit einer schwachen UV-Lampe. Meist wird jedoch die Photolyse bei höheren Temperaturen (Rückfluß, ~80°) durchgeführt und durch jodometrische Analyse verfolgt. Es empfiehlt sich, dem Gemisch während der Photolyse Natriumhydrogencarbonat zuzusetzen. Die Aufarbeitung und Isolierung erfolgt wegen der thermischen Empfindlichkeit der 1,4-Chlorhydrine destillativ unter Schutzgas i. Vak. bzw. auch durch präparative Gaschromatographie.

Tab. 98. Photochemische Umlagerung von Alkylhypochloriten in *γ*-Chlor-carbinole

Ausgangsverbindung	Lösungs- mittel[a]	Produkte	Ausbeute[b] [% d.Th.]	Literatur
Butylhypochlorit	Tetrachlor- methan, Natrium- hydrogen- carbonat	*4-Chlor-butanol* *+Butanol* *+Butansäure-butylester*	18 32 19	4,5
Pentylhypochlorit	Tetrachlor- methan, Natrium- hydrogen- carbonat	*4-Chlor-pentanol* *+Pentanol* *+Pentansäure-pentylester*	36 27 4	4,5
Hexyl-(2)-hypochlorit	Tetrachlor- methan	*6-Chlor-2-hydroxy-hexan* *+2-Hydroxy-hexan* *+2-Oxo-hexan*	56 21 15	4,5
2-Methyl-pentyl- (2)-hypochlorit	Tetrachlor- methan	*5-Chlor-2-hydroxy-2-methyl- pentan*	17	4,5

[a] Photolysen in 0,5 bis 5 m Lösungen bei 0°.
[b] Bestimmt durch Gaschromatographie bzw. indirekt über den durch Ringschluß entstandenen cycl. Äther in Gegenwart von Alkali.

[1] F. D. Greene et al., J. Org. Chem. 28, 55 (1963).
[2] F. D. Greene, Am. Soc. 81, 2688 (1959).
[3] F. D. Greene et al., Am. Soc. 83, 2196 (1961).
[4] C. Walling u. A. Padwa, Am. Soc. 83, 2207 (1961).
[5] C. Walling u. A. Padwa, Am. Soc. 85, 1597 (1963).
[6] F. D. Greene et al., J. Org. Chem. 28, 55 (1963).

Tab. 98 (1. Fortsetzung)

Ausgangsverbindung	Lösungs-mittel[a]	Produkte	Ausbeute[b] [% d. Th.]	Literatur
2,3-Dimethyl-butyl-(2)-hypochlorit	Trichlor-bromm-methan	*Aceton* +*Isopropylchlorid* +*Isopropylbromid* +*Tetrachlormethan*	98 38 } 32	1
2-Methyl-hexyl-(2)-hypochlorit	Tetrachlor-methan	*5-Chlor-2-hydroxy-2-methyl-hexan*	80	2
	Cyclohexen	*5-Chlor-2-hydroxy-2-methyl-hexan* +*Pentylchlorid* +*Aceton*	75 } 14	1
	Fluor-trichlor-methan	*5-Chlor-2-hydroxy-2-methyl-hexan* +*Pentylchlorid* +*Aceton*	55 } 15	1
2,4-Dimethyl-pentyl-(2)-hypochlorit	Tetrachlor-methan	*5-Chlor-2-hydroxy-2,4-dimethyl-pentan*	29	2
2-Methyl-5-phenyl-pentyl-(2)-hypochlorit	Tetrachlor-methan	*5-Chlor-2-hydroxy-2-methyl-6-phenyl-pentan* +*6-Chlor-...*	73 7,7	2
2-Methyl-heptyl-(2)-hypochlorit	Tetrachlor-methan	*5-Chlor-2-hydroxy-2-methyl-heptan*	81	2
2,4,4-Trimethyl-pentyl-(2)-hypochlorit	Fluortri-chlor-methan oder Toluol	*2,2-Dimethyl-propylchlorid* +*Aceton* +*5-Chlor-2-hydroxy-2,4,4-trimethyl-pentan*	} 55 20	1
2-Methyl-octyl-(2)-hypochlorit	Tetrachlor-methan	*5-Chlor-2-hydroxy-2-methyl-octan* +*6-Chlor-...*	82 5	2
4-Methyl-octyl-(4)-hypochlorit		*7-Chlor-4-hydroxy-4-methyl-octan* +*8-Chlor-5-hydroxy-5-methyl-octan*	73 12	2
4,7-Dimethyl-octyl-(4)-hypochlorit		*7-Chlor-4-hydroxy-4,7-dimethyl-octan* +*8-Chlor-5-hydroxy-2,5-dimethyl-octan*	52 20	2
1-Butyl-cyclopentyl-hypochlorit		*1-Hydroxy-1-(3-chlor-butyl)-cyclopentan*	10	2
1-Butyl-cyclohexyl-hypochlorit		*1-Hydroxy-1-(3-chlor-butyl)-cyclohexan*	63	2

[a] Photolysen in 0,5 bis 5 m Lösungen bei 0°.

[b] Bestimmt durch Gaschromatographie bzw. indirekt über den durch Ringschluß entstandenen cycl. Äther in Gegenwart von Alkali.

[1] F. D. GREENE et al., Am. Soc. 83, 2196 (1961); J. Org. Chem. 28, 55 (1963).

[2] C. WALLING u. A. PADWA, Am. Soc. 83, 2207 (1961); 85, 1597 (1963).

Tab. 98 (2. Fortsetzung)

Ausgangsverbindung	Lösungs-mittel[a]	Produkte	Ausbeute[b] [% d. Th.]	Literatur
1-Isopropyl-cyclo-pentyl-hypochlorit	Fluortri-chlor-methan	*7-Chlor-3-oxo-2-methyl-heptan*	94	1
1-[2-Hypochlorito-propyl-(2)]-bicyclo [2.2.1]heptan	Cyclohexen	*1-[2-Hydroxy-propyl-(2)]-bicyclo[2.2.1]heptan*	94	1
	Fluortri-chlor-methan	*1-Chlor-bicyclo[2.2.1]heptan* *Aceton*	} 22	1
exo-2-[2-Hypochlorito-propyl-(2)]-bicyclo [2.2.1] heptan	Tetrachlor-methan	*2-Chlor-bicyclo[2.2.1]heptan* *Aceton*	} 80	1
endo-2-[2-Hypochlorito-propyl-(2)]-bicyclo [2.2.1] heptan		*3,3-Dimethyl-2-oxa-tricyclo [4.2.1.0^{4,8}]nonan*	30	1

[a] Photolysen in 0,5 bis 5 m Lösungen bei 0°,
[b] Bestimmt durch Gaschromatographie bzw. indirekt über den durch Ringschluß entstandenen cycl. Äther in Gegenwart von Alkali.

4-Chlor-1-hydroxy-butan[2]: Eine benzolische Lösung von Butylhypochlorit wird hergestellt durch Zugabe von 67 *ml* Butanol, 400 *ml* Benzol und 67 *ml* Eisessig zu einer Mischung aus 1000 *ml* 0,76 m wäßriger Natriumhypochlorit-Lösung und 200 g Eis. Die benzolische Lösung wird abgetrennt und die wäßrige Phase noch 2mal mit je 50 *ml* Benzol extrahiert. Danach wird die benzolische Lösung mit wäßriger Natriumhydrogencarbonat-Lösung gewaschen und über Natriumsulfat getrocknet. Die erhaltene trockene benzolische Lösung (550 *ml*) von Butylhypochlorit wird jodometrisch titriert, sie ist ~ 1,14 molar. Man gibt 70 g trockenes Natriumhydrogencarbonat zu und erhitzt die Lösung unter Rühren zum Rückfluß, bis die Kohlendioxid-Entwicklung nachläßt (1 Stde.). Für photochemisches Arbeiten ist zu beachten, daß bereits bei kurzzeitiger Bestrahlung mit einer 1000 W UV-Lampe exotherme Zersetzung der benzolischen Hypochlorit-Lösung erfolgt. In diesem Fall arbeitet man zweckmäßig in Tetrachlormethan als Lösungsmittel (~ 4 m Lösung), wobei die Reaktionswärme das Gemisch auf Siedetemp. bringt (~ 80°). Die Mischung wird filtriert und die Lösung destilliert. Neben dem Lösungsmittel wird als Vorlauf Butanol abgetrennt. Der Rückstand wird fraktioniert. Die erste Fraktion (8,6 g) von Kp$_8$: 54–71° enthält neben 40 Gew. % Butansäure-butylester 32 Gew. % des Produkts; die zweite (9,2 g) von Kp$_1$: 38–50° besteht zu 83% aus 4-Chlor-1-hydroxy-butan; Gesamtausbeute: 16% d. Th.

Der interessanteste Anwendungsbereich dieser intramolekularen Photochlorierung liegt wie bei der Barton-Reaktion auf dem Steroid-Gebiet, in dem in die angularen Methyl-

---

[1] F. D. Greene et al., Am. Soc. **83**, 2196 (1961); J. Org. Chem. **28**, 55 (1963).
[2] E. L. Jenner, J. Org. Chem. **27**, 1031 (1962).

Gruppen selektiv Chlor eingeführt wird; z. B.:

$3\beta,17\beta$-*Dihydroxy-6,19-oxido-6α-methyl-5α-androstan*; 30% d.Th.; F: 219–221°[1,2]

3β-*Acetoxy-18,20-oxido-20-methyl-5α-pregnan*; 20% d.Th; F: 152–154°[2]

β) Hypojodite

Bei der Umsetzung von Hydroxy-Verbindungen mit Blei(IV)-acetat und Jod unter UV-Bestrahlung können die intermediär gebildeten Hypojodite eine intramolekulare Substitution analog zur Barton-Reaktion durchlaufen. Z. B. geht 5α-Chlor-4β-hydroxy-17β-acetoxy-androstan über ein intermediäres 4β-Hypojodit und eine 19-Jod-Verbindung in ein 4β, 19-Oxido-androstan-Derivat über. Ähnliches Verhalten zeigen auch 2β-, 6β- und 11β-Hydroxy-steroide[3]. In einigen Fällen[4] kann die Jodmethyl-Verbindung auch isoliert werden.

---

[1] J. S. MILLS u. V. PETROW, Chem. & Ind. 1961, 946.

[2] M. AKHTAR u. D. H. R. BARTON, Am. Soc. 83, 2213 (1961).

[3] K. HEUSLER et al., Helv. 45, 2161, 2575 (1962).

[4] C. MEYSTRE et al., Helv. 45, 1318 (1962).

18-Jod-3β,11α-diacetoxy- und 3β,11α-Diacetoxy-20-oxo-5α-pregnan[1]:

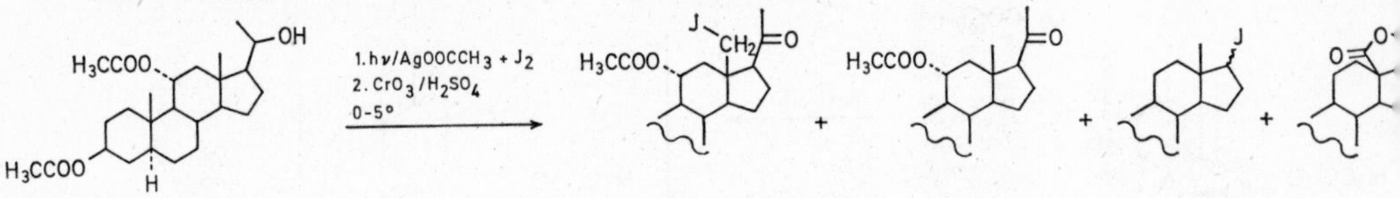

2,5 g 20β-Hydroxy-3β,11α-diacetoxy-5α-pregnan werden in 200 ml Cyclohexan nach Zugabe von 5,0 g Silberacetat und 3,5 g Jod unter Belichten mit einer 500 W Lampe und Rühren während 3 Stdn. zum Sieden erhitzt. Dabei verschwindet die Jod-Farbe fast vollständig und Silberjodid scheidet sich ab. Nach dem Abkühlen wird der Niederschlag abfiltriert und das Filtrat mit 5%iger Natriumthiosulfat-Lösung und mit Wasser gewaschen. Nach Eindampfen im Wasserstrahl-Vak. hinterbleibt ein Öl, das in 50 ml Aceton gelöst wird. Nach Zugabe von 1,25 g Silberchromat wird 30 Min. gerührt, dann auf 0–5° gekühlt, mit 2,95 ml Kiliani-Lösung[2] versetzt und noch 1 Stde. bei 0–5° weitergerührt. Die Reaktions-mischung wird nach Zugabe einer Lösung von 28 g Natriumacetat in 50 ml Wasser durch Extraktion mit Benzol aufgearbeitet. Aus dem Rohprodukt (3,173 g) erhält man durch Kristallisation aus Äther/Pentan 478 mg eines Kristallisates, das bei 126–130° unter Zers. schmilzt und ein Gemisch von ~ 55% des Ketons und ~ 45% des Jod-Ketons darstellt. Die Mutterlauge des Kristallisats wird an 80 g Aluminium-oxid (Aktivität II) chromatographiert. Durch Elution mit Hexan/Benzol (1:1) wird zuerst das *17ξ-Jod-3β,11α-diacetoxy-5α-androstan* gewonnen; Ausbeute: 37 mg (1,5% d.Th.); F: 212–214° (aus Äther); $[\alpha]_D^{29}$: + 19° (c = 0,678), danach fällt das *20β-Hydroxy-3β,11α-diacetoxy-5α-pregnan-18-säure-lacton* an; Ausbeute: 63 mg (2,5% d.Th.); F: 216–218° (aus Äther); $[\alpha]_D^{28}$: – 23° (c = 1,272).

4. an der $C\text{-}O\text{-}SO_3^{\ominus}$-Bindung

bearbeitet von

Dr. Eberhard Leppin*

Schwefelsäure-3-nitro-phenyl-ester werden bei Bestrahlung in wäßrigem Milieu sehr rasch zu 3-Nitro-phenol hydrolysiert[3]:

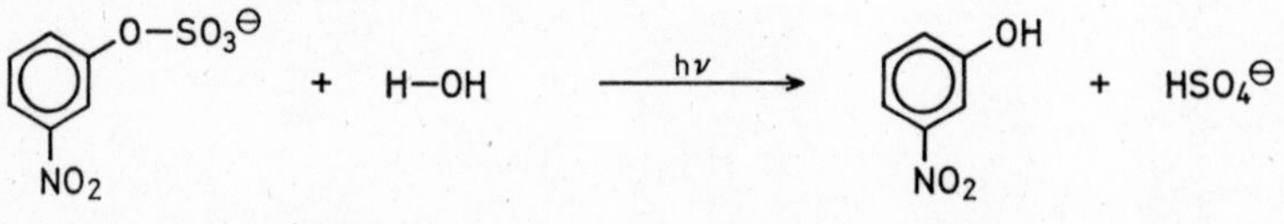

Die Quantenausbeute ist bei $p_H = 2$ und $p_H = 13$ praktisch gleich hoch, nämlich $\varphi = 0,49 \pm 0,03$[3]. Daraus geht hervor, daß über den ganzen Bereich Wasser die angreifende Spezies ist.

---

* Du Pont de Nemours GmbH, Neu-Isenburg.

[1] C. Meystre et al., Helv. 45, 1318 (1662).

[2] 60 g Natriumdichromat, 80 g konz. Schwefelsäure, 270 g Wasser oder 266 g Chrom(VI)-oxid, 230 ml konz. Schwefelsäure, mit Wasser auffüllen auf 1 l.

[3] E. Havinga, R. O. de Jongh u. W. Drost, R. 75, 378 (1956).

R. O. de Jongh u. E. Havinga, R. 87, 1327 (1968).

5. an der C–O–N-Bindung

α) Ester der salpetrigen Säure

bearbeitet von

Prof. Dr. RICHARD B. BOAR*

Die Photolyse der bequem zu synthetisierenden[1-11] organischen Nitrite hat sich zu einer Reaktion von beachtlicher synthetischer Bedeutung entwickelt[12-15].

Das UV-Spektrum der O-NO-Gruppe zeigt eine verhältnismäßig starke Bande bei $\lambda =$ 220–230 nm ($\pi \to \pi^*$-Anregung) und eine Reihe wesentlich schwächerer Absorptionen ($n_{(N)} \to \pi^*$-Übergang) bei $\lambda =$ 310–390 nm[16]. [z. B. 20β-Nitrito-3β-acetoxy-5α-pregnan[6]: λ_{max} (Methanol) bei 229, 337, 347, 358, 370 und 383 nm und Extinktionen von $\varepsilon =$ 1870, 27, 40, 54, 57 und 39]. Die Absorption im Bereich größerer Wellenlängen ist bei der Photolyse von Nitritestern wirksam.

Als geeignete Lichtquelle dient daher eine Quecksilber-Mitteldruck- oder -Hochdruck-Lampe[17] in Verbindung mit einem Filter[18], der alle Strahlen mit Wellenlängen $\lambda <$ 300 nm ausfiltriert. Ungefiltertes Licht kann zur Bildung eines komplizierten Reaktionsgemisches führen[13]. Eine genauso gute, aber weniger benutzte Lichtquelle ist eine UV-Schwarzlicht-lampe[19], deren Glaskugel als innerer Filter wirkt, und außer für Licht mit einer Wellenlänge von $\lambda =$ 365 nm nur noch wenig durchlässig ist.

α₁) Isomerisierungen (Barton-Reaktion)

Der erste Schritt bei der Photolyse von Estern der salpetrigen Säure ist die Homolyse der relativ schwachen O-NO-Bindung (Bindungsenergie $\sim$ 37 Kcal/Mol)[20] zu einem Alkoxy-Radikal und Stickstoffmonoxid[21]. Bei der Barton-Reaktion erfolgt dann eine intramoleku-

* **Department of Chemistry, Chelsea College of Science and Technology, London.**

[1] s. ds. Handb., Bd. VI/2, S. 334.
[2] L. HUNTER u. J. A. MARRIOT, Soc. **1936**, 285.
[3] R. H. PICKARD u. H. HUNTER, Soc. **1923**, 435.
[4] R. D. RIEKE u. N. A. MOORE, J. Org. Chem. **37**, 413 (1972).
[5] L. D. HAYWARD u. R. N. TOTTY, Chem. Commun. **1969**, 997.
[6] D. H. R. BARTON et al., Am. Soc. **83**, 4076 (1961).
[7] D. H. R. BARTON, E. F. LIER u. J. F. McGHIE, Soc. [C] **1968**, 1031.
[8] A. MACKOR, J. U. VEENLAND u. TH. J. DEBOER, R. **88**, 1249 (1969).
[9] D. H. R. BARTON et al., Soc. [C] **1969**, 332.
[10] D. H. R. BARTON u. M. AKHTAR, Am. Soc. **86**, 1528 (1964).
   T. JEN u. M. E. WOLFF, J. Org. Chem. **28**, 1573 (1963).
[11] A. L. NUSSBAUM et al., J. Org. Chem. **27**, 20 (1962).
   H. SUGINOME, M. MURAKAMI u. T. MASAMUNE, Bl. chem. Soc. Japan **41**, 468 (1968).
[12] A. L. NUSSBAUM u. C. H. ROBINSON, Tetrahedron **17**, 35 (1962).
[13] M. AKHTAR, Adv. Photochem. **2**, 63 (1964).
[14] K. HEUSLER u. J. KALVODA, Ang. Ch., engl.: **3**, 525 (1964).
[15] R. H. HESSE, Adv. Free Radical Chem. **3**, 83 (1968).
[16] H. E. UNGNADE u. R. A. SMILEY, J. Org. Chem. **21**, 993 (1956).
[17] z. B. Lampen im Bereich 125–500 W der Firma Engelhard Hanovia, Slough, England.
[18] Pyrex- oder Vycor-Filter.
[19] z. B. Typ L 59–450 der Firma Griffin u. George Limited, Wembley, Middlesex, England.
[20] P. GRAY, Trans. Faraday Soc. **52**, 344 (1956).
[21] Über verschiedene Möglichkeiten, die zu Alkoxy-Radikalen führen, vgl.: P. GRAY u. A. WILLIAMS, Chem. Reviews **59**, 239 (1959).

lare Wasserstoff-Verschiebung. Erneute Kombination der Radikale führt zu C-Nitroso-Verbindungen, die sich entweder durch Dimerisation oder durch Umlagerung in ein Oxim[1] stabilisieren.

Die Umlagerung des Alkoxy- in das Hydroxyalkyl-Radikal erfolgt über einen sechsgliedrigen Übergangszustand, selbst wenn wesentlich schwächer gebundene Wasserstoff-Atome (z. B. benzylische) in einem fünf- oder siebengliedrigen Übergangszustand vorhanden sind[2]. So liefert z. B. 5-Phenyl-pentyl-nitrit ausschließlich das Dimere von *4-Nitroso-5-phenyl-pentanol* (18% d.Th.), wohingegen 3-Phenyl-propyl-nitrit unter gleichen Bedingungen überhaupt keine Nitroso-Verbindung ergibt.

Innerhalb der Grenzen eines konformationsmäßig zugänglichen sechsgliedrigen Übergangszustandes nimmt man an, daß die Tendenz zur Wasserstoff-Wanderung in der Reihenfolge $CH_{tert.} > CH_{sek.} > CH_{prim.}$ hin abnimmt[3]. Diese Präferenz ist derart ausgeprägt, daß z. B. Octyl-(4)-nitrit bei der Photolyse das Dimere von *2-Nitroso-5-hydroxy-octan* (42% d.Th.) liefert neben *4-Hydroxy-octan* (7% d.Th.) und *4-Oxo-octan* (15% d.Th.) aber kein 1-Nitroso-4-hydroxy-octan[3].

Wie Untersuchungen an Cycloalkyl-nitriten zeigen, ist nicht nur die sechsgliedrige Geometrie, sondern auch eine nicht zu ungünstige energetische Lage des Übergangszustandes Voraussetzung für die intramolekulare Wasserstoff-Abstraktion[4]. Bei *cis*-3-Methylcyclohexyl-nitrit z. B. eignet sich das instabilere Konformere mit axialen Substituenten zur Barton-Reaktion, die stabilere Verbindung mit äquatorial angeordneten Gruppen dagegen nicht. Photochemische Behandlung einer Mischung aus 63% *cis*- und 37% *trans*-3-Methylcyclohexyl-nitrit führt zu Produkten, die sich nicht von der Barton-Reaktion herleiten[4]. Jedoch gehen Cycloheptyl- und Cyclooctyl-nitrit die Barton-Reaktion unter Bildung von *4-Hydroxy-1-hydroximino-cycloheptan* bzw. *....-cyclooctan*[4] ein. Dies stellt einen bequemen Weg zur transanularen Funktionalisierung in dieser Verbindungsklasse dar.

4-Hydroxy-1-hydroximino-cycloheptan[4]: 7,2 g Cycloheptylnitrit in 200 *ml* 1,1,1-Trifluor-trichlor-äthan werden in einer Stickstoff-Atmosphäre bei 5° mit einer Quecksilber-Hochdruck-Lampe und Pyrex-Filter bestrahlt. Das Dimere des 4-Nitroso-cycloheptanol fällt als viskose Masse aus (4,3 g) und wird 24 Stdn. lang in einem geschlossenen Gefäß auf 75° erhitzt; Ausbeute: 4,3 g (67% d.Th.).

Besonders glatt verläuft die Barton-Reaktion, wenn beide Reaktionszentren Teil eines starren Systems sind, wie z. B. bei Steroiden. Hier finden sich auch Beispiele für einen siebengliedrigen Übergangszustand bei der Wasserstoff-Wanderung. Die Umlagerung der Verbindung I zeigt, daß im allgemeinen bei einem Kohlenstoff-Sauerstoff-Abstand von 2,0–2,7 Å die intramolekulare Verschiebung des Wasserstoff-Atoms zu einem Alkoxy-Radikal von statten gehen kann[5].

---

[1] H. METZGER, ds. Handb. Bd. X/4, 1 (1968).

[2] P. KABASAKALIAN u. E. R. TOWNLEY, Am. Soc. **84**, 2711 (1962).
P. KABASAKALIAN, E. R. TOWNLEY u. M. D. YUDIS, Am. Soc. **84**, 2716 (1962).

[3] P. KABASAKALIAN, E. R. TOWNLEY u. M. D. YUDIS, Am. Soc. **84**, 2718 (1962).

[4] P. KABASAKALIAN u. E. R. TOWNLEY, Am. Soc. **84**, 2724 (1962); J. Org. Chem. **27**, 2918 (1962).

[5] K. HEUSLER u. J. KALVODA, Ang. Ch., engl.: **3**, 525 (1964).

6α-Hydroxy-7α,19-oxido-19-hydroxylamino-18-nor-kauransäure-lactam(II) [1]:

$$I \quad\xrightarrow{h\nu}\quad II$$

385 mg 7α-Nitrito-18-nor-kauranolid werden in trockenem Benzol gelöst und unter einer Stickstoff-Atmosphäre bei Wasserkühlung 1 Stde. bestrahlt. Anschließend wird das Lösungsmittel abdestilliert und der zähe Rückstand 1 Stde. in 10 *ml* Isopropanol am Rückfluß erhitzt. Das entstandene Produkt wird an Silikagel chromatographiert. Elution mit 40%igem Diäthyläther/Leichtbenzin ergibt 20 mg 6α-Hydroxy-7-oxo-(-)-18-nor-kauran-19-säure-19 → 6-lacton. Eine anschließende Elution mit Diäthyläther/Methanol liefert die Hydroxamsäure II; Ausbeute: 190 mg (49% d.Th.); F: 243–244°.

Benzol hat sich als das günstigste Lösungsmittel für die Barton-Reaktion erwiesen[2], auch Toluol und 1,1,1- bzw. 1,1,2-Trifluor-trichlor-äthan werden angewandt. Sogar in Cyclohexan oder Heptan läuft die intramolekulare Wasserstoff-Verschiebung noch ab. Allerdings muß das jeweilige Lösungsmittel absolut und frei von sauren Verunreinigungen sein. Das wird durch Zugabe einer kleinen Menge Pyridin gewährleistet.

Der Umsatz der Nitrit-Photolysen ist in wassergekühlten Tauchapparaturen aus Pyrex am besten[3]. Die Photolyse wird im allgemeinen bis zum Verschwinden der Ausgangssubstanz durchgeführt. Der Endpunkt der Reaktion kann durch Dünnschichtchromatographie, UV-[4] oder IR-Spektrometrie[5] (λ = 310–390 nm bzw. ν = 1600–1660 cm^{-1}) sowie durch die Nachweisreaktion mit Diphenylamin/Schwefelsäure[6] bestimmt werden. Die Ausbeuten sind im allgemeinen recht gut, zumindest ermöglicht die Barton-Reaktion manchmal einen direkten oder den einzigen Zugang zu einer Verbindung. Die Quanten-Ausbeuten liegen zwischen φ = 0,25–0,75, was durch die Reversibilität der primären Dissoziation erklärt wird[2,7,8].

Das eigentliche Endprodukt der Barton-Reaktion, die Nitroso-hydroxy-Verbindung, kann weiterreagieren. Für die Dimerisation ist die Löslichkeit des Dimeren ausschlaggebend, für die Isomerisierung zum Oxim Spuren OH-Gruppen tragender Substanzen[9]. Wird die Bildung der dimeren Nitroso-Verbindung vermutet, so sollte das ganze Reaktionsgut mit Isopropanol oder einem entsprechenden Lösungsmittel unter Rückfluß erhitzt werden, um das Dimere in das Oxim umzuwandeln. Die Reaktion kann auf Grund der Farbe mitverfolgt werden.

Man kennt eine Reihe weiterer Reaktionen, bei denen der zentrale Schritt eine intramolekulare 1,5-Wanderung eines Wasserstoff-Atoms ist[10]. Besondere synthetische Bedeutung hat die thermische Reaktion eines Alkohols mit Blei(IV)-acetat und die thermische oder photochemische Reaktion eines Alkohols mit Blei(IV)-acetat-Jodid[11]. Zur photochemischen Isomerisierung von Alkylhypochloriten s. S. 711ff.

---

[1] D. H. R. Barton u. J. R. Hanson, Chem. Commun. 117 (1965);
J. R. Hanson, Tetrahedron **22**, 1701 (1966).
[2] P. Kabasakalian u. E. R. Townley, Am. Soc. **84**, 2711 (1962).
P. Kabasakalian, E. R. Townley u. M. D. Yudis, Am. Soc. **84**, 2716 (1962).
[3] Zur Abhängigkeit der Ausbeuten von den Bestrahlungsbedingungen vgl.: C. W. Shoppee et al., Soc. [C] **1966**, 2359.
[4] H. E. Ungnade u. R. A. Smiley, J. Org. Chem. **21**, 993 (1956).
[5] L. J. Bellamy, *The Infra-Red Spectra of Complex Molecules*, 2. Aufl., S. 304, Methuen, London 1958.
[6] F. Feigl, *Spot Tests in Organic Analysis*, S. 178, Elsevier Publishing Company, New York 1960.
[7] B. E. Ludwig u. G. R. McMillan, Am. Soc. **91**, 1085 (1969).
[8] D. H. R. Barton et al., Am. Soc. **83**, 4076 (1961).
[9] H. Metzger, ds. Handb., Bd. X/4, S. 1.
[10] R. H. Hesse, Adv. Free Radical Chem. **3**, 83 (1968).
[11] K. Heusler u. J. Kalvoda, Ang. Ch., engl.: **3**, 525 (1964).

αα) unter 1,5-Wasserstoff-Verschiebung

Die Bedeutung der Barton-Reaktion liegt auf dem Gebiet der Steroid-Chemie, indem die angularen Methyl-Gruppen an Kohlenstoff-Atom 18 oder 19 funktionell substituiert werden. können[1] und damit der Zugang zu einer Anzahl biologisch wichtiger Steroide eröffnet wird[2]. Theoretisch kann die 18-Methyl-Gruppe von einer Nitrit-Gruppe in den Positionen 8β, 11β, 15β, 20α und 20β angegriffen werden, für die 19-Methyl-Gruppe muß die Ester-Gruppierung in 2β, 4β, 6β, 8β oder 11β lokalisiert sein. Die experimentelle Überprüfung an den leicht zugänglichen 6β-, 11β- und 20β-Hydroxy-steroiden zeigt, daß die korrespondierenden Nitrite sich derart photochemisch verhalten.

6β-Hydroxy-3β-acetoxy-19-hydroximino-5α-cholestan[1]:

7,08 g 3β-Acetoxy-6β-nitrito-5α-cholestan werden in 200 ml abs. Toluol gelöst und unter einer Stickstoff-Atmosphäre bei Raumtemp. in einem Pyrex-Gefäß mit einer 200 W Hanovia Quecksilber-Hochdruck Lampe bestrahlt. Nach 45 Min. wird die dimere Nitroso-Verbindung abfiltriert und gut mit Toluol nach gewaschen; Ausbeute: 4,7 g (66% d.Th.) F: 180—181°. Das Dimere wird 20 Min. bis zum Verschwinden der grünen Farbe in einem Tetrahydrofuran/Isopropanol-Gemisch unter Rückfluß erhitzt. Nach Behandeln mit Aktivkohle und Abdestillieren des Lösungsmittels i. Vak. und Umkristallisieren aus Acetonitril erhält man das Oxim; Ausbeute: 4,3 g (61% d.Th.) F: 180—181°; $[\alpha]_D$: −17° (c: 0,71 in Chloroform).

Chromatographie der Mutterlaugen zeigen Anwesenheit von 3β-Acetoxy-6-oxo- und 6β-Hydroxy-3β acetoxy-cholestan im Verhältnis 5:1 an. Beide Produkte sind repräsentativ für die Barton-Reaktion. Das letztere ist mit großer Sicherheit aus dem intermediären Alkoxy-Radikal durch intermolekulare Wasserstoff-Abstraktion vom Lösungsmittel gebildet worden. Die genaue Herkunft der Oxo-Verbindung wurde nicht ermittelt[3].

2β-Hydroxy-3α,17β-diacetoxy-19-hydroximino-5α-androstan[4]:

6,0 g 2β-Hydroxy-3α,17β-diacetoxy-5α-androstan in 30 ml Pyridin werden mit einem Überschuß an Nitrosylchlorid behandelt. Die Lösung wird in Eiswasser gegossen, der Niederschlag abfiltriert, mit Wasser gewaschen und getrocknet. Man erhält 6,0 g des rohen, instabilen Nitrits. Dieses wird in 200 m Toluol gelöst und unter trockenem, sauerstoffreiem Stickstoff bei 0° 1,7 Stdn. mit einer 200 W wasser gekühlten Quecksilber-Hochdruck-Lampe und Borsilikat-Filter bestrahlt. Das Reaktionsende wird mit Diphenylamin/konz. Schwefelsäure bestimmt. Anschließend wird das Lösungsmittel i. Vak. abgezogen und das 19-Nitroso-Dimere in Isopropanol 4 Stdn. unter Rückfluß erhitzt. Nach Einengen des Lösungs mittels i. Vak. bleibt eine zähe Masse zurück, die an 200 g neutralem Aluminiumoxid mit Diäthyläther Methanol (92:8) chromatographiert wird; Ausbeute: 1,7 g (28% d.Th.); F: 207—208° (Acetonitril) $[\alpha]_D^{22}$: + 8,6° (c: 1% in Chloroform).

---

[1] D. H. R. Barton et al., Am. Soc. **83**, 4076 (1961).
[2] z. B. S. A. Simpson et al., Helv. **37**, 1163, 1200 (1954).
[3] R. H. Hesse, Adv. Free Radical Chem. **3**, 83 (1968).
[4] R. Kwok u. M. E. Wolff, J. Org. Chem. **28**, 423 (1963).

Die Nitrit-Photolyse kann genauso eindrucksvoll bei der Einführung funktioneller Gruppen direkt an den Ring sein. Ein grundlegender Schritt bei der Totalsynthese von β-Amyrin war der spezifische Übergang der funktionellen Gruppe aus dem Ring C in den Ring A[1]:

11α-Hydroxy-1-hydroximino-oleanen-(12)[1]:

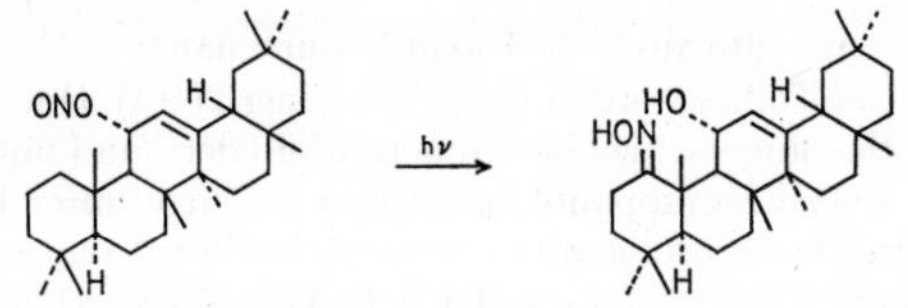

1,0 g 11α-Nitrito-oleanen-(12) werden in 100 ml abs. Benzol unter Stickstoff bei Zimmertemp. mittels einer 125 W Hanovia-Quecksilber-Hochdruck-Lampe bestrahlt. Das Lösungsmittel wird anschließend i. Vak. abdestilliert, und der Rückstand mit Leichtbenzin behandelt, bis er fest wird; Ausbeute: 550 mg (55% d.Th.); F: 289–290° (aus Chloroform/Leichtbenzin); [α]$_D$: + 187° (c: 1% in Chloroform).

Umgekehrt läßt sich mit der Barton-Reaktion die relative sterische Struktur eines Moleküls bestimmen (s. a. S. 728). Die Unsicherheit darüber, welches der beiden α-Bergamotene die cis-Verbindung war, ließ sich durch die Totalsynthese des α-cis-Bergamotens lösen[2]. Photolyse des Nitrits von cis-Nopinol führt zu (2R,6S)-2-Hydroxy-6-methyl-6-hydroximinomethyl-bicyclo[3.1.1]heptan, in dem die beiden funktionellen Gruppen cis-ständig sein müssen. Die weitere Umwandlung in α-Bergamoten muß daher zum cis-Isomeren führen.

(2R,6S)-2-Hydroxy-6-methyl-6-hydroximinomethyl-bicyclo[3.1.1]heptan[2]:

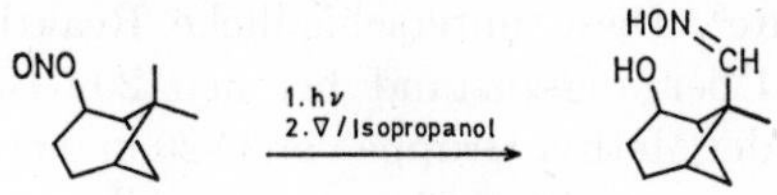

18,6 g des rohen Nitrits von cis-2-Hydroxy-6,6-dimethyl-bicyclo[3.1.1]heptan (cis-Nopinol) werden in 450 ml Cyclohexan gelöst und mit einer 450 W Quecksilberdampf-Lampe 6 Stdn. in einer Vycor-Apparatur bestrahlt. Insgesamt 14,2 g des Nitroso-Dimeren fallen während der Photolyse aus. Sie werden abfiltriert, in 440 ml Isopropanol gelöst und 36 Stdn. unter Rückfluß erhitzt. Nach Abdampfen des Lösungsmittels erhält man das Oxim; Ausbeute: 10,5 g (57% d.Th.); F: 121–122° (aus Pentan/Diäthyläther).

Nitrite von Halohydrinen verhalten sich normal während der Barton-Reaktion[3–5]. 5α-Halogen-6β-hydroxy-steroide, die sich leicht aus den reichlich vorhandenen Δ^5-Steroiden herstellen lassen, dienen bevorzugt als Ausgangsmaterial für die Synthese der medizinisch wichtigen 19-Nor-steroide:

5α-Chlor-6β-hydroxy-3β-acetoxy-17-oxo-19-hydroximino-androstan[3]:

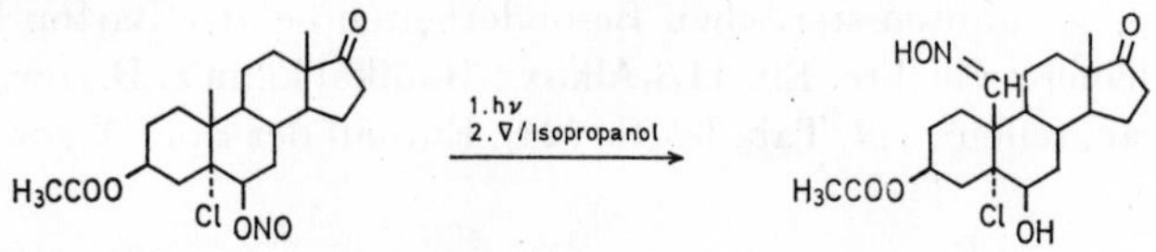

[1] D. H. R. BARTON, E. F. LIER u. J. F. McGHIE, Soc. [C] 1968, 1031.
[2] T. W. GIBSON u. W. F. ERMAN, Am. Soc. 91, 4771 (1969).
    S. a.: A. G. HORTMANN u. R. E. YOUNGSTROM, J. Org. Chem. 34, 3392 (1969).
[3] T. JEN u. M. E. WOLFF, J. Org. Chem. 28, 1573 (1963).
[4] D. H. R. BARTON u. M. AKHTAR, Am. Soc. 86, 1528 (1964).
[5] D. H. R. BARTON et al., J. Org. Chem. 33, 1562 (1968).

5,0 g 5α-Chlor-6β-nitrito-3β-acetoxy-17-oxo-androstan werden in 200 ml Toluol gelöst und mittels einer 200 W Quecksilber-Hochdruck-Lampe und einem Borsilikat-Filter bestrahlt. Das Reaktionsende wird mit Diphenylamin/konz. Schwefelsäure bestimmt, das ausgefallene Nitroso-Dimere abfiltriert und aus Aceton/Hexan umkristallisiert; Ausbeute: 3,0 g (60% d.Th.); F: 145–146° und dann F: 241–243°. Danach wird das Dimere 2 Stdn. mit 300 ml Isopropanol unter Rückfluß erhitzt, das Solvens abdestilliert und der Rückstand mit Diäthyläther gewaschen; Ausbeute: 5,5 g (54% d.Th.); F: 243–245°; $[\alpha]_D^{25}$:+ 18° (c: 1% in Methanol).

5α-Brom-6β-hydroxy-3β-acetoxy-20-oxo-19-hydroximino-pregnan[1]: 22 g 5α-Brom-6β-nitrito-3β-acetoxy-20-oxo-pregnan in 200 ml Toluol werden bei 0° mit einer 200 W Quecksilber-Hochdruck-Lampe bestrahlt. Nach 3 Stdn. wird das ausgeschiedene Dimere abfiltriert und mit Hexan gewaschen. Die so erhaltene feste Masse wird in 300 ml Isopropanol gelöst und so lange unter Rückfluß erhitzt, bis keine grüne Farbe mehr zu sehen ist. Das Lösungsmittel wird abdestilliert und der Rückstand aus Aceton/Hexan umkristallisiert; Ausbeute: 16,3 g (74% d.Th.); F: 173–178°; $[\alpha]_D$: -5° (c: 1,09 in Chloroform).

ββ) sterische Besonderheiten

Sterische Effekte im Übergangszustand können die intramolekulare Wasserstoff-Wanderung beeinträchtigen. Man beobachtete, daß Nitrite eines 20α-Hydroxy-steroids höhere Ausbeuten an 18-Hydroximino-Produkt liefern, als der 20β-Alkohol[2–4]. Eine ähnliche Beobachtung wird über die Blei(IV)-acetat-Oxidation dieser Alkohole berichtet[5].

20α-Hydroxy-3-oxo-18-hydroximino-pregnen-(4)[3]: 934 mg 20α-Nitrito-3-oxo-pregnen-(4), gelöst in 40 ml abs. Benzol, werden unter Stickstoff bei 0° mit einer 200 W Quecksilber-Dampf-Lampe 1 Stde. bestrahlt. Die dabei erhaltene Suspension wird konzentriert und das Produkt als Benzol-Solvat abfiltriert; Ausbeute: 587 mg (63% d.Th.); F: 110–125°. Durch Umkristallisation aus Aceton erhält man das reine Oxim; F: 184–186°; $[\alpha]_D^{23}$: + 148,8° (c: 1% in Chloroform).

Unter sonst gleichen Bedingungen entsteht *20β-Hydroxy-3-oxo-18-hydroximino-pregnen-(4)* nur in 21%iger Ausbeute[3]. Diese unterschiedliche Reaktivität wurde der größeren sterischen Verdichtung im Übergangszustand bei den 20β-Isomeren zugeschrieben, da Wechselwirkungen zwischen der Methyl-Gruppe von C-20 und einem Wasserstoff-Atom von C-12 stattfinden. Beim 20α-Isomeren ist C-21 vom Steroidkern weggerichtet.

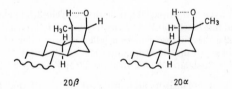

20β   20α

Auf Grund von Dreiding-Modellen sollte die unterschiedliche Stabilität beider Übergangszustände nicht sehr ausgeprägt sein. Im Hinblick darauf ist die merklich verschiedene Reaktivität der Isomeren auffallend. Klare, eingehende stereochemische Betrachtungen dieser Art könnten bei Syntheseplänen von erheblicher Bedeutung sein.

Neben den bisher genannten sterischen Besonderheiten bei der Barton-Reaktion gibt es noch eine Reihe kleinerer Effekte. Ein 11β-Alkoxy-Radikal kann z. B. sowohl C-18 als auch C-19 des Steroids angreifen[6], vgl. Tab. 99 (S. 724). Enthält der Ring A gewisse funktionelle

---

[1] D. H. R. Barton u. M. Akhtar, Am. Soc. **86**, 1528 (1964).

[2] D. H. R. Barton et al., J. Org. Chem. **33**, 1562 (1968).

[3] A. L. Nussbaum et al., Tetrahedron **18**, 373 (1962).

[4] J. Hora, Collect. czech. chem. Commun. **30**, 70 (1965).

[5] K. Heusler u. J. Kalvoda, Ang. Ch., engl.: **3**, 525 (1964).

[6] Es gibt auch Hinweise dafür, daß verschiedene Substituenten an C-17 auf die Wasserstoff-Abstraktion von C-18 oder C-19 wirken; vgl. R. H. Hesse, Adv. Free Radical Chem. **3**, 118 (1968).

Gruppen, z. B. eine 1,4-Dienon-Struktur, erfolgt die Wasserstoff-Abstraktion lediglich von C-18. Ursache ist vermutlich eine **verzerrte Geometrie** des Moleküls, die allerdings am Dreiding-Modell noch nicht sichtbar ist. Eventuell besteht ein Zusammenhang zwischen dem NMR-spektrometrisch erkennbaren Abschirmungseffekt einer Hydroxy-Gruppe auf ein bestimmtes Wasserstoff-Atom und der Wahrscheinlichkeit, daß dieses Wasserstoff-Atom abstrahiert wird[1,2].

Z. B. ist die Abschirmung der C-19 Methyl-Schwingung durch die 6β-Hydroxy-Gruppe beim unverzerrten Cholestan-Derivat 0,225 ppm, beim 6β-Hydroxy-3α,5-cyclo-5α-cholestan 0,125 ppm. Nur im ersten Fall wird C-19 im Zuge der Nitrit-Photolyse angegriffen[1]. Im Jervan-Derivat I wirkt die 11β-Hydroxy-Gruppe abschirmend auf die Resonanz von C-18 mit 0,11 ppm, auf die von C-19 mit 0,295 ppm. Photolyse des entsprechenden Nitrits führt zu einem ausschließlichen Angriff auf die C-19 Methyl-Gruppe[2]. Weitere Untersuchungen in dieser Richtung könnten für die organische Synthese von Bedeutung sein[3].

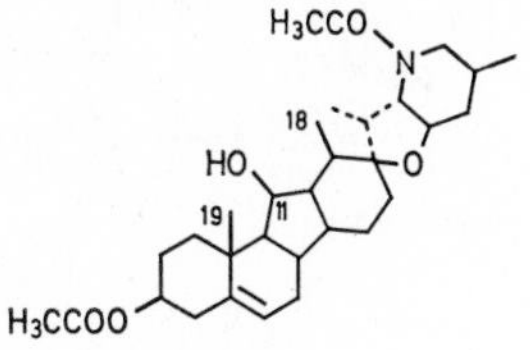

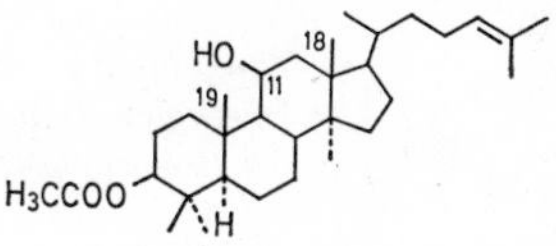

Auch **Abstoßung** zwischen axialen Methyl-Gruppen kann Ursache für die Bevorzugung einer Reaktionsmöglichkeit sein. In Verbindung II z. B. greift das 11β-Alkoxy-Radikal ausschließlich die C-19 Methyl-Gruppe an, da diese durch den 4β-Substituenten näher dem Reaktionszentrum anliegt[4]. Über die entsprechende Umsetzung mit Blei(IV)-acetat-jodid vgl. Lit.[5]. Dieses Prinzip kann bei Konformationsuntersuchungen ausgenutzt werden. So ergibt z. B. die Nitrit-Photolyse von folgendem Steroid ein 4β-Hydroximinomethyl- und ein 19-Hydroximino-androstan-Derivat[6]:

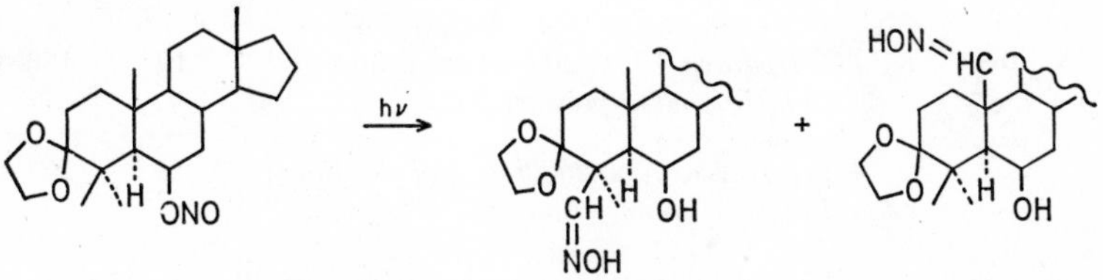

Der Grund für die unterschiedlichen Ausbeuten wurde in einer abgeflachten Sesselstruktur der Ausgangsverbindung gesehen, was röntgenographisch bestätigt wurde[7].

H. SUGINOME, T. TSUNENO u. T. MASAMUNE, Tetrahedron Letters **1967**, 4605.

H. SUGINOME, N. SATO u. T. MASAMUNE, Tetrahedron Letters **1967**, 1557.

Vgl.: R. B. BOAR, Soc. (Perkin I,) **1975**, 1275.

D. H. R. BARTON et al., Soc. [C] **1969**, 332.

C. DJERASSI u. P. ROLLER, Soc. [C] **1970**, 1089.

J. M. MIDGLEY, J. E. PARKIN u. W. B. WHALLEY, Soc. [D] **1970**, 789.
S. a.: M. P. KULHBERG u. B. GREEN, Soc. [D] **1972**, 637.

G. FERGUSON et al., Soc. [D] **1970**, 954.

Tab. 99. Umlagerung von 11β-Nitrito-steroiden in 18- und/oder 19-Stellung
substituierte 11β-Hydroxy-steroide

Ausgangsverbindung	Produkte	Ausbeute [% d.Th.]	F [° C]	Literatur
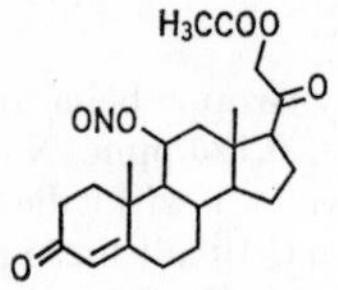	11β-Hydroxy-21-acetoxy-3,20-dioxo-18-hydroximino-pregnen-(4)	21	175–194	1
	+ syn-11β-Hydroxy-21-acetoxy-3,20-dioxo-4-hydroximino-5β,19-cyclo-pregnan	10	173–176 und 211–214	
	+ anti- . . .	16	214–219	
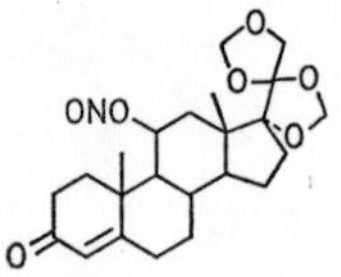	11β-Hydroxy-17α,20;20,21-bis-[methylen-dioxy]-3-oxo-18-hydroximino-pregnen-(4)	34	220–229	2
	+ syn-11β-Hydroxy-17α,20;20,21-bis-[methylen-dioxy]-3-oxo-4-hydroximino-5β,19-cyclo-pregnan	7	236–245	
	+ anti- . . .	5	246–257	
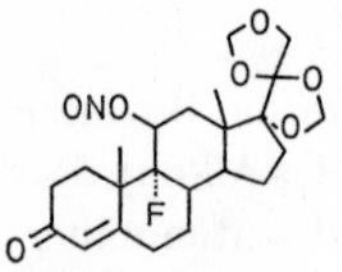	9α-Fluor-11β-hydroxy-17α,20;20,21-[bis-methylendioxy]-3-oxo-18-hydroximino-pregnen-(4)	40		2
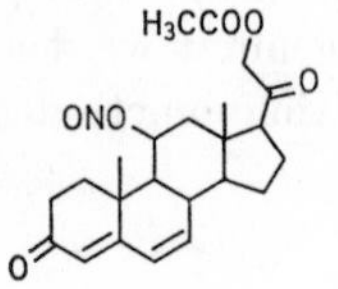	nach Hydrolyse: 11β-Hydroxy-21-acetoxy-3,18,20-trioxo-pregnadien-(4,6)	26	204–207	2
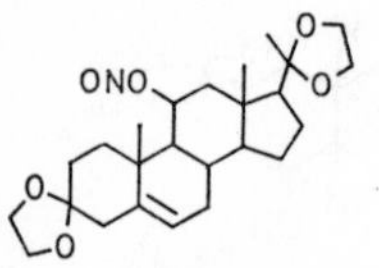	11β-Hydroxy-3,3;20,20-bis-[äthylendioxy]-19-hydroximino-pregnen-(5)	19	186–189	3
	+ 11β-Hydroxy-3,3;20,20-bis-[äthylendioxy]-18-hydroximino-pregnen-(5)	18	263–265	
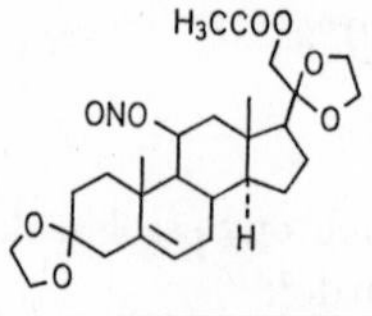	11β-Hydroxy-3,3;20,20-bis-[äthylendioxy]-21-acetoxy-19-hydroximino-pregnen-(5)	34	169–171	4
	11β-Hydroxy-3,3;20,20-bis-[äthylendioxy]-21-acetoxy-18-hydroximino-pregnen-(5)	16	246–252	
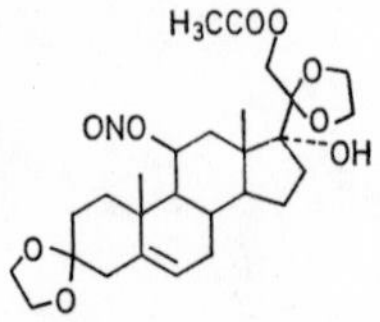	11β,17α-Dihydroxy-3,3;20,20-bis-[äthylen-dioxy]-21-acetoxy-19-hydroximino-pregnen-(5)	36		4
	+ 11β,17α-Dihydroxy-3,3;20,20-bis-[äthylen-dioxy]-21-acetoxy-18-hydroximino-pregnen-(5)	15	235–242	

1 D. H. R. BARTON u. J. M. BEATON, Am. Soc. 83, 4083 (1961).
2 M. AKHTAR et al., Am. Soc. 85, 1512 (1963).
3 R. H. HESSE u. M. M. PECHET, J. Org. Chem. 30, 1723 (1965).
4 D. H. R. BARTON u. J. M. BEATON, Am. Soc. 84, 199 (1962).

$\gamma\gamma$) in Anwesenheit von Radikalfängern

Wird die Nitrit-Photolyse in Gegenwart von Radikalfängern, wie z. B. Jod oder Trichlorbrommethan durchgeführt, so bilden sich γ-Halogen-alkohole[2-4]. Allerdings ist es schwierig, die Produkte zu isolieren, da sie sich leicht in die entsprechenden Äther umwandeln. Es ist deshalb einfacher, das Photoprodukt durch Behandeln mit schwacher Base vollständig in den Äther zu überführen. Eine andere chemische Umsetzung führt bequem zu α-Cyclopropyl-ketonen.

18-Jod-11β-hydroxy-17α,20;20,21-bis-[methylendioxy]-3-oxo-pregnadien-(1,4)[1]:

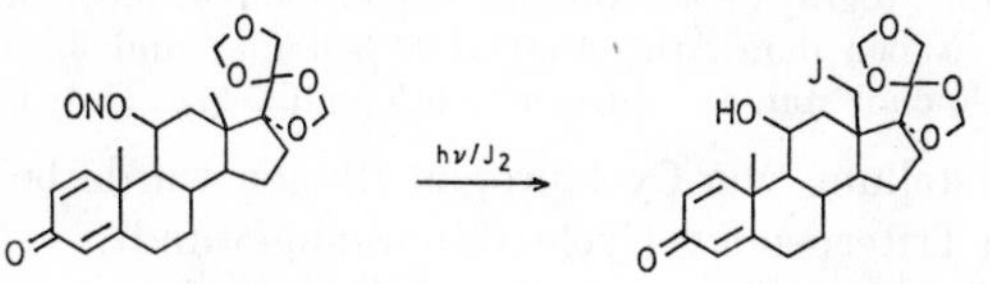

0,85 g Jod und 4,1 g 11β-Nitrito-17α,20;20,21-bis-[methylendioxy]-3-oxo-pregnadien-(1,4) werden in 175 ml abs. Benzol 2,5 Stdn. unter Stickstoff mit einer Quecksilber-Hochdruck-Lampe bestrahlt. Es bildet sich ein Niederschlag, der anschließend durch Zugabe von 100 ml Dichlormethan wieder in Lösung gebracht wird. Das Photolysat wird mit einer 10%igen Natriumthiosulfat-Lösung, danach mit Wasser gewaschen und mit Natriumsulfat getrocknet. Nach Einengen i. Vak. wird der ölige Rückstand aus Dichlormethan/Diäthyläther kristallisiert; Ausbeute: 2,4 g (47% d.Th.); F: 129–133° (Zers.); $[\alpha]_D^{23}$: + 2,1° (c: 0,94 in Chloroform).

Auf ähnliche Weise erhält man den Fluor-steroid I aus *9α-Fluor-18-jod-11β, 17α-dihydroxy-21-acetoxy-3,20-dioxo-16α-methyl-pregnadien-(1,4)* (37% d. Th.)[1]:

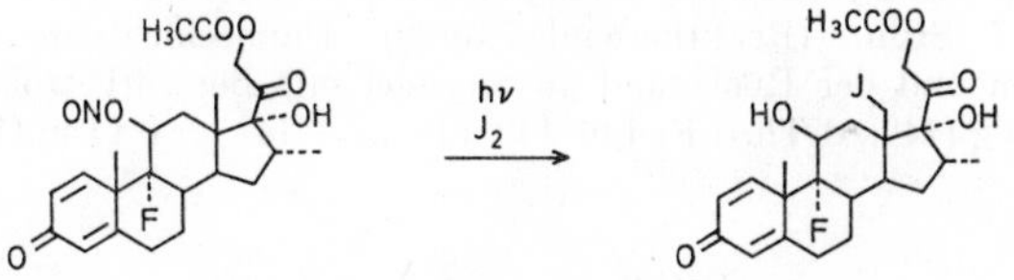

6β,19-Oxido-3β-acetoxy-5α-cholestan bzw. 3β-Acetoxy-6-oxo-5β,19-cyclo-cholestan[1]:

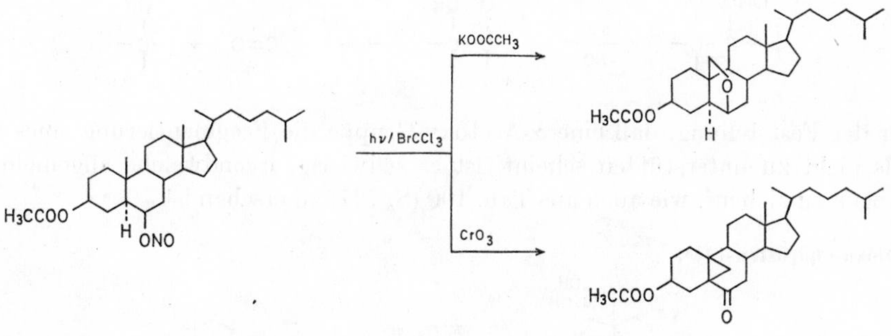

D. H. R. Barton, M. Akhtar u. P. G. Sammes, Am. Soc. **87**, 4601 (1965).

D. H. R. Barton et al., Soc. [C] **1969**, 332.

D. H. R. Barton et al., J. Org. Chem. **33**, 1562 (1968).

Isotopen-Markierung mit ^{15}N zeigt, daß die Wasserstoff-Abstraktion intramolekular, der Einfang des Stickstoffmonoxids intermolekular verläuft. M. Akhtar u. M. M. Pechet, Am. Soc. **86**, 265 (1964).

Eine Lösung aus 475 mg 6β-Nitrito-3β-acetoxy-5α-cholestan, 10 g Trichlorbrommethan und 80 ml abs. Benzol wird mit einer 220 W Quecksilberdampf-Lampe und Pyrex-Filter unter äußerer Wasserkühlung bestrahlt. Nach 45 Min. wird das blaßgrüne Photolysat mit Wasser gewaschen, über Natriumsulfat getrocknet und i. Vak. eingeengt; es hinterbleibt ein gelblicher Rückstand.

6β,19-Oxido-3β-acetoxy-5α-cholestan: Der Rückstand wird mit einer 5%igen Kaliumacetat-Lösung in Methanol 4 Stdn. lang erhitzt. Nach Zugabe von Wasser wird die Lösung mit Dichlormethan extrahiert. Einengen der Extrakte und anschließende Chromatographie an Aluminiumoxid (Merck, mit Säure gewaschen) mit Benzol/Dichlormethan liefert neben 6β-Hydroxy-3β-acetoxy-cholestan (20% d.Th.) und 3β-Acetoxy-6-oxo-cholestan (5% d.Th.) den Äther; Ausbeute: 155 mg (35% d.Th.); F: 105–110°.

3β-Acetoxy-6-oxo-5β,19-cyclo-cholestan: Der Rückstand wird in 50 ml Aceton gelöst und mit einem Überschuß von Chromsäure/Aceton behandelt. Nach 5 Min. wird das Reaktionsgemisch aufgearbeitet und durch Chromatographie an Aluminiumoxid (Merck, mit Säure gewaschen) mit Benzol/Dichlormethan gereinigt. Neben dem Äther-Derivat (4% d.Th.) und 3β-Acetoxy-6-oxo-5α-cholestan (60% d.Th.) fällt das Cyclo-cholestan an; Ausbeute: 115 mg (25% d.Th.); F: 124–125°.

Dieser Weg zur Herstellung von Cyclopropan-Ringen wurde bei der Totalsynthese des wichtigen pflanzlichen Triterpenoids Cycloartenol[1] angewandt.

Bestrahlung von Nitriten in Gegenwart von Sauerstoff kann zur Bildung von umgelagerten Nitraten führen[2]. Es wird vermutet, daß einer der zentralen Schritte den Einfang des intermediären Alkyl-Radikals durch Sauerstoff darstellt.

32-Nitrato-7α-hydroxy-3β-acetoxy-lanostan[2]:

3 g 7α-Nitrito-3β-acetoxy-5α-lanostan werden in 500 ml trockenem Benzol mit einer 125 W Quecksilber-Hochdruck-Lampe und Pyrex-Filter bestrahlt, während langsam trockener Sauerstoff durch die Lösung perlt. Nach 7 Stdn. (Reaktionsende durch Dünnschichtchromatographie) wird das Lösungsmittel abgezogen und der Rückstand an Silicagel mit Benzol/Petroläther (60:40) chromatographiert; Ausbeute: 1,4 g (44% d.Th.); F: 146–149°; [α]_D: + 14° (c: 0,14 in Chloroform).

α₂) Fragmentierungen

Nitrite, die α-ständig zur Ester-Gruppierung eine Sauerstoff-Funktion enthalten, reagieren bei Belichtung häufiger mit C–C-Spaltung als mit der normalen Barton-Reaktion[3]:

Außer der Feststellung, daß eine α-Acetoxy-Gruppe die Fragmentierung eines Alkoxy-Radikals nicht zu unterstützen scheint, ist es schwierig, irgendwelche allgemein gültige Folgerungen zu ziehen[4], wie auch aus Tab. 100 (S. 727) zu ersehen ist.

3,17-Dioxo-androsten-(4)[3]:

[1] D. H. R. Barton et al., Soc. [C] **1969**, 332.
[2] J. Allen et al., Soc. (Perkin I) **1973**, 2402.
[3] A. L. Nussbaum et al., J. Org. Chem. **27**, 20 (1962).
[4] C. Djerassi, *Steroid Reactions*, S. 403, Holden Day, San Francisco 1963.

300 mg 17α,20α-Dihydroxy-3-oxo-pregnen-(4) in 8 ml Pyridin werden bei -25° mit Nitrosylchlorid versetzt, bis die braune Färbung nicht mehr verschwindet. Das Reaktionsgemisch wird in Wasser gegossen, die fest ausfallende Substanz (247 mg) abfiltriert und i. Vak. getrocknet. Der Ester wird in Benzol gelöst unter Stickstoff bei 20° in einer Pyrex-Apparatur mit einer 200 W Quecksilberdampf-Lampe belichtet. Das Rohprodukt wird chromatographiert; Ausbeute: 148 mg (57% d.Th.); F: 173–174°.

Über ähnliche Spaltungen von analogen Stickstoff-Verbindungen vgl.[1]

Tab. 100. Photolyse von Nitrito-steroiden mit zur Ester-Gruppierung α-ständigen Sauerstoff-Funktionen

Ausgangsverbindung	Produkt	Ausbeute [% d.Th.]	F [°C]	Literatur
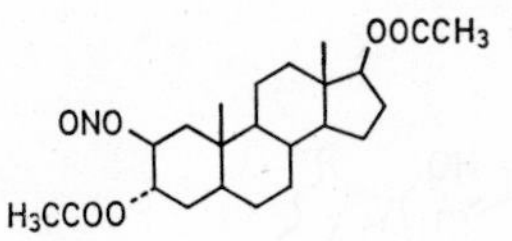 (Struktur: OOCCH₃, ONO, H₃CCOO)	2β-Hydroxy-3α,17β-diacetoxy-19-hydroximino-5α-androstan	28	207–208	2
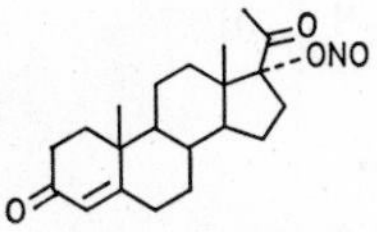 (Struktur: O, ONO)	3,17-Dioxo-androsten-(4)	50	173–174	3
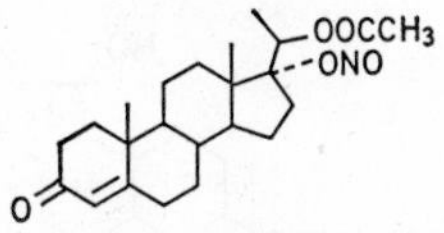 (Struktur: OOCCH₃, ONO)	17α-Hydroxy-20β-acetoxy-3-oxo-pregnen-(4)	a	a	3
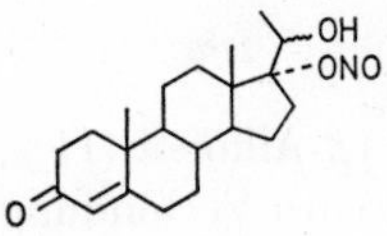 (Struktur: OH, ONO) 20α-Hydroxy-...	3,17-Dioxo-androsten-(4)	57	173–174	3
20β-Hydroxy-...		40		
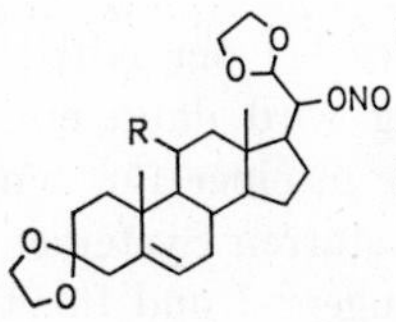 (Struktur: R = H, ONO)	3,3-Äthylendioxy-17β-formyl-androsten-(5)	33	166–173	3
R = OH	11β-Hydroxy-...	a	152–154	
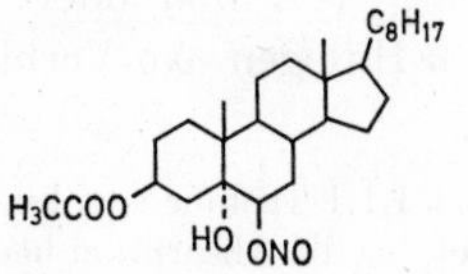 (Struktur: C₈H₁₇, H₃CCOO, HO, ONO)	5α,6β-Dihydroxy-3β-acetoxy-19-hydroximino-cholestan	a	a	4

a Keine Angabe.

[1] H. Suginome, M. Murakami u. T. Masamune, Chem. Commun. 1966, 343; Bl. chem. Soc. Japan 41, 468 (1968).

[2] R. Kwok u. M. E. Wolff, J. Org. Chem. 28, 423 (1963).

[3] A. L. Nussbaum et al., J. Org. Chem. 27, 20 (1962).

[4] R. H. Hesse, Adv. Free Radical Chem. 3, 100 (1968).

Bei Cyclopentyl-nitriten führt die Photolyse häufig zur partiellen Epimerisierung der entstehenden Alkohole. Z. B. liefert der Ester von α-Carophyllen- und von Epi-α-carophyllen-Alkohol (Ia u. Ib) in ∼ 50–60%iger Ausbeute dasselbe Hydroxy-oxim[1]:

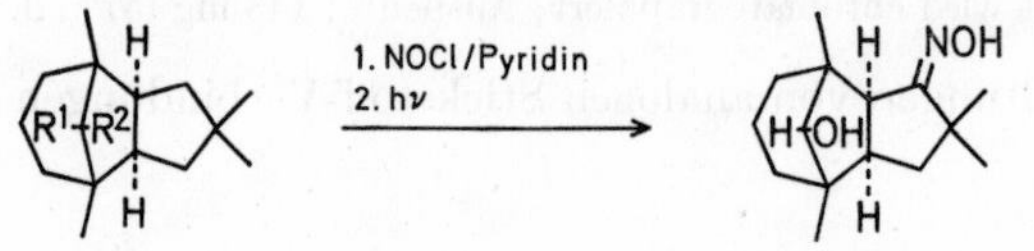

Ia; R[1] = H; R[2] = OH
Ib; R[1] = OH; R[2] = H

Ein weiteres Beispiel hierzu stellt die Belichtung von folgendem Veratrobasin-Derivat dar[2]:

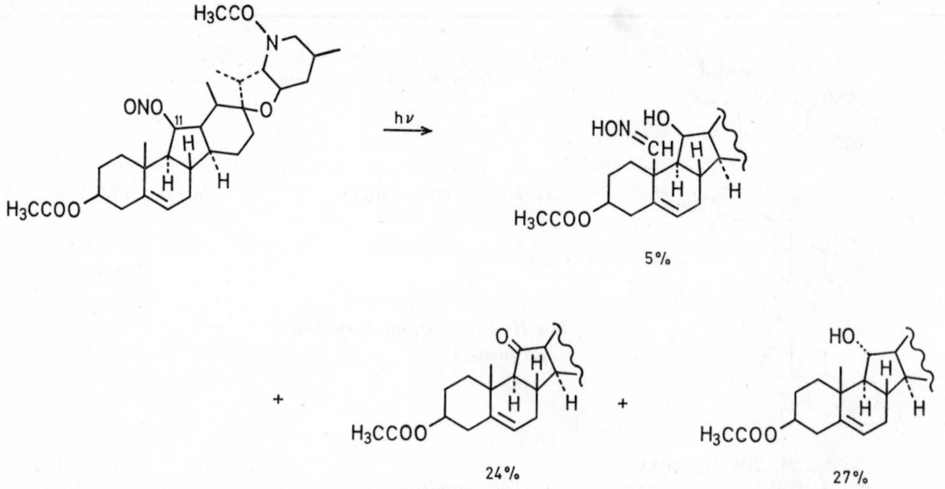

Die 12,13-Didehydro-veratrobasin-Verbindung ergibt dagegen einen 11β-Alkohol (11% d.Th.)[3] neben dem erwarteten Oxim (30% d.Th.) und einer $11\beta,19$-Anhydro-Verbindung (3% d.Th.)[4].

Zur Deutung dieser Reaktionen wird eine reversible α-Spaltung des bei der Nitrit-Photolyse auftretenden Alkoxy-Radikals angenommen. Epimerisierung wird dann eintreten, wenn die Spaltprodukte durch den speziellen Bau des Moleküls in einer für den erneuten Ringschluß günstigen Position gehalten werden. Bei weniger starren Systemen wird das Ring-geöffnete Alkyl-Radikal durch Stickstoffmonoxid abgefangen[5–7] und führt zu δ-Hydroximino-oxo-Verbindungen. In Gegenwart von Jod oder Trichlorbrommethan kann diese Methode zur gezielten Synthese von δ-Halogen-oxo-Verbindungen benutzt werden.

1,5-Bis-[hydroximino]-pentan[6]: 2,7g Cyclopentylnitrit werden in 200 ml 1,1,1-Trifluor-trichlor-äthan mit einer Quecksilber-Hochdruck-Lampe und Pyrex-Filter bei 18° belichtet, bis die Absorption bei $\lambda = 320$–380 nm nicht mehr nachweisbar ist. Das ausgefallene Dimere von 5-Nitroso-1-hydroxy-pentan wird

[1] A. NICKON, J. R. MAHAJAN u. F. J. McGUIRE, J. Org. Chem. 26, 3617 (1961); Am. Soc. 86, 1437 (1964).
[2] H. SUGINOME, N. SATO u. T. MASAMUNE, Bl. chem. Soc. Japan 42, 215 (1969).
[3] H. SUGINOME et al., Tetrahedron Letters 1968, 5259; J. Soc. chem. Ind. Japan Spl. 72, 243 (1969); C. A. 71, 70773ᵘ (1969).
[4] Zum Auftreten solcher Äther bei der Nitrit-Photolyse vgl.: D. H. R. BARTON, M. AKHTAR u. P. G. SAMMES, Am. Soc. 87, 4601 (1965).
[5] D. H. R. BARTON, M. AKHTAR u. P. G. SAMMES, Am. Soc. 87, 4601 (1965).
[6] P. KABASAKALIAN u. E. R. TOWNLEY, J. Org. Chem. 27, 2918 (1962).
[7] D. H. R. BARTON u. D. KUMARI, A. 737, 108 (1970).

abfiltriert, in 6 *ml* Wasser aufgenommen und mit 4 *ml* 10%igem Natriumhydroxid und 350 mg Hydroxyl-amin-Hydrochlorid versetzt. Es wird so viel Äthanol hinzugegeben, bis eine klare Lösung entsteht, die dann 30 Min. am Rückfluß erhitzt wird. Anschließend wird das Äthanol abdestilliert und der Rückstand der Kristallisation überlassen; Gesamtausbeute: 980 mg (32% d.Th.); F: 165° (aus Wasser).

5-Jod-1-(2,4-dinitro-phenyl-hydrazono)-pentan[1]: 1,15 g Cyclopentylnitrit und 1,39 g Jod in 120 *ml* abs. Benzol werden 3 Stdn. mit einer 200 W Quecksilber-Hochdruck-Lampe bestrahlt. Das Photolysat wird anschließend mit einer 10%igen wässrigen Natriumthiosulfat-Lösung extrahiert und 1/10 der organischen Phase wird mit Brady's Reagenz (aus 200 mg 2,4-Dinitro-phenylhydrazin) und 25 *ml* Methanol versetzt. Nach mehrstündigem Stehen wird der Ansatz in Wasser gegossen und mit Dichlormethan ausgezogen. Die Extrakte werden eingeengt und der Rückstand über eine Aluminiumoxid-Säule filtriert; Ausbeute: 295 mg (75% d.Th.); F: 127–128°.

Analog wird aus 1-Methyl-cyclopentylnitrit in Gegenwart von 20 Äquivalenten Trichlorbrommethan *6-Brom-2-(2,4-dinitro-phenyl-hydrazono)-hexan* (45% d.Th.; F: 82–83°) hergestellt[1].

Verbindungen, deren Struktur an sich die Cyclisierung des aufgesprengten Cyclopentyl-oxy-Radikals begünstigen, können außer mit Epimerisierung auch noch durch Einfang von Stickstoffmonoxid reagieren; Voraussetzung dafür ist nur, daß das offenkettige δ-Oxo-alkyl-Radikal genügend langlebig ist, sich also an einem tert. Kohlenstoff-Atom[2-4] oder in Allyl-Stellung[5] befindet. Die entstehenden δ-Nitroso-aldehyde lagern sich dann in einer thermischen Folgereaktion in Hydroxamsäuren bzw. α-Hydroxy-iminoxide um[5]. So stellt die Photolyse von 17β-Nitrito-steroiden eine allgemeine und bequeme Synthese für folgenden Typ von Hydroxamsäuren dar. Warum allerdings in einem Fall partielle Epimerisierung eintritt und im anderen nicht, ist bisher noch ungeklärt.

17a-Hydroxy-3,17-dioxo-17a-aza-D-homo-androsten-(4)[2]:

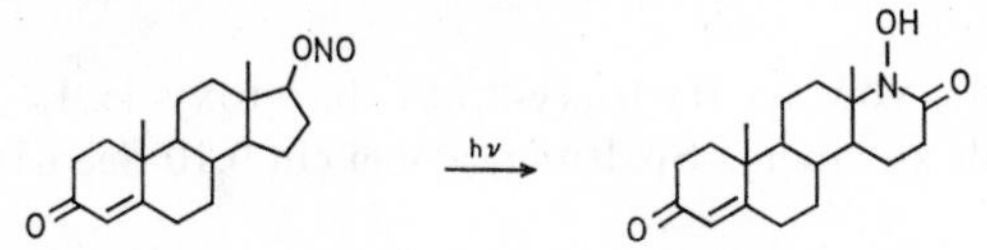

13,8 g 17β-Nitrito-3-oxo-androsten-(4) gelöst in 1,8 *l* Benzol werden 1,5 Stdn. bei 18° mit einer 200 W Hanovia Quecksilber-Hochdruck-Lampe und Pyrex-Filter unter Stickstoff belichtet. Das Photolysat wird i. Vak. eingeengt und der Rückstand in 800 *ml* Aceton aufgenommen. Anschließend wird die Lösung kurz mit Aktivkohle behandelt, filtriert und eingeengt, bis Kristallisation einsetzt; Ausbeute: 9,22 g (67% d.Th.); F: 222–223°; [α]$_D$: + 67° (c: 1% in 1,4-Dioxan).

17a-Hydroxy-3-methoxy-17-oxo-13α- und -13β-17a-aza-D-homo-östratrien-(1,3,5¹⁰)[2]:

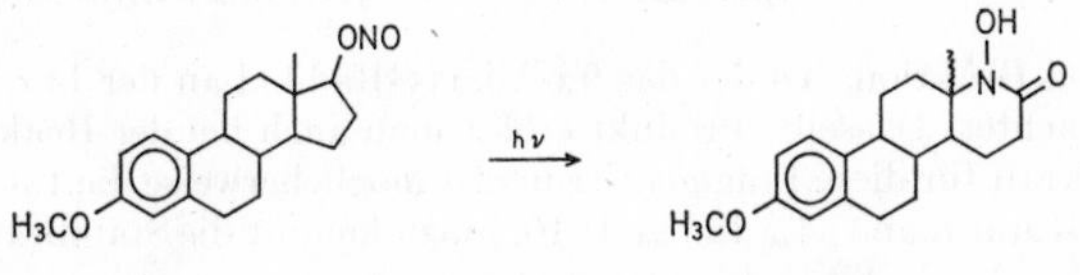

3,3 g 17β-Nitrito-3-methoxy-östratrien-(1,3,5¹⁰) in 180 *ml* Benzol werden 1 Stde. bei 18° unter Stickstoff mit einer 200 W Quecksilberdampf-Lampe und Pyrex-Filter bestrahlt. Danach wird das Photolysat i. Vak. eingeengt, der Rückstand mit Aceton verrieben und filtriert. Kristallisation der festen zurückbleibenden Masse aus Aceton ergibt das 13α-Derivat; Ausbeute: 600 mg; F: 160–167°; [α]$_D$: 0° (c: 1% in 1,4-Dioxan). Das Filtrat der Aceton-Behandlung wird bis zur beginnenden Kristallisation konzentriert und filtriert, wodurch weitere 310 mg des 13α-Isomeren anfallen, die leicht mit etwas 13β-Derivat verunreinigt sind. Aus diesem Filtrat wird durch Einengen das 13β-Isomere gewonnen; Ausbeute: 740 mg; F: 186–191° (aus Hexan/Dichlormethan); [α]$_D$: + 86° (c: 1% in 1,4-Dioxan).

[1] D. H. R. Barton, M. Akhtar u. P. G. Sammes, Am. Soc. **87**, 4601 (1965).
[2] C. H. Robinson et al., Tetrahedron **21**, 743 (1965).
[3] P. Kabasakalian u. E. R. Townley, J. Org. Chem. **27**, 3562 (1962).
[4] M. Nakazaki u. K. Naemura, Bl. chem. Soc. Japan **37**, 532 (1964).
[5] H. Suginome, N. Sato u. T. Masamune, Tetrahedron **27**, 4863 (1971).
H. Suginome, T. Mizuguchi u. T. Masamune, Tetrahedron Letters **1971**, 4723; Soc. [D] **1972**, 376.

Augenblicklich gibt es nur ein Beispiel für die Bildung eines Nitrons bei Photolyse eines Cyclopentylnitrits. Das Jervan-Derivat führt in 60%iger Ausbeute zum Nitron[1]:

Man nimmt an, daß die treibende Kraft für die Spaltung des Cyclopentyloxy-Radikals auf einer Verringerung der Ringspannung beruht. In diesem Zusammenhang fand man, daß die stärker gespannten Cyclobutyloxy- und Cyclopropyloxy-Radikale leicht α-Spaltung eingehen[2,3]. Die Photolyse von Cyclobutylnitriten ist eine hervorragende Synthese von γ-Hydroximino-aldehyden und -ketonen:

1,4-Dihydroximino-butan[2]: 2,7 g Cyclobutylnitrit werden in 200 ml 1,1,1-Trifluor-trichlor-äthan mit einer Quecksilber-Hochdruck-Lampe und Pyrex-Filter bei Raumtemp. belichtet. Das ausfallende Dimere von 4-Nitroso-butanal wird abfiltriert (1,45 g) und mit 350 mg Hydroxylamin-Hydrochlorid und 4 ml 10%igem wäßr. Natriumhydroxid behandelt; Gesamtausbeute: 0,68 g (45% d.Th.); F: 168–170°.

Cyclopropylnitrite gehen unterhalb von Zimmertemp. spontan α-Spaltung ein[3], wobei die entstehenden Produkte von der Struktur des Nitrits abhängen. Immerhin bilden sich die gleichen Verbindungen bei der Photolyse unterhalb des thermischen Zersetzungspunkts[3].

Photolyse des Nitrits von 9α-Hydroxy-3β,21-diacetoxy-4α,4β,14α,24-tetramethyl-5α-cholestan führt ebenfalls zu einer α-Spaltung, wobei ein 9,10-Seco-Derivat resultiert[4]:

3β,21-Diacetoxy-9-oxo-4,4,14α,24-tetramethyl-9,10-seco-cholesten-(5^{10})

Die erwartete Barton-Reaktion, bei der das 9α-Alkoxy-Radikal an der 14α-Methyl-Gruppe angreifen soll, wurde nicht beobachtet. Dasselbe Produkt erhält man auch bei der Reaktion mit Blei(IV)-acetat-Jodid[4]. Die treibende Kraft für diese Fragmentierung ist möglicherweise die 1,3-diaxiale Wechselwirkung zwischen den Methyl-Gruppen an C-4β und an C-10, hinzu kommt die Stabilität eines tert. Radikales[4] an C-10.

Gasphasen-Photolysen von Nitriten mit niedrigem Molekulargewicht haben, abgesehen von der Gewinnung dimerer Nitroso-Verbindungen, wenig präparative Bedeutung[5-8]. tert.-

[1] H. Suginome, N. Sato u. T. Masamune, Tetrahedron 27, 4863 (1971).
  H. Suginome, T. Mizuguchi u. T. Masamune, Tetrahedron Letters 1971, 4723; Soc. [D] 1972, 376.
[2] P. Kabasakalian u. E. R. Townley, J. Org. Chem. 27, 2918 (1962).
[3] C. H. DePuy, H. L. Jones u. D. H. Gibson, Am. Soc. 94, 3924 (1972).
[4] J. Fried, J. W. Brown u. M. Applebaum, Tetrahedron Letters 1965, 849.
[5] A. L. Nussbaum u. C. H. Robinson, Tetrahedron 17, 35 (1962).
[6] Über verschiedene Möglichkeiten, die zu Alkoxy-Radikalen führen, vgl.: P. Gray u. A. Williams, Chem. Reviews 59, 239 (1959).
[7] D. H. R. Barton, G. C. Ramsay u. D. Wege, Soc. [C] 1967, 1915.
[8] B. G. Gowenlock u. W. Lüttke, Quart. Rev. 12, 321 (1958).

Butyl-nitrit wird z. B. zu Aceton und dem *cis*- und *trans*-Dimeren von Nitrosomethan photolysiert[1]. Wenn eine solche Reaktion präparativ genutzt werden soll, wird allerdings üblicherweise in Lösung gearbeitet.

Dimeres von Nitroso-phenyl-methan[2]: 4,30 g 2-Nitrito-1-phenyl-äthan in 200 *ml* Benzol werden unter Stickstoff bei 18° bestrahlt (200 W Hanovia 654 A 36, wassergekühltes Gehäuse; Pyrex-Apparatur). Nach Reaktionsende (UV-Kontrolle) wird das Produkt abfiltriert; Ausbeute: 1,4 g (40% d.Th.); F: 110–115°; nach Umkristallisieren aus Diisopropyläther F: 137–137,5°.

α_3) *verschiedene Reaktionen*

Die bei Nitrit-Photolysen auftretenden Alkoxy-Radikale können sich nicht nur durch Wasserstoff-Abstraktion (s. S. 718) oder α-C–C-Spaltung (s. S. 726), sondern auch durch Addition an Doppelbindungen stabilisieren. Letzterer Reaktionstyp wird von acyclischen Ausgangsverbindungen sowie durch die Ausbildung eines fünfgliedrigen Ringes begünstigt[3,4]. Vorversuche haben weiterhin gezeigt, daß die Addition des Alkoxy-Radikals an Dreifach-Bindungen keine wirkungsvoll verlaufende Umsetzung darstellt[5].

So ergibt z.B. die Photolyse von 5-Nitrito-5-methyl-nonen *2-Methyl-5-hydrox-iminomethyl-2-butyl-tetrahydrofuran* (19% d.Th.) und unumgesetztes Ausgangsmaterial:

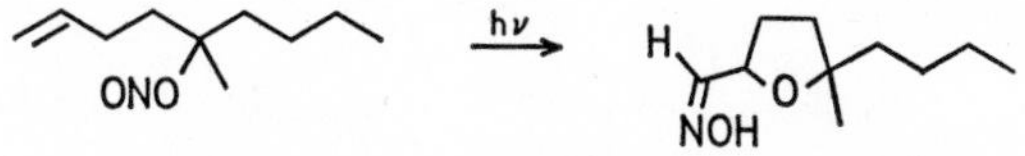

2-Hydroximinomethyl-tetrahydofuran[3]: 3,08 g 5-Nitrito-penten in 350 *ml* abs. Benzol wird mit einer Quecksilber-Mitteldruck-Lampe und Pyrex-Filter 45 Min. unter Stickstoff bestrahlt. Das Solvens wird i. Vak. abgezogen und der Rückstand 14 Stdn. bei 45° gehalten, um das Nitroso-Dimere vollständig in das Oxim umzuwandeln; Ausbeute: 2,09 g (68% d.Th.); F: 146–147° (4-Nitro-phenylhydrazon).

Auch *20β-Nitrito-3-oxo-pregnadien-(4,16)* wird unter Addition in *17ξ,20ξ-Epoxi-3-oxo-16-hydroximino-pregnen-(4)* (25% d.Th.) überführt[6] und nicht in das erwartete C-18 Oxim. Vielleicht ist die benutzte Quecksilber-Niederdruck-Lampe in diesem Zusammenhang bedeutsam.

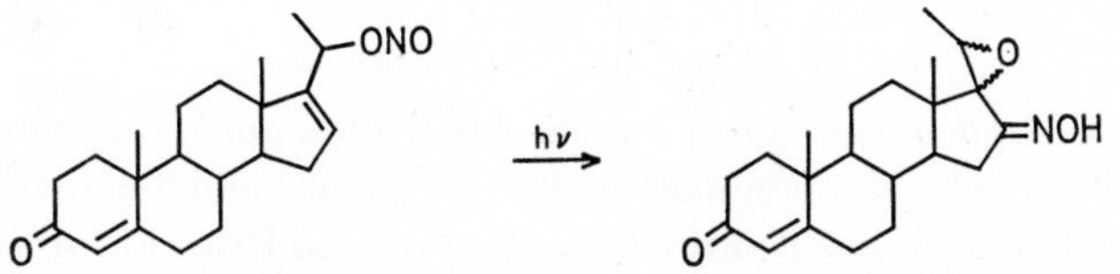

Die bei der Barton-Reaktion intermediär auftretenden Alkyl-Radikale können sich unter günstigen stereochemischen Voraussetzungen an eine Carbonyl-Gruppe[7,8] oder an eine zur Oxo-Gruppe konjugierte C=C-Doppelbindung anlagern[9,10].

---

[1] B. G. GOWENLOCK u. J. TROTMAN, Soc. **1955**, 4190.
[2] P. KABASAKALIAN, E. R. TOWNLEY u. M. D. YUDIS, Am. Soc. **84**, 2716 (1962).
[3] R. D. RIEKE u. N. A. MOORE, J. Org. Chem. **37**, 413 (1972).
[4] J. M. SURZUR, M. P. BERTRAND u. R. NOUGUIER, Tetrahedron Letters **1969**, 4197.
   Vgl. auch: M. P. BERTRAND u. J. M. SURZUR, 1973, 2393.
   R. NOUGUIER u. J. M. SURZUR, 1973, 2399.
[5] J. M. SURZUR et al., J. Org. Chem. **37**, 2782 (1972).
[6] A. L. NUSSBAUM et al., Am. Soc. **87**, 2451 (1965).
[7] J. M. MIDGLEY, J. E. PARKIN u. W. B. WHALLEY, Soc. [D] **1970**, 789.
[8] H. REIMANN et al., Am. Soc. **83**, 4481 (1961).
[9] D. H. R. BARTON u. J. M. BEATON, Am. Soc. **83**, 4083 (1961).
[10] M. AKHTAR et al., Am. Soc. **85**, 1512 (1963).

So ergibt z. B. die Photolyse von 11 β-Nitrito-3,17-dioxo-androstadien-(1,4)
11-Hydroxy-3,17-oxo-13,17-seco-17,18-cyclo-androstatrien-(1,4,13¹⁸)[1]:

Das intermediäre C-18 Alkyl-Radikal zeigt allerdings keine besonders ausgeprägte Tendenz, die Oxo-Gruppe anzugreifen, wie Abfang-Versuche mit einem Überschuß an Trichlorbrommethan zeigen[2]. Nach Oxidation mit Chromsäure/Aceton erhält man *18-Brom-3,11,17-
trioxo-androstadien-(1,4)*.

Als Beispiel für die Addition des intermediären Alkyl-Radikals an ein Enon sei die Belichtung von 11 β-Nitrito-17α,20;20,21-bis-[methylendioxy]-3-oxo-pregnen-(4) angeführt[3,4]:

Neben Produkten, die aus einem Angriff auf C-18 resultieren, findet man *syn-* und *anti-
11 β - Hydroxy - 17α,20 ;20,21-bis-[methylendioxy]-3-oxo-4-hydroximino-5β,19 - cyclo - pregnan*
(12% d.Th.). Es wird vermutet, daß die Oxime durch Addition eines intermediären C-19
Alkyl-Radikals an die C=C-Doppelbindung entstehen, wobei sich das dadurch gebildete,
resonazstabilisierte Radikal ein Molekül Stickoxid einfängt.

Photolyse der Estern der salpetrigen Säure in Gegenwart von Trialkylphosphiten stellt
eine neue wirkungsvolle Methode zur Synthese von Phosphaten dar[5]. Sie ist besonders geeignet zur Gewinnung sterisch gehinderter Verbindungen, die auf anderem Wege schlecht
zugänglich sind.

β) Ester der Salpetersäure

Der Nitrat-Chromophor zeigt eine schwache Absorption um $\lambda \sim 270$ nm ($\varepsilon \sim 12$)[6]. Wenn
man außerdem die O–NO$_2$-Bindungsenergie von 35–40 kcal Mol^{-1} in die Betrachtungen mit
einschließt, so sollte man bei der Nitrat-Photolyse analoge Reaktionen wie bei den Nitriten
erwarten. Tatsächlich aber sind die Nitrate gegenüber Licht mit der Wellenlänge $\lambda > 300$ nm
photostabil[7]. Auch kürzerwelliges Licht verursacht nur träge Reaktionen, die zu komplexen
Produktgemischen führen[6,7], und denen keinerlei präparative Bedeutung zukommt.

Z. B. führt die 4stdg. Belichtung von *5α-Chlor-6β-nitrato-3β-acetoxy-cholestan* in Heptan
oder Äthanol (Quecksilber-Hoch- oder -Niederdruck-Lampe; Quarz-Apparatur) zu 54% unumgesetzten
Ausgangsmaterial neben *5α-Chlor-19-nitro-6β-hydroxy-3β-acetoxy-cholestan* (1% d.Th.) und *5α-Chlor-6β-
hydroxy-3β-acetoxy-cholestan* (0,8% d.Th.); einer Mischung aus *5α-Chlor-6β,19-epoxi-* und *5β,6β-Epoxi-
3β-acetoxy-cholestan* (3,5% d.Th.) sowie zu einem schwer zu behandelnden, hoch polaren Rückstand,
dessen Anteil mit der Bestrahlungsdauer zunimmt[7].

[1] H. Reimann et al., Am. Soc. **83**, 4481 (1961).
[2] D. H. R. Barton, M. Akhtar u. P. G. Sammes, Am. Soc. **87**, 4601 (1965).
[3] D. H. R. Barton u. J. M. Beaton, Am. Soc. **83**, 4083 (1961).
[4] M. Akhtar et al., Am. Soc. **85**, 1512 (1963).
[5] D. H. R. Barton et al., Soc. [D] **1971**, 912.
[6] Über verschiedene Möglichkeiten, die zu Alkoxy-Radikalen führen, vgl.: P. Gray u. A. Williams,
　　Chem. Reviews **59**, 239 (1959).
[7] B. W. Finucane, J. B. Thomson u. J. S. Mills, Chem. & Ind. **1967**, 1747.

6. an der C–O–PO$_3$$^{\ominus}$-Bindung

bearbeitet von

DR. EBERHARD LEPPIN*

Während Phosphorsäure-mono-(nitro-phenylester) in der Dunkelheit gegen Hydrolyse recht beständig sind, unterliegen sie sehr rasch der Hydrolyse, wenn sie sichtbarem oder ultraviolettem Licht ausgesetzt werden[1-4]. Besonders rasch reagiert Phosphorsäure-3-nitro-phenylester zu *3-Nitro-phenol*:

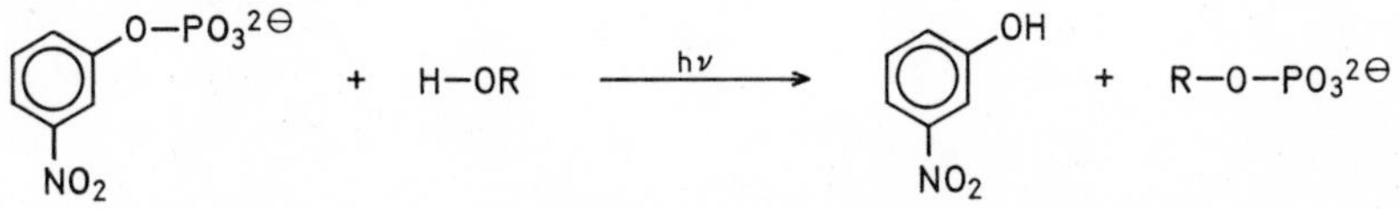

Die Reaktion ist von nullter Ordnung in bezug auf den Ester, praktisch temperatur-unabhängig und innerhalb weiter Grenzen unabhängig vom p_H-Wert. In Methanol wird Phosphorsäure-mono-3-nitro-phenylester noch rascher als in Wasser in 3-Nitro-phenol und Phosphorsäure-methylester umgewandelt. Geht man davon aus, daß in allen Fällen eine nukleophile Substitution stattfindet, so erfolgt der Angriff im zuletzt genannten Fall offensichtlich am Phosphor-Atom und nicht am aromatischen Kern.

Bei p_H-Werten von 12 und darüber läuft die Photohydrolyse von Phosphorsäure-mono-3-nitro-phenylester beschleunigt ab. Das angreifende Nukleophil ist in diesem Fall nicht Wasser, sondern das Hydroxy-Ion. Während bei p_H-Werten zwischen 3 und 11 bei der Photohydrolyse des meta-Isomeren eine Quantenausbeute von $\varphi = 0,05$ gefunden wurde (für Phosphorsäure-mono-2-nitro-phenylester $\varphi = 0,003$, für den -4-nitro-phenylester $\varphi = 0,002$)[5], steigt der Wert ($\lambda = 313$ nm) bis auf $\varphi = 0,24$ in 1 m Natronlauge. Durch Isotopenstudien mit ^{18}O-angereichertem Wasser konnte gezeigt werden, daß das bei $p_H = 3$–11 reagierende Wasser am Phosphor-Atom des Esters angreift, während das bei $p_H = 12$ und darüber reagierende Hydroxy-Ion direkt den aromatischen Kern substituiert[5]. Auch Phosphorsäure-mono-5-chlor-3-nitro-, -5-brom-3-nitro-und-3-nitro-5-methyl-phenylester sind der Photohydrolyse zugänglich[6].

Wie die Photohydrolyse von Phosphorsäure-mono-3,5-dimethoxy-benzylester zum entsprechenden *3,5-Dimethoxy-benzylalkohol*[7] zeigt, können auch Benzylester die Reaktion eingehen.

Bestrahlt man eine wäßrige Lösung von Phosphorsäure-mono-3-nitro-phenylester in Gegenwart von Methylamin, so wird die Photohydrolyse des Esters vollständig unterdrückt; stattdessen findet in einer wesentlich langsameren Reaktion Photoaminierung zu *3-Nitro-N-methyl-anilin* statt[8]:

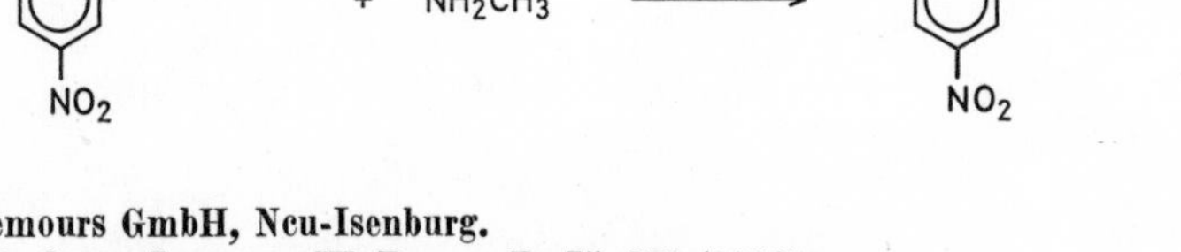

* Du Pont de Nemours GmbH, Neu-Isenburg.

[1] E. HAVINGA, R. O. DE JONGH u. W. DORST, R. 75, 378 (1956).
[2] E. HAVINGA u. R. O. DE JONGH, Bl. Soc. chim. Belg. 71, 803 (1962).
[3] E. HAVINGA, *Heterlytic photosubstitution reactions in aromatic compounds*, in: Reactivity of the Photo-excited Organic Molecule; Proceedings of the 13th Conference on Chemistry, Brussels 1965, S.201; Interscience Publ., London · New York 1967.
[4] E. HAVINGA u. M. E. KRONENBERG, Pure Appl. Chem. 16, 137 (1968).
[5] R. O. DE JONGH u. E. HAVINGA, R. 87, 1318 (1968).
[6] R. O. DE JONGH u. E. HAVINGA, R. 87, 1327 (1968).
[7] V. M. CLARK, J. B. HOBBS u. D. W. HUTCHINSON, Chem. Commun. 1970, 339.
[8] E. HAVINGA u. M. E. KRONENBERG, Pure Appl. Chem. 16, 137 (1968) und dort zitierte Literatur.

Autorenregister

für beide Teilbände gemeinsam im Teilband II, Seite 1592.

Sachregister

für beide Teile gemeinsam umseitig sowie am Schluß des Teilbandes II (Seite 51).

Sachregister

Wegen der Kompliziertheit vieler Verbindungen wurde das Sachregister nach Stammverbindungen geordnet. Entstehende Verbindungen wurden grundsätzlich aufgenommen. Substituenten werden in der Reihenfolge nach Beilstein benannt. **Dicarbonsäure-anhydride** bzw. **-imide** sind als Substituenten, selten als zusätzliches Ringsystem registriert. Allen cyclischen und spirocyclischen Verbindungen sind Strukturformeln vorangestellt.

Bei der Einordnung der Verbindungen innerhalb der Punkte B—L hat der kleinste Ring Vorrang vor den größeren, der weniger komplizierte vor dem komplizierteren. Somit wird z. B. Cyclohexyl-cyclopropan nur beim Cyclopropan registriert.

Fettgedruckte Seitenzahlen weisen auf Vorschriften hin. Wegen der Kompliziertheit der Ausgangsverbindungen wurde in diesem Sachregister bei den Arbeitsvorschriften auf nähere Erläuterungen verzichtet.

Inhalt

Cyclische Verbindungen werden nach dem Ring-Index[1] benannt.

Die sterischen Gegebenheiten um eine C=C-Doppelbindung wurden im vorliegenden Bd. mit *cis* und *trans* bzw. bei substituierten C=C-Doppelbindungen[2] mit (*Z*) und (*E*) gekennzeichnet.

Die *cisoiden* oder *transoiden* Konformationen z. B. eines Hexatriens-(1, 3, 5) wurde folgendermaßen präzisiert: *s-cis* bzw. *s-trans*, wobei u. U. die Ziffer des niedrigeren Kohlenstoff-Atoms der betreffenden C–C-Einfachbindung mit angeführt werden kann.

 *s-2-cis,cis,s-4-trans*-Hexatrien-(1,3,5)

ⓐ Beschreibung von stereoisomeren substituierten Monocyclen
  1. Bei an 2 verschiedenen Kohlenstoff-Atomen substituierten Monocyclen wurde die räumliche Beziehung der Substituenten mit *cis* und *trans* gekennzeichnet, bei 3 und 4 verschiedenen Substituenten mit (*E*) und (*Z*) entsprechend der Sequenz-Regel.
  2. Für Monocyclen, die an mehr als 2 Kohlenstoff-Atomen substituiert sind, wurde ein Vorschlag der IUPAC[3] aufgenommen: Die Lage über oder unterhalb der Ringebene wird durch *c*- oder *t*- in Relation zu einer Bezugsgruppe *r* angegeben. Diese Abkürzungen für *cis*, *trans* und *reference* werden kursiv mit Bindestrich der Stellungsziffer des Substituenten am Ring vorangestellt.
  Bezugsgruppe ist der Substituent, der als Suffix dem Cyclus nachgestellt wird, oder, wenn dies nicht eintrifft, der Substituent mit der niedrigsten Stellungsziffer.
  Ergeben sich 2 gleichwertige Zählweisen, rechts oder links herum, so wird diejenige genommen, bei der die beiden niedrigsten Substituenten *cis*-ständig sind.
  Bei 2 verschiedenen Substituenten am gleichen C-Atom wird der mit der höheren Ordnung entsprechend der Sequenz-Regel zur räumlichen Lagebezeichnung herangezogen. Der andere Substituent wird nicht ausgezeichnet.
ⓑ Bi- und höhercyclische Verbindungen
  1. Die Festlegung des Verbindungsnamens erfolgt durch den größten Hauptring, die längstmögliche Hauptbrücke, die den Hauptring möglichst symmetrisch teilen soll, und Sekundärbrücken zwischen Kohlenstoff-Atomen mit möglichst niedrigen Stellungsziffern nach dem allgemein üblichen Schema[4]. Angestrebt wurde

---

[1] *The Ring Index*, American Chemical Society, Washington 1960.
[2] IUPAC Tentative Rules for the Nomenclature of Organic Chemistry, J. Org. Chem. **35**, 2852, 2866 (1970).
[3] J. Org. Chem. **35**, 3854 (1970).
[4] Nomenclature of Organic Chemistry, s. 31 ff., Butterworth, London 1969.

den Heteroatomen oder Doppelbindungen möglichst niedrige Stellungsziffern zu geben, was jedoch nicht immer „optimiert" werden kann.

Bei benzokondensierten verbrückten Verbindungen wurde die Kranz-Bezifferung streng parallel zur Kern-Bezifferung festgelegt.

2. Zur Beschreibung der räumlichen Struktur des Kohlenstoff-Skeletts wurden *exo*, *endo*, *syn*-, *anti*, *cis* und *trans* benutzt und direkt dem Polycyclus vorangestellt, ungeachtet von Heteroatomen oder ankondensierten Aromaten. Dabei wurden folgende Zuordnungen getroffen:

exo- und *endo* kennzeichnen die Lage eines endständigen Ringes an einem (mindestens) Bicyclus ([k. l. m] mit m ≠ 0), wobei dessen Hauptring als Bezugsbasis genommen wird:

syn und anti beschreiben die Lage eines Ringes, der an 2 Seiten mit Cyclen verbunden ist:

Außerdem zeichnet *syn* und *anti* Strukturisomere aus, z. B.:

Sind 2 Bicyclen ([k.l.m] wobei m ≠ 0) durch eine gemeinsame Kante verbunden, so werden die räumlichen Verhältnisse mit *exo/exo*, *exo/endo* oder *endo/endo* symbolisiert:

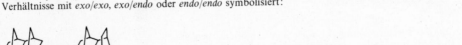

cis und *trans* beschreibt die *cis*- oder *trans*-ständige Beziehung eines Hauptring-Zweiges zu den Brückenkopf-Atomen

3. Die räumliche Lage von Substituenten an bi- und höhercyclischen Verbindungen wird mit *exo*, *endo*, *syn* und *anti* ausgedrückt und mit Bindestrich der Stellungsziffer des betreffenden Substituenten vorangestellt. *exo* kennzeichnet in Analogie zum Norbornan den nach unten, unter den Hauptring zeigenden Substituenten – auch bei Bicyclo[k.l.0]alkanen! *endo* weist in die entgegengesetzte Richtung

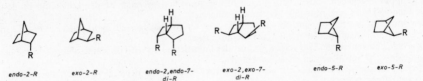

syn und *anti* beschreibt die Lage von Substituenten an einer Hauptbrücke, die bei unsymmetrisch geteiltem Hauptring auf dessen größeren Ring, bei symmetrisch geteiltem Hauptring auf einen weiteren Substituenten bezogen wurden. Auch isomere substituierte Dispiro-Verbindungen wurden hier eingeordnet.

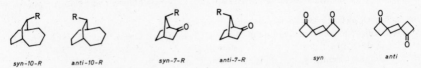

Die stereochemischen Verhältnisse von substituierten *cis-trans*-verknüpften Tricyclen wurde folgendermaßen präzisiert:

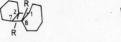

c-2,t-8-di-R-r-1-H-c-7-H   t-2,t-8-di-R-r-1-H-t-7-H

Wegen der nicht immer eindeutigen Zählweise bei den *Spiro-Verbindungen* wurde deren Nomenklatur in Anlehnung an die Azo-Nomenklatur gewählt.

A. Offenkettige Verbindungen

Acetaldehyd 741, 892, 893, 1219, 1382, 1414
Cyclopenten-(2)-yl- 893
(2-Formyl-phenyl)- 1484
2H-Indenyl-(1)- 761
2-Phenyl- ; -imin 1262
[2,2,3-Trimethyl-cyclopenten-(3)-yl]- 741, 759, 760

Acetamid
s. u. den Stammkörpern (Acetylamino-)

Aceton 699, 700, 702, 704, 705, 706, 712, 713. 714, 893, 1040, 1262, 1414, 1415
s. u. Propan

Acetonitril 575
Benzoylamino- 565
[Cyclohexen-(1)-yl]-phenyl- 1365
(4-Hydroxy-2,6-dimethyl-phenyl)- 691
(4-Hydroxy-3-methyl-phenyl)- 691
(2-Methoxy-äthoxy)- 184
Phenyl- 569, 1128, 1275
Trichlor- **125**

Acetophenon 689, 700, 704, 1017, 1024, 1074, 1082, 1089, 1295, 1317
s. u. Äthan bzw. Benzol

Acetylen 232, 280, 601, 639, 1168, 1203, 1566
Diphenyl- 343, 568, 569, 601, 642, 676, 886, 1063, 1129, 1168, 1184, 1575, 1580
Phenyl- 1575, 1580, 1583, 1584, 1590

Aerolein
2,3-Diphenyl- 863
2-Phenyl- ; -imin 1266
3-Phenyl- ; -semicarbazon 1526

Acrylnitril 374, 575
Derivate s. u. Acrylsäure

Acrylsäure
cis- (bzw. trans)-3-(2-Cyan-phenyl)- ; -nitril 576
3,3-Dichlor- ; -bromid 149
cis-(bzw. trans)-3-(4-Dimethylamino-phenyl)- ; -nitril 202
2,3-Diphenyl- ; -methylester 1194
(E)-3-Formylamino-2-methoxy- ; -nitril 1312
3-Formylamino-2-methyl- ; -nitril 1311
cis-3-Formylamino- ; -nitril 1312
3-Imidazolyl-(3)- 1100
3-(4-Hydroxy-phenyl)- 1100
cis-3-(4-Methoxy-phenyl)- 201
2-Methyl-3,3-diphenyl- ; -methylester 873
(Z)-2-Methyl-3-furyl-(2)- 201
3-Methylimino-2-methyl- 1266
2-Methyl- ; -nitril 1123
-nitril 347
cis-3-Phenyl- **201**, 202
trans-3-Phenyl- 202
3-Phenyl- ; -äthylester 202
3-Phenyl- ; -4-hydroxy-phenylester 970
3-Phenyl- ; -methylester 1182
3-Phenyl- ; -nitril 1128, 1576

Poly- ; -amid 1516
2,3,3-Trichlor- ; -äthylester 1215

Äthan 280, 629, 707, 1011, 1054, 1078, 1581, 1588
2-Acetylamino-1-(2-hydroxy-phenyl)- 1307
2-Äthoxy-1,2-bis-[1-methyl-pyridyl-(4)-ium]- ; -dijodid 654
1-Äthoxy-1-cyclohexadien-(2,5)-yl- 510
1-Äthoxy-2-methylmercapto-1-phenyl- 655
Benzyloxy- 1080, 1219
meso-1,2-Bis-[3-benzoylamino-propylamino]-1,2-diphenyl- 1448
1,2-Bis-[benzylamino]-1,2-bis-[4-dimethylamino-phenyl]- 1447
1,2-Bis-[benzylamino]-1,2-bis-[4-methoxy-phenyl]- 1447
1,2-Bis-[benzylamino]-1,2-bis-[2-methyl-phenyl]- 1447
meso-1,2-Bis-[benzylamino]-1,2-bis-[4-methyl-phenyl]- **1448**
1,2-Bis-[benzylamino]-1,2-diphenyl- 1447
1,2-Bis-[bis-(trifluormethyl)-phosphino]- 1353
1,2-Bis-[tert.-butylamino]-1,2-diphenyl- 1447
(Bis-[chlormethyl]-silyl)- 128
1,2-Bis-[4-chlor-phenyl]- 709
meso-1,2-Bis-[2-cyan-äthylamino]-1,2-diphenyl- **1448**
1,2-Bis-[4-cyan-phenyl]- 1589
1,2-Bis-[cyclohexylamino]-1,2-diphenyl- 1448
1,2-Bis-[dimethylphosphino]- 1352
1,2-Bis-[methylamino]-1,2-diphenyl- 1448
1,2-Bis-[4-methyl-phenyl]- 1589
1,2-Bis-[5-methyl-4-phenyl-2-benzoyl-pyrazolino]- 887
1,2-Bis-[phenylazo]-1,2-diphenyl- 1128
1,2-Bis-[phenyl-hydrazono]-1,2-diphenyl- 574
1,2-Bis-[trichlorsilyl]-1-chlor- 133
1,2-Bis-[2,4,5-trimethyl-phenyl]- 1589
2-Brom-1,1-diäthoxy- 149
2-Brom-1,2-dideuterio- 455
2-Brom-1-oxo-1-(3,4-dimethoxy-phenyl)- 150
2-Brom-1-oxo-1-(3,4-methylendioxy-phenyl)- 150
2-Brom-1-oxo-1-phenyl- 160
1-Brom-1-phenyl- 161
2-Chlor-1-amino- ; Hydrochlorid 127
2-Chlor-1-brom- 455
2-Chlor-2-brom-1,1-diäthoxy- 152
1-(bzw. 2)-(Chlor-diäthyl-silyl)-1-chlor- 132
1-Chlor-1-phenyl- 103, 141, 712
2-Chlor-1-phenyl- 141
1-(bzw. 2)-Chlor-; phosphonsäure-dichlorid 112
2-Chlor- ; -sulfochlorid 167
1-Cyanimino-1,2-diphenyl- 1079
cis-2-Cyclohexyliden-1-(2-oxo-cyclohexyliden)- 208
Cyclopentadienyliden 442
2-Cyclopentadienyliden-1-phenyl- 442
1-Cyclopenten-(1)-yl-1,1-diphenyl- 370
1-Diäthylamino-1-cyclohexadien-(2,5)-yl- 510
1,2-Dibenzylamino-1,2-diphenyl- 1085
2,2-Dibrom-1,1-diäthoxy- 152
1,2-Dibrom-2-(4-methyl-phenylsulfonyl)-1-phenyl- 454

Butan
2-Hydroxy-3-oxo-2-cyclohexen-(2)-yl-   832
2-Hydroxy- ; -1-phosphonsäure-diäthylester   811
2-Hydroxy- ; -1-phosphonsäure-diisopropylester   811
4-Imino-1-phenyl-   1262
1-Isocyanato-   698
1-Mercapto-   1035
2-Mercapto-   1055
4-Mercapto-3-[3-methyl-buten-(2)-ylmercapto]-2-methyl-   1015
2-Methoxy-2,3-dimethyl-   1437
2-Methylimino-   1262
3-Nitroso-4-piperidino-2,2-dimethyl-   1327
Nonafluor-2-jod-   631
Octachlor-2-oxo-   114
1,1,2,3,3,4,4-Octafluor-1-chlor-   106
Octafluor-2,3-dibrom-   453
Octafluor-2,3-dichlor-   450
2-Oxo-   704, 1251
3-Oxo-2-(2-acetylamino-phenyl)-   1301
3-Oxo-2-methyl- ; -2-phosphonsäure-isopropylester   1373
3-Oxo-1-phenyl-   1040
4-Piperidino-3-hydroximino-2,2-dimethyl-   1327
4-Piperidino-3-(N-formyl-hydroxylamino)-2,2-dimethyl-   1327
4-Piperidino-3-(N-nitroso-hydroxylamino)-2,2-dimethyl-   1327
-1-(bzw. -2)-sulfochlorid   167
2,2,4,4-Tetrachlor-1-brom-   **454**
1,1,4,4-Tetrafluor-1,2,3,4-tetrachlor-   451
4,4,4-Trichlor-2-brom-2-methyl-   631
1,1,1-Trichlor-2-dimethoxyphosphoryloxy-3-oxo-3-methyl-   1382
1-Trichlorsilyl-2-(bzw. -3)-brom-   154
3-Trichlorsilyl-2-methyl-   1388
1-Trichlorsilyl-3,4,4-trifluor-3,4-dichlor-1-jod-   631
4,4,4-Trifluor-2-chlor-   98
1,1,1-Trifluor-3,3-dimethyl-   1207
2,2,3-Trimethyl-   1205
1-Trimethylsilyl-3,4,4-trifluor-3,4-dichlor-1-jod-   631

Butanal   1035
-butylimin   1110
3-Cyclohexyl-   **1403**
2,2-Dichlor-   113
4-Phenyl- ; -imin   1262

Butandial
-bis-oxim   **730**
2,3-Dibrom-   149

Butandisäure
Aminocarbonyl- ; -diäthylester   1001
-(benzyloxycarbonylimid)   706
cis, trans-2,3-Bis-[3,4-dimethoxy-benzyliden]- ; -anhydrid   212
2,3-Bis-[diphenylphosphino]-3-phenyl- ; -diäthylester   1357
cis, trans-2,3-Bis-[3-methoxy-4-acetoxy-benzyliden]- ; -anhydrid   212
cis, trans-2,3-Bis-[3-methoxy-4-methoxy-benzyliden]- ; -anhydrid   212
Cyclohexen-(2)-yl-; -dimethylester   391
Cyclohexen-(2)-yl- ; -dinitril   392
Cyclopenten-(2)-yl- ; -dimethylester   391
-diäthylester   637, 1363
meso-2,3-Dihydroxy-   457
2,3-Dihydroxy-2,3-dimethyl-   817
2,3-Dihydroxy-2,3-diphenyl-   817
2,3-Dihydroxy-2,3-diphenyl- ; -diäthylester   817
2,3-Dimethoxycarbonyl- ; -dimethylester   1194, **1195**

2,3-Dimethyl- ; -dimethylester   749
-dimethylester   609
2,3-Diphenylphosphino-3-phenyl- ; -diäthylester   1357
2-Heptyl- ; -4-methylester-1-amid   1002
-imid   706
Methyl- ; äthylester-amid   1002
Methyl- ; -amid   1002
Methyl- ; -dimethylester   609
Methyl- ; -methylester-amid   1002
3-Pentyl- ; -4-amid-1-methylester   1002
Phenyl- ; -dimethylester
-[2-phenyl-propyl-(2)-oxycarbonylimid]   706
Tetrahydrofuranyl-(2)- ; -anhydrid   686
Tetramethyl- ; -dinitril   1123

Butanol
s. u. Butan

Butan-4-olid
s. u. Tetrahydrofuran

Butansäure
-acetylamid   1103
-amid-hydroximid   **1325**
-butylester   712
2-Chlor-   117, 120
3-(bzw. 4)-Chlor-   117
4-Chlorsulfonyl- ; -acetylamid   1103
3-(bzw. 4)-Chlor-2-amino-   127
x-Chlor- ; -chloride   **118**
2-Chlor- ; -chlorid   118, **119**
3-(bzw. 4)-Chlor- ; -chlorid   **118**
2-Chlor-3-methyl- ; -chlorid   **119**
2-Chlor- ; -methylester   120
3-(bzw. 4)-Chlor- ; -methylester   123
3-Chlormethyl- ; -methylester   123
2-(bzw. 3)-Chlor-3-methyl- ; -methylester   123
2-Chlor-3-methyl- ; -nitril   140, 141
3-(bzw. 4)-Chlor-3-methyl- ; -nitril   **125**, 140, 141
4-Chlor-4-phenyl- ; -acetylamid   1103
4-Chlor-4-phenyl- ; -amid   1103
3-(bzw. 4)-Chlorsulfonyl-   168
3-Chlorsulfonyl- ; anhydrid   168
3-(bzw. 4)-Chlorsulfonyl- ; -chlorid   168
3-(bzw. 4)-Chlorsulfonyl- ; -methylester   168
3-(bzw. 4)-Chlorsulfonyl- ; -nitril   168
4-Diäthylamino- ; -äthylester   1210
2,3-Dihydroxy-   457
3-Hydroxy-   457
4-Hydroxy-2-äthoxycarbonyl- ; -lacton   1172
4-Hydroxy-2,3-dimethyl-2-methoxycarbonyl- ; -lacton   609
4-Hydroxy-2-methoxycarbonyl- ; -lacton   609
4-Hydroxy-3-methyl-4-phenyl- ; -lacton   1320
2-Imino- ; -äthylester   1262
2-Methoxy-4-oxo-4-phenyl-   662
3-Methyl- ; -äthylester   1183
2-Methyl- ; -amid
2-Oxo-3,3-dimethyl- ; -äthylester   697
3-Oxo-2-(1-hydroxy-äthyl)- ; -nitril   603
3-Oxo-2-phenyl- ; -äthylester   1191
4-Oxo-4-phenyl- ; -tert.-butylamid   1089
4-Oxo-4-phenyl-2-methylen-   **999**
3,3,4,4,4-Pentachlor-   1180
4-Phenyl- ; -acetylamid   1103
2-Phenyl- ; -äthylester   696
3-Phenyl- ; -amid   1320
4-Phenyl- ; -amid   1103
4,4,4-Trichlor-2-brom- ; -methylester   631
4,4,4-Trifluor-3-oxo-2-cyclohexyl- ; -äthylester   1210

B. Monocyclische Verbindungen

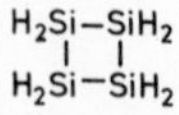

H₂Si—SiH₂
| |
H₂Si—SiH₂

Cyclotetrasilan
Octamethyl- 1395, **1396**

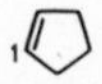

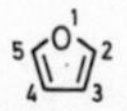

2H-Pyrrol

Pyrrolidin

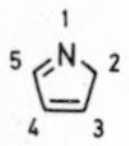

Phospholan

Borol

Ferrol

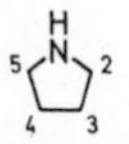

1,3-Dioxol

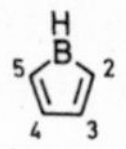

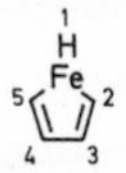

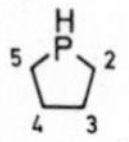

1,3-Dioxolan

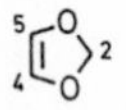

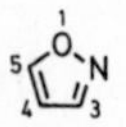

1,2-Oxazol

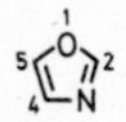

1,3-Oxazol

2H-Imidazol

4H-Imidazol

1,2-Phosphazol

1,3,2-Dioxaphospholan

1,2,4-Oxadiazol

1,2,5-Oxadiazol

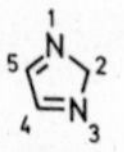

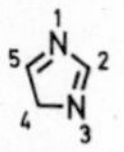

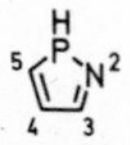

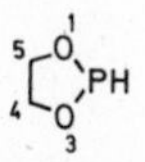

1,3,4-Oxadiazol

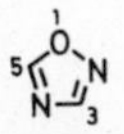

2H-1,2,3-Triazol

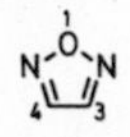

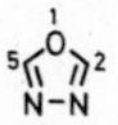

1H-1,2,4-Triazol 573

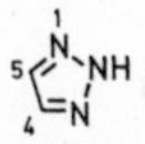

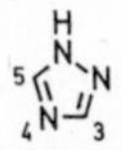

4H-1,2,4-Triazol

1H-1,2,3,4-Tetrazol

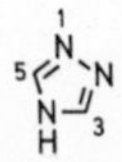

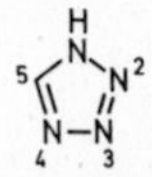

1-Oxa-2,3,4,5-tetrasilacyclopentan
2,2,3,3,4,4,5,5-Octamethyl- 1395

Cyclopentasilan
Decamethyl- 1395, **1396**

2H-Pyran

4H-Pyran

Tetrahydropyran 1058, 1220, 1221

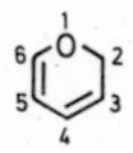

1,4-Dithiin
Tetraphenyl-   568

1,4-Dithian
5-Äthoxy-2,2,3,3-tetraphenyl-   1066
cis-(bzw. trans)-2,5-Diisopropyl-   1015
Octafluor-   1018
2,2,3,3,5-Pentaphenyl-   1066
5,5,6,6-Tetraphenyl-2-(4-chlor-phenyl)-   1066
5,5,6,6-Tetraphenyl-2-(4-cyan-phenyl)-   1066
5,5,6,6-Tetraphenyl-2-(4-methoxy-phenyl)-   1066
5,5,6,6-Tetraphenyl-2-(4-methyl-phenyl)-   1066

Pyridazin
6-Chlor-3-oxo-4,5-dimethyl-1,2-dihydro-   609
3,6-Dichlor-4,5-dimethyl-   609
3,6-Dichlor-4-methyl-   609
4,6-Dioxo-3,3,5,5-tetraphenyl-hexahydro-   1178
3,6-Diphenyl-   1311
Tetraphenyl-   134, 1311
Tetraphenyl- ; -N-oxid   1311

Pyrimidin   601
4-Amino-2,6-dihydroxy-5,6-dihydro-   1540
6-Amino-2,4-dimethyl-   **608**
6-Amino-2,4-dimethyl-5-aminomethyl-   608
6-Amino-2,4-dimethyl-5-cyan-   608
4-Amino-2-hydroxy-6-methyl-   **608**
5-Brom-2-methoxy-4-hydroxymethyl-   608
5-Brom-2-methoxy-4-methyl-   608
6-Chlor-4-brom-2-methyl-5-brommethyl-   147
2,6-Diamino-4-methyl-5-cyan-   608
4,6-Dichlor-2-methyl-5-brommethyl-   159
2,4-Dihydroxy-5,6-dihydro-   1444
2,4-Dihydroxy-5-formyl-   1536
2,4-Dihydroxy-6-methoxy-5-methyl-5,6-dihydro-
   1536
2,5-(bzw. 2,6-; bzw. 4,5-; bzw. 4,6)-Dimethyl-   602
2-Dimethylamino-6-hydroxy-5-(4-brom-phenylsulfo-
   nyl)-   1048
2-Dimethylamino-6-hydroxy-5-(4-chlor-phenylsulfo-
   nyl)-4-methyl-   1048
2-Dimethylamino-6-hydroxy-5-methylsulfonyl-   **1049**
2-Dimethylamino-6-hydroxy-5-methylsulfonyl-4-me-
   thyl-   1048
2-Dimethylamino-6-hydroxy-5-(2,4,6-trimethyl-phe-
   nylsulfonyl)-4-methyl-   1048
2,4-Dioxo-1,3-dimethyl-hexahydro-   **1444**
2,4-Dioxo-1,5-dimethyl-1,2,3,4-tetrahydro-   605
2,4-Dioxo-1-ribosyl-   1444
4-Hydroxy-2,6-diphenyl-   546
6-Hydroxy-2,4-dioxo-1-carboxymethyl-hexahydro-
   606

3-Hydroxy-2,4-dioxo-1,3-dimethyl-hexahydro-   606
6-Hydroxy-2,4-dioxo-1-methyl-hexahydro-   606
5-Hydroxy-2,6-dioxo-5-methyl-4-[2-hydroxy-5-me-
   thyl-pyrimidinyl-(4)]-hexahydro-   606
2-Methoxy-   . 608, 1456
2-Methoxy-4-hydroxymethyl-   608
2-Methoxy-methyl-   608
2-(bzw. 4)-Methyl-   602
5-Methyl-   602, 1311
2-Morpholino-6-hydroxy-5-äthylsulfonyl-4-methyl-
   1048
2-Morpholino-6-hydroxy-5-butylsulfonyl-4-methyl-
   1048
2-Morpholino-6-hydroxy-5-(3-chlor-propylsulfonyl)-
   4-methyl-   1048
2-Morpholino-6-hydroxy-5-(4-methoxy-phenylsulfo-
   nyl)-4-methyl-   1048
2-Morpholino-6-hydroxy-5-(4-methyl-phenyl-
   sulfonyl)-4-methyl-   1048
2-Morpholino-6-hydroxy-5-methylsulfonyl-4-
   methyl-   1048
2-Morpholino-6-hydroxy-5-phenylsulfonyl-4-
   methyl-   1048
2-Oxo-hexahydro-   **1445**
2-Oxo-1-ribosyl-hexahydro-   1445
2-(2-Phenyl-vinyl)-4,6-diphenyl-   202
2-Piperidino-6-hydroxy-5-(2,5-dimethyl-phenylsulfo-
   nyl)-4-methyl-   1048
2-Piperidino-6-hydroxy-5-methylsulfonyl-4-methyl-
   1048
2-Pyrrolidino-6-hydroxy-5-(2,5-dimethyl-phenylsulfo-
   nyl)-4-methyl-   1048
2-Pyrrolidino-6-hydroxy-5-methylsulfonyl-4-methyl-
   1048
2,4,6-Trihydroxy-1-deoxyribosyl-5,6-dihydro-   **1540**
2,4,6-Trihydroxy-5,6-dihydro-   1539
2,4,5-Trihydroxy-5-formyl-   1536
2,5,6-Trihydroxy-5-methyl-4-diphenylmethyl-4,5-dihy-
   dro-   604
2,4,6-Triphenyl-   547

Pyrazin
2,5-Di-tert.-butyl-   1265
2,5-Diphenyl-   1312
2-Oxo-3,6-dimethyl-1,2-dihydro-   1312
3-(2-Phenyl-vinyl)-2,5-diphenyl-   1084
3-(2-Phenyl-vinyl)-2,5-diphenyl-2,3-dihydro-   1684
Tetraphenyl-   1083
2,3,5,6-Tetraphenyl-2,3-dihydro-   1083
cis-2,3,5-Triphenyl-2,3-dihydro-   1083, 1108

1,2-Diarsa-cyclohexen-(4)
1,2,4,5-Tetramethyl-   1354

λ³-1,2-Diphosphorin
4,5-Dimethyl-1,2-diäthyl-3,6-dihydro-   1354
1,2,4,5-Tetramethyl-3,6-dihydro-   1553

Oxepin
2-Oxo-3,3-dimethyl-2,3-dihydro- 1483

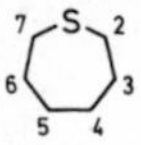

Thiepan
4-Oxo- 1020

1H-Azepin
1-Acetyl-4,5-dimethoxycarbonyl- 1094
1-Äthoxycarbonyl- 299, 585, 1280
5-Chlor-2-oxo-3-benzoyl-3-chlorcarbonyl-2,3-
dihydro- 1106
1-[5-Cyan-pentadien-(2,4)-oyl]- 576
1-Tosyl-4,5-dimethoxycarbonyl- **1094**

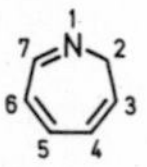

2H-Azepin
2-Oxo-3-trifluormethyl-1,3-dihydro- 1269
2-(2,4,6-Trimethyl-phenyl)- 1268

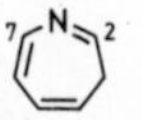

3H-Azepin
2-Amino- **1268**
2-Anilino- 1268
5-Chlor-2-methoxy-3-benzoyl- 566
6-Chlor-2-methoxy-3-formyl- 566
2-Cyclohexylamino- 1321
2-Diäthylamino- 1268, 1321, **1464**
2-Diäthylamino-3-phenyl- 1268
2-Dimethylamino-5-methoxy- 1268
2-Methoxy-3-acetyl- 566, 1268
2-Piperidino-3-(bzw. 7)-acetyl- 1268

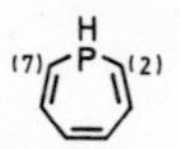

Phosphepin
1-Oxo-1-phenyl- 398
1-Oxo-1-phenyl-2,7-dihydro- 398
1-Oxo-1-phenyl-4,5-dimethoxy-carbonyl-2,7-dihydro-
398

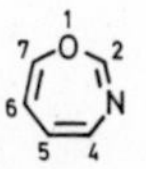

1,3-Oxazepin
2,4-Dicyan- **1292**
6-Methyl-2,4-dicyan- 1291
2,4,5,6-Tetraphenyl- 1291
2,4,5,7-Tetraphenyl- 1291
2,3,5,7-Tetraphenyl-6-(4-brom-phenyl)- 1291
2,4,6-Triphenyl- 1290

1,2-Oxasilepan
7-Butyloxy-2,2-dimethyl- 1398
7-Methoxy-2,2-diphenyl- **828**, 1398

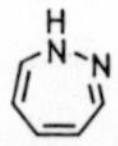

1H-1,2-Diazepin
1-Äthoxycarbonyl- 584, 586
1-Äthoxycarbonyl-3-cyan- 585
1-Benzoyl- 586
1,4-Diäthoxycarbonyl- 585
3,5-(bzw. 3,6-; bzw. 3,7-; bzw. 4,5-; bzw. 4,6)-Dimethyl-
1-äthoxycarbonyl- 585
5-Dimethylamino-1-äthoxycarbonyl- 585
3,7-Diphenyl-4,5,6,7-tetrahydro- 1153
3-(bzw. 4-; bzw. 5-; bzw. 6)-Methyl-1-äthoxycarbonyl-
1-(4-Methyl-phenylsulfonyl)- 586 [585
5-Phenyl-1-äthoxycarbonyl- 585

Cyclooctatetraen 244, 423, 890, 1171, 1364
Bis-[cyclopentadienyl-rhodium]- 1426
2,3-Diäthyl-1-cyan- **500**
2,3-Dibutyl-1-cyan- 500
2,3-Dimethoxycarbonyl- 500
Methoxycarbonyl- 500
2-Methoxycarbonyl-1-phenyl- 500
Octachlor- 396
Octaphenyl- 462
Phenyl- 500
1,3,5,7-Tetramethyl- 617
1,2,4,7-Tetraphenyl- 615, 617, 676

Cyclooctatrien-(1,3,5) 222
cis,cis,trans-7-Oxo- 756

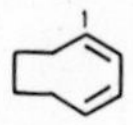

cis,cis    *cis,trans*

Cyclooctadien-(1,3)
cis,cis- 211
cis,trans- 207, 211

Cyclooctadien-(1,4)
6-Hydroxy- 1477

cis,cis 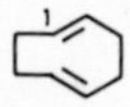   *trans,trans*

Cyclooctadien-(1,5) 293, 1153
cis,cis-(bzw. *trans,trans*)- 204
cis,trans- 1410

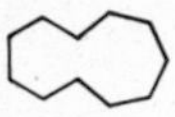

Cycloundecan
Carboxy- 1188
Oxo- 1323

cis,cis,cis   trans,trans,trans   cis,trans,trans   cis,cis,trans

Cyclododecatrien-(1,5,9)
all-cis- 194
all-trans- 194, 211, 1410
cis,cis,trans-(bzw. *cis,trans,trans*)- 194, 211

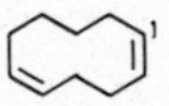

Cyclododecadien-(1,5) 211
10-(2-Oxo-propyl)-9-acetyl- 925

cis   trans

Cyclododecen
cis-(bzw. *trans*)-3-Oxo- 204

cis   trans

Cyclododecen-(7)-in-(1)
cis-(bzw. *trans*) 226

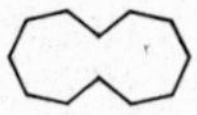

Cyclododecan
2-Oxo-1-hydroximino- 1323
-thiophosphonsäure-dichlorid 1354

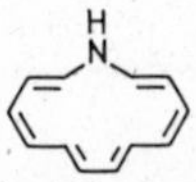

1-Aza-cyclotridecahexaen-(2,4,6,8,10,12)
1-Äthoxycarbonyl- 299

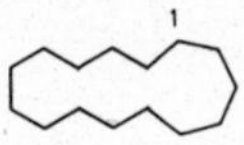

Cyclopentadecan 711
3-Methyl-1-methoxycarbonyl- 745

[16]-Annulen 277, 298

Cycloheptadecaoctaen 298

[18]-Annulen
2-Fluor-1-chlor- 277

C. Bicyclische Verbindungen

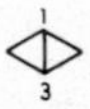

Bicyclo[1.1.0]butan 222, 249, 1200, 1411
1-Cyan- 249
4-Methyl-2,2,4-triphenyl- ; -1-phosphonsäure-
    dimethylester 1361
2,2,4,4-Tetramethyl-1,3-dimethoxycarbonyl- 1147

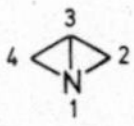

1-Aza-bicyclo[1.1.0]butan
3-Phenyl- 1266

Bicyclo[2.1.0]penten-(2) 256, 296

IV   Houben-Weyl. Bd. IV/5 a/b

Bicyclo[2.1.0]pentan (Hausen) 419, 1147, 1225
endo-2,*endo*-3-(bzw. *exo*-2,*exo*-3)-Dichlor-5,5-dime-
    thyl- 1147
exo-2,*exo*-3-(*endo*-2,*endo*-3)-Dideuterio- 1147
5,5-Dimethyl-*exo*-3-phenyl-2-isopropyliden- 230
endo-2,*endo*-3-(bzw. *endo*-2,*exo*-3; bzw. *exo*-2,*exo*-3)-
    Diphenyl- 228
endo-(bzw. *exo*)-2-Methoxy- 1148
1-Methoxycarbonyl- 1147
1-Methyl- 419
2-Oxo-1,3-di-tert.-butyl-5-*endo*-(bzw. -*exo*)-(2,2-
    dimethyl-propanoyl)- 773, 774
2,2,5,5-Tetraphenyl-1,3-dideuterio- 416

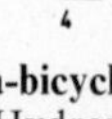

5-Oxa-bicyclo[2.1.0]pentan
(*E*)-2-Hydroxy-1,2-diphenyl- 682

6-Oxa-1-aza-bicyclo[3.1.0]hexan
trans-2,2-Dimethyl-3,5-diphenyl- **1285**
trans-2,2-Dimethyl-3-phenyl-5-pyridyl-(3)- 1285
trans-2,2,3-Trimethyl-5-phenyl- 1285

1,3-Diaza-bicyclo[3.1.0]hexen-(3)
endo-2,*exo*-6-(bzw. *exo*-2,*exo*-6)-Dimethyl-4,5-
diphenyl- 1115
4,5-Diphenyl- **1115**
2,2,6,6-Tetramethyl-4,5-diphenyl- 1115
endo-2,4,5,*exo*-6-(bzw. *exo*-2,4,5; *exo*-6)-Tetraphenyl-
1115

Cyclopropabenzol
1,1-Dimethyl-3-methoxycarbonyl- 1151
Tetraphenyl-1,1-dimethoxycarbonyl- 1250

Bicyclo[4.1.0]heptadien-(2,4)
7-Dimethoxyphosphono-7-phenyl- 1241
7,7-Dicyan- 584, 1240
7-(Diphenyl-phosphinyl)-7-phenyl- 1361
2,5,7-Triphenyl- 274

Bicyclo[4.1.0]hepten-(2)
4-Hydroxy-3,7,7-(bzw. -4,7,7)-trimethyl- 1476
5-Oxo-4,4,6,6-tetramethyl- 794
4-Oxo-3,7,7-trimethyl- 933

Bicyclo[4.1.0]hepten-(3) 1147
7,7-Dimethoxycarbonyl- 1231
2,5-Dioxo-3,7,7-trimethyl- 1218

Bicyclo[4.1.0]heptan 1167, 1200, 1206, 1226
exo-(bzw. *endo*)-7-Äthoxycarbonyl- 1231, 1237
7-Benzoyl- 1074, 1175, 1365
exo-(bzw. *endo*)-7-Chlor- 652, 1226
7,7-Dimethyl-3-methylen- 215
4-Hydroxy-7,7-dimethyl-3-methylen- 1477
exo-(bzw. *endo*)-3-Methoxy-3,7,7-trimethyl- 658
7-Phenyl-7-cyan- 1365
7-Phenyl- ; -*exo*-7-phosphonsäure-diäthylester 1229

7-Oxa-bicyclo[4.1.0]hepten-(2)
5-Hydroxy-2-methoxy-4-oxo-1,5-di-tert.-butyl- 1486
IV*

7-Oxa-bicyclo[4.1.0]heptan
2,2,6-Trimethyl-1-butenoyl- 1477
2,2,6-Trimethyl-1-[1-hydroxy-buten-(3)-yl]- 1478
2,2,6-Trimethyl-1-(1-hydroxy-butyl)- 1478

3-Aza-bicyclo[4.1.0]hepten-(4)
2-Oxo-7-benzoyl- 1106

7-Aza-bicyclo[4.1.0]heptan
7-Äthoxycarbonyl- **1281**
7-(2,2-Dimethyl-propanoyl)- 1272
7-Ferrocen-sulfonyl- 1282

2-Oxa-7-aza-bicyclo[4.1.0]heptan
7-(4-Brom-phenyl)- 1258

Bicyclo[5.1.0]octadien-(2,5) (Homotropyliden)
418

Bicyclo[5.1.0]octen-(1⁷)
8,8-Dimethyl- 1151

Bicyclo[5.1.0]octan
4-Carboxy-*trans*- 1190

cis   trans

Bicyclo[6.1.0]nonatrien-(2,4,6)
trans- 276
9-Chlor-*cis*- 277
exo-9-Cycloheptatrienyl-(7)-*cis*- 227
-tricarbonyl-eisen 1423

cis   trans

Bicyclo[6.1.0]nonan
cis- 888
3-Hydroxy-3-(1-äthoxy-äthyl)- 832
2-Oxo-*trans*- 759

2-Thia-bicyclo[6.1.0]nonen-(6) 765
3-Oxo- 1022

9-Aza-bicyclo[6.1.0]nonen-(8) 1266

9-Aza-bicyclo[6.1.0]nonan
9-(4-Brom-phenyl)- 1258

Bicyclo[10.1.0]tridecan
13-Hydroxy-12-carboxy-*trans*- 412

Bicyclo[2.2.0]hexadien (Dewar-Benzol) 473
Hexafluor- 475
Hexakis-[trifluormethyl]- 475
Hexamethyl- 475
1,2,4,5-Tetra-tert.-butyl- 474

Bicyclo[2.2.0]hexen-(2) 266
1-Chlor- ; -5,6-dicarbonsäure-anhydrid 265
-5,6-dicarbonsäure-anhydrid 225, 265
4-Methyl-1-isopropyl- 255

Bicyclo[2.2.0]hexan 887, 1378
exo-2,*exo*-3;*endo*-5,*endo*-6-Bis-[carbonyldioxy]-1,4-di-
    methoxycarbonyl- 394
2,2-Bis-[2-methoxy-äthoxy]-1,4-dimethoxycarbonyl-
    394
1-Chlor- 97
exo-2-Chlor- 97
1,4-Dichlor- 1152
2,3-Dichlor-1,4-dimethoxycarbonyl- 394
1,4-Dimethoxycarbonyl- 393, **394**
-2,3,5,6-tetracarbonsäure-2,3-anhydrid-5,6-äthylimid
    400
-2,3,5,6-tetracarbonsäure-2,3; 5,6-bis-anhydrid 400

Bicyclo[1.1.1]pentan
1-Chlor- 97
2-Hydroxy-2-phenyl- 897
1-Methyl- 419

2-Oxa-bicyclo[2.2.0]hexen-(5)
3-Oxo- 613

2-Oxa-bicyclo[2.2.0]hexan 847
1,3-Dimethyl- 848, 850
1,4-Dimethyl- 850
1,4-Dimethyl-3,3-diphenyl- **844**
1-Methyl- 850
1,3,3-Trimethyl- 850

1-Aza-bicyclo[2.2.0]hexadien-(2,5) (Dewar-Pyridin)
Pentakis-[pentafluor-äthyl]- 583

2-Aza-bicyclo[2.2.0]hexadien-(2,5) (Dewar-Pyridin)
583

2-Aza-bicyclo[2.2.0]hexen-(5) 583
2-Oxo-2-methyl- 588

2,5-Dioxa-bicyclo[2.2.0]hexan
3,4-Dimethyl- 850
1,4-Dimethyl-3,6-diphenyl- 871

Bicyclo[3.2.0]heptadien-(2,6) 271
5-(bzw. 6)-Acetamino-4-oxo- 937
5-Äthoxy- 273
1-(bzw. 6)-Äthoxycarbonyl- 272, 273
5-Anilino-4-oxo- 937
4,4-Bis-[trifluormethyl]- 273, 1239
7-Chlor-3-(bzw. 6)-methoxy-4-oxo- 937
3-(bzw. 5)-Dimethylamino- 273
4,4-Dimethyl-1-methoxycarbonyl- 273
6,7-Diphenyl- **366, 367**
5-(bzw. 7)-Methoxy- 273
3-Methoxy-1-(bzw. 5)-äthoxycarbonyl- 273
5-Methoxy-1-(bzw. 3-; bzw. 7)-äthoxycarbonyl- 273
1-(bzw. 5-; bzw. 6)-Methoxy-4-oxo- 934
5-(bzw. 6)-Methoxy-4-oxo-1-isopropyl- 934
5-Methoxy-4-oxo-2-(bzw. 7)-methyl- 934
6-Methoxy-4-oxo-1-methyl- 934
7-Methoxy-4-oxo-2-methyl- 934
3-Methoxy-4-oxo-7-phenyl- 937
5-Methylmercapto- 273
4-Oxo-5-(1,2,3-triphenyl-cyclopropenyl)- 1311
2,3,4,5-(bzw. 4,4,6,7)-Tetramethyl- 273
2,4,4-(bzw. 4,4,7)-Trimethyl- 273
4,4,5-Trimethyl-3-phenyl- 273
1,4,5-Triphenyl- 273, 274

Bicyclo[3.2.0]hepten-(1⁵) 251

Bicyclo[3.2.0]hepten-(2)
exo-6,*exo*-7-(bzw. *endo*-6,*exo*-7-; bzw. *exo*-6,*endo*-7-;
  bzw. *endo*-6,*endo*-7)-Dichlor- 380
7,7-Dichlor- 380, **381**
6,7-Dichlor- ; -*endo*-6,*endo*-7-dicarbonsäure-
  anhydrid 382
c-6,*c*-7-Dichlor-*r*-1-H,*t*-5-H- ; -6,7-dicarbonsäure-
  anhydrid 382
6,6-Difluor-7,7-dichlor- 380
exo-6,*exo*-7-(bzw. *exo*-6,*endo*-7-; bzw. *endo*-6,*exo*-7-;
  bzw. *endo*-6,*endo*-7)-Dimethyl- 378
endo-6,*endo*-7-Dimethyl- ; -6,7-dicarbonsäure-
  anhydrid 385
6,7-Diphenyl- 364
trans-6,7-Diphenyl- **365**
endo-(bzw. *exo*)-7-Hydroxy-3,4,4-trimethyl- 760
7-Oxo-1,4,4-trimethyl- 933
5,5,6,6-(bzw. 6,6,7,7)-Tetrachlor- 386
6,6,*exo*-7-Trichlor- 387
exo-(bzw. *endo*)6,7,7-Trichlor- 387
5,5,*exo*-(bzw. *endo*)-6-Trifluor- 386
6,6,*exo*-(bzw. *endo*)-7-Trifluor- 386
exo-(bzw. *endo*)-6,7,7-Trifluor- 386
endo-(bzw. *exo*)-7-Vinyl- 379

Bicyclo[3.2.0]hepten-(6) 264
cis- 256
1,5-Diphenyl-*cis*- 256
exo-(bzw. *endo*)-3-Hydroxy-*cis*- 256
4-Hydroxy-1-methoxy-*cis*- 256
2-Oxo- 928, 937
2-Oxo-1,7-(bzw. 6,7)-dimethyl- **927, 928**
2-Oxo-1,3,3-trimethyl- 937
4-Oxo-2,2,5-(bzw. 2,2,7)-trimethyl- 933
2-Oxo-3,3,6-trimethyl- 937

Bicyclo[3.2.0]heptan
2-tert.-Butyloxy-3-oxo-*cis*- 663
exo-6,*exo*-7-Carbonyldioxy- 410
exo-(bzw. *endo*)-6-(bzw. 7)-Chlor-2-oxo-*cis*- 913
6-(7)-Chlor-2-oxo-6,7-dimethoxycarbonyl- 925
endo-(bzw. *exo*)-7-Chlor-4-oxo-5-(6-methoxycarbonyl-
  hexyl)-*exo*-6-hexanoyl- 914
6,6-Diäthoxy-1-acetyl-2-oxo-*cis*- 928
7,7-Diäthoxy-5-acetyl-4-oxo-1-methyl-*cis*- 928
cis-6,7-Dibrom- ; -6,7-dicarbonsäure-imid 409
-1,5-dicarbonsäure-anhydrid 393
6,7-Dichlor-5-acetoxy-2-oxo- 925
exo-6,*exo*-7-(bzw. *endo*-6,*endo*-7)-Dichlor-6,7-
  carbonyldioxy-*cis*- 411
6,6-Dichlor-2-oxo-*cis*- 913
endo-6,*endo*-7-(bzw. *endo*-6,*exo*-7; bzw. *exo*-6,*endo*-7;
  bzw. *exo*-6,*exo*-7)-Dichlor-2-oxo-*cis*- 913
1,5-Dimethoxycarbonyl- 239, 393, **394**
endo-6,*exo*-7-(bzw. *endo*-6,*exo*-7; bzw. *endo*-6,*endo*-7)-
  Dimethoxycarbonyl- 391
exo-6,*exo*-7-(bzw. *exo*-6,*endo*-7)-Dimethoxycarbonyl-
  239
6,6-Dimethoxy-2-oxo-*cis*- 928
7,7-Dimethoxy-1-phenyl- 373, 374
6,6-Diphenyl- 370

trans-6,7-Diphenyl- 364, **365**
5-Methyl-2-isopropyl-6,7-diäthoxycarbonyl- **228**
2-Oxo-*cis*- 913
4-Oxo-*endo*-2-benzyloxymethyl-*exo*-3-methoxycar-
  bonyl-methyl-*cis*- 914
2-Oxo-6,6-(bzw. 7,7)-dimethyl- 613
2-Oxo-*endo*-(bzw. *exo*)-6-methyl-*cis*- 913
2-Oxo-*endo*-(bzw. *exo*)-7-methyl-*cis*- 913
2-Oxo-6-(bzw. 7)-methylen- 928
4-Oxo-*exo*-(bzw. *endo*)-3-[6-methoxycarbonyl-*cis*-
  hexen-(2)-yl]-*endo*-(bzw. *exo*)-2-[3-hydroxy-*trans*-
  octen-(1)-yl]-*cis*- 915
4-Oxo-*exo*-(bzw. *endo*)-3-[6-methoxycarbonyl-*cis*-
  hexen-(2)-yl]-*endo*-(bzw. *exo*)-2-[3-hydroxy-*trans*-
  octen-(1)-yl]-6-methylen- 928

Bicyclo[2.1.1]hexan 1489
exo-2-Acetoxy-*endo*-(bzw. *exo*)-5-carboxy- 1189
2-Chlor- **97**
syn-6-Chlor-*exo*-5-carboxy- 1187
2,2-Dichlor- 97
trans-2,3-Dichlor- 97, **98**
1,4-Dimethoxycarbonyl- 239
5,6-Dimethoxycarbonyl- 238
1,5-Dimethyl-2-äthoxycarbonylmethyl- 744
1,5-Dimethyl-2-butylaminocarbonylmethyl- 744
5,5-Dimethyl-*exo*-2-carboxy- 1189
1,5-Dimethyl-2-carboxydeuteriomethyl- 744
1,5-Dimethyl-2-carboxymethyl- 744
1,5-Dimethyl-2-methoxycarbonyl-5-deuterio- 744
1,5-Dimethyl-2-methoxycarbonyldeuteriomethyl-
  744
5,5-Dimethyl-1-vinyl- **229**, 294
5-Methoxycarbonyl- 1189
2-Methylen- 239
5-Methyl-2-methylen- 239
endo-(bzw. *exo*)-5-Methyl-1-vinyl-5-[4-methyl-penten-
  (3)-yl]- 229
2-Oxo- 936
1,5,5-Trimethyl- 1583, 1584
1,6,6-Trimethyl-5-äthoxycarbonyl- 1187
1,6,6-Trimethyl-5-äthoxycarbonylamino- 1271
1,6,6-Trimethyl-5-anilinocarbonyl- 1187
1,6,6-Trimethyl-5-carboxy- **1187**
1,6,6-Trimethyl-*exo*-(bzw. *endo*)-5-cyan- 228
1,6,6-Trimethyl-*endo*-5-formyl- 936

2-Oxa-bicyclo[3.2.0]hepten-(3)
7,7-Dimethyl-1-acetyl- 852
6,7-Dimethyl- ; -6,7-dicarbonsäure-anhydrid **554**

2-Oxa-bicyclo[3.2.0]heptan
1-Methyl-6,6-diphenyl- **370**
1-Methyl-*exo*-6,*exo*-7-(bzw. *exo*-6,*syn*-7)-diphenyl-
  364
1-Methyl-7,7-diphenyl- **370**
4-Oxo-3,3-*endo*-(bzw. *exo*)-6,7,7-pentamethyl- 915
4-Oxo-3,3,6,6-*endo*-(bzw. *exo*)-7-pentamethyl- 915
4-Oxo-3,3-*endo*-(bzw. *exo*)-6-*endo*-(bzw. *exo*)-7-
  tetramethyl- 915
4-Oxo-3,3,7,7-tetramethyl- 915

3-Oxa-bicyclo[3.2.0]heptan
6,7-Dichlor-2-oxo- ; -6,7-dicarbonsäure-imid   408

6-Oxa-bicyclo[3.2.0]hepten-(2)
7,7-Dimethyl-   864

6-Oxa-bicyclo[3.2.0]heptan   847
2,2-Dimethyl-   850
7,7-Dimethyl-   283, 845
2,2-Dimethyl-7-isopropyl-   850

5-Oxa-bicyclo[2.1.1]hexan   847
1,6-Dimethyl-   850
1-Methyl-   850
3-Oxo-1,2,2,4-tetramethyl-   858
1,6,6-Trimethyl-   850

3-Thia-bicyclo[3.2.0]heptan
-6,7-dicarbonsäure-anhydrid-3,3-dioxid   401
-6,7-dicarbonsäure-imid-3,3-dioxid   407
6,7-Dichlor- ; -6,7-dicarbonsäure-anhydrid-3,3-
    dioxid   406
6,7-Dichlor- ; -6,7-dicarbonsäure-imid-3,3-dioxid
    407

2-Aza-bicyclo[3.2.0]heptadien-(2,6)
3-Äthoxy-   1105
3-Amino-   1105
3-Dimethylamino-   1105

3-Aza-bicyclo[3.2.0]hepten-(6)
6-Chlor-3-methyl-   407

6-Aza-bicyclo[3.2.0]heptan
7-Methoxy-5-äthoxy-1,3,3-trimethyl-   1107

2-Phospha-bicyclo[3.2.0]heptan
6,7-Dichlor-2-äthoxy-2-oxo- ; -6,7-dicarbonsäure-
    imid   408

3-Phospha-bicyclo[3.2.0]hepten-(6)
3-Oxo-*exo*-3-phenyl-   398
3-Oxo-*endo*-(bzw. *exo*)-3-phenyl-6,7-
    dimethoxycarbonyl-   398

3-Phospha-bicyclo[3.2.0]heptan
6,7-Dichlor-3-äthoxy-3-oxo- ; -6,7-dicarbonsäure-
    imid   408
cis-(bzw. *trans*)-6,7-Dichlor-3-oxi-3-phenyl- ; -6,7-
    dicarbonsäureimid   1358
endo-6,*endo*-7-Dichlor-3-oxo-*endo*-3-phenyl- ; -6,7-
    dicarbonsäure-imid   398
exo-6,*exo*-7-Dichlor-3-oxo-*exo*-3-phenyl- ; -6,7-
    dicarbonsäure-imid   398
3-Oxo-*exo*-3-phenyl- ; -*endo*-6,*endo*-7-dicarbonsäure
    398

2,7-Dioxa-bicyclo[3.2.0]hepten-(3)
6,6-Dimethyl-   864
1,4-(bzw. 1,5-; bzw. 3,5)-Dimethyl-6,6-diphenyl-   866
6,6-Diphenyl-   866, 867
6-Furyl-(2)-   865
1-Hydroxymethyl-6,6-diphenyl-   866
6-Methyl-   864
6-Methyl-6-acetyl-   859
1-Methyl-6,6-diphenyl-   866
1-(bzw. 3)-Methyl-6-phenyl-   865
6-Phenyl-   865
6-Propen-(1)-yl-   853
6-Vinyl-   853

7-Oxa-2-thia-bicyclo[3.2.0]hepten-(3)
1,3-Dimethyl-6,6-diphenyl-   866
1,3-Dimethyl-6-naphthyl-(1)-   844
1,3-Dimethyl-6-phenyl-6-pyridyl-(2; bzw. -3)-   867
1,3-Dimethyl-6-phenyl-6-thienyl-(2)-   867

4-Oxa-1-aza-bicyclo[3.2.0]heptan
6,6-Dimethoxy-2-oxo-5-phenyl-   928

4-Thia-1-aza-bicyclo[3.2.0]heptan
6-Acetylamino-2-acetoxy-7-oxo-3,3-dimethyl- ; -4-
    oxid   1034
6-Benzoylamino-2-acetoxy-7-oxo-3,3-dimethyl- ; -4-
    oxid   1034
7-Oxo-3,3-dimethyl-6-phenyl-2-methoxycarbonyl-
    1173

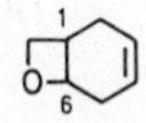

7-Oxa-bicyclo[4.2.0]octen-(3)
2-Oxo-5-(hydroxy-diphenyl-methyl)-8,8-diphenyl-
855

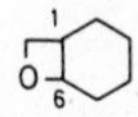

7-Oxa-bicyclo[4.2.0]octan
8,8-Dimethyl- 845
8,8-Diphenyl- 847
8-Methyl-8-methoxycarbonylmethyl- 857
8-Methyl-8-phenyl- 846
8-Phenyl- 843

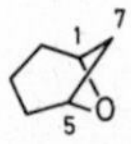

6-Oxa-bicyclo[3.1.1]heptan 847

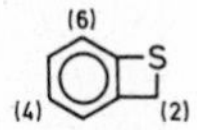

Benzo-[b]-thiet
2-Oxo- 1025

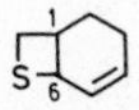

7-Thia-bicyclo[4.2.0]octen-(4)
2-Methyl-5-isopropyl-8,8-diphenyl- 1067

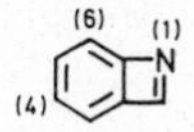

Benzo-[b]-azet
1-Oxyl-2,2-dimethyl-3,5,6-triisopropyl-1,2-dihydro-
1335
1-Phenyl-1,2-dihydro- 1259

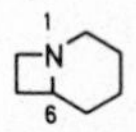

1-Aza-bicyclo[4.2.0]octan
7-Hydroxy-8-oxo-7-methyl- 805
7-Hydroxy-8-oxo-7-phenyl- 805
8-Oxo-*endo*-(bzw.-*exo*)-7-methoxycarbonyl- 1193

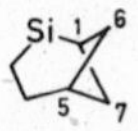

2-Sila-bicyclo[2.1.1]hexan
2,2,4-Trimethyl-3-methylen- 239

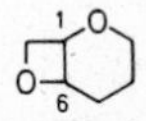

2,7-Dioxa-bicyclo[4.2.0]octan
4,5-Diacetoxy-8,8-dimethyl-3-acetoxymethyl- 845

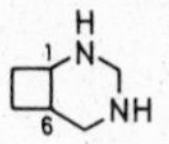

2,4-Diaza-bicyclo[4.2.0]octan
3,5-Dioxo-6-methyl-7-cyan- 604
3,5-Dioxo-1-carboxy-7-cyan- 604

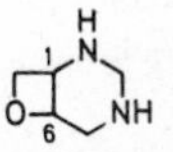

7-Oxa-2,4-diaza-bicyclo[4.2.0]octan
3,5-Dioxo- 603
3,5-Dioxo-6-methyl-8,8-diphenyl- 856

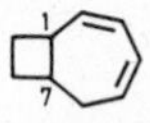

Bicyclo[5.2.0]nonadien-(2,4)
-8,9-dicarbonsäure-anhydrid 383

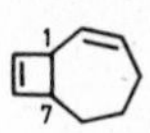

Bicyclo[5.2.0]nonadien-(2,8)
1,2,8,9-Tetraphenyl- 266

cis   trans

Bicyclo[5.2.0]nonen-(8) 255

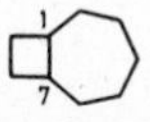

Bicyclo[5.2.0]nonan
9,9-Dimethoxy-1-phenyl- 373
1,7-Dimethyl- 888

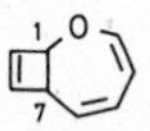

2-Oxa-bicyclo[5.2.0]nonatrien-(3,5,8) 685

Bicyclo[6.2.0]decatetraen-(1⁸,2,4,6) 251

Bicyclo[6.2.0]decatetraen-(2,4,6,9) 433

trans-**Bicyclo[6.2.0]decadien-(2,9)** 266

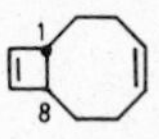

trans-**Bicyclo[6.2.0]decadien-(4,9)** 399

cis   trans

cis   trans

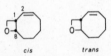

cis   trans

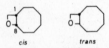

cis   trans

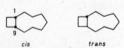

cis   trans

cis   trans

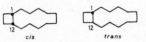

cis   trans

Bicyclo[2.2.1]heptan 632, 1440, 1585
exo-2-Aminocarbonyl- 1001
exo-(bzw. *endo*)-2-Brom- **144**
1-(bzw. 2)-Chlor- 714
exo-(bzw. *endo*)-2-Chlor- 97
endo-3-Chlor-*exo*-2-p-tosyl- 1050
2-Cyclohexylmercapto- 178
trans-(bzw. *exo*)-2,3-Dibrom- 456
endo-5,*exo*-6-(bzw. *endo*-5,*endo*-6)-Dibrom- ; -*exo*-2,*exo*-
3-dicarbonsäure-anhydrid 452
3,3-Dimethyl-2-methylen- 1045, 1128
3-Hydroxy-2-methylen- 1477
2-(bzw. 3)-Hydroxy-3-oxo-1,7,7-trimethyl- 829, 830
endo-2-(bzw. -3)-Hydroxy-3-oxo-1,7,7-trimethyl- 811
2-(bzw. 3)-Hydroxy-3-oxo-1,7,7-trimethyl-2-
hydroxymethyl- 830
d,l-*exo*-3-Hydroxy-2-oxo-1,7,7-trimethyl-*endo*-3-[2-
bzw. -4)-methyl-benzyl]- 830
1-[2-Hydroxy-propyl-(2)]- 714
exo-2-Methoxy-2-phenyl- 656
2-Methyl- 1440
2-Methylen- 895, 1440
3-Methyl-2-hydroxymethyl- 1440
2-Methylmercapto- 1405
exo-2-(2-Oxo-propyl)- 288
2-Oxo-1,7,7-trimethyl (Campher) 1323
2-Phenylmercaptomethylen- 1012
3-Phenylmercapto-2-methylen- 1012

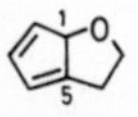

2-Oxa-bicyclo[3.3.0]octadien-(5,7)
4-Benzoylimino-3,3-dimethyl- 571

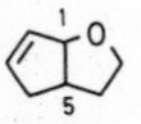

2-Oxa-bicyclo[3.3.0]octen-(7)
endo-(bzw. *exo*)-3-Methoxy-4,4,8-trimethyl- 827

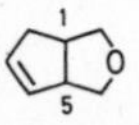

3-Oxa-bicyclo[3.3.0]octen-(6)
2-Methoxy-4,4-dimethyl- 827
exo-4-Methoxy-2,2,6-trimethyl- 827

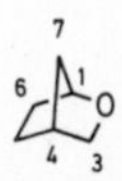

2-Oxa-bicyclo[2.2.1]heptan
5-Oxo-2-methyl- 802
6-Oxo-3-methyl- 802

7-Oxa-bicyclo[2.2.1]heptan
endo-5,*exo*-6-(bzw. *endo*-5,*endo*-6)-Dibrom- ; -*exo*-
2,*exo*-3-dicarbonsäure-anhydrid 452
2,3-Diphenyl- 883

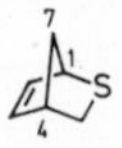

2-Thia-bicyclo[2.2.1]hepten-(5)
3,3-Diphenyl- 1067

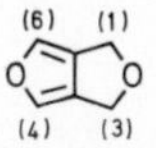

1H,3H-⟨Furo-[3,4-c]-furan⟩
3,6-Dioxo-1,1,4,4-tetramethyl-3a,4,6,6a-tetrahydro-
666

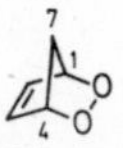

2,3-Dioxa-bicyclo[2.2.1]hepten-(5) 1482
1,4-Diphenyl- 1483
1,4,5,6-Tetraphenyl- 1483

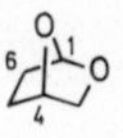

2,7-Dioxa-bicyclo[2.2.1]heptan
3,3-Dimethyl-6-isopropyliden- 823

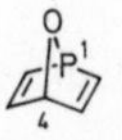

7-Oxa-1-phospha(P^V)-bicyclo[2.2.1]heptadien-(2,5)
2,4,6-Tri-tert.-butyl- ; -1-oxid 1498

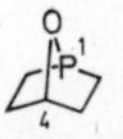

7-Oxa-1-phospha-bicyclo[2.2.1]heptan
2,4,6-Tri-tert.-butyl- ; -1-oxid 1381

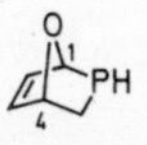

7-Oxa-2-phospha-bicyclo[2.2.1]hepten-(5)
3-Hydroxy-2-methoxy-1,3,5-tri-tert.-butyl- 1381

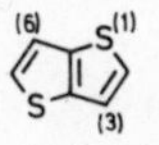

Thieno-[3,2-b]-thiophen
2,3,5,6-Tetraphenyl- 1062

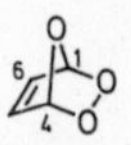

2,3,7-Trioxa-bicyclo[2.2.1]hepten 1488

Cyclopentatriazol
1-Methyl-4-carboxy-1,4-dihydro-   1198

Imidazo-[4,5-d]-imidazol
1,6-Dihydro-   1122

Inden   1043, 1173, 1580, 1583
3-(1-Äthoxy-äthoxy)-2-oxo-1,1-diphenyl-2,3-dihydro-
    833
2-Äthyl-2,3-dihydro-   1170
1-Carboxy-   1197
1,1-Dimethyl-2-isopropenyl-2,3-dihydro-   254
2,2-Dimethyl-1-isopropenyl-2,3-dihydro-   254
1,2-Dimethyl-3-phenyl-   1247
1,2-Diphenyl-   342
7-(bzw. 9)-Hydroxy-   1584
2-Hydroxy-2,3-dihydro-   811, 881
2-Hydroxy-1-methoxy-1-methyl-2-phenyl-2,3-dihy-
    dro-   615
3-Hydroxy-2-oxo-3-(1-äthoxy-äthyl)-1,1-diphenyl-2,3-
    dihydro-   833
1-Hydroxy-2-oxo-3,3-dimethyl-1-benzyl-2,3-dihydro-
    833
1-Hydroxy-2-oxo-3,3-dimethyl-1-cyclohexen-(2)-yl-2,
    3-dihydro-   833
2-Hydroxy-3-oxo-1,1-dimethyl-2,3-dihydro-   811
1-Hydroxy-2-oxo-3,3-diphenyl-1-benzyl-2,3-dihydro-
    833
2-Hydroxy-1-oxo-2-methoxycarbonyl-2,3-dihydro-
    686
2-Hydroxy-1-oxo-2-methyl-2,3-dihydro-   809
3-Hydroxy-2-(α-phenylimino-benzyl)-   805
1-Isopropenyl-2,3-dihydro-   254
2-Isopropenyl-2,3-dihydro-   254
6-Methoxy-2-äthoxycarbonylmethyl-   901
1-Methoxycarbonylaminomethylen-   1095
(Z)-5-Methoxy-1-oxo-2-benzyliden-2,3-dihydro-
    204
6-Methoxy-1-oxo-2-methyl-   901
5-(bzw. 6)-Methyl-   1548
1-Methyl-3-phenyl-   1247
3-Methyl-; -1-phosphonsäure-dimethylester   1360
1-Oxo-   1584
1-Oxo-2,3-dihydro   1583
2-Oxo-2,3-dihydro-   684, 1076, 1173, 1584
1-Oxo-2-methylmercapto-2,3-dihydro-   1024
1-Phenyl-2,3-dihydro-   418
2-Phenyl-2,3-dihydro-   1171, 1201
3-Phenyl-1,2-dimethoxycarbonyl-   1149
anti-(bzw. syn)-1-Piperidino-2-hydroximino-2,3-
    dihydro-   1328

2H-Inden
2-Cyan-   1584
1-Formylmethyl-   761

Bicyclo[4.3.0]nonatrien-(2,4,7)
cis-   276
9-Oxo-   1583

Bicyclo[4.3.0]nonadien-(1,6)
8-Oxo-2,7-dimethyl-   777
8-Oxo-2-methyl-   777

Bicyclo[4.3.0]nonadien-(1⁹,7)
cis-2,6-Dimethyl-   886

trans-Bicyclo[4.3.0]nonadien-(2,4)   259

Bicyclo[4.3.0]nonadien-(3,7)   379

Bicyclo[4.3.0]nonen-(1⁹)
9-Methoxy-5α-acetoxy-8-oxo-5β-methyl-   782
9-Methoxy-5α-acetoxy-8-oxo-5β-methyl-5β-isopropyl-
    782

9,10-Seco-ergostatetraen-(5¹⁰,6,8,22)
3β-Hydroxy-   262

9,10-Seco-cholestatrien-(5¹⁰,6,8)
1α,3β-Diacetoxy-   263

Bicyclo[4.3.0]nonan
cis-   888
endo-(bzw. endo)-9-Methoxy-8-oxo-   663
8-Oxo-cis-(bzw. -trans)-   1442

5,6-Seco-5ξ-cholestan
3β-Acetoxy- ; -6-säure-cyclohexylamid   745
3β-Hydroxy- ; -6-säure   742
3β-Methoxy- ; -6-säure   745

7,8-Seco-5-cholestan
3β-Acetoxy- ; -7-säure   746
3β-Acetoxy- ; -7-säure-cyclohexylamid   746

5,6-Seco-pregnan
5α-Hydroxy-3,3,20,20-bis-[äthylendioxy]-11α-acet-
   oxy-5,6-dioxo-   1261

Bicyclo[3.2.1]octadien-(2,6)
4-Oxo-   1191

Bicyclo[3.2.1]octen-(6)
3-Methylen-   1432

Bicyclo[3.2.1]octan
exo-(bzw. endo)-2-(bzw. -3)-tert.-Butyloxy-   657
exo-(bzw. endo)-2-(bzw. -3)-Methoxy-   657

Benzo-[b]-furan   670, 690
5-Benzolsulfonylamino-2,2-dimethyl-2,3-dihydro-
   984
5-Hydroxy-2,2-dimethyl-6-tert.-butyl-2,3-dihydro-
   975
5-Hydroxy-2,2-dimethyl-7-tert.-butyl-2,3-dihydro-
   974, **975**
5-Hydroxy-3-methyl-   976, **977**
5-Hydroxy-2-oxo-2,3-dihydro-   982

5-Hydroxy-3-oxo-6,7-dimethyl-2,3-dihydro-   977
cis-3-Hydroxy-2-phenyl-2,3-dihydro-   809
5-Hydroxy-2-phenyl-2,3-dihydro-   976
6-Methoxy-2,3-diphenyl-   809
(Z)-6-Methoxy-3-oxo-2-benzyliden-2,3-dihydro-
   204
3-Methyl-   1312
2-Methyl-2,3-dihydro-   669
3-Oxo-2,3-dihydro-   636
2-Oxo-4,6-dimethyl-2,3-dihydro-   691
2-Oxo-7-methyl-2,3-dihydro-   1587
2-Vinyl-2,3-dihydro-   1201

7-Oxa-cis-bicyclo[4.3.0]nonatrien-(2,4,8)   685

7-Oxa-bicyclo[4.3.0]nonen-(1⁶)
8-Oxo-2,2,6-trimethyl-   1479

7-Oxa-bicyclo[4.3.0]nonen-(1⁹)
6-Methoxy-8-hydroperoxy-4,9-dimethyl-   1491

7-Oxa-bicyclo[4.3.0]nonen-(3)
8-Oxo-3,7-dimethyl-4-[4-carboxy-buten-(2)-yl-(2)]-
   754

7-Oxa-bicyclo[4.3.0]nonan
8-Oxo-9-methyl-5-(2-carboxy-äthyliden)-4-isopropyli-
   den-   754
8-Oxo-9-methyl-5-(2-phenoxycarbonyl-äthyliden)-4-
   isopropyliden-   754

Benzo-[c]-furan
3-Äthoxy-1-oxo-1,3-dihydro-   749
1,3-Dihydro-   300
4,7-Dioxo-3-methyl-1-(1,2-dimethoxy-2-formyl-vinyl)-
   4,7-dihydro-   979
4,7-Dioxo-3-methyl-1-(2-formyl-vinyl)-4,7-dihydro-
   979
4,7-Dioxo-3-methyl-1-[3-oxo-buten-(1)-yl]-4,7-dihy-
   dro-   979
4,7-Dioxo-3-methyl-1-[4-oxo-buten-(2)-yl]-4,7-dihy-
   dro-   554
4,7-Dioxo-3-methyl-1-[4-oxo-2-methyl-buten-(2)-yl]-4,-
   7-dihydro-   554
4,7-Dioxo-3-methyl-1-[4-oxo-penten-(2)-yl]-4,7-dihy-
   dro-   554, 579
1,3-Diphenyl-   1313
3-Oxo-1-[2-methoxy-propyl-(2)]-1,3-dihydro-   662

3-Oxa-bicyclo[4.3.0]nonen-(4)
2-Hydroxy-8-acetoxy-7-methyl-5-methoxycarbonyl-
  925
2-Hydroxy-*endo*-8-acetoxy-*endo*-9-methyl-5-methoxy-
  carbonyl- 925
2-Hydroxy-*exo*-8-acetoxy-*exo*-9-methyl-5-methoxy-
  carbonyl- 925
2-Hydroxy-8-tetrahydropyranyl-(2)-oxy-5-methoxy-
  carbonyl- 924

2-Oxa-bicyclo[3.2.1]octen-(3)
1,8,8-Trimethyl- 760

6-Oxa-bicyclo[3.2.1]octen-(2)
3,*endo*-7,8-Trimethyl- 849

8-Oxa-bicyclo[3.2.1]octen-(6)
3-Oxo-2,2,4,4-tetramethyl- 880

Benzo-[b]-thiophen
4-Amino- 1270
4-Amino-5-diäthylamino- 1270
4-Amino-5-diäthylamino-2-äthoxycarbonyl- 1270
4-Amino-5-morpholino- 1270
4-Amino-5-piperidino-2-äthoxycarbonyl- 1270
2-Isopropyl- 1036
2-Methyl- 1020
3-Oxo-2,2-dimethyl-2,3-dihydro- 1038
3-Oxo-5-methyl-2-phenyl-2,3-dihydro- 1038
2-(bzw. 3)-Phenyl- 543

7-Thia-bicyclo[4.3.0]nonen-(1⁹)
8-Hydroxy-6-methoxy-8,9-dimethyl- ; -S-oxid 1493

Benzo-[c]-thiophen
1,3-Dihydro- 1026

2-Thia-bicyclo[3.2.1]octen-(3) 1019

Indol 570, 1100, 1300, 1341, 1580
1-Acetyl- 1294, 1295
6-Acetylamino-1-hydroxy-2-oxo-3,3-dimethyl-2,3-di-
  hydro- 1341
Äthoxy-2-oxo-1-methyl-2,3-dihydro- 1218
5-Brom-2-hydroxy-1-formyl-2,3-dihydro- 1303
6-Brom-1-hydroxy-2-oxo-3,3-dimethyl-2,3-dihydro-
  1340
3-Carboxy- 1198
4-Carboxymethyl-3-(2-amino-2-carboxy-äthyl)- ; -
  lactam 638
3-Chlor-2-hydroxy-1-formyl-2,3-dihydro- 1302
3-Cyclohexyl-2-phenyl- 1212
2,3-Dimethyl- 570
1,3-Dimethyl-2-äthyl-2,3-dihydro- 544
4,6-Dinitro-1-hydroxy-2-oxo-3,3,5,7-tetramethyl-2,3-di-
  hydro- 1341
2,3-Diphenyl- 569
5-Fluor-2-hydroxy-1-formyl-2,3-dihydro- 1302
2-Formyl- 1300
3-Formyl- 1300
3-Formyl-2-deuterio- 1299
2-Hydroxy-1-acetyl-2,3-dihydro- 1295, **1296**
2-Hydroxy-1-benzoyl-2,3-dihydro- 1301
2-Hydroxy-1-deuterioformyl-2,3-dihydro- 1299
2-Hydroxy-1-formyl-2,3-dihydro- **1296**
2-Hydroxy-5-methoxy-1-acetyl-2,3-dihydro- 1303
1-Hydroxy-6-methoxy-2-oxo-3,3-dimethyl-2,3-dihy-
  dro- 1340
2-Hydroxy-3-methyl-1-benzoyl-2,3-dihydro- 1302
2-Hydroxy-3-methyl-1-formyl-2,3-dihydro- 1300
2-Hydroxy-5-methyl-1-formyl-2,3-dihydro- 1300
1-Hydroxy-2-oxo-6-cyan-3,3-dimethyl-2,3-dihydro-
  1341
1-Hydroxy-2-oxo-2,3-dihydro- 1339
1-Hydroxy-2-oxo-3,3-dimethyl-6-tert.-butyl-2,3-dihy-
  dro- 1340, **1341**
1-Hydroxy-2-oxo-3,3-dimethyl-6-carboxy- 1340
1-Hydroxy-2-oxo-3,3-dimethyl-5,7-di-tert.-butyl-2,3-
  dihydro- 1341
1-Hydroxy-2-oxo-3,3-dimethyl-2,3-dihydro- 1340
1-Hydroxy-2-oxo-3,3-dimethyl-5-(bzw.-6)-phenyl-2,3-
  dihydro- 1340
3-Methyl- 570, 1300, 1312
1-Methyl-2-phenyl-2,3-dihydro- 544
6-Nitro-1-hydroxy-2-oxo-3,3-dimethyl-2,3-dihydro-
  1340
4-Nitro-1-hydroxy-2-oxo-3,3,5,6,7-pentamethyl-2,3-di-
  hydro- 1341
2-Oxo-3-(α-anilino-benzyliden)-2,3-dihydro- 1110
2-Oxo-5,7-diäthyl-2,3-dihydro- 1339
2-Oxo-3,3-dimethyl-5,7-di-tert.-butyl-2,3-dihydro-
  1341
2-Oxo-1,3-dimethyl-3-(4-oxo-butyl)-2,3-dihydro-
  1481
3-Oxo-2,2-diphenyl-2,3-dihydro- 1252
2-Oxo-3-(2-hydroximino-propyliden)-2,3-dihydro-
  549, 1331
2-Oxo-7-phenyl-2,3-dihydro- 643
2-Oxo-1,3,3-triphenyl-2,3-dihydro- 1481
2-(bzw. 3)-Phenyl- 569
3-Phenyl-2-formyl- **1297**
3-Phenyl-1-formyl-2,3-dihydro- **1297**
1,3,3-Trimethyl-2-{2-[6-thiono-cyclohexadien-(2,4)-yl-
  iden]-äthyliden}-2,3-dihydro- 612

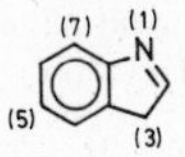

3H-Indol
3-Cyclohexen-(1)-yl-2-phenyl- 1212
3,3-Dimethyl-5,7-di-tert.-butyl- 1342
3,3-Dimethyl-5,7-di-tert.-butyl-; -1-oxid 1341
3-Oxo-2-phenyl-; -1-oxid 1342
2-Phenyl-3-cycloocten-(2)-yl- 1235

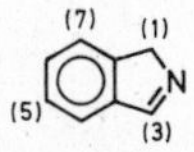

1H-Isoindol
3-Hydroxy-4,6-dimethyl 1316
1,1,3-Triphenyl- 1131

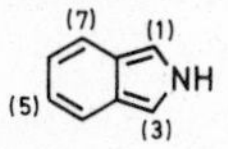

2H-Isoindol
3-Hydroxy-4,6-dimethyl- 577

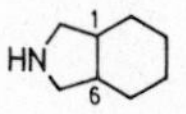

8-Aza-bicyclo[4.3.0]nonen
7,8,9-Triphenyl- 1081

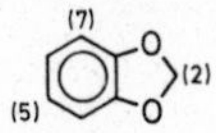

Benzo-1,3-dioxol
4,5,6,7-Tetrachlor-2,2-dimethyl- 1254

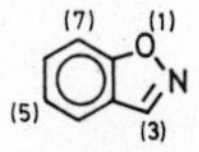

Benzo-[d]-1,2-oxazol (1,2-Benzisoxazol) 1323

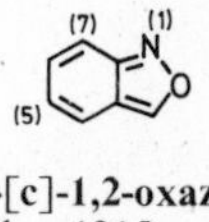

Benzo-[c]-1,2-oxazol
3-Äthyl- 1315
3-Methyl- 1312, 1315
3-Phenyl- 1315

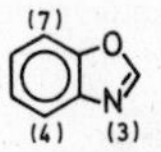

Benzo-1,3-oxazol 566, 1123, 1323
6-Anilino-5-hydroxy-4-acetyl- 980
6-Dimethylamino-5-hydroxy-3,4,7-trimethyl-2,3-dihy-
    dro- 979, **980**
2-Hydroxy- 577
5-(bzw. 6-; bzw. 7)-Methyl- 566
6-Methylamino-5-hydroxy-3,4,7-trimethyl-2,3-dihy-
    dro- 980
2-Phenyl- 1117
4,5,6,7-Tetrachlor-2-methyl- **1254**

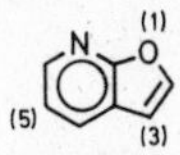

Furo-[2,3-b]-pyridin
4-Chlor-2-phenyl- 1106

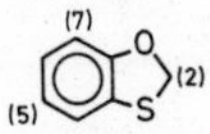

Benzo-1,3-oxathiol
4,5,6,7-Tetrachlor-2-phenylimino- 1254

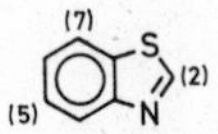

Benzo-1,3-thiazol
2-Äthoxy- 1072
2-Phenyl- 1071, 1117

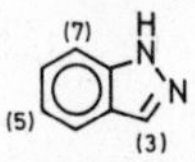

1H-Indazol 1123
6-Chlor- 1219
6-Chlor-3-phenyl- 1212
5-Chlor-3-phenyl-1-acetyl- **1314**
1-Methyl- 1123
3-Methyl- 1312
3-Phenyl- 1212, 1315

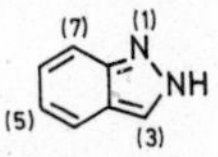

2H-Indazol
2-Phenyl- 1126

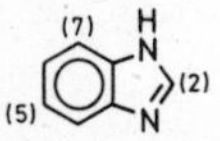

Benzimidazol 573, 1123
2-Äthoxycarbonyl- 1091
2-(2-Äthoxy-phenyl)- **562**
2-Äthyl-1-benzyl- 563, 1287
6-Benzolsulfonylamino-5-dimethylamino-1-methyl-
    984
1-Benzyl- 561
6-Chlor-1-methyl- 561
5,7-Di-tert.-butyl- 561
1,3-Dimethyl- 564
1,5-(bzw. 1,7)-Dimethyl- 561
1,2-Diphenyl- 580
2-Hydroxy-1-phenyl- 581
1-Methyl- **561**, 564, 1072
2-Methyl- 561
5-Nitro-2-butyl-(2)-; -3-oxid **1343**
5-Nitro-2-hydroxymethyl-; -3-oxid **1343**
5-Nitro-1-(bzw. -2)-methyl-; -3-oxid **1343**
5-Nitro-2-(2-methyl-propyl)-; -3-oxid **1343**
5-Nitro-; -3-oxid **1343**
2-Oxo-3-äthyl-1-benzyl-2,3-dihydro- 563, 1287
2-Oxo-1,3-dibenzoyl-2,3-dihydro- 1315
2-Oxo-1-phenyl- 1277
2-Phenyl- **562**, 575, 1091, 1117, 1263

1H-⟨Pyrrolo-[2,3-b]-pyridin⟩
3-Carboxy- 1198
3,5-Dicarboxy- 1198
4-Chlor-1,2-diphenyl- 1106

1H-⟨Pyrrolo-[3,2-c]-pyridin (Harmyrin) 1198

Benzofurazan
6-Nitro-4-phenyl- ; -1-oxid 1269
4-Phenyl- ; -1-oxid 1269

1H-⟨Benzotriazol⟩ 570
1-Pyridyl-(2)- ; -2-oxid **572**

5H-⟨Pyrrolo-[3,2-d]-pyrimidin⟩
2,4-Dioxo-1,3-dimethyl-6-(4-methoxy-phenyl)-1,2,3,4-
tetrahydro- 1370

1H-⟨Pyrazolo-[4,5-d]-pyrimidin⟩
4-Amino-6-äthyl- 607
4-Amino-3,6-dimethyl- 607
4-Hydroxy- 607

Purin
6-Amino-2-hydroxy-9-ribosyl- 1315
6-Amino-9-ribosyl- 1315
4,5-Dimethoxy-2,6,8-trioxo-1,3-dimethyl-9-phenyl-oc-
tahydro- 564
4,5-Dimethoxy-2,6,8-trioxo-9-phenyl-octahydro-
564
4-Hydroxy-5-methoxy-2,6,8-trioxo-1,3-dimethyl-9-
phenyl-octahydro- 564
2,6,8-Trihydroxy-4,5-dimethoxy-9-phenyl-4,5-dihy-
dro- 564

Azulen 1239
4-(bzw. 8)-Äthinyl-3-(2-äthinyl-phenyl)- 465, 466
1-Äthoxycarbonylmethyl- 1208
6-Äthoxycarbonyl-1,2,3,4-tetrahydro- 1241

4-(4-Brom-phenyläthinyl)-1,2-bis-[4-brom-phenyl]-3-
[2-(4-brom-phenyläthinyl)-phenyl]- 466
4-(4-Cyan-phenyläthinyl)-1,2-bis-[4-cyan-phenyl]-3-
[2-(4-cyan-phenyläthinyl)-phenyl]- 466
4-(2,6-Difluor-phenyläthinyl)-1,2-bis-[2,6-difluor-phe-
nyl]-3-[2-(2,6-difluor-phenyläthinyl)-phenyl]-
466
6,7-Dimethyl-4-äthinyl-3-(4,5-dimethyl-2-äthinyl-phe-
nyl)- 466
6,7-Dimethyl-4-phenyläthinyl-1,2-diphenyl-3-(4,5-di-
methyl-2-phenyläthinyl-phenyl)- 466
1,2-Dimethyl-4-(bzw. -8)-propin-(1)-yl-3-[2-propin-(1)-
yl-phenyl]- 466
1-Diphenylmethyl- **1209**
2-Hydroxy-3,8-dimethyl-5-isopropyl- 1044
2-Methoxy-3,8-dimethyl-5-isopropyl- 1044
1-(2-Oxo-1,2-diphenyl-äthyl)- 1208
1-(2-Oxo-2-phenyl-äthyl)- 1208
1-Phenyl- **464**
4-Phenyläthinyl-1,2-diphenyl-3-(2-phenyläthinyl-phe-
nyl)- 466
4-Phenyläthinyl-3-[2-phenyläthinyl-cyclohexen-(1)-yl-
]-1,2-diphenyl-5,6,7,8-tetrahydro- 456
1-Phenyl-4,5-dimethoxycarbonyl-3,3a-dihydro- 447
3-Phenyl-7,8-dimethoxycarbonyl-3,3a-dihydro- 447
1-Phenyl-1,2,3,3a-tetrahydro- 313
5,6,7,8-Tetrafluor-4-phenyläthinyl-1,2-diphenyl-3-
(3,4,5,6-tetrafluor-2-phenyläthinyl-phenyl)- 466
1,2,3-Triphenyl- 328, **463**

Bicyclo[5.3.0]decadien-(1⁷,8)
10-Carboxy- 1198

Bicyclo[5.3.0]decadien-(1¹⁰,7)
9-Carboxy- 1196

Bicyclo[5.3.0]decadien-(1,7)
9-Oxo-2-methyl- **785**

Bicyclo[5.3.0]decen-(7)
c-2-Acetoxy-9-oxo-t-2,8-dimethyl-r-5-isopropenyl-
2,9-Dioxo- 779 [782
2,9-Dioxo-8-methyl- 779
t-2-Hydroxy-c-5-benzoyloxy-9-oxo-r-2,6,6-trimethyl-
781
1α-Hydroxy-9-oxo-2,8-dimethyl- **781**
t-2-Hydroxy-9-oxo-r-2,t-6-dimethyl- **780**
t-2-Hydroxy-9-oxo-c-2,8-dimethyl-r-5-(1-methoxycar-
bonyl-äthyl)- 782
2-Hydroxy-9-oxo-2-methyl- 782

Bicyclo[4.2.1]nonatrien-(2,4,7) 284
9-Isopropyliden-2,5-dimethoxycarbonyl- 446

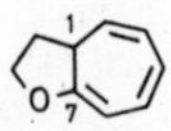

8-Oxa-bicyclo[5.3.0]decatrien-(2,4,6)

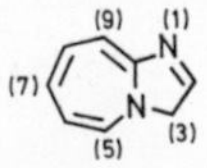

5H-⟨Imidazo-[1,2-a]-azepin⟩

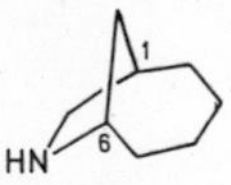

7-Aza-bicyclo[4.2.1]nonan

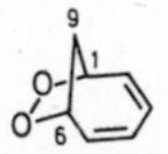

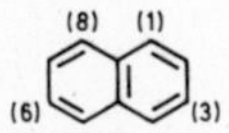

7,8-Dioxa-bicyclo[4.2.1]nonadien-(2,4) 1485

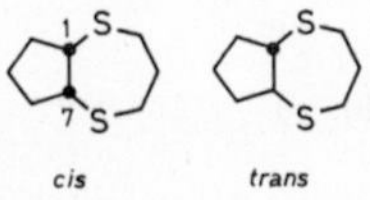

cis   trans

2,6-Dithia-bicyclo[5.3.0]decan

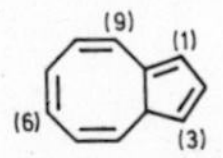

3aH-⟨Cyclopenta-cycloocten⟩

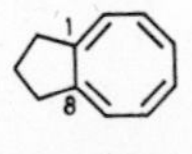

Bicyclo[6.3.0]undecatetraen-(1,3,5,7)

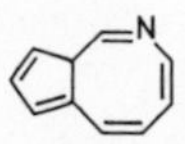

9aH-⟨Cyclopenta-[c]-azocin⟩

Naphthalin 433, 1580

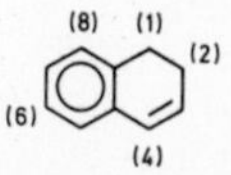

1,2-Dihydro-naphthalin 434

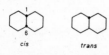

11,14-Cyclo-8,14-seco-oleantrien-(8,11,13)   260

cis   trans

Bicyclo[4.4.0]decan (Dekalin)
2-Amino-5,5-dimethyl-*trans*- ; -9-carbonsäure-
   lactam 1275
-*cis*-carbonsäure-chloride 182
4,4-Dimethyl-*trans*-9-aminocarbonyl- 1275
cis-2,6-Dimethyl-7-methylen-8-(3-methyl-2-methylen-
   butyliden)-2-carboxy-*cis*- 258, 269
1,6-Dimethyl-5-methylen-*cis*- 216
9-Hydroxy-*cis*- 809
9-Isocyanato-4,4-dimethyl-*cis*-(bzw. -*trans*)- 1275
6-Isopropyloxy-1-methyl- 1438
1-Methyl-*cis*-   **1438**
4-Methyl-4-aminomethyl-*cis*-(bzw. -*trans*)- ; -9-
   carbonsäure-lactam 1275
6-Methyl-1-(bzw. -2)-deuterio-*cis*- 1439
1-Methyl-5-methylen-*cis*-(bzw. -*trans*)- 216
1-Methyl-4-methylen-3-deuterio-*trans*- 215

C-Nor-11,13-seco-5α-pregnen-(13[18])
3,3; 20,20-Bis-[äthylen-(1,2)-dioxy]- ; -11-al 762

12,13-Seco-5α-pregnen-(13)
3β,20-Diacetoxy- ; -12-al **761**

Bicyclo[2.2.2]octadien-(2,5)
cis-7.8-Dichlor-7,8-carbonyldioxy- 491

Bicyclo[2.2.2]octen-(2)
-*exo*-5,*exo*-6-(bzw. *endo*-5,*endo*-6)-dicarbonsäure-
   anhydrid 383, **384**
6,6-Difluor-5,5-dichlor- 387
endo-5,*endo*-6-Dimethyl- ; -5,6-dicarbonsäure-
   anhydrid 384
5,5,6,6-Tetrachlor- 388

V*

Bicyclo[2.2.2]octan
1,4-Dibrom- 230
2-(2-Oxo-propyl)- 291

2H-Chromen 1043
3-Chlor-2-oxo-4-[2-oxo-2H-chromen-yl-(3)]- 619
3,4-Dihydro- 669
6-Hydroxy-7,8-dimethoxy-2,5-dimethyl-2-alkyl- 977
6-Hydroxy-2,2,7,8-tetramethyl- 977
2-Oxo-3-[1-chlor-idenyl-(2)]- 620, **621**

4H-Chromen
4-Oxo-2-[2,3-dimethyl-buten-(2)-yl]-2,3-dihydro-
   624
4-Oxo-2-[2,3-dimethyl-buten-(3)-yl-(2)]-2,3-dihydro-
   624

2-Oxa-bicyclo[4.4.0]decen-(1[6])
3-Oxo- 765

2-Oxa-bicyclo[4.4.0]decen-(1[10])
3-Oxo- 765

2-Benzopyrylium
4-Oxi-3-methyl-1-phenyl- 615

1H-〈2-Benzopyran〉 684
5,8-Dihydroxy-1,1,3,3-tetramethyl-3,4-dihydro- 976
5,8-Dioxo-1,1,3,3-tetramethyl-3,4,5,8-tetrahydro-
   976
1-Hydroxy-3-methoxycarbonyl- 686
1-Oxo-3-methyl-4-phenyl- 615

3H-〈2-Benzopyran〉
3-Oxo-1,4-diphenyl-1,4-dihydro- ; -1,4-
   eisentricarbonyl 627
3-Oxo-1,4-diphenyl- ; -7-eisentricarbonyl 627

9-Oxa-bicyclo[3.3.1]nonen-(2)
1-Hydroxy-6-mercapto- 1021

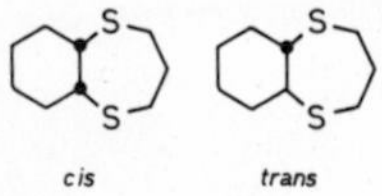

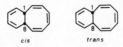

2,6-Dithia-bicyclo[5.4.0]undecan

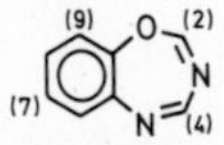

Benzo-[f]-1,3,5-oxadiazepin

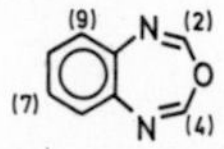

Benzo-[d]-1,3,6-oxadiazepin

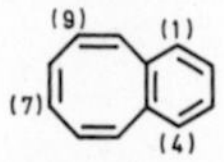

Benzo-cyclooctatetraen   424

Bicyclo[6.4.0]dodecapentaen-(2,4,6,9,11)   276

Bicyclo[6.4.0]dodecatetraen-(1⁸,2,4,6)   1043

Bicyclo[4.2.2]decatetraen-(2,4,7,9)   432 436, 437,

Bicyclo[4.2.2]decatrien-(*cis*-3,*cis*-7,*cis*-9)   472, 496

Bicyclo[4.2.2]decatrien-(*trans*-3,*cis*-7,*cis*-9)   495

Bicyclo[6.4.0]dodecan

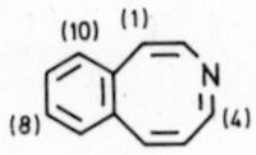

1-Benzazocin

3-Benzazocin

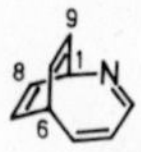

2-Aza-bicyclo[4.2.2]decatetraen

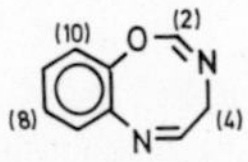

4H-⟨Benzo-[g]-1,3,6-oxadiazonin⟩

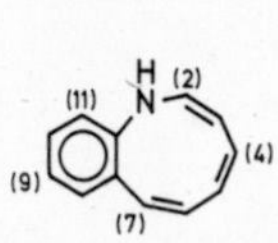

1H-⟨Benzo-[b]-azonin⟩

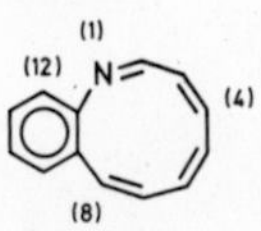

1-Benzazecin

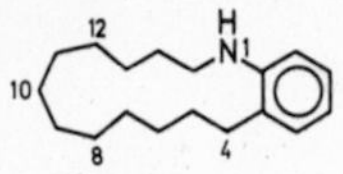

Benzo-1-aza-cyclopentadecen-(2)
13-Oxo- 1094

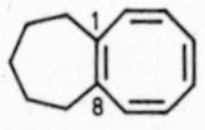

Bicyclo[6.5.0]tridecatetraen-(1⁸,2,4,6) 1043

12-Oxa-bicyclo[4.4.3]tridecatrien-(1,3,5) 268

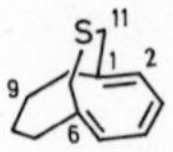

12-Thia-bicyclo[4.4.3]tridecatrien-(1,3,5) 268
-12,12-dioxid 268

D. Tricyclische Verbindungen

Tricyclo[3.1.0.0²·⁴]hexan
anti- 1145
1,2,3,3,6,6-(bzw. 1,3,3,4,6,6)-Hexamethyl-*anti-* 285
1,2,*endo*-3,4,5,*endo*-6-Hexaphenyl-*anti-* 342, **345**
1,2,*exo*-3,4,5,*exo*-6-Hexaphenyl-*anti-* 342, **345**
1,2,4,5-Tetraphenyl-*anti-* 343
1,2,4,5-Tetraphenyl-3,6-diacetyl- 342
1,2,4,5-Tetraphenyl-3,6-dimethoxy-carbonyl-*anti-*
343

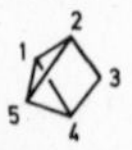

Tricyclo[2.1.0.0²·⁵]pentan
3-Oxo-1,5-diphenyl- 1202

Tricyclo[3.2.0.0¹·⁶]heptan 250
3,3-Dimethyl- 250

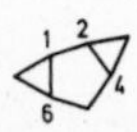

Tricyclo[4.1.0.0²·⁴]heptan
cis-(bzw. *trans*)- 1169

Benzvalen (Tricyclo[2.1.1.0⁵·⁶]hexen) 472, 473
Hexakis-[trifluormethyl]- 475

Tricyclo[2.1.1.0⁵·⁶]hexan 1201

6-Oxa-tricyclo[3.1.1.0¹·⁵]heptan
2,2-Dimethyl-7-isopropyl- 850

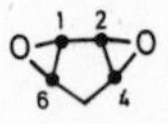

cis

3,7-Dioxa-tricyclo[4.1.0.0²·⁴]hepten **1482**
5-Isopropyliden-1,2,4,6-tetraphenyl- 1483
1,2,4,6-Tetraphenyl- 1483

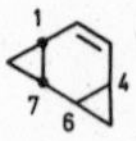

anti-**Tricyclo[5.1.0.0⁴·⁶]octen-(2)** 231, 418
5,8-Bis-[dimethoxyphosphono]-5,8-diphenyl- 1241

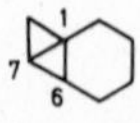

Tricyclo[4.2.0.0¹·⁷]octan 250

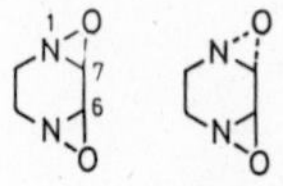

cis   *trans*

5,8-Dioxa-1,4-diaza-tricyclo[5.1.0.0⁴·⁶]octan
cis-(bzw. *trans*)-2,2,3,3,6,7-Hexamethyl- 1285

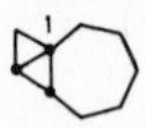

cis

Tricyclo[5.2.0.0¹·⁸]nonan
cis- 250
9-Methyl-*cis*-(bzw. *trans*)- 250

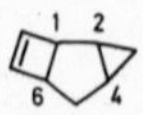

Tricyclo[4.2.0.0²·⁴]octen-(7) 231

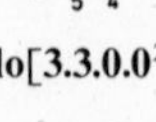

Tricyclo[3.3.0.0²·⁴]octen-(6) 231, 418

Tricyclo[3.3.0.0²·⁴]octan
syn- 231

Tricyclo[3.2.0.0^{2,7}]hepten-(3)
5,7-Diphenyl-1-methoxycarbonyl-   233, 427
5,7-Diphenyl-4-methoxycarbonyl-   233, **427**

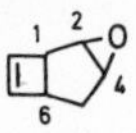

3-Oxa-tricyclo[4.2.0.0^{2,4}]octen-(7)   685

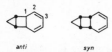

anti   *syn*

Tricyclo[4.3.0.0^{7,9}]nonadien-(2,4)
2,3,4,5-Tetrachlor-*anti*-(bzw. *syn*)-   1148

Tricyclo[4.2.0.0^{2,8}]octen-(3)   430
5,5-Dideuterio-   430

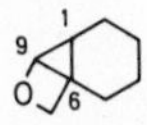

8-Oxa-tricyclo[4.3.0.0^{6,9}]nonan
1,9-Dimethyl-3-tert.-butyl-   848

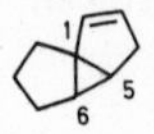

Tricyclo[4.3.0.0^{1,5}]nonen-(2)
4-Oxo-3,6-dimethyl-   777
4-Oxo-5,6-dimethyl-   777
4-Oxo-6-methyl-   777

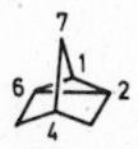

Tricyclo[2.2.1.0^{2,6}]heptan   1169
syn-7-Chlor-3-oxo-   1187
5-Halogen-3-phenylsulfonyl-   1050
3-Oxo-4,7,7-trimethyl-   1187
3-Phenylmercaptomethyl-   1012
1,7,7-Trimethyl-   1128

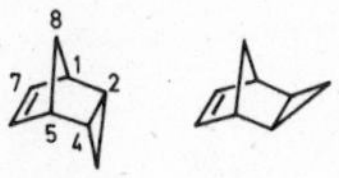

endo   *exo*

Tricyclo[3.2.1.0^{2,4}]octen-(6)
3,3-Dimethoxycarbonyl-*endo*-(bzw. *-exo*)-   1231
3,3-Diphenyl-*endo*-(bzw. *-exo*)-   1230

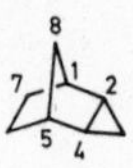

Tricyclo[3.2.1.0^{2,4}]octan
-3-phosphonsäure-dimethylester   1358

Tricyclo[3.3.0.0^{2,8}]octen-(3)   231, 275, 418, 472
6-(bzw. 7)-Äthoxy-   493
6-(bzw. 7)-Äthyl-   493
cis-(bzw. *trans*)-6,7-Dimethyl-   493
6-(bzw. 7)-Hexyl-   493
6-Methylen-7-chlormethylen-   276
7-Methylen-6-chlormethylen-   276
endo-(bzw. *exo*)-6-Methyl-6-isopropenyl-   489, 498
7-Methyl-7-vinyl-   497
6,6,7,7-Tetramethyl-   492, 493
7-Vinyl-   496

Tricyclo[3.3.0.0^{2,8}]octadien-(3,6) (Semibullvalen)   275, **423**
1,5-(bzw. 2,3-; bzw. 4,5)-[trifluormethyl]-   431

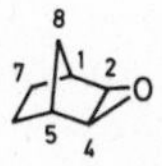

3-Oxa-*exo*-tricyclo[3.2.1.0^{2,4}]octan
endo-6,*exo*-(bzw. *exo*-6,*exo*-7)-Diacetoxy-   685

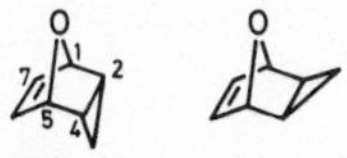

endo   *exo*

8-Oxa-tricyclo[3.2.1.0^{2,4}]hepten-(6)   550
3-Formyl-   552

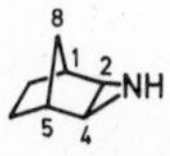

3-Aza-*exo*-tricyclo[3.2.1.0^{2,4}]octan
3-(4-Brom-phenyl)-   1258
3-Phenyl-   1258
3-Phenyl- ; -2,4-dicarbonsäure-anhydrid   1258

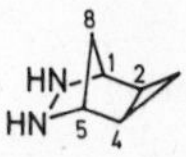

6,7-Diaza-tricyclo[3.2.1.0^{2,4}]octan
6,7-Dimethoxycarbonyl-   1148

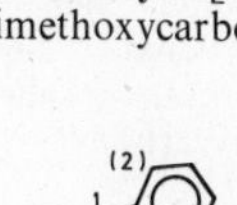

Benzo-bicyclo[3.1.0]hexen-(2)   254, 271
1,6-(bzw. 6,6-; bzw. 6,8)-Dimethyl-   270
6-Methyl-   271
6-Oxo-1,7,8,8-tetramethyl-   771

Tricyclo[4.4.0.0^{1,5}]decen-(2)
4-Oxo-3,6-dimethyl- **775**, 790
4-Oxo-5,6-(bzw. -6,10)-dimethyl- 778
4-Oxo-5,6-dimethyl-9-isopropenyl- 778
4-Oxo-6-methoxycarbonyl- 777

Tricyclo[4.4.0.0^{1,5}]decan
3-Oxo-1-methyl- **769**
4-Oxo-6-hydroxymethyl- 769

Tricyclo[4.3.1.0^{1,6}]decan
8-Oxo- 794
7-Oxo-10-dimethoxymethyl- 698

Tricyclo[4.4.0.0^{2,4}]decen-(1^{6})
4,7,7,10,10-Pentamethyl- 268
7,7,10,10-Tetramethyl- 267
7,7,10,10-Tetramethyl-4-tert.-butyl- 268

Tricyclo[3.2.1.0^{4,6}]octen-(2) 430
8,8-Dideuterio- 430

Tricyclo[3.2.1.0^{2,7}]octan
3-Oxo- 1191

Tricyclo[4.3.0.0^{2,9}]nonadien-(3,7)
5-Diphenylmethylen-2,8-dimethoxycarbonyl- 445
5-Diphenylmethylen-1,2,8-trimethoxycarbonyl- 445
5-Diphenylmethylen-2,8,9-trimethoxycarbonyl- **446**
5-Isopropyliden-2,8-dimethoxycarbonyl- 446
5-Isopropyliden-1,2,8-trimethoxycarbonyl- 446
5-Isopropyliden-2,8,9-trimethoxycarbonyl- 446
8-Phenyl-5-isopropyliden-2-methoxycarbonyl- 446

Benzo-6-oxa-bicyclo[3.1.0]hexen-(2)
1-Methyl-7-phenyl- 615

Tricyclo[5.3.0.0^{2,10}]decen-(8) 266
1,7-Dimethyl- 266

Tricyclo[6.3.0.0^{2,11}]undecen-(9) 268

Benzo-bicyclo[4.1.0]heptadien-(2,4) 274
9-Carboxymethyl- 756
1,8-(bzw. 8,9)-Dimethyl- 274
9-Dimethylphosphono-9-phenyl- 1242
8-(bzw. 9)-Methoxycarbonyl- 274

Tricyclo[5.4.0.0^{2,4}]undecen-(1^{11})
10-Oxo-*trans*-3,7-dimethyl- 1006

Tricyclo[3.3.1.0^{4,6}]nonadien-(2,7) (Barbaralan) 445

Tricyclo[3.2.2.0^{2,4}]nonen-(6)
-*exo*-8,*exo*-9-dicarbonsäure-anhydrid 383

Tricyclo[4.4.1.0^{1,6}]undecadien-(2,4)
7,8;9,10-Bis-[epoxi]- 1487

Cyclopropa-[c]-[1]-benzopyran
1,1a,2,7b-Tetrahydro- 1201

9-Thia-tricyclo[3.3.1.0^{4,6}]nonadien-(2,7) 1019

9-Phospha-tricyclo[3.3.1.0^{4,6}]nonadien-(2,7)
9-Phenyl- 277

Bullvalen   298, 432, 435, 1148
Fluor-chlor-   436

2-Aza-tricyclo[3.3.2.0⁴,⁶]decatrien-(2,7,9)
3-Methoxy-   1104

Tricyclo[4.2.0.0²,⁵]octadien-(3,7)
syn-   1364
2,3,4,6,7-Hexamethyl-   888
Octamethoxycarbonyl-   352

Tricyclo[4.2.0.0²,⁵]octan
anti-   285, 1153
1,2,5,6-Tetramethoxycarbonyl-*anti*-   352
1,2,5,6-Tetraphenyl-   343

3-Oxa-tricyclo[4.2.0.0²,⁵]octan
1,8-Dichlor-2-amino- ; -8-carbonsäure-lactam   382
1,8-Dichlor-2-amino-5,6-dimethyl- ; -8-carbonsäure-
     lactam   382

Tricyclo[4.3.0.0²,⁵]nonen-(3)   259

Tricyclo[4.3.0.0²,⁵]nonen-(7)
2,5-Diphenyl-*anti*-   **366**

Tricyclo[3.2.2.0²,⁵]nonan
2-Carboxy-   1189
endo-(bzw. *exo*)-6-Methoxycarbonyl-   1186

Tricyclo[3.2.0.0⁴,⁷]heptan
6-Hydroxy-6-phenyl-   800

3-Thia-tricyclo[3.2.2.0¹,⁵]nonan   393

4-Aza-tricyclo[4.1.1.0³,⁷]octan
5-Oxo-382

2-Aza-4,8-dioxa-tricyclo[5.2.0.0³,⁶]nonan
5,5,9,9-Tetraphenyl-2-benzoyl-   863

Benzo-bicyclo[2.2.0]hexen-(2)
cis-7,8-Dimethyl- ; -7,8-dicarbonsäure-methylimid
     628

syn   anti

Tricyclo[4.4.0.0²,⁵]decen-(3)
endo-(bzw. *exo*)- ; -1,6-dicarbonsäure-anhydrid   267

Tricyclo[4.4.0.0¹,⁴]decen-(2)   259

Dicyclobutano-[a;d]-benzol
1-Carboxy-   1186

Tricyclo[6.2.0.0³,⁶]decan
2,7-Dioxo-4,5,9,10-tetramethoxycarbonyl-   905
1,3,6,8-Tetrachlor-2,7-dioxo-octamethyl-   945

Tricyclo[4.2.2.0¹,⁶]decan
2-Oxo-   919

exo,cis-**Tricyclo[5.4.0.0⁸,¹¹]undecen-(9)**   268

Tricyclo[8.2.0.0⁴,⁷]dodecadien-(1¹⁰,4⁷)   251, 310

Tricyclo[5.3.0.0²,⁶]decadien-(3,9)   295, **296**
anti-5,8-Dioxo-*anti*-   940

Tricyclo[5.3.0.0²,⁶]decen-(3)
3,7-Dimethyl-10-isopropyl-*anti*-　228
8-(bzw. 10)-Oxo-　914

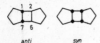

anti　　　　syn

Tricyclo[5.3.0.0²,⁶]decan
anti-　241, 282, **283**
syn-　283
1,2-(bzw. 1,6)-Diacetyl-*cis-anti-cis*-　907
6,7-Dihydroxy-5,8-dioxo-1,2-dimethyl-　907
6,7-Dimethyl-1,2-diacetyl-*cis-anti-cis*-　907
3,8-Dioxo-*anti*-　898
3,8-Dioxo-　**905**
3,10-Dioxo-*anti*-　898
3,10-Dioxo-*cis-anti-cis*-　**905**
3,8-Dioxo-1,6-dimethyl-*syn*-(bzw. *-anti*)-　904
5,8-Dioxo-1,2-dimethyl-*syn*-(bzw. *-anti*)-　904
5,8-Dioxo-1,2-diphenyl-*cis-anti-cis*-　907
3,8-Dioxo-5,5,10,10-tetramethyl-*cis-anti-cis*-　907
3,10-Dioxo-5,5,8,8-tetramethyl-*cis-anti-cis*-　907
Diphenyl-　322
1-Methyl-*syn*-(bzw. *-anti*)-　241
7-Methyl-10-isopropyl-3-methylen-*anti*-　241
3-Oxo-*anti*-　898, 913
3-Oxo-1,7-dimethoxycarbonyl-　914
3-Oxo-1,7-dimethyl-4-isopropyliden-*syn*-(bzw. *-anti*)-　938
5-Oxo-2-methyl-*syn*-(bzw. *-anti*)-　938
8-(bzw. 10)-Oxo-6-methyl-3-isopropyl-*anti*-　913
4,4,9,9-Tetramethoxy-*syn*-　241

Tricyclo[3.3.2.0¹,⁵]decen-(9)
2-Oxo-9,10-dimethyl-　929

Tricyclo[3.3.2.0¹,⁵]decan
2,6-Bis-[methylen]-　251
3-Oxo-　1442

Tricyclo[3.3.0.0²,⁷]octan
3-Oxo-1,2-dimethyl-　932
6-Oxo-1,2-dimethyl-　932, 935
3-Oxo-2-methyl-1-[4-methyl-penten-(3)-yl]-　936

Tricyclo[3.2.1.0³,⁶]octan
2-Hydroxy-3-methyl-2-phenyl-　800
2-*Oxo-endo*-(bzw. *-exo*)-4-(3-methoxycarbonyl-propyl)-*syn*-7-[3-hydroxy-octen-(1)-yl]-　935

7-Oxo-*endo*-4-(3-methoxycarbonyl-propyl)-2-[3-hy-droxy-*trans*-octen-(1)-yl]-　935
4-Oxo-6,7,7-trimethyl-　1190

Tricyclo[4.2.1.0²,⁵]nonadien-(3,7)
exo-　284

Tricyclo[4.2.1.0²,⁵]nonen-(2⁵)　251

Tricyclo[4.2.1.0²,⁵]nonen-(3)　256
3-Chlor-*endo*-(bzw. *-exo*)-　256
3,4-Dichlor-*endo*-(bzw. *-exo*)-　256

endo　　　　exo

Tricyclo[4.2.1.0²,⁵]nonan
endo-(bzw. *exo*)- ; -*anti*-3,*anti*-4-dicarbonsäure-anhydrid　400

3-Oxa-*anti*-tricyclo[5.3.0.0²,⁶]decen-(4)
7-Phenyl-　373

3-Oxa-tricyclo[5.3.0.0²,⁶]decan
7-Acetoxy-8-oxo-*anti*-　899
7-Acetoxy-8-oxo-*syn*-　899, 900

4-Oxa-tricyclo[5.3.0.0²,⁶]decan
3-Oxo-*anti*-　392, **393**

2-Oxa-tricyclo[3.3.0.0³,⁸]octan
1,*exo*-4,*exo*-7-Trimethyl-　849

2-Oxa-tricyclo[3.2.1.0³,⁷]octan
6,6,7-Trimethyl-　760

3-Oxa-tricyclo[4.2.1.0²˒⁵]nonen-(7)
4,4-Diphenyl-   862

endo   *exo*

3-Oxa-tricyclo[4.2.1.0²˒⁵]nonan
4-Chlormethyl-4-pyrazinyl-   847
4,4-Diäthoxycarbonyl-*endo*-(bzw. *exo*)-   858
4,4-Diphenyl-*exo*-   289, 841

9-Phospha-*endo*-tricyclo[4.2.1.0²˒⁵]nonadien-(3,7)
9-Phenyl- ; -9-oxid   277

3,10-Dioxa-*cis-trans-cis*-tricyclo[5.3.0.0²˒ᶜ]decan
5,8-Dioxo-4,4,9,9-tetramethyl-   907

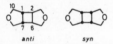

anti   *syn*

4,9-Dioxa-tricyclo[5.3.0.0²˒⁶]decan
3,8-Dioxo-*anti*-   350
3,10-Dioxo-*syn*-(bzw. *anti*)-   **350**

3,8-Diphospha-tricyclo[5.3.0.0²˒⁶]decadien-(4,9)
2,3,4,7,8,9-Hexaphenyl-   309

3,8-Digermana-tricyclo[5.3.0.0²˒⁶]decadien-(4,9)
3,3,8,8-Tetramethyl-2,4,7,9-tetraphenyl-   309

3,8-Disila-tricyclo[5.3.0.0²˒⁶]decadien-(4,9)
3,3,8,8-Tetramethyl-2,4,7,9-tetraphenyl-*syn*-(bzw. *anti*)-
   308

4-Oxa-8,10-diaza-tricyclo[5.3.0.0²˒⁶]decan
3,5,9-Trioxo-8,10-diacetyl-   401, 404
3,5,9-Trioxo-2,6-dimethyl-8,10-diphenyl-   404

anti   *syn*

3,5,8,10-Tetraoxa-tricyclo[5.3.0.0²˒⁶]decan
1,2-Dichlor-4,9-dioxo-*syn*-(bzw. *anti*)-   358
1,6-Dichlor-4,9-dioxo-*syn*-(bzw. *anti*)-   358
4,9-Dioxo-*syn*-(bzw. *anti*)-   358
4,9-Dioxo-1,2,6,7-tetraphenyl-*syn*-   345
1,2,6,7-Tetrachlor-4,9-dioxo-*syn*-(bzw. *anti*)-   358,
   359

3,5,8,10-Tetraaza-tricyclo[5.3.0.0²˒⁶]decan
4,9-Dioxo-3,5,8,10-tetraacetyl-   359, **360**
4,9-Dioxo-3,5,8,10-tetraphenyl-   359

7H-⟨Cyclobuta-[a]-inden⟩
2-Cyan-2a,7a-dihydro-¹   502
7,7-Dicyan-2a,7a-dihydro-   275
1,7-Dimethyl-2a,7a-dihydro-   274
1-Methoxycarbonyl-2a,7a-dihydro-   274

2,3-Benzo-bicyclo[3.2.0]heptadien-(2,6)
6,6-Dicyan-   273
1,6,6,7,8,9-Hexamethyl-   891
3,4,5,9-Tetramethoxy-6-oxo-   **938**

Benzo-bicyclo[3.2.0]hepten-(2)
anti-(bzw. *syn*)-9-Chlor-   374
7-Chlor- ; -*exo*-8,*exo*-9-dicarbonsäure-anhydrid   377
7-Chlor-*endo*-8,*endo*-9-dimethyl- ; -8,9-dicarbonsäure-
   anhydrid   377
exo-(bzw. *endo*)-9-Cyan-   376
-*exo*-8,*exo*-9-dicarbonsäure-anhydrid   375
8,9-Dichlor-   375, 376
9,9-Dichlor-   375
endo-8,*endo*-9-(bzw. *exo*-8,*exo*-9)-Dimethyl- ; -8,9-
   dicarbonsäure-anhydrid   376
7,8,8,9,9-Pentachlor-   375
8,8,9,9-Tetrachlor-   376
6,6,7-(bzw. 8,9,9)-Trichlor-   376

6,7-Benzo-bicyclo[3.2.0]heptadien-(2,6)
5-Hydroxy-4-oxo-   937

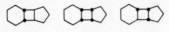

anti   *syn*

Tricyclo[5.4.0.0^{2,6}]undecan
11,11-[Äthylen-(1,2)-dioxy]-6-acetoxy-3-oxo-2-methyl- 899
2-Hydroxy-3,8-dioxo-1,6-dimethyl-*cis-anti-cis*-(bzw. *cis-syn-cis*)- 917
6-Hydroxy-5,8-dioxo-1,2-dimethyl-*cis-anti-cis*-(bzw. *cis-syn-cis*)- 917
1-Methoxy-8-oxo- 918
3-Oxo-*anti*- 914
8-Oxo-*cis-anti-cis*- **912**
8-Oxo-1-cyan-*cis-anti-cis*- 918
11-Oxo-8,8-dimethyl-*cis-anti-cis*- 918
8-Oxo-1-methyl-*cis-syn-cis*(bzw. *cis-anti-cis*)- 917
8-Oxo-1-phenyl-*cis-syn-cis*-(bzw. -*cis-anti-cis*)- 917
8-Oxo-1,4,4-trimethyl-*cis-syn-cis*-(bzw. *cis-syn-anti*)- 917

1H-⟨Cyclobuta-[f]-inden⟩
5-Carboxy-2,4,5,6-tetrahydro- 1186

Tricyclo[5.4.0.0^{1,4}]undecan
3-Hydroxy-3-methyl- 805
11-Oxo-1-methyl- 936

Tricyclo[6.1.1.0^{1,6}]decan
9,9-Dicyan- 240

Tricyclo[4.3.2.0^{1,6}]undecen-(10)
2-Oxo-10,11-dimethyl- 929

Tricyclo[4.3.2.0^{1,6}]undecan
10,11-Dichlor-2-oxo- 919
7-Oxo- 920
2-Oxo-*anti*-10,*syn*-11-(bzw. *syn*-10,*anti*-11, bzw. *syn*-10,*syn*-11)-dimethyl- 920
7-Oxo-*anti*-10-methyl- 920
2-Oxo-10(11)-methyl-11(10)-methylen 217

Benzo-6-oxa-bicyclo[3.2.0]hepten-(2)
9-Methyl-9-acetyl- 859

3-Oxa-*anti*-tricyclo[5.4.0.0^{2,6}]undecen-(4)
7-Phenyl- 373

4-Oxa-tricyclo[5.4.0.0^{2,6}]undecan
3-Oxo- 392

8-Oxa-tricyclo[5.4.0.0$^{.26}$]undecan
9,10-Benzylidendioxy-11-oxo- 921

3-Oxa-tricyclo[5.4.0.0^{1,4}]undecen-(6)
4,8,8-Trimethyl- 849

2-Oxa-tricyclo[5.4.0.0^{1,5}]undecan
8-Oxo-10,10-dimethyl- 936

3-Oxa-tricyclo[5.4.0.0^{1,4}]undecan
7-Methyl- 668

11-Oxa-tricyclo[5.3.1.0^{1,6}]undecan 851

8-Oxa-tricyclo[5.2.1.0^{3,10}]decan
6-Jod-9-oxo-1,2-dimethyl-2-carboxy- 384

3,4-Benzo-2-thia-bicyclo[3.2.0]heptadien-(3,6)
1,9-Dimethyl- 558, **559**
8,9-Diphenyl- 558, 559

Benzo-2-thia-bicyclo[3.2.0]hepten-(3)
8,9-Dichlor- 558, **559**

8-Aza-tricyclo[5.2.1.0^{2,7}]decan
3-Oxo-5,5,8-trimethyl- 937

Benzo-2,7-dioxa-bicyclo[3.2.0]hepten-(3)
8,8-Diphenyl- **867**
8,8-Diphenyl-1-methoxycarbonyl- 866
8-Phenyl- 865

3,4-Benzo-2-oxa-7-aza-bicyclo[3.2.0]heptadien-(3,6)
8-Methyl-1-cyan- 1307

Benzo-7-oxa-2-aza-bicyclo[3.2.0]hepten-(3)
8,8-Diphenyl-2-acetyl- 866
8,8-Diphenyl-2-(4-chlor-benzoyl)- 886

Benzo-2,6,7-trioxa-bicyclo[3.2.0]hepten-(3)
1,4-Dimethyl- 1492
1,4-Diphenyl- 1491, 1492

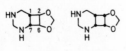

anti   *syn*

3,5-Dioxa-8,10-diaza-tricyclo[5.4.0.0^{2,6}]undecan
4,9,11-Trioxo-8,10-dimethyl-*syn*-(bzw. *anti*)- 604

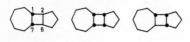

anti   *syn*

Tricyclo[5.5.0.0^{2,6}]dodecan
3-Oxo-*syn*-(bzw. *anti*)- 914
3-Oxo-*r*-1-H,*t*-2-H,*t*-6-H,*t*-7-H-(bzw. *r*-1-H,*c*-2-H,*c*-6-H,*t*-7-H)- 914

Tricyclo[5.3.2.0^{1,7}]dodecen-(11)
2-Oxo-11,12-dimethyl- 929

Tricyclo[5.3.2.0^{1,7}]dodecan
2-Oxo- 920

3-Oxa-*anti*-tricyclo[5.5.0.0^{2,6}]dodecen-(4)
7-Phenyl- 373

11-Oxa-*anti*-tricyclo[8.3.0.0^{2,0}]tridecen-(12)
2-Phenyl- 373

Cyclobuta-[a]-naphthalin
1-Cyan-1,2,2a,8b-tetrahydro- 490
syn-1-(bzw. -2)-Cyan-1,2,2a,8b-tetrahydro- 490
1,2-Diphenyl-2a,8b-dihydro- 502
trans-2a-Methoxy-2-cyan-1,2,2a,8b-tetrahydro- 490
anti-1-Phenoxy-*syn*-(bzw. *anti*)-2-methyl-8b-cyan-1,2,2a,8b-tetrahydro- 490

Cyclobuta-[b]-naphthalin
2a-Acetoxy-3,8-dioxo-1,2-diphenyl-2a,3,8,8a-tetrahydro- 961
3,8-Dioxo-2α,8α-dimethyl-1,2-diphenyl-2a,3,8,8a-tetrahydro- 961
3,8-Dioxo-1,2a-dimethyl-2-phenyl-2a,3,8,8a-tetrahydro- 961
3,8-Dioxo-2,2a-dimethyl-1-phenyl-2a,3,8,8a-tetrahydro- 961
3,8-Dioxo-1,2-(bzw. 2,2a)-dimethyl-2a,3,8,8a-tetrahydro- 961
3,8-Dioxo-1,2-diphenyl-2a,3,8,8-tetrahydro- 961
3,8-Dioxo-1-methyl-1-isopropenyl-1,2,2a,3,8,8a-hexahydro- 958
3,8-Dioxo-1-(bzw. -2)-methyl-2a,3,8,8a-tetrahydro- 961
3,8-Dioxo-2a-methyl-1-(bzw. -2)-phenyl-2a,3,8a-tetrahydro- 961
3,8-Dioxo-1-(bzw. -2)-phenyl-2a,3,8,8a-tetrahydro- 961
3,8-Dioxo-1,2,2a,8a-tetramethyl-2a,3,8,8a-tetrahydro- 961
3,8-Dioxo-1,2a,8a-(bzw. -2,2a,8a)-trimethyl-2a,3,8,8a-tetrahydro- 961
trans-1,2-Diphenyl-1,2-dihydro- 1042
2a-Methoxy-3,8-dioxo-1,2-diphenyl-2a,3,8,8a-tetrahydro- 961, **962**

3,4-Benzo-bicyclo[4.2.0]octadien-(3,7)
2,7-Dioxo-8,9,10-triakyl- 962

Bicyclo[4.6.0.0^{3,6}]dodecadien-(4,10)
2,7-Dioxo-*anti*- 931

Biphenylen 1158, 1581, 1582, 1583, 1584, 1590
2-Dimethylamino- 1456
4-Dimethylamino- 1456

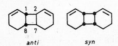

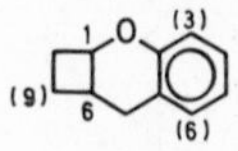

Benzo-2-oxa-bicyclo[4.2.0]octen-(3)
10,10-Dimethoxy-7-oxo- 624
7-Oxo-9,9,10,10-tetramethyl- 624

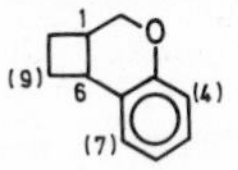

Benzo-3-oxa-bicyclo[4.2.0]octen-(4)
9,9-Diäthoxy-2-oxo- 620
2-Oxo-9,9,10,10-tetramethyl- 620

cis - syn - cis

3-Oxa-tricyclo[6.4.0.0²,⁷]dodecan
4,6-Dioxo-2-methyl-5-(1-hydroxy-äthyliden)-*cis-syn-cis*- 919
4,6-Dioxo-*t*-2-methyl-5-(1-hydroxy-äthyliden)-*r*-1-H,*t*-7-H,*t*-8-H- 919

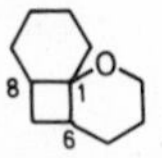

2-Oxa-tricyclo[6.4.0.0¹,⁶]dodecan
9-Oxo-11,11-dimethyl- 936

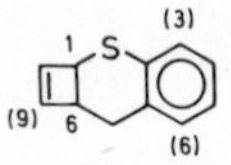

3,4-Benzo-2-thia-bicyclo[4.2.0]octadien-(3,7)
7-Oxo-1,9,10-triphenyl- 625

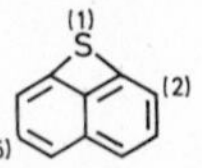

Naphtho-[1,8-b,c]-thiet 1052
-1,1-dioxid 1158

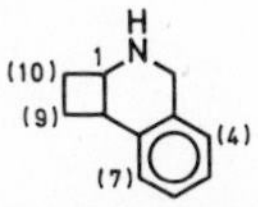

Benzo-2-aza-bicyclo[4.2.0]octen-(4)
9,9-Dichlor-3-oxo- 591
10,10-Dichlor-3-oxo- 591
3-Oxo-9,9-dimethyl- 590
3-Oxo-9,9,10,10-tetramethyl- 591

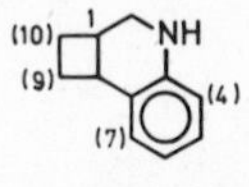

Benzo-3-aza-bicyclo[4.2.0]-octen-(4)
9-Acetoxy-2-oxo- 590
9-Butyloxy-2-oxo- 590
9,9-Dichlor-2-oxo- 590
9,9-Dimethoxy-2-oxo- **589**
syn-(bzw. *anti*)-9-Methoxy-2-oxo- 590
2-Oxo-*anti*-(bzw. *syn*)-9-cyan- 590

2-Oxo-9,9-diäthyl- 590
2-Oxo-9,9-dimethyl- 590
2-Oxo-9,9-diphenyl- 590
9,9,10,10-Tetrachlor-2-oxo- 590
2-Oxo-9,9,10,10-tetramethyl- 589

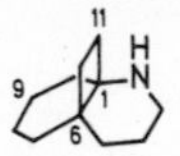

2-Aza-tricyclo[4.4.2.0¹,⁶]dodecan
3,7-Dioxo-12-äthoxycarbonyl- 921
3,7-Dioxo-12-methyl-2-benzyl-12-methoxycarbonyl-
921
3,7-Dioxo-2-methyl-11-methylen- 930
3,7-Dioxo-2-methyl-12-methylen- 930

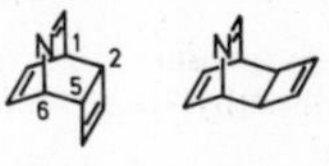

endo *exo*

7-Aza-tricyclo[4.2.0.0²,⁵]decatrien-(3,7,9)
8-Methoxy- 1105

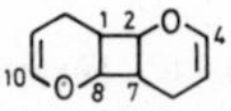

3,9-Dioxa-tricyclo[6.4.0.0²,⁷]dodecadien-(4,10)
6,12-Dioxo-2,4,8,10-tetramethyl- 616

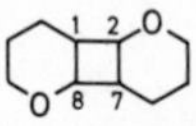

3,9-Dioxa-tricyclo[6.4.0.0²,⁷]dodecan
4,6,10,12-Tetraoxo-2,8-dimethyl-5,11-diacetyl- 909

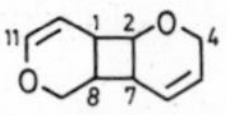

3,10-Dioxa-tricyclo[6.4.0.0²,⁷]dodecadien-(5,11)
4,9-Dioxo-1,2,6,11-tetraphenyl- 617

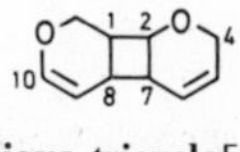

3,11-Dioxa-tricyclo[6.4.0.0²,⁷]dodecadien-(5,9)
4,12-Dioxo-2,6,8,10-tetramethyl- 617

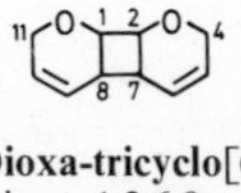

3,12-Dioxa-tricyclo[6.4.0.0²,⁷]dodecadien-(5,9)
4,11-Dioxo-1,2,6,9-tetraphenyl- 617

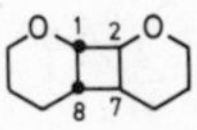

3,12-Dioxa-*cis-anti-cis*-tricyclo[6.4.0.0²,⁷]dodecan
6,9-Dioxo-*r*-1,*t*-2,*c*-4,*t*-11-(bzw. *r*-1,*t*-2,*t*-4, *t*-11)-
tetramethyl- 908
4,6,9,11-Tetraoxo-5,5,10,10-tetramethyl- 909

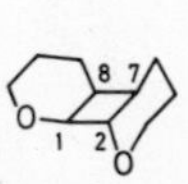

3,12-Dioxa-*cis-trans*-tricyclo[6.4.0.0²,⁷]dodecan
6,9-Dioxo-*r*-1,*t*-2,*t*-4,*t*-11-tetramethyl- 908

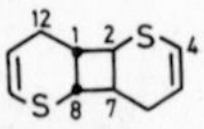

3,9-Dithia-*anti*-tricyclo[6.4.0.0²,⁷]dodecadien-(4,10)
6,12-Dioxo-2,4,8,10-tetraphenyl- **616**

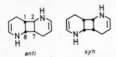

anti   syn

3,9-Diaza-tricyclo[6.4.0.0²,⁷]dodecadien-(4,10)
1,5,7,11-Tetraäthoxycarbonyl-*anti*-(bzw. *-syn*)- 354

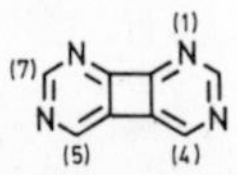

Cyclobuta-[1,2-d;4,3-d′]-bis-pyrimidin
2,4,5,7-Tetrahydroxy-4a,4b-dimethyl-4a,4b,8a,8b-te-
  trahydro-*syn*- 1535
2,4,5,7-Tetrahydroxy-4a,4b,8a,8b-tetrahydro- 1537

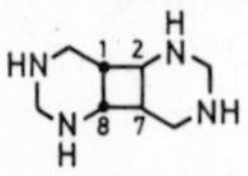

3,5,9,11-Tetraaza-*anti*-tricyclo[6.4.0.0²,⁷]dodecan
4,6,10,12-Tetraoxo-1,7-dimethyl- 604
4,6,10,12-Tetraoxo-1,7-dimethyl-3,9-bis-[deoxyribo-
  syl]- 1537

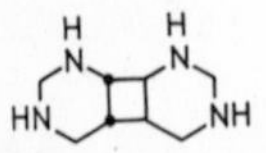

3,5,10,12-Tetranza-*anti*-tricyclo[6.4.0.0²,⁷]dodecan
4,6,9,11-Tetraoxo-7,8-dimethyl- 604
4,6,9,11-Tetraoxo-1,2-dimethoxycarbonyl- 604
4,6,9,11-Tetraoxo-7,8-dimethyl-3,12-bis-[deoxyribo-
  syl]- 1536

anti   syn

Tricyclo[6.6.0.0²,⁷]tetradecen-(11)
6-Oxo-5-methyl-2-isopropyl-*cis-syn-cis*-(bzw. *-cis-anti
  cis*)- 918

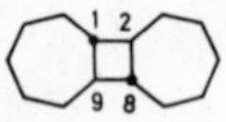

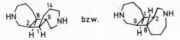

Tricyclo[7.5.0.0²,⁸]tetradecan
trans-anti-trans- 287

bzw.

4,11-Diaza-tricyclo[7.5.0.0²,⁸]tetradecan
3,10-Dioxo-*r*-1,6,6,*t*-8,13,13-hexamethyl-*c*-2-H,*c*-9-H-
  354
3,10-Dioxo-*r*-1,6,6,*c*-8,13,13-hexamethyl-*c*-2-H,*t*-9-H-
  354

Tricyclo[8.6.0.0²,⁹]hexadecahexaen-(3,5,7,11,13,15)
anti- 297, **298**

cis - trans   trans - trans

Tricyclo[8.6.0.0²,⁹]hexadecadien-(3,15)
8,11-Dioxo-*cis-trans*-(bzw.-*trans-trans*)- 909

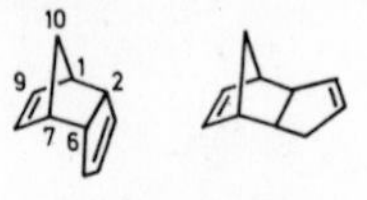

endo   exo

Tricyclo[5.2.1.0²,⁶]decadien-(3,8) 295, **296**
8,9-Dimethyl-*syn*-(bzw. *-anti*)-10-carboxy-*endo*- 1189
5,10-Dioxo-*endo*- 938

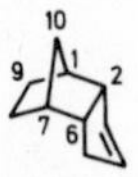

endo-Tricyclo[5.2.1.0²,⁶]decen-(3)
5-Formylmethyl- 761

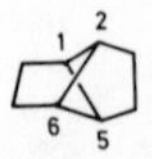

Tricyclo[3.3.0.0²,⁶]octan 231, 1410
1-(bzw. 4)-Methoxycarbonylamino- 1279

2-Oxa-tricyclo[4.3.0.0⁴,⁹]nonen-(7)
3,3-Diphenyl- 862

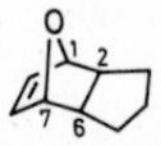

10-Oxa-tricyclo[5.2.1.0²,⁶]decen-(8) 552

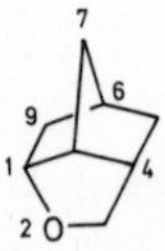

2-Oxa-tricyclo[4.2.1.0⁴,⁸]nonan
3,3-Dimethyl- 714

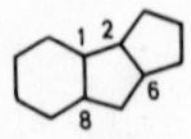

Tricyclo[6.4.0.0²,⁶]dodecan
2,6-Dihydroxy-4,4-dimethyl- 926

Tricyclo[6.2.1.0²,⁷]undecatrien-(3,5,9)
3,6-Dimethyl-4,5-diphenyl- 884

Tricyclo[5.3.1.0^{1,5}]undecan
2,6,6-Trimethyl-8-methylen-9-[2,5-dioxo-3,4-dime-
thyl-tetrahydrofuranyl-(3)]-   403

Tricyclo[4.2.1.1^{2,5}]decadien-(3,7)
9,10-Dioxo-   940

Tricyclo[5.3.0.0^{4,8}]decatrien-(2,5,9)   433, 436, 1148

Tricyclo[3.3.1.0^{3,7}]nonan
3,7-Dihydroxy-   818
anti-3,*anti*-4-Dimethoxycarbonyl-*endo*-(bzw. -*exo*)-
   400
syn-3,*anti*-4-(bzw. *anti*-3,*anti*-4)-Dimethoxycarbonyl-
   exo-   392

2-Oxa-cis-tricyclo[7.3.0.0^{4,8}]dodecen-(3)
3-Methyl-1-acetyl-   907

Benzo-7-oxa-bicyclo[2.2.1]heptadien   1411

8-Oxa-tricyclo[5.2.1.0^{2,7}]decan
3-Oxo-5,5-dimethyl-   936

3-Oxa-tricyclo[3.2.1.1^{2,6}]nonan   657
4,4-Dimethyl-   657

Cyclopenta-[b]-indol
4-Methyl-1,2,3,3a,4,8b-hexahydro-   544
VI*

3H-⟨Pyrrolo-[1,2-a]-indol⟩
3-Oxo-9,9a-dihydro-   1496

1-Aza-tricyclo[6.2.1.0^{4,11}]undecen-(4)
11-Methoxy-6,10-dioxo-   638

1-Aza-tricyclo[6.2.1.0^{4,11}]undecen-(5)
4-Methoxy-2,7-dioxo-   638

3-Aza-tricyclo[5.3.0.0^{4,10}]decatrien-(2,5,8)
3-Methoxy-   1105

Benzo-[2,3-a;3′,2′-c]-difuran   555

Thieno-[3,2-c]-furo-[2,3-a]-benzol   555

1H,3H-⟨1,3-Oxazolo-[3,4-a]-indol⟩
9,9-Dimethyl-9a-phenyl-9,9a-dihydro-   1092, 1118

Pyrrolo-[2,1-b]-benzo-1,3-oxazol
7-Pyrrolidino-6-hydroxy-5,8-dimethyl-1,2,3,8a-tetra-
   hydro-

Indeno-[2,1-c]-pyrazol
1,3-Diphenyl-1,3a,8,8a-tetrahydro-   574

1H-⟨Pyrrolo-[1,2-a]-benzimidazol⟩
6-Chlor-2,3-dihydro- ; -4-oxid   1343
2,3-Dihydro- ; -4-oxid   1343
6-Nitro-2,3-dihydro- ; -4-oxid-Hydrochlorid   1343

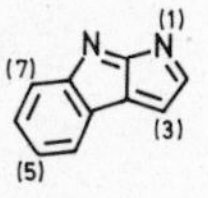

Pyrrolo-[2,3-b]-indol
3a-Hydroxy-1,8-dimethyl-1,2,3,3a,8,8a-hexahydro-
1293

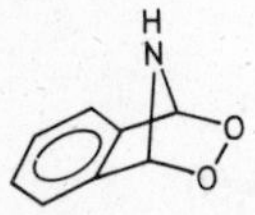

Benzo-2,3-dioxa-7-aza-bicyclo[2.2.1]hepten
1,4,9-Triphenyl-   1495

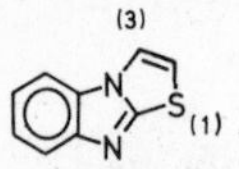

1,3-Thiazolo-[3,2-a]-benzimidazol   568

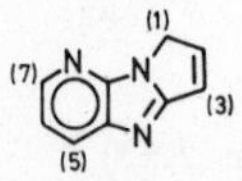

1H-⟨Pyrrolo-[2′,1′; 2,3]-1H-imidazo-[4,5-b]-pyridin⟩
7-Chlor-2,3-dihydro-   1344
2,3-Dihydro- ; -4-oxid   1343

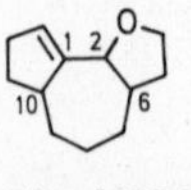

3-Oxa-tricyclo[8.3.0.0^{2,6}]tridecen-(1^{13})
9-Hydroxy-4,13-dioxo-5,9,13-trimethyl-   **784**

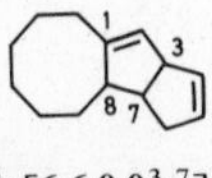

Tricyclo[6.6.0.0^{3,7}]tetradecadien-(1,4)
2,3,4,5,6,7-Hexafluor-   494

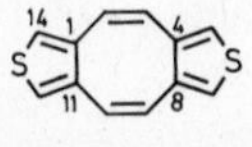

6,13-Dithia-tricyclo[9.3.0.0^{4,8}]tetradecahexaen-(2,4,7, 9,11,14)
2,3,9,10-Tetraphenyl-   345

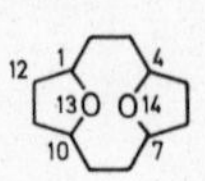

13,14-Dioxa-tricyclo[8.2.1.1^{4,7}]tetradecan
1,12; 4,5; 6,7; 10,11-Tetrakis-[epoxi]-   1473, 1492

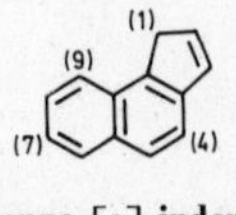

1H-⟨Benzo-[e]-inden⟩
1,2-Diphenyl-5-äthoxycarbonyl-   1250
1,2-Diphenyl-4,5-dimethoxycarbonyl-   1250
3-Phenyl-5-äthoxycarbonyl-   1250
2-Oxo-2,3-dihydro-   1046

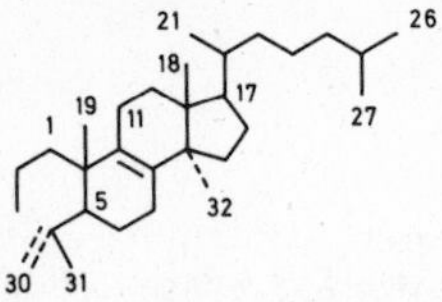

3,4-Seco-lanostadien-(4^{30},8)
-3-säure   744

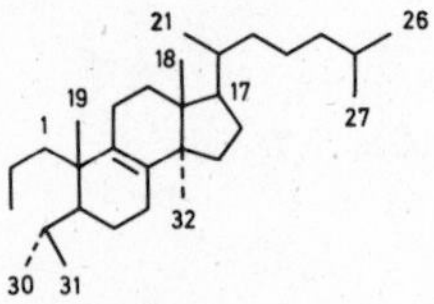

3,4-Seco-lanosten-(8)
-3-säure-cyclohexylamid   744

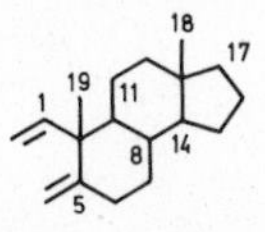

A-Nor-2,3-seco-androstadien-(1,3)
3-Hydroxy-17β-acetoxy-6-oxo-   681

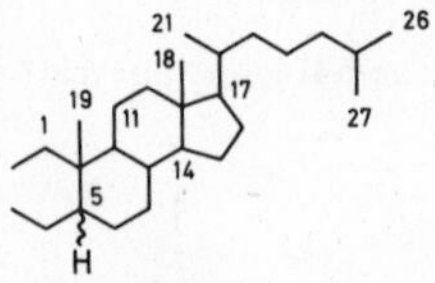

2,3-Seco-5-cholestan
-5β- ; -3-säure   742

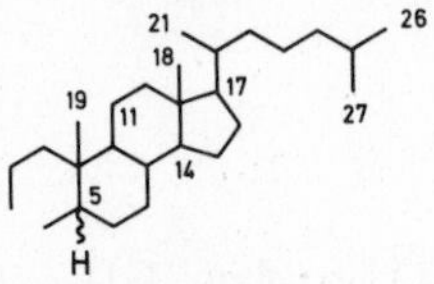

3,4-Seco-5-cholestan
-5β- ; -3-säure   742

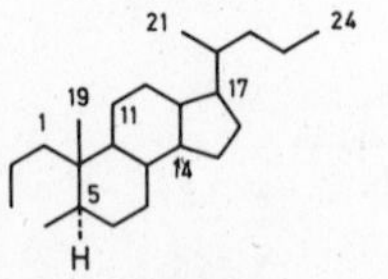

3,4-Seco-18-nor-5α-cholan
20-Hydroxy-4,4,8β-trimethyl-5α,14α- ; -3,24-disäure-
lacton-(20,24)   746

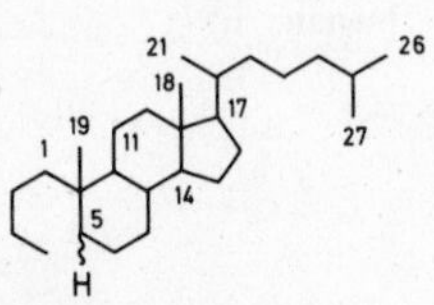

4,5-Seco-5-cholestan
6-Oxo-5β- ; -4-säure   680

3,4-Seco-5α-lanostan
-3-säure 743

Fluoren 1583, 1586
9-Brom- 148, 161
9-Brom-2-nitro- 161
9-Brom-9-trimethylsilyl- 158
-9-carboxy **1197**
9-Carboxymethyl-1-carboxy- 670
9-Chlor- 1217
9-Cyan- 1264
9-Cyclohexyl- 1211
4-(bzw. 9)-Deuterio- 1171
9-Dicarboxymethyl-1-carboxy- 670
9-(4-Dimethylaminophenyl-imino)- 1092
9-Hydroxy- 811
9-Isocyan- 1264
9-Isopropyliden- 869, 872, **876**
9-[2-(1-Methoxycarbonyl-äthyl)-phenyl]- 427
9-(2-Methoxymethyl-phenyl)- 426
9-Oxo- 1092, 1157, 1581, 1583, 1584, 1586
9-Phenyl- 572

Acenaphthylen 1580, 1583, 1584
-5,6-dicarbonsäure-anhydrid 751
-5,6-dicarbonsäure-dimethylester 751
1,2-Dihydro- ; -5,6-dicarbonsäure-anhydrid 751
(Z)-2-Hydroxy-1,2-diphenyl- 808
(Z)-2-Hydroxy-1,2-diphenyl-1,2-dihydro- 808
2-Hydroxy-1-oxo-2-methyl-1,2,2a,3,4,5-hexahydro-
809
2-(2-Oxo-1,2-diphenyl-äthyl)- ; -1-sulfonsäure-
methylester **1051**
6-Thiobenzoyloxy-1,2-diphenyl-5-benzoyl-1,2-dihy-
dro- 626

Tricyclo[5.2.2.0^{2,6}]undecatrien-(2^6,3,8)
Dodecafluor- 221

endo   *exo*

Tricyclo[5.2.2.0^{2,6}]undecen-(8) 378

Naphtho-[2,1-b]-furan 555

Naphtho-[2,3-c]-furan
4,9-Dioxo-3-methyl-1-(2-formyl-vinyl)-4,9-dihydro-
979
4,9-Dioxo-3-methyl-1-[3-oxo-buten-(1)-yl]-4,9-dihy-
dro- 979
6,7-Methylendioxy-3-oxo-4-(3,4-methylendioxy-phe-
nyl)-1,3-dihydro- 530

3-Oxa-tricyclo[7.4.0.0^{2,6}]tridecadien-(1^9,12)
4,11-Dioxo-5,10,10-trimethyl- 754

Dibenzofuran 541, 1578, 1586
9-Chlor-2-hydroxy- 978
2,7-Dimethoxy-1,4,6,9-tetramethyl- 692
2-Hydroxy- 978
2-Hydroxy-4-phenyl- **978**
cis-(bzw. *trans*)-1-Isoporpyloxy-3-oxo-8,9b-dimethyl-
1,2,3,4,4a,9b-hexahydro- 662
1-Methoxy-3-oxo-8,9b-dimethyl-1,2,3,4,4a,9b-hexahy-
dro- 662
6-Methoxy-3-oxo-9b-(2-methylamino-äthyl)-3,4,4a,
9b-tetrahydro- ; -9-carbonsäure-lactam 646

2-Oxa-tricyclo[7.4.0.0^{3,8}]tridecen-(8)
3-Methoxy-1-hydroperoxy- 1491

12-Oxa-tricyclo[4.4.3.0^{1,6}]tridecan
13-Methoxy-3-oxo- 698

Naphtho-[2,1-b]-thiophen 559
1-Methyl-2-phenyl-1,2-dihydro- 1016
2-Methyl-1-phenyl-1,2-dihydro- 1016

Dibenzo-thiophen 1590
2,8-Dimethyl- 541
1-Oxo-3,3-dimethyl-1,2,3,4-tetrahydro- 542
1,2,3,4-Tetrahydro- 542

2H-⟨Naphtho-[1,8,-b,c]-thiophen⟩
2-Phenyl- 1061

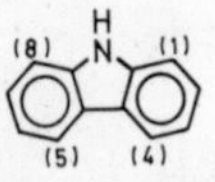

Carbazol 541, 542, 569, 994, 1268, 1269, 1127, 1128, 1137, 1579, 1586, 1587
1-(bzw. 3)-Acetyl- 994
9-Benzoyl- 1310
1,3-Dibrom- **1269**
1,8-(bzw. 3,6)-Dimethyl- 542
4a,9-Dimethyl-1,2,3,4,4a,9a-hexahydro-*trans*- 544
4a,9-Dimethyl-9a-hydroxymethyl-1,2,3,4,4a,9a-hexahydro- 1118
2,7-Dinitro- 1269
9a-Hydroxymethyl-4a,9-diäthyl-1,2,3,4,4a,9a-hexahydro- 1118
2-Methoxy- 1269
3-Methoxy-6-methyl- (Glycozolin) 542
1-Methyl- 542
4a-Methyl-1,2,3,4,4a,9a-hexahydro- 1449
9-Methyl-1,2,3,4,4a,9a-hexahydro-*cis*-(bzw. -*trans*) **543**
4a-Methyl-1-(1-oxo-4a-methyl-1,2,3,4,4a,9a-hexahydro-carbazolinomethylen)-9-formyl-1,2,3,4,4a, 9a-hexahydro- 1481
9-Methyl-1,2,3,4-tetrahydro- 543
4-Oxo-1,2,3,4-tetrahydro- 1298
4-Oxo-2,2,9-trimethyl-1,2,3,4-tetrahydro-
1,2,3,4-Tetrahydro- 570
1,3,6,8-Tetramethyl- 541

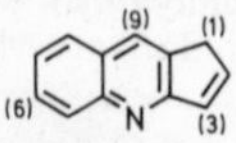

1H-⟨Cyclopenta-[b]-chinolin⟩
2,3-Dihydro- 1298

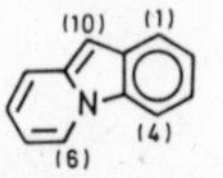

Pyrido-[1,2-a]-indol
9-Hydroxy- 597

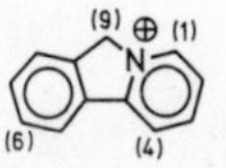

Isoindolo-[2,3-a]-pyridinium-
6-(bzw. 8)-Brom- ; -bromid **649**
6-Isopropyl- ; -bromid 649
3-(bzw. 8)-Methyl- ; -bromid 649

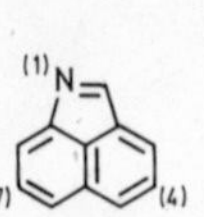

Benzo-[c,d]-indol
5-Methoxy- 1267

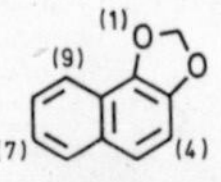

2H-⟨Naphtho-[1,2-d]-1,3-dioxol⟩
4-Brom-5-acetoxy- 981

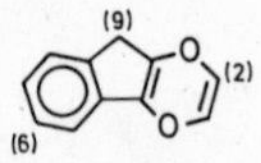

9H-⟨Indeno-[1,2-b]-1,4-dioxin⟩
9-Oxo-2,3-diphenyl-2,3-dihydro- 860

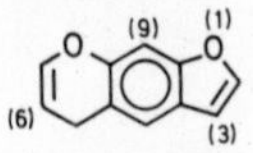

5H-⟨Furo-[3,2-g]-1-benzopyran⟩
9-Hydroxy-4-acetoxy-5-oxo-7-methyl- 972

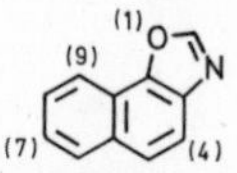

Naphtho-[2,1-d]-1,3-oxazol
4-Chlor-5-hydroxy-2-methyl-3-phenyl-2,3-dihydro- 980

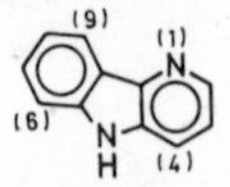

5H-⟨Pyrido-[3,2-b]-indol (δ-Carbolin) 597

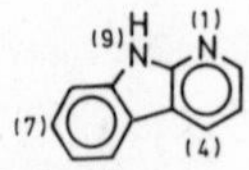

9H-⟨Pyrido-[2,3-b]-indol⟩ (α-Carbolin)
572, **596**, 597
2-Methyl- 572

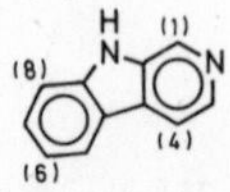

9H-⟨Pyrido-[3,4-b]-indol⟩ (β-Carbolin) 597
1-Methyl- **551**
1-Methyl-3-carboxy- 551

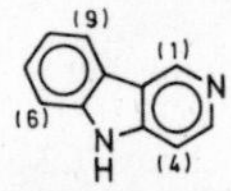

9H-⟨Pyrido-[4,3-b]-indol⟩ (γ-Carbolin) 597

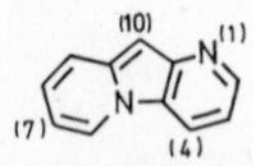

Dipyrido-[1,2-a;2′,3′-d]-pyrrol
9-Hydroxy- 597

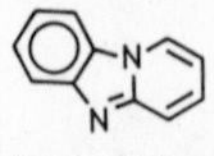

Pyrido-[1,2-a]-benzimidazol 572
1-Methyl- 572
1,2,3,4-Tetrahydro- 1343

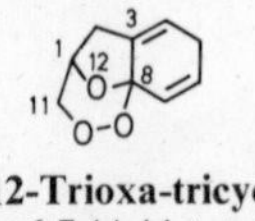

9,10,12-Trioxa-tricyclo[6.3.1.0^{3,8}]dodecadien-(3,6)
5-Oxo-6,7,11,11-tetramethyl- 977

Benzo-[b]-furano-[3,2-d]-pyrimidin
1,3-Dioxo-2,4-dimethyl-6-phenyl-1,2,3,4-tetrahydro-
651

1H-⟨1,4-Oxazino-[3,4-a]-benzimidazol⟩
3,4-Dihydro- ; -10-oxid   1343

9H-⟨Pyrrolo-[2,3-b;5,4-b′]-dipyridin⟩   597

10-Oxo-tricyclo[7.5.0.0^{3,7}]tetradecan
6-Acetoxy-11-oxo-7,14-dimethyl-2-tert.-butyloxycar-
   bonylmethyl-   745
6-Acetoxy-11-oxo-7,14-dimethyl-2-carboxymethyl-
745

Cyclohepta-[b]-indol
5-Methyl-5,5a,6,7,8,9,10,10a-octahydro-*cis*-(bzw.
   trans)-   544
1-Oxo-1,2,3,4,5,6-hexahydro-   1298
10-Oxo-5,6,7,8,9,10-hexahydro-   1305
1-Oxo-1,5a,6,10b-tetrahydro-   1308, **1309**

Benzo-2-aza-bicyclo[5.3.0]decen-(4)
3,8-Dioxo-   1090

1H-⟨Azepino-[1,2-a]-indol⟩
6-Chlor-1-oxo-2,3,4,5-tetrahydro-   1306
6-Cyan-5a,10b-dihydro-   1309
4,8-Dimethyl-6-cyan-5a,10b-dihydro-   1309
5a-Hydroxy-1-oxo-2,3,4,5,5a,6-hexahydro-   1297
5a-Hydroxy-1-oxo-6-methyl-2,3,4,5,5a,6-hexahydro-
   1305
5a-Hydroxy-1-oxo-6-phenyl-2,3,4,5,5a,6-hexahydro-
   1306
1-Oxo-6-methoxycarbonyl-2,3,4,5,5a,6-hexahydro-
   1306
1-Oxo-6-methyl-2,3,4,5-tetrahydro-   1305

6H-⟨Azepino-[1,2-a]-benzimidazol⟩
3-Chlor-7,8,9,10-tetrahydro- ; -5-oxid   1343
7,8,9,10-Tetrahydro-   1343

Tricyclo[7.4.1.0^{2,8}]tetradecatetraen-(3,5,10,12)
7,14-Dioxo-   902

Anthracen   889, 1587
2-Amino-1,10-dioxo-9,10-dihydro-   1044
2,6-Diäthoxy-   513
9,10-Dihydro-   1586
9,10-Dihydroxy-   968
2,6-Dimethoxy-9,10-dioxo-9,10-dihydro-   694
9,10-Dioxo-9,10-dihydro-   1338
9,10-Dioxo-2,3-dimethyl-2,3-diisopropenyl-1,2,3,4,4a,-
   9,9a,10-octahydro-   958
10-Hydroximino-9-oxo-9,10-dihydro-   1338
4-Hydroxy-2-acetoxy-9,10-dioxo-9,10-dihydro-   972
2-Hydroxy-9,10-dioxo-3-phenyl-9,10-dihydro-   1214
9-(4-Methylamino-phenyl)-9,10-dihydro-   510
9-(N-Methyl-anilino)-9,10-dihydro-   510
10-Oxo-9-benzyl-9,10-dihydro-   1214
10-Oxo-9-cyclohexen-(2)-yl-9,10-dihydro-   1214
9-Oxo-9,10-dihydro-   694
10-Oxo-9-(1-formyl-äthyliden)-9,10-dihydro-   962
10-Oxo-9-(α-formyl-benzyliden)-9,10-dihydro-   962
10-Oxo-9-[3-oxo-butyliden-(2)]-9,10-dihydro-   962
10-Oxo-9-(2-oxo-1,2-diphenyl-äthyliden)-9,10-dihy-
   dro-   962
10-Oxo-9-triphenylphosphinyliden-9,10-dihydro-
   1256, 1356
9-Oxo-10-(triphenylphosphinyliden-hydrazono)-
   1356
-Radikal-Anionen   1414
9,9,10-Triphenyl-8a,9-(bzw. -9,10)-dihydro-   882

Phenanthren   328, 470, 512, 684, 1015, 1018, **1019**,
   1574, 1575, 1586
9-Acetoxy-   470
9-Aminocarbonyl-   518
10-Benzoyl-9-carboxy-   518
1-(bzw. 2)-Bis-[2-phenyl-vinyl]-   516
3-Brom-   518
6-Brom-9-methoxycarbonyl-   539
9,10-Carbonyldioxy-   527
9-Carboxy-   518
1-(bzw. 3)-Chlor-   518
9-Cyan-   518, 560
3,6-Decandiyl-(1,10)-   518
-Derivate **517**
3,6-Diäthoxy-   513

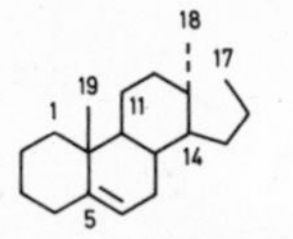

13,17-Seco-13α-androsten-(5)
3β-Acetoxy- ; -17-säure 742
3β-Acetoxy- ; -17-säure-cyclohexylimid **742**
3β-Hydroxy- ; -17-säure 745
3β-Methoxy-13β,16-dideuterio- ; -17-säure 740
3β-Methoxy- ; -17-säure 742

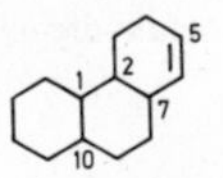

Tricyclo[8.4.0.0^{2,7}]tetradecen-(5)
4,7-Endoperoxi-1,11-dimethyl-5-isopropyl-11-carb-
    oxy- 1470, **1485**

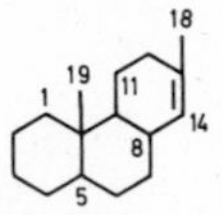

15,16,17-Tri-nor-5-androsten-(13)
3β-Methoxy- 826
3β-Methoxy-5α- 891

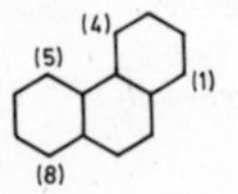

Perhydro-phenanthren
7,7-Dimethoxy-4a-methyl-1-vinyl-2-methylen- 800
1β-Isocyanato-1α,4aβ-dimethyl- 1276
1α-Methyl-4aβ-aminomethyl-4bα,8aα- ; -lactam
    1276

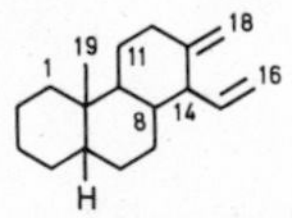

D-Nor-13,16-seco-5α-androstadien-(13^{18},15)
3β-11β-Diacetoxy- 807

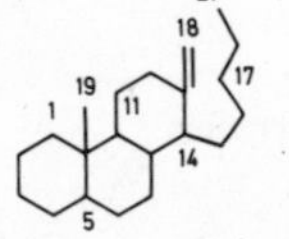

13,17-Seco-pregnen-(13^{18})
3,3-Dimethoxy-20-oxo- 800

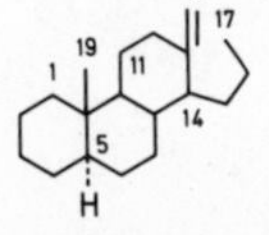

13,17-Seco-5α-androsten-(13^{18})
3β,11β-Diacetoxy- 807

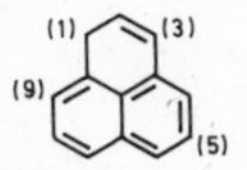

Phenalen
2-Methyloxalylimino-9-hydroxy-6,7-methylendioxy-1-
    oxo-3,5,8-trimethyl- 874
1-Oxo-2,3-dihydro- 1441

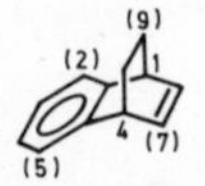

2,3-Benzo-bicyclo[2.2.2]octadien-(2,5)
9-Phenyl-7-acetyl-10-methoxycarbonyl- 492

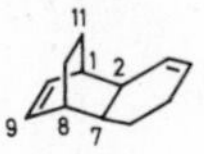

Tricyclo[6.2.2.0^{2,7}]dodecadien-(3,9)
exo- 295, 296

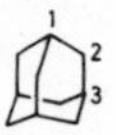

Adamantan
1,3-Dihydroxy- 810
2,2,4,4,6,6,8,8,9,9,10,10-Dodecachlor- 98
2-Oxo- 1480

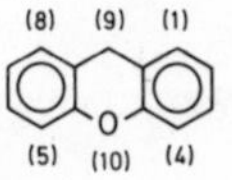

Xanthen
9-(1-Äthoxycarbonyl-äthyliden)- 873
9-Äthoxycarbonylmethylen- 873
9-(1-Äthoxycarbonyl-propyliden)- 873
9-(Hydroxy-diphenyl-methyl)- 834
9-[9-Hydroxy-thioxanthenyl-(9)]- 834
9-(1-Methoxycarbonyl-äthyliden)- 873
9-(1-Methylmercapto-2-oxo-propyliden)- 873
9-Oxo-2,3,8-trihydroxy- 670

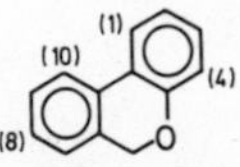

6H-⟨Dibenzo-[b;d]-pyran⟩
3-Chlor-1,4-dioxo-2-phenyl-1,4-dihydro- 981
1,4-Dioxo-6-methyl-2-phenyl-1,4-dihydro- 981
1,4-Dioxo-2-phenyl-1,4-dihydro- 981
1-Hydroxy-6,6-dimethyl-3-cyclopentyl-6a,7,8,10a-
    tetrahydro- 669
6-Oxo- 990

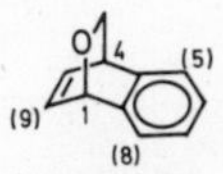

Benzo-2-oxa-bicyclo[2.2.2]octadien-(5,7)
4-Methyl-1-phenyl-9,10-dimethoxycarbonyl- 901

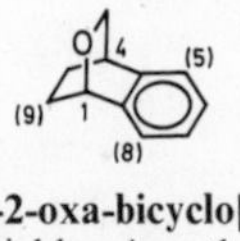

Benzo-2-oxa-bicyclo[2.2.2]octen-(5)
9,10-Dichlor-4-methyl-1-phenyl- 901

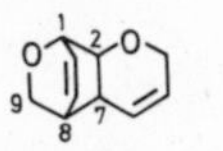

4,10-Dioxa-tricyclo[6.2.2.0^{2,7}]dodecadien-(5,11)
3,9-Dioxo- 617

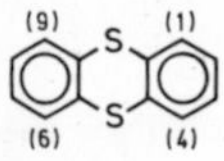

Thianthren 578

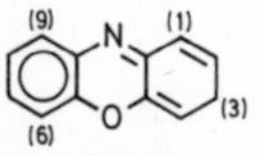

3H-Phenoxazin
2-Amino-3-oxo-4,6-dimethyl-1,9-dimethoxycarbonyl-
   1098

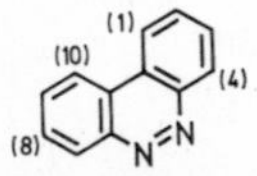

Benzo-[c]-cinnolin 1134, **1135**
3-Acetyl- 1135
2-Amino- 1135
4-Carboxy- 1136
4,7-Dicarboxy- 1136
1,8-(bzw. 1,10- ; bzw. 3,8)-Dimethyl- 1135
2-Dimethylamino- 1135, 1283
1-(bzw. 3- ; bzw. 4)-Methyl- 1135
3-Nitro- 1135

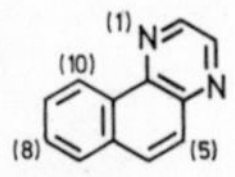

Benzo-[f]-chinoxalin
3,6-Diphenyl-5,6-dihydro- 1084

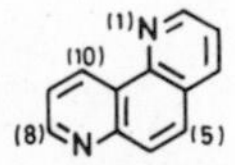

1,7-Phenanthrolin 594

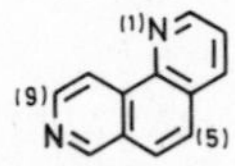

1,8-Phenanthrolin 594

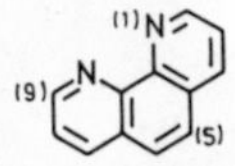

1,10-Phenanthrolin 594

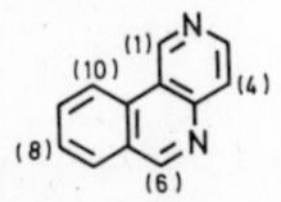

2,5-Phenanthrolin
6-Oxo-5,6-dihydro- 595

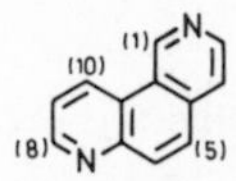

2,7-Phenanthrolin 594

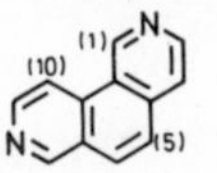

2,8-Phenanthrolin 594

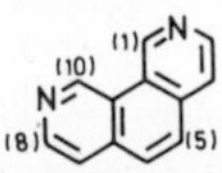

2,9-Phenanthrolin 594, **595**
5,6-Dihydro- 595

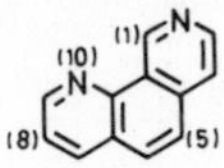

2,10-Phenanthrolin 594

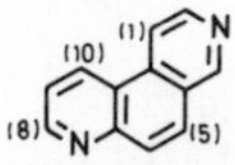

3,7-Phenanthrolin 994

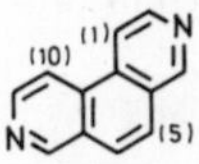

3,8-Phenanthrolin 594

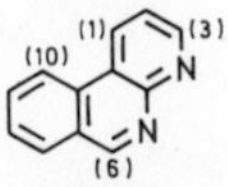

4,5-Phenanthrolin
6-Oxo-5,6-dihydro- 595

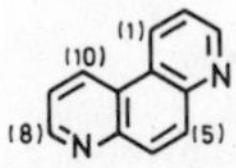

4,7-Phenanthrolin 594

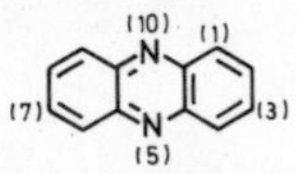

Phenazin 611, 1587
1-Acetoxy- 611
1-Äthoxy- 611
5,10-Dihydro- 1452
1-Hydroxy- 611, 612
1-(bzw. 2)-(1-Hydroxy-äthyl)- 610
1-Hydroxy-5-methyl- ; -ium-Salz 612
1-Methoxy- 611
1-Oxy-5-alkyl- ; -Betain 611

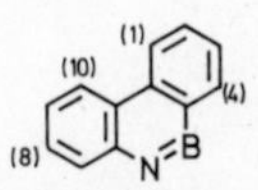

Dibenzo-1,2-borazin 1401
2,4-Dimethyl-5-(2,4,6-trimethyl-phenyl)- 1401

Dibenzo-1,2-borazin
7-Methyl-5-phenyl-   1401
1,2,4,-Trimethyl-6-phenyl-5-(2,4,6-trimethyl-phenyl)-
  1402
1,2,4-Trimethyl-5-(2,4,6-trimethyl-phenyl)-   1401

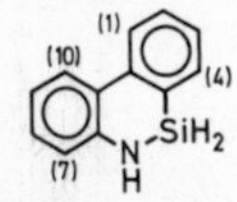

Dibenzo-1,2-silazin
5,5-Dimethyl-5,6-dihydro-   1263

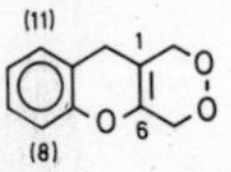

Benzo-3,4,7-trioxa-bicyclo[4.4.0]decadien-(1⁶,8)

Benzo-3,4,7-trioxa-bicyclo[4.4.0]decadien-(1^6,8)
2-Hydroxy-12-oxo-2,5-diphenyl-   796
2-Hydroxy-12-oxo-2,5,5-triphenyl-   796

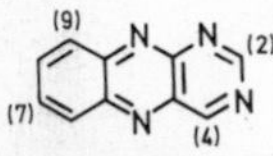

Benzo-[g]-pteridin
2,4-Dioxo-7,8-dimethyl-1,2,3,4-tetrahydro- (Lumi-
  chrom)   1099, **1100**
2,4-Dioxo-10-methyl-2,3,4,10-tetrahydro-   1099
2,4-Dioxo-1,2,3,4-tetrahydro-   1099
2,4-Dioxo-7,8,10-trimethyl-1,2,3,10-tetrahydro- (Lumi-
  flavon)   1100

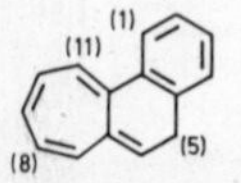

5H-⟨Cyclohepta-[a]-naphthalin⟩
6,6a-Dihydro-   1171, 1201

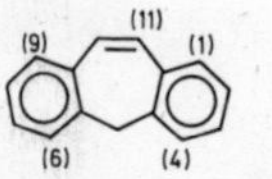

5H-⟨Dibenzo-[a ; d]-cycloheptatrien⟩
5-(1-Äthoxycarbonyl-äthyliden)-10,11-dihydro-   874
5-Äthoxycarbonylmethylen-10,11-dihydro-   874
5-(1-Äthoxycarbonyl-propyliden)-10,11-dihydro-   874

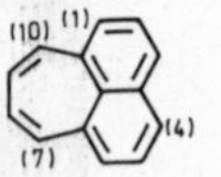

Pleiaden
2,3-Dimethoxycarbonyl-   485, **486**

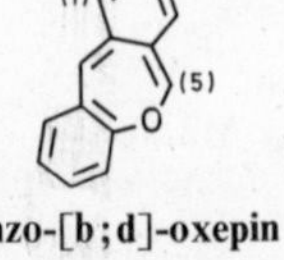

Dibenzo-[b;d]-oxepin   684

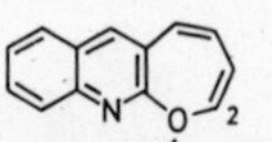

Oxepino-[2,3-b]-chinolin
6-Cyan-4,8-dimethyl-6-cyan-   1309

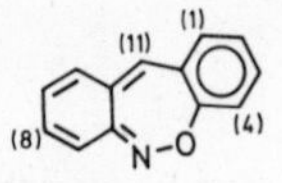

Dibenzo-[c ; f]-1,2-oxazepin
11-Cyan-   1310

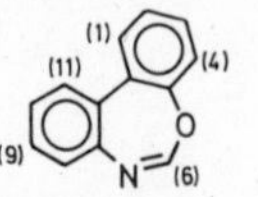

Dibenzo-[d ; f]-1,3-oxazepin
6-Phenyl-   1310

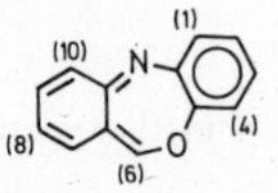

Dibenzo-[b;e]-1,4-oxazepin
6-Äthoxy-6,11-dihydro-   1308, **1309**
6-Methoxy-6,11-dihydro-   1308, **1309**

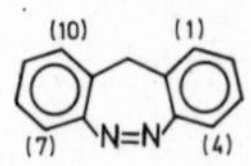

Dibenzo-[c ; f]-1,2-diazepin
11-Oxo-   1136

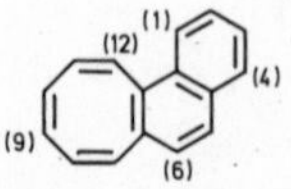

Naphtho-[a]-cyclooctatetraen   424

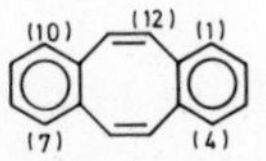

Dibenzo-[a ; e]-cyclooctatetraen   425
5,11-Diphenyl-   230
5,6-Diphenyl-5,6,11,12-tetrahydro-   881
5,6,11,12-Tetrahydro-   881

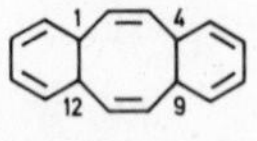

Tricyclo[10.4.0.0⁴·⁹]hexadecahexaen-(2,5,7,10,13,15)

Tricyclo[10.4.0.0^{4,9}]hexadecahexaen-(2,5,7,10,13,15)
trans,anti,trans-   277

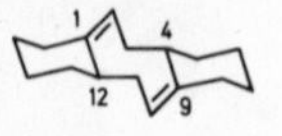

Tricyclo[10.4.0.0^{4,9}]hexadecadien-(1,9)
4,12-Diamino- ; -3,11-dicarbonsäure-4,11 ; 12,3-
  dilactam   588

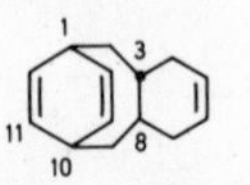

*all-cis-***Tricyclo[8.2.2.0^{3,8}]tetradecatrien-(5,11,13)**
  497

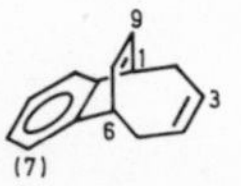

7,8-Benzo-bicyclo[4.2.2]decatrien-(3,7,9)
3-Methyl- **498**

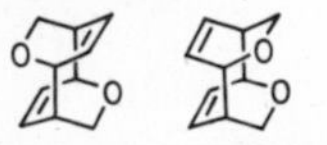

anti-trans   syn-trans

3,7-Dioxa-tricyclo[4.2.2.2^{2,5}]dodecadien-(9,11)
4,8-Dioxo-2,6,9,11-tetraphenyl-*anti-trans*- 617
4,8-Dioxo-2,6,9,12-tetramethyl-*syn-trans*- 616

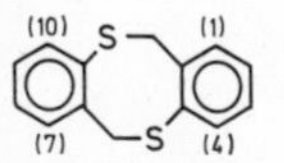

6H,12H-⟨Dibenzo-[b ; f]-1,5-dithiocin⟩
6,12-Dioxo- 1025

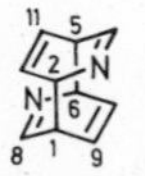

3,7-Diaza-*anti*-tricyclo[4.2.2.2^{2,5}]dodecatetraen-(3,7, 9,11)
4,8-Diamino- ; -Dihydrochlorid   586, **587**

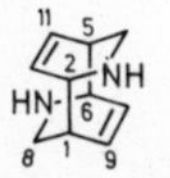

3,7-Diaza-*anti*-tricyclo[4.2.2.2^{2,5}]dodecadien-(9,11)
4,8-Dioxo- 588
4,8-Dioxo-3,7-dimethyl- 587

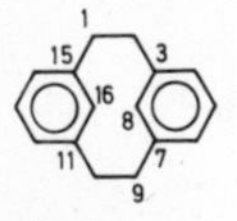

Metacyclophan
8,16-Dimethyl- 1019
8,16-Dimethyl-1,2 ; 9,10-bis-[dehydro]-   269, 1523

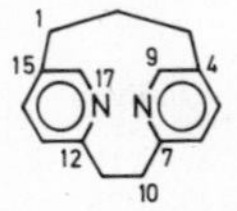

[2]Paracyclo[3](2,5)pyridophan   1019

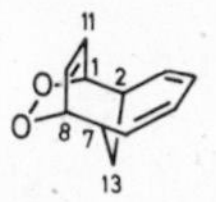

9,10-Dioxa-tricyclo[6.2.2.1^{2,7}]tridecatetraen-(2,4,6,11)
1487

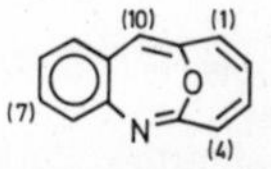

Oxepino-[2,7-a,g]-benzo-[d]-1,3-oxazepin
10-Cyan- 1309
2,8-Dimethyl-10-cyan- 1309

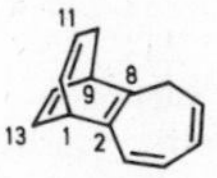

Tricyclo[7.3.2.0^{2,8}]tetradecapentaen-(3,5,11,13)
11-Chlor-7,10-dioxo- 902
8,10-Dioxo-*cis*- 9028,10-Dioxo-*cis*- 902

cis   trans

Tricyclo[7.3.2.0^{2,8}]tetradecatetraen-(3,5,11,13)
11-Chlor-7,10-dioxo-*trans*- 902
8,10-Dioxo-*cis*- 902

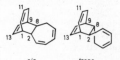

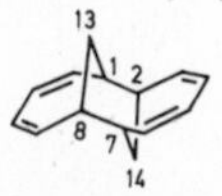

***anti*-Tricyclo[6.4.1.1^{2,7}]tetradecatetraen-(3,5,9,11))**
1,2-Dichlor-7,10-dioxo- 902
13,14-Dioxo- 902

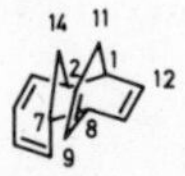

***trans-trans*-Tricyclo[6.3.2.1^{2,7}]tetradecatetraen-(3,5,9, 12)**
11,14-Dioxo- 902

E. Tetracyclische Verbindungen

Prisman
Hexakis-[trifluormethyl]- 475
Hexamethyl- 475

1-Aza-tetracyclo[2.2.0.0^{2,6}.0^{3,5}]hexan
Pentakis-[pentafluoräthyl]- 583

Tetracyclo[3.2.0.0^{2,7}.0^{4,6}]heptan (Quadricyclan)
232, **233**, 284, **1148**
3-Acetoxy- 234
1-Acetyl- 234
1-Alkoxycarbonyl- 1241
3-Äthoxy- 234
1-Äthoxycarbonyl- 234, 239
3-Benzyliden-1,5-dimethoxycarbonyl- 236
3-{Bicyclo[2.2.1]heptadien-(2,5)-yliden-(7)}- 236

8-Isopropyliden- **428**
3-(bzw. 4- ; bwz. 5- ; bwz.6)-Methyl-   429

Benzo-6-aza-tricyclo[3.2.0.0^{2,7}]hepten-(3)
4-tert.-Butyloxycarbonyl-   1095

4-Oxa-tetracyclo[4.2.1.0^{2,9}.0^{3,7}]nonan
5,5-Diphenyl-   862

2-Oxa-tetracyclo[7.6.0.0^{1,10}.0^{3,9}]pentadecan   848

2-Oxa-tetracyclo[8.7.0.0^{1,11}.0^{3,10}]heptadecan   848

Tetracyclo[6.3.0.0^{2,11}.0^{3,7}]undecen-(9)   493

Tetracyclo[6.3.0.0^{1,5}.0^{4,6}]undecen-(2)
7-Methyl-   495

Tetracyclo[4.3.0.0^{2,4}.0^{3,7}]nonan
8-(2-Oxo-propyl)-   291

exo-endo-**9-Oxa-tetracyclo[5.3.1.0^{2,6}.0^{8,10}]undecen-(3)**
5-Formylmethyl-   761

3,4-Benzo-tricyclo[3.3.0.0^{2,8}]octadien-(3,6) (Benzo-semibullvalen)   424
8,9-Dimethoxycarbonyl-   432
3,4,5,6-Tetrafluor-   431, 432

Tetracyclo[7.3.0.0^{2,12}.0^{3,8}]dodecen-(10)   493

Tetracyclo[5.4.0.0^{1,8}.0^{5,11}]undecen-(9)
6-Methyl-   495

Tetracyclo[5.4.0.0^{1,10}.0^{5,11}]undecen-(8)
6-Methyl-   495

Tetracyclo[4.4.0.0^{2,8}.0^{5,7}]decadien-(3,9)   436

3-Oxa-tetracyclo[7.4.0.0^{1,10}.0^{2,6}]tridecen-(12)
4,11-Dioxo-5,9,10-trimethyl-   776

Tetracyclo[6.6.0.2^{,4}.0^{3,7}]tetradecadien-(5,11)   493

Tetracyclo[6.6.0.0^{2,4}.0^{3,7}]tetradecen-(5)   493
2,3,4,5,6,7-Hexafluor-   494
2,3,4,5,6,7-Hexafluor-*syn-anti*-(bzw. *anti-anti*)-   494

Benzo-tricyclo[4.4.0.0^{1,5}]dodecen-(7)
4-Oxo-6-methyl-   769

endo   exo

Tetracyclo[6.2.2.0^{2,7}.0^{5,7}]dodecadien-(2,9)   268

Benzo-2-oxa-tricyclo[4.3.0.0^{5,7}]nonen-(3)
10-Oxo-5,8-dimethyl-   679

5-Oxa-tetracyclo[4.4.1.0.^{3,7}.0^{10,11}]undecen-(8)   862

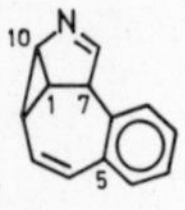

5,6-Benzo-9-aza-tricyclo[5.3.0.0^{2,10}]decatrien-(3,5,8)
10-Methoxy- 1105

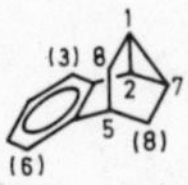

Benzo-tricyclo[3.2.1.0^{2,7}]octen-(3) 431

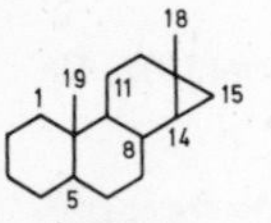

D-Di-nor-androstan
3β-Methoxy-13α- 826
3β-Methoxy-5α- 887

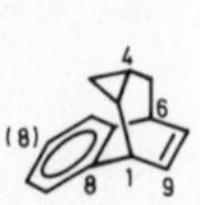

Benzo-tricyclo[4.2.2.0^{2,4}]decadien-(7,9)
3,3,4-Trimethyl- 498

7,8-Benzo-2-aza-tricyclo[3.3.2.0^{4,6}]decatrien-(2,7,9)
3-Methoxy- 1105

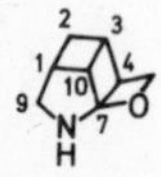

6-Oxa-8-aza-tetracyclo[5.2.1.0^{3,10}.0^{4,7}]decan
1,10-Dichlor-9-oxo- 382
1,10-Dichlor-9-oxo-3,4-dimethyl- 382

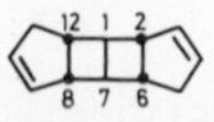

Tetracyclo[5.5.0.0^{2,6}.0^{8,12}]dodecadien-(3,9)
1,7-Diphenyl-exo-exo- 366, 367

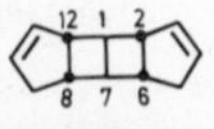

Tetracyclo[5.5.0.0^{2,6}.0^{8,12}]dodecadien-(3,10)
1,7-Diphenyl-exo-exo- 366, **367**

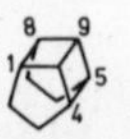

Tetracyclo[6.2.0.0^{4,10}.0^{5,9}]decan
9,10-Diphenyl- 367

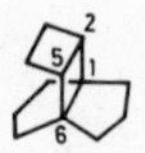

Tetracyclo[4.3.3.0.0^{2,5}]dodecan
3-(bzw.4)-Acetoxy-7-oxo 409

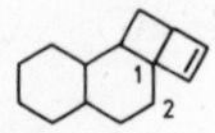

Tetracyclo[8.4.0.0^{2,7}.0^{4,7}]tetradecen-(5)
cis 5,9-Dimethyl-3-isopropyl-5-carboxy- 258, 269

Tetracyclo[4.4.2.0^{2,5}.0^{7,10}]dodecatrien-(3,8,11) 276

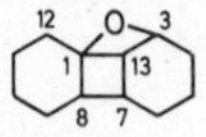

2-Oxa-tetracyclo[5.5.1.0^{1,8}.0^{3,13}]tridecan
8-Hydroxy-9,9,12,12-tetramethyl- 858

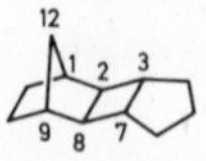

anti-Tetracyclo[7.2.1.0^{2,8}.0.0^{3,7}]dodecan
4-Oxo- 914

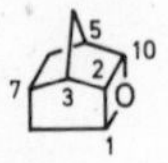

9-Oxa-tetracyclo[3.3.2.0^{2,10}.0^{3,7}]decan 851
1-Methyl- 851

2-Oxa-tetracyclo[4.2.1.0^{3,9}.0^{4,8}]nonan
1-Äthyl- 850, 851
1-Methyl- 850, 851
1-Benzyl- 850
1-Naphthyl-(1 ; -bzw.2)- 850
1-Phenyl- 850

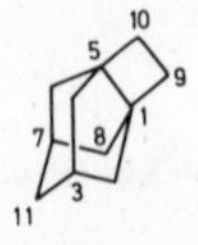

Tetracyclo[3.3.2.1^{3,7}.0^{1,5}]undecan 284

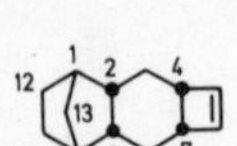

Tetracyclo[8.2.1.0^{2,9}.0^{4,7}]tridecen-(5)
3,8-Dioxo-4,7-dimethyl-5,6-diphenyl-cis,cis- 930

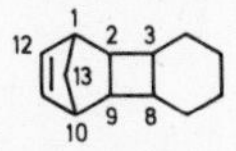

Tetracyclo[8.2.1.0²,⁹.0³,⁸]tridecen-(11)
4-Oxo- 916

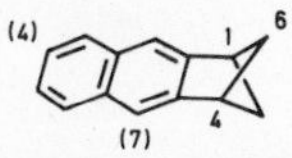

Naphtho-[2,3-b]-bicyclo[2.1.1]hexen-(2) 240

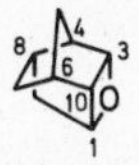

2-Oxa-tetracyclo[4.3.1.0³,¹⁰.0⁴,⁸]decan 851

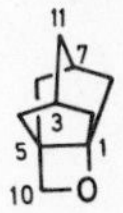

9-Oxa-tetracyclo[3.3.2.0.1³,⁷]undecan 851

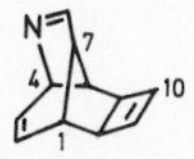

5-Aza-tetracyclo[5.5.0.0⁴,¹³.0⁸,¹²]dodecatrien-(2,5,10)
5-Methoxy- 257

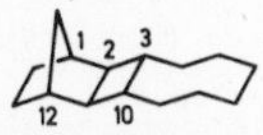

Tetracyclo[10.2.1.0²,¹¹.0³,¹⁰]pentadecan
exo-anti- **412**

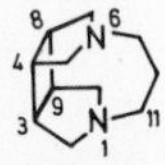

1,6-Diaza-tetracyclo[4.4.3.0³,⁹.0⁴,⁸]tridecan
2,5,7,10-Tetraoxo- 356

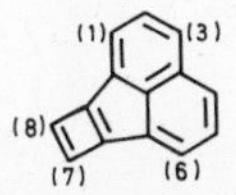

Cyclobuta-[a]-acenaphthylen
7-Brom-6b,7,8,8a-tetrahydro-*anti*-7,*anti*-8-dicarbon-
   säure-anhydrid 486
syn-(bzw.*anti*)-7-Cyan-6b,7,8,8a-tetrahydro- 490
7,8-Diphenyl-6b,7,8,8a-tetrahydro- 241
6b,7,8,8a-Tetrahydro- 240
6b,7,8,8a-Tetrahydro- ; -*anti*-7,*anti*-8-dicarbonsäure-
   anhydrid **486**

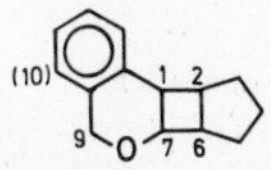

Benzo-3-oxa-tricyclo[6.3.0.0²,⁷)]undecen-(4)
8-Oxo-

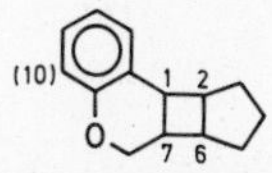

Benzo-9-oxa-tricyclo[5.4.0.0²,⁶]undecen-(10)
8-Oxo- 620

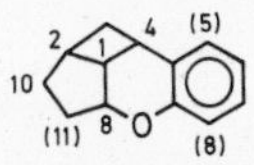

Benzo-7-oxa-tricyclo[6.2.0.0¹,⁴]decen-(5)
5-Hydroxy-3,3,8-trimethyl-7-cyclopentyl-6-carboxy-
   243

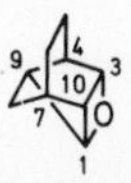

2-Oxa-tetracyclo[5.2.1.0³,¹⁰.0⁴,⁹]decan
1-Methyl- 281, 849, 851
1-Phenyl- 851

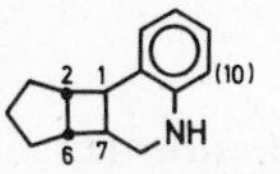

Benzo-9-*anti*-tricyclo[5.4.0.0²,⁶]undecen-(10)
9-Oxo- 590

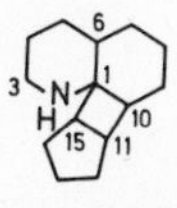

2-Aza-tetracyclo[8.5.0.0¹,⁶.0¹¹,¹⁵]pentadecan 921

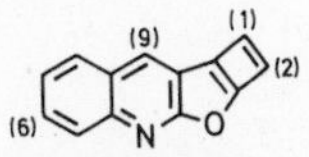

Cyclobuta-[b]-chinolino-[3,2-d]-furan
9-Cyan-2a,9b-dihydro- 1309
1,7-Dimethyl-9-cyan-2a,9b-dihydro- 1309

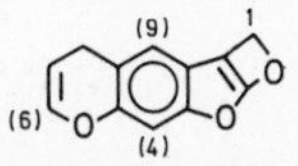

1H,6H-⟨Oxetano-[2,3-b]-chromeno-[6,7-d]-furan⟩
4-Methoxy-6-oxo-1-phenyl-1-benzoyl-2a,9b-dihydro-
   861

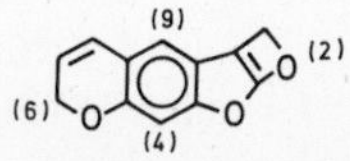

1H,8H-⟨Oxetano-[2,3-b]-chromeno-[6,7-d]-furan⟩
9-9-Methoxy-8-oxo-6-methyl-1-phenyl-1-benzoyl-
   2a,9b-dihydro- 861

2,5,7-Trioxa-tetracyclo[8.5.0.0³,⁸.7¹¹,¹⁵]pentadecan
9-Oxo-6-phenyl- 921

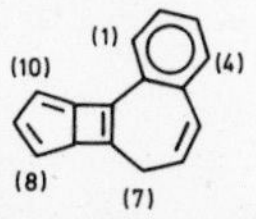

7H-Benzo-[a]-cyclopenta-[3,4]-cyclobuta-[1,2-c]-
   cycloheptatrien
7-Acetamino-1,2,3,8,8-pentamethoxy-9-oxo-5,6,7,7b,8,
   9,10,10a-octahydro- 661

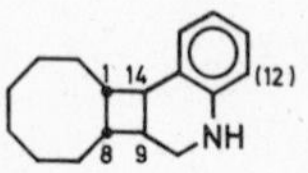

Benzo-11-aza-*anti*-tricyclo[6.6.0.0^{0,14}]tetradecen-(12)
11-Oxo- 590

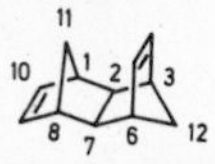

endo/exo-Tetracyclo[6.2.1.1.^{3,6}.0^{2,7}]dodecadien-(4,9)
3,4,6,12,12,-Pentachlor- 641

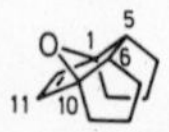

13-Oxa-tetracyclo[8.2.1.0^{1,5}.0^{6,10}]tridecen-(11)
4,7-Dioxo- 1473, 1492

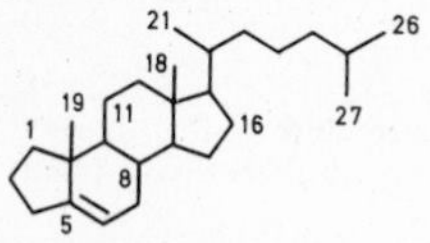

A-Nor-cholesten-(5)
3α-Äthoxymethyl- 660

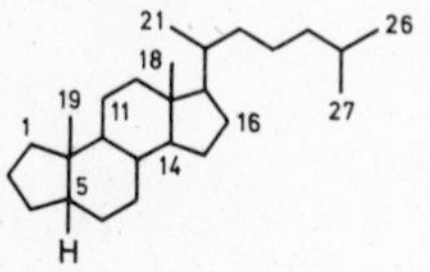

A-Nor-cholestan
2β-Carboxy- 1189
6-Oxo-5β- 680
3-Oxo-5α-(bzw.-β)-vinyl- **764**

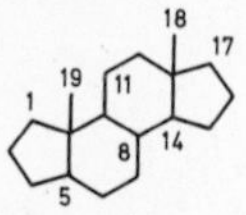

A-Nor-androstan
17β-Acetoxy-3,6-dioxo- 681
17β-Acetoxy-3-oxo-5α-vinyl- 766

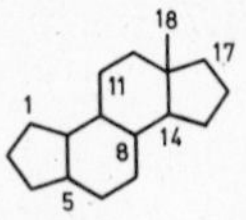

A-Nor-östran
3α,6α-Epoxy-17β-acetoxy-5-isopropenyl- 762

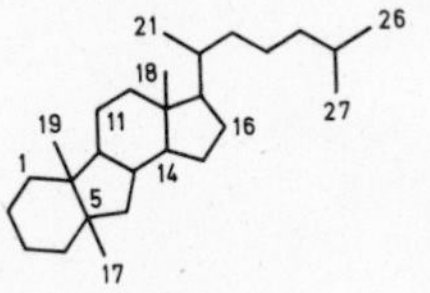

B-Nor-cholestan
4-Oxo-5β- 680

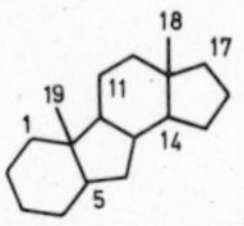

VII*

B-Nor-androsten-(4)
17β-Acetoxy-3-oxo- 683

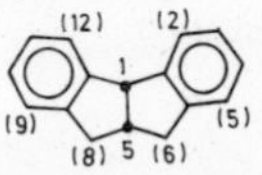

Dibenzo-cis-bicyclo[3.3.0]octadien-(2,7)
endo-6-tert.-Butyloxy- 667
endo-8-Methoxy-*endo*-6-deuterio- 667

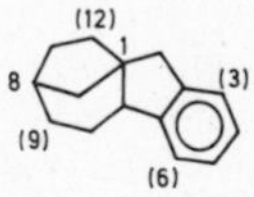

Benzo-tricyclo[6.2.1.0^{1,5}]undecen-(3)
4,10-Dihydroxy-2-methyl-11-methylen-2-carboxy-
1007
4,10-Dihydroxy-2-methyl-11-methylen-2-methoxycar-
bonyl- **1006**

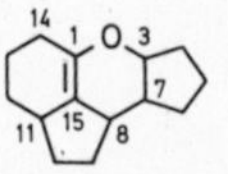

2-Oxa-tetracyclo[6.6.1.0^{3,7}.0^{11,15}]pentadecen-(1^{15})
901

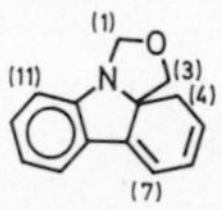

1H,3H,4H-⟨1,3-Oxazolo-[4,3-k]-carbazol⟩
7a-Methyl-5,6,7,7a-tetrahydro- 1092, **1118**

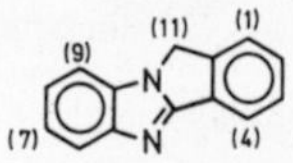

11H-⟨Isoindolo-[2,1-a]-benzimidazol⟩ 603

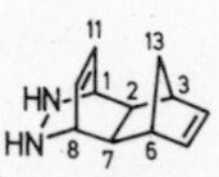

**9,10-Diaza-tetracyclo[6.2.2.1.^{3,6}.0^{2,7}]tridecadien-
(4,11)**
1,8-Dimethyl-11,12-diphenyl- ; -9,10-dicarbonsäure-
methylimid 884

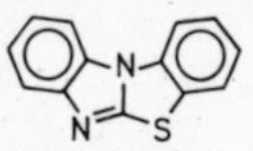

Benzimidazolo-[2,1-b]-benzo-1,3-thiazol 568

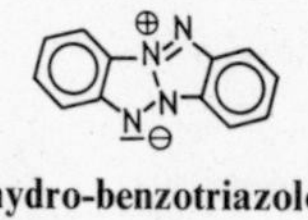

Didehydro-benzotriazolo-[2,1-a]-benzotriazol 1270

B(7a)-Homo-A-*nor*-androsten-(1)
17β-Acetoxy-3,6-dioxo- 679
11α,17β-Diacetoxy-3,6-dioxo-17α-methyl- 679
17β-Hydroxy-3,6-dioxo-5β,17α-dimethyl- 678
17β-Hydroxy-3,6-dioxo-17α-methyl- 678

B(7a)-Homo-A-*nor*-androsten-(9a^{11})
17β-Acetoxy-3,6-dioxo-5β,17α-dimethyl- 678
17β-Acetoxy-3,6-dioxo-5α,17α-dimethyl- 678
17β-Acetoxy-3,7-dioxo-17α-methyl- 678
17β-Acetoxy-3,6-dioxo-5β-methyl- 680
17β-Acetoxy-3,6-dioxo-5α-methyl- 679

B(7a)-Homo-A-*nor*-androstan
17β-Acetoxy-3,6-dioxo- 677, 679, 1046
11α-Hydroxy-17β-acetoxy-3,6-dioxo-17α-methyl-
  679

B(9a)-Homo-A-*nor*-östren-(3)
9aα,17α-Dihydroxy-21-acetoxy-2,11,20-trioxo-9aβ-me-
thyl- **781**
9aα-Hydroxy-17β-acetoxy-2-oxo-3,9aβ-dimethyl-
  784
9aα-Hydroxy-17β-acetoxy-2-oxo-9aβ-methyl-;-10α-
  780

Tetracyclo[8.7.0.0^{1,13}.0^{15,9}]heptadecen-(13)
6-Acetoxy-2,15-dioxo-5-methyl- 683
6-Hydroxy-2,15-dioxo-5-methyl 683

**Tetracyclo[8.2.2.1^{4,7}.0^{3,8}]pentadeca-
trien-(5,11,13)** 496

11H-⟨Benzo-[a]-fluoren⟩
11-Phenyl-5-äthoxycarbonyl- 1250

11H-⟨Benzo-[b]-fluoren⟩
5,10-Diphenyl- 530

7H-⟨Benzo-[c]-fluoren⟩
7-Carboxy- 1198

1H-⟨Cyclopenta-[l]-phenanthren⟩
6-Chlor-1-oxo-2-phenyl-3-(4-chlor-phenyl)- 537
2,3-Dihydro- 527
2,3-Diphenyl- **537**
1,3-Diphenyl-2,3-dihydro- 668
6-Methoxy-1-oxo-2-phenyl-3-(4-methoxy-phenyl)-
  537
2-Oxo-2,3-dihydro- 527
1-Oxo-2,3-diphenyl- 537
1-Oxo-2,3-diphenyl-2,3-dihydro- **537**
1-Oxo-2-methyl-3-phenyl- 537

Fluoranthen 644, 1583

Östratrien-(1,3,5^{10})
17β-Acetoxy-1-methyl- 780
2,17β-Diacetoxy-4-methyl- 792
3-Hydroxy-17β-acetoxy- 793
1-(bzw. 2)-Hydroxy-17β-acetoxy-4-methyl- 792
3-Hydroxy-17β-acetoxy-1-methyl- 792
4-Hydroxy-17β-acetoxy-2-methyl- 792
10β-Hydroxy-17β-acetoxy-4-methyl- 780

13α-Östratrien-(1,3,5^{10})
3-Hydroxy-17-oxo- (Lumi-östron) **738**

5β-Cholestadien-(1,3) 261

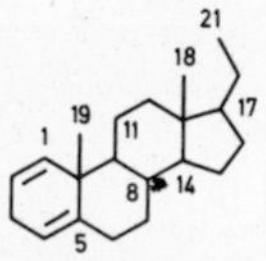

Pregnadien-(1,4)
9α-Fluor-18-jod-11β,17α-di-hydroxy-21-acetoxy-3,20-
    dioxo-6α-methyl- 725
18-Jod-11β-hydroxy-17α,20 ; 20,21-bis-
    [methylendioxy]-3-oxo- **725**

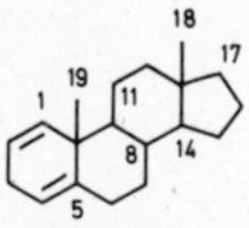

Androstadien-(1,4)
18-Brom-3,11,17-trioxo- 732

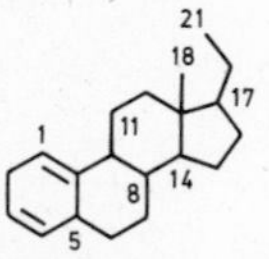

Östradien-(1¹⁰,3)
17α-Hydroxy-2,11-dioxo-5β-methyl-17β-acetoxyace-
    tyl- (Neoprednisonacetat) 793

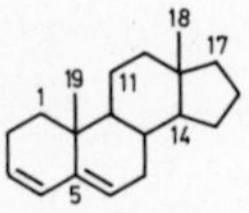

Cholestadien-(3,5)
6-Nitro- 1330

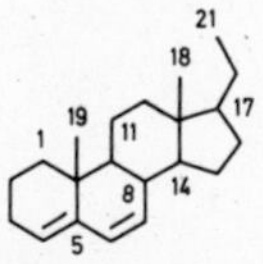

Pregnadien-(4,6)
11β-Hydroxy-21-acetoxy-3,8,20-trioxo- 724

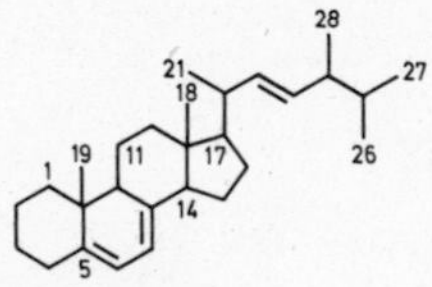

Ergstatrien-(5,7,22)
3β-Hydroxy-10α- 262
3β-Hydroxy-9α,10α- 263

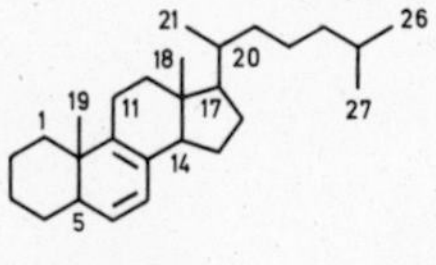

Cholestadien-(6,8)
3-Hydroxy-5β- 261

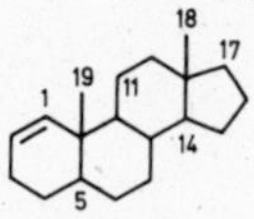

Androsten-(1)
17β-Acetoxy-3-oxo- 1046

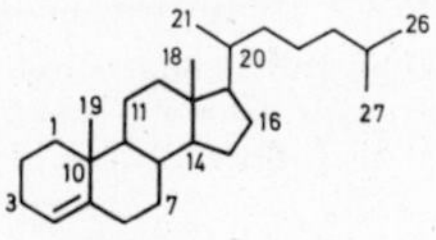

Cholesten-(4)
3β-Acetoxy-6α-(bzw. -6β)-nitro- 1331
3β-Acetoxy-6-oxo- 1330
3,6-Dioxo-4-methyl- 1148
3β-Hydroxy-6β-nitro- 1331
3β-Hydroxy-6-oxo- 1331
6β-Nitro-3β-acetoxy- 1330
3-Oxo- 1470, 1478
6-Oxo-3-hydroximino- 1331
2,2,4,6-Tetrabrom-12α-acetoxy-3-oxo- ; -24-säure-
    methylester 151
2,2,4-Tribrom-3-oxo- 151

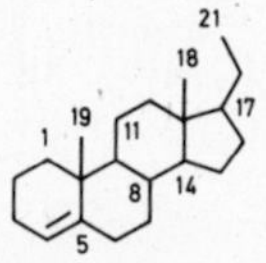

Pregnen-(4)
3,20-Dioxo- (Progesteron) 1481
9α-Fluor-11β-hydroxy-17α,20 ; 20,21-bis-
    [methylendioxy]-3-oxo-18-hydroximino- 724
11β-Hydroxy-21-acetoxy-3,20-dioxo-18-hydroximino-
    724
17α-Hydroxy-20β-acetoxy-3-oxo- 727
11β-Hydroxy-17α,20 ; 20,21-bis-[methylendioxy]-3-
    oxo-4-hydroximino- 724
20α-Hydroxy-3-oxo-18-hydroximino- **722**
17β,20-Oxido-3-oxo-16-hydroximino- 731

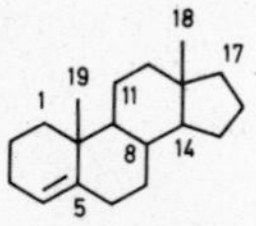

Androsten-(4)
17β-Acetoxy-3,7-dioxo- 682
17β-Acetoxy-3-oxo- 1046
17β-Acetoxy-3-oxo-6-acetyl- 991
3,17-Dioxo- **726**, 727

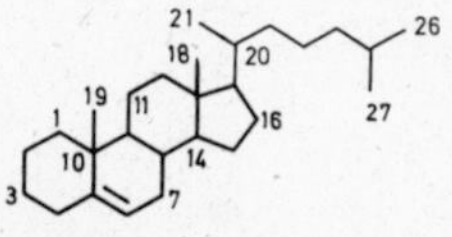

Cholesten-(5)
3α-Acetoxy-7α-hydroperoxy- 1478
3β-Hydroxy-7-oxo- 1478
3β-Hydroxy-7-thiocyanato- **178**
3α-Methoxy-3β-äthoxy- **660**

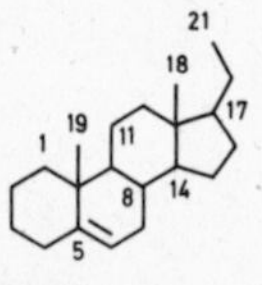

Pregnen-(5)
3,3,20,20-Bis-[äthylendioxy]-11α-acetoxy- 1261
11β,1,7α-Dihydroxy-3,3;20,20-bis-[äthylendioxy]-21-
   acetoxy-18-hydroximino- 724
11β-Hydroxy-3,3;20,20-bis-[äthylendioxy]-21-
   acetoxy-18-(bzw. -19)-hydroximino- 724
11β-Hydroxy-3,3;20,20-bis-[äthylendioxy]-18-(bzw.-
   19)-hydroximino- 475

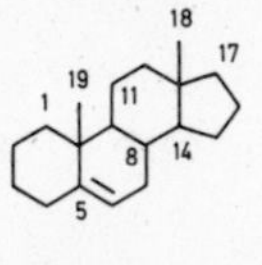

Androsten-(5)
3β-Acetoxy-16β-methyl-17β-acetyl- 1441
3β-Acetoxy-17β-[naphthyl-(1)-acetyl]- 1046
3β-Acetoxy-20-oxo- 1441
3β-Acetoxy-16-oxo-17β-acetyl- 681
17β-Acetoxy-3-oxo-4β-acetyl- 991
3,3-Äthylendioxy-17β-formyl- 727
3,3-Äthylendioxy-11β-hydroxy-17β-formyl- 727
3β-Hydroxy-7α-hydroperoxy-17β-acetyl- 701
17β-Hydroxy-3-oxo- **739**

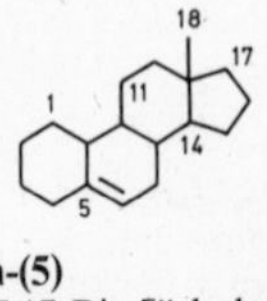

Östren-(5)
3,3;17,17-Bis-[äthylendioxy]- 878
17β-Hydroxy-3,3-äthylendioxy- 878

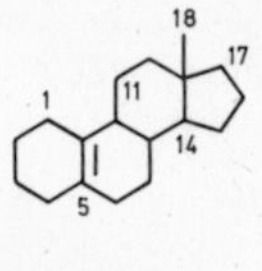

Östron-(5¹⁰)
3,3;17,17-Bis-[äthylendioxy]- 878

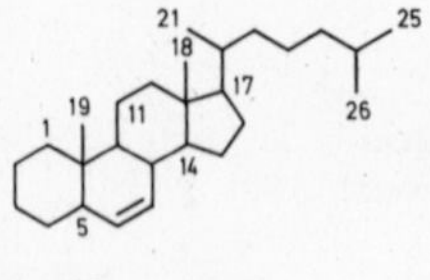

Cholesten-(6)
3β-Hydroxy-5α-hydroperoxy- 1475, **1476**

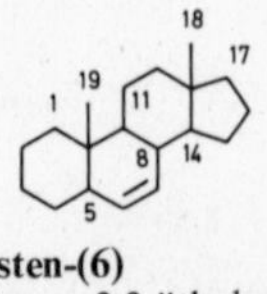

Androsten-(6)
7-Hydroxy-3,3-äthylendioxy-17-acetoxy-4,4-dimethyl-
   7-(1,4-dioxanyl)- 834

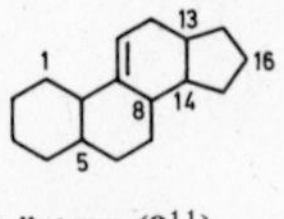

18-Nor-östren-(9¹¹)
12-Oxo- 924

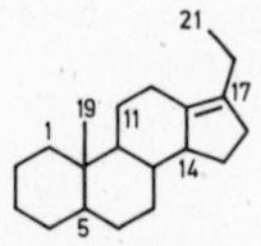

18-Nor-5α-pregnen-(13¹⁷)
3β-Acetoxy-20-oxo-16β-dimethoxymethyl- 698

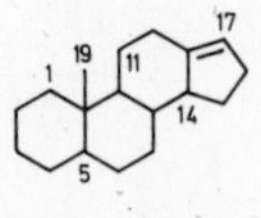

18-Nor-androsten-(13¹⁷) 1322

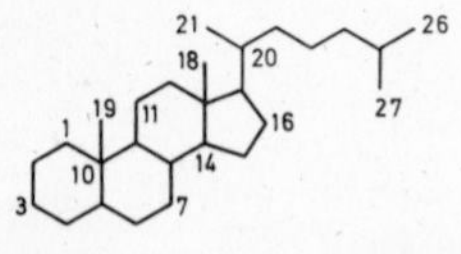

5ξ-Cholestan
5β- 1439
3β-Acetoxy-4β,6-[3,4-dihydro-1,2-oxazolo-(3,4,5)]-
   1330
3α-(bzw. 3β)-Aminocarbonyl- 1126
5α-Chlor-6β,19-epoxy-3β-acetoxy- 732
5α-Chlor-6β-hydroxy-3β-acetoxy- 732
5α-Chlor-19-nitro-6β-hydroxy-3β-acetoxy- 732
3β,6β-(bzw. 3β,6α)-Dihydroxy-5α- 812
5α,6β-Dihydroxy-3β-acetoxy-19-hydroximino- 727
4,6-Dioxo- 680
4,6-Dioxo-5β- 680
3,6-Dioxo-4α,5α-cyclopropano- 1148, **1149**
1α,5α-Epoxy-3β-acetoxy- 851
1,5-Epoxy-3β-acetoxy-10- 851
5β-6β-Epoxy-3β-acetoxy- 732
4α,5α-Epoxi-3-oxo- 1470, **1478**
2α-(bzw. 2β)-Hydroxy- 457
3α-(bzw. 3β)-Hydroxy- 457, 742, 811
5α-(bzw. 5β)-Hydroxy- 1459
6β-Hydroxy-3α-acetoxy-19-hydroximino-5α- 720
3β-Hydroxy-5α,6α-epoxy-7-oxo- 1478
5-Isopropyloxy- 658
5β-Isopropyloxy- 1439
5-Methoxy- 658, 659
6β-19-Oxido-3β-acetoxy-5α- **725, 726**
3-Oxo-2-benzoyl- 991
3β-Pyrrolidino- 1120
3-Pyrrolidino-3-hydroxymethyl- 1118

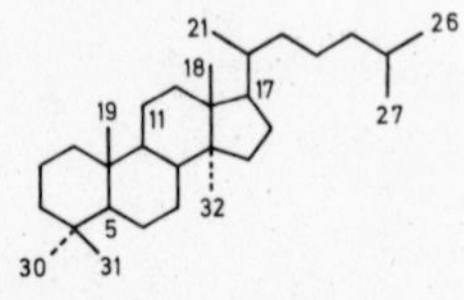

Lanostan
32-Nitrato-7α-hydroxy-3β-acetoxy-5α- **726**

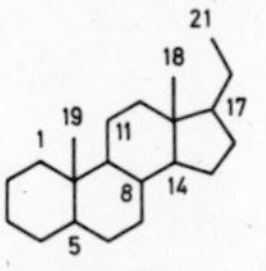

5ξ-Pregnan
3β-Acetoxy-18,20-oxido-20-methyl-5α- 715
5α-Brom-6β-hydroxy-3β-acetoxy-20-oxo-19-hydrox-
  imino- **722**
18-Chlor-20α-methylammonium-3β-trifluoracetoxy-1-
  1-oxo- ; -trifluoracetat 1102
3β,11α-Diacetoxy-20-oxo-5α- 716
12α,14α-Epoxy-3β,20-diacetoxy-5α- **761**
5α-Hydroxy-3,3,20,20-bis-[äthylendioxy]-11α-acetoxy-
  6-imino- 1261
20β-Hydroxy-3β,11α-diacetoxy-5α- ; -18-säure-
  lacton 716
18-Jod-3β,11α-diacetoxy-20-oxo-5α- **716**
18 -Methoxy-17β,18-methoxylenoxy-3β-acetoxy-20-
  oxo-5α- 698

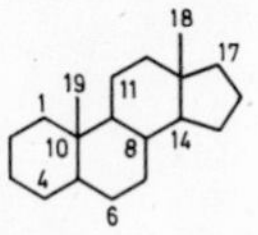

Androstan
5α,14β- 188
17β-Acetoxy- 188
17β-Acetoxy-5α- 1441
17β-Acetoxy-4β,5β-epoxy-3-oxo- 677, 1046
3β-Acetoxy-17β-methoxycarbonyl- 188
3β-Acetoxy-17-oxo- 188
3β-Acetoxy-17-oxo-16-acetyl- 991
5α-Chlor-6β-hydroxy-3β-acetoxy-17-oxo-19-hydrox-
  imino- **721**
3α,17β-(bzw.3β,17β)-Diacetoxy- 188
3β,17β-Dihydroxy-6,19-oxido-6α-methyl-5α- 715
2β-Hydroxy-3α,17β-diacetoxy-19-hydroximino-5α-
  720, 727
3β-Hydroxy-17-oxo-13α-(Lumi-androsteron) 738
17β-Jod-3β,11α-diacetoxy- ; -5α- **716**
17-Oxo- 188

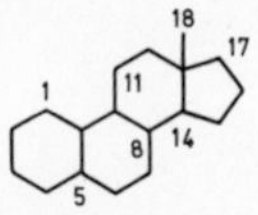

5ξ-Östran
3,3 ; 17,17-Bis-[äthylendioxy]-5β- 877
5β,17β-Dihydroxy-3-oxo-17α-methyl- 681

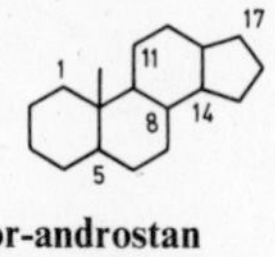

18-Nor-androstan
3α-Hydroxy-17β-acetoxy- 812

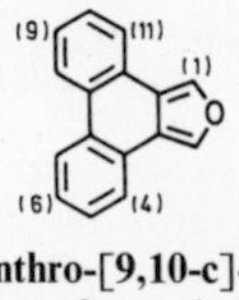

Phenanthro-[9,10-c]-furan
1-Acetoxy-3-oxo-1-phenyl-1,2-dihydro- 527
1-Hydroxy-3-oxo-1-phenyl-1,2-dihydro- 527
1-Methoxy-3-oxo-1-phenyl-1,2-dihydro- 527

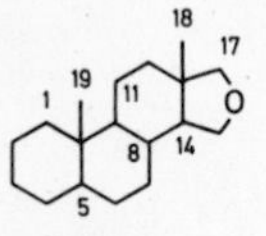

16-Oxa-androstan
3β-Methoxy-17 -äthoxy- 826

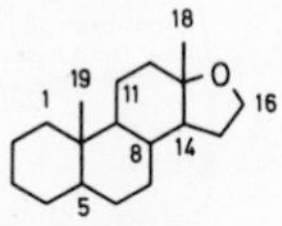

17-Oxa-androstan
3β-Methoxy-16 -äthoxy- 826

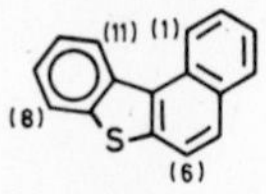

Benzo-[b]-naphtho-[1,2-d]-thiophen 559

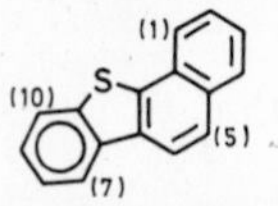

Benzo-[b]-naphtho-[2,1-d]-thiophen 559

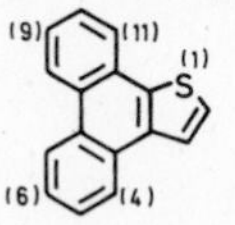

Phenanthro-[9,10-b]-thiophen 556

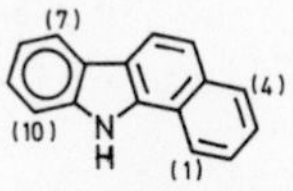

Benzo-[a]-carbazol
11-Methyl-5,6,6a,11a-tetrahydro-*cis*-(bzw.-*trans*) 544

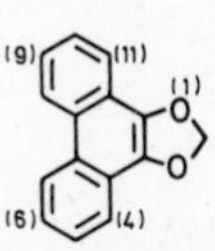

Phenanthro-[9,10-d]-1,3-dioxol
2-Oxo- 345
2-Phenyl-2-(2-benzoyl-phenyl)- 958

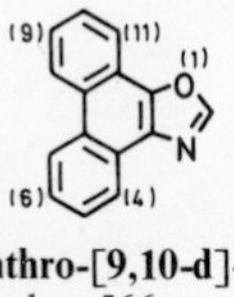

Phenanthro-[9,10-d]-1,3-oxazol 566
2-Methyl- 566
2-Phenyl- 566

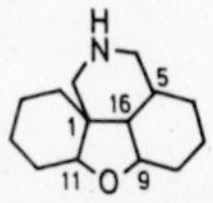

10-Oxa-3-aza-tetracyclo[7.6.1.0^{1,11}.0^{5,16}]hexadecan
8-Methoxy-4,13-dioxo-3-methyl- 646

Phenanthro-[9,10-d]-1,3-thiazol
2-Methyl- 568

1H-⟨Phenanthro-[9,10-d]-imidazol⟩ 563
1,2-Diphenyl- 563
2-Phenyl- 563

7H-⟨Indolo-[2,3-c]-chinolin⟩
6-Hydroxy- 550
6-Oxo-5,6-dihydro- **550**

11H-⟨Indolo-[3,2-c]-chinolin⟩
6-Hydroxy- 550
6-Oxo-5,6-dihydro- **550**

7H-⟨Pyrido-[3,2-c]-carbazol⟩
6-Cyan- **549**

7H-⟨Pyrido-[3,4-c]-carbazol⟩
6-Cyan- 549

Indolo-[3,4-f,g]-chinolin
10b-Hydroxy-4-methyl-2-alkoxycarbonyl-1,2,3,4,4a,
5,7,10b-octahydro- 457

Phenanthridino-[6,5-b]-1,3,4-thiadiazolium
2-Thiolo- 578

5H-⟨1,3-Oxazolo-[4,5-b]-phenoxazin⟩
9,11-Dimethyl-2-äthyl-4,6-dimethoxycarbonyl- 1098
11a-Hydroxy-2,2,9,11-tetramethyl-4,6-dimethoxycar-
bonyl-2,3-dihydro- 1098
2,9,11-Trimethyl-4,6-dimethoxycarbonyl- 1098

Pyrido-[3,2-c]-tetrazolo-[2,3-a]-cinnolinium
2-Phenyl- ; -Nitrat **579**

B(7a)-Homo-östradien-(1^{10},9^{11})
3β-Dimethylamino-16α-hydroxy-4,4,13α-trimethyl-
-17β-(2-acetylamino-äthyl)- 217

B(7b)-Homo-östradien-(5^{10},9^{11})
3β-Dimethylamino-16α-hydroxy-4,4,13α-trimethyl-
17β-(2-acetylamino-äthyl)- 217

Tetracyclo[7.7.1.0^{1,12}.0^{4,8}]heptadecen-(12)
5-Acetoxy-14,17-dioxo-4-methyl- 683

Naphthacen (Tetracen)
7-Brom-4-dimethylamino-3,10,12a-trihydroxy-1,11,12-
trioxo-2-aminocarbonyl-1,4,4a,5,5a,6,11,11a,12,
12a-decahydro- 635
6,11-Dihydroxy-5,12-dioxo-5,12-dihydro- 749
4-Dimehtylamino-3,10,11,12a-tetrahydroxy-1,12-
dioxo-2-aminocarbonyl-1,4,4a,5,12,12a-hexa-
hydro- 635
5,12-Endoperoxi-5,6,11,12-tetraphenyl-5,12-dihydro-
1472

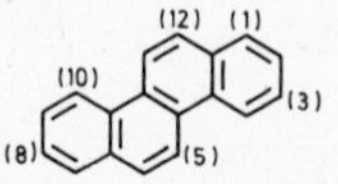

Chrysen 517, 519, 533, 535
11-Buten-(3)-yl-1,2,3,4-tetrahydro- 535
3-Chlor- 533
3-Cyan 533
3,9-Dichlor- 533
3,9-Dicyan- 533
3,9-Difluor- 533
3,9-Dimethoxy- 533
1,3-Dimethyl- 535
1,7-Dimethyl- 519, 533
3,9-Dimethyl- 533
3-Fluor- 533
3-Methoxy- 533
3-Methyl- 533
6-Methyl- 519

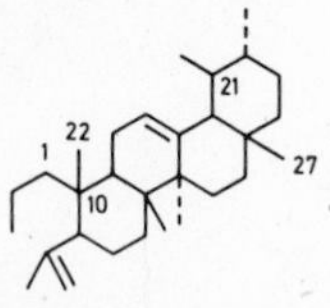

3,4-Seco-α-amyrandien-(4²⁹,12)
-3-säure 744

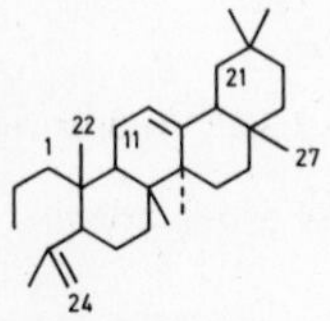

3,4-Seco-β-amyrandien-(4²⁹,12)
-3-säure 744

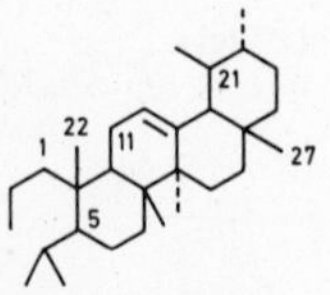

3,4-Seco-α-amyren-(12)
-3-säure-cyclohexylamid 744

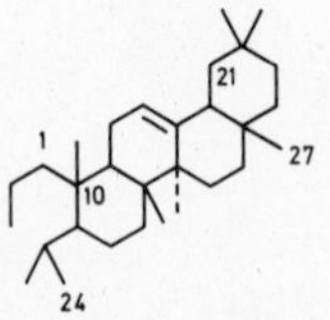

3,4-Seco-β-amyren-(12)
-3-säure-cyclohexylamid 744

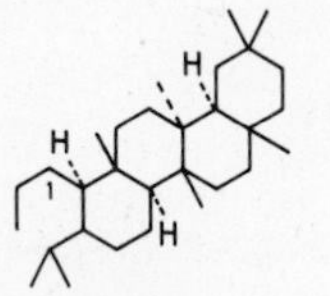

3,4-Seco-friedelin
-3-säure-äthylester 746

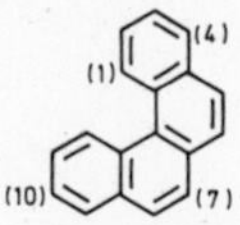

Benzo-[c]-phenanthren 520
3-Brom-2-methyl 520
2,4-Dimethyl- 535
5-Fluor- 520
6-Fluor- 520, 525
6-Methyl- 520

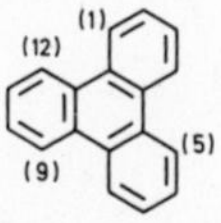

Triphenylen **526**, 527, 644, 1158, 1590
2-Brom- 527
2-Fluor- 527
2-Methoxy- 527
1-Phenyl- 517
2-Phenyl- 527

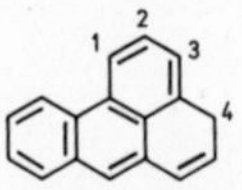

4H-Benzo-[d,e]-anthracen
4-Oxo-7-acyl- 962
4-Oxo-5-methyl-7-acyl- 962

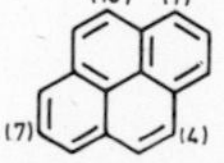

Pyren 539, 1464
4,5-Dihydro- 534, 539, 528
2,7-Dimethyl-4,5,9,10-tetrahydro- 539
4,9-Diphenyl-4,5,9,10-tetrahydro- 336
4-Phenyl- 516, 532
4,5,9,10-Tetrahydro- 538, **539**

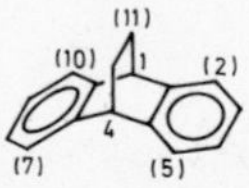

Dibenzo-bicyclo[2.2.2]octadien-(2,5)
12-Chlor-11-dichlormethylen- 221
11-Vinyl- 498

Benzo-tricyclo[4.2.2.2²,⁵]dodecatrien-(3,7,9)
syn-(bzw.*anti*)- 499

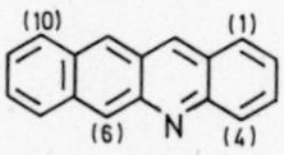

Benzo-[b]-acridin
6,11-Dioxo-6,11-dihydro- 592

Dibenzo-[b;g]-chinolizinium
-p-toluolsulfonat 1528

Benzo-[c]-acridin
7-Hydroxy 567

8H-⟨Dibenzo-[a;g]-chinolizin⟩
8-Oxo-5,6-dihydro- 996
2,3,10-Trimethoxy-11-acetoxy-8-oxo-5,6-dihydro-
545

Benzo-[c]-phenanthridin 596
2.3-Dimethoxy- · 596
2,3,8,9-Tetramethoxy- 596
596

Benzo-[i]-phenanthridin 596
5-Oxo-6-methyl-4b,5,6,10b,11,12-hexahydro- 545

Benzo-[a]-phenanthridin 596
5-Oxo-6-alkyl-5,6,6a,7,8,12b-hexahydro-*trans*- 540
5-Oxo-6-allyl-5,6,6a,7,8,12b-hexahydro- 998
5-Oxo-6-butyl-5,6,6a,7,8,12b-hexahydro- 998
5-Oxo-6-methyl-5,6,6a,7,8,12b-hexahydro- 998

17a-Aza-D-homo-östratrien-(1,3,5¹⁰)
17a-Hydroxy-3-methoxy-17-oxo-13α- **729**

17a-Aza-D-homo-androsten-(4)
17a-Hydroxy-3,17-dioxo- 729

4H-⟨Naphtho-[1,8-f,g]chinolin⟩
6,6-Dimethyl-5,6-dihydro- 593

4H-⟨Dibenzo-[d,e;g]-chinolin⟩
1,2-Dimethoxy-6-äthoxycarbonyl-5,6-dihydro- 528
1,2,10,11-Tetramethoxy-6-äthoxycarbonyl- 528
1,2,10-Trimethoxy-6-äthoxycarbonyl 528
1,2,9-Trimethoxy-7-phenyl-6-äthoxycarbonyl-5,6-di-
hydro- 528

Naphtho-[2,1,8-d,e,f]-chinolin
5-Phenyl- 596

**11,12-Benzo-8-aza-tricyclo[5.3.3.0¹·⁶]tridecatrien-(2,5,
11)**
11-Hydroxy-3,12-dimethoxy-4-oxo-8-methyl- 645

Benzo-[b]-naphtho-[2,3-e]-1,4-dioxin
6,6,11,11-Tetramethyl-1,2,3,4,4a,6,11,12a-octahydro-
857

**5,6-Benzo-2,9-dioxa-tricyclo[8.4.0.0³·⁸]tetradecadien-
(3⁸,5)**
5,5,9,9-Tetramethyl- 833

Phenanthro-[9,10-b]-1,4-dioxin
(Z)-[bzw. (E)]-2-Äthyliden-2,3-dihydro- 959
2-Äthylmercapto-2,3-dihydro- 952
2-Chlor-2,3-dihydro- 942
2,2-Dichlor-2,3-dihydro- **948**
2,3-Dimethyl-2,3-dihydro- 951
2,3-Diphenyl-2,3-dihydro- 952
3-(N-Methyl-N-benzoyl-amino)-2-phenyl-2,3-dihydro-
956
3-Methyl-2-methylen-2,3-dihydro- 959
2,2,3,3-Tetramethyl-2,3-dihydro- 951

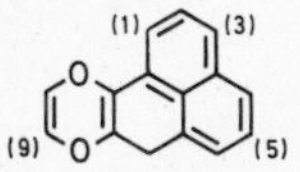

7H-⟨Phenaleno-[1,2-b]-1,4-dioxin⟩
7-Oxo-9,10-diphenyl-9,10-dihydro- 860

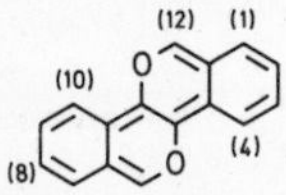

[2]-Benzopyrano-[4,3-c]-[2]-benzopyran
6,12-Dioxo- 6,12-dihydro- 750

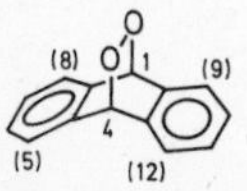

Dibenzo-2,3-dioxa-bicyclo[2.2.2]octadien 1487
1-Cyclohexyl- 1489
1,4-Dimethoxy- 1488
5,8-Dimethoxy-1,4-diphenyl- 1488
1,4-Diphenyl- **1488**
1,4-Diphenyl-5-methoxycarbonyl- 1489
1-Methyl- 1489
1-Phenyl- 1489
1,4,5,8-Tetraphenyl- 1489

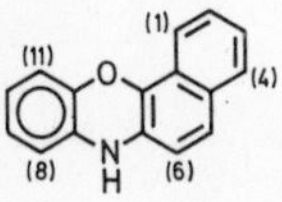

7H-⟨Benzo-[a]-phenoxalin⟩
12a-Hydroxy-5-oxo-5,12a-dihydro- 980

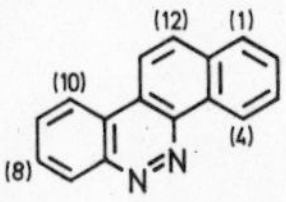

Naphtho-[1,2-c]-cinnolin 1135

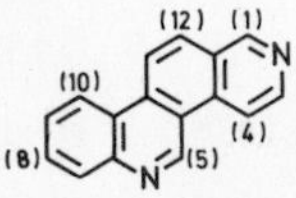

Benzo-[c]-[2,8]-phenanthrolin 596

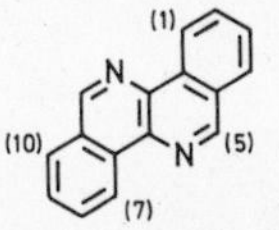

Dibenzo-[c;h]-1,5-naphthyridinen
6,6,12,12-Tetrakis-[trifluormethyl]-6,12-dihydro-
1365

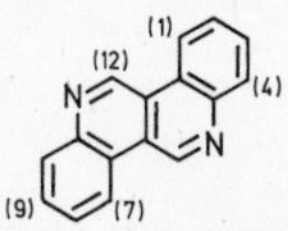

Dibenzo-[c ; h]-2,6-naphthyridin 1116

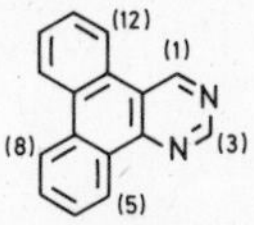

Phenanthro-[9,10-d]-pyrimidin
1,3-Dioxo-2,4-dimethyl-1,2,3,4-tetrahydro- 651

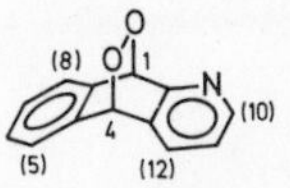

Benzo-pyrido[2,3]-2,3-dioxa-bicyclo[2.2.2]octadien
1,4-Diphenyl- 1490

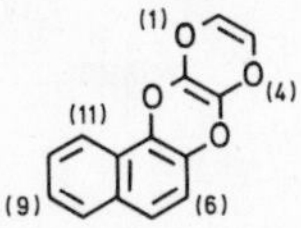

Naphtho-[1,2-e]-1,4-dioxino-[b]-1,4-dioxin
2,3,4a,12a-Tetrahydro- 951

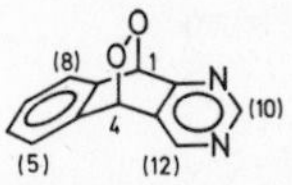

Benzo-pyrimido[4,5]-2,3-dioxa-bicyclo[2.2.2]octadien
6,8-Dimethoxy-1,4-diphenyl- 1490
1,4-Diphenyl- 1490

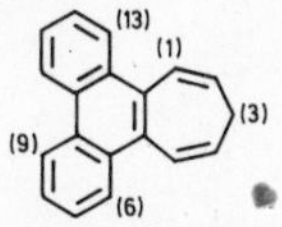

3H-Cyclohepta-[l]-phenanthren 1204

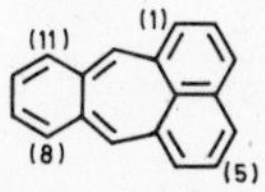

Benzo-[5,6]-cyclohepta-[1,2,3-d,e]-naphthalin (Plei-aden) 257

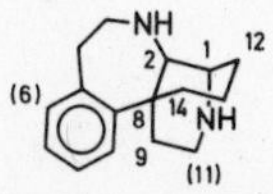

Benzo-3,11-diaza-tricyclo[6.3.3.0^{2,8}]tetradecen-(6)
6-(bzw.8)-Hydroxy-4-oxo-12-methyl- 637

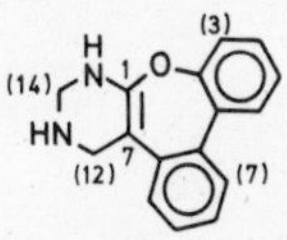

Dibenzo-2-oxa-9,11-diaza-bicyclo[5.4.0]undecatrien-(1^7,3,5)
12,14-Dioxo-13,15-dimethyl- 650

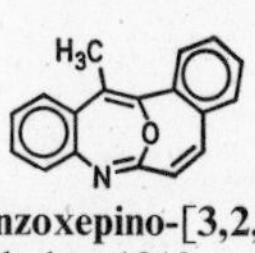

[2]-Benzoxepino-[3,2,1-b,c]-[3,1]-benzoxazepin
12-Methyl- 1310

F. Pentacyclische Verbindungen

Pentacyclo[5.2.0.0^{2,9}.0^{3,5}.0^{6,8}]nonan
1,7-Bis-[trifluormethyl]- 238
1.7-Dimethoxycarbonyl- 238
1,7-Dimethoxycarbonyl-4-cyan- 238

4-Oxa-pentacyclo[5.2.0.0^{2,9}.0^{3,5}.0^{6,8}]nonan
1,7-Dimethoxycarbonyl- 238

Pentacyclo[5.3.0.0^{2,10}.0^{3,5}.0^{6,8}]decan
1,7-Dimethoxycarbonyl- 444
1,4,7-Tetramethoxycarbonyl- 444

Pentacyclo[6.2.0.0^{2,10}.0^{3,6}.0^{8,9}]decen-(4) 238
1,8-Dimethoxycarbonyl- 238

Pentacyclo[7.5.0.0^{2,8}.0^{4,6}.0^{11,13}]tetradecan
(+)-3,10-Dioxo-c-1,5,5,t-8,12,12-hexamethyl-r-2-H,
   c-9-H- 909

Pentacyclo[4.3.0.0^{2,4}.0^{3,8}.0^{5,7}]nonan
4,5-Dicarboxy- **444**
4,5-Dimethoxycarbonyl- 444

**12-Oxa-pentacyclo[4.4.3.0^{1,6}.0^{2,10}.0^{5,7}]tridecadien-
(3,8)** 248

Benzo-tetracyclo[3.3.0.0^{2,7}.0^{6,8}]octen-(3)
4,5-Diphenyl- 501
9,10-Diphenyl- 241
6-(bzw. 7)-Methoxy-4,5-diphenyl- **502**

Benzo-tetracyclo[4.4.0.0^{4,8}.0^{5,7}]decadien-(2,9) 240

**Pentacyclo[8.3.3.0^{2,9}.0^{3,8}.0^{13,14}]hexadecatetraen-
(4,6,12,15)** 298

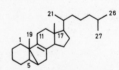

1α.5α   1β.5β

1,5-Cyclo-androsten-(3)
17β-Acetoxy-2-oxo- 792
17β-Acetoxy-2-oxo-1β,3-dimethyl-1α,5α- **776**
17β-Acetoxy-2-oxo-3-methyl-1α,5- 778
17β-Hydroxy-2-oxo-1β-methyl-1α,5- 778
17β-Acetoxy-2-oxo-1β-methyl-1β,5β- **776**

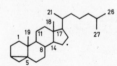

1β,5-Cyclo-5β,10α-cholestan
2-Oxo-(Lumicholestan) **769**

3,5-Cyclo-5α-cholestan
6β-Äthoxy- 660

6,10-Cyclo-cholesten-(8)
3β-Acetoxy-7-oxo-4,4-dimethyl- 778

8,11-Cyclo-5α,9 -pregnen-(14)
11-Hydroxy-3,3,20,20-bis-[äthylen-(1,2)-dioxy]- 797

5,6-Cyclopropa-A-nor-androstan
17β-Acetoxy-3,7-dioxo-5α,5α-dimethyl-5α,6α-(bzw.-5β,
   6β)- **764**

3,5-Cyclo-4,6-cyclo-3,4-seco-östran
17β-Acetoxy-3-oxo-4,4-dimethyl-   766

5,9;6,10-Dicyclo-9,10-seco-ergostatrien-(7,9^{11},22)
3β-Acetoxy-   269

Dibenzo-tricyclo[3.3.0.0^{2,8}]octadien-(3,6)   425
1-(bzw.2-;bzw.5)-Methoxycarbonyl-   426

Naphtho-[2,3-c]-tricyclo[3.3.0.0^{2,8}]octadien-(3,6)
425

anti   *syn*

Naphtho-[1,2-c]-tricyclo[3.3.0.0^{2,8}]octadien-(3,6)
424

1,9a-Cyclo-B-homo-A-nor-19-nor-androsten-(2)
17β-Acetoxy-5,9a-dimethyl-   269

Benzo-tetracyclo[6.6.0.0^{2,4}.0^{3,7}]tetradecen-(5)   494

5β,19-Cyclo-cholestan
3β-Acetoxy-6-oxo-   **725**

5β,19-Cyclo-pregnan
syn-(bzw. *anti*)-11β-Hydroxy-21-acetoxy-3,20-dioxo-4-
   hydroximino-   724
anti(bzw.*syn*)-11β-Hydroxy-17α,20;20,21-bis-[methy-
   lendioxy]-3-oxo-4-hydroximino-   724, 732

19α,5α-Cyclo-A-nor-androstan
17β-Hydroxy-2-oxo-   794

Pentacyclo[4.2.0^{2,4}.0^{3,8}.0^{4,7}]octan
(Cuban)
4,5-Bis-[trimethylsiloxy]-   244
9-Carboxy-   1184
1,8-Diphenyl-2,3,4,5-tetramethoxycarbonyl-   244
Octaphenyl-   244
1,2,3,8-Tetrachlor-9,9-dimethoxy-   244

9-Oxa-pentacyclo[4.3.0.0^{2,5}.0^{3,8}.0^{4,7}]nonan
1,6,7,8-Tetramethyl-2,3,4,5-tetrakis-[trifluormethyl]-
   245
2,3,4,5-Tetrakis-[trifluormethyl]-   245

9-Phospha-pentacyclo[4.3.0.0^{2,5}.0^{3,8}.0^{4,7}]nonan
9-Oxo-9-phenyl-   245

Pentacyclo[4.4.0.0^{2,5}.0^{3,10}.0^{4,7}]decan
2,3,-Bis-[trimethylsiloxy]-   245
-8,9-dicarbonsäure-anhydrid   383

Pentacyclo[4.4.0.0^{2,5}.0^{3,9}.0^{4,8}]decan
7,10-Dioxo-   939
7,10-Dioxo-1,6,8,9-tetramethyl-2,3,4,5-tetraphenyl-
   939

7,10-Dioxa-pentacyclo[4.4.0.0^{2,5}.0^{3,9}.0^{4,8}]decan
Octamethyl- **243**

4,9-Dithia-*eko*-pentacyclo[5.3.2.2^{2,6}.0^{1,7}.0^{2,6}]tetra-decan 352

Dibenzo-tricyclo[2.2.2.0^{1,4}]octadien-(2,5)
11-Vinyl- 498

Pentacyclo[5.3.0.0^{2,5}.0^{3,9}.0^{4,8}]decan 243
6-[Äthylen-(1,2)-dioxy]-10-oxo- **939**
5,9-Dibrom-6-[äthylen-(1,2)-dioxy]-10-oxo- 941
6,10-Dioxo- 938
6,10-Dioxo-1,5,7,9-tetramethyl-2,3,4,8-tetraphenyl-
939
1,2,3,6,9,10,10-Heptachlor- 246
1,2,3,9,10,10-Hexachlor- 246
6-Hydroxy- 243, 245
endo-10-Hydroxy- 245
6-Hydroxy-6-deuterio- 245
6-Hydroxy-6-methyl- 245
10-Hydroxy-6-oxo-1,5-dimethyl-2,3,4,8-tetraphenyl-
939
6-Oxo- 941
10-Oxo-1,9-dimethyl-2,3-diphenyl-6-isopropyliden-
246

2,8-Diphospha-pentacyclo[5.3.0.0^{3,6}.0^{4,10}.0^{5,9}]decan
2,8-Diphenyl- ; -2,8-bis-oxid 1359

Pentacyclo[4.4.2.0^{2,5}.0^{3,9}.0^{4,8}]dodecen-(11) 246

6,8,13,15-Tetraoxa-pentacyclo[9.5.0.0^{4,10}.0^{5,9}.0^{12,16}] hexadecen-(2) 491
5,9,12,16-Tetrachlor-7,14-dioxo-*anti-anti-anti-* 491
5,9,12,16-Tetrachlor-7,14-dioxo-*syn-anti-anti-* 491
5,9,12,16-Tetrachlor-7,14-dioxo-*syn-anti-syn-* 491

5,8-Cyclo-ergostadien-(6,22)
3β-Hydroxy- 263
3β-Hydroxy;9α,10α- 263

Pentacyclo[6.4.0.0^{2,7}.0^{3,11}.0^{6,9}]dodecan
7,12-Bis-[2,2-dimethyl-propionyl]-3,10-di-tert.-butyl-
940

Pentacyclo[6.4.0.0^{2,5}.0^{3,10}.0^{4,9}]dodecan
7,12,Diacetoxy-6,11-dioxo-2,5,7,9,10,12-hexamethyl-
939
7,12-Dihydroxy-6,11-dioxo-5,7,10,12-tetramethyl-
939
6,11-Dioxo-2,3,4,7,7,9,12,12-octamethyl- 393
6,11-Dioxo-5,7,10,12-tetramethyl-7,12-benzyl- 939

Pentacyclo[6.4.0.0^{2,7}.0^{4,11}.0^{5,10}]dodecan
-1,2,5,10-tetracarbonsäure-1,2 ; 5,10-dianhydrid 405
-1,2,5,10-tetracarbonsäure-tetramethylester 405
3,6,9,12-Tetraoxo-1,5,7,11-tetramethyl- 943

Pentacyclo[7.5.0.0^{2,8}.0^{5,13}.0^{6,12}]tetradecadien-(3,10)
296, **297**

3,9-Dioxa-pentacyclo[6.4.0.0^{2,7}.0^{4,11}.0^{5,10}]dodecan
6,12-Dioxo-2,4,8,10-tetraäthyl- 616
6,12-Dioxo-2,4,8,10-tetramethyl- 616
6,12-Dioxo-2,4,8,10-tetraphenyl- 616

3,9-Diaza-pentacyclo[6.4.0.0^{2,7}.0^{4,11}.0^{5,10}]decan
1,5,7,11-Tetraäthoxycarbonyl- 353

Pentacyclo[8.6.0.0^{2,9}.0^{4,8}.0^{11,15}]hexadecahexaen-(3,5, 7,11,13,15) 299

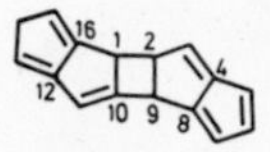

Pentacyclo[8.6.0.0^{2,9}.0^{4,8}.0^{12,16}]hexadecahexaen-(3,5, 7,10,12,15) 299

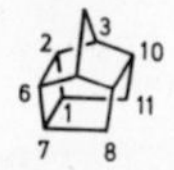

Pentacyclo[5.4.0.0^{2,6}.0^{3,10}.0^{5,9}]undecan
2,3,5,6-Tetrabrom-4,4-dimethoxy-8,11-dioxo- 939
2,3,5,6-Tetrachlor-4,4-dimethoxy-8,11-dioxo- 939
4,8,11-Trioxo-2,6-diphenyl- 939

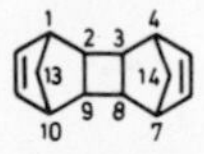

Pentacyclo[8.2.1.1^{4,7}.0^{2,9}.0^{3,8}]tetradecadien-(5,11)
exo-anti-exo-(bzw. *exo-anti-endo-* ; bzw. *endo-anti-endo*)- **284**

Pentacyclo[8.2.1.1^{4,7}.0^{2,9}.0^{3,8}]tetradecan
exo-anti-endo- 287, 288, 1410
exo-anti-exo- 287, 288
2,3-(bzw. 3,9)-Dimethyl- 289

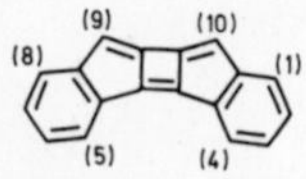

Cyclobuta-[1,2-a ; 4,3-a']-diinden
9,10-Dioxo-4b,4c-diphenyl-4b,4c,9,9a,9b,10-hexahydro- 910

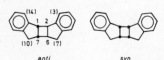

anti   *syn*

Dibenzo-*anti*-tricyclo[5.3.0.0^{2,6}]decadien-(3,9) 323, **324**
8-Chlor- 374
1,2-Dichlor- 325
7,7,10,10-Tetramethyl- 325

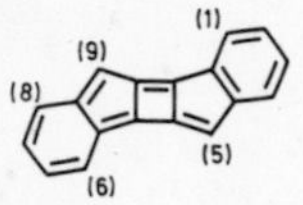

Cyclobuta-[1,2-a ; 3,4-a']-diinden
5,10-Dioxo-4b,9b-diphenyl-4b,4c,5,9b,9c,10-hexahydro- 910

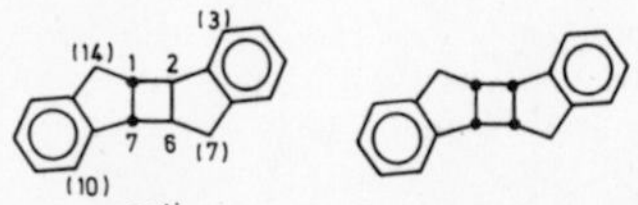

anti   *syn*

Dibenzo-anti-tricyclo[5.3.0.0^{2,6}]decadien-(3,8)
323, **324**
1,2-(bzw. 1,8)-Dichlor- 325
7,7,14,14-Tetramethyl- 325

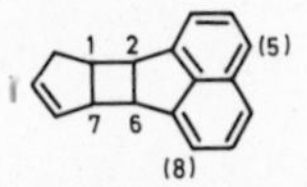

Naphtho-[1,8a,8-c,d]-tricyclo[5.3.0.0^{2,6}]decadien-(3, 8) 499
5-Brom- 499

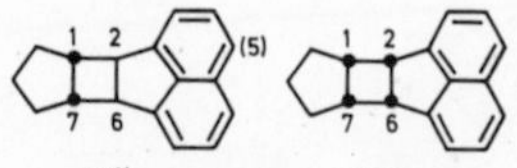

anti   *syn*

Naphtho-[1,8a,8]-tricyclo[5.3.0.0^{2,6}]decen-(3) 242

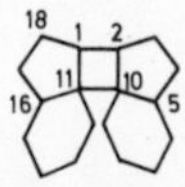

Pentacyclo[9.7.0.0^{2,10}.0^{5,10}.0^{11,16}]octadecan
9,12-Dioxo- 909

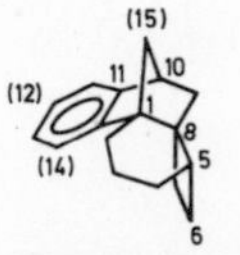

Benzo-tetracyclo[8.2.1.0^{1,8}.0^{5,8}]tridecen-(11)
15-Acetamino-2-hydroxy-12-methoxy-7-acetoxy-9-oxo-5-methyl- 921

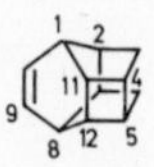

Pentacyclo[6.2.2.0^{2,7}.0^{4,13}.0^{5,12}]dodecen-(9)
3,6-Dioxo- 888

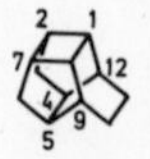

Pentacyclo[6.4.0.0^{2,7}.0^{4,12}.0^{5,9}]dodecan
trans-10,11-Diäthoxycarbonyl- 247

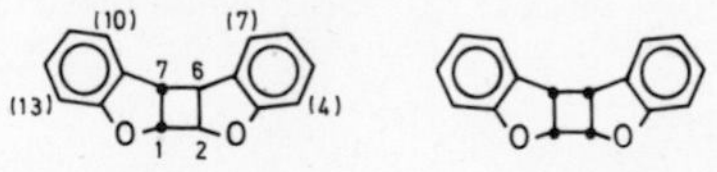

anti   *syn*

Dibenzo-3,10-dioxa-tricyclo[5.3.0.0^{2,6}]decadien-(4,8)
anti-(bzw. *syn*)- 554

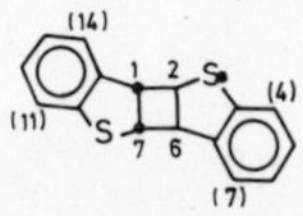

Dibenzo-3,8-dithia-*anti*-tricyclo[5.3.0.0^{2,6}]decadien-(4,9)
-3,3,8,8-tetroxid 557, 558

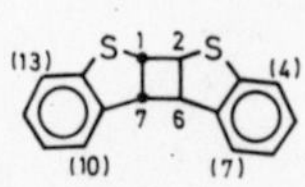

Dibenzo-3,10-dithia-*anti*-tricyclo[5.3.0.0^{2,6}]decadien-(4,8)
-3,3,10,10-tetroxid 557, 558

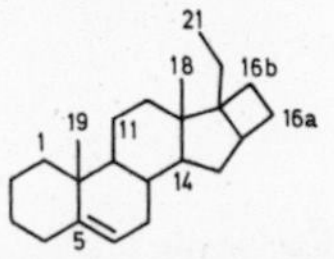

16β,17β-Cyclobutano-pregnen-(5)
3β-Acetoxy-20-oxo-16α,17α-(bzw. 16β,17β)-   923
3β,16bα-Diacetoxy-20-oxo-16aα-acetyl-16α,17α-   923
3β,16bβ-Diacetoxy-20-oxo-16aβ-acetyl-16α,17α-   923
9α-Fluor-11β-hydroxy-3,3-äthylendioxy-21-acetoxy-
   20-oxo-16α,17α-   923
16a,16a,16b,16b-Tetrafluor-3β-acetoxy-20-oxo-16α,17-
   α-(bzw. -16β, 17β)-   923
3β-Acetoxy-16a-methylen-   931
3β-Acetoxy-16b-methylen-   931

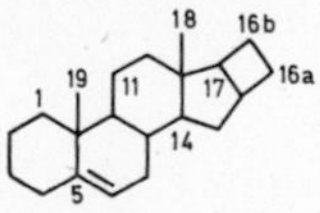

16,17-Cyclobutano-androsten-(5)
3β-Acetoxy-17β-acetyl-16α,17α-   921

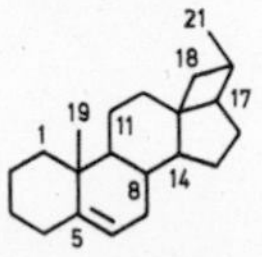

18,20-Cyclo-pregnen-(5)
20-Hydroxy-3β-acetoxy-   806
20-Hydroxy-3,3-äthylendioxy-   806
20α-Hydroxy-3,3-äthylendioxy-11α-acetoxy-   807

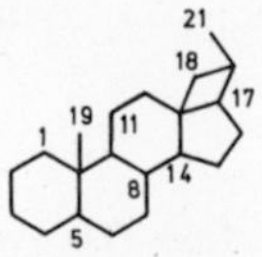

18,20-Cyclo-pregnan
20- Hydroxy-3β-acetoxy-5α-   806
20α-(bzw. 20β)-Hydroxy-3β,11β-diacetoxy-5α-   807
20-Hydroxy-3,3-dimethoxy-   800

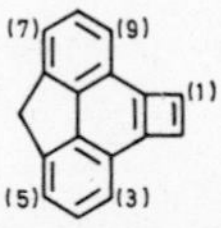

6H-⟨Cyclobuta-[l]-cyclopenta-[d,e,f]-phenanthren⟩
1,2-Diphenyl-2a,9b-dihydro-   501

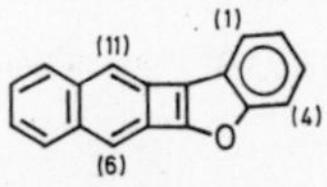

Naphtho-[2,3-c]-[1]benzofurano-[2,3-a]cyclobutan
6,11-Dioxo-5a,5b,6,11,11a,11b-hexahydro-   946

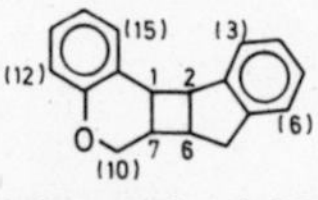

Dibenzo-9-oxa-tricyclo[5.4.0.0^{2,6}]undecadien-(3,10)
8-Chlor-10-oxo-   620
10-Oxo-   620

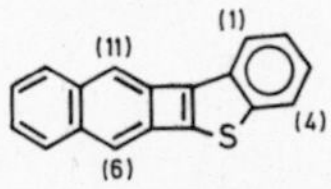

Naphtho-[2,3-c]-[1]benzothiopheno-[2,3-a]-cyclobutan
6,11-Dioxo-5a,5b,6,11,11a,11b-hexahydro-   946

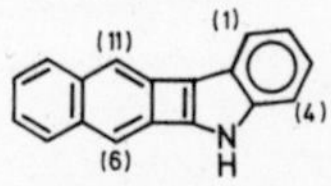

5H-⟨Naphtho-[2,3-c]-indolo-[2,3-a]-cyclobutan⟩
6,11-Dioxo-5a,5b,6,11,11a,11b-hexahydro-   946

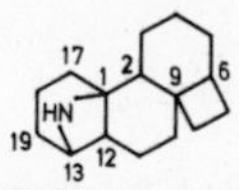

15-Aza-pentacyclo[11.3.1.0^{1,12}.0^{2,9}.0^{6,9}]pentadecan
5,14-Dioxo-13-methyl-7-methylen-   931

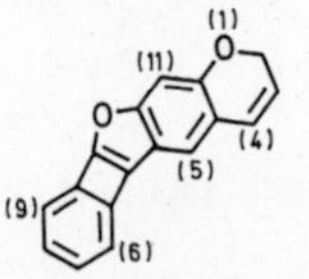

2H-⟨Benzocyclobuta-[1,2-d]-[1]-benzpyrano-[7,6-b]-furan⟩
2,6,9-Trioxo-5c,7,8,9a-tetramethyl-5b,5c,6,9,9a,9b-he-
   xahydro-   **624**

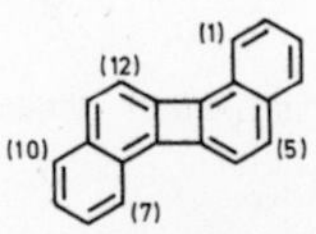

Dibenzo-[a ; g]-biphenylen
6,12-Dioxo-5,5,11,11-tetramethyl-5,6,6a,6b,11,12,12a,
   12b-octahydro-*anti*-   910

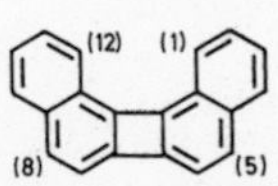

Cyclobuta-[1,2-a ; 4,3-a′]-dinaphthalin
6,7-Dioxo-5,5,8,8-tetramethyl-5,6,6a,6b,7,8,12b,12c-oc-
   tahydro-*anti*-(bzw. *syn*)-   910

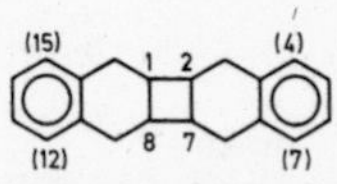

Dibenzo-tricyclo[6.4.0.0^{2,7}]dodecadien-(4,10)
1,2-Dimethyl-3,8,11,16-tetraoxo-   944
1,9-Dimethyl-3,8,11,16-tetraoxo-   944
3,8,11,16-Tetraoxo-   943
syn-(bzw. *anti*)-3,8,11,16-Tetraoxo-   **944**

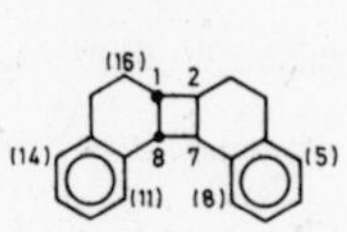

Dibenzo-*anti*-tricyclo[6.4.0.0^{2,7}]dodecadien-(5,9)   324

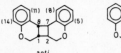
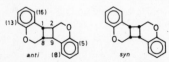

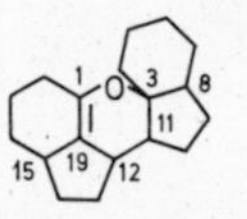

2-Oxa-pentacyclo[10.6.1.0^{3,8}.0^{3,11}.0^{15,19}]nonadecen-(1^{19})
4-(bzw. 11)-Oxo- 909

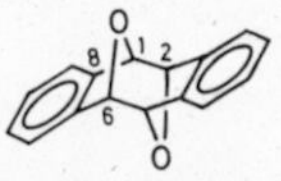

Dibenzo-9,10-dioxa-tricyclo[4.2.1.1^{2,5}]decadien-(3,7)
Tetraphenyl- 554

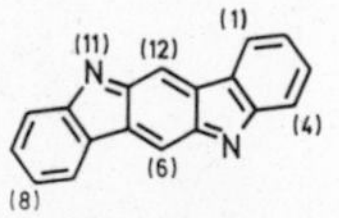

Indolo-[3,2-b]-carbazol
5,11-Dihydro- 550

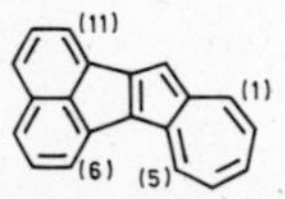

Acenaphtho-[1,2-a]-azulen
12-Phenyl- **467**
1,3,5-Trimethyl-12-(2,4,6-trimethyl-phenyl)- **468**

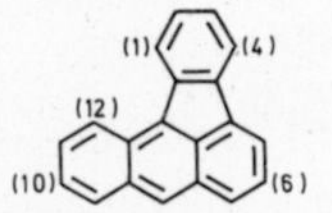

Benzo-[a]-fluoranthen(Benzo-[a]-aceanthrylen) 426
8,12b-Dihydro- 426

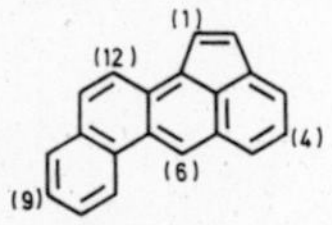

Benzo-[j]-aceanthrylen (Cholanthren)
1-Thiocyanato-3-methyl- 178

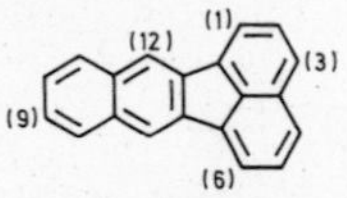

Benzo-[k]-fluoranthen
7-Phenyl- 467

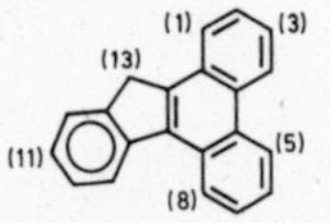

13H-⟨Indeno-[1,2-l]-phenanthren⟩
13-Methoxycarbonyl- 469, 470

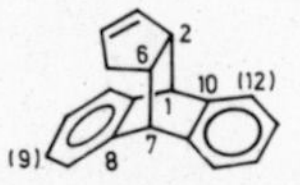

8,9;10,11-Dibenzo-tricyclo[5.2.2.0^{2,6}]undecatrien-(3,8, 10) 499

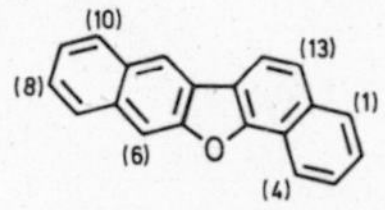

VIII*

Dinaphtho-[1,2-b;2,3-d]-furan
13-Hydroxy-4,10-dimethoxy-6,11-dioxo-2,8-dimethyl-
3,9-diacetyl-6,11-dihydro- 978
11-Hydroxy-6,13-dimethyl- 978
13-Hydroxy-6,11-dioxo-6,11-dihydro- 977, **978**

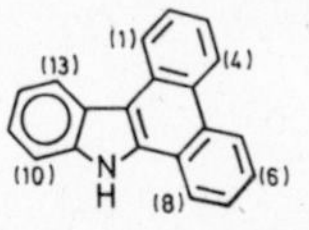

9H-⟨Dibenzo-[a;c]-carbazol⟩
3,6-Dimethoxy- **550**

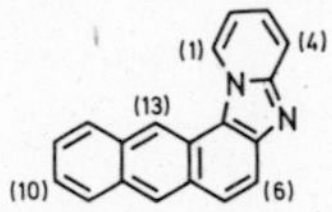

Anthraceno-[2,1-d]-pyrido-[1,2-a]-imidazol
8,13-Dioxo-5-acetyl-1,2,3,4,4a,5,8,13-octahydro- 981

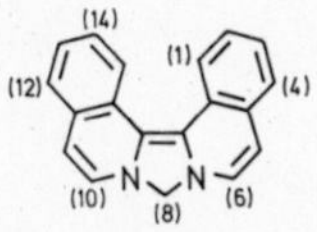

8H-⟨Imidazo-[5,1-a ; 4,3-a′]-diisochinolin⟩
meso-(bzw. *d,l*)-15b,15c-Dimethyl-5,6,10,11,15b,15c-
hexahydro- 1119

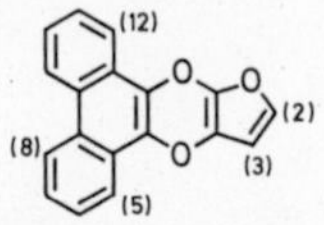

Phenanthro-[9,10-e]-furo-[2,3-b]-1,4-dioxin
3a,13a-Dihydro- 953

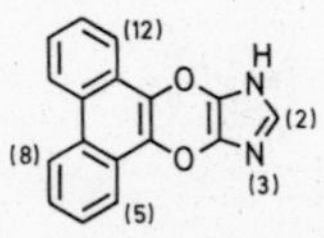

**1H-⟨Phenanthro-[9,10e]-imidazolo-[3,4-b]-1,4-di-
oxin⟩**
2-Oxo-1,3-diphenyl-2,3,3a,13a-tetrahydro- 956
2-Oxo-3a-methyl-1,3-diacetyl-2,3,3a,13a-tetrahydro-
955

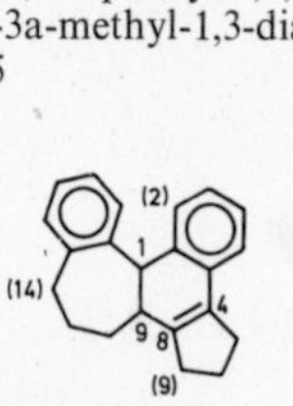

**2,3;13,14-Dibenzo-tricyclo[7.5.0.0^{4,8}]dodecatrien-(2,
4^{8},13)**
7,14-Dioxo-9,9,12,12-tetramethyl- 911

9,10;11,12-Dibenzo-tricyclo[6.2.2.0²,⁷]dodecatrien-(3,9,11) 499

14H-⟨Dibenzo-[a;j]-xanthen⟩
14-Phenyl- 626

Dibenzo-[a;i]-acridin
8,13-Dioxo-8,13-dihydro-

Dibenzo-[b;h]-acridin
-8,13-endoperoxid 592

Dibenzo-[c;i]-phenanthridin 1116

Dibenzo-[c;k]-phenanthridin 596

Phenanthro-[9,10,1-d,e,f]-chinolin 596

Benzo-naphtho[1,2]-2,3-dioxa-bicyclo[2.2.2]octa-dien
1,6-Dimethyl- 1489

Benzo-naphtho[2,3]-2,3-dioxa-bicyclo[2.2.2]octa-dien
9,14-Diphenyl- 1489
1,4,9,14-Tetraphenyl- 1489

Dibenzo-[a;h]-thianthren 1056

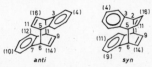

Phenanthro-[9,10-e]-1,4-dioxino-1,4-dioxin
2,3,4a,14a-Tetraphenyl-4a,14a-dihydro- 955

7,8;9,10-Dibenzo-tricyclo[4.2.2.2²,⁵]decatrien-(3,7,9)
499

3,4;7,8-Dibenzo-tricyclo[4.2.2.2²,⁵]dodecatetraen-(3,7,9,11)
13,15-Dicyan- 477
13,15-Dimethoxy-*anti*- 476, 477

17,19-Diaza-pentacyclo[8.6.2.2²,⁹.0¹,¹².0⁴,⁹]eicosa-dien-(3,11)
18,20-Dioxo- 588

9,10;11,12-Dibenzo-tricyclo[6.2.2.1²,⁷]tridecatetraen-(3,5,9,11) 499

3,4;11,12-Dibenzo-*syn*-tricyclo[6.4.1.1²,⁷]tetradecate-traen-(3,5,9,11)⟩
9,10-Diphenoxy-17,18-dioxo- 903

8,9;10,11-Dibenzo-tricyclo[5.2.2.2²,⁶]tridecatetraen-(3.8.10,12)   500

5,6;12,13-Dibenzo-*syn*-tricyclo[6.3.2.1²,⁷]tetradecatraen-(3,5,10,12)
3,12-Diphenoxy-11,18-dioxo-   903

G. Hexacyclische Verbindungen

Hexacyclo[5.2.0.0²,⁹.0³,⁵.0⁶,⁸]nonan
8,9-Dimethoxycarbonyl-   445

Hexacyclo[5.3.0.0²,¹⁰.0³,⁵.0⁴,⁹.0⁶,⁸]decan   444

3,5;4,6-Dicyclo-cholestan   250

Hexacyclo[5.3.0.0²,¹⁰.0³,⁶.0⁴,⁹.0⁵,⁸]decan   244

2,3;5,6-Dibenzo-tetracyclo[5.4.1.0⁴,¹².0⁸,¹²]dodecatetraen-(2,5,9,11)   426

Hexacyclo[6.4.0.0²,¹¹.0³,⁶.0⁷,¹⁰.0⁹,¹²]dodecen-(9)
246

Benzo-pentacyclo[4.4.0.0²,⁵.0³,¹⁰.0⁴,⁷]decen-(8)   246

Hexacyclo[6.4.0.0²,⁷.0³,⁶.0⁴,¹².0⁵,⁹]dodecan
-10,11-dicarbonsäure-anhydriod   247
10,10,11,11-Tetracyan-   248

10,11-Diaza-hexacyclo[6.4.0.0²,⁷.0³,⁶.0⁴,¹².0⁵,⁹]dodecan
10,11-Dimethoxycarbonyl-   246

Hexacyclo[6.6.0.0²,⁷.0⁴,¹⁰.0⁵,⁹.0¹¹,¹⁴]tetradecan
3,6-Dioxo-2,4,5,7-tetramethyl- ; -12,13-dicarbonsäure-anhydrid   476

Benzo-pentacyclo[6.4.0.0²,⁷.0³,¹².0⁶,⁹]dodecen-(4)
499

Benzo-pentacyclo[4.4.2.0²,⁹.0⁵,⁸.0⁷,¹⁰]dodecen-(3)
246

Hexacyclo[10.2.1.1⁵,⁸.0²,¹¹.0³,¹⁰.0⁴,⁹]hexadecadien-(6,13)
3,10-Diphenyl-   367

16α,17α-Cyclobutano-18,20-cyclo-pregnen-(5)
20α-(bzw. 20β)-Hydroxy-3β-acetoxy-   807

Pentacyclo[7.2.1.0^{2,8}.0^{3,7}.0^{4,11}.0^{6,10}]dodecan   243

Hexacyclo[6.3.3.0^{3,6}.0^{4,11}.0^{5,9}.0^{10,13}]tetradecan
2,7-Dioxo-   940

Hexacyclo[5.4.4.0^{1,7}.0^{2,6}.0^{3,15}.0^{5,14}]pentadecadien-(8,10)
12,15-Dioxo-   495

Hexacyclo[6.5.1.0^{2,7}.0^{3,11}.0^{4,9}.0^{10,14}]tetradecan
5,6,12,13-Tetramethoxycarbonyl-   248
5,5,6,6,12,12,13,13-Octacyan-   248

5,6,12,13-Tetraaza-hexacyclo[6.5.1.0^{2,7}.0^{3,11}.0^{4,9}.0^{10,14}]tetradecan
-5,6,12,13-tetracarbonsäure-5,6,12,13-diphenylimid
247

1,11-Cyclo-glycerethinsäure
11-Hydro- ; -methylester   807

2,3;10,11-Dibenzo-tetracyclo[10.3.0.0^{1,6}.0^{7,12}]penta-decatrien-(2,4,10)   478

4β,5β-(Bicyclo[4.2.0]octa-[7,8])-pregnan
17β-Hydroxy-3-oxo-21-carboxy-17α-; -lacton   922

11,25-Cyclo-oleanen-(12)
11-Hydroxy-3β-acetoxy-   808

11,25-Cyclo-glycerethinsäure
11-Hydro- ; -methylester   807

16α, 20α-Cyclo-oleanen-(12)
16β,20β-Dihydroxy-3β,21α,22-triacetoxy-23-dimethyl   808
16β-Hydroxy-3β,20β,21α,22-tetraacetoxy-23-dimethyl-   808

***syn*-Dibenzo-tetracyclo[3.3.3.1^{4,9}.0^{8,10}]dodecadien-(2,6)**
13-Methoxy-15-oxo-   476

Dibenzo-[1,2,3,4-b,c,d ; 1′,2′,3′,4′-m,n,o]-naphtho-[1,8a,8-h,i]-bicyclo[15.2.0]nonadecaheptaen-2,4,6,8,11,13,15)   242

Acenaphtho-[1,2-a]-acenaphthylen
cis-6b,12b-dihydroxy-6b,12b-dihydro-   817

Dibenzo-tetracyclo[6.3.1.0^{2,7}.0^{5,9}]dodecadien-(3,10)
8,16-Dioxo-   694

6,7;10,11-Dibenzo-tetracyclo[7.2.2.2^{5,8}.0^{1,5}]pentadecatetraen-(6,10,12,14)   478

H. Heptacyclische Verbindungen

Dibenzo-4-oxa-pentacyclo[5.5.0.0^{1,3}.0^{2,6}.0^{5,7}]dodeca-dien-(8,11)   237

Dibenzo-4-thia-pentacyclo[5.5.0.0^{1,11}.0^{7,9}.0^{8,12}]dode-cadien-(2,5)
-6,6-dioxid   235

Dibenzo-4,10-dioxa-pentacyclo[5.5.0.0^{1,3}.0^{2,6}.0^{5,7}]-dodecadien-(8,11)
3,5-Dimethyl-   237

Dibenzo-4-oxa-10-thia-pentacy-clo[5.5.0.0^{1,3}.0^{2,6}.0^{5,7}]dodecadien-(8,11)
-12,12-dioxid   237

4,15-Diaza-heptacyclo[10.8.2.0^{1,9}.0^{7,21}.0^{10,12}.0^{11,20}.0^{18,22}]docosan
5,8,16,19-Tetraoxo-   638
5,8,16,19-Tetraoxo-4,15-dibenzyl-   638
5,8,16,19-Tetraoxo-4,15-dimethyl-   638

Heptacyclo[12.2.1.1^{6,9}.0^{2,13}.0^{3,12}.0^{4,11}.0^{5,10}]octadeca-dien-(7,15)
3,4,11,12-Tetraphenyl-*endo-syn-endo*-   344, **345**
3,4,11,12-Tetraphenyl-*endo-anti-endo*-(bzw. *exo-syn-exo*- ; bzw. *exo-anti-exo*)-   344

syn-13,14;15,16-Dibenzo-pentacy-clo[6.4.2.0^{2,7}.0^{1,8}.0^{2,7}]hexadecahexaen-(3,5,9,11,13,15)   476

Dibenzo-pentacyclo[6.4.0.0^{2,7}.0^{3,12}.0^{6,9}]dodecadien-(4,10)
2,10-Dimethoxycarbonyl-   477
3,4,11,12-Tetramethoxycarbonyl-   477

Dibenzo-pentacyclo[8.4.0.0^{4,7}.0^{5,13}.0^{6,12}]tetradeca-dien-(2,8)
16,17-Diphenoxy-15,18-dioxo-   903

Heptacyclo[7.4.1.0^{2,8}.0^{3,7}.0^{4,12}.0^{6,11}.0^{10,13}]tetrade-can   1432

Dinaphtho-[1,8-bc;1′,8′-ij]-tricyclo[10.2.0.0^{5,8}]-tetra-decadien-(2,9)
9,10,19,20-Tetraphenyl-   335, **336**

4,13-Diaza-heptacy-clo[8.8.2.2^{1,10}.0^{7,19}.0^{9,22}.0^{16,20}.0^{18,21}]docosan
5,8,14,17-Tetraoxo-   638
5,8,14,17-Tetraoxo-4,13-dibenzyl-   638
5,8,14,17-Tetraoxo-4,13-dimethyl-   638

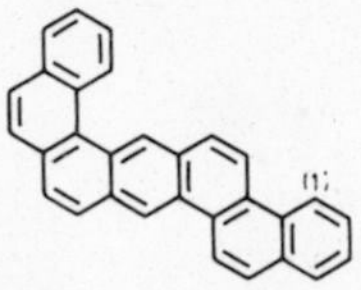

Phenanthro-[4,3-b]-chrysen
1-Methyl- 523

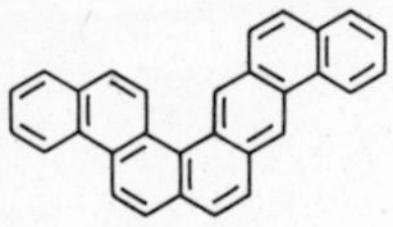

Phenanthro-[3,2-c]-chrysen 522

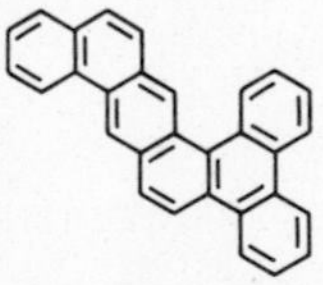

Phenanthro-[2,3a]-triphenylen 522

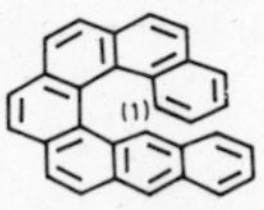

Benzo-[g]-anthraceno-[2,1-c]-phenanthren 521, 522

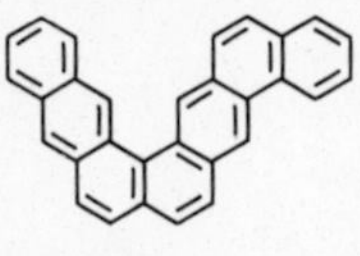

Benzo-[h]-anthraceno-[1,2-a]-anthracen 521

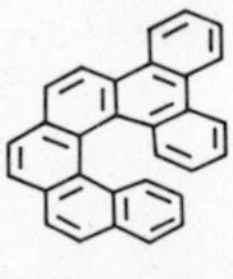

Benzo-[f]-hexahelicen 523

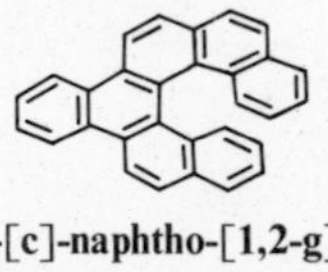

Benzo-[c]-naphtho-[1,2-g]-chrysen 522

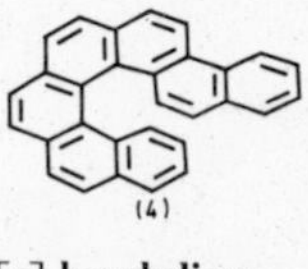

Benzo-[c]-hexahelicen 524
13-Methyl- 523

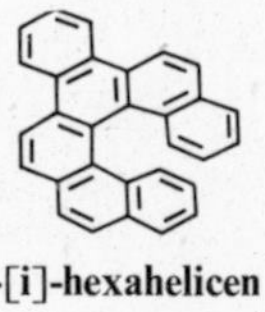

Benzo-[i]-hexahelicen 524

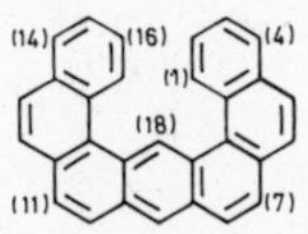

Dinaphtho-[1,2-a ; 2′,1′-j]-anthracen
6-Methyl- 523

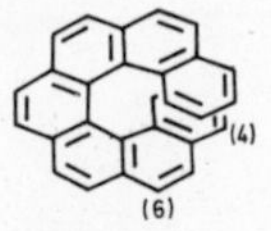

Heptahelicen 521, 522
6-Methyl- 523

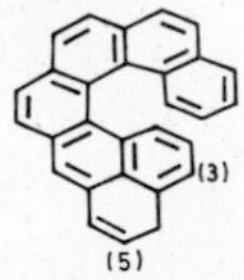

4H-⟨Benzo-[d,e]-hexahelicen⟩
5,6-Dihydro- 522

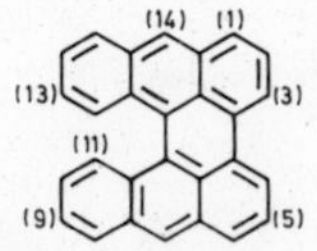

Dibenzo-[a ; o]-perylen
7,16-Dioxo-7,16-dihydro- 529, 534, 1523

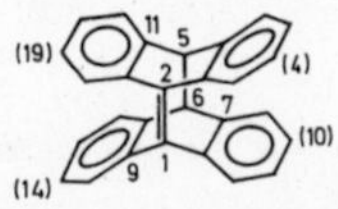

Tetrabenzo-tricyclo[4.2.2.2^{2,5}]dodecapentaen-(1,3,7,9, 11) 886

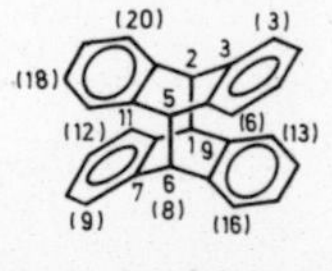

Tetrabenzo-tricyclo[4.2.2.2^{2,5}]dodecatetraen-(3,7,9, 11) 478, **479**, 499
1,7-Diamino- 481
-7,8-dicarbonsäure-anhydrid 479
-4,10-(bzw. -5,10)-dicarbonsäure-nonadiyl-(1,9)-diester 480
1,7-Dicyan- 481
1,7-Diformyl- **481**
1,8-Dimethoxy-2,7-dimethyl- 481
2,7-Dimethyl-1-cyan- 481
1,7-Dinitro- 480

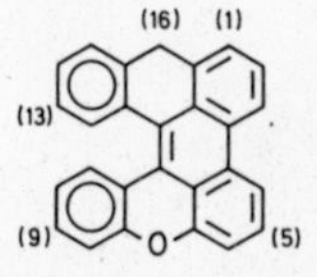

16H-⟨Benzo-[4,5]-phenaleno-[1,2,3-k,l]-xanthen⟩
16-Oxo- 625

16cH-⟨Benzo-[a]-phenanthro-[1,10,9-j,k,l]-xanthen⟩
-16c-carbonium-Salze　626

16H-⟨Benzo-[4,5]-phenaleno-[1,2,3-k,l]-thioxanthen⟩
16-Oxo-　625

Diphenanthro-[9,10-b ; 9′,10′-e]-1,4-dioxin　948

Benzo-[1,2,3-k,l ; 4,5,6-k′,l′]-di-xanthen　625

Xantheno-[9,10-a,b]-thioxantheno-[10,9-c,d]-benzol　625

Benzo-[1,2,3-k,l ; 4,5,6-k′,l′]-di-thioxanthen　625

anti-**9,10 ; 11,12-Dibenzo-dipyridio-[1,2-c ; 1′,2′-g]-3,7-diazol-tricyclo[4.2.2.2²,⁵]dodecatetraen-(3,7,9, 11)**
Dibromid 592

I. Octacyclische Verbindungen

Tetrabenzo-tetracyclo[6.2.2.2⁴,⁷.0¹,⁴]tetradecatetraen-(5,9,11,13)
　2,3-Dihydroxy-　821

Naphtho-[2,1-c]-hexahelicen
3-Methyl-　524

Octahelicen　526

(Benzo-[c]-phenanthreno-[1,2-a])-pyren
12-(⟨Benzo-[c]-phenanthren⟩-2-yl)-　525

Benzo-[e]-naphtho-[1,2,3,4-g,h,i]-perylen　534

Phenanthro-[1,8,9,10-f,g,h,i,j]-picen　534

Phenaleno-[4,3a,3,2,1-o,p,q,r]-picen　531

Phenanthro-[1,10,9,8-o,p,q,r,a]-perylen
7,14-Dihydroxy-7,14-diphenyl-7,14-dihydro-　529
7,14-Dioxo-7,14-dihydro-　534, 636, 1523
7,14-Diphenyl-　**538**
1,6,8,10,11,13-Hexahydroxy-7,14-dioxo-3,4-dimethyl-7,-14-dihydro-　530

J. Nona- und polycyclische Verbindungen

Nonacy-clo[9.7.0.0^{2,10}.0^{3,8}.0^{4,6}.0^{5,9}.0^{12,16}.0^{13,18}.0^{15,17}]oc-tadecan 291

5,6 ; 21,22-Dibenzo-heptacyclo[12.10.0.0^{2,13}.0^{3,11}.0^{4,10}.0^{16,24}.0^{17,23}]te-tracosatetraen-(4^{10},5,17^{23},21)
11,20-Diacetylamino-5,6,7,15,16,24,25,26-octameth-oxy-14,17-dioxo- ; (α-Lumicolchicin)   911

Dibenzo-heptacyclo[5.5.2.2^{1,7}.0^{4,14}.0^{4,15}.0^{10,13}.0^{10,16}]hexadecadien-(13,8)   477

Nonacy-clo[12.6.1.1^{4,11}.1^{6,9}.1^{16,19}.0^{2,13}.0^{3,12}.0^{5,10}.0^{15,20}]tetracosadien-(7,17)
exo/endo-exo-anti-exo-endo/exo-   290

Nonacy-clo[12.6.1.1^{4,11}.1^{6,9}.1^{16,19}.0^{2,13}.0^{3,12}.0^{5,10}.0^{15,20}]tetracosan
exo/endo-exo-anti-exo-endo/exo-   290

Nonacy-clo[12.6.2.2^{4,11}.1^{6,9}.1^{16,19}.0.^{2,13}.0^{3,12}.0^{5,10}.0^{15,20}]hexacosan
exo/endo-exo-anti-exo-endo/exo-   291

Bis-[cholesten-(6)-yliden-(4,5 ; 5′,4′)]
3,3′-Dioxo-   911

Bis-[androstanyliden-(4,5 ; 5′,4′)]
cis-(bzw. *trans*)-3,3′-Dioxo-   911

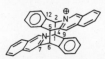

Bis-[androsten-(5^6)-yliden]-(3,4 ; 4′,3′)]
7,7′,17,17-Tetraoxo-   912

Cyclobuta-[1,2-k ; 3,4-k′]-bis-(cyclopenta-[d,e,f]-phenanthren)
4,7b,7c,11,14b,14c-Hexahydro-   482

Nonahelicen   523

9,10 ; 11,12-Dibenzo-3,4 ; 7,8-(bis-isochinolinio-[2,3 ; 2′,3′])-3,7-diazonia-tricyclo[4.2.2.2^{2,5}]dodecate-traen-(3,7,9,11)
-bis-p-toluolsulfonat   1528

11,12 ; 13,14-Dibenzo-3,4,5 ; 8,9,10-dinaphtho-tricyclo[5.3.2.2^{2,6}]tetradecatetraen(Pleiaden-Di-meres)   1042

***anti*-Undecacyclo[10.8.0.0^{2,11}.0^{3,6}.0^{4,9}.0^{5,8} .0^{7,10}.0^{13,16}.0^{14,19}.0^{15,18}.0^{17,20}]eicosan**   292

Diphenanthro-[3,4-c ; 3′,4′-l]chrysen   525

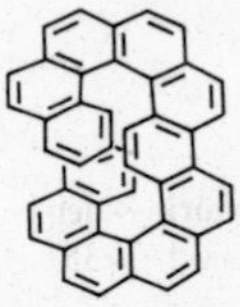

Diphenanthro-[4,3-a ; 3′,4′-o]-picen   **525**

Hexaheliceno-[3,4-c]-hexahelicen   525

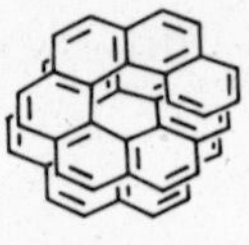

Tridecahelicen   532

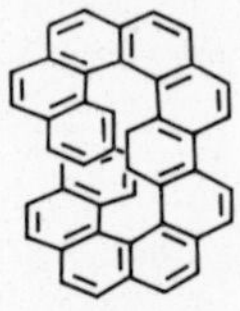

Pentaheliceno-[1,2-c]-hexahelicen   524

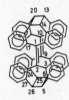

3,4 ; 7,8 ; 11,12 ; 15,16 ; 17,18 ; 21,22 ; 23,24 ; 27,28-Octabenzo-heptacy-clo[8.6.6.6^{2,9}.0^{5,26}.0^{6,25}.0^{13,20}.0^{14,19}]octacosade-caen-(1,3,7,9,11,15,17,21,23,27)   346

1,2-Dicarba-clovodecaboran
Decachlor-   1406

K. Symm. Biaryl- bzw. Biheteroaryl-Verbindungen

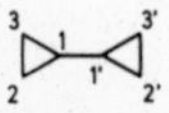

Bi-cyclopropyl
2,2-Dimethyl-1-methoxycarbonyl-   1228

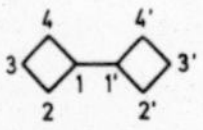

Bi-cyclobutyl   281

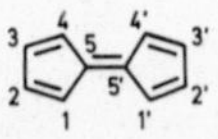

5,5′-Bi-cyclopentadienyliden
1,1′,4,4′-Tetraphenyl-   1204

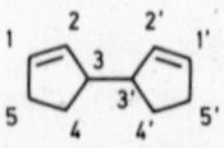

3,3′-Bi-cyclopentenyl   282, **284**
2,2′-Diphenyl-   367

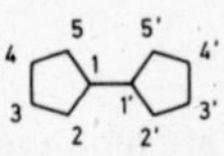

Bi-cyclopentyl   282

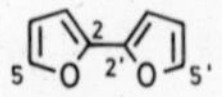

2,2′-Bi-tetrahydrofuranyl   184

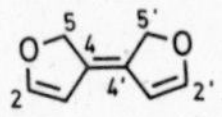

4,4′,5,5′-Tetrahydro-4,4′-bi-furanyliden
5,5′-Dioxo-2,2′-diphenyl-*cis*   211

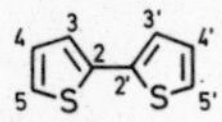

2,2-Bi-thienyl   1582

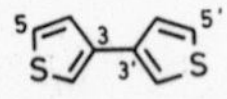

3,3′-Bi-thienyl   556

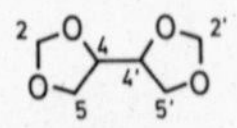

4,4′-Bi-1,3-dioxolan
2-Hydroxy-2-(2-nitroso-phenyl)-2′-(2-nitro-phenyl)-   1332

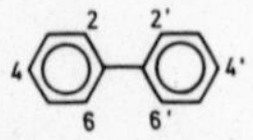

Biphenyl   569, 642ff., 1024, 1035f., 1156, 1363f., 1405, 1413f., 1456, 1581f., 1588ff.
2-Acetyl-   571
2-Amino-   570, 1268, 1579
2-Benzoyl-   571
2-Benzoylamino-   **571**, 645

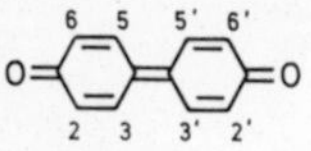

Diphenochinon
2,2',6,6'-Tetra-tert.-butyl- 643

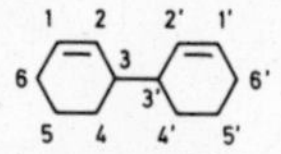

3,3'-Bi-cyclohexenyl 391, 392, 830

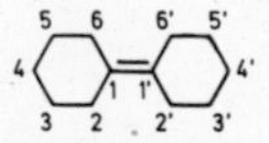

Bi-cyclohexyliden 886

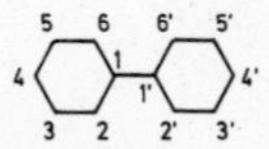

Bi-cyclohexyl
1,1'-Dicyan- 1110
2-Oxo- **1403**
2-Oxo-2'-acetyl- 926

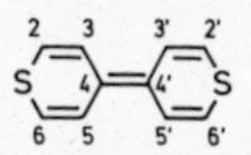

4,4'-Bi-4H-thiopyranyliden
2.2',6,6'-Tetraphenyl- 1069

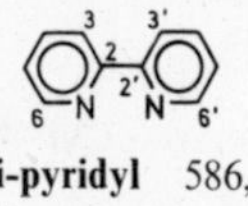

2,2'-Bi-pyridyl 586, 1582

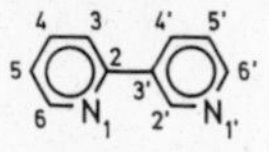

2,3'-Bi-pyridyl 1158

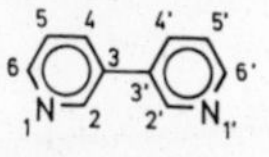

3,3'-Bi-pyridyl 1158

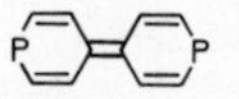

1,1',4,4'-Tetrahydro-4,4'-bi-[phosphorinyliden]
1,1',2,2',6,6'-Hexaphenyl- ; -1,1'-dioxid 1357

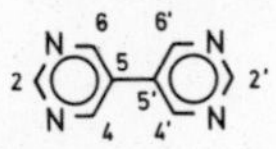

5,5'-Bi-pyrimidinyl
5,5'-Dihydroxy-2,2',4,4',6,6'-hexaoxo-dodecahydro-
818

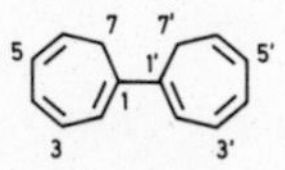

1,1'-Bi-cycloheptatrienyl 220

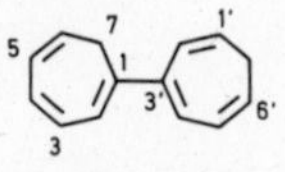

1,7'-Bi-cycloheptatrienyl 220

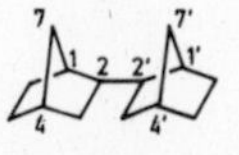

2,2'-Bi-bicyclo[2.2.1]heptyl 288

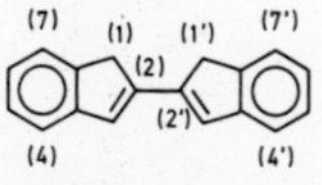

2,2'-Bi-indenyl 374
2,2'-Dihydroxy-1,1',3,3'-tetraoxo-2,2',3,3'-tetrahydro-
820

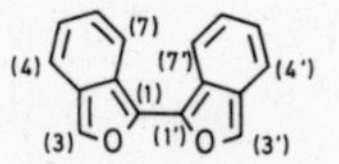

1,1'-Bi-⟨benzo-[c]-furan⟩-yl
3,3'-Dioxo-1,1'-diphenyl-1,1',3,3'-tetrahydro- 817

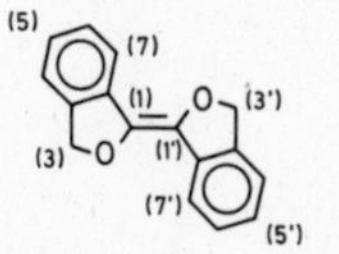

1,1',3,3'-Tetrahydro-1,1'-bi⟨benzo-[c]-furan⟩-yliden
3,3'-Dioxo- 750

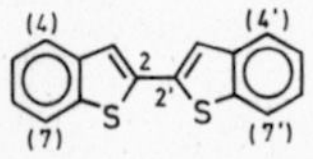

2,2′-Bi-⟨benzo-[b]-thiophen⟩-yl   559

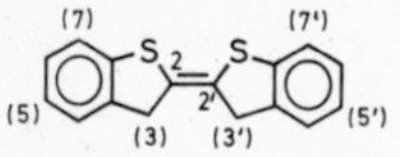

2,2′,3,3′-Tetrahydro-2,2′-bi-⟨benzo-[b]-thiophen⟩-yli-den   1521
3,3′-Dioxo-*cis*-(*cis*-Thioindigo)   200, **201**

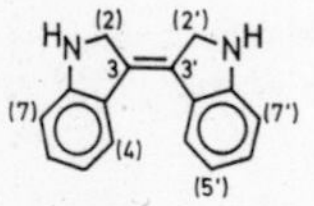

2,2′,3,3′-Tetrahydro-3,3′-bi-indolyliden
1,1′-Dimethyl-   1204

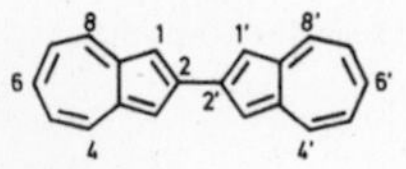

2,2′-Bi-azulenyl
3,3′,8,8′-Tetramethyl-5,5′-diisopropyl-   **1044**

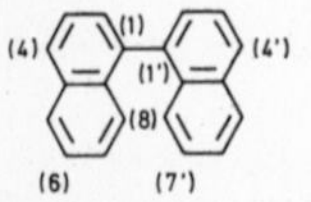

1,1′-Bi-naphthyl
1,1′-Dihydroxy-1,1′,2,2′,3,3′,4,4′-octahydro-   820

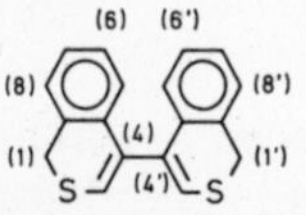

4,4′Bi-1H-2-benzothiopyranyl
4,4′-Dihydroxy-3,3′,4,4′-tetrahydro- ; -2,2,2′,2′-tetroxid   820

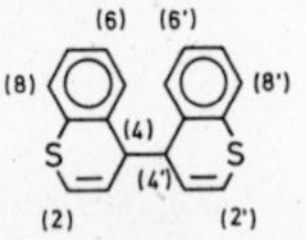

4,4′-Bi-4H-1-benzothiopyranyl
4,4′-Dihydroxy-2,2′-dimethoxy-2,2′,3,3′-tetrahydro- ; -1,1,1′,1′-tetroxid   821
4,4′-Dihydroxy-2,2′-dimethyl-2,2′,3,3′-tetrahydro- ; -1,1,1′,1′-tetroxid   820
4,4′-Dihydroxy-3,3′-(bzw. -8,8′)-dimethyl-2,2′,3,3′-tetrahydro- ; -1,1,1′,1′-tetroxid   821
4,4′-Dihydroxy-2,2′,3,3′-tetrahydro- ; -1,1,1′,1′-tetroxid   820

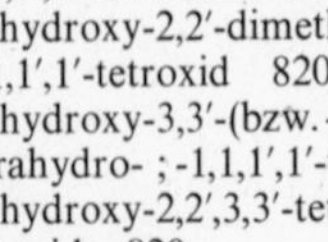

3,4′-Bi-chinolyl
8,8′-Dimethyl-1′,4′-dihydro-   **598**

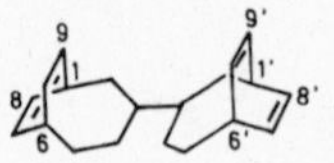

3,3′-Bi-bicyclo[4.2.2]decadien-(7,9)-yl
4′-Methyl-4-methylen-   **497**

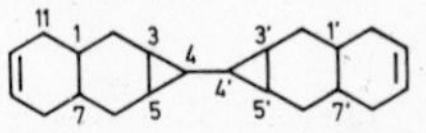

4,4′-Bi-tricyclo[5.4.0.0³,⁵]undecen-(9)-yl
2,2′,6,6′-Tetraoxo-   930

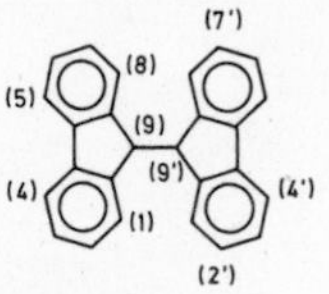

9,9′-Bifluorenyl   1211
9,9′-Dichlor-   1216
9,9′-Dihydroxy-   821
9,9′-Diphenyl-   634

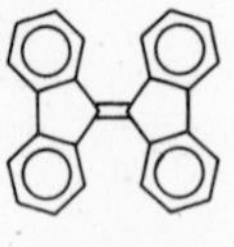

9,9′-Bi-fluorenyliden   1092, 1204

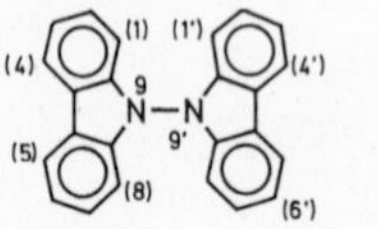

9,9′-Bi-carbazolyl   1137

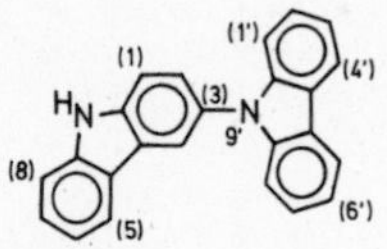

3,9′-Bi-carbazolyl   1137

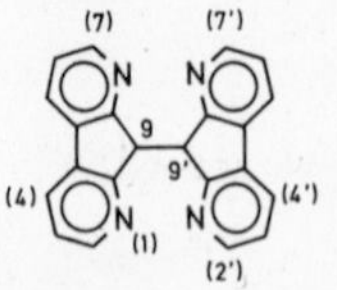

9,9′-Bi-9H-⟨cyclopenta-[1,2-b:4,3-b′]-dipyridin⟩-yl
9-Hydroxy-   **831**

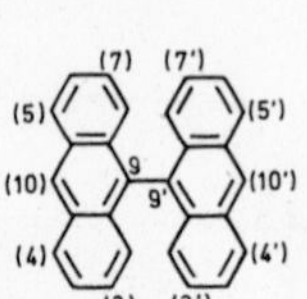

9,9′-Bi-anthryl
10,10′-Dioxo-9,9′,10,10′-tetrahydro-   480, 636, 1055, 1338

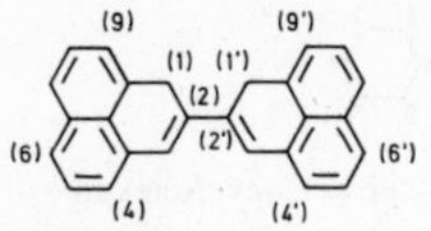

2,2′-Bi-phenalenyl
2,2′-Dihydroxy-1,1′,3,3′-tetraoxo-2,2′,3,3′-tetrahydro-
821

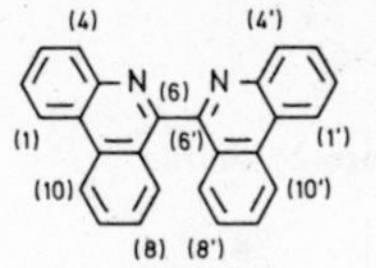

6,6′-Bi-phenanthridinyl
5,5′,6,6′-Tetrahydro- 645

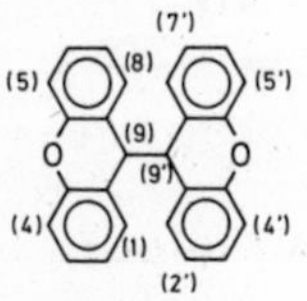

9,9′-Bi-xanthenyl
9,9′-Dihydroxy- 821
9-Hydroxy- 834

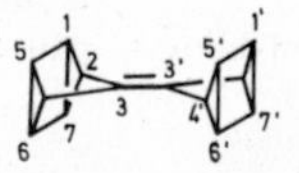

3,3′-Bi-tetracyclo[3.2.0.0²,⁷.0⁴,⁶]heptyliden 236

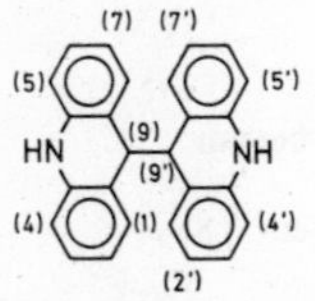

9,9′,10,10′-Tetrahydro-9,9′-bi-acridinyliden 591, 592,
650, 1450, **1451**
9,9′-Dimethyl- 1451

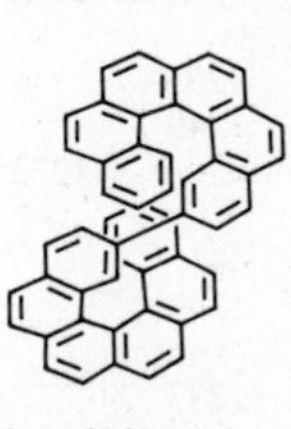

2,2′-Bi-hexahelicenyl 525

L. Monospiro-Verbindungen

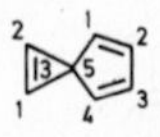

Cyclopropen-⟨3-spiro-5⟩-cyclopentadien

1,2-Diäthyl-	-tetraphenyl- 1249
1,2-Dimethoxycarbonyl-	-tetrachlor- 1249
1,2-Dimethoxycarbonyl-	-tetraphenyl- 1248
1,2-Dimethyl-	-tetrachlor- 1249
1,2-Dimethyl-	-tetraphenyl- 1249
1-Methoxycarbonyl-	-tetrachlor- 1249
1-Methoxycarbonyl-	-tetraphenyl- 1249

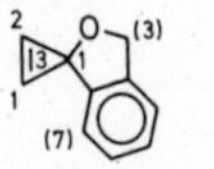

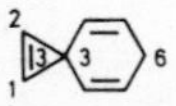

**Cyclopropen-⟨3-spiro-1⟩-1,3-dihydro-⟨benzo-[c]-fu-
ran⟩**

1,2-Diphenyl-	-3-oxo- **750**

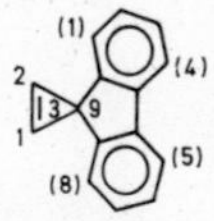

Cyclopropen-⟨3-spiro-9⟩-fluoren

1,2:Dimethoxycarbonyl-	— 1148, **1249**

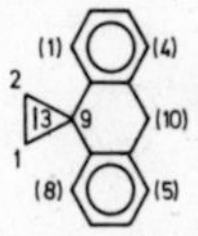

Cyclopropen-⟨3-spiro-3⟩-cyclohexadien-(1,4)

1,2-Dimethyl-	-6,6-dimethyl- 1251
1,2-Dimethyl-	-6-oxo-1,5-di-tert.-butyl- 1251

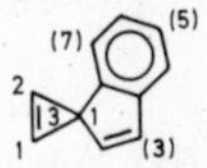

Cyclopropen-⟨3-spiro-1⟩-inden 1201

1,2-Diäthyl-	-2,3-diphenyl- 1249
1,2-Dimethoxycarbonyl-	-2,3-diphenyl- 1249
1,2-Dimethyl-	-2,3-diphenyl- 1249
1-Methoxycarbonyl-	-2,3-diphenyl- 1249

Cyclopropen-⟨3-spiro-9⟩-9,10-dihydro-anthracen

2-Phenyl-1-äthoxy-carbonyl-	-7-brom-10-oxo- 1251
2-Phenyl-1-methoxy-carbonyl-	-7-brom-10-oxo- 1251
2-Phenyl-1-methoxy-carbonyl-	-10-oxo- 1251

Cyclopropan-⟨1-spiro-2⟩-thiiran

2,2,3,3-Tetramethyl-	— 828

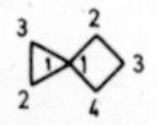

Cyclopropan-⟨1-spiro-1⟩-cyclobutan

—	-2,3-carbonyldioxy- 410
—	-2-hydroxy-3-vinyl- 758

Cyclopropan-⟨1-spiro-5⟩-cyclopentadien

2-tert.-Butyl-	— 1235
2,3-Diäthyl-	— 1249
cis-(bzw. *trans*)-2,3-Dimethoxy-	-tetrachlor- 1232
2,2-Dimethyl-	— 441
2,3-Dimethyl-	— 1249
2,2-Dimethyl-	-1,2,3-trimethyl- 440
3-Hydroxy-2-phenyl-	— 1233
2-Methoxycarbonyl-	-tetrachlor- 1232
cis-(bzw. *trans*)-3-Methyl-2-äthyl-	-1,2,3,4-tetrachlor- 1235
cis-3-Methyl-2-isopropyl-	-1,2,3-triphenyl- **1232**
syn-(bzw. *anti*)-2-Phenyl-	-2-phenyl- 440
Tetramethyl-	— 1229
2,2,3-Trimethyl-	-1,2,3,4-tetraphenyl- 1235

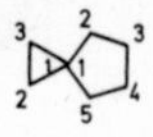

Cyclopropan-⟨1-spiro-1⟩-cyclopentan

—	-2,3;4,5-bis-[epoxi]- 1482
—	-4,5-epoxi-2-oxo- 1482
—	-2-hydroxy-5-oxo- 1483

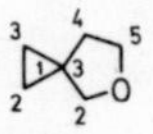

Cyclopropan-⟨1-spiro-3⟩-tetrahydrofuran

2,2-Dimethyl-	-*cis*-(bzw. *trans*)-2-methoxy- 826
2,2-Dimethyl-	-*cis*-(bzw. *trans*)-2-methoxy-5,5-dimethyl- 826

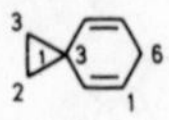

Cyclopropan-⟨1-spiro-3⟩-cyclohexadien-(1,4)

cis-2,3-Dimethyl-	-6-oxo-1,5-di-tert.-butyl- 442
trans-2,3-Dimethyl-	-6-oxo-1,5-di-tert.-butyl- 187, 442
2,2,3,3-Tetramethyl-	-6-oxo-1,5-di-tert.-butyl- 1234
2-Vinyl-	-6,6-dimethyl- 1236

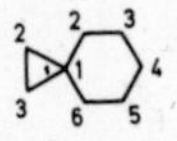

Cyclopropan-⟨1-spiro-1⟩-cyclohexan

2,2-Dimethoxycarbonyl-	-2-methylen- 1231
cis-(bzw. *trans*)-2,3-Dimethyl-	-2-oxo- 1175
2-Vinyl-	— 419

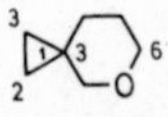

Cyclopropan-⟨1-spiro-3⟩-tetrahydropyran

—	-2-methoxy- 758, 828

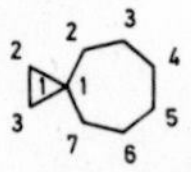

Cyclopropan-⟨1-spiro-1⟩-cycloheptan

—	-3-methylen- 889

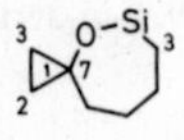

Cyclopropan-⟨1-spiro-7⟩-1,2-oxasilepan

trans-2,3-Diäthoxycarbonyl-	-2,2-diphenyl- 829

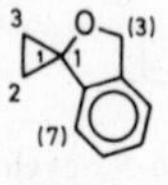

Cyclopropan-⟨1-spiro-1⟩-1,3-dihydro-⟨benzo-[c]-furan⟩

2-Äthoxy-	-3-oxo- 750
2,2-Dimethyl-	-3-oxo- 750
2-Methyl-	-3-oxo- 750
2-Methyl-2-isopropenyl-	-3-oxo- 750
2-Vinyl-	-3-oxo 750

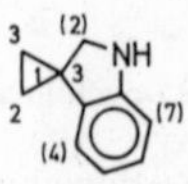

Cyclopropan-⟨1-spiro-3⟩-dihydro-indol

2,2-Diphenyl-	-2-oxo-1-methyl- 1236

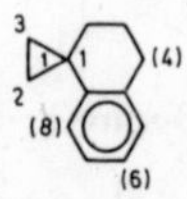

Cyclopropan-⟨1-spiro-1⟩-1,2,3,4-tetrahydro-naphthalin

—	-2-methylen- 886

Cyclopropan-⟨1-spiro-9⟩-fluoren

2,2-Dicyclopropyl-	— 1224
cis-(bzw. *trans*)-2,3-Di-	— 1235
äthoxycarbonyl-	
2,3-Dimethyl-	— 1249
cis-(bzw. *trans*)-3-Methyl-	— 1235
2-äthyl-	
3-Phenyl-2-methoxy-	— 1249
carbonyl-	

Cyclopropan-⟨1-spiro-9⟩-9,10-dihydro-anthracen

2-Phenyl-	-10-oxo- 1236
2,2-Diphenyl-	-10-oxo- 1236

Cyclopropan-⟨1-spiro-5⟩-5H-dibenzo-[a:d]-cycloheptatrien

cis-2,3-Dimethyl-	— 1236

Cyclopropan-⟨1-spiro-9⟩-9H-tribenzo-[a;c;e]cycloheptatrien

cis-2,3-Dimethyl-	— 1236

Cyclopropan-⟨1-spiro-3⟩-tetracyclo[3.2.0.0^{2,7}0^{4,6}] heptan

—	-1,5-dimethoxycarbonyl- 236

Cyclopropan-⟨1-spiro-7⟩-tetracyclo[3.3.0.0^{2,8}0^{4,6}] octan

—	*anti*-3,5-tricarboxy- **443**
—	-1,*anti*-3,5-trimethoxycarbonyl- 443

IX*

Cyclopropan-⟨1-spiro-8⟩-⟨benzo-tricyclo[3.2.0.0^{2,7}] hepten-(3)⟩   428

Oxiran-⟨2-spiro-3⟩-tetrahydrofuran

—	-*syn*-(bzw. *anti*)-5-methoxy- 2,2,4,4-tetramethyl- 826

Thiiran-⟨2-spiro-3⟩-tetrahydrofuran

—	-*anti*-(bzw. *syn*)-5-methoxy- 2,2,4,4-tetramethyl- 828

Fluoren-⟨9-spiro-2⟩-2H-azirin   1264

Cyclobutan-⟨1-spiro-1⟩-cyclobutan

—	-2,3-carbonyldioxy- 410

Cyclobutan-⟨1-spiro-2⟩-oxetan

—	-3-vinyl- 865
Hexafluor-	-3,4,4-trifluor-3-trifluor-methyl- 846
3-Methylen-	-*cis*-(bzw. *trans*)-4-methyl-3-vinyl- 865
3-Methylen-	-3-propenyl- 865
3-Methylen-	-3-vinyl- 865

Cyclobutan-⟨1-spiro-3⟩-bicyclo[4.2.0]octen-(1^6)

2-Methylen-	— 309

Cyclobutan-⟨1-spiro-9⟩-fluoren

3-Oxo-2,2,4,4-tetra-	— 875, **876**
methyl-	

Oxetan-⟨2-spiro-2⟩-oxetan

3,3-Dimethyl-4,4-di-phenyl-	-3,3-dimethyl-4,4-di-phenyl- 868
3,3,4,4-Tetramethyl-	-2,2,4,4-(bzw.-3,3,4,4)-tetramethyl- 868
3,3,4-Trimethyl-4-phenyl-	3,3,4-trimethyl-4-phenyl-868

Oxetan-⟨2-spiro-3⟩-oxetan

3,3-Dimethyl-4-,4-diphenyl-	-2,2-diphenyl- 868
3,3-Dimethyl-4,4-diphenyl-	-4,4-dimethyl-2,2-di-phenyl- 868
4,4-Diphenyl-	-2,2-diphenyl- **868**
4,4-Diphenyl-	-4,4-dimethyl-2,2-di-phenyl- 868

Cyclopenten-⟨3-spiro-2⟩-oxetan

5-Oxo-	-3,3-(bzw.-4,4-)-dimethyl-853
5-Oxo-4,4-dimethyl-	-4,4-dimethyl- 854
5-Oxo-4,4-dimethyl-	-3,3,4,4-tetramethyl- 854

Cyclopentan-⟨1-spiro-2⟩-oxetan

—	-3,4-dicarbonsäure-anhydrid 855
—	-4-methyl-4-cyan- 846

Cyclopentan-⟨1-spiro-3⟩-oxetan

—	-2-phenyl- 843

Cyclohexadien-(1,4)-⟨3-spiro-3⟩-oxetan

6-Methyl-6-trichlor-methyl-	-3,3-dimethyl- 853
6-Methyl-6-trichlor-methyl-	-3,3,4-trimethyl- 853
6-Oxo-	-3-hexyl- 945
6-Oxo-	-4-methyl-3-pentyl- 945
6-Oxo-tetramethyl-	-4-phenoxy-3-phenyl- 946
1,2,4,5-Tetrachlor-6-oxo-	-tetramethyl- 945

Cyclohexan-⟨1-spiro-2⟩-oxetan

—	-3,4-dicarbonsäure-anhydrid 855
—	-trans-3,4-dicyan- 846
—	-4-methyl-4-cyan- 846

Inden-⟨1-spiro-2⟩-oxetan

2-Oxo-3,3-dimethyl-2,3-dihydro-	-trans-3,4-diphenyl- 860

Bicyclo[2.2.1]heptan-⟨2-spiro-2⟩-oxetan

3-Oxo-4,7,7-trimethyl-	-vinyl- 860

1,2,3,4-Tetrahydro-naphthalin-⟨2-spiro-2⟩-oxetan

3-Oxo-1,1,4,4-tetra-methyl-	-trans-3,4-diphenyl- 857

Oxetan-⟨2-spiro-4⟩-4H-1-benzopyran

3,3,4,4-Tetramethyl-	— 624

Oxetan-⟨2-spiro-7⟩-⟨benzo-2-oxa-bicyclo[4.2.0]octen-(3)⟩

3,3-Dimethoxy-	-10,10-dimethoxy-624, 853
3,3,4,4-Tetramethyl-	-9,9,10,10-tetramethyl-852

Fluoren-⟨9-spiro-2⟩-oxetan

—	-4-cyclohexylimino-3,3-dimethyl- 842, 868
—	-3,3-dimethyl-4-isopropyliden **876**
—	-4-[2-cyan-propyl-(2)-imino]- 871

9,10-Dihydro-anthracen-⟨9-spiro-2⟩-oxetan

—	-3,3-dimethyl- 847

9,10-Dihydro-phenanthren-⟨9-spiro-2⟩-oxetan

10-Oxo-	-3,4-carbonyldioxy- 955
10-Oxo-	-3-chlor- **948**
10-Oxo-	-3,3-dichlor- **952**

Oxetan-⟨2-spiro-9⟩-xanthen

3,3-Dimethyl-4-isopropyliden-	— 868

Thietan-⟨2-spiro-2⟩-tetrahydroimidazol

3-Äthoxy-	-4,5-dioxo-1,3-dimethyl-	1072
3-Äthoxy-	-4,5-dioxo-1,3-diphenyl-	1072

Thietan-⟨2-spiro-9⟩-xanthen

3-Äthoxy-	— 1064
3,3-Dimethyl-4-isopropyliden-	— 1067
3-Methoxycarbonyl-	— 1064
3-Methoxy-4-methylen-	— 1067

Cyclopentadien-⟨5-spiro-7⟩-cycloheptatrien

—	-hexafluor- 1243
Tetrachlor-	— **1243**
Tetrachlor-	-1,3-bis-[trifluormethyl]- **1243**

Cyclopentadien-⟨5-spiro-6⟩-bicyclo[3.1.0]hexan

1,2,3-Triphenyl-	— **1232**

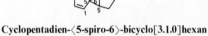

Cyclopentadien-⟨5-spiro-7⟩-bicyclo[4.1.0]heptadien-(2,4)

—	— **1243**
Tetrachlor-	— **1243**
Tetrachlor-	-1,3-bis-[trifluormethyl]- **1243**

Cyclopentadien-⟨5-spiro-7⟩-bicyclo[4.1.0]heptan-(3)

Tetrachlor-	— 1233

Cyclopentadien-⟨5-spiro-7⟩-bicyclo[4.1.0]heptan

1,2,3,4-Tetrachlor-	— **1233**

Cyclopentadien-⟨5-spiro-8⟩-bicyclo[5.1.0]octadien-(2,5)

1,4-Diphenyl-	— 1233
1,2,3,4-Tetrachlor-	— 1233
Tetraphenyl-	— 1233

Cyclohexadien-(1,4)-⟨3-spiro-6⟩-5,6-dihydro-2H-pyran

6-Oxo-	— 950
6-Oxo-	-3,4-dimethyl- **950**
6-Oxo-	-3-(bzw. 4)-methyl- 950

Cyclohexadien-(1,4)-⟨3-spiro-8⟩-7-oxa-bicyclo[4.2.0]octan

6-Oxo-	— 945

Cyclohexadien-(1,4)-⟨3-spiro-10⟩-9-oxa-bicyclo[6.2.0]decen-(4)

6-Oxo-	945

Cyclohexadien-(1,4)-⟨3-spiro-10⟩-9-oxa-bicyclo[6.2.0]decan

6-Oxo-	— 945, **946**

Cyclohexadien-(1,4)-⟨3-spiro-2⟩-2,3-dihydro-⟨benzo[b]-furan⟩

(±)-6-Methoxy-6-oxo-2-methyl-	-7-chlor-4,6-dimethoxy-3-oxo- [(±)-Dehydrogriseofulvin] **738**

yclohexadien-(1,4)-⟨3-spiro-1⟩-1H-isoindol

6-Hydroxy-	-3-oxo-2-äthyl-2,3-dihydro- 646
6-Oxo-	-3-oxo-2-methyl-2,3-dihydro- 646

Cyclohexadien-(1,4)-⟨3-spiro-8⟩-7-oxa-bicyclo[4.2.2]decatrien-(2,4,9)

6-Oxo-	— 957

Cyclohexadien-(1,4)-⟨3-spiro-11⟩-9,10,12-trioxa- trans-bicyclo[6.4.0]dodecatrien-(2,4,6)

6-Oxo-	957

Cyclohexadien-(1,4)-⟨3-spiro-4⟩-3-oxa-tricyclo[4.2.1.0$^{2.5}$]nonen-(7)

6-Oxo-	945

Cyclohexadien-(1,4)-⟨3-spiro-1⟩-1,2,2a,3,4,5-hexahydro-⟨cyclopenta[i,j]-isochinolin⟩

6-Hydroxy-	-7,8-dimethoxy-3-methyl- 645

Cyclohexadien-(1,3)-⟨5-spiro-1⟩-1H-isoindol

6-Oxo-	-3-oxo-2-methyl-2,3-dihydro- 791

1,2,3,4-Tetrahydro-chinolin-⟨2-spiro-5⟩-cyclohexadien-(1,3)

1-Phenyl-	-1,2,3,4-tetrahydro-6-phenyl imino- **1004**

6,19-Cyclo-5,6-seco-östradien-(2,4)

17β-Acetoxy-1-oxo-3-methyl- 792

Cyclohexan-⟨1-spiro-3⟩-2,4,7-trioxa-bicyclo[3.3.0]octan

	-6-(*trans*-2,*trans*-3-(bzw. *cis*-2, *cis*-3)-carbonyldioxycyclobutyl)- 410

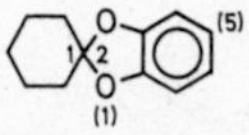

Cyclohexan-⟨1-spiro-2⟩-⟨1,3-benzodioxol⟩

— | -4,5,6,7-tetrachlor- **1254**

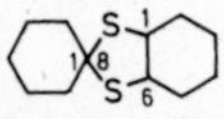

Cyclohexan-⟨1-spiro-8⟩-7,9-dithia-bicyclo [4.3.0]nonan

5-Oxo-3,3-dimethyl- | -5-oxo-3,3-dimethyl- 1056

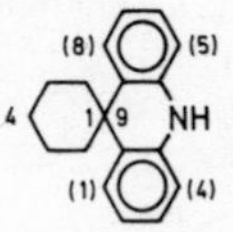

Cyclohexan-⟨1-spiro-9⟩-9,10-dihydro-acridin 1005

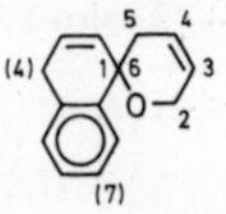

1,4-Dihydro-naphthalin-⟨1-spiro-6⟩-5,6-dihydro-2H-pyran

— | -3,4-dimethyl- 958

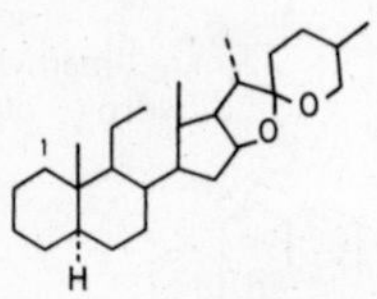

12,13-Seco-5α-25S-spirosten-(13)

3β-Acetoxy-13-oxo- (Lumihecogenin-acetat) 762

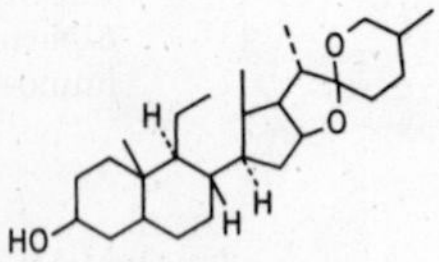

12,13-Seco-hecogenin

-12-säure 746

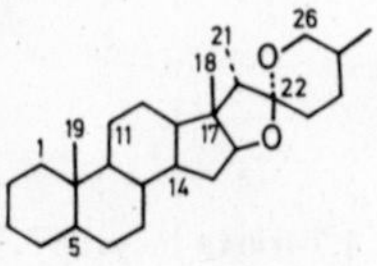

5α,25S-Spirostan

12α,14α-Epoxy-3β-acetoxy- (Photohecogeninacetat) 762, 851

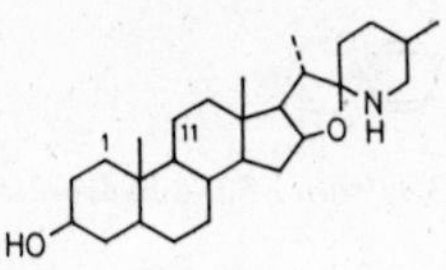

Saladulcidin 1325

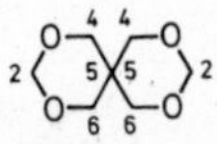

1,3-Dioxan-⟨5-spiro-5⟩-1,3-dioxan

2-Hydroxy-2-(2-nitroso-phenyl)- | -2-(2-nitro-phenyl)- 1332

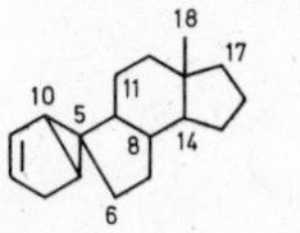

4,10;5,9-Dicyclo-9,10-seco-östren-(2)

17β-Acetoxy-3-oxo-1-methyl- 778, 792
10-Acetoxy-4-oxo-1-methyl- 778

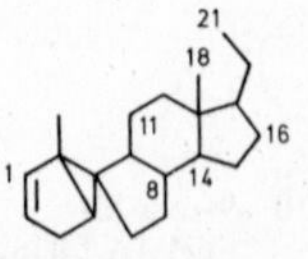

4,10;5,9-Dicyclo-9,10-seco-pregnen-(1)

17α-Hydroxy-21-acetoxy-4.11,20-trioxo-1-methyl- (Lumiprednisonacetat) **793**

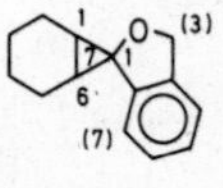

Bicyclo[4.1.0]heptan-⟨7-spiro-1⟩-1,3-dihydro-⟨benzo-[c]-furan⟩

— | -3-oxo- 750

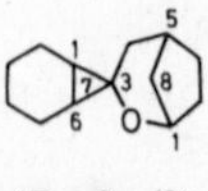

Bicyclo[4.1.0]heptan-⟨7-spiro-3⟩-2-oxa-bicyclo [3.2.1]octan

— | -1,8,8-trimethyl- 829

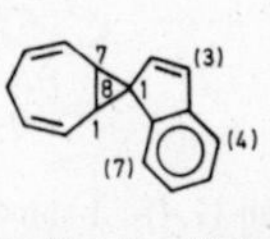

Bicyclo[5.1.0]octadien-(2,5)-⟨8-spiro-1⟩-inden

— | -2,3-diphenyl- 1234

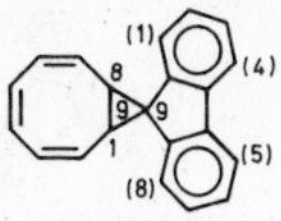

Bicyclo[6.1.0]nonatrien-(2,4,6)-⟨9-spiro-9⟩-fluoren
1234

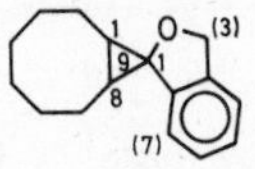

Bicyclo[6.1.0]nonan-⟨9-spiro-1⟩-1,3-dihydro-⟨benzo-[c]-furan⟩

—   -3-oxo- **750**

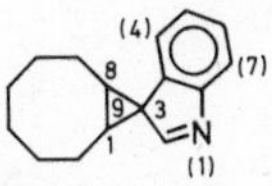

Bicyclo[6.1.0]nonan-⟨9-spiro-3⟩-3H-indol

—   -2-phenyl- 1235

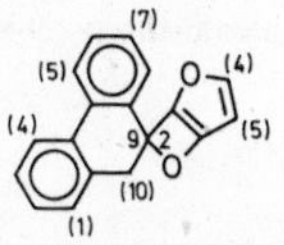

9,10-Dihydro-phenanthren-⟨9-spiro-2⟩-2H-⟨furo-[3,2-b]-oxet

10-Oxo-   -2a,5a-dihydro-
                            953

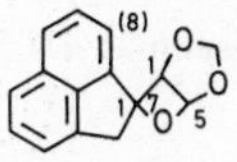

Acenaphthen-⟨1-spiro-7⟩-2,4,6-trioxa-bicyclo[3.2.0]heptan

2-Oxo-   -3-oxo- 856

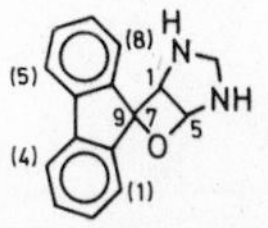

Fluoren-⟨9-spiro-7⟩-6-oxa-2,4-diaza-bicyclo[3.2.0]heptan

—   -3-oxo-1,5-dimethyl-2,4-diacetyl- 856

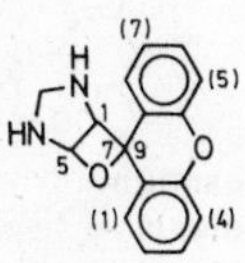

6-Oxa-2,4-diaza-bicyclo[3.2.0]heptan-⟨7-spiro-9⟩-xanthen

3-Oxo-2,4-diacetyl-   — **856**

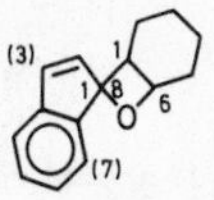

Inden-⟨1-spiro-8⟩-7-oxa-bicyclo[4.2.0]octan

2-Oxo-3,3-dimethyl-2,3-dihydro-   — 833, 857

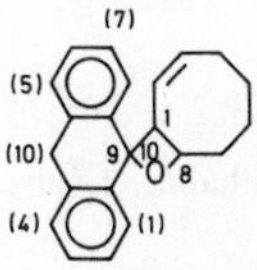

9,10-Dihydro-anthracen-⟨9-spiro-10⟩-9-oxa-bicyclo[6.2.0]decen-(2)

10-Oxo-   — 958

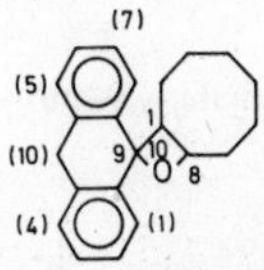

9,19-Dihydro-anthracen-⟨9-spiro-10⟩-9-oxa-bicyclo[6.2.0]decan

10-Oxo-   — 947

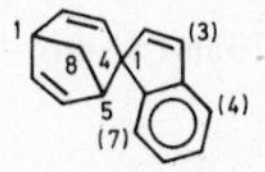

Biçyclo[3.2.1]octadien-⟨4-spiro-1⟩-inden

—   -2,3-diphenyl- 1235

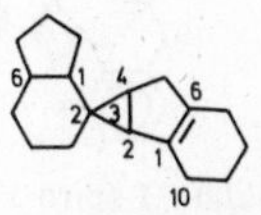

Bicyclo[4.3.0]nonan-⟨2-spiro-3⟩-tricyclo[4.4.0.0^{2,4}]decen-(1^6)

6-Methyl-7-[5,6-di-methyl-   -9-hydroxy-hepten-(3)-yl-(2)]- 263

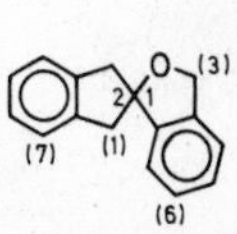

2,3-Dihydro-inden-⟨2-spiro-1⟩-1,3-dihydro-⟨benzo-[c]-furan⟩

1,3-Dioxo-3-oxo-   — 750

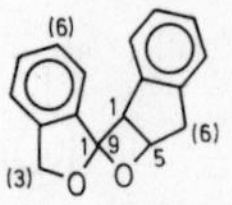

1,3-Dihydro-benzo-⟨1-spiro-9⟩-⟨benzo-6- oxa-[c]-furan-   **bicyclo[3.2.0]hepten-(2)⟩**

anti-(bzw. *anti*)-3-Oxo- | 854

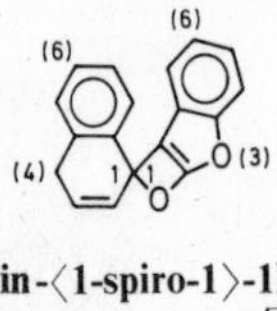

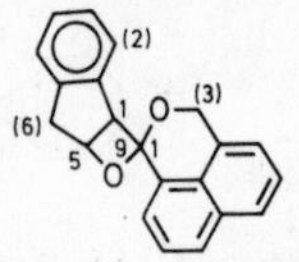

⟨Benzo-6-oxa-bicyclo [3.2.0]hepten-(2)-⟨9-spiro-1⟩-   **1-H,3H-⟨naphtho-[1,8-c,d]-pyran⟩**

syn-6,6-Dimethyl- | -3-oxo- —   854

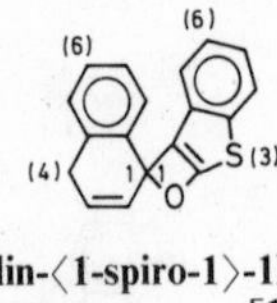

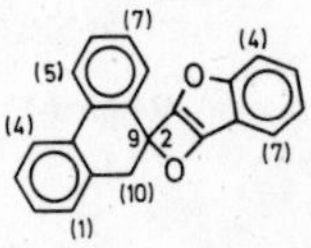

1,4-Dihydro-naphthalin-⟨1-spiro-1⟩-1H-⟨oxet-[2,3-b]-[1]-benzofuran⟩

4-Oxo-1,4-dihydro- | -2a,7b-dihydro-   946

9,10-Dihydro-phenanthen-⟨9-spiro-2⟩-2H-⟨oxet-[3,2-b]-[1]-benzofuran⟩

10-Oxo- | -2a,7b-dihydro-   953

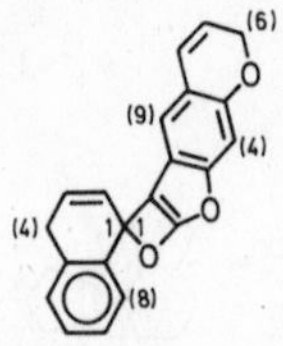

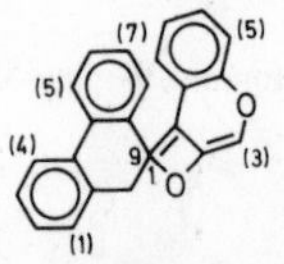

1,4-Dihydro-naphthalin-⟨1-spiro-1⟩-1H-⟨oxet-[2,3-b]-[1]-benzothiophen⟩

4-Oxo- | -2a,7b-dihydro-   946

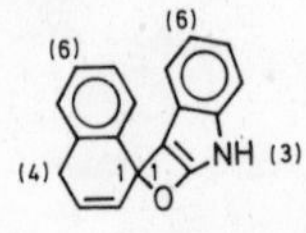

9,10-Dihydro-phenanthren-⟨9-spiro-1⟩-⟨benzo-[b]-oxeteno-[3, 2-d]-pyran⟩

9-Oxo- | -3,3-dimethyl-1,2a, 3,8b-tetrahydro-

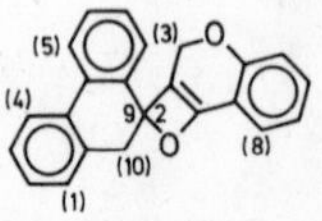

1,4-Dihydro-naphthalin-⟨1-spiro-1⟩-⟨oxet-[2,3-b]-indol⟩

4-Oxo-1,4-dihydro-; | -2a,7b-dihydro-   946

9,10-Dihydro-phenanthren-⟨9-spiro-2⟩-1H,3H-⟨benzo-[b]-oxet-[2,3-d]-pyran⟩

10-Oxo- | -3,3-dimethyl-2a,8b-dihydro-   954

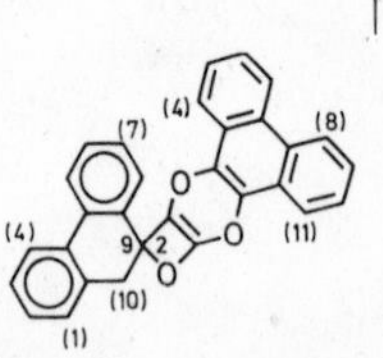

1,4-Dihydro-naphthalin-⟨1-spiro-1⟩-1H,6H-⟨oxet-[3, 2-d]-[1]-1-benzpy-rano[7,6-b]-furan⟩

4-Oxo- | -6-oxo-2a,9b-dihydro
624

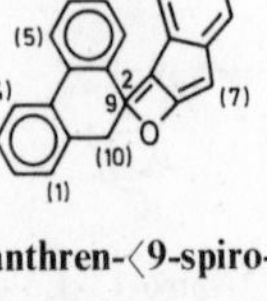

9,10-Dihydro-phenanthren-⟨9-spiro-2⟩-2H-⟨phenanthro-[9,10-e]-oxet-[2,3-b]-1,4-dioxin⟩

10-Oxo- | -2a-(bzw. 12a)-chlor-2a, 12a-dihydro-   **948**

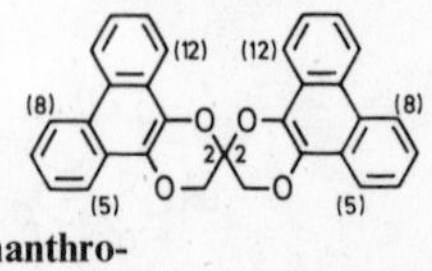

9,10-Dihydro-phenanthren-⟨9-spiro-2⟩-⟨indeno-[2,3-b]-oxet⟩

9-Oxo- | -7a-chlor-2,2a,7,7a-tetra-hydro-   952

2,3-Dihydro-⟨phenanthro-[9,10-b]-1,4-dioxin⟩-⟨2-spiro-2⟩-2,3-dihydro-⟨phenanthro[9, 10-b]-1,4-dioxin]

3-Methyl- | —   959

M. Di- und Trispiro-Verbindungen

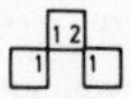

Cyclobutan-⟨1-spiro-2⟩-cyclobutan-⟨1-spiro-1⟩-cyclobutan

anti-(bzw. *syn*)-2-Methylen- | — | -2-methylen- 309

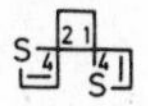

Thieten-(2)-⟨4-spiro-2⟩-cyclobutan-⟨1-spiro-4⟩-thieten-(2)

anti-2-Phenyl-; -1,1-dioxid- | — | -2-phenyl-; -1,1-dioxid- **311**

Cyclopentan-⟨1-spiro-3⟩-cyclobutan-⟨1-spiro-1⟩-cyclopentan

anti-5-Oxo-4-benzyl- | *trans*-2,4-diphenyl- | -5-oxo-4-benzyl- 906
anti-5-Oxo-4-[furyl-(2)-methylen]- | *trans*-2,4-difuryl-(2)- | -5-oxo-4-[furyl-(2)-methylen]- 906

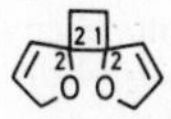

2,5-Dihydro-furan-⟨2-spiro-2⟩-cyclobutan-⟨1-spiro-2⟩-2,5-dihydro-furan

5-Oxo- | — | -5-oxo- (Anemonin) 310

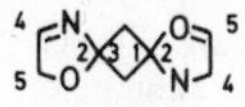

2,5-Dihydro-1,3-oxazol-⟨2-spiro-3⟩-cyclobutan-⟨1-spiro-2⟩-2,5-dihydro-1,3-oxazol

anti-5-Oxo-4-phenyl- | -2,4-diphenyl- | -5-oxo-4-phenyl 311

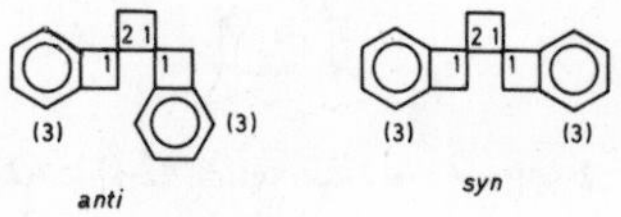

anti   syn

Benzocyclobuten-⟨1-spiro-2⟩-cyclobutan-⟨1-spiro-1⟩-benzocyclobuten

syn-(bzw. *anti*)-2-Methoxycarbonyl-
methylen- | *trans*-2,
3-dimethoxycarbonyl- | -2-methoxycarbonylmethylen- 310

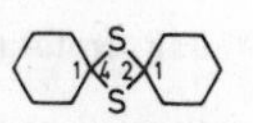

Cyclohexan-⟨1-spiro-4⟩-dithietan-⟨2-spiro-1⟩-cyclohexan

| 1025, 1026

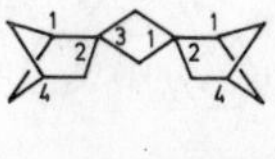

Bicyclo[2.1.1]hexan-⟨2-spiro-3⟩-cyclobutan-⟨1-spiro-2⟩-bicyclo[2.1.1]hexan

— | -2,4-dioxo- | — 1180

1,3-Dihydro-⟨benzo-[c]-furan⟩-⟨1-spiro-2⟩-cyclobutan-⟨1-spiro-1⟩-1,3-dihysro-⟨benzo-[c]-furan⟩

| 3-Oxo- | -*trans*-3,4-diphenyl- | -3-oxo- 340 |

1,3-Dihydro-⟨benzo-[c]-furan⟩-⟨1-spiro-3⟩-cyclobutan-⟨1-spiro-1⟩-1,3-dihydro-⟨benzo-[c]-furan⟩

| 3-Oxo- | -*trans*-2,4-diphenyl- | -3-oxo- 340 |

2,3-Dihydro-indol-⟨2-spiro-2⟩-cyclobutan-⟨1-spiro-2⟩-2,3-dihydro-indol

syn-3-Oxo-1-benzyl-	-*trans*-3,4-bis-[2-chlorphenyl]-	-3-oxo-1-benzyl-	341
syn-3-Oxo-1-benzyl-	-*trans*-3,4-diphe-nyl-	-3-oxo-1-benzyl-	341
syn-3-Oxo-1-methyl-	-*trans*-3,4-bis-[2-(bzw. 4)-chlor-phenyl]-	-3-oxo-1-methyl-	341
syn-3-Oxo-1-methyl-	-*trans*-3,4-bis-[4-dimethyl-amino-phenyl-]-	-3-oxo-1-methyl-	341
syn-3-Oxo-1-methyl-	-*trans*-3,4-bis-[2-methoxy-phenyl]-	-3-oxo-1-methyl-	341
3-Oxo-1-methyl-	-3,4-diôhenyl-	-3-oxo-1-methyl-	907
syn-3-Oxo-1-methyl-	-*trans*-3,4-diôhenyl-	-3-oxo-1-methyl-	341

Adamantan-⟨2-spiro-4⟩-1,2-dioxetan-⟨3-spiro-2⟩-adamantan

| — | — | 1480 |

Cyclopentan-⟨1-spiro-4⟩-tetrahydrofuran-⟨2-spiro-1⟩-cyclopentan

| — | -5-methoxy-3-oxo- | — 826 |

9,10-Dihydro-anthracen-⟨9-spiro-6⟩-1,2-dioxan-⟨3-spiro-9⟩-9,10-dihydro-anthracen

| 10-Oxo- | — | -10-oxo- 983 |

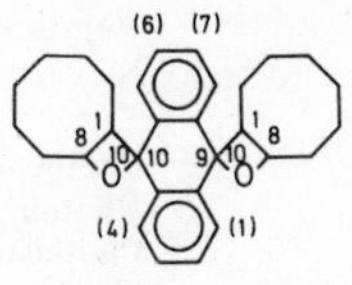

9-Oxa-bicyclo[6.2.0]decan-⟨10-spiro-10⟩-9,10-dihydro-anthracen-⟨9-spiro-10⟩-9-oxa-bicyclo[6.2.0]decan

947

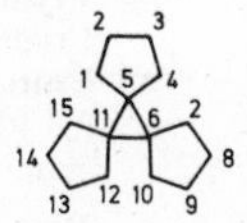

Trispiro[4.0.4.0.4.0]pendecan   885

N. Trivialnamen-Register

(Allgemein bekannte Trivialnamen sind unter den entsprechenden offenkettigen bzw. cyclischen Verbindungen aufgeführt. Gleiches gilt für die Steroide)

Abietinsäure
6,14-Endoperoxi-$\Delta''^{(8)}$-dihydro- **1485**

Actinomycin C₂ 1097
Adenosin 1315
Anemonin 310
Ascaridol 1484
Bacteriochlorin
-zinn(II)-Komplex 1443

Barbaralan 445
Benzosemibullvalen 424
(±)α-**Bourbonen** 228
Bullvalen 298, 432, 435, 1148
Campher 1323
Cannabicyclolsäure 243
Cannabidiol
1α-Methoxy-dihydro- 669
1β-Methoxy-dihidro- 669

α-Carbolin 572, **546**, 597
β-Carbolin 597
γ-Carbolin 597
δ-Carbolin 597

Carotin
15,15′-cis-β-- 196
all-trans- 196

β-Carotin
all-trans- 212

Chinchonidin
Desoxy- 1457

Chinchonin
Desocy- **1457**

Chinidin
Desoxy- 1457

Chinin
Desoxy- 1457

Crocetin
all-trans;-dimethylester 212

11,14-Cyclo-8,14-seco-oleantrien-(8,11,13)
3α,30α-Diacetoxy- 260
3α,30α-Dihydroxy- 260

Dehydrogriseofulvin **738**
Dewar-Benzol 473
Dewar-Pyridin 583

Epilupinin 188
Ergosterol 262

α-Farnesen 211

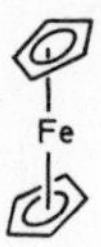

Ferrocen

1-Amino- ; -1-sulfonsäure-lactam 1282, 1412
Benzoyl- 1218
-carbonsäure 1412
Cyclohexyl-benzoyl- 1412
(4-Hydroxy-benzoyl)- 1412
(4-Methyl-phenyl)- 1412
Phenyl-benzoyl- 1412
(trans-2-Phenyl-vinyl)- 204
-sulfonsäure-amid 1282

Ferrocenium
-tetrachloroferrat(III) 1412

O. Allgemeine Begriffe

(Weitere Begriffe sind aus dem Inhaltsverzeichnis ersichtlich, S. XXXV bzw. XXXIII)